DER NEUE PAULY

Rezeptions- und Wissenschaftsgeschichte   Band 13   A–Fo

DER NEUE PAULY

(DNP)

Fachgebietsherausgeber

Dr. Andreas Bendlin, Erfurt
Religion

Prof. Dr. Gerhard Binder, Bochum
Kulturgeschichte

Prof. Dr. Rudolf Brändle, Basel
Christentum

Prof. Dr. Hubert Cancik, Tübingen
Geschäftsführender Herausgeber

Prof. Dr. Walter Eder, Bochum
Alte Geschichte

Dr. Karl-Ludwig Elvers, Bochum
Alte Geschichte

Prof. Dr. Bernhard Forssman, Erlangen
Sprachwissenschaft; Rezeption: Sprachwissenschaft

Prof. Dr. Fritz Graf, Basel
Rezeption: Religion

PD Dr. Hans Christian Günther, Freiburg
Textwissenschaft

Prof. Dr. Berthold Hinz, Kassel
Rezeption: Kunst und Architektur

Dr. Christoph Höcker, Kissing
Klassische Archäologie (Architekturgeschichte)

Prof. Dr. Christian Hünemörder, Hamburg
Naturwissenschaften und Technik; Rezeption:
Naturwissenschaften

Prof. Dr. Lutz Käppel, Kiel
Mythologie

Dr. Margarita Kranz, Berlin
Rezeption: Philosophie

Prof. Dr. André Laks, Lille
Philosophie

Prof. Dr. Manfred Landfester, Gießen
Geschäftsführender Herausgeber: Rezeptions- und
Wissenschaftsgeschichte; Rezeption: Wissen-
schafts- und Kulturgeschichte

Prof. Dr. Maria Moog-Grünewald, Tübingen
Rezeption: Komparatistik und Literatur

Prof. Dr. Dr. Glenn W. Most, Heidelberg
Griechische Philologie

Prof. Dr. Beat Näf, Zürich
Rezeption: Staatstheorie und Politik

PD Dr. Johannes Niehoff, Freiburg
Judentum, östliches Christentum,
byzantinische Kultur

Prof. Dr. Hans Jörg Nissen, Berlin
Orientalistik

Prof. Dr. Vivian Nutton, London
Medizin; Rezeption: Medizin

Prof. Dr. Eckart Olshausen, Stuttgart
Historische Geographie

Prof. Dr. Filippo Ranieri, Saarbrücken
Rezeption: Rechtsgeschichte

Prof. Dr. Johannes Renger, Berlin
Orientalistik; Rezeption: Alter Orient

Prof. Dr. Volker Riedel, Jena
Rezeption: Erziehungswesen, Länder (II)

Prof. Dr. Jörg Rüpke, Erfurt
Lateinische Philologie, Rhetorik

Prof. Dr. Gottfried Schiemann, Tübingen
Recht

Prof. Dr. Helmuth Schneider, Kassel
Geschäftsführender Herausgeber; Sozial-
und Wirtschaftsgeschichte, Militär-
wesen; Wissenschaftsgeschichte

PD Dr. Christine Walde, Basel
Religion und Mythologie

Prof. Dr. Dietrich Willers, Bern
Klassische Archäologie
(Sachkultur und Kunstgeschichte)

Dr. Frieder Zaminer, Berlin
Musik; Rezeption: Musik

Prof. Dr. Bernhard Zimmermann, Freiburg
Rezeption: Länder (I)

DER NEUE PAULY

Enzyklopädie der Antike

In Verbindung mit
Hubert Cancik und
Helmuth Schneider
herausgegeben
von Manfred Landfester

Rezeptions- und
Wissenschafts-
geschichte

Band 13   A–Fo

Verlag J. B. Metzler
Stuttgart · Weimar

Die Deutsche Bibliothek – CIP-Einheitsaufnahme

Der neue Pauly : Enzyklopädie der Antike/in
Verbindung mit Hubert Cancik und
Helmuth Schneider hrsg. von Manfred Landfester. –
Stuttgart ; Weimar : Metzler, 1999
   Teilw. hrsg. von Hubert Cancik und
   Helmuth Schneider
   ISBN 3-476-01470-3

Bd. 13. Rezeptions- und Wissenschaftsgeschichte. A–Fo – 1999
   ISBN 3-476-01483-5

Inhaltsverzeichnis

Gedruckt auf chlorfrei gebleichtem,
säurefreiem und alterungsbeständigem
Papier

ISBN 3-476-01470-3 (Gesamtwerk)
ISBN 3-476-01483-5 (Band 13 A-Fo)

© 1999 J. B. Metzlersche Verlags-
buchhandlung und Carl Ernst Poeschel
Verlag GmbH in Stuttgart

Typographie und Ausstattung:
Brigitte und Hans Peter Willberg
Grafik und Typographie der Karten:
Richard Szydlak
Satz: pagina GmbH, Tübingen
Gesamtfertigung: Franz Spiegel Buch
GmbH, Ulm
Printed in Germany

Verlag J. B. Metzler Stuttgart · Weimar

Redaktion

Dr. Christa Frateantonio
mit:
Annemarie Haas
Kerstin Lepper
Dennis Pausch
Tanja Schmidt

Abbildungen und Karten

Ernst Otto Müller (Photostelle
JLU Gießen)
Anne-Maria Wittke

Vorwort Gesamtwerk

Der NEUE PAULY ist ein Reallexikon der Antike. Es soll dem alltäglichen Gebrauch dienen, auch denen, die wie einst unsere Klassiker Herder, Goethe und Schiller »nur sehr mäßig Griechisch wissen« (W. v. Humboldt, 1795). Um lesbar und anschaulich zu sein, bietet es einfache Umschriften, Zitate in Übersetzung, viele Abbildungen, Übersichtskarten und Schemata.

Der NEUE PAULY will ein Hilfsmittel sein zum Studium der griechischen und römischen Kultur und ihrer vielgestaltigen Gegenwart in allen Epochen der europäischen und, seit der frühen Neuzeit, auch der Weltgeschichte. Seine Stichworte und Artikel sind nach dem aktuellen Stand der Wissenschaft neu erarbeitet und führen die Tradition weiter, die mit der alten, seinerzeit innovativen »Realencyclopädie der classischen Altertumswissenschaft« von August Friedrich (von) Pauly und Georg Wissowa (1839ff.; 1894ff.) begründet wurde. Sie bieten einen einfachen, direkten Zugang zu den Grundinformationen – den Namen, Orten, Datierungen, Sachen – aus allen Gebieten der griechischen und römischen Kultur, ihrer Vorgänger, Nachbarn und Erben. Diese Artikel des altertumswissenschaftlichen Teils sind kleinteilig, meist objektsprachlich, personen- und textnah. Die Übersichtsartikel dagegen orientieren über Epochen, soziale und wirtschaftliche Strukturen, Gattungen, philosophische Systeme. Dem Drang zu monographischer Breite oder zum geistreichen Essay wird jedoch auch hier widerstanden. »Lexikon« ist eine eigene Gattung.

Das »Sachlexikon«, das August Friedrich (von) Pauly (1796–1845) für das »reale Gebiet der classischen Studien« konzipiert hatte, wurde von Georg Wissowa (1859–1931) und von Konrat Ziegler (1884–1974) fortgeführt und im Jahre 1980 schließlich mit achtundsechzig (Teil-)Bänden, fünfzehn Ergänzungsbänden und dem Register der Nachträge, Supplemente und Namen der 1096 Mitarbeiter beendet.

Eine an modernen Erkenntnisinteressen orientierte Auswahl aus dem »großen« war der »Kleine Pauly« (1964–1975), herausgegeben von Konrat Ziegler, Walther Sontheimer und Hans Gärtner. Aufgrund zahlreicher neuer Artikel, die nicht nur den Zuwachs an Stoff, sondern auch neue Methoden und moderne Aspekte aufgenommen haben, ist der Kleine Pauly mehr als »eine verkürzte Ausgabe« der großen »Realencyclopädie«. Doch fehlten Platz und Zeit für die Bildung von neuen Schwerpunkten.

Seit Pauly und Wissowa ist eine Fülle von Disziplinen, Schulen und richtungsweisenden Thesen der allgemeinen, vergleichenden und antiken Kultur- und Literaturwissenschaft entstanden. In Erinnerung gebracht seien Massenpsychologie, ›histoire des mentalités‹, historische Anthropologie, Sozialgeschichte, Technikgeschichte, Kommunikationswissenschaft, die Luftbild- und Unterwasserarchäologie. Die Reflexionen und Feldarbeiten moderner Forschungsrichtungen wie der ›École des Annales‹ führten, zunächst in der Erforschung des Mittelalters und der frühen Neuzeit, zur Entdeckung und Wahrnehmung bislang wenig beachteter oder vergessener Tatbestände: die Geschichte langer Zeitrhythmen (›longue durée‹), die Geschichte des Körpers und der Sexualität; der Alltag; die Mechanismen von Kommunikation, Identifikation, Distanzierung und psychologische Modelle von Massenphänomenen, welche die Entstehung von Freund- und Feindbildern untersuchen; diese Themen gewannen Einfluß auch in der Altertumswissenschaft. Besonders erwähnt seien Spezialitäten wie Religionsästhetik oder Ethnopsychoanalyse des griechischen Mythos (Georges Devereux). Schon dieser knappe Katalog zeigt, wie die Möglichkeiten und die thematische Weite einer neuen Realenzyklopädie gewachsen sind, allerdings auch der Anspruch, dem sich ein solches Werk stellen muß.

Für den NEUEN PAULY soll die dezentrale Organisation der Arbeit in den mehr als zwanzig Fachgebieten diesem Zuwachs an Material und der Diversifikation der Methoden Rechnung tragen. Die Stichworte sind in den einzelnen Fachgebieten von den Herausgebern in eigener Verantwortung und in ständigem Austausch untereinander entwickelt worden. Die Redaktion, die aus technischen und historischen Gründen in Tübingen angesiedelt ist, dient der Koordination des Unternehmens und der Verwaltung der wissenschaftlichen Arbeit, die von den Herausgebern und Herausgeberinnen, den Autoren und Autorinnen eigenständig geleistet wird. Es sei daran erinnert, daß die ersten Herausgeber, August Friedrich Pauly, Christian Walz (1802–1857), Wilhelm Sigmund Teuffel (1820–1878), in Stuttgart und Tübingen wirkten.

Der NEUE PAULY hat, im Unterschied zum Kleinen Pauly, zwei selbständige Teile – ›Altertum‹ (Teil I: A–Z) und ›Rezeption‹ (Teil II: A–Z) – und den doppelten Umfang. So konnten die neuesten Forschungsergebnisse aufgenommen, zusätzliche Schwerpunkte gebildet und Dachartikel hinzugefügt werden, welche die im »Pauly« traditionell gegenstandsbezogene Nahsicht durch Überblicke ergänzen.

Das Zentrum dieser Enzyklopädie ist das ›klassische Altertum‹, die griechische und römische Kultur in all ihren lebensweltlichen Bezügen – Sprache und Wirtschaft, Familie und Politik, Recht und Religion, Literatur und Kunst, Gesellschaft und Philosophie. Das (klassische) Altertum ist hier konzipiert als Epoche des Kulturraumes ›Méditerranée‹, die frühgriechische als spätaltorientalische Randkultur, das ›Ende der Antike‹ als Ausgliederung der byzantinischen, germanischen und islamischen Kulturen aus ihrem mediterranen Verbund. So bilden die ›Ägäische Koine‹ (Mitte des 2. Jahrtausends v. Chr.) und die Entstehung des frühmittelalterlichen Europa (600/800 n. Chr.) die Zeitgrenzen für den I. Teil des NEUEN PAULY.

Folgende Schwerpunkte seien hervorgehoben:
- die orientalischen Voraussetzungen der griechischen und römischen Kultur, ihre Substrate und ihre Wirkung auf Kelten, Germanen, Slawen, Araber, auf Judentum und Christentum;
- Aufnahme der Byzantinistik;
- Verstärkung der Wirtschafts-, Sozial- und Alltagsgeschichte;
- Ausbau der philosophischen Begriffsgeschichte;
- Gleichstellung der verbalen, visuellen und materiellen Quellen.

Die Wirkung der antiken Kultur und die Geschichte ihrer Erforschung ist ein weiterer Schwerpunkt des NEUEN PAULY. Was ›Antike‹ genannt wird, ist immer das Ergebnis einer unterschiedlichen Interessen verpflichteten Auswahl und Deutung antiker Quellen und Phänomene. Die verschiedenen ›Renaissancen‹, das faktische Fortdauern, die vielfach gebrochenen Kontinuitäten, die Überlagerung der Rezeptionsstufen werden entweder im I. Teil, innerhalb der altertumswissenschaftlichen Artikel (z. B. ›Astrologie‹), oder im II. Teil (›Rezeption‹) mit eigenen Stichworten (z. B. ›Alexandrinis-

mus‹, ›Greek Revival‹, ›Humanismus‹) erfaßt. Dabei werden nicht nur die schöne Literatur, sondern auch Recht und Medizin berücksichtigt, die Wiederverwendung der antiken Architektur, die Fortsetzung der antiken Raumstrukturen in den mittelalterlichen Stadtkernen, den Straßennetzen, der Felderordnung (Limitation). Im Unterschied zum altertumswissenschaftlichen Teil sind die Artikel zu Rezeption und Wissenschaftsgeschichte (Teil II) systematisch konzipiert, problemgeschichtlich, theoretisch, paradigmatisch und in großen Übersichten über Länder und Epochen.

Die Kultur ist die Situation ihrer Texte, der akustischen, optischen, motorischen – also von Musik und Wort, Schrift und Kunst, Gestik, Ritual und Drama. Alle Texte sind durch ihre Kontexte bedingt. Der ›Sitz im Leben‹, die Rolle des Beschauers, Benutzers, Lesers, der ›Erwartungshorizont‹ der Rezipienten ist deshalb nicht nur für die primären Adressaten aufzusuchen, sondern auch für das nach Raum und Zeit entferntere Publikum.

Der Name ›Antike‹ umfaßt verschiedene Sprachen, Kulturen und eine Geschichte von eineinhalb Jahrtausenden. Rezeptionsprozesse sind bereits in der Antike selbst zu beobachten. Diese innerantike Rezeptionsgeschichte soll im NEUEN PAULY über das Ende der Antike hinausgeführt werden, und zwar so, daß kein neuer Mythos von bruchloser Kontinuität, von unveränderlicher Antike erzeugt wird. Rezipiert wird ja nicht ›Antike an sich‹, sondern jeweils ein selektives Konstrukt, das seinerseits das Ergebnis mehrfacher Rezeptionsvorgänge ist. Jeder Versuch einer Annäherung an die Antike geht mehr oder weniger bewußt von der eigenen Situation aus, enthält imaginäre Elemente und führt deshalb zu mehr oder weniger starken ›Deformationen‹. Oft sind gerade kreative Annäherungen ›Sprünge‹ aus der eigenen Zeit, über die vermittelnden Tradenten und Institutionen hinweg »zu den Quellen selbst«, gegen die Autoritäten. Die wissenschaftliche Erforschung der Wirkungsgeschichte registriert nicht nur diese Traditionen und Renaissancen, sie benennt Deformationen, Entleerung, Mißbrauch, Ignoranz und Ablehnung.

Die Entwicklung der Künste, der Literatur, der Philologie und anderer Wissenschaften ist seit dem frühen Mittelalter auch ein Prozeß der Aneignung der Antike und der Auseinandersetzung mit ihr gewesen. Die Antike galt als Ideal und diente als Vorbild, wurde aber gleichzeitig kritisiert und bekämpft. Die Aneignung der Antike, die Berufung auf eine tatsächliche oder vorgebliche Kontinuität wird seit dem frühen Mittelalter im Westen und im byzantinischen Osten zum politischen Argument. Das neuzeitliche Europa definierte sein Selbstverständnis in der kontroversen Diskussion über die Antike (Naturwissenschaft, Naturrecht und Menschenrechte, Bildungswesen).

Ein selbständiger Teil innerhalb der Rezeptionsgeschichte ist die Wissenschaftsgeschichte. Sie ist nicht, wie ihre Gegner sagen, der Nekrolog einer Wissenschaft, die sich selbst für tot erklärt, abgeschlossen und historisch. Sie ist auch keine modische Erfindung, sondern schon im 18.Jahrhundert fester Bestandteil der neuen Altertumswissenschaft. Wissenschaftsgeschichte entsteht aus der Notwendigkeit, Rechenschaft von den gesellschaftlichen, politischen und intellektuellen Grundlagen der Forschung und ihren Folgen abzulegen.

Die Wissenschaftsgeschichte im NEUEN PAULY untersucht die Bedingungen, die zur Ausbildung von Gebieten, Themen, Methoden geführt haben, die Geschichte der Disziplinen, der wissenschaftlichen Gattungen und Formen (Kommentar, Fußnote, Register), welche Folgen die Ausdifferenzierung der einst umfassenden Altertumswissenschaft in Alte Geschichte, Archäologie, Sprachwissenschaft für das Fach gehabt hat; wie die Aufspaltung und Zuordnung einzelner Gebiete sich verändert, wie die lateinische Philologie zur Latinistik wird und sich, statt mit der Gräzistik, mit Mittel- und Neulatein verbindet. Im NEUEN PAULY werden Rezeptions- und Wissenschaftsgeschichte in speziellen Länderartikeln entwickelt. Wissenschaftsgeschichte sieht die Gegenwart einer Wissenschaft als historisches Problem; sie dient auch der Selbstkritik, der Erinnerung an Fehler und Sackgassen.

Der Dank der Herausgeber für die Unterstützung des Unternehmens gebührt zuerst dem Verlag J.B.Metzler, der 1992 die Rechte am Pauly-Wissowa und am Kleinen Pauly zurückgekauft und durch die geplante Erschließung der großen Realenzyklopädie und das Engagement für einen »NEUEN PAULY« seine alte Tradition des altertumswissenschaftlichen Sachlexikons neu begründet hat.

Das Philologische Seminar und die Universität Tübingen haben das Projekt auf mannigfache Weise gestützt.

Aufgrund einer alten und fruchtbaren Kooperation zwischen dem Zentrum für Datenverarbeitung (Prof. Dr. Wilhelm Ott, Dirk G. Kottke) und dem Philologischen Seminar war die elektronische Text- und Bildverarbeitung von Anfang an als eine Grundlage des Unternehmens geplant. Dr. Matthias Kopp hat, als Althistoriker und Datentechniker gleichermaßen ausgewiesen, diese Planung in tragfähige Realitäten umgesetzt.

Frau Vera Sauer M.A. (Stuttgart) hat im Bereich historische Geographie wesentliche Arbeiten geleistet. Die Kartographie wurde betreut von Anne-Maria Wittke und Richard Szydlak, das Bildmaterial von Dr. Ingrid Hitzl und Günter Müller.

Wissenschaftliche Mitarbeiter und Hilfskräfte haben bei der Redaktion und in den einzelnen Fachgebieten mit großem Engagement gearbeitet. Cecilia Ames, Georg Dörr, Heike Kunz, Michael Mohr, Dorothea Sigel seien, viele andere repräsentierend, genannt. Ihnen allen gilt unser Dank.

Hubert Cancik   Helmuth Schneider
(Universität Tübingen)   (Universität Kassel)
                                         im Sommer 1996

Manfred Landfester
(Universität Gießen)   im Sommer 1999

Bd. 13–15

Im Unterschied zum altertumswissenschaftlichen Teil dieser Enzyklopädie mit einer hohen Stichwörterzahl und überwiegend kurzen Einträgen enthält der rezeptions- und wissenschaftsgeschichtliche Teil eine begrenzte Anzahl von Lemmata mit größerem Umfang, weil nur auf diese Weise das systematische Interesse in einer lexikalischen Anordnung zur Geltung kommen kann. Dieses systematische Interesse hat auch zu dem Verzicht auf Personenartikel geführt. In diesem äußeren Aufbau erinnert dieser Teil an ältere Enzyklopädien.

Die Fixierung auf die Rezeptionsgeschichte des Altertums und auf die Geschichte der Altertumswissenschaften bedeutet lexikographisches Neuland, das allerdings nicht gleichmäßig erschlossen wird, denn die Ausrichtung auf die klassische, also die griechisch-römische Antike führt dazu, daß die orientalische Welt, das Judentum und das Christentum nur sehr selektiv berücksichtigt werden, obwohl sie im altertumswissenschaftlichen Teil neue Schwerpunkte bilden.

Diese Enzyklopädie ist zunächst natürlich ein Speicher des vorliegenden wissenschaftlichen Wissens, aber indem sie in den einzelnen Artikeln dieses Wissen in einer methodisch reflektierten Ordnung darstellt, wird sie selbst ein Instrument der Forschung. Allerdings sind nicht alle Rezeptionsbereiche gleichmäßig erforscht, so daß – vor allem im Bereich der Technik, der Naturwissenschaften, der Sozialgeschichte und der Wirtschaftsgeschichte – nicht alles Wünschbare realisiert werden kann.

Ein neues Problem der Wissensvermittlung schaffen die neuen elektronischen Speichermedien, die zwar umfangreiche Datenmengen zur Verfügung stellen können, die aber möglicherweise binnen weniger Jahre infolge der technischen Entwicklung nicht mehr ohne Schwierigkeit zugänglich sind. Daher sind nur in Ausnahmefällen solche Medien in die bibliographischen Angaben eingegangen.

Die Lemmatisierung ist gegliedert in (1) die unterschiedlichen Bereiche der Antikerezeption (Alltagskultur, Architektur, Bildungssystem, Kunst, Literatur, Medizin, Naturwissenschaften, Philosophie, politische Theorien und Symbole, Recht, Religion, Sozial- und Wirtschaftsgeschichte), (2) die einzelnen Länder und besondere Kulturräume (z. B. das arabisch-islamische Kulturgebiet), (3) ausgewählte kulturelle Bewegungen und Epochen der europäischen Geschichte, (4) die altertumswissenschaftlichen Disziplinen und Methoden, (5) die Institutionen der Rezeption und Wissenschaft (Akademie, Museum, Schule, Universität, wissenschaftliche Gesellschaften) und (6) bedeutende Ausgrabungen und Funde. Dabei sind für die Stichwortbildung in den einzelnen Bereichen der Rezeption und der Wissenschaftsgeschichte die in den zuständigen Wissenschaften üblichen Grundbegriffe leitend, während als Begriffe für die kulturellen Bewegungen und Epochen die traditionellen Bezeichnungen wie z. B. Barock und Renaissance gewählt sind.

Da die Stichwörter in begrifflicher Hinsicht nicht auf einer Ebene liegen, kommt es zwangsläufig zu Überschneidungen im thematischen Bereich. Diese sind außerdem im Interesse der besseren Verstehbarkeit der einzelnen Artikel erwünscht. Vor allem gibt es eine gemeinsame thematische Schnittmenge in den Länderartikeln und in den Artikeln über die kulturellen Bewegungen und Epochen, die durch die unterschiedliche wissenschaftliche Perspektive begründet ist. Während die Länderartikel primär über die nationalen Besonderheiten der Rezeption Aufschluß geben, arbeiten Artikel der anderen Gruppe vor allem den internationalen Charakter der jeweiligen Rezeption heraus.

Damit der Benutzer wegen der geringen Stichwortdichte beim Suchen seiner Begriffe nicht entmutigt wird, verschafft eine alphabetische Liste der Stichwörter die wünschenswerte Information.

Manfred Landfester
(Universität Gießen)   im Juli 1999

Hinweise für die Benutzung

Anordnung der Stichwörter

Die Stichwörter sind in der Reihenfolge des deutschen Alphabetes angeordnet. I und J werden gleich behandelt; ä ist wie ae, ö wie oe, ü wie ue einsortiert. Wenn es zu einem Stichwort (Lemma) Varianten gibt, wird von der alternativen Schreibweise auf den gewählten Eintrag verwiesen. Bei zweigliedrigen Stichwörtern muß daher unter beiden Bestandteilen gesucht werden.

Informationen, die nicht als Lemma gefaßt worden sind, können mit Hilfe des Registerbandes aufgefunden werden.

Gleichlautende Stichworte sind durch Numerierung unterschieden.

Transkriptionen

Zu den im NEUEN PAULY verwendeten Transkriptionen vgl. S. Xf. und AWI Bd. 3, S. VIIIf.

Abkürzungen

Abkürzungen sind im Abkürzungsverzeichnis am Anfang des Bandes aufgelöst.

Sammlungen von Inschriften, Münzen, Papyri sind unter ihrer Sigle im zweiten Teil (Bibliographische Abkürzungen) des Abkürzungsverzeichnisses aufgeführt.

Anmerkungen

Die Anmerkungen enthalten lediglich bibliographische Angaben. Im Text der Artikel wird auf sie unter Verwendung eckiger Klammern verwiesen (Beispiel: die Angabe [1. 5²³] bezieht sich auf den ersten numerierten Titel der Bibliographie, Seite 5, Anmerkung 23). Zur Unterscheidung von Quellen und Sekundärliteratur enthalten Bibliographien entsprechende Überschriften: QU und LIT.

Verweise

Die Verbindung der Artikel untereinander wird durch Querverweise hergestellt. Dies geschieht im Text eines Artikels durch einen Pfeil (→) vor dem Wort / Lemma, auf das verwiesen wird; wird auf homonyme Lemmata verwiesen, ist meist auch die laufende Nummer beigefügt.

Querverweise auf verwandte Lemmata sind am Schluß eines Artikels, ggf. vor den bibliographischen Anmerkungen, angegeben.

Verweisen auf Stichworte des ersten, altertumswissenschaftlichen Teiles des NEUEN PAULY ist ein AWI und Pfeil vorangestellt (AWI → Elegie).

Karten und Abbildungen

Texte, Abbildungen und Karten stehen in der Regel in engem Konnex, erläutern sich gegenseitig. In einigen Fällen ergänzen Karten und Abbildungen die Texte durch die Behandlung von Fragestellungen, die im Text nicht angesprochen werden können. Die Nachweise der Karten und Abbildungen werden im Verzeichnis auf S. XIIff. genannt.

Transkriptionen

Transkriptionstabelle Altgriechisch

α	a	Alpha
αι	ai	
αυ	au	
β	b	Beta
γ	g	Gamma; γ vor γ, κ, ξ, χ: n
δ	d	Delta
ε	e	Epsilon
ει	ei	
ευ	eu	
ζ	z	Zeta
η	ē	Eta
ηυ	ēu	
θ	th	Theta
ι	i	Iota
κ	k	Kappa
λ	l	Lambda
μ	m	My
ν	n	Ny
ξ	x	Xi
ο	o	Omikron
οι	oi	
ου	ou oder u	
π	p	Pi
ρ	r	Rho
σ, ς	s	Sigma
τ	t	Tau
υ	y	Ypsilon
φ	ph	Phi
χ	ch	Chi
ψ	ps	Psi
ω	ō	Omega
ʽ	h	
ᾳ	ai	Iota subscriptum (analog ῃ, ῳ)

Die verschiedenen griechischen Akzente
werden in der Umschrift einheitlich durch
Akut (´) angegeben.

Transkription und Aussprache Neugriechisch

Verzeichnet werden nur Laute und Lautkombinationen, die vom Altgriechischen abweichen.

Konsonanten

β	v	
γ	gh	vor dunklen Vokalen, wie norddt. ›Tage‹
	j	vor hellen Vokalen
δ	dh	wie engl. ›the‹
ζ	z	wie frz. ›zèle‹
θ	th	wie engl. ›thing‹

Konsonantenverbindungen

γκ	ng	
	g	am Wortanfang
μπ	mb	
	b	am Wortanfang
ντ	nd	
	d	am Wortanfang

Vokale

η	i
υ	i

Diphthonge

αι	e	
αυ	av	
	af	vor harten Konsonanten
ει	i	
ευ	ev	
	ef	vor harten Konsonanten
οι	i	
υι	ii	

Spiritus Asper wird nicht gesprochen.
Der altgriechische Akzent bleibt im allg.
an der angestammten Stelle stehen. Doch
ist die Distinktion zwischen ´, ` und ˜
verschwunden.

Transkriptionstabelle
Hebräisch Konsonanten

א	a	Alef
ב	b	Bet
ג	g	Gimel
ד	d	Dalet
ה	h	He
ו	w	Waw
ז	z	Zajin
ח	ḥ	Chet
ט	ṭ	Tet
י	y	Jud
כ ך	k	Kaf
ל	l	Lamed
מ ם	m	Mem
נ ן	n	Nun
ס	s	Samech
ע	ʿ	Ajin
פ	p/f	Pe
צ ץ	ṣ	Zade
ק	q	Kuf
ר	r	Resch
שׂ	ś	Sin
שׁ	š	Schin
ת	t	Taw

Aussprache
Türkisch

Das Türkische verwendet seit 1928 die lateinische Schrift. Grundsätzlich gelten in ihr Laut-/Schriftentsprechungen wie in den europäischen Sprachen, v.a. wie im Deutschen. Im folgenden sind daher nur Abweichungen vom Deutschen aufgeführt.

C	c	wie italienisch ›giorno‹
Ç	ç	wie italienisch ›cento‹
Ğ	ğ	wie norddeutsch g in ›Tage‹, heute manchmal unhörbar
H	h	stets aussprechen, nie dt. Dehnungs-h wie in ›fehlen‹
İ	i	wie deutsch i in ›Stift‹
Ĭ, I	ĭ,ı	für das Türkische typischer, sehr offener i-Laut, nicht wie deutsches i
J	j	wie frz. ›jour‹
Ş	ş	wie dt. sch in ›Schule‹
Y	y	wie deutsches j in ›Jahr‹
Z	z	wie frz. ›zèle‹, also stets weich

Transkriptionstabelle
Arabisch, Persisch, Osmanisch

ا,ء	ʾ, ā	ʾ	ʾ	Hamza, Alif
ب	b	b	b	Bāʾ
پ	–	p	p	Pe
ت	t	t	t	Tāʾ
ث	t̲	s̲	s̲	T̲āʾ
ج	ǧ	ǧ	ǧ	Ǧīm
چ	–	č	č	Čim
ح	ḥ	ḥ	ḥ	Ḥāʾ
خ	ḫ	ḫ	ḫ	Ḫāʾ
د	d	d	d	Dāl
ذ	d̲	z̲	z̲	D̲āl
ر	r	r	r	Rāʾ
ز	z	z	z	Zāy
ژ	–	ž	ž	Že
س	s	s	s	Sīn
ش	š	š	š	Šīn
ص	ṣ	ṣ	ṣ	Ṣād
ض	ḍ	ḍ	ḍ	Ḍād
ط	ṭ	ṭ	ṭ	Ṭāʾ
ظ	ẓ	ẓ	ẓ	Ẓāʾ
ع	ʿ	ʿ	ʿ	ʿAin
غ	ġ	ġ	ġ	Ġain
ف	f	f	f	Fāʾ
ق	q	q	q, k	Qāf
ك	k	k	k, g, ñ	Kāf
گ	–	g	g, ñ	Gāf
ل	l	l	l	Lām
م	m	m	m	Mīm
ن	n	n	n	Nūn
ه	h	h	h	Hāʾ
و	w, ū	v	v	Wāw
ي	y, ī	y	y	Yāʾ

Transkription anderer Sprachen

Akkadisch (Assyrisch-Babylonisch), Hethitisch und Sumerisch werden nach den Regeln des RLA bzw. des TAVO transkribiert. Für Ägyptisch werden die Regeln des Lexikons der Ägyptologie angewandt.

Die Transkription des Urindogermanischen erfolgt nach Rix, HGG, die der indischen Schriften nach M. Mayrhofer, Etymologisches Wörterbuch des Altindoarischen, 1992ff. Avestisch wird nach K. Hoffmann, B. Forssman, Avestische Laut- und Flexionslehre, 1996, Altpersisch nach R.G. Kent, Old Persian, ²1953 (Ergänzungen bei K. Hoffmann, Aufsätze zur Indoiranistik Bd. 2, 1976, 622ff.) transkribiert, die übrigen iranischen Sprachen nach R. Schmitt, Compendium linguarum Iranicarum, 1989, bzw. nach D.N. MacKenzie, A Concise Pahlavi Dictionary, ³1990. Bei Armenisch gelten die Richtlinien bei R. Schmitt, Grammatik des Klassisch-Armenischen, 1981, bzw. der Revue des études arméniennes. Für die Transkription kleinasiatischer Sprachen vgl. das HbdOr, für Mykenisch, Kyprisch vgl. Heubeck bzw. Masson; für italische Schriften und Etruskisch vgl. Vetter bzw. ET.

Karten- und Abbildungsnachweise

Lemma
Titel
AUTOR/Literatur

Aigina
1. Aigina mit den im Text erwähnten arch. Fundstätten
   Umzeichnung der Karte von H. THIERSCH in
   A. FURTWÄNGLER, Aegina, Das Heiligtum der Aphaia,
   München o.J.

Aizanoi
1. Aizanoi: Topographische Karte
   DAI, Aizanoigrabung
2. Zeustempel; Querschnitt mit Kellergeschoß und
   Rekonstruktion der Treppe
   R. NAUMANN, Der Zeustempel zu Aizanoi, in: Denkmäler
   Ant. Architektur 12, 1979
3. Zeustempel; Ansicht von Nordwesten nach Abschluß der
   Sicherungsarbeiten am Gebälk 1996
   DAI, Aizanoigrabung
4. Kaiserzeitliches Stadtzentrum. Perspektivische
   Rekonstruktion
   R. NAUMANN, Der Zeustempel zu Aizanoi, in: Denkmäler
   Ant. Architektur 12, 1979
5. Spätantike Säulenstraße nach der Anastylose
   DAI, Aizanoigrabung
6. Artemision. Rekonstruktion der Frontseite
   DAI, Aizanoigrabung

Alexandria
1. Plan der Unterwasserausgrabungen
   J.-Y. EMPEREUR, BCH 120 [II], 1996
2. Architekturfragmente im Archäologischen Museum
   Alexandria (1923)
   Alexandria Municipality, Alexandrea ad Aegyptum,
   Bergamo 1922
3. Torso eines ptolemäischen Pharaos
   J.-Y. EMPEREUR, BCH 120 [II], 1996

Altertumskunde
1. Thesaurus Graecarum antiqitatum
   Thesaurus Graecarum antiquitatum: in quo continentur
   effigies virorum ac foeminarum illustrium, Volumen
   Primum, contextus et designatus ab Jacobo Gronovio, 1732
2. Thesaurus Graecarum antiquitatum
   Thesaurus Graecarum antiquitatum: in quo continentur
   effigies virorum ac foeminarum illustrium, Volumen
   Primum, contextus et designatus ab Jacobo Gronovio, 1732

Antikensammlung
1. Rom, Kapitolsplatz mit ant. Statuen
   C. PIETRANGELI, Piazza del Campidoglio, 1955
2. Rom, Antikensammlung in der Casa Santacroce
   P. G. HÜBNER, Le statue di Roma, 1912
3. Rom, Hof des Palazzo Valle-Capranica mit Antiken
   P. G. HÜBNER, Le statue di Roma, 1912
4. Kardinal Mazarin vor seiner Statuengalerie. Kupferstich
   von Robert Nanteuil
   A.-M. S. LOGAN, The ›Cabinet‹ of the Brothers Gerard
   and Jan Reynst, 1979
5. Leiden, Statuensammlung der Universität
   J. BROWN, Kings and Connoisseurs, 1995

Apoll von Belvedere
1. Zeichnung des A. v. B. im Kodex Escurialensis
   M. WINNER, Zum Apoll von Belvedere, Jahrbuch der
   Berliner Mus. 10, 1968
2. Bronzereduktion des A. v. B. von Jacopo Alari Bonacolsi
   M. WINNER, Zum Apoll von Belvedere, Jahrbuch der
   Berliner Mus. 10, 1968
3. Bertel Thorvaldsen, Jason
   Licht, Canova, 1983
4. Jacopo Sansovino, Bronzefigur des Apoll
   L. PLANISCIG, Venezianische Bildhauer der Renaissance,
   1921
5. Peter Paul Rubens, Die Herrschaft der Königin und
   der Götterrat
   Millen, Heroic Deeds and mystic figures, 1989
6. Giorgio de Chirico, Lied der Liebe
   Comune di Milano, Giorgio de Chirico, 1970

Archäologische Bauforschung
1. Ionisches Kapitell in Rom, SS. Apostoli. Vermaßte
   Aufnahme Anonymus 1. H. 16. Jh.
   Florenz, Bibliotheca Nazionale, Codex Magl. II–I–429
2. Athen, Akropolis. Vermaßte Kapitellaufnahme vom
   Erechtheion 1752
   J. STUART, N. REVETT, The Antiquities of athens II, 1825,
   Pl. XXV
3. Ionisches Kapitell des 1. Jh. n. Chr. aus Aizanoi.
   Bauaufnahme der Aizanoigrabung 1996
   Antike Welt 28, 1997, 429

Archäologischer Park
1. Schwarzenacker, Wandgestaltung Haus 16–17
   Diavorlage: Dublette 3.3D14Schw
2. Xanten, Gasträume der Herberge im Archäologischen Park
   Diavorlage; E14Dublette 5.4.3.12.54
3. Xanten, Archäologischer Park mit Amphitheater,
   Herberge, Stadtmauer, -türmen und -toren
   Diavorlage; Voigt, Essen. Arch.-Nr. 198264/19
4. Kempten, Archäologischer Park, Sakralbauten
   Diavorlage; Dublette 3.3.D5Kem

Architekturkopie/ -zitat
1. Innenansicht der Pfalzkapelle (h. Dom) in Aachen
   B. SCHÜTZ, Romanik, 1990
2. Innenansicht von San Vitale in Ravenna
   F. W. DEICHMANN, Die Frühchristliche Bauten und
   Mosaiken von Ravenna, 1958
3. Alt-St. Peter in Rom, Grundriß
   A. Arbeiter, Alt St.-Peter, 1988
4. Saint Denis, karolingische Abteikirche, Grundriß
   Zeitschrift für Kunstgeschichte 51, 1988
5. Fulda, Abteikirche, Grundriß
   Zeitschrift für Kunstgeschichte 51, 1988
6. Portal des Pantheon in Rom
   H. KÄHLER, Der römische Tempel, 1982
7. Portal von S. Maria Novella in Florenz
   P. WITTKOWER, Architectual Principles, 1962
8. Shugborough, Turm der Winde
   D. WIEBENSON, Greek Revival, 1969
9. Stuttgart, Neue Staatsgalerie, Grundriß Galeriegeschoß
   H. KLOTZ, Neue Museumsbauten, 1985
10. Berlin, Altes Museum, Grundriß
    E. FORSSMAN, Karl Friedrich Schinkel, 1981

Baghdad, Iraq Museum

1. Plakat (kupferner Herrscherkopf aus Ninive, Akkad-Zeit, 23. Jh.)
   Plakat des IM vom Ende der siebziger Jahre
2. Kultvase aus Uruk ...
   Moorgat, Die Kunst des Alten Mesopotamien 2, 1982, Taf. 19
3. Elfenbein-Sphinx aus Nimrud ...
   Land between two rivers, Ausstellungskatalog Turin 1985, S. 334
4. Goldhelm des Mekalamdug ...
   Woolley, Ur und die Sintflut, 1931, Taf. 15
5. Herkulesstatuette aus Seleukia ...
   The Oasis and the Steppe Routes, Ausstellungskatalog Nara 1988
6. Statue des Sanatruq I. aus Hatra ...
   The Oasis and the Steppe Routes, Ausstellungskatalog Nara 1988

Barberinischer Faun

1. Barberinischer Faun, Stich von H. Tetius (vor 1642)
   H. Walter, Satyrs Traum, 1993
2. Faun von Johan Tobias Sergel, 1774
   Ausstellungskatalog Sergel (Kunst um 1800) Hamburg Kunsthalle 1975
3. Bozzetto von Bernini
   H. Walter, Satyrs Traum, 1993
4. Adolf von Menzel, Bleistiftzeichnung 1874
   Staatliche Graphische Sammlung München, Inv.1975.18
5. Marmorkopie von E. Bouchardon. Zw. 1726 und 1730
   H. Walter, Satyrs Traum, 1993

Barock III

1. Cannocchiale aristotelico
   E. Tesauro, Il Cannocchiale Aristotelico, hrsg. von August Buck 1968
2. Cannocchiale aristotelico
   E. Tesauro, Il Cannocchiale Aristotelico, hrsg. von August Buck 1968

Barock IV

1. »Et in Arcadia ego« von Poussin
   145747; Photothek des Zentralinstituts für Kunstgeschichte 8000 München 2, Meiserstr. 10
2. »Heilige Susanna« von Duquesnoy. Rom, S. Maria di Loreto
   340991; Photothek des Zentralinstituts für Kunstgeschichte 8000 München 2, Meiserstr. 10
3. Bernini, »Proserpinaraub«. Rom, Villa Borghese
   390215; Photothek des Zentralinstituts für Kunstgeschichte 8000 München 2, Meiserstr. 10
4. Rubens »Kreuzabnahme«. Antwerpen, Kathedrale
   354261; Photothek des Zentralinstituts für Kunstgeschichte 8000 München 2, Meiserstr. 10
5. Montano, Tempio antico nella Via Appia
6. Blondel, Porte Saint-Denis, Paris
   328943; Zentralinstitut für Kunstgeschichte 8000 München 2, Meiserstr. 10

Basel, Antikenmuseum und Sammlung Ludwig

1. Bauchamphora des Amasis-Malers
   Photo des Verfassers
2. »Basler Arztrelief«
   Museumsphoto

3. »Steinhäuserscher Kopf«, Replik des Apoll von Belvedere
   E. Berger, Das Basler Arztrelief, 1970
4. Bildnis eines Republikaners
   Museumsphoto

Basilika

1. Rom, Alt St. Peter, spätkonstantinianisch (Querschnitt, Gesamtansicht, Grundriß; rekonstruiert)
   W. Koch, Baustilkkunde, 1982
2. Rekonstruierte Gesamtansicht von St. Riquier/ Centula, ca. 790–799
   G. Valentini/G. Caronia, Domus Ecclesiae, 1969
3. Grundriß von S. Giorgio Maggiore in Venedig (ab 1566)
   G. Valentini/G. Caronia, Domus Ecclesiae, 1969
4. Innenansicht der »Vor Frue Kirke« in Kopenhagen (ab 1811)
   R. Zeitler, Die Kunst des 19. Jh., 1985
5. Innenansicht von S. Lorenzo in Florenz (ab 1421)
   E. Battisti, Filippo Brunelleschi. Das Gesamtwerk, 1979

Berlin I

1. Altes Museum am Lustgarten (Aufnahme um 1900)
   E. Rohde, Griech. und röm. Kunst in den Staatlichen Museen zu Berlin, 1968
2. Altes Pergamonmuseum (Aufnahme um 1905)
   E. Rohde, Griech. und röm. Kunst in den Staatlichen Museen zu Berlin, 1968
3. Pergamonmuseum, Saal 3 der antiken Skulpturen; (Aufnahme um 1965)
   E. Rohde, Griech. und röm. Kunst in den Staatlichen Museen zu Berlin, 1968
4. Pergamonmuseum, Statue einer thronenden Göttin
   Die Antikensammlung. Altes Museum, Pergamonmuseum. Staatliche Museen zu Berlin, 2. Aufl., 1998, 130 nr. 70
5. Altes Museum, Statue des Betenden Knaben
   Die Antikensammlung. Altes Museum, Pergamonmuseum. Staatliche Museen zu Berlin, 2. Aufl., 1998, 57 Nr. 27
6. Pergamonmuseum, Kleiner Altarfries von Pergamon, Auffindung des Telephos durch Herakles
   Die Antikensammlung. Altes Museum, Pergamonmuseum. Staatliche Museen zu Berlin, 2. Aufl., 1998
7. Pergamonmuseum, Großer Altarfries von Pergamon, Ostseite, Zeus-Platte
   E. Rohde, Griech. und röm. Kunst in den Staatlichen Museen zu Berlin, 1968
8. Pergamonmuseum, Das »Markttor von Milet«
   Photo VEB Bild und Heimat Reichenbach i.V.
9. Altes Museum, Porträtbüste, sog. Caesar
   Die Antikensammlung. Altes Museum, Pergamonmuseum. Staatliche Museen zu Berlin, 2. Aufl., 1998, 105 Nr. 55
10. Ausstellung ant. Vasen im Neuen Museum (z.Zt. Altes Museum)
    E. Rohde, Griech. und röm. Kunst in den Staatlichen Museen zu Berlin, 1968
11. Altes Museum, Kelchkrater des Euphronios
    Die Antikensammlung. Altes Museum, Pergamonmuseum. Staatliche Museen zu Berlin, 2. Aufl., 1998, 55 Nr. 23

Berlin II

1. Relief des Barrakib mit Schreiber aus Sendschirli
   Bildarchiv Preussischer Kulturbesitz VAN 8796
2. Raubvogel vom Tell Halaf
   Bildarchiv Preussischer Kulturbesitz VAN 3169
3. Rekonstruktionen von Ischtar-Tor und Prozessionstraße von Babylon
   Bildarchiv Preussischer Kulturbesitz VAN 8879

4. Foto der auf langen Tischen ausgebreiteten, in Babylon
   gefundenen, Ziegelbrocken, aus denen das Ischtar-Tor und
   die Prozessionsstraße von Babylon rekonstruiert wurden
   Bildarchiv Preussischer Kulturbesitz Bab 3700
5. Saalansicht der rekonstruierten Steinstiftfassade aus Uruk
   Bildarchiv Preussischer Kulturbesitz VAN 3660
6. Mittelassyrische Gesetzestafel
   Bildarchiv Preussischer Kulturbesitz VAN 6936

Berlin III
1. Ägyptisches Museum Charlottenburg, Säulenhalle des
   Sahurê (1994)
   Ägyptisches Museum und Papyrussammlung SMB Kat./
   Inv.-Nr. 960902; Foto von M. BÜSING
2. August Stüler, Der Ägyptische Hof im Neuen Museum
   (1862)
   Foto von M. BÜSING
3. Ägyptisches Museum Charlottenburg, Tempeltor aus
   Kalabscha
   Ägyptisches Museum und Papyrussammlung SMB; Foto
   von M. BÜSING
4. Ägyptisches Museum Charlottenburg, Rotunde (1998)
   Ägyptisches Museum und Papyrussammlung SMB; Foto
   von M. BÜSING

Bonn, Rheinisches Landesmuseum
1. Bonn, Rheinisches Landesmuseum. Grabrelief des Marcus
   Caelius
   Rheinisches Landesmuseum Bonn. Führer durch die
   Sammlungen, 1985
2. Bonn, Akademisches Kunstmuseum, Ansicht der
   ehemaligen Eingangsseite (Aufnahme um 1990)
   Konzeption und Perspektive. Das Akademische
   Kunstmuseum der Universität Bonn, o.J., ca. 1992
3. Bonn, Akademisches Kunstmuseum, Kelchkrater des sog.
   Kopenhagener Malers
   Antiken aus dem Akademischen Kunstmuseum Bonn, Kat.
   Rheinisches Landesmuseum Bonn, 1969
4. Bonn, Akademisches Kunstmuseum, Bildnis der Arsinoe
   Antiken aus dem Akademischen Kunstmuseum Bonn, Kat.
   Rheinisches Landesmuseum Bonn, 1969

Boston, Museum of Fine Arts
1. »Bostoner Thron« nach dem Vorbild des 5. Jh. v. Chr.,
   italienisch, 19. Jh.
   C. C. VERMEULE, Museum of Fine Arts, Boston. Greek ans
   Roman Art, o.J.
2. Statuette des Mantiklos aus Boeotien mit Weihinschrift an
   Apollo, ca. 700–650 v. Chr.
   A. STEWART, Greek Sculpture, 1990
3. Kopf der Arsinoe II. aus Ägypten, ca. 275–250 v. Chr.
   A. STEWART, Greek Sculpture, 1990
4. Glocken-Krater des Pan-Malers, ca. 470 v. Chr.
   C. C. VERMEULE, Museum of Fine Arts, Boston. Greek ans
   Roman Art, o.J.

Briefkunst/ Ars Dictaminis
1. Tabelle
   Autor

Bukolik
1. Arkadische Landschaft mit Tempelanlage und Denkmal
   (1787) von Salomon Gessner
   M. BIRCHER/B. WEBER, Salomon Gessner, 1982

2. Flußlandschaft mit Panherme und bukolischer Szene (1784)
   von Salomon Gessner
   M. BIRCHER/B. WEBER, Salomon Gessner, 1982

Byzantinistik
1. Fragment einer Schrankenplatte (?), Petrus in einer
   Wunderszene; Konstantinopel, letztes Drittel des 5. Jh.
   A. EFFENBERGER-H.-G. SEVERIN, Ausstellungskatalog 1992
2. Zwei Reliefikonen: Maria Orans und Erzengel Michael;
   Konstantinopel, drittes Viertel des 13. Jh.
   A. EFFENBERGER-H.-G. SEVERIN, Ausstellungskatalog 1992
3. Flügelaltärchen (Triptychon): Kreuzigung Christi, Apostel,
   Konstantin und Helena, Kirchenväter; Konstantinopel,
   11. Jh.
   A. EFFENBERGER-H.-G. SEVERIN, Ausstellungskatalog 1992
4. Friesplatte »Reitender Christus und zwei Engel«, Ägypten,
   6./7. Jh.
   A. EFFENBERGER-H.-G. SEVERIN, Ausstellungskatalog 1992

Byzanz
1. Rom, S. Maria Antiqua in Foro Romano; Fresko in der
   Theodosiuskapelle, um 750
2. Elfenbeinrelief »Christus krönt Kaiser Romanos II und
   Eudokia«, um 945
   Bernward von Hildesheim und das Zeitalter der Ottonen,
   Ausstellungskatalog Hildesheim 1993
3. Elfenbeinrelief »Christus krönt Otto II. und Theophano«,
   um 982
   The Glory of Byzantium, Ausstellungskatalog New York
   1997
4. Innenansicht von San Marco, Venedig
5. Sopocani, Dreifaltigkeits-Kirche, Marientod, um 1265
   W. F. VOLBACH/J. LAFONTAINE-DOSOGNE, Byzanz und der
   griech. Osten, 1968
6. Ikone der Gottesmutter von Wladimir, 11./12. Jh.
   The Glory of Byzantium, Ausstellungskatalog New York
   1997
7. Das Innere der Hagia Sophia
   Landesamt für Denkmalpflege Berlin, Meßbildstelle
8. Süleymaniye Camii, Inneres nach Nordosten
   H. J. SAUERMOST/W.-Chr. von der Mülbe, Istanbuler
   Moscheen, 1981

Caesarismus
1. Place Vendôme, Paris
   W. MARKOV, Die Napoleon-Zeit, 1985
2. Napoleon I. als Imperator Caesar. Radierung der Statue auf
   dem Place Vendôme, um 1810
   W. MARKOV, Die Napoleon-Zeit, 1985

Chicago
1. Elfenbeinplättchen mit der Darstellung eines Greifen aus
   Megiddo
   Oriental Institute – University of Chicago, Foto 64888
2. Plakat aus den dreißiger Jahren
   Oriental Institute – University of Chicago, Foto 64747
3. Sumerische Statuen aus dem Diyala-Gebiet
   Oriental Institute – University of Chicago
4. Stierkopf aus Persepolis
   Oriental Institute – University of Chicago, Foto 31938

Christliche Archäologie
1. Umzeichnung und Erläuterung eines Arkosols in der
   Kathedrale SS. Marcellino e Pietro
   A. BOSIO, Roma sotterranea, Rom 1632 (1710)

Comics I

1. Erzähltechniken eines Comics und eines ant. Bildfrieses
   H. J. PANDEL, Comicliteratur und Geschichte, in:
   Geschichte Lernen 37 (1994), 19
2. Erzähltechniken eines Comics und eines ant. Bildfrieses
   D. RANDAIL-MCIVER, Villanovans and Early Etruscans,
   1924/F. CANCIANI, F. W. VON HASE, la tomba Bernadini
   di Palestrina

Comics II

1. Verwendung ant. Quellen im Comic: ein Beispiel; Panel aus
   »Asterix und Cleopatra«
   R. GOSCINNY, A. UDERZO, Asterix und Kleopatra 1968
2. Verwendung ant. Quellen im Comic: ein Beispiel;
   Transkription einer Textpassage aus dem Totenbuch des Ani
   von Budge (1895)
   E. A. WALLIS Budge, The Book of the Dead. The papyrus of
   Ani in the British Mus. The Egyptian Text, London 1895
3. Verwendung ant. Quellen im Comic: ein Beispiel;
   Totenbuch des Ani (pBM 10470; ca. 1250 v. Chr.)
   The Book of the Dead. Facsimile of the Papyrus of ani in
   British Mus., London 2. Aufl. 1894
4. Comics im Lateinunterricht
   H. OBERST, Plautus in Comics, 1971
5. Latinisierung von »Peng-Wörtern« in »Tim und Struppi«
   Hergé, Les aventures de Tintin, L' Île Noire, 1984/Hergé,
   Tim und Struppi, Die Schwarze Insel, 1998/Hergé,
   C. EICHENSEER, De Titini et Mituli facinoribus. De insula
   nigra, 1987

Delos

1. Delos: Archäologischer Lageplan
   Archäologischer Lageplan von Delos. Graphisches Büro
   Müller
2. Der Duc de Loubat
   Archiv der EFA
3. Die Diadumenosstatue, gehalten von zwei Arbeitern, bei
   ihrer Entdeckung im Jahr 1894
   Archiv der EFA
4. Archäologen der École française d'Athènes im Hypostylos
   zu Begin des Jh.
   Archiv der EFA
5. Die Insel Delos
   Die Insel Delos. Graphisches Büro Müller
6. Das Museum von Delos im Jahr 1909
   Archiv der EFA
7. Die Restaurierung des Peristylos des Hauses des Dionysos
   Archiv der EFA
8. Die Ausgrabung des unteren Inoposbeckens
   Archiv der EFA

Delphi

1. Ansicht von Kastri zu Beginn der »Grande Fouille«
   École Française D'Athènes, Archives-Photothèque, Nr. A 6
2. Westfassade des Siphnierschatzhauses (Gipsrekonstruktion,
   1905)
   École Française D'Athènes, Archives-Photothèque,
   Nr. 2324
3. Das Athenerschatzhaus während des Wiederaufbaus
   École Française D 'Athènes, Archives-Photothèque,
   Nr. 46175

Denkmäler

1. Der Koloß von Rhodos
   M. TRACHTENBERG, The Statue of Liberty, 1976
2. Entwurf der Freiheisstatue
   M. TRACHTENBERG, The Statue of Liberty, 1976
3. Die Freiheitsstatue in New York
   M. TRACHTENBERG, The Statue of Liberty, 1976

Deutschland – Barock

1. Gottfried Christian Leygebe, Reiterstatue Friedrich
   Wilhelms d. Gr. von Brandenburg
   Barock in Deutschland. Residenzen, hrsg. von Ekhart
   Berckenhagen, 1966
2. Gerard van Hoet, Allegorie auf Kaiser Leopold I. als
   siegreicher Herkules (um 1670/75)
   H. SCHÜTZ, Portraitgalerie zur Geschichte Österreichs
   von 1400 bis 1800, 1976
3. Herzog August d. J. zu Braunschweig-Lüneburg als
   Apollo mit Caduceus ...
   M. BIRCHER/Th. Bürger (Hrsg.), Alles mit Bedacht.
   Barockes Fürstenlob auf Herzog August, 1979
4. Salomon de Caus, Narcissus. Entwurf einer Grotte für
   den Heidelberger Schloßgarten
   Hortus Palatinus, Nachdruck Worms 1980

Diana von Ephesus

1. DvE als »Isis« in den *Imagini Vincenzo* Cartaris
   A. GOESCH, Diana Ephesia, 1995
2. Tivoli, Villa D'Este (Springbrunnen)
   A. GOESCH, Diana Ephesia, 1995
3. Raffael, ›Philosophia‹ Stanza della Segnatura
   A. GOESCH, Diana Ephesia, 1995
4. Guillaume Marcel, »Isis«
   A. GOESCH, Diana Ephesia, 1995
5. »La liberté et l' Égalité unies par la Nature«, Radierung
   von Ruotte
   A. GOESCH, Diana Ephesia, 1995
6. Allegorische Darstellung des Straßburger Münsters ...
   A. GOESCH, Diana Ephesia, 1995

Die Dioskuren

1. Die Dioskuren vom Monte Cavallo
   Dioskuren vom Monte Cavallo
   A. LAFRÉRY, Speculum Romanae magnificientiae, ca.
   1573/77

Drei Grazien

1. Die drei Grazien (Ausschnitt aus Botticelli, Primavera)
   C. BO, Botticelli, 1978

Dresden

1. Dresden, Albertinum, Mosaiksaal
   Dresden, Staatliche Kunstsammlung, Skulpturensammlung
   Das Albertinum vor 100 Jahren – die Skulpturensammlung
   Georg Treus, Kat. Staatliche Kunstsammlung Dresden, 1994
2. Kopfreplik der Athena des Myron
   K. KNOLL u.a., Die Antiken im Albertinum. Staatliche
   Kunstsammlung Dresden, Skulpturensammlung, 1993
3. Statuette der »Rasenden Mänade«
   K. KNOLL u.a., Die Antiken im Albertinum. Staatliche
   Kunstsammlung Dresden, Skulpturensammlung, 1993

Druckwerke

1. Gemme mit Olympia und Alexander
   Pietro Santi Bartoli, Museum odescalchum sive thesaurus antiquarum gemmarum cum imaginibus in iisdem insculptis, et ex iisdem exsculptis, quae a serenissima Christina Suecorum regina collectae in museo odescalco adservantur, et a Petro Santo Bartolo incisae in lucem proferuntur, Roma 1751/52; Waldeckische Bibliothek Schloß Arolsen

2. Münzen
   A. AGOSTIN, Discorsi del S. Don Antonio Agostini sopra le medaglie et altre anticaglie: divisi in XI dialoghi/ trad. delle lingua spagnola nell' Italiana von lággiunta di molti ritratti di belle et rare medaglie, Roma 1592; Waldeckische Bibliothek Schloß Arolsen

3. Inschriftensteine
   Jan Gruter, Inscriptiones antiquae totius orbis Romani, in absolutissimum corpus red. Olim auspiciis Iosephi Scaligeri...Industria autem et diligentia Iani Gruteri, Amstelaedami 1707 (Nachdruck der Ausgabe 1603); Waldeckische Bibliothek Schloß Arolsen

4. Rom, Forum Boarium
   E. DUPERAC, I vestigi dell' ántichità di Roma, racolti et ritratti in perspettiva con ogni diligentia da Stefano du Perac Parisino, Roma 1575; Herzog August Bibliothek Wolfenbüttel

5. Rom, Schnitt durch das Pantheon
   A. LAFRÈRY, Speculum Romanae magnificentiae, um 1575, ohne Paginierung; Herzog August Bibliothek Wolfenbüttel

6. Rom, Engelsburg
   J.-J. BOISSARD, Romanae urbis topographiae, Frankfurt 1597–1602; Herzog August Bibliothek Wolfenbüttel

7. »Sterbender Gallier«
   F. PERRIER, Icones et segmenta nobilium signorum et statuarum quae Romae extant, delineata atque in aere incisa per F. PERRIER, Roma 1638; Herzog August Bibliothek Wolfenbüttel

8. »Dornauszieher«
   L. VACCARIO, Antiquarum statuarum urbis Romae in publicis locis visuntur icones, 2 Ausg. 1607; W. WEEKE, Ein röm. Antikenstichwerk von 1584, 1997

9. Relief Antinoos
   J.J. WINCKELMANN, Monumenti antichi inediti, Spiegati ed illustrati da G. WINCKELMANN, 2 Bde. Rom 1767; Murhard Bibliothek Kassel

10. »Selbstmord der Dido«
    Pietro Santi Bartoli, Picturae antiquissimi Virgiliani codicis, Bibliothecae Vaticanae, Romae 1782; Herzog August Bibliothek Wolfenbüttel

11. Rom, Grab der Nasonier, Wandgliederung
    Pietro Santi Bartoli, Picturae antiquae cryptarum Romanarum et sepulcri Nasonum, Rom 1750 (erweiterte Ausg. Des Werkes von 1680); Murhard Bibliothek, Kassel

12. »Jüngling auf dem Magdalenenberg«, Kärnten
    P. APIANUS, B. AMANTIUS, Inscriptiones Sacrosanctae vetustatis non illae quidem Romanae, sed totius fere orbis summo studio ac maximis impensis terra marique conquisitae feliciter incipiunt, Ingolstadt 1534; Stadtbibliothek Augsburg

Dumbarton Oaks

Alle Abb. mit freundlicher Genehmigung der Byzantinischen Sammlung, Dumbarton Oaks, Washington D.C.

1. »Riha« Hostienteller
   The Byzantine Collection, Dumbarton Oaks

2. Moggio Pyxis
   The Byzantine Collection, Dumbarton Oaks; DO Handbook, 1967

3. Kettenanhänger mit Aphrodite
   The Byzantine Collection, Dumbarton Oaks; DO Handbook, 1967

4. Wandteppich mit zwei Nereiden
   The Byzantine Collection, Dumbarton Oaks; DO Handbook, 1967

Ecole française d' Athénes

1. Grabungen und Untersuchungen der École française d'Athènes
   Dia der EFA

Eleusis

1. Plan des Demeterheiligtums in Eleusis von 1812
   Reproduktion nach F. NOACK, Eleusis, 1927

2. Abfolge der Telesterienbauten nach Travlos

3. Grundrisse der Telesterienbauten

Enzyklopädie

1. Widmung an den Kurfürsten von Sachsen
   J. hr. Gottsched (Hrsg.), Baylesches Lexikon, 1741

Ephesos

1. Gelände in der Hafenebene 1906
   Foto; ÖAI-Inv.Nr. III 370

2. Heroon und Oktogon nach der Freilegung 1904
   Foto; ÖAI-Inv.Nr. III 39

3. Freilegung des Hadrianstempels an der Kuretenstraße
   Foto; ÖAI-Inv.Nr. Pl. 661

Erotica

1. »Dornauszieher«
   Grabmal, Dom, Magdeburg

2. »Der lüsterne weibliche Faun«
   Münchener Kupferstichkabinett

3. Exlibris
   R. BALAZFY (Ungarn)

4. Frontispiz der Lysistrata-Illustrationen
   Aubrey Beardsley, 1896

5. »Wer kauft Liebesgötter«
   Bonaventura Genelli, um 1830

Etruskerrezeption

1. Tuskanische Säule
   Die Etrusker und Europa, Ausstellungs-Kat. Berlin 1993

2. Vase mit Darstellung der Apotheose des Homer
   Die Etrusker und Europa, Ausstellungs-Kat. Berlin 1993

3. I turisti ci guardano
   R. CALLIGARO, I turisti ci guardano, 1984

Europa

1. Max Bittorf, 5 DM Note
   Mythos Europa, hrsg. Von S. SALZMANN, 1988
2. Mirko Szewczuk, Europa und der Stier, 1949, Tusche auf
   Papier, veröffentlicht in DIE ZEIT, 3. Februar 1949
   Mythos Europa, hrsg. Von S. SALZMANN, 1988
3. Eres, Pseudonym f. Rudolf J. SCHUMMER, »Oh, der ist ja viel
   temperametvoller...!«, 1949/50 (?), Tusche auf Papier
   Mythos Europa, hrsg. Von S. SALZMANN, 1988
4. Max Beckmann, Der Raub der Europa, 1933
   Mythos Europa, hrsg. Von S. SALZMANN, 1988

Fälschung

1. Büste des Livius, Marmor
   Estensische Sammlung, Wien
2. Anton Raffael Mengs, Jupiter und Ganymed, Fresko,
   1758/59
   Galleria Nazionale dell' arte Antica, Rom

Faschismus

1. Alfredeo Scalpelli, Fassade des Palazzo delle Esposizioni in
   Rom für die Mostra Augustea della Romanità 1937–38
   G. Q. GIGLIOLI, La Mostra Augustea della Romanità, in:
   Architettura, Bd. 17, 1938
2. Mario Paniconi, Giulio Pediconi, Sala dell'Impero auf der
   Mostra Augustea della Romanità 1937–38
   G. Q. GIGLIOLI, La Mostra Augustea della Romanità, in:
   Architettura, Bd. 17, 1938
3. Enrico Del Debbio, Baumodell für das Foro Mussolini in
   Rom
   Enciclopedia Italiana, Appendice I, Rom 1938
4. Ansicht des Stadio dei Marmi im Foro Mussolini, Rom
   Postkarte von ca. 1950
5. Giovanni Guerrini, Ernesto La Padula, Mario Romano,
   Palazzo della Civiltà Italiana des E 42 (heute EUR südl. von
   Rom)
6. Carlo De Veroli, Fußballathlet, Stadio die Marmi, Rom
7. Mario Sironi, Die Justiz zwischen Gesetz und Stärke, 1936,
   Wandmosaik, Justizpalast Mailand
   Fortunato Bellonzi, Sironi, Mailand (Electa) 1985

Festkultur/ Trionfi

1. Einzug Alfonso d'Aragonas 1443 in Neapel; florentinischer
   cassone, 1452, Privatbesitz
2. Hypnerotomachia Poliphili: Triumph Amors
   Manutius, Venedig 1499
3. Triumphwagen Maximilians von Albrecht Dürer
   F. SCHESTAG (Hrsg.), Der Triumphzug Kaiser Maximilians
   I., Wien 1883–84
4. Tischaufsatz mit trionfi von Pierre Paul Sevin, 1667
   Stockholm, Nationalmuseum

5. »Triomphe de Voltaire le 11 Juillet 1791«, Kupferstich
   M.-L. BIVER, Fêtes revolutionaires à Paris, 1979
6. Trotzky auf dem Tiumphwagen des Imperialismus,
   Leningrad 1930
   V. TOLSTOY, I. BIBIKOVA, C. COOKE (Hrsg.), Streetart of the
   Revolution. Festivals and Celebrations in Russia
   1918–1933, 1990

Figurengedicht

1. Figurengedicht in der Form eines Flügels
   Richard Willis, Poematum liber, 1573, 8
2. Figurengedicht in der Form eines Beils
   Richard Willis, Poematum liber, 1573, 11
3. Figurengedicht, das einen Altar nachahmt
   Quirin Moscherosch, Allgemeine Altars=Trauer (Faltblatt,
   eingeheftet in eine Leichenpredigt auf Johann Saubert d. Ä.,
   1647, HAB: Slg. Stolberg 19673
4. Figurengedicht in der Form eines Eies
   An Anthology of concrete poetry, ed. von Emmet Williams,
   1967

Forum/Platzanlage

1. Vigevano, Piazza Ducale
   Bildarchiv Foto Marburg, Italien-index, Archivnr.
   LA1.825/5
2. Rom, Kapitolsplatz, Stich nach Duperac
   Bildarchiv Foto Marburg, Italien-Index, Archivnr.
   1.003.162
3. Paris, Place des Vosges, Stich nach Perelle
   Bildarchiv Foto Marburg, Frankreich-Index, Archivnr.
   1.052.270
4. Nancy, Place Stanislas
   Bildarchiv Foto Marburg, Frankreich-Index, Archivnr.
   174 715

Lemmata in Band 13

Dänemark
DDR
Décadence
Delikt
Delos
Delphi
Demokratie
Denkmal
Deutsche Orient-Gesellschaft
Deutscher Usus modernus
Deutsches Archäologisches Institut
Deutschland
Diätetik
Dialog
Diana von Ephesus
Digesten/Überlieferungsgeschichte
Diktatur
Dioskuren vom Monte Cavallo
Domschule
Drei Grazien
Dresden, Staatliche Kunstsammlungen,
    Skulpturensammlung
Dritter Humanismus
Druckwerke
Druiden
Dumbarton Oaks

École française d'Athènes
École française de Rome
Ehe
Eigentum
Einbildungskraft
Eklektik
Ekphrasis
Elegie
Eleusis
Emblematik
Entzifferungen
Enzyklopädie
Ephesos
Epigrammatik
Epikureismus
Epochenbegriffe
Epos
Erbrecht
Erotica
Estland
Etruskerrezeption
Etruskologie
Etymologie
Europa

Fabel
Fälschung
Faschismus
Festkultur/Trionfi
Figurengedicht
Figurenlehre
Film
Fin de siècle
Finnisch-ugrische Sprachen
Finnland
Forum/Platzanlage

Erweitertes Abkürzungsverzeichnis

1. Zeichen mit besonderer Bedeutung
2. Allgemeine Abkürzungen
3. Bibliographische Abkürzungen
4. Antike Autoren und Werktitel

1. Zeichen mit besonderer Bedeutung

→	siehe (Verweispfeil)
∞	verheiratet
†	Sterbekreuz
*	geboren
*	erschlossene, nicht belegte Form
<	etymologisch entstanden aus
>	etymologisch geworden zu
√	Wortwurzel
ă	Kurzvokal
ā	Langvokal
i̯, u̯	unsilbisches (konsonantisches) i, u
m̥, n̥	silbischer (sonantischer) Nasal m, n
l̥, r̥	silbischer (sonantischer) Liquid l, r
|	Silbengrenze
#	Wortgrenze
< >	Transliteration eines Schriftbildes
/ /	phonematische Wiedergabe eines Schriftbildes
[ ]	bei antiker Quellenangabe: falsche oder unsichere Autorenzuweisung

2. Allgemeine Abkürzungen

Neben den explizit angegebenen Auflösungen werden die Abkürzungen auch für die deklinierten Formen des jeweiligen Wortes verwendet.

Die Abkürzungen stehen, unter Berücksichtigung der Groß- und Kleinschreibung, für Adjektive und für Substantive. Abkürzungen, bei denen nur die Nachsilbe -isch zu ergänzen ist, sind nicht in das Abkürzungsverzeichnis aufgenommen. Gleiches gilt für allgemein (nach Duden) gebräuchliche Abkürzungen (z. B.: bzw.).

A.	Aulus
a.u.c.	ab urbe condita
Abb.	Abbildung
Abdr.	Abdruck
Abh.	Abhandlung
Abl.	Ablativ, – ablativisch
Acad.	Academia, Academie, Academy
achäm.	achämenidisch
Act.	acts, actes
Adv.	Adverb, – adverbial
afrikan.	Afrikanisch
ägypt.	ägyptisch
ahd.	althochdeutsch, – Althochdeutsch
Akad.	Akademie, – akademisch
aksl.	Altkirchslawisch
Akt.	Aktiv, – aktivisch
Akt.	Akten (nur in der Bibliographie)
Akz.	Akzent
allg.	allgemein

Alt.	Altertum
altgriech.	Altgriechisch, – altgriechisch
altind.	Altind(oar)isch, – altind(oar)isch
altlat.	Altlateinisch, – altlateinisch
Anf.	Anfang, Anfänge
Anm.	Anmerkung
anon.	anonym, – Anonymus, – Anonymi
ant.	antik, – Antike
Anz.	Anzeiger (nur in der Bibliographie)
Aor.	Aorist, – aoristisch
App.	Appendix, Appendices, Appendizes (nur in der Bibliographie)
arab.	Arabisch, – arabisch
aram.	Aramäisch
Arch.	Archäologie, – archäologisch
archa.	archaisch
Art.	Artikel
Assim.	Assimilation, – assimiliert
AT	Altes Testament
at.	alttestamentlich
Athen, AM	Athen, Akropolis-Museum
Athen, BM	Athen, Benaki-Museum
Athen, NM	Athen, National-Museum
Athen, NUM	Athen, Numismatisches Museum
att.	attisch
Av.	Avers
B.	Buch, Bücher
Baltimore, WAG	Baltimore, Walters Art Gallery
Basel, AM	Basel, Antikenmuseum
bearb.	bearbeitet
Bed.	Bedeutung
Beih.	Beiheft
Beil.	Beilage
Beitr.	Beitrag, Beiträge
Ber.	Bericht
Berlin, PM	Berlin, Pergamon-Museum
Bibl.	Bibliothek, – bibliothekarisch
Bibliogr.	Bibliographie, – bibliographisch
Bl.	Blatt (nicht als Satzglied)
Bonn, RL	Bonn, Rheinisches Landesmuseum
Boston, MFA	Boston, Museum of Fine Arts
Bull.	Bulletin, Bullettino
byz.	Byzantinisch, – byzantinisch
bzw.	beziehungsweise
ca.	circa
Cambrigde, FM	Cambridge, Fitzwilliam Museum
car.	carmen, carmina
Cat.	Catalogue, Catalogo, Cataloghi
christl.	christlich
Cod.	Codex, Codices, Codizes
col.	column, Kolumne
conc.	acta concilii

Congr.   Congress, Congrès, Congresso
Const.   constitutio
Corp.   Corporation
Dat.   Dativ, – dativisch
Datier. Datierung
decret. decretum, decreta
Dekl.   Deklination, – dekliniert
Den Haag, MK
         Den Haag, Münzkabinett
Dial.   Dialekt
Diss.   Dissertation (nur in der Bibliographie)
Dissim. Dissimilation, – dissimiliert
Dm   Durchmesser
dt.   Deutsch, – deutsch
Du.   Dual
Dyn.   Dynastie
E.   Ende
Ed.   Edition, – edidit, – editio
Edd.   Editiones, ediderunt
Einl.   Einleitung (nur in der Bibliographie)
EN   Eigenname
engl.   englisch
epist.   epistula
epit.   epitome
Ergbd.   Ergänzungsband
Ergbde. Ergänzungsbände
Ergh.   Ergänzungsheft
erh.   erhalten
erkl.   erklärt
erl.   erläutert, – Erläuterung
etr.   Etruskisch, – etruskisch
ES   Einzelschrift (nur in der Bibliographie)
Ét.   Études (nur in der Bibliographie)
europ.   europäisch
Etym.   Etymologie, – etymologisch
exc.   excerpta
Expl.   Exemplar
F(em).   Femininum, feminin
f.l.   falsa lectio
Festg.   Festgabe
fig.   Figur
Florenz, AM
         Florenz, Archäologisches Museum
Florenz, UF
         Florenz, Uffizien
fol.   folio
Forsch. Forschung
Forts.   Fortsetzung (nur in der Bibliographie)
fr.   Fragment (literarisch)
Frankfurt, LH
         Frankfurt, Liebighaus
Frg.   Fragment, – fragmentarisch (archäologisch)
frz.   Französisch, – französisch
FS   Festschrift
Fut.   Futurum, – futurisch
geb.   geboren
gedr.   gedruckt
gegr.   gegründet
Gen.   Genitiv, – genitivisch
Genf, MAH
         Genf, Musée d'Art et d'Histoire
Gent.   Gentile, Gentilicium, – gentile
Geogr.   Geographie, – geographisch

Geom.   Geometrie, geometrisch
german. Germanisch, – germanisch
Ges.   Gesellschaft (nur in der Bibliographie)
Gesch.   Geschichte (nur in der Bibliographie)
gest.   gestorben
gloss.   glossaria
got.   gotisch
göttl.   göttlich
griech. Griechisch, – griechisch
Gramm.
         Grammatik, – grammatisch
GS   Gedenkschrift
H   Höhe
H.   Hälfte
h.   heute
Hab.   Habilitation
Hamburg, MKG
         Hamburg, Museum für Kunst und Gewerbe
Hannover, KM
         Hannover, Kestner-Museum
Hdb.   Handbuch (nur in der Bibliographie)
hell.   hellenistisch, – Hellenismus
histor. historisch
hl.   heilig
homer.   homerisch
Hrsg.   Herausgeber
Hs.   Handschrift
hsl.   hanschriftlich
Hss.   Handschriften
Human.   Humanismus, humanistisch
HWB   Handwörterbuch
I(n)st(it).
         Institut, Institute, Istituto
idg.   Indogermanisch, – indogermanisch
Impft.   Imperfekt
Ind.   Indikativ, – indikativisch
indoeurop.
         Indoeuropäisch, – indoeuropäisch
Inf.   Infinitiv
Inschr. Inschrift, – inschriftlich
Inscr.   Inscriptiones
Instr.   Instrumental
Inv.Nr. Inventarnummer
Iptv.   Imperativ, – imperativisch
Istanbul, AM
         Istanbul, Archäologisches Museum
It.   Italien, Italienisch, – italienisch
ital.   italisch
itin.   itineraria
Itp.   Interpolation, interpoliert
J.   Jahr
Jb.   Jahrbuch
Jbb.   Jahrbücher
Jg.   Jahrgang (nur in der Bibliographie)
Jh.   Jahrhundert
Journ.   Journal
Jt.   Jahrtausend
jüd.   jüdisch
Kap.   Kapitel
Kassel, SK
         Kassel, Staatliche Kunstsammlungen
Kat.   Katalog
Kl.   Klasse (nur in der Bibliographie)
klass.   klassisch

Köln, RGM
      Köln, Römisch-Germanisches Museum
Kom.   Komödie, Komiker
Komm.   Kommentar, – kommentiert
Kompos.
      Kompositum
Kongr.   Kongreß
Konj.   Konjunktiv, – konjunktivisch
Kons.   Konsonant, – konsonantisch
Kopenhagen, NCG
      Kopenhagen, Ny Carlsberg Glyptothek
Kopenhagen, NM
      Kopenhagen, Nationalmuseum
Kopenhagen, TM
      Kopenhagen, Thorvaldsen-Museum
KS   Kleine Schriften
L   Länge
l.   lex
l.c.   loco citato
lat.   Latein, – lateinisch
lautges. lautgesetzlich
leg.   leges
Lex.   Lexikon
Lfg.   Lieferung (nicht als Satzglied)
lib.   liber, libri
Lit.   Literatur, literarisch
Lok.   Lokativ
London, BM
      London, British Museum
Lw.   Lehnwort
Lyr.   Lyrik, – lyrisch
M(ask). Maskulinum, – maskulin
MA   Mittelalter
ma.   mittelalterlich
Madrid, PR
      Madrid, Prado
Mag.   Magazin (nicht als Satzglied)
maked. makedonisch
Malibu, GM
      Malibu, Getty-Museum
maschr. maschinenschriftlich
Med.   Medium, – medial
Mél.   Mélanges
mengl. mittelenglisch
mesopot.
      mesopotamisch
Metr.   Metrik, – metrisch
mgriech.
      mittelgriechisch
mhdt. mittelhochdeutsch
mil.   militärisch
Mitt.   Mitteilungen (nicht als Satzglied)
mod.   modern
Moskau, PM
      Moskau, Puschkin-Museum
Ms.   Manuskript
Mss.   Manuskripte
München, GL
      München, Glyptothek
München, SA
      München, Staatliche Antikensammlung
München, SM
      München, Staatliche Münzsammlung
Mus.   Museum, Musée, Museo

myk.   Mykenisch, – mykenisch
Myth. Mythologie, mythologisch
Mz.   Münzen
N(eut). Neutrum, – neutral
N.F.   Neue Folge
N.S.   Neue Serie, New Series, Nouvelle série, Nuova seria
Nachr. Nachrichten (nur in der Bibliographie)
Ndr.   Nachdruck
Neapel, NM
      Neapel, Archäologisches Nationalmuseum
New York, MMA
      New York, Metropolitan Museum of Arts
ngriech. Neugriechisch, – neugriechisch
nhd.   Neuhochdeutsch, neuhochdeutsch
nlat.   Neulateinisch, – neulateinisch
Nom.   Nominativ, – nominativisch
nördl. nördlich
Nov.   novella, Novelle
Nr.   Nummer
NT   Neues Testament
nt.   neutestamentlich
o.J.   ohne Jahr
ON   Ortsname
Op.   Opus
Opp.   Oppera
Opt.   Optativ, – optativisch
or.   oratio
östl.   östlich
Oxford, AM
      Oxford, Ashmolean Museum
P(ap.) Papyrus
p.   pagina
Palermo, NM
      Palermo, Archäologisches Nationalmuseum
Paris, BN
      Paris, Bibliothèque Nationale
Paris, CM
      Paris, Cabinet des Médailles
Paris, LV
      Paris, Louvre
Pass.   Passiv, – passivisch
Perf.   Perfekt, – perfektisch
Philol. Philologie, – philologisch
Philos. Philosophie, – philosophisch
Photogr.
      Photographie, – photographisch
Pl(ur). Plural, – pluralisch
Plusq. Plusquamperfekt
PN   Personenname
polit. politisch
praef. praefatio
Präs.   Präsens, präsentisch
Proc.   Proceedings (nur in der Bibliographie)
Ps.-   Pseudo
Ptz.   Partizip, – partizipal
publ.   publiziert
R.   Reihe (nur in der Bibliographie)
Reg.   Register
rel.   religiös
Ren.   Renaissance
Rev.   Review, Revue (nur in der Bibliographie)
Rhet.   Rhetorik, – rhetorisch
Riv.   Rivista (nur in der Bibliographie)

Rom, KM
  Rom, Kapitolinische Museen
Rom, VA
  Rom, Villa Albani
Rom, VG
  Rom, Villa Giulia
Rom, VM
  Rom, Vatikanische Museen
röm.   römisch
russ.   russisch
S(in)g. Singular, – singularisch
s.v.   sub voce
SB   Sitzungsbericht (nur in der Bibliographie)
sc.   scilicet
schol. scholion, scholia
Ser.   Serie, Série, Seria (nur in der Bibliographie)
Slg.   Sammlung (nur in der Bibliographie)
Slgg.   Sammlungen (nur in der Bibliographie)
Soc.   Society, Societé, Società (nur in der Bibliographie)
sog.   sogenannt
Sp.   Spalte
span.   spanisch
St.   Sankt
St. Petersburg, ER
  St. Petersburg, Eremitage
Stud.   Studia, Studien, Studies, Studi (nur in der Bibliographie)
Subst. Substantiv, – substantivisch
südl.   südlich
Suppl. Supplement
s.v.   sub voce
syn.   Synonym, synonymisch
syr.   syrisch
t.t.   terminus technicus
Tab.   Tabelle
Taf.   Tafel
Thessaloniki, NM
  Thessaloniki, Nationalmuseum
tit.   titulus
Top.   Topograhie, – topographisch
tract. tractatus
Trag.   Tragödie, Tragiker
Trad.   Tradition, – tradiert
türk.   türkisch
Übers. Übersetzung, übersetzt
Univ.   Universität, University, Université, Università
Unt.   Untersuchung
urspr. ursprünglich
V.   Vers
v.a.   vor allem
Vb.   Verbum
Verf.   Verfasser
vlat.   Vulgärlateinisch, – vulgärlateinisch
Vok.   Vokativ, – vokativisch
westl. westlich
WB   Wörterbuch
Wien, KM
  Wien, Kunsthistorisches Museum
wiss.   Wissenschaft, – wissenschaftlich
Z.   Zeile
z.Z.   zur Zeit
Zit.   Zitat, – zitiert
Zschr. Zeitschrift (nur in der Bibliographie)
Ztg.   Zeitung (nur in der Bibliographie)
zw.   zwischen

3. Bibliographische Abkürzungen

A&A
  Antike und Abendland
A&R
  Atene e Roma
AA
  Archäologischer Anzeiger
AAA
  Annals of Archaeology and Anthropology
AAAlg
  S. GSELL, Atlas archéologique de l'Algérie. Édition spéciale
  des cartes au 200.000 du Service Géographique de l'Armée,
  1911 Ndr. 1973
AAHG
  Anzeiger für die Altertumswissenschaften, hrsg. von der
  Österreichischen Humanistischen Gesellschaft
AArch
  Acta archeologica
AASO
  The Annual of the American Schools of Oriental Research
AATun 050
  E. BABELON, R. CAGNAT, S. REINACH (Hrsg.),
  Atlas archéologique de la Tunisie (1:50000), 1893
AATun 100
  R. CAGNAT, A. MERLIN (Hrsg.), Atlas archéologique
  de la Tunisie (1:100000), 1914
AAWG
  Abhandlungen der Akademie der Wissenschaften in
  Göttingen. Philologisch-historische Klasse
AAWM
  Abhandlungen der Akademie der Wissenschaften und Lite-
  ratur in Mainz. Geistes- und sozialwissenschaftliche Klasse
AAWW
  Anzeiger der Österreichischen Akademie der Wissen-
  schaften in Wien. Philosophisch-historische Klasse
ABAW
  Abhandlungen der Bayerischen Akademie der Wissen-
  schaften. Philosophisch-historische Klasse
Abel
  F.-M. ABEL, Géographie de la Palestine 2 Bde., 1933–38
ABG
  Archiv für Begriffsgeschichte: Bausteine zu einem histori-
  schen Wörterbuch der Philosophie
ABr
  P. ARNDT, F. BRUCKMANN (Hrsg.), Griechische und
  Römische Porträts, 1891–1912; E. LIPPOLD (Hrsg.),
  Textbd., 1958
ABSA
  Annual of the British School at Athens
AC
  L'Antiquité Classique
AchHist
  H. Sancisi-Weerdenburg, A. Kuhrt et al. (ed.), Achaemenid
  History, 8 vol., 1987–1996
Acta
  Acta conventus neo-latini Lovaniensis, 1973
AD
  Archaiologikon Deltion
ADAIK
  Abhandlungen des Deutschen Archäologischen Instituts
  Kairo
Adam
  J.P. ADAM, La construction romaine. Matériaux et
  techniques, 1984

ADAW
Abhandlungen der Deutschen Akademie der Wissenschaften zu Berlin. Klasse für Sprachen, Literatur und Kunst
ADB
Allgemeine Deutsche Biographie
AdI
Annali dell'Instituto di Corrispondenza Archeologica
AE
L'Année épigraphique
AEA
Archivo Espanol de Arqueología
AEM
Archäologisch-epigraphische Mitteilungen aus Österreich
AfO
Archiv für Orientforschung
AGD
Antike Gemmen in Deutschen Sammlungen 4 Bde., 1968–75
AGM
Archiv für Geschichte der Medizin
Agora
The Athenian Agora. Results of the Excavations by the American School of Classical Studies of Athens, 1953 ff.
AGPh
Archiv für Geschichte der Philosophie
AGR
Akten der Gesellschaft für griechische und hellenistische Rechtsgeschichte
AHAW
Abhandlungen der Heidelberger Akademie der Wissenschaften. Philosophisch-historische Klasse
AHES
Archive for history of exact sciences
AIHS
Archives internationales d'histoire des sciences
AION
Annali del Seminario di Studi del Mondo Classico, Sezione di Archeologia e Storia antica
AJ
The archaeological journal of the Royal Archaeological Institute of Great Britain and Ireland
AJA
American Journal of Archaeology
AJAH
American Journal of Ancient History
AJBA
Australian journal of biblical archaeology
AJN
American Journal of Numismatics
AJPh
American Journal of Philology
AK
Antike Kunst
AKG
Archiv für Kulturgeschichte
AKL
G. MEISSNER (Hrsg.), Allgemeines Künsterlexikon: Die bildenden Künstler aller Zeiten und Völker, ²1991 ff.
AKM
Abhandlungen für die Kunde des Morgenlandes

Albrecht
M. V. ALBRECHT, Geschichte der römischen Literatur, ²1994
Alessio
G. ALESSIO, Lexicon etymologicum. Supplemento ai Dizionari etimologici latini e romanzi, 1976
Alexander
M.C. ALEXANDER, Trials in the late Roman Republic: 149 BC to 50 BC (Phoenix Suppl. vol. 26), 1990
Alföldi
A. ALFÖLDI, Die monarchische Repräsentation im römischen Kaiserreiche, 1970, Ndr. ³1980
Alföldy, FH
G. ALFÖLDY, Fasti Hispanienses. Senatorische Reichsbeamte und Offiziere in den spanischen Provinzen des römischen Reiches von Augustus bis Diokletian, 1969
Alföldy, Konsulat
G. ALFÖLDY, Konsulat und Senatorenstand unter den Antoninen. Prosopographische Untersuchungen zur senatorischen Führungsschicht (Antiquitas 1,27), 1977
Alföldy, RG
G. ALFÖLDY, Die römische Gesellschaft. Ausgewählte Beiträge, 1986
Alföldy, RH
G. ALFÖLDY, Römische Heeresgeschichte, 1987
Alföldy, RS
G. ALFÖLDY, Römische Sozialgeschichte, ³1984
ALLG
Archiv für lateinische Lexikographie und Grammatik
Altaner/Stuiber
B. ALTANER, B. STUIBER, Patrologie. Leben, Schriften und Lehre der Kirchenväter, ⁹1980
AMI
Archäologische Mitteilungen aus Iran
Amyx, Addenda
C.W. NEEFT, Addenda et Corrigenda to D.A. Amyx, Corinthian Vase-Painting, 1991
Amyx, CVP
D.A. AMYX, Corinthian Vase-Painting of the Archaic Period 3 Bde., 1988
Anadolu
Anadolu (Anatolia)
Anatolica
Anatolica
AncSoc
Ancient Society
Anderson
J.G. ANDERSON, A journey of exploration in Pontus (Studia pontica 1), 1903
Anderson/Cumont/Grégoire
J.G. ANDERSON, F. CUMONT, H. GRÉGOIRE, Recueil des inscriptions grecques et latines du Pont et de l'Arménie (Studia pontica 3), 1910
André, botan.
J. ANDRÉ, Lexique des termes de botanique en latin, 1956
André, oiseaux
J. ANDRÉ, Les noms d'oiseaux en latin, 1967
André, plantes
J. ANDRÉ, Les noms de plantes dans la Rome antique, 1985
Andrews
K. ANDREWS, The Castles of Morea, 1953

ANET
    J.B. Pritchard, Ancient Near Eastern Texts Relating
    to the Old Testament, ³1969, Ndr. 1992
AnnSAAt
    Annuario della Scuola Archeologica di Atene
ANRW
    H. Temporini, W. Haase (Hrsg.), Aufstieg und
    Niedergang der römischen Welt, 1972 ff.
ANSMusN
    Museum Notes. American Numismatic Society
AntAfr
    Antiquités africaines
AntChr
    Antike und Christentum
AntPl
    Antike Plastik
AO
    Der Alte Orient
AOAT
    Alter Orient und Altes Testament
APF
    Archiv für Papyrusforschung und verwandte Gebiete
APh
    L'Année philologique
Arangio-Ruiz
    V. Arangio-Ruiz, Storia del diritto romano, ⁶1953
Arcadia
    Arcadia. Zeitschrift für vergleichende Literaturwissenschaft
ArchCl
    Archeologia Classica
ArchE
    Archaiologike ephemeris
ArcheologijaSof
    Archeologija. Organ na Archeologiceskija institut i muzej
    pri B'lgarskata akademija na naukite
ArchHom
    Archaeologia Homerica, 1967 ff.
ArtAntMod
    Arte antica e moderna
ARW
    Archiv für Religionswissenschaft
AS
    Anatolian Studies
ASAA
    Annuario della Scuola Archeologica di Atene e delle
    Missioni italiane in Oriente
ASARI
    F. Bagherzadel (Hrsg.), Annual Symposium on
    Archeological Research in Iran
ASL
    Archiv für das Studium der neueren Sprachen und Litera-
    turen
ASNP
    Annali della Scuola Normale Superiore di Pisa, Classe
    di Lettere e Filosofia
ASpr
    Die Alten Sprachen
ASR
    B. Andreae (Hrsg.), Die antiken Sarkophagreliefs,
    1952 ff.
Athenaeum
    Athenaeum
ATL
    B.D. Meritt, H.T. Wade-Gery, M.F. McGregor,
    Athenian Tribute Lists 4 Bde., 1939–53

AU
    Der altsprachliche Unterricht
Aulock
    H. v. Aulock, Münzen und Städte Pisidiens (MDAI(Ist)
    Beih. 8) 2 Bde., 1977–79
Austin
    C. Austin (Hrsg.), Comicorum graecorum fragmenta
    in papyris reperta, 1973
BA
    Bolletino d'Arte del Ministero della Publica Istruzione
BAB
    Bulletin de l'Académie Royale de Belgique. Classe des
    Lettres
BABesch
    Bulletin antieke beschaving. Annual Papers on Classical
    Archaeology
Badian, Clientelae
    E. Badian, Foreign Clientelae, 1958
Badian, Imperialism
    E. Badian, Roman Imperialism in the Late Republic, 1967
BaF
    Baghdader Forschungen
Bagnall
    R.S. Bagnall u.a., Consuls of the Later Roman Empire
    (Philological Monographs of the American Philological
    Association 36), 1987
BalkE
    Balkansko ezikoznanie
BalkSt
    Balkan Studies
BaM
    Baghdader Mitteilungen
Bardenhewer, GAL
    O. Bardenhewer, Geschichte der altkirchlichen Literatur
    Bde. 1–2, ²1913 f.; Bde. 3–5, 1912–32, Ndr. Bde. 1–5, 1962
Bardenhewer, Patr.
    O. Bardenhewer, Patrologie, ³1910
Bardon
    H. Bardon, La littérature latine inconnue 2 Bde., 1952–56
Baron
    W. Baron (Hrsg.), Beiträge zur Methode der Wissen-
    schaftsgeschichte, 1967
BASO
    Bulletin of the American Schools of Oriental Research
Bauer/Aland
    W. Bauer, K. Aland (Hrsg.), Griechisch-deutsches
    Wörterbuch zu den Schriften des Neuen Testamentes und
    der frühchristlichen Literatur, ⁶1988
Baumann, LRRP
    R.A. Bauman, Lawyers in Roman republican politics.
    A study of the Roman jurists in their political setting,
    316–82 BC (Münchener Beiträge zur Papyrusforschung
    und antiken Rechtsgeschichte), 1983
Baumann, LRTP
    R.A. Bauman, Lawyers in Roman transitional politics.
    A study of the Roman jurists in their political setting in the
    Late Republic and Triumvirate (Münchener Beiträge zur
    Papyrusforschung und antiken Rechtsgeschichte), 1985
BB
    Bezzenbergers Beiträge zur Kunde der indogermanischen
    Sprachen
BCAR
    Bullettino della Commissione Archeologica Comunale
    di Roma

BCH
  Bulletin de Correspondance Hellénique
BE
  Bulletin épigraphique
Beazley, ABV
  J.D. BEAZLEY, Attic Black-figure Vase-Painters, 1956
Beazley, Addenda²
  TH.H. CARPENTER (Hrsg.), Beazley Addenda, ²1989
Beazley, ARV²
  J.D. BEAZLEY, Attic Red-figure Vase-Painters, ²1963
Beazley, EVP
  J.D. BEAZLEY, Etruscan Vase Painting, 1947
Beazley, Paralipomena
  J.D. BEAZLEY, Paralipomena. Additions to Attic
  Black-figure Vase-Painters and to Attic Red-figure
  Vase-Painters, ²1971
Bechtel, Dial.
  F. BECHTEL, Die griechischen Dialekte 3 Bde., 1921–24;
  Ndr. 1963
Bechtel, HPN
  F. BECHTEL, Die historischen Personennamen des
  Griechischen bis zur Kaiserzeit, 1917
Belke
  K. BELKE, Galatien und Lykaonien (Denkschriften
  der Österreichischen Akademie der Wissenschaften,
  Philosophisch-Historische Klasse 172; TIB 4), 1984
Belke/Mersich
  K. BELKE, N. MERSICH, Phrygien und Pisidien (Denk-
  schriften der Österreichischen Akademie der Wissenschaf-
  ten, Philosophisch-Historische Klasse 211; TIB 7), 1990
Bell
  R.E. BELL, Place-Names in Classical Mythology, Greece,
  1989
Beloch, Bevölkerung
  K.J. BELOCH, Die Bevölkerung der griechisch-römischen
  Welt, 1886
Beloch, GG
  K.J. BELOCH, Griechische Geschichte 4 Bde., ²1912–27
  Ndr. 1967
Beloch, RG
  K.J. BELOCH, Römische Geschichte bis zum Beginn der
  Punischen Kriege, 1926
Bengtson
  H. BENGTSON, Die Strategie in der hellenistischen Zeit.
  Ein Beitrag zum antiken Staatsrecht (Münchener Beiträge
  zur Papyrusforschung und antiken Rechtsgeschichte
  26, 32, 36) 3 Bde., 1937–52, verbesserter Ndr. 1964–67
Berendes
  J. BERENDES (Hrsg.), Des Pedanios Dioskurides
  Arzneimittellehre übers. und mit Erl. versehen, 1902, Ndr.
  1970
Berger
  E.H. BERGER, Geschichte der wissenschaftlichen Erd-
  kunde der Griechen, ²1903
Berve
  H. BERVE, Das Alexanderreich auf prosopographischer
  Grundlage, 1926
Beyen
  H.G. BEYEN, Die pompejanische Wanddekoration vom
  zweiten bis zum vierten Stil 2 Bde., 1938–60
BFC
  Bolletino di filologia classica
BGU
  Ägyptische (Griechische) Urkunden aus den Kaiserlichen
  (ab Bd. 6 Staatlichen) Museen zu Berlin 13 Bde., 1895–1976

BHM
  Bulletin of the History of Medicine
BIAO
  Bulletin de l'Institut français d'Archéologie Orientale
BiblH&R
  Bibliothèque d'Humanisme et Renaissance
BiblLing
  Bibliographie linguistique/Linguistic Bibliography
BIBR
  Bulletin de l'Institut Belge de Rome
Bickerman
  E. BICKERMANN, Chronologie (Einleitung in die
  Altertumswissenschaft III 5), 1933
BICS
  Bulletin of the Institute of Classical Studies of the University
  of London
BIES
  The Bulletin of the Israel Exploration Society
BiogJahr
  Biographisches Jahrbuch für Altertumskunde
Birley
  A.R. BIRLEY, The Fasti of Roman Britain, 1981
BJ
  Bonner Jahrbücher des Rheinischen Landesmuseums
  in Bonn und des Vereins von Altertumsfreunden im
  Rheinlande
BKT
  Berliner Klassikertexte 8 Bde., 1904–39
BKV
  Bibliothek der Kirchenväter (Kemptener Ausg.) 63 Bde.,
  ²1911–31
Bländsdorf
  J. BLÄNSDORF (Hrsg.), Theater und Gesellschaft
  im Imperium Romanum, 1990
Blass
  F. BLASS, Die attische Beredsamkeit, 3 Bde., ³1887–98,
  Ndr. 1979
Blass/Debrunner/Rehkopf
  F. BLASS, A. DEBRUNNER, F. REHKOPF, Grammatik
  des neutestamentlichen Griechisch, ¹⁵1979
Blümner, PrAlt.
  H. BLÜMNER, Die römischen Privataltertümer (HdbA IV
  2,2), ³1911
Blümner, Techn.
  H. BLÜMNER, Technologie und Terminologie der
  Gewerbe und Künste bei Griechen und Römern
  Bd. 1, ²1912; Bde. 2–4, 1875–87, Ndr. 1969
BMC, Gr
  A Catalogue of the Greek Coins in the British Museum
  29 Bde., 1873–1965
BMCByz
  W. WROTH (Hrsg.), Catalogue of the Imperial Byzantine
  Coins in the British Museum 2 Bde., 1908 Ndr. 1966
BMClR
  Bryn Mawr Classical Review
BMCRE
  H. MATTINGLY (Hrsg.), Coins of the Roman Empire
  in the British Museum 6 Bde., 1962–76
BMCRR
  H.A. GRUEBER (Hrsg.), Coins of the Roman Republic
  in the British Museum 3 Bde., 1970
BN
  Beiträge zur Namensforschung

Bolgar, Culture 1
R. BOLGAR, Classical Influences on European Culture
A.D. 500–1500, 1971
Bolgar, Culture 2
R. BOLGAR, Classical Influences on European Culture
A.D. 1500–1700, 1974
Bolgar, Thought
R. BOLGAR, Classical Influences on Western Thought AD
1650–1870, 1977
Bon
A. BON, La Morée franque 2 Bde., 1969
Bonner
S.F. BONNER, Education in Ancient Rome, 1977
Bopearachchi
O. BOPEARACHCHI, Monnaies gréco-bactriennes et
indo-grecques. Catalogue raisonné, 1991
Borinski
K. BORINSKI, Die Antike in Poetik und Kunsttheorie
vom Ausgang des klassischen Altertums bis auf Goethe und
Wilhelm von Humboldt 2 Bde. , 1914–24 Ndr. 1965
Borza
E.N. BORZA, In the shadow of Olympus. The emergence
of Macedon, 1990
Bouché-Leclerq
A. BOUCHÉ-LECLERQ, Histoire de la divination dans
l'antiquité 3 Bde., 1879–82 Ndr. 1978 in 4 Bden.
BPhC
Bibliotheca Philologica Classica
BrBr
H. BRUNN, F. BRUCKMANN, Denkmäler griechischer und
römischer Skulpturen, 1888–1947
BRGK
Bericht der Römisch-Germanischen Kommission des
Deutschen Archäologischen Instituts
Briant
P. BRIANT, Histoire de l'empire perse de Cyrus à
Alexandre, 1996
Briggs/Calder
W.W. BRIGGS, W.M. CALDER III, Classical Scholarship.
A Biographical Encyclopedia, 1990
Bruchmann
C.F.H. BRUCHMANN, Epitheta deorum quae apud poetas
graecos leguntur, 1893
Brugmann/Delbrück
K. BRUGMANN, B. DELBRÜCK, Grundriß der verglei-
chenden Grammatik der indogermanischen Sprachen
Bde. 1–2, ²1897–1916; Bde. 3–5, 1893–1900
Brugmann/Thumb
K. BRUGMANN, A. THUMB (Hrsg.), Griechische
Grammatik, ⁴1913
Brunhölzl
F. BRUNHÖLZL, Geschichte der lateinischen Literatur des
Mittelalters 2 Bde., 1975–92
Brunt
P.A. BRUNT, Italian Manpower 222 B.C. – A.D. 14, 1971
Bruun
C. BRUUN, The Water Supply of Ancient Rome. A Study
of Imperial Administration (Commentationes Humanarum
Litterarum 93), 1991
Bryer/Winfield
A. BRYER, D. WINFIELD, The Byzantine Monuments
and Topography of Pontus (Dumbarton Oaks Studies 20)
2 Bde., 1985

BSABR
Bulletin de Liaison de la Société des Amis de la Bibliothèque
Salomon Reinach
BSL
Bulletin de la Société de Linguistique de Paris
BSO(A)S
Bulletin of the School of Oriental (ab Bd. 10ff: and African)
Studies
BTCGI
G. NENCI (Hrsg.), Bibliografia topografica della coloniz-
zazione greca in Italia e nelle isole tirreniche, 1980ff.
Buck
A. BUCK (Hrsg.), Die Rezeption der Antike, 1981
Burkert
W. BURKERT, Griechische Religion der archaischen und
klassischen Epoche, 1977
Busolt/Swoboda
G. BUSOLT, H. SWOBODA, Griechische Staatskunde
(HdbA IV 1,1) 2 Bde., ³1920–26 Ndr. 1972–79
BWG
Berichte zur Wissenschaftsgeschichte
BWPr
Winckelmanns-Programm der Archäologischen Gesell-
schaft zu Berlin
Byzantion
Byzantion. Revue internationale des études byzantines
ByzF
Byzantinische Forschungen. Internationale Zeitschrift für
Byzantinistik
ByzZ
Byzantinische Zeitschrift
Caballos (Senadores)
A. CABALLOS, Los senadores hispanorromanos y
la romanización de Hispania (Siglos I al III p.C.) Bd. 1:
Prosopografia (Monografias del Departamento de
Historia Antigua de la Universidad de Sevilla 5), 1990
CAF
T. KOCK (Hrsg.), Comicorum Atticorum Fragmenta,
3 Bde. 1880–88
CAG
Commentaria in Aristotelem Graeca 18 Bde., 1885–1909
CAH
The Cambridge Ancient History 12 Text- und 5 Tafelbde.,
1924–39 (Bd. 1 als 2. Aufl.); Bde. 1–2, ³1970–75;
Bde. 3,1 und 3,3ff., ²1982ff.; Bd. 3,2, ¹1991
Carney
T.F. CARNEY, Bureaucracy in traditional society. Roma-
no-Byzantine bureaucracies viewed from within, 1971
Cartledge/Millett/Todd
P. CARTLEDGE, P. MILLETT, S. TODD (Hrsg.), Nomos,
Essays in Athenian Law, Politics and Society, 1990
Cary
M. CARY, The Geographical Background of Greek and
Roman History, 1949
Casson, Ships
L. CASSON, Ships and Seamanship in the Ancient World,
1971
Casson, Trade
L. CASSON, Ancient Trade and Society, 1984
CAT
Catalogus Tragicorum et Tragoediarum (in TrGF Bd. 1)
CatLitPap
H.J.M. MILNE (Hrsg.), Catalogue of the Literary Papyri
in the British Museum, 1927

CCAG
F. CUMONT U.A. (Hrsg.), Catalogus Codicum Astrologorum Graecorum 12 Bde. in 20 Teilen, 1898–1940

CCG
Corpus Christianorum. Series Graeca, 1977 ff.

CCL
Corpus Christianorum. Series Latina, 1954 ff.

CE
Cronache Ercolanesi

CEG
P. A. HANSEN (Hrsg.), Carmina epigraphica Graeca (Texte und Kommentare 12; 15), 1983 ff.

CeM
Classica et Mediaevalia

CGF
G. KAIBEL (Hrsg.), Comicorum Graecorum Fragmenta, ²1958

CGL
G. GÖTZ (Hrsg.), Corpus glossariorum Latinorum 7 Bde., 1888–1923 Ndr. 1965

Chantraine
P. CHANTRAINE, Dictionnaire étymologique de la langue grecque 4 Bde., 1968–80

CHCL-G
E. J. KENNEY (Hrsg.), The Cambridge History of Classical Literature. Greek Literature, 1985 ff.

CHCL-L
E. J. KENNEY (Hrsg.), The Cambridge History of Classical Literature. Latin Literature, 1982 ff.

Chiron
Chiron. Mitteilungen der Kommission für alte Geschichte und Epigraphik des Deutschen Archäologischen Instituts

Christ
K. CHRIST, Geschichte der römischen Kaiserzeit von Augustus bis zu Konstantin, 1988

Christ, RGG
K. CHRIST, Römische Geschichte und deutsche Geschichtswissenschaft, 1982

Christ, RGW
K. CHRIST, Römische Geschichte und Wissenschaftsgeschichte 3 Bde., 1982–83

Christ/Momigliano
K. CHRIST, A. MOMIGLIANO, Die Antike im 19. Jahrhundert in Italien und Deutschland, 1988

CIA
A. KIRCHHOFF U.A. (Hrsg.), Corpus Inscriptionum Atticarum, 1873; Suppl. 1877–91

CIC
Corpus Iuris Canonici 2 Bde., 1879–81 Ndr. 1959

CID
Corpus des inscriptions de Delphes 3 Bde., 1977–92

CIE
C. PAULI (Hrsg.), Corpus Inscriptionum Etruscarum Bd. 1–2, 1893–1921, Bd. 3,1 ff., 1982 ff.

CIG
Corpus Inscriptionum Graecarum 4 Bde., 1828–77

CIL
Corpus Inscriptionum Latinarum, 1863 ff.

CIL III Add.
M. SASEL-KOS, Inscriptiones latinae in Graecia repertae. Additamenta ad CIL III (Epigrafia e antichità 5), 1979

CIRB
Corpus Inscriptionum regni Bosporani, 1965

CIS
Corpus Inscriptionum Semiticarum 5 Teile, 1881–1951

CJ
Classical Journal

CL
Cultura Neolatina

Clairmont
C. W. CLAIRMONT, Attic Classical Tombstones 7 Bde., 1993

Clauss
M. CLAUSS, Der magister officiorum in der Spätantike (4.–6. Jahrhundert). Das Amt und sein Einfluß auf die kaiserliche Politik (Vestigia 32), 1981

CLE
F. BÜCHELER, E. LOMMATZSCH (Hrsg.), Carmina Latina Epigraphica (Anthologia latina 2) 3 Bde., 1895–1926

CM
Clio Medica. Acta Academiae historiae medicinae.

CMA
Cahiers de l'Institut du Moyen Age grec et latin

CMB
W. M. CALDER III, D. J. KRAMER, An introductory bibliography to the history of classical scholarship, chiefly in the XIXth and XXth centuries, 1992

CMG
Corpus Medicorum Graecorum, 1908 ff.

CMIK
J. CHADWICK, Corpus of Mycenaean inscriptions from Knossos (Incunabula Graeca 88), 1986 ff.

CML
Corpus Medicorum Latinorum, 1915 ff.

CMS
F. MATZ U.A. (Hrsg.), Corpus der minoischen und mykenischen Siegel, 1964 ff.

CodMan
Codices manuscripti. Zeitschrift für Handschriftenkunde

Coing
H. COING, Europäisches Privatrecht 2 Bde., 1985–89

CollAlex
I. U. POWELL (Hrsg.), Collectanea Alexandrina, 1925

CollRau
J. v. UNGERN-STERNBERG (Hrsg.), Colloquia Raurica, 1988 ff.

Conway/Johnson/Whatmough
R. S. CONWAY, S. E. JOHNSON, J. WHATMOUGH, The Prae-Italic dialects of Italy 3 Bde., 1933 Ndr. 1968

Conze
A. CONZE, Die attischen Grabreliefs 4 Bde., 1893–1922

Courtney
E. COURTNEY, The Fragmentary Latin Poets, 1993

CPF
F. ADORNO (Hrsg.), Corpus dei Papiri Filosofici greci e latini, 1989 ff.

CPG
M. GEERARD (BDE. 1–5), F. GLORIE (BD. 5), Clavis patrum graecorum 5 Bde., 1974–87

CPh
Classical Philology

CPL
E. DEKKERS, A. GAAR, Clavis patrum latinorum (CCL), ³1995

CQ
Classical Quarterly

CR
Classical Review

CRAI
Comptes rendus des séances de l'Académie des inscriptions et belles-lettres

CRF
O. RIBBECK (Hrsg.), Comicorum Romanorum Fragmenta, 1871, Ndr. 1962

CSCO
Corpus Scriptorum Christianorum Orientalium, bisher 560 Bde., 1903 ff.

CSCT
Columbia Studies in the Classical Tradition

CSE
Corpus Speculorum Etruscorum, 1990 ff.

CSEL
Corpus Scriptorum ecclesiasticorum Latinorum, 1866 ff.

CSIR
Corpus Signorum Imperii Romani, 1963 ff.

Cumont, Pont
F. CUMONT, E. CUMONT, Voyage d'exploration archéologique dans le Pont et la Petite Arménie (Studia pontica 2), 1906

Cumont, Religions
F. CUMONT, Les Religions orientales dans le paganisme romain, ³1929, Ndr. 1981

Curtius
E.R. CURTIUS, Europäische Literatur und lateinisches Mittelalter, ¹¹1993

CVA
Corpus Vasorum Antiquorum, 1923 ff.

CW
The Classical World

D'Arms
J.H. D'ARMS, Commerce and Social Standing in Ancient Rome, 1981

D'Arms/Kopff
J.H. D'ARMS, E.C. KOPFF (Hrsg.), The Seaborne Commerce of Ancient Rome: Studies in Archaeology and History (Memoirs of the American Academy in Rome 36), 1980

Dacia
Dacia. Revue d'archéologie et d'histoire ancienne

Davies
J.K. DAVIES, Athenian Propertied Families 600–300 B.C., 1971

DB
F. VIGOUROUX (Hrsg.), Dictionnaire de la Bible, 1881 ff.

DCPP
E. LIPIŃSKI U.A. (Hrsg.), Dictionnaire de la Civilisation Phénicienne et Punique, 1992

Degrassi, FCap.
A. DEGRASSI, Fasti Capitolini (Corpus scriptorum Latinorum Paravianum), 1954

Degrassi, FCIR (= FC)
A. DEGRASSI, I Fasti consolari dell'Impero Romano, 1952

Deichgräber
K. DEICHGRÄBER, Die griechische Empirikerschule, 1930

Delmaire
R. DELMAIRE, Les responsables des finances impériales au Bas-Empire romain (IVᵉ-VIᵉ s.). Études prosopographiques (Collection Latomus 203), 1989

Demandt
A. DEMANDT, Der Fall Roms: die Auflösung des römischen Reiches im Urteil der Nachwelt, 1984

Demougin
S. DEMOUGIN, Prosopographie des Chevaliers romains Julio-Claudiens (43 av. J.-C.–70 ap. J.-C.) (Collection de l'École Française de Rome 153), 1992

Deubner
L. DEUBNER, Attische Feste, 1932

Develin
R. DEVELIN, Athenian Officials 684–321 B.C., 1989

Devijver
H. DEVIJVER, Prosopographia militiarum equestrium quae fuerunt ab Augusto ad Gallienum (Symbolae Facultatis Litterarum et Philosophiae Lovaniensis Ser. A 3) 3 Bde., 1976–80; 2 Suppl.-Bde., 1987–93

DHA
Dialogues d'histoire ancienne

DHGE
A. BAUDRILLART, R. AUBERT (Hrsg.), Dictionnaire d'Histoire et de Géographie Ecclésiastiques, 1912 ff.

DID
Didascaliae Tragicae / Ludorum Tragicorum (in TrGF Bd. 1)

Diels, DG
H. DIELS, Doxographi Graeci, 1879

Diels/Kranz
H. DIELS, W. KRANZ (Hrsg.), Fragmente der Vorsokratiker 3 Bde., ⁶1951 f., Ndr. Bd. 1, 1992; Bd. 2: 1985; Bd. 3: 1993

Dierauer
U. DIERAUER, Tier und Mensch im Denken der Antike, 1977

Dietz
K. DIETZ, Senatus contra principem. Untersuchungen zur senatorischen Opposition gegen Kaiser Maximinus Thrax (Vestigia 29), 1980

Dihle
A. DIHLE, Die griechische und lateinische Literatur der Kaiserzeit: von Augustus bis Justinian, 1989

DiskAB
Diskussionen zur archäologischen Bauforschung, 1974 ff.

Dixon
S. DIXON, The Roman Family, 1992

DJD
Discoveries in the Judaean Desert, 1955 ff.

DLZ
Deutsche Literaturzeitung für Kritik der internationalen Wissenschaft

DMA
J.R. STRAYER U.A. (Hrsg.), Dictionary of the Middle Ages 13 Bde., 1982–89

DMic
F. AURA JORRO, Diccionario Micénico, 1985

Dörrie/Baltes
H. DÖRRIE, M. BALTES (Hrsg.), Der Platonismus in der Antike, 1987 ff.

Domaszewski
A. v. DOMASZEWSKI, Aufsätze zur römischen Heeresgeschichte, 1972

Domaszewski/Dobson
A. v. DOMASZEWSKI, B. DOBSON, Die Rangordnung des römischen Heeres, ²1967

Domergue
C. DOMERGUE, Les mines de la péninsule Iberique dans l'Antiquité Romaine, 1990

Drumann/Groebe
> W. DRUMANN, P. GROEBE (Hrsg.), Geschichte Roms in seinem Übergange von der republikanischen zur monarchischen Verfassung 6 Bde., ²1899–1929 Ndr. 1964

DS
> C. DAREMBERG, E. SAGLIO (Hrsg.), Dictionnaire des antiquités grecques et romaines d'après les textes et les monuments 6 Bde., 1877–1919 Ndr. 1969

Dulckeit/Schwarz/Waldstein
> G. DULCKEIT, F. SCHWARZ, W. WALDSTEIN, Römische Rechtsgeschichte. Ein Studienbuch (Juristische Kurz-Lehrbücher), ⁹1995

Dumézil
> G. DUMÉZIL, La religion romaine archaïque, suivi d'un appendice sur la religion des Etrusques, ²1974

Duncan-Jones, Economy
> R. DUNCAN-JONES, The Economy of the Roman Empire. Quantitative Studies, 1974

Duncan-Jones, Structure
> R. DUNCAN-JONES, Structure and Scale in the Roman Economy, 1990

DVjS
> Deutsche Vierteljahrsschrift für Literaturwissenschaft und Geistesgeschichte

EA
> Epigraphica Anatolica. Zeitschrift für Epigraphik und historische Geographie Anatoliens

EAA
> R. BIANCHI BANDINELLI (Hrsg.), Enciclopedia dell'arte antica classica e orientale, 1958 ff.

EB
> G. CAMPS, Encyclopédie Berbère, 1984 ff.

Ebert
> F. EBERT, Fachausdrücke des griechischen Bauhandwerks Bd. 1: Der Tempel, 1910

EC
> Essays in Criticism

Eck (Statthalter)
> W. ECK, Die Statthalter der germanischen Provinzen vom 1.–3. Jahrhundert (Epigraphische Studien 14), 1985

Eckstein
> F. A. ECKSTEIN, Nomenclator philologorum, 1871

Edelstein, AM
> L. EDELSTEIN, Ancient medicine, 1967

Edelstein, Asclepius
> E. J. u. L. EDELSTEIN, Asclepius. A Collection and Interpretation of the Testimonies, 1945

Eder, Demokratie
> W. EDER (Hrsg.), Die athenische Demokratie im 4. Jahrhundert v. Chr. Vollendung oder Verfall einer Verfassungsform? Akten eines Symposiums, 3.–7. August 1992, 1995

Eder, Staat
> W. EDER (Hrsg.), Staat und Staatlichkeit in der frühen römischen Republik: Akten eines Symposiums, 12.–15. Juli 1988, 1990

EDM
> K. RANKE, W. BREDNICH (Hrsg.), Enzyklopädie des Märchens. Handwörterbuch zur historischen und vergleichenden Erzählforschung, 1977 ff.

EDRL
> A. BERGER, Encyclopedic dictionary of Roman Law (TAPhA N.S. 43,2), 1953, Ndr. 1968

EEpigr
> Ephemeris Epigraphica

EI
> Encyclopaedia of Islam, ²1960 ff.

Eissfeldt
> O. EISSFELDT (Hrsg.), Handbuch zum Alten Testament, ³1964 ff.

Emerita
> Emerita. Revista de linguistica y filologia clasica

EncIr
> E. YARSHATER (Hrsg.), Encyclopaedia Iranica, 1985

Entretiens
> Entretiens sur l'antiquité classique (Fondation Hardt)

EOMIA
> C. H. TURNER (Hrsg.), Ecclesiae Occidentalis Monumenta Iuris Antiquissima, 1899–1939; Suppl. 1930 ff.

EOS
> Atti del Colloquio Internazionale AIEGL su Epigrafia e Ordine Senatorio: Roma, 14–20 maggio 1981, 2 Bde., 1982

EpGF
> M. DAVIES, Epicorum graecorum fragmenta, 1988

EpGr
> G. KAIBEL (Hrsg.), Epigrammata Graeca ex lapidibus conlecta, 1878

Epicurea
> H. USENER (Hrsg.), Epicurea, 1887 Ndr. 1963

EPRO
> Études préliminaires aux religions orientales dans l'Empire Romain, 1961 ff.

Eranos
> Eranos. Acta Philologica Suecana

Eranos-Jb
> Eranos-Jahrbuch

Erasmus
> Erasmus. Speculum Scientiarum. Internationales Literaturblatt der Geisteswissenschaften

Eretz Israel
> Eretz-Israel, Archaeological, Historical and Geographical Studies

Ernout/Meillet
> A. ERNOUT, A. MEILLET, Dictionnaire étymologique de la langue latine, ⁴1959

Errington
> R. M. ERRINGTON, Geschichte Makedoniens. Von den Anfängen bis zum Untergang des Königreiches, 1986

ESAR
> T. FRANK (Hrsg.), An Economic Survey of Ancient Rome 6 Bde., 1933–40

Espérandieu, Inscr.
> E. ESPÉRANDIEU, Inscriptions latines de Gaule 2 Bde., 1929–36

Espérandieu, Rec.
> E. ESPÉRANDIEU, Recueil généneral des Bas-reliefs, Statues et Bustes de la Gaule Romaine 16 Bde., 1907–81

ET
> H. RIX (Hrsg.), Etruskische Texte (ScriptOralia 23,24, Reihe A 6,7) 2 Bde., 1991

ETAM
> Ergänzungsbände zu den Tituli Asiae minoris, 1966 ff.

Euph.
> Euphorion

EV
> F. DELLA CORTE u.a. (Hrsg.), Enciclopedia Virgiliana 5 Bde. in 6 Teilen, 1984–91

Evans
> D. E. EVANS, Gaulish personal names. A study of some continental Celtic formations, 1967

F&F
  Forschungen und Fortschritte
Farnell, Cults
  L.R. FARNELL, The Cults of the Greek States 5 Bde.,
  1896–1909
Farnell, GHC
  L.R. FARNELL, Greek Hero Cults and Ideas of Immortality,
  1921
FCG
  A. MEINEKE (Hrsg.), Fragmenta Comicorum Graecorum
  5 Bde., 1839–57, Ndr. 1970
FCS
  Fifteenth-Century Studies
FdD
  Fouilles de Delphes, 1902 ff.
FGE
  D.L. PAGE, Further Greek Epigrams, 1981
FGrH
  F. JACOBY, Die Fragmente der griechischen Historiker,
  3 Teile in 14 Bden., 1923–58; Teil I: ²1957
FHG
  C. MÜLLER (Hrsg.), Fragmenta Historicorum Graecorum
  5 Bde., 1841–70
Fick/Bechtel
  A. FICK, F. BECHTEL, Die griechischen Personennamen,
  ²1894
FiE
  Forschungen in Ephesos, 1906 ff.
Filologia
  La Filologia Greca e Latina nel secolo XX, 1989
Finley, Ancient Economy
  M.I. FINLEY, The Ancient Economy, ²1984
Finley, Ancient Slavery
  M.I. FINLEY, Ancient Slavery and Modern Ideology, 1980
Finley, Economy
  M.I. FINLEY, B.D. SHAW, R.P. SALLER (Hrsg.),
  Economy and Society in Ancient Greece, 1981
Finley, Property
  M.I. FINLEY (Hrsg.), Studies in Roman Property, 1976
FIRA
  S. RICCOBONO, J. BAVIERA (Hrsg.), Fontes iuris
  Romani anteiustiniani 3 Bde., ²1968
FIRBruns
  K.G. BRUNS, TH. MOMMSEN, O. GRADENWITZ
  (HRSG.), Fontes iuris Romani antiqui, ⁷1909 Ndr. 1969
Fittschen/Zanker
  K. FITTSCHEN, P. ZANKER, Katalog der römischen
  Porträts in den capitolinischen Museen und den anderen
  kommunalen Museen der Stadt Rom, 1983 ff.
Flach
  D. FLACH, Römische Agrargeschichte (HdbA III 9), 1990
Flashar
  H. FLASHAR, Inszenierung der Antike. Das griechische
  Drama auf der Bühne der Neuzeit, 1991
Flashar, Medizin
  H. FLASHAR (Hrsg.), Antike Medizin, 1971
FMS
  Frühmittelalterliche Studien, Jahrbuch des Instituts für
  Frühmittelalter-Forschung der Universität Münster
FO²
  L. VIDMAN, Fasti Ostienses, 1982
Fossey
  J.M. FOSSEY, Topography and population of ancient
  Boiotia Bd. 1, 1988

FOst
  L. VIDMAN, Fasti Ostienses, 1982
Fowler
  W.W. FOWLER, The Roman Festivals of the Period
  of the Republic. An Introduction to the Study of the
  Religion of the Romans, 1899
FPD
  I. PISO, Fasti Provinciae Daciae Bd. 1: Die senatorischen
  Amtsträger (Antiquitas 1,43), 1993
FPL²
  W. MOREL, C. BÜCHNER (Hrsg.), Fragmenta Poetarum
  Latinorum epicorum et lyricorum, ²1982
FPL³
  W. MOREL, C. BÜCHNER, J. BLÄNSDORF (Hrsg.), Frag-
  menta Poetarum Latinorum epicorum et lyricorum, ³1995
FPR
  A. BÄHRENS (Hrsg.), Fragmenta Poetarum Romanorum,
  1886
Frazer
  J.G. FRAZER, The Golden Bough. A Study in Magic and
  Religion, 8 Teile in 12 Bden.; Bde. 1–3, 5–9, ³1911–14;
  Bde. 4, 10–12, 1911–15
Frenzel
  E. FRENZEL, Stoffe der Weltliteratur, ⁸1992
Friedländer
  L. FRIEDLÄNDER, G. WISSOWA (Hrsg.), Darstellungen aus
  der Sittengeschichte Roms 4 Bde., ¹⁰1921–23
Frier, Landlords
  B.W. FRIER, Landlords and Tenants in Imperial Rome,
  1980
Frier, PontMax
  B.W. FRIER, Libri annales pontificum maximorum. The
  origins of the annalistic tradition (Papers and monographs of
  the American Academy in Rome 27), 1979
Frisk
  H. FRISK, Griechisches etymologisches Wörterbuch
  (Indogermanische Bibliothek: Reihe 2) 3 Bde., 1960–72
FRLANT
  Forschungen zur Religion und Literatur des Alten und
  Neuen Testaments
Fuchs/Floren
  W. FUCHS, J. FLOREN, Die Griechische Plastik. Bd. 1:
  Die geometrische und archaische Plastik, 1987
Furtwängler
  A. FURTWÄNGLER, Die antiken Gemmen. Geschichte der
  Steinschneidekunst im klassischen Altertum 3 Bde., 1900
Furtwängler/Reichhold
  A. FURTWÄNGLER, K. REICHHOLD, Griechische Vasen-
  malerei 3 Bde., 1904–32
Fushöller
  D. FUSHÖLLER, Tunesien und Ostalgerien in der Römer-
  zeit, 1979
G&R
  Greece and Rome
GA
  A.S.F. GOW, D.L. PAGE, The Greek Anthology, Bd. 1:
  Hellenistic Epigrams, 1965; Bd. 2: The Garland of Philip,
  1968
Gardner
  P. GARDNER, A History of Ancient Coinage, 700–300
  B.C., 1918
Gardthausen
  V. GARDTHAUSEN, Augustus und seine Zeit, 2 Teile
  in 6 Bden., 1891–1904

Garnsey
P. GARNSEY, Famine and Food Supply in the Graeco-Roman World. Responses to Risk and Crisis, 1988

Garnsey/Hopkins/Whittaker
P. GARNSEY, K. HOPKINS, C.R. WHITTAKER (Hrsg.), Trade in the Ancient Economy, 1983

Garnsey/Saller
P. GARNSEY, R. SALLER, The Roman Empire, Economy, Society and Culture, 1987

GCS
Die griechischen christlichen Schriftsteller der ersten Jahrhunderte, 1897 ff.

Gehrke
H.-J. GEHRKE, Jenseits von Athen und Sparta. Das Dritte Griechenland und seine Staatenwelt, 1986

Gentili/Prato
B. GENTILI, C. PRATO (Hrsg.), Poetarvm elegiacorvm testimonia et fragmenta Bd. 1: ²1988; Bd. 2: 1985

Georges
K.E. GEORGES, Ausführliches lateinisch-deutsches Handwörterbuch 2 Bde., ⁸1912–18 Ndr. 1992

Gérard-Rousseau
M. GÉRARD-ROUSSEAU, Les mentions religieuses dans les tablettes mycéniennes, 1968

Germania
Germania. Anzeiger der Römisch-Germanischen Kommission des Deutschen Archäologischen Instituts

Gernet
L. GERNET, Droit et société dans la Grèce ancienne (Institut de droit romain, Publication 13), 1955, Ndr. 1964

Geus
K. GEUS, Prosopographie der literarisch bezeugten Karthager (Studia Phoenicia 13; Orientalia Lovaniensia analecta 59), 1994

GG
Grammatici Graeci, Bde. 1,1–4,2, 1867–1910

GGA
Göttingische Gelehrte Anzeigen

GGM
C. MÜLLER (Hrsg.), Geographi Graeci Minores 2 Bde., Tabulae, 1855–61

GGPh¹
Grundriß der Geschichte der Philosophie (begründet von F. ÜBERWEG); K. PRÄCHTER (Hrsg.), Teil 1: Die Philosophie des Altertums, ¹²1926, Ndr. 1953

GGPh²
Grundriß der Geschichte der Philosophie (begründet von F. ÜBERWEG); H. FLASHAR (Hrsg.), Bd. 3: Die Philosophie der Antike, 1983; Bd. 4: Die hellenistische Philosophie, 1994

GHW 1
H. BENGTSON, V. MILOJCIC U.A., Großer Historischer Weltatlas des Bayrischen Schulbuchverlages 1. Vorgeschichte und Altertum, ⁶1978

GHW 2
J. ENGEL, W. MAGER, A. BIRKEN U.A., Großer Historischer Weltatlas des Bayrischen Schulbuchverlages 2. Mittelalter, ²1979

GIBM
C.T. NEWTON U.A. (Hrsg.), The Collection of Ancient Greek Inscriptions in the British Museum 4 Bde., 1874–1916

Gillispie
C.C. GILLISPIE (Hrsg.), Dictionary of scientific biography 14 Bde. und Index, 1970–80, Ndr. 1981; 2 Suppl.-Bde. 1978–90

GL
H. KEIL (Hrsg.), Grammatici Latini 7 Bde., 1855–80

GLM
A. RIESE (Hrsg.), Geographi Latini Minores, 1878

Glotta
Glotta. Zeitschrift für griechische und lateinische Sprache

GMth
F. ZAMINER (Hrsg.), Geschichte der Musiktheorie, 1984 ff.

Gnomon
Gnomon. Kritische Zeitschrift für die gesamte klassische Altertumswissenaft

Göbl
R. GÖBL, Antike Numismatik 2 Bde., 1978

Goleniščev
I.N. GOLENIŠČEV-KUTUZOV, Il Rinascimento italiano e le letterature slave dei secoli XV e XVI, 1973

Gordon
A.E. GORDON, Album of Dated Latin Inscriptions 4 Bde., 1958–65

Goulet
R. GOULET (Hrsg.), Dictionnaire des philosophes antiques, 1989 ff.

Graf
F. GRAF, Nordionische Kulte. Religionsgeschichtliche und epigraphische Untersuchungen zu den Kulten von Chios, Erythrai, Klazomenai und Phokaia, 1985

GRBS
Greek, Roman and Byzantine Studies

Grenier
A. GRENIER, Manuel d'archéologie gallo-romaine 4 Bde., 1931–60; Bd. 1 und 2: Ndr. 1985

GRF
H. FUNAIOLI (Hrsg.), Grammaticae Romanae Fragmenta, 1907

GRF(add)
A. MAZZARINO, Grammaticae Romanae Fragmenta aetatis Caesareae (accedunt volumini Funaioliano addenda), 1955

GRLMA
Grundriß der romanischen Literaturen des Mittelalters

Gruen, Last Gen.
E.S. GRUEN, The Last Generation of the Roman Republic, 1974

Gruen, Rome
E.S. GRUEN, The Hellenistic World and the Coming of Rome, 1984, Ndr. 1986

Gruppe
O. GRUPPE, Geschichte der klassischen Mythologie und Religionsgeschichte während des Mittelalters im Abendland und während der Neuzeit, 1921

Gundel
W. u. H.-G. GUNDEL, Astrologumena. Die astrologische Literatur in der Antike und ihre Geschichte, 1966

Guthrie
W.K.C. GUTHRIE, A History of Greek Philosophy 6 Bde., 1962–81

GVI
W. PEEK (Hrsg.), Griechische Versinschriften Bd. 1, 1955

Gymnasium
Gymnasium. Zeitschrift für Kultur der Antike und humanistische Bildung

HABES
  Heidelberger althistorische Beiträge und epigraphische
  Studien, 1986 ff.
Habicht
  C. Habicht, Athen. Die Geschichte der Stadt in
  hellenistischer Zeit, 1995
Hakkert
  A. M. Hakkert (Hrsg.), Lexicon of Greek and Roman
  Cities and Place-Names in Antiquity c. 1500 B.C. – c. A.D.
  500, 1990 ff.
Halfmann
  H. Halfmann, Die Senatoren aus dem östlichen Teil des
  Imperium Romanum bis zum Ende des 2. Jahrhunderts
  n.Chr. (Hypomnemata 58), 1979
Hamburger
  K. Hamburger, Von Sophokles zu Sartre. Griechische
  Dramenfiguren antik und modern, 1962
Hannestad
  N. Hannestad, Roman Art and Imperial Policy, 1986
Hansen, Democracy
  M. H. Hansen, The Athenian democracy in the age of
  Demosthenes. Structure, principles and ideology, 1991,
  Ndr. 1993
Harris
  W. V. Harris, War and Imperialism in Republican Rome
  327–70 B. C., 1979
Hasebroek
  J. Hasebroek, Griechische Wirtschafts- und Gesellschafts-
  geschichte bis zur Perserzeit, 1931
HbdOr
  B. Spuler (Hrsg.), Handbuch der Orientalistik, 1952 ff.
HbdrA
  J. Marquardt, Th. Mommsen, Handbuch der römi-
  schen Alterthümer Bd. 1–3, ³1887 f.; Bd. 4–7, ²1881–86
HBr
  P. Herrmann, R. Herbig (Hrsg.), Denkmäler der
  Malerei des Altertums 2 Bde., 1904–50
HDA
  H. Bächtold-Stäubli u.a. (Hrsg.), Handwörterbuch
  des deutschen Aberglaubens 10 Bde., 1927–42 Ndr. 1987
HdArch
  W. Otto, U. Hausmann (Hrsg.), Handbuch der
  Archäologie. Im Rahmen des HdbA 7 Bde., 1969–90
HdbA
  I. v. Müller, H. Bengtson (Hrsg.), Handbuch der
  Altertumswissenschaft, ⁵1977 ff.
Heckel
  W. Heckel, Marshals of Alexander's empire, 1978
Heinemann
  K. Heinemann, Die tragischen Gestalten der Griechen in
  der Weltliteratur, 1920
Helbig
  W. Helbig, Führer durch die öffentlichen Sammlungen
  klassischer Altertümer in Rom 4 Bde., ⁴1963–72
Hephaistos
  Hephaistos. Kritische Zeitschrift zu Theorie und Praxis der
  Archäologie, Kunstwissenschaft und angrenzender Gebiete
Hermes
  Hermes. Zeitschrift für klassische Philologie
Herrscherbild
  Das römische Herrscherbild, 1939 ff.
Herzog, Staatsverfassung
  E. v. Herzog, Geschichte und System der römischen
  Staatsverfassung 2 Bde., 1884–91, Ndr. 1965

Hesperia
  Hesperia. Journal of the American School of Classical
  Studies at Athens
Heubeck
  A. Heubeck, Schrift (Archaeologia Homerica Kapitel x
  Bd. 3), 1979
Heumann/Seckel
  H. G. Heumann, E. Seckel (Hrsg.), Handlexikon zu
  den Quellen des römischen Rechts, ¹¹1971
Highet
  G. Highet, The Classical Tradition: Greek and Roman
  influences on Western literature, ⁴1968, Ndr. 1985
Hild/Hellenkemper
  F. Hild, H. Hellenkemper, Kilikien und Isaurien
  (Denkschriften der Österreichischen Akademie der Wis-
  senschaften, Philosophisch-Historische Klasse 215; TIB 5)
  2 Bde., 1990
Hild/Restle
  F. Hild, M. Restle, Kappadokien (Kappadokia,
  Charsianon, Sebasteia und Lykandos) (Denkschriften
  der Österreichischen Akademie der Wissenschaften:
  Philosophisch-Historische Klasse 149; TIB 2), 1981
Hirschfeld
  O. Hirschfeld, Die kaiserlichen Verwaltungsbeamten
  bis auf Diocletian, ²1905
Historia
  Historia. Zeitschrift für Alte Geschichte
HJb
  Historisches Jahrbuch
HLav
  Humanistica Lavanensia
HLL
  R. Herzog, P. L. Schmidt (Hrsg.), Handbuch der
  lateinischen Literatur der Antike, 1989 ff.
HM
  A History of Macedonia Bd. 1: N. G. L. Hammond,
  Historical geography and prehistory, 1972; Bd. 2: N. G. L.
  Hammond, G. T. Griffith, 550–336 BC, 1979; Bd. 3:
  N. G. L. Hammond, F. W. Walbank, 336–167 BC, 1988
HmT
  H. H. Eggebrecht, Handwörterbuch der musikalischen
  Terminologie, 1972 ff.
HN
  B. V. Head, Historia numorum. A manual of Greek nu-
  mismatics, ²1911
Hodge
  T. A. Hodge, Roman Aqueducts and Water Supply, 1992
Hölbl
  G. Hölbl, Geschichte des Ptolemäerreiches. Politik,
  Ideologie und religiöse Kultur von Alexander dem
  Großen bis zur römischen Eroberung, 1994
Hölkeskamp
  K.-J. Hölkeskamp, Die Entstehung der Nobilität.
  Studien zur sozialen und politischen Geschichte der
  Römischen Republik im 4. Jh. v. Chr., 1987
Hoffmann
  D. Hoffmann, Das spätrömische Bewegungsheer und die
  Notitia dignitatum (Epigraphische Studien 7) 2 Bde.,
  1969 f.; = (Diss.) 1958
Hofmann/Szantyr
  J. B. Hofmann, A. Szantyr, Lateinische Syntax und
  Stilistik, ²1972
Holder
  A. Holder, Alt-celtischer Sprachschatz 3 Bde., 1896–1913,
  Ndr. 1961 f.

Honsell
  H. HONSELL, Römisches Recht (Springer-Lehrbuch),
  ³1994
Honsell/Mayer-Maly/Selb
  H. HONSELL, TH. MAYER-MALY, W. SELB, Röm.
  Recht, ⁴1987
Hopfner
  T. HOPFNER, Griechisch-ägyptischer Offenbarungszauber
  2 Bde. in 3 Teilen, 1921–24, Ndr. 1974–90
Hopkins, Conquerors
  K. HOPKINS, Conquerors and Slaves. Sociological Studies
  in Roman History Bd. 1, 1978
Hopkins, Death
  K. HOPKINS, Death and Renewal. Sociological Studies in
  Roman History Bd. 2, 1983
HR
  History of Religions
HRR
  H. PETER (Hrsg.), Historicorum Romanorum Reliquiae,
  Bd. 1: ²1914, Bd. 2: 1906 Ndr. 1967
HrwG
  H. CANCIK, B. GLADIGOW, M. LAUBSCHER (AB BD. 2:
  K.-H. KOHL) (Hrsg.), Handbuch religionswissenschaft-
  licher Grundbegriffe, 1988 ff.
HS
  Historische Sprachforschung
HSM
  Histoire des sciences médicales
HSPh
  Harvard Studies in Classical Philology
Hülser
  K. HÜLSER, Die Fragmente zur Dialektik der Stoiker.
  Neue Sammlung der Texte mit deutscher Übersetzung
  und Kommentaren 4 Bde., 1987 f.
Humphrey
  J.H. HUMPHREY, Roman Circuses. Arenas for Chariot
  Racing, 1986
Hunger, Literatur
  H. HUNGER, Die hochsprachlich profane Literatur der
  Byzantiner (HdbA 12,5) 2 Bde., 1978
Hunger, Mythologie
  H. HUNGER (Hrsg.), Lexikon der griechischen und
  römischen Mythologie, ⁶1969
Huss
  W. HUSS, Geschichte der Karthager (HdbA III 8), 1985
HWdPh
  J. RITTER, K. GRÜNDER (Hrsg.), Historisches Wörter-
  buch der Philosophie, 1971 ff.
HWdR
  G. UEDING (Hrsg.), Historisches Wörterbuch der
  Rhetorik, 1992 ff.
HZ
  Historische Zeitschrift
IA
  Iranica Antiqua
IconRel
  T.P. v. BAAREN (Hrsg.), Iconography of Religions,
  1970 ff.
ICUR
  A. FERRUA, G.B. DE ROSSI, Inscriptiones christianae
  urbis Romae
IDélos
  Inscriptions de Délos, 1926 ff.

IDidyma
  A. REHM (Hrsg.), Didyma Bd. 2: Die Inschriften, 1958
IEG
  M.L. WEST (Hrsg.), Iambi et elegi Graeci ante
  Alexandrum cantati 2 Bde., ²1989–92
IEJ
  Israel Exploration Journal
IEph
  Die Inschriften von Ephesos, Teil I–VII (= Inschriften
  griechischer Städte aus Kleinasien 11–17,4), 1979–1984
IER
  Illustrierte Enzyklopädie der Renaissance
IEry
  H. ENGELMANN (Hrsg.), Die Inschriften von Erythrai und
  Klazomenai 2 Bde., 1972 f.
IF
  Indogermanische Forschungen
IG
  Inscriptiones Graecae, 1873 ff.
IGA
  H. ROEHL (Hrsg.), Inscriptiones Graecae antiquissimae
  praeter Atticas in Attica repertas, 1882, Ndr. 1977
IGBulg
  G. MIHAILOV (Hrsg.), Inscriptiones Graecae in Bulgaria
  repertae 5 Bde., 1956–1996
IGLS
  Inscriptions grecques et latines de la Syrie, 1929 ff.
IGR
  R. CAGNAT U.A. (Hrsg.), Inscriptiones Graecae ad res
  Romanas pertinentes 4 Bde., 1906–27
IGUR
  L. MORETTI, Inscriptiones Graecae urbis Romae 4 Bde.,
  1968–90
IJCT
  International Journal of the Classical Tradition
Ijsewijn
  J. IJSEWIJN, Companion to Neo Latin Studies, ²1990 ff.
IK
  Die Inschriften griechischer Städte aus Kleinasien, 1972 ff.
ILAlg
  St. GSELL, Inscriptions Latines de l'Algérie, vol. 1, 1922
  (Ndr. 1965); vol. 2 (ed. H.G. Pflaum), 1957
ILCV
  E. DIEHL (Hrsg.), Inscriptiones Latinae Christianae
  Veteres orientis 3 Bde., 1925–31, Ndr. 1961;
  J. MOREAU, H.I. MARROU (Hrsg.), Suppl., 1967
ILLRP
  A. DEGRASSI (Hrsg.), Inscriptiones Latinae liberae rei
  publicae 2 Bde., 1957–63, Ndr. 1972
ILS
  H. DESSAU (Hrsg.), Inscriptiones Latinae Selectae
  3 Bde. in 5 Teilen, 1892–1916, Ndr. ⁴1974
IMagn.
  O. KERN (Hrsg.), Die Inschriften von Magnesia am
  Mäander, 1900, Ndr. 1967
IMU
  Italia medioevale e umanistica
Index
  Index. Quaderni camerti di studi romanistici
InscrIt
  A. DEGRASSI (Hrsg.), Inscriptiones Italiae, 1931 ff.
IOSPE
  V. LATYSCHEW (Hrsg.), Inscriptiones antiquae orae
  septentrionalis ponti Euxini Graecae et Latinae 3 Bde.,
  1885–1901, Ndr. 1965

IPArk
G. Thür, H. Taeuber, Prozeßrechtliche Inschriften der
griech. Poleis. Arkadien, 1994
IPerg
M. Fraenkel (Hrsg.), Die Inschriften von Pergamon (Al-
tertümer von Pergamon, Bd. 8,1 und 8,2), 1890 und 1895
IPNB
M. Mayrhofer, R. Schmitt (Hrsg.), Iranisches
Personennamenbuch, 1979 ff.
IPQ
International Philosophical Quaterly
IPriene
F. Hiller von Gärtringen, Inschriften von Priene,
1906
Irmscher
J. Irmscher (Hrsg.), Renaissance und Humanismus in
Mittel- und Osteuropa, 1962
Isager/Skydsgaard
S. Isager, J. E. Skydsgaard, Ancient Greek Agriculture,
An Introduction, 1992
Isis
Isis
IstForsch
Istanbuler Forschungen des Deutschen Archäologischen
Instituts
Iura
IVRA, Rivista internazionale di diritto romano e antico
IvOl
W. Dittenberger, K. Purgold, Inschriften von
Olympia, 1896, Ndr. 1966
Jaffé
P. Jaffé, Regesta pontificum Romanorum ab condita
ecclesia ad annum 1198 2 Bde., ²1885–88
JBAA
The Journal of the British Archaeological Association
JbAC
Jahrbuch für Antike und Christentum
JCS
Journal of Cuneiform Studies
JDAI
Jahrbuch des Deutschen Archäologischen Instituts
JEA
The Journal of Egyptian Archaeology
Jenkyns, DaD
R. Jenkyns, Dignity and Decadence: Classicism and the
Victorians, 1992
Jenkyns, Legacy
R. Jenkyns, The Legacy of Rome: A New Appraisal, 1992
JHAS
Journal for the History of Arabic Science
JHB
Journal of the History of Biology
JHM
Journal of the History of Medicine and Allied Sciences
JHPh
Journal of the History of Philosophy
JHS
Journal of Hellenic Studies
JLW
Jahrbuch für Liturgiewissenschaft
JMRS
Journal of Medieval and Renaissance Studies
JNES
Journal of Near Eastern Studies

JNG
Jahrbuch für Numismatik und Geldgeschichte
JÖAI
Jahreshefte des Österreichischen Archäologischen Instituts
Jones, Cities
A. H. M. Jones, The Cities of the Eastern Roman
Provinces, ²1971
Jones, Economy
A. H. M. Jones, The Roman Economy. Studies in Ancient
Economic and Administrative History, 1974
Jones, LRE
A. H. M. Jones, The Later Roman Empire 284–602.
A Social, Economic and Administrative Survey, 1964
Jones, RGL
A. H. M. Jones, Studies in Roman government and law,
1968
Jost
M. Jost, Sanctuaires et cultes d'Arcadie, 1985
JPh
Journal of Philosophy
JRGZ
Jahrbuch des Römisch-Germanischen Zentralmuseums
JRS
Journal of Roman Studies
Justi
F. Justi, Iranisches Namenbuch, 1895
JWG
Jahrbuch für Wirtschaftsgeschichte
JWI
Journal of the Warburg and Courtauld Institutes
Kadmos
Kadmos. Zeitschrift für vor- und frühgriechische
Epigraphik
KAI
H. Donner, W. Röllig, Kanaanaeische und
aramaeische Inschriften 3 Bde., ³1971–1976
Kajanto, Cognomina
I. Kajanto, The Latin Cognomina, 1965
Kajanto, Supernomina
I. Kajanto, Supernomina. A study in Latin epigraphy
(Commentationes humanarum litterarum 40,1), 1966
Kamptz
H. v. Kamptz, Homerische Personennamen. Sprachwis-
senschaftliche und historische Klassifikation, 1982 =
H. v. Kamptz, Sprachwissenschaftliche und historische
Klassifikation der homerischen Personennamen, (Diss.) 1958
Karlowa
O. Karlowa, Römische Rechtsgeschichte 2 Bde.,
1885–1901
Kaser, AJ
M. Kaser, Das altrömische Jus. Studien zur Rechtsvor-
stellung und Rechtsgeschichte der Römer, 1949
Kaser, RPR
M. Kaser, Das römische Privatrecht (Rechtsgeschichte des
Altertums Teil 3, Bd. 3; HbdA Abt. 10, Teil 3, Bd. 3)
2 Bde., ²1971–75
Kaser, RZ
M. Kaser, Das römische Zivilprozessrecht (Rechtsge-
schichte des Altertums Teil 3, Bd. 4; HbdA Abt. 10, Teil 3,
Bd. 4), 1966
Kearns
E. Kearns, The Heroes of Attica, 1989 (BICS Suppl. 57)
Keller
O. Keller, Die antike Tierwelt 2 Bde., 1909–20, Ndr. 1963

Kelnhofer
  F. KELNHOFER, Die topographische Bezugsgrundlage der Tabula Imperii Byzantini (Denkschriften der Österreichischen Akademie der Wissenschaften: Philosophisch-Historische Klasse 125, Beih.; TIB 1, Beih.), 1976
Kienast
  D. KIENAST, Römische Kaisertabelle. Grundzüge einer römischen Kaiserchronologie, ¹1990, ²1996
Kindler
  W. JENS (Hrsg.), Kindlers Neues Literatur Lexikon 20 Bde., 1988–92
Kinkel
  G. KINKEL (Hrsg.), Epicorum Graecorum Fragmenta, 1877
Kirsten/Kraiker
  E. KIRSTEN, W. KRAIKER, Griechenlandkunde. Ein Führer zu klassischen Stätten, ⁵1967
Kleberg
  T. KLEBERG, Hôtels, restaurants et cabarets dans l'antiquité Romaine. Études historiques et philologiques, 1957
Klio
  Klio. Beiträge zur Alten Geschichte
KlP
  K. ZIEGLER (Hrsg.), Der Kleine Pauly. Lexikon der Antike 5 Bde., 1964–75, Ndr. 1979
Knobloch
  J. KNOBLOCH, U.A. (Hrsg.), Sprachwissenschaftliches Wörterbuch (Indogermanische Bibliothek 2), 1986 ff. (1. Lfg. 1961)
Koch/Sichtermann
  G. KOCH, H. SICHTERMANN, Römische Sarkophage, 1982
Koder
  J. KODER, Der Lebensraum der Byzantiner. Historisch-geographischer Abriß ihres mittelalterlichen Staates im östlichen Mittelmeerraum, 1984
Koder/Hild
  J. KODER, F. HILD, Hellas und Thessalia (Denkschriften der Österreichischen Akademie der Wissenschaften, Philosophisch-Historische Klasse 125; TIB 1), 1976
Kolb, Bauverwaltung
  A. KOLB, Die kaiserliche Bauverwaltung in der Stadt Rom, 1993
Kraft
  K. KRAFT, Gesammelte Aufsätze zur antiken Geschichte und Militärgeschichte, 1973
Kromayer/Veith
  J. KROMAYER, G. VEITH, Heerwesen und Kriegführung der Griechen und Römer, 1928, Ndr. 1963
Krumbacher
  K. KRUMBACHER, Geschichte der byzantinischen Litteratur von Justinian bis zum Ende des oströmischen Reiches (527–1453) (HdbA 9,1), ²1897, Ndr. 1970
KSd
  J. FRIEDRICH (Hrsg.), Kleinasiatische Sprachdenkmäler (Kleine Texte für Vorlesungen und Übungen 163), 1932
KUB
  Keilschrifturkunden von Boghazköi
Kühner/Blass
  R. KÜHNER, F. BLASS, Ausführliche Grammatik der griechischen Sprache. Teil 1: Elementar- und Formenlehre 2 Bde., ³1890–92

Kühner/Gerth
  R. KÜHNER, B. GERTH, Ausführliche Grammatik der griechischen Sprache. Teil 2: Satzlehre 2 Bde., ³1898–1904; W. M. CALDER III, Index locorum, 1965
Kühner/Holzweißig
  R. KÜHNER, F. HOLZWEISSIG, Ausführliche Grammatik der lateinischen Sprache. Teil 1: Elementar-, Formen- und Wortlehre, ²1912
Kühner/Stegmann
  R. KÜHNER, C. STEGMANN, Ausführliche Grammatik der lateinischen Sprache; Teil 2: Satzlehre 2 Bde., ⁴1962 (durchgesehen von A. THIERFELDER); G. S. SCHWARZ, R. L. WERTIS, Index locorum, 1980
Kullmann/Althoff
  W. KULLMANN, J. ALTHOFF (Hrsg.), Vermittlung und Tradierung von Wissen in der griechischen Kultur, 1993
Kunkel
  W. KUNKEL, Herkunft und soziale Stellung der römischen Juristen, ²1967
KWdH
  H. H. SCHMITT (Hrsg.), Kleines Wörterbuch des Hellenismus, ²1993
Lacey
  W. K. LACEY, The Family in Classical Greece, 1968
LÄ
  W. HELCK U.A. (Hrsg.), Lexikon der Ägyptologie 7 Bde., 1975–92 (1. Lfg. 1972)
LAK
  H. BRUNNER, K. FLESSEL, F. HILLER U.A. (Hrsg.), Lexikon Alte Kulturen 3 Bde., 1990–93
Lanciani
  R. LANCIANI, Forma urbis Romae, 1893–1901
Lange
  C. C. L. LANGE, Römische Altertümer Bde. 1–2, ²1876–79; Bd. 3, 1876
Langosch
  K. LANGOSCH, Mittellatein und Europa, 1990
Latomus
  Latomus. Revue d'études latines
Latte
  K. LATTE, Römische Religionsgeschichte (HdbA 5,4), 1960, Ndr. 1992
Lauffer, BL
  S. LAUFFER, Die Bergwerkssklaven von Laureion, ²1979
Lauffer, Griechenland
  S. LAUFFER (Hrsg.), Griechenland. Lexikon der historischen Stätten von den Anfängen bis zur Gegenwart, 1989
Lausberg
  H. LAUSBERG, Handbuch der literarischen Rhetorik. Eine Grundlegung der Literaturwissenschaft, ³1990
LAW
  C. ANDRESEN U.A. (Hrsg.), Lexikon der Alten Welt, 1965, Ndr. 1990
LCI
  Lexikon der christlichen Ikonographie
LdA
  J. IRMSCHER (Hrsg.), Lexikon der Antike, ¹⁰1990
Le Bohec
  Y. LE BOHEC, L'armée romaine. Sous le Haut-Empire, 1989
Leitner
  H. LEITNER, Zoologische Terminologie beim Älteren Plinius (Diss.) 1972

Leo
F. LEO, Geschichte der römischen Literatur. 1. Die archaische Literatur, 1913, Ndr. 1958

Lesky
A. LESKY, Geschichte der griechischen Literatur, ³1971, Ndr. 1993

Leumann
M. LEUMANN, Lateinische Laut- und Formenlehre (HdbA II 2,1), 1977

Leunissen (Konsuln)
P.M.M. LEUNISSEN, Konsuln und Konsulare in der Zeit von Commodus bis zu Alexander Severus (180–235 n.Chr.) (Dutch Monographs in Ancient History and Archaeology 6), 1989

Lewis/Short
C.T. LEWIS, C. SHORT, A Latin Dictionary, ²1980

LFE
B. SNELL (Hrsg.), Lexikon des frühgriechischen Epos, 1979ff. (1. Lfg. 1955)

LGPN
P.M. FRASER U.A. (Hrsg.), A Lexicon of Greek Personal Names, 1987ff.

Liebenam
W. LIEBENAM, Städteverwaltung im römischen Kaiserreich, 1900

Lietzmann
H. LIETZMANN, Geschichte der Alten Kirche, ⁴/⁵1975

LIMC
J. BOARDMAN U.A. (Hrsg.), Lexicon Iconographicum Mythologiae Classicae, 1981ff.

Lippold
G. LIPPOLD, Die griechische Plastik (HdArch III), 1950

Lipsius
J.H. LIPSIUS, Das attische Recht und Rechtsverfahren. Mit Benutzung des Attischen Processes 3 Bde., 1905–15, Ndr. 1984

Lloyd-Jones
H. LLOYD-JONES, Blood for the Ghosts – Classical Influences in the Nineteenth and Twentieth Centuries 1982

LMA
R.-H. BAUTIER, R. AUTY (Hrsg.), Lexikon des Mittelalters 7 Bde., 1980–93 (1. Lfg. 1977), 3. Bd.: Ndr. 1995

Lobel/Page
E. LOBEL, D. PAGE (Hrsg.), Poetarum lesbiorum fragmenta, 1955 Ndr. 1968

Loewy
E. LOEWY (Hrsg.), Inschriften griechischer Bildhauer, 1885, Ndr. 1965

LPh
T. SCHNEIDER, Lexikon der Pharaonen. Die altägyptischen Könige von der Frühzeit bis zur Römerherrschaft, 1994

LRKA
Friedrich Lübkers Reallexikon des Klassischen Altertums, ⁸1914

LSAG
L.H. JEFFERY, The Local Scripts of Archaic Greece. A Study of the Origin of the Greek Alphabet and its Development from the Eighth to the Fifth Centuries B.C., ²1990

LSAM
F. SOKOLOWSKI, Lois sacrées de l'Asie mineure, 1955

LSCG
F. SOKOLOWSKI, Lois sacrées des cités grecques, 1969

LSCG, Suppl
F. SOKOLOWSKI, Lois sacrées des cités grecques, Supplément, 1962

LSJ
H.G. LIDDELL, R. SCOTT, H.S. JONES U.A. (Hrsg.), A Greek-English Lexicon, ⁹1940; Suppl. 1968, Ndr. 1992

LThK²
J. HÖFER, K. RAHNER (Hrsg.), Lexikon für Theologie und Kirche 14 Bde., ²1957–86

LThK³
W. KASPER U.A. (Hrsg.), Lexikon für Theologie und Kirche, ³1993ff.

LTUR
E.M. STEINBY (Hrsg.), Lexicon Topographicum Urbis Romae, 1993ff.

LUA
Lunds Universitets Arsskrift/Acta Universitatis Lundensis

Lugli, Fontes
G. LUGLI (Hrsg.), Fontes ad topographiam veteris urbis Romae pertinentes, 6 von 8 Bden. teilw. erschienen, 1952–62

Lugli, Monumenti
G. LUGLI, I Monumenti antichi di Roma e suburbio 3 Bde., 1930–38; Suppl. 1940

Lustrum
Lustrum. Internationale Forschungsberichte aus dem Bereich des klassischen Altertums

M&H
Mediaevalia et Humanistica. Studies in Medieval and Renaissance Society

MacDonald
G. MACDONALD, Catalogue of Greek Coins in the Hunterian Collection, University of Glasgow 3 Bde., 1899–1905

MacDowell
D.M. MACDOWELL, The law in Classical Athens (Aspects of Greek and Roman life), 1978

MAev.
Medium Aevum

Magie
D. MAGIE, Roman Rule in Asia Minor to the End of the Third Century after Christ, 1950, Ndr. 1975

MAII
Mosaici Antichi in Italia, 1967ff.

MAMA
Monumenta Asiae minoris Antiqua, 1927ff.

Manitius
M. MANITIUS, Geschichte der lateinischen Literatur des Mittelalters (HdbA 9,2) 3 Bde., 1911–31, Ndr. 1973–76

MarbWPr
Marburger-Winckelmann-Programm

Marganne
M.H. MARGANNE, Inventaire analytique des papyrus grecs de médicine, 1981

Marrou
H.-I. MARROU, Geschichte der Erziehung im klassischen Altertum (Übersetzung der Histoire de l'éducation dans l'antiquité), ²1977

Martinelli
M. MARTINELLI (Hrsg.), La ceramica degli Etruschi, 1987

Martino, SCR
F. DE MARTINO, Storia della costituzione romana 5 Bde., ²1972–75; Indici ²1990

Martino, WG
F. DE MARTINO, Wirtschaftsgeschichte des alten Rom, ²1991

Masson
O. MASSON, Les inscriptions chypriotes syllabiques.
Recueil critique et commenté (Études chypriotes 1), ²1983
Matz/Duhn
F. MATZ, F. v. DUHN (Hrsg.), Antike Bildwerke in Rom
mit Ausschluß der größeren Sammlungen 3 Bde., 1881f.
MAVORS
M.P. SPEIDEL (Hrsg.), Roman Army Researches 1984ff.
MBAH
Münsterische Beiträge zur antiken Handelsgeschichte
MDAI(A)
Mitteilungen des Deutschen Archäologischen Instituts,
Athenische Abteilung
MDAI(Dam)
Damaszener Mitteilungen des Deutschen Archäologischen
Instituts
MDAI(Ist)
Istanbuler Mitteilungen des Deutschen Archäologischen
Instituts
MDAI(K)
Mitteilungen des Deutschen Archäologischen Instituts
(Abteilung Kairo)
MDAI(R)
Mitteilungen des Deutschen Archäologischen Instituts,
Römische Abteilung
MDOG
Mitteilungen der Deutschen Orient-Gesellschaft zu Berlin
MededRom
Mededelingen van het Nederlands Historisch Instituut te
Rome
Mediaevalia
Mediaevalia
Mediaevistik
Mediaevistik. Internationale Zeitschrift für interdisziplinäre
Mittelalterforschung
MEFRA
Mélanges d'Archéologie et d'Histoire de l'École Française
de Rome. Antiquité
Meiggs
R. MEIGGS, Trees and Timber in the Ancient Mediterra-
nean World, 1982
Merkelbach/West
R. MERKELBACH, M. L. WEST (Hrsg.), Fragmenta
Hesiodea, 1967
Mette
H.J. METTE, Urkunden dramatischer Aufführungen in
Griechenland, 1977
MG
Monuments Grecs
MGG¹
F. BLUME (Hrsg.), Die Musik in Geschichte und Gegen-
wart. allgemeine Enzyklopädie der Musik 17 Bde., 1949–86,
Ndr. 1989
MGG²
L. FINSCHER (Hrsg.), Die Musik in Geschichte und
Gegenwart 20 Bde., ²1994ff.
MGH
Monumenta Germaniae Historica inde ab anno Christi
quingentesimo usque ad annum millesimum et quingen-
tesimum, 1826ff.
MGH AA
Monumenta Germaniae Historica: Auctores Antiquissimi
MGH DD
Monumenta Germaniae Historica: Diplomata

MGH Epp
Monumenta Germaniae Historica: Epistulae
MGH PL
Monumenta Germaniae Historica: Poetae Latini medii aevi
MGH SS
Monumenta Germaniae Historica: Scriptores
MGrecs
Monuments Grecs publiés par l'Association pour l'Encou-
ragement des Études grecques en France 2 Bde., 1872–97
MH
Museum Helveticum
MiB
Musikgeschichte in Bildern
Millar, Emperor
F.G.B. MILLAR, The Emperor in the Roman World, 1977
Millar, Near East
F.G.B. MILLAR, The Roman Near East, 1993
Miller
K. MILLER, Itineraria Romana. Römische Reisewege an
der Hand der Tabula Peutingeriana, 1916, Ndr. 1988
Millett
P. MILLETT, Lending and Borrowing in Ancient Athens,
1991
Minos
Minos
MIO
Mitteilungen des Instituts für Orientforschung
MIR
Moneta Imperii Romani. Österreichische Akademie der
Wissenschaften. Veröffentlichungen der Numismatischen
Kommission
Mitchell
S. MITCHELL, Anatolia. Land, men, and gods in Asia Minor
2 Bde., 1993
Mitteis
L. MITTEIS, Reichsrecht und Volksrecht in den östlichen
Provinzen des römischen Kaiserreichs. Mit Beiträgen zur
Kenntnis des griechischen Rechts und der spätrömischen
Rechtsentwicklung, 1891, Ndr. 1984
Mitteis/Wilcken
L. MITTEIS, U. WILCKEN, Grundzüge und Chrestomathie
der Papyruskunde, 1912, Ndr. 1978
ML
R. MEIGGS, D. LEWIS (Hrsg.), A Selection of Greek
Historical Inscriptions to the End of the Fifth Century B.C.,
²1988
MLatJb
Mittellateinisches Jahrbuch. Internationale Zeitschrift für
Mediävistik
Mnemosyne
Mnemosyne. Bibliotheca Classica Batava
MNVP
Mitteilungen und Nachrichten des Deutschen Palästina-
vereins
MNW
H. MEIER u.a. (Hrsg.), Kulturwissenschaftliche Biblio-
graphie zum Nachleben der Antike 2 Bde., 1931–38
Mollard-Besques
S. MOLLARD-BESQUES, Musée National du Louvre.
Catalogue raisonné des figurines et reliefs en terre-cuite
grecs, étrusques et romains 4 Bde., 1954–86
Momigliano
A. MOMIGLIANO, Contributi alla storia degli studi classici,
1955ff.

Mommsen, Schriften
    TH. MOMMSEN, Gesammelte Schriften 8 Bde., 1904–13,
    Ndr. 1965
Mommsen, Staatsrecht
    TH. MOMMSEN, Römisches Staatsrecht 3 Bde., Bd. 1:
    ³1887, Bd. 2 f.: 1887 f.
Mommsen, Strafrecht
    TH. MOMMSEN, Römisches Strafrecht, 1899, Ndr. 1955
Mon.Ant.ined.
    Monumenti Antichi inediti
Moos
    P.v. MOOS, Geschichte als Topik, 1988
Moraux
    P. MORAUX, Der Aristotelismus bei den Griechen von
    Andronikos bis Alexander von Aphrodisias (Peripatoi 5 und 6)
    2 Bde., 1973–84
Moreau
    J. MOREAU, Dictionnaire de géographie historique de la
    Gaule et de la France, 1972; Suppl. 1983
Moretti
    L. MORETTI (Hrsg.), Iscrizioni storiche ellenistiche
    2 Bde., 1967–76
MP
    Modern Philology
MPalerne
    Mémoires du Centre Jean Palerne
MRR
    T.R.S. BROUGHTON, The Magistrates of the Roman
    Republic 2 Bde., 1951–52; Suppl. 1986
MSG
    C. JAN (Hrsg.), Musici scriptores Graeci, 1895; Suppl.
    1899, Ndr. 1962
Müller
    D. MÜLLER, Topographischer Bildkommentar zu den
    Historien Herodots: Griechenland im Umfang des heuti-
    gen griechischen Staatsgebiets, 1987
Müller-Wiener
    W. MÜLLER-WIENER, Bildlexikon zur Topographie
    Istanbuls, 1977
Münzer¹
    F. MÜNZER, Römische Adelsparteien und Adelsfamilien,
    1920
Münzer²
    F. MÜNZER, Römische Adelsparteien und Adelsfamilien,
    ²1963
Murray / Price
    O. MURRAY, S. PRICE (Hrsg.), The Greek City: From
    Homer to Alexander, 1990
Muséon
    Muséon. Revue d'Études Orientales
MVAG
    Mitteilungen der Vorderasiatischen (Ägyptischen) Gesell-
    schaft
MVPhW
    Mitteilungen des Vereins klassischer Philologen in Wien
MythGr
    Mythographi Graeci 3 Bde., 1894–1902; Bd. 1: ²1926
Nash
    E. NASH, Bildlexikon zur Topographie des antiken Rom,
    1961 f.
NC
    Numismatic Chronicle
NClio
    La Nouvelle Clio

NDB
    Neue Deutsche Biographie, 1953 ff.; Bde. 1–6 Ndr. 1971
NEAEHL
    E. STERN (Hrsg.), The new encyclopedia of archaeolo-
    gical excavations in the Holy Land 4 Bde., 1993
Neoph.
    Neophilologus
Newald
    R. NEWALD, Nachleben des antiken Geistes im Abendland
    bis zum Beginn des Humanismus, 1960
NGrove
    The New Grove Dictionary of Music and Musicians, ⁶1980
NGroveInst
    The New Grove Dictionary of Musical Instruments, 1984
NHCod
    Nag Hammadi Codex
NHL
    Neues Handbuch der Literaturwissenschaft. Bd. 1:
    W. RÖLLIG (Hrsg.), Altorientalische Literaturen, 1978;
    Bd. 2: E. VOIGT (Hrsg.), Griechische Literatur, 1981;
    Bd. 3: M. FUHRMANN (Hrsg.), Römische Literatur, 1974;
    Bd. 4: L.J. ENGELS, H. HOFMANN (Hrsg.), Spätantike,
    1997; Bd. 5: W. HEINRICHS (Hrsg.), Orientalisches Mittel-
    alter, 1990
NHS
    Nag Hammadi Studies
Nicolet
    C. NICOLET, L' Ordre équestre à l'époque républicaine
    312–43 av. J.-C. 2 Bde., 1966–74
Nilsson, Feste
    M.P. NILSSON, Griechische Feste von religiöser Bedeu-
    tung mit Ausschluss der attischen, 1906
Nilsson, GGR
    M.P. NILSSON, Geschichte der griechischen Religion
    (HdbA 5,2), Bd. 1: ³1967, Ndr. 1992; Bd. 2: ⁴1988
Nilsson, MMR
    M.P. NILSSON, The Minoan-Mycenaean Religion and
    its Survival in Greek Religion, ²1950
Nissen
    H. NISSEN, Italische Landeskunde 2 Bde., 1883–1902
Nock
    A.D. NOCK, Essays on Religion and the Ancient World,
    1972
Noethlichs
    K.L. NOETHLICHS, Beamtentum und Dienstvergehen.
    Zur Staatsverwaltung in der Spätantike, 1981
Norden, Kunstprosa
    E. NORDEN, Die antike Kunstprosa vom 6. Jh. v. Chr. bis
    in die Zeit der Renaissance, ⁶1961
Norden, Literatur
    E. NORDEN, Die römische Literatur, ⁶1961
NSA
    Notizie degli scavi di antichità
NTM
    Schriftenreihe für Geschichte der Naturwissenschaften,
    Technik und Medizin
Nutton
    V. NUTTON, From Democedes to Harvey. Studies in the
    history of medicine (Collected studies series 277), 1988
NZ
    Numismatische Zeitschrift
OA
    J.G. BAITER, H. SAUPPE (Hrsg.), Oratores Attici 3 Teile,
    1839–43

OBO
  Orbis Biblicus et Orientalis
OCD
  N.G. HAMMOND, H.H. SCULLARD (Hrsg.),
  The
  Oxford Classical Dictionary, ²1970, ³1996
ODB
  A.P. KAZHDAN U.A. (Hrsg.), The Oxford Dictionary
  of Byzantium, 1991 ff.
OF
  O. KERN (Hrsg.), Orphicorum Fragmenta, ³1972
OGIS
  W. DITTENBERGER (Hrsg.), Orientis Graeci Inscriptiones
  Selectae 2 Bde., 1903–05, Ndr. 1960
OLD
  P.G.W. GLARE (Hrsg.), Oxford Latin Dictionary, 1982
  (1. Lfg. 1968)
OlF
  Olympische Forschungen, 1941 ff.
Oliver
  J.H. OLIVER, Greek Constitutions of Early Roman
  Emperors from Inscriptions and Papyri, 1989
Olivieri
  D. OLIVIERI, Dizionario di toponomastica lombarda.
  Nomi di comuni, frazioni, casali, monti, corsi d'acqua, ecc.
  della regione lombarda, studiati in rapporto alla loro origine,
  ²1961
Olshausen/Biller/Wagner
  E. OLSHAUSEN, J. BILLER, J. WAGNER, Historisch-
  geographische Aspekte der Geschichte des Pontischen
  und Armenischen Reiches. Untersuchungen zur histori-
  schen Geographie von Pontos unter den Mithradatiden
  (TAVO 29) Bd. 1, 1984
OLZ
  Orientalistische Literaturzeitung
OpAth
  Opuscula Atheniensia, 1953 ff.
OpRom
  Opuscula Romana
ORF
  E. MALCOVATI, Oratorum Romanorum Fragmenta
  (Corpus scriptorum Latinorum Paravianum 56–58)
  3 Bde., 1930
Orientalia
  Orientalia, Neue Folge
Osborne
  R. OSBORNE, Classical Landscape with Figures:
  The Ancient Greek City and its Countryside, 1987
Overbeck
  J. OVERBECK, Die antiken Schriftquellen zur Geschichte
  der bildenden Künste bei den Griechen, 1868, Ndr. 1959
P   Papyruseditionen in der Regel nach
                     E.G. TURNER, Greek Papyri. An Introduction,
                     159–178
  Abinn.   H.I. Bell u.a. (Hrsg.), The Abinnaeus Archive.
                     Papers of a Roman officer
                     in the reign of Constantius II, 1962
  Bodmer   V. Martin, R. Kasser u.a. (Hrsg.),
                     Papyrus Bodmer, 1954 ff.
  CZ   C.C. Edgar (Hrsg.), Zenon Papyri (Catalogue
                     général des Antiquités égyptiennes du Musée du
                     Caire) 4 Bde., 1925 ff.
  Hercul.   Papyri aus Herculaneum

  Lond.   F.G. Kenyon u.a. (Hrsg.), Greek
                     Papyri in the British Museum 7 Bde., 1893–
                     1974
  Mich.   C.C. Edgar, A.E.R. Boak, J.G. Winter u.a.
                     (Hrsg.), Papyri in the University of Michigan
                     Collection 13 Bde., 1931–1977
  Oxy.   B.P. Grenfell, A.S. Hunt u.a. (Hrsg.), The
                     Oxyrhynchus Papyri, 1898 ff.
PA
  J. KIRCHNER, Prosopographia Attica 2 Bde., 1901–03,
  Ndr. 1966
Pack
  R.A. PACK (Hrsg.), The Greek and Latin Literary Texts
  from Greco-Roman Egypt, ²1965
Panofsky
  E. PANOFSKY, Renaissance und Renaissancen in Western
  Art, 1960
Pape/Benseler
  W. PAPE, G.E. BENSELER, Wörterbuch der griechischen
  Eigennamen 2 Bde., 1863–1870
PAPhS
  Proceedings of the American Philosophical Society
Parke
  H.W. PARKE, Festivals of the Athenians, 1977
Parke/Wormell
  H.W. PARKE, D.E.W. WORMELL, The Delphic Oracle,
  1956
PBSR
  Papers of the British School at Rome
PCA
  Proceedings of the Classical Association. London
PCG
  R. KASSEL, C. AUSTIN (Hrsg.), Poetae comici graeci,
  1983 ff.
PCPhS
  Proceedings of the Cambridge Philological Society
PdP
  La Parola del Passato
PE
  R. STILLWELL U.A. (Hrsg.), The Princeton Encyclopedia
  of Classical Sites, 1976
Peacock
  D.P.S. PEACOCK, Pottery in the Roman World:
  An Ethnoarchaeological Approach, 1982
PEG I
  A. BERNABÉ (Hrsg.), Poetae epici graeci. Testimonia et
  fragmenta. Pars I: 1987
Pfeiffer, KPI
  R. PFEIFFER, Geschichte der Klassischen Philologie.
  Von den Anfängen bis zum Ende des Hellenismus, ²1978
Pfeiffer, KPII
  R. PFEIFFER, Die Klassische Philologie von Petrarca bis
  Mommsen, 1982
Pfiffig
  A.J. PFIFFIG, Religio Etrusca, 1975
Pflaum
  H.-G. PFLAUM, Les carrières procuratoriennes équestres
  sous le Haut-Empire Romain 3 Bde. und Tafeln, 1960 f.,
  Supplément 1982
Pfuhl
  E. PFUHL, Malerei und Zeichnung der Griechen, 1923
Pfuhl/Möbius
  E. PFUHL, H. MÖBIUS, Die ostgriechischen Grabreliefs
  2 Bde., 1977–79

PG
J.P. MIGNE (Hrsg.), Patrologiae cursus completus, series Graeca 161 Bde., 1857–1866; Conspectus auctorum 1882; Indices 2 Bde., 1912–32

PGM
K. PREISENDANZ, A. HENRICHS (Hrsg.), Papyri Graecae Magicae. Die griechischen Zauberpapyri 2 Bde., ²1973 f. (1928–31)

Philippson/Kirsten
A. PHILIPPSON, A. LEHMANN, E. KIRSTEN (Hrsg.), Die griechischen Landschaften. Eine Landeskunde 4 Bde., 1950–59

Philologus
Philologus. Zeitschrift für klassische Philologie

PhQ
Philological Quarterly

Phronesis
Phronesis

PhU
Philologische Untersuchungen

PhW
Berliner Philologische Wochenschrift

Picard
CH. PICARD, Manuel d'archéologie grecque. La sculpture, 1935 ff.

Pickard-Cambridge/Gould/Lewis
A.W. PICKARD-CAMBRIDGE, J. GOULD, D.M. LEWIS, The Dramatic Festivals of Athens, ²1988

Pickard-Cambridge/Webster
A.W. PICKARD-CAMBRIDGE, T.B.L. WEBSTER, Dithyramb, Tragedy and Comedy, ²1962

Pigler, 1
A. PIGLER, Barockthemen. Eine Auswahl von Verzeichnissen zur Ikonographie des 17. und 18. Jahrhunderts. 2 Bde., ²1974; Tafelbd., 1974

PIR
Prosopographia imperii Romani saeculi Bd. I–VI, ²1933 ff.

PISO, FPD
I. PISO, Fasti Provinciae Daciae Bd. 1: Die senatorischen Amtsträger (Antiquitas 1,43), 1993

PL
J.P. MIGNE (Hrsg.), Patrologiae cursus completus, series Latina 221 Bde., 1844–65 teilweise Ndr.; 5 Suppl.-Bde., 1958–74; Index 1965

PLM
AE. BAEHRENS (Hrsg.), Poetae Latini Minores 5 Bde., 1879–83

PLRE
A.H.M. JONES, J.R. MARTINDALE, J. MORRIS (Hrsg.), The Prosopography of the Later Roman Empire 3 Bde. in 4 Teilen, 1971–1992

PMG
D.L. PAGE, Poetae melici graeci, 1962

PMGF
M. DAVIES (Hrsg.), Poetarum melicorum graecorum fragmenta, 1991

PMGTr
H.D. BETZ (Hrsg.), The Greek Magical Papyri in Translation, Including the Demotic Spells, ²1992

Poccetti
P. POCCETTI, Nuovi documenti italici a complemento del manuale di E. Vetter (Orientamenti linguistici 8), 1979

Pökel
W. PÖKEL, Philologisches Schriftstellerlexikon, 1882, Ndr. ²1974

Poetica
Poetica. Zeitschrift für Sprach- und Literaturwissenschaft

Pokorny
J. POKORNY, Indogermanisches etymologisches Wörterbuch 2 Bde., ²1989

Poulsen
F. POULSEN, Catalogue of Ancient Sculpture in the Ny Carlsberg Glyptotek, 1951

PP
W. PEREMANS (Hrsg.), Prosopographia Ptolemaica (Studia hellenistica) 9 Bde., 1950–81, Ndr. Bd. 1–3, 1977

PPM
Pompei, Pitture e Mosaici, 1990 ff.

Praktika
Πρακτικά της εν Αθήναις αρχαιολογικάς εταιρείας

Préaux
C. PRÉAUX, L'économie royale des Lagides, 1939, Ndr. 1980

Preller/Robert
L. PRELLER, C. ROBERT, Griechische Mythologie, ⁵1964 ff.

Pritchett
K. PRITCHETT, Studies in Ancient Greek Topography (University of California Publications. Classical Studies) 8 Bde., 1969–92

PropKg
K. BITTEL u.a. (Hrsg.), Propyläen Kunstgeschichte 22 Bde., 1966–80, Ndr. 1985

Prosdocimi
A.L. PROSDOCIMI, M. CRISTOFANI, Lingue e dialetti dell'Italia antica, 1978; A. MARINETTI, Aggiornamenti ed Indici, 1984

PrZ
Prähistorische Zeitschrift

PSI
G. VITELLI, M. NORSA, V. BARTOLETTI u.a. (Hrsg.), Papiri greci e latini (Pubblicazione della Soc. Italiana per la ricerca dei pap. greci e latini in Egitto), 1912 ff.

QSt
Quellen und Studien zur Geschichte und Kultur des Altertums und des Mittelalters

Quasten
J. QUASTEN, Patrology, 3 Bde., 1950–60

RA
Revue Archéologique

Rabe
H. RABE (Hrsg.), Rhetores Graeci, Bde. 6, 10, 14–16, 1892–1931

RAC
T. KLAUSER, E. DASSMANN (Hrsg.), Reallexikon für Antike und Christentum. Sachwörterbuch zur Auseinandersetzung des Christentums mit der antiken Welt, 1950 ff. (1. Lfg. 1941)

RACr
Rivista di Archeologia Cristiana

Radermacher
L. RADERMACHER (Hrsg.), Artium Scriptores. Reste der voraristotelischen Rhetorik, 1951

Radke
G. RADKE, Die Götter Altitaliens, ²1979

Raepsaet-Charlier
    M.-T. RAEPSAET-CHARLIER, Prosopographie des
    femmes de l'ordre sénatorial (I. – II. siècles) (Fonds
    René Draguet 4) 2 Bde., 1987
RÄRG
    H. BONNET, Reallexikon der ägyptischen Religions-
    geschichte, ²1971
RAL
    Rendiconti della Classe di Scienze morali, storiche e
    filologiche dell'Academia dei Lincei
Ramsay
    W.M. RAMSAY, The Cities and Bishoprics of Phrygia
    2 Bde., 1895–97
RAssyr
    Revue d'assyriologie et d'archéologie orientale
Rawson, Culture
    E. RAWSON, Roman Culture and Society. Collected
    Papers, 1991
Rawson, Family
    B. RAWSON (Hrsg.), The Family in Ancient Rome.
    New Perspectives, 1986
RB
    P. WIRTH (Hrsg.), Reallexikon der Byzantinistik, 1968ff.
RBA
    Revue Belge d'archéologie et d'histoire de l'art
RBi
    Revue biblique
RBK
    K. WESSEL, M. RESTLE (Hrsg.), Reallexikon zur
    byzantinischen Kunst, 1966ff. (1. Lfg. 1963)
RBN
    Revue Belge de numismatique
RBPh
    Revue Belge de philologie et d'histoire
RDAC
    Report of the Department of Antiquities, Cyprus
RDK
    O. SCHMITT (Hrsg.), Reallexikon zur deutschen Kunst-
    geschichte, 1937ff.
RE
    G. WISSOWA U.A. (Hrsg.), Paulys Real-Encyclopädie der
    classischen Altertumswissenschaft, Neue Bearbeitung,
    1893–1980; C. FRATEANTONIO, M. KOPP, D. SIGEL et.
    al., Gesamtregister I. Alphabetischer Teil, 1997
REA
    Revue des études anciennes
REByz
    Revue des études byzantines
REG
    Revue des études grecques
Rehm
    W. REHM, Griechentum und Goethezeit, ³1952, ⁴1968
Reinach, RP
    S. REINACH, Répertoire de peintures greques et romaines,
    1922
Reinach, RR
    S. REINACH, Répertoire de reliefs grecs et romains 3 Bde.,
    1909–12
Reinach, RSt
    S. REINACH, Répertoire de la statuaire greque et romaine
    6 Bde., 1897–1930, Ndr. 1965–69
REL
    Revue des études latines
Rer.nat.scr.Gr.min.
    O. KELLER (Hrsg.), Rerum naturalium scriptores Graeci
    minores, 1877

Reynolds
    L.D. REYNOLDS (Hrsg.), Texts and Transmission:
    A Survey of the Latin Classics, 1983
Reynolds/Wilson
    L.D. REYNOLDS, N.G. WILSON, Scribes and Scholars.
    A Guide to the Transmission of Greek and Latin Literature,
    ³1991
RFIC
    Rivista di filologia e di istruzione classica
RG
    W. H. WADDINGTON, E. BABELON, Recueil général des
    monnaies grecques d'Asie mineure (Subsidia epigraphica 5)
    2 Bde., 1908–1925, Ndr. 1976
RGA
    H. BECK U.A. (Hrsg.), Reallexikon der germanischen
    Altertumskunde, ²1973ff. (1. Lfg. 1968), Ergänzungsbde.
    1986ff.
RGG
    K. GALLING (Hrsg.), Die Religion in Geschichte
    und Gegenwart. Handwörterbuch für Theologie und
    Religionswissenschaft 7 Bde., ³1957–65, Ndr. 1986
RGRW
    Religion in the Graeco-Roman World
RGVV
    Religionsgeschichtliche Versuche und Vorarbeiten
RH
    Revue historique
RHA
    Revue hittite et asianique
RhM
    Rheinisches Museum für Philologie
Rhodes
    P.J. RHODES, A commentary on the Aristotelian
    Athenaion Politeia, ²1993
RHPhR
    Revue d'histoire et de philosophie religieuses
RHR
    Revue de l'histoire des religions
RHS
    Revue historique des Sciences et leurs applications
RIA
    Rivista dell'Istituto nazionale d'archeologia e storia dell'arte
RIC
    H. MATTINGLY, E.A. SYDENHAM, The Roman Imperial
    Coinage 10 Bde., 1923–94
Richardson
    L. RICHARDSON (JR.), A New Topographical Dictionary
    of Ancient Rome, 1992
Richter, Furniture
    G.M.A. RICHTER, The Furniture of the Greeks, Etruscans
    and Romans, 1969
Richter, Korai
    G.M.A. RICHTER, Korai. Archaic Greek Maidens, 1968
Richter, Kouroi
    G.M.A. RICHTER, Kouroi. Archaic Greek Youths, ³1970
Richter, Portraits
    G.M.A. RICHTER, The Portraits of the Greeks
    3 Bde. und Suppl., 1965–72
RIDA
    Revue internationale des droits de l'antiquité
RIG
    P.-M. DUVAL (Hrsg.), Recueil des inscriptions gauloises,
    1985ff.

RIL
  Rendiconti dell'Istituto Lombardo, classe di lettere, scienze morali e storiche

Rivet
  A.L.F. RIVET, Gallia Narbonensis with a Chapter on Alpes Maritimae. Southern France in Roman Times, 1988
Rivet/Smith
  A.L.F. RIVET, C. SMITH, The Place-Names of Roman Britain, 1979
Rix, HGG
  H. RIX, Historische Grammatik des Griechischen, ²1992
RLA
  E. EBELING u.a. (Hrsg.), Reallexikon der Assyriologie und vorderasiatischen Archäologie, 1928 ff.
RLV
  M. EBERT (Hrsg.), Reallexikon der Vorgeschichte 15 Bde., 1924–32
RMD
  M.M. ROXAN, Roman military diplomas (Occasional Publications of the Institute of Archaeology of the University of London 2 and 9) Bd. 1: (1954–77), 1978; Bd. 2: (1978–84), 1985; Bd. 3 (1985–94), 1994
RN
  Revue numismatique
Robert, OMS
  L. ROBERT, Opera minora selecta 7 Bde., 1969–90
Robert, Villes
  L. ROBERT, Villes d'Asie Mineure. Études de géographie ancienne, ²1962
Robertson
  A.S. ROBERTSON, Roman Imperial Coins in the Hunter Coin Cabinet, University of Glasgow 5 Bde., 1962–82
Rohde
  E. ROHDE, Psyche. Seelenkult und Unsterblichkeitsglaube der Griechen ²1898, Ndr. 1991
Roscher
  W.H. ROSCHER, Ausführliches Lexikon der griechischen und römischen Mythologie 6 Bde., ³1884–1937, Ndr. 1992 f.; 4 Suppl.-Bde. 1893–1921
Rostovtzeff, Hellenistic World
  M.I. ROSTOVTZEFF, The Social and Economic History of the Hellenistic World, ²1953
Rostovtzeff, Roman Empire
  M.I. ROSTOVTZEFF, The Social and Economic History of the Roman Empire, ²1957
Rotondi
  G. ROTONDI, Leges publicae populi Romani. Elenco cronologico con una introduzione sull' attività legislativa dei comizi romani, 1912, Ndr. 1990
RPAA
  Rendiconti della Pontificia Accademia di Archeologia
RPC
  A. BURNETT, M. AMANDRY, P.P. RIPOLLÈS (Hrsg.), Roman Provincial Coinage, 1992 ff.
RPh
  Revue de philologie
RQ
  Renaissance Quarterly
RQA
  Römische Quartalsschrift für christliche Altertumskunde und für Kirchengeschichte
RRC
  M. CRAWFORD, Roman Republican Coinage, 1974, Ndr. 1991
RSC
  Rivista di Studi Classici

Rubin
    B. RUBIN, Das Zeitalter Iustinians, 1960
Ruggiero
    E. DE RUGGIERO, Dizionario epigrafico di antichità
    romana, 1895 ff.; Bd. 1–3, Ndr. 1961 f.
Saeculum
    Saeculum. Jahrbuch für Universalgeschichte
Saller
    R. SALLER, Personal Patronage under the Early Empire,
    1982
Salomies
    O. SALOMIES, Die römischen Vornamen. Studien zur
    römischen Namengebung (Commentationes humanarum
    litterarum 82), 1987
Salomies, Nomenclature
    O. SALOMIES, Adoptive and polyonymous nomenclature
    in the Roman Empire, 1992
Samuel
    A.E. SAMUEL, Greek and Roman chronology. Calendars
    and years in classical antiquity (HdbA I 7), 1972
Sandys
    J.E. SANDYS, A History of Classical Scholarship 3 Bde.,
    ²1906–21, Ndr. 1964
SAWW
    Sitzungsberichte der Österreichischen Akademie der
    Wissenschaften in Wien
SB
    Sammelbuch griechischer Urkunden aus Ägypten (In-
    schriften und Papyri) Bde. 1–2: F. PREISIGKE (Hrsg.),
    1913–22; Bd. 3–5: F. BILABEL (Hrsg.), 1926–34
SBAW
    Sitzungsberichte der Bayerischen Akademie der Wissen-
    schaften
SCCGF
    J. DEMIAŃCZUK (Hrsg.), Supplementum comicum
    comoediae Graecae fragmenta, 1912
Schachter
    A. SCHACHTER, The Cults of Boiotia 4 Bde., 1981–94
Schäfer
    A. SCHÄFER, Demosthenes und seine Zeit 3 Bde.,
    ²1885–87, Ndr. 1967
Schanz/Hosius
    M. SCHANZ, C. HOSIUS, G. KRÜGER, Geschichte der
    römischen Literatur bis zum Gesetzgebungswerk des
    Kaisers Justinian (HdbA 8), Bd. 1: ⁴1927, Ndr. 1979; Bd. 2:
    ⁴1935, Ndr. 1980; Bd. 3: ³1922, Ndr. 1969; Bd. 4,1: ²1914,
    Ndr. 1970; Bd. 4,2: 1920, Ndr. 1971
Scheid, Collège
    J. SCHEID, Le collège des frères arvales. Étude prosopo-
    graphique du recrutement (69 – 304) (Saggi di storia
    antica 1), 1990
Scheid, Recrutement (Frères)
    J. SCHEID, Les frères arvales. Recrutement et origine
    sociale sous les empereurs julio-claudiens (Bibliothèque
    de l'École des Hautes Études, Section des Sciences
    Religieuses 77), 1975
Schlesier
    R. SCHLESIER, Kulte, Mythen und Gelehrte – Anthro-
    pologie der Antike seit 1800, 1994
Schmid/Stählin I
    W. SCHMID, O. STÄHLIN, Geschichte der griechischen
    Literatur. Erster Theil: Die klassische Periode der griechi-
    schen Literatur (HdbA VII 1) 5 Bde., 1929–48, Ndr. 1961–80

Schmid/Stählin II
    W. CHRIST, W. SCHMID, O. STÄHLIN, Geschichte der
    griechischen Litteratur bis auf die Zeit Justinians. Zweiter
    Theil: Die nachklassische Periode der griechischen Littera-
    tur (HdbA VII 2) 2 Bde., ⁶1920–24, Ndr. 1961–81
Schmidt
    K.H. SCHMIDT, Die Komposition in gallischen Personen-
    namen, in: Zeitschrift für celtische Philologie 26, 1957,
    33–301 = (Diss.), 1954
Schönfeld
    M. SCHÖNFELD, Wörterbuch der altgermanischen
    Personen- und Völkernamen (Germanische Bibliothek
    Abt. 1 Reihe 4, 2), 1911, Ndr. ²1965
ScholiaIl
    H. ERBSE (Hrsg.), Scholia Graeca in Homeri Iliadem
    (Scholia vetera) 7 Bde., 1969–88
SChr
    Sources Chrétiennes 300 Bde., 1942 ff.
Schrötter
    F. v. SCHRÖTTER (Hrsg.), Wörterbuch der Münzkunde,
    ²1970
Schürer
    E. SCHÜRER, G. VERMÈS, The history of the Jewish people
    in the age of Jesus Christ (175 B.C. – A.D. 135) 3 Bde.,
    1973–87
Schulten, Landeskunde
    A. SCHULTEN, Iberische Landeskunde. Geographie des
    antiken Spanien 2 Bde., 1955–57 (Übersetzung der
    spanischen Ausgabe von 1952)
Schulz
    F. SCHULZ, Geschichte der römischen Rechtswissenschaft,
    1961, Ndr. 1975
Schulze
    W. SCHULZE, Zur Geschichte lateinischer Eigennamen,
    1904
Schwyzer, Dial.
    E. SCHWYZER (Hrsg.), Dialectorum Graecarum exempla
    epigraphica potiora, ³1923
Schwyzer, Gramm.
    E. SCHWYZER, Griechische Grammatik Bd. 1: Allgemeiner
    Teil. Lautlehre, Wortbildung, Flexion (HdbA II 1,1), 1939
Schwyzer/Debrunner
    E. SCHWYZER, A. DEBRUNNER, Griechische Grammatik
    Bd. 2: Syntax und syntaktische Stilistik (HdbA II 1,2), 1950;
    D.J. GEORGACAS, Register zu beiden Bänden, 1953;
    F. RADT, S. RADT, Stellenregister, 1971
Scullard
    H.H. SCULLARD, Festivals and Ceremonies of the Roman
    Republic, 1981
SDAW
    Sitzungsberichte der Deutschen Akademie der Wissen-
    schaften zu Berlin
SDHI
    Studia et documenta historiae et iuris
SE
    Studi Etruschi
Seeck
    O. SEECK, Regesten der Kaiser und Päpste für die Jahre
    311 bis 476 n. Chr. Vorarbeiten zu einer Prosopographie
    der christlichen Kaiserzeit, 1919, Ndr. 1964
SEG
    Supplementum epigraphicum Graecum, 1923 ff.

Seltman
  C. SELTMAN, Greek Coins. A History of Metallic
  Currency and Coinage down to the Fall of the Hellenistic
  Kingdoms, ²1965
Sezgin
  F. SEZGIN, Geschichte des arabischen Schrifttums, Bd. 3:
  Medizin, Pharmazie, Zoologie, Tierheilkunde bis ca. 430
  H., 1970
SGAW
  Sitzungsberichte der Göttinger Akademie der Wissen-
  schaften
SGDI
  H. COLLITZ u.a. (Hrsg.), Sammlung der griechischen
  Dialekt-Inschriften 4 Bde., 1884–1915
SGLG
  K. ALPERS, H. ERBSE, A. KLEINLOGEL (Hrsg.),
  Sammlung griechischer und lateinischer Grammatiker
  7 Bde., 1974–88
SH
  H. LLOYD-JONES, P. PARSONS (Hrsg.), Supplementum
  Hellenisticum, 1983
SHAW
  Sitzungsberichte der Heidelberger Akademie der Wissen-
  schaften
Sherk
  R. K. SHERK, Roman Documents from the Greek East:
  Senatus Consulta and Epistulae to the Age of Augustus, 1969
SicA
  Sicilia archeologica
SIFC
  Studi italiani di filologia classica
SiH
  Studies in the Humanities
Simon, GG
  E. SIMON, Die Götter der Griechen, ⁴1992
Simon, GR
  E. SIMON, Die Götter der Römer, 1990
SLG
  D. PAGE (Hrsg.), Supplementum lyricis graecis, 1974
SM
  Schweizer Münzblätter
SMEA
  Studi Micenei ed Egeo-Anatolici
Smith
  W. D. SMITH, The Hippocratic tradition (Cornell
  publications in the history of science), 1979
SMSR
  Studi e materiali di storia delle religioni
SMV
  Studi mediolatini e volgari
SNG
  Sylloge Nummorum Graecorum
SNR
  Schweizerische Numismatische Rundschau
Solin / Salomies
  H. SOLIN, O. SALOMIES, Repertorium nominum
  gentilium et cognominum Latinorum (Alpha – Omega:
  Reihe A 80), ²1994
Sommer
  F. SOMMER, Handbuch der lateinischen Laut- und
  Formenlehre. Eine Einführung in das sprachwissen-
  schaftliche Studium des Latein (Indogermanische
  Bibliothek Abt. 1 Reihe 1 Bd. 3, Teil 1), ²/³1914

Sommer / Pfister
  F. SOMMER, R. PFISTER, Handbuch der lateinischen Laut-
  und Formenlehre I, ²1977
Soustal, Nikopolis
  P. SOUSTAL, Nikopolis und Kephallenia (Denkschriften
  der Österreichischen Akademie der Wissenschaften,
  Philosophisch-Historische Klasse 150; TIB 3), 1981
Soustal, Thrakien
  P. SOUSTAL, Thrakien. Thrake, Rodope und Haimimon-
  tos (Denkschriften der Österreichischen Akademie der
  Wissenschaften, Philosophisch-Historische Klasse 221;
  TIB 6), 1991
Sovoronos
  J. N. SOVORONOS, Das Athener Nationalmuseum 3 Bde.,
  1908–37
Spec.
  Speculum
Spengel
  L. SPENGEL (Hrsg.), Rhetores Graeci 3 Bde., 1853–56,
  Ndr. 1966
SPrAW
  Sitzungsberichte der Preußischen Akademie der Wissen-
  schaften
SSAC
  Studi storici per l'antichità classica
SSR
  G. GIANNANTONI (Hrsg.), Socratis et Socraticorum
  Reliquiae, 4 Bde., 1990
Staden
  H. V. STADEN, Herophilus: The Art of Medicine in Early
  Alexandria, 1989
Stein, Präfekten
  A. STEIN, Die Präfekten von Ägypten in der römischen
  Kaiserzeit (Dissertationes Bernenses Series 1, 1), 1950
Stein, Spätröm.R.
  E. STEIN, Geschichte des spätrömischen Reiches Bd. 1,
  1928; frz. 1959; Bd. 2 nur frz., 1949
Stewart
  A. STEWART, Greek sculpture. An exploration 2 Bde., 1990
StM
  Studi Medievali
Strong / Brown
  D. STRONG, D. BROWN (Hrsg.), Roman Crafts, 1976
StV
  Die Staatsverträge des Altertums Bd. 2: H. BENGTSON,
  R. WERNER (Hrsg.), Die Verträge der griechisch-römi-
  schen Welt von 700 bis 338, ²1975; Bd. 3: H. H. SCHMITT
  (HRSG.), Die Verträge der griechisch-römischen Welt
  338 bis 200 v. Chr., 1969
SVF
  J. V. ARNIM (Hrsg.), Stoicorum veterum fragmenta
  3 Bde., 1903–05, Index 1924, Ndr. 1964
Syll.²
  W. DITTENBERGER, Sylloge inscriptionum Graecarum
  3 Bde., ²1898–1909
Syll.³
  F. HILLER VON GAERTRINGEN u.a. (Hrsg.), Sylloge
  inscriptionum Graecarum 4 Bde., ³1915–24, Ndr. 1960
Syme, AA
  R. SYME, The Augustan Aristocracy, 1986
Syme, RP
  E. BADIAN (BDE. 1,2), A. R. BIRLEY (BDE. 3–7) (HRSG.)
  R. SYME, Roman Papers 7 Bde., 1979–91

Syme, RR
R. SYME, The Roman Revolution 1939
Syme, Tacitus
R. SYME, Tacitus 2 Bde., 1958
Symposion
Symposion, Akten der Gesellschaft für Griechische und Hellenistische Rechtsgeschichte
Syria
Syria. Revue d'art oriental et d'archéologie
TAM
Tituli Asiae minoris, 1901 ff.
TAPhA
Transactions and Proceedings of the American Philological Association
Taubenschlag
R. TAUBENSCHLAG, The law of Greco-Roman Egypt in the light of the papyri: 332 B. C. – 640 A. D., ²1955
TAVO
H. BRUNNER, W. RÖLLIG (Hrsg.), Tübinger Atlas des Vorderen Orients, Beihefte, Teil B: Geschichte, 1969 ff.
TeherF
Teheraner Forschungen
TGF
A. NAUCK (Hrsg.), Tragicorum Graecorum Fragmenta, ²1889, 2. Ndr. 1983
ThGL
H. STEPHANUS, C.B. HASE, W. und L. DINDORF U.A. (HRSG.), Thesaurus graecae linguae, 1831 ff., Ndr. 1954
ThlL
Thesaurus linguae Latinae, 1900 ff.
ThlL, Onom.
Thesaurus linguae Latinae, Supplementum onomasticon. Nomina propria Latina Bd. 2 (C – Cyzistra), 1907–1913; Bd. 3 (D – Donusa), 1918–1923
ThLZ
Theologische Literaturzeitung. Monatsschrift für das gesamte Gebiet der Theologie und Religionswissenschaft
Thomasson
B.E. THOMASSON, Laterculi Praesidum 3 Bde. in 5 Teilen, 1972–1990
Thomasson, Fasti Africani
B. E. THOMASSON, Fasti Africani. Senatorische und ritterliche Amtsträger in den römischen Provinzen Nordafrikas von Augustus bis Diokletian, 1996
Thumb / Kieckers
A. THUMB, E. KIECKERS, Handbuch der griechischen Dialekte (Indogermanische Bibliothek Abt. 1 Reihe 1 Teil 1), ²1932
Thumb / Scherer
A. THUMB, A. SCHERER, Handbuch der griechischen Dialekte (Indogermanische Bibliothek Abt. 1 Reihe 1 Teil 2), ²1959
ThWAT
G.J. BOTTERWECK, H.-J. FABRY (Hrsg.), Theologisches Wörterbuch zum Alten Testament, 1973 ff.
ThWB
G. KITTEL, G. FRIEDRICH (Hrsg.), Theologisches Wörterbuch zum Neuen Testament 11 Bde., 1933–79, Ndr. 1990
TIB
H. HUNGER (Hrsg.), Tabula Imperii Byzantini 7 Bde., 1976–1990; Bd. 9, 1996

Timm
S. TIMM, Das christlich-koptische Ägypten in arabischer Zeit. Eine Sammlung christlicher Stätten in Ägypten in arabischer Zeit, unter Ausschluß von Alexandria, Kairo, des Apa-Mena-Klosters (Der Abu Mina), des Sketis (Wadi n-Natrun) und der Sinai-Region (TAVO 41) 6 Teile, 1984–92
TIR
Tabula Imperii Romani, 1934 ff.
TIR / IP
Y. TSAFRIR, L. DI SEGNI, J. GREEN, Tabula Imperii Romani. Iudaea – Palaestina. Eretz Israel in the Hellenistic, Roman and Byzantine Periods, 1994
Tod
M.N. TOD (Hrsg.), A Selection of Greek Historical Inscriptions to the End of the Fifth Century BC Bd. 1, ²1951, Ndr. 1985; Bd. 2, ²1950
Tovar
A. TOVAR, Iberische Landeskunde 2: Die Völker und Städte des antiken Hispanien Bd. 1: Baetica, 1974; Bd. 2: Lusitanien, 1976; Bd. 3: Tarraconensis, 1989
Toynbee, Hannibal
A.J. TOYNBEE, Hannibal's legacy. The Hannibalic war's effects on Roman life 2 Bde., 1965
Toynbee, Tierwelt
J.M.C. TOYNBEE, Tierwelt der Antike, 1983
TPhS
Transactions of the Philological Society Oxford
Traill, Attica
J.S. TRAILL, The political organization of Attica, 1975
Traill, PAA
J.S. TRAILL, Persons of ancient Athens, 1994 ff.
Travlos, Athen
J. TRAVLOS, Bildlexikon zur Topographie des antiken Athen, 1971
Travlos, Attika
J. TRAVLOS, Bildlexikon zur Topographie des antiken Attika, 1988
TRE
G. KRAUSE, G. MÜLLER (Hrsg.), Theologische Realenzyklopädie, 1977 ff. (1. Lfg. 1976)
Treggiari
S. TREGGIARI, Roman Marriage. Iusti Coniuges from the Time of Cicero to the Time of Ulpian, 1991
Treitinger
O. TREITINGER, Die Oströmische Kaiser- und Reichsidee nach ihrer Gestaltung im hoefischen Zeremoniell, 1938, Ndr. 1969
Trendall, Lucania
A.D. TRENDALL, The Red-figured Vases of Lucania, Campania and Sicily, 1967
Trendall, Paestum
A.D. TRENDALL, The Red-figured Vases of Paestum, 1987
Trendall / Cambitoglou
A.D. TRENDALL, A. CAMBITOGLOU, The Red-figured Vases of Apulia 2 Bde., 1978–82
TRF
O. RIBBECK (Hrsg.), Tragicorum Romanorum Fragmenta, ²1871, Ndr. 1962
TRG
Tijdschrift voor rechtsgeschiedenis
TrGF
B. SNELL, R. KANNICHT, ST. RADT (Hrsg.), Tragicorum graecorum fragmenta Bd. 1, ²1986; Bde. 2–4, 1977–85

Trombley
F.R. TROMBLEY, Hellenic Religion and Christianization c. 370–529 (Religions in the Graeco-Roman world 115) 2 Bde., 1993f.

TU
Texte und Untersuchungen zur Geschichte der altchristlichen Literatur

TUAT
O. KAISER (Hrsg.), Texte aus der Umwelt des Alten Testaments, 1985 ff. (1. Lfg. 1982)

TZ
Trierer Zeitschrift für Geschichte und Kunst des Trierer Landes und seiner Nachbargebiete. Trier, Rheinisches Landesmuseum

TürkAD
Türk arkeoloji dergisi

Ullmann
M. ULLMANN, Die Medizin im Islam, 1970

UPZ
U. WILCKEN (Hrsg.), Urkunden der Ptolemäerzeit (Ältere Funde) 2 Bde., 1927–57

v. Haehling
R. v. HAEHLING, Die Religionszugehörigkeit der hohen Amtsträger des Römischen Reiches seit Constantin I. Alleinherrschaft bis zum Ende der Theodosianischen Dynastie (324–450 bzw. 455 n.Chr.) (Antiquitas 3,23), 1978

VDI
Vestnik Drevnej Istorii

Ventris/Chadwick
M. VENTRIS, J. CHADWICK, Documents in Mycenaean Greek, ²1973

Vetter
E. VETTER, Handbuch der italischen Dialekte, 1953

VIR
Vocabularium iurisprudentiae Romanae 5 Bde., 1903–39

VisRel
Visible Religion

Vittinghoff
F. VITTINGHOFF (Hrsg.), Europäische Wirtschafts- und Sozialgeschichte in der römischen Kaiserzeit, 1990

VL
W. STAMMLER, K. LANGOSCH, K. RUH u.a. (Hrsg.), Die deutsche Literatur des Mittelalters. Verfasserlexikon, ²1978ff.

Vogel-Weidemann
U. VOGEL-WEIDEMANN, Die Statthalter von Africa und Asia in den Jahren 14–68 n.Chr. Eine Untersuchung zum Verhältnis von Princeps und Senat (Antiquitas 1,31), 1982

VT
Vetus Testamentum. Quarterly Published by the International Organization of Old Testament Scholars

Wacher
R. WACHER (Hrsg.), The Roman World 2 Bde., 1987

Wachter
R. WACHTER, Altlateinische Inschriften, 1987

Walde/Hofmann
A. WALDE, J.B. HOFMANN, Lateinisches etymologisches Wörterbuch 3 Bde., ³1938–56

Walde/Pokorny
A. WALDE, J. POKORNY (Hrsg.), Vergleichendes Wörterbuch der indogermanischen Sprachen 3 Bde., 1927–32, Ndr. 1973

Walz
C. WALZ (Hrsg.), Rhetores Graeci 9 Bde., 1832–36, Ndr. 1968

WbMyth
H.W. HAUSSIG (Hrsg.), Wörterbuch der Mythologie, Abt. I: Die alten Kulturvölker, 1965 ff.

Weber
W. WEBER, Biographisches Lexikon zur Geschichtswissenschaft in Deutschland, Österreich und der Schweiz, ²1987

Wehrli, Erbe
F. WEHRLI (Hrsg.), Das Erbe der Antike, 1963

Wehrli, Schule
F. WEHRLI (Hrsg.), Die Schule des Aristoteles 10 Bde., 1967–69; 2 Suppl.-Bde., 1974–78

Welles
C.B. WELLES, Royal Correspondence in the Hellenistic Period: A Study in Greek Epigraphy, 1934

Wellmann
M. WELLMANN (Hrsg.), Pedanii Dioscuridis de materia medica, Bd. 1, 1907; Bd. 2, 1906; Bd. 3, 1914; Ndr. 1958

Wenger
L. WENGER, Die Quellen des römischen Rechts (Denkschriften der Österreichischen Akademie der Wissenschaften. Philosophisch-Historische Klasse 2), 1953

Wernicke
I. WERNICKE, Die Kelten in Italien. Die Einwanderung und die frühen Handelsbeziehungen zu den Etruskern (Diss.), 1989 = (Palingenesia 33), 1991

Whatmough
J. WHATMOUGH, The dialects of Ancient Gaul. Prolegomena and records of the dialects 5 Bde., 1949–51, Ndr. in 1 Bd., 1970

White, Farming
K.D. WHITE, Roman Farming, 1970

White, Technology
K.D. WHITE, Greek and Roman Technology, 1983, Ndr. 1986

Whitehead
D. WHITEHEAD, The demes of Attica, 1986

Whittaker
C.R. WHITTAKER (Hrsg.), Pastoral Economies in Classical Antiquity, 1988

Wide
S. WIDE, Lakonische Kulte, 1893

Wieacker, PGN
F. WIEACKER, Privatrechtsgeschichte der Neuzeit, ²1967

Wieacker, RRG
F. WIEACKER, Römische Rechtsgeschichte Bd. 1, 1988

Wilamowitz
U. v. WILAMOWITZ-MOELLENDORFF, Der Glaube der Hellenen 2 Bde., ²1955, Ndr. 1994

Will
E. WILL, Histoire politique du monde hellénistique (323–30 av. J. C.) 2 Bde., ²1979–82

Winter
R. KEKULÉ (Hrsg.), Die antiken Terrakotten, III 1. 2; F. WINTER, Die Typen der figürlichen Terrakotten, 1903

WJA
Würzburger Jahrbücher für die Altertumswissenschaft

WMT
L.I. CONRAD u.a., The Western medical tradition. 800 BC to AD 1800, 1995

WO
Die Welt des Orients. Wissenschaftliche Beiträge zur Kunde des Morgenlandes
Wolff
H. J. WOLFF, Das Recht der griechischen Papyri Ägyptens in der Zeit der Ptolemaeer und des Prinzipats (Rechtsgeschichte des Altertums Teil 5; HbdA Abt. 10, Teil 5), 1978
WS
Wiener Studien. Zeitschrift für klassische Philologie und Patristik
WUNT
Wissenschaftliche Untersuchungen zum Neuen Testament
WVDOG
Wissenschaftliche Veröffentlichungen der Deutschen Orient-Gesellschaft
WZKM
Wiener Zeitschrift für die Kunde des Morgenlandes
YClS
Yale Classical Studies
ZA
Zeitschrift für Assyriologie und Vorderasiatische Archäologie
ZÄS
Zeitschrift für ägyptische Sprache und Altertumskunde
ZATW
Zeitschrift für die Alttestamentliche Wissenschaft
Zazoff, AG
P. ZAZOFF, Die antiken Gemmen, 1983
Zazoff, GuG
P. ZAZOFF, H. ZAZOFF, Gemmensammler und Gemmenforscher. Von einer noblen Passion zur Wissenschaft, 1983
ZDMG
Zeitschrift der Deutschen Morgenländischen Gesellschaft
ZDP
Zeitschrift für deutsche Philologie
Zeller
E. ZELLER, Die Philosophie der Griechen in ihrer geschichtlichen Entwicklung 4 Bde., 1844–52, Ndr. 1963
Zeller/Mondolfo
E. ZELLER, R. MONDOLFO, La filosofia dei Greci nel suo sviluppo storico Bd. 3, 1961
ZfN
Zeitschrift für Numismatik
Zgusta
L. ZGUSTA, Kleinasiatische Ortsnamen, 1984
Zimmer
G. ZIMMER, Römische Berufsdarstellungen, 1982
ZKG
Zeitschrift für Kirchengeschichte
ZNTW
Zeitschrift für die Neutestamentliche Wissenschaft und die Kunde der älteren Kirche
ZPalV
Zeitschrift des Deutschen Palästina-Vereins
ZPE   Zeitschrift für Papyrologie und Epigraphik
ZRG   Zeitschrift der Savigny-Stiftung für Rechtsgeschichte. Romanistische Abteilung
ZRGG Zeitschrift für Religions- und Geistesgeschichte
ZVRW Zeitschrift für vergleichende Rechtswissenschaft
ZVS   Zeitschrift für Vergleichende Sprachforschung

4. Antike Autoren und Werktitel

Abd	Abdias
Acc.	Accius
Ach. Tat.	Achilleus Tatios
Act. Arv.	acta fratrum Arvalium
Act. lud. saec.	acta ludorum saecularium
Aet.	Aetios
Aeth.	Aetheriae peregrinatio
Ail. nat.	Ailianos, de natura animalium
var.	varia historia
Ain. Takt.	Aineias Taktikos
Aischin. Ctes.	Aischines, in Ctesiphontem
leg.	de falsa legatione (περὶ παραπρεσβείας)
Tim.	in Timarchum
Aischyl. Ag.	Aischylos, Agamemnon
Choeph.	Choephoroi
Eum.	Eumenides
Pers.	Persae
Prom.	Prometheus
Sept.	Septem adversus Thebas
Suppl.	Supplices (ἱκέτιδες)
Aisop.	Aisopos
Alc. Avit.	Alcimus Ecdicius Avitus
Alex. Aphr.	Alexandros von Aphrodisias
Alk.	Alkaios
Alki.	Alkiphron
Alkm.	Alkman
Am	Amos
Ambr. epist.	Ambrosius, epistulae
exc. Sat.	de excessu fratris (Satyri)
obit. Theod.	de obitu Theodosii
obit. Valent.	de obitu Valentiniani (iunioris)
off.	de officiis ministrorum
paenit.	de paenitentia
Amm.	Ammianus Marcellinus
Anakr.	Anakreon
Anaxag.	Anaxagoras
Anaximand.	Anaximandros
Anaximen.	Anaximenes
And.	Andokides
Anecd. Bekk.	Anecdota Graeca ed. I. Bekker
Anecd. Par.	Anecdota Graeca ed. J. A. Kramer
Anon. de rebus bell.	Anonymus de rebus bellicis (Ireland 1984)
Anon. Vales.	Anonymus Valesianus
Anth. Gr.	Anthologia Graeca
Anth. Lat.	Anthologia Latina (Riese ²1894/1906)
Anth. Pal.	Anthologia Palatina
Anth. Plan.	Anthologia Planudea
Antiph.	Antiphon
Antisth.	Antisthenes
Apg	Apostelgeschichte
Apk	Apokalypse
Apoll. Rhod.	Apollonios Rhodios
Apollod.	Apollodoros, bibliotheke
App. Celt.	Appianos, Celtica
civ.	bella civilia
Hann.	Hannibalica
Ib.	Iberica
Ill.	Illyrica
It.	Italica

Lib.	Libyca
Mac.	Macedonica
Mithr.	Mithridatius
Num.	Numidica
reg.	regia (ἡ βασιλική)
Samn.	Samnitica
Sic.	Sicula
Syr.	Syriaca
Apul. apol.	Apuleius, apologia
flor.	florida
met.	metamorphoses
Arat.	Aratos
Archil.	Archilochos
Archim.	Archimedes
Archyt.	Archytas
Arist. Quint.	Aristeides Quintilianus
Aristain.	Aristainetos
Aristeid.	Ailios Aristeides
Aristob.	Aristobulos
Aristoph. Ach.	Aristophanes, Acharnenses
Av.	Aves (ὄρνιθες)
Eccl.	Ecclesiazusae
Equ.	Equites (ἱππεῖς)
Lys.	Lysistrata
Nub.	Nubes (νεφέλαι)
Pax	Pax (εἰρήνη)
Plut.	Plutus
Ran.	Ranae (βάτραχοι)
Thesm.	Thesmophoriazusae
Vesp.	Vespae (σφῆκες)
Aristot. an.	Aristoteles, de anima (περὶ ψυχῆς) (Bekker 1831–70)
an. post.	analytica posteriora
an. pr.	analytica priora
Ath. pol.	Athenaion politeia
aud.	de audibilibus (περὶ ἀκουστῶν)
cael.	de caelo (περὶ οὐρανοῦ)
cat.	categoriae
col.	de coloribus (περὶ χρωμάτων)
div.	de divinatione (περὶ μαντικῆς)
eth. Eud.	ethica Eudemia
eth. Nic.	ethica Nicomachea
gen. an.	de generatione animalium (περὶ ζῴων γενέσεως)
gen. corr.	de generatione et corruptione (περὶ γενέσεως καὶ φθορᾶς)
hist. an.	historia animalium (ἡ περὶ τὰ ζῷα ἱστορία)
m. mor.	magna moralia
metaph.	metaphysica
meteor.	meteorologica
mir.	mirabilia (περὶ θαυμασίων ἀκουσμάτων)
mot. an.	de motu animalium (περὶ ζῴων κινήσεως)
mund.	de mundo (περὶ κόσμου)
oec.	oeconomica
part. an.	de partibus animalium (περὶ ζῴων μορίων)
phgn.	physiognomica
phys.	physica
poet.	poetica
pol.	politica

probl.	problemata
rhet.	rhetorica
rhet. Alex.	rhetorica ad Alexandrum
sens.	de sensu (περὶ αἰσθήσεως)
somn.	de somno et vigilia (περὶ ὕπνου καὶ ἐγρηγόρσεως)
soph. el.	sophistici elenchi
spir.	de spiritu (περὶ ἀναπνοῆς)
top.	topica
Aristox. harm.	Aristoxenos, harmonica
Arnob.	Arnobius, adversus nationes
Arr. an.	Arrianos, anabasis
cyn.	cynegeticus
Ind.	Indica
per. p. E.	periplus ponti Euxini
succ.	historia successorum Alexandri (τὰ μετὰ Ἀλέξανδρον)
takt.	taktika
Artem.	Artemidoros
Ascon.	Asconius (Stangl Bd. 2, 1912)
Athan. ad Const.	Athanasios, apologia ad Constantium
c. Ar.	apologia contra Arianos
fuga	apologia de fuga sua
hist. Ar.	historia Arianorum ad monachos
Athen.	Athenaios (Casaubon 1597; Angabe der Bücher, Seiten, Buchstaben)
Aug. civ.	Augustinus, de civitate dei
conf.	confessiones
doctr. christ.	de doctrina christiana
epist.	epistulae
retract.	retractationes
serm.	sermones
soliloq.	soliloquia
trin.	de trinitate
Aur. Vict. Caes.	Aurelius Victor, Caesares (liber de Caesaribus)
(Ps.-)Aur. Vict. epit. Caes.	(Ps.-)Aurelius Victor, epitome de Caesaribus
Auson. Mos.	Ausonius, Mosella (Peiper 1976)
urb.	ordo nobilium urbium
Avell.	Collectio Avellana
Avien.	Avienus
Babr.	Babrios
Bakchyl.	Bakchylides
Bar	Baruch
Bas.	Basilicorum libri LX (Heimbach)
Basil.	Basileios
Batr.	Batrachomyomachia
Bell. Afr.	Bellum Africum
Bell. Alex.	Bellum Alexandrinum
Bell. Hisp.	Bellum Hispaniense
Boeth.	Boethius
Caes. civ.	Caesar, de bello civili
Gall.	de bello Gallico
Calp. ecl.	Calpurnius Siculus, eclogae
Cass. Dio	Cassius Dio
Cassian.	Iohannes Cassianus
Cassiod. inst.	Cassiodorus, institutiones
var.	variae
Cato agr.	Cato, de agri cultura
orig.	origines (HRR)
Catull.	Catullus, carmina

Cels. artes	Cornelius Celsus, artes	S. Rosc.	pro Sex. Roscio Amerino
Cels. Dig.	Iuventius Celsus, Dig.	Scaur.	pro M. Aemilio Scauro
Cens.	Censorinus, de die natali	Sest.	pro P. Sestio
Chalc.	Chalcidius	Sull.	pro P. Sulla
Char.	Charisius, ars grammatica (Barwick 1964)	Tim.	Timaeus
1 Chr, 2 Chr	Chronik	top.	topica
Chr. pasch.	Chronicon paschale	Tull.	pro M. Tullio
Chron. min.	Chronica minora	Tusc.	Tusculanae disputationes
Cic. ac. 1	Cicero, Academicorum posteriorum	Vatin.	in P. Vatinium testem interrogatio
	liber 1	Verr. 1, 2	in Verrem actio prima, secunda
ac. 2	Lucullus sive Academicorum priorum	Claud. carm.	Claudius Claudianus, carmina
	liber 2		(Hall 1985)
ad Brut.	epistulae ad Brutum	rapt. Pros.	de raptu Proserpinae
ad Q. fr.	epistulae ad Quintum fratrem	Clem. Al. strom.	Clemens Alexandrinus, stromateis
Arat.	Aratea (Soubiran 1972)	Cod. Greg.	Codex Gregorianus
Arch.	pro Archia poeta	Cod. Herm.	Codex Hermogenianus
Att.	epistulae ad Atticum	Cod. Iust.	Corpus Iuris Civilis, Codex Iustinianus
Balb.	pro L. Balbo		(Krueger 1900)
Brut.	Brutus	Cod. Theod.	Codex Theodosianus
Caecin.	pro A. Caecina	coll.	Mosaicarum et Romanarum legum
Cael.	pro M. Caelio		collatio
Catil.	in Catilinam	Colum.	Columella
Cato	Cato maior de senectute	Comm.	Commodianus
Cluent.	pro A. Cluentio	cons.	Consultatio veteris cuiusdam
de orat.	de oratore		iurisconsulti
Deiot.	pro rege Deiotaro	const. Sirmond.	Constitutio Sirmondiana
div.	de divinatione	Coripp.	Corippus
div. in Caec.	divinatio in Q. Caecilium	Curt.	Curtius Rufus, historiae Alexandri
dom.	de domo sua		Magni
fam.	epistulae ad familiares	Cypr.	Cyprianus
fat.	de fato	Dan	Daniel
fin.	de finibus bonorum et malorum	Deinarch.	Deinarchos
Flacc.	pro L. Valerio Flacco	Demad.	Demades
Font.	pro M. Fonteio	Demokr.	Demokritos
har. resp.	de haruspicum responso	Demosth. or.	Demosthenes, orationes
inv.	de inventione	Dig.	Corpus Iuris Civilis, Digesta (Mommsen
Lael.	Laelius de amicitia		1905, Autor ggf. vorangestellt)
leg.	de legibus	Diod.	Diodorus Siculus
leg. agr.	de lege agraria	Diog. Laert.	Diogenes Laertios
Lig.	pro Q. Ligario	Diom.	Diomedes, ars grammatica
Manil.	pro lege Manilia (de imperio	Dion Chrys.	Dion Chrysostomos
	Cn. Pompei)	Dion. Hal. ant.	Dionysios Halicarnasseus, antiquitates
Marcell.	pro M. Marcello		Romanae (Ῥωμαϊκὴ ἀρχαιολογία)
Mil.	pro T. Annio Milone	comp.	de compositione verborum
Mur.	pro L. Murena		(περὶ συνθέσεως ὀνομάτων)
nat. deor.	de natura deorum	rhet.	ars rhetorica
off.	de officiis	Dion. Per.	Dionysios Periegetes
opt. gen.	de optimo genere oratorum	Dion. Thrax	Dionysios Thrax
orat.	orator	DK	Diels / Kranz (nachgestellt bei
p. red. ad Quir.	oratio post reditum ad Quirites		Fragmenten)
p. red. in sen.	oratio post reditum in senatu	Don.	Donatus grammaticus
parad.	paradoxa	Drac.	Dracontius
part.	partitiones oratoriae	Dt	Deuteronomium = 5. Mose
Phil.	in M. Antonium orationes Philippicae	Edict. praet. dig.	edictum perpetuum in Dig.
philo.	libri philosophici	Emp.	Empedokles
Pis.	in L. Pisonem	Enn. ann.	Ennius, annales (Skutsch 1985)
Planc.	pro Cn. Plancio	sat.	saturae (Vahlen ²1928)
prov.	de provinciis consularibus	scaen.	fragmenta scaenica (Vahlen ²1928)
Q. Rosc.	pro Q. Roscio comoedo	Ennod.	Ennodius
Quinct.	pro P. Quinctio	Eph	Epheserbrief
Rab. perd.	pro C. Rabirio perduellionis reo	Ephor.	Ephoros von Kyme (FGrH 70)
Rab. Post.	pro C. Rabirio Postumo	Epik.	Epikuros
rep.	de re publica	Epikt.	Epiktetos

Eratosth.	Eratosthenes	Greg. Tur. Franc.	Gregorius von Tours, historia Francorum
Esr	Esra	Mart.	de virtutibus Martini
3 Esra, 4 Esra	Esra	vit. patr.	de vita patrum
Est	Esther	HA	Historia Augusta, s. SHA
Etym. gen.	Etymologicum genuinum	Hab	Habakuk
Gud.	Gudianum	Hagg	Haggai
m.	magnum	Harpokr.	Harpokration
Eukl. elem.	Eukleides, elementa	Hdt.	Herodotos
Eun. vit. soph.	Eunapios, vitae sophistarum	Hebr	Hebräerbrief
Eur. Alc.	Euripides, Alcestis	Heges.	Hegesippus (=Flavius Iosephus)
Andr.	Andromacha	Hekat.	Hekataios
Bacch.	Bacchae	Hell. Oxyrh.	Hellenica Oxyrhynchia
Cycl.	Cyclops	Hen	Henoch
El.	Electra	Heph.	Hephaistion grammaticus
Hec.	Hecuba		(Alexandrinus)
Hel.	Helena	Herakl.	Herakleitos
Heraclid.	Heraclidae	Herakl. Pont.	Herakleides Pontikos
Herc.	Hercules	Herc. O.	Hercules Oetaeus
Hipp.	Hippolytus	Herm. Trism.	Hermes Trismegistos
Ion	Ion	Herm. mand.	mandata
Iph. A.	Iphigenia Aulidensis	sim.	similitudines
Iph. T.	Iphigenia Taurica	vis.	Hermas, visiones
Med.	Medea	Hermog.	Hermogenes
Or.	Orestes	Herodian.	Herodianos
Phoen.	Phoenissae	Heron	Heron
Rhes.	Rhesus	Hes. cat.	Hesiodos, catalogus feminarum (ἠοῖαι)
Suppl.	Supplices (ἱκέτιδες)		(Merkelbach/West 1967)
Tro.	Troades	erg.	opera et dies (ἔργα καὶ ἡμέραι)
Eus. Dem. Ev.	Eusebios, Demonstratio Evangelica	scut.	scutum (ἀσπίς) (Merkelbach/West
HE	Historia Ecclesiastica		1967)
On.	Eusebios, Onomastikon	theog.	Theogonia
	(Klostermann 1904)	Hesych.	Hesychios
Pr. Ev.	Praeparatio Evangelica	Hier. chron.	Hieronymus, chronicon
vita Const.	de vita Constantini	comm. in Ez.	commentaria in Ezechielem (PL 25)
Eust.	Eustathios	epist.	epistulae
Eutr.	Eutropius	On.	Hieronymus, Onomastikon
Ev. Ver.	Evangelium Veritatis		(Klostermann 1904)
Ex	Exodus = 2. Mose	vir. ill.	de viris illustribus
Ez	Ezechiel	Hil.	Hilarius
Fast.	Fasti	Hiob	Hiob
Fest.	Festus (Lindsay 1913)	Hippokr.	Hippokrates
Firm.	Firmicus Maternus	HL	Hohelied
Flor. epit.	Florus epitoma de Tito Livio	Hom. h.	hymni Homerici
Florent.	Florentinus	Hom. Il.	Homeros, Ilias
Frontin. aqu.	Frontinus, de aquae ductu urbis Romae	Od.	Odyssee
strat.	strategemata	Hor. ars	Horatius, ars poetica
Fulg.	Fulgentius Afer	carm.	carmina
Fulg. Rusp.	Fulgentius Ruspensis	carm. saec.	carmen saeculare
Gai. inst.	Gaius, Institutiones	epist.	epistulae
Gal	Galaterbrief	epod.	epodi
Gal.	Galenos	sat.	saturae (sermones)
Gell.	A. Gellius, noctes Atticae	Hos	Hosea
Geogr. Rav.	Geographus Ravennas (Schnetz 1940)	Hyg. astr.	Hyginus, astronomica (Le Bœuffle 1983)
Geop.	Geoponica	fab.	fabulae
Gn	Genesis = 1. Mose	Hyp.	Hypereides
Gorg.	Gorgias	Iambl. de myst.	de mysteriis (περὶ τῶν αἰγυπτίων
Greg. M. dial.	Gregorius Magnus, dialogi (de miraculis		μυστηρίων)
	patrum Italicorum)	protr.	Iamblichos, protrepticus in philo-
epist.	epistulae		sophiam
past.	regula pastoralis	v. P.	de vita Pythagorica
Greg. Naz. epist.	Gregorius Nazianzenus, epistulae	Iav.	Iavolenus Priscus
or.	orationes	Inst. Iust.	Corpus Juris Civilis, Institutiones
Greg. Nyss.	Gregorius Nyssenus		(Krueger 1905)

Ioh. Chrys. epist.	Iohannes Chrysostomos, epistulae
hom. ...	homiliae in ...
Ioh. Mal.	Iohannes Malalas, chronographia
Iord. Get.	Iordanes, de origine actibusque Getarum
Ios. ant. Iud.	Iosephos, antiquitates Iudaicae (Ἰουδαϊκὴ ἀρχαιολογία)
bell. Iud.	bellum Iudaicum (ἱστορία Ἰουδαϊκοῦ πολέμου πρὸς Ῥωμαίους)
c. Ap.	contra Apionem
vita	de sua vita
Iren.	Irenaeus (Rousseau/Doutreleau 1965–82)
Isid. nat.	Isidorus, de natura rerum
orig.	origines
Isokr. or.	Isokrates orationes
Itin. Anton.	Itinerarium Antonini
Aug.	Augusti
Burdig.	Burdigalense vel Hierosolymitanum
Plac.	Placentini
Iul. Vict. rhet.	C. Iulius Victor, ars rhetorica
Iul. epist.	Iulianos, epistulae
in Gal.	in Galilaeos
mis.	Misopogon
or.	orationes
symp.	symposion
Iust.	Iustinus, epitoma historiarum Philippicarum
Iust. Mart. apol.	Iustinus Martyr, apologia
dial.	dialogus cum Tryphone
Iuv.	Iuvenalis, saturae
Iuvenc.	Iuvencus, evangelia (Huemer 1891)
Jak	Jakobusbrief
Jdt	Judith
Jer	Jeremia
Jes	Jesaja
1 – 3 Jo	Johannesbriefe
Jo	Johannes
Joël	Joël
Jon	Jona
Jos	Josua
Jud	Judasbrief
Kall. epigr.	Kallimachos, epigrammata
fr.	fragmentum (Pfeiffer)
h.	hymni
1 Kg, 2 Kg	Könige
KH	Khania (Fundort Linear B-Täfelchen)
Klgl	Klagelieder
KN	Knosos (Fundort Linear B-Täfelchen)
Kol	Kolosserbrief
1 Kor, 2 Kor	Korintherbriefe
Lact. inst.	Lactantius, divinae institutiones
ira	de ira dei
mort. pers.	de mortibus persecutorum
opif.	de opificio dei
Laod.	Laodiceer
Lex Irnit.	Lex Irnitana
Lex Malac.	Lex municipii Malacitani
Lex Rubr.	Lex Rubria de Gallia cisalpina
Lex Salpens.	Lex municipii Salpensani
Lex Urson.	Lex coloniae Iuliae Genetivae Ursonensis
Lex Visig.	Leges Visigothorum
Lex XII tab.	Lex duodecim tabularum

Lib. epist.	Libanios, epistulae
or.	orationes
Liv.	Livius, ab urbe condita
per.	periochae
Lk	Lukas
Lucan.	Lucanus, bellum civile
Lucil.	Lucilius, saturae (Marx 1904)
Lucr.	Lucretius, de rerum natura
Lukian.	Lukianos
Lv	Leviticus = 3. Mose
LXX	Septuaginta
Lyd. mag.	Lydos, de magistratibus (περὶ ἀρχῶν τῆς Ῥωμαίων πολιτείας)
mens.	de mensibus (περὶ μηνῶν)
Lykophr.	Lykophron
Lykurg.	Lykurgos
Lys.	Lysias
M. Aur.	Marcus Aurelius Antoninus Augustus
Macr. Sat.	Macrobius, Saturnalia
somn.	commentarii in Ciceronis somnium Scipionis
1 Makk, 2 Makk	Makkabäer
3 Makk, 4 Makk	Makkabäer
Mal	Maleachi
Manil.	Manilius, astronomica (Goold 1985)
Mar. Victorin.	Marius Victorinus
Mart.	Martialis
Mart. Cap.	Martianus Capella
Max. Tyr.	Maximos Tyrios (Trapp 1994)
Mela	Pomponius Mela
Melanipp.	Melanippides
Men. Dysk.	Menandros, Dyskolos
Epitr.	Epitrepontes
fr.	fragmentum (Körte)
Pk.	Perikeiromene
Sam.	Samia
Mi	Micha
Mimn.	Mimnermos
Min. Fel.	Minucius Felix, Octavius (Kytzler 1982, ²1992)
Mk	Markus
Mod.	Herennius Modestinus
Mosch.	Moschos
Mt	Matthäus
MY	Mykene (Fundort Linear B-Täfelchen)
Naev.	Naevius (carmina nach FPL)
Nah	Nahum
Neh	Nehemia
Nemes.	Nemesianus
Nep. Att.	Cornelius Nepos, Atticus
Hann.	Hannibal
Nik. Alex.	Nikandros, Alexipharmaka
Ther.	Theriaka
Nikom.	Nikomachos
Nm	Numeri = 4. Mose
Non.	Nonius Marcellus (L. Mueller 1888)
Nonn. Dion.	Nonnos, Dionysiaka
Not. dign. occ.	Notitia dignitatum occidentis
Not. dign. or.	Notitia dignitatum orientis
Not. episc.	Notitia dignitatum et episcoporum
Nov.	Corpus Iuris Civilis, Leges Novellae (Schoell/Kroll 1904)
Obseq.	Iulius Obsequens, prodigia (Rossbach 1910)

Opp. hal.	Oppianos, Halieutika	epist.	epistulae
kyn.	Kynegetika	erast.	erastae
or. Sib.	oracula Sibyllina	Eryx.	Eryxias
Oreib.	Oreibasios	Euthyd.	Euthydemos
Orig.	Origenes	Euthyphr.	Euthyphron
OrMan	Oratio Manasse	Gorg.	Gorgias
Oros.	Orosius	Hipp. mai.	Hippias maior
Orph. Arg.	Orpheus, Argonautika	Hipp. min.	Hippias minor
fr.	fragmentum (Kern)	Hipparch.	Hipparchos
h.	hymni	Ion	Ion
Ov. am.	Ovidius, amores	Kleit.	Kleitophon
ars	ars amatoria	Krat.	Kratylos
epist.	epistulae (heroides)	Krit.	Kriton
fast.	fasti	Kritias	Kritias
Ib.	Ibis	Lach.	Laches
medic.	medicamina faciei femineae	leg.	leges (νόμοι)
met.	metamorphoses	Lys.	Lysis
Pont.	epistulae ex Ponto	Men.	Menon
rem.	remedia amoris	Min.	Minos
trist.	tristia	Mx.	Menexenos
Pall. agric.	Palladius, opus agriculturae	Parm.	Parmenides
Pall. Laus.	Palladios, historia Lausiaca (Λαυσιακόν)	Phaid.	Phaidon
Paneg.	Panegyrici latini	Phaidr.	Phaidros
Papin.	Aemilius Papinianus	Phil.	Philebos
Paroem.	Paroemiographi Graeci	polit.	politicus
Pass. mart.	passiones martyrum	Prot.	Protagoras
Paul. Fest.	Paulus Diaconus, epitoma Festi	rep.	de re publica (πολιτεία)
Paul. Nol.	Paulinus Nolanus	Sis.	Sisyphos
Paul. sent.	Iulius Paulus, sententiae	soph.	sophista
Paus.	Pausanias	symp.	symposium
Pelag.	Pelagius	Thg.	Theages
peripl. m. Eux.	Periplus maris Euxini	Tht.	Theaitetos
m. m.	maris magni	Tim.	Timaios
m. r.	maris rubri	Plaut. Amph.	Plautus, Amphitruo
Pers.	Persius, saturae		(fr. jeweils nach Leo 1895 f.)
1 Petr, 2 Petr	Petrusbriefe	Asin.	Asinaria
Petron.	Petronius, satyrica (Müller 1961)	Aul.	Aulularia
Phaedr.	Phaedrus, fabulae (Guaglianone 1969)	Bacch.	Bacchides
Phil	Philipperbrief	Capt.	Captivi
Phil.	Philon	Cas.	Casina
Philarg. Verg. ecl.	Philargyrius grammaticus, explanatio in eclogas Vergilii	Cist.	Cistellaria
		Curc.	Curculio
Philod.	Philodemos	Epid.	Epidicus
Philop.	Philoponos	Men.	Menaechmi
Philostr. Ap.	Philostratos, vita Apollonii	Merc.	Mercator
imag.	Philostratos, imagines	Mil.	Miles gloriosus
soph.	vitae sophistarum	Most.	Mostellaria
Phm	Philemonbrief	Poen.	Poenulus
Phot.	Photios (Bekker 1824)	Pseud.	Pseudolus
Phryn.	Phrynichos	Rud.	Rudens
Pind. fr.	Pindar, Fragmente (Snell / Maehler)	Stich.	Stichus
I.	Pindar, Isthmien	Trin.	Trinummus
N.	Nemeen	Truc.	Truculentus
O.	Olympien	Vid.	Vidularia
P.	Pythien	Plin. nat.	Plinius maior, naturalis historia
Plat. Alk. 1	Platon, Alkibiades 1 (Stephanus)	Plin. epist.	Plinius minor, epistulae
Alk. 2	Alkibiades 2	paneg.	panegyricus
apol.	apologia	Plot.	Plotinos
Ax.	Axiochos	Plut.	Plutarchos, vitae parallelae (βίοι
Charm.	Charmides		παράλληλοι) (Name ausgeschrieben)
def.	definitiones (ὅροι)	am.	amatorius (ἐρωτικός) (Kapitel
Dem.	Demodokos		und Seitenzahlen)
epin.	epinomis	de def. or.	de defectu oraculorum (περὶ τῶν
			ἐκλελοιπότων χρηστηρίων)

de E	de E apud Delphos (περὶ τοῦ Εἶ τοῦ ἐν Δελφοῖς)
de Pyth. or.	de Pythiae oraculis (περὶ τοῦ μὴ χρᾶν ἔμμετρα νῦν τὴν Πυθίαν)
de sera	de sera numinis vindicta (περὶ τῶν ὑπὸ τοῦ θείου βραδέως τιμωρουμένων)
Is.	de Iside et Osiride (Kapitel und Seitenzahlen)
mor.	moralia (außer den eigens genannten; mit Seitenzahlen)
qu.Gr.	quaestiones Graecae (αἴτια Ἑλληνικά; Kapitel)
qu.R.	quaestiones Romanae (αἴτια Ῥωμαϊκά; Kapitel)
symp.	quaestiones convivales (συμποσίακα προβλήματα; Bücher, Kapitel, Seitenzahl)
Pol.	Polybios
Pol. Silv.	Polemius Silvius
Poll.	Pollux
Polyain.	Polyainos, strategemata
Polyk.	Polykarpbrief
Pomp.	Sextus Pomponius
Pomp. Trog.	Pompeius Trogus
Porph.	Porphyrios
Porph. Hor. comm.	Porphyrio, commentum in Horatii carmina
Poseid.	Poseidonios
Prd	Prediger
Priap.	Priapea
Prisc.	Priscianus
Prob.	Pseudoprobianische Schriften
Prok. aed.	Prokopios, de aedificiis (περὶ κτισμάτων)
BG	bellum Gothicum
BP	bellum Persicum
BV	bellum Vandalicum
HA	historia arcana
Prokl.	Proklos
Prop.	Propertius, elegiae
Prosp.	Prosper Tiro
Prud.	Prudentius
Ps (Pss)	Psalm(en)
Ps.-Acro	Ps.-Acro, in Horatium
Ps.-Aristot. lin. insec.	Pseudo-Aristoteles, de lineis insecabilibus (περὶ ἀτόμων γραμμῶν)
mech.	mechanica
Ps.-Sall. in Tull.	Pseudo-Sallustius, in M. Tullium Ciceronem invectiva
rep.	epistulae ad Caesarem senem de re publica
Ptol.	Ptolemaios
PY	Pylos (Fundort Linear B-Täfelchen)
4 Q flor	Florilegium, Höhle 4
4 Q patr	Patriarchensegen, Höhle 4
1 Q pHab	Habakuk-Midrasch, Höhle 1
4 Q pNah	Nahum-Midrasch, Höhle 4
4 Q test	Testimonia, Höhle 4
1 QH	Loblieder, Höhle 1
1 QM	Kriegsrolle, Höhle 1
1 QS	Gemeinderegel, Höhle 1
1 QSa	Gemeinschaftsregel, Höhle 1
1 QSb	Segenssprüche, Höhle 1
Q. Smyrn.	Quintus Smyrnaeus

Quint. decl.	Quintilianus, declamationes minores (Shackleton Bailey 1989)
inst.	institutio oratoria
R. Gest. div. Aug.	Res gestae divi Augusti
Rhet. Her.	Rhetorica ad C. Herennium
Ri	Richter
Röm	Römerbrief
Rt	Ruth
Rufin.	Tyrannius Rufinus
Rut. Nam.	Rutilius Claudius Namatianus, de reditu suo
S. Emp. adv. math.	Sextus Empiricus, adversus mathematicos
P.H.	Pyrrhoneioi Hypotyposeis (Πυρρώνειοι ὑποτυπώσεις)
Sach	Sacharia
Sall. Catil.	Sallustius, de coniuratione Catilinae
hist.	historiae
Iug.	de bello Iugurthino
Salv. gub.	Salvianus, de gubernatione dei
1 Sam, 2 Sam	Samuel
Sch. (vor dem Autornamen)	Scholia zu dem betreffenden Autor
Sedul.	Sedulius
Sen. contr.	Seneca maior, controversiae
suas.	suasoriae
Sen. Ag.	Seneca minor, Agamemno
apocol.	divi Claudii apocolocyntosis
benef.	de beneficiis
clem.	de clementia (Hosius ²1914)
dial.	dialogi
epist.	epistulae morales ad Lucilium
Herc. f.	Hercules furens
Med.	Medea
nat.	naturales quaestiones
Oed.	Oedipus
Phaedr.	Phaedra
Phoen.	Phoenissae
Thy.	Thyestes
Tro.	Troades
Serv. auct.	Servius auctus Danielis
Serv. Aen.	Servius, commentarius in Vergilii Aeneida
ecl.	commentarius in Vergilii eclogas
georg.	commentarius in Vergilii georgica
SHA Ael.	scriptores historiae Augustae, Aelius
Alb.	Clodius Albinus
Alex.	Alexander Severus
Aur.	M. Aurelius
Aurelian.	Aurelianus
Avid.	Avidius Cassius
Car.	Carus et Carinus et Numerianus
Carac.	Antoninus Caracalla
Claud.	Claudius
Comm.	Commodus
Diad.	Diadumenus Antoninus
Did.	Didius Iulianus
Gall.	Gallieni duo
Gord.	Gordiani tres
Hadr.	Hadrianus
Heliog.	Heliogabalus
Max. Balb.	Maximus et Balbus
Opil.	Opilius Macrinus
Pert.	Helvius Pertinax

Pesc.	Pescennius Niger
Pius	Antoninus Pius
quadr. tyr.	quadraginta tyranni
Sept. Sev.	Severus
Tac.	Tacitus
trig. tyr.	triginta Tyranni
Valer.	Valeriani duo
Sidon. carm.	Apollinaris Sidonius, carmina
epist.	epistulae
Sil.	Silius Italicus, Punica
Sim.	Simonides
Simpl.	Simplikios
Sir	Jesus Sirach
Skyl.	Skylax, periplus
Skymn.	Skymnos, periegesis
Sokr.	Sokrates, historia ecclesiastica
Sol.	Solon
Solin.	Solinus
Soph. Ai.	Sophokles, Aias
Ant.	Antigone
El.	Electra
Ichn.	Ichneutae
Oid. K.	Oedipus Coloneus
Oid. T.	Oedipus Rex
Phil.	Philoctetes
Trach.	Trachiniae
Soran.	Soranus
Soz.	Sozomenos, historia ecclesiastica
Spr	Sprüche
Stat. Ach.	Statius, Achilleis
silv.	silvae
Theb.	Thebais
Steph. Byz.	Stephanos Byzantios
Stesich.	Stesichoros
Stob.	Stobaios
Strab.	Strabon (Bücher, Kapitel)
Suda	Suda = Suidas
Suet. Aug.	Suetonius, divus Augustus (Ihm 1907)
Cal.	Caligula
Claud.	divus Claudius
Dom.	Domitianus
gramm.	Suetonius, de grammaticis (Kaster 1995)
Iul.	divus Iulius
Tib.	divus Tiberius
Tit.	divus Titus
Vesp.	divus Vespasianus
Vit.	Vitellius
Sulp. Sev.	Sulpicius Severus
Symm. epist.	Symmachus, epistulae
or.	orationes
rel.	relationes
Synes. epist.	Synesios, epistulae
Synk.	Synkellos
Tab. Peut.	Tabula Peutingeriana
Tac. Agr.	Tacitus, Agricola
ann.	annales
dial.	dialogus de oratoribus
Germ.	Germania
hist.	historiae
Ter. Maur.	Terentianus Maurus
Ter. Ad.	Terentius, Adelphoe
Andr.	Andria

Eun.	Eunuchus
Haut.	H(e)autontimorumenos
Hec.	Hecyra
Phorm.	Phormio
Tert. apol.	Tertullianus, apologeticum
nat.	ad nationes (Borleffs 1954)
TH	Theben (Fundort Linear B-Täfelchen)
Them. or.	Themistios, orationes
Theod. epist.	Theodoretos, epistulae
gr. aff. cur.	Graecarum affectionum curatio (Ἑλληνικῶν θεραπευτικὴ παθημάτων)
hist. eccl.	historia ecclesiastica
Theokr.	Theokritos
Theop.	Theopompos
Theophr. c. plant.	Theophrastos, de causis plantarum (φυτικαὶ αἰτίαι)
char.	characteres
h. plant.	historia plantarum (περὶ φυτικῶν ἱστοριῶν)
1 Thess, 2 Thess	Thessalonicherbriefe
Thgn.	Theognis
Thuk.	Thukydides
TI	Tiryns (Fundort Linear B-Täfelchen)
Tib.	Tibullus, elegiae
1 Tim, 2 Tim	Timotheusbriefe
Tit	Titusbrief
Tob	Tobit
Tzetz. anteh.	Tzetzes, antehomerica (τὰ πρὸ τοῦ Ὁμήρου)
chil.	chiliades
posth.	posthomerica (τὰ μεθ᾿ Ὅμηρον)
Ulp. (reg.)	Ulpianus (Ulpiani regulae)
Val. Fl.	Valerius Flaccus, Argonautica
Val. Max.	Valerius Maximus, facta et dicta memorabilia
Varro ling.	Varro, de lingua Latina
Men.	saturae Menippeae (Astbury 1985)
rust.	res rusticae
Vat.	Fragmenta Vaticana
Veg. mil.	Vegetius, epitoma rei militaris
Vell.	Velleius Paterculus, historiae Romanae
Ven. Fort.	Venantius Fortunatus
Verg. Aen.	Vergilius, Aeneis
catal.	catalepton
ecl.	eclogae
georg.	georgica
Vir. ill.	De viris illustribus
Vitr.	Vitruvius, de architectura
Vulg.	Vulgata
Weish	Weisheit

A

Abendland s. Europa

Abguß/Abgußsammlung   A. Abguss
B. Geschichtliche Entwicklung der
Abgusssammlungen

A. Abguss

1. Definition

Ein A. wird durch mechanische Abformung eines
bereits vorhandenen, plastischen Kunstwerks oder Modells hergestellt. Bezeichnungen wie Duplikat, Replikat
oder Reproduktion sollen diesem Merkmal auf sprachlicher Ebene Rechnung tragen und implizieren stets
eine geringere Wertschätzung. Im Unterschied dazu
spricht man von einer Replik, wenn das Modell mit
derselben Herstellungsmethode wiederholt wird. Der
Begriff Kopie hat sich im Sprachgebrauch etwas diffus
sowohl für Repliken als auch für Replikate eingebürgert. Während beim Herstellen von Repliken Veränderungen gegenüber dem Modell unausweichlich sind,
wiederholt der A. die plastische Oberflächenstruktur
und dreidimensionale Erstreckung des Modells mit einer für andere Kopierverfahren unerreichbaren und daher wohl auch nicht gewollten Präzision.

2. Herstellung und Materialien

Um einen A. zu erhalten, sind zwei Arbeitsschritte
nötig. Erstens das Herstellen der Form durch Abformen
des Modells/Originals und zweitens das Ausgießen der
Form mit dem gewünschten Material. Schon in der Ant.
wurden sowohl erstarrende als auch dauerhaft plastische
Abform-Materialien benutzt ([6]; Lukian. Iuppiter Tragoedus 33). Erstarrende Formen (Ton, Gips, für kleine
Objekte Wachs) müssen aus sehr vielen Formteilen zusammengesetzt werden, die auf dem A. ein charakteri-
stisches Netz von Gußnähten hinterlassen. Plastische
Formen (aus Pech, Knochenleim, Gelatine, Formalose,
Latex, Silikonkautschuk) haben den Vorteil, daß auch
bei komplizierten Unterschneidungen des Modells nur
wenige Formteile gebraucht werden. Abhängig von
Material sowie Zustand des Modells und dem gewählten
Abform-Material muß zw. Modell und Form ein
Trennmittel aufgebracht werden (Schellack, Seifenlö-
sung, Tonschlemme, Wachs, Talkum; bei Silikon: Sei-
fenlösung, Tapetenkleister, Vaselin, Paraffin, Metallfo-
lie) [2; 4; 6; 7; 14; 15]. 1984 wurde erstmals eine ant.
Bronze, die Reiterstatue Marc Aurels in Rom, nicht
nach der herkömmlichen, mechanischen Methode,
sondern ohne Oberflächenkontakt photogrammetrisch
abgeformt oder »nachgeformt« [1].

Als Material für A. wurden bis in die Neuzeit überwiegend Gips und Metalle (im 19. Jh. zusätzlich Zink
[13], ab etwa 1880 auch Aluminium), daneben Wachse
[8] verwendet. In den letzten Jahrzehnten findet man
auch Weißzement-, Graubeton- und Kunststeinmi-
schungen sowie verschiedene Materialmischungen auf
Polyesterharzbasis (mit Stahl-, Kupfer-, Messing-,
Glimmer-, Goldbronzepulver oder Metallspänen für
Metallimitate; mit Marmorgrieß, Quarzsand, Kaolin,
Kreide, Vulkanasche, Graphit, Schiefer- oder Kork-
mehl, Baumwollflocken oder zerstoßenem Flaschenglas
für Steinimitate; Holzmehl für Holzimitate), die auf
bessere Haltbarkeit bzw. täuschende Imitation abzielen.
Metall-A. werden nach wie vor im Wachsausschmelz-
verfahren mit verlorener Form, aber auch auf elektro-
lytischem Wege als Galvanoplastik hergestellt [7; 14].

3. Verwendung

Zu unterscheiden ist zw. dem Gebrauch von A. als
eigenständigen Kunstobjekten bzw. deren Surrogaten
(s. unten B.; für die Ant. z. B. Plin. nat. 35,4–11; Paus.
1,40,3–4; 9,32,1; Iuv. 2,4–5; Plut. mor. 984; SHA Sept.
Sev. 22, 3; Tert. de idol. 3,2; Lukian. Nigrinus 2; Arnob.
6,14ff.) und dem Gebrauch von A. als Hilfsmitteln für
das Herstellen von Metall-, Terrakotta- oder Stucker-
zeugnissen (z. B. Theophr. de lapid. 64–67; Plin. nat.
33,156f.; 35,153. 155–157; vgl. 35,151) oder Anfertigen
von Steinrepliken im Punktierverfahren [9]. Da Gips-
reste im Erdreich kaum haltbar sind, verfügen wir nur
selten über ant. Beispiele. Ausgrabungen belegen die
Verwendung von A. in Ägypten schon seit der Mitte des
3. Jt. v. Chr. Die berühmtesten Beispiele stammen aus
der Bildhauerwerkstatt des Thutmose in Amarna (um
1340 v. Chr.) [19]. Auch im griech. Kulturkreis wird
dieser Gebrauch von A. bis in die Frühzeit hinaufrei-
chen. A. von Skulpturen sind v. a. in Baiae, Sabratha und
Rom (Schild mit Amazonomachiedarstellung von der
Via Appia), Gipsformen für toreutische Erzeugnisse
oder Terrakotten v. a. in Memphis, Kara-Tobe (Krim)
und Begram (Afghanistan) gefunden worden. Die Funde zeigen, daß bereits die ant. Künstler über eine hochentwickelte Abgießtechnik verfügten [2; 6; 15]. In den
Schriftquellen erfahren wir erst seit Theophrast etwas
über Abformungen und A. Als antike Termini fallen
apomágma (Theophr. de lapid. 67), *sphragís*, (Lukian.
Iuppiter Tragoedus 33,16), *apomáxasthai* (Plut. mor. 984)
oder erst sehr spät *gypsoplástēs* (Cassiod. var. 7,55) und
gypsoplasía (Nilus Ancyranus epist. 4,61).

B. Geschichtliche Entwicklung der Abgusssammlungen

Seit dem 15. Jh. waren die Anlässe, die zur Einrichtung von A. S. ant. Skulpturen geführt haben, mehrfach
grundlegenden inhaltlichen Veränderungen unterworfen, so daß es gerechtfertigt ist, bis heute von vier Generationen von A. S. zu sprechen.

1. Abgusssammlungen als Arbeitsmittel für Künstler und Surrogate unverkäuflicher Originale

Am Anfang steht der schon früher übliche Besitz von
A., die Bildhauern oder Malern als Arbeitsmittel dien-
ten. Ausdrücklich ist die Verwendung von A. nach ant.
Skulpturen erstmals für Francesco Squarcione (1397–

1468) in Padua belegt, wobei sie zu dieser Zeit lediglich als Modelle für neue Kunstwerke im Stil der Ren. eingesetzt wurden. Über einen Eigenwert als ideale Kunstvorbilder verfügten die A. nach ant. Bildwerken damals noch nicht. Wenn gelegentlich in den »Kunstkammern« von Gelehrten oder hochgestellten Persönlichkeiten kleinere A. etwa von ant. Porträts auftauchen, so z. B. bei dem Bischof Ludovico Gonzaga (1458–1511) in Mantua, dem Universalgelehrten Konrad Peutinger (1465–1547) in Augsburg oder dem Rechtsgelehrten Marco Mantova Benavides (1489–1582) in Padua, dann wird damit nicht dem Kunstwert der Objekte gehuldigt, sondern auf die Bildung des Eigentümers verwiesen. Gleiches ist schon für die Ant. belegt (Iuv. 2,4–5), wobei dem A. damals allerdings der Makel eines minderwertigen Surrogats anhaftete: wer sich eine Selbstdarstellung erster Wahl, d. h. mit Plastik aus Bronze oder Marmor, nicht leisten konnte und deshalb auf billigere Reproduktionen zurückgriff, gab sich der Lächerlichkeit preis.

Das Prestige, das sich aus dem Zugriffsvermögen auf ant. Skulpturen »erster Wahl« ableitete, war der Motor für das Entstehen der zweiten Generation von A. S. seit dem 16. Jh. [11]. Was Skulpturen erster Wahl seien, bestimmte ein v. a. im It. der Ren. praktizierter, kanonischer Kunstgeschmack, dessen Kriterien z. T. aus dem Studium ant. Quellen gewonnen worden waren (v. a. zu Phidias, Praxiteles, Polyklet [10; 18; 19; 21]). Wie sich die Entwicklung der Qualitätskriterien im einzelnen zur Festschreibung der kanonischen Stücke oder dem verfügbaren Antikenbestand verhält, ist für die Geschichte der A. S. nicht von Belang. Der Gang der Ereignisse zeigt, daß es auch die Art der Präsentation und nicht die Qualität der Skulpturen allein gewesen ist, die Kunstwert und jahrhundertelange Berühmtheit begründet haben. Die erste Sammlung von Originalen, die sich tiefgreifend auf die Geschichte der A. S. auswirkte, entstand seit Papst Julius II. (1503–1513) im Vatikan. In seinem Auftrag errichtete Donato Bramante (1444–1514) für diese Sammlung im Vatikanspalast einen Hof, den sog. Cortile delle Statue (höchstgelegener Hof des Cortile del Belvedere), in dem Julius II. angekaufte oder auf seinen Besitzungen gefundene Skulpturen aufstellte. Hervorgehoben seien: der → *Apoll vom Belvedere*, der *Laokoon vom Belvedere*, der sog. *Commodus als Herkules*, die sog. *Cleopatra*, die *Venus Felix*, der sog. *Antinoos vom Belvedere* (alle Vatikan) und der *Tiber* (Paris, LV; s. [11], Kat.-Nr. 8, 52, 25, 24, 87, 4, 79). Ihre damals weltweite Berühmtheit erhielten diese Figuren durch den Bologneser Maler Francesco Primaticcio, der sie von 1540–1543 im Auftrag von König Franz I. von Frankreich (Regierungszeit 1515–1547) abformte und in originalgroßen Bronzenachgüssen in der Galerie von Fontainebleau aufstellte. Es war das Bestreben Franz I., nicht irgendwelche, selbst originale ant. Statuen zu besitzen, sondern solche, die seinen erstklassigen Geschmack unter Beweis stellten. Derart eingestufte Originale wurden von ihren Besitzern, hauptsächlich den Familien der Farnese, Medici, Borghese und Ludovisi, eifersüchtig gehütet und waren nicht verkäuflich. Bis zum Ende des 17. Jh. schaffte es lediglich König Ludwig XIV., zwei hochrangige Originale nach Frankreich zu transportieren (sog. *Germanicus* und sog. *Cincinnatus*, beide Louvre; s. [11], Kat.-Nr. 42, 23). Das Mittel der Wahl waren also hervorragende A. in Originalgröße, wenn nicht aus Bronze, dann wenigstens aus Gips. Daß die Beschaffung von A. oder die Erlaubnis zum Herstellen von Formen äußerst kostspielig und kompliziert, ja sogar Gegenstand diplomatischer Verhandlungen waren, unterstreicht die Bedeutung der A. und A. S. als höfische bzw. fürstliche Prestigeobjekte. Ein vergleichbar erfolgreiches Original-Ensemble wie der Cortile delle Statue war bis 1688 in der sog. Tribuna, einer oktogonalen Kunstkammer in den Florentiner → Uffizien, fertiggestellt. Folgende Figuren haben von dort aus die größte Wirkung entfaltet und fehlten seither in keiner A. S.: die *Venus de' Medici*, die Florentiner Ringergruppe, der *Arrotino*, der *Tanzende Satyr* und die *Venus Victrix* (alle Florenz, UF; s. [11], Kat.-Nr. 88, 94, 11, 34, 91). Nach seiner Auffindung 1546 oder 1556 wurde auch der *Herakles Farnese* (h. Neapel, NM; s. [11], Kat.-Nr. 46) abgeformt und 1666 hören wir von A. in Rom und Alcazar, 1669 von einem A. in Paris.

Bis zur Mitte des 18. Jh. waren die Skulpturen des Cortile delle Statue und der Tribuna als Gips- oder Bronze-A. oder als Marmorkopien an den Höfen Europas vorhanden, wo sie entweder als Ausstattungsstücke verwendet wurden oder, bis zum Ende des 18. Jh., im Rahmen von eigens gegründeten, königlichen Kunstakademien zum Arsenal für Formen des kanonisierten guten Geschmacks avancierten (Kopenhagen 1682, Berlin 1695/96, Augsburg 1757, St. Petersburg 1758, London 1768, Stockholm und Warschau zw. 1780–1790, New York und Philadelphia 1805). Vorreiter dieser Entwicklung war wieder Frankreich. Ludwig XIV. hatte bereits 1666 in Rom eine frz. Kunstakademie ins Leben gerufen, die den frz. Künstlern dieselben Arbeitsvorteile verschaffen sollte, die it. Künstler seit langem genossen. Bis 1684 waren über 100 großformatige A. der berühmtesten Skulpturen in → Rom gesammelt worden und gelangten im Lauf der Zeit nach → Paris. Nach diesen Vorlagen stellten die frz. Hofkünstler Marmor- oder Bronzekopien für Versailles her und entwickelten die Grundlagen für eine Staatskunst von allerhöchstem Geschmack. Um 1713 konnte eine vergleichbare A. S. außerhalb It. nur Düsseldorf unter Kurfürst Johann Wilhelm aufweisen – dank Einheirat in die Familie der Medici. Allerdings wertete er sie nicht nach frz. Vorbild aus.

2. UMWERTUNG DER ABGUSSSAMMLUNGEN SEIT DEM KLASSIZISMUS

Im Milieu des höfischen Gebrauchs ant. Skulpturen erzielte seit der zweiten H. des 18. Jh. die Antikengelehrsamkeit auf enzyklopädischer Grundlage große Erfolge (bahnbrechend J. J. Winckelmann, ab 1758 im Dienst von Kardinal Albani: *Geschichte der Kunst des Alt.*,

Dresden 1764). Die neu gewonnenen Erkenntnisse leiteten eine ganzheitliche Hinwendung zur Ant. (in Deutschland bes. zur griech. Ant. [16]) ein, durch die die erhaltenen Reste ein Gewicht bekamen, das weit über die bisherige, lediglich repräsentative Rezeption hinausging. Die Ant. geriet zu einem Sinnbild von Größe und Vollkommenheit. System und Gesetz eines vergangenen und ideal gesehenen Lebens, seine Religion und Staatsverfassung, Fragen der Gesellschaftsordnungen und des Rechts ebenso wie Lit. und Kunst konnten an der Ant. studiert und sollten im Sinne einer staatstragenden Ideologie für die Gegenwart fruchtbar gemacht werden. Dies leitete, mit Schwerpunkt in Deutschland, die dritte Generation von A.S. ein, die dazu bestimmt waren, von der Allgemeinheit als Anschauungsmaterial für die neu formulierten gesellschaftlichen Werte rezipiert zu werden. Viele dieser A.S. entstanden an der Univ. (z.B. Göttingen seit 1767, Bonn seit 1819, Tübingen seit 1830, Kiel seit 1840, Erlangen und Zürich seit 1855), z.T. zusammen mit neu gegründeten und aufwendig ausgestatteten Lehrstühlen für → Klassische Archäologie (z.B. Leipzig 1840, Halle 1841, Heidelberg 1848, München 1869, Straßburg 1872, Marburg seit 1876, Münster seit 1883, Frankfurt 1914). Die Integration in den Wissenschaftsbetrieb sollte Volksbildung auf höchstem Niveau gewährleisten, und die A. gerieten zur Verkörperung eines didaktischen Programms. In diesem Zusammenhang wurden auch alle anderen Gattungen wichtig (Gefäße, Geräte, Daktyliotheken, Architekturproben und -modelle). Von ca. 130 bis h. bekannten A.S. befinden sich im deutschsprachigen Raum etwa die H., während sich ein Drittel im übrigen Europa und die restlichen außerhalb Europas verteilen. Gleichzeitig kamen A. in Privatbesitz wieder als Bildungssymbole in Mode. Neben dieser Ausrichtung entstand im 19. Jh., die Idee der Kunstakademien unter den Vorzeichen der neuen Hochkonjunktur weiterführend, riesige A.S. als Modellkammern bzw. Dokumentationsstätten einmal erfundener Stilformen oder herausragender Kunstwerke aller Mittelmeer-Kulturen von der Frühzeit bis zur Gegenwart (z.B. Paris Musée des Etudes de l'Ecole Nationale Supérieure des Beaux-Arts seit 1666 und Paris Trocadéro, Musée des Monuments Français 1882; Berlin Neues Museum 1856; New York, A.S. des Metropolitan Museum seit 1883; Dresden Albertinum 1891; Lyon 1899/1948; Kopenhagen Königliche A.S. 1895). Derartige A.S. wurden zuweilen höher geschätzt als Originalsammlungen, und manche füllten eigene, große Museumstrakte (A.-Bestand Anf. des 20. Jh.: Dresden ca. 5000, New York ca. 2600, Berlin ca. 2270, München ca. 1700). Mit dem beginnenden Verfall klassizistischer Kunst- und human. Bildungsideale (→ Polychromiestreit) zieht sich jedoch eine Diskrepanz zw. (veralteter) weltanschaulicher Aufladung der A. und aktuell zugebilligter, finanzieller Unterstützung wie ein roter Faden durch die Geschichte fast aller A.S. Das Spektrum der Ereignisse reicht bis zur Entladung im Fenstersturz der mittlerweile als didakti-

sche Gängelei wahrgenommenen A. Der zwiespältige Symbolwert der A. war es auch, der während und nach dem II. Weltkrieg zum Verfall bzw. völligen Untergang einiger der größten A.S. in Europa führte (Berlin, Leipzig, München; zerstört auch Frankfurt, Kiel, Münster; Dresden, Straßburg 1940/45 ausgelagert; Lyon 1962 magaziniert; Paris Musée des Etudes 1970 ausgelagert nach Versailles; New York 1938 ausgelagert, seit 1987 z.T. in München).

Etwa seit den 60er J. unseres Jh. erleben A. und mit ihnen die A.S. ein Wiederaufleben ihrer Wertschätzung in Wissenschaft, Öffentlichkeit und Kunst [5]. Überwiegend im Kontext der Univ. hat man die A.S. von einst wieder aufgebaut (Berlin; München; Mannheimer Antikensaal seit 1983; → Dresden, Sichtdepot; im Aufbau Halle, Leipzig; Straßburg seit 1982 und Lyon 1985 verkleinert wiedereröffnet), wo sie, als A.S. der vierten Generation, in erster Linie der archäologischen Forschung dienen, aber auch als Zeitzeugnisse der Blüte des Human. im 19. Jh. erlebt werden.

→ AWI Gips; imagines; Kopienwesen

1 G. ACCARDO, M. MICHELI, L'utilizzazione di modelli per lo studio di problemi strutturali e formali. Una metodologia per realizzare copie senza calco, in: Bolletino d'Arte 41, 1987, 111–125 2 G. BARONE, Gessi del Museo di Sabratha, 1994 3 A.H. BORBEIN, Klass. Arch. in Berlin, in: Berlin und die Ant. Aufsätze, Kongr.-Ber. Berlin 1979, 1979, 99–150 4 F. BURKHALTER, Moulages en plâtre antiques et toreutique Alexandrine, in: N. BONACASA, A. DI VITA (Hrsg.), Alessandria e il mondo ellenistico-romano, 1984, 334–347 5 H.-U. CAIN, Gipsabgüsse. Zur Gesch. ihrer Wertschätzung, in: Anzeiger des German. Nationalmus. 1995, 200–215 6 F. DONATI, Processi di riproduzione artistica: l'uso della pece bruzia e i calchi antichi, in: Klearchos 125–128, 1990, 105–148 7 K. FALTERMEIER, in: Ciba-Geigy (Hrsg.), Technik der Nachbildung durch Abgiessen (o.J.), 2–16 8 H.I. FLOWER, Ancestor masks and aristocratic power in Roman culture, 1996 9 C. GASPARRI, s.v. copie e copisti, EAA Suppl. 2, 1994, 267–280 10 N. GRAMACCINI, Mirabilia, 1996 11 F. HASKELL, N. PENNY, Taste and the Antique. The Lure of Classical Sculpture 1500–1900, 1982 12 N. HIMMELMANN, Utopische Vergangenheit. Arch. und mod. Kultur, 1976, 138–157 13 F. KOBLER, Über Zink, in: Anzeiger des German. Nationalmus. 1995, 228–237 14 G. KOLLMANN, in: Wacker-Chemie GmbH (Hrsg.), Die Kunst zu bewahren, 1997, 11–13 und 168–171 15 CHR. LANDWEHR, Die ant. Gipsabgüsse aus Baiae. Griech. Bronzestatuen in Abgüssen röm. Zeit, 1985, 12–25 16 S.L. MARCHAND, Down from Olympus. Archaeology and Philhellenism in Germany, 1750–1970, 1996 17 Moulages, copies, fac-similes. Actes des IXèmes journées des restaurateurs en archéologie, Soissons 1993, in: Bull. de liaison. Centre d'études des peintures murales romaines 11, 1994, 5–167 18 A. THIELEMANN, Phidias im Quattrocento, 1992 19 D. WILDUNG, Einblicke. Zerstörungsfreie Unt. an altägypt. Objekten, in: Jb. Preußischer Kulturbesitz 29, 1992, 148–155 20 H. WREDE, Röm. Reliefs griech. Meister?, in: CHR. BÖRKER, M. DONDERER (Hrsg.), Das ant. Rom und der Osten, 1990, 219–234 21 F. ZÖLLNER, Policretior manu – zum Polykletbild der frühen Neuzeit, in: Polyklet. Der Bildhauer der griech. Klassik, Ausstellungskat. Frankfurt 1990, 450–472.   INGEBORG KADER

Adagium s. Aphorismus

Adaptation A. Definition   B. Antike-Roman
C. Kompilation   D. Cantare
E. Vers- und Prosaparaphrase
F. Volgarizzamento   G. Übersetzung
H. Nachdichtende Übertragung
I. Travestie   J. Emblematische Adaptation
K. Andere Formen

A. Definition

In engerem Sinn versteht die Literaturwiss. unter A. die Bearbeitung eines lit. Werks nach den Bedingungen einer anderen Gattung oder eines anderen Mediums. Im Blick auf die Rezeption ant. Texte in den Literaturen des MA und der Neuzeit wird A. jedoch in einem weiteren Sinn als Anpassung an die Gegebenheiten einer anderen, d.h. volkssprachlichen Lit. verstanden. Die Grenzen dieses weiteren Begriffs von A. sind einerseits die Übers., andererseits die → *imitatio*. Während diese als Nachahmung v.a. formaler und poetologischer Merkmale hier ausgeklammert bleibt, muß man die Übers. als Form der A. betrachten; aufgrund der epochenbedingten Verständnisse des Übersetzens erscheinen Übers. des MA und der frühen Neuzeit aus heutiger Sicht oft als mehr oder weniger freie Bearbeitungen. In diesem allg. Sinn impliziert die A. v.a. die folgenden drei Aspekte: 1. Insofern als die A. die Anpassung an Ideologie, Welt-, Menschen-, Gesellschaftsbild und Ethik der adaptierenden Epoche intendiert, werfen die sich wandelnden A.-Weisen ein signifikantes Licht auf das jeweils dominante Selbstverständnis der Epoche, bes. auf deren Verhältnis zur Ant. 2. In literarästhetischer Hinsicht ist das gattungsbildende, sprach- und stilschöpferische Potential ein wesentliches Merkmal der A.

Der Stellenwert der A. läßt erkennen, in welchem Maß ant. Lit. und welche ihrer Aspekte als konstitutiv für die eigene Zeit gelten. Die A. trägt zur Entwicklung aufkommender Gattungen bei (z.B. bei den Ant.-Romanen des höfischen MA), bekräftigt die Gültigkeit ausgebildeter Gattungen (z.B. bei den *Aeneis*- oder *Metamorphosen*-A. in der → Renaissance, die in Wechselwirkung mit den mod. epischen Formen stehen) oder impliziert das Postulat einer Veränderung des Gattungverständnisses (z.B. bei den Epentravestien im 17. und 18. Jh.). 3. Den engen Zusammenhang von A. und Publikumsgeschmack zeigt das Nebeneinander unterschiedlicher, z.B. gelehrter und volkstümlicher Erwartungen, das zu gegensätzlichen Formen und Funktionen der A. in derselben Epoche führen kann. – Die folgenden Abschnitte sind als Darstellung histor. Erscheinungsformen der A. ant. Lit. zu verstehen. Der Zeitraum ist auf MA und frühe Neuzeit begrenzt, da sich hier die wichtigsten Formen manifestieren. Ein zweiter Schwerpunkt liegt auf der frz. und it. Lit., da in diesen, wie die Ant.-Rezeption generell, auch die Spielarten der A. am frühesten auftreten und in andere Literaturen (Spanien, Deutschland, England) meistens mit einer gewissen Phasenverschiebung übernommen werden. Schließlich werden die A.-Weisen vorwiegend an der Rezeption der ant. Epik dargestellt, da keine andere Gattung eine vergleichbare Vielfalt der Möglichkeiten zeigt.

B. Antike-Roman

Für das ma. Verhältnis zum Alt. ist der Ant.-Roman die charakteristischste A.-Form. Diese Gattung entsteht im anglonormannischen Bereich der alt-frz. Lit. des 12. Jh. und wird sodann in anderen Ländern, v.a. in Deutschland und It., rezipiert. Die drei wichtigsten Texte sind der anon. *Roman de Thèbes* (ca. 1150), der gleichfalls anon. *Roman d'Eneas* (ca. 1160) und der *Roman de Troie* des Benoît de Sainte-Maure (ca. 1165). Die Hauptgrundlagen dieser Werke sind Vergil (*Aeneis*), Statius (*Thebais*) sowie die ps.-histor. Schriften von Dares (*De excidio Troiae*) und Diktys (*Ephemeris belli Troiani*). Neben Klerikern bildeten Angehörige der bildungsinteressierten obersten Gesellschaftsschichten den Adressatenkreis der Romane. Die Blütezeit dieser Texte ist recht kurz; das Publikum wendet sich bald den arthurischen Stoffen zu. Dennoch ist diese A.-Form gattungsgeschichtlich von weitreichender Bed., da sie Wesenszüge des höfischen Romans bzw. der höfischen Epik vorbereitet. So hat wahrscheinlich der *Roman d'Eneas* einen vorbildhaften Einfluß auf das Werk von Ch. de Troyes ausgeübt.

Die Ant.-Romane verfahren sehr frei mit den Quellen und auch in der Kombination mehrerer Vorlagen; trotzdem betrachtete das zeitgenössische Publikum sie als adäquate und histor. angemessene Bearbeitungen. Die formalen Charakteristika, v.a. die Gliederung in überschaubare, relativ homogene, in sich geschlossene Erzählabschnitte, verweisen auf einen vorwiegend mündlichen Vortrag der Romane. Die Handlung wird gegenüber dem ant. Vorbild in Chronologie und Rhythmus oft stark verändert, d.h. stellenweise verdichtet oder gekürzt und andernorts durch Amplifikationen oder Einfügen neuer Elemente erweitert. Die Darstellungsweise läßt sich allg. als »Modernisierung« der Ant. bestimmen. Die Myth. wird stark reduziert; Handlungsmotivationen, die in den ant. Texten aus dem Eingreifen von Göttern hervorgehen, werden in den zwischen- oder innermenschlichen Bereich verlegt. Sitten und Gebräuche, Moralvorstellungen, Institutionen und soziale Strukturen werden denen des hohen MA angenähert, um den Lesern die fremde Welt durch Bekanntes vertraut zu machen. Ant. Gestalten werden zu Königen, Rittern, Herzögen, Bischöfen, Bürgern usw. Zeittypisch ist des weiteren das soziale Verhalten, das immer wieder von *cortoisie* (höfischer Gesinnung) bestimmt ist. Hiermit nimmt der Ant.-Roman ein Element vorweg, das eine zentrale ideologische Funktion in der höfischen Epik haben wird. Etwas Ähnliches gilt für die Liebeskonzeption, in der sich ebenfalls die höfische Auffassung spiegelt. Bezeichnend ist die Akzentverlagerung im *Roman d'Eneas*: Unter Rückgriff auf ovidische Elemente wird aus der heroischen Handlung ein Liebesroman. Dabei werden zwei Liebeskonzeptionen durch eine signifikante Erweiterung der Handlung kontrastiert. Der leidenschaftlichen Liebe zw. Dido und Aeneas wird am Schluß die höfisch-idealisierte zw. Aeneas und Lavinia entgegengesetzt, mit deren Heirat der *Roman d'Eneas* schließt. Diese ideologische Abrundung wirkte auch auf die Nachwelt so überzeugend, daß noch 1428 der Humanist M. Vegio ein lat. 13. Buch der *Aeneis* verfaßte, das die Heirat, die Herrschaft und schließlich die Apotheose des Aeneas erzählt. Dieses Supplement ist in den meisten *Aeneis*-Ausgaben und -Übers. der frühen Neuzeit enthalten (z. B. bei G. Douglas im J. 1513 und Th. Murner im J. 1515).

Charakteristisch für das ma. Verhältnis zur Ant. ist auch die Rezeption der frz. Ant.-Romane in anderen Ländern, v. a. in Deutschland und It., wo man durch bearbeitende Übers. A. zweiten Grades schuf. So griff Heinrich v. Veldekes *Eneit* (ca. 1170–90) wohl kaum selbst auf die ant. Vorlagen zurück, sondern hielt sich stofflich eng an den *Roman d'Eneas*, paßte diesen jedoch an die sprachlichen und ideologischen Normen seiner Umgebung an. So milderte er die kompilatorischen Züge des Vorbilds, verstärkte die strukturelle Stimmigkeit, unterwarf den Text einer starken rhet. Überarbeitung und intensivierte die höfisch-idealisierende Konzeption von Personen, Gesellschaft und Liebe. Wie in Frankreich kommt auch die dt. A. des *Roman d'Eneas* einer zeitgenössischen Auffassung von höfischer Epik bes. nah: Die 1217 entstandene *Metamorphosen*-Verdeutschung durch Albrecht v. Halberstadt blieb, obwohl die erste überhaupt, ohne Resonanz, da die ovidischen Geschichten dem vom Ant.-Roman geprägten Geschmack nicht entsprachen.

C. KOMPILATION

Die Einschätzung der Ant.-Romane weniger als lit. Texte denn als histor. Kenntnisse vermittelnde Werke zeigt die Tatsache, daß die Romane oft in histor. Kompilationen eingingen. Sie wurden in Codices oft zu Sammlungen zusammengefaßt, wobei die Reihenfolge variiert. Man konstituierte auf diese Weise eine Art Weltgeschichte, die von den trojanischen Ursprüngen ausgeht und in die Geschichte Britanniens bzw. die arthurische Epoche mündet. Der *Roman de Troie* wurde ebenso wie der *Roman d'Eneas* in einer *Histoire ancienne jusqu'à César* verwertet, die zugleich weitere ant. Quellen adaptierend zusammenstellte, z. B. das *Excidium Troiae* des Dares oder eine Anzahl der ovidischen *Heroides*. Derartige Kompilationen wiederholen sich in anderen Ländern, etwa im It. des 14. Jh. Die *Fiorita* des Armannino da Bologna (1325) stellt in einer Mischung aus Vers- und Prosapassagen die Menschheitsgeschichte bis Caesar zusammen, verarbeitet dabei auch den *Aeneis*-Stoff. Ähnlich verwertet der *Fiore d'Italia* (Anf. des 14. Jh.) des Guido da Pisa ant. und ma. Quellen zu einer hebräischen, griech. und röm. Geschichte; im zweiten Buch mit dem Titel *I fatti di Enea* wird in schlichter Prosa die Handlung des Vergilschen Epos nachgezeichnet.

D. CANTARE

Die Cantari stellen eine volkstümliche, v. a. für den öffentlichen mündlichen Vortrag gedachte Variante der ma. Ritterepik dar. Sie verarbeiten Stoffe der alt-frz. Heldenepen und des höfischen Romans, ebenso aber auch solche der ant. Epik (Vergil, Ovid, Statius). Die Cantari mit ant. Stoffen zeigen in der A.-Weise gewisse Ähnlichkeiten mit den Ant.-Romanen. Auch hier werden Helden und myth. Gestalten in die Welt des MA transponiert; die Helden zeigen ritterliche Züge, die Handlung wird in Anlehnung an die Ritterepik strukturiert. Trotzdem sind die Cantari als eine spezifische A.-Form zu verstehen. Sie übernahmen ihre Stoffe aus ma. Paraphrasen bzw. Volgarizzamenti (s. u.), gelegentlich auch aus alt-frz. Versbearbeitungen ant. Epik, und sie richteten sich nicht an ein hochgebildetes höfisches Publikum, sondern an die unterschiedlich gebildeten einfacheren Schichten der it. Kommunen, für die die Cantari eine Art Unterhaltungs-Lit. darstellten. Dem entsprechen die formalen Charakteristika der Gattung: Ereignisreichtum, zügiges Erzähltempo, relativ einfache Syntax und plakative Gliederung der Handlung. Die frühesten Cantari mit ant. Stoffen gehen auf das 14. Jh. zurück (z. B. der *Cantare di Piramo e Tisbe*); zahlreiche weitere, die den *Aeneis*-Stoff oder Episoden der *Metamorphosen* bearbeiten, entstehen im 15. und 16. Jh. Hier werden sie allmählich abgelöst von A., die der zur Kunstgattung aufgewerteten Form des Cantare, dem Romanzo (Boiardo, Ariost), folgen.

E. VERS- UND PROSAPARAPHRASE

Charakteristisch für die ma. Paraphrasen ist die Verknüpfung mit kommentierenden Teilen. Erst an der Schwelle zur Ren. treten Text-A. und Komm. auseinander. Das herausragende Beispiel für die paraphrasierende A. ist der anon. alt-frz. *Ovide moralisé* (1316–28), ein 72000 V. umfassendes didaktisches Epos, das die Stoffe der *Metamorphosen* mit einer moralisierenden Erklärung versieht. Die eigentliche Übertragung des Ovid-Textes besteht in vereinfachter Nacherzählung der Handlungen, die oft nach der Art spät-ma. Romane strukturiert oder miteinander verknüpft werden. Die enorme Erweiterung resultiert aus drei Komponenten: aus der Einfügung von A. anderer Ovid-Texte (*Heroides*), aus der Hereinnahme myth. Geschichten aus anderen Quellen (z. B. der *Aeneis*) und aus allegorisch auslegenden Zusätzen, die großenteils auf lat. Komm. der *Metamorphosen* zurückgehen. Ziel des *Ovide moralisé* ist eine möglichst vollständige Mythographie, die sich an ein gebildetes, aber lateinunkundiges Publikum richtet. Der *Ovide moralisé* ist zugleich die *Metamorphosen*-Bearbeitung dieser Epoche mit der stärksten Nachwirkung; die Rezeption reicht bis ins 16. Jh. 1466/67 entsteht eine Prosaversion des Werks, auf dem die erste engl. Prosaübertragung der *Metamorphosen* durch W. Caxton (1480) beruht. Wie diese Version übernimmt auch die 1484 verfaßte *Bible des Poètes* die Allegorien des *Ovide moralisé* und ergänzt sie durch weitere, die sie dem *Ovidius moralizatus*, einem lat. Komm. P. Bersuires (1347), entnimmt. Erst im 16. Jh. beginnt das Interesse an den Stoffen der ant. Erzählungen als Fiktionen gegenüber der allegorischen Exegese zu überwiegen. Unter dem Titel *Le Grand Olympe* erscheint 1532 eine modernisierte Fassung der *Bible*, die auf die Allegorien verzichtet und im Vorwort ausdrücklich das Interesse an Stil und ästhetischer Qualität des ant. Epos hervorhebt – ein entscheidender Schritt weg von der ma. Paraphrase hin zu einem lit. begründeten Interesse am Originaltext.

F. Volgarizzamento

Als Volgarizzamenti bezeichnet man die in It. zw. dem 14. und 16. Jh. stärker und vielfältiger als in anderen Ländern aufblühenden Übertragungen und Übers. lat. Texte ins It. (*volgare*), evtl. über die Zwischenstufe frz. Bearbeitungen. Die Volgarizzamenti stellen keine eigene Form der A. dar, da sie im Prinzip alle zeitgenössischen Genera umfassen können. Sie müssen aber funktional von anderen A. unterschieden werden: Sie entstehen v. a. im spezifischen sozialen Kontext der it. Stadtrepubliken für ein nicht-gelehrtes, aber bildungsinteressiertes bürgerliches Publikum. Die wichtigsten Texte des 14. Jh. sind A. der *Metamorphosen*, der *Heroides*, der *Aeneis* sowie der Tragödien Senecas. Die Volgarizzamenti haben eine ähnliche Vermittlerrolle zw. der Paraphrase und dem Originaltext wie die im vorigen Abschnitt genannten Beispiele. Charakteristisch für das breit gefächerte, von vielfältigen Interessen geprägte Publikum ist das unterschiedliche Anspruchsniveau der Volgarizzamenti. G. dei Bonsignori (1375/77) übertrug die *Metamorphosen* in eine einfache, die bloßen Inhalte der Geschichten resümierende Sprache, und zwar auf der Basis der lat. Prosaparaphrase G. del Virgilios. Dagegen übertrug vor ihm A. Simintendi (vor 1333) dasselbe Werk zwar auch in Prosa, ging jedoch vom Originaltext aus, an dem er auch sein It. orientierte. Bezeichnend ist außerdem die mehrfache Funktion der Volgarizzamenti. Obwohl sie wie die Paraphrasen häufig mit allegorischen oder moralphilos. Komm. verbunden sind, liegen neuartige Intentionen in der Vermittlung von Wissen, in der sprachlich-rhet. Bereicherung und damit Aufwertung der Volkssprache sowie in der Vermittlung der dichterischen Stoffe ant. Texte. Diese Absicht wird durch die starke Präsenz lat. Autoren in der zeitgenössischen volkssprachlichen Lit. motiviert, die ohne die Kenntnis der hierin rezipierten ant. Texte, Stoffe und Gestalten einer lateinunkundigen Leserschaft nicht verständlich ist. Für das Phänomen der Volgarizzamenti ist nicht zuletzt die in It. bes. früh einsetzende Bewegung des → Humanismus verantwortlich. Unter dem Einfluß der it. Volgarizzamenti und im Zusammenhang mit dem dort rund 100 J. später beginnenden Human. entstehen im 15. Jh. ähnliche Übertragungen in Spanien, bezeichnenderweise oft nicht auf der Grundlage der lat., sondern der it. Texte.

G. Übersetzung

Von ihrem weiten Übers.-Begriff her verstehen sich schon die ma. Paraphrasen und die Volgarizzamenti der it. Frühren. als Übers. ihrer ant. Vorlagen. Auch im spä-

ten 15. und im 16. Jh. begegnen Prosaübertragungen, die relativ frei mit dem Original umgehen, so eine frz. *Aeneis*-Übertragung (1483), eine gleichfalls frz. Homer-Übertragung (1519–30) oder die erste span. *Metamorphosen*-Version (J. de Bustamante, 1546). Noch eine der ersten *Metamorphosen*-Übers. des 16. Jh. ins It. (N. degli Agostini, 1522) verfährt ma., wenn sie nicht auf das ovidische Original, sondern auf die Paraphrase Bonsignoris zurückgreift. Auch die erste dt. Homer-Übers. von S. Schaidenreisser (1537) geht auf eine lat. Version zurück. Zugleich entstehen aber die ersten strengen Übers., in denen sich die Wirkung des human.-philol. Auseinandersetzung mit der Ant. niederschlägt. Diese Übers. fußen auf dem ant. Originaltext, folgen ihm möglichst wörtlich und streben eine formal, rhet. und semantisch adäquate Wiedergabe an. Dies gilt – zumindest tendenziell – für die erste frz. *Aeneis*-Übers. durch Octovien de Saint-Gelais (1500), mehr noch für die frz. *Metamorphosen*-Übers. durch Cl. Marot (Buch I/II, 1534/43), B. Aneau (Buch III, 1556) und F. Habert (vollständig, 1549–57). Auch in anderen Literaturen entstehen die ersten Übers. ant. Epen. 1515 verfaßt Th. Murner die erste dt. *Aeneis* (die allerdings auch Züge einer Nachdichtung trägt), G. Douglas überträgt dasselbe Epos erstmals ins Engl., Chapman übers. zw. 1598 und 1611 die Homerischen Epen.

H. Nachdichtende Übertragung

Im Gefolge der human.-philol. geprägten Übers. ant. Lit., die sich am Ausgangstext orientiert, tritt auch das Bewußtsein von der komplementären Möglichkeit deutlicher hervor: der Übertragung, die sich an Geschmack bzw. Erwartung des Lesers orientiert und die Eigentümlichkeiten des adaptierten Textes zugunsten ästhetischer Prinzipien der zeitgenössischen Lit. zurücktreten läßt. Diese konsequent in die Nachdichtung mündende A. stellt eine außerordentlich verbreitete Form in allen europ. Literaturen dar. Charakteristische Beispiele begegnen v. a. in It. ab der Mitte des 16. Jh. mit den *Aeneis*-Bearbeitungen A. Cerretanis (1566) und A. Caros (1570) oder den *Metamorphosen*-Versionen L. Dolces (1553) und G. A. dell'Anguillaras (1561). In gewissem Sinn sind schon Th. Murners *Aeneis*-Übertragung (1515) und noch die auffallend zahlreichen A. im England der Restauration, so die Vergil- und Ovid-Bearbeitungen J. Drydens (1693, 1697) oder die Homer-Übertragungen A. Popes (1715–26) hierher zu rechnen. – Die Nachdichtung zeigt vordergründig Ähnlichkeiten mit dem Ant.-Roman. In beiden Fällen werden Merkmale zeitgenössischer Gattungen auf den ant. Text übertragen. Die nachdichtende Bearbeitung will jedoch weder histor. noch stoffliche Wissensvermittlung bieten; die Neuartigkeit liegt in der ästhetischen Qualität, die als angemessene Entsprechung zur ant. Gestalt gesehen wird. Man adaptiert den ant. Text in der Überzeugung, der ant. Autor hätte ihn als Angehöriger der mod. Epoche ebenso gestaltet. Insofern folgt die nachdichtende Übertragung durchaus einem weit verstandenen Prinzip der *imitatio*. Ziel dieser A. ist die Verbesserung des Originals mit den Mitteln der eigenen Sprache und Poetik, so daß die A. den Rang eines eigenständigen, wirkungsvollen lit. Werks erreicht.

Aufschlußreich ist bereits die erwähnte *Aeneis*-Übertragung Murners, die zw. Übers. und Nachdichtung anzusiedeln ist. Die Bearbeitung will das ant. Werk in lebendiger Gestaltung dem dt. Publikum zugänglich machen. Murner greift dazu auf die nächstliegende zeitgenössische epische Form, die des Spielmannsepos, zurück und überträgt die ant. Welt in die Sitten und Gebräuche der Gesellschaft seiner Zeit. Wegweisend für diese A. werden jedoch die Vergil- und Ovid-Bearbeitungen der it. Ren., die die *imitatio* der ant. mit der der zeitgenössischen Lit. zu verbinden suchen. Die meisten Bearbeiter epischer Texte wählen das für die volkssprachliche Epik übliche Metrum (Oktave) und orientieren sich in Stil und Rhet. sowie bei der Gestaltung von Personen, Handlungsaufbau, Szenerie und Dekor am erfolgreichsten Genus der Epoche, dem Ritterroman (Romanzo), wie er zunächst von M. M. Boiardo (*Orlando innamorato*), dann von L. Ariosto (*Orlando furioso*) zur Kunstgattung erhoben wird. Die Handlung der ant. Vorlagen wird entsprechend den Strukturprinzipien dieser Modelle umgeformt, ausgestaltet oder erweitert. V. a. übernimmt man von ihnen die Neigung zur intensivierten Darstellung von Affekten sowie zu erweiternden Beschreibungen. Generell wird wie im Romanzo die dargestellte Wirklichkeit an Kultur und Ideologie der Ren. angepaßt. Ant. Helden treten wie Fürsten auf; die Personen folgen in ihrem Verhalten höfischen Gepflogenheiten und Umgangsformen. Die Verknüpfung der ant. Modelle mit den zeitgenössischen wird dadurch erleichtert, daß die volkssprachliche Ren.-Lit. die ant. Texte imitierend aufgreift. So ist Ovids Epos bereits an vielen Stellen Vorbild für Ariosts *Orlando furioso*, der seinerseits auf die *Metamorphosen*-Bearbeitungen der Ren. einwirkt.

I. Travestie

Die Travestie ist die Bearbeitung eines ant. Stoffs in einem diesem nicht angemessenen Stil, insbes. die Bearbeitung einer erhabenen, heroischen Handlung in einem witzigen, komischen oder burlesken Stil. Sie setzt literarhistor. die sprachlich-stilistisch freie A. ant. Werke voraus, wie sie die nachdichtenden Übertragungen verwirklichen. Sie setzt außerdem voraus, daß die ant. Texte in der zeitgenössischen Poetik noch Vorbildcharakter besitzen, daß aber zugleich eine gewisse Distanz gegenüber der Auffassung einer strengen *imitatio* eingetreten ist. Insofern erklärt sich, daß die erste Travestie der Vergilschen *Aeneis*, G. B. Lallis *Eneide travestita* (1633), in der it. Lit. auftritt, die bereits eine reiche parodistische Trad. aufweisen konnte. Gleichzeitig mit den ersten zur Kunstform erhobenen Ritterepen begegnen komische Varianten der Gattung. Unmittelbare Vorläufer der Epentravestie sind die Epenparodie bzw. das heroisch-komische Epos, dessen bekanntestes it. Beispiel A. Tassonis *Secchia rapita* (1624) darstellt; hier werden typische Motive, Handlungselemente, Personal und

myth. Apparat der ant. Epik im Rahmen einer banalen, in der zeitgenössischen Welt spielenden Handlung karikiert. Von dieser komischen Variante der *imitatio* unterscheidet sich die Travestie wesentlich dadurch, daß sie nicht einzelne formale oder inhaltliche Elemente aufgreift, sondern einen vorgegebenen epischen Stoff als Ganzes transformiert, dem sie wie eine Übers. folgt. Lalli und seine Nachfolger zielen mit der Wahl eines niedrigen Stils primär nicht auf eine Verspottung des ant. Werks ab, sondern auf die Schaffung einer neuartigen, nämlich heiter-witzigen Variante eines bekannten Textes, der auch in der Umformung beim Publikum Anklang finden soll. Die implizite Kritik betrifft vielmehr die Unwahrscheinlichkeit der Vorbilder für ein zeitgenössisches Publikum, bei der Ovid-Travestie auch die Trad. der allegorischen Überhöhung der myth. Geschichten. Dieser Distanzierung dient der Kontrast zw. der urspr. Erhabenheit von Handlung und Personal und der Alltäglichkeit, in die jene verlagert werden. Helden und Götter werden in ein profanes, bürgerlich-triviales Dasein gestellt. Ein typisches Mittel, das hierzu eingesetzt wird – z. B. in P. Scarrons *Virgile travesty* (1648–52) oder in L. Richers *Ovide bouffon ou travesty* (1649) – ist die Mischung von Salonton und Umgangssprache, von archa., gelehrten, latinisierenden Elementen mit familiären bis vulgären Wendungen. Hierdurch wandelt sich die Darstellung der Personen oft radikal: So ist z. B. Aeneas bei Scarron zwar auch tapfer und gerecht, aber zugleich impulsiv, schwächlich, eitel und selbstgefällig. Scarron versucht zu jedem vorgegebenen erhabenen Sachverhalt das burleske Pendant zu finden. Somit setzt die Travestie äußerste Vertrautheit der Leser mit dem Originaltext voraus, ohne dessen Kenntnis die Kontrastkomik nicht wahrgenommen werden kann. Daß die Travestie Indiz eines sich wandelnden Verhältnisses zur Vorbildlichkeit ant. Lit. ist, zeigt sich daran, daß sie eine zwar intensive, aber relativ kurze Mode erlebt. In Frankreich entstehen die meisten Travestien um die Mitte des 17. Jh., in England zw. 1660 und 1680 (z. B. Ch. Cottons *Scarronides: Or, Virgile Travestie*, 1664). Marivaux' Homer-Travestie (1716) oder A. Blumauers *Abenteuer des frommen Helden Äneas* (1784–88) stellen eher Ausnahmen dar.

J. Emblematische Adaptation

Eine gewisse Beliebtheit genießt im 16. und 17. Jh. die A. der ovidischen *Metamorphosen* in der Form des Emblembuchs (→ Emblematik). So gestaltet 1557 P. Bernard eine *Metamorphose d'Ovide figurée*, in der die bildliche Darstellung (*pictura*) der wichtigsten Sagen und Szenen des Epos mit einer Beschreibung (*subscriptio*) der jeweiligen Szene in einem epigrammatischen Achtzeiler (wahrscheinlich vom Ovid-Übersetzer B. Aneau) kombiniert wird. Während hier jedoch – das unterscheidet dieses Werk von den Emblembüchern im eigentlichen Sinn – in der *subscriptio* noch keine Auslegung der myth. Szene stattfindet, verstärkt sich in späteren Beispielen nach und nach die Tendenz, die ovidische Episode allegorisch als moralisches Exempel zu deuten (z. B. bei G.

Symeoni, 1559). Dabei können die Autoren sowohl der human.-moralphilos. (J. Posthius, 1563) oder der christl. Auslegungstradition (J. Spreng, lat. 1563, dt. 1564) folgen. Das berühmteste Beispiel dieser Gattung stellt I. de Benserades *Métamorphoses d'Ovide en rondeaux* (1676) dar. Die lyrische Form des Rondeau, die Benserade für die *subscriptio* wählt, gibt ihm die Möglichkeit, nur noch gelegentlich ernst, viel öfter dagegen spielerisch, scherzhaft oder gar ironisch mit der Moralisierung umzugehen. Dazu trägt auch bei, daß Benserade die *Metamorphosen* nicht nur in die Form der Emblematik transponiert, sondern sie zugleich mit den poetischen Mitteln einer beliebten anderen zeitgenössischen Gattung adaptiert, denen der → Fabel, wie sie exemplarisch in den Sammlungen J. de La Fontaines vorliegt.

K. ANDERE FORMEN

Da zu jeder A. als wesentliches Merkmal die »Einbürgerung« des ant. Stoffs in der Gestalt einer dem Publikum vertrauten Form gehört, ist grundsätzlich keine Gattung als Zielform ausgeschlossen. So überträgt ein P. Galleni im 17. Jh. das zweite Buch der *Aeneis* in Gestalt eines Sonettzyklus. A. Metzger adaptiert zu Beginn desselben Jh. Episoden der *Metamorphosen* in Liedformen des späten Meistergesangs. Ein toskanischer Bearbeiter des 18. Jh. formt das ovidische Epos in einen Novellenzyklus um. In den weiten Grenzbereich zw. A. und *imitatio* gehören dagegen die zahllosen lyrischen Teil-A. ovidischer Szenen in der frühen Neuzeit wie auch die dramatische Gestaltung ant. Stoffe. Die Neufassungen ant. tragischer wie komischer Dramenstoffe seit der Ren. werden in der Regel nicht als Übertragungen (wie die epischen *Aeneis*- oder *Metamorphosen*-Bearbeitungen), sondern als Neuschöpfungen angesehen. Gleichwohl ist nicht zu übersehen, daß die frühesten Dramen (z. B. Angelo Polizianos *Favola di Orfeo*, 1480) und das frühe Opernlibretto (z. B. *Dafne* von Ottavio Rinuccini, 1598) im Prinzip Teil-A. einzelner ovidischer Episoden darstellen. Neben den *Metamorphosen* als Stoffreservoir für das Theater wird im 16. und 17. Jh. die dramatische A. der Aeneas-Dido-Episode des Vergilschen Epos bes. beliebt (G. B. Giraldi 1541, L. Dolce 1547, E. Jodelle 1558, Ch. Marlowe 1580, A. Hardy 1627, G. de Scudéry 1637, Fr. de Boisrobert 1643). Während auf die ovidischen Stoffe eher aufgrund ihrer Bekanntheit und ihrer Deutungsvielfalt zurückgegriffen wird, bietet sich das vierte Buch der *Aeneis* zur Problematisierung eines zeitgenössisch virulenten ethischpolit. Themas an, des Konflikts zw. der Pflicht des Herrschers und der Leidenschaft. Doch auch hier geht es neben der Funktionalisierung des Stoffs im Blick auf Wertvorstellungen der Epoche zugleich um die Anpassung an zeitgenössische ästhetische Prinzipien, an die Nachahmung der griech. oder röm. Trag. in der it. Ren. oder die hierauf fußenden Gattungsnormen der frz. Klassik.

→ Epik; Humanismus; Imitatio; Kommentar

1 G. AMIELLE, Recherches sur des traductions françaises des Métamorphoses d'Ovide, 1989 2 E. BERNSTEIN, Die erste dt. Äneis, 1974 3 CH. BIET, Énéide triomphante, Énéide travestie, in: Europe 765/66, 1993, 130–144 4 U. BROICH, Stud. zum komischen Epos, 1968 5 TH. BRÜCKNER, Die erste frz. Aeneis, 1987 6 A. BUCK, M. PFISTER, Stud. zu den »volgarizzamenti« röm. Autoren in der it. Lit. des 13. und 14. Jh., 1978 7 P. DEMATS, Fabula, 1973 8 F. GÖRSCHEN, Die Vergiltravestien in Frankreich, 1937 9 B. GUTHMÜLLER, Ovidio Metamorphoseos Vulgare, 1981 10 Ders., Stud. zur ant. Myth. in der it. Ren., 1986 11 R. HOWELLS, Rewriting Homer in the »Querelle des Anciens et des Modernes«, in: Romance Studies 90, 1990, 35–51 12 M. HUBY, L'a. des Romans courtois en Allemagne au XIIᵉ et au XIIIᵉ siècle, 1968 13 A. HULUBEI, Virgile en France au XVIᵉ siècle, in: Revue du seizième siècle 18, 1931, 1–77 14 H. LOVE, The Art of A., in: A. COLEMAN, A. HAMMOND (Hrsg.), Poetry and Drama 1570–1700, 1981, 136–155 15 C. LUCAS, Didon. Trois réécritures tragiques du livre IV de l'Énéide dans le théâtre italien du XVIᵉ siècle, in: G. MAZZACURATI (Hrsg.), Scritture di scritture, 1987, 557–604 16 J. MONFRIN, Les translations vernaculaires de Virgile au Moyen Âge, in: Lectures médiévales de Virgile, 1985, 189–249 17 M. MOOG-GRÜNEWALD, Metamorphosen der Metamorphosen, 1979 18 F. MORA-LEBRUN, L'»Enéide« médiévale et la naissance du roman, 1994 19 E. G. PARODI, I rifacimenti e le traduzioni italiane dell'Eneide di Virgilio prima del Rinascimento, in: Stud. di filologia romanza 2, 1887, 97–368 20 R. SCHEVILL, Ovid and the Renascence in Spain, 1971 21 U. SCHÖNING, Thebenroman – Eneasroman – Trojaroman, 1991 22 J. V. STACKELBERG, Vergil, Lalli, Scarron, in: arcadia 17, 1982, 225–244.

RAINER STILLERS

Adel s. Nobilitas

Ägyptologie A. ENTSTEHUNG B. ERSCHLIESSUNG DES TEXTMATERIALS C. DOKUMENTATION DER DENKMÄLER IN ÄGYPTEN D. AUSGRABUNGEN E. MOTIVE DER BESCHÄFTIGUNG MIT DEM ALTEN ÄGYPTEN F. INSTITUTIONALISIERUNG

A. ENTSTEHUNG

Die Ä. ist die Wiss. vom pharaonischen Ägypt., also eine, wie man h. sagen müßte, Alt-Ä. Als ihr Geburtsjahr gilt das Jahr 1822, in welchem dem Franzosen Jean François Champollion (1790–1832) der Durchbruch zur → Entzifferung der Hieroglyphenschrift gelang. Die Ä. verdankt ihre Entstehung und nächste Entwicklung dem neuzeitlichen Bedürfnis, Trad. über das Alte Ägypt. einer kritisch-rationalen Erörterung zu unterziehen, mit dem Ziel, sie – je nach Standpunkt des Betrachters – zu bestätigen oder zu widerlegen. Diese Trad. sind die klass.-ant. und die biblische. Die klass.-ant. Überlieferung sieht das Alte Ägypt. als einen Quell von Weisheit und Tiefsinn oder auch als Hort wissenswerter Kuriosa. Die biblische Überlieferung lenkt das Interesse auf Ägypt. v. a. als Schauplatz des heilsgeschichtlichen Geschehens, die at. Fronknechtschaft des Volkes Israel in Ägypt. und die nt. Flucht der hl. Familie nach Ägypt.

Unabhängige Zeugnisse, an denen man die Trad. überprüfen konnte, standen bis zum Ende des 18. Jh. in ausreichendem Maße nicht zur Verfügung. Erst mit der frz. Expedition nach Ägypt. unter Bonaparte (1798–1801), die von einer hochkarätigen wiss. Kommission begleitet wurde, setzte eine systematische Erschließung von Denkmälern in Ägypt. selbst ein, und erst auf der Basis dieser Materialvermehrung gelang der Durchbruch bei der Entzifferung der Hieroglyphen, die den Zugang zur ergiebigsten Quellengruppe eröffnete, zu den Texten.

B. ERSCHLIESSUNG DES TEXTMATERIALS

Die bis h. nicht abgeschlossene Überlieferung des Textmaterials wurde seit der Mitte des 19. Jh. energisch in Angriff genommen; man kam nun über die Lesung kürzerer → Inschriften und Textauszüge hinaus und begann längere Texte durchgehend zu interpretieren (Émanuel de Rougé 1849). Gramm. und Wörterbuch wurden seit dem letzten Viertel des 19. Jh. auf der Basis der Originaltexte selbst und unter Beachtung methodischer Grundsätze auf eine tragfähige Basis gestellt. Es ist dies die Leistung der Berliner Schule, d. h. Adolf Ermans (1854–1937) und seiner Schüler. Herausragende Bed. hatten in der Folge namentlich der in der Berliner Trad. stehende Engländer (Sir) Alan H. Gardiner (1879–1963), dessen *Egyptian Grammar* von 1927 immer noch die beste Referenzgramm. der ägypt.-hieroglyphischen Sprache ist, und der ebenfalls durch die Berliner Schule geprägte Jerusalemer Ägyptologe Hans Jakob Polotsky (1905–1991), der seit den 40er J. der ägyptologischen Sprachforsch. neue und starke Impulse gab, die im Pro und Contra die gegenwärtige Gramm.-Diskussion wesentlich bestimmen. Was die Texte angeht, haben »Ausgrabungen« in Mus. und sonstigen Sammlungen in jüngster Zeit unerwartet einen neuen Horizont eröffnet. Unmassen von Papyrusfragmenten, die wegen des Erhaltungszustandes, aber auch wegen ihrer textlichen Schwierigkeiten weitgehend unbearbeitet liegen geblieben waren, erweisen sich als ungemein ergiebig. Unter anderem erschließen sich hier in relativ späten, aber ziemlich zuverlässigen Abschriften ältere Bibl.und damit Wissensbestände, wie sie in den Tempeln aufgezeichet und trad. wurden.

C. DOKUMENTATION DER DENKMÄLER
IN ÄGYPTEN

Während ältere europ. Reiseberichte nur sehr ungefähr über die Denkmäler informieren, zeitigt das antiquarische Interesse der Reisenden seit dem 18. Jh. eine zunehmende dokumentarische Genauigkeit. V. a. sind hier die Berichte des Engländers Richard Pococke (1704–65) und des Dänen Frederik Ludwig Norden (1708–42) zu nennen. Eine entscheidende Vermehrung des Materials erbrachten die Arbeiten der wiss. Kommission, die Bonaparte nach Ägypt. begleitete. Da man die Hieroglyphen damals noch nicht lesen konnte, sind die Reproduktionen allerdings immer noch recht ungenau. Schanzarbeiten im östl. von Alexandria am Mittelmeer gelegenen ar-Raschid führten zur Entdeckung des Steins von Rosette, der bei der Entzifferung der Hieroglyphen eine Rolle spielen sollte.

Nach der Entzifferung der Hieroglyphen fanden unter den Vorzeichen der neuen Wissenschafts-Disziplin . wiss. Expeditionen nach Ägypt. statt. Der Entzifferer selbst, Champollion, führte gemeinsam mit dem Italiener Ippolito Rosellini (1800–43) 1828–29 auf einer frz.-toskanischen Expedition einen ersten systematischen Survey durch. Die bedeutendste Expedition war die preußische unter der Führung von Richard Lepsius (1810–84), die 1842–45 Ägypt. und den nördl. Sudan bereiste. Die *Denkmäler aus Aegypten und Aethiopien*, 1849–59 in 12 Großfolio-Bänden publiziert, sind h. selbst ein Denkmal der Wiss. des 19. Jh. Spätere Dokumentationsvorhaben hatten nie mehr den globalen Zuschnitt und den grandiosen Erfolg der großen Expeditionen. Ein vollständiger *Catalogue des monuments et inscriptions de l'Égypte antique*, den der ägypt. *Service des antiquités* 1894 zu publizieren begann, blieb bereits in den ersten Anfängen stecken. Realistisch waren dagegen die Ziele des *Archaeological Survey of Egypt*, der unter der Ägide des engl. *Egypt Exploration Fund* eine große Menge offen zutage liegender Einzeldenkmäler, v. a. dekorierte Gräber, vollständig aufnahm, und des *Inst. français d'archéologie orientale*, das sich um die Aufnahme des äußerst umfangreichen Text- und Bildmaterials der ptolem.-röm. Tempel kümmerte. Schließlich sind hier die wiederholten Kampagnen zur Rettung der Denkmäler in Nubien zu nennen, die durch die Staudämme bei Asuan zum Untergang verurteilt waren [8]. Was die Genauigkeit der Dokumentation angeht, setzten die von dem Amerikaner James H. Breasted (1865–1935) mit Finanzierung durch John D. Rockefeller jr. initiierten Arbeiten des Oriental Inst. der Univ. of → Chicago in den 20er und 30er J. des 20. Jh. neue Maßstäbe. Schwerpunktmäßig bezogen sich die Arbeiten auf Luxor, insbes. den Tempel von Madinat Habu, wofür vor Ort das *Chicago House*, ein Forschungszentrum mit großer Bibl. und allen sonstigen Erfordernissen, gegr. wurde. Die Dokumentation der Denkmäler ist auch h. noch unabgeschlossen und Ziel zahlreicher Arbeitsvorhaben vieler Nationen.

D. AUSGRABUNGEN

Die frühesten Grabungen in Ägypt. kann man aus heutiger Perspektive nicht anders denn als Raubgrabungen bezeichnen. Es ging den europ. »Ausgräbern« primär um die Gewinnung von Einzelobjekten zum Zwecke der Bereicherung von eigenen Sammlungen, vielfach aus finanziellem Interesse, und von Mus., vielfach unter nationalen Vorzeichen. Nach der Mitte des 19. Jh. war, teils unter frz., teils unter ägypt. Ägide, Auguste Mariette (1821–81) tätig, der ein Quasi-Monopol für Ausgrabungen in Ägypt. besaß.

Eine neue Epoche begann mit dem Engländer W. M. Flinders Petrie (1853–1942). Ohne eigentliche Schulbildung, aber mit in der Praxis erworbenen Fertigkeiten eines Feldarchäologen, bes. mit gründlichen Kenntnissen der Vermessungskunde ausgestattet, kam er, fasziniert von den Pyramidenspekulationen des Astronomen Piazzi Smith (1819–1900), 1880–82 nach Ägypt., um die

Pyramiden von Giza zur Kontrolle neu zu vermessen. Danach arbeitete er kurzzeitig (1884–86) für den *Egypt Exploration Fund* im Ostdelta (Tanis), der Region, in der die Stätten der Fronknechtschaft Israels zu suchen waren, um dann Jahrzehnte lang selbständig, teilweise finanziert aus seinen Grabungsfunden, eine extensive Grabungstätigkeit mit meist jährlich wechselnden, oft dazu noch parallel betriebenen Grabungen über ganz Ägypt. hin zu entfalten. Petries Grabungsergebnisse bilden bis zum heutigen Tag einen wesentlichen Teil des Basiswissens der ägypt. Arch. Eine seiner größten Leistungen ist die Entwicklung eines Verfahrens zur chronologischen Seriation prädynastischer, nicht durch Schriftzeugnisse datierbarer Befunde, die sog. Staffeldaten (*sequence dates*).

Neue Maßstäbe setzte der Amerikaner George A. Reisner (1867–1942), der die Grabungs- und Dokumentationstechnik systematisierte, infolge seiner gesteigerten Ansprüche dann allerdings wenig mehr in der Lage war, seine Ergebnisse auch selbst noch zu publizieren. Schließlich macht sich in neuerer Zeit die Richtung der *New Archaeology* mit ihren sozio-ökonomisch orientierten Fragestellungen, ihren ergebnisorientierten Stichproben-Sondierungen und ihrem bes. Interesse an Siedlungsarchäologie bemerkbar. Daneben gibt es immer noch, bis zum heutigen Tage eine Archäologie, die man nicht anders denn als Raub- und Schatzgräberei bezeichnen kann, unter die bisweilen leider auch die an sich dringend gebotene Rettungsarchäologie der Notgrabungen fällt.

E. MOTIVE DER BESCHÄFTIGUNG MIT DEM ALTEN ÄGYPTEN

Ein starker und heutigentags der stärkste Impuls zur Beschäftigung mit dem alten Ägypt. ist die Faszination, die von der eindrücklichen, ins Exotische hinüberspielenden Bildhaftigkeit der altägypt. Hinterlassenschaft ausgeht, angefangen mit der bildhaften Hieroglyphenschrift über die Werke der bildenden Kunst bis hin zur monumentalen Architektur. Grandiose Einzelfunde wie die Entdeckung des praktisch unversehrten Grabes des Tutanchamun mit seiner reichen Grabausstattung durch Howard Carter (1874–1939) im Jahre 1922 und spektakuläre Inszenierungen von Kunstobjekten wie in den großen Ausstellungen der letzten Jahrzehnte wirken als Publikumsmagneten. Nicht geringer ist die Wirkung der in Ägypt. zutage liegenden Zeugnisse, die zu bestaunen zuerst, im 19. Jh., nur Abenteurern, der finanzkräftigen high society und allenfalls spezialisierten Forschern möglich war, die h. infolge der Ausweitung des Tourismus jedem Interessierten, zum mindesten dem in der 1. Welt bequem etablierten, in Augenschein zu nehmen möglich ist. Wenn auch solcherlei in der Wiss. der Ä., die ein Verbund unterschiedlicher, spezialisierter Forscher darstellt und deren Alltagsgeschäft in der Klärung von Teilfragen besteht, keine dominierende Rolle spielt, so ist das Faktum doch auch für die Fachwiss. selbst von hoher Bed., als sich der Nachwuchs dieser Wiss. vielfach aus Ägypt.-Begeister-

ten rekrutiert und andererseits der Wiss. daraus eine Verantwortung erwächst, das allg. Publikumsinteresse mit wiss. fundierten Informationen zu befriedigen und auf lohnenswerte Gegenstände zu lenken. Die Herausstellung der Dominanz der visuellen Eindrücke sollte allerdings nicht den falschen Eindruck erwecken, daß nicht auch andere Dinge Interesse erwecken könnten und Interesse haben, beispielsweise die altägypt. Religion – als Religion und nicht bloß in ihren kuriosen sichtbaren Zeugnissen – oder die altägypt. Lit. als Lesetexte.

Eine andere Dimension der Beschäftigung mit dem alten Ägypt. ist die (kultur)histor. Es stellt sich hier v. a. die Frage des Zusammenhangs zw. unserer eigenen Kultur und der altägypt., die Frage nach den Wurzeln der eigenen Kultur und die Frage des Weiterlebens altägypt. kultureller Errungenschaften [4], nicht zuletzt im Rahmen der Geschichte der Naturwiss. und der Medizin. Ebenso sind die Beziehungen Altägypt. zu Nachbar-Ländern und -Kulturen Gegenstand des ägyptolog. Interesses. Dagegen sind bislang die Versuche einer typologischen Ordnung der Hochkulturen oder anderer komparatistischer Ansätze kaum Gegenstand innerägyptologischer Forsch. geworden.

Die Instrumentalisierung der Ä. für polit. Zwecke (Kolonialismus, Imperialismus, Orientalismus [6]) hält sich in Grenzen. Immerhin spielt Kulturpolitik bei der Frage der finanziellen Förderung ägyptologischer Inst. im je eigenen Land eine Rolle und bei der Entscheidung über die Opportunität flankierender diplomat. Maßnahmen für die Feldarbeit nicht-ägypt. Nationen in Ägypt.

F. INSTITUTIONALISIERUNG

Zentren ägyptologischer Forsch. waren und sind die Mus. mit reichen ägypt. Sammlungen, von denen als älteste und/oder bedeutendste das ägypt. Mus. (Antikchana) in Kairo, der → Louvre in Paris, das Mus. Egizio in Turin, das British Mus. in → London, das ägypt. Mus. in → Berlin und das Metropolitan Mus. in New York genannt seien. Der erste ägyptologische Lehrstuhl wurde 1831 für Champollion am Collège de France in Paris eingerichtet, der nächste für Lepsius 1846 in Berlin. H. wird Ä. weltweit gelehrt, v. a. in Mittel- und Westeuropa und in Nordamerika. Feldforsch. in Ägypt. wird von arch. Inst. und Gesellschaften vieler Nationen betrieben, auch von Mus. und Univ. Als bes. Forschungseinrichtungen sind schließlich die großen Fachbibl. der Wilbour Library in New York (Brooklyn), des Griffith Inst. in Oxford, des Collège de France in Paris und der Fondation Égyptologique Reine Élisabeth in Brüssel zu nennen. Bibliogr. Grundlagen liefern die in Leiden angesiedelte Jahresbibliogr. [3] und die in Oxford bearbeitete top. Bibliogr. [5].

→ AWI Ägypten; Horapollon

1 C. BEINLICH-SEEBER, Bibliogr. Altägypt. 1822–1946, im Druck 2 W. R. DAWSON et al., Who was who in Egyptology, 1995 3 International Association of Egyptologists, Annual Egyptological Bibliography, 1948 ff.

4 S. Morenz, Die Begegnung Europas mit Ägypt., 1968
5 B. Porter, R. B. Moss, Topographical Bibliogr.
of Ancient Egyptian Hieroglyphic Texts, Reliefs and
Paintings, 1927ff. 6 E. W. Said, Orientalism, 1978
7 S. Sauneron, L'égyptologie, 1968
8 T. Säve-Söderbergh, Temples and Tombs of Ancient
Nubia, 1987.   WOLFGANG SCHENKEL

Ägyptomanie s. Orientrezeption

Ästhetik s. Schönheit

Affektenlehre (musikalisch). Affekte waren Thema
in der ant. Philos. und Rhet., beiläufig auch in der musikalischen → Ethoslehre, doch gab es keine spezielle
musikalische A. Daß Melodien und Rhythmen auf unterschiedliche Seelen unterschiedlich wirken, hatte
Boethius (inst. mus. 1,1) im Sinne der Überlieferung
(Pythagoras, Platon rep. 3,398–401) dargelegt. Vom
11. Jh. an versuchte man, die → Tonartenlehre des gre-
gorianischen Chorals mit der musikalischen Ethoslehre
zu verbinden. Um 1300 entstanden im Rahmen der
Aristotelesrezeption (pol. 8; eth. Nic.) Komm., die Fragen von Ethos und A. in den Kirchentonarten erörterten (Petrus de Alvernia und Guido von Saint-Denis
[13], Walter Burley [12]). Von Textvertonungen im späten MA vorbereitet, wandelte sich die wortgebundene
Musik in der Ren. zu einer »redenden Kunst«, wobei sie
Elemente der ant. Rhet. und Rhythmik in sich aufnahm. War es vornehmste Aufgabe in der Kunst, die
Natur nachzuahmen, so in der Musik, die menschlichen
Affekte darzustellen. Die im 16. Jh. aufgekommene
musikalische A. ging von Beobachtungen der lebendigen Rede aus und knüpfte an die ant. Rhet. an, etwa mit
der Forderung, zu ergötzen und zu bewegen (*delectare,
movere*, Quint. inst. or. 12,10,59). Hinzu kam die griech.
Lehre von den vier Säften (Galenos; → Säftelehre). Den
vier Stammtonarten ordnete Ramos de Pareja [7. 56f.]
die vier Säfte (Temperamente) zu: *tonus protus* dem
phlegma, *tonus deuterus* der *colera*, *tonus tritus* dem *sanguis*
und *tonus tetrardus* der *melancholia*. Theoretiker der Ren.
betonten, daß der Ethos- und Affektgehalt des Textes
auch in der Tonart zum Ausdruck kommen müsse [1].
Anders Gioseffo Zarlino [8. 3, 10. Kap.], der ein neues
System aufstellte: Intervalle »ohne Halbton« (Ganzton,
große Terz, große Sexte) drücken freudige Affekte aus,
solche »mit Halbton« (kleine Terz, kleine Sexte) trauri-
ge. In Deutschland nahm die musikalisch-rhet. Figurenlehre die A. in sich auf. Ihre größte Bed. erlangte die
musikalische A., vorbereitet im it. Madrigal, in der E.
des 16. Jh. aufgekommenen Monodie. Die Florentiner
Camerata um Giovanni Bardi, beraten vom Philologen
Girolamo Mei, verwarf die Polyphonie und verkündete
als neues Ideal den leidenschaftlichen Ausdrucksgesang
(›cantare con affetto‹ [2]). In den Madrigalen Claudio
Monteverdis (1567–1643) waren es die drei Affekte *ira*,
temperanza und *humilta*, denen sein *stile concitato*, *stile tem-
perato* und *stile molle* entsprach [6]. Nach den ersten Erfahrungen mit der neuen Gattung der → Oper, zumal

der Monteverdis, unterschied Giovanni Battista Doni
[3] drei Stile des neuen Singens: den einfachen Sprech-
gesang (*stile recitativo*), den die Worte affektiv verdeut-
lichenden Ausdrucksgesang (*stile espressivo*) und den lei-
denschaftlich-dramatischen Gesang (*stile rappresentativo*).
Ein ausgearbeitetes, sowohl die Polyphonie wie die Instrumente einbeziehendes System der musikalischen A.
bot Marin Mersenne [5]. Die Affekte spielten in der
Musik und die musikalische A. in der Musiklehre der
Folgezeit (Rameau, Mattheson, Marpurg, Kuhnau,
Heinichen u. a.) eine wichtige Rolle, doch wird man
hier kaum noch von Antikenrezeption sprechen können.

→ Aristotelismus; Musik und Rhetorik

QU 1 N. Burtius, Musices opusculum, Bologna 1487
(Ndr. 1969) 2 G. Caccini, Nuove musiche, Vorwort,
Florenz 1602, 3 G. B. Doni, Annotazioni sopra il
Compendio (...) Rom 1640 4 H. Finck, Practica musica,
Wittenberg 1556 5 M. Mersenne, Harmonie universelle,
Paris 1636 6 C. Monteverdi, Vorrede zum VIII.
Madrigalband, Venedig 1638 7 R. de Pareja, Musica
practica (1482), hrsg. von J. Wolf, 1901 8 G. Zarlino,
Istitutioni harmoniche, Venedig 1558

LIT 9 H. Abert, Die Musikanschauung des MA und ihre
Grundlagen, 1905 (Ndr. 1964) 10 W. Braun, s. v. A., MGG
2.1, 31–41 11 R. Dammann, Der Musikbegriff im dt.
Barock, ²1984, 215–396 12 M. Haas, Musik und Affekt im
14. Jh.: Zum Politik-Komm. Walter Burleys, in: Schweizer
Jb. für Musikwiss., N. F. 1, 1981, 9–22 13 S. van de
Klundert, Guido von Saint Denis Tractatus de tonis, 1996
(Diss. Utrecht) 14 W. Serauky, s. v. A., MGG 1.1, 113–121.
                               FRIEDER ZAMINER

Afrika   A. Afrikanische Literatur in
lateinischer Sprache (16.–18. Jahrhundert)
B. Afrikanische Dichtung und Prosa
(19.–20. Jahrhundert)
C. Afrikanisches Drama (20. Jahrhundert)
D. Alte Sprachen und Altertumskunde
in afrikanischen Schulen, Universitäten
und Museen (18.–20. Jahrhundert)

A. Afrikanische Literatur in lateinischer Sprache (16.–18. Jahrhundert)

Der früheste und wahrscheinlich bekannteste afrikanische Dichter aus diesem Zeitraum war Juan Latino
(1516–ca. 1594), der in West-A. geboren ist und um
1528 nach Spanien kam. Er übersetzte Horaz und dichtete in lat. Sprache. Fünf veröffentlichte Werke, im wesentlichen panegyrische Gedichte mit zahlreichen
myth. Anspielungen, sind erhalten: Der *Epigrammatum
liber* (Granada 1573), der zum größten Teil im elegischen
Versmaß nach Ovidischem Vorbild verfaßt ist, feiert die
Geburt von Prinz Ferdinand im Jahre 1571; eine Elegie
(Granada 1573) an Pius V.; die in Hexametern abgefaßte
Austrias (Granada 1573), die mit einer Anrufung des
Apollo beginnt, vergleicht die Schlacht von Lepanto
zw. der türk. und der span. Flotte mit einer Schlacht zw.
Griechen und Trojanern und erzählt vom Sieg des Don

Juan von Österreich mit gelegentlichem Rückgriff auf Formulierungen aus der klass. Dichtung; *De Translatione* (Granada 1574), worin Philipp II. für seine Ergebenheit gegenüber dem Vater gelobt wird; und ein kurzes Gedicht (1585), das dem Herzog von Sesa gewidmet ist. Einen gewissen Bekanntheitsgrad haben unter den afrikanischen Schriftstellern, die Lat. schrieben, weiterhin Anton Wilhelm Amo (1703–nach 1753) und Jacobus Eliza Johannes Capitein (1717–47). Amo schrieb über rechtliche und philos. Themen: *De jure Maurorum in Europa* (Halle 1729), *De humanae mentis ἀπάθεια seu sensionis ac facultatis sentiendi in mente humana absentia* (Halle 1734) und den *Tractatus de arte sobrie et accurate philosophandi* (Leiden 1738). Capitein veröffentlichte einige seiner Predigten und eine Rede mit dem Titel *Dissertatio politico-theologica de servitute libertati Christianae non contraria* (Wittenberg 1742).

B. Afrikanische Dichtung und Prosa (19.–20. Jahrhundert)

Zahlreiche Werke afrikanischer Dichter zeigen sich von der Ant. beeinflußt. Von einer Reihe kapverdischer Dichter, die eine Hinwendung zur Ant. erkennen lassen, steht das Werk von José Lopes (1872–1962) am stärksten unter dem Eindruck des klass. Altertums. Das läßt sich schon an den Titeln seiner Werke ablesen: *Jardim das Hespérides* (1916), *Hesperitanas* (1929) und *Alma Arsinária* (1952); er schrieb auch lat. Gedichte. Als bes. klass. beeinflußt erwies Lopes sich in seiner Verbundenheit mit der epischen Weltsicht und ihrem mythischen Apparat, in der Annahme der »Universalität« seiner Dichtung und dem Konzept des Dichters als des Interpreten der »kollektiven Seele« seines Volkes. Einige weitere kapverdische Dichter, die in den Titeln ihrer Gedichtbücher und einzelner Gedichte, in Zitaten aus der ant. Lit., in lyr. Elementen, heroischen Oden, erotischen Themen an. Gottheiten, bukolischem Rahmen (→ Bukolik), myth. Anspielungen und Geschichten eine Hinwendung zum Alt. erkennen lassen, sind Januário Leite (1865–1930), Mário Pinto (1887–1958), Pedro Monteiro Cardoso (ca. 1890–1942), Eugénio Tavares (1867–1930), Jorge Barbosa (1902–71), Manuel Lopes (geb. 1907) und António Nunes (1917–51). Das Interesse von Dichtern des afrikanischen Festlands an der Ant. zeigt sich am augenfälligsten in den Titeln zahlreicher Gedichte, zum Beispiel *Creation of a Caryatid* von Wole Soyinka (geb. 1934). Während der senegalesische Dichter Birago Diop (geb. 1906) in einigen seiner Gedichte ein klass. Versmaß benutzte, sind die Gedichte in den Werken seines Landsmannes Léopold Sédar Senghor (geb. 1906) von *Chants d'ombre* (1945) bis zu *Elégies majeures* (1979) vom Einfluß griech.-röm. Dichtung und der griech. Philos. (der vorsokratischen, der platonischen wie der nachsokratischen) durchdrungen. Die Gedichte von Christopher Okigbo (1932–67) erinnern an die Stimme des Chores in der klass. griech. Dichtung. Musaemur Bonas Zimunya (geb. 1949) aus Zimbabwe setzt in seinen Gedichten Anspielungen auf die Ant. ein. Er ähnelt in gewissen Formulierungen und in seiner

metrischen Vielfalt lat. Dichtern, bes. Catull, während der Stil des kamerunischen Dichters Louis-Marie Pouka M'Bague (geb. 1910) Anklänge an Horaz und Vergil aufweist.

Andere afrikanische Dichter und einige Prosaschriftsteller haben ebenfalls Protagonisten, Motive und Themen von klass. Autoren übernommen. Wole Soyinka benutzt den Archetyp Odysseus in seiner Gedichtanthologie mit dem Titel *A Shuttle in the Crypt* (1972), während der Gott Ogun sich in seinem Buch *Idanre and Other Poems* (1967) auf eine Reise in die Tiefe begibt, die anderswo als Abstieg in den Hades erscheint; bei dem Jäger Akara-Ogun in dem fiktionalen Werk *Ogboju ode ninu igbo irunmale* (1938) des Daniel Olorunfemi Fagunwa (1903–63) handelt es sich um eine Odysseusfigur. Nigerianische »Balladenbücher« sind in einem Ovids *Ars amatoria* verwandten Geist geschrieben, um die Leser in die Kunst der Liebe einzuführen. Der Romancier Ibrahim Issa (geb. 1922) aus Niger zieht in seinem Werk *Les Grandes eaux noires* (1959) homer. Bilder heran, um die histor. Möglichkeit zu erkunden, daß röm. Soldaten das Königreich eines lokalen Herrschers am Nigerfluß nach dem 2. Punischen Krieg im J. 182 v. Chr. zerstörten. Im allg. ist der Einfluß der klass. Ant. auf afrikanische Schriftsteller nicht nur im häufigen Gebrauch von Bezügen auf die ant. Lit. und von lat. Wendungen augenfällig, sondern auch in den ausgewogenen Sätzen und abgerundeten Paragraphen, die an Ciceros Stil erinnern, was auf den Griech.- und Latein-Unterricht, bes. den letztgenannten, in Gymnasien und Univ. im 19. und 20. Jh. und den Gebrauch des Lat. in der röm.-katholischen Kirche bis 1965 zurückzuführen ist.

C. Afrikanisches Drama (20. Jahrhundert)

Eine Reihe afrikanischer Dramatiker, bes. solcher des Yoruba-Stammes in West-A., haben ant. Motive und Elemente in ihre Stücke aufgenommen und zuweilen sogar die Grundzüge einzelner griech. Dramen beibehalten. Der Yoruba-Dramatiker Wole Soyinka, Empfänger des Nobelpreises für Lit. des Jahres 1986, hat Euripides' *Bakchen* in seinem Stück *The Bacchae of Euripides: A Communion Rite* (1973) umgearbeitet, behält aber die Hauptszenen ziemlich getreu bei. In seiner Darstellung des Dionysos läßt Soyinka apollinische, dionysische und prometheische Züge verschmelzen und bezieht sich auf die griech. Vorstellung, daß den Göttern, bes. Dionysos, ein Sündenbock geopfert werden muß, um die Fruchtbarkeit des Getreides sicherzustellen. Der Einfluß der griech. Trag. zeigt sich auch in seinen anderen Stücken wie z. B. *Kongi's Harvest* (1967), in dem strukturierende Kunstgriffe eingesetzt werden, die dem *deus ex machina*, dem *prologos* und der *exodos* der Griechen entsprechen. Ola Rotimi (geb. 1938), ein Landsmann von Soyinka, überträgt in *The Gods Are Not to Blame* (1971) ein griech. Tragödienmodell und den Ödipusmythos auf einen Yoruba-Hintergrund. Die Handlung in Rotimis Stück ist mit der von Sophokles' *König Ödipus* mehr oder weniger identisch, und der Chorgesang der Leute aus der Stadt hat einen mit der

Rolle des Chores in der griech. Trag. vergleichbaren gesellschaftlich-philos. Inhalt. Duro Ladipo (1931–78), ein weiterer Yoruba-Dramatiker, hat ein Stück mit dem Titel *Oba Koso* (1973) verfaßt, das einige an *König Ödipus* erinnernde Züge aufweist. John Pepper Clark (geb. 1935), von Ijaw-Yoruba-Herkunft, ging, als er *Song of a Goat* (1962) schrieb, ein Stück über Sterilität und Fruchtbarkeit, bis zu den prototheatralischen Quellen des griech. Dramas zurück (Ursprung in »Fruchtbarkeitskulten«). Der Titel des Dramas ist in seiner wörtlichen Übers. der griech. Elemente des Wortes »Trag.«, wie man sie gemeinhin versteht, schon hinreichend deutlich. Nach dem Opfer eines Ziegenbocks und dem Klagen einer halbbesessenen Tante, einer Kassandrafigur, die alles vorhersieht und in parabolischer Sprache Unheil vorhersagt, der man aber nicht glaubt und der man als verrückter Frau keine Beachtung schenkt, sterben die drei Hauptfiguren, eine davon nach griech. Art hinter der Szene. Der *Song of a Goat* bildet den ersten Teil einer Trilogie von Stücken, die den Ablauf eines Familienfluchs zeigt, eine nigerianische Version der *Orestie* des Aischylos. In *The Masquerade* (1964), dem zweiten Stück des Zyklus, kommentieren Chöre von Nachbarn und Priestern die Handlung des Stücks und berichten wie in der griech. Trag. von handlungsrelevanten Gewalttaten, die sich hinter der Szene zugetragen haben. Femi Osofisan (geb. 1946), ein Landsmann der zuvor erwähnten Dramatiker, hat eine unveröffentlichte Bearbeitung von Sophokles' *Antigone* mit dem Titel *Tegonni: An African Antigone* geschrieben. Die Ghanaerin Efua Theodora Sutherland (1924–1996) hat *Edufa* (1967), eine Neuinterpretation der *Alkestis* des Euripides einschließlich des für das griech. Drama unumgänglichen Chores, veröffentlicht. Wie in Euripides' Stück verspricht die Ehefrau in *Edufa*, für ihren Mann zu sterben, und erfüllt ihr Versprechen in einer ähnlichen, von zärtlicher Liebe geprägten Situation. *The Beautiful Ones Are Not Yet Born* (1968); das Werk eines weiteren Ghanaers, Ayi Kwei Armah (geb. 1939), weist Anklänge an Juvenals Satire und platonische Lehren, einschließlich des Höhlengleichnisses, auf.

D. Alte Sprachen und Altertumskunde in afrikanischen Schulen, Universitäten und Museen (18.–20. Jahrhundert)

Die alten Sprachen und die Altertumskunde haben in den Schulen und Univ. A. eine ausgeprägte Trad. Lat. und Griech. wurden erstmals im 18. Jh. in der Schule unterrichtet. An Orten mit starkem missionarischem und kolonialem Einfluß konnte sich der Unterricht in diesen Sprachen halten. Lat. wird immer noch in einer Reihe von öffentlichen und privaten (meist Missions-) Schulen unterrichtet, Griech. weit weniger, meist in Ländern, in denen diese Fächer auf akad. Niveau unterrichtet werden. Eine der berühmtesten Schulen ist Kamuzu Academy (Malawi), deren Schüler Lat., Griech. und Alte Geschichte zu lernen haben. Die meisten Classics Departments an Univ. wurden um die Mitte des 20. Jh. oder danach eingerichtet. In West-A.

werden Klass. Philol. und Altertumskunde an den Univ. von Sierra Leone, Cheikh Anta Diop (Senegal), Ibadan (Nigeria), Ghana und Cape Coast (Ghana) unterrichtet. 1966 eröffnete das Classics Department in Cape Coast ein Classical Museum, das später vom *Museums and Monuments Board* Ghanas übernommen wurde. Im zentralen und südl. A. werden Klass. Philol. und Altertumskunde an den Univ. von Kikwit (Demokratische Republik Kongo), Malawi und Zimbabwe unterrichtet. Die Univ. von Zimbabwe besitzt die weltberühmte *Courtauld Collection of Greek and Roman Coins* und hat zwei Kataloge der Sammlung veröffentlicht.

→ AWI Afrika; Mythos; Tragödie
→ Schulwesen; Südafrika; Universität

1 N. Araujo, A Study of Cape Verdean Literature, 1966 2 F. L. Bartels, Jacobus Eliza Johannes Capitein 1717–1747, in: Transactions of the Historical Society of Ghana 4, 1959, 3–13 3 U. Beier, Public Opinion on Lovers, in: Black Orpheus 14, February 1964, 4–16 4 B. Brentjes, Anton Wilhelm Amo: Der schwarze Philosoph in Halle, 1976 5 M. L. Castello, Greek Drama and the African World: A Study of Three African Dramas in the Light of Greek Antecedents (Diss. University of Southern California), 1981 6 W. J. Dominik, Classics Making Gains in Sub-Saharan Africa, in: The American Classical League Newsletter, Fall 1993, 4–7 7 Ders., Classics in West and Central Africa, in: Prospects, Spring 1996, 3–4 8 A. Eekhof, De negerpredikant Jacobus Elisa Joannes Capitein, 1717–1747, 1917 9 A. Bamgbose, The Novels of D. O. Fagunwa, Benin City 1974 10 P. J. Conradie, »The Gods Are Not to Blame«: Ola Rotimi's Version of the Oedipus Myth, in: Akroterion 39, 1994, 27–36 11 J. Jahn, Gesch. der neoafrikanischen Lit., 1966, 31–35 12 M. Kane, »Les Contes d'Amadou Coumba«: Du conte traditionnel au conte moderne d'expression française, Dakar 1968 13 Ders., Birago Diop: L'Homme et l'œuvre, 1971 14 A. Luvai, For Whom Does the African Poet Write? An Examination of (Form/Content in) the Poetry of Okigbo and Soyinka, in: Busara 8.2, 1976, 38–52 15 G. Mariano, Convergência lirica portuguesa num poeta cabo-verdiano na língua crioula do séc. XIX, in: II. Congresso da communidades de cultura portuguesa, Moçambique 1967, Bd. 2, 497–510 16 J. A. Maritz, Some Thoughts on the Classical Allusions in the Work of M. B. Zimunya, in: Akroterion 41, 1996, 151–160 17 A. M. Ocete, El negro Juan Latino, 1925 18 J. W. Schulte Nordholt, Het Volk dat in duisternis wandelt, 1950, 17 19 O. Sankhare, Enfers greco-romains et bibliques dans la poésie de Léopold Sédar Senghor, in: Afri-cult 4.3, Dakar, April 1992 20 Ders., Senghor et la philosophie grecque, in: Scholia 8, 1999 21 M. Schaettel, Léopold Sédar Senghor: Poétique et Poésie, 1997 22 V. B. Spratlin, Juan Latino: Slave and Humanist, 1938 23 H. de Vilhena, O poeta caboverdiano José Lopes e o seu livro »Hesperitanas«, in: Novos escritos, 1939.

WILLIAM J. DOMINIK/
Ü: THEODOR HEINZE

Agrimensoren s. Metrologie

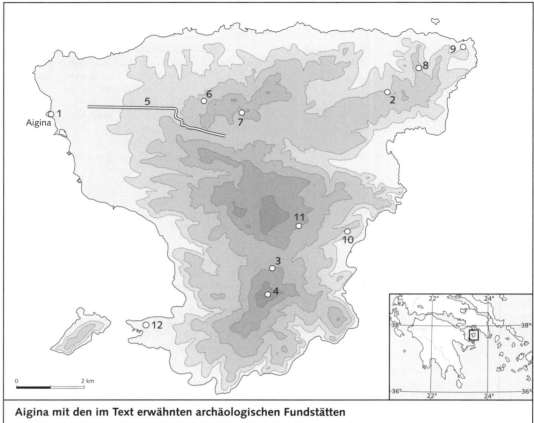

Aigina mit den im Text erwähnten archäologischen Fundstätten

1 Apollon-Heiligtum (Kap Kolonna) und Aigina-Stadt. Besiedlung seit neolith. Zeit, befestigte Siedlung seit der frühen Bronzezeit; Heiligtum seit protogeometr. Zeit; außerdem antiker Hauptort mit Handels- und Kriegshafen sowie Schiffshäusern, Theater, Stadion Stadtbefestigung und Gräbern myk. bis hell. Zeit; Synagoge und frühchristl. Kirchen

2 Aphaia-Heiligtum. Heiligtum in spätmyk. und seit geometr. Zeit

3 Zeus-Hellanios-Heiligtum am Fuß des Oros seit archa. Zeit

4 Oros, brz. Gipfelsiedlung und Heiligtum in spätmyk. und seit geometr. Zeit

5 Wasserleitung

6 Dragunera, sog. kleines Heiligtum (geometr.?)

7 Paläochora, ant. Ort Oie (?), byz. und ma. Hauptort von Aigina

8 Tripiti, kleines Heiligtum und Siedlung klass.(?) und hell.(?) Zeit

9 Pyrgazi, archa. (?) und klass. (?) Siedlung

10 Kilindra, myk. Gräber

11 Lazarides, myk. Siedlung und Gräber

12 Perdika, myk. Gräber

Höhenangaben: (in Metern)

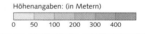

0   50   100   200   300   400

Aigina A. Apollon-Heiligtum
B. Aphaia-Heiligtum   C. Oros und weitere
archäologische Fundplätze   D. Museen
E. Rezeptionsgeschichte

A. Apollon-Heiligtum

(Abb. 1,1) Reiseberichte seit E. des 17. Jh. erwähnen die Tempelreste auf der Insel A. Erste Unt. in Kolonna fanden 1811 nach den Grabungen im Aphaia-Heiligtum statt. Diese wurden von C. R. Cockerell nach drei Tagen eingestellt, da die erhofften Skulpturenfunde ausblieben. 1829 wird das Tempelfundament für den Hafenbau weitgehend abgetragen. Diesen Zustand zeigt die Bauaufnahme der Expédition de Morée [55. 12–17]. Kleine Unt. führten 1878 A. Furtwängler und G. Loeschcke, 1894 V. Stais durch [6. 41; 29; 36]. 1904 legte A. D. Keramopoullos Teile der nahen mykenischen Nekropole am Windmühlenhügel frei, wo 1891 bereits der vom British Mus. angekaufte A.-Schatz gefunden wurde [12; 17]. Die umfangreichen Grabungen im Heiligtum unter A. Furtwängler (1903–1907), P. Wolters und G. Welter (1924–1941) sind unveröffentlicht geblieben, abgesehen von W. Kraikers Vorlage der geometrischen und archa. Keramik und einigen Vorberichten [20; 40–48; 50]. Die Hoffnung Furtwänglers, ähnlich reiche Funde wie im Aphaia-Heiligtum zu machen, erfüllten sich nicht. Die spät-ant. Besiedlung sowie ant. und nachant. Steinraub sind dafür hauptverantwortlich [50. 2; 54; 55. 78]. Einziger bedeutender Skulpturenfund war eine Sphinxstatue aus dem frühen 5. Jh. v. Chr., deren Bronzenachbildung das Grab Furtwänglers in Athen schmückt [39. 80 Nr. 52; 50. 2]. Top. Fragestellungen wie die Pausanias-Interpretation rückten für Furtwängler in den Vordergrund und bestimm-

ten die von Wolters und Welter 1924 fortgesetzten Grabungen. Diese Forsch. führten zu der noch h. gültigen
Benennung als Apollon-Heiligtum [45. 50–52] anstelle
der alten als Aphrodite-Heiligtum. Außerdem wurden
die ausgedehnten prähistor. Siedlungs- und Befestigungsanlagen angegraben, die seit der Wiederaufnahme
der Grabungen 1966 durch H. Walter fast vollständig
freigelegt wurden [38]. Dabei entdeckte man auch ein
mittelbronzezeitliches Schachtgrab [18]. Seit 1974 wurde die Bauaufnahme des spätarcha. Apollon Tempels
[55] vorgelegt und eine schrittweise Aufarbeitung der
(Alt-)Funde durchgeführt [13–14; 18; 38; 51; 54–56].
Die Grabungen im Heiligtum werden seit 1993 von F.
Felten und S. Hiller fortgesetzt [5].

B. APHAIA-HEILIGTUM
(Abb. 1,2) 1675 wird der Tempel erstmals von J. Spon
und G. Wheler erwähnt. Erste Unt. in der von Me-
tallsuchern geplünderten Ruine unternimmt 1765 die
→ Society of Dilettanti. Weitere folgen 1804 (M. Leake)
und 1805 (E. Dodwell). 1811 bergen Cockerell, C. Haller v. Hallerstein, J. Linckh und J. Foster die berühmten
Giebelfiguren. In der Folge werden mehrfach Abhandlungen zum Tempel verfaßt, der meist mit dem des Zeus
Panhellenios oder der Athena identifiziert wird. [7. 10–
21; 35. 163–165; 52. 47–62]. 1894 gräbt Stais im Bereich
der östl. Terrassenmauer und findet einige Skulpturenfragmente. Die unbefriedigende Aufstellung und Ergänzung sowie die Hoffnung auf weitere Skulpturenfunde führen 1901 zur Wiederaufnahme der Grabungen unter Furtwängler. Dabei werden das Temenos und
die spätarcha. Bauten südl. und westl. des Heiligtums
freigelegt und die Benennung Aphaias als Kultplatzin-
haberin gesichert [7. I–IX, 1–9; 49]. Eine kult. Nutzung
des Ortes muß bereits für die späte Bronzezeit angenommen werden [32]. In den 50er Jahren wird die ein-
sturzgefährdete Tempelruine durch das griech. Denkmalamt umfangreich restauriert. Seit 1962 folgen zur
endgültigen Klärung der Giebelanordnung weitere
Unt. und seit 1967 erneute Grabungen unter D. Ohly,
deren wichtigstes Ergebnis die Neuaufstellung der Giebelskulpturen ist [26–27]. Feindatierung und myth. Interpretation der Ägineten sind dagegen noch Gegenstand der Diskussion [23. 244–248; 27; 35]. Die neuen
Forschungsergebnisse werden seit 1965 fortlaufend vorgestellt [1; 8; 25; 28; 34] und ersetzen die alte Publikation
[7].

C. OROS UND WEITERE ARCHÄOLOGISCHE
FUNDPLÄTZE
(Abb. 1, 3–4) Der höchste Berg A. wird in den Rei-
sebeschreibungen des 19. Jh. häufig erwähnt [33]. Erste
Unt. der Antiken wurden von der Expédition de Morée
1829 durchgeführt. Erste Grabungen folgten im Jahr
1894 durch Stais. Die kurzen Grabungen Furtwänglers
(1905, 1907) und Welters (1933) wurden nie vollständig
veröffentlicht [45. 91–92; 46. 8–14]. Sie bestätigen aber
die Lokalisierung des Zeus Hellanios-Heiligtums am
Oros [33] gegen die verbreitete Ansicht, bei der Terras-
senanlage am Fuß des Oros hier das Aphaia-Heiligtum

anzusetzen. Die Datierung und Rekonstruktion Furtwänglers und Welters werden seit 1995 durch Messungen [15] und seit 1996 durch Nachgrabung unter H. R.
Goette geprüft. Nahezu unpubliziert blieben auch die
Grabungen Furtwänglers und Welters am Gipfel
(Abb. 1,4). Eine Siedlung seit der mittleren Bronzezeit
und ein mykenisches Heiligtum sind wahrscheinlich
[7. 473–474; 31; 33; 41. 187; 45. 26; 46. 14–16]. Seit
geom. Zeit besteht das Gipfelheiligtum des Zeus-Hel-
lanios, das neben einem Altar [33; 46. 14–16] um 500
v. Chr. möglicherweise mit einem überdachten Kultbau
ausgestattet war [15]. Neben den beiden großen Grabungsplätzen Aphaia und Kolonna und dem Oros wurden an zahlreichen Plätzen der Insel top. Unt. und
kleinere Grabungen durchgeführt (Abb. 1): A.-Stadt
mit Hafenanlagen, Synagoge und frühchristl. Kirchen
(1) [19], die Wasserleitung (5), das sog. kleine Heiligtum
in Dragunera (6), Paläochora (7), Tripiti (8), Pyrgazi (9),
Kilindra (10). Die Ergebnisse sollten in den Folgebän-
den der von A. Furtwängler initiierten A.-Reihe (Bd. 1:
Aphaia [7]) einfließen, die aber nie erschienen sind.
Weitere ant. Reste sind auf der Karte von H. Thiersch
verzeichnet [7]. Neuere bzw. nicht verzeichnete Fund-
punkte sind A.-Stadt (1) [30], Lazarides (11) [4] und Perdika (12) [10. 26].

D. MUSEEN
Zum Selbstverständnis des neugegr. griech. Staates
gehörte auch die Einrichtung eines Nationalmus., das
sich 1829 bis 1832 in A., der ersten griech. Hauptstadt
befand [16. 11–40]. In dieser Zeit wurden Funde aus
ganz Griechenland nach A. gebracht. Einige, wie Grab-
stelen aus Rheneia, befinden sich noch h. im Mus. von
A. Andere, wie die vielleicht aus A. stammende Stele aus
Salamis [3. 396–398 Nr. 1550], wurden nach 1832 nach
Athen überführt. 1927 wurde das Mus. von A. im alten
Schulgebäude von Welter neu eingerichtet [43]. Im II.
Weltkrieg erlitt die Sammlung Verluste, u. a. auch an
Skulpturenfragmenten aus dem Aphaia-Heiligtum [27.
XII]. 1981 wurde das neue Mus. von A. Kolonna eröffnet und die Funde aus dem alten Mus. größtenteils
überführt. In dem seit 1997 wiedereröffneten Mus. sind
neben Funden aus Kolonna auch Skulpturenfragmente
und die berühmte Inschr. aus Aphaia sowie Funde von
anderen Orten der Insel ausgestellt. Bereits 1968 erfolgte
der Bau des Aphaia-Mus., in dem u. a. eine Teilrekonstruktion des älteren Poros-Tempels errichtet wurde.

E. REZEPTIONSGESCHICHTE
Mit der Wiederentdeckung des Aphaia-Tempels im
19. Jh. erfolgen auch die ersten Deutungsversuche. Dabei wurde die Ruine meist mit dem Tempel des Zeus
Panhellenios oder der Athena identifiziert und samt
Skulpturenschmuck mit den Perserkriegen in Verbindung gebracht. Entsprechend ist auch die Deutung als
Sieges- oder Nationaldenkmal [24. 678; 35. 132, 162–
165]. Die *Ägineten* wurden 1812 vom Kronprinz von
Bayern, dem späteren König Ludwig I., gekauft und
zunächst im Atelier von M. Wagner in Rom ausgestellt.

Zw. 1816 und 1818 wurden sie unter Aufsicht Wagners von B. Thorvaldsen und Mitarbeitern restauriert und zeitgemäß ergänzt, was Lob und Bewunderung, zuweilen auch Kritik hervorrief [9; 21; 27. XII; 52. 23–72]. Durch die Restaurierungen erhielt Thorvaldsen auch Anregungen: so für die *Hoffnung*, die von C.v. Humboldt erworben wurde [2. 155; 11. 64–74; 21. 40; 27. XV]. 1828 wurden die *Ägineten* im Äginetensaal, in der von L.v. Klenze als klassizistisches Gesamtkunstwerk entworfenen Glyptothek, nach dem Vorschlag Cockerells gruppiert. Die Aufstellung wurde von Wagner und Thorvaldsen abgelehnt, von Ludwig I. aber gewünscht [52. 68–70; 53. 37–41, 98–100]. Mit der Entdeckung der *Ägineten*, der ersten damals bekannten originalen vorklass. Skulptur, setzt die Erforschung der archa. Plastik ein. Dabei wurde den *Ägineten*, bedingt durch den Zeitgeist, Winckelmanns Schriften und die bereits bekannten Parthenonskulpturen, entwicklungsgeschichtliche Bed. beigemessen, ihr ästhetischer Wert aber zurückhaltend beurteilt [21. 40; 23. 10–11]. So fiel auch Goethes Urteil eher negativ aus (Sophienausgabe IV. 29, Nr. 8024) [9. 314; 37. 108], während sich K. O. Müller und in seinen späten Arbeiten auch Cockerell positiv zu den *Ägineten* äußerten [21; 24. 677–679]. Bei der Neuaufstellung 1966 wurden nach heftigen Diskussionen die Thorvaldschen Ergänzungen entfernt [9; 21; 22; 26]. → AWI Ägineten; Aigina; Aphaia; Apollon; Bauplastik; Diktynna; Oros; Wasserleitung; Zeus

1 H. BANKEL, Der späta. Tempel der Aphaia auf Aegina, 1993 2 K. BOTT, Wechselbeziehungen zw. Thorvaldsen und seinen dt. Auftraggebern, in: Analecta Romana Instituti Danici, Suppl. 18, 1991, 149–167 3 C. W. CLAIRMONT, Classical Attic Tombstones Vol. 1, 1993 4 K. EFSTRATIOU, Lazarides, in: Archaiologikon Deltion 34 Chron, 1979, 70–71 5 F. FELTEN, S. HILLER, Ausgrabungen in der vorgeschichtlichen Innenstadt von Ägina-Kolonna (Alt-Ägina), in: Österreichische Jahreshefte 65, 1996 Beiblatt, 29–112 6 A. FURTWÄNGLER, G. LOESCHCKE, Myk. Vasen, Berlin 1886, 41 7 A. FURTWÄNGLER, Aegina. Das Heiligtum der Aphaia, 1906 8 G. GRUBEN, Die Sphinx-Säule von A., in: MDAI(A) 80, 1965, 170–208 9 C. GRUNDWALD, Zu den Ägineten-Ergänzunge Bertel Thorvaldsens, in: Bertel Thorvaldsen. Unt. zu seinem Werk, 1977, 305–341 10 J. P. HARLAND, Prehistoric A., 1925 11 J. B. HARTMANN, Ant. Motive bei Thorvaldsen, 1979. 12 R. HIGGINS, The Aegina Treasure, 1979 13 K. HOFFELNER, Ein Scheibenakroter aus dem Apollon-Heiligtum von Ägina, in: MDAI(A) 105, 1990, 153–162 14 Ders., Die Dachterrakotten des Artemistempels vom Apollon-Heiligtum in Ägina, in: Hesperia Suppl. 27, 1994, 99–112 15 Jahresbericht des DAI 1995 s. v. Ägina, in: AA 1996, 582–583 16 P. KAVVADIAS, Glypta tou Ethnikou Mouseiou, 1890–92 17 A. D. KERAMOPOULLOS, Mykenaikoi taphoi en Aigine kai en Thebais, in: Archaiologike Ephemeris 1910, 177–208 18 I. KILIAN-DIRLMEIER, Alt-Ägina IV. 3, 1997 19 P. KNOBLAUCH, Die Hafenanlagen der Stadt Ägina, in: Archaiologikon Deltion 27 Mel, 1972, 50–85 20 W. KRAIKER, A. Die Vasen des 10.–7. Jh., 1951. 21 L. O. LARSSON, Thorvaldsens Restaurierung der Ägineten-Skulpturen, in: Konsthistorik Tidskrift 38, 1969, 23–46

22 M. MAASS, Nachträgliche Überlegungen zur Restaurierung der Ägineten, in: MDAI(A) 99, 1984, 165–176 23 W. MARTINI, Die archa. Plastik der Griechen, 1990 24 K. O. MÜLLER, Kleine dt. Schriften Bd. 2, Breslau 1848 25 Aegina, Aphaia-Tempel Iff., in: AA 1970 ff. 26 D. OHLY, Die Neuaufstellung der Ägineten, in: AA 1966, 515–528 27 Ders., Die Aegineten, 1976 28 Ders., Tempel und Heiligtum der Aphaia auf Ägina, ⁴1985 29 L. PALLAT, Ein Vasenfund aus Aegina, in: MDAI(A) 22, 1897, 265–333 30 E. PAPASTAVROU, Synolo omadikon taphon sten A., in: Archaiologike Ephemeris 1986, 49–59 31 K. PILAFIDIS-WILLIAMS, The Sanctuary of Aphaia on A. in the Bronze Age, 1998 32 Dies., A Mycenaean Terracotta Figurine from Mount Oros on A., in: BICS Suppl. 63, 1995, 229–234 33 J. SCHMIDT, s. v. Oros, RE 18, 1175–1177 34 E. L. SCHWANDNER, Der ältere Poros-Tempel der Aphaia auf Aegina, 1985 35 U. SINN, Aphaia und die »Aegineten«. Zur Rolle des Aphaiaheiligtums im rel. und ges. Leben der Insel A., in: MDAI(A) 102, 1987, 131–167 36 V. STAIS, Proistorikoi synoikismoi en Attike kai Aigine, in: Archaiologike Ephemeris 1895, 235–264 37 H.v. EINEM, Goethe-Stud., 1972 38 H. WALTER, F. FELTEN, Alt-Ägina III. 1, 1981 39 E. WALTER-KARYDI, Alt-Ägina II. 1, 1987 40 G. WELTER, Arch. Funde aus den J. 1923/24, Griechenland, in: AA 40, 1925, 317–321 41 Ders., Ausgrabungen in Ägina, in: Gnomon 5, 1929, 185–186, 415 42 Ders., in: G. KARO, Arch. Funde vom Sommer 1931 bis Mai 1932. Griechenland und Dodekanes, AA 1932, 162–165 43 Ders., Ek tou Mouseiou Aigines, 1937 44 Ders., Aiginetische Keramik, in: AA 1937, 19–26 45 Ders., A., 1938 46 Ders., Aeginetica I–XXIV, in: AA 1938, 13–24, 480–540 47 Ders., Aeginetica XXV–XXXVI, in: AA 69, 1954, 28–48 48 Ders., A., 1962 49 V. WILLIAMS, Aegina, Aphaia-Tempel IV, in: AA 1982, 55–68 50 P. WOLTERS, Forschungen auf A., in: AA 40, 1925, 1–12 51 R. WÜNSCHE, Stud. zur äginetischen Keramik der frühen und mittleren Bronzezeit, 1977 52 Ders., Ludwigs Skulpturenerwerbungen für die Glyptothek, in: Glyptothek München 1830–1980, 1980, 23–83 53 Ders., »Göttl., paßliche, wünschenswerte und erforderliche Antiken«. Leo von Klenze und die Antikenerwerbungen Ludwigs I., in: Ein griech. Traum. Leo von Klenze, 1986, 9–115 54 W. W. WURSTER, F. FELTEN, Alt-Ägina I.2, 1975 55 W. W. WURSTER, Alt-Ägina I.1, 1974 56 Reihe Alt-Ägina I.1 ff., 1974 ff.   WALTER GAUSS

Aizanoi A. LAGE B. GESCHICHTE UND BEDEUTUNG C. ENTDECKUNGSGESCHICHTE D. AUSGRABUNG UND MONUMENTE

A. LAGE

A. liegt im Gebiet des Landstädtchens Çavdarhisar, ca. 50 km südwestl. der Provinzhauptstadt Kütahya in der heutigen Türkei. A. war zentraler Ort der Aizanitis, einer ca. 1000 m über NN gelegenen Hochebene im westl. Phrygien, die zur Phrygia Epiktetos gehörte (Strab. 12,8,12). Die Dorfhäuser der alten Ortsteile von Çavdarhisar stehen teilweise auf ant. Grundmauern und enthalten zahlreiche ant. Bauteile. Nach einer Erdbebenzerstörung 1970 wurde ca. 2 km südöstl. ein neues Ortszentrum gegr. Seither werden die Häuser des alten Dorfes nach und nach verlassen und dem Verfall preisgegeben.

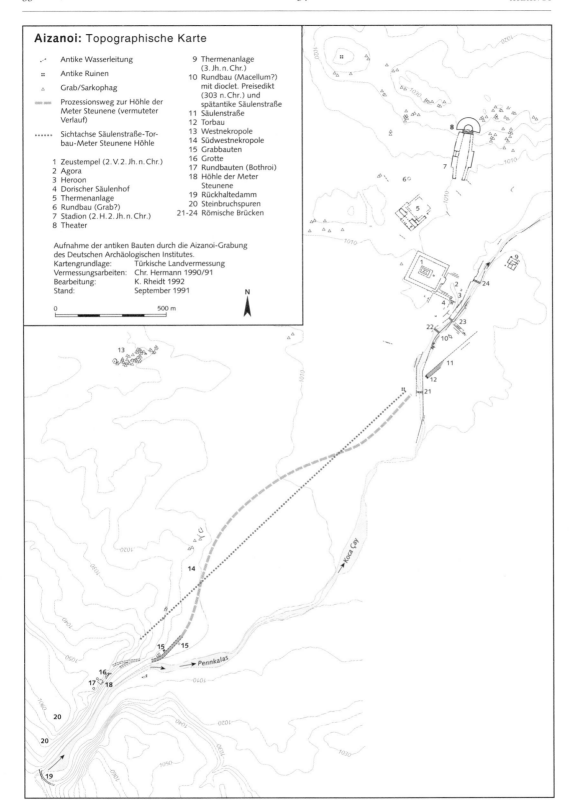

Aizanoi: Topographische Karte

✏	Antike Wasserleitung
::	Antike Ruinen
△	Grab/Sarkophag
━ ━ ━	Prozessionsweg zur Höhle der Meter Steunene (vermuteter Verlauf)
••••••	Sichtachse Säulenstraße-Torbau-Meter Steunene Höhle

1 Zeustempel (2.V.2. Jh. n. Chr.)
2 Agora
3 Heroon
4 Dorischer Säulenhof
5 Thermenanlage
6 Rundbau (Grab?)
7 Stadion (2. H. 2. Jh. n. Chr.)
8 Theater

9 Thermenanlage (3. Jh. n. Chr.)
10 Rundbau (Macellum?) mit dioclet. Preisedikt (303 n. Chr.) und spätantike Säulenstraße
11 Säulenstraße
12 Torbau
13 Westnekropole
14 Südwestnekropole
15 Grabbauten
16 Grotte
17 Rundbauten (Bothroi)
18 Höhle der Meter Steunene
19 Rückhaltedamm
20 Steinbruchspuren
21-24 Römische Brücken

Aufnahme der antiken Bauten durch die Aizanoi-Grabung des Deutschen Archäologischen Institutes.
Kartengrundlage: Türkische Landvermessung
Vermessungsarbeiten: Chr. Hermann 1990/91
Bearbeitung: K. Rheidt 1992
Stand: September 1991

0   500 m

N

B. Geschichte und Bedeutung

A. berief sich in seiner Gründungslegende bereits in der frühen Kaiserzeit auf arkadische Abstammung. Paus. (8,4,3; 10,32,3) nennt den aus einer Verbindung mit der Nymphe Erato entsprossenen Helden Azan als mythischen Ahnherrn der in der Umgebung der Grotte Steunos und des Flusses Penkalas wohnenden Phryger. Die ältesten Funde zeigen, daß das Gebiet der Stadt mindestens seit der frühen Bronzezeit (1. H. des 3. Jt.) besiedelt war. In hell. Zeit war die Gegend um A. Streitobjekt zw. dem bithynischen und dem pergamenischen Königreich und wurde 133 v. Chr. röm. Aus dem 2./1. Jh. v. Chr. sind erste Münzprägungen bekannt, die ab dem letzten Drittel des 1. Jh. v. Chr. den Stadtnamen Ezeanitōn tragen. Seit der Zeit des Augustus steht auf den Münzen fast immer Aizanitōn bzw. Aizanitōn. Eine kaiserzeitliche Inschr. nennt Landstiftungen der Könige von Pergamon und Bithynien an Tempel und Stadt, die für eine gewisse Bed. in hell. Zeit sprechen [6; 22].

Bürger von A. bekleideten seit augusteischer Zeit hohe Ämter und verhalfen der Stadt durch ihre Beziehungen zum röm. Kaiserhaus und durch materielle Stiftungen zu Geltung. Eine Blütezeit erlebte A. unter Hadrian, der durch seinen Schiedsspruch die Einnahme der Pacht für die dem Zeusheiligtum gestifteten Ländereien und damit den Bau des Zeustempels ermöglichte. Die Mitglieder der reichen Grundbesitzerfamilien waren nun röm. Bürger. Einige von ihnen spielten als Asiarchen führende Rollen in der Prov. und erlangten sogar die Konsulatswürde. Bes. stolz war A. auf seine Mitgliedschaft im Panhellenion und die Ehre, zum Kreis der bedeutendsten Städte des Reiches mit griech. Trad. und Bildung gerechnet zu werden [6; 10; 22; 26; 33]. In byz. Zeit war A. Bischofssitz und besaß mehrere Kirchen, deren größte in den Zeustempel eingebaut worden war. Im 11. und 12. Jh. war diese Kirche Teil einer Siedlung auf dem Tempelplateau, deren aus ant. Baugliedern errichtete Befestigungsmauern im 13. Jh. dem Stamm der Çavdar-Tartaren als Stützpunkt dienten

und dem heutigen Ort seinen Namen Çavdarhisar (Çavdar-Burg) gaben [6; 9; 22].

C. Entdeckungsgeschichte

1824 besuchte Saint-Asaph, der spätere Earl of Ashburnham, als erster Europäer die gut erh. Ruinen. Ihm folgten wenige J. später A. D. Mordtmann, G. Th. Keppel und W. J. Hamilton. Erste umfangreiche Bauaufnahmen wurden 1838 von L. de Laborde, 1839 von Ch. Texier und 1847 von Ph. Le Bas und E. Landron veröffentlicht. Mit A. Körte, der sich 1890 und 1895 mit der Datierung des Zeustempels beschäftigte, begann ein neuer Abschnitt der Entdeckungsgeschichte. Die Höhle Steunos, in der die anatolische Muttergöttin als Meter Steunene verehrt wurde (Abb. 1: 16, 17, 18), wurde 1898 von J. G. C. Anderson entdeckt und 1908 von Th. Wiegand näher untersucht [16; 22; 31]. 1926 und 1928 wurden die ersten Ausgrabungen des → Deutschen Archäologischen Institutes unter der Leitung von M. Schede und D. Krencker durchgeführt. Sie wurden 1970 von R. Naumann wieder aufgenommen und dauern bis h. an [22].

D. Ausgrabung und Monumente

Im Mittelpunkt der Expedition der 20er J. stand der Zeustempel (Abb. 1: 1). Der ionische Pseudodipteros aus dem 2. Viertel des 2. Jh. n. Chr. mit 8 x 15 Säulen steht auf einem Podium mit Freitreppe. Treppen führten vom Opisthodom in das überwölbte Kellergeschoß und zum Dach des Tempels [22] (Abb. 2) und deuten auf Kulthandlungen sowohl im Keller als auch im Dach hin. Die Vermutung der Ausgräber, daß es sich um ein Doppelheiligtum handele und im Keller der Kult der Kybele begangen worden sei, ließ sich jedoch nicht bestätigen [26]. Der Tempel erscheint durch seine Gesamtanlage und die Ausbildung einiger Details, etwa der ionischen Ordnung der Ringhalle, ausgesprochen altertümlich (Abb. 3). Die retrospektive Architektursprache des Bauwerks und die Rückgriffe auf hell. Vorbilder lassen sich mit den Anforderungen nach hohem Alter und griech. Erbe verbinden, die an die Mitgliedschaft der Stadt im Panhellenion geknüpft waren [26; 30; 34]. Die Errich-

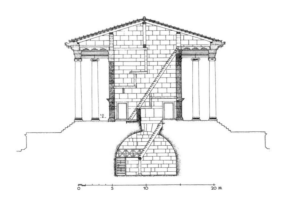

Abb. 2: Zeustempel; Querschnitt mit Kellergeschoß und Rekonstruktion der Treppen

Abb. 3: Zeustempel; Ansicht von Nordwesten nach Abschluß der Sicherungsarbeiten am Gebälk 1996

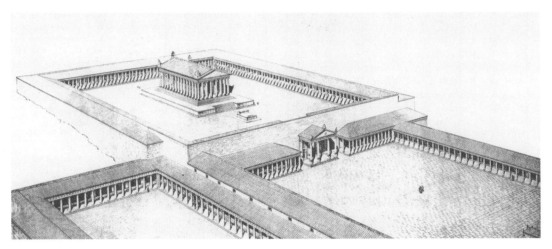

Abb. 4: Kaiserzeitliches Stadtzentrum. Perspektivische Rekonstruktion von D. Krencker, gezeichnet von O. Heck

tung des Zeustempels war der Auftakt zum repräsentativen Ausbau des Stadtzentrums, dem kurz danach die sog. Agora (Abb. 1: 2) mit einem als Heroon gedeuteten kleinen Podientempel (Abb. 1: 3) [17; 22] und die Hallenanlagen um den Tempel folgten. Nur der Dorische Säulenhof (Abb. 1: 4) [13; 22] wurde vor dem Zeustempel erbaut (Abb. 4).

Die Publikation der Ausgrabungen und Forsch. der 20er J. erfolgte erst 1979 durch R. Naumann, da Krenkker und Schede die Folgen des II. Weltkriegs nicht überlebt hatten. Naumann hatte sich in der Folge des Erdbebens von 1970 für eine Wiederaufnahme der Ausgrabungen in A. eingesetzt und zunächst mit Unt. an einzelnen kleineren Bauwerken begonnen, darunter dem Heroon auf der Agora [17] und dem Rundbau (Abb. 1: 10) auf dem Ostufer des Penkalas, auf dessen Wänden das diokletianische Preisedikt aus dem J. 301 n. Chr. angebracht ist [21]. Von 1978 an fanden wieder regelmäßig Ausgrabungen statt, die sich bis 1981 auf das

Thermengymnasium aus der 2. H. des 2. Jh. n. Chr. (Abb. 1: 5) konzentrierten [11, 12, 13]. 1982 bis 1984 legte Naumann neben Einzelunt. an der Talsperre (Abb. 1: 19) und am Dorischen Säulenhof (Abb. 1: 4) ein Gebäude aus großen Kalksteinquadern (Abb. 1: 9) frei, in das im 3. Jh. n. Chr. eine zweite Thermenanlage mit reicher Mosaikausstattung eingebaut worden war. Ab dem 4. oder 5. Jh. wurden deren Hauptsäle nochmals umgebaut und mit einer christl. Einrichtung versehen [13; 14]. Von 1982 bis 1990 führte A. Hoffmann Grabungen durch, um die Baugeschichte des Theater-Stadion-Komplexes (Abb. 1: 7, 8) zu klären. Das Stadion wurde danach seit der 2. H. des 2. Jh. n. Chr. in mehreren Bauabschnitten errichtet, um die Mitte des 4. Jh. jedoch schon wieder aufgegeben und als Steinbruch benutzt [3; 4].

Seit 1990 befassen sich die Mitarbeiter der A.-Grabung unter der Leitung von K. Rheidt mit der Erforschung der gesamten Stadt. Durch Unt. der städtebau-

Abb. 5: Spätantike Säulenstraße nach der Anastylose

Abb. 6: Artemision. Rekonstruktion der Frontseite unter Verwendung der Bauteile, die in die Hallenarchitektur der spätantiken Säulenstraße eingebaut waren

lichen Zusammenhänge zw. den Monumentalbauten [23; 26], der Keramik [1], Bauornamentik, Grabsteine [5; 29] und Inschr. [6; 32; 33; 34] arbeiten sie daran, das top.-histor. Bild von A. in den verschiedenen Phasen seiner Entwicklung von den Anfängen bis zur Einbeziehung der Ruinen in die Häuser und Gärten des Dorfes Çavdarhisars herauszuarbeiten und in einen größeren histor. Zusammenhang zu stellen. Dieser neue Forschungsabschnitt der A.-Grabung, der durch Notgrabungen des Mus. Kütahya ergänzt wurde [28; 35], erbrachte, daß die Stadt trotz ihrer Bemühungen, mit Tempeln, Thermen und dem Theater-Stadion mod. röm. Vorbilder nachzuahmen, ihre anatolischen Wurzeln bis in die späte Kaiserzeit hinein nicht aufgab. Das städtebauliche System des 2. Jh. n. Chr. hatte keinen Bezug zu den neuen Monumentalbauten. Dagegen war die breite Säulenstraße (Abb. 1: 11) mit Prunktor (Abb. 1. 12) [12], die das Rückgrat dieses Straßensystems darstellte, auf das alte Naturheiligtum der Meter Steunene (Abb. 1: 16, 17, 18) ausgerichtet und wurde um die Mitte des 2. Jh. n. Chr. mit Grabbauten der reichsten Familien von A. ausgestattet [23; 26].

1992 bis 1995 wurde eine spät-ant., um 400 n. Chr. aus Teilen älterer Bauten errichtete Säulenstraße freigelegt (Abb. 1: 10; Abb. 5), in die auch Inschriftenpostamente und Statuen integriert waren [7]. Darunter befanden sich Bauteile des Tempels der Artemis aus der Mitte des 1. Jh. n. Chr. (Abb. 6). Auf dem Ostufer des Penkalas bestand schon in der 1. H. des 1. Jh. n. Chr. ein regelmäßig angelegter Stadtteil, der späthell. Werkstätten und Töpfereien ersetzte [1; 24; 26]. Seit 1996 liegt der Schwerpunkt der A.-Grabung wieder im Bereich des Zeustempels (Abb. 1: 1) [25]. Grabungen werden seither südl. des Tempels und an der Südecke des Tempelplateaus durchgeführt, das als Überrest eines Siedlungshügels identifiziert werden konnte.

1 N. ATIK, Die Keramik aus A., in: AA 1995, 729–739 2 W. GÜNTHER, Ein Ehrendekret *post mortem* aus A., in: MDAI(Ist) 25, 1975, 351–356 3 A. HOFFMANN, A. Erster Vorber. über die Arbeiten im Stadion 1982–1984, in: AA 1986, 683–698 4 Ders., A. Zweiter Vorber. über die Arbeiten im Stadion 1987. 1988 und 1990, in: AA 1993, 437–473 5 K. JES, »Gebaute« Türgrabsteine in A., in: MDAI(Ist) 47, 1997, 231–250 6 B. LEVICK, S. MITCHELL, J. POTTER, M. WAELKENS (Hrsg.), Monuments from the Aizanitis recorded by C. W. M. Cox, A. Cameron, and J. Cullen, MAMA IX, 1988 7 H. C. v. MOSCH, Eine neue Replik des Satyrs mit der Querflöte und ihre Aufstellung in spät ant. Kontext, in: AA 1995, 741–753 8 Ders., Ein neuer Portraitfund aus A., in: AA 1993, 509–515 9 C. NAUMANN, Die ma. Festung von A.-Çavdarhisar, in: MDAI(Ist) 35, 1985, 275–294 10 F. NAUMANN, Ulpii von A., in: MDAI(Ist) 35, 1985, 217–226 11 R. NAUMANN, F. NAUMANN, A. Ber. über die Ausgrabungen und Unt. 1978, in: AA 1980, 123–136 12 R. NAUMANN, A. Ber. über die Ausgrabungen und Unt. 1979 und 1980, in: AA 1982, 345–382 13 R. NAUMANN, F. NAUMANN, A. Ber. über die Ausgrabungen und Unt. 1981 und 1982, in: AA 1984, 453–530 14 Diess., A. Ber. über die Ausgrabungen und Unt. 1983 und 1984, in: AA 1987, 301–358 15 R. NAUMANN, Die Bed. der Türsteine bei den Kaianlagen an der Agora in Aezani, in: MDAI(Ist) 25, 1975, 343–350 16 Ders., Das Heiligtum der Meter Steunene bei Aezani, in: MDAI(Ist) 17, 1967, 218–247 17 Ders., Das Heroon auf der Agora in Aezani, in: MDAI(Ist) 23/24, 1973/74, 185–197 18 Ders., Röm. Friese und Schrankenplatten aus Kleinasien, in: MDAI(R) 86, 1979, 331–337 19 Ders., Ein röm. Brunnen in A., in: Boreas 6, 1983, 162–167 20 Ders., Röm. Grabbau westl. des Zeus-Tempelareals in A., in: MDAI(Ist) 44, 1994, 303–306 21 R. NAUMANN, F. NAUMANN, Der Rundbau in Aezani, 10. Beih. MDAI(Ist), 1973 22 R. NAUMANN, Der Zeustempel zu A., in: Denkmäler Ant. Architektur 12, 1979 23 K. RHEIDT, A. Vorber. über die Forsch. zur histor. Top., in: AA 1993, 475–507 24 Ders., A. Ber. über die Ausgrabungen und Unt. 1992 und 1993, in: AA 1995, 693–718 25 Ders., A. Ber. über die Ausgrabungen, Restaurierungen und Sicherungsarbeiten 1994, 1995 und 1996, in: AA 1997, 431–473 26 Ders., Röm. Luxus – Anatolisches Erbe. A. in Phrygien – Entdeckung, Ausgrabung und neue Forschungsergebnisse, in: Ant. Welt 28, 1997, 479–499 27 L. ROBERT, Documents d'Asie Mineure XVIII. Fleuves et Cultes d'A., in: BCH 105, 1981, 331–360 28 M. TÜRKTÜZÜN, Zwei Säulensarkophage aus der Südwestnekropole in A., in: AA 1993, 517–526 29 M. WAELKENS, Die kleinasiatischen Türsteine, 1986 30 H. WEBER, Der Zeustempel von Aezani – Ein panhellenisches Heiligtum der Kaiserzeit, in: MDAI(A) 84, 1969, 182–201 31 TH. WIEGAND, ΜΗΤΗΡ ΣΤΕΥΝΗΝΗ, in: MDAI(A) 36, 1911, 302–307 32 M. WÖRRLE, Inschriftenfunde von der Hallenstrassengrabung in A. 1992, in: AA 1995, 719–727 33 Ders., Neue Inschriftenfunde aus A. I, in: Chiron 22, 1992, 337–376 34 Ders., Neue Inschriftenfunde aus A. II: Das Problem der Ära von A., in: Chiron 25, 1995, 63–81 35 U. WULF, Zwei Grabbauten in der Südwestnekropole von A., in: AA 1993, 527–541

KLAUS RHEIDT

Akademie I. ALLGEMEIN II. MUSIKALISCH

I. ALLGEMEIN
A. DEFINITION. B. HUMANISMUS.
C. 17./18. JAHRHUNDERT D. 19. JAHRHUNDERT
E. 20. JAHRHUNDERT

A. DEFINITION

Der Gebrauch des Wortes A. ist nicht einheitlich. Der Begriff bezeichnet neben den A. der Wiss. verschiedene wiss., pädagogische und soziale Einrichtungen. So gibt es medizinische A., Musik-, Tanz- und Kunst-A. und kirchliche A. (→ A. II. musikalisch). A. der Wiss. sind hingegen Vereinigungen von Gelehrten, die der Forschungsförderung und der wiss. Kommunikation dienen. Ihr Name hat häufig im Laufe der Jh. gewechselt: Sie wurden auch *societas* respektive Sozietät, *sodalitas*, Gesellschaft, Institut u. a. genannt. Seit dem 15. Jh. bezeichnet der Begriff A. die unterschiedlichsten Formen sozialer und intellektueller Zusammenkunft und Organisation. A. verweist nun nicht mehr exklusiv auf die ant. A. respektive Platons Lehre, sondern auch auf gelehrte Vereinigungen und reine Lehrinstitutionen. Angesichts des Bedeutungsverlustes der Univ.

usurpierten nun – insbes. dt. – Hochschulen den prestigeträchtigen Begriff, um sich als Stätte der Wiss. und Bildung zu profilieren. In Deutschland setzte sich die Bezeichnung A. für wiss. Einrichtungen erst im Laufe des 18. Jh. nach frz. Vorbild durch [30; 36].

B. HUMANISMUS

Die platonische A., die 529 durch Justinian geschlossen worden war, wurde um die Wende zum 15. Jh. in den human. Zirkeln It. wiederentdeckt [9; 39; 55]. Strittig ist, inwiefern schon der Kreis, der sich am Hofe Karls des Gr. unter dem Angelsachsen Alkuin konstituierte, als A. bezeichnet werden kann. Inhaltlich und namentlich knüpfte man bewußt an die A. in Athen an, um deren säkulare Wiss. durch die christl. Lehre zu vollenden (vgl. Alkuin, epist. 170, ed. DÜMMLER). Allerdings blieb diese Bezugnahme auf die ant. Trad. Episode. Hierfür ursächlich war nicht zuletzt die negative Konnotation des Wortes im lat. MA, das im Anschluß an Augustins Schrift *Contra Academicos* (respektive *De Academicis*; vgl. den Komm. zu den B. zwei und drei von Th. Fuhrer, 1997) die skeptizistische Trad. der A. absolut setzte und verwarf ([3]; L. Boehm in: [19. 65–111]). Erst die Professoren und Kleriker, die Notabeln und Kaufleute, die sich um 1400 in Florenz zu privaten Gesprächskreisen im Kloster von Santo Spirito und im Paradiso degli Alberti trafen, um lit., philos. und polit. Themen auf der Grundlage ant. Texte zu erörtern, rezipierten programmatisch die Idee der platonischen A. Allerdings hatten diese geselligen Diskussionszirkel noch keine feste Organisationsform (S. Neumeister in: [19. 171–189]). 1427 plante Poggio Bracciolini, inspiriert durch Cic. Tusc. 3,3,6f., in seinem toskanischen Landgut eine A. einzurichten, um die Originaltexte der Klassiker im gelehrten Kreis zu lesen. 1454 fanden sich dann im Hause des Florentiner Staatsmannes Alamanno Rinucci junge Humanisten zu einer *Nova Academia* resp. einem *Chorus Academiae Florentinae* zusammen, um sich unter Beachtung bestimmter Regeln v. a. der Platon- und Aristoteleslektüre zu widmen; das Studium der ant. Philosophen erhielt durch den byz. Gelehrten Johannes Argyropulos wichtige Impulse. Die Ausstrahlung der griech. Philos. auf das human. gebildete Florentiner Bürgertum reflektiert auch der 1462 von Marsilio Ficino versammelte Kreis, der gemeinhin (aber wohl fälschlich, vgl. [26]) als *Accademia Platonica* bezeichnet wird und als erste abendländische A. der Neuzeit gilt [15; 39. 101 ff.; 40]. Auch ihr fehlten indes ein fester organisatorischer Rahmen und exakte Statuten. Ihre größte Leistung ist die Wiederentdeckung der platonischen Werke für den lat. Westen, in deren Vermittlung durch exakte Übertragungen Ficino die Möglichkeit zur Reform des Christentums erblickte [57]. Als Ziel wurde ausdrücklich die Wiederauferstehung der ant. A. formuliert (ʼantiquam Academiam resurgentemʻ: M. Ficino, Opera omnia, ²1576, Ndr. 1959, I 909), dem man sich durch die *exercitatio literarum*, durch gelehrte Diskussionen, deklamatorische Übungen und philos. Interpretationen der platonischen Lehre verpflichtet

zeigte. Der als *pater platonicae familiae* apostrophierte Leiter der A., Ficino, inszenierte die Erneuerung des ant. Paradigmas in einer von Cosimo de' Medici geschenkten Villa in Careggi, wo nach dem platonischen Vorbild *Symposia* abgehalten, der 7. November als vermeintlicher Geburts- und Todestag Platons festlich begangen, die Wände mit Sinnsprüchen verziert und eine angeblich aus der alten A. stammende Büste Platons aufgestellt wurde. Zugleich sollte die A., die in enger Verbindung zum Hof der Medici stand, ihre Wirkung – im human. Kontext – als Stätte universaler Bildung und urbaner Konversationskultur entfalten. Obgleich nur wenige ausgesuchte Personen der Florentiner polit.-intellektuellen Elite an den einzelnen Sitzungen teilnahmen (etwa Cristoforo Landino, Giovanni Pico della Mirandola, Angelo Poliziano), erwies sich Ficinos Konzeption ungemein wirkmächtig und beeinflußte andere human. Zirkel außerhalb von Florenz, wie etwa die *Accademia Pontaniana* in Neapel, die bereits 1458 als Lektürezirkel Alfons' I. gegründet und 1471 von dem bedeutendsten neapolitanischen Humanisten, Giovanni Pontano, auch zum Ruhme des aragonesischen Hofes fortgeführt wurde; gemeinsam studierte man ant. Autoren, insbes. Vergil. 1464 rief Pomponio Leto die *Accademia Romana* (nach ihrem Gründer auch *Accademia Pomponiana* genannt) im röm. Quirinal ins Leben, der die bedeutendsten it. Humanisten angehörten; sie wurde wegen antiklerikaler Äußerungen vorübergehend von Papst Paul II. verboten. In Venedig schließlich richtete Aldo Manuzio 1484 in seinem Verlagshaus die *Neoacademia* ein, die nicht nur die Edition griech. Autoren vorantrieb, sondern sich auch ein in griech. Sprache verfaßtes Regelwerk gab und ihre Diskussionen auf Griechisch führte.

Die A.-Idee fand noch im 15. Jh. jenseits der Alpen v. a. durch die Vermittlung von Conrad Celtis zahlreiche Anhänger. Lit.-histor. orientierte und informell organisierte *sodalitates*, die in vielfältiger Weise inhaltliche Impulse aus It. aufgriffen, entstanden in Buda, Krakau, Basel, Wien, Ingolstadt, Heidelberg, Nürnberg, Augsburg, Erfurt, Straßburg und in zahlreichen anderen Städten [19. 951 ff., 1069 ff.; 56. 128 ff.; 62]. Die Zirkel, die sich durch gelehrte Freundschaften und Briefkontakte ihrer Mitglieder konstituierten, sind Reflex einer neuen Form intellektueller Gemeinschaftsbildung, die auf privater Initiative gründete, aber durchaus von den frühmod. Höfen wahrgenommen wurde und die das ant. Erbe durch Editionen, Übers. und einschlägige Publikationen vermittelte und histor.-geogr. Studien zu einzelnen Regionen betrieb.

Welche Popularität der A.-Gedanke im human. It. besaß, zeigt allein schon die Tatsache, daß von der Mitte des 15. bis zum Ausgang des 16. Jh. an die 400 (teilweise sehr kurzlebige) A. gegründet wurden, in denen sich gebildete Bürger zur Diskussion wiss. Fragen und zur Pflege der Künste zusammenfanden [19. 190–270; 44]. Sie setzten die Trad. der ersten human. A. fort, die meist den Tod ihres Gründers nicht überlebten. Seit der ersten

H. des 16. Jh. nimmt die Zahl der A. zu, die sich klare Statuten geben und die Aufnahme der Mitglieder, den Verlauf der Zusammenkünfte, die Verteilung der Ämter, die Arbeitsgebiete und dergleichen regelten. Im Zeitalter des Frühabsolutismus setzte sich sukzessive die fürstliche Lenkung der A. durch. Im Kontext späthuman. Universalwiss. widmete man sich v. a. lit. Texten; naturwiss. ausgerichtete A. stellten nur einen verschwindend geringen Anteil dar.

Im Laufe des 16. Jh. erschlossen sich die A. ein neues Aufgabenfeld: die Erforsch. und Normierung der nationalsprachlichen Lit. Bereits Anfang der 40er J. beschäftigte sich die *Accademia Fiorentina* mit Dante, Petrarca und der toskanischen Gegenwartssprache. 1583 wurde – ebenfalls in Florenz – die *Accademia della Crusca* gegründet, deren Name Programm war: Sie sollte auf der Grundlage der kanonisierten Autoren des 14. Jh. in der it. Sprache die wertlose Kleie (*crusca*) vom Mehl sondern. 1612 erschien das it. Wörterbuch der *Crusca* in der ersten Auflage. Die dt. Sodalitäten blieben hingegen zunächst dem Lat. verbunden; Sprachgesellschaften bildeten sich hier wie in anderen europ. Ländern – wiederum nach dem it. Vorbild – erst später. So wurden 1617 in Weimar die *Fruchtbringende Gesellschaft* [19. 230 ff.] und 1635 von Kardinal Richelieu die *Académie Française* [19. 348 ff.] eingerichtet. Deren erklärtes Ziel war es, Normen und Konzepte für die nationalsprachlichen Lit. aus der ant. Rhet. und Poetik abzuleiten. Die bewußte Hinwendung zu den Volkssprachen brachte die Sprachgesellschaften des 17. Jh. in Gegensatz zu den Univ., die noch überwiegend an der lat. Sprach- und Bildungstradition festhielten [6; 50].

C. 17./18. JAHRHUNDERT

Zwischen 1660 und 1793 wurden in Europa und Amerika 70 offizielle A. gegründet; hinzu traten zahllose gelehrte Gesellschaften privater und halbprivater Natur (wie etwa altphilol. Vereinigungen in dt. Universitätsstädten [65]), die im Gegensatz zu den A. in der Regel nicht staatlich privilegiert, aber anerkannt waren (Übersicht in [45. 261 ff., 281 ff.]). Die A. unterschieden sich in ihrer Ausrichtung, Organisation und sozialen Zusammensetzung zum Teil erheblich voneinander (L. Hammermayer in [2. 1 ff.; 19; 29; 64; 66]). Das platonische Vorbild, das bereits im 16. Jh. relativiert worden war, war nun nicht mehr für die inhaltliche Ausrichtung und organisatorische Struktur maßgebend. Die A. befaßten sich mit Wiss. und Künsten unterschiedlichster Art und reflektierten in ihrer Vielfalt die rasante Differenzierung des Wissens. V. a. trugen sie dem seit dem späten 16. Jh. einsetzenden Aufschwung der Naturwiss. Rechnung. Die Integration naturwiss. Forsch. und Fragestellungen in die Arbeit der A. bedeutete eine tiefe Zäsur; von der identitäts- und kulturbildenden Kraft der Sprache und der Lit. war jetzt weitaus seltener die Rede als in den human. Sozietäten. Forsch. im Dienste des wiss. Fortschrittes war nunmehr die Prämisse der A.-Bewegung. Vor diesem Hintergrund ist die Hinwendung der A. zur experimentell-induktiven Methode in den Naturwiss. und die Entwicklung histor.-philol. Quellenkritik zu sehen, die in der zweiten H. des 17. Jh. einsetzen. Gemeinsam war den A., daß sie der überregionalen Forschungskommunikation dienten und ihre Mitglieder nur in Ausnahmefällen zur universitären Lehre verpflichtet waren. Die Univ., die vor der Aufklärung der scholastischen Trad. verhaftet blieben, verloren gegenüber den A., die sich als zentrale Forschungsinstitutionen präsentierten, an Ansehen und Bed. Am E. des 18. Jh. waren die A. schließlich die typische Organisationsform wiss. Gemeinschaftsarbeit, die als zentrale Wissenschaftseinrichtungen des jeweiligen Landes anerkannte Gelehrte versammelten und sich immer öfter wiss. Großaufgaben verschrieben, die der einzelne nicht leisten konnte. Sieht man von den Sprachgesellschaften ab, diente zunächst Lat. den A. als internationale Gelehrtensprache, doch bald trat das Frz. an seine Seite. Ab der Mitte des 18. Jh. fanden nationale Sprachen in den A. Verwendung.

Die informellen Gelehrtenvereinigungen gerieten bald unter landesherrlich-staatlichen Einfluß: Die absolutistischen Fürsten gefielen sich in der Rolle von Mäzenen, die bestehende Gesellschaften privilegierten und neue A. gründeten. A. waren ein herausragendes Instrument der monarchischen Wissenschaftspflege in Europa. Aus den privaten Zirkeln lit.-wiss. interessierter Gelehrter wurden staatlich kontrollierte Organisationen einer elitären Kulturpolitik. Bezeichnenderweise spielte die obrigkeitsstaatliche A.-Bewegung in den republikanisch verfaßten Niederlanden und der Schweiz keine Rolle (dort kommt es erst 1808 respektive 1815 zu A.-Gründungen). In Paris traten schon 1666 bzw. 1667 die *Académie des Sciences* und die *Académie des Inscriptions et Belles Lettres* neben die *Académie Française* [19. 348 ff.]. In London wurde 1662 die naturwiss. ausgerichtete *Royal Society*, in Dublin 1683 die *Philosophical Society* gegründet [19. 669 ff.], und in Berlin richtete der Kurfürst Friedrich III. nach den Vorstellungen von Gottfried Wilhelm Leibniz 1700 die *Kurfürstliche Brandenburgische Societet der Scientien* ein [7; 20; 21; 27; 28]. Vergeblich wurde in Wien und Dresden versucht, das Berliner Modell zu übernehmen (in Wien konnte erst 1847 die *Kaiserliche A.* proklamiert werden) [33; 46]; nur in St. Petersburg kam unter Peter dem Gr. 1724/25 der Plan einer A. nach preußischem Vorbild zur Verwirklichung [19. 966 ff.]. Auch in anderen europ. Zentren entstanden A. als vom Staat privilegierte und alimentierte Institutionen: In Edinburgh 1731, in Madrid 1714 (*Real Academia Española*) bzw. 1738 (*Real Academia de la Historia*), in Lissabon 1717 (*Academia Portuguesa da Historia*) respektive 1779 (*Academia das Sciências*), in Stockholm 1739, in Kopenhagen 1742 und in Brüssel 1772.

In It. findet sich im 18. Jh. in jeder größeren Stadt eine A., die z. T. wichtige arch. sowie lokal- und regionalgeschichtliche Forsch. betrieben wie etwa in Cortona zu den Etruskern. In Frankreich existierten nicht nur die Pariser A., sondern es wurden – häufig durch private Initiative – in zahlreichen Städten Provinzial-A. mit sehr unterschiedlichen Schwerpunkten geschaffen; 1789 gab es derer 32. Auch in Ost- und Südosteuropa faßte die A.-Bewegung Fuß [2; 11; 19. 1031 ff.]. Das Deutsche Reich erlebte in der zweiten H. des 18. Jh. eine ausgedehnte Gründungswelle. Zunächst wurde 1746 die *Olmützer Gesellschaft* eingerichtet, die jedoch bereits 1751 wieder aufgelöst wurde. Von großer Bed. war die Reorganisation der Berliner A. unter Friedrich II. in den 40er J., die nunmehr *Königlich Preußische A. der Wiss.* hieß. In den nächsten vier Dezennien kam es zur Einrichtung zahlreicher A. und gelehrter Gesellschaften in den Residenzstädten v. a. des mittel- und süd-dt. Raumes: der *Königlichen Sozietät der Wiss.* in Göttingen (1751) [2. 97 ff.; 29. 97 ff.], der *A. nützlicher Wiss.* in Erfurt (1754) [1], der *Bayerischen A. der Wiss.* in München (1759) [24; 25], der kurpfälzischen *A. der Wiss.* in Mannheim (1763), der *Fürstlich Jablonowskischen Gesellschaft der Wiss.* in Leipzig (1774) [42], der *Gesellschaft der Altertümer* in Kassel (1777) und der *Königlich Böhmischen Gesellschaft der Wiss.* in Prag (1785). Auch in Nordamerika stieß die A.-Bewegung auf Resonanz: In Philadelphia konstituierten sich 1743/44 die *Philosophical Society* und die *American Academy of Arts and Sciences* mit Sitz in Boston. Im 18. Jh. erreichte die A.-Idee durch portugiesische und span. Vermittlung Mittel- und Südamerika und den asiatischen Kontinent.

Die naturwiss. ausgerichteten A. gewannen zunehmend an Bed.: Nachdem bereits zw. 1560 und 1568 die *Academia Secretorum Naturae* in Neapel eine kurze Blüte erlebt hatte, wurde 1603 die *Accademia dei Lincei* in Rom gegründet, 1652 die *Academia Naturae Curiosorum* in Schweinfurt (die spätere *Leopoldina* in Halle), 1660 die *Royal Society* in London und 1666 die *Académie des Sciences* in Paris. Die Expansion der mathematisch-naturwiss. Forsch. wurde auf unterschiedliche Weise institutionell gelöst und führte zu anhaltenden Kontroversen über die Wissenschaftsorganisation in den A. Grundsätzlich stand man vor folgender Alternative: Entweder konnten – wie etwa in Schweinfurt, London und Paris – eigene naturwiss. A. (zum Teil neben A. für Sprache, Lit., Geschichte) eingerichtet werden, oder man vereinigte Natur- und Geisteswiss. in einer einzigen A., die dann in verschiedene Klassen oder Sektionen differenziert wurde. Diese Konzeption, die an der Einheit der Wiss. festhielt, wurde durch Gottfried Wilhelm Leibniz verfochten und in der Berliner A. erfolgreich realisiert; hier verhandelte man geschichtliche, sprachwiss. und naturwiss. Themen unter einem Dach. Der Berliner Sozietät analog organisiert waren zahlreiche frz. und (seit der zweiten H. des 18. Jh.) it. Prov.-A. [44; 54].

Die häufig betonten Verbindungen der A. untereinander in einer übernationalen und interkonfessionellen *république des sciences* respektive *république des lettres* sind bisher nur in Einzelfällen (z. B. für Berlin und St. Petersburg) nachgewiesen; Münchens Beziehungen zu auswärtigen A. waren im 18. Jh. hingegen unbedeutend (vgl. die Zusammenfassung der bisherigen Forsch. in [66. 28 f.]). Häufig wurden angesehene ausländische Gelehrte als Mitglieder an eine A. berufen. Über die Zuwahl entschied nicht mehr allein der Stand, sondern die wiss. Leistung. Allerdings gibt es einschlägige Unt. zur sozialen, konfessionellen und geogr. Herkunft bisher nur für die frz. und einige dt. A. Es spricht manches dafür, daß die Mehrzahl der A.-Mitglieder schon vor der Mitte des 18. Jh. den höheren bürgerlichen Schichten entstammte; bürgerliche Gelehrte traten in der exklusiven akad. Meritokratie gleichberechtigt neben adelige Mitglieder und nutzten ihre Tätigkeit in der A. als Vehikel des sozialen Mobilität.

Mit A. vergleichbare Institutionen etablierte auch die katholische Kirche: Erinnert sei nur an die Kongregation der Mauriner, die seit der Mitte des 17. Jh. in Saint-Germain-des-Prés richtungweisende kirchenhistor. Editionen erstellten und mit bedeutenden Arbeiten zu den histor. Hilfswiss. und zur frz. Landesgeschichte in Erscheinung traten [5. 23 ff.].

Trotz der Wissenschaftsdifferenzierung und der Forschungsintensivierung in den Naturwiss. behielten die Altertumswiss. einen herausragenden Platz in der Arbeit der A. Auch sie profitierten von der systematischen Sammlung und Edition histor. Quellen, die nunmehr begonnen wurde. Allerdings war die Bearbeitung der ant. Geschichte (wie der Universalgeschichte) nicht im Programm jeder A. vorgesehen (vgl. allg. zu den dt. A. [38]; zu Paris: [5. 171 ff.; 63. 230 ff.]; zu Mannheim: [12; 18]; zu München: [37]). Großangelegte altertumswiss. Vorhaben erschlossen die monumentale und epigraphische Überlieferung: Arch. Kampagnen wurden in der Toskana und in den Vesuvstädten → Pompeji und → Herculaneum durchgeführt [14], aber auch in der Gallia Romana und in der Pfalz [13]. Lokale A. wiederum leisteten wichtige Beiträge zur Erforsch. ant. Regionalgeschichte; in It. z. B. machten sie sich um die Intensivierung der Etruskerforsch. verdient [4]. Die Preisaufgaben der A. traktierten oft altertumswiss. Themen. Die *Académie des Inscriptions et Belles Lettres* etwa stellte abwechselnd Fragen aus der Ant. und dem MA und ließ auch nicht-frz. Teilnehmer zu. 1775 beteiligte sich Herder zu dem Thema: *Quels furent les noms et les attributs de Vénus chez les diverses nations de la Grèce et de l'Italie* [64. 65].

Die A.-Bewegung geriet indes während des 18. Jh. in eine Krise. Die unüberschaubare Vielfalt von A.-Gründungen, welche die fortschreitende wiss. Spezialisierung reflektierte, machte überregionale Koordination und Kooperation immer schwieriger. Die notwendige Institutionalisierung führte zu Verkrustungen und Inflexibilität. Verschiedene Reformprojekte wurden diskutiert, unter denen sich die Vorstellung einer gesamteurop. *République des Lettres* findet, aber auch die einer zentralisierten National-A., wie sie 1795 durch die Einrichtung des *Institut de France* in Frankreich realisiert wurde. Gleichzeitig wandte sich die bürgerliche Intelligenz im Zeichen der Aufklärung neuen, von den Höfen weitgehend unabhängigen Organisationsformen zu, so daß die A. ihre herausragende sozialpolit. und wissenschaftsorganisatorische Funktion einbüßten.

D. 19. Jahrhundert

Die krisenhafte Stagnation konnte durch die Reformbewegung zu Beginn des 19. Jh. überwunden werden. Das Pariser Modell einer Zentral-A., das nach der Liquidation der alten A.-Struktur während der Frz. Revolution entstanden war, wirkte auf verschiedene europ. Staaten, so auf die 1803 reorganisierte *Kaiserlich Russische A.* und die 1807 neukonstituierte *Königlich Bayerische A. der Wiss.* In Preußen inaugurierte Wilhelm von Humboldt eine tiefgreifende Reform der Wissenschaftsorganisation, die zur Gründung der Berliner Univ. (1810) und zur Neugestaltung der A. (1812) führte. Die *Königlich Preußische A. der Wiss.* wurde im 19. Jh. vorbildlich für eine mod. und effiziente Wissenschafts-A., deren zentrale Funktion in der Organisation, Repräsentation und Koordination von Wiss. lag. Gleichzeitig verhinderte die Humboldtsche Konzeption der Einheit von Forsch. und Lehre einen Vorrang der A. gegenüber den Univ., wie er etwa in Frankreich zu beobachten ist. Die Mitglieder dt. A. waren häufig Universitätsprofessoren. Die Berliner A. verstärkte die schon seit dem 17. Jh. betonte Distanz zu Theologie und Jurisprudenz, deren normativ-praktische Orientierung als nicht vereinbar mit dem aufgeklärten Wissenschafts- und Innovationsverständnis erachtet wurde. Die Vertreter dieser Fächer konnten nur, wie etwa 1890 der Theologe Adolf Harnack, als Historiker aufgenommen werden. Die neuhumanistische Wissenschaftslehre konstruierte ein A.-Modell, das die idealisierte Konzeption einer quasi zeitlosen platonischen A. mit einem positivistischen Wissenschaftsverständnis und einer höchst effizienten Wissenschaftsorganisation verband.

Vor diesem Hintergrund erlebten die Altertumswiss. im 19. Jh. einen beispiellosen Aufstieg [51; 52]. Unter der Führung von Theodor Mommsen, seit 1858 Ordentliches Mitglied und von 1874 bis 1895 Sekretär der A., entstanden die großen altertumswiss. Unternehmungen, die quellenkritische Grundlagenforsch. betrieben und die den internationalen Ruhm der dt. Altertumswiss. begründeten. Das gesamte Quellenmaterial der Ant. sollte gesammelt, geordnet und in großen Corpora publiziert werden. Wiss. Fortschritt, so lautete das methodische Credo, konnte nur durch umfassende Quelleneditionen erzielt werden. In seiner Antwort auf Harnacks Antrittsrede hatte Mommsen 1890 die Aufgabe der A. im Zeitalter des wiss. Positivismus neu definiert: ›Auch die Wiss. hat ihr sociales Problem: wie der Großstaat und die Großindustrie, so ist die Großwiss., die nicht von Einem geleistet, aber von Einem geleitet wird, ein nothwendiges Element unserer Kulturentwicklung, und deren rechte Träger sind die A. oder sollten es sein‹ (Sitzungsber. Berlin 1890, 792; Th. Mommsen, Reden und Aufsätze, 1905, 209). Hermann Diels, Nachfolger Mommsens als Sekretär der phil.-histor. Klasse, teilte diese Einschätzung. Er äußerte sich 1906 über *Die Organisation der Wiss.* (in: [32]). Harnack, der Mommsens führende Rolle in der A.-Politik nach 1895 übernahm, verfaßte 1911 seinen programmatischen Aufsatz *Vom Großbetrieb der Wiss.* (jetzt in: [49. 1009–1019]).

1815 wurde auf Initiative von August Böckh das *Corpus Inscriptionum Graecarum* gegründet (4 Bde., 1825–1859; 1877 Index) und 1817 die Aristoteles-Ausgabe durch Immanuel Bekker in Angriff genommen (4 Bde., 1827–1836; Index 1870), die seit 1874 durch die *Commentaria in Aristotelem Graeca* und das *Supplementum Aristotelicum* ergänzt wurde. 1854 bewilligte die Berliner A., nach jahrelangen Auseinandersetzungen, Mommsens Plan eines *Corpus Inscriptionum Latinarum*. Die einzelnen Faszikel erschienen seit 1863; inzwischen liegen 17 Bände mit rund 180 000 Inschr. sowie zahlreiche Supplemente vor. Aus den Arbeiten an den Indices zum lat. Inschriftenwerk entstand die *Prosopographia Imperii Romani saec. I.II.III.*, die Hermann Dessau, Elimar Klebs und Paul von Rohden 1897/98 herausgaben. Friedrich Imhoof-Blumer begann auf Mommsens Anregung 1888 mit der Sammlung der ant. Münzen Nordgriechenlands. Seit 1898 erscheinen in loser Folge einzelne Bände des Griech. Münzwerks. 1891 wurde das Corpus der Griech. Christl. Schriftsteller der ersten drei Jh., kurz »Kirchenväterausgabe« genannt, auf Initiative von Mommsen und Harnack gegründet; das interdisziplinäre Unternehmen, an dem Althistoriker, Klass. Philologen und Theologen mitwirkten, illustriert beispielhaft die epochemachende Annäherung von »Klass. Altertumswiss.« und Kirchengeschichte am Ende des 19. Jh. Nach 1945 wurde die Reihe auch für Texte aus späteren Jh. (bis zum 8. Jh.) geöffnet. Die Kommission, die die Kirchenväterausgabe betreute, war seit Ende 1901 ebenfalls für die *Prosopographia Imperii Romani saec. IV. V. VI* verantwortlich; das groß angelegte Unternehmen wollte ein grundlegendes personenkundliches Arbeitsinstrument für Profan- und Kirchenhistoriker sowie Theologen und Philologen erarbeiten, scheiterte aber letztlich an dem zu weit gesteckten Ziel, das sein Initiator, Mommsen, zu verantworten hatte. Nach vielen Rückschlägen wurden die Arbeiten 1933 eingestellt. 1897 begann man unter der Leitung von Adolf Erman mit dem *Altägypt. Wörterbuch*, das bis 1947 etwa 1,75 Millionen Belegstellen für altägypt. Wörter erschloß (13 Bde., 1926–1963). 1901 rief Hermann Diels in Zusammenarbeit mit Ludvig Heiberg das *Corpus Medicorum Graecorum* ins Leben. 1903 wurde unter der Ägide von Ulrich von Wilamowitz-Moellendorff ein neuer Plan für die *Inscriptiones Graecae*, das Anschlußunternehmen des *Corpus Inscriptionum Graecarum*, gefaßt; man forcierte die Kooperation mit anderen A., bes. der Wiener A., und realisierte eine geogr. Arbeitsteilung. Berlin beschränkte sich nunmehr auf das griech. Festland und die Inseln der Ägäis; bisher sind 45 Einzelbände (mit fast 50 000 Inschr.) erschienen. Darüber hinaus inaugurierte Theodor Mommsen das *Vocabularium iurisprudentiae Romanae*, einen vollständigen Wortindex zu den Digesten und den vorjustinianischen juristischen Quellen (5 Bde., 1903–1987), eine Frontoausgabe, die allerdings nicht vollendet wurde, und einen Index *rei militaris imperii*

Romani. Pläne für ein umfassendes Corpus ant. Kunstwerke sowie für ein *Corpus Papyrorum* kamen nicht zur Ausführung. Personellen und administrativen Einfluß übte die Preußische A. auf einige in Berlin ansässige nicht-akad. Unternehmungen und Institutionen aus, wie die Monumenta Germaniae Historica, das DAI mit seinen Zweigstellen in Rom, Athen, Kairo und Konstantinopel, die Reichslimeskommission mit Sitz in Heidelberg und die Röm.-German. Kommission in Frankfurt [52].

Auch die im dt. Sprachraum neu konstituierten A. (1846 die *Königlich Sächsische A. der Wiss.* in Leipzig [42], 1847 die *Kaiserliche A. der Wiss.* in Wien [33; 46], 1906 die A. in Straßburg und 1909 die Heidelberger A. [67]) führten altertumswiss. Forsch. durch und beteiligten sich an Gemeinschaftsunternehmungen. In Wien wurde 1864 die Kommission zur Herausgabe des Corpus der lat. Kirchenväter (CSEL) eingerichtet; 1890 folgte die Kleinasiatische Kommission, die u. a. für die Ausgrabungen in Ephesus verantwortlich zeichnet [16. 9ff.], und 1897 die Kommission für die Erforsch. des röm. Limes. Straßburg und Heidelberg intensivierten die Papyrusforsch. Nach 1918 übernahm die Heidelberger A. einen Teil der Aufgaben ihrer Straßburger Schwestereinrichtung, darunter insbes. die seit 1909 von Eduard Schwartz vorangetriebenen *Acta Conciliorum Oecumenicorum* [53. 41 ff.].

In zahlreichen europ. und überseeischen Nationen kam es im 19. Jh. ebenfalls zu A.-Gründungen, in denen sich die neu gewonnene oder erstrebte nationale Souveränität manifestieren sollte: in Polen (Krakau 1816), in Mexiko (1824), in Ungarn (1825), in Finnland (1838), in Belgien (1841/42), in Norwegen (1857), in Kroatien (1866), in Rumänien (1866), in Serbien (1866), in Bulgarien (1869) und in Japan (1879). Die neu eingerichteten A. beschäftigten sich in unterschiedlichem Maße mit altertumswiss. Forsch. und wurden zum Teil von den Unternehmungen der Preußischen A. und deren Organisation geprägt (vgl. hierzu die einzelnen Länderartikel). In den USA spielten die A. infolge der dezentralen wiss. Organisation und der herausragenden Bed. privater Institute eine geringere Rolle; erst 1919 schlossen sich die bedeutendsten geisteswiss. Gesellschaften im *American Council of Learned Societies* zusammen. Die Berliner A. übte ebenfalls auf die Arbeiten anderer, bereits bestehender A. – wie etwa der in St. Petersburg [61] – beachtlichen Einfluß aus. Hinzu traten zahlreiche personelle Verflechtungen der einzelnen A. untereinander, die durch ausführliche Korrespondenzen (ein schönes Beispiel: der Briefwechsel zw. Wilamowitz und M. I. Rostovzev [10]) und die Aufnahme ausländischer Gelehrter in den Kreis der Mitglieder verstärkt wurden (für die Altertumswiss. der Berliner A.: [35]).

Angesichts der immer aufwendigeren Vorhaben, die die organisatorischen und finanziellen Möglichkeiten einer einzelnen A. überstiegen, und der Notwendigkeit, Kollisionen bei der Verfolgung von Forschungsvorha-

ben zu vermeiden, wurde Ende des 19. Jh. die Möglichkeit eines »Kartells« der wiss. A. diskutiert. 1893 gründeten die A. von Göttingen (an deren Reorganisation Wilamowitz damals maßgeblichen Anteil hatte), Leipzig, München und Wien den *Verband der wiss. Körperschaften,* dem Berlin, das zuvor bereits bei einzelnen Gemeinschaftsunternehmungen mitgearbeitet hatte, und Heidelberg 1906 respektive 1911 beitraten. Auf Initiative des Kartells wurde 1899 die Internationale Assoziation der A. (IAA) ins Leben gerufen, die bis 1914 tätig war und 24 europ. und amerikanische A. vereinigte [23; 31]. Das Kartell betreute über 30 Vorhaben, darunter den *Thesaurus linguae Latinae,* der 1893 von den A. in Berlin, Göttingen, Leipzig, München und Wien in Angriff genommen wurde und an dem heute mehr als 20 A. aus drei Kontinenten arbeiten [41], und die von Rudolf Smend und Alfred Rahlfs 1907 begründete Septuaginta-Ausgabe, die heute in Göttingen beheimatet ist [58]. Weitere Vorhaben wurden durch Absprachen zw. einzelnen A. durchgeführt; so erschien seit 1893 mit Unterstützung der Preußischen und der Sächsischen A. der Wiss. das *Corpus Inscriptionum Etruscarum.* Das *Corpus Medicorum Graecorum* wurde durch die Berliner und Leipziger A. sowie durch die Königliche Gesellschaft der Wiss. zu Kopenhagen unterstützt.

Der durch staatliche Alimentation und private Stiftungen finanzierte »Großbetrieb der Wiss.« veränderte den Charakter der A. am Ende des 19. Jh., wie am Beispiel der Berliner A. gezeigt werden kann [52]. Sie war nicht länger eine Stätte des gelehrten Diskurses, sondern vielmehr die Institution, die die Voraussetzungen zur industrialisierten Großforsch. gewähren mußte. Die Altertumswiss. initiierten und exemplifizierten organisatorische Modernisierung, internationale Kooperation, variable Forschungsfinanzierung und methodische Differenzierung. Ihr innovatives Potential wirkte auf andere Fächer, und selbst die physikalisch-naturwiss. Klasse bediente sich dieses Modells. Doch die altertumswiss. Unternehmen verstärkten zugleich die Tendenz zur innerfachlichen Spezialisierung. Analog zu anderen Wissenschaftsbereichen wurde die Wiss. vom Alt. in verschiedene Sparten segmentiert und die Einheit der klass. Altertumswiss. für immer zerstört.

E. 20. JAHRHUNDERT

Die neueste A.-Geschichte spiegelt die Wechselfälle und Brüche des 20. Jh. Nationaler Chauvinismus und mil. Aggression, die in zwei Weltkriegen kulminierten, entzogen den Gelehrtenvereinigungen lebensnotwendige materielle, personelle und ideelle Ressourcen und unterbrachen die Internationalität der wiss. *res publica.* Das nationalsozialistische Unrechtsregime versuchte seit 1933 – mit durchaus wechselndem Erfolg – Einfluß auf die personelle Zusammensetzung, die wiss. Ausrichtung und die Organisation der dt. und nach 1938 auch der Wiener und Prager A. zu nehmen (erste Versuche einer Bilanz: [17; 43; 52a]). Unmittelbar nach E. des II. Weltkrieges wurde das dt. A.-System nach föderalen Prinzipien reorganisiert; die einzelnen A. haben sich bereits 1946 als Verbund in der *Konferenz der dt. A. der Wiss.* zusammengeschlossen [60]. Die Russ. A. war seit 1929 von Stalin auf kommunistischen Kurs gebracht und zur A. der Wiss. der UdSSR umgestaltet worden; ihr Präsidium tagte seit 1934 in Moskau; zw. 1961 und 1963 trug eine grundlegende Reorganisation der A. der zunehmenden Differenzierung der Wiss. und der quantitativen Expansion der Stellen und Institute Rechnung [34]. Die Spaltung Europas im Zuge des Kalten Krieges implizierte die Transformation der einstmals pluralistischen Gelehrtengesellschaften Osteuropas in ideologisch ausgerichtete und mit Instituten ausgestattete, personalintensive Forsch.-A., denen eine zentrale Rolle in der Wissenschaftsorganisation ihrer Länder zukam. Von diesem Prozeß war auch die ehemalige *Preußische A. der Wiss.* in Berlin betroffen, die 1946 als *Dt. A. der Wiss.* wiedereröffnet worden war und 1969 einer tiefgreifenden Reform unterzogen wurde ([48]; erste Ergebnisse zur Geschichte der altertumswiss. Institute bei [68]). Die polit. Veränderungen, die die Länder des ehemaligen Warschauer Paktes seit Mitte der 80er J. erschütterten, und die sich anschließende Desintegration der Sowjetunion und ihrer Satelliten hatten weitreichende Folgen auch für die Wissenschaftsorganisation. Eine Vielzahl von A. wurde in Osteuropa neu- respektive wiedergegründet: Nationale Souveränität dokumentiert sich auch in wiss. Autonomie. Der keineswegs reibungslos verlaufende Prozeß der Umstrukturierung und Neubegründung akad. Trad. ist noch nicht abgeschlossen; nach der Zerschlagung alter Strukturen beeinträchtigen vielerorts eine ungewisse Zukunft und materielle Not der Forsch. (vgl. etwa zu Rußland [47]). In der Bundesrepublik wurden nach der Wiedervereinigung die *Sächsische A. der Wiss.* weitergeführt, die *A. gemeinnütziger Wiss.* zu Erfurt restituiert und, nachdem die Institute der A. der Wiss. der ehemaligen DDR aufgelöst worden waren, die *Berlin-Brandenburgische A. der Wiss.* neu konstituiert (aufschlußreiche Momentaufnahme des Jahres 1989: [59]).

Die Spezialisierung innerhalb der Altertumswiss. schreitet im 20. Jh. weiter fort. Zu den bisher verfolgten Unternehmen treten eine Vielzahl neuer Vorhaben, die teils von einzelnen A., teils in nationaler oder internationaler Kooperation realisiert werden (vgl. zum folgenden die Publikationen der einzelnen A. in ihren Jahrbüchern bzw. Sitzungsberichten und im Internet). Zahlreiche A. sind durch Arch. Institute in den Zentren der ant. Mittelmeerkulturen vertreten (Madrid, Rom, Athen, Istanbul, Damaskus, Jerusalem, Kairo u. a.). Die 1901 auf Initiative der Londoner *Royal Society* gegründete *Internationale Assoziation*, der 18 A. beitraten, wurde 1919 durch die *Union Académique International* (mit Sitz in Brüssel) abgelöst. In dieser internationalen Vereinigung arbeiteten respektive arbeiten die A. am *Catalogue des Manuscrits alchimiques grecs et latins*, am *Corpus vasorum antiquorum*, an der *Tabula Imperii Romani* und dem *Corpus des timbres amphoriques*. Die deutschsprachigen A. geben gemeinsam das *Mittellateinische Wörterbuch* (zusammen mit dem *Novum Glossarium*) heraus; vergleichbare Projekte zur mittellat. Lexikographie gibt es an zahlreichen weiteren europ. A. Weitere große Gemeinschaftsvorhaben sind das *Corpus Signorum Imperii Romani*, die *Sylloge Nummorum Graecorum*, das *Lexicon Iconographicum Mythologiae Classicae*, ein *Corpus fontium historiae Byzantinae* und die *Année Philologique*. Die 1901 gegründete *British Academy* (vgl. Proceedings of the British Academy I. VII–IX) unterstützte textkritische Unt. zum griech. NT, zum *Corpus Platonicum medii aevi*, die *Prosopography of the Later Roman Empire* und das *Patristic Greek Lexicon*; heute werden u. a. eine *Prosopography of the Byzantine Empire*, das *Corpus Inscriptionum Iranicarum*, die *Oxyrhynchus Papyri* und die *Roman-British Writing Tablets* herausgegeben; des weiteren ist die *British Academy* mit den *British Schools and Institutes* und deren vielfältigen Forsch. verflochten. Auch die *Académie des Inscriptions et Belles Lettres* in Paris befaßte und befaßt sich mit zahlreichen philol., epigraphischen und arch. Vorhaben; erwähnt seien das *Corpus Inscriptionum Semiticarum* (seit 1867) und der *Répertoire d'épigraphie sémitique*, die frz. Gesamtausgabe der Werke von Bartolomeo Borghesi, die *Inscriptiones Graecae ad res Romanas pertinentes*, die *Inscriptions latines de la Gaule et de l'Afrique*, die *Inscriptions grecques et latines de la Syrie*, die *Inscriptions grecques chrétiennes d'Asie mineure*, die Inschr. von Delos, die *Carte archéologique de la Gaule*, der *Recueil général des mosaïques de la Gaule* und die gemeinsam mit der Yale University ausgeführten Grabungen in Dura-Europos; in ihren Händen liegt die Verwaltung der *Écoles françaises d'Athènes et de Rome* und der *École biblique et archéologique française de Jérusalem*. Die it. A. und die *Unione Accademia Nazionale* betreuen u. a. zahlreiche arch. Forschungsvorhaben, die Edition griech. und lat. Autoren, die *Inscriptiones Italicae* (mit den *Supplementa Italica* und den *Iscrizioni greche d'Italia*), das *Corpus dei Manoscritti Copti Letterari* und das *Corpus delle antichità fenicie e puniche*. Die süd- und osteurop. A., aber auch die A. der skandinavischen und Benelux-Staaten, haben sich v. a. durch die Erschließung und Auswertung arch. und epigraphischer Zeugnisse, durch die Herausgabe von Fachzeitschriften und -publikationen, durch Übers. ant. Autoren in die jeweiligen Landessprachen sowie durch die Mitarbeit an internationalen Gemeinschaftsvorhaben ausgezeichnet (vgl. auch die einzelnen Länderartikel).

Die Österreichische A. der Wiss. in Wien unterhält neben den für internationale Unternehmungen eingesetzten Kommissionen weitere für Byzantinistik, das Corpus der ant. Mosaiken Kleinasiens, myk. Forsch., Iranistik und ant. Rechtsgeschichte. Gemeinsam mit der Nordrhein-Westfälischen A. der Wiss. gibt sie die *Inschr. griech. Städte in Kleinasien* heraus. An der Berliner A. begannen nach dem II. Weltkrieg die Arbeiten an einem *Polybios-Lex.* und einer *Prosopographie der mittelbyz. Zeit.* Die A. der Wiss. in Göttingen widmet sich den byz. Rechtsquellen, der *Septuaginta-Edition*, einem *Lex. des frühgriech. Epos*, dem *Reallex. der german. Altertumskunde* und der Erforsch. des altchristl. Mönchtums. Die

Bayerische A. bearbeitet mit der Wiener A. das *Corpus griech. Urkunden des MA und der neueren Zeit* und befaßt sich in Kommissionen zur Zeit mit Keilschrifttexten und Vorderasiatischer Arch., der Erforsch. des spät-ant. Städtewesens und des spätröm. Raetiens, der Herausgabe einer zweiten Serie der *Acta Conciliorum Oecumenicorum*, der Namensforsch. und der Erstellung eines Index zu den Novellen Justinians. In Heidelberg gibt es Forschungsstellen für Archäometrie, eine epigraphische Datenbank, das *Lexicon Iconographicum Mythologiae Classicae*, die *Année Philologique*, Veröffentlichungen aus der Papyrus-Sammlung, die Antikensammlung und die Erforsch. der Vorgeschichte des Balkans. In der 1949 gegründeten *A. der Wiss. und der Literatur* in Mainz sind Kommissionen tätig, die Forsch. zur ant. Sklaverei, Fundmünzen der röm. Zeit in Deutschland, griech. Papyrusurkunden aus Ägypten, ein Augustinus-Lex., das Corpus der minoischen und myk. Siegel, Indices zur Lat. Lit. der Ren., koptische Textilien, Übers. und Komm. platonischer Werke, ein demotisches Namenbuch und Keilschrifttexte aus Boghazköi publizieren. Die 1950 eingerichtete Nordrhein-Westfälische A. der Wiss. mit Sitz in Düsseldorf hat eine kritische Athanasius-Ausgabe und die *Bibliographia patristica* finanziert, ist an der Herausgabe des *Reallex. für Ant. und Christentum* sowie des *Jb. für Ant. und Christentum* beteiligt und fördert die Edition der Werke Gregors von Nyssa sowie papyrologische Publikationen. Die A. zu Berlin, Düsseldorf, Göttingen, Heidelberg, Mainz und München unterhalten gemeinsam die Patristische Kommission.

Die forschungspolit. und organisatorische Bed. der A. für die mod. Altertumswiss. liegt zum einen in ihrem Auftrag, Orte des interdisziplinären Diskurses und der internationalen Kooperation zu sein, zum anderen in ihrer Verantwortung für die Verbreitung wiss. Erkenntnisse durch Publikationen (Sitzungsberichte, Jahrbücher, Abhandlungen, spezielle Schriftenreihen etc.), und schließlich in ihrer Funktion, langfristige Arbeitsvorhaben durchzuführen, die häufig quellenkritische Grundlagenforsch. betreiben. Im Gegensatz zu den Naturwiss. haben sich die Altertumswiss. in weit geringerem Maße außerhalb der A. und Univ. eigene Forschungseinrichtungen geschaffen (in Deutschland etwa waren und sind sie nicht in der Kaiser-Wilhelm-/Max-Planck-Gesellschaft vertreten). Die traditionell führende Rolle der Altertumswiss. in zahlreichen A. des 19. Jh., v. a. in der Preußischen A. der Wiss., ist inzwischen verloren. Die altertumswiss. Vorhaben sind nur noch ein zumeist bescheidener Teil des Gesamtprogrammes der A. und stehen häufig angesichts knapper finanzieller Ressourcen in der wiss. Öffentlichkeit unter erheblichem Legitimationszwang.

→ AWI Akademie; Iustinianus; Platon
→ Barock IV.

1 H. R. ABE, J. KIEFER, in: Mitteilungen der Akad. der gemeinnützigen Wiss. zu Erfurt 1, 1990, 17–32
2 E. AMBURGER et al. (Hrsg.), Wissenschaftspolitik in Mittel- und Osteuropa, 1976 3 M. BALTES, s. v. Academia, in: Augustinus-Lex. 1, 1986/94, 39–45 4 P. BAROCCHI, D. GALLO (Hrsg.), L'Accademia etrusca (Ausstellungskat.), 1985 5 B. BARRET-KRIEGEL, Les historiens et la monarchie III: Les Académies et l'histoire, 1988 6 M. BIRCHER, F. VAN INGEN (Hrsg.), Sprachges., Sozietäten, Dichtergruppen, 1978 7 H.-St. BRATHER, Leibniz und seine A. Ausgewählte Quellen zur Gesch. der Berliner Sozietät der Wiss., 1993 8 R. J. BRUNNER, J. HAHN (Hrsg.), Johann Andreas Schmeller und die Bayerische Akad. der Wiss., 1997 9 A. BUCK, Die human. A. in It., in: 29. 27–46 (= Ders., Studia humanitatis, 1981, 216–224) 10 W. M. CALDER III (Hrsg.), Further Letters of Ulrich von Wilamowitz-Moellendorff, 1994, 191–205 (zusammen mit A. K. GAVRILOV) 11 A. CAMARIANO-CIORAN, Les académies princières de Bucarest et de Jassy et leurs professeurs, 1974 12 H. CHANTRAINE, Das Bild der röm. Kaiserzeit in den Acta der Mannheimer A., in: K. CHRIST, E. GABBA (Hrsg.), L'Impero Romano fra storia generale e storia locale, 1991, 225–240 13 Ders., Archäologisches in den Acta der Mannheimer A., in: R. STUPPERICH (Hrsg.), Lebendige Ant., 1995, 107–112 14 E. W. COCHRANE, Trad. and Enlightenment in Tuscan Academies 1690–1800, 1961 15 A. DELLA TORRE, Storia dell'Accademia Platonica di Firenze, 1902 16 G. DOBESCH, G. REHRENBÖCK (Hrsg.), Hundert Jahre Kleinasiatische Kommission der Österreichischen Akad. der Wiss., 1993 17 Die Elite der Nation im Dritten Reich. Das Verhältnis von A. und ihrem wiss. Umfeld zum Nationalsozialismus, Acta Historica Leopoldina 22, 1995 18 P. FUCHS, Palatinus illustratus. Die histor. Forsch. an der Kurpfälzischen Akad. der Wiss., 1963 19 K. GARBER, H. WISMANN (Hrsg.), Europ. Sozietätsbewegung und demokratische Trad. Die europ. A. der Frühen Neuzeit zw. Frühren. und Spätaufklärung, 2 Bde., 1995 20 C. GRAU et al., Die Berliner Akad. der Wiss. in der Zeit des Imperialismus, 3 Bde., 1975/1979 21 Ders., Die Preußische Akad. der Wiss. zu Berlin, 1993 22 Ders., Berühmte Wiss.-A., 1988 23 Ders., Die Wiss.-A. in der dt. Ges.: Das Kartell von 1893 bis 1940, in: 17, 31–56 24 L. HAMMERMAYER, Gesch. der Bayerischen Akad. der Wiss. 1759–1807, 2 Bde., 1983 (Bd. 2 ²1983) 25 Ders., Freie Gelehrtenassoziation oder Staatsanstalt? Zur Gesch. der Bayerischen Akad. der Wiss. in der Zeit der Spätaufklärung und der Reform (1787–1807), in: Zschr. für Bayerische Landesgesch. 54, 1991, 159–202 26 J. HANKINS, The Myth of the Platonic Acad. of Florence, in: Ren. Quarterly 44, 1991, 429–475 27 A. HARNACK, Gesch. der Königlich Preußischen Akad. der Wiss., 3 Bde. in vier Teilen, 1900 28 W. HARTKOPF, G. WANGERMANN, Dokumente zur Gesch. der Berliner Akad. der Wiss. von 1700 bis 1990, 1991 29 F. HARTMANN, R. VIERHAUS (Hrsg.), Der A.-Gedanke im 17. und 18. Jh., 1977 30 K. TH. v. HEIGEL, Über den Bedeutungswandel der Worte A. und Akad., 1911 31 W. HIS, Zur Vorgesch. des dt. Kartells und der internationalen Association der A., 1902 32 P. HINNEBERG (Hrsg.), Die Kultur der Gegenwart, Teil 1, Abteilung 1, 1906, 591–650 33 O. HITTMAIR, H. HUNGER (Hrsg.), Akad. der Wiss. Entwicklung einer österreichischen Forschungsinstitution, 1997 34 W. KASACK, Die Akad. der Wiss. der UdSSR, ³1978 35 CHR. KIRSTEN (Hrsg.), Die Altertumswiss. an der Berliner Akad. Wahlvorschläge, 1985 36 P.-E. KNABE, Die Wortgesch. von A., in: Archiv für das Studium der neueren Sprachen und Lit. 214, 1977, 245–261 37 A. KRAUS, Die histor. Forsch. an der churbayerischen Akad. der Wiss. 1759–1806, 1959 38 Ders., Vernunft und

Gesch. Die Bed. der dt. A. für die Geschichtswiss. im späten
18. Jh., 1963 **39** P. O. KRISTELLER, Human. und Ren., 2
Bde., 1974/76 **40** Ders., The Platonic Acad. of Florence,
in: Ren. News 14, 1961, 147–159 **41** D. KRÖMER (Hrsg.),
»Wie die Blätter am Baum, so wechseln die Wörter«. 100 J.
Thesaurus linguae Latinae, 1995 **42** E. LEA, G. WIEMERS,
Planung und Entstehung der Sächsischen Akad. zu Leipzig
1704–1846. Zur Genesis einer gelehrten Ges., 1996
43 H. MATIS, Zw. Anpassung und Widerstand. Die Akad.
der Wiss. in den Jahren 1938–1945, 1997
44 M. MAYLENDER, Storia delle Accademie d'Italia, 5 Bde.,
1926–30 **45** J. E. MCCLELLAN, Science Reorganized.
Scientific Societies in the 18th Century, 1985
46 R. MEISTER, Gesch. der Akad. der Wiss. in Wien
1847–1947, 1947 **47** E. Z. MIRSKAYA, Russian Acad.
Science Today: Its Societal Standing and the Situation
within the Scientific Community, in: Social Stud. of
Science 25, 1995, 705–725 **48** P. NÖTZOLDT, Wolfgang
Steinitz und die Dt. Akad. der Wiss. zu Berlin. Zur polit.
Gesch. der Institution (1945–1968), Diss.
Humboldt-Universität Berlin 1998 **49** K. NOWAK (Hrsg.),
Adolf von Harnack als Zeitgenosse, 2 Bde., 1996 **50** K. F.
OTTO, Die Sprachges. des 17. Jh., 1972 **51** ST. REBENICH,
Theodor Mommsen und Adolf Harnack. Wiss. und Politik
im Berlin des ausgehenden 19. Jh., 1997 **52** Ders., Die
Altertumswiss. und die Kirchenväterkommission an der
Akad., in: J. KOCKA et al. (Hrsg.), Die Königlich Preußische
Akad. der Wiss. zu Berlin im Kaiserreich, 1999, 169–203
52a) Ders., Zw. Anpassung und Widerstand? Die Berliner
Akad. der Wiss. von 1933–1945, erscheint in: B. NÄF
(Hrsg.), Ant. und Altertumswiss. in der Zeit von Faschismus
und Nationalsozialismus **53** A. REHM, Eduard Schwartz'
wiss. Lebenswerk, 1942 **54** D. ROCHE, Le siècle des
lumières en province. Académies et académiciens
provinciaux 1680–1789, 2 Bde., 1978 **55** W. RÜEGG,
s. v. A., LMA 1, 248 f. **56** Ders., Human. Elitenbildung in
der Eidgenossenschaft zur Zeit der Ren., in: G. KAUFFMANN
(Hrsg.), Die Ren. im Blick der Nationen Europas, 1991,
95–133 **57** W. SCHEUERMANN, Marsilio Ficino oder die
Lehrjahre eines Platonikers, in: G. HARTUNG, W. P. KLEIN
(Hrsg.), Zw. Narretei und Weisheit, 1997, 158–178
58 R. SMEND, Der geistige Vater des Septuaginta-
Unternehmens, in: AAWG 190, 1990, 332–344 **59** I. STARK,
Der Runde Tisch der A. und die Reform der Akad. der
Wiss. der DDR nach der Herbstrevolution 1989, in: Gesch.
und Ges. 23, 1997, 423–445 **60** M. STOERMER, Zur Gesch.
der Konferenz der Akad. der Wiss. in der Bundesrepublik
Deutschland, in: Akad.-Journ. 1, 1997, 11–13
61 K. SVOBODA, Die klass. Altertumswiss. im
vorrevolutionären Rußland, in: Klio 37, 1959, 241–267
62 CHR. TREML, Human. Gemeinschaftsbildung.
Soziokulturelle Unt. zur Entstehung eines neuen
Gelehrtenstandes in der frühen Neuzeit, 1989 **63** J. VOSS,
Das MA im histor. Denken Frankreichs, 1972 **64** Ders., Die
A. als Organisationsträger der Wiss. im 18. Jh., in: HZ 44,
1980, 43–74 **65** Ders., A., gelehrte Ges. und wiss. Vereine in
Deutschland (1750–1850), in: E. FRANÇOIS (Hrsg.),
Sociabilité et société bourgeoise en France, Allemagne et en
Suisse, 1750–1850, 1986, 149–167 **66** Ders., A. und
Gelehrte Ges., in: H. REINALTER (Hrsg.), Aufklärungsges.,
1993, 19–38 **67** U. WENNEMUTH,
Wissenschaftsorganisation und Wissenschaftsförderung in
Baden. Die Heidelberger Akad. der Wiss. 1909–1949, 1994
68 M. WILLING, Althistor. Forsch. in der DDR. Eine

wissenschaftsgesch. Stud. zur Entwicklung der Disziplin
Alte Gesch. vom E. des II. Weltkrieges bis zur Gegenwart,
1991.   STEFAN REBENICH

II. MUSIKALISCH

Musikgeschichtlich bedeutsam wurden unter der
Bezeichnung A. v. a. Institutionen (Schulen, Gesell-
schaften) und ihre Veranstaltungen. Viele A. im Sinne
von Gesellschaften ergründeten oder imitierten die ant.
Musik (Alterati Florenz, spätes 16. Jh.; Académie de Po-
sie et Musique Paris, 1570), förderten oder betrieben
Musiktheater (Intronati Siena, 1531; Invaghiti Mantua,
1607; Académie Royale de Musique, Paris ab 1669;
Royal Academy of Music, London 1719–28; Arcadia
Rom, 1690) und veranstalteten Konzerte oder boten
Musik dar, insbes. auch alte (Academy of Vocal Music
London, 1726–31; Academy of Ancient Music London,
1710?/31–92; Sing-A. Berlin, ab 1791; Sing-A. Breslau,
ab 1825). Beschäftigte schon manche private A. professionelle Musiklehrer zur Ausbildung ihrer Mitglieder
(und wurde dadurch nicht selten zur Keimzelle eines
Konservatoriums), so waren andere A. von vornherein
als Musikschulen konzipiert (Filarmonica Verona, ab
1543; Floridi, später Filarmonica, Bologna, ab 1614/15;
Royal Academy of Music London, ab 1832; Santa Cecilia Rom, 1839; Dublin 1848; Zürich 1891; Wien 1908;
Glasgow 1929; Helsinki 1939; Basel 1948). Wie überhaupt die Sitzungen oder Veranstaltungen der sich »A.«
nennenden Gesellschaften können insbes. auch ihre
Konzerte metonymisch »A.« heißen, wobei schließlich
sogar keine A. mehr als Veranstalter fungieren muß. Ein
Bericht über das Wiener Musikleben von 1800 unterscheidet – offenbar nach dem Veranstaltungslokal –
»öffentliche« und »Privat-A.« und in beiden Sparten
»festgesetzte« und »zufällige« (die »zufälligen« Privat-A.
entwickeln sich im Laufe der Jahrzehnte zur sog. Salon-
musik fort). In einer weiteren Metonymie kann A. sogar
die für eine A.-Veranstaltung komponierten Werke
(Kantaten) bezeichnen (Pellegrini *Amor tiranno* 1616,
Pasquini 1687).

W. FROBENIUS, N. SCHWINDT-GROSS, TH. SICK (Hrsg.), A.
und Musik, 1993 (mit ausführlicher Bibliographie 317 ff.).
                WOLF FROBENIUS UND ANDREAS BARTH

Akustik s. Naturwissenschaften

Albanien A. RENAISSANCE UND HUMANISMUS
B. NACHWIRKUNGEN DER ANTIKE
C. ARCHÄOLOGIE

A. RENAISSANCE UND HUMANISMUS

Im MA war A. ein nur geogr. Begriff, zudem un-
scharf definiert. Im Norden wurde auch die heutige
montenegrinische Küste als venezianisches A. bezeichnet, während im Süden der Begriff Epirus auch auf das
heutige A. Anwendung fand. Im 15. Jh. stand das Land
in einem langwierigen Abwehrkampf gegen die türk.
Eroberung, so daß für die Entfaltung des → Humanis-

mus keine günstigen Voraussetzungen vorlagen. Durch die in mehreren Wellen erfolgten Fluchtbewegungen nach Westen nahmen aber auch gebürtige Albaner an der → Renaissance der Künste und Wiss. teil, und zwar vornehmlich in den Stadtrepubliken Ragusa (Dubrovnik) und Venedig. Im einzelnen sind zu nennen [7. 28]: Johannes Gasulius (Ginus Gaxulus, Gjon Gàzulli, 1400–1465), Michele Marullo (Mikel Maruli, 1453–1500), Leonicus Thomeus (Leonik Tomeu, 1456–1531), Marinus Becichemus Scodrensis (Marin Beçikemi, geb. 1468). Den ersten Rang nimmt fraglos Marinus Barletius (Marin Barleti, ca. 1440–1512) ein, weil seine lat. Werke über die Belagerung von Scùtari (Shkodra) und den Feldherrn Gjergj Kastrioti, genannt Skanderbeg (Skënderbeu, 1405–1468) europaweite Verbreitung und zahlreiche Übers. (it., frz., dt., polnisch u. a.) erlebten. Darin beschreibt der Autor zeitgenössische Ereignisse in einem an ant. Autoren geschulten Stil. Im ersten B. von [1] beschreibt er Shkodra als eine in »Macedonia« gelegene Stadt und erwähnt, daß im Alt. die Makedonier den Orient bis nach Indien erobert haben. In der Folge werden bei den Albanern bisweilen Alexander der Gr. (Leka i Madh) und Skanderbeg verwechselt, weil die arab.-türk. Form des Namens, Iskender, gleich lautet. Auch der angeblich illyrische zweigehörnte Helm Skanderbegs leistet dieser Kontamination Vorschub, indem er an den Zu'l Qarnayn des Koran (18. Sure, 83–98) erinnert, der traditionell als Alexander interpretiert wurde.

Als gebürtiger Albaner wird auch der international unter seinem russ. Namen bekannte Maksim Grek (Mihal Artioti, 1475–1556) erwähnt. Vornehmlich in Dalmatien arbeitete der Baumeister, Maler und Bildhauer Andrea Nikollë Aleksi aus Durrës (Andrija Alešija, 1425–1505). In den Rahmen der griech. Ren. gehört der Freskenmaler Onuphrios aus Elbasan (Onufri, 16. Jh.), der in Berat und Kastoria wirkte. Als Spätwirkung des Human. ist die Einbeziehung der 10 ant. Sibyllen unter die Propheten in dem zweisprachig it.-albanisch veröffentlichten katholisch-theologischen Werk *Die Heerschar der Propheten* zu werten. Der Autor Petrus Bogdanus (Pjetër Bogdani, ca. 1625–1689) wurde 1677 zum Erzbischof von Skopje (Makedonien) ernannt und starb in Prishtina (Kosovo).

B. NACHWIRKUNGEN DER ANTIKE

In der Volkskunde werden Elemente von Volkstrachten (z. B. »Glocken«-Rock bei Frauen, »Fustanella« der Männer) sowie einige Themen und Motive der Volksdichtung als Überbleibsel aus dem Alt. diskutiert. Das albanische Gewohnheitsrecht (*Kanun*) soll Elemente der indoeurop. Vorzeit bewahrt haben. In allen diesen Fällen ist keine abschließende Communis opinio erreicht, so daß Einschätzungen mit Vorsicht vorgenommen werden müssen. Im Bildungswesen spielte die Ant. keine dauerhafte Rolle, und im 20. Jh. reduzierte sich das Interesse der Albaner im wesentlichen auf die Abstammungsfrage. Im Bereich der katholischen Kirche gab es in Nord-A. auch Lateinunterricht (1859–1944),

und es kam zu vereinzelten Übers. aus dem Lat., die jedoch wegen des vorherrschenden Analphabetismus im Vorkriegs-A. kein breites Publikum erreichten. – Im 18. Jh. reichte der Einfluß des griech. Neu-Aristotelismus vorübergehend bis nach Süd-A. Die 1744 gegründete Akad. von Voskopoja (Moschopolis) unter Leitung von Theōdoros Kaballiōtēs stand in Austausch mit der Μαρούτσειος σχολή von Ἰωάννινα (Epirus); auf diesem Wege kam das Gedankengut von Eugenios Bulgarēs nach Süd-A. – Im gelehrten Schrifttum des 17. und 18. Jh. bezeichnete man die Kroaten als Illyrer, die Albaner als Epiroten oder als Makedonen. So nannte sich P. Bogdanus (1685) selbst »Macedo«, der Italo-Albaner Nicola Chetta (1742–1802) bezeichnete sein Volk als ›Macedoni‹ [7. 24]. Die Selbstbezeichnung *Albanoi* > *Arbër/Arbën* kann wegen des sonst in der Sprachentwicklung nicht belegten Wechsels *l* > *r* schwerlich ohne fremde Vermittlung bei den ma. Albanern heimisch geworden sein. Die ernsthafte Bemühung um die wiss. Erklärung der Herkunft der Albaner nahm ihren Ausgang bei Thunmann [36], der die Albaner den ant. Illyrern und die Rumänen (= Wlachen) den Thrakern zuordnete. Diese noch h. vorherrschende Auffassung wurde jedoch zu Beginn des 19. Jh. von verschiedenen Seiten in Frage gestellt. Adelung sah in den Albanern Reste der nicht-slawisierten Protobulgaren und brachte sie mit den iranischen Ἀλανοί bzw. dem kaukasischen *Albania* in Zusammenhang [5. 793]. Die Alternative lautete also Einwanderung versus Autochthonie, und seit Xylander (1835) hat sich in der Sprachwiss. die Auffassung von der albanischen Sprache als Fortsetzerin einer paläobalkanischen durchgesetzt [15. 199–201]. Die für die Ideologiegeschichte folgenreichste Sackgasse war jedoch von Hahns These vom pelasgischen Charakter des Albanischen, aus der sich ergibt, daß die Vorfahren der Albaner vor den Griechen auf der Balkanhalbinsel gesiedelt hätten [14. 211–254; 301–309]. Die Aussage, daß die *Pelasger* (Πελασγοί) ›die ersten Culturträger Europa's sind‹ [14. 245], beflügelt das albanische Nationalbewußtsein bis h., obwohl die Sprachwiss. von Hahns Theorie nie ernsthaft verfolgt hat. Dieser legte fest: ›Epiroten, Makedonier und Illyrier sind Stammverwandte. (...) Illyrisch = pelasgisch im weiteren Sinne‹ [14. 215]. Den albanischen Stammesnamen der *Tosken* stellte von Hahn zu dem der ant. *Tusci* und folgerte: ›Wir halten uns demnach für berechtigt, nicht nur die Epiroten, sondern auch die Makedonier als tyrrhenische Pelasger zu fassen, und in ihnen den über die ganze nördl. Breite der Halbinsel verbreiteten Kern eines großen Volksganzen zu erblicken, welcher die tyrrhenischen Pelasger in Thracien und in It. verbindet‹ [14. 233]. Diese Theorie nahm Camarda (1864) auf und sprach vom ›thrakisch-pelasgischen bzw. griech.-lat. Stamm‹ (›ceppo traco-pelasgico, o greco-latino‹) [8. 5], zu dem das Albanische zu zählen sei, wobei das Albanische dem Griech. näher stehe als dem Latein. Hier finden wir auch die fatale Auffassung anon. referiert, nach der das Albanische ›nichts weniger als ein – wenn

auch ziemlich entstellter – Dial. der griech. Grundsprache‹ sei (›poco meno che un dialetto, comunque
assai disforme, del linguaggio fondamentale greco‹)
[8. 7]. Die Theorie – aber mit antigriech. Tendenz –
erfuhr eine Wendung ins Polit. durch die Schriften von
Pashko Vasa (1879) und Sami Frashëri (1899). Für die
seit dem 18. Jh. mehrheitlich zum Islam konvertierten
Albaner stellte die Theorie von der pelasgischen = indoeurop. Abstammung eine ideologische Rechtfertigung ihrer Bestrebungen nach zunächst Verwaltungsauto-
tonomie und schließlich staatlicher Unabhängigkeit
vom Osmanischen Reich dar. ›Die Pelasger, abstam-
mend von jenem Pelasgus I.(Πελασγός), waren aber
zweifellos die ersten, und sie hatten im Vergleich zu den
später gekommenen den Charakter der Autochthonen‹
[37. 5f.]. P. Vasa erklärt die wichtigsten Namen des
griech. Götterhimmels aus albanischer Etym. [37. 16–
19]. S. Frashëri folgt solchen Übertreibungen und leitet
daraus als praktische Schlußfolgerung die Forderung
nach Pflege der albanischen Sprache ab. ›Wir sind die
älteste Nation Europas und die edelste und heldenhaf-
teste; wir sprechen die älteste und beste Sprache der
arischen Rasse‹ [16. 369]. Nach dem II. Weltkrieg verschwand die Pelasgertheorie aus der Forsch.; um so
mehr aber wurde die illyrische Abstammung nunmehr
zum Vehikel polit. Apologetik, indem sie dazu diente,
Gebietsansprüche der geogr. Nachbarn zurückzuweisen. Bes. im Kosovo wurde an den Namen der illyrischen Dardaner angeknüpft und die Siedlungskontinuität seit der Ant. postuliert. Nach einem schon von von
Hahn und Camarda praktizierten Verfahren wurde der
Name *Dardania* etym. aus albanisch *dardhë-a* (›Birne‹)
erklärt. Eine späte lit. Wiederaufnahme der Pelasgertheorie unternahm der int. bekannte Autor Ismail Kadare, indem er die albanische Volksepik als aus vor-
homerischer Zeit stammend deklarierte. Damit trat er
der in der Wiss. vorherrschenden Auffassung von einer
rezenten Übernahme aus dem serbisch-bosnischen Lie-
derzyklus entgegen.

C. ARCHÄOLOGIE

Während der Türkenherrschaft (bis 1912) wurden in
A. und im Kosovo die arch. Fundstellen zunächst nicht
systematisch erforscht, sondern in Reiseberichten nur
erwähnt, wobei griech.-röm. Altertümer im Mittelpunkt des Interesses standen. Ausgegraben wurde nur
ausnahmsweise, z.B. 1899–1900 durch P. Traeger in
Koman. Ein früher auf Feldforsch. beruhender Expedi-
tionsbericht ist derjenige von C. Patsch [26]. Auf albanischer Seite lag die Arch. in den Händen gebildeter
Laien und Amateure wie Sh. Gjeçov [23. 61–73]. Während der Besatzung im I. Weltkrieg wurden von B. Árpád, C. Praschniker und A. Schober Grabungen im
Norden des Landes durchgeführt [28. 6–9, 17]. Nach
dem I. Weltkrieg führten C. Praschniker und L. Ugolini
Ausgrabungen in Apollonia (Ἀπολλωνία) und Butrint
(Βουθρωτόν) durch. Erst seit der Gründung des Arch.-
Ethnographischen Mus. in Tirana (1948) erhielt die
Arch. in A. einen institutionellen Rahmen [12. 37]. Das

an Exponaten reichste arch. Mus. ist dasjenige in Durrës.
1976 wurde das Zentrum für Arch. Stud. bei der Albanischen Akad. der Wiss. gegründet. 1971–1990 erschien
die Zeitschrift *Iliria*, in der die Ergebnisse der Altertumsforsch. veröffentlicht wurden, während die Zeitschrift
Monumentet im selben Zeitraum der Mediävistik und der
Denkmalpflege gewidmet war. Die Ausgrabungen erstrecken sich auf die Vor- und Frühgeschichte, das Alt.
und das MA.

1. VOR- UND FRÜHGESCHICHTE

Die Forsch. konzentrierten sich auf das Becken von
Korça (Maliq, Dunavec, Tren) im Südosten und das Tal
von Mat in Mittel-A. Es wurden neolithische bzw.
bronzezeitliche Pfahldörfer und Wohnhöhlen entdeckt
und Grabtumuli freigelegt. Früheisenzeitliche Zeichnungen mit Jagdszenen wurden am Fundort Spileja
(Tren) beschrieben [33. 26–29; 11. 28]. Aus den prähistor., bronze- und eisenzeitlichen Funden schließt die
albanische Arch. auf eine Siedlungskontinuität bis zur
Gegenwart. ›Als wichtigste Schlußfolgerung, die sich
aus den reichen Funden der Bronzezeit ergibt (...), läßt
sich feststellen, daß die verschiedenen Kulturschichten
mit ihren Inhalten aus der frühen, mittleren und späten
Bronzezeit die ununterbrochene Kontinuität der Kultur
während dieses Zeitraums und damit einer autochthonen Entwicklung bestätigen. Die breite ethnische Gemeinschaft, die sich zu Ende des 2. Jt. v. Chr. mit gemeinsamen wirtschaftlichen, kulturellen, rel. und
sprachlichen Merkmalen herausgebildet hat, bezeichnen wir als Urillyrer‹ (M. Korkuti in: [11. 22]).

2. ILLYRER

Da es für die illyrische Kultur keine schriftliche
Überlieferung gibt, muß die Arch. die ganze Last histor.
Beweisführung tragen. Scodra (Shkodra), Pelion
(Πήλιον in Dassaretien, Selca) [11. 56f.], Amantia (Pllo-
ça), Antigoneia [11. 59–61] und Byllis (Βυλλίς, Hekal
bei Ballsh) [11. 72–79] gelten als wichtige illyrische befestigte Wohnsiedlungen. Das bei Ptolemaios erwähnte
Albanopolis (Ἀλβανόπολισ) glaubt man in Zgërdhesh
bei Kruja in Mittel-A. gefunden zu haben. Koch
[21. 136, 151] hält hingegen das südl. von Tirana gelegene Persqop für Albanopolis und erklärt Zgërdhesh für
eine aus der Ant. namentlich nicht bekannte Siedlung.
Neben Dyrrhachion und Apollonia prägten die größeren illyrischen Städte (Stammesverbände, Königreiche)
eigene (Bronze-)Münzen mit griech. Legende. Die Existenz mancher illyrischer Städte läßt sich nur durch
Münzfunde mit entsprechender Aufschrift belegen. Im
Lande gefundene Silber- oder Goldmünzen stammen
gewöhnlich aus Athen, Epirus (Pyrrhos) oder Makedonien [11. 260–276].

3. KOLONIALSTÄDTE

Durrës (Dyrrhachion/Epidamnos), Apollonia und
Butrint sind die wichtigsten Pflanzstädte der Griechen
an der albanischen Küste, die h. die sichtbarsten und am
leichtesten zugänglichen Ruinen beherbergen. Die Altstadt von Durrës ist z. T. auf die Überreste des ant. Amphitheaters gebaut worden, so daß dieses bisher nur teil-

weise freigelegt werden konnte. Butrint besitzt ein ant. Löwentor, ein Theater, Reste frühchristl. Sakralbauten sowie venezianische Befestigungsanlagen aus dem MA. Das benachbarte ant. Phoinike (Finiq) war Hauptort der epirotischen Chaonier. Unter Berufung auf Stephanos von Byzantion geht die albanische Arch. davon aus, daß die griech. Kolonien generell an der Stelle bereits existierender illyrischer Siedlungen gegr. wurden und eine Mischbevölkerung aufwiesen (N. Ceka [11. 39 f.]). Die Stadtverfassung wäre damit das eigentlich griech. Moment gewesen, nicht die ethnische Bevölkerungszusammensetzung. Dahingehend werden auch Grabinschr. bis hin in die röm. Zeit gedeutet, auf denen die Eigennamen illyrische Elemente beinhalten [9].

4. Mittelalter

Die mediävistische Arch. begann mit Ausgrabungen von Gräberfeldern, erschließt jetzt aber v. a. die während der türk. Eroberung zerstörten und seither aufgelassenen Wehrsiedlungen und Burgen, z. B. Pogradec, Berat, Kanina (bei Vlora) und Butrint. Sie arbeitet Hand in Hand mit der Denkmalpflege, die die Erhaltung und Rekonstruktion ma. und neuzeitlicher Gebäude bis hin zu städtebaulichen Ensembles zum Ziel hat (z. B. die »Museumsstädte« Berat und Gjirokastra). Beim Eingang zur Burg von Kruja wurde 1982 ein von den Architekten Pr. Hoxha und P. Vaso geplantes Mus. in Form einer ma. Burg errichtet [28. 732 f.; 11. 157] — eine der zweifelhaftesten Errungenschaften der albanischen Denkmalpflege.

5. Kosovo

Die alte Dardania weist zahlreiche prähistor. und ant. Fundstätten auf, die erst ab 1954 systematisch erschlossen wurden [24. 267]. Die Ruinen der Stadt Ulpiana (Οὐλπιανόν, Iustiniana Secunda, Lipljan bei Gračanica) wurden 1954–56 teilweise freigelegt. Zu den wichtigsten Ausgrabungsstätten zählt ein »Die Spinnerei« (*predionica – tjerrtorja*) genannter prähistor. Fundort bei Prišthina. 1971 begannen die Arbeiten im prähistor. Gräberfeld von Romaja im Nordwesten von Prishtina. Bereits im Alt. muß das Land reich an Erzminen gewesen sein; als ma. Bergbauort wurde 1955 Novo Brdo untersucht. 1975–76 erforschte man intensiv die ma. Verhältnisse im Rahmen der Arbeiten am *Histor. Atlas des MA*.

→ AWI Alexandros [4] der Gr.; Epeiros; Pelasger

QU **1** M. Barletius, De obsidione Scodrensi, Venedig 1504, albanische Übers. von H. Lacaj, Rrethimi i Shkodrës, Tirana ³1982. **2** Ders., Historia de vita et gestis Scanderbegi Epirotarum principis, Rom ca. 1508, albanische Übers. von St. I. Prifti: Historia e jetës dhe e vepravet të Skënderbeut, Tirana ²1967 **3** P. Bogdanus, Cvnevs prophetarvm de Christo salvatore mvndi, et eius evangelica veritate, italice e epirotice contexta, Padua 1685 (Ndr. 1977) **4** C. H. Th. Reinhold, Noctes Pelasgicae vel symbolae ad cognoscendas dialectos Graeciae Pelasgicae, Athen 1855

LIT **5** J. Ch. Adelung, Mithridates oder allg. Sprachkunde mit dem Vater Unser als Sprachprobe in beynahe fünfhundert Sprachen und Mundarten, 2. Theil, Berlin 1809 **6** B. Árpád, Régészeti kutatás Albániában, Kolozsvár (Klausenburg) 1918 **7** M. Camaj, Der Beitrag der Albaner zur europ. Kultur, in: Balkan-Archiv, N. F., 9, 1984, 23–30 **8** D. Camarda, Saggio di grammatologia comparata sulla lingua Albanese, Livorno 1864 **9** N. Ceka, Mbishkrimet byline, in: Iliria 1987/2, 49–115 **10** F. Drini, Bibliographie de l'archéologie et de l'histoire ancienne d'Albanie. 1972–1983, Tirana 1985 **11** A. Eggebrecht (Hrsg.), A. Schätze aus dem Land der Skipetaren, Ausstellungs-Kat., 1988 **12** Fjalor enciklopedik shqiptar, Tirana 1985 **13** R. Galović, Predionica, Neolitsko naselje kod Priština. Priština 1959 **14** J. G. v. Hahn, Albanesische Stud., Jena 1854 (Ndr. Athen 1981) **15** A. Hetzer, Zur Gesch. der deutschsprachigen Albanologie, in: Balkan-Archiv. N. F., 10, 1985, 181–217 **16** Ders., Ges. Modernisierung und Sprachreform, in: Balkan-Archiv, N. F., 17/18, 1992/93, 255–416 **17** Iliri i albanci, Belgrad 1988 **18** B. Jubani, Bibl. de l'archéologie et de l'histoire antique de l'Albanie, 1945–1971, Tirana 1972 **19** I. Kadare, Autobiographie des Volkes in seinen Versen, Tirana 1988 (Albanisches Original Tirana 1980) **20** Ders., Dosja H, Tirana 1990 **21** G. Koch, A. Kunst und Kultur im Lande der Skipetaren, 1989 **22** I. Martinianos, Hē Moschopolis 1330–1930, Thessalonikē 1957 **23** R. Mata, Shtjefën Gjeçovi. Jeta dhe vepra, Tirana 1982 **24** Z. Mirdita, s. v. Arkeologjia, Kosova, in: KSA, Enciklopedia e Jugoslavišë, Bd. 1, Zagreb 1984 **25** Ders., Studime dardane, Prishtina 1979 **26** C. Patsch, Das Sandschak Berat in A., 1904 **27** C. Praschniker, A. Schober, Arch. Forsch. in A. und Montenegro, 1919 **28** Fr. Prendi, Kërkimet arkeologjike në fushën e arkelturës pre dhe protohistorike ilire në Shqipëri, in: Iliria 1988/1, 5–33 **29** M. Prenushi, Kontribut shqiptar në Rilindjen evropiane, Tirana 1981 **30** E. Riza, Qyteti-muze i Gjirokastrës, Tirana 1981 **31** I. Rugova, Vepra e Bogdanit 1675–1685, Cuneus Prophetarum, Prishtina 1982 **32** Sami Bey Frashëri (Şemsettin Sami), Was war A., was ist es, was wird es werden? Gedanken und Betrachtungen über die unser geheiligtes Vaterland A. bedrohenden Gefahren und deren Abwendung, 1913 (Albanisches Original Bukarest 1899, Ndr. Prishtina 1978 = Werke, Vepra, Bd. 2) **33** Shqipëria arkeologjike, Tirana 1971 **34** Studime ilire, Prishtina, 2 Bde., 1978 **35** P. Thomo, Banesa fshatare e Shqipërisë Veriore, Tirana 1981 **36** J. Thunmann, Unt. über die Gesch. der östl. europ. Völker, I. Theil, Leipzig 1774 (Teil-Ndr. der Seiten 169–366: Über die Gesch. und Sprache der Albaner und Wlachen, 1976) **37** Wassa Effendi (Pashko Vasa), A. und die Albanesen. Eine histor.-kritische Stud., Berlin 1879 **38** J. v. Xylander, Die Sprache der Albanesen oder Schkipetaren, Frankfurt/M. 1835.

ARMIN HETZER

Alchemie s. Naturwissenschaften

Alesia s. Schlachtorte

Alexandria I. Geschichte II. Geschichte
der Ausgrabungen und Funde

I. Geschichte
A. Spätantike
B. Arabische Herrschaft (642–1172)
C. Bis zur Osmanischen Eroberung
D. Das moderne Alexandria

A. Spätantike

Der Übergang von der paganen griech.-röm. Zeit
zur christl. Spät-Ant. war in A., wie in anderen Städten
des Imperium Romanum auch, von Gewalttätigkeiten
begleitet: Ein einschneidendes Ereignis war die Zerstörung des Serapeions 391 n.Chr. und der daran angeschlossenen Bibl. Auf den Ruinen des Serapeions
wurde eine Kirche erbaut; an der Stelle des Kaisareions
errichtete man die »Große Kirche«. Das christl. A. hatte
durch die Führungsrolle in der Kirche und dank der
Katechetenschule unter der Leitung von angesehenen
Lehrern wie Clemens und Origenes oder den Patriarchen Petros I. und Athanasios schon früh eine gewisse
Bed. erlangt. Doch existierte auch die hell.-pagane Bil-
dungstrad. weiter und konnte sich der ›Weisheit der
Hypatia‹ (Synes. epist. 136) rühmen. Noch im 6. Jh.
n.Chr. floh der Neuplatonist Damaskios aus Athen,
nachdem auf Befehl von Justinian 529 n.Chr. die Akademie geschlossen worden war, und ließ sich möglicherweise in A. nieder (Agathias 2,30).

In wirtschaftlicher Hinsicht blieb A. wichtiges Ge-
werbezentrum mit der Produktion von Glas, Stoffen,
Papyrus und Wein, wenn auch in minderer Qualität als
früher. Außerdem diente es nach wie vor als Umschlag-
platz für den Handel zw. dem Indischen Ozean und
dem Mittelmeer. Nachdem die *annona* von 330 n.Chr.
an nicht mehr nach Rom, sondern nach Konstantinopel
geliefert wurde, wurde der Seeweg von A. an den Bosporus zur wichtigsten Verkehrsverbindung. Noch im
5. Jh. n.Chr. schrieb Hieronymus, daß Rom von A. mit
seinen Schätzen bereichert würde (epist. 91).

B. Arabische Herrschaft (642–1172)

Im J. 642 besetzte der arab. Heerführer ʿAmr b. al-ʿAs
A., aber nur drei J. später eroberten die Byzantiner die
Stadt zurück, so daß ʿAmr sie 645 erstürmen mußte.
Diese Ereignisse hatten Zerstörungen in größerem Ausmaß zur Folge. Der Verlust eines Großteils der byz.-
griech. Bevölkerung und führender Bürger sowie die
Einrichtung von Fustat als neue Hauptstadt durch die
Araber wirkten sich negativ auf A. weitere Entwicklung
aus (Johannes von Nikiu 117,2–3; Al-Baladhuri 214;
ʿAbd-al-Hakam 72). Trotzdem behielt A. eine gewisse
wirtschaftliche Bed., da der Leuchtturm und die Hafenanlagen nach wie vor in gutem Zustand waren, so daß
A. weiterhin der wichtigste Hafen Ägyptens war. Auch
wenn die Handelsbeziehungen mit Europa und Konstantinopel nur in beschränktem Umfang weiterliefen,
wurden sie mit anderen Teilen der islamischen Welt und
mit Indien aufrechterhalten. Schiffbau und Textilher-

stellung blieben in A. konzentriert, wohingegen die
Produktion von Glas und Papyrus, bedingt durch die
veränderten Umstände, allmählich zurückging.

Um 800 stellt der Aufstieg Venedigs als führende
Handelsmacht im Mittelmeerraum ein Zeichen für die
Intensivierung der Handelsbeziehungen mit Europa
dar, indem venezianische Schiffe Handel trieben zw. It.,
Konstantinopel, Ägypten und Syrien. In der Folge dieser Wiederbelebung des Mittelmeerhandels ließ der unabhängige Sultan Ibn Tulun in der zweiten H. des 9. Jh.
die Stadtbefestigung und den Leuchtturm restaurieren,
nachdem das oberste Stockwerk bei einem früheren
Erdbeben im J. 796 hinabgestürzt war. Diese Verbesserungen ermöglichten es A., seine Rolle als Umschlags-
platz für den Handel zw. dem Indischen Ozean und
dem Mittelmeer wieder in größerem Umfang wahrnehmen zu können (Al-Masʿudi, al-Tanbih 19). Während der folgenden zwei Jh. unter der fatimidischen
Dynastie (969–1172) wurde A. nicht nur zur Basis für
deren starke Flotte, sondern auch zum zentralen Anlaufort für Handelsschiffe, die von Andalusien, Nordafrika,
Amalfi, Genua, Venedig und Syrien quer übers Mittelmeer fuhren. Vereinigungen von Ausländern mit ihren eigenen Handelsniederlassungen und Kontoren
(*funduq*) waren in A. weitverbreitet.

Während der gesamten Zeit der arab. Herrschaft
(642–1172) veränderten sich Bevölkerung und Kultur
allmählich. Zunächst konnte sich der griech. Charakter
von A. erhalten, da sich die arab. Garnison primär auf ihr
eigenes Quartier beschränkte und Griech. nach wie vor
die offizielle Verwaltungssprache des Landes für fast ein
Jh. geblieben ist. Griech. sprechen zu können, war noch
immer von einer gewissen Bed.: Aus dem 8. Jh. wird
überliefert, daß ein Omajjadenprinz ›einer Gruppe von
Philosophen in Ägypten befohlen hat, medizinische
Bücher aus dem Griech. und Koptischen ins Arab. zu
übersetzen‹ (Ibn al-Nadim 338–339). Ebenso ist bezeugt, daß im 9. Jh. Hunain b. Ishaq, der berühmte ab-
basidische Übersetzer, ›nach A. ging, um Griech. zu
lernen‹ (Ibn Abi Usaibiʿa 1,189).

Mit zunehmender Arabisierung ließen sich mehr
Araber in der Stadt nieder, v. a. Soldaten oder Händler.
Dies wirkte sich auch auf das »top. Gesicht« A. aus, wo-
bei die Moscheen und Handelsniederlassungen (Kara-
wansereien oder *funduq* genannt) am bedeutendsten
waren, aber es gab auch luxuriöse Häuser und theolo-
gische Schulen (Ibn Ǧubair 39; Al-Maqqari 3,60–61).
Hervorzuheben ist zudem, daß unter der shiʿitischen
Fatimiden-Dynastie zwei sunnitische Schulen in A. ihre
Blütezeit erlebten.

C. Bis zur Osmanischen Eroberung

Nach dem Sturz der Fatimiden begründete Saladin in
Kairo eine neue sunnitische Dynastie, die Ajjubiden
(1172–1250). Aufgrund seiner persönlichen Kriegser-
fahrung beschloß er, A. zu befestigen und die Flotte zu
verstärken. Während eines Besuchs in der Stadt ordnete
er an, eine neue Schule einzurichten, an der sowohl
weltliche als auch theologische Fächer unterrichtet wer-

den sollten. Die Schule wurde mit Unterkünften für die Studenten, die von weit her kamen, sowie mit Bädern und einem Hospital ausgestattet (Ibn Ǧubair 42; Abu Schama, Akhbar al-Dawlatain 1,269). Trotz ständiger Auseinandersetzungen mit den Kreuzrittern in Palästina hielt Saladin an den freundschaftlichen Handelsbeziehungen seiner Vorgänger mit den it. Stadtrepubliken und anderen Europäern fest, eine Politik, die sich sehr zum Wohl A. auswirkte. Der span. Reisende Benjamin de Tudela (1166–1173) sah in der Stadt Vereinigungen und Vertreter von fast jedem europ. Land ebenso wie von muslimischen und anderen oriental. Völkern bis nach Indien, und jede Nation hatte ihren eigenen *funduq* (De Herreros, Quatre Voyageurs 29,3; Ibn Ǧubair 39–40).

In dieser Zeit verbreitete sich bei arab. Autoren – nach fünf Jh. des Stillschweigens – eine Erzählung über das Schicksal der alexandrinischen Bibliothek Demnach (anfangs des 13. Jh. von Ibn al-Qifti, p. 354 erzählt) soll der arab. Heerführer ʿAmr b. al-ʿAs die Bibl. zerstört haben, indem er die Bücher als Heizmaterial für die Bäder in A. habe verbrennen lassen. Der Wahrheitsgehalt dieser Erzählung wurde in der Neuzeit schon seit dem 17. Jh. angezweifelt. Die h. anerkannte Interpretation dazu geht von der Annahme aus, daß die Erzählung eine Erfindung aus dem 12. Jh. ist, um den Verkauf der großen fatimidischen Bibl. von Kairo und derjenigen von ʿAmid am oberen Tigris durch Saladin zu rechtfertigen, als dieser dringend Geld brauchte, um die Fortsetzung der Feldzüge gegen die Kreuzritter finanzieren zu können (Al-Maqrizi, Khitat 2,255; Abu Schama 1,200). Um das Vorgehen Saladins zu rechtfertigen, hatte es Ibn al-Qifti, einer seiner treuesten Anhänger, offenbar für angebracht gehalten, die phantastische Erzählung von der Entweihung der Bücher durch ʿAmr in sein Werk einzufügen. Heute herrscht allg. die Meinung vor, daß die ant. königliche Bibl. unbeabsichtigterweise im alexandrinischen Krieg Caesars 48 v.Chr. verbrannte, während die Schwesterbibl. des Serapeions, wie oben erwähnt, 391 n.Chr. zerstört wurde. Die Bibl. existierten also längst nicht mehr, als ʿAmr A. einnahm.

Unter der folgenden Herrschaft der Mameluken (1250–1517) konnte sich in A. noch ein relativ hoher materieller Wohlstand halten. Der wirtschaftliche Aufschwung in verschiedenen Teilen Europas hatte zu einer vermehrten Nachfrage nach oriental. Gütern geführt. Dementsprechend wurde auch mehr Kapital in den internationalen Ost-West-Handel investiert, in welchem Ägypten als Drehscheibe zw. Rotem Meer und Mittelmeer eine zentrale Rolle spielte. Die Waren flossen reichlich nach A., von wo sie praktisch in jeden Mittelmeerhafen weiterbefördert wurden. Jüngere arch. Funde zeigen, daß A. Teil eines weit verzweigten internationalen Handelsnetzes war, das sich über das ganze Mittelmeer spannte und bis nach Fernost, Indien und China reichte.

1303 zerstörte ein Erdbeben den ant. Leuchtturm bzw. was davon noch erhalten geblieben war. Versuche, ihn wieder aufzurichten, blieben erfolglos, und so wurde ein neuer Leuchtturm gegenüber am Ende des Kaps Lochias (h. Silsila) gebaut (Ibn Battuta 10). An der alten Stelle ließ Sultan Qait Bey eine Festung unter Verwendung von Teilen des ant. Leuchtturms errichten (1480), um die Einfahrt in den östl. Hafen zu schützen. Nur wenig später lenkte die Entdeckung des Kaps der Guten Hoffnung im J. 1497 den Seehandel nach Indien auf die Route um Afrika herum. Diese Verlagerung stellte einen gravierenden Einschnitt in der Bed. A. als Handelsmetropole dar. Auch die osmanische Eroberung Ägyptens im J. 1517 konnte den entstandenen Schaden nicht mehr ausgleichen und den Niedergang der Stadt aufhalten. Zahlreiche Einwohner zogen nach Rosette, v.a. nachdem der Süßwasserkanal, der A. mit dem Nil verband, verschlammt war. Als 1798 die Angehörigen der frz. Expedition in die weitgehend verödete Stadt kamen, schätzten sie ihre Bevölkerung noch auf 8000 Einwohner; nachdem sie wieder abgezogen waren, war die Zahl auf 7000 Bewohner zurückgegangen (G. Le Père, Description de l'Égypte, 18).

D. Das moderne Alexandria

Durch den Abzug der Franzosen war ein Machtvakuum entstanden, was bald darauf eine Auseinandersetzung zw. osmanischen, britischen und mamelukischen Truppen zur Folge hatte. Allerdings führte ein ägypt. Volksaufstand dazu, daß der Konflikt zugunsten von Mohammad ʿAli, einem Offizier albanischer Abstammung in der osmanischen Armee, ausging; 1805 ernannte der Sultan ihn zum Vizekönig von Ägypten. 1807 besetzten britische Truppen A., wurden aber bei Rosette geschlagen und gezwungen, A. am 20. September 1807 zu räumen. Am folgenden Tag hielt Mohammad ʿAli Einzug in der Stadt. Er setzte in der Folgezeit Maßnahmen durch, um A. wieder in alter Größe erstehen zu lassen. Zuerst verband er A. mit dem übrigen Ägypten, indem er einen neuen Süßwasserkanal (den Mahmudija-Kanal) graben ließ, der bis zum westl. Nilarm reicht. Sodann stellte er den westl. Hafen wieder her, erweiterte ihn und versah ihn mit einem neuen Leuchtturm. Europäer ließen sich bald in großer Zahl in A. nieder: Briten, Franzosen, Griechen, Italiener, Schweizer, aber auch Syrer und Ägypter aus allen Teilen des Landes sowie Juden der verschiedensten Nationalitäten. Die Bevölkerung der Stadt vervielfachte sich von 7000 auf 60000 im J. 1840, und zum J. 1874 stieg die Zahl bis auf 270000.

Nach einer Revolte von 1882 unter Ahmed ʿOrabi Pascha kam es nach dem I. Weltkrieg 1919 erneut zu heftigen Unruhen, diesmal unter Führung von Zaghlul Pascha gegen das britische Protektorat. Schließlich stimmten die Briten 1922 einer begrenzten Unabhängigkeit zu, und 1923 wurde in Ägypten eine Verfassung verabschiedet und Sultan Fuad der Titel eines Königs verliehen. A. besaß in dieser Zeit den Status einer zweiten Hauptstadt, da das Kabinett jeweils im Sommer hier tagte. Zunehmend intensivierte sich auch der Handel in A., und die Börse erlangte eine internationale Bed.

Während des II. Weltkriegs war A. eine der wichtigsten britischen Marinebasen und wurde deshalb zum Ziel dt. Luftangriffe. 1942 wurde eine mod. Univ. in A. gegr., wodurch das kulturelle Leben einen beträchtlichen Aufschwung nahm. Kurz nach E. des Kriegs zwang der Militärputsch von 1952 König Faruq zur Abdankung am 26. Juli in A. Ägypten wurde eine Republik mit General Naguib als erstem Präsidenten, auf den 1954 Gamal 'Abd al-Nasser folgte. Es war in A., wo Nasser 1956 die Nationalisierung des Suezkanals verkündete. Das Scheitern des Versuchs von seiten Großbritanniens, Frankreichs und Israels, den Suezkanal wiederzugewinnen, veranlaßte zahlreiche Europäer in A. und im übrigen Ägypten, das Land zu verlassen. Die groß angelegten Nationalisierungs- und Beschlagnahmungsmaßnahmen 1961/1962 vetrieben einen Großteil der Europäer aus A. Wegen der stärker in Kairo zentralisierten Verwaltung tagte die Regierung nun nicht mehr wie bisher im Sommer in A. 1990 überstieg die Bevölkerungzahl zwar drei Millionen, aber A. verlor an wirtschaftlicher Bed., da sich auch die geschäftlichen Aktivitäten zunehmend in Kairo konzentrierten und mehrere westl. Vertretungen von A. nach Kairo wechselten.

→ AWI Alexandreia; Bibliothek

1 M. EL-ABBADI, Life and Fate of the Ancient Library of Alexandria, ²1992 2 A.J. BUTLER, The Arab Conquest of Egypt, 1902 3 C. DÉCOBERT, J.-Y. EMPEREUR (Hrsg.), Alexandrie Médiévale, 1998 4 C. HAAS, Alexandria in Late Antiquity, 1997 5 W. HEYD, Histoire du Commerce du Levant au Moyen Âge, 1983 6 A.A. RAMADAN, Mod. A., in: A. Site and History, hrsg. v. G. I. STEHEN, 1992, 109–126 7 A.A. SALEM, History of A. and its Civilization in Islamic Times, 1961 (Arab.) 8 P.J. VATIKIOTIS, Mod. History of Egypt, 1969 9 L. C. WEST, Phases of Commercial Life in Roman Egypt, in: JRS 7, 1917, 45–58.
                        MOSTAFA EL-ABBADI / Ü: JOSEF LOCHER

II. Geschichte der Ausgrabungen und Funde

A. EINLEITUNG B. SCHICKSAL DER
MONUMENTE BIS ANFANG DES 19. JAHRHUNDERTS
C. AUSGRABUNGEN UND FUNDE
D. DER NAME ALEXANDRIAS IN DER NEUZEIT

A. EINLEITUNG

Trotz der großen wirtschaftlichen und kulturellen Bed. der 331 v. Chr. vom maked. König Alexander gegr. Stadt A. an der ägypt. Mittelmeerküste sind der Erhaltungszustand der ant. Überreste und der Forschungsstand dürftig. Die meisten öffentlichen ant. Gebäude sind nach wie vor nur durch lit. Quellen belegt (Strab. 17,791 ff.).

B. SCHICKSAL DER MONUMENTE BIS ANFANG DES 19. JAHRHUNDERT

Bis zur arab. Eroberung Ägyptens im Jahre 640 waren die öffentlichen Bauten vermutlich im wesentlichen intakt geblieben. Nach der Entscheidung des Kalifen Omar, die Stadt Fustat bei Gizeh als neues Finanz- und Handelszentrum aufzubauen, wurde A. schnell entvölkert. Durch Verlandung und natürliche Veränderungen der Wasserstände wurde die Stadt allmählich zugeschüttet. Sicher überliefert ist, daß der Leuchtturm, das ant. Wahrzeichen A., im J. 1303 einem Erdbeben zum Opfer fiel. In der Folgezeit dienten die ant. Bauten als Steinbruch [13].

C. AUSGRABUNGEN UND FUNDE

Im 17. und 18. Jh. kamen wiederholt europ. Reisende nach A., die die ant. Relikte der Stadt allerdings nur sporadisch erwähnen. Erstmalig wurde ein Plan erstellt und die arch. Überreste durch den Franzosen Dominique Vivant Denon (1747–1825) und seine Mitarbeiter dokumentiert, die zur 1798 gegr. *Commission des sciences et des arts* der Orientarmee des Generals Napoleon Bonaparte zählten [3]. Der Beginn des systematischen Erforsch. A. verbindet sich mit dem Namen Mahmoud-Bey el Falakis, der von 1863–65 im Auftrag des ägypt. Vizekönigs Ismail Pascha für die *Histoire de Jules César* des frz. Kaisers Napolen III. erste Grabungen unternahm. Wenn auch die genaue Ausdehnung und das Erscheinungsbild der Stadt bis h. ungeklärt sind, behält die grundlegende Erkenntnis el Falakis, daß die Stadt ein System sich rechtwinklig kreuzender Straßen besaß, nach wie vor Gültigkeit [6; 15]. Die Chance, großangelegte Flächengrabungen in A. durchzuführen, schwand im Verlauf des 19. Jh.: Die Entscheidung Mohammed 'Alis, des osmanischen Statthalters von Ägypten (1769–1849), A. zu einer großen Hafenstadt auszubauen, führte zu einer vollständigen Überlagerung des ant. Siedlungsgebietes durch die mod. Stadt und erschwert arch. Unt. bis in unsere Tage. Nach el Falaki machte sich v. a. von 1874–1885 der griech. Arzt T.D. Neroutsos mit seinen arch. und top. Unt. um die Erforsch. der Stadt verdient [9]. Die Gefährdung der ant. Bausubstanz durch das rasche Wachstum A. führte am 17.10.1892 zur Gründung des arch. Mus., das bis h. als Forschungsinstitut tätig ist und einen Teil der bei den Grabungen gefundenen Altertümer birgt (Abb. 2) [8]. Der erste Direktor, Giuseppe Botti (1892–1903) führte vorwiegend Notgrabungen durch, die durch die Erweiterung des Osthafens und den Abriß der arab. Festungsmauern notwendig geworden waren. In der reichen Nekropole von Kôm el-Chougafa arbeitete er von 1892–1902 mit namhaften dt. Archäologen zusammen, deren Unternehmungen vom Stuttgarter Industriellen Ernst von Sieglin finanziert wurden [4]. Botti erstellte ferner die ersten Kataloge des Mus. und war eine der treibenden Kräfte bei der Gründung der *Société archéologique royale d'Alexandrie*, seit 1898 Herausgeberin des *Bulletin d'archéologie d'Alexandrie* [2]. Bottis Nachfolger, Evaristo Breccia (1904–1932), führte die Arbeiten seines Vorgängers fort und legte v. a. Material vor, das er bei seinen Grabungen in den Nekropolen der ant. Stadt gefunden hatte. Der dritte Direktor des Mus., Achille Adriani (1932–1939 und 1947–1953), machte sich um die Erforsch. der Stadt nicht nur durch seine zahlreichen Grabungen verdient, sondern auch durch die Begrün-

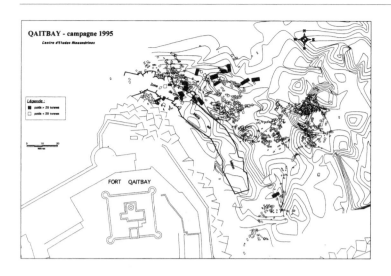

Abb. 1: Plan der Unterwasser-
ausgrabungen des Centre d'Etudes
Alexandrines östlich des
Mamelukenforts Quaitby

dung des noch nicht abgeschlossenen Kompendiums *Repertorio d'arte dell'egitto greco-romano*, in dem die Skulpturen, die Malerei, die Architektur und die Kleinkunst des griech.-röm. Ägyptens und v. a. A. erfaßt werden sollen. Alan Rowe, der von 1941–1947 dem Mus. vorstand, legte die Fundamente des Serapeions frei, einem der wenigen Monumente im Stadtinneren, von deren Geschichte und Rekonstruktion eine annähernde Vorstellung möglich ist [11]. Seit 1954 wird das Mus. von ägypt. Archäologen geleitet. Wesentliche Erkennnisse zum Aussehen der spät-ant. Stadt resultieren aus den Grabungsaktivitäten der *Mission Archéologique Polonaise* (seit 1960), die im Kôm el Dikka-Gebiet tätig ist [10]. Kleinere Unternehmnugen wurden 1975–1977 vom Dt. Arch. Institut, Abteilung Kairo, durchgeführt (Gabbari-Nekropole) [12]. Neue Impulse zur arch. Erforsch.

der Stadt werden dem *Centre d'Études Alexandrines* und seinem Leiter Jean-Yves Empereur verdankt (Abb. 1). Das Institut hat es sich zur Aufgabe gemacht, Grabungsaktivitäten zu intensivieren und somit die Erkenntnisse über das Aussehen der ant. Stadt auf eine neue Grundlage zu stellen [5; 15]. Unterwassergrabungen östl. des Mamelukenforts Quaitby (am östl. Ende der Insel Pharos) führten zur Entdeckung von kolossalen Architektur- und Statuenfragmenten, die der pharaonischen und ptolem. Epoche zugerechnet werden können; ihre genaue Herkunft und Bed. sind aber noch nicht restlos geklärt. So ist z. B. bislang unsicher, ob ein kolossaler Torso aus den Grabungen (Abb. 3) tatsächlich als ein Abbild Ptolemaios II. (283–246 v. Chr.) bezeichnet werden kann. Der lückenhafte Kenntnisstand zu A. basiert nicht nur auf den häufig unzureichend doku-

Abb. 2: Architekturfragmente
im Archäologischen Museum von
Alexandria (1923)

Abb. 3: Torso eines ptolemäischen Pharaos (1. Hälfte 3. Jh. v. Chr.)
aus den Unterwassergrabungen des Centre d'Etudes Alexandrines
östlich des Mamelukenforts Quaitby

mentierten und publizierten Grabungen, sondern auch darauf, daß der genaue Fundort der Stücke aufgrund der schnell durchgeführten Notgrabungen häufig nicht mehr zu rekonstruieren ist. Die meisten Funde befinden sich h. in Museen in Europa und Übersee. Ein annähernd befriedigender Foschungsstand konnte bislang nur in Teilbereichen (etwa der ptolem. Architekturfragmente) erzielt werden; viele Fragen zur Chronologie und Produktion der Keramik, der Terrakotten, der Toreutik, Glyptik und Gläser sind nach wie vor offen [1; 16].

D. DER NAME ALEXANDRIAS IN DER NEUZEIT
Der Name Alexandrias spielt in der Neuzeit keine große Rolle. Lediglich in Zusammenhang mit der letzten ptolem. Königin Kleopatra wurde er nach der Übertragung der Viten Plutarchs durch Jacques Amyot in das Frz. (1559) seit dem 17. Jh. zu einem beliebten Sujet der europ. Lit., bildenden Künste und – im 20. Jh. – der Filmindustrie. Der Name A. steht für sprichwörtlichen Prunk und Reichtum am Hof der ptolem. Königin [14].

→ AWI Alexandreia; Plutarchos

QU 1 G. GRIMM, A. Die erste Königsstadt der hell. Welt. Sonderheft Ant. Welt, 1998

LIT 2 E. COMBE, Le Cinquenetaire de la Société Royale d'Archéologie. 1893–1943, in: Bull. Soc. Arch. Alex. 36, 1943–1944, 104–113 3 D. V. DENON, Voyage dans la Basse et la Haute Égypte pendant les Campagnes du Général Bonaparte en 1798 et 1799, Paris 1802 4 Expedition Ernst von Sieglin. Ausgrabungen in A. 1–3, 1908–1927 5 J.-Y. EMPEREUR, Alexandrie (Égypte), in: BCH 121, 1997, 831–847 6 M. B. EL FALAKI, Mémoire sur l'antique Alexandrie, ses faubourgs et environs decouvertes par les fouilles, sondages, nivellements et autres recherches, faits d'après les ordres de son Altesse, Ismail Pacha, Vice Roi D'Égypte, Kopenhagen 1872 7 P. M. FRAZER, A. from Mohamed Ali to Gamal Abdal Nasser, in: Alexandrien. Kulturbegegnungen dreier Jt. im Schmelztiegel einer mediterranen Großstadt, 1981, 63–74 8 Y. EL GHERIANI, Graeco-Roman Museum. Foundation, Addition and Renovation from 1892 to 1992, in: Alessandria e il mondo ellenistico-romano. Atti del II congresso internazionale italo-egiziano. A. 1992, 1995, 49–53 9 T. D. NEROUTSOS, L'ancienne Alexandrie. Étude archéologique et topographique, Paris 1888 10 M. RODZIEWICZ, Record of the Excavations at Kôm-El-Dikka in A. from 1960 to 1980, in: Bull. Soc. Arch. Alex. 44, 1991, 1–118 11 A. ROWE, Discovery of the Famous Temple and Enclosure of Serapis at A., Ann. du Service des Antiquités d'Égypte Suppl. 2, 1946 12 M. SOBOTTKA, Ausgrabungen in der West-Nekropole A. (Gabbari), in: Das röm.-byz. Ägypten. Symposium Trier 1978, 1983, 195–203 13 A. L. UDOVITCH, Medieval A.: Some Evidence from the Cairo Gizeh Documents, in: A. and Alexandrism. Symposium Malibu 1993, 1996, 273–284 14 C. ZIEGLER, L'Écho de Cléopâtre, in: La gloire d'Alexandrie. Kat. Paris 1998, 295–303 15 J.-L. ARNAUD, Nouvelles données sur la topographie d'Alexandie antique, in: BCH 121, 1997, 721–737 16 S. SCHMIDT, Kat. der ptolem. und kaiserzeitlichen Objekte aus Ägypt. im Akad. Kunst.-Mus. Bonn, 1997, 9–35.

ORTWIN DALLY

Alexandrinismus A. PHILOSOPHIE B. KUNST-UND BILDUNGSTHEORIE C. ALEXANDRINISME ALS LITERARISCHES STILMERKMAL

A. PHILOSOPHIE
1. ANTIKE GRUNDLAGE DES BEGRIFFES
Als philosophiegeschichtlicher Terminus bezeichnet A. eine Richtung des → Aristotelismus, die sich an den Schriften des bedeutendsten ant. Aristoteles-Kommentators, Alexander von Aphrodisias, orientierte. Alexander (um 200 n. Chr.) war bestrebt, Unstimmigkeiten im Werk des Aristoteles auszuräumen, und vertrat dabei eine naturalistische Grundposition. Bes. intensive Nachwirkung hatte seine Lehre vom dreifachen *nous*: Alexander unterschied zw. 1. dem *physikós nous*, der v. a. die *nóesis* in ihrer Potentialität bezeichnet, 2. dem *epíktētos nous*, der die Fähigkeit zur Anwendung des *noeín* beinhaltet, und 3. dem *nous poiētikós*, der die Entwicklung von 1 zu 2 bewirkt, von außen in den Menschen eindringt und mit der Gottheit identifiziert wird. Die menschliche Seele stirbt mit dem Körper, eine göttl. Vorsehung, die das einzelne Individuum betrifft, existiert nicht [13; 18. 564f.; 21].

2. REZEPTION IM MITTELALTER
Den Philosophen der Scholastik wurden die Werke Alexanders von Aphrodisias v. a. durch lat. Übers. Wilhelms von Moerbeke (ca. 1215–1286), aber auch durch lat. Fassungen arab. Übertragungen bekannt [19. 348f., 368]. Mit den Thesen des Aristoteles-Kommentators und v. a. mit seiner Lehre vom dreifachen *nous* befaßten sich u. a. Thomas von Aquin, Albertus Magnus und Dietrich von Freiberg [19. 410, 434, 558].

Im Orient waren die Schriften Alexanders spätestens um 850/900 n. Chr. bekannt [19. 301], und Averroës (= Ibn Roschd, 1126–1198) setzte sich bei seiner umfassenden Kommentierung der aristotelischen Schriften auch mit dem Werk Alexanders auseinander. Wie dieser lehnte Averroës die Vorstellung einer unsterblichen individuellen Seele ab, war jedoch im Sinne eines Monopsychismus der Auffassung, es gebe einen Fortbestand der Seele als Teil eines der gesamten Menschheit gemeinsamen Verstandes [19. 313–322].

Während der jüd. Philosoph Moses Maimonides (1135–1204) den Komm. des Alexander und des Averroës große Bed. für das Verständnis der Schriften des Aristoteles zumaß [19. 340], sprach die katholische Kirche mehrfach Verbote gegen die »Irrlehren« des A. und Averroismus aus, da beide sowohl die Unsterblichkeit der individuellen Seele als auch eine göttl., den einzelnen Menschen betreffende Vorsehung leugneten [7. 452].

3. DER ALEXANDRINISMUS DER RENAISSANCE
Der Aristotelismus der Ren. brachte auch eine intensive Beschäftigung mit den Aristoteles-Komm. der Ant. und des MA mit sich und führte zu einer deutlichen Polarisierung zw. Vertretern des A. und des Averroismus. Der Platoniker Marsilio Ficino (1433–1499) charakterisierte in der Einleitung seiner Plotin-Übers. den

zeitgenössischen Aristotelismus folgendermaßen: ›Totus fere terrarum orbis a Peripateticis occupatus in duas plurimum sectas divisus est, Alexandrinam et Averroicam‹ (›Fast der ganze Erdkreis ist von Peripatetikern besetzt und größtenteils in zwei Schulen gespalten, die alexandrinische und die averroische‹).

Als Hauptvertreter des A. der Renaissancezeit gilt Pietro Pomponazzi (1462–1524), der in Bologna, Ferrara und Padua lehrte und v. a. durch seine Schrift *De immortalitate animae* (1516) intensive Kontroversen mit Verfechtern des Averroismus, bes. aber mit der katholischen Kirche hervorrief [10. 63–78; 20. 22 f., 26–30]. Dabei äußerte Pomponazzi, die Lehre von der absoluten Unsterblichkeit der Seele sei zwar aufgrund ihrer Verankerung in der Hl. Schrift wahr, bezweifelte aber gleichzeitig, ob sie unabhängig von Glaubensüberzeugungen rational bewiesen werden könnte (P. Pomponazzi, De immortalitate animae, Kap. 8). Bereits 1512 war erneut ein kirchliches Verbot gegen A. und Averroismus erfolgt, und Papst Leo X. beauftragte den Aristoteles-Kommentator Augustinus Niphus (1473–1546) mit einer Widerlegungsschrift gegen *De immortalitate animae*. Als weitere Vertreter des A. der Ren. sind der neapolitanische Philosoph Simon Porta († 1555) sowie der Spanier Sepulveda († 1572), Schüler des Pietro Pomponazzi, zu nennen [20. 30 f.].

B. Kunst- und Bildungstheorie
1. Antike Grundlage des Begriffes

Die Verwendung des Adjektivs »alexandrinisch« im Sinne von »gebildet«, »gelehrt« geht auf das ant. Alexandria zurück, das seit ca. 300 v. Chr. ein bedeutendes kulturelles Zentrum des Mittelmeerraumes darstellte und sich durch die Blüte von Lit., Natur- und Geisteswiss., die Entstehung neuer Wissenschaftszweige wie v. a. der Philologie, aber auch durch die Institution des Museions mit seiner umfassenden Bibliothek auszeichnete. Die Literaten Alexandrias waren dabei oft Gelehrte und Dichter in einer Person und betätigten sich intensiv als Philologen. In ihren eigenen Dichtungen bevorzugten sie meist kleine lit. Formen, bemühten sich um bes. sorgfältiges Ausfeilen der Texte, wählten vielfach gemäß dem Ideal des *poeta doctus* ausgefallene Themen und fügten gelehrte Anspielungen oder Exkurse ein [8. 88–99, 193–194; 16].

2. Die Ausprägung des Adjektivs »alexandrinisch« bei Friedrich Nietzsche
2.1 Kunsttheorie und Kulturkritik

In seiner Schrift *Die Geburt der Tragödie aus dem Geist der Musik* führt Friedrich Nietzsche den Niedergang der ant. Trag. auf eine zunehmende Dominanz rationalen Überlegens und theoretischer Weltbetrachtung sowie auf einen Wissenschaftsoptimismus zurück, als dessen Urheber er Sokrates bezeichnet. Die Wiedergeburt der Trag. und mit ihr des Hellenischen kann nur durch den Nachweis der Grenzen der Wiss. erfolgen. Das Adjektiv »alexandrinisch« steht dabei als Syn. für »theoretisch«, »sokratisch« und »gelehrt« [4. 610] im Sinne einer welt-

fremden Anhäufung von Wissen und eines übertriebenen Vertrauens in die Möglichkeiten menschlicher Erkenntnis. Der alexandrinische Mensch, ›der im Grunde Bibliothekar und Corrector ist und an Bücherstaub und Druckfehlern elend erblindet‹ (Geburt der Trag. Kap. 18, Werke III.1, 116), bekämpft Kunst, Mythos und alles Dionysische, ist bestenfalls epigonal, jedoch nie selbst produktiv. Nietzsche greift also den Bildungsaspekt der ant. alexandrinischen Kultur heraus und verwendet »alexandrinisch« rein pejorativ zur Charakterisierung der röm. Ant., der Ren., bes. aber der eigenen Gegenwart, die ganz ›in dem Netz der alexandrinischen Cultur befangen‹ sei und als Ideal nur ›den mit den höchsten Erkenntniskräften ausgerüsteten, im Dienste der Wiss. arbeitenden theoretischen Menschen‹ kenne (Geburt der Trag., Kap. 18, Werke III.1, 112). Intensiv mit der Kunstauffassung Nietzsches befaßt sich [12].

2.2 Bildungstheorie

Unproduktive Gelehrsamkeit wirft Friedrich Nietzsche auch den Philologen seiner Zeit vor (Fragment 5,47, Werke IV.1, 129) und kritisiert: ›Aufklärung und alexandrinische Bildung ist es – besten Falls!–, was Philologen wollen. Nicht Hellenenthum‹ (Fragment 5,136, Werke IV.1, 151). Zu einem adäquaten Verständnis der Ant. könne man auf diese Weise nicht kommen. Seine Vorwürfe wiederholt Nietzsche in der Schrift *David Strauß*, charakterisiert die Titelfigur als ›Bildungsphilister‹ (David Strauß, Kap. 2, Werke III.1, 161) und bemerkt: ›Vieles Wissen und Gelernthaben ist ... weder ein nothwendiges Mittel der Kultur, noch ein Zeichen derselben und verträgt sich nöthigenfalls auf das beste mit dem Gegensatze der Kultur, der Barbarei‹ (David Strauß, Kap. 1, Werke III.1, 159).

3. Bildungsdiskussion des 20. Jahrhunderts

Die Kernpunkte der von Nietzsche geäußerten Wiss.- und Bildungskritik wurden Ende des 19. und Anfang des 20. Jh. vielfach aufgegriffen und kontrovers diskutiert [15. 80 ff.]. Am Ende des 20. Jh. hat die Frage nach der Abgrenzung von echter Bildung gegen die reine Anhäufung von Detailwissen angesichts einer Fülle neuer Erkenntnismöglichkeiten weiter an Aktualität gewonnen. 1998 betitelt Wolfgang Frühwald seinen Artikel zur Bildung im Informationszeitalter ›Athen aus Alexandrien zurückerobern‹. Er bezieht sich dabei auf ein Zitat von E. R. Curtius, das wohl auf eine Äußerung des Kunst- und Kulturhistorikers Aby Warburg zurückgeht [2. 230; 9. 5], und stellt fest: ›In der technizistischen Debatte um die Effizienz der Hochschulen geht oft der Blick dafür verloren, daß bloße »Belehrtheit« nicht das Ziel der Bildung sein kann‹ [2. 228].

C. Alexandrinisme als literarisches Stilmerkmal

Ausgehend von den in B.1 dargelegten Charakteristika der ant. alexandrinischen Lit., verwendet die frz. Sprache das Substantiv *alexandrinisme* als Bezeichnung für einen subtilen, z. T. dunklen Stil mit einer Vorliebe für starke Ausschmückungen, Allegorien und gelehrte Anspielungen. Eine ausschließlich pejorative Konnotation liegt im Gegensatz zum Sprachgebrauch bei Nietzsche nicht vor [17. 491 f.].

→ Bildung; Philosophie; Renaissance; Scholastik;
→ AWI Alexandros [26] von Aphrodisias; Alexandreia; Aristoteles-Kommentatoren; Aristotelismus; Hellenismus; Museion; Peripatos von Moerbeke

QU 1 M. FICINO, Opera omnia, Basel 1561, Ndr. 4 Bde., 1959–1961 2 W. FRÜHWALD, Athen aus Alexandrien zurückerobern. Bildung im Informationszeitalter, in: Forschung & Lehre 5, 1998, 228–232 3 F. NIETZSCHE, Werke. Kritische Gesamtausgabe hrsg. von G. COLLI, M. MONTINARI, 1967 ff. 4 Ders., Die Geburt der Trag. Schriften zu Lit. und Philos. der Griechen, hrsg. und erläutert von M. LANDFESTER, 1994 5 PETRUS POMPONATIUS, Tractatus de immortalitate animae. Testo e Traduzione a cura di G. MORRA, 1954 6 PIETRO POMPONAZZI, Abhandlung über die Unsterblichkeit der Seele. Lat.-dt. hrsg. von B. MOJSISCH, 1990

LIT 7 H. FLASHAR, Aristoteles, in: Ders. (Hrsg.), Die Philos. der Ant. 3: Ältere Akademie. Aristoteles-Peripatos, 1983, 175–458 8 H.-J. GEHRKE, Gesch. des Hell., ²1995 9 P. GODMAN, T. S. Eliot und E. R. Curtius. Eine europ. Freundschaft, in: Liber. Europ. Kultur-Zschr. 1, 1989 10 P. O. KRISTELLER, Acht Philosophen der it. Ren., 1986 (= Eight Philosophers of the Italian Ren., 1964) 11 Ders., Aristotelismo e sincretismo nel pensiero di Pietro Pomponazzi, 1983 12 T. MEYER, Nietzsche und die Kunst, 1993 13 P. MORAUX, Der Aristotelismus bei den Griechen von Andronikos bis Alexander von Aphrodisias, 3 Bde., 1973 ff. 14 B. NARDI, Studi su Pietro Pomponazzi, 1965 15 U. PREUSSE, Human. und Ges.: zur Gesch. des altsprachlichen Unterrichts in Deutschland von 1890 bis 1933, 1988 16 E. R. SCHWINGE, Künstlichkeit von Kunst. Zur Geschichtlichkeit der alexandrinischen Poesie (= Zetemata 84), 1986 17 Trésor de la langue française. Dictionnaire de la langue du XIXᵉ et du XXᵉ siècle (1789–1960), publié sous la direction de P. IMBS, Bd. 2, 1973 18 F. UEBERWEG, Grundriß der Gesch. der Philos. 1: Die Philos. des Alt., hrsg. von K. PRAECHTER, 12. Aufl. 1926 (Ndr. 1961) 19 Ders., Grundriß der Gesch. der Philos. 2: Die patristische und scholastische Philos., hrsg. von B. GEYER, 11. Aufl. 1927 (Ndr. 1961) 20 Ders., Grundriß der Gesch. der Philos. 3: Die Philos. der Neuzeit bis zum Ende des XVIII. Jh., völlig neu bearbeitet von M. FRISCHEISEN-KÖHLER, W. MOOG, 13. Aufl. 1953 21 J. WONDE, Subjekt und Unsterblichkeit bei Pietro Pomponazzi (= Beitr. zur Altertumskunde 48), 1994.

JANA HARTMANN

Allegorese I. SPRACH- UND LITERATURWISSENSCHAFT
II. RELIGIONSGESCHICHTE UND MYTHOLOGIE

I. SPRACH- UND LITERATURWISSENSCHAFT
A. EINFÜHRUNG, BEGRIFF
B. HOMER-ALLEGORESE
C. BIBEL-ALLEGORESE D. VERGIL-ALLEGORESE
E. OVID-ALLEGORESE UND ALLEGORISCH-INTEGUMENTALE MISCHFORMEN

A. EINFÜHRUNG, BEGRIFF

In den neueren Sprach- und Literaturwiss. sowie der Theologie bezeichnet A. die methodisch reflektierte Erschließung eines mehrfachen, über die wörtliche Bed. hinausgehenden Sinns von rel., poetischen und anderen normierenden Texten. Als hermeneutisch-interpretatives Verfahren ist A. von den gramm., rhet. und produktiv-poetischen Formen (vgl. E.) der → Allegorie zu sondern; wie diese verfährt sie nach dem Grundsatz der Übertragung. A. setzt in einer kreativen Rezeptionssituation ein, in der ein kanonischer Text unter veränderten kulturellen Bedingungen erklärungsbedürftig wird unter der Annahme, daß sein Wortlaut nicht mehr den einzigen oder eigentlichen Sinn ausmacht, sondern daß der eigentliche (theologische, philos. oder ethische), der »unter (*hypó*) dem literalen Sinn verborgene« spirituelle Sinn (*nous*) zu entdecken sei. A. wird daher in den ältesten Texten, so in der Homer-A. des Theagenes von Rhegion, E. 6. Jh. v. Chr., als *hypónoia* bezeichnet, bevor dieser Begriff spätestens seit der Zeitenwende allmählich durch *allegoria* ersetzt wird. Für die Schrifthermeneutik ist dies seit dem 1. Jh. n. Chr. belegt (Ps.-Herakleitos, Sextus Empiricus, Philo v. Alexandrien), in der patristischen Lit. seit Origenes geläufig.

B. HOMER-ALLEGORESE

Die Anfänge der abendländischen Text-A. liegen in der im 6. Jh. v. Chr. einsetzenden, durch Kritik an der homerischen Dichtung und Myth. evozierten physikalischen oder kosmologisch-naturphilos. Homer-A. des Grammatikers Theagenes von Rhegion; systematisch praktiziert wird sie im 5./4. Jh. durch ionische Naturphilosophen aus dem Kreis der Vorsokratiker (erste »ethische« A. durch Anaxagoras von Klazomenai und seinen Schüler Metrodoros von Lampsakos). Scholien tradieren seit dem 2. Jh. v. Chr. und noch in byz. Zeit Homer-A. Breite Anerkennung findet im 1. Jh. n. Chr. die Homer-A. in der stoisch geprägten Schule von Pergamon (L. Annaeus Cornutus, Theologiae Graecae Compendium; Ps.-Herakleitos, Allegoriae Homericae). Für die Weiterentwicklung der Theorie der A. im griech. Sprachraum steht Choiroboskos (6. oder 7. Jh.) mit seiner physikalischen Homer-A. Noch im 12. Jh. ist dem byz. Gelehrten Eustatios (Erzbischof von Thessalonike) Homer-A. bekannt, der sie in eigenen Ilias-Komm. fortsetzt.

C. BIBEL-ALLEGORESE

Den substantiellen Kern der A. macht die allegorische Bibelerklärung aus, deren vorchristl. Wurzeln im hell. Judentum liegen. Philo von Alexandrien läßt weiten Teilen der mosaischen Bücher eine ethisch-moralische A. zukommen (mit bedeutendem Einfluß auf Clemens von Alexandrien; die Antiochener Diodor von Tarsos und Theodor von Mopsuestia lehnen die A. ab). Das NT kennt die A. in Ansätzen und entwickelt v. a. durch Paulus und im Hebräerbrief die verwandte Denkform der → Typologie. Die A. bleibt im ganzen MA die maßgebliche Rezeptionsform der Bibel in einer großen Fülle von Komm. v. a. zur *Genesis*, den *Psalmen*, dem *Hohen Lied* und der *Johannesapokalypse*, im Hoch- und Spät-MA auch zur gesamten Bibel. Von hier aus strahlt sie in benachbarte Felder wie z. B. die Predigt, die Liturgie und die Visionslit., die Geschichtsauslegung und die Naturlehren aus. Den verschiedenen, in der Auslegungspraxis entwickelten Konzepten der allegorischen Schrifterklärung ist der Anspruch gemeinsam auf heilsgeschichtliche Fakten gegründet und daher wahr zu sein. Dagegen wird Dichtungs-A. als *figmentum, mendacium* (Johannes von Salisbury, Policraticus 3,6 und 9), oder »verhüllende« Verwandlung der Wirklichkeit, *integumentum, involucrum*, bewertet (Isidor v. Sevilla, Etymologiae 8,7,10; Wilhelm von Conches, Bernardus Silvestris). Für die Anfänge der christl. Schrift-A. maßgeblich ist Origenes mit seinem Modell eines dreifach abgestuften, von der Schöpfungsordnung auf die Schrift übertragenen Sinns (Peri archon 4,2,4). In der Folgezeit entwickelt das MA bis zum 13. Jh. verschiedene Systementwürfe: Eine dreifache Erklärung der Bibel im wörtlichen, im allegorisch-typologischen und im tropologisch-moralischen Sinn konzipiert Gregor d.Gr. (Moralia in Iob = CCL 143,4); von größerer Nachwirkung ist die bereits von Cassianus (Conlationes 14,8,4 = CSEL 13,405) um 420 vertretene, im 12./13 Jh. weiter verbreitete Lehre vom vierfachen Schriftsinn (*historia/sensus litteralis* – *allegoria* unter Einschluß der Typologie – *tropologia/sensus moralis* – *anagogia*). Wesentlich für die Ausweitung der A. ist die in der Zeichentheorie des Augustinus (doctr. christ. 2,10,15 = CCL 32,41) entwickelte, dann im 12./13. Jh. ausdifferenzierte Theorie einer Signifikanz nicht nur der Worte, sondern auch der Dinge, durch die sich nach Hugo und Richard von St. Viktor geistliche Lit. von weltlicher unterscheidet. Damit ist einer umfassenden A. der in der Bibel, in der Schöpfung und in allen Äußerungen menschlicher Kultur und Geschichte begegnenden Dinge der Weg bereitet (vgl. PL 175,20–24; PL 177,205B). Wesentliche Veränderungen der A. sind z. B. bedingt durch das Aufkommen der → Scholastik und erkennbar im → Humanismus (Trithemius; Erasmus von Rotterdam, Enchiridion), im Reformationsschrifttum und in den protestantischen Lehrbüchern der frühen Neuzeit.

D. VERGIL-ALLEGORESE

Die Anfänge allegorischer Interpretation der *Aeneis* liegen im 4./5. Jh. in der *Vita* des Aelius Donatus, bei Servius und bes. bei (Fabius Planciades) Fulgentius (*Expositio Vergilianae continentiae secundum philosophos moralis*), dessen reich überliefertes Werk auf die seit dem 12. Jh. weitergeführte integumentale *Aeneis*-Deutung einwirkt (Bernardus Silvestris, *Commentum super sex libros Eneidos Virgilii*). Christl. Vergil-A. kennen auch ma. Predigten (Alanus ab Insulis, Absalon von Springiersbach, Gottschalk Hollen [11. 259], ebd. weiteres über integumentale Vergilkomm.) und Vergil-Viten. Vergil-A. praktiziert noch Ph. N. Frischlin (*P. Virgilii Maronis Bucolica & Georgica, paraphrasi exposita*, 1580; Modifikation früherer Deutungen von J. L. Vives und einem Plagiator).

E. OVID-ALLEGORESE UND ALLEGORISCH-INTEGUMENTALE MISCHFORMEN

Die Kenntnis Ovids zeigt sich bereits im frühen MA; neben einer ausschnitthaften Rezeption ovidischer Stoffe, Motive und Gestaltungsmuster ist seit ihren Anfängen die ›Möglichkeit allegorischer Deutung der Myth.‹ ein zentraler Aspekt der Ovid-Rezeption [4. 252]. An den Formen der ma. Ovid-A. zeigen sich bes. deutlich begriffliche und sachliche Übergänge zum *integumentum* (das ist die ›interpretative Dichter- und Philosophenallegorese‹ sowie ›die danach gebildete expressiv-schöpferische Dichterallegorie‹: [6. 9]; maßgebliche Muster der letzteren geben z. B. Prudentius, *Psychomachia*, Martianus Capella, *De nuptiis Mercurii et Philologiae*, Boethius, *De consolatione philosophiae* und Alanus ab Insulis, *De planctu naturae*; *Anticlaudianus*): Während Autoren wie Bernardus Silvestris und Johannes von Salisbury *allegoria* und *integumentum* zu scheiden versuchen, wird in der im 12. Jh. einsetzenden systematischen Ovidkommentierung diese Trennung begrifflich nicht durchgehalten (Arnulf von Orléans, *Allegoriae super Ovidii Metamorphosin*; Johannes von Garlandia, *Integumenta Ovidii*); zahlreiche weitere Bezeugungen allegorisierender Ovid-Kommentierung: [2. 286–288]. Als Summe der Metamorphosen-A. kann der methodisch der Bibel-A. nahestehende *Ovidius moralizatus* (um 1340) des Petrus Berchorius (Pierre Bersuire) gewertet werden; unabhängig davon entsteht um 1350 der alt-frz. *Ovide moralisé*.

→ Adaptation
→ AWI Philon v. Alexandrien

LIT **1** W. FREYTAG, s. v. Allegorie, A., HWdR 1, 1992, 330–392 (mit umfassender Bibl.) **2** H.-J. HORN, U. KREWITT, s. v. A. außerchristl. Texte, I. Alte Kirche, II. MA, TRE 2 1978, 276–290 **3** J. C. JOOSEN, J. H. WASZINK, s. v. A., RAC 1 1950, 283–293 **4** H. KUGLER, s. v. Ovidius Naso, P., ²VL 1989, 247–273 (ma. Rezeption) **5** H. MEYER, s. v. Schriftsinn, mehrfacher, HWdPh 8, 1992, 1431–1439 **6** CH. MEIER, Überlegungen zum gegenwärtigen Stand der Allegorie-Forsch., in: Früh-ma. Stud. 10, 1976, 1–69 **7** H. DE LUBAC, Exégèse médiévale. Les quatre sens de l'écriture 1–4, 1959–1964 **8** F. OHLY,

Schriften zur ma. Bedeutungsforsch., ²1983 **9** H. GRAF REVENTLOW, Epochen der Bibelauslegung, Bd. 1, 1990; Bd. 2, 1994 **10** H.-J. SPITZ, s. v. A./Allegorie/Typologie, Fischer Lex. Lit. 1, 1996, 1–31 **11** F. J. WORSTBROCK, s. v. Vergil (P. Vergilius Maro), ²VL 10/1, 247–284 (ma. Rezeption). RUDOLF SUNTRUP

II. Religionsgeschichte und Mythologie

A. Einleitung B. Entstehung
C. Jüdisch-christliche Tradition der Antike
D. Mittelalter E. Frühe Neuzeit

A. Einleitung

A. (von griech. *allēgoreín*, »bildlich auslegen«) ist das Verständnis eines traditionalen Textes in einem bildlichen Sinn; der Terminus wurde in der hell. Diskussion geprägt und ersetzt den zu Platons Zeit gewöhnlich verwendeten Ausdruck *hypónoia*, »tieferer (eigentlich darunterliegender) Sinn«. Als Methode ist sie von der histor. Deutung des Mythos, dem Euhemerismus, ebenso zu trennen wie von der rein etym. Deutung, auch wenn die A. ebenfalls häufig auch benutzt, sowie von der christl. Typologie, welche durch nichtwörtliche Deutung des AT dieses zum Vorläufer und Ankündiger des im NT beschriebenen Heilsgeschehens macht. Freilich ist hier in der christl. Diskussion seit Gal 4,24 die Terminologie oft mißverständlich (vgl. Orig. Peri archōn 4,2,6). Ebenso zu trennen ist die A. als exegetische Methode von der → Allegorie als bewußt (und unter dem Einfluß einer auf die A. zurückgreifenden Poetik) nicht buchstäblich lesbarer lit. Schöpfung, wie sie insbes. durch die Vorbilder von Prudentius, Martianus Capella und Boethius im MA und darüber hinaus lebendig war. Eine umfassende histor. Darstellung der A. fehlt. Die beste Synthese wählt entsprechend eben deswegen den systematischen Zugang ([1], vgl. auch [2; 3; 4]).

B. Entstehung

Die A. entstand in der griech. Ant. als ein Weg der Homerdeutung. Dabei ist das apologetische Anliegen als Folge der vorsokratischen Kritik am homerischen Mythenerzählen, wie es insbes. von Xenophanes von Kolophon und Heraklit von Ephesos betrieben wurde, zumindest so wichtig wie der Anspruch der spätarch. Homerexegeten auf originelle Lesung Homers [5; 6]. Als ihre Erfinder werden schon in der Ant. die Homerdeuter Theagenes von Rhegion, Stesimbrotos von Thasos (FGrH 107) vom E. des 6. Jh. v. Chr. und als wichtigster früher Vertreter der Anaxagoreer Metrodoros von Lampsakos (spätes 5. Jh. v. Chr.) angesehen: letzterem wird die Auslegung Homers in einem naturwiss.-physikalischen Sinn zugeschrieben, wie sie ausführlich in dem Komm. zu einem kosmogonischen Gedicht des Orpheus aus einem Grab von Derveni (um 320 v. Chr.) faßbar ist [7], während sein Lehrer Anaxagoras selber als Begründer der ethischen A. Homers gilt (Diog. Laert. 2,3,11). Doch muß eine ethische A. mythischer Erzählungen schon vorher im Umkreis der südital. Pythagoreer entstanden sein, wie Platon (Gorg. 493 ab) nahelegt. In der Folge sollte die physi-

kalische A. dominieren, die bes. durch die Stoa übernommen und ausgebaut wurde [8]: wohl bereits auf die hell. Stoa geht das für M. Terentius Varro belegte Schema der *theologia tripertita* zurück, des »dreifachen Redens über die Götter«, welche neben den wörtlichen Sinn (*theologia poetice*) den darunterliegenden physikalischen Sinn (*theologia physice*) und die Verwendung im Staatsleben (*theologia civilis*) ansetzte [9]. Wichtige griech. schreibende Autoren sind Cornutus und Herakleitos, letzterer ein kaiserzeitlicher Verfasser von homerischen A. Bei beiden dominiert die physikalische A. [10]. Cicero läßt in *De natura deorum* die A. des Stoikers Balbus durch den Epikureer Velleius und den skeptischen Akademiker Cotta scharf kritisieren; doch wird sie jedenfalls als Methode bei einem der zentralen lat. Autoren für die Folgezeit tradiert. Trotz der Indifferenz Platons und der zurückhaltenden Position Plutarchs (Is. 374 E; [11]) wird die A. bei den Neuplatonikern (mit Ausnahme Plotins) wichtig, wie etwa Porphyrios' Schrift über die Nymphengrotte bei Homer oder Iulians Rede über die Große Mutter zeigen [12; 13]. Bes. wichtig für die Folgezeit wurde der Komm. zu Ciceros *Somnium Scipionis* von Macrobius [14].

C. Jüdisch-christliche Tradition der Antike

1. Jüdisch

Im alexandrinischen Judentum beginnt eine apologetische A. des AT. Faßbar sind in Bruchstücken die Deutungen des jüd. Peripatetikers Aristobulos (2. Jh. v. Chr.) in seinem Komm. zum Pentateuch (Eus. Pr. Ev. 8,10; 12,12) und die allegorische Auslegung der Speisegesetze im Aristeas-Brief (143–50); doch setzt die Aufnahme der *Hohelieds* in den Kanon seine allegorische Deutung ebenso voraus. Zentral wird jedoch die A. von Philon, welcher insbes. durch moralische A. (doch kennt er auch die physikalische) versucht, die wahre Wirklichkeit des Bibeltextes, dessen buchstäblicher Sinn bloß schattenhaftes Abbild der Wahrheit ist, zu erfassen. Durch diese platonisierende Konstruktion gelingt es ihm, trotz der Privilegierung der allegorischen Bed. die für die rel. Praxis unverzichtbare buchstäbliche zu halten (vgl. bes. Phil. Legum allegoriae 2,71–73; De Abrahami migratione 89 f.; De providentia 2,72; De mutatione nominum 8–10) [15].

2. Christlich

Die kaiserzeitlichen Christen verwenden die A. sowohl zur Ablehnung des paganen Mythos wie zur Deutung der eigenen Schrifttradition. Varros *theologia tripertita* wird dabei zu einer der Grundlagen der A., auf die sich Apologeten und Kirchenväter beziehen [16; 17].

Die Folgen der physikalischen A. für die pagane Religion sind klar gesehen: sie hebt die Realität der Götter auf (Aristides, Apologia 13,7). Gleichzeitig verschafft sie aber den Mythen doch eine akzeptable Gültigkeit, wogegen sich Apologeten und Kirchenväter wenden: nicht bloß die A., die paganen Mythen als solche sind abzulehnen (ausführlich etwa Athenagoras leg. 22 oder Arnob. 4,33; 5,32–41); das hält sich selbst in den Predigten Augustins (ausführlich in einer Kalendenpredigt [18]).

Daneben steht seit dem NT die A. der at. Trad. (während die Evangelien als histor. Wahrheit keiner A. ausgesetzt werden dürfen). Bereits Paulus liest Gn 16,1–15 (Sara und Agar) *per allegoriam* (Gal 4,24), nämlich typologisch; dies wird für die gesamte christl. Exegese die A. des AT legitimieren. Im Anschluß an die alexandrinische Trad. formuliert Origenes ein System der A. und unterscheidet die jedem zugängliche buchstäbliche (somatische), die fortgeschrittenere moralische (psychische) und die nur wenigen offene mystische (pneumatische) Bed. (Peri archōn 4,2,4). Oft verwirft er den buchstäblichen Sinn, im Gegensatz zu seinen Nachfolgern, doch prägt er mit seinem System der drei Schriftsinne die Folgezeit. Im lat. Westen verfolgt insbes. Ambrosius in der Nachfolge Philons die A., sowohl die moralische wie die mystische. Wie Philon (und Ambrosius' Vorgänger Hilarius von Poitiers) bleibt aber die buchstäbliche Bed. unangefochten bestehen; daneben wird in der Systematik der *sensus historialis* und der *sensus mysticus* (die moralische A.) gestellt. Augustin schließt sich hier in differenzierter Weise an, indem er der allegorischen Deutung größere psychagogische Wirkung zuschreibt (epist. 55,21), sie entsprechend v. a. in den Predigten verwendet, während er in den Bibelkomm. den histor. Sinn bevorzugt [19]. Beide Deutungsebenen stehen mithin nebeneinander. Das wird für die gesamte Folgezeit gültig, bes. nachdem auch Gregor der Gr. sich deutlich für diese Doppelung eingesetzt hat (In evang. Ioh. 40,1). Aus der Schriftdeutung wird die A., ausführlich faßbar im Komm. des Fulgentius zu Statius' *Thebais*, säkularisierend auf die Deutung der paganen Literaturwerke übertragen. Das verbindet – trotz des Einspruchs des späten Augustin (doctr. christ. 3,8,12) – die allegorisierende Literaturdeutung der kaiserzeitlichen Gramm. mit der christl. A. In kreativer Umkehrung des exegetischen Vorgangs entsteht umgekehrt eine christl. allegorische Lit., deren bekannteste Exponenten im lat. Westen Prudentius und Boethius sind [20; 21].

D. MITTELALTER

1. SCHRIFTEXEGESE UND ALLEGORISCHE DICHTUNG

Im Anschluß an die Kirchenväter, bes. Augustin, führt das MA die allegorische Schriftexegese ebenso wie die säkularisierte Exegese paganer Dichtung fort. Das führt in der Schule von Chrtres (s. u.) zu umfassenden theoretischen Entwürfen wie demjenigen des *indumentum*, der buchstäblichen Oberfläche als »Texthaut«, die es zu durchdringen gelte. Unter dem Eindruck von Prudentius und Boethius schafft sich das lat. MA zudem eine äußerst lebendige allegorische Dichtung, deren – ethisch-erbauliches, histor. oder polit. – Verständnis aber eben gerade nicht mit dem exegetischen Vorgang der A. geschieht, sondern bereits im Wortsinn eingeplant ist; auf sie kann hier nicht eingegangen werden.

2. ALLEGORESE ANTIKER MYTHEN

Die rhet. Trad. klassierte die mythische Erzählung (*fabula*) als Fiktion (von Cic. inv. 1,27 und Rhet. Her. 1,12 bis Isid. etym. 1,44,5). Wenn sie diese Fiktion als ›Abbild der Wahrheit‹ verstanden (Theon, Progymnasmata 3; Aphthonios, Progymnasmata 1; Sopater, Rhetores Graeci 10, p. 59 WALZ), leiteten sie daraus die Notwendigkeit der A. ab [22]. Letztlich darauf, v. a. aber auf der theoretischen Durchdringung durch Porphyrios in seiner Auseinandersetzung mit Kolotes um den platonischen Mythos (Porph., Fragment 182 SMITH) baut Macrobius in seinem Komm. zu Ciceros *Somnium Scipionis* (1,2,7–12) eine komplexe Klassifikation fiktionaler Texte (*fabulae*) auf. Demnach zerfallen fiktionale Texte in zwei Kategorien, die rein unterhaltenden (und deswegen abgelehnten Textarten Komödie und Roman) und die nützlichen (Tierfabel, Göttermythos, philos. Mythos). Die bei Isidor (Etymologiae 1,40) rezipierte Klassifikation wurde für das westl. MA grundlegend, prägte insbes. in der Schule von Chartres mit seinem Konzept der narrativen Oberfläche (*indumentum, integumentum*) fiktionaler Texte die Exegese lit. Fiktion überhaupt [23] und wurde auch Ausgangspunkt für den eigenständigen philos. Umgang mit dem Mythos [24]. Doch ist die A. – die physikalische wie die moralische – überhaupt das Mittel, das dem MA den Umgang mit der ant. Myth. erlaubt. Neben Ciceros *De natura deorum* sind die *Mythologiae* des Fulgentius [25] und oft auch Servius' Vergilkomm. die zentralen Autoren. In Form eines eigentlichen enzyklopädischen Kompendiums faßt noch Boccaccios *De genealogiis deorum* diese Ansätze zusammen. – Denselben Zugang sucht das MA zu den paganen Autoren, allen voran Vergil und Ovid. Vergil war bereits durch Macrobius einer allegorischen Deutung unterzogen worden, und Theodulf von Orleans hatte in karolingischer Zeit als generelle Meinung formuliert, daß in den Werken beider Dichter »unter falscher Oberfläche viel Wahres stecke« (*plurima sub falso tegmina vera latent* [26]). Daraus entwickelte sich v. a. die moralische A. der Ovidianischen *Metamorphosen*, mit dem Höhepunkt in den *Integumenta Ovidii* des Johannes von Garland und dem *Ovid moralisé* im 13. Jh. [27; 28]

E. FRÜHE NEUZEIT

Auf einer Ebene führten Ren. und Barock diese Trad. ungebrochen weiter [29]. Freilich eröffnete der neue Zugang auch zu den griech. Texten ein weites Spektrum von Deutungsmöglichkeiten; neben die physikalische und moralische tritt in verstärkten Mass die polit. A., welche (im Anschluß bereits an die augusteische Verwendung des Aeneas-Mythos) den ant. Mythos zur Herrschaftslegitimation benutzte, und insbes. im florentinischen → Neuplatonismus die theologisch-philos. A. Ihre Rolle für das Verständnis der Ikonographie ist noch kaum erschöpfend behandelt [30; 31].

Grundlegend veränderte sich die A. seit dem späten 16. Jh. durch die allmähliche Entstehung einer wiss. Myth. im Zusammenhang mit den Entdeckungen und der Herausbildung der Ethnographie [32; 33]. Die

Kenntnis außereurop. Myth. mit ihren oft frappanten Ähnlichkeiten zur ant. Myth. führte zu einer Historisierung des Phänomens des → Mythos und zu seiner konzeptuellen Abkoppelung von anderen fiktionalen Gattungen, insbes. der Tierfabel (La Fontaine); er wurde – zum erstenmal, aber mit nachhaltigen Folgen, von Bernard de Fontenelle [34] – als Erzählung verstanden, die in die Frühzeit der Menschheit gehört und deren narrative Eigenheiten nicht bewußte Oberfläche über einer tieferen Wahrheit sind, sondern unwillkürliche Distortion physikalischer und histor. Fakten. Das machte aus der A. als eines exegetischen Prozederes, das die tatsächlichen Intentionen des Erzählers suchte, die Entzifferung frühmenschlicher psychischer Reaktionen und sah von jeder moralischen Exegese ab. Zentral wurde dabei die Systematisierung durch Friedrich Gottlob Heyne: Anstelle des gängigen Terminus *fabula* prägte er denjenigen des *mythus*, womit er die Unabhängigkeit des Mythos von lit. Gattungen feststellte, und schrieb die Zweiteilung der Mythen in ein *genus physicum* und ein *genus historicum* fest. Obwohl diese Inhalte durchaus auf Kategorien der traditionellen A. beruhten, wandte er sich ausdrücklich gegen das Verständnis des Mythos als Allegorie und bezeichnete ihn als Symbol [35]. Damit legte er den Grundstein zur romantischen Mythendeutung und der folgenreichen Debatte über die Differenzierung von Allegorie und Symbol.

→ AWI Allegorese; Allegorie

1 A. FLETCHER, Allegory. The Theory of a Symbolic Mode, ²1970 2 W. HAUG (Hrsg.), Formen und Funktionen der Allegorie, 1979 3 J. C. JOOSEN, J. H. WASZINK, s. v. A., RAC I, 283–293 4 J. GRUBER et al., s. v. Allegorie, A., LMA I, 420–427 5 J. TATE, The beginnings of Greek allegory, in: CR 41, 1927, 214–215 6 Ders., On the history of allegorism, in: CQ 28, 1934, 105–114 7 A. LAKS, G. W. MOST (Hrsg.), Studies on the Derveni Papyrus, 1996 8 P. STEINMETZ, Allegorische Deutung und allegorische Dichtung in der alten Stoa, in: RhM 129, 1986, 18–30 9 G. LIEBERG, Die »theologia tripertita« in Forsch. und Bezeugung, ANRW I 4, 63–115 10 G. W. MOST, Cornutus and Stoic Allegoresis. A Preliminary Report, ANRW II 36.3, 2014–2065 11 P. HARDIE, Plutarch and the Interpretation of Myth, ANRW II 33.6, 4743–4787 12 R. LAMBERTON, Homer the Theologian, 1986 13 Y. VERNIÈRE, L'empereur Julien et l'exégèse des mythes, in: J. HANI (Hrsg.), Problèmes du mythe et de son interprétation, 1978, 105–118 14 A. HÜTTIG, Macrobius im MA. Ein Beitrag zur Rezeptionsgesch. der Commentarii in Somnium Scipionis, 1990 15 D. DAWSON, Allegorical Readers and Cultural Revision in Ancient Alexandria, 1992 16 H. CHADWICK, Ant. Schriftauslegung. Pagane und christl. A. Activa und Passiva im ant. Umgang mit der Bibel, 1998 17 J.-C. FREDOUILLE, La théologie tripartite, modèle apologétique (Athénagore, Théophile, Tertullien), in: D. PORTE, J.-P. NÉRAUDAU (Hrsg.), Res Sacrae. Hommages à Henri Le Bonniec, 1988, 189–219 18 F. DOLBEAU, Nouveaux sermons de saint Augustin pour la conversion des païens et des donatistes (IV), in: Recherches Augustiniennes 26, 1992, 69–141 19 M. MARIN, Allegoria in Agostino, in: La terminologia esegetica nell'antichità, 1987, 135–161 20 R. HERZOG, Die allegorische Dichtkunst des Prudentius, 1966 21 Ders., Exegese – Erbauung – Delectatio. Beiträge zu einer christl. Poetik der Spät-Ant., in: W. HAUG (Hrsg.), Formen und Funktionen der Allegorie, 1979, 52–69 22 J. PÉPIN, La tradition d'allégorie. De Philon d'Alexandrie à Dante, 1987 23 E. DE BRYNE, Etudes d'esthétique médiévale, 1946 24 P. DRONKE, Fabula. Explorations into the Use of Myth in Medieval Platonism, 1974 25 H. LIEBESCHÜTZ, Fulgentius metaphoralis. Ein Beitrag zur Gesch. der ant. Myth. im MA, 1926 26 De libris quos legere solebam 20, in: Poetae Latini Aevi Carolini I, (Berlin 1881, 543 27 Ovid moralisé, ed. F. GHISALBERTI, 1933 28 CURTIUS, 211 f. 29 G. M. ANSELMI, Mito classico e allegoresi mitologica tra Beroaldo e Codro, in: Ders., Le frontiere degli Umanisti, 1988, 13–51 30 E. PANOFSKY, Studies in Iconology. Humanistic Themes in the Art of the Ren., 1939 31 E. WIND, Pagan Mysteries in the Ren., 1958 32 F. E. MANUEL, The Eighteenth Century Confronts the Gods, 1959 33 M. T. HODGEN, Early Anthropology in the Sixteenth and Seventeenth Centuries, 1964 34 B. DE FONTENELLE, De l'origine des fables, ed. A. NIDERST, (= Œuvres complètes, Bd. 3), 1989, 187–202 35 F. GRAF, Die Entstehung des Mythosbegriffs bei Christian Gottlob Heyne, in: Ders. (Hrsg.), Mythos in mythenloser Gesellschaft. Das Paradigma Roms, 1993, 284–294.

FRITZ GRAF

Allegorie I. LITERATURGESCHICHTE II. KUNSTGESCHICHTE

I. LITERATURGESCHICHTE

Der Begriff der A. hat seit der Ant. eine produktive und eine rezeptive Seite: In der Rhet. bezeichnet er ein auf der Verknüpfung von Metaphern (vgl. Quint. inst. 8,6,44) und dem Gebrauch von Personifikationen beruhendes Textbildungsverfahren. In hermeneutischer Hinsicht meint er die Auslegung mythischer (Euhemeros) oder biblischer Texte (vgl. Aug. doctr. christ.) auf einen spirituellen, vom Wortverstand deutlich unterschiedenen Sinn hin, was man h. eher unter den Begriff der Allegorese faßt. Bereits in der *Psychomachia* des Prudentius (405 n. Chr.), der ersten größeren allegorischen Dichtung, wirken expressive und interpretative A. zusammen, da sich ein allegorischer Text immer selbst als solcher kennzeichnet und dem Leser etwa durch das Proömium oder die Reden der Personifikationen Auslegungshilfen gibt. Nach christl. Auffassung sind nicht nur Texte, sondern auch deren Referenten allegorisch interpretierbar (*allegoria in factis*) [8]; so präfigurieren bei Prudentius die Kämpfe Abrahams im AT den Kampf zw. Tugenden und Lastern in der christl. Seele. Die A. setzt eine dualistische Wirklichkeitsauffassung voraus, die Scheidung zw. einer geringer bewerteten Sphäre des sinnlich Erfahrbaren und einer ihr gegenüber ausgezeichneten intelligiblen Welt voraus, daher Affinität der A. zum → Platonismus und zum Christentum. Als ›Poesie des Unsichtbaren‹ [4. 28] macht die allegorische Dichtung das Intelligible sinnfällig. Deshalb sind allegorische Personifikationen beliebt in den bildenden Künsten (Mss. allegorischer Texte werden im MA häufig illustriert), in der Gedächtniskunst als *imagi-*

nes agentes, im geistlichen Schauspiel des Spät-MA und des Barock, in der europ. → Festkultur von den ma. *entrées royales* über die Triumphzüge der it. Ren. bis zur polit. Feier des »Höchsten Wesens« in der Französischen Revolution.

Neben Prudentius bestimmen Boethius (*De consolatione philosophiae*) und Martianus Capella die weitere Entwicklung der A., insbes. die anspielungsreiche, von Klassikerzitaten gesättigte neuplatonische Dichtung des 12. Jh.; teils im Prosimetrum, teils im epischen Hexameter beschreiben Alanus ab Insulis (*De planctu Naturae, Anticlaudianus*), Bernardus Silvestris (*Cosmographia*) sowie Johannes de Hauvilla (*Architrenius*) die kosmologische Ordnung und die Stellung des Menschen darin. In allen ma. Volkssprachen werden die meist christologischen Tier-A. des *Physiologus* adaptiert, am originellsten von Richard de Fournival, dessen *Bestiaire d'Amours* (Mitte 13. Jh.) nicht auf die Heilsgeschichte, sondern auf die Liebesgeschichte des Autors hindeutet. Eine ähnliche Neigung zur Säkularisierung und zur Psychologisierung der A. weist auch der wirkungsmächtige *Roman de la Rose* von Guillaume de Lorris und Jean de Meun (ca. 1240–1280) auf, der eine Liebes-A. als Traumvision in der ersten Person erzählt, wobei die Geliebte in Personifikationen wie *Schöner Empfang* oder *Gefahr* aufgespalten wird. Die vielschichtigste A. der gesamten europ. Literaturgeschichte dürfte Dantes *Divina Commedia* (ab 1314) sein; sie nimmt neben der subjektiven Visions-A. sowohl die lat. poetische und allegorische Trad. als auch die der theologischen Bibelauslegung völlig in sich auf. Als erster volkssprachlicher Autor beansprucht Dante eine Lektüre nach dem vierfachen Schriftsinn für seinen Text (vgl. epist. 13), was einmal mehr die Komplementarität von produktiver und rezeptiver A. zeigt. In direkten Anreden (z. B. Inf. 9,61–63 und Purg. 8,19–21) wird dem Leser zwar die allegorische Interpretation der *Commedia* aufgegeben, aber *dottrina* nicht enthüllt. Francesco Colonnas von Dante beeinflußte *Hypnerotomachia Poliphili* (1499), eine Liebes-A. in preziös latinisierender Prosa, verrät ein stark antiquarisches Interesse an der arch. Hinterlassenschaft der Ant., weshalb Bilder und Beschreibungen von Monumenten gegenüber der Erzählung großes Gewicht erhalten. Aus dieser Verbindung von Bild und allegorischem Text entsteht im 16. Jh. die → Emblematik. Die gegenreformatorische span. Barock-A. entwirklicht dagegen die diesseitige Welt zur reinen Illusion, was bei Pedro Calderón de la Barca in der allegorischen Gleichsetzung von Leben und Traum (*La vida es sueño*, 1635), von Welt und Theater (*El gran teatro del mundo*, 1655) zum Ausdruck kommt. Die ganz unterschiedlichen Handlungen (*argumentos*) der Fronleichnamsspiele verweisen stets auf das gleiche, das einzig substantielle Thema (*asunto*), d. h. die Eucharistie. Empirismus und Säkularisierung müssen demgemäß zur Abwertung der A. führen [1]; Goethe zieht dem Primat des Begriffes in der A. den der Erscheinung im Symbol vor (*Maximen und Reflexionen*, Nr. 1112). Die Rehabi-

litierung der A. bei Baudelaire [3. 686–700] und Benjamin [2] ist keine Restauration vormod. Wirklichkeitsauffassungen, sondern hängt mit der Einsicht in die Gespaltenheit des Subjekts und die Fremdbestimmtheit durch psychische Kräfte wie die Melancholie zusammen.

→ Allegorese; Emblematik
→ AWI Allegorese; Allegorie; Allegorische Dichtung

1 P.-A. ALT, Begriffsbilder. Stud. zur lit. A. zw. Opitz und Schiller, 1995 2 W. BENJAMIN, Ursprung des dt. Trauerspiels, GS I.1, 203–430, 1974 3 W. HAUG (Hrsg.), Formen und Funktionen der A., 1979 4 H. R. JAUSS, Alterität und Modernität der ma. Lit., 1977. 5 CHR. MEIER, Überlegungen zum gegenwärtigen Stand der A.-Forsch., in: FMS 10, 1976, 1–69 6 J. PÉPIN, Dante et la tradition de l'allégorie, 1971 7 M. QUILLIGAN, The Language of Allegory. Defining the Genre, 1979 8 A. STRUBEL, *Allegoria in factis* et *Allegoria in verbis*, in: Poétique 23, 1975, 342–357 9 J. WHITMAN, Allegory. The Dynamics of an Ancient and Medieval Technique, 1987   MAX GROSSE

II. KUNSTGESCHICHTE
s. Personifikation

Alte Geschichte (Griechenland, Rom Spätantike)
s. Geschichtswissenschaft

Altertumskunde (Humanismus bis 1800)
A. BEGRIFF, GEHALT, FORM
B. GESCHICHTE UND GATTUNGEN
C. ALTERTUMSKUNDE UND NEUE ALTERTUMSWISSENSCHAFT

A. BEGRIFF, GEHALT, FORM

Unter *antiquitates, antiquités, antiquities*, »Antiquitäten« bzw. »Alterthümern« verstand man in der hier behandelten Epoche eine Summe einzelner schriftlicher Nachrichten oder materialer Überreste (wie Münzen, Monumente, Kunst- und Gebrauchsgegenstände), die Auskunft über die alltäglichen Lebensumstände, Sitten, Gebräuche, Kulte, Institutionen, kurz: die Kultur eines ant. Volkes geben konnten. Ein *Antiquarius* war ein Kenner, Sammler und Ordner solcher Nachrichten und Fragmente. Beide Begriffe wurden seit Jacob Spon (1685 [76]) oft syn. mit »Arch.« bzw. »Archäologe« verwendet. Diese terminologische Willkür zeigt, daß A. nicht als eine in sich geschlossene *ars* bzw. akad. Disziplin betrachtet wurde, sondern als ein Arsenal von Fakten, dessen Systematisierung und lit. Darstellung nicht nach festen Regeln erfolgte, sondern gemäß den Interessen und Fähigkeiten des jeweiligen Antiquars. In einer Epoche, die jede gelehrte Gattung auf ant. Muster verpflichtete, erklärt sich diese Offenheit vorab aus der Vielfalt möglicher Vorbilder. Waren auch die *Antiquitatum rerum humanarum et divinarum libri XLI* des Varro, das von Cicero gerühmte Meisterwerk der A., verloren und nur aus der knappen Inhaltsangabe bei Augustin (civ. 6,4) bekannt, so konnte man sich gleichwohl an so verschiedenen Autoren wie Aulus Gellius (*Noctes Atti-*

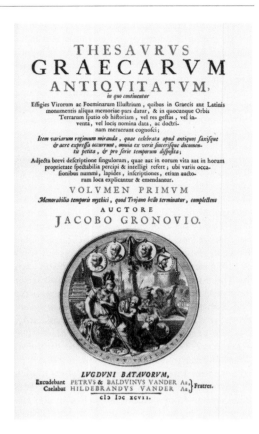

cae), Atheniaios von Naukratis (*Sophistenmahl*), Strabon, Pausanias, Stephanos von Byzanz oder anderen spätröm.-hell. Lexikographen orientieren. Diese Fülle unterschiedlicher Muster gaben den Antiquaren einen bedeutend größeren Spielraum für die Präsentation und lit. Formung ihres Stoffes als ihn etwa Historiker besaßen [112].

Wie diese aber verfolgte die vormod. A. vorab ein philol. Ziel: Sie sollte helfen, die Werke der Klassiker besser zu verstehen. Deren Informationen dienten ihrerseits dazu, ant. Objekte zu identifizieren. A. und Historie sollten einander mithin wechselseitig ergänzen und beglaubigen. Dabei vertrat diese das dynamische, jene das statische, systematische bzw. strukturelle Moment: Während die alten Autoren meist Ereignisse und Veränderungen schilderten, die polit. und kulturellen Konstanten aber oft nur erahnen ließen, kam es der A. zu, eben diese ›Zustände und Verfassungen‹ [89. 54–55] darzustellen. Sie nahm in der frühneuzeitlichen Altertumswiss. mithin den Platz der Verfassungs-, Rechts-, Verwaltungs-, Sozial-, Wirtschafts- und Kulturgeschichte ein. Die übliche Form der A. war das Nachschlagewerk: *Bibliotheca* bzw. *Thesaurus*, die Exzerpte oder ganze Werke zu einzelnen Themen bündelten (z. B. [39–42; 82]), *Lexica*, die solche Texte zu Kurzinformationen komprimierten (z. B. [62]), oder

Cataloge, die die Stücke einer Sammlung beschrieben und klassifizierten (z. B. [7–8; 26; 34; 71; 87]). Seit dem späten 16. Jh. traten neben die Beschreibung zusehends Abbildungen in Holzschnitt oder Kupferstich. Im 18. Jh. waren die führenden Publikationen zur A. oft teure Tafelwerke (z. B. [49]). Änderte sich damit das äußere Bild der Publikationen, blieb ihr Aufbau doch relativ ähnlich. Varro folgend, der seine *Antiquitates* in rel. und weltliche Altertümer aufgeteilt hatte, schuf Flavius Blondus 1459 das mod. Muster, indem er seine *Roma triumphans* (in: [10]) in *antiquitates publicae, privatae, sacrae* und *militares* gliederte. Stärker differenzierte Johannes Rosinus 1583 in seinen *Romanarum Antiquitatum libri X* [67], die in der Bearbeitung durch den schottischen Etruskologen Thomas Dempster (Utrecht 1710) bis ins 19. Jh. ein Standardwerk blieben: Die Bücher behandelten Roms Top. und Bevölkerung (I), die Sakral-Altertümer (II–IV), Bräuche, Spiele und Feste (V), Comitien und Magistrate (VI–VII), die Rechts- (IX) und die Kriegs-Altertümer (X). Stets klassifizierte man Altertümer nach Sachen. Als Mitte des 18. Jh. die Gliederung nach Epochen und künstlerischen Entwicklungsstadien aufkam, kündigte dies das Ende der trad. A., ihre Verschmelzung mit der Historie in der mod. Altertumswiss. an.

B. Geschichte und Gattungen
1. Rom als Zentrum humanistischer Altertumskunde

Das Interesse für die materialen Überreste des Alt. war während des MA nie erloschen [109, Kap. 1; 124, Kap. 1]. Man hatte ant. Gebäude in Kirchen, Wohn- oder Wehranlagen integriert, Inschr., Skulpturen und Fragmente als Spolien verwendet, ant. Gemmen und Münzen in Schmuck- und Kultgegenstände eingearbeitet. Aus Grabfunden waren Heiligenkulte und Lokallegenden erwachsen. Ant. Monumente dienten zum Beweis für das hohe Alter der eigenen Stadt, Herrschaft oder Familie – was in einer Epoche, in der Macht-, Rechts- und Besitzansprüche auf Trad. gründen mußten, eine wertvolle polit. Legitimation bedeutete. Dieses pragmatisch-direkte Verhältnis zum Alt. änderte sich mit Beginn der Ren. grundlegend. Es wich dem Bewußtsein eines tiefen histor. Abstands, der die (gesunkene) Gegenwart von der (glänzenden) Ant. trenne [105]. Deshalb betrachteten die Humanisten ant. Überreste nicht mehr mit naiver Freude am Alten und Ungewöhnlichen, sondern mit Bewunderung und Forschergeist. Die Schönheit und Kunstfertigkeit ant. Objekte bestätigten ihnen, daß das Alt. eine in jeder Hinsicht vorbildliche Epoche gewesen sei, und dienten ihnen als Modelle für ihr Projekt, alle Bereiche des mod. Lebens systematisch an ant. Vorbildern zu orientieren. So begannen die Gelehrten, all diese Dinge gezielt zu erkunden, um aus ihnen eine anschauliche, histor. Vorstellung von der polit.-kulturellen Lebenswirklichkeit der Menschen des Alt. zu gewinnen [129].

Wie der → Humanismus überhaupt entstand auch die A. in It. Ihr Zentrum blieb bis ins 18. Jh. die Stadt Rom [99; 100; 111]. Im Dienst der Päpste, die nach ihrer Rückkehr aus Avignon (1377) planvoll an Roms imperiale Trad. anknüpften, propagierten namhafte Humanisten wie Poggio Bracciolini eine renovatio des augusteischen Rom unter kurialer Führung (J. Hankins in: [99. 47–85]). Kardinalsfamilien wie die Orsini, Colonna oder Barberini hingegen förderten eher Forsch., die an die republikanisch-senatorischen Trad. des ant. Rom erinnerten. Dieser polit.-ideologische Antagonismus herrschte auch im Verhältnis zw. den altertumskundlichen Konzepten Roms und denen anderer it. Staaten (z. B. Venedigs oder Florenz') und seit der Glaubensspaltung zw. katholischer und protestantischer A. Die Faszination der A. im frühneuzeitlichen Europa erklärt sich nicht zuletzt aus ihrer Bed. als kulturelles Medium polit. Machtkämpfe [127].

Die röm. A. begann als Suche nach der Top. des ant. Rom. 1429 beschrieb Poggio Bracciolini in De varietate fortunae urbis Romae et de ruina eiusdem wehmütig die röm. Ruinen, die er – nach Petrarcas Weisung, die Klassiker auf den ant. Ruinen zu lesen – anhand der lit. Quellen zu identifizieren versuchte (in: [63]). 1432/34 vermaß und zeichnete der Architekt Leon Battista Alberti für seinen Traktat De re aedificatoria (1452, gedr. 1485) mehrere röm. Bauwerke [1]. Das erste top. Handbuch des ant. Rom aber schuf der päpstliche Sekretär Flavius Blondus in seiner Roma instaurata (1444–47, gedr. 1471), deren Fortsetzung, Roma triumphans (1457–59, gedr. 1472), auch die christl. Altertümer umfaßte (in: [10]). 1462 erneuerte Papst Pius II. (Enea Silvio Piccolomini) ein 1363 erlassenes Edikt zum Schutz der röm. Altertümer. 1515 ernannte Julius II. den Maler Raffael Santi zum Inspektor der röm. Monumente und Altertümer und beauftragte ihn mit deren systematischer Bestandsaufnahme. Die Ergebnisse – die Antiquitates urbis von Andrea Fulvio und eine Karte des ant. Rom von Fabio Calvo – erschienen 1527, kurz vor der Zerstörung vieler ant. Denkmäler im »Sacco di Roma«. 1553 wurde Calvos Karte durch diejenige verdrängt, die Pirro Ligorio in seinem Libro delle antichitá di Roma [46] entwarf und 1561 in einer monumentalen Holzschnitt-Darstellung des ant. Rom aus der Vogelschau (Antiquae urbis imago accuratissime ex vetustis monumentis formata) nochmals überbot [97]. Ähnliches versuchten Leonardo Bufalini (1551), Antonio Tempesta (1593) und nach ihnen viele andere (Grafton in: [99. 87–123]).

Roms Bed. als Ziel für Pilger-, Kavaliers- und Künstlerreisen bewirkte, daß sich solche Karten und die Bilder ant. Bauten, Statuen und Kunstwerke rasch in ganz Europa verbreiteten und das zeitgenössische Bild von der Ant. topisch prägten [103]. Wirkungsmächtig waren v. a. die Kompendien des Bolognesers Ulisse Aldrovandi [2; 3], die Vestigi delle Antichitá di Roma des Prager Hofkupferstechers Aegidius Sadeler [68], die Tafelwerke zu röm. Statuen und Basreliefs von François Perrier [57–58], im 18. Jh. dann die Veduten des Venezianers Giovanni Battista Piranesi [61]. Bis 1657 ließ der röm. Antiquar Cassiano dal Pozzo von namhaften Künstlern wie Nicolas Poussin alle erh. Monumente des Alt. wie des frühen MA in einem riesigen Bildarchiv enzyklopädisch dokumentieren. Bei seinem Tod lagen gut 7000 Zeichnungen und Stiche in 23 Foliobänden vor (Museo Cartaceo) [17].

2. Altertumskunde und adlige Repräsentation

Bis zur Entdeckung → Pompejis blieb Rom der zentrale Schauplatz bedeutender Antikenfunde (→ Laokoon-Gruppe 1506, Farnesischer Stier 1545, Hercules Farnese 1546, Ara pacis 1568, Aldobrandinische Hochzeit 1582, Niobe 1583) [102]. 1471 eröffnete Papst Sixtus IV. im Konservatorenpalast das erste Antiken-Mus. Ab 1503 schuf Julius II. im Belvedere die weltweit vorbildliche Antikengalerie. Bald begannen nicht nur röm. Kardinäle (Borghese, Farnese, Ludovisi, Barberini, Colonna, Chigi), sondern auch prestigebewußte europ. Städte und Fürsten, ant. Kunstwerke zu sammeln oder sich wenigstens ein studiolo einzurichten, ein in ant. Stil gestaltetes Studierzimmer. Berühmte it. Sammlungen waren die der Gonzaga in Mantua oder der Este in Ferrara. Doch allein im Veneto gab es im 17. Jh. rund 70 kleinere Antikenkabinette. In der frz. Aristokratie wurde das Antikensammeln unter Franz I. (1515–1547) üblich [102. 1–6]. Im Hl. Röm. Reich unterhielten die

Kaiser seit Maximilian I.(1493–1519) an ihren Höfen in Wien, Innsbruck und Prag altertumskundliche Sammlungen. Schon 1570 gründeten die bayerischen Herzöge in ihrer Münchener Residenz das *Antiquarium*, ein außerhalb It. einzigartiges Antiken-Mus. [92. 133–192], das mit der Sammlung der Pfälzer Kurfürsten in Heidelberg [7] konkurrieren sollte, während die Höfe von Sachsen und Brandenburg erst im 17. Jh. bedeutende → Antikensammlungen aufbauten [8. 103]. Neben der Sammlung König Karls I.(1625–1649) war in England die des Diplomaten Thomas Howard, 2nd Earl of Arundel, weltberühmt [104]. Ihr 1629 von John Selden geschaffener Kat. [71] setzte neue gelehrte Maßstäbe.

Von namhaften Antiquaren betreut, repräsentierten solche Sammlungen und (Privat-) Mus. den Rang, Reichtum und Geschmack, die Bildung und die weitläufigen Kontakte ihrer Besitzer. Sie dienten mithin zugleich gelehrten und gesellschaftlichen Zwecken. Als Attraktionen für vornehme Reisende wurden sie zu Treffpunkten für Adlige, Künstler, Gelehrte und andere Mitglieder der neuen, oft ständeübergreifenden Oberschicht [127]. Im Zeichen der A. formierten sich aristokratisch-elitäre Zirkel, die ein europaweites Kommunikations- und Korrespondenznetz bildeten, zu → Akademien. Eine der frühesten und wirkungskräftigsten war die röm. des Pomponius Laetus (1428–1497), der Vorlesungen über alte Chronologie, Sprach- und Rechtsaltertümer hielt und gemeinsam mit seinen Schülern Inschr. sammelte [99]. Im 16. Jh. besaßen alle größeren it. Städte ähnliche Akad., die antiquarische Forsch. pflegten, anregten und finanzierten. In → Neapel vereinigten sie sich 1738 zur *Accademia degli Ercolanesi*, die die Funde von → Herculaneum, seit 1760 die von Pompeji edierte. In Augsburg gründete Laetus' Schüler Conrad Peutinger um 1495 die erste dt. Antikensammlung (die u. a. die *Tabula Peutingeriana* enthielt) und eine Akad., die mit den von Kaiser Maximilian I. geförderten Humanisten-Sodalitäten in Verbindung stand [92]. In England konstituierte sich 1572 eine *Society of Antiquaries*, die König Jakob I.1604 als Hort polit. Widerstands verbot. 1732 gründeten reiche Privatleute hier die → *Society of Dilettanti*, die mehrere altertumskundliche Forschungsreisen ins östl. Mittelmeer finanzierte. Die für die A. wichtigste frz. Akad. war die königliche *Académie des Inscriptions et belles-lettres* (gegr. 1663), die seit ihrer Neugründung 1716/17 jährlich *Mémoires* veröffentlichte. In Uppsala etablierte sich 1666 ein *Collegium Antiquarium* [122; 126. 47–49].

3. FORMEN DER ANTIQUITATES PUBLICAE

Die meistverbreitete Form vornehmer A. war die Beschäftigung mit Gemmen und Münzen. Sie faszinierten die Zeitgenossen als Symbole fürstlicher Macht, als Anreger polit.-moralistischer Reflexionen und der zeittypischen Versuche, genealogische Reihen von den Caesaren bis zum Besitzer der Sammlung herzustellen. Deshalb blühte die ant. Numismatik bes. am Kaiserhof. Hier träumte der Hofhistoriograph Wolfgang Lazius schon 1558 von einem vollständigen Corpus aller ant.

Münzen [45], bevor Adolf III. Occo 1579 eine Methode ihrer chronologischen Ordnung entwarf [52] – zwei Ziele, die jedoch erst Joseph Hilarius Eckhel einlöste, der 1779 als Leiter des Wiener Hofmünzkabinetts dessen gewaltigen Kat. schuf und 1792 durch seine *Doctrina nummorum veterum* die mod. → Numismatik begründete [26–27]. Im 17. Jh. wirkten die führenden Numismatiker in Frankreich, wo Guillaume Budaeus schon 1514 mit antiquarischen Methoden eine vergleichende Metrologie und Geldtheorie geschaffen hatte [16]: vorab Jean Foy Vaillant (1632–1706), der im Laufe seines abenteuerlichen Lebens zahllose Abhandlungen bes. über provinzialröm. und hell. Münzen schrieb und dabei erstmals konsequent nur Originale berücksichtigte, aber auch Charles Patin [56] und der pfälzisch-brandenburgische Diplomat Ezechiel Spanheim [75].

Erste umfassende Kompendien von Gemmen- und Münzbildnissen schufen der span. Hofmaler Hubert Goltzius [33], vornehme Sammler wie Fulvius Ursinus [83–84] und der Antwerpener Abraham Gorlaeus ([36; 37] vgl. Zazoff in: [90. 363–378]). Der spektakuläre Plan einer Publikation aller ant. Gemmen jedoch, an der Peter Paul Rubens und Nicolas Fabri de Peiresc, der berühmteste Antiquar seiner Zeit, zw. 1621 und 1637 arbeiteten, kam durch dessen Tod nicht zustande [117. 21]. Das Pionierwerk der mod. Glyptik schuf 1724 Philipp von Stosch [79], dessen vielbewunderte Sammlung Johann Joachim Winckelmann 1760 katalogisierte [88. 130].

Nicht nur im Diskurs über Münzen mischten sich ästhetisch-moralistische und polit. Interessen, sondern auch in der Beschäftigung mit den klass. Formen der *antiquitates publicae*, den Inschr. und Rechts-Altertümern. An beiden bewunderten die Zeitgenossen nicht zuletzt die Kunst der knappen, wohlgefügten Devise. V. a. aber erhofften sie sich Auskunft über Organisation und Führungsschicht eines vorbildlichen Gemeinwesens. Die ersten röm. Inschr. publizierte Poggio 1429 in *De varietate fortunae* ([in: 63]). Die erste dt. Sammlung schuf Conrad Peutinger 1505 in den *Romanae vetustatis fragmenta in Augusta Vindelicorum* [60]. 30 J. später finanzierte sein Mitbürger, der Bankier Raymund Fugger, eine Edition [4], die das führende Werk über provinzialröm. Inschr. blieb, bis Janus Gruter, der Bibliothekar der Heidelberger Palatina, 1602/03 gemeinsam mit Joseph Justus Scaliger die *Inscriptiones antiquae totius orbis Romani*, die bis Mommsen maßgebliche Ausgabe, publizierte [43].

Erste Versuche, die kurz zuvor auf dem Forum entdeckten Trümmer der röm. Fasten zu rekonstruieren, unternahmen seit 1550 der Veroneser Augustiner Onuphrius Panvinius [54] und Carolus Sigonius aus Modena [74]. Aus solchen Ansätzen erwuchs einerseits die chronologische A., die 1583 und 1606 in Joseph Justus Scaligers Versuchen gipfelte, mit Hilfe antiquarischer, philol. und mathematischer Methoden biblische und ant. Zeitsysteme zu einer objektiven Weltchronologie zu vereinigen [69; 70; 98]. Andererseits wurden

Panvinius [55] und Sigonius [72] zu Begründern der antiquarischen Rechtsgeschichte, die in der Folgezeit v. a. von protestantischen Gelehrten fortentwickelt wurde. So schufen 1550 Franciscus Balduinus [6] und 1616 der Genfer Jacobus Gothofredus [38] bahnbrechende Rekonstruktionen der Zwölf-Tafel-Gesetze. Über Holland gelangte dieser Zweig der A. im 17. Jh. nach Deutschland, wo Johann Gottlieb Heineccius 1719 die für viele Jahrzehnte in ganz Europa kanonisches Sammlung röm. Rechts-Altertümer kompilierte [44].

4. GRIECHISCHE UND BIBLISCHE ALTERTUMSKUNDE

Auch die ersten Initiativen zur außerröm., bes. griech. A. [94; 106. 16–24] entstanden in It. Anfang des 15. Jh. erkundete der Florentiner Priester Cristoforo de' Buondelmonti, finanziert von Kardinal Girolamo Orsini, in der Ägäis gleichermaßen christl. Kirchen wie ant. Tempel. Weit intensiver noch erforschte der Fernhandelskaufmann Cyriacus von Ancona (Kiriakus de Pizzicolle) zw. 1423 und 1455 die ant. Stätten dieser Region. Von seinen *Antiquarum rerum commentaria* blieben indes nur Kopien einzelner Blätter erhalten. Nach dem Fall Konstantinopels 1453 wurden solche Reisen – von Ausnahmen wie der des frz. Arztes Petrus Belonius [9] abgesehen – seltener. Die wichtigsten Pioniere der griech. A. – Johannes Meursius [48], Ubbo Emmius [29], Samuel Petitus [59], Jacob Gronovius [42], Lambert Bos [12] und Johann Albert Fabricius [30] – haben Griechenland nie gesehen. Ein neues Kapitel der Griechenlandreisen begann erst 1675/76 mit dem Lyonneser Arzt Jacob Spon [78; 95]. Seit 1751 finanzierte die → *Society of Dilettanti* mehrere engl. Forschungsreisen nach → Griechenland und Kleinasien: darunter die der Architekten James Stuart und Nicholas Revett, die mehrere J. lang systematisch die *Antiquities of Athens* aufnahmen [80], und die von Richard Chandler, der die *Marmora Oxoniensia* [20] katalogisiert hatte, bevor er in Kleinasien die *Ionian Antiquities* erkundete [19]. 1799 begann Thomas Bruce, 7th Earl of Elgin, seine 1804 erfolgreichen Bemühungen, den Parthenon-Fries (sog. Elgin Marbles) nach London zu überführen.

Mindestens ebenso intensiv wie die klass. A. wurde während des gesamten hier betrachteten Zeitraums die biblische, d. h. zumeist hebräisch-altoriental. A. bearbeitet. 1583 schrieb wiederum Sigonius die erste maßgebliche Studie [73]. 1593 folgten jüd.-rabbinische Altertümer des span. Mitherausgebers der Polyglott-Bibel, Benito Arias Montanus [5]. Eine Sammlung hebräischer Sakral-Altertümer (1708) und eine wegweisende antiquarische Top. Palästinas (das er nie gesehen hatte) schuf der Utrechter Orientalist Hadrian Reeland [64–65]. Seit 1744 vereinigte der Venezianer Blasius Ugolinus diese und viele andere Werke zu hebräischen Altertümern in einem 34 Foliobände starken Thesaurus [82]. Schon 100 J. zuvor hatte Antonio Bosio mit seiner Top. der röm. Katakomben das Gründungsbuch der christl. A. geschaffen [13].

Eine vorchampollionische ägypt. A. wurde vorab durch die Wiederaufrichtung der röm. Obelisken unter Sixtus V. (1585–1590) inspiriert. Beflügelt von dem Wunsch, seinen Zeitgenossen die Ägypter als Muster eines Volkes vorzustellen, dessen polit. wie privates Leben in vollkommenem, glücklichem Einklang mit den Geboten eines allmächtigen Priesterkönigtums abgelaufen sei, bemühte sich der polyglotte Jesuit Athanasius Kircher um deren Sakral-Altertümer und die Deutung der Hieroglyphen (Grafton in: [99. 87–123]). Bes. für ägypt. A. interessierte sich Nicolas Fabri de Peiresc in Aix-en-Provence, ein Universalgelehrter, der nichts publizierte, aber allein aufgrund seiner Briefe als bedeutendster Antiquar seiner Zeit geschätzt wurde [121].

5. NATIONALE ALTERTUMSKUNDE

Parallel zur intensiven Beschäftigung mit der klass. A. setzte in allen Ländern Europas die Erforsch. der eigenen, nationalen Altertümer ein. Überall förderten Fürsten und Obrigkeiten die vom erwachenden Nationalgefühl forcierten Versuche, aus den Monumenten, Ruinen und Funden des eigenen Landes mit kritischen Methoden eine möglichst ruhmvolle Frühgeschichte zu (re)konstruieren. In Konkurrenz zur päpstlich-imperialen Rom-Renovatio entdeckten zunächst it. Städte ihre vorröm. bzw. – in Sizilien und in Unterit. – griech. Ursprünge [112. 104–106; 113]. In der Toscana blühte die → Etruskologie auf ([23; 34; 35; 36] vgl. [112. 91–92]). Nach Blondus' Vorbild schufen Autoritäten wie Scipione Maffei [47] oder Lodovico Antonio Muratori [50–51] noch im 18. Jh. imposante Sammlungen städtischer und regionaler Altertümer.

Auch in Frankreich, dessen Nationaldichtung Joachim du Bellays Sonett-Zyklus *Les Antiquitéz de Rome* (1558) mitbegründete, erforschten vorab Städte wie Nîmes (1559), Bordeaux (1565), Paris (1576), Arles (1625), Vienne (1658) oder Lyon (1678), ihre Monumente und Altertümer ([77. 85–86]; weitere Nachweise in: [119; 95]). Es war kein Zufall, sondern Zeichen einer polit. Allianz, wenn André Duchesne 1610 auf seine *Antiquités et Recherches de la grandeur et majesté des Rois de France* eine Sammlung der Altertümer frz. Städte und Festungen folgen ließ [24–25]. 1643 schrieb Louis Coulon in seinem *Ulysse françois* einen Führer zu galloröm. Altertümern. Funde wie die der *Venus von Arles* (1651), des *Childerich-Grabes* in Tournai (1653) und des gallischen *Grabes von Cocherel* (1685) beflügelten die Suche nach der gallischen Vergangenheit, die im 18. Jh. akad. organisiert betrieben wurde und zahlreiche Werke zur regionalen A. hervorbrachte [119. 31–57].

Auch im Hl. Röm. Reich waren v. a. städtische Gelehrte (bes. im Elsaß, in Franken und Schwaben) damit befaßt, die Größe der german. Vergangenheit durch antiquarische Recherchen zu beweisen und die polit. Einigungsversuche der Kaiser so histor.-ideologisch zu flankieren. Noch bevor der Schlettstadter Beatus Rhenanus die Altertümer in seinen *Rerum Germanicarum libri III* (1531) gleichberechtigt neben den Textquellen heranzog [66], räumte ihnen Sigismund Meisterlin in seiner

Augsburger Chronik (1485/88) breiten Raum ein. Doch auch ein fürstlicher Hofhistoriker wie Johann Turmair gen. Aventin durchforschte um 1520 die Lande seines Herrn systematisch nach röm. und vorröm. Überresten [81]. Noch bevor das katholische Projekt einer *Germania Sacra* in die Tat umgesetzt wurde, schuf der Jesuit Christoph Brouwer mit seinen antiquarischen Werken zur Geschichte der Hochstifte Fulda und Trier die Muster einer mod. kirchlich-klösterlichen A. [14–15].

Seit der Glaubensspaltung verstärkte die Sorge, mit der gelehrte Zeitgenossen die Zerstörung uralter Klöster, Kirchen und Monumente beobachteten, die Hinwendung zur nationalen A. In England unternahm John Leland seit 1533 King's Antiquary, seit die Aufhebung der Klöster weite Reisen, um Hss. zu retten, Ortsnamen aufzuzeichnen und lokale Altertümer wie den Hadrianswall zu erkunden [109]. Seine Notizen blieben – wie John Aubreys Aufzeichnungen über die *Monumenta Britannica* aus den 1660er J. – unveröffentlicht. Doch benutzte sie William Camden 1586 für seine wirkungsmächtige *Britannia*, eine nach Blondus' Vorbild komponierte Sammlung von Namensstudien, Stadtgeschichten, Münzen und Inschr. [118. 33–53]. Ein antiquarischer Ausdruck des so beflügelten Nationalgefühls [96] waren die *Roman Antiquities*, in denen Thomas Godwin 1614 röm. und engl. Institutionen parallelisierte [31]. Überall suchte man die Altertümer jetzt durch Ausgrabungen zu erweitern [118]. In Schweden untersuchten Johan Bure (1568–1652) und Olof Rudbeck (1630–1702) im Auftrag ihres Königs Runensteine und Hünengräber. In Dänemark zeigte Ole Worm (1588–1654) seine Funde in seiner vielbesuchten »Wunderkammer«. In Hamburg erschienen 1719/20 Andreas Albert Rhodes *Cimbrisch-Hollsteinische Antiquitaeten-Remarques* als erstes altertumskundliches Wochenblatt [124]. In Holland erforschte Ubbo Emmius die Altertümer seiner friesischen Heimat [28]. In Rußland, wo man die Skythen als nationale Ahnen entdeckte, förderten die Zaren seit Peter dem Gr. die Erkundung von deren Gräbern und Altertümern [123]. Die Verbindung von A., Top. und Volkskunde bewirkte, daß diese nationale A., mehr noch als die eher lit. gebundene klass. A., zum Laboratorium für mod. arch. Methoden wurde.

6. KRISE UND TRIUMPH
DER ALTERTUMSKUNDE SEIT 1700

Zu Zentren der A., zu Zufluchtsorten führender Antiquare aus ganz Europa wurden im 17. Jh. die niederländischen Univ. Hier, am Schnittpunkt perfektionierter Philol., mathematischen Geistes und neuer Naturwiss., wirkten der Danziger Philipp Cluverius, der nicht nur die german., sondern auch die altital. Top. erneuerte [21–22], der Naumburger Johann Georg Graevius [39–41] und der aus Hamburg stammende Jacob Gronovius [42]. Ihr Lebenswerk bestand in gewaltigen Textsammlungen, in denen sie die Werke früherer Antiquare, oft mit neuer Kommentierung, zu gewaltigen Magazinen des Wissens vereinigten und so repräsentative Übersichten über den Stand der einzelnen

Zweige der A. bereitstellten. Die Informationen der dort in voller Länge abgedruckten Werke resümierten die Artikel im *Lexicon antiquitatum Romanarum* des Samuel Pitiscus [62]. Solche Großprojekte reagierten auch auf eine wachsende Sinn-Krise der A.: auf die Tatsache, daß der Konsens darüber, was »Ant.« sei und sein solle, in der Flut der Funde und Publikationen zusehens unterging. Damit aber geriet das pädagogisch-moralische Ziel der A. so weit aus dem Blick, daß sie als nutzloser Selbstzweck erscheinen konnte. Zudem hatte die intensive philol.-antiquarische Forsch. so viele Verfälschungen der Überlieferung aufgedeckt, daß Skeptiker (sog. Pyrrhonisten) bestritten, daß sich aus dem Alt. überhaupt irgendeine brauchbare, sichere Erkenntnis gewinnen lasse [112]. Dessen Verteidiger mußten also vorab erklären, was am aufgehäuften Wissen über die Ant. glaubwürdig und was an ihr überhaupt wissenswert sei. Damit aber wuchs der A. eine revolutionär neue Bed. zu. Wohl hatte schon Cyriacus von Ancona Altertümer als *sigilla* der Wahrheit der Historiker gepriesen, hatte Patin Münzen »les marques les plus assures« der Geschichte und Spon Monumente als »bessere«, nämlich aus Erz und Stein gefertigte Bücher gerühmt. Nun aber kehrte sich das Verhältnis zw. Historie und A. vollends um: hatten bislang die klass. Texte den A. ihren Rang zugewiesen, wurden diese nun zu Richtern über deren Glaubwürdigkeit [120].

Den neuen Anspruch der A., Gehalt und Sinn der Ant. besser als die Historie bestimmen zu können, verkörperte seit 1719 *L'Antiquité expliquée et représentée en figures* des Benediktinerpaters Bernard de Montfaucon [49]. Das auf Frz. verfaßte Werk (dessen lat. Übers. am Fuß der Seiten mitlief) war das aufwendigste, teuerste Werk, das die A. bis dahin hervorgebracht hatte. Auf rund 40000 Kupferstich-Abbildungen dokumentierte es – gegliedert in Sakral-, Privat-, Kriegs- und Grab-Altertümer – ant. Überreste von Götterbildern bis zu Alltagsgegenständen aus der gesamten mediterranen (außerjüd.) Welt. Montfaucon sah Bilder nicht als Illustrationen schriftlicher Nachrichten, sondern als deren sinnliche Konzentrate. Er definierte Ant. deshalb geradezu als das, ›qui peut tomber sous les yeux, et ce qui se peut représenter dans des images‹: als ›la belle antiquité‹, deren Verfall er im 3. Jh. ansetzte und als deren letztes Monument er die Theodosius-Säule betrachtete. Staats-, Rechts- und Verfassungs-Altertümer hingegen, bisher die Zentralgebiete der A., aber auch Chronologie und Top. berührte er allenfalls am Rande.

Diese Tendenz, Ant. zu einem sinnlich-ästhetischen Phänomen, die Altertümer zu autonomen ästhetischen Objekten zu erklären, verstärkte seit 1752 der *Recueil d'antiquités egyptiennes, etrusques, grecques et romaines* des frz. Diplomaten, Kleinasienreisenden und Mäzen Anne Claude Philippe de Thubires, Comte de Caylus [18]. Er erörterte ausschließlich Stücke aus seinem eigenen Besitz, gab sich schon insofern betont anti-akad., obwohl er auf exakte Maß- und Materialangaben großen Wert legte und obwohl ihn Fragmente mehr interessierten als intakte Stücke, Scherben mehr als Statuen. Stets fragte er nach der spezifischen Art, in der ein jedes Volk in jeder Epoche seine Werke gestaltet habe, um aus den Unterschieden den Fortschritt bzw. die Wandlungen (›ses progrès ou ses alterations‹) der Künste abzulesen. 1761, noch vor Winckelmann, beschrieb Caylus eine Entwicklung von Ägypten über Etrurien bis nach Griechenland, ›ou le savoir joint la plus noble élégance‹, so daß die Kunst hier ihre höchste ›perfection‹ erreicht habe, gegen welche die der Römer schon einen Abstieg bedeute.

Diesen Übergang zu einer genetischen Ordnung der A., geleitet vom aristokratischen Prinzip angeborener ästhetischer Intuition, vollendete 1764 Johann Joachim Winckelmanns *Geschichte der Kunst des Alterthums* [88]. Er gliederte sie nicht mehr nach Gegenständen oder Künstlern, sondern in einen theoretisch-typologischen Teil, der die Entwicklung der Kunst nach dem Wesen beschrieb, und in eine Verlaufsgeschichte, die den gleichen Prozeß nach den äußeren Umständen der Zeit noch einmal verfolgte. Dabei parallelisierte er die ästhetische mit der polit. Entwicklung, indem er Kunst im emanzipatorischen Geist der Aufklärung zum Ergebnis und Gradmesser polit. Freiheit erklärte [107; 108; 122]. Daß er, wie Caylus, die griech. Kultur dabei als Höhepunkt der Ant. feierte, die röm. hingegen als Dekadenzphänomen abwertete, drängte den traditionell wichtigsten Bereich der A. aus dem Zentrum der Betrachtung.

C. ALTERTUMSKUNDE UND NEUE ALTERTUMSWISSENSCHAFT

So gab Winckelmann der A. ihr eigene, immanente Kriterien – die des Stils und der organischen Entwicklung – zur selbständigen Klassifikation ihres Materials. Diese Historisierung befreite die A. vollends aus ihrer Bindung an die ant. Texte und tilgte den alten Gegensatz von A. und Geschichte. Zu Beginn des 19. Jh. verschmolzen beide Disziplinen – gemeinsam mit der Philol. – zu einer neuen: der historistischen »Alterthumswissenschaft«, die Christian Gottlob Heyne seit 1763 in der international ausstrahlungskräftigen Univ. Göttingen als universale Kulturwiss. praktiziert hatte [93] und deren programmatische Darstellung sein Schüler Friedrich August Wolf 1807 nachträglich entwickelte [89]. Aus einem Moment aristokratischer Repräsentationskultur, einer elitären Liebhaberei für reiche Sammler, einer anspruchsvollen Nebentätigkeit von Professoren für Poesie und Jurisprudenz wurde die A. so zu einem professionellen akad. Fach. Ohne ihren Namen zu ändern, systematisierte sie sich zur Arch., der in der neuen Geschichtswiss. die Bereitstellung von Sachquellen zukam. In dieser Gestalt erschien sie 1817 in August Böckhs *Staatshaushaltung der Athener*, dem ersten Dokument der erneuerten, mod. A. [11]. Wer A. hingegen weiterhin nach alter Art betrieb, setzte sich hinfort dem Ruf aus, ein systemloser, unhistor. Eklektiker, eben *nur* ein Antiquar zu sein.

→ Archäologische Methoden; Christliche Archäologie; Druckwerke; Geschichtswissenschaft; Klassische Archäologie; Querelle des Anciens et des Modernes; Römisches Recht; Zeichnungen und Vedutenmalerei

QU **1** L. B. ALBERTI, De re aedificatoria. L'architettura, ed. G. ORLANDI, P. PORTOGHESI, 2 Bde., 1966 (dt. 1975) **2** U. ALDROVANDI, Antiquarum statuarum urbis Romae icones, Rom 1584 **3** Ders., Delle Statue Antiche, che per tutta Roma, in diversi luoghi, & case se veggono, in: L. MAURO, Le Antichitá della Cittá di Roma, Venedig 1558 **4** P. APIAN, B. AMANTIUS, Inscriptiones sacrosanctae vetustatis non illae quidem Romanae, sed totius fere orbis summo studio maximis impensis terra marique conquisitae, Ingolstadt 1534 **5** B. ARIAS MONTANUS, Antiquitatum Judaicum libri IX, Leiden 1593 **6** F. BALDUINUS, Libri duo ad Leges Romuli Regis Romani Legum XII Tabularum, Leiden 1550 **7** L. BEGER, Thesaurus ex Thesauro Palatino Selectus, sive gemmarum et Numismatum quae in Electorali Cimeliarchio continentur. Elegantiorum aere expressa, et convenienti commentario illustrata Dispositio, Heidelberg 1685 **8** Ders., Thesaurus Brandenburgicus ... , 3 Bde. (mit versch. Titeln), Neuköln 1696–1701 **9** P. BELONIUS, Les Observations de plusieurs singularitéz & choses mémorables trouvées en Grèce, Asie, Iudée, Egypte, Arabie & autres pays estranges, Paris 1553 **10** F. BLONDUS, Opera omnia, Basel 1559 **11** A. BÖCKH, Die Staatshaushaltung der Athener, 2 Bde., Berlin 1817 **12** L. BOS, Descriptio Antiquitatum Graecarum praecipue Atticarum descriptio brevis, Franecker 1714 **13** A. BOSIO, Roma sotteranea, Rom 1632 **14** CH. BROUWER, Fuldensium Antiquitatum libri IV, Antwerpen 1612 **15** Ders., Antiquitatum et annalium Trevirensium libri XXV, ed. J. MASENIUS, 2 Bde., Lüttich 1670 **16** G. BUDAEUS, De asse, Paris 1514 **17** C. DAL POZZO, The Paper Mus. A Catalogue Raisonnée, ed. F. HASKELL, J. MONTAGU, 1996 ff. **18** A. C. PH. DE THUBIRES, COMTE DE CAYLUS, Recueil d'antiquités egyptiennes, etrusques, grecques et romaines, 7 Bde. (ab Bd. 3 im Titel zusätzlich: et gaulois), Paris 1752–1767 **19** R. CHANDLER, N. REVETT, Ionian Antiquities. Ruins of Magnificent and Famous Buildings in Ionia, published at the expense of the Society of Dilettanti in 1769 **20** R. CHANDLER, Marmora Oxoniensia, Oxford 1763 **21** PH. CLUVERIUS, Germaniae antiquae Libri III. Adiectae sunt Videlicia et Noricum, Leiden 1616 **22** Ders., Italia antiqua, Leiden 1624 **23** TH. DEMPSTER, De Etruria regali libri VII (ed. TH. COKE), 2 Bde., Florenz 1723 und 1726 **24** A. DUCHESNE, Les Antiquités et Recherches de la grandeur et majesté des Rois de France, Paris 1609 **25** Ders., Les Antiquités et Recherches des Villes, châteaux et places remarquables de toute la France, suivant l'ordre des huit parlements, Paris 1610 **26** J. H. ECKHEL, Catalogus Musei Caesarei Vindobonensis numerorum veterum distributus in partes II ... , 2 Bde., Wien 1779 **27** Ders., Doctrina nummorum veterum, 8 Bde., Wien 1792–1798 **28** U. EMMIUS, De origine atque antiquitate Frisiorum, Groningen 1603 **29** Ders., Vetus Graecia illustrata, 3 Bde., Leiden 1626–1632 **30** J. A. FABRICIUS, Bibliotheca Graeca, sive notitia scriptorum veterum Graecorum, quorumcumque monumenta integra aut fragmenta edita existant: tum plerorumque e Mss. ac deperditis, 14 Bde., Hamburg 1705–1728 **31** TH. GODWIN, Romanae Historiae Anthologia. An English Exposition of the Roman Antiquities, wherein many Roman and English Offices are paralleled, and diverse obscure Phrases explained, Oxford 1614 **32** H. GOLTZIUS, Icones Imperatorum Romanorum e

priscis numismatibus ad vivum delineatae, Brügge 1558
33 Ders., Romanae et Graecae antiquitatis monumenta e
priscis numismatibus eruta, Antwerpen 1645 **34** A. F. GORI,
Mus. Florentinum, 6 Bde., Florenz 1731–1743 **35** Ders.,
Mus. Etruscum, 3 Bde., Florenz 1737–1743
36 A. GORLAEUS, Dactyliotheca, seu annulorum
sigillorumque promptuarium, Nürnberg 1601 **37** Ders.,
Thesaurus Numismatum familiarum Romanarum, Leiden
1608 **38** J. GOTHOFREDUS, Fragmenta Duodecim
Tabularum, suis nunc primum tabulis restituta,
probationibus, notis et indice munita, Heidelberg 1616
39 J. G. GRAEVIUS, Thesaurus Antiquitatum et Historiarum
Italiae, 27 Bde., Leiden 1704–1723 **40** Ders., Thesaurus
Antiquitatum et Historiarum Siciliae, 5 Bde., Leiden 1723
41 Ders., Thesaurus Antiquitatum Romanorum, 12 Bde.,
Utrecht 1694–99 **42** J. GRONOVIUS, Thesaurus Graecarum
Antiquitatum, 13 Bde., Leiden, 1694–1703 **43** J. GRUTER,
Inscriptiones antiquae totius orbis Romani in corpus
absolutissimum redactae ingenio ac cura Jani Gruteri:
auspiciis Josephi Scaligeri ac Marci Velseri, 2 Bde., o.O.
1602 und 1603 **44** J. G. HEINECCIUS, Antiquitatum
Romanarum Jurisprudentiam illustrantium Syntagma
secundum ordinem institutionum Iustiniani digestum, in
quo multa iuris Romani atque auctorum veterum loca
explicantur atque illustrantur, Halle 1719 **45** W. LAZIUS,
Specimen Commentarii veterum numismatum maximi
scilicet operis et quattuor sectionibus multarum rerum
publicarum historiam etc. comprehendentis, Wien 1558
46 P. LIGORIO, Delle antichità di Roma, ed. D. NEGRI, 1989
47 S. MAFFEI, Verona Illustrata, Verona 1731 und 1732
48 J. MEURSIUS, Opera omnia, ed. J. LAMIUS, 12 Bde.,
Florenz 1741–1763 **49** B. DE MONTFAUCON, L'Antiquité
expliquée et représentée en figures, 15 Bde., Paris
1719–1724 **50** L. A. MURATORI, Antiquitates Italicae medii
aevi, sive dissertationes de moribus italici populi, ab
inclinatione Romani imperii usque ad annum 1500, 6 Bde.,
Mailand 1738–1742 **51** Ders., Novus Thesaurus veterum
Inscriptionum, in praecipuis earundem collectionibus
hactenus praetermissarum, 6 Bde., Mailand 1739–1742
52 ADOLF III. OCCO, Imperatorum Romanorum numismata
a Pompeio Magno ad Heraclium, Antwerpen 1579
53 O. PANVINIUS, Fasti et triumphi Romani, Venedig 1557
54 Ders., Fastorum libri V, eiusdem in Fastorum libros
commentarii, Venedig 1558 **55** Ders., Reipublicae
Romanae commentatorium libri III, Venedig 1558
56 CH. PATIN, Introduction à l'histoire par la connaissance
des Médailles, Paris 1665 **57** F. PERRIER, Icones et segmenta
illustrium e marmore tabularumque Romae quaedhuc
exstant, Rom und Paris 1645 **58** Ders., Segmenta nobilium
signorum et statuarum quae temporis dentem invidiamque
evaserunt, Rom und Paris 1638 **59** S. PETITUS, Leges
Atticae, Paris 1635 **60** C. PEUTINGER, Romanae vetustatis
fragmenta in Augusta Vindelicorum, Augsburg 1505
61 G. B. PIRANESI, Antichità Romane, Roma 1756
62 S. PITISCUS, Lexicon antiquitatum Romanarum in quo
ritus et antiquitates cum Graecis ac Romanis communes,
tum Romanis peculares, sacrae et profanae, publicae et
privatae, civiles et militares exponuntur, 2 Bde., Leowarden
1713 **63** G. F. POGGIO BRACCIOLINI, Opera omnia, Basel
1538 **64** H. REELAND, Antiquitates sacrae veterum
Hebraeorum, Utrecht 1708 **65** Ders., Palestina ex
monumentis veteribus illustrata, Utrecht 1714
66 B. RHENANUS, Rerum Germanicarum libri III, Basel
1531 **67** J. ROSINUS, Romanarum antiquitatum libri X, ex

variis scriptoribus summa fide singularique diligentia
collecti, Basel 1583 **68** A. SADELER, Vestigi delle antichità di
Roma, Tivoli, Pozzuoli et altre luochi, Prag 1606
69 J.J. SCALIGER, Opus novum de emendatione temporum,
Paris 1583 **70** Ders., Thesaurus temporum, Leiden 1606
71 J. SELDEN, Marmora Arundelliana, o. Ort 1629
72 C. SIGONIUS, De antiquo iure civium Romanorum libri
II; De antiquo iure Italiae libri III, Venedig 1560 **73** Ders.,
De republica Hebraeorum libri VII, Bologna 1582
74 Ders., Regum, consulum, dictatorum ac censorum
Romanorum Fasti, Modena 1550 **75** E. SPANHEIM,
Dissertationes de usu et praestantia numismatum
antiquorum, Rom 1664 **76** J. SPON, Miscellanea eruditae
antiquitatis, in quibus marmora, statuae, musiva, toreumata,
gemmae, numismata, Grutero, Ursino, Boissardo,
Reinesio, aliisque antiquorum monumentorum
collectoribus ignota, et hucusque inedita referuntur ac
illustrantur, Lyon 1685 **77** Ders., Recherche des antiquités
et curiosités de la ville de Lyon, Ancienne Colonie des
Romains et Capitale de la Gaule Celtique. Avec un
Mémoire des Principaux Antiquaires et Curieux de
l'Europe, Lyon 1673 **78** Ders., Voyage d'Italie, de
Dalmatie, de Grece, et du Levant, fait aux années 1675 et
1676 par Iacob Spon, Docteur Medecin Aggregée à Lyon, et
George Wheler, Gentilhomme Anglois, 3 Bde., Lyon 1678
79 PH. BARON VON STOSCH, Gemmae Antiquae Caelatae,
Sculptorum Nominibus insignatae, Amsterdam 1724
80 J. STUART, N. REVETT, The Antiquities of Athens, 4 Bde.,
London 1762–1816 **81** J. TURMAIR gen. AVENTINUS,
Baierische Chronik (ed. M. LEXER), in: Ders., Sämmtliche
Werke, Bde. 4–5, 1881–1908 **82** B. UGOLINUS, Thesaurus
antiquitatum sacrarum complectens selectissima
clarissimorum virorum opuscula, in quibus veterum
Hebraeorum mores, leges, instituta, ritus sacri et civiles
illustrantur, 34 Bde., Venedig 1744–1769 **83** F. URSINUS,
Familiae Romanae in antiquis numismatibus ab urbe
condita ad tempora Divi Augusti ex bibliotheca Fulvii
Ursini, Rom 1577 **84** Ders., Imagines et elogia virorum
illustrium et eruditorum ex antiquis lapidibus et
numismatibus expressae cum annotationibus bibliotheca,
Rom 1570 **85** E. VINET, L'Antiquité de Bordeaux, de
Bourg sur mer, d'Angoulème et autres lieux, Bordeaux 1565
86 Ders., L'Antiquité de Saintes et de Barbezieux, Bordeaux
1571 **87** J.J. WINCKELMANN, Description des Pierres gravés
du feu Baron de Stosch, Florenz 1760 **88** Ders., Gesch.
der Kunst des Alt., Dresden 1764 mit Anm. 1767 (ed.
L. GOLDSCHEIDER, 1934, Ndr. 1982) **89** F. A. WOLF,
Darstellung der Alterthums-Wiss., in: Mus. der
Alterthums-Wiss., Bd. 1, Berlin 1807, 1–145 (Ndr. 1986)

LIT **90** H. BECK, P. C. BOL, W. PRINZ, H. V. STEUBEN
(Hrsg.), Antikensammlungen im 18. Jh., 1981
91 P. BERGHAUS (Hrsg.), Der Archäologe. Graphische
Bildnisse aus dem Porträtarchiv Diepenbroick. Hrsg. in
Verbindung mit K. KNECKTYS, A. SCHOLLMEIER (Kat.
Westfälisches Landesmus. für Kunst und Kulturgeschichte),
1983 **92** R. VON BUSCH, Stud. zu dt. Antikensammlungen
des 16. Jh., (Diss. Tübingen) 1973 **93** Der Vormann der
Georgia Augusta. Christian Gottlob Heyne zum 250.
Geburtstag. Sechs akad. Reden, 1980 **94** R. und F.
ÉTIENNE, Le Grèce antique. Archéologie d'une découverte,
1990 (dt. 1992) **95** R. ÉTIENNE, J.-C. MOSSIÈRE (Hrsg.),
Jacob Spon, 1993 **96** A. B. FERGUSON, Utter Antiquity.
Perceptions of Prehistory in Ren. England, 1993
97 R. GASTON (Hrsg.), Pirro Ligorio, Artist and

Antiquarian, 1988 **98** A. T. GRAFTON, Joseph Scaliger, 2 Bde., 1983/92 **99** Ders. (Hrsg.), Rome Reborn. The Vatican Library and Ren. Culture, 1993 **100** H. GÜNTHER, Die Ren. der Ant., 1997 **101** F. HASKELL, Die Gesch. und ihre Bilder. Die Kunst und die Deutung der Vergangenheit, 1995 **102** Ders., N. PENNY, Taste and the Antique. The Lure of Classical Sculpture 1500–1900, ⁴1994 **103** G. HERES, Arch. im 17. Jh., in: M. KUNZE (Hrsg.), Arch. zur Zeit Winckelmanns. Eine Aufsatzsammlung, 1975, 9–39 **104** D. HOWARTH, Lord Arundel and his Circle, 1985 **105** P. JOACHIMSEN, Geschichtsauffassung und Geschichtsschreibung in Deutschland unter dem Einfluß des Human., 1910 (Ndr. 1968) **106** W. JUDEICH, Top. von Athen, 1931 **107** C. JUSTI, Winckelmann und seine Zeitgenossen, 1943 **108** M. KÄFER, Winckelmanns Hermeneutische Prinzipien, 1986 **109** J. M. LEVINE, Humanism and History, 1987 **110** W. MCCUAIG, Carlo Sigonio, 1989 **111** C. MOATTI, A la recherche de la Rome antique, 1989 (dt. 1992) **112** MOMIGLIANO, 1955, 67–106 **113** Ders., 1984, 115–132 **114** Ders., 1984, 133–153 **115** Ders., The Rise of Antiquarian Research, in: Ders., The Classical Foundations of Modern Historiography, 1990, 54–79 **116** S. PIGGOTT, Ancient Britons and the Antiquarian Imagination, 1989 **117** Ders., Antiquity Depicted. Aspects of Archeological Illustration, 1978 **118** Ders., Ruins in a Landscape. Essays in Antiquarianism, 1976 **119** P. PINON, La Gaule retrouvée, ²1997 **120** M. RASKOLNIKOFF, Histoire romaine et critique historique dans l'Europe des lumières, 1992 **121** A. REINBOLD (Hrsg.), Peiresc ou la passion de connaître. Colloque de Carpentras, novembre 1987, 1990 **122** W. SCHIERING, Zur Gesch. der Arch., in: U. HAUSMANN (Hrsg.), Allg. Grundlagen der Arch., 1969, 11–161 **123** V. SCHILTZ, Histoire de Kourganes. La redécouverte de l'or des Scythes, 1991 **124** A. SCHNAPP, La Conquête du passé. Aux origins de l'archéologie, 1993 (engl. 1996) **125** J. B. TRAPP, Virgil and the Monuments, in: Ders., Essays on the Ren. and the Classical Trad., 1990 (VI) **126** B. G. TRIGGER, A History of Archaeological Thought, 1988. **127** G. WALTHER, Adel und Ant. Zur polit. Bed. gelehrter Kultur für die Führungselite der frühen Neuzeit, in: HZ 266, 1998, 359–385 **128** M. WEGNER, A., 1951 **129** R. WEISS, The Ren. Discovery of Classical Antiquity, 1969 **130** ZAZOFF, GuG.   GERRIT WALTHER

Altorientalische Philologie und Geschichte

A. NAME UND DEFINITION   B. URSPRÜNGE UND ANFÄNGE   C. ENDE DES 19. JAHRHUNDERTS D. ZWANZIGER UND DREISSIGER JAHRE DES 20. JAHRHUNDERTS   E. SEIT DEM ENDE DES II. WELTKRIEGES   F. STRUKTUREN UND INSTITUTIONEN DES FACHES G. ALTORIENTALISCHE PHILOLOGIE UND GESCHICHTE IM KONTEXT IHRER KULTURELLEN UND POLITISCHEN UMWELT H. ZUKUNFTSPERSPEKTIVEN

A. NAME UND DEFINITION

Die APG ist Teil der Altorientalistik (Ancient Near Eastern Studies), die neben Philol. und Geschichte auch die Arch. des Alten Orients (AO) einschließt. Der Begriff »altoriental.« bezieht sich im Kontext westeurop. und amerikanischer Wiss. auf den geogr. Raum Vorderasien und dessen vorchristl. bzw. vorislamische Kulturen auf den Gebieten der heutigen Türkei, Syriens, Libanons, Israels, Jordaniens, des Irak, der arab. Halbinsel und Irans. Im Verständnis osteurop. Wiss. wird der Begriff AO auf alle alten Hochkulturen zw. dem Mittelmeer und dem chinesischen Meer angewendet. Urspr. und z. T. noch h. wird die Disziplin mit dem traditionellen Namen Assyriologie bezeichnet, weil am Anfang der Erforsch. der Kultur des alten Mesopotamien Inschr. aus dem alten Assyrien standen. Gegenüber dieser Bezeichnung hat sich der Name Altorientalistik fortschreitend als mehr adäquat erwiesen, je mehr altoriental. Kulturen bekannt geworden sind. Das im Verlauf der Zeit gewaltig angewachsene inschr. und arch. Material hat zur Entwicklung zweier Teildisziplinen geführt – der Altoriental. Philol. und der Altoriental. oder → Vorderasiatischen Archäologie, die trotzdem durch eine gemeinsame Fragestellung verbunden bleiben – nämlich eine alte Hochkultur anhand ihrer schriftlichen und materiellen Zeugnisse zu rekonstruieren. Insofern ist die APG als histor. und kulturwiss. Disziplin aufs engste mit der Vorderasiatischen Arch. verbunden und ohne Rückgriff auf deren Arbeit nicht denkbar. Andererseits kann diese – soweit durch schriftliche Quellen faßbare Epochen betroffen sind – nur dann erfolgreich arbeiten, wenn sie ihrerseits die Ergebnisse der Philol. berücksichtigt.

APG beschäftigt sich mit den Sprachen, der Geschichte und den Kulturen des AO. Deren schriftliche Hinterlassenschaften sind v. a. durch das Medium der Keilschrift in Akkadisch (Assyrisch-Babylonisch) und Sumerisch faßbar, darüber hinaus durch das Hethitische und andere keilschriftlich (Hattisch, Luwisch, Palaisch) überlieferte altanatolische Sprachen sowie durch das aus zahlreichen hieroglyphenschriftlichen Texten bekannte (Hieroglyphen-)Luwische. Die APG pflegt enge Kontakte zu den histor. und orientalistischen Disziplinen, die sich mit den Sprachen und Kulturen des AO befassen, deren schriftliche Äußerungen in nichtkeilschriftlichen Alphabetschriften vorliegen. Dazu gehört die → Semitistik, soweit sie sich mit dem Ugaritischen, dem Phönikischen, dem Aramäischen und anderen westsemitischen Sprachen, dem Altsüdarab. und Aspekten vergleichender Sprachwiss. beschäftigt; ferner die → Iranistik und die Alte Geschichte, soweit sie die Herrschaft der Achaimeniden, Arsakiden (Parther) und Sasaniden zum Gegenstand haben. Enge Beziehungen bestehen zw. der Altanatolistik, da diese die ältesten überlieferten indoeurop. Sprachen zum Gegenstand hat, und der Indogermanistik, die u. a. mit den altanatolischen Sprachen des 1. Jt. (u. a. Lydisch, Lykisch, Phrygisch) befaßt ist.

B. URSPRÜNGE UND ANFÄNGE

Nach der → Entzifferung der altpersischen, elamischen und akkadischen Keilschrift in der 1. H. des 19. Jh., die z. T. gleichzeitig mit den umfangreichen engl. und frz. Ausgrabungen in den Palästen der assyrischen Kapitalen Kalḫu (Nimrud), Dūr-Šarru-ukīn und Ninive geschah, erfolgte sehr bald die Publikation der dort auf Wandorthostaten gefundenen Inschr. und von Texten aus der in Ninive gefundenen Bibl. des Assyrerkönigs Assurbanipal (E. Botta, *Monument de Ninive* (= Dūr-Šarru-ukīn), 1849; A. H. Layard, *Inscriptions in the Cuneiform Character from Assyrian Monuments*, 1851; H. C. Rawlinson, E. Norris, Th. Pinches, *The Cuneiform Inscriptions of Western Asia*, 5 Bde. 1861–1880). Die so zugänglich gemachten Texte ermöglichten nun eine umfassende Beschäftigung mit dem alten Mesopotamien, die über reines Entziffern hinausging.

Das öffentliche Interesse an den künstlerischen und schriftlichen Hinterlassenschaften aus dem alten Mesopotamien entsprang unterschiedlichen Motiven: Zum einen führten die Versuche europ. Mächte, polit. und wirtschaftlichen Einfluß im Osmanischen Reich zu gewinnen, als Nebeneffekt auch zu einer – anfänglich amateurhaft betriebenen – Beschäftigung mit den Überresten der Kultur des alten Mesopotamien. Daraus erwuchs zum anderen ein gewisser Wetteifer der großen Nationen der damaligen Zeit, bedeutende Kunstwerke für ihre Mus. zu erwerben. Damit im Zusammenhang steht am E. des 19. Jh. der Beschluß der polit. und intellektuellen Eliten Deutschlands und bes. Preußens, ebenfalls Grabungen in Mesopotamien durchzuführen und in den Berliner Mus. altorientat. Alt. in gleicher Weise wie im → Louvre und im British Mus. zu präsentieren. Die dort der Öffentlichkeit zugänglichen Reliefdarstellungen aus den Palästen der assyrischen Herrscher führten einem gebildeten Publikum nun – neben dem alten Ägypten – eine weitere vorklass. Hochkultur mit Kunstwerken von beeindruckender Ausstrahlungskraft vor Augen. Zum Dritten muß man die Entwicklung des Faches auf dem Hintergrund eines generellen zeitgenössischen Interesses an fremden Kulturen sehen, das sich gleichermaßen auf Ethnographie der außereurop. Welt und die Geschichte des Alt. erstreckte. Dabei nahm der AO in einer sich universal orientierenden Geschichtsschreibung einen bedeutenden Platz ein, wenn es darum ging, den Anfängen der Geschichte nachzugehen. Schließlich spielte die theologische Diskussion in Europa, aber auch in den USA [7; 11] um das AT als histor. Quelle und seinen Wahrheitsgehalt insofern eine gewichtige Rolle, weil einzelne Inschr. assyrischer Herrscher die Berichte aus dem AT über die Kontakte und die Konflikte mit den Staaten Juda und Israel beleuchten. Daher war es eine Sensation, als 1874 George Smith, Kustos am British Mus., London, ein unter den Tontafeln in der Bibl. Assurbanipals entdecktes umfangreiches Fragment des Gilgamesch-Epos publizierte, das die Geschichte der »Sintflut« enthielt, die erstaunliche Parallelen zur Sintfluterzählung des AT (Gn 6–8) aufweist.

C. ENDE DES 19. JAHRHUNDERTS

Bes. von den Vertretern der histor.-kritischen Erforsch. des AT gingen entscheidende Impulse zur Herausbildung der Assyriologie als eigenständiger akad. Disziplin aus. Bahnbrechend waren die Aufsätze des Alttestamentlers Eberhard Schrader *Die Basis der Entzifferung der babylon.-assyrischen Keilinschr.* geprüft (ZDMG 23, 1869, 337–374) bzw. *Die assyrisch-babylon. Keilschriften. Kritische Unt. der Grundlagen ihrer Entzifferung* (ZDMG 26, 1872,1–392) sowie seine Monographie *Die Keilinschr. und das AT* (1872, ³1903). Nicht zuletzt aufgrund dieser Arbeiten wurde Schrader 1875 auf den ersten Lehrstuhl für Assyriologie berufen, der auf Initiative der Königlich Preußischen Akad. der Wiss. für ihn in Berlin geschaffen worden war.

Der jungen Wiss. wurde lange erhebliche Skepsis entgegengebracht. Die Vorwürfe bezogen sich zum einen auf angeblich unsolide philol. Methoden, die berechtigt waren, weil sich die Disziplin noch in ihren Anfängen befand. In ihrer Absolutheit nicht gerechtfertigt war die Kritik an zahlreichen »Irrtümern« bei der Lesung von Orts- und Personennamen, die ihre Ursache in der Polyvalenz der Keilschrift hatten. Es ist v. a. Friedrich Delitzsch zu verdanken, daß hier eine Wende eintrat. Er kam von der methodisch strengen Indogermanistik her, habilitierte sich 1874 als erster für das Fach Assyriologie in Leipzig und erhielt unmittelbar darauf dort eine außerordentliche Professur. Delitzsch legte auf methodisch überzeugende Weise die gramm. (*Assyrische Gramm.*, 1889) und lexikalischen Grundlagen (*Assyrisches Handwörterbuch*, 1896) für das Fach und etablierte damit die Assyriologie als anerkannte wiss. Disziplin im Kanon der übrigen orientalistischen Fächer. Sein Ruf als herausragender Gelehrter zog Studenten aus zahlreichen Ländern an, die dann in ihrer Heimat eine eigene assyriologische Trad. begründeten. V. a. die Assyriologie in den USA ist von Delitzschs zahlreichen Schülern geprägt worden. Paul Haupt begründete die Altorientalistik in Baltimore; sein Schüler W. Muss-Arnoldt verfaßte das erste englischsprachige Wörterbuch zum Akkadischen, das im Umfang über das von Delitzsch weit hinausging.

In den 80er Jahren des 19. Jh. machten v. a. die frz. Grabungen (L. Heuzy, E. de Sarzec, *Découvertes en Chaldée*, 1884–1912) im Süden des Irak zahlreiche Monumentalinschr. von Herrschern des Staates Lagasch aus dem 25.–22. Jh. v. Chr. und viele tausend Verwaltungsurkunden bekannt. Sie waren in dem bis dahin erst in Ansätzen erforschten Sumerischen geschrieben. Damit wurde der anfangs auf die assyrisch-babylon. Geschichte des 1. Jt. beschränkte Horizont der APG zeitlich, räumlich und sprachlich enorm ausgeweitet, denn die neugefundenen Texte stammten aus der zweiten H. des 3. Jt. Die bisherige Erforsch. des Sumerischen, zunächst von manchen Forschern nicht als eigene Sprache, sondern als kryptographische Wiedergabe des Assyrisch-Babylon. angesehen, beruhte zu großen Teilen auf zweisprachig sumerisch-akkadischen Texten des 1. Jt. Grundlegend waren die Arbeiten der frz. Gelehrten F. de Lenormant und J. Oppert sowie von A. H. Sayce in England, die das gramm. Prinzip des Sumerischen – einer agglutinierenden Sprache, die bis h. keiner der bekannten Sprachfamilien zugeordnet werden kann – im wesentlichen erkannt hatten [13]. Darauf aufbauend legte 1907 der frz. Altorientalist F. Thureau-Dangin seine meisterhafte und bis h. nur im Detail übertroffene Übers. der Inschr. des Gudea von Lagasch (22. Jh. v. Chr.) vor. Als Delitzsch dann seine *Grundzüge der Sumerischen Gramm.* (1914) und sein *Sumerisches Glossar* (1914) publizierte, war die erste Etappe der Erforsch. des Sumerischen zu einem Abschluß gebracht.

An der Wende vom 19. zum 20. Jh. erfuhr die APG enorme Impulse durch zahlreiche Ausgrabungen im Irak, von denen u. a. die amerikanischen in Nippur durch H. V. Hilprecht sowie die der → Deutschen Orient-Gesellschaft in → Babylon und Assur durch R. Koldewey und W. Andrae zu erwähnen sind. Bedeutsam war damals auch die Rolle des British Mus., in dem assyriologische Forsch. weitsichtig organisiert betrieben wurde. Ein Beispiel dafür ist der von Carl Bezold veröffentlichte und noch h. unentbehrliche *Catalogue of the Kujundjik Collection of the British Mus.* (1889–1896). Er erschließt die in der Bibl. des Assurbanipal gesammelte gelehrte Überlieferung des Alten Mesopotamien (weitgehend in akkadischen sowie in zweisprachig sumerisch-akkadischen Texten). Er ermöglichte es v. a., Texte wieder zusammenzufügen, die z. T. nur als Fragmente geborgen worden waren – was generell für die gesamte Textüberlieferung Mesopotamiens gilt – und Duplikate aufzufinden. Oft sind mehrere Dutzend von sich zum Teil überlappenden Duplikaten nötig, um einen Text in seinem vollen Umfang rekonstruieren zu können. Die großen Mus. in London, Paris und Berlin begannen ihre umfangreichen Tontafelbestände zu publizieren (*Cuneiform Texts from Babylonian Tablets in the British Mus.*, 1869 ff.; *Textes cunéiformes du Louvre*, 1910 ff.; *Vorderasiatische Schriftdenkmäler der Königlichen Mus. zu Berlin*, 1907–1917). Gleiches gilt für die bedeutenden amerikanischen Sammlungen, die viele tausend Keilschrifttexte im Antikenhandel erworben hatten: u. a. *Yale Oriental Series, Babylonian texts* (1915 ff.); Univ. of Pennsylvania Mus.: *Publications of the Babylonian Section* (1911–1930); *Babylonian Expedition of the Univ. of Pennsylvania* (1893–1914). Damit stand der Forsch. für die meisten Perioden mesopotamischer Geschichte und Sprachgeschichte ein umfangreiches Material zur Verfügung. Indem Ausgrabungen, Textpublikationen sowie die Bearbeitung und Übers. wichtiger Texte das Wissen um Geschichte und Kultur Babyloniens und Assyriens in beachtlicher Weise vermehrten, wurde davon auch das Verhältnis der Assyriologie/APG zur at. Wiss. berührt. Angestoßen durch Vorträge von Delitzsch führte dies in Deutschland zu dem sog. → Babel-Bibel-Streit.

Bes. Bed. kam der Entdeckung der bei den frz. Ausgrabungen in Susa gefundenen Stele des Hammurapi zu (1902) – mit dem Text des bis h. umfangreichsten Rechtsbuches aus dem vorklass. Alt. – durch den frz. Gelehrten V. Scheil, der sich außerdem durch die Publikation einer beachtlich großen Zahl von Texten höchste Verdienste erworben hat. Der Text der Stele – geschrieben im altbabylon. Dialekt des Akkadischen – eröffnete zum einen neue Dimensionen für die Erforsch. der akkadischen Gramm. Daneben führte dieser Fund zur Entwicklung eines eigenständigen Zweiges der APG, der altoriental. Rechtsgeschichte. Sie wurde durch die bedeutenden Rechtshistoriker Josef Kohler, Paul Koschaker, Mariano San Nicolò und Sir John Miles geprägt. Für lange Zeit konnte die altoriental. Rechtsgeschichte für sich den Anspruch erheben, methodisch dem Niveau ihrer Mutterdisziplin, der röm. Rechtsgeschichte, ebenbürtig zu sein. Gleiches gilt sonst nur noch für die Erforsch. der babylon. → Mathematik und mathematischen Astronomie durch Otto Neugebauer. Die Beschäftigung mit der Lit. oder Religion des alten Mesopotamien findet durch das Einbeziehen entsprechender methodischer Ansätze langsam Anschluß an ihre Mutterdisziplinen.

D. Zwanziger und Dreissiger Jahre des 20. Jahrhunderts

Arno Poebel legte mit seiner *Sumerischen Gramm.* (1923) und der darin formulierten, bis h. im wesentlichen gültigen morphologischen Analyse die Basis für die weitere Erforsch. des Sumerischen. A. Deimel, am Pontificio Istituto Biblico in Rom tätig, leistete Bahnbrechendes, als er Verwaltungsurkunden aus dem 24. Jh. v. Chr. in ihrem urspr. Archivzusammenhang publizierte und davon ausgehend erstmals die administrativen und wirtschaftlichen Strukturen eines frühen mesopotamischen Stadtstaates systematisch darstellte (seit 1920). Sein *Sumerisches Lex.* (1928–1933), nach Keilschriftzeichen geordnet, bleibt trotz aller inzwischen deutlichen Unzulänglichkeiten weiterhin ein unentbehrliches lexikalisches Hilfsmittel der Sumerologie. Der engl. Gelehrte Stephen Langdon förderte mit zahlreichen Textveröffentlichungen und Studien die Kenntnis des Sumerischen auf vielfache Weise.

Ein neuer Zweig der APG entwickelte sich seit 1915, als der tschechische Orientalist Bedrich Hrozny die Sprache der 1907 von August Winckler im anatolischen Boghazköy entdeckten Tontafeln als indoeurop. erkannte und damit den Grundstein für die neue Keilschriftdisziplin → Hethitologie legte. In den USA initiierte der Ägyptologe James Henry Breasted als Direktor des Oriental Inst. in Chicago 1922 das Projekt des *Chicago Assyrian Dictionary*. Nach dem Vorbild des ägypt. Wörterbuches, das unter der Leitung von A. Erman unter der Ägide der Königlich Preußischen Akad. der Wiss. zu Berlin begonnen worden war, plante Breasted einen Thesaurus für das Assyrisch-Babylon. Gelehrte aus aller Welt wurden damit beauftragt, ganze – auch bisher unpublizierte – Textgruppen als Grundlage für die Verzettelung des Wortschatzes zu bearbeiten und zu übersetzen. Bescheidener war das Anliegen von Bruno Meissner, dem Berliner Ordinarius für Assyriologie, der mit Unterstützung der Preußischen Akad. der Wiss. – nach umfangreichen Vorarbeiten – im J. 1930 ein Handwörterbuch des Assyrisch-Babylon. erarbeiten wollte.

Beide Wörterbuchunternehmen wurden erst nach dem II. Weltkrieg mit Erfolg fortgeführt. C. Bezold hatte versucht, dem Bedürfnis nach einem Lex. zu entsprechen. Sein *Babylon.-assyrisches Glossar* (ohne Belegstellen) publizierte 1926 sein Schüler A. Götze postum.

In den 20er J. gab der damals noch junge, in Leipzig lehrende Benno Landsberger (1890–1968) mit seinen grundlegenden gramm. und heuristischen Erkenntnissen der APG einen bis zum heutigen Tag wirksamen Anstoß. Richtungsweisend war v.a die Schrift *Die Eigenbegrifflichkeit der babylon. Welt.* (1926, Ndr. 1965). Landsberger bereitete damit einerseits dem sog. Panbabylonismus ein Ende und stellte andererseits das z. T. unreflektierte Übertragen von at. Begrifflichkeit auf rel. Phänomene Mesopotamiens in Frage. Er wies den Weg, wie die der mesopotamischen Kultur eigenen Denkkategorien und Wertvorstellungen auf methodisch stringente Weise zu erschließen seien. Er nahm damit auch die Diskussion um Eigenbegrifflichkeit und Wissenschaftsbegrifflichkeit vorweg, die später in Linguistik und Sozialanthropologie unter den Begriffen »emisch« bzw. »etisch« Bed. erlangte. Seine gramm. Erkenntnisse wurden erst im Laufe der Zeit von seinen Schülern ausgearbeitet und damit Allgemeingut der Disziplin.

Die Hitlerdiktatur führte zu einem Exodus vieler Gelehrter aus Deutschland und Österreich – unter ihnen die Altorientalisten Benno Landsberger, Julius und Hildegard Lewy, Otto Neugebauer, Hans-Gustav Güterbock, Fritz Rudolf Kraus, Leo Oppenheim, Ernst Herzfeld und Albrecht Goetze. Im Zuge des von Kemal Atatürk betriebenen Aufbaus mod. Univ. haben Landsberger, Güterbock und Kraus die APG in der Türkei begründet. Oppenheim, Goetze, die Lewys, Neugebauer und Herzfeld fanden in den USA eine neue Heimat und beeinflußten die dortige APG nachhaltig.

E. Seit dem Ende des II. Weltkrieges

Nach dem Krieg wurden Landsberger, Güterbock und Oppenheim ans Oriental Inst. der Univ. of Chicago berufen und leiteten dort zusammen mit I. J. Gelb und T. Jacobsen die entscheidende Phase des *Chicago Assyrian Dictionary (CAD) Project* ein. Den urspr. Plan eines Thesaurus hatte man aufgegeben, weil die Veröffentlichung der unzähligen unpubl. Texte in Mus. und privaten Sammlungen sowie ständig neu hinzukommender Texte aus den zahlreichen Grabungen im Irak und Syrien nur von Generationen von Forschern zu leisten gewesen wäre. Deshalb entschloß man sich, auf der Basis des jeweils zugänglichen Textmaterials zu arbeiten. 1956 erschien der erste von bisher 21 Bänden, die verbleibenden fünf sind im Druck bzw. in Vorbereitung. Das CAD begreift sich nach den Worten seines langjährigen Herausgebers, Leo Oppenheim, nicht als ein simples Wörterbuch, sondern als ein Kompendium, das die Kultur Mesopotamiens durch die seiner Sprache eigene Begrifflichkeit darstellt. Das gelingt u. a. durch das Zitieren des jeweils gesamten Kontextes eines Wortes und ermöglicht damit einem Benutzer auch die unmittelbare Kritik an der Deutung. Das CAD setzte die

Trad. internationaler Kooperation auch in der Phase fort, als die eigentliche Arbeit des Schreibens bereits begonnen hatte: Zahlreiche junge und ältere Fachkollegen aus aller Welt wurden als Mitarbeiter gewonnen. Eher die Leistung eines Einzelnen ist Wolfram von Sodens dreibändiges *Akkadisches Handwörterbuch*, das – auf den Vorarbeiten Meissners fußend – zw. 1954 und 1981 entstand. Es legt, weil als Handwörterbuch konzipiert, bes. Wert auf die etym. Entsprechungen zu den anderen semitischen Sprachen und auf die gramm. (morphologischen und syntaktischen) Charakteristika der einzelnen Wörter und ergänzt so das CAD. Die Akkadistik verfügt damit über mod. lexikographische Hilfsmittel, die denen für die klass. Sprachen vergleichbar sind. Neben dem Wörterbuch verdankt die APG von Soden ein *Akkadisches Syllabar* (1948), Grundlage für eine sichere Interpretation der polyvalenten Zeichen der Keilschrift, und v. a. den bis h. maßgebenden deskriptiven *Grundriss der Akkadischen Gramm.* (1952). Mod. linguistische Theorie liegt den gramm. Darstellungen von Erica Reiner (*A Linguistic Analysis of Akkadian*, 1966), I. J. Gelb (*A Sequential Reconstruction of Akkadian*, 1969) und G. Buccellati (*A Structural Grammar of Akkadian*, 1996) zugrunde.

Die Erforsch. des Sumerischen wurde nach 1945 durch die Arbeiten von Adam Falkenstein (1906–1966), Thorkild Jacobsen (1904–1993) und Samuel Noah Kramer (1897–1990) bestimmt. Falkensteins *Gramm. der Sprache des Gudea von Lagasch* (1949/50), die sich in wichtigen Aspekten auf Poebel (s.o.) stützt, leitete eine neue Etappe in der Erforsch. der sumerischen Gramm. ein. Daran hat sich seitdem eine z. T. kontroverse Diskussion über die gramm. Struktur des Sumerischen angeschlossen, die u. a. zu wichtigen neuen Erkenntnissen über das Verbalsystem des Sumerischen geführt hat. Während sich die bisherigen Gramm. in erheblichem Umfang auf sumerisch-akkadische Bilinguen (überliefert in Abschriften des 1. Jt.) und zweisprachige gramm. Listen stützten, legte Falkenstein seiner Analyse ein einsprachiges sumerisches Textkorpus von hoher lit. Qualität zugrunde. Dieses Textkorpus hatte den Vorteil, daß es in seiner Entstehung auf einen Zeitraum von ca. 20 J. zu begrenzen und im Laufe eines Überlieferungsprozesses nicht nachträglich »modernisiert« worden war. Kramers bleibendes Verdienst liegt in der Veröffentlichung sumerischer Mythen, Epen und Kultlieder in Autographie und philol. Bearbeitung. Zusammen mit zahlreichen von ihm angeregten Dissertationen wurde so die sumerische lit. Überlieferung in ihren wichtigsten Teilen zugänglich gemacht. Die lexikographische Erforsch. des Sumerischen basiert in erheblichem Maße auf der von B. Landsberger und M. Civil herausgegebenen Reihe *Materials for a Sumerian Lexicon* (16 Bde. seit 1938), in der zweisprachige sumerisch-akkadische Vokabulare und Listen von nach Sachgruppen geordneten Gegenständen publiziert sind. Ein Sumerisches Lex., das sich am Vorbild des CAD orientiert, wird seit 1984 an der Univ. of Pennsylvania unter der Leitung von Å. Sjöberg erarbeitet (bisher 3 Bde.).

F. Strukturen und Institutionen des Faches

Seit den 50er J. hat sich die APG über den Kreis der bisher maßgebenden Nationen Nordamerikas und Westeuropas hinaus in vielen Ländern (u. a. in China, Irak, Israel, Japan, Spanien, Syrien) neu etabliert oder einen neuen Anfang genommen, wie in der Sowjetunion (dort war die gesamte Leningrader Orientalistik nach dem Mord an Kirow 1934 den stalinschen »Säuberungen« zum Opfer gefallen), Polen, Ungarn und der Tschechoslowakei. Im Irak, in Israel, Syrien und der Türkei spielt für die Beschäftigung mit den Kulturen des AO das Interesse an der Geschichte des eigenen Landes und der damit verbundenen nationalen Identitätsfindung eine wichtige Rolle.

Seit Beginn des 20. Jh. ist die APG immer aufs Neue durch überraschende Textfunde bereichert worden. Sie haben nicht nur die Kenntnis der babylon. Zivilisation vertieft, sondern v. a. das Wissen um Kultur und Geschichte des nördl. Mesopotamien und Syriens (u. a. Alalaḫ, Ebla, Emar, Kaneš, Mari, Nuzi, Ugarit) erheblich erweitert. Die Hinwendung der Forsch. auf den syrischen Raum hat ihre Ursachen einmal in den dort herrschenden guten Arbeitsbedingungen, zum anderen aber in der polit. Situation im Irak. Das nicht nur in regionaler, sondern damit auch in sprachlicher Vielfalt, zeitlicher Dimension (3200–ca. 100 v. Chr.) und inhaltlicher Art (u. a. lit. und rel. Texte, Verwaltungs- und Rechtsurkunden, Briefe) enorm angewachsene Quellenmaterial hat zu einer zunehmenden Spezialisierung in der APG geführt: Innerhalb der Subdisziplinen Sumerologie, Akkadistik bzw. Hethitologie zeichnet sich eine unterschiedlich ausgeprägte Hinwendung zu bestimmten Sprach- und Geschichtsepochen oder zu solchen inhaltlicher Art (u. a. Wirtschafts- und Sozialgeschichte, lit. Überlieferung, medizinische bzw. mathematische und astronomische Texte) ab. Als Folge dieser Entwicklung existieren – mit Unterschieden in einzelnen Ländern – an vielen Univ. jeweils zwei Professuren für APG. – Anders als in den USA, Frankreich und It., wo altorient. Geschichte in großem Umfang im Rahmen des Curriculums für allg. Geschichte gelehrt wird, ist es trotz vielfältiger Bemühungen in Deutschland bisher nicht gelungen, die außereurop. Geschichte Asiens und Afrikas in die Ausbildung von Historikern zu integrieren, obwohl sie im Lehrplan der Gymnasien verankert ist. In Westeuropa und Nordamerika waren im Zuge der Expansion der Univ. in den 70er J. zahlreiche Professuren für APG neu geschaffen worden, die jedoch seit Mitte der 90er J. durch eine Welle der »Konsolidierung« im tertiären Bildungsbereich wieder gefährdet sind.

APG wird bzw. wurde in einigen Ländern nicht nur an den Univ., sondern auch an außeruniversitären oder Univ. angeschlossenen Forschungseinrichtungen betrieben: z. B. am Carsten-Niebuhr-Inst. in Dänemark, Oriental Inst. in Chicago, Nederlands Histor.-Archaeologisch Inst. in het Nabije Oosten, CNRS in Frankreich, CNR in It., Consejo Superior de Investigaciones Científicas (CSIC) in Spanien, an den großen Mus. in Philadelphia, Paris, London und Berlin, den Akad. der Wiss. in der ehemaligen UdSSR bzw. Rußlands, der ehemaligen CSSR bzw. der Tschechischen Republik, der ehemaligen DDR. In Ländern, in denen keine nationalen Forschungszentren existieren, werden Forschungsprojekte an den Univ. von den jeweiligen nationalen Organisationen zur Forschungsförderung finanziell unterstützt (u. a. National Endowment for the Humanities/USA, Netherlands Organization for Pure Research, Deutsche Forschungsgemeinschaft).

Einen entscheidenden Anteil an der vielfältigen wiss. Kooperation innerhalb der APG hat die jährlich stattfindende Rencontre Assyriologique Internationale, die von frz. und belgischen Assyriologen 1948 ins Leben gerufen wurde. Da die Altorientalisten der sozialistischen Länder lange Zeit Reisebeschränkungen unterlagen, veranstalteten diese seit 1974 in unregelmäßigen Abständen unter dem Namen »Šulmu« (Frieden) Kongresse mit reger Beteiligung aus Westeuropa und den USA.

G. Altorientalische Philologie und Geschichte im Kontext ihrer kulturellen und politischen Umwelt

Neben Erörterungen über heuristische und methodische Probleme wird – einem allg. wissenschaftshistor. Trend folgend – das Fach APG als solches in letzter Zeit selbst zum Gegenstand von Unt. und kritischer Reflexion [12; 16]. Die zeitbedingte Konzentration auf bestimmte Forschungsgegenstände, die Anwendung bestimmter Methoden, aber auch Fragen nach der Stellung und Bed. im universitären Fächerkanon und der universitären Ausbildung werden dabei thematisiert. Rückblickend wird auch deutlich, in welchem Maße jeweilige Zeitumstände ihre Auswirkung auf Entwicklung und Themenwahl des Faches gehabt haben. Dies gilt nicht nur für das 19. Jh. Auch später finden sich Beispiele von Verstrickung in die ideologischen Strömungen der Zeit. In der Sowjetunion war V. V. Struve in den 30er J. an der Formulierung der sog. stalinschen Formationen-Theorie (Entwicklung von der Urgesellschaft über Sklavenhaltergesellschaft, Feudalismus, Kapitalismus zum Kommunismus) beteiligt. Struves einseitigen ideologischen Positionen hat I. M. Diakonoff eine fundierte, streng auf die Aussage der Texte orientierte Kritik erfolgreich entgegengesetzt (1967). Er hat damit prägend auf die altorient. Forsch. in der Sowjetunion, Polen, der DDR, der Tschechoslowakei und Ungarn gewirkt. Im Wintersemester 1933/34 hielt Bruno Meissner im Rahmen der polit. Erziehung der Studenten an der Berliner Univ. eine Vorlesung zum Thema »Einführung in die Rassenkunde des Alten Orients« [14. 191]. T. Jacobsens *Primitive Democracy* (JNES 2, 1943, 149–72) ist als das Bekenntnis eines jungen Gelehrten zum polit. System seiner Wahlheimat zu sehen, sein *The Assumend Conflict between Sumerians and Semites in Early Mesopotamian History* Journal of the American

Oriental Society (JAOS) 59, 1939, 485–95) als Entgegnung auf – durchaus nicht nur in Deutschland anzutreffende – Vorstellungen, wonach geschichtliche Entwicklung durch völkische Eigenarten oder Rassengegensätze erklärt werden könne [4].

H. ZUKUNFTSPERSPEKTIVEN

Angesichts immer neuer Textfunde und mehr als 150 000 unpubl. Texte in den Mus. (insbes. im British Mus., London, im Arch. Mus., Istanbul, und im Iraq Mus., Baghdad) befindet sich die APG in einem Dilemma: Zum einen besteht weiterhin die dringende Aufgabe, Unpubliziertes in Form von Autographien zugänglich zu machen, zum anderen drängt die Notwendigkeit, Bekanntes inhaltlich zu bearbeiten und Synthesen zu entwickeln. So gilt es zunächst weiterhin, nicht nur die großen Mengen an unpubl. Texten zu edieren und zu bearbeiten, sondern auch bereits seit langem bekannte Textkorpora in neuer Bearbeitung vorzulegen. Dafür haben sich in den letzten Jahrzehnten beispielhafte editorische Maßstäbe entwickelt. Dazu gehört das Autographieren und Kollationieren der Texte. Die zahlreichen Duplikate lit. Texte erfordern, daß dem Leser nicht nur bloße Varianten mitgeteilt werden, sondern daß ihm auch der tatsächliche Erhaltungsgrad jeder Textpassage in Form einer »Partitur« vor Augen geführt wird. Zunehmende Beachtung finden dabei auch Fragen der Paläographie und der Schreiberkultur. Die reichhaltige gelehrte Überlieferung des alten Mesopotamien (v. a. Mythen, Epen, Texte der Divination und der Beschwörungspraxis, medizinische, mathematische und astronomische Texte) wird in umfangreichem Maße nicht nur editorisch, sondern auch inhaltlich erschlossen. Dabei zeichnet sich die Tendenz ab, sich den geistigen Konzepten der mesopotamischen Kultur, ihren Wert- und Weltvorstellungen so zu nähern, daß Intuition, methodische Stringenz und Verständnis für das dieser Kultur Eigene auf strenger philol. Disziplin fußen müssen [10].

Seit den 60er J. finden Probleme der Sozial- und Wirtschaftsgeschichte des AO zunehmend größere Beachtung (I. J. Gelb, *Approaches to the Study of Ancient Societies*, JAOS 87, 1967, 1–8). Den Boden für derartige Fragestellungen haben bereits Koschaker, Miles und San Nicolo (s.o.) und ihre Schüler mit zahlreichen rechtshistor. Unt. bereitet. Für sozial- und wirtschaftshistor. Unt. steht mit gegenwärtig etwa 100 000 publ. Briefen, Rechts- und Verwaltungsurkunden ein einmaliges und ungleich reichhaltigeres Quellenmaterial als für andere Kulturen des Alt. zur Verfügung. Da sie aber über zahlreiche Mus. und Sammlungen verstreut sind – weil in vielen Fällen aus Raubgrabungen stammend – müssen sie zunächst wieder in ihren urspr. Zusammenhang gestellt werden. Im Falle der für die wirtschafts- und sozialgeschichtliche Forsch. wichtigen Urkundenbestände erreicht man dies v. a. mittels prosopographischer Methoden. Aus so rekonstruierten Archiven oder Dossiers lassen sich die Strukturen und Prozesse von Gesellschaft und Wirtschaft darstellen. Zwar erlauben die

Texte nicht, statistische Aussagen zu machen, die sozialwiss. Ansprüchen genügen, aber die Textüberlieferung ist im Einzelfall von großer zeitlicher und lokaler Dichte; zum Beispiel verteilen sich oft 10–20 000 Texte auf nur wenige Jahrzehnte. Neben der Erschließung der Quellen hat sich auch eine intensive und z. T. kontroverse theoretische Debatte entwickelt, bei der es v. a. um die Frage geht, ob mod., neoklass. volkswirtschaftliche Theorien zur Analyse vormod. Wirtschaften geeignet seien. Dabei stützen sich diejenigen, die dies verneinen u. a. auf die Arbeiten des Wirtschaftshistorikers Karl Polanyi und des Althistorikers Moses Finley [15].

Die APG initiiert zunehmend interdisziplinäre Forschungsvorhaben, die sich u. a. mit kultur-, sozial-, religions-, wirtschafts- und wissenschaftshistor. Fragestellungen befassen, bzw. beteiligt sich an solchen Kolloquien oder Forschungsverbünden. Sie erweitert so das allg. Wissenspektrum, das bisher oft durch abendländische Denkkonzepte bestimmt ist. Die APG ermöglicht den Blick auf eine selbständige und bedeutende ant. Hochkultur und deren Verständnis, ausgehend von ihren eigenen Gegebenheiten und Konzepten. Darüber hinaus wird deutlich, daß Erkenntnisse und Errungenschaften dieser Hochkultur durch Vermittlung des AT und der klass. Mittelmeerwelt bis zum heutigen Tage wirksam sind. Ihrerseits gewinnt die APG aber auch durch die Zusammenarbeit mit anderen Disziplinen (u. a. Soziologie, Sozialanthropologie, Wirtschafts-, Rechts-, Kultur-, Medizin-, Mathematik-, Astronomie- und Religionsgeschichte oder vergleichender Literaturwiss.) und durch die Erfahrungen mit deren Methoden neue Perspektiven für den Umgang mit den eigenen Quellen.

→ AWI Achaimenidai; Akkadisch; Altsüdarabisch; Aramäisch; Assurbanipal; Atraḫasīs; Gilgamesch-Epos; Hammurapi; Hattisch; Ḫattusa; Hethitisch; Hieroglyphen; Juda und Israel; Keilschrift; Luwisch; Ninive; Palaisch; Parthia; Phönikisch; Sāsāniden; Sumerisch; Ugaritisch

→ Ägyptologie; Baghdad, Iraq-Museum; Berlin, Vorderasiatisches Museum; London, British Museum

1 R. BORGER, Altorient. Lexikographie – Gesch. und Probleme, Nachrichten der Akad. der Wiss. Göttingen, Philos.-Histor. Kl. 2/1984, 71–114 2 J. S. COOPER, Posing the Sumerian Question: Race and Scholarship in the Early History of Assyriology, in: Aula Orientalis 9, 1991, 47–66 3 Ders., From Mosul to Manila: Early Approaches to Funding Ancient Near Eastern Stud. Research in the US, in: Culture and History 11, 1992, 133–164 4 Ders., Sumerian and Aryan Racial Theory, Academic Politics and Parisian Assyriology, in: RHR 210, 1993, 169–205 5 Ders., G. M. SCHWARTZ (Hrsg.), The Study of the Ancient Near East in the Twenty-First Century, 1996 6 I. J. GELB, Introduction, in: CAD Bd. A/1, 1964, VII–XXIII 7 B. KUKLICK, Puritans in Babylon – The Ancient Near East and American Intellectual Life 1880–1930, 1996 8 M. T. LARSEN, Orientalism and Near Eastern Archaeology, in: Domination and Resistance, hrsg. von D. MILLER et al., 1986, 229–239

9 Ders., The Conquest of Assyria, 1996 10 S. M. MAUL, Wiedererstehende Welten, in: MDOG 130, 1998, 266–274 11 C. W. MEADE, Road to Babylon, Development of US Assyriology, 1974 12 A. L. OPPENHEIM, Assyriology – Why and How, in: Ders., Ancient Mesopotamia, ²1977, 7–31 13 S. A. PALLIS, The Antiquity of Iraq, 1956 14 J. RENGER, Die Gesch. der Altorientalistik und der Vorderasiatischen Arch. in Berlin 1875–1945, in: W. ARENHÖVEL (Hrsg.), Berlin und die Ant., 1979, 151–192 15 Ders., On Economic Structures in Ancient Mesopotamia, in: Orientalia 63, 1994, 157–208 16 M. W. STOLPER, On Why and How, in: Culture and History 11, 1992, 13–22 17 Bibliogr. der laufenden Veröffentlichungen in den Zschr. AfO und Orientalia.
                                                    JOHANNES RENGER

Altsprachlicher Unterricht

I. DEUTSCHLAND   II. GROSSBRITANNIEN
III. ITALIEN   IV. FRANKREICH   V. USA

I. DEUTSCHLAND

A. BEGRIFF   B. GESCHICHTE
C. GEGENWÄRTIGE SITUATION

A. BEGRIFF

Die methodische Vermittlung der ant. Sprachen Lat. und Griech. (früher auch Hebräisch) sowie die angeleitete Lektüre und Interpretation lat. sowie griech. Texte bezeichnet man als A. U.

B. GESCHICHTE

Unterricht in den alten Sprachen gibt es seit der Ant., als in Rom Griech. erlernt wurde. In den ma. Gelehrtenschulen bildete der Lateinunterricht das Zentrum der Belehrung. Gramm., Rhet. und Dialektik wurden an ant. Texten erarbeitet und geübt. Der Unterricht sollte auf die Lektüre philos und wiss. Schriften vorbereiten. In der → Renaissance bewirkte ein neues Interesse an der Ant. die Einrichtung eines A. U. Ciceros Schriften wurden nun als Ausdruck des klass. lat. Stils gesehen; *latine legere, scribere, loqui* wurde zum Ziel des neuen Lateinunterrichts, neben dem sich auch ein Griechischunterricht entwickelte. V. a. der Lateinunterricht hatte neben wiss. auch praktische Gründe, war die geübte *eloquentia* (»Wohlberedtheit«) doch so lange nützlich, wie das Lat. die Sprache der Kirche, Diplomatie, Wiss. und Rechtsprechung blieb. Als nach 1700 die dt. Sprache der lat. zunehmend gleichgestellt wurde und sich auch an den → Universitäten das Dt. immer mehr durchsetzte, verlor der Lateinunterricht an Bed.

In dieser Situation entwickelten die Altertumswissenschaftler J. M. Gesner und Chr. G. Heyne im 18. Jh. ein neues Bild der Ant. und betonten den Wert der kulturellen Überlieferung für die → Bildung des Menschen. ›In der Kritik an dem rhet. Bildungsideal (→ Rhetorik) des ersten Human. mit seiner Latinitätsdressur verleg(t)en sie den Schwerpunkt von der Imitation auf die Interpretation der ant. Schriften, deren idealem Gehalt sie schon vor dem Einfluß Winckelmanns und Herders eine humanisierende Wirkung zuschr(ie)ben‹ [10. 5]. Die neue Wertschätzung der ant.

Trad. förderte ein Bildungsdenken, das griech. Sprache, Kunst und Philos. als histor. Modell höchster menschlicher Vollendung begriff und deshalb die Ant. zum Gegenstand menschlicher Bildung bestimmte. Heynes Schüler F. A. Wolf entwickelte nach 1780 die Wiss. von den alten Sprachen zur Klass. Philol. und machte sie zu einer eigenständigen Disziplin. J. G. Herder nahm zur gleichen Zeit dieses Denken in seinen *Schulreden* auf. Dabei stellte er heraus, daß die vollendete Wesensgestaltung des Menschen auf der harmonischen Entfaltung seiner Anlagen beruhe und daß dies durch das Erlernen alter Sprachen und die Aneignung vorbildlicher Werke der Ant. gefördert werden könne. W. v. Humboldt konzipierte auf dieser Grundlage um 1800 die neuhuman. Bildungstheorie. Wie F. A. Wolf war er davon überzeugt, daß die Griechen die Idee der Humanität in ihrer Kultur und in ihren Werken bes. rein verwirklicht hatten. Deshalb mußte die Bildung des Menschen durch Stud. der griech. Ant. erfolgen, v. a. durch die Auseinandersetzung mit griech. Sprache, Lit. und Kunst, denn nur diese Stud. konnten das Denken ebenso wie das ästhetische und moralische Empfinden in bes. Weise anregen.

Humboldt ging davon aus, daß jeder Mensch »Kräfte« (Fähigkeiten) besitze, die auf die Wahrnehmung und Aneignung der Welt gerichtet sind. Diese müßten harmonisch und vielseitig entwickelt werden. Dazu seien Anregungen durch mannigfaltige Situationen und Begegnungen ebenso wie solche durch vielfältige Gegenstände notwendig; denn Bildung erfordere die Übung der vorhandenen Kräfte an Gegenständen und in Situationen des Umgangs. Das zentrale Mittel der Anregung sei die Sprache, denn sie sei die einzigartige Äußerung des Menschen, die ihn von anderen Lebewesen unterscheidet. In der Entwicklung abgeschlossene, nicht mehr gesprochene Sprachen wie das Alt-Griech. und das Lat., die zugleich Ausdruck großer kultureller Leistungen sind, seien durch ihre Klarheit zur Übung der Fähigkeiten bes. geeignet. Zusammen mit muttersprachlichen und mathematischen Stud. böten sie grundlegende Anregungen zur Bildung einer Persönlichkeit, die gelernt hat, selbständig zu denken, Situationen einzuschätzen und unter Beachtung moralischer Pflichten zu handeln.

In der preußischen Bildungsreform (seit 1809) kam diesen Vorstellungen bei der Konzeption des Human. Gymnasiums Bed. zu. Der A. U. bildete das Zentrum des gymnasialen Lehrplans. Aber nicht Griech., sondern Lat. wurde zur grundlegenden Sprache der Schulbildung, an die sich der Unterricht im Griech. zwei J. später anschließt. Allerdings zeigte schon dieser, von J. W. Süvern entwickelte gymnasiale Lehrplan, daß die Verpflichtung der Gymnasiasten, sowohl Lat. als auch Griech. über viele Jahre zu erlernen, nicht mehr Humboldts Position wiedergibt. Wer das Abitur erreichen wollte, mußte nun beide alten Sprachen bis zur Abschlußklasse studieren, sich schriftlich und mündlich in Lat. ausdrücken und später auch vom Griech. ins Lat.

übersetzen können. Bald wurde deutlich, daß nicht die Bildung junger Menschen durch altsprachliche Stud., sondern die soziale Selektion zu einer wichtigen Funktion des A. U. wurde. Lateinunterricht wurde nach 1832 auch auf den zunächst lateinfreien Höheren Bürgerschulen eingerichtet; die Ansprüche der aufkommenden Naturwiss. wurden zurückgewiesen und erst spät in kleinem Umfang in den Lehrplan integriert. Die Herrschaft der Altphilologen verhinderte lange, daß gymnasiale Bildung auch über die Aneignung anderer Gegenstände möglich wurde. Der A. U. blieb somit das Zentrum und die wichtigste Hürde der Abiturprüfung. Erst im letzten Drittel des 19. Jh. wurde der Stundenanteil des A. U. etwas zurückgedrängt; der lat. Abituraufsatz wurde erlassen. Schließlich wurde auf der Schulkonferenz von 1900 das Monopol des → Humanistischen Gymnasiums, allein die allg. Studienberechtigung zu vergeben, abgeschafft. Gleichzeitig wurden gymnasiale Reformmodelle mit einem verkürzten A. U. diskutiert und erprobt.

In dieser Situation sahen Vertreter des A. U. eine Möglichkeit, die Bed. ihrer Sache herauszustellen, darin, die Interpretation ant. Texte im erwünschten deutschnationalen Sinn zu versuchen [1]. Kurzfristig trug dies zu einer Stabilisierung der Situation bei, doch wurde die Lage des A. U. nach 1918 wieder prekär. Die alten Anklagen – unzeitgemäß, elitär, überfordernd, nicht kindgemäß, sozial selektiv, reaktionär – wurden in der Weimarer Republik erneuert. Der Rückgang des A. U. war nicht aufzuhalten. Auch die Bewegung des von W. Jaeger begründeten → Dritten Humanismus, dessen Vertreter die bildende Wirkung ant. Stud. in idealisierender Sicht hervorhoben, konnte sich nicht durchsetzen. Vertreter des A. U. versäumten zudem, sich auf die Erfordernisse einer polit. Bildung zu republikanischer Gesinnung einzustellen. Das ›liebevoll weiter ausgemalte Bild des frühen Rom als einer verklärten Welt, die von *fides, auctoritas, labor, pietas* und *magnitudo animi* erfüllt war, konnte nicht nur histor. Nachprüfung nicht standhalten, sondern stellte auch kein geeignetes Leitbild für die Jugend eines demokratischen Staates dar‹ [9. 37]. Eine weitere Entwertung des A. U. vollzogen die Nationalsozialisten [1] (→ Nationalsozialismus). Sie verlangten die Nutzung des Lat.- und Griechisch-Unterrichts im völkischen Sinn. Über die Auswirkungen dieses Anspruchs in der Schulwirklichkeit herrscht Dissens. Meistens bedeutete dies eine Ideologisierung; in einzelnen Fällen wurden die Möglichkeiten des A. U. zur Distanzierung von der NS-Ideologie genutzt. Für die Zeit zw. 1945 und 1990 müssen zwei Entwicklungslinien rekonstruiert werden, eine west- und eine ostdeutsche. In Westdeutschland konnte der A. U. trotz heftiger Einwände der Amerikaner gegen das human. Gymnasium wieder im traditionellen Verständnis etabliert werden. Er erlebte sogar eine kurzzeitige Blüte in den 50er J., ehe er in den 60er J. kontinuierlich an Bed. verlor. Mehrere Gründe sind für den dramatischen Rückgang anzuführen: 1. die bekannten und bereits oben genannten Vorwürfe gegen das Human. Gymnasium, 2. die Einrichtung gymnasialer Zweige mit neuen inhaltlichen Schwerpunkten, die vielen Eltern attraktiver erschienen, 3. der Ausbau des naturwiss. Unterrichts, 4. die Diskussion um die drohende Bildungskatastrophe und die Bildungswerbung, 5. die Öffnung des Gymnasiums für größere Gruppen der Bevölkerung, 6. die Reform der gymnasialen Oberstufe mit der Einführung von Wahlmöglichkeiten, die vielfach zur Abwahl bisher im Lehrplan privilegierter Fächer wie Lat. führte und 7. die Diskussion um eine Modernisierung der Lehrpläne und ihre Ersetzung durch Curricula mit eindeutig bestimmten Lehr- und Lernzielen. Innerhalb der Curriculumdiskussion schien es so, als ließen sich keine vernünftigen Ziele, Inhalte und Methoden des A. U. mehr benennen. Um 1970 hatte es den Anschein, als sei die Abschaffung des A. U. ›nur eine Frage der Zeit‹ [10. 7].

Das drohende Ende des A. U. mobilisierte jedoch Anstrengungen zu seiner Legitimation und Neubegründung im Rahmen der mod. Curriculumdiskussion. Die Altphilologen bemühten sich um ›konkrete Inhalts- und Funktionsbeschreibungen des A. U.‹ [11. 1], die anstelle der herkömmlichen pathetischen Beschwörungen des Wertes traten, den altsprachliche Stud. für die Bildung des Menschen haben sollen. Eine neue Fachdidaktik wurde entwickelt, in der klare Ziele des A. U., entsprechende Inhalte und Methoden erarbeitet wurden. Die These, daß die klass. Werke einen Nutzen an sich darstellten, wurde aufgegeben und durch Überlegungen zum Wert der Sprachstud. für die Entwicklung vorhandener Fähigkeiten an gesellschaftlich relevanten Themenfeldern ersetzt. Die Versachlichung zeigte sich in Lernzielaussagen, die als Verhaltensbeschreibungen so formuliert wurden: Der A. U. fördert die Entwicklung eines wiss. Vorgehens. Er dient dazu, durch die Übers. eine der Sache angemessene Wortwahl einzuüben und den Zusammenhang eines Textes zu erfassen. Er führt in die Technik der Interpretation ein, vermittelt einen Einblick in fremdartige Gramm. und Ausdrucksformen. Zusammen mit derartigen Zielen wurden entsprechende Texte für die Lektüre bestimmt, verschiedene Methoden des A. U. festgelegt. Auf dieser Grundlage konnten sich die Altphilologen erfolgreich an der Konstruktion neuer Lehrpläne in den 70er J. beteiligen. Der curriculare Modus – Ziele, Inhalte, Methode, Lernzielkontrollen – wurde auch für Lehrpläne des A. U. praktiziert. Lernziele wurden bezogen auf allg. Bildungsziele formuliert, Inhalte mit Blick auf die Ziele bestimmt. Danach wurden Verfahren zur Zielerreichung und zur Überprüfung festgesetzt. Dabei wurde festgelegt, daß Lernziele an gesellschaftlichen Aufgaben zu orientieren sind. Lateinunterricht konnte somit auf spezielle Fragen der Weltmacht Rom wie ihre Politik gegenüber unterworfenen Völkern, auf das Rechtssystem u. ä. konzentriert werden, die als Denkanstöße aus vergangener Zeit zum Umgang mit gegenwärtigen Schlüsselfragen gesehen werden sollten. Die Sprache an sich und die in ihr

überlieferten Texte wurden nicht mehr als unumstöß-
liche Bildungsgüter angesehen; sie mußten durch vernünftige Lernziele als sinnvolle Lerngegenstände ausgewiesen werden. Entsprechend wurden die Ziele dieses
Unterrichts klarer und ließen sich in konkrete Lernin-
halte umsetzen. Die altsprachliche Fachdidaktik gewann
damit in der curricularen Diskussion wiss. Status; der
A. U. konnte als Beitrag schulischer Bildung akzeptiert
werden. Er wurde zu einem Fach, das sich in der Konkurrenz mit den anderen Schulfächern behaupten und
durch seine Ziele überzeugen muß. V. a. für Lat. gelang
eine derartige Legitimation, die auch die Eltern der
Gymnasiasten ansprach und seit den 80er J. das Interesse
am Lateinunterricht gesichert hat.

In Ostdeutschland (ab 1949 DDR) wurden an den
Oberschulen bis zur Mitte der 60er J. sog. C-Zweige
mit Altsprachenklassen für Lat. und Griech. beibehalten
(→ DDR). Auch in neusprachlich oder naturwiss. ausge-
richteten Oberschulen wurde obligatorischer Lateinunterricht mit dem Ziel »Kleines Latinum« erteilt [6. 313].
Als nach 1964 die Entwicklung zu einem sozialistischen
Bildungswesen mit Polytechnischer Oberschule (bis 10.
Klasse, POS) sowie Erweiterter Oberschule (11./12.
Klasse, EOS) durchgesetzt wurde, wurden die Altsprachenklassen aufgehoben. DDR-weit wurden nun neun
Schulen zugelassen, in denen A. U. Pflicht war. Daneben wurde im Rahmen des wahlobligatorischen Unterrichts Lateinunterricht in den Klassen 11 und 12 der EOS
mit zweimal drei Wochenstunden eingerichtet. In den
80er J. ging dieses Unterrichtsangebot zurück, weil der
Mangel an Lehrkräften mit Fakultas für Lat./Griech.
größer wurde. Gleichzeitig überstieg ›an den Univ. (...)
die Nachfrage der Studenten nach Altsprachenkursen
bei weitem die Möglichkeiten der Sektionen Fremdsprachen‹ [6. 313]. Diese Mangelsituation trug dazu bei,
daß die Bed. des A. U. für die allseitige Bildung und als
Grundlage der Studierfähigkeit wieder stärker beachtet
wurde. Ein erster Schritt zum Ausbau der kümmerli-
chen Zustände bestand darin, ab 1985 an der Univ. Halle wieder Lateinlehrer (Fachkombination: Dt./Lat. oder
Russ./Lat. mit zusätzlicher Gelegenheit zur Fakultas für
Griech.) auszubilden. Das Ziel, durch verstärkten A. U.
›die Abiturbildung in der DDR auf ein im europ. Maßstab vergleichbares Niveau zu heben‹ [6. 316], konnte
aber bis 1990 nicht mehr erreicht werden.

C. GEGENWÄRTIGE SITUATION

In neueren Lehrplänen stehen die alten Sprachen mit
gleichem Anspruch und gleichem Recht neben neuen
Sprachen und anderen Schulfächern. Die charakteristische Struktur des Gymnasiums als multifunktionale An-
gebots- und Wahlschule bringt den A. U. in eine Kon-
kurrenzsituation v. a. mit dem Anspruch des Unterrichts
in den neuen Sprachen. Der Verteilungskampf beginnt
schon in der Eingangsklasse und setzt sich danach in
zweijährigem Rhythmus fort. Schüler und Eltern können zw. Lat., später Griech. und jeweils einer mod.
Fremdsprache wählen. Deshalb müssen sich in der Gegenwart die Vertreter des A. U. um die Gunst der Schü-

ler im freien Wettbewerb mit den anderen Fächern bemühen. Dies hat zu vielfältigen Legitimationen des Lateinunterrichts geführt, wogegen für den Griechischunterricht eher zurückhaltend geworben wird. Die Statistik der Kultusministerkonferenz (KMK) zeigt für den
Zeitraum von 1980 bis 1992 zwar eine stetig fallende
Quote der Schüler, die am Lateinunterricht in den Se-
kundarstufen I und II teilnehmen, läßt aber zugleich
eine Stabilisierung auf diesem Niveau erwarten. Von
40,7% (1980) geht die Beteiligung auf 27,3% (1992) zurück, wobei die absolute Zahl derer, die Lat. lernen, in
letzter Zeit wieder etwas zugenommen hat. Dabei wird
das Fach Lat. in den verschiedenen Bundesländern unterschiedlich häufig gewählt. In Bayern wählen die
weitaus meisten Schüler dieses Fach (41,9%). Verglichen mit diesen Zahlen, scheint ein Interesse am
Griechischunterricht fast völlig zu fehlen: In diesem
Zeitraum ist die Anzahl der Griech. Lernenden laut
KMK von 1,4% auf 0,7% aller Schüler in den Sekundar-
stufen I und II geschrumpft. Während 1992 noch
559 134 Schüler Lat. lernten, entschieden sich für
Griech. nur 13 656.

In der Auseinandersetzung mit dem Anspruch anderer Unterrichtsfächer wurden schon früh Legitima-
tionen v. a. für die Bed. des Lateinunterrichts angeführt.
Die Neuhumanisten (→ Neuhumanismus) unterstri-
chen seine formalbildende Wirkung. O. Willmann betonte um 1900 einerseits die »immanente Logik« lat.
Sprache und bezeichnete den A. U. als ›geistiges Exer-
zierreglement‹ [13. 364], hob aber andererseits auch die
Bed. der damit überlieferten Kultur für die Bildung des
Menschen hervor. Gegenwärtig dominieren ähnliche
Argumente in mod. Sprache. Die fünf wichtigsten führt
F. Maier an: 1) ›Latein (ist der) Trimm-Dich-Pfad des
Geistes‹: Der Lateinunterricht ist logisches Übungsfeld,
das langsames, gründliches und konzentriertes Arbeiten
an überschaubaren Textstellen verlangt. Die Textanalyse fördert geistige Disziplin, zwingt zur Beachtung
von Regeln, zur Erarbeitung einer fremden Satzstruktur. Die Übersetzungsarbeit verlangt, ständig die lat.
Aussage mit der dt. zu vergleichen. Das bereichert die
Sprache. 2) Lat. ist die »Basissprache Europas«. Es ist
grundlegend für viele Sprachen und bildet die Brücke
zu den romanischen Sprachen. 3) Lat. ist die »Funda-
mentalsprache der Wiss.«. Wer Lat. erlernt hat, kann sich
viele der dort gebräuchlichen Begriffe erschließen. 4)
Lat. ist ein »Schlüsselfach europ. Kultur«. Es ist die Sprache, in der grundlegende Texte europ. Denkens bis in
die Neuzeit geschrieben wurden. 5) Lat. ist das ›Kern-
fach human. Bildung‹ [8]. Die lat. Trad. enthält Texte zu
polit., ethischen und philos. Problemen, die den Grundfragen der Gegenwart vergleichbar sind. Diese Texte
können als Modelle herangezogen werden, um sich ›intensiv mit den Grundlagen der menschlichen Existenz‹
[8. 400] zu beschäftigen. Aus ihnen lassen sich Anregungen zur Entwicklung einer human. Haltung in ge-
schichtlich-gesellschaftlichen Situationen gewinnen.
Das sind die zentralen Argumente. Gelegentlich werden

sie durch den Hinweis ergänzt, Lat. eigne sich als Anfangssprache, da es keine Aussprache- und Schreibschwierigkeiten biete.

Die Einführung des multifunktionalen Gymnasiums hat dazu geführt, daß der Lateinunterricht in vier verschiedenen Formen erteilt wird, als L I ab Klasse 5, als L II ab Klasse 7, als L III ab Klasse 9 und als L IV ab Klasse 10 oder 11. Das bedeutet unterschiedliche Stundenzahlen und verlangt hinsichtlich der Organisation eine Ausbalancierung von Sprach- und Lektüreunterricht. ›Je kürzer die Phase des Sprachunterrichts wird, desto mehr muß der Sprachunterricht im Lektüreunterricht mit dem Ziele einer Sicherung, Vertiefung und Erweiterung der Sprachkenntnisse leisten‹ [7. 109]. Die einzelnen Typen des Lateinunterrichts sind deshalb auf altersspezifische Fähigkeiten und Interessen abzustimmen. Problematisch ist in jedem Fall, wie die Lektüre als Beispiel ant. Lebensformen bei knappem Sprachunterricht bewältigt werden soll. Die neue Fachdidaktik hat hierzu sowohl inhaltliche als auch methodische Vorgaben entwickelt.

Für den Griechischunterricht wird stärker mit dem Hinweis auf die Bed. jener ant. Kultur und der aus ihr überlieferten lit. Dokumente geworben. Noch konsequenter als das Lat. verlangt Griech. genaue, konzentrierte und ausdauernde Bereitschaft, sich auf eine fremde Trad. einzulassen; gerade deshalb wird die Bed. des Lektüreunterrichts für die Bildung durch eine Auseinandersetzung mit grundlegenden Texten zu Fragen von Politik, Ethik und Wissen stärker hervorgehoben.

2000 Jahre nach Cicero ist abschließend festzustellen: Trotz ungebrochener Gegnerschaft hat der A. U. auch die Krise der 70er J. überstanden. Er ist sogar gestärkt und mit neuen Konzeptionen zur inhaltlichen wie methodischen Gestaltung aus dieser Situation hervorgegangen. Gegenwärtig dominiert das Bemühen, den A. U. durch Gegenwartsbezüge seiner Fragestellungen in der Fächerkonkurrenz des Lehrplans abzusichern; das scheint beim Lateinunterricht besser zu gelingen, zumal diese Sprache leichter zugänglich ist und die Argumente für ihre Erarbeitung weitere Kreise der Bevölkerung überzeugen. Der von den Neuhumanisten favorisierte Griechischunterricht dagegen kämpft wie schon lange auch weiter ums Überleben.

→ Deutschland; Klassik; Lehrplan; Schulwesen

1 H.J. APEL, S.BITTNER, Human. Schulbildung 1890–1945, 1994 2 G.BAHLS, W. KIRSCH, Fünfjähriges Diplomlehrerstudium auch in der Ausbildung von Altsprachenlehrern, in: Fremdsprachenunterricht 7/8, 1988, 390–395 3 H.-J. GLÜCKLICH, Lateinunterricht, 1993 4 J.GRUBER, F.MAIER (Hrsg.), Alte Sprachen, 2 Bde. 1979 5 W. v. HUMBOLDT, Der königsberger und der litauische Schulplan, Werke 13, 1920 6 W.KIRSCH, Gegenwart und Zukunft des Altsprachenunterrichts, in: Fremdsprachenunterricht 7, 1990, 313–320 7 F.MAIER, Lateinunterricht zw. Trad. und Fortschritt, Bd. 1, 1984 8 Ders., Lat. liegt im Trend der Zeit, in: Forsch. und Lehre 9, 1994, 398–400 9 K.MATTHIESSEN, A. U. in Deutschland, in: J.GRUBER, F.MAIER (Hrsg.), Alte Sprachen, Bd. 1, 1979, 11–42 10 C.MENZE, s. v. A. U., Neues Pädagogisches Lex., 1971, 4–7 11 R.NICKEL, A.U., 1973 12 K.WESTPHALEN, Neue Perspektiven für den Lat.- und Griech.-Unterricht, in: Gymnasium 100, 1993, 144–158 13 O. WILLMANN, Didaktik als Bildungslehre, 1909.   HANS JÜRGEN APEL

II. GROSSBRITANNIEN

A. VON DER RENAISSANCE BIS ZUM 20. JAHRHUNDERT   B. 20. JAHRHUNDERT   C. GEGENWÄRTIGE SITUATION

A. VON DER RENAISSANCE BIS ZUM 20. JAHRHUNDERT

Der Unterricht in den Fächern Lat. und (in geringerem Umfang) Griech. nahm von der Ren. bis zum frühen 20. Jh. im Lehrplan des britischen Bildungsbürgertums die herausragende Stellung ein. Noch lange nachdem Lat. seine Funktion als Lingua franca in Europa verloren hatte, bildeten die alten Sprachen und die klass. Lit. die Grundlage der schulischen Ausbildung für die Kinder aus dem herrschenden Adel und aus Akademikerkreisen. Daran änderte auch die Industrielle Revolution im 19. Jh. kaum etwas: Die etablierten Schulen führten die Naturwiss. nur zögernd ein, und die neue Führungsschicht in der Industrie wünschte eine Angleichung der Schulausbildung ihrer eigenen Söhne an diejenige des Landadels. Als im J. 1902 staatliche höhere Schulen (*secondary schools*) eingerichtet wurden, sollte deren Lehrplan weitestmöglich dem Modell der traditionellen Gymnasien (*grammar schools*) und der Privatschulen (der sog. *public schools*) angeglichen werden. Die klass. Fächer verteidigte man weiterhin mit dem Argument, sie lieferten eine umfassende Allgemeinbildung (→ Bildung), die den Intellekt schule und optimal auf die öffentliche Regierungsarbeit, ob in → Großbritannien oder innerhalb des britischen Weltreiches, vorbereite.

Eines der methodischen Hauptmerkmale des A. U. seit dem frühen 19. Jh. bis in die 60er J. des 20. Jh. war der hohe Stellenwert, den man der Übers. (→ Adaptation) aus dem Engl. ins Lat. und Griech. gab. Stilübungen sowohl in Prosa als auch in Versen wurden zu einer hohen Kunst entwickelt, die man − neben der stilistischen Integration der griech. und lat. Autoren − als ein wesentliches Element der angebotenen sprachlichen Ausbildung betrachtete.

B. 20. JAHRHUNDERT

Im Laufe des 20. Jh. büßten die klass. Fächer ihren Vorrang innerhalb der Lehrpläne ein, während anderen Fachgebieten wie den Naturwiss. oder mod. Sprachen kontinuierlich eine höhere Bed. beigemessen wurde. Erst schaffte man Griech., dann Lat. als zulassungsbeschränkendes Fach für die Univ. Oxford und Cambridge ab. Ein weiterer Faktor war die im staatlichen Bildungssektor vorangetriebene Entwicklung der nicht selektierenden Gesamtschulen (*comprehensive schools*), die vielerorts ehemalige staatliche *grammar schools* ersetzten, an denen Lat. unterrichtet worden war. Rein theoretisch konnten die alten Sprachen auch in den Gesamtschulen weiterhin gelernt werden, da die einzelnen Schulen die Kontrolle über ihre Lehrpläne beibehielten, und tatsächlich richteten einige Schuldirektoren Lat. und – allerdings nur selten – Griech. als Wahlfach für die begabteren unter den Schülern ein. Nach 1988 jedoch, als ein einheitlicher Lehrplan (das sog. *National Curriculum*) an allen staatlichen Schulen eingeführt wurde, kamen nur wenige Schüler in den Genuß des Lateinunterrichts, und das Fach Griech. verschwand beinahe völlig. In den Privatschulen, deren Programm eher akad. orientiert war, wurde Lat. zwar weiterhin gelehrt, blieb aber nur ganz vereinzelt ein Pflichtfach. In einigen wenigen Schulen bestand auch die Möglichkeit, Griech. zu belegen, jedoch hing dies oft von der Bereitschaft des jeweiligen Lehrers ab, diese Mehrarbeit unentgeltlich auf sich zu nehmen.

Diese Entwicklung gab in der zweiten H. des 20. Jh. den Lehrern den Anstoß, die eigentlichen Ziele des Unterrichts in der klass. Sprachen und dessen Berechtigung innerhalb der → Lehrpläne neu zu überdenken. Man sah sich aufgrund des durch die Lehrpläne vorgegebenen Zeitmangels gezwungen, mehr Wert auf die übersetzerische Fähigkeit zu legen, um die alten Texte in Lat. und Griech. lesen zu können. Die traditionelle Wertschätzung der Stilübungen in den alten Sprachen war nicht mehr aufrechtzuerhalten. Das Studium der klass. Sprachen rechtfertigte man im allg. eher mit kulturellen Gründen als mit der Schärfung des Intellekts, die es angeblich bieten sollte. Die neuen Sprachkurse für Anfänger schlossen geschichtliches und anderes Hintergrundmaterial in den Unterricht mit ein, was das Interesse der Schüler sowohl entwickelte als auch aufrechterhielt. In den Klassen für Fortgeschrittene legte man weniger Gewicht auf die gramm. Kenntnisse als auf die Entwicklung des lit. Urteils. Trotzdem hielt sich das Argument, der lat. Sprachunterricht habe seine eigentliche Begründung in der Ausbildung der Fähigkeit, Lernmethoden auf andere Bereiche zu übertragen, insbes. als utilitaristische Überlegungen in dem materialistischen Klima der 80er J. die Oberhand gewannen. Eine neue Bewegung gab es 1977 mit der Entwicklung von mod. Lehrmaterialien zur Einführung des Lat. in den staatlichen Grundschulen (*primary schools*), was durchaus als ein nützlicher Weg zur Unterstützung des engl. Grammatikunterrichts Erfolg haben mag.

Die ständige Sorge um das Fortbestehen des Faches führte auch zu einer veränderten Methodologie. In der ersten Hälfte des 20. Jh. kam es zu einer von der *Association for the Reform of Latin Teaching* vorangetriebenen Kampagne, den sog. »Direkten Ansatz«, den man normalerweise mit der Didaktik der mod. Sprachen verbindet, anzuwenden. Diese Methode brachte zwar einige enthusiastische Lehrer hervor, wurde aber nicht allg. akzeptiert, da die mündliche Kommunikation in der griech. und lat. Sprache nicht zu den vorrangigen Zielen gehörte. Die zunehmenden Kenntnisse der originalen → Aussprache führten aber in der Tat zu Verbesserungen in der Sprechfähigkeit in klass. Dichtung und Prosa.

Die *Classical Association* unterstützt noch immer regionale Schülerwettbewerbe, in denen klass. Texte laut vorgelesen und auswendig zitiert werden.

C. GEGENWÄRTIGE SITUATION

Den bedeutendsten Einfluß auf den A. U. in der zweiten H. des 20. Jh. hatte die im J. 1962 gegründete *Joint Association of Classical Teachers* (JACT). Durch Publikationen und Konferenzen regte diese Vereinigung viele Neuerungen an und war den Lehrern behilflich, sich den veränderten Umständen anzupassen. Eine ihrer Leistungen war die Erarbeitung eines neuen Textbuches für den Griechischunterricht, das sowohl in Großbritannien als auch im Ausland an Schulen und Univ. viel benutzt wird. Darüber hinaus gründete die JACT sog. *Summer Schools* für ältere Schüler in Lat. und Griech. Auf diese Weise konnten wieder mehr Schüler die alten Sprachen lernen, und viele junge Menschen haben sich für eine Fortsetzung ihres Studiums an der → Universität begeistern lassen.

Derzeit, im J. 1998, bieten die meisten Seminare für Klass. Philol. an den Univ. Kurse für Studenten an, die die alten Sprachen neu erlernen wollen, sei es um klass. Texte im Original lesen zu können oder als Grundlage für das Studium in einem anderen Fachbereich. Daneben besteht eine beachtliche Nachfrage für solche Kurse in der Erwachsenenbildung. Die weite Verbreitung von Texten in Übers. hat neben vielen anderen Informationsquellen, einschließlich denen des Fernsehens und des Reisens, in der Öffentlichkeit zu einem zunehmenden Interesse an der klass. Lit. und der ant. Zivilisation geführt. Es sind wohl v. a. solche Faktoren – weniger der feste Platz der alten Sprachen im engl. Schulsystem –, die den A. U. in Großbritannien für das 21. Jh. und danach lebendig halten werden.

→ Schulwesen

1 T. W. BAMFORD, The Rise of the Public Schools, 1967, 86–115 2 J. E. SHARWOOD SMITH, On Teaching Classics, 1977, 23–36 3 CH. STRAY, Classics Transformed: Schools, Universities and Society in England, 1830–1960, 1998 4 M. J. WIENER, English Culture and the Decline of the Industrial Spirit, 1981, 16–24.
DAVID ANTONY RAEBURN/Ü: SYLVIA ZIMMERMANN

III. ITALIEN

A. GESCHICHTE BIS ZUM ENDE DES 19. JAHRHUNDERTS   B. 20. JAHRHUNDERT

A. GESCHICHTE BIS ZUM ENDE DES 19. JAHRHUNDERT

Wie für das Schulsystem des Röm. Reichs, das sich in It. bis in die Zeit der Langobarden erhalten hat, ist auch für das it. System die zentrale Stellung des Unterrichts in lat. Gramm. und in Rhet. charakteristisch. Diese dienten einer im wesentlichen auf dem Rechtsstudium beruhenden Berufsausbildung. Die direkte Nachfolge der Rechtsakad. des Röm. Reichs trat die Kirche an, die ab dem 4. Jh. Kathedralschulen (→ Domschulen) für die Ausbildung der Priester und allen offenstehende

Pfarrschulen, in denen auch Grundlagen des Lat. vermittelt wurden und die als Vorläufer der heutigen Grundschulen gelten können, einrichtete. Ziel des Schulunterrichts im MA war die rel. Erziehung der Schüler; die »heidnischen« Schriftsteller Vergil und Ovid und die gesamte klass. Kultur wurden deshalb stark vernachlässigt und für gefährlich gehalten. Die »weltliche« Antwort auf das Unterrichtssystem der Kirche erfolgte in der Zeit der Stadtrepubliken mit der Einrichtung städtischer Schulen, in denen anstelle von elementaren Lateinkenntnissen Rechnen und Schreiben vermittelt wurden; auf höherer Ebene standen die → Universitäten, eine ureigene Schöpfung städtischer Kultur. Gleichzeitig entstand mit den human. Schulen ein Modell auf mittlerer Ebene, das in den wichtigsten it. Städten stark verbreitet war. Hauptvertreter dieses Modells waren Pädagogen wie Guarino Guarini oder Vittorino da Feltre, denen es darum ging, unter Achtung der Würde der heranwachsenden Schüler diese durch die Wiederbelebung des ant. Ideals der *humanitas* zu guten Bürgern zu erziehen (→ Humanismus). In diesen Schulen wurde sowohl Rhet. als auch die philol. und histor. fundierte Interpretation der ant. Texte geübt.

Die *studia humanistica* hatten nicht lange Bestand; ihr »human.-rel.« Ideal wurde in der Gegenreformation von den Jesuitenkollegs, die sich von den freien Univ. abgrenzten und sich auch in It. zu den öffentlichen Schulen par excellence entwickelten, aufgenommen (vgl. [2]; → Jesuitenschulen). Die *Ratio studiorum* der Jesuiten (1599) sah für die ersten vier J. Unterricht in lat. Gramm. vor. Die Unterrichtsmethode war mnemotechnisch ausgerichtet. Ziel war die Übung im rhet. Gebrauch des Lat. Daneben wurden Grundlagen des Griech. vermittelt (vgl. [2. 911; 6; 11]). Dieses benötigten die Jesuiten, um die biblischen und kirchengeschichtlichen Texte verstehen und den in Griech. sehr gut ausgebildeten Protestanten entgegentreten zu können. Im allg. wurde das Griech., das als »oriental.« Sprache galt, vom E. des 16. bis zum 19. Jh. auch auf universitärer Ebene relativ selten unterrichtet, wie beispielsweise der Altertumsforscher Scipione Maffei (*Parere sul migliore ordinamento della R. Università di Torino*, 1718) beklagte. Das Lat. dagegen war stets Hauptgegenstand des Schulunterrichts, so im savoyischen Piemont, dessen Schulen Vittorio Amedeo II., der schon vor dem Verbot der Jesuiten (1773) die Organisation von Schulsystem und Lehrerausbildung in die Hand nahm, mit den 1729 erlassenen *Costituzioni* neu ordnete sowie während der napoleonischen Besetzung.

Die *legge Casati* (1859) führte das erste Schulsystem des vereinigten It. ein und orientierte sich dabei an Reformen, die noch im Königreich Savoyen vollzogen worden waren (wie z.B. die *legge Boncompagni* von 1848), sowie v. a. am preußischen System. So entstand das human. *liceo classico*, das sich in das fünfjährige *ginnasio* und das dreijährige *liceo* gliederte (eine Unterscheidung, die h. noch in der anachronistischen Bezeichnung »vierte und fünfte Klasse« des *ginnasio* für die ersten beiden J. des *liceo classico* anklingt). Nach der *legge Casati*, die hinsichtlich der Lehrpläne bis 1923 allerdings beständig abgeändert wurde, begann der Griechischunterricht in der dritten Klasse des *ginnasio*. Der Lateinunterricht, für den im Verhältnis zum Griech. mehr als die dreifache Stundenzahl zur Verfügung stand, umfaßte im *ginnasio* etwa ein Viertel aller Unterrichtsstunden, reduzierte sich im *liceo*, in dem die naturwiss. Fächer mehr Raum erhielten, jedoch drastisch. Insgesamt waren zw. 1860 und 1923 für Lat. und Griech. im *ginnasio* ca. 50, im *liceo* ca. 25 von insgesamt 179 Wochenstunden vorgesehen (genaue Angaben: [1. 95]). Der rhet. Gebrauch des Lat. behielt seine Bed.; lat. Aufsatzübungen erhielten viel Raum. Einheitliche Lehrpläne wurden erst 1867 gesetzlich festgeschrieben. Danach galt das Studium der lat. und griech. Sprache als Vorbereitung auf die Lektüre der Texte, die als beispielhaft »für Geschmack und Kunst« angesehen wurden. Die für das *ginnasio* vorgesehenen Autoren waren Cornelius Nepos, Phaedrus, Caesar (*De bello Gallico*), Ovid (*Fasti*), Cicero (*Briefe*), Vergil (einige Bücher aus der *Aeneis*), Livius (in Auszügen) und Sallust (*De coniuratione Catilinae* oder *De bello Iugurthino*). Im *liceo* wurden Tacitus' *Historiae*, Ciceros rhet. und philos. Schriften, Horaz, Vergils *Georgica* und Teile der *Institutio oratoria* Quintilians gelesen. Im Griechischunterricht las man neben Xenophon, dem Autor für das *ginnasio* par excellence, Homer und die Redner. Dem dt. Vorbild folgte man auch in der Wahl der Lehrbücher. Standardwerk für das Griech. war die Gramm. Georg Curtius' in der bei Hermann Loescher, dem ersten auf lat. und griech. Schulbücher spezialisierten Verleger It., erschienenen Übers. Giuseppe Müllers, die v. a. von denjenigen bevorzugt wurde, die für ein »rationales«, »algebraisches« und »sprachwiss.« Studium des Griech. eintraten. Daneben wurde jedoch auch die »empirischer« ausgerichtete Gramm. Raphael Kühners benutzt (auf beiden beruhten die weitverbreitete Gramm. und das 1868 übers. Übungsbuch Karl Schenkls). Für das Lat. wurde die Gramm. Kühners verwendet. Die griech. und lat. Schriftsteller galten als Grundlagen des Wissens, die alten Sprachen aufgrund der »Gedächtnisübung«, die zu ihrem Erlernen notwendig ist, als »Schlüssel« zu allen anderen – auch den naturwiss. – Fächern. Gegen eine solche Auffassung richtete sich die spätere Kritik am A. U. und insbes. am Unterricht im Lat. (dessen Studium nach Ansicht des it. Anthropologen Cesare Lombroso, 1893, zur Schwächung des Nervensystems führen sollte).

So war die Diskussion über das it. Schulsystem nach der Einigung It. an Deutschland und Frankreich ausgerichtet. Beendet war eine Zeit, in der der Unterricht vollständig in den Händen der Kirche gelegen hatte. Dennoch blieb der Einfluß des Klerus sowohl auf die Bevölkerung als auch in der Politik bestimmend, und jeder Reformversuch hatte sich mit der Kritik und den Spannungen, die von kirchlichen Kreisen ausgingen, auseinanderzusetzen. Zur Planung einer Schulreform führte man Meinungsumfragen durch. Ein gutes Bild der damaligen Polemiken im Zusammenhang mit dem Lat.- und Griechischunterricht vermittelt die von Unterrichtsminister Antonio Scialoia initiierte Umfrage (1872) [10]. Der Lateinunterricht wurde nicht nur zugunsten stärker praxisbezogener Fächer, sondern auch wegen der »unmoralischen« und geradezu zu polit. Umsturzversuchen anregenden Inhalten der lat. Texte abgelehnt. Das Griech. stieß natürlich bei den Utilitaristen, aber auch bei den »Humanisten«, die ein philol. und auf die Sprachen ausgerichtetes Antikestudium ablehnten, auf Widerstand. Selbst der Klerus hatte keine für den Griechischunterricht ausgebildeten Lehrkräfte. So gab es am E. des 19. Jh. viele Stimmen, die sich für die Abschaffung des Griechischunterrichts im liceo aussprachen [12. 430ff.]; im J. 1904 sanktionierte ein Gesetzesdekret die Wahlmöglichkeit zw. Griech. und Mathematik im zweiten J. des liceo.

Die Gruppe der »Philologen«, v. a. der Turiner Kreis um die 1872 gegr. Rivista di filologia e d'istruzione classica, unternahm einen regelrechten Feldzug, um das Griech. zu retten, und wurde aus diesem Grund v. a. der Deutschfreundlichkeit bezichtigt (zu den Kehrseiten dieser Haltung: [12]). Das Organ der Società italiana per la diffusione e l'insegnamento degli studi classici war die 1898 gegr., in Florenz erscheinende Zeitschrift Atene e Roma (h. Organ der Associazione italiana di cultura classica). Auf der Gegenseite standen diejenigen, die wie die Schulzeitschrift Il Baretti das philol. Studium zugunsten eines rhet.-künstlerischen Gebrauchs der ant. Texte ablehnten. Die Civiltà cattolica trat unermüdlich für ein weder histor. noch sprachlich, sondern rhet. ausgerichtetes Studium des Lat. ein, das einen der Vorzüge der kirchlichen Schulen darstellte. Auf der anderen Seite führte die extreme Haltung der Philologen zu Positionen, die sich der Verbreitung des wiss. Fortschritts in der Schule vollständig verschlossen: Die Übernahme des dt. Modells für die Organisation der klass. Studien begünstigte zwar die wiss. Forsch., führte aber auch zu einer deutlichen Trennung zw. akad. und universitärer Tätigkeit einerseits und Lat.- und Griechischunterricht an den weiterführenden Schulen andererseits.

B. 20. Jahrhundert

Aufgabe des liceo classico im vereinigten It. war die Ausbildung der Führungsschicht (und in vielerlei Hinsicht ist sie dies h. noch). Das schwierige und »nutzlose« Studium der alten Sprachen sowie der Philos. fungierte als Faktor gesellschaftlicher Diskriminierung. Lat.- und Griechischlehrer erhielten ein höheres Gehalt. Für Eliteschulen, insbes. für die klass. Fächer, trat auch das Reformprojekt Gaetano Salveminis (1908; Mitarbeit Alfredo Galletti) ein. Die Reform Giovanni Gentiles (1923) übernahm die zentrale Stellung des liceo classico als aristokratischer Schule, die – und dies war bis 1970 der Fall – die Möglichkeit des Zugangs zu allen Universitätsfakultäten darstellte. Obwohl in Teilbereichen immer wieder Änderungen vorgenommen wurden, stellt diese Reform für das it. Schulsystem noch h. eine

schwere Hypothek dar, weil die Struktur des liceo classico unverändert ist: Die naturwiss. Fächer und die mod. Fremdsprachen sind deutlich unterrepräsentiert; in den ersten beiden J. wird die gesamte griech. und lat. Morphologie und Syntax behandelt (ca. 10 Wochenstunden), wobei alle »human.« Fächer vom selben Lehrer unterrichtet werden. Die letzten drei J., in denen umfangreiche Auszüge aus den Klassikern gelesen werden, sind der gesamten Literaturgeschichte gewidmet. – Mit der Reform von 1923 wurde das naturwiss. orientierte liceo scientifico eingeführt, das der Ausbildung qualifizierter Techniker diente und in dem kein Griech. unterrichtet wurde. Neu geschaffen wurde auch das istituto magistrale (früher: scuola normale) zur Ausbildung von Grundschullehrern, dessen Lehrpläne für alle vier J. Lateinunterricht vorsahen, wobei dieses Fach stärker praxisbezogene Fächer wie Agronomie, Handarbeit und Schönschrift ersetzte. Schließlich wurde zur Erlangung des Abiturs nach dem liceo ein Staatsexamen mit Prüfungen in Übers. aus dem Lat. und Griech. eingeführt. Im Einklang mit der ideologischen Überbewertung des Lat. durch das faschistische Regime machte der Erziehungsminister Giuseppe Bottai dieses in seiner Reform der »vereinheitlichten« Mittelschule (scuola media »unica«) zum grundlegenden Fach. Bis 1962, als die dreijährige obligatorische scuola media unica eingeführt wurde, ermöglichte diese scuola media den Zugang zur höheren Bildung. War das Lat. im letzten J. der scuola media bis 1977 fakultativ, so wurde es in diesem J. nach zahlreichen Polemiken vollständig abgeschafft. Wie schon im 19. Jh. wurden – Lehrpläne erst lange nach den Strukturreformen erarbeitet; erst 1944 lagen Lehrpläne für die Sekundarschulen vor. 1967 wurden sie durchgesehen (aus diesem J. stammen die h. in liceo scientifico und istituto magistrale verwendeten Lehrpläne für das Lat.) und 1978 für das ginnasio, 1980 für das liceo classico überarbeitet, nachdem im ersten J. des liceo gleichzeitig mit Lat. und Griech. begonnen wurde. Eine umfassende und vereinheitlichende Reform ist im Gang. In den letzten J. ist, auch auf universitärer Ebene, das Interesse an der Didaktik der alten Sprachen gestiegen, während in den letzten Prüfungen für die Lehrbefähigung am ginnasio (1993) immer noch die anachronistische Übers. vom Griech. ins Lat. geprüft wird.

→ Italien; Schulwesen

1 G. Bonetta, G. Fioravanti, L'istruzione classica (1860–1910), 1995 2 G. P. Brizzi, Strategie educative e istituzioni scolastiche nella Controriforma, in: A. Asor Rosa (Hrsg.), Letteratura Italiana, Vol. I: Il letterato e le istituzioni, 1982, 899–920 (mit Lit.) 3 M. L. Chirico, La fondazione della rivista »Atene e Roma« e la filologia classica italiana, in: M. Capasso et al. (Hrsg.), Momenti della storia degli studi classici fra Ottocento e Novecento, 1987, 87–104 4 V. Citti (Hrsg.), Discipline classiche e nuova secondaria. Vol. I: Aspetti generali, 1986 5 A. Curione, Sullo studio del greco in Italia nei secoli XVII e XVIII, 1941 6 A. La Penna, Università ed istruzione pubblica, in: Storia d'Italia, V.2, 1973, 670–765 7 D. Lassandro, Sull'insegnamento del latino, in: E. Bosna, G. Genovesi (Hrsg.), L'istruzione

secondaria superiore in Italia da Casati ai giorni nostri. Atti del IV Convegno Nazionale, 1988, 289–298 **8** M. RAICICH, Il professore nella scuola italiana, in: Belfagor 15, 1960, 614–622 **9** Ders., Gli studi classici nell' Ottocento, in: Belfagor 19, 1964, 229–234 **10** Ders., Le polemiche sugli studi classici e l'inchiesta Scialoia, in: Belfagor 18, 1963, 257–268 und 534–551 (Ndr.: Scuola cultura e politica da De Sanctis a Gentile, 1981) **11** G. RICUPERATI, Università e scuola in Italia, in: A. ASOR ROSA (Hrsg.), Letteratura italiana, I: Il letterato e le istituzioni, 1982, 983–1007 (mit Lit.) **12** S. TIMPANARO, Il primo cinquantennio della »Rivista di filologia e d'istruzione classica«, in: RFIC 100, 1972, 387–441.   SOTERA FORNARO/
                                            Ü: SYBILLE PAULUS

IV. FRANKREICH
s. Frankreich

V. USA
s. Vereinigte Staaten von Amerika

Amsterdam, Allard Pierson Museum

A. INSTITUTION B. SAMMLUNGSGESCHICHTE
C. MUSEUMSTÄTIGKEIT

A. INSTITUTION

Das APM befindet sich am Oude Turfmarkt 127, 1012 GC Amsterdam, Niederlande. Träger ist die Univ. Amsterdam. Aktive Unterstützung und Verankerung in der Öffentlichkeit erfährt das Mus. durch die *Vereeniging van Vrienden Allard Pierson* mit einer eigenen Zeitschrift [12] (Website: www.uba.uva.nl/apm; e-mail: APM @UBA.UVA.nl)

B. SAMMLUNGSGESCHICHTE

Das APM ist mit ca. 14.000 Objekten neben dem Nationalmus. in Leiden die zweite bedeutende Antikensammlung der Niederlande. Es ist eine relativ junge Gründung, am 12. November 1934, durch Übertragung der Allard Pierson Stichting (Stiftung) an die Univ. Amsterdam entstand. Den Kern bildet die Sammlung C. W. Lunsingh-Scheurleer aus ṭ-Gravenhage (Den-Haag), die dort in dessen Privatmus. Carnegielaand untergebracht war [1]. Wie auch andere Mus. dieses Landes steht das APM damit als Beispiel für ein bürgerliches Mus. Es war im Kontext eines breit an Kunst, Ant. und Gelehrsamkeit interessierten Bürgertums entstanden. Seine Sammlung wurde zw. 1900–1932 v. a. durch Käufe auf dem internationalen Kunstmarkt zusammengetragen.

Im APM sind wichtige Namen der europ. Sammlungsgeschichte des 20. Jh. vertreten. So hat die Sammlung Lunsingh-Scheurleer selbst wiederum die großen Komplexe griech., röm. und koptischer Artefakte der Sammlung des Freiherrn Friedrich W. von Bissing in sich aufgenommen. Diese stellte neben der Sammlung von Sieglin (Stuttgart/Tübingen) eine der wichtigsten europ. Sammlungen der Kunst und Kleinkunst des griech.-röm. Ägypt. dar. Die ägypt. Objekte der Sammlung von Bissing gelangten erst nach 1934 an das APM, als von Bissing eine Chance wahrnahm, dort große

Teile seiner Sammlung vereint zusammenzuhalten [2]. Daneben stehen wichtige Zugänge aus den Sammlungen Paul Arndt, München, und Hans Schrader, Frankfurt/M., die v. a. in Athen erworben worden waren.

In der Nachkriegszeit setzte das APM die bereits unter schwierigen Bedingungen in der Kriegszeit begonnene systematische Aufarbeitung der Sammlungsbestände fort [3; 4]. Zusätzlich widmete sich das APM aktiv der Ausbildung junger Archäologen, während es gleichzeitig seine Bestände pflegte und erweiterte [5; 6]. So wurden 1976 anläßlich des Umzuges an den Oude Turfmarkt ca. 1400 Objekte gestiftet, ein Zeichen für die breite Unterstützung und Anerkennung geleisteter Arbeit [7]. Auch in jüngster Zeit erhielt das APM weitere Schenkungen. Zu erwähnen ist hier im klass. Bereich die Sammlung sf. att. Vasen Dr. J. L. Theodor (1995) [12] und in der ägypt. Abteilung die Sammlung van Leer [13; 14]. Im Sommer 1998 wurde schließlich der Restbestand der ehemaligen Sammlung Lunsingh-Scheurleer aus Den Haag in das APM gebracht, womit das Mus. über einen erheblichen Bestand an ant. Vasen aus allen Bereichen der griech. Welt verfügt.

C. MUSEUMSTÄTIGKEIT

Die Stärke der Institution liegt in ihren Sammlungen im Bereich Griechenland, It. und griech.-röm. Ägypt. Das Überwiegen der Kleinkunst gibt dem Haus sein bes. Gepräge, was auch in der Dauerausstellung deutlich wird. Diese ist nach geogr. und histor. Gesichtspunkten in mod. Vitrinen aufgebaut. Mit ausführlicher (mehrsprachiger) Beschriftung wird der Besucher geleitet und mit den Besonderheiten und Stärken der Sammlungen des APM vertraut gemacht.

Die Keramiksammlung zählt mehr als 4000 Gefäße und Fragmente und umfaßt ein weites Repertoire ant. Töpferformen von der griech. Bronzezeit über die Etrusker bis zu röm. Terrasigillata [6]. Neben figürlich verzierten oder schwarz gefirnißten Gefäßen steht unbemalte Gebrauchskeramik. In der griech. Abteilung ist att. sf. Ware bes. reichlich vertreten, teilweise mit hervorragenden Beispielen. Ein anderer Schwerpunkt sind figürliche Terrakotten, die alle wichtigen Produktionszentren der ant. Welt vom 6. Jh. v. Chr. bis in die Kaiserzeit repräsentieren [9]. Sie geben einen guten Einblick in die ant. Kultur- und Religionsgeschichte und sind reich an myth. Bildern, mit denen eine Brücke von der Ant. zur Gegenwart gebaut wird.

Ant. Skulptur ist durch Grab- und andere Reliefs repräsentiert; ein Stolz dieser Abteilung sind einige Porträtköpfe, darunter der Basaltkopf eines Mannes aus dem 2./3. Jh. v. Chr. [15]. Metallarbeiten sind neben Bronzegefäßen durch Gold- und Silberschmuck vertreten [16]. Bes. interessant sind hier Matrizen für Metallabdrücke, wie sie ein Helmmodell aus dem griech. Ägypt. zeigt. Auch Fayence und Glas sind reichlich vertreten. Zu letzterem gehört als Sondergebiet die umfangreiche Sammlung W. N. G. van der Sleen, die ein Kompendium von Glasperlen von der Ant. bis in die

Neuzeit umfaßt [10]. Funde der Römerzeit weisen außerdem auf die eigene ant. Vergangenheit Hollands hin.

Während das APM als einziges arch. Mus. Amsterdams, der größten holländischen Stadt, gewichtige öffentliche Aufgaben zu erfüllen hat, hat es sich gleichzeitig im Rahmen seiner universitären Aufgabe zu einem wichtigen Forschungszentrum entwickelt [11; 13]. Damit werden Museumsarbeit und Grundlagenforsch. durch Verbindung akad. und öffentlicher Aufgaben weitergeführt. Das APM hat sich v. a. durch Publikationen zur griech. Keramik der Archaik einen Namen gemacht. Erwähnenswert sind u. a. Arbeiten zur lakonischen Keramik, die diese wichtige lokale Keramikgruppe erstmals systematisch erschlossen haben [17]. Zu diesen aus der Museumsarbeit heraus entstehenden Ansätzen gehört auch die fortschreitende Aufarbeitung der griech.-röm. Altertümer Ägyptens.

1 C. W. LUNSINGH-SCHEURLEER, Catalogus eener Verzameling Egyptische, Grieksche, Romeinsch en andere Oudheden, 1909 (zur Privatsammlung vor der Museumsgründung) 2 G. A. S. SNIJDER(Hrsg.), APM, Algemeene gids, 1937, Ndr. 1956 (allg. Hdb. für die Zeit nach der Museumsgründung) 3 H. G. VAN GULIK, Catalogue of the Bronzes in the APM, 1940 4 C. S. PONGER, Kat. der griech. und röm. Skulptur, der steinernen Gegenstände und der Stuckplastik im APM, 1942 5 God and Men in het APM, 1972 (Ausstellungs-Kat.) 6 H. A. G. BRIJDER(Hrsg.), Griekse, Etruskische en Romeinse kunst, APM, ²1984 7 Gifts to Mark the Re-Opening, 1976 (Kat.) 8 R. LUNSINGH-SCHEURLEER(Hrsg.), Eender en anders. Ausstellungskat., APM, 1984 9 Ders., Grieken in het klein. 100 antieke terracottas, 1986 10 G. JURRIAANS-HELLE, Kralen Verhalen, 1994 11 Allard Pierson Series, 1980ff.; Allard Pierson Series, Scripta Minora, Stud. in Ancient Civilizations, 1989ff. 12 P. HEESEN, The J. L. Theodor Collection of Attic Black-Figure Vases, AP Series Bd. 10, 1996 13 Zschr. MVAPM = Mededelingenblad Vereniging van Vrienden Allard Pierson MVAPM 65, 1996, 1 14 J. M. A. JANSSEN, Egyptische Oudheden verzameld door W. A. van Leer, Mededelingen in verhandelingen van het genootschap, in: Ex Oriente Lux 12, 1957 15 R. LUNSINGH-SCHEURLEER, Egypte Geschenk van de Nijl, 1992 16 Ders., Antieke Sier, Goud en zilver van Grieken und Romeinen, 1987 17 C. STIBBE, Laconian Mixing Bowls. A history of the krater Lakonikos, Laconian Drinking Vessels and Other Open Shapes, Laconian Black-glazed pottery pt. 1 & 2, AP Series, Scripta Minora, vol. 2 und 4, 1989 und 1994.   WOLF RUDOLPH

Anakreontische Dichtung, Anakreontik
A. DIE GESTALT ANAKREONS ALS LITERARISCHER VORWURF UND ALS EUDÄMISTISCHE LEITFIGUR
B. AUFNAHME ANAKREONTISCHER MOTIVE, ÜBERSETZUNG UND STILGESTALTUNG IN DER ABENDLÄNDISCHEN DICHTUNG
C. DIE NEULATEINISCHE UND LANDESSPRACHLICHE ANAKREONTISCHE DICHTUNG EUROPAS IM ZEICHEN VON RENAISSANCE UND HUMANISMUS
D. DIE DEUTSCHE ANAKREONTIK
E. DIE ANAKREONTISCHE DICHTUNG EUROPAS IM 18. UND 19. JAHRHUNDERT

A. DIE GESTALT ANAKREONS ALS LITERARISCHER VORWURF UND ALS EUDÄMONISTISCHE LEITFIGUR
Die Nachwirkung Anakreons und der Anakreonteen läßt sich am besten mit dem Titel des Buches von L. A. Michelangeli in Worte fassen: *Anacreonte e la sua fortuna nei secoli* (»Anakreon und sein Nachruhm im Laufe der Jh.«). Die Persönlichkeit des Dichters − wie sie histor. zutreffend oder bloß legendär aus Zeugnissen anderer (Aulus Gellius, Horaz etc.), aus originalen Gedichten Anakreons oder den Anakreonteen erschließbar schien − wurde bereits im Hell. als einer der großen alten Lyriker kanonisiert. Nach der Auffindung, Veröffentlichung (1554) und Auslegung der Anakreonteen durch den frz. Humanisten Henricus Stephanus (1528–1598) und spätere lit. ambitionierte Interpreten wurde Anakreon, den man als lyr. Ich der für echt gehaltenen Gedichte zu erkennen glaubte, letztlich zu einer der Leitfiguren des europ. Eudämonismus aufklärerischer Prägung, der sog. »Anakreontik« des 18. Jh. Das lit. rekonstruierte Anakreon-Bild entsprach der Vorstellung des sokratischen Weisen. Goethe hielt diese Vorstellung im Epigramm *Anakreons Grab* (1784) fest.

B. AUFNAHME ANAKREONTISCHER MOTIVE, ÜBERSETZUNG UND STILGESTALTUNG IN DER ABENDLÄNDISCHEN DICHTUNG
Mit diesem Bild verband sich die alsbald über ganz Europa verbreitete A. D. Neben poetischen Übers. bzw. Nachdichtungen (→ Adaptation) bemächtigte sich die anakreontische Schreibart (Metrum: reimlose katalektische jambische oder katalektisch ionische Dimeter; Stil: scherzhaft-anmutig, oft auch zärtlich-tändelnd oder leichthin erzählend; Stoff: Liebesspiel oft im allegorischen Gewand; Freundschafts- und Hochzeitsgedichte; Betrachtungen) des Neu-Lat., später auch der Nationalsprachen.

C. DIE NEULATEINISCHE UND LANDESSPRACHLICHE ANAKREONTISCHE DICHTUNG EUROPAS IM ZEICHEN VON RENAISSANCE UND HUMANISMUS
Die Neulateiner anakreontisierten z. T. schon vor 1554, z. B. der Italiener Angelo Poliziano (1454–1494), der Engländer Thomas Morus (1480–1535) und der Niederländer Johannes Secundus (1511–1536), kurze Zeit später die Deutschen Johannes Aurpach (1531–

1582) und Caspar Barth (1587–1658). Die Dichtungen der neueren National-Lit. folgten der *editio princeps* von 1554: die Franzosen seit Pierre Ronsard (1524–1585) und Remy Belleau (1528–1577), die Italiener seit Torquato Tasso (1544–1595) und Gabriello Chiabrera (1552–1638), die Spanier seit Manuel de Villegas (1589–1669), die Holländer seit Daniel Heinsius (1580–1655) und Petrus Scriverius (1576–1666), die Engländer seit Robert Herrick (1591–1674) und Abraham Cowley (1618–1667), die Polen seit Jan Kochanowski (1530–1584), die Deutschen seit Georg Rudolph Weckherlin (1584–1653) und Philipp von Zesen (1619–1689). Der anakreontische Stil, der auch empfindsame Züge annehmen konnte, eignete sich bes. für die Gelegenheitsdichtung vom 16. bis zum 18. Jh. Neu-Lat. und landessprachliche anakreontische Hochzeitsgedichte waren eine selbstverständliche Kunstübung. Schließlich übertrug die Dichtung der katholischen Orden den Stil und das Metrum auf christl. Themen: dies taten die Jesuiten – der Deutschböhme Jacobus Pontanus (1542–1626), der Franzose Gilbertus Ioninus (1596–1638), der Belgier Nicolaus Susius (gest. 1619), der Holländer Petrus Stratenus und schließlich der Italiener Carlo d'Aquino im Jahr 1726. Auch im dt. protestantischen Lager gab es den *Anacreon christianus* – z.B. des Wilhelm Alardus (1572–1645) und des Caspar Barth. Diese Art einer *parodia christiana* erinnert an die christl. *Anacreontea*, wie sie seit dem 7. Jh. durch Sophronius von Damaskus, dem Bischof von Jerusalem, und seinen Nachfahren Helias und Michael Synkellus (8. und 9. Jh.) begründet und später der byz. Kultur durch die Dichtungen des Patriarchen Photios, des Kaisers Leo, des Leo Magister, des Gregor von Nazianz u. a. eigentümlich wurde.

D. Die deutsche Anakreontik

Den Höhepunkt erreichte die A. D. im 18. Jh. Viele »Anakreon«-Ausgaben und Übers. hatten bis dahin das Interesse an dieser Lyrik wachgehalten. Die nie versiegte graziöse Poesie der Franzosen – man denke v. a. an die histor. letzten Dichter einer langen Reihe: Chaulieu (1639–1720), La Fare (1644–1712), de la Motte (1672–1731) und Gresset (1709–1777) – hat nicht zuletzt mit zahlreichen *odes anacréontiques* jenen Tonfall und jene Motivik vorgegeben, die bestimmend für die dt. A.D., das Zentrum der sog. A. des 18. Jh., wurde. Der literaturgeschichtliche Begriff A. zielt also auf jene heitere Lyrik des dt. Aufklärungszeitalters (→ Aufklärung), die sich angesichts eines neuen, vom Bürgertum getragenen, säkularisierten optimistischen Daseinsverständnisses die Anakreonteen inhaltlich, metrisch und stilistisch zum Vorbild nahm. Die Gestalt Anakreons wurde zum Modell der Lebenseinstellung einer dichterischen Jugendbewegung: Die 1746 erschienene, von Johann Nikolaus Götz (1721–1781) und Johann Peter Uz (1720–1786) vollendete poetische Übertragung *Die Oden Anakreons in reimlosen Versen* tat ihre Wirkung; 1760 erschien sie – von Götz revidiert – noch einmal. Nun hatten die jungen Aufklärer, oft in Freundschaftsbünden »anakreontisch« zusammengeschlossen, ihren im neuen Stil

des Scherzes und der Anmut verdeutschten Anakreon. Johann Wilhelm Ludwig Gleim (1719–1803), der als »dt. Anakreon« galt, propagierte den von seinen Freunden Uz und Götz entwickelten Stil der reimlosen anakreontischen Kurzverse mit seinem der Freundschaft, der Liebe und (mäßigem) Weingenuß gewidmeten Versuch in scherzhaften Liedern (1744/45). Freundschaftlich zog Gleim weitere Anakreontiker an sich: Karl Wilhelm Ramler (1725–1798), Johann Georg Jacobi (1740–1814) u.a. Die anakreontische Schreibart, auf viele Themen übertragen, erhielt sich von da ab über Goethe (1749–1832) und dessen Freund Karl Ludwig von Knebel (1744–1834), August Graf von Platen (1796–1835), Wilhelm Müller (1794–1827), Eduard Mörike (1804–1875) bis zu Otto Julius Bierbaum (1865–1910) und Hugo von Hofmannsthal (1874–1929) lebendig.

E. Die anakreontische Dichtung Europas im 18. und 19. Jahrhundert

Ähnlich wie in Deutschland verlief die Anakreon-Rezeption in anderen europ. Ländern: Die Italiener begeisterten sich am Anakreontisieren: Paolo Rolli (1687–1765), Pietro Metastasio (1698–1782) und Lorenzo da Ponte (1749–1838); aus Schweden erklangen nach dt. Vorbild anakreontische Verse von Carl Michael Bellmann (1740–1795) und ebenso aus Holland von Jacobus Bellamy (1757–1786). In England rief die Nachdichtung der Anakreonteen durch Thomas Moore (1779–1852) eine unerhörte Anakreon-Begeisterung hervor. Des Anakreontisierens war kein Ende, als im ausgehenden 18. Jh., unter dem Einfluß der gemeineurop., klassizistischen Ant.-Begeisterung und mitbestimmt von der dt. Dichtung, auch die russ. Lyriker ihren Beitrag leisteten: Nach Antioch Dmitrijevič Kantemir (1709–1744), der die erste russ. Übertragung der Anakreonteen schuf, versuchten sich darin M. V. Lomonossow (1711–1765) und A. P. Sumarokov (1717–1777), der sich Gleim zum Vorbild nahm, ehe Michail Matvejevič Cheraskov (1733–1807) mit den ihm nahestehenden Dichtern eine russ. A. ins Leben rief, die weit ins 19. Jh. nachwirkte und durch die Gesamtübertragung der Anakreonteen von J.J. Martynov (1771–1833) gefördert wurde.

→ AWI Anakreon

1 M. Baumann, Die Anakreonteen in engl. Übers., 1974 2 W. Kühlmann, »Amor liberalis«. Ästhetischer Lebensentwurf und Christianisierung der neu-lat. A. in der Ära des europ. Späthuman., in: A. Buck, T. Klaniczay (Hrsg.), Das Ende der Ren. – Europ. Kultur um 1600, 1987, 165–186 3 L. A. Michelangeli, Anacreonte e la sua fortuna nei secoli con una rassegna critica su gl'imitatori e i traduttori italiani dell'»Anacreontee«, 1922 4 A. Rubio' y Lluch, Estudio critico-bibliografico sobre Anacreonte y la Coleccion Anacréontea, y su influencia en la literatura antiqua y moderna, 1879 5 D. Schenk, Stud. zur anakreontischen Ode in der russ. Lit. des Klassizismus und der Empfindsamkeit, 1972 6 H. Zeman, s. v. A. D., Anakreontik, Lit. Rokoko, in: Fischer Lex. Lit., 1996 7 Ders., Die Entfaltung der dt. A. D. des 17. Jh. an den Univ.

und ihre Wirkung im städtischen Lebensbereich, in: Stadt-Schule-Univ., Buchwesen und die dt. Lit. im 17. Jh., 1976, 396–409 **8** Ders., Goethes anakreontische Lyrik der Weimarer Zeit, in: Zschr. für Dt. Philol. 94, 1975, 203–235 **9** Ders., Die dt. A.D., 1972. HERBERT ZEMAN

Andalusien s. Arabisch-islamische Kulturregion II.

Anspruch. In der ma. und gemeinrechtlichen Rechtswiss. und -praxis wird das Wort *actio*, der A. nämlich zur Rechtsverfolgung im Formularprozeß, nicht mehr in der Bed. gebraucht, die es im klass. Röm. Recht gehabt hat. Bereits die Justinianischen Quellen hatten die prozessuale Funktion des röm. Aktionensystems weitgehend aufgegeben. Wegen des unhistor. Umgangs mit den röm. Quellen konnten die → Glossatoren die prozessuale Bed. der röm. *actiones* nicht mehr nachvollziehen. Streitig ist in der rechtshistor. Forsch. jedoch, inwieweit das aktionenrechtliche Denken der Quellen die Legistik noch prägt. In der älteren Forsch. (Villey, Otte, Coing) wurde die Ansicht vertreten, daß die Legistik über das röm. Aktionensystem hinaus zu einer Theorie des subjektiven Rechts gelangt sei; jüngere Studien (Kriechbaum) haben demgegenüber einer solchen Rekonstruktion der Legistik heftig widersprochen und darin nur eine unhistor. Übertragung der juristischen Begriffsbildung der → Pandektistik gesehen. Fest steht, daß die Glossatoren noch aktionenrechtlich und prozeßorientiert gedacht haben. Zentrales Problem war darin die Frage der *editio actionis*, nämlich des Erfordernisses, im Prozeß die richtige *actio* zu bezeichnen oder den Sachvortrag so genau zu formulieren, daß aus ihm gerade die zum Erfolg führende *actio* zu entnehmen sei. Auf eine ausdrückliche Nennung des *nomen actionis* wurde offenbar nach Möglichkeit verzichtet; aber der Prozeß wurde auf eine bestimmte *actio* fixiert, so daß der Kläger durch die *editio actionis* und durch die Nennung der *causa actionis* gewährleisten sollte, daß ›die Prüfung der Begründetheit des Petitums auf die Voraussetzungen einer einzigen, spätestens durch die Beweisaufnahme zu bestimmende *actio*, festgelegt wurde‹ (Kriechbaum). Der Richter war allerdings durch die *electio actionis* gebunden. Später wurden Vermutungen angestellt, wonach der Richter die ausgewählte *actio* ermitteln konnte. Es scheint, daß die frz. Legisten das Erfordernis der *electio actionis* nochmals abgeschwächt haben: ›sufficit causam proponi quia actio ed causa sint idem‹ (›es reicht, den Grund des Prozeßbegehrens zu nennen‹). Unter → *causa* wurden die Prämissen eines Syllogismus verstanden, welchen der Kläger zu formulieren habe, um seine Klageforderung richtig zu begründen (Jacobus de Ravanis). Der Kläger hatte also die Voraussetzungen einer *actio* vorzutragen. Im mod. Prozeß erfüllen die Unterscheidung und Abgrenzung des jeweiligen Streitgegenstandes dieselbe Funktion. Das frz. »Ancien Droit« verzichtete bereits im 16. Jh. auf das röm. Aktionensystem. Dies wurde zu den nicht rezipierten »Subtilitäten« des röm. Rechts gerechnet. Demgegenüber

benutzte der → Deutsche Usus modernus weiterhin das aktionenrechtliche Vokabular der röm. Quellen. Alle *actiones* waren nunmehr *bonae fidei*. Obwohl die *actio* als Klagerecht aufgefaßt und insoweit als *filia obligationis* bezeichnet wird, wird der Ausdruck *actio* häufig auch im Sinne des materiellen A. verstanden. Bezeichnend hierfür ist der Aufbau gemeinrechtlicher Rechtsgutachten, etwa der Aktenrelationen am Reichskammergericht: Sie werden bis zum E. der gemeinrechtlichen Zeit nach dem Argumentationsschema *quae sit actio* aufgebaut. Die gemeinrechtliche Lit. hat bis Anfang des 19. Jh. das subjektive Recht als *causa* der *actio* angesehen, die bei deren Verletzung dem Inhaber des Rechts zustand. Eine solche Auffassung ist in der europ. Privatrechtswiss. Anf. des 19. Jh. allg. vertreten worden. Auch die dt. Pandektistik, etwa Savigny in seinem System, hat dieselbe vertreten. Diese gemeinrechtliche Sicht des Problems wurde erst in der späteren dt. Pandektistik durch die berühmte Monographie von Windscheid über die *actio* aufgegeben (*Die actio des röm. Zivilrechts*, Düsseldorf 1856): Nicht jede *actio* entstehe aus einer Rechtsverletzung, und die Klage sei nicht notwendigerweise Folge einer Rechtsverletzung. Aus dieser ergibt sich nur der materiellrechtliche »A.«, nämlich das Recht, die Wiederaufhebung der Rechtsverletzung zu fordern. Die Lehre von Windscheid bedeutete theoretisch eine schärfere Trennung von materiellem Recht und Prozeßrecht. Sie liegt dem dt. BGB (1900) zugrunde. Damit wurde die materiellrechtliche Umformung der noch prozeßrechtlich beschriebenen Lösungen der röm. Quellen endgültig abgeschlossen.

→ Prozeßrecht; Römisches Recht

→ AWI actio; formula; legis actio

1 COING, Bd. I, 172–173; 176–178; Bd. II, 270–275 **2** A. KAUFMANN, Zur Gesch. des aktionenrechtlichen Denkens, in: Juristenzeitung 1964, 482f. **3** A. KOLLMANN, Begriffs- und Problemgesch. des Verhältnisses von formellem und materiellem Recht, 1996 **4** M. KRIECHBAUM, Actio, ius und dominium in den Rechtslehren des 13. und 14. Jh., 1996 (grundlegend) **5** K.W. NÖRR, Zur Frage des subjektiven Rechts in der ma. Rechtswiss., in: FS H. Lange, 1992, 193ff. **6** F. RANIERI, Entscheidungsfindung und Technik der Urteilsredaktion in der Trad. des dt. Usus modernus: das Beispiel der Aktenrelationen am Reichskammergericht, in: A. WIJFFELS (Hrsg.), Case Law in the Making, Bd. I, 1997, 277–297 **7** O. VOSSIUS, Zu den dogmengesch. Grundlagen der Rechtsschutzlehre, 1985 **8** R. ZIMMERMANN, The Law of Obligations, 1990, 26–28. FILIPPO RANIERI

Anthologia Graeca s. Epigramm; Lyrik

Anthologia Latina s. Epigramm; Lyrik

Antike A. Begriffsgeschichte
B. Die Dreiteilung
Antike-Mittelalter-Neuzeit

A. Begriffsgeschichte

Die Bezeichnung A. stammt als Lehnwort vom frz. Adjektiv *antique*. Sie tritt nach einer längeren semantischen Entwicklung als → Epochenbegriff syn. neben das seit dem 18. Jh. vorhandene Substantiv »Altertum« für die Zeit der griech.-röm. A. Das Adjektiv *antique* (von lat. *antiquus*) wurde im 16. Jh. von den Humanisten ins Frz. eingeführt und bedeutet zunächst »alt«, dann auch seit Rabelais: »antik, das Altertum betreffend«. Schon im Lat. des frühen MA konnten *antiquus* bzw. *antiquitas* die Zeit der griech.-röm. A. bezeichnen (z. B. Beda, temp. rat. 37,2; Notker Balbulus gest. 1,28: *antiquitas*). In It. verwendete bereits Dante im 1303–1308 entstandenen *Convivio* (2,5,1) das Adj. *antico* für das vorchristl. Altertum: ›per difetto d'ammaestramento li antichi la veritade non videro de le creature spirituali‹ (›mangels Belehrung sahen die ant. Menschen noch nicht die Wahrheit der geistigen Schöpfungen‹). Das Substantiv *antichità* als Epochenbezeichnung für die Ant. taucht zuerst um 1350 bei Boccaccio auf. Das frz. Substantiv *l'antique* (fem.) bezeichnet anders als im It. seit 1530 speziell ein ant. Kunstwerk [6; 12] und seit dem 18. Jh. in der Arch. (mask.) allg. die Kunst der Antike. Im Gegensatz dazu diente das Substantiv *antiquité* (seit Montaigne, 1580 [5]) zur Bezeichnung der Kultur und Epoche des Altertums. In der dt. arch. Fachlit. bezeichnete »Antique« entsprechend ein einzelnes Kunstwerk aus dem 16.–17. Jh. (Hagedorn 1743) [1], dann einschränkend Bildwerke des Alt. (Winckelmann 1755) [10]. Noch im 18. Jh. weitet sich die Verwendung als Gattungsbegriff für den als vorbildlich empfundenen Stil der ant. Kunstwerke bzw. die Gesamtheit der Kunstwerke selbst aus (seit Heyne 1777) [3]. Novalis sprach 1798/99 von der ›Göttlichkeit der A.‹, die im Auge des Betrachters ant. Kunstwerke entsteht [7]. Schon vor dem Substantiv war das Adj. *antique* bzw. *ant.* im Zusammenhang mit Kunstwerken Ägypt., Griechenlands und It. (Hagedorn 1727) in Gebrauch [4], ansonsten übernahm »alt« die Funktion von »antik«. Das dt. Substantiv »die Ant.« wurde neben dem Adj. *ant.* wie die Bildeweise »die Breite« zu *breit* [13] empfunden. Erst A. W. und F. Schlegel weiteten ab 1796 die Verwendung von »antik« als Gegensatz zu »modern« [13. 31] auf den Bereich der antiken Kultur überhaupt und v. a. der Lit. aus [13. 30 f.]. Die zugehörige Epoche selbst nannte F. Schlegel seit 1797 im Sinne einer normativen Ästhetik ›klassisches Altertum‹ [13. 33], was als Begriffspaar allg. Verbreitung fand und in andere Sprachen übersetzt wurde (engl. *classical antiquity*, frz. *antiquité classique*). In diese Epoche einbezogen waren nur Griechen und Römer. Der Begriff »die A.« drückt zur selben Zeit bei W. v. Humboldt ›eine Eigentümlichkeit des menschlichen Daseins‹ aus und ist entsprechend nicht notwendig an eine bestimmte Epoche gebunden ([9.

Bd. VI, 487], aus dem J. 1819). Gleichzeitig stellten Humboldt, Eichendorff u. a. die innere Haltung der paganen A. als eines verlorenen Paradieses der christl. Kultur und dem dt. Volkstum als Kontrast gegenüber ([9, IV. 83 f.], 1813; [2]). Der Bedeutungswandel der Bezeichnung A. von einem kunstgeschichtlichen Stil- und Gattungsbegriff zu einer allgemeineren Epochenbezeichnung vollzieht sich allmählich im 19. Jh – zuerst bei Kunsthistorikern (z. B. Lübke und Springer seit 1860 bzw. 1862 [8]). Innerhalb der Literaturgeschichte wird »A.« als Periodenbezeichnung in W. Scherers *Geschichte der dt. Lit.* (zuerst 1883) verwendet. Der Begriff von der A. nicht mehr als kulturelles Vorbild mit normativer Funktion, sondern als Epochenbegriff für die Welt des Altertums in ihrer Totalität im Sinne des Historismus wurde erst Anf. des 20. Jh. durch Th. Zieliński Schrift *Die A. und wir* [11] geprägt und beginnt als solcher in der Folgezeit den Begriff »Altertum« abzulösen (bei Stemplinger, Crusius, Immisch). D. h. in dem Augenblick, wo die Bezeichnung A. den schon bestehenden Begriff »(klassische) Alt.« in sich aufhebt, geht gleichzeitig die normative Wirkung dieses Begriffes verloren [13].
→ AWI Pompeius Trogus; Zeitalter

QU **1** T. Baden (Hrsg.), Briefe über die Kunst von und an Christian Ludwig von Hagedorn, Leipzig 1797, 2 und 11 **2** J. von Eichendorff, Das Marmorbild, 1819 **3** Chr. G. Heyne an Chr. G. von Murr, in: Journal zur Kunstgeschichte und zur allg. Litteratur IV, Nürnberg 1777, 39 **4** G. de Lairesse, Grundlegung zur Zeichen-Kunst, übers. von Chr. L. von Hagedorn, Nürnberg 1727, 52 **5** Essais de Michel, seigneur de Montaigne, III, (Didot) Paris 1802, 120 **6** J. Palsgrave, L'esclarcissement de la langue françoise, London 1531, 487 **7** R. Samuel (Hrsg.), Novalis Schriften, I-V, 1960–1988: III, 469; IV, 274 **8** A. Springer, Das Nachleben der A. im MA, in: Die Grenzboten 1 (1862) 489–499, 25 **9** A. von Sydow (Hrsg.), Wilhelm und Caroline von Humboldt in ihren Briefen, I–VII, 1906–1916 **10** J. J. Winckelmann, Gedanken über die Nachahmung der Griech. Werke in der Malerey und Bildhauerkunst, Dresden ²1756, 13, 16, 32 **11** Th. Zieliński, Die A. und wir, übers. von E. Schoeler, ²1902

LIT **12** P. Imbs (Hrsg.), Trésor de la langue française. Dictionnaire de la langue du XIXᵉ et du XXᵉ siècle (1789–1960), III, s. v. »antique«, 1974, 171 **13** W. Müri, Die A. Unt. über Ursprung und Entwicklung der Bezeichnung einer gesch. Epoche, in: A&A 7, 1958, **14** W. Rüegg, »A.« als Epochenbegriff, in: MH 16, 1959, 309–318 **15** P. B. Stadler, Wilhelm von Humboldts Bild der A., 1959, 191.

B. Die Dreiteilung
Antike-Mittelalter-Neuzeit

In der A. selbst gab es neben der myth. Weltalterlehre mit einem Abstieg vom Goldenen Zeitalter über das Silberne und Bronzene zum Eisernen Zeitalter bereits Vorläufer einer histor. orientierten Epocheneinteilung, die auf Pompeius Trogus fußende, sog. »Weltreichlehre«. Danach wurde die Weltgeschichte nach der Abfolge der vier einander ablösenden Großreiche Assur, Persien, Makedonien, Röm. Reich eingeteilt. Die Weltreichlehre blieb z. T. bis in die Neuzeit hinein in Gebrauch. Der Untergang des Röm. Reiches und die Gründung neuer Staaten an dessen Stelle führten zunächst nicht zu einer neuen begrifflichen Epocheneinteilung, da die neuen, v. a. german. Staatengebilde mit der Übernahme der christl.-röm. Kultur und der lat. Schriftsprache die Kontinuität zu wahren suchten. Allerdings grenzten sich christl. Autoren als *moderni* gegen die heidnischen *antiqui* ab (zuerst Cassiodor im 6. Jh., ähnlich Karl d.Gr. von seinem Reich; → Querelle des Anciens et des Modernes). Erst mit dem Aufkommen des → Humanismus in It. begann etwa seit dem 14. Jh. das Bewußtsein von einer ant. (*antiquitas*) und einer gegenwärtigen Epoche, die durch ein *medium aevum* bzw. *tempus* (zuerst Petrarca 1373 [8. 245]; → Mittelalter) als Zeit dazwischen getrennt waren. Während man die Gegenwart (*nova aetas*) gemäß einem zyklischen Geschichtsbild als Wiedererstehen der paganen griech.-röm. *antiquitas* empfand, sah man nun in dem zeitlichen Zwischenraum eine Übergangszeit des Verfalls (*media barbaria* bei Poliziano u.a.). Daß dennoch kein scharfer Bruch zw. »A.« und »MA« empfunden wurde, zeigt die Bezeichnung dieser Epoche als *media antiquitas* bei den Humanisten von Poliziano (1484), Beatus Rhenanus (1531), Vadian (1547) bis Anf. des 19. Jh. (Grotius 1611; Blondel 1654 [8. 245–265]; Humboldt 1813 [3, IV. 83]). Die genaue zeitliche Grenze zw. den drei Epochen blieb noch lange Zeit ohne exakte Definition. Im Raum des Heiligen Röm. Reiches und unter katholischen Historikern wurde ohnehin eher die Kontinuität zw. »A.« und Folgezeit aus polit. und rel. Gründen betont (→ Sacrum Imperium Romanum). Die Dreiteilung der Epochen im heutigen Sinne hat sich erst an der Schwelle zum 18. Jh. mit Cellarius [1] allgemeingültig durchgesetzt [8. 165–175]. Danach liegt der Übergang von der A. zum MA in dem Zeitraum zw. Konstantin d.Gr. und dem Ende des weström. Reiches im 5. Jh., der Beginn der Neuzeit im 15.–16. Jh. Seit der Aufklärung galt insbes. der Sieg des Christentums mit der Konstantinischen Wende als Ende der A., wie aus Hölderlins Geschichtsmodell hervorgeht [9]. L. v. Ranke definiert das »Altertum« als »griech.-röm. Welt«, d. h. den ›durch Eroberung zusammengebrachte[n]‹ und ›durch die Kultur vereinte[n]‹ Raum des Mittelmeers. Das Entstehen nicht-röm. Staaten durch die Völkerwanderung und die arabische Invasion, die Vereinigung der röm.-german. Welt und die Abnabelung vom Zentrum Rom sowie der Sieg des Christentums markieren das Ende der A. Die »Neue Zeit« beginnt mit der Überwindung der rel. Unfreiheit des MA und der Entdeckung der Neuen Welt [2]. Schwierig und in der Diskussion bleibt die genaue Festlegung der Grenze zw. A. und MA je nach polit., kulturellen oder literaturgeschichtlichen Kriterien [7]. So hat man etwa die Kultur des Feudalismus mit dem MA identifiziert oder die Neuzeit mit der Ablösung der Naturalwirtschaft durch den Frühkapitalismus beginnen lassen. Problematisch ist das Schema der Dreiteilung wegen ihrer räumlichen Beschränkung auf den westeurop. Kulturraum als Fortsetzer der lat. A.

QU 1 CH. CELLARIUS, Historia universalis, Jena 1704–8 2 L. VON RANKE, Gesch. des MA, Vorlesungen 1840/41, in: Ders., Aus Werk und Nachlaß Bd. IV, 1975, 140–143 3 A. VON SYDOW (Hrsg.), Wilhelm und Caroline von Humboldt in ihren Briefen, I–VII, 1906–1916

LIT 4 W. FREUND, Modernus und andere Zeitbegriffe des MA, 1957 5 H. GÜNTHER, Neuzeit, MA, Altertum, in: HWdPh 6, 782–798 6 P. E. HÜBINGER (Hrsg.), Zur Frage der Periodengrenze zw. Alt. und MA, 1969 7 H.-D. KAHL, Was bedeutet »MA«?, in: Saeculum 40, 1989, 15–38 8 U. NEDDERMEYER, Das MA in der dt. Historiographie vom 15. bis zum 18. Jh., 1988 9 P. SZONDI, Hölderlins Brief an Böhlendorff vom 4. Dez. 1801, in: Euphorion 58, 1964, 260–275.   PETER KUHLMANN

Antikenroman s. Epos

Antikensammlung A. EINLEITUNG B. EPOCHEN DER SAMMLUNGSGESCHICHTE C. KATEGORIEN DER SAMMLUNGEN

A. EINLEITUNG

Die Geschichte der Sammlungen ist um 1900 Gegenstand intensiver Forsch. gewesen, in Deutschland v. a. durch Adolf Michaelis [1–3] und Christian Hülsen [4]. In den letzten Jahrzehnten ist sie aus verschiedenen Gründen erneut in den Mittelpunkt des Interesses gerückt. Die Kulturgeschichte entdeckte Sammlungen und ihre Ordnungssysteme als Quelle der Mentalitäts-Forsch. Die großen Mus. beschäftigten sich vermehrt mit ihrer eigenen Geschichte. Dazu kam die verstärkte Aufmerksamkeit für Rezeptionsvorgänge. Auf arch. Seite führte das neue Interesse für Fundkontexte dazu, daß die Provenienz von »Altfunden« untersucht wurde. So gelang es, die Geschichte des Berliner *Betenden Knaben* durch viele Kollektionen bis zu seiner Auffindung in Rhodos zurückzuverfolgen [5] oder die Provenienz des *Diskobol Duncombe* überzeugend zu klären [6]. Wegen der heterogenen Erkenntnisinteressen und der unterschiedlichen methodischen Ausgangspunkte präsentiert sich die Sammlungsgeschichte bis h. vornehmlich als ein Mosaik von Einzelstud. – Die folgenden Darlegungen beschränken sich wegen des einseitigen Forsch.-Standes weitgehend auf Kollektionen ant. Skulpturen.

B. EPOCHEN DER SAMMLUNGSGESCHICHTE
I. ANTIKE UND BYZANZ

Ant. Statuen waren wegen ihrer rel. und polit. Bed. zunächst nur für eine Aufstellung in Heiligtümern und Grabbezirken, später auch auf öffentlichen Plätzen geschaffen worden. Erst als sich die ästhetische Wertschätzung verselbständigte und sich eine Betrachtung unter kunsthistor. Gesichtspunkten durchsetzte, wurde eine museale Aufstellung möglich. Da die späthell. Kunsttheorien den Werken des 5. und 4. Jh. v. Chr. eine exemplarische Rolle zuwiesen, waren diese von Kunstkennern bes. geschätzt und gesucht. Griech. Originale aus Kriegsbeute gelangten in großer Zahl nach Rom, wo sie zum Schmuck öffentlicher Gebäude, aber auch privater Villen und Gärten dienten [7; 8]. Die Entwick-

lung des Kopistenwesen machte zudem ältere Meisterwerke für neue Aufstellungszusammenhänge verfügbar
– wenigstens in dreidimensionalen Reproduktionen [9].

In der christl. Spät-Ant. artikulierte sich ein grundsätzlicher Konflikt, der für die Rezeption der Statuen
bis in die Neuzeit bestimmend bleiben sollte. Zwar
konnten reiche Villen auch weiterhin mit älteren Statuen ausgestattet werden, die manchmal für die neue
Aufstellung repariert werden mußten. Auch hier stand
noch eine primär ästhetische Würdigung der Skulpturen im Vordergrund [10]. Auf der anderen Seite führte
die rel. Bed. der Statuen zu einer aggressiven Ablehnung
durch die Christen, die sich oft in der Vernichtung von
Götterfiguren äußerte (z.B. Zerstörung der Kultstatue
des Serapis in Alexandria [11]). – In Konstantinopel sind
mehrere Statuensammlungen bezeugt [12–14; 15], von
denen die des Lausos sogar einige der berühmtesten
griech. Kultstatuen enthalten haben soll [16].

2. MITTELALTER

Auch für das MA waren ant. Statuen wegen ihrer
Deutung als »heidnische« Götterbilder problematisch
[17; 18]. Die Zerschlagung der »Götzen« wurde geradezu als fromme Tat der Heiligen gefeiert. Öffentlich
präsentierte Statuentrümmer galten als Beweis für den
Sieg des Christentums über die paganen Gottheiten
[17. 45–47]. Gelegentlich ließen sich inhaltlich bedingte
Konflikte durch eine christl. Neuinterpretation lösen.
Wo keine rel. Implikationen gesehen wurden, insbes.
bei eher dekorativen Stücken, konnten ant. Skulpturen
in vielfältiger Weise wiederverwendet werden: Urnen
als Reliquiare oder als Weihwasserbecken [19]; Sarkophage für die Grablegungen wichtiger Persönlichkeiten, ja selbst von Heiligen [20]; Reliefs als Fassa-
denschmuck oder Chorschranken etc.

An vielen Orten sind öffentlich präsentierte Ansammlungen von Ant. nachzuweisen, die der Legitimation der Macht und dem Nachweis polit. Erfolge
dienten. In Rom kennzeichneten öffentlich aufgestellte
ant. Statuen (Lupa beim Lateran, kapitolinische Tier-
kampfgruppe) Stätten des Blutgerichts [21]. Die am
päpstlichen Lateranspalast gezeigten Figuren bezeugten
die Kontinuität seit der röm. Kaiserzeit (Reiterstatue des
Konstantin) und gleichzeitig den Triumph des Christentums über die paganen Götter (Kolossalkopf des Sol)
[17. 46; 22]. Die von Karl dem Großen nach Aachen
verbrachten Skulpturen unterstrichen den Anspruch,
das röm. Kaisertum in neuer Form weiterzuführen [23;
24]. In Venedig kündeten die aus Konstantinopel entführten und am Markusplatz aufgestellten Bronzepferde
und Porphyrreliefs von den Erfolgen der Stadt, wenn
auch die Zusammenhänge rasch in Vergessenheit gerieten [25; 26]. Manche Städte stellten ant. Inschr. und
Figuren als Beweis für ihre lange und ruhmreiche Geschichte auf [25. 115–167]. Sichtbarer Ausdruck der
Überwindung und der gleichzeitigen Vereinnahmung
der Ant. war die Präsentation von Spolien in zahlreichen
Kirchen [27; 28].

3. RENAISSANCE BIS ZUM KONZIL VON TRIENT

Die intensive Beschäftigung der → Renaissance mit
der Lit. der Ant. führte auch zu einer veränderten Vorstellung von der Bed. der ant. Skulpturen. Künstler und
Gelehrte machten sie zum Gegenstand systematischer
Stud. [29; 30] und besaßen nicht selten selbst Antiken, so
z.B. Lorenzo Ghiberti [31]. Neben die traditionelle
Würdigung als histor. und antiquarische Zeugnisse (s.o.)
trat zunehmend die ästhetische Wertschätzung der ant.
Kunstwerke [32], die zu unbestrittenen Vorbildern der
Architekten, Maler und Bildhauer wurden. Beliebt
wurden möglichst vollständige Porträtserien, vorzugsweise der röm. Kaiser; sie konnten als Parallele zu den
histor. Texten, etwa den Kaiserviten Suetons, gesehen
werden. Die Kenntnis der ant. Münzen erlaubte ein
methodisch fundiertes Vorgehen zur Identifizierung
auch der rundplastischen Figuren [22. 48–50], was freilich auch weiterhin willkürliche Benennungen nicht
ausschloß. Dazu kam das Bemühen, die erhaltenen Statuen mit den lit. Nachrichten über berühmte Denkmäler und Künstler in Einklang zu bringen.

In Rom, Venedig, Florenz und in anderen Städten
Nordit. legten Kardinäle und Fürsten eigentliche A. an.
In Rom selbst ließ Papst Sixtus IV. 1471 einige der berühmtesten Antiken der Stadt (Lupa; Kolossalkopf einer
Kaiserstatue aus Bronze und Bronzehand; Spinario; Ca-
millus) vom Lateranspalast auf das Kapitol überführen
[22]. Nach und nach wurde der Kapitolsplatz mit Skulpturen geschmückt, die auf die histor. Größe Roms an-
spielten [32; 33] (Abb. 1). Unter Julius II. (1503–1513)
erhielt der vatikanische Belvederehof seinen Statuenschmuck, der mit dem Apollo (→ Apoll vom Belvedere), dem Antinoos, dem Torso vom Belvedere und der
→ Laokoongruppe einige der am meisten geschätzten und
am häufigsten kopierten Figuren umfaßte [2; 34].

Kardinäle und Adelsfamilien füllten Gärten und
Höfe ihrer Paläste mit Statuenfragmenten, Büsten und
Reliefs [30. 471–480; 35], als einer der ersten wohl der
Kardinal Prospero Colonna († 1463) [35; 90]. Eine Vorstellung von den zahlreichen und häufig sehr umfangreichen stadtröm. A. geben neben den Inventaren die
Skizzenbücher von Künstlern wie Maerten van Heemskerck (Abb. 2), aber auch die 1550 verfaßte Beschreibung des Ulisse Aldroandi, Le statue di Roma. Anschaulich geworden sind namentlich die A. der Kardinäle
Andrea Della Valle († 1534) [35. 117 ff.; 36], Paolo Emi-
lio († 1537) bzw. Federico († 1564) Cesi [4. 1–42; 36;
87–91] und Rodolfo da Carpi († 1564) [4. 43–84] sowie
des Stefano Del Bufalo [37]. Demnach blieben die Antiken häufig unergänzt und wurden nach dekorativen,
oft aber auch nach thematischen und inhaltlichen Gesichtspunkten angeordnet [36]. Eine wegweisende
Neuerung für die Aufstellung der Ant. bedeutete ihre
Integration in die Architektur, wie sie um 1525 im Palazzo Valle Capranica vorgenommen worden war [4.
VI.; 36] (Abb. 3). Außerhalb It. bemühte sich v. a. auch
König Franz I. von Frankreich um eine eigene A. [38].

Abb. 1: Rom, Kapitolsplatz
mit antiken Statuen, Ansicht
im Jahre 1618.
Anonymer Kupferstich

Abb. 2: Rom, Antikensammlung
in der Casa Santacroce.
Zeichnung von
Marten van Heemskerck

Abb. 3: Rom, Hof des Palazzo
Valle-Capranica mit Antiken.
Kupferstich von
Hieronymus Cock

4. Barock

Durch die strengeren Moralvorstellungen der Gegenreformation kam es in Rom unter Pius V. (1566–1572) und Sixtus V. (1585–1590) zu einer drastischen Reduktion der päpstlichen A. und sogar zum Verstecken der Antiken des Belvederehofs in Holzverschlägen [2. 42–48; 36. 114–115]. In die gleiche Zeit fällt jedoch der rasche Ausbau der A. der Kardinäle Alessandro Farnese († 1589) [39] und Ferdinando de Medici († 1609) [40]. Nur wenig später folgten die Kollektionen des Marchese Vincenzo Giustiniani [41; 42], der Kardinäle Scipio Borghese († 1633) [43] und Lodovico Ludovisi († 1632) [44–46] sowie die des Papstes Urban VIII. (1623–1644) im Palazzo Barberini. Sie alle waren in prunkvolle Paläste oder Villen integriert.

Das 17. Jh. sah eine rasche Verbreitung von A. auch nördl. der Alpen. Sie wurden bald zu einem Bestandteil der fürstlichen Repräsentation. Große A. erwarben z. B. Albrecht V., Kurfürst von Bayern [47]; Karl I. von England [48; 49], Christina von Schweden [50–52]; Ludwig XIV. von Frankreich [53; 54] und Philipp IV. von Spanien [55]. In Frankreich und England betätigten sich auch mächtige Höflinge als Sammler (z. B. Richelieu [56], Mazarin [57; 58] (Abb. 4), J.-B. Colbert [59], N. Foucquet [60] in Frankreich; Earl of Arundel [61], Duke of Buckingham [62] in England). Sie konnten die diplomatischen Kanäle in Konstantinopel, Rom und Venedig benutzen, um ihre A. rasch und in großem Maßstab auszubauen. Sie beschäftigten zudem eigene Agenten, die in Griechenland und Kleinasien nach Statuen suchten. Für die Vermittlung ant. Skulpturen nach Deutschland, England und den Niederlanden spielte zudem neben Rom auch Venedig eine wichtige Rolle [63]. Die repräsentative Funktion der Skulpturen führte dazu, daß sie jetzt fast durchweg ergänzt wurden. Als neue Form der Aufstellung bildete sich die Galerie heraus, die eine große Anzahl von Skulpturen aufnehmen und in geschlossener Weise präsentieren konnte [64].

Auch die Republik Venedig stellte die von Domenico und Giovanni Grimani ererbten Skulpturen öffentlich in einer Galerie auf (statuario pubblico), die mit der Biblioteca Marciana verbunden war [65]. In den Niederlanden entstanden zahlreiche, meist aber nur kurzlebige A. des Großbürgertums [66]. Trotz der markanten Zunahme von A. wurden ant. Statuen aus religions-polit. Gründen (Reformation, Gegenreformation, Puritanismus) erneut problematisch. Dies führte in England um die Mitte des 17. Jh. zur Auflösung aller bedeutenden A., in Frankreich zur teilweisen Zerstörung der A. Mazarins.

5. Das Zeitalter der Aufklärung

Die A. des 18. Jh. stehen ganz im Zeichen der engl. »Milordi« [1; 67–69]. Wenn die engl. A. des 17. Jh. in Zusammenhang mit dem Hof der Könige gestanden hatten, so waren es jetzt die auf Distanz zur Krone bedachten Aristokraten, die auf ihren Landsitzen A. einrichteten. Deren Entstehung folgte meist einem fest eingespielten Ablauf: Die jungen Lords besuchten im Rahmen ihrer »Grand Tour« Rom; dort besichtigten sie neben den berühmten Galerien auch das Angebot der Kunsthändler. Engl. Kunstagenten in Rom (G. Hamilton, Th. Jenkins [70]) besorgten aus Grabungen oder aus alten röm. Sammlungen ant. Skulpturen, ließen sie restaurieren und organisierten den Export. In rascher Folge entstanden so in England zahlreiche A. Die engl. Sammler standen oft in engem Kontakt miteinander. Viele von ihnen waren Mitglied der → Society of Dilettanti, die auch arch. Unt. in Griechenland und Kleinasien unterstützte.

In Rom selbst änderte sich das Bild im Verlauf des 18. Jh. [71]: Einige bekannte A. wurden aufgelöst (Mattei, Montalto Negroni), wobei viele Stücke nach England kamen; andere A. wanderten als Ganzes ab (1728 A. Chigi nach Dresden; 1780–88 A. Medici nach Florenz; 1787 A. Farnese nach Neapel; später, 1808, A. Borghese nach Paris). Gleichzeitig entstanden durch Initiative der Päpste das Museo Capitolino (1734) (→ Rom, Kapitolinische Mus.) und das vatikanische Museo Pio-Clementino (seit 1769; → Rom, Vatikanische Mus.). Große Beachtung fand die große, aufwendig inszenierte A. des Kardinals Alessandro Albani (→ Rom, Villa Albani), der die Tätigkeit von J. J. Winckelmann zusätzlichen Glanz verlieh [72].

Das Modell der engl. Kunstsammlungen wurde v. a. im nördl. Europa imitiert; in Deutschland (z. B. Wörlitz [73]), Polen (z. B. Arkadia/Nieborow [74; 75]) und Rußland entstanden gegen E. des 18. Jh. ähnlich konzipierte A.

6. Ausblick

Die Einrichtung des → Louvre als Nationalmus. seit 1792 schuf ein neues Modell der A. In der Folge entstanden in vielen Ländern ähnlich ambitionierte Nationalmus., vielerorts zudem kommunale Sammlungen, die große A. einschlossen. Gegenüber diesen polit., mit Nachdruck und reichen Mitteln betriebenen Großprojekten nahm die Bed. privater A. rasch und unwiderruflich ab. Gleichwohl sind auch bis in die jüngste Zeit immer wieder bedeutende A. geschaffen worden. Viele von ihnen sind infolge der mäzenatischen Gesinnung ihrer Stifter in der einen oder anderen Weise in öffentliche Mus. überführt worden.

C. Kategorien der Sammlungen

Trotz der individuellen Prägung vieler A. lassen sich aufgrund der unterschiedlichen Sammlungsintentionen Kategorien bilden [76]. Öffentlich präsentierte Antiken sind seit dem MA bekannt (s. o.). Dabei handelte es sich vielfach um eher zufällig zustande gekommene Ansammlungen von Statuentrümmern. Die frühesten Beispiele für bewußt zusammengetragene A. standen in engem Zusammenhang mit Bemühungen um Herrschaftslegitimation durch Bezug auf die Ant. Eine neue Qualität erhielt die A. auf dem Kapitol durch die Schenkung Sixtus' IV. im Jahre 1471 (s. o.), die zur Keimzelle der Kapitolinischen Mus. wurde. Durch Stiftungen und die Umwandlung privater A. entstanden die öffentlichen, von Reisenden bald stark frequentierten Mus. in

Abb. 4: Kardinal Mazarin vor seiner Statuengalerie. Kupferstich von Robert Nanteuil

Abb. 5: Leiden, Statuensammlung der Universität. Zeichnung von Jacob van Werven um 1745

Venedig (*statuario pubblico*), Florenz (→ Uffizien) und Verona (Museo Maffeiano).

Aristokratische und fürstliche Sammlungen stellten bis ins späte 18. Jh. die wichtigste, häufigste und aufwendigste Gruppe der A. dar. Meistens bildeten die ant. Skulpturen hier nur einen Teil der Kollektionen, die auch Gemälde, Gemmen, Münzen etc. umfassen konnten. Oft waren sie kombiniert mit mod. Antikenkopien aus Bronze, Zinn, Stein oder Gips, die die berühmten Meisterwerke in Florenz oder Rom reproduzierten [77]. Statuenschmuck galt als Repräsentationsform der Fürsten, so daß er v. a. an Fassaden, in Repräsentations- und Empfangsräumen Verwendung fand. Die Einbindung in die Prunkarchitektur führte dazu, daß die aristokratischen A., einmal eingerichtet, über Generationen hinweg erhalten bleiben konnten. Sammlungen der Gelehrten umfaßten Inschr., Münzen, Gemmen und Kleinkunst, jedoch kaum Skulpturen. Dagegen erhielten im Verlauf des 18. Jh. mehrere Univ. große A. (Turin 1723; Leiden 1743, siehe Abb. 5; Oxford 1755).

Seit der Ren. sind A. der Künstler bezeugt, die vielfach auch als Ergänzer und Kunsthändler tätig waren. Während P. P. Rubens – wenn auch nur für kurze Zeit – eine umfangreiche A. erwarb, begnügten sich seine Kollegen mit kleineren Sammlungen. In ihrem Besitz blieben v. a. Skulpturenfragmente, die sie als dreidimensionale Vorlagen für ihre Arbeit benutzen konnten. Die gleiche Funktion übernahmen häufig Gipsabgüsse. In den Kunstakad. wurden seit dem 17. Jh. Kopien ant. Statuen zusammengebracht, deren Studium im Dienst der Künstlerausbildung stand.

Bürgerliche Sammlungen sind vor dem 19. Jh. kaum anzutreffen. Ein eigenes Gepräge hatten die meist kurzlebigen A. der holländischen Kaufleute. Sie präsentierten die Antiken magazinartig aufgereiht in den intimen Wohnräumen.

→ Abgußsammlungen

1 A. MICHAELIS, Ancient Marbles in Great Britain, Cambridge 1882, 1–205 2 Ders., Gesch. des Statuenhofes im vaticanischen Belvedere, in: JDAI 5, 1890, 5–72 3 Ders., Storia della Collezione Capitolina di antichita fino all'inaugurazione del Museo (1734), in: MDAI(R) 6, 1891, 3–66 4 CH. HÜLSEN, Röm. Antikengärten des XVI. Jh., Abh. der Heidelberger Akad. der Wiss., Philos.-histor. Kl. 4, 1917 5 G. ZIMMER, N. HACKLÄNDER, Der betende Knabe, 1997, 25–34 6 P. C. BOL, Der antretende Diskobol, 1996, 19–27 7 M. PAPE, Griech. Kunstwerke aus Kriegsbeute und ihre öffentliche Aufstellung in Rom, 1975 8 G. WAURICK, Kunstraub der Römer. Unt. zu seinen Anfängen anhand der Inschr., in: Jb. des röm.-german. Zentralmus. Mainz 22, 1975, 1–46 9 R. NEUDECKER, Die Skulpturenausstattung röm. Villen in It., 1988 10 E. M. KOPPEL, Die Skulpturenausstattung röm. Villen auf der iberischen Halbinsel, in: W. TRILLMICH et al., Hispania antiqua. Denkmäler der Römerzeit, 1993, 202 11 W. HORNBOSTEL, Sarapis, 1973, 398–400 12 J. B. CLARAC, Musée de sculpture antique et moderne III (1850), CXVII–CLXVIII 13 C. MANGO, Antique Statuary and the Byzantine Beholder, in: Dumbarton Oaks Papers 17, 1963, 55–75 14 R. STUPPERICH, Das Statuenprogramm in den Zeuxippos-Thermen, in: MDAI(Ist) 32, 1982, 210–235 15 S. GUBERTI BASSETT, Historiae custos: Sculpture and Trad.in the Baths of Zeuxippos, in: AJA 100, 1996, 491–506 16 C. MANGO, M. VICKERS, E. D. FRANCIS, The Palace of Lausus at Constantinople and its Collection of Ancient Statues, in: Journ. of the History of Collections 4, 1992, 89–98 17 N. GRAMACCINI, Mirabilia. Das Nachleben ant. Statuen vor der Ren., 1996 18 N. HIMMELMANN, Ant. Götter in der Spät-Ant., in: Trierer Winckelmannsprogramme 7, 1985, 3–22 19 D. MANACORDA, Amalfi. Urne romane e commerci medioevali, in: Aparchai, FS P. E. Arias, Bd. II, 1982, 713–752 20 B. ANDREAE, S. SETTIS (Hrsg.), Colloquio sul reimpiego dei sarcofagi romani nel medioevo, Pisa 1982 (= Marburger Winckelmann-Programm, 1983), 1984 21 A. ERLER, Lupa, Lex und Reiterstandbild im ma. Rom, SB der wiss. Ges. an der Johann Wolfgang Goethe-Univ. Frankfurt a.M. 10, Nr. 4, 1972, 123–142 22 T. BUDDENSIEG, Die Statuenstiftung Sixtus IV. im J. 1471, in: Röm. Jb. für Kunstgesch. 20, 1983, 35–73 23 L. FALKENSTEIN, Der »Lateran« der karolingischen Pfalz zu Aachen, 1966 24 B. BRENK, Spolia from Constantine to Charlemagne: Aestetics versus Ideology, in: Dumbarton Oaks Papers 41, 1987, 103–109 25 M. GREENHALGH, Ipsa ruina docet: L'uso dell'antico nel Medioevo, in: S. SETTIS, Memoria dell'antico nell'arte italiana I, 1984, 149–151 26 Die Pferde von San Marco (Ausstellungskat. Berlin 1982), bes. 17–33; 55–72 27 H. SARADI, The Use of Ancient Spolia in Byzantine Monuments. The Archaeological and Literary Evidence, In: IJCT 3, 1997, 395–423 28 L. DE LACHENAL, I Normanni e l'antico. Per una ridefinizione dell'abbaziale incompiuta di Venosa in terra lucana, in: BA 81, Ser. VI 96–97, 1996, 1–80 29 H. LADENDORF, Antikenstudium und Antikenkopie, Abh. der sächsischen Akad. der Wiss. zu Leipzig, philos.-histor. Kl. 46/2 1953 30 PH. P. BOBER, R. RUBINSTEIN, Renaissance Artists and Antique Sculpture. A Handbook of Sources, 1986 31 L. MEDRI, La collezione di Lorenzo Ghiberti, in: Lorenzo Ghiberti. Materiali e ragionamenti (Ausstellungskat. Florenz 1978), 559–567 32 T. BUDDENSIEG, Zum Statuenprogramm im Kapitolsplan Pauls III., in: Zschr. für Kunstgesch. 32, 1969, 180–182 33 L. SPEZZAFERRO, M. E. TITTONI (Hrsg.), Il Campidoglio e Sisto V, 1991, 85–115 34 M. WIMMER, B. ANDREAE, C. PIETRANGELI (Hrsg.), Il Cortile delle statue. Der Statuenhof des Belvedere im Vatikan, 1998 35 P. G. HÜBNER, Le statue di Roma, 1912 36 H. WREDE, Röm. Statuenprogramme des 16. Jh. in: [33] 91–94 37 Ders., Der Antikengarten der del Bufalo bei der Fontana Trevi, in: Trierer Winckelmannsprogramme 4, 1982, 3–28 38 S. FAVIER, Les collections de marbres antiques sous Francois Ier, in: Rev. du Louvre 24, 1974, 153–156 39 CH. RIEBESELL, Die Slg. des Kardinal Alessandro Farnese, 1989 40 C. GASPARRI, La collection d'antiques du cardinal Ferdinand, in: A. CHASTEL (Hrsg.), La Villa Medici II, 1991, 443–485 41 Ders., Materiali per servire allo studio del Museo Torlonia di scultura antica, Atti dell'Accad. Nazionale dei Lincei. Memorie Ser. VIII 24/2, 1980, 53–61; 71–124 42 L. GUERRINI, »Indicazioni« giustiniane, in: Xenia 12, 1986, 65–96 43 K. KALVERAM, Die A. des Kardinals Scipione Borghese, 1995 44 B. PALMA, I Marmi Ludovisi: Storia della Collezione, 1983 45 Ders., L. de Lachenal, I Marmi Ludovisi nel Museo Nazionale Romano, 1983 46 Ders., L. DE LACHENAL, M. E. MICHELI, I Marmi Ludovisi dispersi, 1986 47 E. WESKI, H. FROSIEN-LEINZ, Das

Antiquarium der Münchner Residenz, 1987, bes. 32–64 **48** A. H. Scott-Elliot, The Statues from Mantua in the Collection of King Charles I, in: Burlington Magazine 101, 1959, 218–227 **49** O. Millar, The Inventories and Valuations of the King's Goods, in: Walpole Society 43, 1970–72 **50** H. H. Brummer, Till belysning av drottning Christinas antiksamling i Stockholm, in: Konsthistorisk Tidskrift 32, 1963, 16–33 **51** W. A. Bulst, Die A. der Königin Christina von Schweden, in: Ruperto-Carola 41, 1967, 121–135 **52** C. van Tuyll van Serooskerken, Königin Christina als Sammlerin und Mäzenatin in: Christina Königin von Schweden (Ausstellungskat. Osnabrück 1997/98), 211–225 **53** A. Bertoletti, P. Nicard, Objets d'art transportés de Rome en France, in: Nouvelles archives de l'art français II 2, 1880/81, 72–74 **54** S. Hoog, Les sculptures du Grand Appartement du Roi, in: Rev. du Louvre 26, 1976, 147 ff. **55** P. Leon, Die Slg. Klass. Skulptur im Prado, in: F. Schröder, Kat. der ant. Skulpturen des Museo del Prado in Madrid, 1993, 10–15 **56** J. Schloder, M. Montembauld, L'album Canini du Louvre et la collection d'antiques de Richelieu, 1988 **57** A. Le Pas de Secheval, Aux origines de la collection Mazarin, in: Journ. of the History of Collections 5, 1993, 13–21 **58** P. Michel, Rome et la formation des collections du cardinal Mazarin, Histore de l'art 21/22, 1993, 5–16 **59** F. de Catheu, Le chateau et le parc de Sceaux, in: Gazette des Beaux-Arts 21, 1939, 86–102; 287–304 **60** E. Bonnaffé, Les amateurs de l'ancienne France. Le surintendant Foucquet, Paris 1882 **61** D. E. L. Haynes, The Arundel Marbles, 1975 **62** M. van der Meulen, Rubens Copies after the Antique, 1994, I, 220–231 **63** I. Favaretto, Arte antica e cultura antiquaria nelle collezioni venete al tempo della Serenissima, 1990, bes. 82–83; 143–157 **64** W. Prinz, Galerien und Antikegalerien, in: [68] 343–356 **65** I. Favaretto, G. L. Ravagan (Hrsg.), Lo Statuario Pubblico della Serenissima (Ausstellungskat. Venedig 19 **66** J. G. van Gelder, I. Jost, Jan de Bisshop and his Icones and Paradigmata, 1985, 35–50 **67** H. Oehler, Foto + Skulptur. Röm. Antiken in engl. Schlössern (Ausstellungskat. Köln 1980) **68** H. Beck et al. (Hrsg.), A. im 18. Jh., 1981 **69** D. Boschung, H. von Hesberg (Hrsg.), Aristokratische A. des 18. Jh., 1999 (im Druck) **70** G. Vaughan, Thomas Jenkins and his international Clientele, in: [69] **71** P. Liverani, La situazione delle collezioni di antichit a Roma nel XVIII secolo, in: [69] **72** H. Beck, P. C. Bol (Hrsg.), Forsch. zur Villa Albani, 1982 **73** F.-A. Bechtoldt, Th. Weiss (Hrsg.), Weltbild Wörlitz, 1996 **74** T. Mikocki, Collection de la Princesse Radziwill, 1995 **75** Ders., Antiken-Slgg. in Polen, in: [69] **76** D. Boschung Eine Typologie der Skulpturen-Slgg. des 18. Jh.: Kategorien, Eigenarten, Intentionen, in: [69] **77** F. Haskell, N. Penny, Taste and the Antique, 1981 **78** L. Salerno, Collezioni archeologiche, in: EAA Suppl., 1973, 242–259 **79** C. Gasparri, Collezioni archeologiche, in: EAA 2. Suppl. II, 1994 192–225 **80** A. Grote (Hrsg.), Macrocosmos in Microcosmo, Die Welt in der Stube, Zur Gesch. des Sammelns 1450–1800, 1994 **81** K. Pomian, Der Ursprung des Mus. Vom Sammeln, 1993 **82** D. von Bothmer, Greek Vase-Painting: Two Hundert Years of Connoisseurship, in: Papers on the Amasis Painter and his World, 1987, 184–204 **83** J. Chamay, S. H. Aufrere, Peiresc (1580–1637). Un precurseur de l'étude des vases grecs, in: AK 39, 1996, 38–51 **84** Zazoff, GuG.

DIETRICH BOSCHUNG

Antikenzeichnung s. Vedutenmalerei, Zeichnung

Antiqui et moderni s. Querelle des Anciens et des Modernes

Antisemitismus s. Judentum

Aphorismus. Die kurze prägnante Form des A. enthält im Kern eine systemsprengende Wirkung. Die neuere Forsch. spricht daher weniger von der pointierten Formulierung [1] als Hauptmerkmal des A., sondern von der inhärenten Konfliktsituation zw. Einzelnem und Allg., Sinnlichem und Intellekt [9. 829 ff.]. Der A. ist charakterisiert durch ein »Denken in Brüchen«. Er ist ›nichtkonformistisch‹ [6. 7 f.], worin auch seine bes. Freiheit liegt. Der A. in der Neuzeit läßt sich als »Spielform« oder »Begriffsspiel« [2. 22 ff.; 3. 99 f.], d. h. als ein Instrument begreifen, das den Spielraum von Denken und Ich in der Gesellschaft auslotet. Er verwendet daher häufig rhet. Figuren des Widerspruchs wie Paradox, Antithese, Paronomasie, Antinomie, Kontrafaktur, steht aber auch Witz und Ironie nahe [12. 188 ff.; 2. 114 ff.; 3. 99 ff.; 8. 305 ff.]. Als geistreicher Einfall sucht er im Unterschied zum Sprichwort Abstand zum üblichen Sprachgebrauch [12. 248 f.; 4. 140 ff.]. Den A. zeichnet seine ›kontextuelle Isolation‹ aus [4. 10]; er besteht für sich allein, was ihn zitierfähig macht. Wer ihn zitiert, hat teil am sozialen Prestige des Einfalls und am rätselhaften Nimbus des A. als ›Orakelspruch‹ (La Bruyère) [11. 1116 f.]. Der A. ist in sich vollendet ›wie ein Igel‹ (Novalis), tritt aber oft in ›A.-Schwärmen‹ [9. 829], Sammlungen oder tagebuchartigen Niederschriften wie in den Sudelbüchern G. Ch. Lichtenbergs auf.

Der von Hippokrates und Tacitus (zur Wortgeschichte [1; 8. 215]) übernommene A. erfährt seine Hochzeit in Spanien und Frankreich im 17. Jh. sowie in England und Deutschland im 18. Jh. [4]. In Verbindung mit dem von Seneca abgeleiteten Sentenzenstil und dem horazischen Diktum des *prodesse et delectare* bilden sich eine eigenständige lit. Gattung und ein spezifisch aphoristischer Stil aus. Bis in die jüngste Zeit kann man zwei Tendenzen feststellen: Zum einen eine ethisch-sittliche Thematik, zum anderen eine metaphysik- und wissenskritische Haltung. Unter dem Einfluß der span. Tacitus-Rezeption wird in B. Graciáns *Oráculo manual* die Inszenierung des intelligenten schlagfertigen Ichs, wie sie auch B. Castiglione für den *Hofmann* fordert, zum Maßstab der gesellschaftlichen Stellung [8. 413 ff.]. Der A. wird in der frz. Moralistik bei La Rochefoucauld in seinen *Maximes et réflexions* aus der Konversation der Salonkultur entwickelt, deren ethische Grundlagen er zugleich ironisch reflektiert. La Bruyère, Chamfort, Montesquieu und Vauvenargues setzen die moralistische Wendung fort [5. 33 ff.]. Goethes Maximen, Lichtenbergs satirische A. und Schopenhauers *A. zur Lebensweisheit* lassen sich hierzu rechnen sowie im 20. Jh. die scharfzüngigen sozialkritischen A. von K. Kraus. Im angelsächsischen Raum sind O. Wilde, M. Twain und G. B. Shaw für die ethische Tendenz des A. zu nennen [7. 311, 319 ff.]. Human. und existentialistische Varianten finden sich im 20. Jh. bei E. M. Cioran und A. Camus.

Von Erasmus und F. Bacon aus wird der A. als wissenskritische, systemsprengende Form weiterentwickelt, so bei B. Pascal in den *Pensées* als offene Form einer Theodizee, im Rationalismus Lichtenbergs als Bruch im positivistischen Denken, aber auch in der Reflexion ästhetischer Prinzipien im Verhältnis von Poesie und Philos. bei F. Schlegel und Novalis. Im 20. Jh. setzen R. M. Rilke und Paul Valéry [5. 160 ff., 257 ff.] die ästhetische Selbstreflexion innerhalb der Gattung des A. fort. Der A. ist als ›gebrochenes Wissen‹ [8. 27] auch die adäquate Ausdrucksform für F. Nietzsches Kritik der Metaphysik [6. 76 ff.]. Im 20. Jh. läßt sich einerseits eine Tendenz der Auflösung des A. im dem Essay verwandten aphoristischen Stil wie bei R. Musil [10. 69 ff.], andererseits eine Rückkehr gnomischer Formen im Surrealismus und im ›Bildaphorismus‹ z. B. bei R. Char beobachten [5. 103 ff.]. Fraglich wird nun die Grenze zur experimentellen Lit. und zum Witz, wo wie schon bei Lichtenbergs *Hofbandit* eine Verkürzung des dem A. eigenen Konflikts auf Komposita stattfindet [3. 48 f.]. Schließlich wird die Konsistenz der lit. Gattung des A. in der Mod. selbst in Frage gestellt; so schlägt P. Valéry als neuen Namen für die ›Familienähnlichkeiten‹ des A. [3. 189] den Phantasiebegriff »rhumb« vor [2. 47]. Zur Gattungsfamilie gehören auch das Apophthegma, ein meist histor. belegter, einer Persönlichkeit zugeschriebener Sinnspruch mit Nähe zur Anekdote, und die Gnome als in Vers oder rhythmische Prosa gefaßter Denkspruch. Im Unterschied zum Einfall und Einzelfall des A. hat die der Rhet. zugeordnete Sentenz allgemeingültigen und autoritativen Charakter. Als Lebensregel betont sie wie die im Frz. oft syn. für A. verwendete, eher individuelle Maxime den ethischen Aspekt. Bezeichnungen wie ›Pensée‹, »Gedankensplitter« und »Reflexion« akzentuieren den theoretischen Aspekt des A. Eine vulgarisierte Form des zitathaften A. bildet das Sprichwort. Witz und Rätsel lösen die dem A. inhärente Spannung letztlich auf, während Fragment und Essay seine Offenheit narrativ fortschreiben.

→ Geflügelte Worte

→ AWI Chrie; Gnome

1 H. A. Gärtner, s. v. Aphorismos, DNP 1, 834 f.
2 G. Febel, Aphoristik in Deutschland und Frankreich, 1985
3 S. Felder, Der A., 1990 4 H. Fricke, A., 1984
5 W. Helmich, Der mod. frz. A., 1991 6 H. Krüger, Über den A. als philos. Form, 1988 7 L. R. Lind, The Aphorism, in: Classical and Modern Literature 14/4, 1994, 311–322 8 G. Neumann (Hrsg.), Der A., 1976
9 Ders., Ideenparadiese, 1976 10 P. C. Pfeiffer, A. und Romanstruktur, 1990 11 H. Schlaffer, A. und Konversation, in: Merkur 573, 1996, 1114–1121
12 K. v. Welser, Die Sprache des A., 1986.

GISELA FEBEL

Apoll von Belvedere   A. Bedeutung
B. Renaissance   C. Barock   D. Klassizismus
E. Moderne

A. Bedeutung

Der A.v.B. (223 cm, Marmor, ca. 130–140 n. Chr., Rom, VM) hat bis ins 19. Jh. hinein auf Künstler und Gelehrte größte Faszination ausgeübt und wurde in zahlreichen Werken der Weltkunst rezipiert. Wahrscheinlich entstand die röm. Kopie nach einer Bronzeskulptur von Leochares (ca. 320/330 v. Chr.), die Pausanias im Tempel des Apollo Patroos in Athen beschreibt [9. 150]. Die Angaben zum Zeitpunkt und Ort der Auffindung (bei Anzio oder bei Grottaferrata) konnten nie verifiziert werden [4. 44–47]. Die zwei frühesten Zeichnungen des A.v.B. (Abb. 1) enthält der Kodex Escurialensis (Bibl. des Escorials, Madrid), ein auf 1491 datiertes Skizzenbuch aus der Werkstatt Domenico Ghirlandaios [6. 130; 154]. Dokumentiert sind hier sowohl der damalige Erhaltungszustand als auch die urspr. Aufstellung im Garten von S. Pietro in Vincoli (auf fol. 53) respektive bei der Titularkirche von Kardinal Giuliano della Rovere, in dessen Besitz sich die Statue befand.

Bald nach dem Antritt seines Pontifikats als Julius II. (1503–13) überführte dieser seine Antikensammlung in den von Bramante zum Statuenhof umgestalteten Belvedere im Vatikan. Dies bezeugt erstmals Albertini in seinem *Opusculum de mirabilibus novae et veteris urbis Romae* (1509/1510) [2. 27]. In situ – aufgestellt in einer die → Laokoongruppe flankierenden Nische – gewann der A.v.B. eine zentrale Rolle für die Antikenbegeisterung der Hochrenaissance. Aufgrund einer Überlieferung des *Liber Pontificalis* (6. Jh.) und Andrea Fulvios Gedicht *Antiquaria Urbis* (1513) glaubte man, daß die Petersbasilika bei einem Apollotempel errichtet worden sei. Raffaels Fresko des Parnaß in der *Stanza della Segnatura* (1508, Rom, VM) versinnbildlicht damit den Belvedere als Musenhügel des Apoll [7. 111; 113]. Außerdem verband man mit dem A.v.B. die Metapher von der Wiederkehr des goldenen Zeitalters (*Aetas aurea*), mit der Julius II. eine histor.-myth. Legitimation seines Pontifikats propagierte [2. 27, 28].

B. Renaissance

Zeichnerische Aufnahmen des A.v.B. waren bereits um 1500 soweit verbreitet, daß hierauf frühe Proportionsstudien von Dürer fundieren konnten [13]. Über diesen Weg (Jacopo de' Barbari) entstand auch die erste großplastische Variation in Deutschland, der Apollo-Brunnen von Peter Flötner, 1531/32, Nürnberg. In der Folgezeit tendierte die Renaissancegraphik zur körperlich komplettierten Wiedergabe der noch verstümmelten Statue, so bei Baccio Bandinelli, Marc Anton Raimondi und Agostino Veneziano. Wie gelungen die Restaurierung des Michelangeloschülers Montorsoli im Jahre 1532/33 gewirkt haben muß – er ergänzte den rechten Unterarm sowie die linke Hand mit dem Bogenstück (1923 wieder abgenommen) – veranschauli-

Abb. 1: Zeichnung des
A. v. B. im Kodex
Escurialensis aus der
Werkstatt Domenico
Ghirlandaios, 1491

Abb. 2: Bronzereduktion
des A. v. B. von
Jacopo Alari Bonacolsi,
1497/98

Abb. 3: B. Thorvaldsen,
Jason, 1802/03,
Kopenhagen,
Thorvaldsen Museum

Abb. 4: Jacopo Sansovino,
Bronzefigur des Apoll,
1541–1546, Logetta,
Markusplatz in Venedig

Abb. 5: Peter Paul Rubens,
Die Herrschaft der Königin
und der Götterrat, 1622–25,
Medicizyklus, Paris, Louvre

Abb. 6: Giorgio de Chirico,
Lied der Liebe, 1914,
New York, Museum of
Modern Art

chen u.a. Francesco d'Ollanda und Marteen van Heemskerck in ihren Skizzenbüchern [17].

Die früheste, eng am Vorbild orientierte, teilvergoldete Bronzereduktion von Jacopo Alari Bonacolsi (gen. Antico) entstand bereits 1497/98 im Auftrag von Kardinal Lodovico Gonzaga (Frankfurt, LH; Abb. 2). Die Silbereinlagen der Augen sowie die Perfektion der Oberflächenbehandlung verweisen auf Anticos Ausbildung als Goldschmied. Eine rege Produktion von Kleinbronzen nach dem A.v.B. bestand noch bis ins 19. Jh. hinein. Innerhalb der Privatsammlungen waren derartige Statuetten mit einem enzyklopädischen Antikenbegriff konnotiert [2. 323–328].

Ergeizigere Pläne verfolgte Franz I. 1540 beauftragte er Primaticcio mit der Abformung der vatikanischen Skulpturen, um in Fontainebleau gleichsam ein zweites Rom zu gründen. Kopien des A.v.B. dienten noch während der Epochen von Barock und Klassizismus der höfischen Repräsentation bzw. gehörten zum unabdingbaren Bestandteil der Kunstakademien: Prominente Abgüsse gelangten etwa 1549 für Maria von Ungarn auf Schloß Binche in die Niederlande, 1650/51 durch Velazquez für Philipp IV. nach Madrid sowie ca. 1760 durch R. Adam in das Vestibül des Syon House in Middlesex ([9. 4, 32, 87–89]; vgl. auch den Abguß im Runden Saal von Wörlitz).

Die erste eigenständige Monumentalskulptur nach dem ant. Vorbild stellt Baccio Bandinellis *Orpheus* (1516/17) im Innenhof des Palazzo Medici-Riccardi in Florenz dar – ein human. inspiriertes Werk im Auftrag des Medicipapstes Leo X. [11]. Für den öffentlichen Raum wurde der A.v.B. von Jacopo Sansovino paraphrasiert (Abb. 4). Seine klass. elegante Bronzefigur an der Logetta auf dem Markusplatz in Venedig (1541–1546) ist einem raffaelesken, zugleich androgynen Schönheitsideal verpflichtet [3. 76].

C. Barock

Daß die aufkommende Barockkunst den A.v.B. in ebenso naturalistisch-dynamisch wie allegorisch umzusetzen vermochte, zeigt Gian Lorenzo Berninis Meisterwerk *Apollo und Daphne* (Rom, Villa Borghese) für Kardinal Scipione Borghese (1623/25) [10. 59]. Zur gleichen Zeit führte Rubens den Medicizyklus aus. Ein über die Laster obsiegender A.v.B. ist im Gemälde *Die Herrschaft der Königin* (Paris, LV) zur polit. und moralischen Verherrlichung Maria de' Medicis dargestellt (Abb. 5). Rubens ging es dabei um die »Verlebendigung« des mamornen Vorbilds [8].

Ähnliche Zwecke erfüllten Stiche des A.v.B. in den Zeichenlehrwerken der *Königlichen Kunstakademie* in Frankreich [16]. So verwendete Charles Le Brun in seinem Gemälde *Le Roi arme sur terre et sur mer* (Galerie des Glaces, 1678–86) in Versailles das charakteristische Körpermotiv für den gebieterischen Gestus Ludwigs XIV. Auch Francois Girardons Statuengruppe des *Apollo-Bads* (1666–1673) assimilierte den A.v.B., um den *Roi Soleil* zu deifizieren und um in der Parkanlage von Versailles ein ›Sonnenprojekt‹ zu inszenieren [5. 200]. Auch bekleideten Staats- und Standesporträts vermochte der A.v.B. eine respektable Statur zu verleihen (vgl. H. Rigaud, Ludwig XIII., 1701, Paris, LV; J. Reynolds, Commodore Keppel, 1752, London, Nat. Maritime Mus.).

D. Klassizismus

Winckelmanns emphatische Beschreibung des A.v.B. als höchstes ›Ideal unter allen Werken‹ in der *Geschichte der Kunst des Alterthums* (Dresden 1764) begründete den klassizistischen Geschmack [1. 309, 310]. Seine hymnisch-poetischen Formulierungen kennzeichnen das klassizistische Konzept von physischer und seelischer Vollkommenheit. Damit übte er auf Goethe (It. Reise, 9.11.1786) sowie auch auf Schiller, der einen Abguß des A.v.B. im Mannheimer Antikenkabinett gesehen hatte [15], nachhaltigen Einfluß aus. Ausdruck dieser Haltung ist der von Winckelmann Freund A.R. Mengs gemalte *Perseus* in der Haltung des A.v.B. (St. Petersburg, Eremitage).

Für die Orientierung der Epoche an spätklass. bzw. hell. Skulpturen steht v.a. das Werk Canovas. Sein *Perseus* (1797–1801, Rom, VM) rekurriert allein in der Pose bzw. im Bewegungsmotiv auf den A.v.B., differiert von ihm aber sowohl in der Ikonographie als auch in der sinnlich weichen Modellierung. Die Skulptur wurde 1801 von den päpstlichen Behörden angekauft, um den von Napoleon als Siegestrophäe in das Musée Central des Arts in Paris verbrachten A.v.B. (1797–1815) zu ersetzen. Die in Konkurrenz zu Canova entstandene Skulptur des *Jason* von Bertel Thorvaldsen (Abb. 3, 1803 in Gips, bis 1828 in Marmor, Kopenhagen, TM) rezipierte die ant. Statue abermals in rein formaler Hinsicht. Der A.v.B. war somit in Beziehung zur mod. Skulptur getreten, die in den Augen eines gebildeten Publikums den gleichen künstlerischen Rang beanspruchte. Nach der Rückkehr des A.v.B. in den Vatikan (1816) verlagerte sich das Interesse auf eine arch. Auseinandersetzung [12. 187].

E. Moderne

Die letzte wichtige Position der Rezeptionsgeschichte vertritt Giorgio de Chirico. Der Kopf des A.v.B. erscheint in seinem *Lied der Liebe* (1914, New York, Mus. of Mod. Art) im Kontrast zu Symbolen einer fremdartigen Welt (Abb. 6). Der Mythos des Apoll, der für de Chirico eine identifikatorische Bed. besitzt, kollidiert in seiner *Pittura Metafisica* mit der disparaten Wirklichkeit des mod. Menschen [14. 50].

→ AWI Apoll; Leochares; Parnaß; Pausanias

→ Antikensammlungen

QU 1 J.J. WINCKELMANN, Die Gesch. der Kunst des Alterthums, hrsg. von W. SENFF, 1964

LIT 2 H. BECK, P. BOL (Hrsg.), Natur und Ant. in der Ren., 1985 3 B. BOUCHER, The sculpture of Jacopo Sansovino, 1991 4 H. BRUMMER, The statue court of the Vatican, 1970 5 B. CEYSON, M.F. DELL'ARCO (Hrsg.), Skulptur. Ren. bis Rokoko, 1996 6 H. EGGER (Hrsg.), Codex Escurialensis. Ein Skizzenbuch aus der Werkstatt Domenico Ghirlandaios, 1906 7 M. FAGIOLO (Hrsg.), Roma e L'Antico – nell'arte e nella cultura del Cinquecento, 1985 8 F.M. HABERDITZEL,

Rubens und die Ant., in: Jb. der Kunsthistor. Slgg. des allerhöchsten Kaiserhauses, 1912, 276–297 **9** F. HASKELL, N. PENNY, Taste and the Antique. The Lure of Classical Sculpture 1500–1900, 1981 **10** H. KAUFMANN, Gian Lorenzo Bernini, 1970 **11** K. LANGEDIJK, Baccio Bandinellis Orpheus: A political Message, in: Mitt. des Dt. Kunsthistor. Instituts in Florenz, Bd. XX, 1976, 33–52 **12** F. LICHT, Canova, 1983 **13** E. PANOFSKY, Dürers Stellung des Apolls und ihr Verhältnis zu Barbari, in: Jb. der königlich preußischen Kunst-Slg. 41, 1920, 359–377 **14** W. SCHMIED, W. RUBIN, J. CLAIR (Hrsg.), Giorgio de Chirico der Metaphysiker, 1982 **15** H. SITTE, Im Mannheimer Antikensaal, in: Jb. der Goetheges. 20, 1934, 150–158 **16** G. VALERIUS, Ant. Statuen als Modelle des Menschen, 1992 **17** M. M. WINNER, Zum A.v.B., in: Jb. der Berliner Mus. 10, 1968, 181–199 **18** Il Cortile delle Statue – Der Statuenhof des Belvedere im Vatikan, hrsg. v. M. WINNER, D. ANDRAE, C. PIETRANGELI, 1998.

FRIEDHELM SCHARF

Apollinisch und dionysisch. Die Polarität zw. Apollon und Dionysos und der mit diesen Göttern verbundenen Phänomene ist durch Friedrich Nietzsche in die mod. ästhetische Diskussion eingeführt worden. Nietzsche verstand ›die Duplizität des A. u. D.‹ als Grundgegensatz der griech. Ästhetik: ›An ihre (sc. der Griechen) beiden Kunstgottheiten, Apollo und Dionysus, knüpft sich unsere Erkenntnis, daß in der griech. Welt ein ungeheurer Gegensatz, nach Ursprung und Zielen, zw. der Kunst des Bildners, der apollinischen, und der unbildlichen Kunst der Musik, als der des Dionysus, besteht‹ (Die Geburt der Tragödie, Kap. 1). Dabei lädt Nietzsche die Polarität mit weiteren Gegensatzpaaren – Tag und Nacht, Traum und Rausch, visuell und emotionell – auf. In dieser Polarität verbindet Nietzsche den Gegensatz zw. dem Plastischen und dem Musikalischen, der seit der romantischen Ästhetik wichtig ist und etwa von Schopenhauer zum Einteilungsprinzip der Künste überhaupt gemacht wurde, mit dem Namen der beiden griech. Götter.

Ihr Verhältnis war in der ant., insbes. kaiserzeitlichen theologischen Spekulation keineswegs eindeutig; doch wurden sie gelegentlich aufeinander bezogen. So konnte man sie als zwei Formen des Sonnengottes als letztlich identisch ansehen (Macr. Sat. 1,18,1, mit Verweis auf Ps.-Aristot., *Theologoumena*) und gleichzeitig Apollon als Tagsonne, Dionysos als (unterweltliche) Nachtsonne differenzieren (ebenda 1,18,8). Der in dieser Differenzierung angedeutete Gegensatz wird zentral in der delphischen Theologie, welche Apollon und Dionysos einander gegenüberstellt (Plut. de E 9). Die neuplatonische Spekulation übernimmt den Gegensatz als den zw. schöpferischer Teilung (Dionysos) und schöpferischer, harmonischer Vereinigung (Apollon), zu der sie auch die allegorische Auslegung des orphischen Dionysosmythos führt (Proklos, in Platonis Timaeum 35 B, Bd. 2, p. 197 DIEHL). Zwar wird dies in der Ren. anders als andere neuplatonische Vorstellungen nicht wirklich rezipiert, doch greift insbes. Friedrich Creuzer auf die neuplatonische Orphikerexegese zurück und spricht vom ›Gegensatz der Apollo- und Bacchusreligion‹, zu der eine Opposition zw. solarer und ekstatisch-dunkler Religionsauffassung gehört, die in einer andern »Orphikerschule« versöhnt war. In der Nachfolge Creuzers stehen F. Chr. Baur und J. J. Bachofen: Während Bachofen über Creuzer zurück den spät-ant. Gegensatz zw. einem nächtlichen Solargott Dionysos und einem Tagesgott Apollon übernimmt, Dionysos als weiblich-substanzhaft und tellurisch vor einem späteren männlich-geistigen, uranischen Apollon in sein evolutionäres Schema einordnet (*Das Mutterrecht*, 1861), aber auch das Nebeneinander der beiden als Weltherrscher im Rückgriff auf die neuplatonische Orpheus-Auslegung festhält (*Die Unsterblichkeitslehre der orphischen Theologie*, Ndr. 1967), so versteht Baur die beiden (letztlich im Rückgriff auf Platons *mania*-Lehre im *Phaidros*) als verbunden mit zwei Arten der Ekstase, der rein geistigen Schau (Apollon) bzw. der sinnlichen, »trunkenen Ekstase«. Wenn er mit beiden ebenso zwei Arten von Musik und Dichtung – die Harmonie der Lyrik gegenüber dem Enthusiasmus des Dithyrambus – verbindet, arbeitet er der insbes. von Nietzsches akad. Lehrer Friedrich Ritschl herausgestellten musikalisch-poetischen Kategorisierung vor, derzufolge Apollon mit der griech., dorischen Saitenmusik, Dionysos mit der ungriech., phrygischen Flötenmusik verbunden wurde. Dieser Gegensatz wurde in der zeitgenössischen altertumswiss. Forsch. zum Gemeinplatz, der von Nietzsche vorausgesetzt wird. Demgegenüber ist wohl keine Beeinflussung zw. Nietzsche und Bachofen anzusetzen.

Das von Nietzsche geprägte Gegensatzpaar spielte in der Folge außerhalb der philol. Forsch. eine weit größere Rolle als innerhalb der Wiss.; insbes. die dt. Lit. seit der Jahrhundertwende nahm es in immer neuen Verwandlungen auf. Allerdings konnte sich auch die Klass. Philol. der Prägung Nietzsches nicht völlig entziehen, indem etwa Apollon als der ›hellenischste aller Götter‹ verstanden oder, in fruchtbarer Überwindung früherer Meinungen, das Dionysische ›als ein mächtiger Urgrund des Griechischen‹ gesehen wurde (W. F. Otto).

→ Klassische Philologie

→ AWI Apollon; Dionysos

1 S. BARBERA, Das A. u. D. Einige nicht-ant. Quellen bei Nietzsche, in: D. W. CONWAY, R. RHEN (Hrsg.), Nietzsche und die ant. Philos., 1992 **2** H. CANCIK, Der Einfluß Friedrich Nietzsches auf Klass. Philologen in Deutschland bis 1945, in: H. FLASHAR (Hrsg.), Altertumswiss. in den 20er J. Neue Fragen und Impulse, 1995, 381–402 **3** A. HENRICHS, Loss of self, suffering, violence. The modern view of Dionysos from Nietzsche to Girard, in: HSPh 86, 1982, 206–240 **4** M. LANDFESTER, (Hrsg.), in: F. NIETZSCHE, Die Geburt der Trag., 1994, 486–492 und 521–530.

FRITZ GRAF

Apolog s. Fabel

Apophtegma s. Aphorismus

Apotheose. Obwohl die A. als solche dem Prinzip des Monotheismus widerspricht und deshalb im Christentum nicht vorkommen kann, fand die christl. Gesellschaft seit Konstantin Wege, die Erhöhung des Herrschers über die Sterblichen hinaus in die göttl. Sphäre beizubehalten. Daneben lassen sich einzelne Formen der A. immer wieder feststellen, die entweder eben diesem Bedürfnis entsprechen oder dem Himmelfahrt Christi veranschaulichen sollen. Auf die Darstellung des divinisierten röm. Kaisers im Medaillon, flankiert von zwei geflügelten Gestalten (Elfenbein von 306, Konstantin, Paris, LV), fortgeführt in byz. Kaiserdiptychen des 6. Jh. (Basel, Histor. Mus.; Paris, LV; Mailand, Castell Sforzesco [19. Nr. 48–50]), letztlich auf die Art der Darstellung der A. des Antoninus Pius und der Faustina ohne Medaillon, aber in gleicher Anordnung zw. zwei fliegenden Adlern (Basis der Säule des Antoninus Pius von 161, Rom, VM), geht ein Typus der Himmelfahrt Christi zurück, der Christus in der Mandorla von zwei Engeln flankiert entschweben läßt (Reliquienkästchen, Jerusalem 7./8. Jh., Vatikan, Museo Sacro; Elfenbein, Metz um 1000, Paris, LV Inv. Nr. OA 6000; Reichenauer Evangeliar, 11. Jh., Kupferstichkabinett der Staatlichen Mus. Preußischer Kulturbesitz Cod. 78 A2; Einbanddeckel des Evangeliars der Äbtissin Theophanu, Stift Essen, Schatzkammer; Spiez, Apsis der romanischen Schloßkirche; Barnaba da Modena, Himmelfahrt, 14. Jh., Rom, KM). Dieser Typus wird auf die Himmelfahrt Mariens übertragen (vgl. Florenz, S. Maria del Fiore, Porta della Mandorla, 1414–21) und dient später auch für die Auferstehungs-/Himmelfahrtsdarstellung gewöhnlicher Sterblicher, wie etwa um 1100 auf dem Sarkophag der Dona Sancha in Jaca [6]. Im westl. Kulturraum häufiger ist die Darstellung der Hand Gottes, die Christus heraufzieht [15. 270f.].

Kaiser Konstantin, der in der Zuwendung zum Christentum seine Stellung zu erhalten suchte, fährt in den Darstellungen seiner Konsekrationsmünzen wie seine göttl. Vorgänger eine Quadriga lenkend gen Himmel, wird jedoch zugleich von einer göttl. Hand ergriffen. Man verzichtete auf den obligatorischen Adlerflug; schließlich wurden die sterblichen Überreste Konstantins nach christl. Brauch unverbrannt beigesetzt [12. 518–523]. Sein Grab fand Konstantin »inmitten der Apostel«, wahrscheinlich als 13. Apostel [13]. Die einzigartige Stellung des röm. Kaisers als *divus* weiß Eusebius durch seine Stellung als der eines *Vicarius Dei divus* des einen Gottes zu ersetzen, der teilhaftig ist am himmlischen Königtum (*De laudibus Constantini* 3,4–5; 5,1).

Fortan legitimieren sich die christl. Herrscher als *vicarii Christi* bzw. *vicarii Dei* (bes. Karl der Große), als *alter Christus* und *Christus Domini*. Ihre Stellung zu den Menschen bleibt einzigartig: Ähnlich wie Eusebius faßt um 1100 der Normannische Anonymus den König als *Deus per gratiam* auf, nämlich von Gottes Gnaden gottgleich [10. 69f.]. Landulfus Sagax bemerkt zu Augustus, daß er nicht unverdient für Gott bes. ähnlich gehalten werde (7,21). In Anlehnung an Exodus 7,1 bezeichnet Inno-

zenz III. den Papst als *vicarius Iesu Christi, successor Petri, Christus domini, Deus Pharaonis* und sieht sich als zw. Gott und den Menschen stehend, der nur von Gott gerichtet werden kann (4,294f. = PL 217, 657C–658A). Kaiser Friedrich II. vergleicht sich selbst mit Christus und wird von seinem Kanzler als ›kaiserlicher Christus‹ bezeichnet [4. 433]. Papst Bonifaz VIII., der sich als *Christus* auf Erden und Gott der Götter verstand [4. 433], wird v. a. wegen seiner Standbilder der Nigromantie und der Verleitung zur Idolatrie angeklagt [16. 73].

Ein Überlieferungsstrang von Sueton über Isidor von Sevilla bis zu Petrus Diaconus – ein anderer läuft von Sueton über Orosius, Historiarum adversus paganos 6,22,4, zu Otto von Freising, Chronica 3,4 – kennt die Ablehnung der A. durch Augustus, wiewohl nicht überliefert wird, daß er dies nur auf seine Lebenszeit bezog. Nach den *Mirabilia Urbis Romae* bekannte sich Augustus, nachdem ihm Maria mit Kind erschienen war, zu Christi Herrschaft und lehnte daher seine A. ab [18].

Ludwig XIV. von Frankreich wird als lebendiges Bild Gottes bezeichnet [5. 21, 55, 63], was aber bereits in den Bereich der Allegorie zu rechnen sein wird. Während die gelegentliche Bezeichnung des ma. Herrschers als *divus* (→ Herrscher) die ant. Kaisertitulatur aufgreift und damit einen Bestandteil der Kaiser-A. (Dante an Heinrich VII.; [4. 324]; Carmen de gestis Frederici I. in Lombardia, v. 71 für Friedrich Barbarossa), müssen Identifikationen mit ant. Göttern während des MA (z. B. Iupiter und Apoll bei [2]) und bes. im Barock als Allegorien betrachtet werden. So wurde Ludwig XIV. als Sonne, Apoll, Iupiter, Herkules und Neptun dargestellt [5. 39, 46, 137] und auch blitzeschleudernd im röm. Streitwagen, begleitet von Minerva, Herkules, Gloria und Victoria [5. 112].

Mit dem Siegeszug des Christentums werden nicht nur pagane Elemente der Erhöhung Sterblicher beibehalten, sondern wird auch allg. dem Bedürfnis nach »Gottmenschen« entsprochen. A. Angenendt spricht überzeugend von einer ›strukturellen Verwandtschaft‹ und ›Analogie‹ zw. griech. Heroen und christl. Heiligen [3. 22]. Während die Gründe zur Erhöhung von sanften Märtyrern dem paganen Denken fremd sein dürften, so ähneln die bald aufkommenden hl. Herrscher, Gesetzgeber (Stephan der Heilige von Ungarn) und Krieger, in ihrer Funktion für die Dynastie durchaus ant. Gottmenschen bzw. Vergöttlichten. Sie sind nicht bloß aus der Masse der Sterblichen herausgehoben, sie unterscheiden sich von ihnen durch ihre erlangte Unsterblichkeit wesentlich. Wenn [2. 50, v. 1605, 233] Friedrich II. als ewig lebend bezeichnet wird, so werden in Serbien [9], Norwegen (Olav, der 1030 im Kampf fiel, starb ähnlich wie Knut von Dänemark wie Christus an einer Speerwunde, er gilt als *rex perpetuus*, [8. 281 ff.]) und Böhmen (Wenzel gilt als ewiger Landesherr, [7. 340]) Spitzenahne als Heilige betrachtet, lange vor dem formellen päpstlichen Kanonisationsverfahren. Sie sichern so ihren Nachkommen die nötige sakrale Überhöhung und Kontinuität durch ihr Fortleben nach dem Tod. Ein regelrechtes Kanonisationsverfahren findet bei den hl. Kaisern des ma. röm. Reiches Anwendung, so für Heinrich II. durch Papst Eugen III. (1146) und für Karl den Gr. auf Betreiben Kaiser Friedrich Barbarossas (1165). Die Grablege in der Nähe von Heiligen ersetzt wie schon für Konstantin gewissermaßen den Adlerflug der röm. Kaiser-A. Dabei kommt dem Grab der hl. Spitzenahne ähnlich wie Alexander dem Gr. für die Diadochen eine bes. heiligende Kraft zu.

→ AWI consecratio; Herrscher; Kaiserkult

QU **1** Landulfus Sagax, Historia Romana, hrsg. von A. Crivellucci, 2 Bde. 1912 f. **2** Petrus de Ebulo, Liber ad honorem Augusti sive de rebus Siculis, hrsg. von Th. Kölzer, M. Stähli, 1994

LIT **3** A. Angenendt, Heilige und Reliquien, 1994 **4** K. Burdach, Briefwechsel des Cola di Rienzo 1, 1913–28 **5** P. Burke, Ludwig XIV., ²1996 **6** J. Engemann, s. v. A., in: LMA 1, 801 f. **7** A. Gieysztor, Polit. Heilige im hoch-ma. Polen und Böhmen, in: [14. 325–341] **8** E. Hoffmann, Polit. Heilige in Skandinavien und die Entwicklung der drei nordischen Reiche und Völker, in: [14. 277–324] **9** F. Kämpfer, Herrscher, Stifter, Heiliger: Polit. Heiligenkulte bei den orthodoxen Südslaven, in: [14. 423–445] **10** E. H. Kantorowicz, Die zwei Körper des Königs, (1957) 1990 **11** L. Koep (A. Hermann), s. v. Consecratio II, RAC 3, 284–294 **12** L. Koep, Die Konsekrationsmünzen Kaiser Konstantins und ihre religionspolit. Bed., in: A. Wlosok (Hrsg.), Röm. Kaiserkult 1978, 509–527, zuerst in: JbAC 1, 94–104 **13** R. Krautheimer, Zu Konstantins Apostelkirche in Konstantinopel, in: Ders., Ausgewählte Aufsätze (1964), 1988, 81–90 **14** J. Petersohn (Hrsg.), Politik und Heiligenverehrung im Hoch-MA, 1994 **15** A. A. Schmid, s. v. Himmelfahrt Christi, in: LCI 2, 268–276 **16** T. Schmidt, Der Bonifaz-Prozeß, 1989 **17** A. F. Segal, Heavenly Ascent in Hellenistic Judaism, Early Christianity and their Environment, in: ANRW II 23.2, 1333–1394 **18** J. Strothmann, Kaiser und Senat, 1998 **19** W. F. Volbach, Elfenbeinarbeiten der Spät-Ant. und des frühen MA, 1976.   Jürgen Strothmann

Arabisch-islamisches Kulturgebiet
I. Naher Osten   II. Al-Andalus

I. Naher Osten
A. Entstehung und Charakter des arabisch-islamischen Kulturgebiets
B. Das Fortleben der Antike bei den Syrern
C. Die arabische Rezeption
D. Wanderungen von Erzählstoffen
E. Das Forschungsgebiet der Graeco-Arabica und seine Implikationen

A. Entstehung und Charakter des arabisch-islamischen Kulturgebiets

In einem Machtvakuum zw. Byzanz und Persien gründete der Prophet Mohammed auf der arab. Halbinsel 622 ein neues theokratisches und militantes Staatswesen. In weniger als einem Jh. reichte es vom Atlantischen Ozean bis zum Indus. Erleichtert wurden die Eroberungen durch eine milde Steuergesetzgebung und eine tolerante Religionspolitik, welche die Juden und die Christen, die zum größeren Teil den mit der Reichskirche verfeindeten Nationalkirchen angehörten, nur wenig diskriminiert in die neue Gesellschaft inkorporierte und ihre Kultur unangetastet ließ. Letzeres war ein für das Fortleben des ant. Wissens entscheidender Faktor. Das islamische Reich umfaßte im Westen mit Spanien, Nordafrika, Sizilien, einigen griech. Inseln, Ägypt. und dem syr.-mesopotamischen Raum Gebiete, die von der griech.-röm. Kultur geprägt waren, im Osten mit Persien und Baktrien solche, die seit von den Eroberungen Alexanders des Gr. erfaßt waren. Hier erweiterten die Muslime ihre Herrschaft bis nach Choresm, einer Flußoase vor der Mündung des Oxus (h. Amudarja) in den Aralsee, und nach Transoxanien mit den Städten Buchara und Samarkand. Während die Vorstöße nach Frankreich und Konstantinopel scheiterten, wurde die Expansion ab dem E. des 10. Jh. weiter nach Indien vorgetragen. Nördl. des Mittelmeeres schufen die islamischen Eroberungen eine Voraussetzung für das erst mit der → Renaissance und der → Aufklärung erwachende europ. Selbstbewußtsein, das sich nicht mehr am Römerreich und seiner Wiederherstellung orientierte, sondern an der Befreiung der Griechen von islamischer Herrschaft und der exklusiven geistigen Verwandtschaft mit ihnen. Im Ergebnis der Expansion entstand ein relativ homogenes Kulturgebiet, in das viele Völker ihre Güter einbrachten, darunter die Syrer ihre Pflege der griech. → Medizin und Wiss. Die hohe Mobilität der Gelehrten und ein dank der Übernahme des chinesischen Papiers florierender Buchhandel führten zu einem lebhaften Austausch zw. den Regionen. Relativ eigengeprägt blieb das maurische Spanien [121. 376–381]. Die vorislamischen Araber verfügten über eine bemerkenswerte sprachliche Kultur und eine Dichtung mit komplizierten Metren und einem im wesentlichen nichtrel. Welt- und Menschenbild, die weiterhin geschätzt wurde (vgl. etwa die Rolle Homers in Byzanz). Eine puristische Tendenz beschränkte, auch in der Übersetzungs-Lit., das Eindringen von Fremdwörtern. Die ältere Sprache hatte u. a. aus dem Griech. aufgenommen: *failasūf* (Philosoph, volkstümlich auch für »Ungläubiger, Scharlatan«), *hayūlā* < ὕλη (»Materie«), *ustuqus* < στοιχεῖον (»Element«), *sūfistā'ī* (»Sophist«, in abwertender Bed.) [121. 146–150]; aus dem Lat.: *barīd* (»Post«) < *veredus* (»Postpferd«), *istabl* (»Stall«) < *stabulum*, *sirāt* < *strata*, so in der ersten Sure für die »gerade Straße«, die der Gläubige gehen will. Jüd. Erbteil war der strenge Monotheismus des Korans und das Verbot der Abbildung lebender Wesen [121. 130–137], was das Weiterleben ant. Elemente in der bildenden Kunst einschränkte, zumindest im öffentlichen Bereich. Unbedenkliche geom. und vegetabile Schmuckformen wie die sog. Arabeske, die sich schon in → Pompeji findet, lebten in der islamischen Kunst weiter. Die Wandmosaiken der Omaijadenmoschee in Damaskus (um 715) zeigen Bäume und kulissenhafte Architekturdarstellungen, die in der Trad. ant. Phantasielandschaften gestaltet sind. Im privaten Bereich erlaubte man sich weiterhin die Darstellung lebender Wesen, wobei auch spezifisch Griech. Eingang fand, so in den Sternbildern und allegorischen Figuren der Fresken in omaijadischen Wüstenschlössern. [12; 36. 30–35]

B. Das Fortleben der Antike
bei den Syrern

Die Weitergabe der ant. Wiss. an die Muslime erfolgte nicht durch die lat. sprechenden Christen Nordafrikas, die ab dem 11. Jh. ihre Religion und ihre Sprache aufgaben [79] und nur zu einem sehr geringen Teil durch die Kopten und die span. Christen. Günstig war die Verlagerung des Machtzentrums in das vom syr. und griech.-orthodoxen Christentum geprägte Kulturland, zuerst nach Damaskus, dann 750 mit der blutigen Ablösung der Omaijadendynastie durch die Abbasiden nach dem Irak, wo al-Manṣūr 762 die Hauptstadt Baghdad gründete. Die Syrer, als Kaufleute aktiv und an Bildungseifer den byz. Griechen nicht nachstehend, konfessionell untereinander gespalten und polit. auf das persische Reich und Byzanz verteilt, waren nun unter der Herrschaft des Islam vereint. Die syr. Sprache war von Gräzismen überfremdet und dadurch zu einem brauchbaren Ausdrucksmittel für die verschiedenen Disziplinen geworden. Unter dem Islam gaben die gebildeten Syrer allmählich ihre alte griech.-syr. Zweisprachigkeit zugunsten einer syrisch-arab. auf; damit entstand das Bedürfnis nach Übers. Die schöne Lit. der Ant., wie auch die gesamte lat., blieb von dem syr. Syllabus ausgeschlossen. Von ihrem Landsmann Lukianos übertrugen die christl. Syrer nur die Schrift *Daß man nicht leicht einer Verleumdung trauen soll*. Die syr. Rezeption bildete einen Filter, von dem die arab. abhängig war. In → Alexandreia bestand bei der arab. Eroberung 641 noch die alte Hochschule, in der v. a. aristotelische Philos. in neuplatonischer Interpretation und galenische Medizin gelehrt wurden [128]. Die arab. Nachrichten lassen eine festgefügte Organisation des Unterrichts erkennen [65]. Die Schule war eng an die griech. Kolonie gebunden und hatte nach der arab. Eroberung keinen Rückhalt bei den Kopten. Legendenhaft sind Nachrichten, daß die Lehre danach etappenweise nach Baghdad verlagert wurde und in der Sukzession einzelner Lehrer am seidenen Faden hing [78; 121. 313–322]. Es gab vielmehr zuvor eine starke Ausstrahlung auf den syr. Klerus und seine Akademien in Edessa und Nisibis; der bedeutende Übersetzer Sergios von Rēšʿainā (Theodosiopolis) (gest. 536) hatte in Alexandreia bei Ioannes Philoponos studiert [10. 167–173; 64. 121–143; 120. 1997ff.]. Ein medizinischer Unterricht war an das Krankenhaus im persischen Gundishapur angeschlossen. Es erlangte eine bes. Bed., weil wegen der geogr. Nähe die tüchtigsten syr. Ärzte an den Hof nach Baghdad berufen wurden. Das Bild der ant. vorchristl. Welt war z. T. von christl. Chroniken volkstümlichen Cha-

rakters abhängig [62]. Manchmal begegnen erstaunliche Detailkenntnisse. Der christl. Übersetzer Qusṭā ibn Lūqā (gest. um 912) kennt z. B. die Geschichte von der Sammlung der homerischen Epen unter Peisistratos und verwendet sie, um im Briefwechsel mit seinem muslimischen Mäzen die Authentizität der Koransuren in Zweifel zu ziehen [104. 640–643]. Neben den christl. Syrern spielten eine Rolle die Sabier von Ḥarrān, dem ant. Carrhae, die in Baghdad als Vertreter der griech. Wiss. und des alten Paganismus auftraten. Ihr altbabylonischer Gestirnkult war mit neuplatonischer Theologie und Hermetismus verschmolzen; als Propheten verehrten sie u. a. Hermes, Agathodaimon und Pythagoras. Dem Schriftsteller al-Masʿūdī (gest. 956) wurde in Ḥarrān an einem Tempel ein Türklopfer mit der Inschr. eines Platospruches gezeigt: ›Wer sich selbst erkennt, wird göttl.‹ [50. 166 f.]. Der Kult, der sich bis ins 11. Jh. hielt, prägte ebenfalls die Vorstellungen der Muslime von der vorchristl. ant. Religion; der Universalgelehrte al-Bīrūnī (973–1048) glaubte, daß Sokrates deswegen verurteilt wurde, weil er sich weigerte, die Planeten Götter zu nennen [113. 166].

C. Die arabische Rezeption
1. Gesellschaftliche Rahmenbedingungen

In Baghdad, wo das Geld der Prov. zusammenfloß, entfaltete sich im 9. und 10. Jh. ein lebendiges geistiges Leben. Die Institution des *maǧlis* (»Sitzung«) umfaßte in Privathäusern abgehaltene Vorlesungen über Theologie, Medizin oder Philos. und auch Debattierklubs, in denen christl. Aristoteliker mit Arabern und Persern zusammentrafen und sich z. B. über die Kugelform der Erde stritten [113. 144 f.]. Auch dies erweckte das Verlangen nach arab. Übers. Gefördert wurde das Lernen von einigen Kalifen. Al-Maʾmūn (Regierungszeit 813–833) unterhielt ein sog. »Haus der Weisheit«, eine Art Akad. mit angeschlossener Bibl., die sich vorwiegend der Astronomie und Mathematik widmete [9]. Er rüstete eine Expedition aus, um den Breitengrad nach der Methode des Eratosthenes nachzumessen [113. 93–99], und bemühte sich vergeblich, den byz. Mathematiker Leon anzuwerben [51. 74 f.]. Die Haltung war im 9. Jh. noch sehr rezeptiv; bezeichnend ist ein Aphorismus des syr. Hofarztes Yūḥannā ibn Māsawaih: ›Wenn Galen und Aristoteles in einer Sache übereinstimmen, dann verhält es sich so. Wenn sie unterschiedlicher Auffassung sind, ist es für den Verstand sehr schwer, das Richtige zu finden‹ [67. 116]. Die Kehrseite der Autoritätsgläubigkeit war das Unwesen der Pseudepigraphie, das sich vom griech. Alt. in den syr. und muslimischen Orient fortsetzte. Es gab ein akad. Proletariat, das sich vom Abschreiben ernährte, und die Versuchung war groß, durch die Produktion von Raritäten das Einkommen aufzubessern. Kritische Urteile zur Authentizität sind selten. In der Folgezeit wurde das griech. Erbe von den Sekretären, Ärzten und Astrologen der Höfe gepflegt, deren Stellen und Ämter im Zuge polit. Dezentralisierung vermehrt worden waren. Viel hing von den Launen des Herrschers ab oder dem Druck, dem er von

seiten orthodoxer Prediger und der von ihnen aufge-
hetzten Volksmassen ausgesetzt war [46]. Jedoch leisteten späterhin in den rel. unbedenklichen Einzelwiss.
auch Theologen, die an den *Medresen* (»Lehranstalten«)
tätig waren, Beachtliches. Im Bewußtsein einer boden-
ständigen Trad. sprach man unbefangen von den »Büchern der Alten«. Nur die Gegner bevorzugten die Bezeichnung »griech.«, um sie als etwas Fremdes zu diffa-
mieren. Eine breitere und vergröberte Rezeption der
spät-ant. neuplatonischen Weltanschauung gab es in hä-
retischen Richtungen, so bei den Ismailiten und den
»Lauteren Brüdern« von Basra [8]. Wegen ihrer Bestrebungen, mit Hilfe allegorischer Exegese Koran und Philos. zu verschmelzen, provozierten sie den Widerstand
der Orthodoxen; den entscheidenden Schlag gegen die
neuplatonischen Philosophen führte al-Ġazālī (gest.
1111) wegen ihrer Leugnung des zeitlichen Weltanfangs
und der Auferstehung der Toten. Für unbedenklich erklärte er die rationale galenische Medizin [117. 170f.]
und die aristotelische Logik, die noch im 19. Jh. an einzelnen Medresen eine scholastische Hypertrophie erlebte [121. 358–362]. Symptom für eine geistige Stagnation
war u.a. auch das bis in die neueste Zeit fortgesetzte
Studium und Abschreiben der übersetzten griech. Lit.,
anstatt von den europ. Neuerungen Kenntnis zu nehmen.

2. ÜBERSETZUNGSMETHODIK

Aufschlußreiche Nachrichten besitzen wir von dem
Meisterübersetzer Ḥunain ibn Isḥāq (808–873) [3], einem nestorianischen Araber, der seine perfekten
Griechischkenntnisse wahrscheinlich durch ein langjäh-
riges Studium in Konstantinopel erworben hatte. Er
konnte sogar Homer rezitieren, ohne sich freilich an
eine Übers. zu wagen [120. 2002ff.]. In einem *Send-
schreiben über die Galenübers.* hat er einen Bericht über
seine Vorgänger und Kollegen und seine eigenen philol.
Methoden gegeben [11]. Die Majuskel-Hss., die er kollationierte und danach ins Syr. und Arab. übertrug,
kaufte er auf Reisen im ganzen Vorderen Orient zusammen [120. 1996, 2005]. Sie waren in der Regel mehrere
Jh. älter als die uns erhaltenen. Byz. Buchimport spielte
eine untergeordnete Rolle. Die Übers. zeugen von ein-
dringendem Verständnis, sind jedoch nicht verbum de
verbo gemacht und flüssig zu lesen; leider sind manchmal auch sekundäre stilistische Bearbeitungen durch die
Abschreiber festzustellen. Die Hälfte der registrierten
arab. Galenübers. sind von einem Schüler nach Ḥunains
voraufgegangener syr. Übers. gemacht [120. 2009f.].
Zu beachten sind ferner Synonymenhäufungen, d.h.
Ersetzung eines Ausdrucks der Vorlage durch zwei der
Zielsprache [122]. Vielleicht trug man dabei trotz eigenen Bestrebens nach Präzision dem lit. Geschmack
der Auftraggeber Rechnung [11. 25]. Völker- und Ländernamen erscheinen modernisiert, also z.B. die Skythen als Türken [121. 272–277]. Eigentümlich ist auch
eine monotheistische Verdrehung aller spezifisch paganen Aussagen, die schon in den früheren syr. Übers. zu
beobachten ist [121. 219f., 227–262]. Auf das Konto der

Abschreiber geht eine Verderbnis der fremden Eigennamen, ausgenommen die bekannten, die ein arab. Gewand angelegt hatten, wie z.B. Arisṭū, Baṭlamiyūs,
Buqrāṭ oder Ġālīnūs.

3. DIE FACHGEBIETE

3.1 MEDIZIN UND PHARMAKOLOGIE

Ein bei den Muslimen ausgeprägtes histor. Interesse
fand in der übers. medizinischen Lit. reichlich Nahrung,
so hinsichtlich des Asklepiosmythos [97. II, III], des ps.-
hippokratischen Briefwechsels oder der verstreuten
autobiographischen Reminiszenzen bei Galen [117.
166–168]. Hippokrates stand ganz im Schatten seines
Kommentators Galen; obwohl Ḥunain auch die hippokratischen Schriften gesondert übers. hatte, sind die
erhaltenen arab. Hippokratestexte sekundär aus den
Lemmata der Komm. zusammengesetzt [121. 71–73,
219]. In Handbüchern des Marktaufsehers findet sich
die Vorschrift, daß ein Arzt bei Eröffnung einer Praxis
den → Hippokratischen Eid abzulegen habe; das Dokument ant. Zunftethik wurde damit erstmalig von einer staatlichen Institution zum Schutz des Patienten
aufgegriffen [121. 216]. Die *Materia medica* des Dioskurides wurde mitsamt den Illustrationen, einschließlich
des vorgesetzten Autorenbildes, übertragen [36. 67–74;
107. III, 58–60; 123; 126. 257–264]. Dank der Ausstrahlung der alexandrinischen Schule bildeten die Ärzte in
Byzanz und im Islam eine einzige galenische Sekte
(→ Galenismus). Vertreter anderer medizinischer Schulen sind nur in geringen Bruchstücken arab. überliefert
[107. III, 51–68; 124; 126. 69–79]. Das Galenische Corpus war dank Ḥunain und seinen Schülern fast vollständig überl.; darum ist im Arab. einiges erhalten, das im
Griech. verloren ist [120. 2011–16]. Nachgalenische
Autoren wie Oreibasios, Nemesios von Emesa, Palladios, Paulos von Aigina wurden geschätzt und übertragen, weil sie Anhänger und Kompilatoren Galens waren
[107. III, 152–170; 126. 83–87]. Galen befand sich mit
seiner Konzeption der aus den vier Elementen Erde,
Wasser, Luft und Feuer gebildeten homogenen (»ho-
moiomeren«) Körperteile und mit seiner Ablehnung der
→ Atomistik in Übereinstimmung mit Aristoteles. Bekämpft wurde er dennoch von arab. Peripatetikern, weil
er in seinen anatomischen Unt. über Aristoteles hinausgekommen war, z.B. hinsichtlich der Funktion des
Herzens und des Gehirns [15; 134]. Seine weitschwei-
fige Schriftstellerei verlangte nach einer pädagogischen
und für den Praktiker handhabbaren Zusammenfassung; einen Anfang gab es in dem alexandrinischen Kanon von 16 Galenschriften und ihrer verkürzten und
nur arab. erhaltenen Bearbeitung in den sog. *Summaria
Alexandrinorum* [65]. Den Höhepunkt erreichte die Systematisierung in Avicennas (gest. 1037) *Kanon in der
Medizin*. Heute erscheint einheimischen Praktikern die
galenische Humoralpathologie mit ihren vier Kör-
persäften des Blutes, des Phlegmas, der gelben und
schwarzen Galle als etwas genuin Islamisches und gegenüber der technisierten westl. Medizin als ›die Medizin der Zukunft‹ [71. 89].

3.2 Philosophie

Vorsokratisches Material liegt nur in Zitaten [20; 114], in der Doxographie des Aetios [19] und in Spruch- und Anekdotensammlungen, den sog. Gnomologien, vor. Letztere sind mit mehreren, darunter auch illustrierten Sammlungen [36. 74–80; 73. I, 289], vertreten. Der Inhalt ist nur z. T. mit dem griech. Überlieferten identisch, die Historizität ist wegen der grassierenden Namensvertauschungen hier wie dort skeptisch zu beurteilen [53; 55; 99; 115]. Tendenziös verfälschte Doxographien finden sich bei Häretikern, die daraus eine Trad. uralter Weisheit konstruierten [101]. Die Atomistik der frühen islamischen Theologie, in der auch die Zeit atomisiert ist und die Atome nur Punkte im Raum sind, ist wahrscheinlich eher von indischen als griech. Quellen angeregt worden [7]. Eine andere, mehr an den Griechen orientierte Atomistik vertrat der als Arzt und rationalistischer Alchemist bedeutende Rhazes (gest. 925 oder 935). Unklar ist, inwieweit die Platonischen Dialoge vollständig übers. waren [96. II; 129]; zugänglich waren sie in Galens *Summarien*, in denen der Dialogcharakter aufgegeben war. In einem Zitat aus dem Summarium der *Republik* oder des *Phaidon* [45] findet sich eine interessante Bemerkung über die Christen, die an Mythen glauben, aber ein philos. Leben führen – dies offenbar als zeitgenössische Analogie zur Erziehung der Wächterkaste. Dank der Schilderung in den Platonischen Dialogen wurde Sokrates, dem aufgrund einer Verwechslung in den Gnomologien die Tonne des Diogenes als Aufenthalt zugewiesen war, zur Kultfigur muslimischer Intellektueller. Rhazes, der die Propheten der Offenbarungsreligionen als Betrüger hinstellte, erkor ihn zu seinem Imam. Noch Khomeini vermochte ihn als Asketen und Prediger des Monotheismus zu würdigen, während ihn al-Gazālī unter die Ketzer eingereiht hatte [1; 69. 78–89; 112]. Apokryphe Sokratessprüche finden sich inschr. auf einem Mausoleum der Timuridenfamilie in Samarkand [118]. Größte Autorität war in alexandrinischer Trad. Aristoteles: Das ›Beispiel‹, das nach den Worten des Averroes (1126–1198) ›die Natur erfand, um die äußerste menschliche Vollkommenheit in der Materie vorzuführen‹ [5; 24; 130]. Das aristotelische Corpus lag außer der *Politik* [13] vollständig übers. vor; ein Plus gibt es in einem in der Echtheit noch umstrittenen Brief an Alexander den Gr. [91]. Das Organon schloß, anders als in der griech. Trad., die *Rhetorik* und die *Poetik* ein. Letztere konnte mangels Sachkenntnis vom Übersetzer nicht restlos gemeistert werden. Wegen seiner Autorität hefteten sich bes. viele Fälschungen an den Namen des Aristoteles [29. 53 f.; 84. 55–75]. Grund für endlose Erörterungen boten im Zuge neuplatonischer Interpretation die Andeutungen in an. 3,5 (430 a 14–25) über die Rolle eines von außen kommenden ›aktiven Intellekts‹ bei der Erweckung des menschlichen Denkens [68]. Avicenna definierte ihn schließlich als eine mit der ptolemäischen Mondsphäre verbundene Stufe der Emanation; aus der inspirierenden Verbindung mit ihm sollte der individuellen Seele eine glückselige Unsterblichkeit erwachsen [47. 123–183]. Damit hatte er sich Vorstellungen vom Wesen des Prophetentums genähert. Dies führte zu einer erneuten Blüte der neuplatonischen Philos. im schiitisch gewordenen Persien des 16. und 17. Jh., welche noch h. in der Ideologie der Ayatollahs nachwirkt [18. 725–757; 63].

Das Werk des Theophrast ist bruchstückhaft überliefert; darunter befindet sich die griech. verlorene *Meteorologie* [23; 26; 54]. Von Galen, der als Vertreter eines angewandten kausalen Denkens über den Kreis der Mediziner hinaus geschätzt wurde, ist das Hauptwerk *Über den Beweis* (Περὶ ἀποδείξεως) in arab. Zitaten erhalten, die über die griech. Reste hinausgehen, bes. viele in den *Zweifeln an Galen* des Rhazes [111]. Galen vermittelte wahrscheinlich auch einige Lehrinhalte der Stoa, von der sonst nichts übers. wurde. Die Gegner Galens unter den peripatetischen Philosophen beriefen sich auf den als maßgeblich erachteten Kommentator Alexander von Aphrodisias, der sich in Rom persönlich mit Galen gestritten haben soll, wofür es auch in Galens Schriften Anhaltspunkte gibt [25. 294; 39; 40; 49]. Alexanders nur arab. erhaltene Schrift *Über die Prinzipien des Alls* enthielt in rudimentärer Form die später mit al-Fārābī (gest. 950) und Avicenna voll ausgebildete Hierarchie der Planetenseelen im ptolemäischen Sphärenhimmel [44. 275]. Höchst einflußreich wurde, ohne namentlich bekannt zu sein, Plotin, aufgrund einer wohl erst im 9. Jh. entstandenen Fälschung, in der die Enneaden 4–6, leicht bearbeitet, als *Theologie des Aristoteles* auf den Markt gebracht worden waren [4; 29. 53; 60]. Die Lehre von der Ewigkeit der Welt war bereits hier mit dem Begriff der Schöpfung verbunden, dennoch blieb sie für die Orthodoxen ein stetes Ärgernis. Von dem philosophierenden Rhetor Themistios sind eine Paraphrase der Aristotelischen Metaphysik und ein Brief an Kaiser Julian Apostata nur in arab. Version erhalten [6. 100 ff., 166–180; 109]. Proklos, von dem ein Stück seines Komm. zum *Timaios* arab. erhalten ist [85], war als Verfechter der Weltewigkeit bekannt [6. 60–73, 119 f.; 131], wie auch die gegen ihn gerichtete Polemik des christl. Professors Ioannes Philoponos, der wegen seiner Schöpfungstheologie, die mit dem Islam übereinstimmte, von manchen geschätzt wurde; daneben auch wegen seiner über Aristoteles hinausführenden Kinematik, mit der er sich der mod. Gravitation annäherte [121. 168 f.]. Eine andere spät-ant. Richtung, die bestimmte Gruppen im Islam beeinflußte, war der Hermetismus. Als seine Vermittler sind die Sabier anzusehen [50] und der Kreis um den Prinzenerzieher al-Kindī (gest. nach 870), den ersten ›Philosophen der Araber‹ [43].

3.3 Mathematik

Die griech. → Mathematik verband sich in fruchtbarer Weise mit einer auf diesem Gebiet relativ stärkeren indischen Trad.; die Stellenschreibweise mit der Null setzte sich jedoch im Kaufmannsmilieu eher durch als bei den Gelehrten, die lange nach griech. Vorbild an der Buchstabenbezeichnung festhielten. Von Euklid wurden die *Elemente der Geometrie* mehrmals übers. und viel kommentiert; auch die *Data* lagen vor. Andere übers. Autoren, von denen manches nur arab. überliefert ist, waren Apollonios von Perge, Menelaos, Pappos, Archimedes, Heron von Alexandreia, Theon von Alexandreia und Diophantos, dessen arithmetisch-algebraische Ansätze indischen Methoden den Weg bereitete. Ein mystisch angefärbtes neupythagoräisches Zahlenverständnis vermittelte die *Einführung in die Arithmetik* (Ἀριθμητικὴ εἰσαγωγή) des Nikomachos von Gerasa [102; 107. V, 81–186; 110].

3.4 ASTRONOMIE UND ASTROLOGIE

Hier gab es eine anfängliche Konkurrenz mit einer indischen Trad., die ihrerseits Elemente vorptolem. griech. Astronomie aufgenommen hatte. Von den frühen griech. Astronomen lagen im 9. Jh. folgende übers. vor: Aristarchos mit *Über die Größe und den Abstand der Sonne und des Mondes* (Περὶ μεγεθῶν καὶ ἀποστημάτων ἡλίου καὶ σελήνης), während sein heliozentrischer Entwurf unbekannt blieb [83. 37–45], ferner Autolykos, Hypsikles, Theodosios und Menelaos [107. VI, 73–81]. Das Standardwerk des *Almagest* von Ptolemaios wurde im 9. Jh. mehrfach ins Arab. übers. [76. 17–34]; noch Copernicus benutzte die darauf beruhende lat. Version des Gerhard von Cremona. Nur auf arab. sind die *Planetarischen Hypothesen* und die *Phaseis* vollständig erhalten. In der letztgenannten Schrift sind die heliakischen Sternaufgänge verzeichnet, die auch in der volkstümlichen arab. Sternkunde eine Rolle spielten. Übers. waren ferner die *Handlichen Tafeln* [88; 107. VI, 83–96]. Das von Ptolemaios formulierte Programm, die komplizierten Bewegungen der Himmelskörper auf möglichst einfache kinematische Modelle mit Epizyklen, Exzentern, *punctum aequans* und dergleichen zurückzuführen, wurde von vielen Generationen muslimischer Astronomen fortgeführt. Auch das in den *Planetarischen Hypothesen* angestrebte Ziel, sich die mathematischen Konstrukte als physikalische Realität vorzustellen, wurde von einzelnen weiterverfolgt. Scheitern mußte das v. a. von span. Philosophen postulierte Zurückgehen auf das homozentrische Sphärenmodell des Eudoxos, das Aristoteles übernommen hatte [87]. Um die Genauigkeit der Beobachtungen zu verbessern, wurde die Größe der teilweise von den Griechen übernommenen Instrumente gesteigert. Mehr zum privaten Gebrauch diente das Astrolab, ein feinmechanisches Präzisionsinstrument, bei dessen verbreiteter planisphärischer Variante die Fixsterne der Himmelskugel auf eine Ebene projiziert werden mußten [57]. Die Römer hatten damit nichts anfangen können, es fand aber noch vor 1000 über Nordspanien im Abendland Eingang. Mit dem Nachbau der Himmelsgloben wurden die griech. Sternbilder übernommen [105]. Zu ihrem Verständnis wurden sogar Aratos' *Phainomena* übers. [107. VI, 75–77]. Die von ʿAbd ar-Raḥmān aṣ-Ṣūfī (gest. 986) auf Papier übertragene Serie diente auch im Abendland zur Veranschaulichung der Fixsternliste des *Almagest*, weil sie exakter als die Miniaturen der lat. Arattradition war [119]. Die von der Orthodoxie und den meisten Philosophen

mißbilligte, aber an den Höfen geschätzte Astrologie beruhte auf einer Kombination persischer und griech. Trad. Zu den bekannteren Namen gehören Teukros von Babylon, Dorotheos von Sidon, Vettius Valens und Ptolemaios mit seiner *Tetrabiblos* [107. VII, 30–73; 127. 278–286].

3.5 GEOGRAPHIE UND GEODÄSIE

Die geforderte Ausrichtung der Moscheen nach Mekka war ein Motiv für die Rezeption und Weiterentwicklung der sphärischen Trigonometrie. Die Geographie und Klimalehre des Ptolemaios mit ihrer daraus abgeleiteten Diskriminierung der Nord- und Südvölker wurde umso leichter übernommen, als sich das muslimische Territorium hauptsächlich über das mittlere vierte Klima erstreckte. Anregungen kamen auch aus der hippokratischen Schrift *Über die Umwelt* (Περὶ ἀέρων ὑδάτων τόπων), wozu ein im Griech. verlorener Galen-Komm. erhalten ist [116]. Zur Lösung kartographischer Aufgaben wurden griech. Methoden der Längen- und Breitenbestimmung übernommen [70]; die Astronomen um al-Maʾmūn brachten in die Weltkarte des Ptolemaios Verbesserungen ein, die durch byz. Vermittlung in die Karten der Ren. Eingang fanden und hier Ptolemaios zugeschrieben wurden [108].

3.6 OPTIK

Der Widerstreit zw. der von Euklid vertretenen Konzeption des vom Auge ausgehenden Sehstrahls und der von Aristoteles angeregten richtigen Intromissionstheorie wurde durch Ibn al-Haiṯam (gest. 1039) experimentell entschieden. Neben Euklids *Optik* standen übers. Texte von Ps.-Euklid, Heron, Ptolemaios, Theon von Alexandreia und Anthemios von Tralleis zur Verfügung [93. 643–729; 103].

3.7 MECHANIK UND STATIK

Im Gefolge von Philon von Byzanz und Heron verwandte die Ingenieurkunst ihr Augenmerk auch auf die Konstruktion von Spieluhren und Vexierbechern, außerdem auf die Unt. der Hebelgesetze und den Bau von Waagen, auch hydrostatischen nach dem Vorbild des Archimedes [61; 92. 65–75, 132–140; 100].

3.8 TIER- UND PFLANZENKUNDE

Die Tierbücher des Aristoteles waren in sein übers. Corpus eingeschlossen. Seine und Theophrasts verlorene Pflanzenkunde ist in einem arab. erhaltenen Werk des Nikolaos von Damaskos verarbeitet [27]. Hinzu kam eine reiche Lit. mehr landwirtschaftlichen, medizinischen und magischen Charakters [107. IV, 310–312; 127. 8–18].

3.9 MAGIE UND ALCHEMIE

Die spät-ant. Magie lebte in volkstümlicher nichtlit. Kommunikation weiter, begleitet von einer primitiven Lit. meist pseudonymen Charakters; ein *Steinbuch des Aristoteles* wurde bereits von al-Bīrūnī als unecht erkannt [127. 96–114]. Gleiche Verhältnisse sind für die A. vorauszusetzen, die von der Schulphilos. meist abgelehnt wurde. Die begleitende Lit. ergeht sich in vagen Andeutungen und Decknamen; die Pseudepigraphie bezog Namen wie Hermes, Pythagoras, Demokritos,

Sokrates, Platon, Aristoteles und Apollonios von Tyana ein [2; 90; 107. IV, 31–104; 127. 151–163; 133]. Als echter alchemistischer Autor war Zosimos bekannt. Bei diesem ist zuerst das Konzept des Elixiers (al-iksīr < ξηρίον, »trockenes Pulver«) [125] belegt, das durch bloßes Aufstreuen eine Menge unedlen Metalls in Gold oder Silber verwandeln sollte und in einem geschickt inszenierten Betrug von Kaiser Konstantinos V. Kopronymos einem Gesandten des Kalifen al-Manṣūr vorgeführt wurde [121. 365–375].

3.10 TRAUMDEUTUNG

Angesichts des im Orient verbreiteten Glaubens an die Möglichkeit von Traumoffenbarungen ist es nicht verwunderlich, daß auch das Standardwerk des Artemidor übertragen wurde. Der Übersetzer war hier mit den Einzelheiten des täglichen Lebens der Ant. oft überfordert [106].

3.11 ÖKONOMIE

Neben den Gedanken des Aristoteles verwertete man eine jetzt nur arab. erhaltene und einem Neupythagoreer Bryson zugeschriebene Abhandlung zum Thema des Geldes, der Sklavenhaltung, der Ehe und der Kindererziehung [89].

D. WANDERUNGEN VON ERZÄHLSTOFFEN

Sure 18,60–98 enthält vage Reminiszenzen an den Alexanderroman. In der persischen → Epik erscheint Alexander d.Gr. als illegitimer Abkömmling des persischen Königshauses [16; 35], die Geschichtsklitterung wurde von al-Bīrūnī gerügt [113. 129f.]; in die andalusischen Versionen der Alexanderlegende sind auch Elemente der lat. Überlieferung eingedrungen [42. LX—LXVI]. Romanstoffe, deren Verbreitung im syr. Raum durch Mosaiken bezeugt ist, fanden ebenfalls Eingang in die arab. und persische Lit. [56; 121. 174–181]. Hell. oder gemeinmittelmeerisches Erzählgut gehört auch zum Bestand der *Märchen aus 1001 Nacht* [51. 376–405]. Tierfabeln finden sich in dem Äsop zugeschriebenen Corpus wieder [98], wofür man sowohl eine mündliche wie auch eine lit. Vermittlung annehmen kann. Gleiches gilt für Witze, wo ein fließender Übergang zu den pointierten Anekdoten der Gnomologien besteht [81; 99].

E. DAS FORSCHUNGSGEBIET DER GRAECO-ARABICA UND SEINE IMPLIKATIONEN

Nachdem die westeurop. Scholastik von der im Arab. bewahrten griech. Wiss. profitiert hatte, wurde dieser Überlieferungsweg in der Ren. negativ bewertet; mit Polemik taten sich v.a. auf Galen eingeschworene Ärzte hervor [72]. Aus wissenschaftshistor. Interesse wurde erstmals von Friedrich dem Gr. die Forderung nach Erschließung eines auf Griech. verlorenen Textes an J.J. Reiske, den Begründer der dt. Arabistik, gerichtet. Es ging um den *Lastenheber* des Heron [121. 516f.]. Seit dem E. des 19. Jh. fungieren die sog. Graeco-Arabica als Hilfswiss. der Klass. Philol. und der Philos.-, der Medizin- und Wissenschaftsgeschichte. Dabei geht es um die textkritische Verwertung oder, wenn die Originalfassung verloren ist, um die arab. Edition mit beigegebener Übers. in eine europ. Sprache. Dies ist z.B. das Programm des *Supplementum Orientale* am Berliner *Corpus Medicorum Graecorum*. Die Schaffung eines lexikalischen Hilfsmittels speziell für die Übersetzungslit. ist jetzt von einer Arbeitsgruppe um D. Gutas und G. Endreß in Bochum in Angriff genommen worden [33]. Von ideologischer Brisanz ist die Frage, warum das griech. Erbe im Islam nach verheißungsvollen Anfängen nicht zu denselben Konsequenzen und Durchbrüchen führte wie in Westeuropa, ja am Ende sogar verkümmerte, so daß die → Universitäten in den muslimischen Ländern in den betreffenden Fächern nicht an einheimische Trad. anknüpfen können, sondern auf den Anschluß an die europ. und amerikanische Forsch. angewiesen sind. Dies führt bei muslimischen Intellektuellen und weniger informierten europ. Autoren zu ressentimentgeladenen Verzeichnungen, indem die unbestreitbar vorhandenen Neuerungen übertrieben werden und ihnen außerdem eine zündende Wirkung auf die westeurop. Entwicklung zugeschrieben wird, wobei man übersieht, daß die christl. → Scholastik wegen ihrer zunächst eingeschränkten Rezeptionsfähigkeit auf das Handbuch- und Basiswissen zugriff, und das war in der Regel griech. Herkunft. Von dem letztgenannten Phänomen ausgehend urteilen europazentrisch eingestellte Philologen über das Wesen der arab.-islamischen Kultur schlechthin, was ebenfalls verfehlt ist. Die Ursachen, warum es im Islam nicht wie in Europa zu einer analogen Entfaltung der im griech. Erbe vorhandenen Ansätze kam, werden in der neueren Orientalistik, nachdem rassistische [94. IIIf.; 37] und kulturkreistheoretische [74] Erklärungen als überwunden gelten können, mehr in einer bes. geistigen Entwicklung der islamischen Gesellschaft gesucht [14; 66. 231; 82]. Muslimische Intellektuelle bedauern, daß die von Averroes vertretene Option eines rationalistischen Aristotelismus, die man in Westeuropa ergriff, im Islam verfehlt wurde [75]. Gegenüber diesen mehr geistesgeschichtlich orientierten Erklärungen sollte man die sozialen und wirtschaftlichen Bedingungen, die sich immer ungünstiger gestalteten, nicht außer Betracht lassen [121. 289–296]. Die byz. Entwicklung kann dazu als Parallele herangezogen werden.

→ Aristotelismus; Geographie; Hermetik; Naturwissenschaften; Platonismus; Pythagoreismus

→ AWI Alexanderroman

1 I. ALON, Socrates in Mediaeval Arabic Literature, 1991 2 G.C. ANAWATI, Arabic alchemy, in: [93], 853–885 3 Ders., A.Z. ISKANDAR, s.v. Ḥunayn ibn Isḥāq al-ʿIbādī, Abū Zayd, in: Dictionary of Scientific Biography 15, 1978, 230–249 4 M. AOUAD, s.v. La Théologie d'Aristote, in: [48], I, 541–590 5 Ders. et al., s.v. Aristote de Stagire, in: [48], I, 413–534 6 ʿA. BADAWI, La transmission de la philososophie grecque au monde arabe, 1968 7 C. BAFFIONI, Atomismo e antiatomismo nel pensiero islamico, 1982 8 Dies., Frammenti e testimonianze di autori antichi nelle epistole degli Iḫwān aṣ-Ṣafāʾ, 1994 9 M.-G. BALTY-GUESDON, Le Bayt al-ḥikma de Baghdad, in: Arabica 39, 1992, 131–150 10 A. BAUMSTARK, Gesch. der syr. Lit.,

1922 **11** G. Bergsträsser (Hrsg.), Ḥunain ibn Isḥāq über die syr. und arab. Galen-Übers., 1925 (AKM 17,2) **12** J. M. Blázquez, Las pinturas helenísticas de Qusayr ʾAmra (Jordania) y sus fuentes, in: AEA 54, 1981, 157–202; 56, 1983, 169–212 **13** R. Brague, Note sur la traduction arabe de la Politique, derechef, qu'elle n'existe pas, in: P. Aubenque (Hrsg.), Aristote politique, 1993, 423–433 **14** Ch. Bürgel, Allmacht und Mächtigkeit, 1991 **15** Ders., Averroes »contra Galenum«, in: Nachr. der Akad. der Wiss. in Göttingen, I. philos.-histor. Kl., Nr. 9, 1967 **16** Cl. A. Ciancaglini, Alessandro e l'incendio di Persepoli nelle tradizioni greca e iranica, in: A. Valvo (Hrsg.), La diffusione dell'eredità classica nell'età tardoantica e medievale. Forme et modi di trasmissione, 1997, 59–81 **17** Ch.-F. Collatz et al. (Hrsg.), Dissertatiunculae criticae. FS für G. Ch. Hansen, 1998 **18** M. Cruz Hernández, Historia del pensamiento en el mundo islámico, 3 Bde., 1996 **19** H. Daiber (Hrsg.), Aetius Arabus. Die Vorsokratiker in arab. Überlieferung, 1980 **20** Ders., Democritus in Arabic and Syriac Trad., in: Proceedings of the 1st International Congress on Democritus, 1984, 252–265 **21** Ders., Doxographie und Geschichtsschreibung über griech. Philosophen in islamischer Zeit, in: Medioevo 16, 1990, 1–21 **22** Ders., Hell.-kaiserzeitliche Doxographie und philos. Synkretismus in islamischer Zeit, in: ANRW II 36.7, 4974–92 **23** Ders., The Meteorology of Theophrastus in Syriac and Arabic Translation, in: W. W. Fortenbaugh, D. Gutas (Hrsg.), Theophrastus. His Psychological, Doxographical, and Scientific Writings, 1992, 166–293 **24** Ders., Salient Trends of the Arabic Aristotle, in: [34], 29–76 **25** Ders., Semitische Sprachen als Kulturvermittler zw. Ant. und MA. Stand und Aufgaben der Forsch., in: ZDMG 136, 1986, 292–313 **26** Ders., A Survey of Theophrastean Texts and Ideas in Arabic, in: [41], 103–114 **27** H. J. Drossaart Lulofs, s. v. Nīḳūlāʾūs, in: EI 8, 36f. **28** G. Endress, Die arab.-islamische Philos. Ein Forsch.-Ber., in: Zschr. für Gesch. der Arab.-Islamischen Wiss. 5, 1989, 1–47 **29** Ders., The Circle of al-Kindī. Early Arabic Translations from the Greek and the Rise of Islamic Philosophy, in: [34], 43–76 **30** Ders., The Defense of Reason: The Plea for Philosophy in the Religious Community, in: Zschr. für Gesch. der Arab.-Islamischen Wiss. 6, 1990, 1–49 **31** Ders. (Hrsg.), Symposium Graeco-Arabicum II, 1989 **32** Ders., Die wiss. Lit., in: H. Gätje (Hrsg.), Grundriß der Arab. Philol. II, 1987, 400–506; III, 1992, 3–152 **33** Ders., D. Gutas, A Greek and Arabic Lexicon, 1992 ff. **34** Ders., R. Kruk (Hrsg.), The ancient Trad. in Christian and Islamic Hellenism, 1997 **35** J. van Ess, s. v. Alexander d. Gr. X. Islamische Lit., in: LMA I, 1980, 365 **36** R. Ettinghausen, Arab. Malerei, 1979 **37** H. Fähndrich, Invariable Factors Underlying the Historical Perspective in Theodor Nöldeke's Oriental. Skizzen, in: A. Dietrich (Hrsg.), Akten des VII. Kongr. für Arabistik und Islamwiss., AAWG, 3. Folge, Nr. 98, 146–154 **38** M. Fakhry, Philosophy, Dogma and the Impact of Greek Thought in Islam, 1994 **39** S. Fazzo, L'Alexandre arabe et la génération à partir du neant, in: [58], 277–287 **40** S. Follet, s. v. Alexandros de Damas, in: [48], I, 140–142 **41** W. W. Fortenbaugh (Hrsg.), Theophrastus of Eresus. On his Life and Works, 1985 **42** E. García Gómez (Hrsg.), Un texte árabe occidental de la leyenda de Alejandro, 1929 **43** Ch. Genequand, Platonism and Hermetism in al-Kindī's Fī al-nafs, in: Zschr. für Gesch. der Arab.-Islamischen Wiss. 4, 1987/88, 1–18 **44** Ders., Vers une nouvelle édition de la Maqāla fī mabādiʾ al-kull d'Alexandre d'Aphrodise, in: [58], 271–276 **45** St. Gero, Galen on the Christians. A reappraisal of the Arabic evidence, in: Orientalia Christiana Periodica 56, 1990, 371–411 **46** I. Goldziher, Stellung der alten islamischen Orthodoxie zu den ant. Wiss., in: Abh. der Königlich Preußischen Akad. der Wiss. 1915, philos.-histor. Kl., Nr. 8 **47** L. E. Goodman, Avicenna, 1992 **48** R. Goulet (Hrsg.), Dictionnaire des philosophes antiques, 1989 ff. **49** Ders., M. Aouad, s. v. Alexandros d'Aphrodisias, in: [48], I, 125–139 **50** T. M. Green, The City of the Moon God. Religious Traditions of Harran, 1992 **51** G. E. von Grunebaum, Der Islam im MA, 1963 **52** D. Gutas, Avicenna and the Aristotelian Trad., 1988 **53** Ders., Greek Wisdom Literature in Arabic Translation. A Study of the Graeco-Arabic Gnomologia, 1975 **54** Ders., The Life, Works, and Sayings of Theophrastus in the Arabic Trad., in: [41], 63–102 **55** Ders., Sayings by Diogenes Preserved in Arabic, in: M.-O. Goulet-Cazé (Hrsg.), Le cynisme ancien et ses prolongements. Actes du Colloque International du CNRS, 1993, 475–518 **56** T. Hägg, The Oriental Reception of Greek Novels, in: Symbolae Osloenses 61, 1986, 99–131 **57** H. Hartner, s. v. asṭurlāb, EI 1, 722–728 **58** A. Hasnawi et al. (Hrsg.), Perspectives arabes et médiévales sur la tradition scientifique et philosophique grecque, 1997 **59** Ch. Hein, Definition und Einteilung der Philos. Von der spät-ant. Einleitungslit. zur arab. Enzyklopädie, 1985 **60** P. Henry, H.-R. Schwyzer (Hrsg.), Plotini Opera II, 1959 **61** D. R. Hill, Engineering, in: [93], 751–795 **62** H. Horst, Über die Römer, in: U. Haarmann, P. Bachmann (Hrsg.), Die islamische Welt zw. MA und Neuzeit. FS für H. R. Roemer, 1979, 315–337 **63** M. Horten, Das philos. System von Schirázi, 1913 **64** H. Hugonnard-Roche, Note sur Sergius de Rešʿainā, traducteur du grec en syriaque et commentateur d'Aristote, in: [34], 121–143 **65** A. Z. Iskandar, An attempted reconstruction of the late Alexandrian medical curriculum, in: Medical History 20, 1976, 235–258 **66** D. Jacquart, F. Micheau, La médecine arabe et l'occident médiéval, 1990 **67** Diess., G. Troupeau (Hrsg.), Yūḥannā ibn Māsawayh, Le livre des axiomes médicaux (Aphorismi), 1980 **68** J. Jolivet, Étapes dans l'histoire de l'intellect agent, in: [58], 569–582 **69** Ders., Philosophie médiévale arabe et latine, 1995 **70** E. S. Kennedy, Mathematical geography, in [93], 185–201 **71** M. S. Khan, Islamic Medicine, 1986 **72** F. Klein-Franke, Die klass. Ant. in der Trad. des Islam, 1980 **73** J. Krämer, Arab. Homerverse, in: ZDMG 106, 1956, 259–316; 107, 1957, 511–518 **74** Ders., Das Problem der arab. Kulturgesch., 1959 **75** A. von Kügelgen, Averroes und die arab. Moderne. Ansätze zu einer Neubegründung des Rationalismus im Islam, 1994 **76** P. Kunitzsch, Der Almagest. Die Syntaxis Mathematica des Claudius Ptolemäus in arab.-lat. Überlieferung, 1974 **77** Ders. (Hrsg.), Claudius Ptolemäus, Der Sternkatalog des Almagest, 3 Bde., 1986–1991 **78** J. Lameer, From Alexandria to Baghdad: Reflections on the Genesis of a Problematical Trad., in: [34], 181–191 **79** T. Lewicki, Une langue romane oubliée de l'Afrique du Nord: observations d'un arabisant, in: Rocznik Orientalistyczny 17, 1951–52, 415–480 **80** M. Maróth, Ibn Sīnā und die peripatetische Aussagenlogik, 1989 **81** U. Marzolph, Philogelos arabikos. Zum Nachleben der ant. Witzesammlung in der ma. arab. Lit., in: Der Islam 64, 1987, 185–230 **82** T. Nagel, Die Festung der Glaubens. Triumph und Scheitern des islamischen Rationalismus im 11. Jh., 1988

83 B. NOACK, Aristarch von Samos, 1992 84 F. E. PETERS, Aristoteles Arabus. The Oriental Translations and Commentaries of the Aristotelian Corpus, 1968 85 F. PFAFF (Übers.), Komm. des Proklos zu Platons Timaios C.43 (89 E – 90 C), in: CMG Suppl. III, 1941, XLIf., 53–60 86 SH. PINES, Stud. in Arabic Versions of Greek Texts and in Mediaeval Science, 1986 87 D. PINGREE, s. v. ʿilm al-hayʾa, EI 3, 1135–1138 88 M. PLESSNER, s. v. Baṭlamiyūs, EI 1, 1100–1102 89 Ders. (Hrsg.), Der OIKONOMIKOS des Neupythagoreers »Bryson« und sein Einfluß auf die islamische Wiss., 1928 90 Ders., Vorsokratische Philos. und griech. Alchemie in arab.-lat. Überlieferung. Stud. zu Text und Inhalt der Turba Philosophorum, 1975 91 M. PLEZIA, Der arab. Aristotelesbrief nach 25 Jahren, in: [17], 53–59 92 D. K. RAÏOS, Archimède, Ménélaos d'Alexandrie et le 'Carmen de ponderibus et mensuris', 1989 93 R. RASHED (Hrsg.), Encyclopedia of the History of Arabic Science, 3 Bde., 1996 94 E. RENAN, Averroès et l'averroïsme, ³1866, Ndr. 1986 95 F. ROSENTHAL, Das Fortleben der Ant. im Islam, 1965 96 Ders., Greek Philosophy in the Arab World, 1990 97 Ders., Science and Medicine in Islam, 1990 98 Ders., A Small Collection of Aesopic Fables in Arabic Translation, in: M. MACUCH et al. (Hrsg.), Studia Semitica necnon Iranica, 1989, 233–256 99 Ders., Witty Retorts of Philosophers and Sages from the Kitāb al-Ajwibah al-muskitah of Ibn abī ʿAwn, in: Graeco-Arabica 4, 1991, 179–221 100 M. ROZHANSKAYA, Statics, in: [93], 614–642 101 U. RUDOLPH (Hrsg.), Die Doxographie des Ps.-Ammonios. Ein Beitrag zur neuplatonischen Überlieferung im Islam, 1989 (AKM 49,1) 102 A. I. SABRA, s. v. ʿilm al-ḥisāb, EI 3, 1138–1141 103 Ders., s. v. manāẓir, EI 6, 376f. 104 KH. SAMIR, P. NWYIA (Hrsg.), Une correspondance islamo-chrétienne entre Ibn al-Munaǧǧim, Ḥunayn ibn Isḥāq et Qusṭā ibn Lūqā, 1981 105 E. SAVAGE-SMITH, Islamicate Celestial Globes: Their History, Construction, and Uses, 1985 106 E. SCHMITT, Lexikalische Unt. zur arab. Übers. von Artemidors Traumbuch, 1970 107 SEZGIN 108 Ders., The Contribution of the Arabic-Islamic Geographers to the Foundation of the World Map, 1987 109 I. SHAHID (Hrsg.), Epistula de re publica gerenda, in: H. SCHENKL (Hrsg.), Them. or. quae supersunt III, 1974, 73–119 110 M. SOUISSI, s. v. ʿilm al-handasa, EI Suppl. 1982, 411–414 111 G. STROHMAIER, Bekannte und unbekannte Zitate in den Zweifeln an Galen des Rhazes, in: K.-D. FISCHER et al. (Hrsg.), Text and Transmission. FS for Jutta Kollesch, Leiden 1998, 263–287 112 Ders., Das Bild des Sokrates in der arab. Lit. des MA, in: H. KESSLER (Hrsg.), Sokrates. Bruchstücke zu einem Porträt, 1997, 105–124 113 Ders. (Übers.), Al-Bīrūnī, In den Gärten der Wiss. Ausgewählte Texte, ²1991 114 Ders., Die Fragmente griech. Autoren in arab. Quellen, in: W. BURKERT et al. (Hrsg.), Fr.-Slg. philos. Texte der Ant., 1998, 354–374 115 Ders., Das Gnomologium als Forschungsaufgabe, in: [17], 461–471 116 Ders., La question de l'influence du climat dans la pensée arabe et le nouveau commentaire de Galien sur le traité hippocratique des Airs, eaux et lieux, in: [58], 209–216 117 Ders., Die Rezeption und die Vermittlung: die Medizin in der byz. und in der arab. Welt, in: M. D. GRMEK (Hrsg.), Die Gesch. des medizinischen Denkens. Ant. und MA, 1996, 151–181 118 Ders., Eine Sokratesinschr. in Samarkand, in: Helikon 33/34, 1993/94, 397–400 119 Ders., Die Sterne des Abd ar-Rahman as-Sufi, 1984 120 Ders., Der syr. und der arab. Galen, in: ANRW II 37.2, 1987–2017 121 Ders.,

Von Demokrit bis Dante. Die Bewahrung ant. Erbes in der arab. Kultur, 1996 122 P. THILLET, Reflexions sur les »traductions doubles«, in: [58], 249–263 123 A. TOUWAIDE, La traduction arabe du Traité de matière médicale de Dioscoride: état de recherche bibliographique, in: Ethnopharmacologia 18, 1996, 16–41 124 M. ULLMANN, Die arab. Überlieferung der Schriften des Rufus von Ephesos, in: ANRW II 37.2, 1293–1349 125 Ders., s. v. al-iksīr, EI 3, 1087f. 126 Ders., Die Medizin im Islam, 1970 (HbdOr 1. Abt., Erg.-Bd. VI, 1. Abschnitt) 127 Ders., Die Natur- und Geheimwiss. im Islam, 1972 (HbdOr 1. Abt., Erg.-Bd. VI, 2. Abschnitt) 128 M. VINZENT, Oxbridge in der ausgehenden Spät-Ant. oder ein Vergleich der Schulen von Athen und Alexandrien, in: Zschr. für ant. Christentum 3, 1999 (im Druck) 129 R. WALZER, s. v. Aflāṭun, EI 1, 234–236 130 Ders., s. v. Arisṭūṭālīs or Arisṭū, EI 1, 630–633 131 Ders., s. v. Buruḵlus, EI 1, 1339f. 132 Ders., Greek into Arabic. Essays on Islamic Philosophy, 1962 133 U. WEISSER, Das »Buch über das Geheimnis der Schöpfung« von Ps.-Apollonios von Tyana, 1980 134 F. W. ZIMMERMANN, Al-Fārābī und die philos. Kritik an Galen von Alexander zu Averroes, in: A. DIETRICH (Hrsg.), Akten des VII. Kongresses für Arabistik und Islamwiss., AAWG, 3. Folge, Nr. 98, 401–414.

GOTTHARD STROHMAIER

II. AL-ANDALUS

A. DER NAME B. GESCHICHTE (ABRISS)
C. DIE REZEPTION HELLENISTISCHEN KULTURGUTES IN AL ANDALUS D. DIE REZEPTION DER GRIECHISCHEN ANTIKE ÜBER DEN ORIENT E. DIE ÜBERSETZUNGSBEWEGUNG IM MITTELALTERLICHEN SPANIEN

A. DER NAME

Mit dem Namen Al-Andalus (AA) bezeichneten die Araber jeweils den Teil der iberischen Halbinsel, der zum islamischen Herrschaftsgebiet gehörte, so daß seine Grenzen zw. 711 und 1492 erheblich schwanken. Davon abgeleitet ist die mod. Bezeichnung Andalusien, womit eine bestimmte span. Region mit fest definierten geogr. Grenzen gemeint ist. Etym. wird AA traditionellerweise mit der Anwesenheit der Wandalen in Spanien in Verbindung gebracht, neuerdings wird auch eine got. Herkunft in Erwägung gezogen [1]. Der Name erscheint schon kurz nach der arab. Eroberung auf zweisprachigen (lat./arab.) Münzen als Syn. von Hispania [2] und bezeichnete von da an den islamischen Teil der iberischen Halbinsel.

B. GESCHICHTE (ABRISS)

Die Eroberung des bis dahin westgot. Spaniens erfolgte zw. 711 und 712 durch berberische und arab. Truppenkontingente. Sie war Teil der großen islamischen Expansionsbewegung nach Ägypten und Nordafrika, die auch die Eingliederung Nordafrikas in die islamische Welt zur Folge hatte. Die Eroberer trafen auf erstaunlich wenig Widerstand bei der einheimischen Bevölkerung, die offenbar unter dem Steuerdruck und der polit. und wirtschaftlichen Instabilität unter den letzten westgot. Königen gelitten hatte. Die Eroberung

folgten ca. 23 unbedeutende arab. Gouverneure, die mit zahlreichen Stammesunruhen unter den arab. und berberischen Truppen zu kämpfen hatten. Aufgrund dieser instabilen Lage konnten sich manche westgot. Adlige regional begrenzt eine gewisse Unabhängigkeit bewahren (z. B. Tudmīr in Murcia). Erst durch die Ankunft des ʿAbd-ar-Raḥmān (756), einem umayyadischen Prinzen, der dem Massaker der Abbasiden an seiner Familie entkommen war, begann eine Phase der relativen Ruhe. Er verwandelte mit Hilfe seiner syr. Truppen die entlegene Prov. AA in ein de facto von den Abbasiden unabhängiges Emirat nach dem Modell des ehemaligen syr. Umayyadenkalifats, nun mit der Hauptstadt Cordoba. Es entstand eine spezifisch span.-arab. Kultur, die wie die oriental.-muslimische städtisch geprägt war und deren Zentren, das Ebrotal und das Tal des Guadalquivir, mit denen des röm. Spanien übereinstimmten. Die Zeit der umayyadischen Emire (756–929), eine Phase der relativen polit. Ruhe, ist aufgrund des dynastisch-polit. Gegensatzes zum Abbasidenkalifat in Baghdad von einer anfänglich starken kulturellen Kontinuität des spätröm.-westgot. Erbes gekennzeichnet. Ab ca. 830 beginnt eine langsame Öffnung gegenüber oriental. Wissensgut und damit auch eine allmähliche Aufnahme der im Osten schon erfolgten Rezeption hell. Kulturgutes. Der kulturelle und polit. Höhepunkt wurde in der Zeit des umayyadischen Kalifates (929–1030) erreicht, das mit der Selbsterklärung des ʿAbd-ar-Raḥmān III. zum Kalifen begann. Er organisierte Verwaltung und Heer nach oriental. Vorbildern und zentralisierte das bei seinem Regierungsantritt von Abspaltungsbewegungen bedrohte Emirat, wobei er sich auf berberische Söldnertruppen stützte, was dem Staatswesen schließlich zum Verhängnis wurde. V. a. unter seinem bibliophilen Sohn al-Ḥakam II. (961–76), der als Mäzen für Kunst und Wiss. Bedeutendes für die Rezeption hell. Wissens leistete, gelangte das nunmehr befriedete AA zu einer kaum mehr erreichten kulturellen Blüte. Ab 1002 fiel das Kalifat in eine Zeit von bürgerkriegsähnlichen Wirren, in der sich Berber, Sklaven, Neumuslime und Araber in wechselnden Allianzen gegenseitig bekämpften. 1030 begann schließlich die Zeit der Taifa-Könige, kleiner Regionalfürsten, die nach dem Modell des ehemaligen Kalifats organisiert waren. So suchten sie auch den Glanz des ehemalig kalifalen Cordoba an ihren Höfen zu reproduzieren und förderten Kunst und Wiss. Die Dezentralisierung der polit. Herrschaft hatte allerdings zur Folge, daß die christl. Königreiche im Norden in Zuge der Reconquista (Rückeroberung ehemals westgot. Gebiete) zum ersten Mal erfolgreich größere Territorien zurückgewinnen konnten und einige islamische Königreiche ihnen tributpflichtig wurden.

Die Rückeroberung Toledos (1085) veranlaßte schließlich die Taifa-Könige, die in Nordafrika erstarkten berberischen Almoraviden zu Hilfe zu rufen, die die Christen bei Sagrajas (1086) besiegten. Die Almohaviden übernahmen daraufhin die Herrschaft in AA und leiteten eine Phase der kulturellen Stagnation ein, da sie

Mitglieder einer streng rigoristischen Sekte waren und sowohl liberalem Gedankengut wie auch Christen und Juden gegenüber sehr intolerant auftraten. Ähnliches gilt auch von den sie ca. 1150 ablösenden Almohaden. Zahlreiche führende Intellektuelle verließen AA und siedelten sich im Osten an, während viele Juden und Christen in den christl. Norden auswanderten, wo sie eine wichtige Rolle bei der Rezeption oriental. Kulturguts in der lat. Welt spielten. Der almohadischen Dynastie, die infolge der erfolgreichen kastilischen und aragonesischen Expansion im 13. Jh. zusammenbrach, folgte schließlich das territorial erheblich reduzierte Reich der Nasriden in Granada, das den südöstl. Teil des heutigen Andalusiens umfaßte. Es blieb bis zuletzt den Christen tributpflichtig und überlebte nur dank der fehlenden Einheit unter den christl. Königreichen, bis es 1492 von den katholischen Königen erobert wurde.

C. Die Rezeption hellenistischen Kulturgutes in Al Andalus

1. Gesellschaftliche Rahmenbedingungen

Die spezifische Zusammensetzung der Bevölkerung in AA bildet eine der wichtigsten Rahmenbedingungen für den Wissenstransfer: Die einheimische Bevölkerung setzte sich a) aus Christen zusammen, die einen romanischen Dialekt sprachen und Latein als Kultursprache hatten, das aber seit dem 9. Jh. zunehmend vom Arab. verdrängt wurde (= Mozaraber < *mustaʿribūn*, d. h. »arabisierte« Christen), b) Juden, die schon unter den Westgoten zahlreich gewesen waren, aber deren Zahl durch Zuwanderung aufgrund der relativ günstigen muslimischen Gesetzgebung noch anwuchs, c) eine ständig wachsende Anzahl von Neumuslimen (span. *muladíes* < Muwalladūn), d) zu Beginn eine unbekannt hohe Anzahl an paganen Nicht-Christen, die wohl bald zum Islam konvertierten.

Die Herrscherschicht setzte sich hauptsächlich aus a) arab. Stämmen zusammen, die teils jemenistischer, teils syr. Herkunft waren, b) Berberstämmen und c) einer stetig wachsenden Zahl Sklaven europ. Herkunft. Es gilt zu beachten, daß sich die beiden ersten Gruppen aus ganzen Familienverbänden zusammensetzten, die sich richtig ansiedelten und sich somit zunächst kaum mit der autochthonen Bevölkerung mischten [3]. Die Einbettung in die arab. Kultur und die Prestigesprache Schrift-Arab. war zumindest den gebildeten Schichten dieser Bevölkerungsgruppen bald gemeinsam; als Umgangssprache diente entweder der romanische Dial. oder die arab. Volkssprache. Diese sprachlichen Bedingungen ermöglichten die Kommunikation jenseits der kulturell-konfessionellen Grenzen und schufen somit ein Klima, das Akkulturationsprozesse begünstigte.

2. Spätrömisch-westgotisches Substrat

Unsere Kenntnisse der kulturellen Umstände zur Zeit der ersten Gouverneure sind aufgrund der Quellenlage sehr gering. ʿAbd-ar-Raḥmān I. leitete den ersten von mehreren Orientalisierungsversuchen ein, indem er die Schönen Künste und theologisches/juristisches Wissen [4] einführte; aber der dynastische Gegensatz zu den Abbasiden in Baghdad führte doch zu einer starken Isolierung innerhalb der islamischen Welt. So war man auf das Wissen der einheimischen Bevölkerung angewiesen, die allerdings v. a. das enzyklopädische Wissen des Isidor von Sevilla kannte, so daß man nur einen reduzierten Zugang zum ant. Wissen bekam. Die Frage nach der Übers. und Rezeption lat. Werke in AA ist sehr umstritten und eng verbunden mit der Frage, welche ant. Werke in Spanien überhaupt noch bekannt waren. Unsere Kenntnis der lat. Lit. unter den Westgoten [5] zeigt ein starkes Überwiegen der kirchlichen (Hagiographie, lat. Patristik) zuungunsten der profanen Lit. Ant. Autoren waren in der Regel nur durch Anthologien und stark verkürzte Fassungen bekannt und umfaßten einen sehr reduzierten Kanon v. a. poetischer Autoren. Das monumentale Werk des Isidor, der wohl auch die ant. Werke nicht mehr im Original gelesen hat [6], wurde fortan die Basis und der Filter, durch den die Kenntnis der Ant. zu den span. Christen drang.

Da die sprachliche Arabisierung der autochthonen Christen schon im 9. Jh. weit fortgeschritten war [7], überrascht es nicht, daß diese viele Schriften ins Arab. übers., wie es z. B. mit den Evangelien [8] und der *Chronik* des Eusebios geschah [9. 38]. Bedeutsamer ist die Rezeption dieser Übers. durch die muslimischen Gelehrten. So hat die arab. Übers. der *Historia adversos paganos* des Orosius [10], die zusammen mit anderen kirchenhistor. Schriften fragmentarisch erhalten ist, auch Spuren in islamischen Werken hinterlassen. Aus der Gelehrtengeschichte des Ibn Ǧulǧul [9. 37–43] der Kalifenzeit erfahren wir ferner, daß bis in die Anfänge des 9. Jh. die bedeutendsten Ärzte in AA Christen waren, deren Wissen auf einem Buch namens *Aphorismoi (Etymologiae* des Isidor?) beruhte, das später ins Arab. übers. wurde. Auch in der Astrologie scheinen autochthone Trad. überlebt zu haben. Sehr umstritten bleibt hingegen die Rezeption lat. Werke aus der Landwirtschaft, wie die der Werke des röm. Agronomen Iunius Columella, der angeblich als Yūnīyūs bei andalusischen Geoponen zitiert wird [12]. Da wir allerdings kaum über schriftliche Quellen für diese Epoche verfügen und das später aus dem Orient importierte Wissen diesen Rezeptionsstrang fast gänzlich verdrängte, sind wir im großen und ganzen auf Vermutungen angewiesen. Was die Technik betrifft, so scheinen sich im Bereich der Wasserwirtschaft [13] röm. Vorbilder gehalten zu haben. Auch in der Kunst wurden nicht nur über die Benutzung von → Spolien Elemente der westgot. Kunst übernommen, sondern auch kreativ weiterverarbeitet. So gehört die Verwendung des Hufeisenbogens als prägendes Stilelement wahrscheinlich zum Erbe westgot.-spät-ant. Kunst.

D. DIE REZEPTION DER GRIECHISCHEN ANTIKE ÜBER DEN ORIENT

Ab ca. 830 öffnete sich das bis dahin stark isolierte AA oriental. Einflüssen und begann, das im Osten rezipierte griech.-hell. Wissen aufzunehmen. Es gilt allerdings zu bedenken, daß die periphere Lage von AA gegenüber dem Rest der islamischen Welt zur Folge hatte, daß es gegenüber den Entwicklungen der zentralislamischen Länder als a) retardiert und provinziell, b) durch die Isolierung oft überraschend originell und c) gelegentlich als eine innerislamische Sackgasse erscheint. Dies spiegelte sich schließlich in den Schriften wider, die ins Lat. übers. und im ma. Europa rezipiert wurden. Dabei lassen sich grundsätzlich drei Vehikel dieser Akkulturation feststellen: 1) Das offizielle Mäzenatentum der jeweiligen Herrscher, das diesen Kulturtransfer meist unterstützte. 2) Die Initiative privater Gelehrter, die über Pilger- und Geschäftsreisen Kontakte mit orientalischen Kollegen aufnahmen und ihre neuen Kenntnisse in AA verbreiteten. 3) Oriental. Gelehrte und Künstler, die aus den verschiedendsten Gründen in AA gelandet waren.

1. MEDIZIN UND PHARMAKOLOGIE

Die hell. orientierte → Medizin wurde laut dem Wissenschaftshistoriker Ibn Ǧulǧul (10. Jh.) schon Anf. des 9. Jh. nach AA eingeführt. Wie im Orient überwogen die galenische Trad. in ihrer spät-ant., verkürzten Form und die byz. Mediziner wie Paulos v. Aigina und Oreibasios, während Hippokrates zwar bekannt, aber längst nicht so beliebt war [14]. Der entscheidende Impuls für die medizinischen Wiss. ging in AA von der Neubearbeitung der *Materia Medica* des Dioscorides aus. Dank einer umfangreich illustrierten Handschrift, die 948 vom verbündeten byz. Kaiser dem Kalifen in Cordoba geschenkt worden war, konnte eine genauere Übers. in Angriff genommen werden. Diese Forschungstätigkeit beschäftigte eine große Anzahl von Gelehrten, die zu den wiss. Ziehvätern zu zählen, und prägte die andalusische Pharmakologie, die fortan sehr botanisch orientiert war. In dieses Umfeld gehörten sowohl der Verf. der ersten arab. Medizingeschichte, Sulaiman b. Ǧulǧul, wie auch der berühmte Chirurg Abū al-Qāsim az-Zahrāwī (lat. Abulcasis, gest. 1002) aus Cordoba. Von den arab. Medizinern erfreute sich v. a. ar-Rāzī (lat. Rhazes, gest. 950) schon zu Lebzeiten in AA großer Beliebtheit, später kamen noch die medizinischen Schriften des Ibn Sīna (lat. Avicenna, gest. 1037) hinzu.

2. ASTRONOMIE, ASTROLOGIE UND MATHEMATIK

Wichtig bei der Entwicklung der andalusischen Astronomie [15] in AA und bezeichnend für die Retardierung auf diesem Wissensgebiet ist das Überwiegen der ein vorptolemäisches Stadium reflektierenden indopersischen Trad. (nach der Methode des »Sindhind«), wie sie in den Tafeln des al-Ḫwārezmī verkörpert ist. Im Gegensatz zur griech. orientierten Astronomie wurde sie schon im 9. Jh. in AA bekannt, und im 10. Jh. bearbeitete Maslama al-Maǧrīṭī die ḫwārezmischen Tafeln, indem er sie auf den Cordoba-Meridian umrechnete. Diese Version war es dann, die von Adelard von Bath übers. wurde und großen Einfluß im europ. MA gehabt hat. Eine ausführlichere Version des Sindhind kam im 11. Jh. durch den Komm. des Aḥmad b. al-Mutannā nach AA und bildet die Grundlage der Toledanischen Tafeln, an deren Erarbeitung der Wissenschaftshistoriker Ṣāʿid von Toledo und az-Zarqālī (lat. Azarquel) im 11. Jh. beteiligt waren. An sie knüpfen wiederum die Alfonsinischen Tafeln an.

Von der griech. Astronomie waren v. a. der *Almagest* des Ptolemaios bekannt. Kaum verbreitet waren hingegen die in der griech. Trad. stehenden arab. Astronomen wie al-Battānī, Ibn Yūnus und Ibn al-Haiṯam. Auf dem Gebiet der Mathematik ist v. a. der Beginn der Stellenschreibweise hervorzuheben.

3. LANDWIRTSCHAFT UND BOTANIK

In AA erlebte dieses Wissenschaftsgebiet einen im Orient nicht erreichten Höhepunkt [16]. Es beruhte auf 1) griech. Quellen wie Vindanios Anatolios von Beirut (den Arabern bekannt als direkte Übers. unter dem Namen Anaṭūlīyus und über eine syr. Übers. unter dem verballhornten Namen Yūnīyus, der fälschlicherweise mit Junius M. Columella identifiziert wurde); Cassianos Bassos Scholastikos und schließlich Bolos Demokritos von Mendes, 2) möglicherweise lat. Quellen, was allerdings umstritten ist, da schon in westgot. Zeit die lat. Geoponiker kaum noch bekannt waren, 3) arab. Quellen wie die sog. *Nabatäische Landwirtschaft*. Zu bedenken ist allerdings, daß diese Textgattung auch viele populäre Trad. aufnahm, so daß sie vorislamisches Substrat reflektiert. Bes. repräsentativ ist hierfür der Bauernkalender von Cordoba aus dem 10. Jh. [17].

4. PHILOSOPHIE

AA fand hier [18] erst verhältnismäßig spät Anschluß an die Entwicklungen im Orient, was z. T. auf die repressive Haltung der hier vorwiegend mālikitischen Rechtsgelehrten zurückgeführt wird, die spekulativem Denken sehr mißtrauisch gegenüberstanden. Diese Retardierung zeigt sich in folgenden Punkten: a) relativ rasche und erfolgreiche Rezeption des neuplatonischen Gedankenguts (→ Neuplatonismus) über die Muʿtazila und die Briefe der Iḫwān aṣ-Ṣafāʾ. Wichtigster Repräsentant dieser Strömung ist Ibn-Masarra (883–923), dessen Gedankengebäude aus einer Synthese muʿtazilitischer Doktrinen und mystischer Theorien von Ḏū-l-Nūn al-Miṣrī besteht. Seine Schule nahm großen Einfluß auf die Entwicklung der andalusischen Mystiker wie z. B. Ibn ʿArabī. b) Recht späte Rezeption des *Aristoteles arabus* und der sog. *falāsifa*, d. h. der hell. orientierten arab. Philosophen wie al-Kindī, al-Fārābī und Ibn Sīnā.

Zunächst waren nur die naturwiss. Schriften und Bruchstücke des *Organon* von Aristoteles bekannt. Im Laufe des 11. Jh. wurden diese Kenntnisse vertieft, und auch die logischen Schriften wurden zusammen mit der *Isagoge* des Porphyrios endgültig rezipiert und eifrig benutzt. Ausgenommen blieben aber weiterhin die *Metaphysik* und die *Physik*, deren Kenntnis erst ab dem 12. Jh. belegbar ist. Im 12. Jh. beginnt die Zeit der großen andalusischen Philosophen, als deren erster Vertreter Ibn Bağğa (1070–1138, lat. Avempace) gilt und dem die fruchtbare Rezeption von der östl. *falāsifa*, speziell von

Ibn al-Fārābī, zu verdanken ist. Seine Gedanken nahmen u. a. großen Einfluß auf Ibn Ṭufayl (geb. ca. 1110), dem Verf. des *Philosophus Autodidactus* und Fortsetzer des Ibn Sīnā. Wichtigster Denker in AA und Höhepunkt des ma. → Aristotelismus war Ibn Rušd (1094–1168, lat. Averroes). Er war ein universeller Gelehrter, der auch als Arzt erfolgreichtätig war. Seine Philos. bedeutet einen radikalen Bruch mit der neuplatonisch-aristotelischen Synthese des Ibn Sīnā und die Etablierung der Philos. als selbständige Disziplin. Im lat. MA ist er v. a. als Kommentator des Aristoteles bekannt und rezipiert worden und hat bekanntlich großen Einfluß auf Thomas v. Aquin und die Entwicklung des ma. Aristotelismus genommen. Im islamischen Osten fanden seine Ansichten hingegen keine Fortsetzer.

Als letzter bedeutender Denker verdient der große Historiker und Geschichtsphilosoph Ibn Ḫaldūn (1332–1406) Erwähnung, der zwar in Nordafrika und Ägypten lebte, aber andalusischer Herkunft war. Er wurde im Westeuropa erst im 19. Jh. bekannt und dann begeistert als Soziologe und Geschichtstheoretiker gefeiert, nahm allerdings auf die europ. Entwicklung keinen Einfluß.

E. DIE ÜBERSETZUNGSBEWEGUNG IM MITTELALTERLICHEN SPANIEN

Zusammen mit der fruchtbaren Rezeption hell. Gedankengutes schuf die bes. Zusammensetzung der andalusischen Bevölkerung (s. o.) die wichtigste Voraussetzung für diese bedeutende Akkulturationsbewegung. So fungierten einerseits die sprachlich und kulturell stark arabierten Christen als Vermittler zw. beiden Kulturregionen, andererseits konnten die Juden ihre klass. Funktion als Grenzgänger ausüben. Von Umfang und Auswirkungen dieser gewaltigen Übersetzungsbewegung kann hier nur ein sehr summarischer Überblick gegeben werden [19]: Das erste Epizentrum dieser Übers. war die ehemalige span. Mark in Nordostspanien, wo die Einwanderung mozarab. Christen und die bes. engen Kontakte mit Gallien zusammentrafen. Wichtigstes Zeugnis ist ein astrologisches Traktat des 10. Jh. aus dem Kloster Sta. María de Ripoll [20].

Durch das Mäzenatentum des Erzbischofs Raimund von Toledo verlagerte sich im 12. Jh. der Schwerpunkt in die ehemalige westgot. Hauptstadt. Den Übersetzern dieser Generation kommt das Verdienst zu, die ant. Naturwiss. im Abendland bekannt gemacht zu haben, lange bevor die griech. Originale herangezogen wurden. Mozaraber und Juden fertigten oft kastilische Zwischenübers. an, die dann die Basis für die lat. Fassung bildeten. Wichtigste Vertreter waren Platon von Tivoli (ca. 1140), Juan von Sevilla (1135–1153), Herrmann der Dalmatier (1138–1143) und Adelard von Bath (1116–1142). Die bedeutendste Persönlichkeit des 12. Jh. ist aber die des Gerhard von Cremona (1114–87), dessen Übers. alle Gebiete umfaßten, so daß nach seinem Tod der größte Teil der durch den Orient vermittelten ant. Werke in lat. Fassung vorlag.

Auf dem Gebiet der Philos. kamen auf diesem Wege v. a die Werke des Aristoteles in den Westen, z. T. auch

Pseudoepigrapha wie das sog. *Liber de causis*, das auf den Elementen der Theologie des Proklos beruht. Von den arab. Philosophen wurden Werke von al-Kindī, Ibn Sīnā und al-Ġazzālī (lat. Algazel) übersetzt. In der Mathematik ist die Übers. der Elemente des Euklid durch Adelard v. Bath hervorzuheben und die eines Werkes von al-Ḫwārezmī unter dem Titel *Liber Algebras et al-mucabola*, das Europa mit einer bis dahin unbekannten Wiss. in Kontakt brachte und mit ihr eine voll entwikkelte Terminologie einführte. In der Astronomie wurden neben den diesbezüglichen aristotelischen Büchern Werke des Euklid, Theodosios, Autolykos, Archimedes, Aristarch, Menelaos und schließlich die *Syntaxis mathematica* des Ptolemaios unter dem Titel *Almagest* übers. In der Astrologie wurde der *Tetrabiblos* von Ptolemaios durch Platon von Tivoli übers. Zu den medizinischen Werken zählen v. a. einige Traktate Galens und die Bücher vieler arab. Mediziner, insbes. ar-Rāzī (Rhazes) und und der Qānūn (*Kanon*) des Ibn-Sīnā (Avicenna).

Das 13. Jh. ist in Spanien durch das Mäzenatentum des Königs Alfons X. von Kastilien geprägt, dessen Rolle als Förderer von Übers. aus dem Arab. ins Span. wiederholt gewürdigt wurde. In seinen Diensten fanden sich zahlreiche Juden, die gut Arab. konnten, daneben konvertierte Araber oder Mozaraber. Wichtige Werke aus der oriental. schöngeistigen Lit. wurden so in Europa eingeführt (Kalila wa-Dimna) aber auch wiss. Traktate v. a. aus der Astronomie, in deren Folge auch die Alfonsinischen Tafeln entstanden (s.o.). In diesen Zeitraum fallen auch die wichtigsten Übers. aus dem Arab. ins Hebräische (bes. Familie der B. Tibbón in Südfrankreich), die z. T. sofort ins Lat. weiter übers. wurden.

Auf dem Gebiet der Philos. wurden weitere aristotelische (*De anima* und die *Metaphysik* durch Michael Scotus) und ps.-aristotelische (*Liber de pomo*, eine Neubearbeitung des *Phaidros* von Platon) Werke übers. Auch doxographische Sammlungen wie das Buch *Bocados de oro* (lat. *Bonium*), unter Alfons X. übers., fanden ihren Weg nach Europa. Angeregt durch Petrus Venerabilis entstand auch ein Corpus islamischer theologischer Schriften wie auch des Korans, das für die spätere christl. anti-islamische Polemik eine wichtige Rolle spielte. Es gab auch zahlreiche medizinische Übers.; die Namen ihrer Autoren sind aber in der Regel unbekannt. Ab dem 14. Jh. nimmt diese Übersetzungstätigkeit rapide ab, bis man sich schließlich in der Ren. zunehmend den griech. Originalquellen zuwandte und die Araber zu Unrecht als verfälschende Übersetzer und Tradenten ant. Werke verurteilte.

→ AWI Hispania; Isidor von Sevilla

1 H. Halm, AA et Gothica Sors, in: Der Islam 66, 2, 1989, 252–263 2 G. Miles, The coinage of the Umayyads of Spain, 1950 3 P. Guichard, Structures sociales »orientales« et »occidentales« dans L'Espagne Musulmane, 1977 4 M. Makki, Ensayo sobre las aportaciones orientales en la España Musulmana, in: Rev. del Instituto de Estudios Islamicos XI–XII, I 1963–64, 7–140 5 L. A. García

Moreno, Historia de la España Visigoda, 1989, 365–378 6 M. C. Díaz y Díaz, Isidoro en la Edad Media Hispana, in: De Isidoro al siglo XI, 1976, 141–202 7 D. Millet-Gerard, Chrétiens, mozarabes et culture islamique dans l'espagne des VIIIe et IX siècle, 1984 8 H. Goussen, Die christl.-arab. Lit. der Mozaraber, 1909 9 J. Samsó, Las ciencias de los antiguos en AA, 1990 10 G. Levi Della Vida, La traduzione araba delle storie di Orosio, in: Al-Andalus 19, 1954, 257–293 12 L. Bolens, Les agronomes andalous du moyen âge, 1981 13 Th. F. Glick, Hydraulic Technology in AA, in: The Legacy of Muslim Spain, 1994, 974–986 14 J. Vernet, Natural and technical sciences in AA, in: The Legacy of Muslim Spain, 1994, 937–951 15 J. Samsó, The Early Development of Astrology in AA, in: Journal of the History of Arabic Science 3, 1979, 509–22 16 E. García Sánchez, Agriculture in Muslim Spain, in: The Legacy of Muslim Spain, 1994, 988–999 17 Calendrier de Cordoue de l'année 961, ed. R. P. Dozy, Übers. von C. Pellat, 1961 18 M. Cruz Hernández, Filosofía hispano-musulmana, 2 Bde., 1957 19 J. S. Gil, La escuela de traductores de Toledo y los colaboradores judíos, 1984 20 J. M. Millás Vallicrosa, Assaig d'historia des idees fisiques i matemátiques a la Catalunya medieval, 1931 21 Th. F. Glick, Islamic and Christian Spain in the Early Middle Ages, Princeton 1979 22 S. Kh. Jayyusi (Hrsg.), The Legacy of Muslim Spain, 1994 23 E. Lévi-Provençal, L'Espagne Musulmane du Xe siècle, 1932 24 J. Vernet, La cultura hispanoárabe en Oriente y Occidente, 1978.

ISABEL TORAL-NIEHOFF

Arabische Medizin   A. Grundlagen
B. Übersetzungstätigkeit vor 700 n. Chr.
C. Die Zeit des Hunain
D. Die Übersetzungen
E. Arabischer Galenismus   F. Kritik
G. Yunani Medizin

A. Grundlagen

Spätestens um 500 n. Chr. basierte die griech. Medizin auf Galen (→ Galenismus). Konkurrierende medizinische Theorien waren kaum mehr in Umlauf, und sogar pragmatisch orientierte Ärzte wie Alexander von Tralleis lehnten galenische Theoreme nicht vollkommen ab. In Alexandreia selbst und auch sonst im byz. Reich, wo man der alexandrinischen Trad. folgte, z. B. in Ravenna, gab es ein Curriculum, das aus galenischen Texten, den sog. 16 Büchern *Summaria Alexandrinorum* sowie hippokratischen Texten bestand, die in Vorlesungen kommentiert wurden, wobei die Lehrer bei ihren Zuhörern auch Grundkenntnisse in aristotelischer Philos. voraussetzten. So spaltete sich die Medizin in eine auf Buchwissen fußende Schulmedizin und sonstige medizinische Richtungen auf. Wer die schulmedizinische Ausbildung durchlaufen hatte, fand sich immer weniger bereit, die Bezeichnung »Arzt« für seine sonstigen Konkurrenten auf dem Gesundheitsmarkt gelten zu lassen.

B. Übersetzungstätigkeit vor 700 n. Chr.

Die ersten Übers. medizinischer Texte aus dem Griech. in eine Volkssprache des Mittleren Ostens fertigte der Priesterarzt Sergios von Resaena (gest. 536)

an. Er übersetzte mindestens 37 Werke Galens ins Syr., fünf davon sogar zweimal, sowie andere medizinische Texte, die nicht von Galen stammten. Auch in Pahlavi scheinen zu etwa derselben Zeit weitere medizinische Texte aus dem Griech. übers. worden zu sein. David Anhacht (ca. 500), der in → Alexandreia studiert hatte, übernahm medizinische Vorstellungen Galens in seine armenisch abgefaßten philos. Schriften [1]. Auch von syr. schreibenden Autoren wurde Galens Medizin fortentwickelt, entweder in Einzelschriften, wie z.B. in Sergios Schrift über die Wassersucht oder in großen Kompendien der gesamten Medizin, wie etwa in den Pandekten des Ahrun oder denen des Theodokos (7. Jh.). Die in diesen Schriften erkennbaren medizinischen Kenntnisse waren weit entwickelter und umfassender als die, mit denen im 7. Jh. von den muslimischen Eroberern selbst praktiziert wurde, so daß es nicht überrascht, daß christl. Ärzte und eine christianisierte galenische Medizin über mehrere Jh. die Oberhand behielten.

C. Die Zeit des Hunain

Über die Zeit vor dem 9. Jh. wissen wir nur wenig. Dann aber setzt dank der kräftigen Unterstützung seitens der Kalifen, wie z.B. des al-Ma'mūn (gest. 833), und wohlhabender Höflinge, wie des Arztes und (schlechten) Übersetzers Djibril ibn Bakhtishuʿ (gest. 827), eine wahre Flut von Übers. ein, gewöhnlich zunächst ins Syr., dann ins Arab. Der führende Kopf dieser Aktivitäten war Hunain ibn Ishaq (gest. 873), der in Baghdad wirkte und durch seinen Sohn Ishaq (gest. 910) und seinen Neffen Hubaish (gest. ca. 900) unterstützt wurde. Doch gab es auch andernorts Übersetzer, wie z.B. Theophilos von Edessa (gest. 785) und Job von Edessa (Ayyub al-Ruhawi, gest. nach 832), die v.a. in der überwiegend christl. Grenzregion Nordsyriens tätig waren. Um 900 lagen über 129 galenische Schriften logischen, philos. und medizinischen Inhalts in arab. Übers. vor, einige sogar in mehreren Fassungen [2]. Kleiner war der Anteil an hippokratischen Schriften, der gelegentlich nur indirekt, nämlich über die Lemmata aus Galens Komm., ins Syr. oder Arab. übers. wurden. Allerdings verfügten die Araber über mehr Schriften von Rufus von Ephesus, als uns h. überliefert sind, desgleichen besaßen sie die Schriften der spät-ant. Enzyklopädisten Oreibasios, Aetius und Paulos sowie eine Vielzahl von Schriften spätalexandrinischer Autoren, z.B. des Palladios [3; 4; 5]. Auch Dioskurides sowie die Schriftsteller, die über Physiognomie und Landwirtschaft geschrieben hatten, lagen in arab. Sprache vor. Die *Summaria Alexandrinorum* wurden ebenfalls ins Syr. und Arab. (und viel später, nämlich 1322 von Shimson ben Shlomo, ins Hebräische) übers. Aus dem Arab. gingen wiederum Übers. ins Armenische (9./10. Jh.), Pahlavische, Hebräische (z.B. von Samuel ibn Tibbon, um 1200) und schließlich, ab dem späten 11. Jh., ins Lat. hervor. Es wird sogar berichtet, daß galenische Texte aus dem Arab. ins Chinesische übers. bzw. zumindest transkribiert wurden [6].

D. Die Übersetzungen

Die Übers., die von Hunain und seinen Schülern im 9. Jh. angefertigt wurden, sind erstaunlich gut. Hunain selbst äußerte sich in seiner *Risala* über seine sorgfältige Kollationierungs- und Übersetzungsmethode, derzufolge er eher den Sinn einer Passage als die exakte Wortfolge beibehalten wollte. Gelegentlich räumt er jedoch auch ein, bestimmte Worte aufgrund ihrer Seltenheit oder wegen mangelnder Einbindung in den Zusammenhang nicht übersetzen zu können. Doch nach Möglichkeit folgte er unmittelbar dem Griech. und nahm nur hier und da Veränderungen am Text vor, wenn es galt, der Verletzung rel. Gefühle vorzubeugen oder Galens etym. Komm. auszublenden, die im Arab. wenig Sinn gemacht hätten. Inwieweit man seiner Methodik auch anderenorts folgte, ist schwer zu sagen, da zahlreiche Übers., die außerhalb der Hunainschule angefertigt wurden, verloren gegangen sind. In jedem Fall sollte man Hunain nicht unbedingt Glauben schenken, wenn er sich über die mangelnden Fertigkeiten seiner Übersetzerkollegen ausläßt. Wer heutzutage die Geschichte der ant. Medizin erforschen will, ist auf solche Übertragungen verschiedentlich angewiesen [7] (→ Medizingeschichte). Einige ant. Abhandlungen sind nur in arab. oder hebräischer Sprache erhalten, wie z.B. Galens Abhandlung *De examinando medico* oder sein Komm. zur hippokratischen Schrift *Über die Umwelt*. Andere nur teilweise überlieferte Schriften werden auszugsweise von arab. bzw. jüd. Autoren zitiert, was etwa für die Melancholieschrift von Rufus von Ephesos in der Fassung von Ishaq ibn Imran (gest. 907) gilt oder für Galens Schrift über die Vermeidung der Trauer, wie sie bei Ibn Aknin (um 1300) ihren Niederschlag findet. Andere Schriften, wie etwa Galens Abhandlungen über das Auge, bildeten die Grundlage für die weitere Entwicklung der Augenheilkunde seitens der arab. Autoren, auch wenn die Unterscheidung von griech. Textbasis einerseits und ihrer Fortentwicklung andererseits schwer fällt. Und selbst wenn der griech. Text erhalten ist, erlaubt das Arab. dank der bemerkenswerten Sorgfalt, mit der Hunain und seine Schüler übers., noch Rückschlüsse auf eine Textfassung, die im Vergleich zu den griech. Textzeugen älter und weniger verderbt ist (→ Überlieferungsgeschichte).

E. Arabischer Galenismus

Bezeichnend für die arab. Schulmedizin ist der in ihr im allg. vorherrschende galenische Zug. Galens Blickwinkel bestimmte auch die Sichtweise aller nachfolgenden Ärzte. Seine monotheistischen Vorstellungen von Ursache und Wirkung empfahlen ihn Juden, Christen und Moslems gleichermaßen, auch wenn diese den bisweilen von Galen selbst geäußerten Zweifel hinsichtlich der Natur Gottes oder der Schöpfung nicht teilten. Gebildete Ärzte studierten Galen unter der Anleitung ihrer Lehrer und folgten dabei dem alexandrinischen Curriculum. Nicht zufällig waren wie Galen selbst zahlreiche Größen der arab. und jüd. Medizin wie Ibn Sīnā (Avicenna, 980?–1037) und Moses ben Maimon (Maimonides, 1138–1204) als Philosophen ebenso berühmt wie als Ärzte. Doch allein der Umfang des galenischen Schriftencorpus, selbst wenn er übers. war, mußte entmutigend wirken. Ibn Ridwan (gest. ca. 1068) stellte mit seinem weiten Wissenshorizont in Bezug auf Galen bereits eine Ausnahme in seiner Zeit dar. Nur wenige teilten seine Überzeugung, daß die Kenntnis der von Galen selbst verfaßten Schriften dem praktischen Arzt wesentlich nützlicher sei als das Studium später entstandener Handbücher. Sein Gegner Ibn Butlan (gest. ca. 1068) vertrat in einer berühmten Auseinandersetzung einen pragmatischeren Standpunkt, indem er auf zeitgenössische, lediglich in galenischer Trad. stehende Schriften vertraute [8]. Beide Parteien hatten in gewissem Sinne recht. Zusammenfassungen und Handbücher erfüllten zwar den Zweck, die Hauptzüge der galenischen Theorien darzustellen, doch entfielen bei diesem Verdichtungsprozeß unvermeidlich Galens Zweifel und ein Großteil seines Erfahrungswissens. Verf. wie al-Majusi (Haly Abbas, gest. ca. 999) und Ibn Sīna, letzterer v. a. in seinem *Kanon*, lieferten eine logisch konstruierte Gesamtschau, die Galens Vorstellungen, etwa die über die drei *spiritus* (→ Pneuma), weiter trieben, als es Galen selbst getan hatte. Autoren, die über Pharmakologie (→ Pharmazie) und → Diätetik schrieben wie Ibn Butlan in seinen Schachtafeln der Gesundheit, wandten Galens unvollendete Theorie der unterschiedlichen Grade der Arzneimittelwirkung arab. Pharmakologie systematisch auf eine ganze Palette von Substanzen an. Doch so beeindruckend die Übersichtlichkeit und Klarheit dieser Handbücher auch sein mochten, so ging in ihnen doch ein Gutteil der Lebendigkeit und Unmittelbarkeit des galenischen Originals verloren. Auch wenn gute arab. Medizin sich oftmals an einem galenischen oder hippokratischen Modell orientierte, führte sie doch weit darüber hinaus. Ibn Ridwan beispielsweise entwickelte in seiner Schrift über die Vermeidung körperlicher Krankheiten in Ägypten (hrsg. von A. S. Gamal, M. W. Dods, 1984) Vorstellungen aus der hippokratischen Umweltschrift; al-Razi (Rhazes, 865–925) verfeinerte in seiner Schrift über Windpocken und Masern Galens Nosologie und ahmte mit seinen Tierversuchen die Experimente Galens nach. Und wenn der Chirurg al-Zahrawi (Albucasis, ca. 936–1013) neue Operations- und Heilverfahren beschreibt, verweist er immer wieder darauf, was er Galen alles verdanke.

F. KRITIK

Die arab. Autoren glaubten, auf solidem Fundament zu bauen. Während Galens Theologie und Philos. heftig unter Beschuß gerieten, erschöpfte sich die ärztliche Kritik an den Griechen darin, das überlieferte Wissen anzureichern, anstatt sich von ihm zu distanzieren [9]. Die auf Schädelstudien beruhende Entdeckung Abd-al Latif al-Baghdadis (gest. 1231), daß Galens Beschreibung des menschlichen Kieferknochens falsch war, führte zu keinem Bruch mit der galenischen Anatomie. Im übrigen blieb die Humansektion nahezu unmöglich [10]. Ibn al-Nafis (gest. 1288) entdeckte die Blutpassage

von einer Herzhälfte zur anderen über die Lungen, indem er Beobachtungen (wahrscheinlich an einem Tierherz) und ein Gedankenexperiment über die betreffenden Worte Galens miteinander verknüpfte. Auch wenn diese Entdeckung, die Ibn al-Nafis in seinem Komm. zu Ibn Sīna mitteilte, in späteren Texten oftmals referiert wurde, blieb sie doch unkommentiert neben Galens alternativer Theorie stehen, und auch der Entdecker selbst zog keine weiteren Schlußfolgerungen aus seinem Fund.

G. YUNANI MEDIZIN

Yunani Medizin, d. h. die griech. Humoralmedizin in arab. Gewand, geriet ins Kreuzfeuer der Kritik, als rel. Fundamentalisten ab dem 10. Jh. den Ersatz dieser Medizin durch die sog. Prophetenmedizin betrieben, doch war der Absetzung der Yunani Medizin als der für den gebildeten Arzt wichtigsten Heilkunde bis ins 19. und 20. Jh. niemals ein voller Erfolg beschieden. Die im Westen während der → Renaissance erzielten Entdeckungen in Anatomie, Physiologie und paracelsischer Iatrochemie wurden bei Bedarf assimiliert [11]. Erst mit dem Aufkommen des Kolonialismus und dem Einsatz mod. westl. Medizin wurde die Yunani Medizin zumindest seitens der herrschenden Klassen als unterlegen und unwirksam angesehen [2]. Dennoch stellt sie in ihrer über den Kanon des Ibn Sīna vermittelten Form auch h. noch eine wichtige medizinische Trad. in Pakistan und im übrigen Muslimenland (einschließlich Westeuropa) dar. Forscher, die in der Yunani Medizin ausgebildet wurden, sind bereit, die neuesten Technologien und pharmakochemischen Verfahren einzusetzen, um die Gültigkeit von Rezepten und Diagnosen nachzuweisen, die auf Galen, wenn nicht auf Hippokrates, zurückgehen.

→ Anatomie; Arabisch-islamisches Kulturgebiet; → AWI Ausbildung, medizinische; Galenos; Hippokrates; Medizinerschulen; Pharmakologie

1 M. ULLMANN, Die Medizin im Islam, 1970, 17, 19 2 G. STROHMAIER, Der syr. und arab. Galen, in: ANRW 37.2, 1987–2017 3 U. WEISSER, Das Corpus Hippocraticum in der arab. Medizin, in: G. BAADER, R. WINAU (Hrsg.), Die hippokratischen Epidemien, 1989, 377–408 4 M. ULLMANN, Die arab. Überlieferung der Schriften des Rufus von Ephesos, in: ANRW 37.2, 1293–1349 5 Ders., Die Schrift des Rufus *De infantium curatione* und das Problem der Autorenlemmata in den *Collectiones medicae* des Oreibasios, in: Medical History 10, 1975, 165–190 6 M. DAVIES, A Selection from the Writings of Joseph Needham, 1990, 138–139 7 G. STROHMAIER, Galen in Arabic: Problems and Prospects, in: V. NUTTON (Hrsg), Galen: Problems and Prospects, 1981, 187–196 8 J. SCHACHT, M. MEYERHOF, The medico-philosophical Controversy between Ibn Butlan of Baghdad and Ibn Ridwan of Cairo, 1937 9 J. C. BÜRGEL, Averroes *contra Galenum*, 1967, 263–340 10 E. SAVAGE-SMITH, Attitudes towards dissection in medieval Islam, in: JHM 50, 1995, 67–110 11 Dies., Europe and Islam, in: I. LOUDON (Hrsg.), Western Medicine, 1997, 40–53 12 N. E. GALLAGHER, Medicine and Power in Tunisia, 1780–1890, 1983 13 L. I. CONRAD, »Arab-Islamic Medicine«, in: W. F. BYNUM,

R. Porter (Hrsg.), Companion Encyclopedia of the History of Medicine, 1993, 676–727 **14** D. Gutas, Greek Thought, Arab Culture, 1998 **15** D. Jacquart, F. Micheaud, La Médecine arabe et l'Occident médiéval, 1990 **16** J. Moulirac (Hrsg.), A l'ombre d'Avicenne: La Médecine au Temps des Califes, 1997 **17** Sezgin **18** G. Strohmaier, Denker im Reich der Kalifen, 1979 **19** M. Ullmann, Islamic medicine, 1978.

VIVIAN NUTTON / Ü: LEONIE V. REPPERT-BISMARCK

Arabistik A. Definition B. Die Anfänge der arabischen Studien in Europa C. Der Wandel des Orientbilds im 18. Jahrhundert D. Entwicklung im 19. Jahrhundert bis zum Ersten Weltkrieg E. Zwischen den beiden Weltkriegen F. Nach 1945

A. Definition

Unter A. wird die philol. Erforsch. der arab. Sprache und der in ihr verfaßten Werke verstanden. Als sprachwiss. Disziplin ist sie ein Teil der → Semitistik; als Kulturwiss. bildet sie den zentralen Bereich der Islamwiss.

B. Die Anfänge der arabischen Studien in Europa

Obwohl durch die von Alphons X., dem Weisen (1252–84), gegr. Übersetzerschule von Toledo eine Vielzahl von Werken der arab. Wiss. und auch rel. Schriften ins Lat. übers. wurden, führte dies nicht zu Inst., an welchen Arab. gelehrt wurde. Viele Übersetzer stammten aus den ehemals oder noch arab. beherrschten Teilen Spaniens. Wo jedoch andere, wie Gerhard von Cremona (gest. 1187) oder Robertus Ketenensis (erster Übersetzer des Korans, gest. um 1160), ihre Kenntnis des Arab. erworben hatten, ist unbekannt. Arab. Sprachkenntnisse konnte man nur bei Muttersprachlern, die es nach Europa verschlagen hatte, oder in den Ländern des Orients selbst erwerben. Zu letzteren gehörten die Begründer der A. an den Univ.: Guillaume Postel (1510–1581, Paris), Jacob Golius (1596–1667, Leiden) und Eduard Pocock (1604–1691, Oxford).

Im 17. Jh. entstanden Sammlungen arab. Hss. in Heidelberg, Leiden, Rom, später im Escorial und anderswo. In Leiden lehrten die führenden Arabisten: Johann Jacob Erpenius (1584–1624) schrieb die erste methodische Darstellung der klass.-arab. Sprache; Jacob Golius schuf das erste brauchbare Lex. Dort fand auch der bedeutendste Arabist des 18. Jh., Johann Jacob Reiske (1716–1774), die Hss. für seine Text-Ed. und Übers., jedoch erlangte er zu seinen Lebzeiten nicht die ihm gebührende Anerkennung.

C. Der Wandel des Orientbilds im 18. Jahrhundert

Infolge wachsender wirtschaftlicher und mil. Interessen der europ. Mächte rückte gegen E. des 18. Jh. der Orient immer stärker ins öffentliche Bewußtsein. Unter dem Einfluß der → Aufklärung wandelte sich das Orientbild in Europa von einer zu missionierenden Welt der Ungläubigen zu einer Welt eigener kultureller Lei-

stungen. Großen Einfluß auf das romantische Orientbild hatten die von Antoin Galand (1646–1709) übers. *Les mille et une nuits* (1704–1717). J. G. Herder (1744–1803) sah in der Berührung Europas mit der span.-arab. Kultur eine der Quellen der europ. Aufklärung.

D. Entwicklung im 19. Jahrhundert bis zum Ersten Weltkrieg

Mit dem neuen Orientbild waren die Voraussetzungen für das Aufblühen der A. gegeben. Eine erste Zusammenfassung des bis dahin Geleisteten gab Christian Friedrich Schnurrers *Bibliotheca Arabica* (1811). Die ersten orientalistischen gelehrten Gesellschaften entstanden: 1821 die *Société Asiatique* in Paris, 1823 die *Royal Asiatic Society* in London und 1845 die *Deutsche Morgenländische Gesellschaft* in Leipzig. Andere Länder folgten später diesen Vorbildern. Am Anfang dieser Entwicklung standen Antoin Isaac Silvestre de Sacy (1758–1838) in Paris und Josef von Hammer-Purgstall (1774–1856) in Wien.

Hammer-Purgstall kannte, als sog. Sprachknabe in Wien ausgebildet, den Orient aus eigener Anschauung. Um die Lit. der Orients bekannt zu machen, gründete er 1809 die erste Fachzeitschrift, die *Fundgruben des Orients*. Seine Verdienste liegen bes. auf dem Gebiet der persischen Lit., während er als Arabist heftiger Kritik ausgesetzt war. Sein Schüler Friedrich Rückert (1788–1866), wuchs als Philologe weit über den Lehrer hinaus. Seine das Original kunstvoll nachbildenden Übers. wie die der *Maqāmen* des Ḥarīrī gingen in die dt. Lit. ein. Seine Koranübers. (Hrsg. A. Müller 1888, H. Bobzin 1995) vermittelt nicht nur den Sinn, sondern auch die rhet. Form des Textes.

De Sacy formte die A. zu einer streng philol. Wiss. Viele Orientalisten der 1. H. des 19. Jh. waren seine Schüler. Während sich die frz. Arabisten in der Folgezeit meist als Dolmetscher in den Dienst kolonialer Interessen stellten oder als Gelehrte histor. Interessen verfolgten, wurden die philol. Grundlagen v. a. von De Sacys Schüler Heinrich L. Fleischer (1801–1888, Leipzig) und seinen Schülern erarbeitet. Sie entfalteten eine rege Editionstätigkeit, wobei die in der Klass. Philol. entwickelten textkritischen Methoden übernommen wurden. Hieran waren Arabisten aus Deutschland wie Georg Wilhelm Freytag (1788–1861), Gustav Flügel (1802–1870), Ferdinand Wüstenfeld (1808–1899), aber auch Holländer, Engländer und Franzosen wie z. B. Reinhart P. Dozy (1820–1883), William Wright (1830–1889) und M. Jan de Goeje (1836–1909) beteiligt. Zugleich gelang ein immer präziseres Verständnis der Texte, indem man die Bed. der Werke der islamischen gelehrten Trad. zu nutzen lernte. Theodor Nöldeke (1836–1930) schrieb seine epochemachende *Geschichte des Korans* (1860, neu bearbeitet 1919–1938). Gelehrte wie Wilhelm Ahlward (1828–1909), Th. Nöldeke und Charles J. Lyall (1845–1920) erschlossen die schwierigen Texte der altarab. Dichtung. Die von europ. Arabisten gemeinsam besorgte Ed. des großen Geschichtswerks des Ṭabarī bot Quellen, die vertiefte Darstellungen der

Geschichte ermöglichten, wofür die Arbeiten Julius Wellhausens (1844–1918) beispielhaft sind. Der Geschichte Spaniens unter arab. Herrschaft widmete sich R. Dozy. Die Rezeption der ant. Wiss. im Islam fand ihre ersten Bearbeiter in Fr. Dieterici (1821–1903) und Moritz Steinschneider (1816–1909). Letzterer stellte auch den Beitrag jüd. Autoren zur arab. Lit. dar (*Die arab. Lit. der Juden*, 1902). Wer längere Zeit in arab. Ländern weilte, widmete sich oft auch der Erforsch. des lokalen Dialekts. Die frz. Arabisten begründeten die arab. Dialektologie auf sprachwiss. Niveau. Ihre Arbeiten galten vorzüglich den Mundarten Nordafrikas und Syriens.

Viele Arbeiten jener Zeit sind noch h. geschätzte Hilfsmittel wie z. B. W. Wrights *Grammar of the Arabic Language* (1874) oder C. Brockelmanns (1868–1956) *Geschichte der arab. Lit.* (1898–1902; 3 Supplementbände 1937–1942), wo die bis dahin bekannt gewordenen arab. Autoren und ihre Werke aufgelistet sind. Ungelöst blieb das Problem eines aus den Texten erarbeiteten Wörterbuchs. Ed. William Lane (1801–1876) konnte sein 1842 in Kairo begonnenes arab.-engl. Lex., das noch auf den Werken der arab. Lexikographie beruhte, nicht vollenden. Ein von August Fischer (1865–1949) geplantes Wörterbuch, an dem sich später die Akad. der Arab. Sprache in Kairo beteiligte, kam nicht zur Ausführung, weil die Flut neu edierter Texte der Bearbeitung den Boden entzog. Nach dem II. Weltkrieg wurde dieses Projekt von Jörg Kraemer (1917–1961) und Helmut Gätje (1927–1986) wieder aufgenommen, wobei sie da anfingen, wo Lane geendet hatte (*Wörterbuch der Klass.-Arabischen Sprache*, 1957 ff.). Unter dem Eindruck persönlicher Orienterfahrungen entstand eine Richtung, die sich die Erforsch. der islamischen Kulturgeschichte zur bes. Aufgabe machte. Ihre Fundamente legten Alfred von Kremer (1828–1889, Wien) mit seiner *Kulturgeschichte des Orients unter den Chalifen* (1875–1877) und der aus Ungarn stammende Ignaz Goldziher (1850–1921), der die Methoden des → Historismus in die A. einführte. In seinen *Muhammedanischen Stud.* (1889–1890) zeigt er die Rolle der Machtkämpfe der frühislamischen Zeit auf die Entstehung der Prophetentrad. (*ḥadīt*), was ihm erbitterte Kritik seitens islamischer Gelehrter eintrug. Einen Schritt weiter in der Quellenkritik ging der an der Univ. St.-Joseph in Beirut lehrende Henri Lammens (1862–1937), der die auch h. wieder vertretene These aufstellte, daß die Muhammad-Biographie aus dem Koran herausgesponnen und weitgehend legendär sei. Carl Heinrich Becker (1876–1933, 1925–1930 preußischer Kultusminister) verschaffte in Deutschland der Islamwiss. neben der Philol. die Geltung, die sie in anderen europ. Ländern bereits hatte, was in der dt., engl. und frz. edierten *Enzyklopdie des Islam* (1908 ff., 2. Auflage engl. und frz. 1954 ff.) zum Ausdruck kam.

E. Zwischen den beiden Weltkriegen

Die engen Verbindungen, die zw. den Arabisten Europas bestanden hatten, rissen durch den I. Weltkrieg ab. In den meisten europ. Ländern dominierten jetzt islamwiss. Stud., die durch einige herausragende Persönlichkeiten vertreten wurden wie durch den vielseitigen D. S. Margoliouth (1858–1940, Oxford) oder in Frankreich durch Louis Massignon (1883–1962), der mit Stud. zur islamischen Mystik hervortrat. In London wurde 1917 die *School of Oriental and African Stud.* gegr., in der als erster Theodor W. Arnold (1864–1930) die A. vertrat. Die philol. Schule wurde in It. von C. A. Nallino (1872–1938, Neapel) in Deutschland von August Fischer (Leipzig) fortgeführt. Sein Schüler Gotthelf Bergsträßer (1886–1933, München) leistete wichtige Beiträge zur Sprachgeschichte des Arab. Joseph Horovitz (1874–1931, Frankfurt/M.) hatte maßgeblichen Einfluß auf die A. der 1925 gegr. Hebrew Univ. in Jerusalem. Helmut Ritter (1892–1971), ein Schüler Carl Heinrich Beckers, erschloß die Handschriftenschätze Istanbuls. Unter den beschränkten Kontaktmöglichkeiten für dt. Arabisten nahm die Gastprofessur für Semitisten an der Kairo-Univ. einen wichtigen Platz ein; sie wurde von G. Bergsträßer, A. Schaade (1883–1952) und E. Littmann (1875–1958) wahrgenommen. Während der Herrschaft Hitlers mußten einige der fähigsten Arabisten Deutschland verlassen, darunter Richard Walzer (1900–1975) und Joseph Schacht (1902–1969), die in England neue Wirkensmöglichkeiten fanden, sowie Gustav E. von Grunebaum (= Grünebaum, 1909–1972) und Franz Rosenthal, die in Los Angeles und Yale bedeutende islamwiss. Zentren aufbauten.

F. Nach 1945

Mit zwei herausragenden Werken fand die dt. A. nach 1945 internationale Beachtung: den *Untersuchungen zur arab. Sprach- und Stilgeschichte Arabiya* (1954) von Johann Fück (1894–1954), die eine lebhafte Diskussion über die Entstehungsgeschichte des Klass. Arab. auslösten, und dem aus den Quellen erarbeiteten *Arab. Wörterbuch für die Schriftsprache der Gegenwart* (internationale Verbreitung in seiner engl. Version, hrsg. v. J. M. Cowan, 1961).

War die A. bisher ein Phänomen des europ. Wissenschaftsbetriebs gewesen, so breitete sie sich nach 1960 bis nach Japan aus. An den arab. Univ. lehrten in zunehmendem Maß Arabisten, die in Europa, später auch in den USA, studiert und sich die Methoden mod. Wiss. angeeignet hatten. Text-Ed. werden seitdem überwiegend von Arabisten aus arab. Ländern besorgt. Auch in Europa und den USA entstanden neue Zentren der A. So konnten größere Projekte in Angriff genommen werden wie die von Wolfgang Vogt (1911–1982) initiierte Katalogisierung der oriental. Hss. in Deutschland oder die Fortführung von Brockelmanns Werk durch Fuat Sezgin (*Geschichte des Arab. Schrifttums*, 1970 ff.). Gleichzeitig erweiterte sich der Forschungshorizont durch die Einbeziehung gegenwartsbezogener Themen wie der mod. arab. Lit. sowie durch politikwiss. und soziologische Fragestellungen. Die hierzu notwendigen Aufenthalte in den arab. Ländern werden durch Forschungsstützpunkte wie das 1961 gegr. Orient Inst. der Dt. Morgenländischen Gesellschaft in Beirut und ähnliche Einrichtungen anderer Länder unterstützt. Die Folge dieser Entwicklungen war eine stärkere Spezialisierung in der Forsch.

→ Semitistik; Sprachwissenschaft

1 J. Fück, Die Arab. Stud. in Europa bis in den Anfang des 20. Jh., 1955 2 Grundriß der Arab. Philol., Bd. 1: Sprachwiss., 1982, Bd. 2: Lit.-Wiss., 1987, Bd. 3: Supplement, 1992 3 R. Paret, A. und Islamkunde an dt. Univ., 1966.

WOLFDIETRICH FISCHER

Archaeological Institute of America
A. GESCHICHTE   B. AKTIVITÄTEN
C. PUBLIKATIONEN UND FORSCHUNG

A. GESCHICHTE

Das AIA wurde 1879 in Boston gegr., um die arch. Forsch. und amerikanische Publikationen zu fördern. Die treibende Kraft bei der Gründung und erster Präsident von 1879 bis 1889 war Charles Eliot Norton (1827–1908), Professor der Schönen Künste an der Harvard Univ. Die Organisation breitete sich bald über Boston hinaus aus und wurde zu einem landesweiten Verein. Es entstand ein Netzwerk von Ortsvereinen in einzelnen Städten, die zu einer lockeren landesweiten Organisation verbunden waren. Die ersten Ortsvereine wurden in New York (1885), Baltimore (1885) und Philadelphia (1889) gegr. Nach und nach entstanden Ortsvereine im ganzen Land. Ein Verein wurde 1904 in Los Angeles gegr.; der erste kanadische Ortsverein entstand 1908. Ebenfalls im J. 1908 wurde Francis W. Kelsey von der Univ. in Michigan der erste Präsident des AIA, der nicht aus dem Osten der USA stammte. Im Dezember 1998 gab es insgesamt 101 Ortsvereine. Die Mitgliedschaft in den Ortsvereinen vereinte von Anf. an professionelle und nebenberufliche Archäologen. 1906 wurde das AIA durch ein Gesetz des US-amerikanischen Kongresses als Körperschaft anerkannt.

B. AKTIVITÄTEN

Eines der ersten Vorhaben des AIA war die Förderung von Feldforsch. in der Alten und Neuen Welt. Norton vertrat die Ansicht, daß die Amerikaner kreativ zu arch. Feldforsch. beitragen müßten. Das erste große Projekt im Mittelmeerraum waren die Ausgrabungen von 1881 bis 1883 in Assos, die von John Thacher Clarke (1856–1921) und Francis H. Bacon (1856–1940) geleitet wurden. In der Neuen Welt erforschte Adolph Bandalier in den 80er J. des 19. Jh. indianische Stätten im Südwesten Amerikas und in Mexiko. Von 1884 bis 1885 unterstützte das AIA die Feldforsch. von William H. Ward in Mesopotamien mit finanziellen Mitteln. In den J. bis zum I. Weltkrieg subventionierte das AIA einige kleine Projekte. 1882 spielte das AIA unter der Leitung von Charles Eliot Norton eine entscheidende Rolle bei der Grün-

dung der *American School of Classical Studies* in Athen. Damit wurde den amerikanischen Studenten ein Studienzentrum in Griechenland zur Verfügung gestellt. Das AIA war zudem an den Gründungen von Inst. in Rom (1895), Jerusalem (1900) und Santa Fe, New Mexico (1907) beteiligt. Diese Inst. arbeiteten bald unabhängig von dem AIA und übernahmen nach und nach seine Forschungsarbeit. Die Ausweitung der arch. Forschungsarbeit durch nordamerikanische Geisteswissenschaftler machte es für das AIA unerläßlich, eine Zeitschrift für sie herauszugeben.

C. PUBLIKATIONEN UND FORSCHUNG

Die Erstausgabe des *American Journal of Archaeology* (AJA) erschien 1885 mit Arthur L. Frothingham Jr. (1859–1923) als leitendem Herausgeber und Norton als beratendem Redakteur. Zu Anf. wurde die Zeitschrift von Frothingham und seinem Kollegen Allan Marquand verlegt. 1897 wurde das AJA umstrukturiert: Offizieller Verleger war jetzt das AIA, und John Henry Wright aus Harvard war der Herausgeber. Während das AJA zu Anfang viel nicht-klass. Material veröffentlichte, beschränkte sich bis zur Nachkriegszeit des I. Weltkrieges sein Inhalt hauptsächlich auf Material aus dem Nahen Osten, Griechenland und Rom. Um eine Organisation, die aus über einen großen Kontinent verteilten Ortsvereinen bestand, zu vereinigen, richtete das AIA ein nationales Programm von Vorträgen und jährlichen Treffen ein. Im Rahmen des nationalen Vortragsprogrammes, das 1896 eingerichtet worden war, wurden Fachleute zu den einzelnen Vereinen geschickt, um die neuesten arch. Entdeckungen zu präsentieren. Verstärkt wurde das nationale Vortragsprogramm 1909 durch die Stiftung der Charles-Eliot-Norton-Dozentur, die in Erinnerung an den AIA-Gründer von dem arch. Philanthrop James Loeb eingerichtet wurde. In den ersten J. diente diese Dozentur hauptsächlich dazu, berühmte Europäer in die Vereinigten Staaten zu holen. D. G. Hogarth, Christian Huelsen, Franz Cumont und Eugenie Strong waren nur einige der ersten Norton-Dozenten. Heute stellt das AIA jedem einzelnen Ortsverein drei Dozenten pro Jahr zur Verfügung. 1899 fand das erste jährliche Treffen des AIA in New Haven, Connecticut, statt, auf dem Vorträge über die Arch. in der Alten und Neuen Welt gehalten wurden. Das Ziel dieses Treffens war es, den Mitgliedern der immer noch zersplitterten amerikanischen arch. Gemeinschaft die Möglichkeit zu einem jährlichen Austausch von Informationen zu geben. Das jährliche Treffen wurde schnell zur Hauptvermittlungstelle für berufliche Aktivitäten und für die Präsentation der neuesten Forschungsergebnisse. Seit 1905 wird es gemeinsam mit der *American Philological Association* abgehalten.

Das AIA war sich immer der Notwendigkeit bewußt, sowohl professionelle als auch nicht-fachmännische Organisationen ansprechen zu müssen. 1914 begann das AIA mit der Publikation der allgemeinverständlichen Zeitschrift *Art and Archaeology*. Darin wurden Artikel über alle arch. und kunstgeschichtlichen Fachgebiete veröffentlicht, denn die Zeitschrift wollte eine gebildete Laienleserschaft ansprechen. *Art and Archaeology* erschien bis 1934, bis Geldknappheit, ausgelöst durch die große Wirtschaftskrise, und absatzpolit. Streitereien innerhalb des AIA zum Niedergang der Zeitschrift führten. Das AIA benötigte zweifellos ein Publikationsorgan, das sich an seine nicht-professionellen Mitglieder wandte. 1948 trat die bis dahin sehr erfolgreiche Zeitschrift *Archaeology* an die Stelle von *Art and Archaeology*. In den J. zw. dem I. und II. Weltkrieg stand das AIA zahlreichen internen und externen Problemen gegenüber, die die Organisation ernsthaft schwächten. Für das AIA wurde es immer schwieriger, seine eigenen Forschungsprogramme zusammenzustellen. Die amerikanische arch. Forsch. im Mittelmeerraum wurde jetzt hauptsächlich von den Univ. und Inst. in Übersee betrieben. Die letzte größere amerikanische Ausgrabung, die vom AIA finanziert wurde, war die Expedition nach Cyrene im Jahre 1911. Sie endete mit dem Mord an dem Ausgrabungsmitglied Fletcher deCou und der it. Invasion in der Cyrenaica. Archäologen, die außerhalb des Mittelmeerraumes und der klass. Periode arbeiteten, suchten ihre Identität immer häufiger außerhalb des AIA. Dies führte 1912 zur Gründung der *College Art Association* und der *Society of American Archaeology* im Jahre 1936. Die Verengung des Schwerpunktes des AIA spiegelte sich in den Forschungsberichten auf den jährlichen Treffen und in den Artikeln im *American Journal of Archaeology* wider. Das AIA war nach ideologischen und polit. Standpunkten gespalten. Eine Gruppe, die von Ralph Magoffin (1874–1942) von der New York Univ. geleitet wurde, vertrat die Ansicht, daß das AIA seinen Rückhalt in der Gesellschaft durch die Unterstützung von solchen Projekten wie *Art and Archaeology* stärken müsse. Die andere Gruppe, die von William Dinsmoor (1886–1973) von der Columbia Univ. geleitet wurde und deren Präsident er von 1937–1945 war, argumentierte, daß solche Bestrebungen den geisteswiss. Auftrag, der sich hauptsächlich auf Artikel im *American Journal of Archaeology* konzentrieren solle, untergrabe. Die Weltwirtschaftskrise schwächte die Organisation in hohem Maße und zwang sie dazu, *Art and Archaeology* einzustellen, das Vortragsprogramm einzuschränken und die Auflage des AJA zu reduzieren.

Sterling Dow (1903–1995) aus Harvard führte das AIA nach dem II. Weltkrieg unter seiner Präsidentschaft von 1946 bis 1948 zu neuer Blüte. Die Zeitschrift *Archaeology* sorgte für allg. Ansehen, die Finanzlage verbesserte sich, und die Vortragsreihe wurde wieder aufgenommen. Die intensiven Arbeiten von amerikanischen Archäologen im Mittelmeerraum nach dem Krieg lieferten reichlich Material für das AJA und für das Programm der jährlichen Treffen. Seit Anfang der 60er J. stellt das AIA bescheidene finanzielle Mittel für die studentische Forsch. zur Verfügung. 1983 verlegte das AIA seinen Hauptsitz und das AJA seine Büros an die Univ. in Boston.

Heute beträgt die Zahl der Mitglieder über 10 000, von denen die meisten Laien sind. Das AIA unterstützt noch immer nationale Vorträge und veröffentlicht weiterhin die zwei genannten Zeitschriften. Es stellt außerdem Graduiertenstipendien und eine Reihe von Bildungsleistungen zur Verfügung.

→ Vereinigte Staaten von Amerika

1 A. Donahue, One Hundred Years of the AJA, in: AJA 89, 1985, 3–30 2 A. V. Dort, The AIA – Early Days, in: Archaeology 7/4, 1954, 195–201 4 St. L. Dyson, Ancient Marbles to American Shores, 1998 5 Ph. Sheftel, The AIA 1879–1979. A Centennial Review, in: AJA 83, 1979, 3–17.

STEPHEN L. DYSON / Ü: KYRA WENK

Archäologische Bauforschung A. Definition B. Geschichte C. Aufgabenbereiche

A. Definition

Der Begriff »Bauforschung« wurde 1924 von Armin von Gerkan für den Tätigkeitsbereich ausschließlich oder überwiegend bauhistor. arbeitender Architekten geprägt [2]. Hierbei war es zunächst unerheblich, zu welcher histor. Epoche der Architekt seine Bau-Unt. betrieb. So hat von Gerkan selbst ein wiss. Œuvre hinterlassen, das von Grabbauten der Jungsteinzeit bis zu ma. Kirchen reichte, wobei allerdings der Schwerpunkt auf der klass. Ant. lag. Da die Berufsbezeichnung »Bauforscher« inzwischen amtlich von Bauphysikern des mod. Hoch- und Tiefbaus gebraucht wird, ist für die Tätigkeit der Bauhistoriker, die sich mit der Ausgrabungswiss. befassen, die Bezeichnung »arch. Bauforscher« gebräuchlich geworden. Im Unterschied zu rein kunstgeschichtlicher Baubetrachtung ist für die A. B. das Bauwerk selbst mit all seinen Details die Quelle weiterführender histor. Erkenntnis. Dies bedeutet, daß durch Beobachtung, Vermessung und Zeichnung aller Bauglieder, deren katalogisierte Vorlage und Deutung über dem stein- und verformungsgerecht aufgenommenen Grund- und Aufriß [7], zunächst die graphische Rekonstruktion des Bauwerks in seinen einzelnen Entwicklungsphasen durchgeführt wird. Erst nach der so gewonnenen Vorstellung von einem histor. Gebäude erfolgt die architekturgeschichtliche Beurteilung. Die günstigste Voraussetzung für diese Arbeitsgänge bietet die Ausbildung zum Architekten, der durch seine baupraktischen Vorkenntnisse und sein geschultes räumliches Vorstellungsvermögen komplexe Bauzusammenhänge mit der Umsetzung in zwei- und dreidimensionale Darstellungen am besten beurteilen kann. Vermessungstechnische und statische Vorkenntnisse sind hierbei selbstverständlich [3].

B. Geschichte

Die A. B. beruft sich auf die bereits in der Ant. vielfach belegte Auseinandersetzung von Architekten mit der baugeschichtlichen Entwicklung vor ihrer Zeit, wie z. B. des röm. Architekten Vitruv in seinen 10 Büchern *De architectura*. Mit der Wiederaufnahme des Vorbildcharakters der ant. Architektur in der → Renaissance

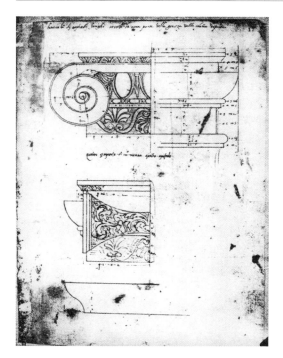

Abb. 1: Ionisches Kapitell in Rom,
SS. Apostoli. Vermaßte Aufnahme
Anonymus 1. H. 16. Jh.

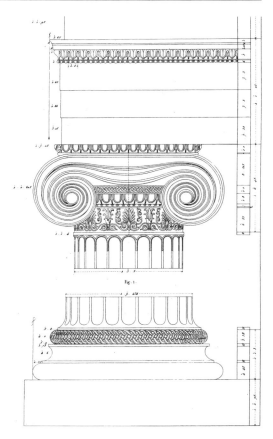

Abb. 2: Athen, Akropolis.
Vermaßte Kapitellaufnahme
vom Erechtheion 1752

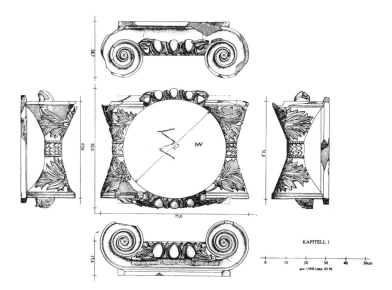

KAPITELL 1

0 10 20 30 40 50cm
gez. UWR.Umz. JD 96

Abb. 3: Ionisches Kapitell
des 1. Jh. n. Chr. aus Aizanoi.
Bauaufnahme der
Aizanoigrabung 1996

sind uns dann die ersten detaillierten Bauaufnahmen ant. Gebäude und Gebäudeteile durch Architekten bekannt [4] (Abb. 1). Mit dem Siegeszug des → Klassizismus in der europ. Architektur in der Mitte des 18. Jh. brechen dann ant.-begeisterte Architekten, überwiegend aus England und Frankreich, immer häufiger nach It. und in die noch osmanisch beherrschten Länder des östl. Mittelmeeres auf, um die Ruinen der klass. Ant. zu studieren, aufzumessen und zu rekonstruieren. Ihre Publikationen wurden in ganz Europa begierig aufgenommen, um als Vorlagen vollendeter Baukunst der zeitgenössischen Architektur zu dienen [5] (Abb. 2). Bis zum Ausbruch des I. Weltkrieges war im 19. und 20. Jh. die Kenntnis ant. Architektur unangefochtenes Bildungsziel der Architektenausbildung, auch wenn längst andere historische Bauformen in Mode gekommen waren. Bei den großen nationalen Ausgrabungen auf klass. Boden, die in Deutschland erst nach der Reichsgründung 1871 aufgenommen wurden, waren von Beginn an Architekten in leitender Funktion beteiligt. Insbes. die Schüler der Berliner Bauakademie verfeinerten die Methoden ihrer Bau-Unt. und trugen zu nicht geringen Maßen auch zur Entwicklung der Grabungstechnik bei. So wie der Architekt Wilhelm Doerpfeld – seit 1877 in → Olympia geschult – schließlich verschiedene Grabungen in Griechenland und an der kleinasiatischen Westküste als verantwortlicher Leiter übernahm, waren seit 1898 die Grabungen der → Deutschen Orient Gesellschaft in → Babylon mit Robert Koldewey und anschließend in Assur mit Walter Andrae zunächst reine Architektendomänen, und auch in Ägypten leitete seit 1907 der Architekt Ludwig Borchert zahlreiche Grabungen, insbes. die Stadtgrabung von Tell el Amarna.

Nach 1918 war die Ausgrabungstätigkeit auf klass. Boden vollkommen zum Erliegen gekommen, und der Mißstand, daß A. B. noch nicht als vollwertige Disziplin der Alt.-Wiss. neben der Forsch. der Klass. Arch. anerkannt war, führte zu Notlagen zahlreicher arch. Bauforscher. Diesen Zustand kritisierte Armin von Gerkan in seinem kämpferischen Aufsatz [2], der 1926 dazu führte, daß sich die arch. Bauforscher zur *Koldewey-Gesellschaft, Vereinigung für baugeschichtliche Forschung* zusammenschlossen, um die Anerkennung ihres Faches und die Förderung des Nachwuchses zu ermöglichen.

Nach anfänglich kontroversen Auseinandersetzungen ist der Vereinigung bei der Wiederaufnahme der Auslandsgrabungen dieses Ziel weitgehend gelungen, zumal es an den Lehrstühlen für Baugeschichte der Technischen Hochschulen noch nicht an Lehrern und Studenten mangelte, die sich für die A. B. interessierten und einsetzten. Nach 1945 sollte sich das nicht sofort ändern, obwohl wiederum die Auslandsgrabungen zunächst ruhten. Aber bedingt durch den Wiederaufbau der zerstörten Städte, verschoben sich die Forsch.-Fragen in der Architektenausbildung in Deutschland einschneidend. Ma. Bauforschung, Denkmalpflege und Architekturtheorie waren nun vordringliche Anliegen

bei nachlassendem histor. Interesse [8], wodurch die A. B. an den meisten Lehrstühlen für Baugeschichte zurückgedrängt wurde. Aus diesem Grunde hat das → Deutsche Archäologische Institut (DAI) bei seiner Zentrale in Berlin 1973 ein Architektur-Referat mit festen Bauforscherstellen eingerichtet, um die Nachwuchsförderung speziell der A. B. neben der weiterhin wirkungsvoll arbeitenden Koldewey-Gesellschaft und einigen Lehrstühlen für Baugeschichte für die Bedürfnisse der Grabungsaktivitäten seiner Institutionen in die eigene Hand zu nehmen (Abb. 3). Über diesen Versuch, die A. B. von dem nachlassenden Interesse der Technischen Univ. unabhängiger zu machen, ist allein Frankreich mit der Einrichtung des *Institut de recherche sur l'architecture antique du CNRS* hinausgegangen.

C. AUFGABENBEREICHE

Die weitgehende Spezialisierung und Verselbständigung vieler Fachgebiete der Alt.-Wiss. betreffen die A. B. kaum, da der ausgebildete arch. Bauforscher jeweils mit der gleichen Methode an histor. Bauten unterschiedlichster Epochen und Kulturkreise herantritt. Die Ausbildung zur A. B. schafft zusätzlich auch die Grundlage für Arbeiten in der Denkmalpflege und bei Restaurierungsprojekten. Die Breite der Einsatzfähigkeit arch. Bauforscher zeigt z. B. das DAI, in dessen Arbeitsbereich arch. Bauforscher im ägypt., mesopot., hettitischen, griech.-röm., frühchristl.-byz. und islamischen Kulturkreis arbeiten. In jüngster Zeit sind hierzu noch arch. Bauforscher hinzugekommen, die sich mit der vorspan. Architektur Amerikas und dem eurasischen Kulturkreis befassen. Entscheidend bleibt, daß sie sich als Forscher verstehen, die daran arbeiten, durch Unt. von Einzelmonumenten, Einzelbauten, Siedlungsgefüge und Besiedlungsstrukturen mittels der meist auffälligsten Hinterlassenschaft ant. Kulturen, der Architektur, Kulturgeschichte ant. Epochen in Kooperation mit anderen Alt.-Wiss. zu erhellen. Den Zusammenhalt der A. B. im dt.-sprachigen Raum fördert die Koldewey-Gesellschaft mit ihren *Tagungen für Ausgrabungswiss. und B.* im Zweijahresrhythmus [6] und das Architektur-Referat des DAI mit einer losen Folge von Kolloquien zur A. B. [1].

→ AWI Amarna; Assur; Babylon; Olympia; Vitruvius

1 Architektur-Referat des DAI (Hrsg.), DiskAB 1974 ff. 2 A. VON GERKAN, Die gegenwärtige Lage der A. B. in Deutschland, 1924 (Ndr. in: E. BOEHRINGER, Hrsg., Von ant. Architektur und Top., 1959, 9–13). 3 Ders., Grundlegendes zur Darstellungsmethode. Kursus für B. 1930 (Ndr. in: E. BOEHRINGER, Hrsg., Von ant. Architektur und Top., 1959, 99–106) 4 H. GÜNTHER, Das Studium der ant. Architektur in den Zeichnungen der Ren., 1988 5 W. HOEPFNER, E.-L. SCHWANDNER, Die Entdeckung der griech. Bauten, in: Berlin und die Ant., Kat. 1979, 291 ff. 6 Koldewey-Gesellschaft (Hrsg.), Ber. über die Tagung für Ausgrabungswiss. und B., 1926 ff. 7 G. MADER, Die Bauaufnahme, in: PETZET/MADER, Praktische Denkmalpflege, 1993, 156–167 8 W. SCHIRMER, B. an den Inst. für Baugesch. der Technischen Hochschulen, in: J. CRAMER (Hrsg.) B. und Denkmalpflege, 1987, 25–29.

ERNST-LUDWIG SCHWANDNER

Archäologische Methoden

A. BEGRIFF UND INHALT
B. DIE ENTWICKLUNG ARCHÄOLOGISCHER
METHODEN
C. AKTUELLE ARCHÄOLOGISCHE METHODEN

A. BEGRIFF UND INHALT

Arch. beschäftigt sich mit allen Aspekten menschlichen Lebens vergangener Zeiten. Dabei rekurriert sie in erster Linie auf materielle Hinterlassenschaften, die für den größten Teil menschlicher Geschichte, vom Paläolithikum bis zur Moderne, die einzigen Quellen darstellen. Standen zu Beginn der arch. Forsch. einzelne Objekte, insbes. ant. Bildwerke, im Blickpunkt, so erweiterte sich der Rahmen einerseits durch Einbeziehung aller Arten materieller Spuren von Siedlungssystemen bis zu Mikroanalysen von Rauminhalten, andererseits durch die Erweiterung der Fragestellungen auf die Erklärung gesellschaftlichen Wandels. Die Vielfalt der Forschungsgegenstände führte zur Entwicklung verschiedener arch. Disziplinen, die meist über Zeit und Raum definiert werden und forschungsgeschichtlich bedingt unterschiedliche Fragestellungen und damit verbunden Theorien und A. M. entwickelten. Die Fragen spiegeln jeweils aktuelle mod. Interessen an und Theorien über Gesellschaften der Vergangenheit sowie ihrer Nähe zur Gegenwart. In Ermangelung anderer Quellen wurden die meisten A. M. und Theorien im Hinblick auf die Spuren schriftloser Kulturen entwickelt. Ihre Anwendung auf schriftliche Kulturen, insbes. der Klass. Ant., erfolgte durch deren Konzentration v. a. auf Einzelobjekte und kunsthistor. und chronologische Fragestellungen nur zögerlich. Die stetig steigende Bed., die der Aussagekraft materieller Hinterlassenschaft als Korrektiv und Ergänzung schriftlicher Quellen beigemessen wird, und die zunehmend gleichberechtigte Nutzung beider Quellengattungen führen zu bes. reichen Ergebnissen, helfen beide Quellen der nötigen Kritik zu unterziehen und auch die Validität mancher A. M. zu überprüfen. Die Vielfalt der arch. Spuren und Monumente korrespondiert mit einer Vielzahl A. M. für ihre Interpretation. Viele Methoden, z. B. siedlungsgeogr. und naturwiss. Unt. (Archäometrie), sind anderen Disziplinen entlehnt oder basieren auf deren Konzepten und werden auf arch. Fragestellungen angewandt. Sie sind also eher Methoden in der Arch. denn A. M. Zu den A. M. gehören auch restauratorische, museologische und denkmalpflegerische Methoden.

B. DIE ENTWICKLUNG ARCHÄOLOGISCHER METHODEN

Die Geschichte der A. M. entwickelt sich mit der Frage nach der Lesbarkeit von materieller Kultur, die als haptisches Zeugnis der Vergangenheit neben Erinnerung, Erzählung und Textquellen tritt. Unterschiedliche Vorstellungen von Nähe zur Ant. und damit einhergehender Möglichkeit der Erkenntnis ant. Denkens und Handelns prägen die Geschichte der Arch. und ihrer Methoden.

1. 15.–18. JAHRHUNDERT: SAMMELN

Arch. braucht histor. Bewußtsein, das die Distanz zur Vergangenheit und zu ihrer Andersartigkeit einerseits und deren aktuelle Bed. andererseits voraussetzt. Arch. entwickelte sich daher einerseits in der Folge der frühen Aufklärung und des erneuerten Interesses an Lit., Architektur und Kunst der griech./röm. Ant., andererseits mit wachsendem Patriotismus im Norden Europas [16. 45–52]. Schon im 15. Jh. wurde v. a. in Rom gezielt nach Statuen gegraben und deren Ästhetik bewundert. Im Barock löste gelehrte Deutung des Details die unmittelbare Begeisterung ab [3. 29]. Antiquare stellten Kataloge von Tausenden von Altertümern zusammen ohne weitergehende Ordnung und Deutung.

Auch in Nordeuropa stieg das Interesse an klass.-ant. wie an einheimischen Antiquitäten im 16.–18. Jh. stark [16. 45–67]. Um 1600 wurden in England, Schweden und Dänemark systematisch nationale Altertümer wie z. B. Runensteine aufgenommen, Grabbefunde sogar in Fundlage gezeichnet. Schon 1697 begann O. Rundbecks nicht nur Schnittprofile zu zeichnen, sondern auch Überlegungen zur Entstehung von Grabhügeln als Abfolge von Schüttungen anzustellen [12. 200–3]. Dies ist der Beginn der A. M. der Stratigraphie, die als Rückwärtsaufdeckung und systematische Beschreibung von Stratifikation, d. h. der Ablagerung von Schichten, definiert werden kann. In Kuriositätenkabinetten erhielten Altertümer ihren Platz neben geologischen und zoologischen Besonderheiten.

2. MITTE 18. BIS MITTE 19. JAHRHUNDERT: VERGLEICHENDES SEHEN

Die Etablierung der arch. erfolgte mit der Einführung des »Vergleichenden Sehens« als A. M. Für die Klass. Arch. ist dies verbunden mit der Übertragung des in der Lit. benutzten Begriffs des Stils durch J. J. Winkkelmann (1764). »Stil« bezeichnete jene formalen Eigenheiten, die den Kunstwerken einer bestimmten Nation, einer Epoche, einer Werkstatt oder eines Künstlers gemeinsam sind [3. 32]. Über den Stil ordnete Winkkelmann ant. Kunst geogr. und chronologisch, wobei er eine Folge von Aufstieg, Höhepunkt und Verfall konstruierte. Kunst und polit.-soziale Verfaßtheit standen bei Winckelmann in direkter Beziehung. Der Höhepunkt der Bildenden Kunst lag in der Zeit der polit. Freiheit, der Att. Demokratie, und sollte zeitlos gültige Norm und Vorbild für die Jetztzeit sein. → Klassische Archäologie wurde so in ihren Anfängen Kunstgeschichte und normative Kunstwiss. Der Sinn der ästhetischen Norm ging allerdings im 19. Jh. zugunsten der deskriptiven Funktion des Stilbegriffs verloren. Früh entwickelte sich auf Chr. Heyne und J. W. Goethe gründend ein Vorgehen, das intensive Beschreibung, Klassifizierung, u. a. nach Technik und Material, sowie die Prüfung von Ur- und Nachbild und die Heranziehung von anderen Quellen zur Interpretation verband. Hatte Winckelmanns Rückgriff auf lit. Quellen neue Möglichkeiten in der Deutung von Darstellungen (Ikonographie) als griech. Mythen eröffnet, wurde dies zunehmend umgekehrt, indem die Bildwerke ihren Sinn als Illustrierung der Texte erhielten.

Ein Durchbruch im Bereich der A. M. der Datierung gelang 1819 Ch. Thomsen im Zuge seiner Ordnung der Altertümer der Dänischen Antikenkollektion. Er konzentrierte seine Bemühungen auf Fundkomplexe, insbes. Grabfunde, die zusammen niedergelegt worden waren, sog. »geschlossene Funde«. Zunächst trennte er die Artefakte nach Material in Stein, Bronze und Eisen. Dann verglich er innerhalb der Artefaktgruppen, z. B. Messer oder Nadeln, auf deren Form und Verzierung hin und trennte sie in Typen. Die Unterschiede interpretierte er chronologisch. Er verglich seine Typologien anhand der geschlossenen Funde und parallelisierte so die Typenentwicklungen. Auf dieser Basis entwarf er eine zeitliche Abfolge für die Fundkomplexe, in der alle Funde nach Material, Form, Verzierung und Fundumständen (Grabform) geordnet wurden. Damit führte er die Seriation als A. M. ein. Sein dabei entwickeltes »Drei-Periodensystem« der Stein-, Bronze- und Eisenzeit wurde in der Folge bis h. überall in der Welt erfolgreich angewendet. Mit Stilanalyse, Typologie und Stratigraphie waren die grundlegenden A. M. der Datierung entwickelt.

Durch die Theorie der Evolution aufgrund des Überlebens der bestangepaßten Lebewesen eröffnete Ch. Darwin 1859 neue Ausblicke auf die Suche nach den frühen Menschen. Aber schon 1841 hatte J. Boucher de Perthes durch den gemeinsamen Fund von Menschenknochen und Knochen lange ausgestorbener Tiere in geologischen Schichten bewiesen, daß das Alter der Menschen über den durch die Bibel zu errechnenden Zeitraum zurückreichen müsse. Mitte des 19. Jh. waren so durch Thomsen, Boucher des Perthes und Darwin die Grundlagen für die Erforsch. außerant. Kulturen gelegt.

3. AB MITTE DES 19. JAHRHUNDERT: SAMMELN UND ORDNEN

Die Herausbildung einer weltweiten, alle Epochen umfassenden Arch. durch die Definition von Kulturen über Artefakte kennzeichnet die zweite H. des 19. Jh. Die genannten A. M. wurden verfeinert. Dies gilt insbes. für die Grabungstechnik. Nicht mehr Kunstobjekte, sondern Zusammenhänge waren das Ziel. Zunächst von E. Curtius in → Olympia und A. Conze in Samothrake ab 1873 eingeführt, wurden zunehmend Objekte jeder Art dreidimensional an ihrem Fundort eingemessen und stratigraphische Verhältnisse dokumentiert. Grabungen wurden zu einem wiss. Experiment mit Versuchsanordnung und genauer Beobachtung. Mit der wachsenden Materialbasis aus Grabungen und Katalogen wurden Artefakte wie in einem Periodensystem raum-zeitlich eingeordnet. Dazu diente bei Bildwerken der Stil, bei anderen Artefakten die Typologie. War Thomsens Typologie noch recht grob, so erstellte nun O. Montelius detaillierte Typologien an Artefakten über Form, Material, Herstellungstechnik und Dekoration. Seine typologische Methode setzte voraus, daß

zum einen Erzeugnisse einer bestimmten Zeit und Region sich gleichen, zum anderen, daß Veränderungen notwendigerweise graduell sind und sich daher eine Entwicklung ablesen läßt. Über die Seriation geschlossener Funde stellte er genauere raum-zeitliche Verbreitungen von Typen fest und entwickelte für ganz Europa regionale Abfolgen (relative Chronologien). Ähnlichkeiten zw. Artefakten verschiedener Regionen interpretierte er als Übernahmen von weiter entwickelten Kulturen (des Orients). Absolute Daten für die schriftlosen Kulturen gewann er z. B. über Funde myk. Keramik in Ägypten in Zusammenhängen, die über Königsnamen genau datiert werden konnten.

Das Alt. und seine Erforsch. wurden immer komplexer. Stilforsch., Typologie, Ikonographie, Portraitforsch. und Stratigraphie dienten der Einordnung und Zuweisung. Die Historisierung ließ die ideelle Nähe der Klass. Ant. schwinden. Der v. a. in Deutschland sowie durch den Emigranten F. Boas in den USA in den Kulturwiss. vorherrschende positivistische → Historismus betonte zunehmend die Eigenheiten und Unterschiede der einzelnen Kulturen.

4. DAS FRÜHE 20. JAHRHUNDERT: DER WILLE HINTER DEM MATERIAL

Nachdem mit A. M. Artefakte datiert und lokalisiert werden konnten, rückte die Frage nach dem hinter ihnen stehenden Gehalt in den Vordergrund. Gegen bloße Einordnung, Bindung an lit. Quellen und den Ansatz G. Sempers, der im Zuge der Materialisierung des Weltzugangs, Stil- und Form-Unt. objektivieren und einengen wollte, wandte sich A. Riegl. Er sah die Gestaltung von Objekten als Resultat eines bestimmten und zweckbewußten Kunstwollens, das sich im Kampf mit Gebrauchszweck, Rohstoff und Technik durchsetzt. Kunstentwicklung war damit autonom, wenngleich Teil des Wandels aufeinanderfolgender Weltsichten. Der Gehalt der Kunst mußte aus dem inneren Entwicklungszusammenhang, d. h. in histor. Interpretation entdeckt, jede Erscheinung nach ihren eigenen Kriterien bewertet werden. Auch für H. Wölfflin spiegelte sich im Stil Zeitstimmung und Lebensauffassung. Ziel mußte es daher sein, gesellschaftsspezifische Sehweisen und deren Entwicklung zu verfolgen. Nach E. Panofsky sind diese aber nicht Stilursache, sondern Stilphänomen, das keine Erklärung ist, sondern einer solchen bedarf. Panofsky entwickelte daher in den 30er J. ein dreistufiges Interpretationssystem, das zunächst v. a. in den USA rezipiert wurde. In der ersten, vorikonographischen Stufe erfolgt die formale und stilistische Beschreibung. In der zweiten Stufe, der ikonographischen Analyse, wird das Dargestellte mit Hilfe anderer Quellen identifiziert und in eine Typengeschichte des Themas eingebunden. In der dritten, der ikonologischen Stufe erfolgt die Einordnung in die philos., ästhetischen, rel. und polit. Hintergrund.

Während die Ikonologie vom Inhalt ausgeht, um die Bed. hinter der Kunst zu erfassen, wandte sich die Strukturforsch. ab den 20er J. der Form zu. Das Wesen und die Bedingungen des Kunstwerkes werden über die Struktur, d. h. das Prinzip der inneren Organisation der Form, seine Raum- und Körperauffassung, die Ausdruck eines überindividuellen Formwillens und Träger der Eigenart der Schöpfung ist, erkannt. Dieser Kern der Kunst – überzeitliche Formkonstanten, symbolische Grundformen, die an Regionen und Völker oder Rassen gebunden seien – sei h. objektiv wahrnehmbar.

Mit Ethnien verknüpft wurden außerhalb der Klass. Arch. nun (arch.) Kulturen, die als regelmäßig wiederkehrende Zusammenstellungen bestimmter Typen arch. Materials definiert wurden [16. 161–7]. Durch die Kartierung solcherart definierter Kulturen glaubte G. Kossinna (1911) Siedlungsräume bestimmter Ethnien identifizieren zu können. Mit seiner sog. Siedlungshistor. Methode versuchte er über typologisch vergleichbare Funde Migrationen von Ethnien zu zeigen. Kossinnas oft absurde Argumentationsweise wurde u. a. im Dritten Reich benutzt, um Gebietsansprüche im Osten zu begründen. Sein Verdienst aber war, daß er die räumliche Dimension, die Verbreitung von Artefakttypen, in die Diskussion brachte, und v. a. den Blick von der puren Artefaktentwicklung zu den dahinterliegenden histor. Prozessen wandte. In seiner sog. histor. Herangehensweise entwickelte G. Childe die A. M. weiter, Kulturen in Verbreitungskarten und in chronologischen Vergleichstabellen zu präsentieren. So traten als Thema der Arch. an die Stelle der Artefakte die Menschen und die kulturhistor. Entwicklung verschiedener Lebensweisen. Childe trennte sich von der ethnischen Erklärung kultureller Unterschiede. Nicht Ethnien, sondern die Veränderung der Artefakttechnologie und der Produktionsweisen wurden für ihn die Gründe für kulturellen Wandel. Grundlegend wurde seine These, daß es, ausgehend vom Vorderen Orient, zwei Revolutionen gegeben habe, die der industriellen an Bed. gleichkamen: 1. der Übergang vom Sammeln und Jagen der Nahrung zu kontrolliertem Anbau und Zucht, die sog. »neolithische Revolution«, und 2. der Schritt von selbstversorgenden Dörfern zu komplexen städtischen Gesellschaften, »die urbane Revolution«.

5. Mitte des 20. Jahrhundert: Der Mensch in der Natur

Auf der Suche nach den Bedingungen der Entstehung von spezifischen Artefakten begannen in den 30–50er Jahren L. White und J. Steward in den USA und G. Clark in Großbritannien nach Prozessen zu suchen, durch die sich eine Gesellschaft an ihre natürliche und soziale Umwelt anpaßt. Ihr Interesse verlagerte sich von der Untersuchung einzelner Kulturen zu den Beziehungen von Klassen evolutionären Wandels von Form und Funktion der materiellen Kultur. Daraus schlossen sie auf eine allg. Kulturgeschichte der Menschheit, die White linear, Steward multilinear sah. In der A. M. kam es darauf an, kulturelle Kernattribute wie Technologie, Subsistenz und die Organisation von Besitz zu beschreiben, da ökonomische Organisation am intensivsten mit der Varianz der Umwelt zusammenhängt. Arte-

fakte wurden daher funktional in bezug zur Anpassung an die Umwelt gedeutet. Für ihren Wandel waren keine fremden Kulturen mehr nötig, innerkultureller Wandel durch Anpassung war möglich. Ein wesentliches Zeichen der Adjustierung einer Kultur an ihre Umwelt wurde von Steward in Siedlungssystemen gesehen. So bereitete er die A. M. der arch. Geländebegehung (arch. Survey) vor, bei der in einer Region alle Siedlungsspuren dokumentiert werden. Anhand der Oberflächenfunde werden die einzelnen Orte datiert und ihre Größe zu verschiedenen Zeiten so weit wie möglich bestimmt. Mit der Rekonstruktion von Siedlungssystemen anhand der Ortsgrößen, die auf unterschiedliche Bed. der Orte hinweisen, werden ant. Landschaften sowie der Wandel ihrer Besiedlungsintensität über die Zeit sichtbar. Diese Methode wurde zunächst von 1948 an von G. Willey in Peru und ab 1955 von R. McC. Adams im Irak angewendet. Über steigende Komplexität und Zentralisierung der Siedlungssysteme konnten sie nun die Zunahme polit. und sozialer Hierarchisierung beobachten. Die Besiedlungsgeschichte ganzer Regionen wurde so durch A. M. greifbar.

6. Die sechziger Jahre des 20. Jahrhunderts: Sozialgeschichte

Einen Entwicklungsschub in den A. M. brachte die Weiterentwicklung dieser Ideen im Zuge der sog. »New Archaeology« in den 60er J. Deren Vertreter, h. oft Prozessualisten genannt, wandten sich gegen die traditionelle Fixierung auf Chronologie, die Annahme von Wandel über Diffusion oder Migration, die Negierung innerer Verschiedenheit von Kulturen und den histor. Partikularismus. Arch. könne und müsse Ähnlichkeiten und Differenzen zw. Kulturen erklären, nicht beschreiben. Überkulturelle Entwicklungsprozesse (später auch: Gesetzmäßigkeiten menschlichen Verhaltens), nicht histor. Ereignisse müßten im Zentrum des Interesses stehen [2. 2; 4. 12]. Anknüpfend an die Systemtheorie wurden Kulturen als Systeme beschrieben, bei denen Änderungen in einem Subsystem Änderungen in anderen Subsystemen hervorrufen, so z. B. in der Technologie, die auf Arbeitsteilung und damit auf soziale Verhältnisse einwirkt. Dies ermöglicht es, Veränderungen systemimmanent oder durch äußeren Anstoß, multistatt monokausal und zeitlich gegenüber den Ursachen versetzt zu erklären. Langfristige Konsequenzen früherer Entscheidungen können dann durch Simulationen entdeckt werden, d. h. über experimentelle Veränderungen von Modellen, die die Entstehung der arch. Befunde erklären sollen [1. 124–9]. Allerdings wird die Komplexität des realen Lebens dabei mit den Definitionen von Subsystemen und essentiellen Variablen stark reduziert, das Ergebnis teilweise vorformuliert.

Die Erklärung der Prozesse, d. h. der dynamischen Beziehung zw. den Komponenten eines Systems oder des Systems und seiner Umwelt, die zu sozialen, polit. und wirtschaftlichen Evolution führten, sollte über explizite A. M. und Theorien erfolgen. Dazu diente der

»hypothetisch-deduktive« Ansatz [1. 49–64], bei dem zunächst Hypothesen aufgrund von Theorien formuliert, dann arch. Implikationen deduziert und zuletzt diese am arch. Material, z.B. durch Ausgrabung, getestet werden. Traditionell waren hingegen der Befund und die Funde Ausgangspunkt weiterer Überlegungen (induktive Methode). Der Methodenschub ergab sich insbes. durch die Suche nach arch. Korrelaten für soziale oder wirtschaftliche Entwicklungen, die dazu dienen, Zusammenhänge zu verstehen, die nicht direkt zu beobachten sind. Wenn z.B. in mod. Gesellschaften Einheitlichkeit in der Tonaufbereitung, der Form und dem Brand mit unterschiedlichen Produktionsweisen von Keramik zusammenhängen, so kann mit entsprechender Vorsicht aus ant. Keramik auf Herstellung und Vertrieb sowie dahinterstehende Produktionsweisen rückgeschlossen werden. Wie in diesem Beispiel wurde zur Gewinnung von Hypothesen und Erklärungen auf Analogien mit mod. Völkern aus sog. ethnoarch. Unt. zurückgegriffen. Bes. Gewicht wurde auf innergesellschaftliche Differenzen gelegt. Gräber oder Architektur waren nicht mehr für Datierungen und Fragen der Religion wichtig, sondern über die Differenzierung des Aufwandes der Erstellung und der Beigaben bzw. der räumlichen Organisation als Indikatoren von Sozialstrukturen und gesellschaftlicher Organisation. Großer Wert wurde auf den Ausschluß von Zufälligkeiten, z.B. bei Typologien, in räumlichen Verteilungen oder in der Übereinstimmung von Analogien gelegt. Entsprechend dem Anspruch harter Wissenschaftlichkeit zogen so Statistik und Wahrscheinlichkeitsrechnung in die Argumentationen ein. Der Ansatz der New Archaeology war generell positivistisch: die Antworten lagen im Material, man mußte nur die Fragen richtig stellen. Dabei kam es nicht darauf an, zu versuchen, die Eigen- (»emische«) perspektive der ant. Kulturen einzunehmen, sondern die neutrale Außen- (»etische«) perspektive zu beziehen, die auch den übergeordneten kulturellen Vergleich ermöglichte.

Ein wesentlicher, zeitlich paralleler Schritt war die Frage nach der Entstehung des arch. Kontextes, eine Art arch. Quellenkritik. Die Erklärung von Formationsprozessen, d.h. von Mechanismen, die aus einem lebendigen System durch menschliche Aktivität (Wegwerfen, Schutt verlagern, Verlassen etc.) oder natürliche Bedingungen (Erosion) einen arch. Befund werden lassen, ist h. ein eigener arch. Zweig [11]. War man traditionell davon ausgegangen, daß Funde aus Nutzungszusammenhängen stammten, wurde nun deutlich, daß das meiste Material, das nicht aus Gräbern oder Brandkatastrophen stammt, schon in der Ant. aussortiert worden war. Das wirft das Problem auf, daß die Vergesellschaftung der Dinge während der Nutzungsphase, d.h. der histor. Kontext, erst rekonstruiert werden muß. Ethnoarch. Unt. befaßten sich entsprechend mit Bruch- und Ersetzungsfrequenzen von Gegenständen oder dem Wegwerfverhalten von Gesellschaften. Unabhängig von der New Archaeology stieg auch in der Klass. Arch.

das Interesse an Arbeitsorganisationen und Handel, Baukolonnen wurden identifiziert, Steinbrüche und Bergwerke untersucht.

7. ENDE DES 20. JAHRHUNDERTS: VERSTEHEN ANTIKER LEBENSWELT

Seit E. der 70er J. geriet die New Archaeology von verschiedenen Seiten unter Druck. Marxistische Anthropologen betonten die Nichtberücksichtigung der internen Widersprüche in sozialen Gruppen als verändernde Kräfte. Strukturalisten und kontextuelle Archäologen beklagten die Mißachtung der symbolischen Dimensionen von Artefakten. Während erstere aber nach kulturübergreifend gültigen Regeln der Struktur kultureller Phänomene suchten, betonten die kontextuellen Archäologen die Varianz kulturspezifischer Bed. materieller Kultur [7]. In der Rezeption der Kritischen Theorie der Frankfurter Schule, Foucaults und Derridas wurde die Darstellung der Vergangenheit als logischer Vorstufe zur Moderne als eine Ideologie kritisiert, die es zu hinterfragen gilt. Die etische Perspektive wurde als selber situiert erkannt, die Kontextabhängigkeit jeder Interpretation und selbst der Erhebung empirischer Daten als materielle Praxis in der Gegenwart betont [14]. Die Kritik ist aber nicht zuletzt durch die Fortschritte der New Archaeology begründet, die durch ihre A.M. auch für nichtschriftliche Kulturen weitergehende Fragen erlaubt und so zu einer Annäherung der arch. Disziplinen beiträgt.

Einigkeit herrscht h. unter kritischen Archäologen darüber, daß die Bed. von Dingen nicht einfach da ist, sondern daß in der Rekontextualisierung durch A.M. eine jetztzeitige Interpretation produziert wird. Dies führt für manche dazu, daß Interpretation als kreativer Akt weniger auf Erklären als auf Verstehen oder »Sinn-machen« gerichtet sind, woraus sich eine Vielfalt gleichberechtigter Interpretationsmöglichkeiten ergibt. Obgleich der Ansatz emanzipatorisch gemeint ist, können so auch traditionell rassistische oder nationalistische Interpretationen entschuldigt werden. Demgegenüber schließen andere Ansätze, insbes. die kognitive Arch. [9. 369–402], Erklären explizit nicht aus und befürworten ein Fortschreiten auf dem Weg der Prozessualisten unter Einbeziehung der symbolischen Dimensionen. Dies trifft sich mit den weit verbreiteten hermeneutischen Zugängen, die darauf abzielen, den urspr. Sinn der Befunde und Funde aus den Kontexten zu erschließen, die für ihre Entstehung verantwortlich sind. Oft ist dies jedoch notgedrungen ein Prozeß, bei dem Entstehungsbedingungen aus dem Material gefolgert werden, dessen Sinn sie erklären sollen. Nur wenn andere Informationen, z.B. durch Analogien oder Schriftquellen, hinzutreten, wird die Frage fruchtbar. So wird bei Bildwerken weniger nach Stil oder Ikonographie, sondern nach der Ikonologie gefragt, nach konnotativen Bed., nach impliziter Ideologie und nach den Wirkungen der Werke. Das gilt für Statuen wie für Grabzusammenhänge oder Tempelinventare. Diese werden nicht mehr als Produkte autonomer Künstler oder Stifter, sondern als komplexe Zeichensysteme verstanden, die im Zusammenwirken von allg. kulturellen und kunstspezifischem Kontext, von Produzenten und Auftraggeber für bestimmte Zusammenhänge und Wirkungen entstanden. Artefakte werden so als Teil der visuellen Zeichensprache des kommunikativen Prozesses und gleichzeitig Teil eines ideellen Systems, mit dem sich die Gesellschaft in der Welt orientiert und ihren Handlungen Sinn gibt. Dies zielt auf den lebensweltlichen Zusammenhang der Entstehung arch. Hinterlassenschaften, wobei teilweise der Lebensweltbegriff Husserls als mod. Variante des Kulturbegriffs eingesetzt wird.

C. Aktuelle Archäologische Methoden

Die Vielfalt A. M. richtet sich auf Regionalanalysen und die Auffindung von arch. Fundstätten, auf deren Unt., u. a. durch Ausgrabung, sowie auf die Analyse von Ausgrabungsmaterial und Funden ohne Kontext. Auf der Ebene der Funde können Artefakte, d. h. von Menschen hergestellte Dinge, z. B. Statuen oder Keramik, und Ökofakte, d. h. organische und nicht-organische natürliche Hinterlassenschaften wie Knochen, Pflanzenreste und Erdablagerungen, getrennt werden. Erstere geben Hinweise auf Datum, Herkunft, Kontakte, Sozialstruktur und Weltsichten. Letztere belegen zusätzlich Ernährungsweisen, ökologische Bedingungen und durch ihre räumliche Verteilung menschliche Aktivitäten. Bei der Interpretation helfen Analogien, Statistik [15] und Naturwiss. [10].

1. Regionalanalyse

Systematische arch. Surveys wurden in den 50er J. eingeführt. Im arch. Survey werden möglichst alle Orte und Artefaktstreuungen einer Region in ihrer Lage und Ausdehnung sowie mit ihren Oberflächenfunden dokumentiert. An die Stelle der zu aufwendigen Komplettaufnahme aller Funde tritt dabei eine repräsentative Stichprobe [9. 70–5]. Die Umsetzung der Ergebnisse in Karten zeigt die Verbreitung und Intensität von Besiedlung im Wandel der Zeit. Methoden zur Analyse der Siedlungssysteme stammen teilweise aus der Wirtschaftsgeogr. Nach der Theorie der zentralen Orte von Christaller übernehmen bestimmte Orte übergeordnete polit., ökonomische und rel. Funktionen. Je nach Komplexität des Systems bilden sich verschiedene Hierarchiestufen heraus, wobei Orte gleicher Ebene theoretisch regelhaft verteilt sind, was in der Praxis durch natürliche Bedingungen wie Berge und Flüsse verändert wird. Einflußsphären von Zentralorten werden durch Thiessen-Polygone beschrieben [1. 153–80]. Aus den festgestellten Siedlungsflächen lassen sich über Analogien mit mod. oder überlieferten Zahlen derselben Region Einwohnerzahlen schätzen, wobei sich die Dichte der Besiedlung mit Siedlungsgröße und -alter ändern kann.

2. Auffinden von Orten

Während am Mittelmeer und im Orient arch. Fundstätten überwiegend als anstehende Bauten oder Schutthügel erkennbar sind, sind andere arch. Stätten – nördl. der Alpen fast generell – durch Erde überlagert. Da Besiedlungsspuren wie Mauern oder Gräben den Feuchtigkeitshaushalt des Bodens beeinflussen, heben sie sich unter bestimmten Blickwinkeln bei Luftaufnahmen auf Feldern durch veränderten Bewuchs oder bei Schnee ab. Zusätzlich stehen h. stereoskopische und Infrarot- sowie Satellitenaufnahmen zur Verfügung [13]. Eine erste Übersicht über arch. Fundstätten einer Region kann so gewonnen werden. Die Eingabe aller erkannten arch. Fundstätten mit ihren Koordinaten in ein Geogr. Informationssystem (GIS), eine Datenbank, die verschiedene thematische Datenebenen wie Terrain, Flüsse, Straßen oder Fundstätten mit ihrer Lage im Raum verknüpft, stellt eine wichtige Quelle des Denkmalkatasters dar oder kann der Vorbereitung detaillierter arch. Surveys dienen. Zur Orientierung im Gelände und teilweise sogar zur Planaufnahme wird zunehmend das Geogr. Positionierungssystem (GPS), das über Satelliten die jeweils aktuellen Koordinaten angibt, genutzt.

3. Zerstörungsfreie Methoden

Die Arbeit an einem Ort beginnt stets mit der Erstellung eines top. Plans und eines Vermessungsnetzes, durch dessen Gitterstruktur alle Befunde und Funde in ihrer Lage beschrieben werden können. Von steigender Wichtigkeit sind zerstörungsfreie Oberflächen-Unt. geworden, die sich nach (regionalen) Erhaltungsbedingungen unterscheiden. Steinbauten, z. B. griech. Tempel, sind teilweise noch soweit erhalten, daß sie direkt einer Bauaufnahme unterworfen werden können. Pläne v. a. von einphasigen Siedlungen lassen sich durch Techniken gewinnen, bei denen Anomalien gemessen werden, die ant. Mauern oder Gräben in der Energie- bzw. elektrischen Leitfähigkeit oder im Magnetfeld der Erdoberfläche verursachen. Dabei basiert die elektrische Widerstandsmessung darauf, daß feuchte Erde besser leitet als trockene, und arch. Befunde durch ihr anderes Material Anomalien hervorrufen. Magnetische Messungen beruhen auf der Beobachtung, daß Strukturen, v. a. verbrannte oder gebrannte, meßbar höhere Konzentrationen magnetischer Eisenoxide verursachen [10. 319–52]. Bei mehrphasigen Siedlungshügeln kann ein genauer Stadtsurvey zur Analyse von Besiedlungsveränderungen über die Zeiten oder zur Festlegung von Funktionsbereichen und Produktionsstätten dienen.

4. Ausgrabungen

Ausgrabungen prägen das Bild und verleihen der Arch. ein Image des »Abenteuers«, machen aber nur einen kleinen Teil arch. Arbeit aus. Da Ausgraben immer Zerstören des Originalbefundes bedeutet, sollten Ausgrabungen nur begrenzt und unter konkreten Fragestellungen vorgenommen werden. Praktisch werden weltweit die meisten Ausgrabungen als Notgrabungen durchgeführt, um dem unkontrollierten Zerstören arch. Fundstätten für Straßen, Staudämme etc. zuvorzukommen. Da die Dokumentation als einziges bleibt und als Korrelat an die Stelle des Befundes tritt, müssen alle arch. Einheiten und Funde mit größter Sorgfalt beschrieben, gezeichnet und photographiert werden. Bezüglich der Anlage von Grabungen werden v. a. zwei

Systeme in Varianten gepflegt. Üblich ist die Anlage von Schnitten entsprechend der Quadrate des Vermessungsnetzes, wobei zw. den Schnitten Stege zur Kontrolle der Stratigraphie in Profilen stehengelassen werden. Insbes. bei eher horizontalen Grabungen mit weniger komplexer Stratigraphie werden Stege zunehmend weggelassen, was durch die Möglichkeiten neuer Vermessungsgeräte gefördert wird.

5. STRATIGRAPHIE UND FORMATIONSPROZESSE

Arch. Fundstätten sind meist in komplexen Abfolgen von Nutzung, Verfall und Wiedernutzung entstanden. Dieser Prozess heißt Stratifikation, d. h. Ablagerung verschiedener Einheiten. Als Einheiten können zunächst alle dreidimensionalen Befunde wie Erd- und Schuttschichten oder Mauern bezeichnet werden. Die retrospektive Beschreibung des gesamten dreidimensionalen Befundes in einer Grabung und die Analyse seiner zeitlichen Entstehung nennt man Stratigraphie. Dabei wird aus der Lage der Einheiten zueinander auf ihre Entstehungsabfolge rückgeschlossen: Grundannahme ist, daß eine Einheit, die über einer anderen liegt oder in eine andere einschneidet, jünger ist. Stratigraphie ist mithin die Umsetzung der räumlichen in eine zeitliche Dimension. Daher ist es sinnvoll, auch z. B. Grubenränder, denen kein Raum eigen ist, die aber eine eigene Stellung in der zeitlichen Entstehung einer Fundstätte haben, als eigene Einheit zu betrachten [6].

Die Definition von Einheiten bedeutet gleichzeitig die Erstellung von Kontexten für Seriationen. Der Kontext ist der Schlüssel zur Rekonstruktion vergangenen Verhaltens und für die Interpretation der Bed. der gefundenen Objekte. Daher müssen in der Ausgrabung die Einheiten exakt in ihren Dimensionen, ihrer Konsistenz und ihrem Verhältnis zu anderen Einheiten sowie ihrer Entstehung beschrieben werden. Dabei trennt man kulturell bedingte Formationsprozesse, d. h. Aktivitäten von Menschen (Häuser bauen, Müll trennen), und nicht-kulturelle, natürliche Formationsprozesse, z. B. Winderosion, die jeweils spezifische Spuren hinterlassen [11]. Mikromorphologische Analysen der Schichten geben weitere Aufschlüsse über ihre Entstehung oder die Nutzung von Räumen aufgrund insbes. organischer Residuen. Bes. Funde werden dreidimensional eingemessen, andere Funde, z. B. Keramik, nach Einheiten getrennt gesammelt, um Zusammenhänge rekonstruieren zu können. Einheiten werden horizontal zur Bestimmung verschiedener Aktivitäten, und vertikal für zeitbedingte Veränderungen untersucht und zu Schichten zusammengefaßt.

6. INTERNE SIEDLUNGSANALYSEN

Ein wesentlicher und integraler Bestandteil der A. M. sind die Methoden der → Archäologischen Bauforschung. Dazu gehören sowohl Analysen interner Siedlungsstrukturen, z. B. der Verteilung von öffentlichen und privaten Bauten sowie der Siedlungsplanung und auch die Interpretation von Architektur, ihren Baugliedern und ihrem Baudekor. Hinzu treten statistische Fundverteilungs-Unt. zur Funktionsdifferenzierung in einzelnen Bauwerken und Orten.

7. TYPOLOGIE

Artefakte aus Ausgrabungen oder dem Kunsthandel können typologisch und stilistisch eingeordnet werden. Typologie als generelle Klassifikation gehört zu den ältesten A. M. (s.o.). Wurde sie zunächst nur zur Ermittlung der raum-zeitlichen Verbreitung von Artefakten und des Standes der Technologie eingesetzt, so ist ihre Anwendung h. weit gefächert. Bei allen Differenzen über die rechte Methode zur Gewinnung und über den genauen Aussagewert von Typologien [1. 207–30] werden sie erstellt auf der Basis, daß spezifische Attribute der Objekte, z. B. Rohmaterial, Farbe, Maß(verhältnisse), wichtig sind, um spezifische Fragen zu beantworten. Die konkrete Gestalt einer Typologie hängt also von der Fragestellung ab. Dies läßt sich am besten an Keramik demonstrieren, da dieses Fundmaterial ubiquitär, unendlich vielfältig zu gestalten, schnell hergestellt und leicht zerbrochen ist. Daher weist Keramik hohe Ersetzungsraten, Form- und Dekorwechsel auf. Keramiktypologien basieren auf Waren, definiert über Ton, Magerung, Herstellungstechnik und Brand, oder Formen oder eventuellen Verzierungen. Dabei deuten Waren auf Tonlager und Produktionsweisen, Formen auf Nutzung, Verzierung auf Maler, Botschaften bzw. sozialen Kontakt, alle drei auf Datierung und Herkunftsregion [8]. Es gibt daher viele sinnvolle Möglichkeiten der Klassifikation, von denen aber nur in wenigen Fällen, z. B. bei griech. Preisamphoren, sicher ist, daß heutige Typen ant. Einteilungen entsprechen.

8. CHRONOLOGIE

Stratigraphie, Typologie, Stilforsch. und Seriation gehören zu den A. M. zur Gewinnung einer relativen Datierung. Eine relative Chronologie gibt das Altersverhältnis von zwei oder mehr arch. Einheiten oder Objekten an. Absolute Chronologie hingegen fixiert ein genaues Datum. Ein solches tragen z. B. Texte und Münzen. Ihren Fundkontexten geben diese ein Datum, nach dem die Kontexte entstanden sein müssen (*terminus post quem*). Die meisten absoluten Datierungen beruhen auf Vergleichen mit sicher datierten Objekten. Durch die lange arch. Praxis hat sich dabei ein dichtes Netz von Datierungen für fast alle Gegenstände herausgebildet. Dazu diente seit Thomsen die Seriation (s.o.). Verglich man damals einzelne Objekte und generelle Formtrends, so präzisierte sich mit Funden aus Grabungen die Methode. Da bestimmte Typen sich entwickeln, an Beliebtheit gewinnen und wieder aus der Mode kommen, wurde nicht mehr nur ihre pure Präsenz, sondern auch ihre Häufigkeit in die Seriation aufgenommen. Mit der Brainerd-Robinson-Matrix von 1951 [15] wurden neben den gleichen Anteilen von Typen in verschiedenen Einheiten auch die Unterschiede mitberücksichtigt. Beide wurden in Beziehung gesetzt und so der Prozentsatz der Ähnlichkeit je zweier Einheiten miteinander verglichen. Seitdem wurden verschiedene Ähnlichkeitskoeffizienten und andere statistische Methoden (Clusteranalyse) eingeführt, die Ähnlichkeiten zw. Artefaktgruppen beschreiben.

Absolute Daten geben versch. naturwiss. Verfahren. Diverse Methoden basieren auf der Messung der Zerfallsraten radioaktiver Stoffe. Von ihnen ist die Radiokarbon (^{14}C)-Datierung auch für histor. Zeiten anwendbar. Diese Methode beruht darauf, daß lebende Organismen mit der Luft geringe Mengen des radioaktiven ^{14}C aufnehmen. Die Differenz zw. der in toten Organismen gefundenen Menge des ^{14}C zu derjenigen in lebenden kann über die bekannte Halbwertszeit des ^{14}C in J. umgerechnet werden. Da der ^{14}C-Gehalt allerdings im Laufe der Erdgeschichte schwankte, müssen die Daten kalibriert werden. Dazu dient die Dendrochronologie, die darauf basiert, daß sich die Wachstumsringe von Bäumen durch klimatische Schwankungen jedes J. anders ausbilden. Durch Vergleich der Baumringabfolgen können Hölzer auf das Jahr genau datiert werden, in Mitteleuropa inzwischen bis ca. 10000 v. Chr. Über Proben dieser Hölzer kann einerseits die ^{14}C-Kalibration erfolgen, andererseits kann das Fälldatum der Bäume, z. B. für den Hausbau, abgelesen werden. Eine Methode zur Datierung von Objekten mit mineralischem Gehalt, v. a. Keramik, ist die Thermoluminiszenz, bei der durch Erhitzen die seit dem Brand aufgenommene Radioaktivität freigesetzt und gemessen wird [10. 398–418].

9. ANALOGIEN UND ETHNOARCHÄOLOGIE

Zur Beantwortung weiterführender Fragen der Sozial-, Handels- oder Bedeutungsgeschichte greift die Arch. intensiv auf Analogien zurück, die häufig durch Ethno-Arch. gewonnen werden. Mit Beginn der Arch. wurden Artefakte über Analogien beschrieben, die über ethnologische Beobachtungen, insbes. der eigenen Kultur, entlehnt wurden. Dies gilt für die Identifikation von Keramikgefäßen als Krüge wie für Skulpturen als Kunst. Die Ethno-Arch. entwickelte sich in den 60er J. als reflektierte Methode aus der Unzufriedenheit mit der Subjektivität und der mangelhaften Konsistenz der Analogien. Archäologen selber untersuchten nun Verhalten bei Gesellschaften in bestimmten ökologischen und sozialen Situationen, um die Lücke zw. arch. Befunden und Funden und ant. Handeln, das zu ihrer Entstehung führte, zu schließen. Die Ansprüche an Analogien sind dabei beständig gewachsen [1. 85–108]. Die Kombination verschiedener Analogien zielt auf die Erklärung komplexer polit. und sozialer Verhältnisse, z. B. das Verhalten von Nomaden zw. Großreichen.

10. SOZIALE ORGANISATION

Das zentrale Thema der sozialen Organisation innerhalb der Arch. wurde oben verschiedentlich angesprochen. Auf Stufen gesellschaftlicher Organisation wird aus Siedlungssystemen (s. o.) und gemeinschaftlichen Baumaßnahmen, wie z. B. Tempeln und Kanälen, auf potentielle Konflikte aus Befestigungen geschlossen. Detailliertere Analysen ermöglichen der innerörtliche Vergleich der Architektur und der Ausstattung von Privathaushalten sowie der Vergleich der Anlage und Ausstattung von Gräbern. Hinzu tritt die Interpretation von Arbeitsorganisation, auf die aus dem Grad der Spezialisierung innerhalb von Siedlungen und bei der Produktion, z. B. über Standardisierung, geschlossen werden kann. An klass. Tempeln oder an den Reliefs von Persepolis wurden so Handwerkerhände geschieden und die Organisation der Arbeit in Gruppen geklärt. Die Rekonstruktion von ant. Techniken ist ein eigener, vielfältiger Bereich, der von der Unt. ant. Bergwerke und Verhüttung bis zur Analyse von Werkzeugspuren und Gußverfahren oder Produktionsraten von Keramik reicht.

11. HANDEL UND AUSTAUSCH

Ein wichtiger Aspekt sozialer Organisation sind die Mechanismen des Austausches von Symbolen und Waren [9. 335–68]. Dabei geht es um limitierten Austausch auf lokaler oder sozial gleicher Ebene (*peer polity interaction*) wie auch den überregionalen Handel. Dieser wird z. B. über das Auffinden von Importen und Nachahmungen von Objekten sowie Schiffsfunde der Unterwasser-Arch. belegt. Sonderfälle sind identifizierbare Werkstätten griech. Vasenhersteller oder gestempelte röm. Amphoren, deren Verbreitung als Behälter des eigentlichen Handelsgutes perfekt zu verfolgen ist. Dargestellt wird Handel über Verbreitungskarten. Beim Handel mit röm. Keramik lassen sich sogar über Karten mit quantifizierten Daten Versorgungsbereiche bestimmter Werkstätten trennen. Eine Vielzahl naturwiss. Analysen von Materialzusammensetzungen [9. 343–50] kann zur Identifizierung von Herkunftsorten von Metallen, Glas und Keramik führen. Aus der Verbreitung und der Produktion von Objekten wird über Analogien auf die Art des Handels, d. h. direkt, über Mittelsmänner oder auf dem Markt, rückgeschlossen. Die Summe der Beobachtungen führt zur Identifizierung von generellen Austauschmechanismen, die in der Wirtschaftsgeschichte in reziproken Austausch, Redistribution und Märkte getrennt werden.

12. BEDEUTUNG

Wie bei Texten beginnt die Rezeptionsgeschichte von Gegenständen mit ihrer Fertigstellung. Selbst ihre funktionale Bed. ist oft nur in Abhängigkeit von den Kontexten der Verwendung zu bestimmen. Mit den Kontexten variiert oft die Funktion, z. B. als kult. Gerät oder Alltagsgerät. Es eröffnen sich aber auch neue Möglichkeiten der Interpretation, wenn z. B. Statuen im Kontext eine neue Bed. als Programm erhalten. Die Variation von Bed. gilt ebenfalls für Bildmotive, denen oft ein expliziter Botschaftscharakter zugeschrieben wird, die aber in Grab- oder Haushaltszusammenhängen unterschiedliche Bed. annehmen können. Die Auswahl der Motive kann sogar bewußt durch Mehrdeutigkeit bestimmt gewesen, aber auch rein zufällig erfolgt sein. Sicher ergibt sich eine Vielzahl von Bed. in der Interpretation der damaligen und erst recht heutiger Rezipienten, die jeweils anderes Hintergrundwissen einbringen. Als Beispiele können ant. Bildmotive in christl. Deutung dienen [5]. Eine Interpretation ist so nur über einen weiten Ikonologiebegriff zu erhalten. Der symbolische, z. B. magische oder statusrelevante

Gehalt von Objekten ist, wenn überhaupt, nur durch reflexive, möglichst viele verschiedene Quellen benutzende, hermeneutische Prozesse zu rekonstruieren (s.o.).

13. NATURWISSENSCHAFTEN

Mit Ökofakten beschäftigen sich Archäozoologie und Archäobotanik, mit menschlichen Überresten die physische Anthropologie. Aus der Identifizierung von Tierknochen und Planzenresten sowie aus dem Zahnabrieb werden Ernährungsweisen, die Domestizierung von Tieren und die Entwicklung des Ackerbaus erschlossen. Wildtierknochen, Muscheln und Pollenanalysen ermöglichen die weitgehende Rekonstruktion von Umweltbedingungen. Pollen aus Bohrkernen belegen Klimaschwankungen. Auf die Saisonalität von Siedlungen kann über das Schlachtverhalten, das anhand des Alters von geschlachteten Jungtieren ermittelt wird, geschlossen werden. Zunehmend werden Gefäße auf Inhaltsreste untersucht.

Außer den naturwiss. Datierungs- und Auffindungsmethoden stehen diverse Methoden der Materialanalyse zur Verfügung, die Metalllegierungen oder Techniken identifizieren. Spezifische Kombinationen von Mineralien in Keramik lassen auf die Herkunft des Tons schließen. Sie werden durch Dünnschliffe oder durch die Neutronenaktivierungsanalyse festgestellt, bei der kleinste Mengen von Keramik mit Neutronen beschossen werden, die die Spurenelemente aktivieren [8. 140–50]. Zu oft werden allerdings naturwiss. Untersuchungsmethoden nicht genutzt oder bleiben unverbunden neben der geisteswiss. Diskussion stehen. Ein neues Beispiel für letzteres ist die Debatte um Genanalysen. Diese werden u.a. zur Ermittlung von Verwandtschaft in Gräberfeldern benutzt. Andererseits wird diese Methode zur Ermittlung ethnischer Beziehungen zw. ant. und heutigen Menschen angeboten. Hingegen betonen Sozio- und Ethnologie die soziale Konstruiertheit und Wandelbarkeit von ethnischer Fremd- und Eigendefinition, die nichts mit Genen zu tun hat. Die Debatte ist Teil der erneuerten Diskussion über die Determiniertheit des Menschen durch Biologie oder Kultur, die seit dem 19. Jh. die Entwicklung A.M. und Theorien begleitet hat.

→ Antikensammlungen; Druckwerke; Epochenbegriffe; Klassische Archäologie; Kulturanthropologie; Stilanalyse; Vor- und Frühgeschichte; Unterwasserarchäologie; Vorderasiatische Archäologie

1 R. BERNBECK, Theorien in der Arch., 1997 2 L.R. und S.R. BINFORD (Hrsg.), New Perspectives in Archaeology., 1968 3 A.H. BORBEIN, Zur Entwicklung der arch. Forsch. im 18. und 19. Jh., in: R. KURZROCK (Hrsg.), Arch.: Forsch. und Information, 1977, 28–42 4 D.L. CLARKE, Analytical Archaeology, 1968 5 J. ENGEMANN, Deutung und Bed. frühchristl. Bildwerke, 1997 6 E.C. HARRIS, Principles of Archaeological Stratigraphy, ²1989 7 I. HODDER, Reading the Past: Current Approaches to interpretation in Archaeology, ²1991 8 C. ORTON et al., Pottery in Archaeology, 1993 9 C. RENFREW, P. BAHN, Archaeology:

Theories, Methods and Practice, ²1996 10 R. ROTTLÄNDER, Einführung in die naturwiss. Methoden in der Arch., 1983 11 M.B. SCHIFFER, Formation Processes of the Archaeological Record, 1987 12 A. SCHNAPP, La conquête du passé: aux origines de l'archéologie, 1993 13 I. SCOLLAR et al., Archaeological Prospecting and Remote Sensing, 1990 14 M. SHANKS, C. TILLEY, Social Theory and Archaeology, 1987 15 ST. SHENNAN, Quantifying A., ³1997 16 B.G. TRIGGER, A History of Archaeological Thought, 1991.

STEFAN R. HAUSER

Archäologischer Park A. BEGRIFF UND GRUNDKONZEPT B. VORLÄUFER C. BEDEUTENDE ARCHÄOLOGISCHE PARKS D. MODERNE NUTZUNG

A. BEGRIFF UND GRUNDKONZEPT

Der Begriff A.P. ist nicht klar definiert, die Abgrenzung zu großen Grabungsplätzen mit umfänglich restaurierten, wieder aufgerichteten bzw. rekonstruierten Bauten (etwa → Athen, Agora mit Attalosstoa; Ephesos, Celsusbibliothek; Pergamon, Traianeum) nicht eindeutig. In Deutschland taucht er erstmals zu Beginn der 70er J. auf. Ausgelöst durch die damals im Bereich der musealen Vermittlung geführte Methoden- und Theoriediskussion, hatte auch die arch. Denkmalpflege begonnen, ihre Ziele, Inhalte und möglichen didaktischen Ansätze zu reflektieren. Zusätzliche Anstöße gab das deutlich wachsende Interesse des Massentourismus an arch. Stätten. Es wuchs die Einsicht, daß Grabungen nicht allein auf wiss. Erkenntnisgewinn ausgerichtet sein dürften, sondern neben dem Schutz der baulichen Reste eine an den Bedürfnissen breiter Besucherschichten orientierte Herrichtung der Grabungsplätze notwendig sei. Zentrale Rolle kam dabei der Forderung nach Anschaulichkeit zu. In den Mittelmeerländern ist diese wegen der meist besseren Erhaltungsbedingungen der ant. Baureste vielerorts durch Wiederaufrichtung der Bauglieder (Anastylosis) erreichbar.

Demgegenüber sind in Mitteleuropa weitergehende Formen der besucherorientierten Aufbereitung der Baubefunde notwendig. Das Konzept des A.P. verfolgt eine bes. prägnante Form ihrer Visualisierung. Vertreter der traditionellen Denkmalpflege, die z.T. die von A. Riegl gebildeten Kategorien zum Denkmalwert histor. Bauten auch auf A.P. anzuwenden, stehen ihr kritisch gegenüber.

Der A.P. beschränkt sich nicht darauf, im Gelände sichtbar belassene, originale Gebäudefundamente zu präsentieren, die zur Sicherung ihrer Substanz meist eine geringfügige, restaurierende Aufmauerung erhalten. Charakteristisch für sein Erscheinungsbild ist ein Ensemble ganz oder teilweise rekonstruierter Bauten am histor. Ort, d.h. auf den originalen, meist nur zu einem geringen Teil erhaltenen Befunden (zum Begriff der Rekonstruktion s.u.). Beides unterscheidet den A.P. vom herkömmlichen Freilichtmuseum, das zumeist aus einer Reihe histor., aus ihrem urspr. Kontext gelöster und translozierter Gebäude besteht, oder von

Abb. 1: Schwarzenacker,
Wandgestaltung Haus 16–17

Abb. 2: Xanten, Gasträume der Herberge
im Archäologischen Park

Abb. 3: Xanten,
Archäologischer
Park mit Amphi-
theater, Herberge,
Stadtmauer,
-türmen und -toren

frei nachempfundenen bzw. an anderer Stelle rekonstruierten Bauten (Alphen a.d. Rijn/NL, Archeon; Augst/CH, Römerhaus; Berg en Dal/NL, Bijbels Openluchtmuseum; Malibu/USA, J. P. Getty Museum; Unteruhldingen/D, Pfahlbausiedlung). Die Rekonstruktion über dem Originalbefund wird vereinzelt als Verstoß gegen die in Art. 15 der Charta von Venedig (1964) formulierten Grundsätze zur Denkmalpflege kritisiert, nach der auf Grabungsplätzen nur die Anastylosis Anwendung finden darf. Das Umfeld der Bauten im A. P. ist in der Regel landschaftsgärtnerisch gestaltet, wobei Bäume und Hecken teilweise als Substitut urspr. vorhandener Architektur dienen können (Abb. 4). Die genannten Charakteristika finden sich bereits beim Kohortenkastell Saalburg im Taunus, das gegen Ende des 19. Jh. in Teilen wiedererrichtet wurde und als ein früher Vorläufer der A. P. angesehen werden kann. Einige ältere, bes. auf dem Areal vor- und frühgeschichtlicher Siedlungsplätze entstandene Freilichtmuseen (etwa Biskupin/PL, Eketorp/S, Groß Raden/D) weisen ebenfalls den A. P. verwandte Züge auf. Schließlich haben manche Grabungsplätze schon vor den 70er J. durch umfängliche Rekonstruktions-, Restaurierungs- und landschaftsgärtnerische Maßnahmen eine Gestaltung erfahren, die alle Merkmale der heutigen A. P. aufweist, so etwa Magdalensberg/A, Schwarzenacker/D oder Abschnitte des Hadrianswalls/GB. Vereinzelte Elemente finden sich mittlerweile auch auf Grabungsplätzen des Mittelmeerraums (Ampurias/E).

B. Vorläufer

Saalburg/D (Baubeginn 1898; Vollrekonstruktion der Umwehrung, der *principia*, des Horreums und zweier Mannschaftsbaracken; Teilrekonstruktion des Praetoriums); Magdalensberg/A (Projektbeginn 1949, Vollrekonstruktion von ca. 25 Wohn- und Gewerbebauten), Römermuseum Schwarzenacker/D (Projektbeginn 1966; Voll- und Teilrekonstruktionen mehrerer Häuser).

C. Bedeutende Archäologische Parks

A. P. Xanten/D (Projektbeginn 1973; Darstellung des ant. Straßensystems im Gelände; Teilrekonstruktion des Amphitheaters und des Hafentempels; Vollrekonstruktion der Herberge mit vorgelagerter Porticus und Thermenanlage, eines Abschnitts der Stadtmauer mit mehreren Türmen und des nördl. Stadttors; Schutzbau über den öffentlichen Thermen, Abb. 3); A. P. Cambodunum/D (Projektbeginn 1983; Voll- und Teilrekonstruktionen mehrerer Sakralbauten und der Porticus des gallo-röm. Tempelbezirks); A. P. Carnuntum/A (Projektbeginn 1988; Vollrekonstruktion des Dianatempels mit vorgelagerter Porticus; Teilrekonstruktion des Amphitheaters geplant).

Bautechnik und -material der Rekonstruktionen in den A. P. orientieren sich möglichst getreu am ant. Vorbild. Materialverträglichkeit zw. dem Originalbefund und dem mod. Hinzufügungen gilt als ein wesentliches Kriterium der Bauausführung. Die Trennlinie zw. dem Originalbefund und der Rekonstruktion wird meist durch verschiedene optische Mittel (Mauerversprung, Bleiband, Ziegeldurchschuß) erkennbar gemacht. Zur Rekonstruktion werden neben der eingehenden Analyse des Grabungsbefundes, der erhaltenen Bauglieder und weiterer aussagefähiger Funde vergleichbare, besser erhaltene Gebäudetypen, gegebenenfalls auch ant. Schriftquellen − etwa M. Vitruvius Pollio −, herangezogen. Angestrebt wird somit ein Höchstmaß an wiss. begründeter Faktizität und Authentizität. Indirekte Ziele der Rekonstruktion sind schließlich nur aus der Praxis zu gewinnende Erkenntnisse zur ant. Bautechnik. Dennoch kann kein solcher Nachbau eine in allen Einzelheiten exakte Kopie seines Vorbildes darstellen: Die Kenntnislücken hinsichtlich vieler Details erlauben alternative Lösungen, die notwendige Entscheidung für eine von mehreren denkbaren Möglichkeiten ist zwangsläufig eine Vereinfachung, die nur Vorschlagscharakter haben kann. Der Grad der Nähe des Nachbaus

Abb. 4: Kempten,
Archäologischer Park,
Sakralbauten

zum ant. Vorbild ist dabei unterschiedlich hoch: Während die Rekonstruktion von mittelmeerischer Sakralarchitektur aufgrund ihrer weitgehend kanonischen Formensprache auf der Basis nur weniger, aber aussagefähiger Bauglieder bis in die Details möglich ist und sich zusätzlich durch Vergleiche sichern läßt (Xanten, Hafentempel; Carnuntum, Dianatempel), ist die Rekonstruktion von Profanbauten wie Wohn- und Gewerbehäusern, Thermen u. ä., aber auch von einheimischen Sakralbauten mit erheblich größeren Unsicherheiten behaftet. Aus all diesen Gründen werden die Rekonstruktionen in A. P. daher auch häufig zutreffender als Modelle im Maßstab 1 : 1 bezeichnet.

Der Modellcharakter der Rekonstruktionen wird bes. sinnfällig an denjenigen Ausführungsdetails, die unmittelbare didaktische Zielsetzungen verfolgen: Nur teilweise verputzte Wandflächen und Mauerzüge (Xanten, Amphitheater; Schwarzenacker, Haus 3; Kempten, Halle des gallo-röm. Tempelbezirks), Säulen in unterschiedlichen Bearbeitungsstadien und mit ausschnitthaft angegebener Polychromie (Xanten, Hafentempel) oder geschnittene bzw. halbfertige Mauern (Xanten, Stadtmauer; Magdalensberg, Südhanghäuser) sollen Einblicke in antike Bautechniken und Hinweise auf Gestaltungsmerkmale der urspr. Bauten geben. Versengte Balkenstümpfe und Mauerabbrüche schließlich sind als Versuch zu werten, sogar die histor. Dimension – hier den Moment der Zerstörung des Baus – in die Rekonstruktion einzubeziehen (Schwarzenacker, Haus 16–17; Abb. 1).

Die Innengestaltung der Vollrekonstruktionen orientiert sich wegen des im konkreten Fall meist lückenhaften Kenntnisstandes in der Regel an besser erhaltenen Befunden von anderen Orten und hat insoweit idealtypischen Charakter; ebenso wird die Ausstattung der Räume mit Möbeln, Gerätschaften u. a. m. häufig durch Kopien von Funden anderer Plätze, z. T. auch durch freie Nachschöpfungen unter Zuhilfenahme bildlicher Darstellungen, interpoliert. Die Wandbemalung folgt meist Vorbildern geogr. benachbarter Gebiete und gleicher Zeitstellung (Xanten, Herberge; Abb. 2), in einigen Fällen zusätzlich gleicher Gebäudefunktionen (Xanten, Herbergsthermen). Der Rekonstruktion und Ausgestaltung gewerblich genutzter Räume wie Tabernae oder Thermopolia liegen zumeist die gut erhaltenen Parallelen aus Ostia und den Vesuvstädten zugrunde (Xanten, Thermopolium in der Herberge; Schwarzenacker, Taberna Haus 1). Letztere liefern auch die Vorbilder, wenn etwa Thermenanlagen mit funktionsfähiger Technik und vorbildgetreuer Befensterung rekonstruiert werden (Xanten, Herbergsthermen). Einen Sonderfall bildet der Schutzbau über den öffentlichen Thermen in Xanten, der zwar als mod. Stahl-Glas-Konstruktion errichtet ist, aber die Dachlandschaft und die Raumvolumina des ant. Baukörpers nachzeichnet.

D. Moderne Nutzung

Die wieder errichteten Bauten erfahren unterschiedlichste mod. Nutzungen. Der unmittelbarste Zusammenhang zw. ant. Befund und Rekonstruktion ist dann gegeben, wenn diese gleichzeitig dem Schutz und der Präsentation der Originalreste dient (Xanten, Hafentempel: Podium überspannt frei die Fundamentplatte). Sie können aber auch als Ausstellungsraum (Magdalensberg; Saalburg), als Spielstätte für Aufführungen verschiedenster Art (Xanten, Amphitheater) oder zur Unterbringung gastronomischer Einrichtungen (Xanten, Herberge; Schwarzenacker, Haus 1) genutzt werden.

Dem Vermittlungskonzept des A. P. entspricht ein breit gefächertes Informationsangebot, das auf die Bedürfnisse von Einzelbesuchern, von Besuchergruppen sowie von speziellen Zielgruppen abgestellt ist (Kurzführer, Beschriftungstafeln, Führungen durch geschultes Personal, Grabungsführungen, akustische Führer, Angebote für Behinderte, Sonderveranstaltungen u. a. m.). Großer Wert wird auch auf die Möglichkeit zur Entfaltung von Eigenaktivitäten der Besucher gelegt (röm. Brett- und Geschicklichkeitsspiele im A. P. Xanten).

1 C. Ahrens, Wiederaufgebaute Vorzeit. Arch. Freilichtmuseen in Europa, 1990 2 Arch. und Denkmalpflege. Bericht über ein Kolloquium, veranstaltet vom Architekturreferat des DAI in Berlin 6.–8.11.1975. Diskussionen zur arch. Bauforsch. 2, o.J. 3 W. Eder, Unsichtbares sichtbar machen – Überlegungen zum Nutzen und Schaden des Wiederaufbaus ant. Denkmäler, in: Denkmalpflege und Tourismus. Mißtrauische Distanz oder fruchtbare Partnerschaft. Vorträge und Diskussionserg. Int. Symp. 26.–29.11.1986 Trier, 1987, 38–57 4 R. G. K. F. Gollmann et. al. , A. P. Carnuntum 1, o.J. 5 W. Jobst (Hrsg.), Symposion »A. P. Carnuntum. Ant. Ruinen nördl. der Alpen und die Möglichkeiten ihrer Präsentation«, 14.–17.7. 1988 Bad Deutsch Altenburg, Carnuntum Jahr-B. 1989, 1990 6 Landschaftsverband Rheinland (Hrsg.), Colonia Ulpia Traiana. 1.–6. Arbeitsbericht zu den Grabungen und Rekonstruktionen. Veröffentlichungen zum Aufbau des A. P. Xanten, 1978–1984 7 A. Miron, Denkmalpflege und Tourismus am Beispiel des Römermus. Schwarzenacker und des Europ. Kulturparks Bliesbrück-Reinheim, in: Denkmalpflege und Tourismus 2. Vorträge und Diskussionsergebnisse, 2. Internationales Symposion 9.–12.11.1988 Trier, 1989, 42–55 8 G. Piccottini, H. Vetters, Führer durch die Ausgrabungen auf dem Magdalensberg, ³1985 9 G. Precht, H.-J. Schalles, A. P./Regionalmuseum Xanten – Entwicklungsmöglichkeiten und Zukunftsperspektiven, in: Diess. (Hrsg.), Spurenlese. Beiträge zur Gesch. des Xantener Raumes, 1989, 297–305 10 A. Rieche, Arch. Rekonstruktionen: Ziele und Wirkung, in: Xantener Ber. 6, 1995, 449–473 11 H. Schmidt, Wiederaufbau. Denkmalpflege an arch. Stätten 2, 1993, 231–238 12 Ders., Konservieren oder Rekonstruieren? Zur Präsentation arch. Grabungsplätze, Xantener Ber. 5, 1994, 77–87 13 Verband der Landesarchäologen in der Bundesrepublik Deutschland (Hrsg.), Sinn und Unsinn arch. Restaurierungen und

Rekonstruktionen. Kolloquium Traunstein 17.–20.9. 1990,
1991 **14** G. ULBERT, G. WEBER (Hrsg.), Konservierte
Geschichte ? Ant. Bauten und ihre Erhaltung, 1985
15 G. WEBER, APC. A. P. Cambodunum. 1. Abschnitt. Der
Gallo-röm. Tempelbezirk, 1989.

HANS-JOACHIM SCHALLES

Archaik s. Epochenbegriffe

Archaismus s. Klassizismus

Architekturkopie/-zitat A. EINLEITUNG
B. MITTELALTER C. 15.–17. JAHRHUNDERT
D. 18./19. JAHRHUNDERT E. POSTMODERNE

A. EINLEITUNG

»Kopie« und »Zitat« sind für die Architekturgeschichte im Sprachgebrauch der Wiss. nicht eindeutig
definiert und begrifflich nicht streng geschieden. Wird
in der Lit. die wörtliche Übernahme eines Textes oder
eines Textteils als »Zitat« bezeichnet, so spricht man in
der Architektur bei der detailgetreuen Nachbildung eines Gebäudes oder eines Formmotivs meist von »Kopie«. Dagegen wird unter »Zitat« eher die kreativ ab-
gewandelte Übernahme von Einzelelementen und von
aus einem Gesamtzusammenhang separierten Formen
verstanden, wobei aber der bewußte Bezug auf das Vorbild erkennbar bleiben muß. Die Grenzen gegenüber
anderen Verfahrensweisen der Formrezeption und der
Aneignung von Formen aus der Architektur vorange-
hender Zeiten sind dabei nicht immer klar zu ziehen.

B. MITTELALTER

Ungeachtet der Weiterverwendung einzelner ant.
Architekturelemente, wie Säulen, und abgesehen von
dem Sonderfall Pantheon gewann im MA allein spät-
ant.-frühchristl. Architektur eine Bed. als zitierfähige
Bezugsgröße aus der Zeit der Ant. Die Bezugnahme auf
die Architektur des frühen Christentums zielte dabei
stets auf einen diesen Gebäuden zugesprochenen rel.
oder polit. Sinngehalt, war also kaum oder erst in zweiter Linie ästhetisch motiviert. Generell gilt dabei, daß
der Vorbildbau nicht in toto wiederholt, sondern durch
das Zitieren einiger weniger Formcharakteristika vergegenwärtigt wurde. Kopien im Sinne von detailge-
treuer Wiederholung spät-ant.-frühchristl. Vorbildbau-
ten kennt das MA also nicht; »kopiert« wurde durch
Zitate, durch die Übernahme signifikanter Formmerkmale des Vorbildes [16]. Dies konnte geleistet werden
schon durch die mit dem Vorbild übereinstimmende
Anzahl an Stützen, durch eine ähnliche Grundrißfigur,
eine vergleichbare Raumfolge o.ä.

Der Kreis der Denkmäler, auf die man sich dabei als
Vorbilder bezog, war relativ eng begrenzt. Am häufigsten herangezogen wurden die frühchristl. Basiliken
Roms, insbes. die von Konstantin gegr. Peterskirche,
und die ebenfalls konstantinische Gründung der Grabeskirche Christi in Jerusalem. Ein singulärer Fall blieben die für die Architektur der Pfalzkapelle Karls des Gr.
in Aachen (786–800) prägenden Formübernahmen aus

San Vitale in Ravenna (526–547) [2] (Abb. 1+2). Die
Motive für diese Vorbildwahl sind allerdings nicht eindeutig bestimmbar, zumal neben der ravennatischen
Kirche weitere Vorbilder im Blickfeld der Karolinger
lagen. Zusätzlich waren die Formzitate – oktogonaler
Zentralbau mit zweigeschossigem Umgang oder die
zweigeschossige Säulenstellung mit Dreierarkade – hier
durch materielle Übernahmen, röm. und ravennatische
Spolien, zu einem komplexen Geflecht von Vergan-
genheitsbezügen erweitert.

Schon in der frühen Karolingerzeit setzte mit der
Basilika in St. Denis (768–775) aber auch die Orientierung am Vorbild von Alt-St. Peter ein, anschaulich gemacht mit dem durchlaufenden Querschiff des röm.
Vorbildes und mit der Nachahmung der Ringkrypta des
Petrusgrabes [14; 17] (Abb. 3+4). Die Anlage eines
Querschiffes, v. a. eines im Westen gelegenen (z. B. Fulda ca. 802–819, Abb. 5), allgemeiner die von der Peterskirche übernommene Orientierung nach Westen statt
der sonst üblichen Ostung, ebenso ein im Westen ge-
legener Altar mit Petruspatrozinium können seither als
Bezug auf das röm. Vorbild gewertet werden. Wenn
man dagegen auch in den Säulen- oder Rundpfeiler-
Arkaden gotischer Kathedralen noch Allusionen auf
frühchristl. Basiliken erkannt hat [21. 22], so ist dabei
weniger an einen konkreten Bau als Vorbild gedacht;
zitiert wird mit diesem Stützenmotiv vielmehr genereller der Typus Säulenbasilika als Vergegenwärtigung einer Vorstellung von frühchristl. und röm. Kirche. Ungeachtet jeweils zeitspezifischer Differenzierungen wird
man allg. die Orientierung an röm. Vorbildern und bes.
an der Petersbasilika auf den Vorstellungskomplex vom
universellen Primat Roms im polit., rel. oder kulturellen Leben beziehen können.

Für die Grabeskirche in Jerusalem lassen sich dieselben Verfahrensweisen des Kopierens nachweisen [4;
10. 84–101]. Die Grundrißform als Zentralbau mit
innerem Stützenkranz, die Anzahl der Stützen, die Erweiterung des Zentralbaus durch drei Apsiden – diese
Formmerkmale allein oder in Kombination können den
Bezug auf den Vorbildbau sichern. Zusätzlich zu diesen
Zitaten, die eine Kirche als Nachbildung der Grabeskirche ausweisen, konnte die urbanistische Disposition
die Sakraltop. Jerusalems nachstellen [19]. Nahegelegt
war eine derartige architektonische Vergegenwärtigung
der hl. Stätten durch die Vorstellung, daß im Ablauf des
Kirchenjahres die Lebensstationen Christi in der Liturgie nachvollzogen werden.

C. 15.–17. JAHRHUNDERT

Mit dem → Humanismus und den seit dem 15. Jh.
betriebenen Antikenstudien änderten sich die Bedingungen für einen Rekurs der zeitgenössischen Architektur auf die der Ant. grundlegend. Die arch. Erschließung ant. Bauwerke, ihre Vermessung und zeichnerische Aufnahme, die schon für Brunelleschi und Alberti
bezeugt sind und die in dem Raffael übertragenen Plan
Papst Leos X., das gesamte ant. Rom zu inventarisieren
und zu rekonstruieren, einen Höhepunkt fanden, hat-

Abb. 1: Innenansicht der Pfalzkapelle
(heute Dom) in Aachen

Abb. 2: Innenansicht von
San Vitale in Ravenna

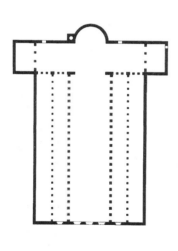

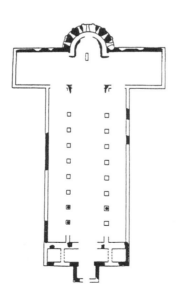

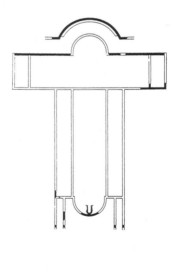

Abb. 3: Alt-St. Peter in Rom,
Grundriß

Abb. 4: Saint Denis, karolingische
Abteikirche, Grundriß

Abb. 5: Fulda, Abteikirche,
Grundriß

Abb. 6: Portal des Pantheon in Rom

ten eine beträchtliche Vermehrung der Kenntnisse von ant. Architektur zur Folge. Die direkte Beschäftigung mit ant. Bauwerken, die zeichnerische Erfassung von Grundrissen, Aufrissen oder Details des architektonischen Ornaments ist daher für nahezu jeden Architekten des Quattro- und Cinquecento dokumentiert [12]. Im 17. Jh. erfuhr diese arch. Forsch. noch eine Intensivierung [3].

Das systematische Durchmustern der überlieferten ant. Architektur war letztlich motiviert in der Suche nach Prinzipien und Normen ant. Formbildung [6. 276f.]; entsprechend wurde auch in der Architekturtheorie dieser Zeit ant. Architektur reflektiert. Zur Verbreitung dieser Praxis trugen wesentlich das dritte Buch des Architekturtraktats von Sebastiano Serlio (*Il terzo libro ... nel quale si figurano e descrivono le Antichità di Roma*, Venedig 1540) und die Behandlung ant. Bauten im dritten und vierten Buch von Andrea Palladios *I quattro libri dell'architettura* (Venedig 1570) bei. Das Antikenstudium hatte damit seinen Platz im Kontext eines kunsttheoretischen Diskurses über die ästhetischen Bedingungen von Architektur. In diesem Zusammenhang wurde das Vorbild der Ant. v. a. hinsichtlich der Frage diskutiert, inwieweit die ant. Architektur Regeln und Normen vorzugeben in der Lage sei, die es nachzuahmen oder aber zu verändern und zu übertreffen gelte [20].

Nachahmung von Natur oder Ant. wurde zu einem grundlegenden kunst- und architekturtheoretischen Postulat, das gegenüber dem MA gänzlich neue Voraussetzungen für die nachahmende oder gar kopierende Wiederaufnahme ant. Bauformen schuf. Diese wurde nicht mehr durch vereinzelte Sinnübertragungen ge-

Abb. 7: Portal von S. Maria Novella in Florenz

Abb. 8: Der »Turm der Winde« in Shugborough (J. Stuart)

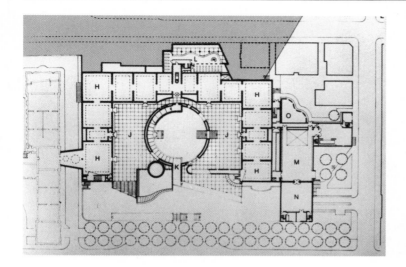

Abb. 9: Stuttgart,
Neue Staatsgalerie,
Grundriß Galeriegeschoß
(J. Stirling)

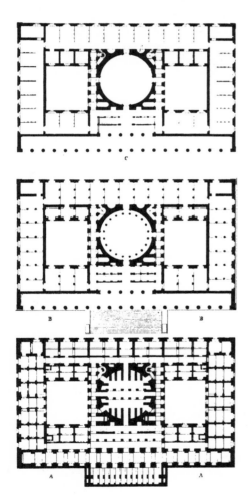

Abb. 10: Berlin, Altes Museum, Grundriß (R. F. Schinkel)

steuert, sondern entwickelte sich zum ästhetisch begründeten Normalfall: die an der Ant. geschulte Architektursprache bediente sich ant. Vokabeln. Dazu zählte in erster Linie das System der ant. Säulenordnungen als Stützen und Wandgliederung, das mit seinen Elementen – Säulen, Pilaster, Gesimse, Architrav und Dreiecksgiebel – bis ins 19. Jh. das Erscheinungsbild von Architektur bestimmte [11]. Da die erhaltenen ant. Säulenordnungen weder untereinander auf eine Regel zu verpflichten waren, noch mit den Ausführungen bei Vitruv übereinstimmten, wurden sie in der Debatte um eine Normfindung zu einem ständig neu diskutierten und hinsichtlich Form und Proportionierung unterschiedlich beurteilten Gegenstand. Auch wenn es daher bei der Anwendung dieses ant. Formsystems immer wieder zu mehr oder weniger detailgetreuen Zitaten kam [6] – schon Alberti übernahm bei der Portalnische von S. Maria Novella in Florenz (1458/78) die Pilasteranordnung vom Eingang des Pantheons [22. 268; 25.41] (Abb. 6+7) – ging es letztlich meist eher um Assimilation und »Verbesserung«, um eklektisch-innovative Interpretationen ant. Modelle [1; 5]. Ähnliches gilt für die Orientierung an ant. Bautypen, Grundriß- und Raumlösungen, wie sie etwa in Raffaels Projekt der Villa Madama (1518) verarbeitet sind [7. 391 ff.]. Anders als man vielleicht erwarten könnte, spielen daher genaue Kopien ant. Gebäude in der Ren.- und Barockarchitektur keine Rolle.

Bei der Nähe von »Zitat«, Emendation und Assimilation ist deshalb häufig nur schwer zu entscheiden, inwieweit der Rekurs auf ein Vorbild genereller auf das ant. Formsystem zielte oder aber ein konkretes Werk meinte [1. 556ff.], der Bezug auf ein Vorbild damit möglicherweise auch, wenigstens gelegentlich, wie im MA mit ikonographischen Implikationen versehen oder sinnstiftend gemeint war.

Abb. 11: Athen, Turm der Winde

Abb. 12: Oxford, Radcliffe Observatory (J. Wyatt)

D. 18./19. JAHRHUNDERT

Weniger die Suche nach Regeln als die Faszination der einfachen, reinen Form und die mit moralisch-pädagogischen Impulsen aufgeladene Orientierung an diesem Ideal, bestimmte die Haltung, die der Klassizismus oder Neo-Klassizismus des 18. und 19. Jh. der ant. Architektur entgegenbrachte [15]. Damit einher ging die Entdeckung Griechenlands als der »wahren« Antike; die Kenntnis der dorischen Ordnung ohne Basis als der urspr. etwa ist eng verknüpft mit dem Bekanntwerden der griech. Tempel in → Paestum seit der Mitte des 18. Jh. [9; 23; 24]. Ruinen und Bauwerke aus Griechenland selbst wurden zur selben Zeit erkundet und durch arch. Stichpublikationen in Europa verbreitet, v. a. durch Julien-David Le Roy, *Ruines des plus beaux monuments de la Grèce* (1758) und als wohl berühmtestes und einflußreichstes Werk *The Antiquities of Athens* (4 Bde., 1762–1816) von James Stuart und Nicholas Revett.

Für die Frage der A. ergaben sich aus der klassizistischen Haltung zur Ant. erneut veränderte Rahmenbedingungen. Insofern das Interesse auf die authentische ant. Form, arch. erforscht und in Stichen verbreitet, gerichtet war, sind dem Klassizismus und dem → Greek Revival wohl die getreuesten Kopien ant. Architektur zu verdanken. Der Einfluß, der dabei von den Stichpublikationen ausging, ist vielfach nachzuweisen, sowohl was Details des architektonischen Ornaments betrifft als auch für die Nachbildung ganzer Bauteile oder

kompletter Gebäude [24. 36–46]. Der *Turm der Winde* nahe der Akropolis etwa, der im ersten Band von Stuarts und Revetts Werk abgebildet war (Abb. 11), wurde von Stuart selbst für ein Gartengebäude im Garten von Shugborough zum Vorbild genommen (1765) (Abb. 8), während James Wyatt den oberen Turmteil des Radcliffe Observatoriums in Oxford (1773–1794) als Kopie des athenischen Turmes auswies (Abb. 12).

So häufig derartige A. auch Aufnahme in die Architektur des → Klassizismus fanden, noch folgenreicher war die Ausbildung einer sich dann in ganz Europa und in den USA verbreitenden »ant.« Architektursprache. Sie war charakterisiert weniger durch das Kopieren konkreter Bauwerke als durch die Angleichung an ein ant. Stilbild, das sich insbes. in der Übernahme der Tempelarchitektur, und hier v. a. der Tempelfront, als Portikus mit Dreiecksgiebel manifestierte [15]. Auch wenn dabei immer wieder arch. getreue Formübernahmen zu konstatieren sind – die in diesem allgegenwärtigen Motiv kulminierende Antikenrezeption klassizistischer Architektur ist meist eher als Stilkopie denn als konkrete A. zu lesen.

Für die Popularisierung und Umsetzung der zum → Historismus führenden Vorstellung von unterschiedlichen Stilen, deren Abfolge die Geschichte der Architektur bestimmte, waren die Gartengebäude der Landschaftsgärten, die *fabriques*, von großer Bed. [18]. Diese Staffagebauten dienten in den unterschiedlich angelegten Naturbildern der Gärten als Bed.- und Stimmungsträger, die je nach Stillage unterschiedliche Wirkungen hervorrufen sollten. Neben exotischen, ma. oder ruinösen Bauten kamen dabei auch antikisierende Architekturen, v. a. aber A. zum Einsatz. Stuart etwa entwarf für Shugborough nicht nur eine Nachbildung des Turms der Winde, sondern weitere Kopien berühmter Bauwerke aus Athen, wie den Dorischen Tempel nach dem Theseion (um 1760), den Hadriansbogen (1769) und das Lysikrates-Denkmal (1771) [8.56f.].

E. POSTMODERNE

In der Architektur der sog. Postmod. wurde die spielerische oder ironisierende Aufnahme ant. Architekturvokabeln und klassizistischer Formen zu einem Leitmotiv, mit dem schon eine Inkunabel dieser Architektur, Charles Moores Piazza d'Italia in New Orleans (1975–80) operiert. Gegen die abstrakte geom. Rasterung des International Style gerichtet, aktivierte diese Architektur erneut semantische Optionen architektonischer Formen und arbeitete insofern gerne mit Kopien, mehr aber noch mit verfremdeten Zitaten. Als solches ist beispielsweise die offene Innen-Rotunde in James Stirlings Erweiterungsbau der Staatsgalerie in Stuttgart (1977–83) zu verstehen (Abb. 9). Sie ist durch die zentrale Rotunde in Schinkels Berliner Altem Mus. (1823–30) angeregt, die ihrerseits auf das röm. Pantheon anspielt (Abb. 10). Der Nachbau der Villa dei Papiri in → Herculaneum als Mus. der Sammlung Getty (Malibu, E. der 60er J.) ist mehr dem Spleen eines Milliardärs denn einem eigenen Architekturkonzept zuzurechnen. → Basilika; Forum

1 H. H. AURENHAMMER, Multa aedium exempla variarum imaginum atque operum. Das Problem der imitatio in der italienischen Architektur des frühen 16. Jh., in: Intertextualität in der Frühen Neuzeit (Frühneuzeit-Stud. 2) 1994, 533–605 2 G. BANDMANN, Die Vorbilder der Aachener Pfalzkapelle, in: Karl der Gr., Bd. 3, 1965, 424–462 3 A. BLUNT, Baroque architecture and classical antiquity, in: Classical Influences on European Culture A. D. 1500–1700, 1976, 349–354 4 G. BRESC-BAUTIER, Les imitations du Saint-Sépulcre de Jérusalem (IXe-XVe siècles), in: Rev. d'histoire de la spiritualité 50, 1974, 319–342 5 T. BUDDENSIEG, Criticism of ancient architecture in the 16th an 17th centuries, in: Classical Influences on European Culture A. D. 1500–1700, 1976, 335–348 6 H. BURNS, Quattrocento architecture and the antique: some problems, in: Classical Influences on European Culture A. D. 500–1500, 1971, 269–287 7 Ders., Raffaello e quell'antiqua architectura in: Raffaello architetto, 1984, 381–404 8 A. v. BUTTLAR, Der Landschaftsgarten, 1989 9 J. M. CROOK, The Greek Revival, 1972 10 W. ERDMANN, A. ZETTLER, Zur Arch. des Konstanzer Münsterhügels, in: Schriften des Vereins f. Gesch. des Bodensees 95, 1977, 19–134 11 J. GUILLAUME (Hrsg.), L'emploi des ordres dans l'architecture de la Ren. Actes du colloque tenu à Tours (1986), 1992 12 H. GÜNTHER, Das Studium der ant. Architektur in den Zeichnungen der Hoch-Ren. (= Röm. Forsch. der Bibliotheca Hertziana 24), 1988 13 W. JACOBSEN, Gab es die karolingische »Ren.« in der Baukunst?, in: Zschr. für Kunstgesch. 51, 1988, 313–347 14 Ders., Die Abteikirche von St.-Denis als kunstgesch.

Problem, in: La Neustrie. Les pays au nord de la Loire de 650 à 850, Bd. 2, 1989, 151–185 15 W. v. KALNEIN, Architecture in the Age of Neo-Classicism, in: The Age of Neo-Classicism (The 14th Exhibition of the Council of Europe) 1972, liii-lxvi 16 R. KRAUTHEIMER, Introduction to an Iconography of Mediaeval Architecture, in: Journal of the Warburg and Courtauld Institutes 5, 1942, 1–33 (dt. Ndr.: Ders., Ausgewählte Aufsätze, 1988, 142–197) 17 Ders., The Carolingian Revival of Early Christian Architecture, in: The Art Bull. 24, 1942, 1–38 (dt. Ndr. wie 17, 198–276) 18 M. MOSSER, Paradoxe Architekturen oder kleiner Traktat über die fabriques, in: Ders., G. TEYSSOT (Hrsg.), Die Gartenkunst des Abendlandes, 1993, 259–276 (frz. Originalausgabe: L'architettura di giardini dóccidente, 1990) 19 R. G. OUSTERHOUT, The Church of Santo Stefano: A »Jerusalem« in Bologna, in: Gesta 20, 1981, 311–321 20 G. POCHAT, Imitatio und Superatio – das Problem der Nachahmung aus human. und kunsttheoretischer Sicht, in: Klassizismus. Epoche und Probleme. FS für Erik Forssman zum 70. Geburtstag, 1987, 317–335 21 W. SAUERLÄNDER, Das Jh. der gotischen Kathedralen, 1990 (frz. Originalausgabe: Le grand siècle des cathédrales) 22 C. SYNDIKUS, Leon Battista Alberti. Das Bauornament, 1996 23 D. WATKIN, Greek Revival, in: The Dictionary of Art, Bd. 13, 1996, 607–614 24 D. WIEBENSON, Sources of Greek Revival Architecture (= Stud. in Architecture, 8), 1969 25 R. WITTKOWER, Grundlagen der Architektur im Zeitalter des Human., 1969 (Originalausgabe: Architectural Principles in the Age of Humanism, ³1962).   BRUNO REUDENBACH

Architekturtheorie/Vitruvianismus

A. CHARAKTERISIERUNG B. VITRUVSTUDIEN, ITALIEN C. VITRUVSTUDIEN, FRANKREICH

A. CHARAKTERISIERUNG

Die A. bildete einen wesentlichen Bestandteil der architektonischen Kultur vom 15.–18. Jh. Sie war ein Ergebnis des Strebens nach Verwissenschaftlichung und Systematisierung, das generell für die → Renaissance charakteristisch ist. Sie folgte zudem der ant. Idee, die im MA nachlebte, daß der Architekt, viel mehr als der bildende Künstler, auch theoretisch beschlagen sein sollte. In der nach-ma. Architektur lassen sich der überwiegende Teil des architektonischen Dekors und ein beträchtlicher Teil der Disposition nur im Hinblick auf die A. verstehen. Trotzdem leistete die A. im Ganzen gewöhnlich nur beschränkte Dienste in der Baupraxis. Sie richtete sich in erster Linie an Mäzene und an ein gebildetes Publikum. Wozu sie eigentlich diente, ist gerade in der Epoche ihrer charakteristischen Formierung während der Frühren. nur ausschnitthaft bestimmbar. Pragmatisch gesehen kann man Francesco di Giorgio Martini nur zustimmen, wenn er das epochale Architekturtraktat des L. B. Alberti (1452, publ. 1485) kritisierte, weil es in lat. Sprache abgefaßt und nicht illustriert war. Denn auf diese Weise könnten es diejenigen, die es eigentlich ansprechen sollte, die Architekten, wegen mangelnder lit. Bildung nicht verstehen, während es den lit. Gebildeten wegen mangelnder architektonischer Kenntnisse verschlossen bleibe. Alberti, der ausnahmsweise die Fähigkeiten des Literaten und Architekten in einer Person vereinte, berücksichtigte seine A. nicht recht in den Bauten, die er selbst entwarf.

Im Verlauf des 16. Jh. verbreiteten sich die architekturtheoretischen Kenntnisse. Human. Architekturtraktate wie dasjenige Albertis entstanden in It. lange nicht mehr. Zur Rezeption der Ren. jenseits der Alpen gehörten aber zunächst wieder ähnliche architekturtheoretische Werke, bes. wie diejenigen von Philibert de l'Orme (1561/1567/1568); auch Albrecht Dürers *Unterweisung der Messung* (1525) ist trotz ihrer mehr mathematisch wiss. Ausrichtung hier zu nennen. Dann verebbte dieses gelehrte Schrifttum aber auch jenseits der Alpen. Zunehmend praktisch brauchbare Säulenbücher beherrschten ein Jh. lang das Feld (am meisten verbreitet Hans Blum, ab 1550). Frankreich brachte seit dem späten 17. Jh. wieder eine Fülle von gelehrten architekturtheoretischen Schriften hervor. Die Schriften entfernten sich jetzt noch weiter als zuvor von der Praxis; die Autoren waren oft architektonische Laien. Neuerdings interessierten bes. generelle Fragen über architektonische Grundprinzipien, über den Wert von künstlerischen Normen, über die Abhängigkeit des Geschmacks von der individuellen Disposition der Betrachter oder über das Verhältnis von Gefühl und Ratio bei der Beurteilung von Architektur.

Die A. orientierte sich nur teilweise an den zeitgenössischen Verhältnissen und Bedürfnissen. In der Ren. postulierte sie sogar einen bewußten Bruch mit den gewachsenen Trad. Statt dessen berief sie sich auf die Ant. Von da übernahm sie ihre Richtlinien, teilweise ohne viel Rücksicht darauf, wie weit sie wirklich realisierbar waren, und nur sehr zögerlich wagte sie, die ant. Vorgaben gezielt mod. Verhältnissen anzupassen, zu erweitern oder gar zu korrigieren. Allerdings gab es eine indirekte Art der Anpassung der Ant.: über die Art, in der man ihre Zeugnisse auslegte. Meist wohl ganz automatisch bildete man sich die Vorstellungen davon, wie die Verhältnisse in der Ant. gewesen seien, auf der Basis der Verhältnisse, an die man selbst gewohnt war und paßte so mehr oder minder bewußt die Ant. den eigenen Verhältnissen an. Dieses bildete allerdings auch wohl eine wesentliche Voraussetzung dafür, daß man das große Experiment der Ren. der Ant. wagen konnte.

Die ant. Architektur wurde normalerweise in der Theorie als modellhaft hingestellt. Was ant. Architektur war, wurde allerdings anders bestimmt als h. Auch romanische oder byz. Bauten galten vielfach als ant. In der Baupraxis wurde ant. Architektur gewöhnlich nur in Details (bes. Säulenordnungen) nachgeahmt, und diese entsprach in Wahrheit keineswegs perfekt den Prinzipien der Ren. Selbst die Bauten, die als die schönsten Monumente der Ant. galten, das Pantheon und das Templum Pacis des Vespasian (h. sog. Konstantinsbasilika) zeigten, nach den Maßstäben der Ren., markante Mängel. Die Diskrepanz zw. solchen ant. Werken und den Prinzipien der Ren. ergibt sich aus Vergleichen von Bauten und aus Zeichnungen der Ren., die die Mängel,

so weit wie möglich, korrigieren. Ausgesprochen wurde die Diskrepanz in der A. der Ren. ganz selten. Eine der wenigen Ausnahmen bildet das *Antikenbuch* des Sebastiano Serlio (1540), das ausdrücklich lehren will, zw. guter und schlechter Architektur zu unterscheiden.

Hauptsächlich stützte sich die A. auf die ant. Lit. Ihre wesentlichste Quelle bildete das Architekturtraktat des Vitruv, das schon in der Ant. berühmt war. Erhalten sind nur Abschriften [1]. Die beste bildet ein karolingischer Kodex (London, BM, Harleianus 2767). Die Illustrationen, auf die sich Vitruvs Text mehrfach bezieht, sind allerdings ganz verloren. Nur ein früh-ma. Ms. (in Schlettstadt) enthält einige Abbildungen, aber sie wirken un-antik.

B. VITRUVSTUDIEN, ITALIEN

Vitruvs Text blieb über das ganze MA hinweg bekannt. Er wurde am Hof Karls des Gr. von Alkuin und Einhard diskutiert. Probst Goderamnus von St. Pantaleon studierte ihn, als seine Abteikirche St. Michael in Hildesheim errichtet wurde (Weihe 1022). Petrus Diakonus kopierte ihn Ende des 11. Jh., als er die Abtei von Montecassino baute. Noch mehr als in It. scheint Vitruv in Nordeuropa geschätzt worden zu sein. Albertus Magnus, Vinzenz von Beauvais u. a. beziehen sich auf ihn. Viele dt., frz. oder engl. → Bibliotheken besaßen Exemplare des Traktats oder kopierten sie. Das neue Interesse an der Ant., das um 1350 im Kreis von Petrarca erwachte, erstreckte sich zunehmend auch auf Vitruv. Petrarca und seine Freunde, Boccaccio und G. Dondi, besaßen Vitruv-Mss.

1416 entdeckte Poggio Bracciolini, der begeisterte Sammler ant. Schriften, in St. Gallen ein Vitruv-Ms., das seinerzeit wohl als ant. galt (unidentifiziert, evtl. Harleianus). Etwa 1485 edierte G. Sulpicio in Rom erstmals Vitruv im Druck. Ein neu emendierter Text wurde 1496 in Florenz und 1497 in Venedig gedruckt. Nach jahrzehntelangen Studien publizierte 1511 in Venedig der Humanist, Architekt und Ingenieur Fra Giocondo eine völlig neu überarbeitete Fassung des Textes mit 136 Illustrationen. Sie bildet bis h. eine Grundlage zur Emendierung von Vitruv [11].

Man sollte denken, daß die frühen Vitruv-Stud. ein Zentrum in Florenz hatten. Aber davon sind nur wenige verstreute Zeugnisse überliefert: Vitruv-Exzerpte des Lorenzo Ghiberti und seines Enkels Buonaccorso [25. 30ff.] oder Cronacas Illustration zu Vitruvs dorischem Portal [17]. Am Hof von Neapel wurde E. des 15. Jh. eine Vitruv-Übers. für F. di Giorgio angefertigt. Er hat sie eigenhändig kopiert und exzerpiert als Grundlage für die zweite Fassung seines Architekturtraktats [14]. Von den frühen Vitruv-Stud. in Ferrara zeugt ein Ms. des Pellegrino Prisciani, des Bibliothekars der d'Este, der bereits 1491 Isabella d'Este in Architektur unterrichtete [21]. Die alten Verbindungen Albertis mit dem Haus der d'Este und dann Isabellas Verbindung mit Gian Cristoforo Romano werden diese Interessen bestärkt haben. In Mailand ist die Beschäftigung mit Vitruv schon an der ma. Dombauhütte dokumentiert.

Bramante, Gian Cristoforo Romano u. a. setzten sie fort [17]. Aus solchen Stud. ging die prächtig aufgemachte Vitruv-Übers. hervor, die Cesare Cesariano, nach eigenen Worten ein Schüler Bramantes, 1521 in Como zum Druck brachte. Sie umfaßt neben der Übers. zahlreiche Illustrationen und einen ausführlichen Komm. Bes. intensiv war zu Beginn der Ren. die Auseinandersetzung mit Vitruv an der röm. Kurie (Alberti, Niccolò Perotti, G. Sulpicio u. a.). Um 1515/20 übers. Fabio Calvo in Raffaels Haus Vitruv [13]. Die hohe Qualität der Übers., gelegentliche Komm. und Interpolationen zeugen davon, daß weitreichende Vorstudien hinter dieser Arbeit standen. Notizen von Raffaels Hand zu der Übers. zeigen, daß Humanisten und Künstler die Probleme, die Vitruv aufgab, gemeinsam besprachen. Um die gleiche Zeit wie Raffael begann auch Antonio da Sangallo, Vitruv zu studieren [15; 17]. Ein gewaltiges Konvolut von Skizzen und Notizen führt noch sehr lebendig vor Augen, wie Antonio schwierige Passagen durchdachte und in der ant. Architektur nach Vergleichen suchte. 1531 und wieder 1541 plante er, Vitruv zu illustrieren. Aber er kam nicht über ein Vorwort hinaus. Sein Bruder Giovanni Battista realisierte das Projekt in bescheidenerem Maßstab. 1542 schloß sich in Rom ein Kreis von Humanisten zusammen, um Vitruv zu bearbeiten, neu zu emendieren, kommentieren und illustrieren (*Accademia delle Virtù*). Aber es kam nur ein sorgfältig formuliertes Programm zustande [26; 22]. Zum Druck gelangten alle diese Stud. nicht. Den größten Effekt hatten in It. die venezianischen Vitruv-Stud. Die für ihre Zeit bemerkenswert substantiellen Notizen zur Architektur, die Albrecht Dürer während seines Aufenthalts in It. anfertigte [12. Bd. II, 58–73], sind vor dem Hintergrund der intensiven Vitruv-Stud. in Venedig zu sehen. Schon der venezianische Humanist Silvano Morosini soll 1495 einen Vitruv-Komm. vollendet haben. Den besten Vitruv-Komm. der Ren. besorgte der venezianische Humanist Daniele Barbaro in Zusammenarbeit mit dem großen Architekten Andrea Palladio, der die Illustrationen schuf (ab 1556 in diversen Editionen in Venedig erschienen). Einen gewissen Endpunkt der Vitruv-Stud. bezeichnet das voluminöse und umfassend gelehrte Architekturtraktat, das Vincenzo Scamozzi 1615 in Venedig publ.

Eine neue Generation frz. Vitruv-Adepten profitierte von den regen antiquarischen Studien in Rom, als sie dort die Ant. studierten: Guillaume Philandrier (Vitruv-Anm., Lyon 1544) und de l'Orme. Die Vitruv-Editionen, die jenseits der Alpen während der Renaissance erschienen, waren aber wenig eigenständig. Sie basierten weitgehend auf Fra Giocondo und Cesariano (frz. Vitruv-Übers. von Jean Martin 1547, Philandriers Vitruv-Edition 1552, Walter Ryffs dt. Vitruv-Übers. 1543 etc.).

Nach den Mißverständnissen der Frühphase nahmen im frühen 16. Jh. die Vitruv-Kenntnisse feste Formen an. Fra Giocondos Edition, Calvos Übers. und Antonio da Sangallos Stud. bilden die wichtigsten Zeugnisse da-

für. Jetzt erst verbreiteten sich differenzierte Kenntnisse über die Säulenordnungen. Meist ohne unterschieden zu werden, waren sie seit 100 J. nach dem Vorbild hauptsächlich ant. Bauten verwendet worden und bildeten das bei weitem markanteste Element der Antikenrezeption. Jetzt erst akzeptierte man allmählich, daß ein so fremdartiges Element wie umlaufende äußere Säulenumgänge ein typisches Element von Tempeln bildete. Jetzt fand man zu einer schematischen Vorstellung vom vitruvianischen Haus, die sich bis h. im wesentlichen gehalten hat, obwohl es fraglich ist, ob sie wirklich in Vitruvs Sinn ist.

Um die Mitte des 16. Jh. machten die Stud. zu Vitruv und zur Ant. im ganzen nochmals einen wichtigen Schritt nach vorn. Einerseits weiteten sie sich markant aus, die Publikationen der großen Sammelwerke setzten ein. Andererseits traten mit Barbaro und Palladio venezianische Stud. gegenüber den mittelit. in den Vordergrund. Mit dem Anwachsen der Distanz zur Ant. verringerte sich die Versuchung, die eigene Trad. in die Ant. zurückzuspiegeln.

Trotz des Stilwandels im 17. Jh. wandelte sich die A. nicht wesentlich. Die ästhetischen Richtlinien wurden nach wie vor aus der Ant. entliehen. Mit wachsendem Fortschritt von Technik und Wiss. und der zunehmenden Überzeugung, das ant. Niveau wiedergewonnen zu haben, verringerte sich die gesellschaftliche Bed. der Vitruv-Stud., und der innovative Geist, der sie anfangs beflügelt hatte, ließ ebenfalls nach. Stereotype Paraphrasen der bekannten Ergebnisse traten in den Vordergrund, während sich die Diskussionen in fachspezifische Ecken zurückzogen.

C. VITRUVSTUDIEN, FRANKREICH

Eine Neubelebung der Vitruv-Stud. und der A. leitete Colbert ein. Sie gehörte in den breit und systematisch angelegten Rahmen der Kulturpolitik, die darauf abzielte, Frankreich als die führende Kulturnation des Abendlandes zu stilisieren (illustriert und komm. Vitruv-Übers. von Claude Perrault, 1684). Einerseits trat nun das Interesse an der hohen Zivilisation Roms zurück gegenüber einer Rückbesinnung auf Griechenland als Wurzel abendländischer Kunst. Vitruv selbst macht deutlich, daß er stark auf griech. Trad. basiert. Andererseits entdeckte man unter Colbert die Gotik als nationales Erbe wieder. Davon zeugt sogar die Vitruv-Edition Perraults. Diese beiden Komponenten galt es, miteinander zu verbinden, um eine Frankreich angemessene A. zu entwickeln. Das Bindeglied bildeten die Grundgesetze der Statik. Sie schienen ebenso in der Gotik wie im griech. Tempel verwirklicht. Der it. Ren. warf man dagegen vor, diese nicht berücksichtigt zu haben. Die Diskussion um diese geniale Kombination dauerte bis weit ins 18. Jh. an. Sie verband sich mit Bauunternehmungen von nationalem Rang: anfangs mit der Stadtfassade des Louvre und am Ende mit der Kirche der Hl. Genoveva, der Stadtpatronin von Paris.

Colbert sorgte bereits dafür, daß klass. Kunstwerke in Griechenland aufgenommen wurden. Aber erst im Laufe des 18. Jh. setzten ausgiebige Exkursionen nach Griechenland ein. Der frz. Protagonist ist Julien-David Le Roy, der im Auftrag des frz. Königs die griech. Bauten aufnahm und erstmals genaue Aufnahmen publ. (1758). Um die gleiche Zeit wurden auch die Tempel von → Paestum wiederentdeckt. Obwohl diese gut erhalten sind und an prominenter Stelle liegen, wurden sie während der gesamten Ren. ignoriert. Der Grund für die Ausblendung der realen Erscheinung der griech. Architektur aus dem abendländischen Bewußtsein lag darin, daß sie, gemessen an dem, was man kannte, dem röm. Erbe, fremdartig und dementsprechend abstoßend wirkte. Das zeigen viele Reaktionen auf die Entdeckung der griech. Architektur. Man erkannte, daß sich Vitruv teilweise auf diese fremdartige Baukunst bezog.

Die Enttäuschung über die wahre Erscheinung der griech. Architektur (aber auch der Bildenden Kunst) bestärkte die Auflösung der normativen Ästhetik, die sich gegen 1700 anbahnte. Damit wuchs die Distanz zu Vitruv. Zunehmend wandelte er sich von einem Leitbild zu einem arch. Objekt.

QU (NEUAUSGABEN, ÜBERS. UND ILLUSTRIERUNGEN ZU VITRUVS ARCHITEKTURTRAKTAT)

1 C. H. KRINSKY, in: JWI 30, 1967, 36–70 2 L. MARCUCCI, in: 2000 Anni di Vitruvio. Studi e Documenti di Architettura VIII, 1978, 11–184 3 C. FENSTERBUSCH, ⁵1991 4 F. GRANGER, Loeb Classical Library 251/280 5 H. NOHL, Leipzig 1876, Ndr. 1965 (Wortindex) 6 L. CHERUBINI, 1976 (Wortindex)

LIT 7 J. V. SCHLOSSER MAGNINO, La letteratura artistica, 1967 8 G. GERMANN, Einführung in die Gesch. der A., 1980 9 H. W. KRUFT, Gesch. der A. von der Ant. bis zur Gegenwart, 1985 (Lit.) 10 L. A. CIAPPONI, Il »De architettura« di Vitruvio nel primo umanesimo, in: Stud. Medievale e Umanista III, 1960, 59–99 11 Dies., Fra Giocondo da Verona and his edition of Vitruvius, in: JWI 47, 1984, 72–90 12 A. RUPPRICH, Schriftlicher Nachlaß, ed. H. RUPPRICH, 1956–69 13 V. FONTANA, P. MORACHIELLO, Vitruvio e Raffaello. Il »de architettura« di Vitruvio nella traduzione inedita di Fabio Calvo Ravennate, 1975 14 F. DI GIORGIO MARTINI, Il »Vitruvio Magliabechiano«, ed. G. SCAGLIA 1985 15 G. GIOVANNONI, Antonio da Sangallo il Gio., 1959 16 J. GUILLAUME (Hrsg.), Les Traités d'architecture de la Ren., 1988 17 H. GÜNTHER, Das Studium der ant. Architektur in den Zeichnungen der Hochren., 1988 18 Ders. et al., Dt. A. zw. Gotik und Ren., 1988 19 Ders., Alberti, gli umanisti contemporanei e Vitruvio, in: Leon Battista Alberti. Architettura e cultura, 1995 20 W. HERRMANN, Laugier and 18th Century French Theory, 1962 21 F. MAROTTI, Lo spettacolo dall'umanesimo al manierismo, 1974 22 M. MAYLENDER, Storia delle accademie d'Italia, 1926–30 23 P. N. PAGLIARA, Vitruvio da testo a canone, in: Memoria dell'Antico nell'Arte Italiana 1984–86, Bd. 3, 7–88 24 G. SCAGLIA, A translation of Vitruvius and copies of late antique drawings in Buonaccorso Ghiberti's Zibaldone, in: Transactions of the American Philosophical Society 1979 25 J. VON SCHLOSSER, Lorenzo Ghibertis Denkwürdigkeiten, in: Kunstgesch. Jb. der K. K. Zentral-Kommission für Erforsch. und Erhaltung der Kunst- und Histor. Denkmale IV, 1910, 105–211 26 C. TOLOMEI, Delle lettere libri sette, 1547.

HUBERTUS GÜNTHER

Argumentationslehre A. BEGRIFFSBESTIMMUNG B. ANTIKE RHETORIK C. WIRKUNGSGESCHICHTE

A. BEGRIFFSBESTIMMUNG

Die A. analysiert und beschreibt die Strukturen und Methoden (insbes. des rhet.) Argumentierens. In der Ant. wurde allg. als Zweck einer Rede die Überzeugung angesehen und Argumentation wiederum als Instrument der Überzeugung (vgl. Platons Definition der Rhet. als *peíthus dēmiurgós* – ›Meisterin der Überzeugung‹, Gorg. 453 a). Ihre Aufgaben sind v. a. das Auffinden des Wahrscheinlichen und die Erzeugung von Plausibilität. Die ethischen Implikationen, die aus der Erkenntnis resultieren, daß überzeugendes Sprechen nicht zwangsläufig mit wahrheitsgemäßem Sprechen gleichgesetzt werden kann (Plat. apol. 17a), werden in der Theorie des Argumentierens diskutiert, seit die sophistische Rhet. im 5. Jh. v. Chr. die psychagogische Macht des gesprochenen Wortes (Gorgias) demonstrierte.

Innerhalb des ant. rhet. Systems, das die Verfertigung einer Rede in fünf Produktionsstadien (*officia oratoris*) einteilt, wird die A. den ersten beiden Phasen zugeordnet: dem Auffinden (*inventio*) und dem Anordnen (*dispositio*) der Argumente, geht also systemchronologisch der sprachlichen Fassung (*elocutio*), dem Auswendiglernen (*memoria*) und dem Vortrag (*pronuntiatio*) voraus. Sie bildet die inhaltliche Ausgangsbasis für den Redner; die Argumentation ist das Gerüst seiner Beweisführung, das jedoch zur vollen Wirkungsentfaltung der angemessenen sprachlichen Formulierung bedarf (Quint. inst. 5,12,6): *inventio/dispositio* (Inhalt) und *elocutio* (Form) sind nach antiker Auffassung integrale und untrennbare Bestandteile der Rhet.; die A. ist fest im System verankert, sowohl als Anleitung zum Argumentieren (angewandte Rhet.) als auch als Analyse des Argumentierens (Theorie der Rhet.).

B. ANTIKE RHETORIK 1. GRIECHISCH

Bereits in der sophistischen Rhet. wurden Argumentationstechniken entwickelt, die häufig allein auf den rhet. Sieg abzielten, ohne sich um Wahrheitsgehalt oder Moralität zu kümmern (›die schwächere Sache zur stärkeren machen‹), was kontroverse Diskussionen über Möglichkeiten, Aufgaben und Verantwortung der Rhet. hervorrief (Platon; Isokrates). Zum wiss. Untersuchungsgegenstand wird die A. erstmals in der strukturanalytischen Betrachtungsweise des Aristoteles, der in seiner *Rhet.* den bis h. wirkungsgeschichtlich bedeutendsten Beitrag zur ant. A. leistete. Im ältesten erhaltenen Lehrbuch, der *Rhet.* des Anaximenes von Lampsakos (um 340 v. Chr.) werden einzelne praxisorientierte Argumentationshilfen für diverse Situationen gegeben; eine systematische Durchdringung des Stoffes ist noch nicht vorhanden. Aristoteles entwickelte nur wenig später im 1. Buch seiner *Rhet.* eine detaillierte Argumentationstheorie, ausgehend von der Kritik an seinen Vorgängern, in deren Abhandlungen Unt. über den wichtigsten Gegenstand, die Beweisverfahren (písteis: dieser Begriff kann im Griech. sowohl die Bed. ›Beweismittel/-verfahren‹ als auch ›Überzeugungsmittel‹ haben), fehlen (rhet. 1,1,1354 a 11 ff.). Gleich zu Beginn konstatiert er eine Strukturanalogie zw. Rhet. und Dialektik (deren Verfahrensweisen in den *Topika* und den *Analytika* untersucht werden): Beide vermitteln Fähigkeiten, Argumente zu finden, beide bedienen sich im Prinzip derselben Schlußverfahren (1,2,1356 a 34 ff.); wer im dialektischen Schließen erfahren ist, kennt bereits die Methoden des rhet. Schließens und muß nur noch die bes. Unterschiede beachten. Die Rhet. wird als Spezialdisziplin der Dialektik angesehen, die A. wiederum als Kernstück der Rhet. Die Aufgabe der Rhet. liegt v. a. im Auffinden des Überzeugenden und Plausiblen, das sich wiederum auf allg. Anerkanntes stützen muß; ihr Gegenstand ist der Bereich des Zweifelhaften und Strittigen (›Dinge, die sich so oder auch anders verhalten könnten‹: 1,2,1357 a 1 ff.). Aristoteles unterscheidet zwei Arten von Beweisen, die ›unartifiziellen‹ (átechnoi), wie Zeugenaussagen, Schriftdokumente u. ä., sowie die ›artifiziellen‹ (éntechnoi), Argumente, die erst gefunden werden müssen. Diese Unterscheidung wird auch von der röm. Rhet. übernommen (Cic. orat. 2,27,116; Quint. inst. 5,1,1). Überzeugung in der Rede kann durch drei Mittel erfolgen: durch die glaubwürdige Selbstdarstellung des Redners (Ethos), durch die emotionale Stimmungserzeugung (Pathos) und durch rationale Beweisverfahren (Logos). Sachlich-logisches und affektisches Argumentieren wirken demnach zwar zusammen, doch wird dem Logos eine vorrangige Stellung eingeräumt, wenn Aristoteles zur Beschreibung und Definition argumentativer Vorgänge das Instrumentarium der Logik heranzieht.

Sämtliche Beweisverfahren sind entweder auf Induktions- oder Deduktionsschlüsse aufgebaut; dem dialektischen Induktionsschluß entspricht in der Rhet. die Schlußfolgerung aus einem Beispiel (Paradeigma), dem dialektischen Deduktionsschluß (Syllogismus) das rhet. Enthymem (1,2,1356 b 2 ff.), ein Dreischritt aus Argument, Schlußfolgerung und Konklusion [29. 73 ff.], dem Aristoteles die größte Beweiskraft zuschreibt. Anders als der Syllogismus zielt jedoch das Enthymem (auch, v. a. in seiner erweiterten Form, als Epicheirem bezeichnet) nicht auf einen streng logischen Wahrheitsbeweis, sondern, als Deduktion von einer allg. anerkannten Meinung, auf das Wahrscheinliche (eikós) und muß nicht notwendig in allen Schritten vollständig ausgeführt werden. Neben dem Paradeigma und dem Eikos bildet das Indiz die dritte Grundlage des Schlußfolgerns. Mit diesen Unterscheidungen ›hat Aristoteles zweifellos eine bis h. gültige Analyse der logischen Struktur der Argumentation vorgenommen‹ [16. 919].

Wichtige Hilfsdisziplin für rhet./dialektische Schlußverfahren ist die Topik, ein Bindeglied zw. Logik und Rhet., die ein Inventar für Argumentationsmuster zur Verfügung stellt und die eine bedeutende Rolle für die weitere Entwicklungsgeschichte der A. spielt. Topoi (lat. loci, nach Quint. inst. 5,10,20 sedes argumentorum –

Fundstellen für Argumente) beruhen laut Aristoteles auf allg. geltenden Werten und Denkstrukturen, auf die in Argumentationsprozessen immer wieder zurückgegriffen werden kann. Die Topik bietet, mit Hilfe normierter Kategorien (z. B. Topos aus dem »Mehr oder Weniger«, aus der Handlungsalternative, aus der Analogie, Autoritätstopos: rhet. 2,23,1397 b 14 ff.) einen Fundus ›konventionalisierter Schlußverfahren‹, der für den Redner eine arbeitsökonomische Alternative zum individuellen Argumentieren (Cic. orat. 2,130 f.) darstellt [29. 87].

Die nacharistotelische Entwicklung der Topik und A. läßt sich aufgrund der bruchstückhaften Überlieferung der hell. und kaiserzeitlichen Rhet. nur in groben Linien nachzeichnen. Theophrast vertiefte Aristoteles' rhet. Lehren auch auf dem Gebiet der A., indem er einzelne Abhandlungen zu rhet. Schlußverfahren (Enthymem, Epicheirem, Paradeigma) verfaßte (Diog. Laert. 5,2). Fragen der A. werden in der Folge in verschiedenen Disziplinen aufgegriffen: Zum einen kommt es zu einer verstärkten Spezialisierung der bei Aristoteles noch eher allgemeingültig formulierten Theorie innerhalb der Gerichtsrhet. mit zunehmender Zergliederung und Feinstrukturierung des Stoffes. Hier wirkt v. a. Hermagoras von Temnos (2. Jh. v. Chr.) impulsgebend, dessen Status-Lehre starken Einfluß auf die röm. Rhet. ausübte. Diese Lehre lieferte ›eine Art Schablone‹ [17. 103], bestehend aus juristischen Fragestellungen (status; griech. stáseis), die an einen Rechtsfall zur Klärung des Argumentationsziels herangetragen werden konnten. (Klärung der Täterfrage; Tathergang; Beurteilung der Tat; Zulässigkeit der Klage oder des Verfahrens). Zum anderen behält die A. ihre enge Verbindung zur philos. Logik in der Sprachphilos. der Stoa, die die Logik in Rhet. und Dialektik als zielverwandte Disziplinen aufteilte und das Pathos aus den rhet. Überzeugungsmitteln ausschloß. Die Theorie des syllogistischen Schließens wurde v. a. von Chrysipp weiterentwickelt [30. 49 ff.].

2. RÖMISCH

Obwohl die röm. Rhet. weitgehend auf dem griech. System basiert und vielfach auch die griech. Terminologie beibehält, lassen sich doch wichtige Tendenzen nachweisen, die für die röm. Rhet. kennzeichnend sind. Einerseits setzt sich die Spezialisierung der Rechtsrhet. fort: die Status-Lehre wird fester Bestandteil der Rhet., die A. wird auf juristische Belange zugeschnitten; andererseits rückt die Rednerpersönlichkeit stärker in den Vordergrund (Cicero), wodurch das sachlogische Argumentieren in seiner Bed. zurückfällt.

Der verstärkte Praxisbezug kommt bereits in der *Rhet. an Herennius* (ca. 86–82 v. Chr.) zum Ausdruck. Die A. versteht sich hier als Anleitung zum Argumentieren in einer Gerichtsrede (2,2: ›welche Argumentationen, die die Griechen Epicheiremata nennen, gewählt, welche vermieden werden sollen‹; im Zentrum steht die Status-Lehre mit der dazugehörigen Beweistopik (1,18–2,26), gefolgt von einer Einteilung des Argumentationsablaufes in die fünf Abschnitte *propositio* > (Themenangabe), *ratio* (Begründung), *rationis confirmatio* (Untermauerung der Begründung), *exornatio* (zusätzliche Ausschmückung) und *complexio* (Zusammenfassung) (2,27–46). Ähnlich unterscheidet Cicero (inv. 1,57 ff.) *propositio*, *propositionis adprobatio* (Begründung des Themas), *adsumptio* (Schlußfolgerung), *adsumptionis adprobatio* und *complexio* als Teile der *ratiocinatio* (= Epicheirem), die wiederum der deduktiven Argumentation entspricht – hier liegt im Grunde eine Erweiterung des aristotelischen Enthymems um zwei (zusätzlich absichernde) Stützelemente vor, abgestimmt auf die Erfordernisse der Gerichtsrede. Eine Reduktion auf drei (mindestens zwei) Elemente nimmt später Quintilian vor (inst. 5,14,5 f.). Die Topik liefert in der *Rhet. an Herennius* nicht, wie bei Aristoteles, universelle Argumentationsmuster, sondern ist eine spezielle Juristentopik; hatte Aristoteles die logische Struktur der Argumentation untersucht, so beschreibt die *Rhet. an Herennius* ihren linearen Ablauf und läßt dabei zugleich eine Tendenz zur Segmentierung und Verzweigung erkennen.

Für Cicero ist die wiss.-systematische A. von geringerer Bed. als die Überzeugungskraft der Rednerpersönlichkeit (Ideal des *orator perfectus*): die besten Argumente werden nicht durch ein Theoriesystem vorgegeben, sondern durch Verstand und Erfahrung gefunden (orat. 2,175). Vieles hängt von der Urteilskraft ab; unter Berufung auf die Stoa trennt Cicero die der Dialektik entsprechende *ratio iudicandi* (Beurteilung von Argumenten) von der topischen Heuristik (*ratio inveniendi*) ab (top. 2,6). Überzeugung ist ein komplexer Vorgang, dessen Elemente *probare* (sachlogisches Beweisen), *conciliare* (Erwecken der Publikumssympathie) und *movere* (Affekterzeugung) die aristotelische Trias der Überzeugungsmittel wiederherstellen (orat. 2,115), wenn auch mit anderer Gewichtung. Ethos und Pathos gehören bei Cicero zum Profil eines überzeugenden Redners, der das Publikum für seine gesamte Person gewinnen möchte. Sie dienen der Sympathieerzeugung bzw. Aufrüttelung und bilden eine zweite Ebene der Überzeugung neben der Argumentation im engeren Sinn (part. 46; orat. 128). Der *captatio benevolentiae* (inv. 2,22) und der emotionalen Steuerung des Publikums gilt ein dementsprechend wichtiger Anteil der rhet. Reflexion (orat. 2,178 ff.).

Detailliert, wenn auch terminologisch nicht immer exakt, setzt sich Quintilian im 1. Jh. n. Chr. mit der A. auseinander. Er übernimmt die Einteilung in *probatio* (sachlogische Argumentation) und *adfectus* bzw. Ethos/Pathos (inst. 6,2,4 ff.). Die *probatio* erfolgt durch *signa, argumenta* oder *exempla* (inst. 5,9,1; vgl. die aristotelische Unterscheidung von Indiz-, Eikos- und Paradeigma- Argumentation) und ist in ihrer logischen Struktur auf vier Grundmuster zurückzuführen (inst. 5,8,7). Der Begriff *argumentum* entspricht bei Quintilian den griech. Bezeichnungen Enthymem, Epicheirem bzw. Apodeixis; seine Funktion ist die Klärung strittiger

Fragen durch Heranziehung unstrittiger Sachverhalte (5,10,1 ff.). Auch Quintilians Analysen sind der praktischen Zweckbestimmung untergeordnet; so ist sein feingegliederter Topos-Kat. konkret anwendungsbezogen (5,10,37 ff.).

C. WIRKUNGSGESCHICHTE

1. SPÄTANTIKE UND MITTELALTER

Unter den spät-ant. Autoren, die die Inhalte der A. teils im Rahmen eines vollständigen, zumeist auf Cicero und Quintilian aufbauenden Lehrgebäudes der Rhet. (Martianus Capella; Chirius Fortunatianus; Iulius Victor; Emporius), teils im Kontext verwandter wiss. Disziplinen wie Dialektik bzw. Logik an das MA überliefern, sind v. a. Augustin und Boethius von weitreichender Bed. Beide stehen in der Trad. ant. Systematik und sind richtungsweisend für spätere Entwicklungen, Augustin für die ma. Rhet., Boethius, der sich mit der A. auf dem Gebiet der Dialektik befaßt, für die ma. Logik.

Augustin (354–430 n. Chr.), der im 4. Buch von *De doctrina christiana* die Grundsteine für die ma. Predigt-Rhet. (*ars praedicandi*) legt, setzt sich in seinen systematischen Frühwerken zur A. (*Principia dialecticae; Principia rhetorices*), wie es schon die Stoa tat, mit der Abgrenzung von Rhet. (*scientia bene dicendi*) und Dialektik (*scientia bene disputandi*) auseinander, ohne daß die Rhet. unter die Dialektik gestellt wird. In der christl. Rhet. verliert die A. im engeren dialektischen Sinn an Bed.; das ant. System hatte eine Theorie des Beweisens und Widerlegens (Pro- und Contra- Argumentation) entwickelt, das auf die Ziele der christl. Homiletik nicht mehr ohne weiteres anwendbar erschien. Von größerer Bed. ist jetzt die schon von Cicero gleichrangig neben das sachlogische Argumentieren gestellte Emotionssteuerung.

Auch Boethius (480–525 n. Chr.) unterscheidet Dialektik und Rhet., löst allerdings ihre Gleichwertigkeit auf, indem er den Primat der Dialektik postuliert. In seiner Schrift *De topicis differentiis* (PL 64, 1174) trifft er eine Unterscheidung zw. Argument (Inhalt) und Argumentation (formale Gestaltung) und teilt, ausgehend von der ant. Definition des Topos als Fundstelle für Argumente, die Topik in dialektische (Buch 1 und 2) und rhet. Topik (Buch 4) ein: dialektische Topoi werden zur Diskussion allg. Fragen (*théseis*), rhet. Topoi zur Erörterung spezieller Einzelfälle (*hypothéseis*) herangezogen, ein Topikbegriff, der stärker der röm. als der aristotelischen Auffassung verpflichtet ist. Hieraus ergibt sich, daß die Dialektik universeller ist als die Rhet., die sich nur in ihren konkreten Anwendungsfällen der dialektischen Methoden bedient. Damit ist jedoch die von Aristoteles konstatierte Strukturanalogie weiterhin mitgesetzt.

Das Fortleben der ant. A. in separaten Disziplinen ist vorgezeichnet durch die Entwicklung der Argumentationstheorie einerseits im engeren, logischen Sinn, die über die Dialektik in die scholastische Logik einmündet, und andererseits im komplexen Sinn (Ethos und Pathos mitumfassend), die in die ma. Predigttheorie eingeht. Die ›aristotelische Schule‹ [27. 42] der A. wird über die

Vermittlung des Boethius, der sich v. a. den systematisch-logischen Schriften des Aristoteles widmete, Bestandteil der ma. Philos. (wie bei Johannes von Salisbury). Auf die Entwicklung der ma. Theorie des Disputierens, wie sie sich etwa bei Thomas von Aquin niedergeschlagen hat (*Summa theologica*, 1267–1273), wirken insbes. die systematisch-logischen Schriften des Aristoteles (top.; soph. el.), während die argumentationslogischen Lehren seiner *Rhet.* bis zu Wilhelm von Moerbekes lat. Übers. (1270) nur in der Trad. der arab. Komm. fortleben (so unterscheidet z. B. Al-Farabi im 9. Jh. in seinem Komm. zur aristotelischen *Rhet. logica demonstrativa, tentativa, sophistica, rhetorica* und *poetica*) [27. 91 f.]. Die röm.-ciceronianische Schule hingegen wird zum Vorbild für die angewandte Rhet. des MA.

In seinem der ant. Rhet. und Dialektik verpflichteten Traktat *Metalogicus* (1159) [3] widmet sich Johannes von Salisbury Fragen der A., ohne jedoch die Rhet. als eigenständige Disziplin zu behandeln. Er definiert die Argumentation in klass. Trad. als Beweis bzw. Widerlegung einer strittigen Frage (2,4) und unterscheidet in der Nachfolge des Boethius analytische Logik (*logica demonstrativa*) und rhet.-dialektische Logik (*logica probabilis*). Logik als Überbegriff wird definiert als *loquendi vel disserendi ratio* (1,10), leistet also die Aufgaben, die ant. Theoretiker der Rhet. bzw. Dialektik zuschrieben. Im Dienst der Logik steht die Gramm. mit propädeutischer Funktion. Findet hier die Aufgabe der ant. A., Plausibilität zu erzeugen, noch Eingang in eine Unterart der Logik, so verlagern spätere ma. Logiktraktate den Schwerpunkt auf die rein analytische Logik, in welcher der kommunikative Aspekt rhet. Argumentierens keine Bed. mehr hat.

Im ma. Rhetorikunterricht schwindet infolge der Entstehung neuer Genera die Bed. von A. und Topik (Erstarrung zu Topikkat.), eine Weiterentwicklung der Theorie findet kaum statt. Innerhalb des Triviums wird die Rhet. hinter Gramm. und Dialektik zurückgesetzt, oft sogar überhaupt nicht als eigenständige Disziplin gelehrt; das ant. Lehrgebäude wird auf verschiedene Gebiete aufgeteilt, › ... die klass. Rhet. als Theorie der öffentlichen Argumentation war im MA nicht existent‹ [16. 950].

2. RENAISSANCE UND NEUZEIT

Unter den zahlreichen Ren.-Rhetoriken (in der Zeit zw. 1400 und 1700 erschienen ca. 2500) finden sich neben denjenigen, in denen die A. systembedingt verankert ist, auch solche, die die A. bewußt ausklammern, und solche, in denen die A. aufgrund thematischer Spezialisierungen zurückgedrängt ist. Die Fülle der Produktion erzeugt unterschiedliche Ausprägungen, in denen drei Grundtypen vorherrschen: Argumentationsrhet., repräsentiert sowohl durch den »human.-philol.« Typus, der den klass. Kanon der röm. Rhet. bewahrt, als auch durch den rhet.-dialektischen Typus, *elocutio*-Rhet., die sich ausschließlich der sprachlich-stilistischen Seite der Rhet. widmen, und Fachrhet., die sich auf bestimmte Gebiete (z. B. Predigt, Brief, Dichtung) spezialisieren [16. 960 f.; 14. 119 ff.]. Vorbildlich wirkt insbes. das Rednerideal Ciceros, für das eine systematische A. nicht zwangsläufig konstitutiv ist. Die allg. Rhet. tendiert immer stärker zur Stilrhet.; Fragen der A. werden oft aus der Rhet. ausgegliedert. Wichtig für die Geschichte der A. ist Rudolph Agricolas Schrift *De inventione dialectica* (1485/1515) [1], die eine auf die ant. rhet. A. (Redeteile, *dispositio*, Teile des Arguments, Affektlehre) zurückgreifende Dialektik entwickelt, in der auch die Topik ausführlich behandelt wird. Argumentation gehört für Agricola in den Kontext einer Kommunikationssituation und zielt auf Glaubwürdigkeit ab; die wichtigste Aufgabe ist die Belehrung des Zuhörers, die durch überzeugendes und plausibles Argumentieren bewirkt werden soll. *Inventio* und *dispositio* als Gegenstandsbereiche der A. werden hier der Dialektik zugeordnet, Folge der inhaltlichen Überschneidung von Rhet. und Dialektik, die schon den ant. Theoretikern Zuordnungsprobleme bereitete.

Philipp Melanchthon (1497–1560) grenzt in seinen Schriften zur Rhet. und Dialektik (*Elementa rhetorices; erotemata dialectices*) [5; 6] die beiden Disziplinen, ähnlich wie Boethius, durch ihre Spezialisierung einerseits (Rhet.) und ihre Universalität andererseits (Dialektik) voneinander ab, sieht aber die *inventio* als Gegenstand beider Wiss. an: als rhet. *inventio*, bezogen auf die vier Redegattungen Gerichts-, Beratungs-, Lob- und didaktische Rede, als dialektische *inventio*, bezogen auf allg. Fragestellungen. Strukturelle Probleme der A. erörtert er jedoch vorwiegend in der Dialektik, wie z. B. das Verhältnis von Enthymem und Beispiel zu Syllogismus und Induktion, während in seiner rhet. Abhandlung die A. nur einen kleinen Raum neben der ausführlicheren Behandlung der Redeteile und der *elocutio* einnimmt. Die Topik ist für Melanchthon v. a. wichtiges Instrument der Bibelexegese, ist also spezialisiert wie in der röm. Rhet., auf die auch Melanchthons Unterscheidung von Sachtopoi (*loci rerum*) und Personentopoi (*loci personarum*) zurückgeht.

Schließlich stehen unter den Ren.-Rhetorikern diejenigen, die die Rhet. auf *elocutio* und *actio* begrenzen und die A. ganz aus ihr ausgliedern (hier steht die Trad. der ma. Logik im Hintergrund), neben denjenigen, die in unmittelbarer Anknüpfung an die Ant. (Cicero-Verehrung der Humanisten) um die Erhaltung des vollständigen rhet. Lehrgebäudes bemüht sind, in dem *inventio* und *dispositio* integrale Bestandteile bilden.

Wesentlich hat zu dieser Spaltung Petrus Ramus (1515–1572) beigetragen, der in einer Streitschrift gegen Quintilian (*Rhetoricae distinctiones in Quintilianum*) den Beweis zu erbringen sucht, daß die A. nicht in die Rhet. gehört. *Inventio* und *dispositio* sind ausschließlich Gegenstand der Dialektik (*dialecticae partes propriae*) [7. 30], jede Wiss. hat ihren eigenen Gegenstand, weshalb die A. nicht der Rhet. und der Dialektik zugleich angehören kann. Ramus äußert sich hiermit dezidiert zu einem Zuordnungsproblem, das die Geschichte der A. unterschwellig stets begleitet hat, bedingt v. a. durch die Doppelfunktion der A. als Sachanalyse und praktischer Anleitung. In seine 1555 erschienene *Dialectique* [8], in der Dialektik (*disputer*) und Logik (*raisoner*) miteinander gleichgesetzt werden, sind viele Elemente ant. A. eingeflossen wie z. B. die Behandlung unartifizieller Beweismittel oder Anwendungsvorschriften für rhet. Überzeugungsmittel.

Ramus, Melanchthon und Agricola stehen in aristotelisch-scholastischer Trad. und sehen sich insofern mit einem Problem konfrontiert, das in der Konzeption des Aristoteles schon angelegt ist; in seiner strukturellen Gleichsetzung von Dialektik und rhet. *inventio* ist die später aufgeworfene Frage, ob die A. überhaupt zur Rhet. gehört, bereits im Keim enthalten. Und doch hatte Aristoteles das Gebäude der Rhet. um die A. herum errichtet, während sie nunmehr ganz aus der Rhet. verbannt wird.

Ramus und seine Nachfolger (Audomarus Taleaus; Antoine Fouquelier) geben den Impuls zur Entstehung vieler auf die *elocutio* beschränkter Stilrhet.; Schulrhet. bleibt jedoch vorwiegend die klass. Rhet., die die kanonisierten ant. Bestandteile weitertradiert. Wieder eingegliedert in die Rhet. wird die A. in der barocken Theorie; maßgebend sind hierfür v. a. die *Ars rhetorica* (1560) des Cyprian Soarez, die zur Grundlage des jesuitischen Rhetorikunterrichts wurde, und die *Rhet.* von Gerhard Johannes Vossius (1605). Beide berufen sich auf ant. Autoritäten (mit Zitatbelegen aus Aristoteles, Cicero, Quintilian) und bemühen sich um die Errichtung eines vollständigen Lehrgebäudes, das jedoch zu starken Schematisierungen neigt. Unterstützung findet das ant. System bei B. Gibert, der in seinem 1725 erschienenen Abriß der ant. und neuzeitlichen Rhetorik *Jugemens des Savans sur les auteurs qui ont traité de la Rhétorique* der Rhet. – gegen Ramus – eine eigene *inventio* und *dispositio* zubilligt, da sie nicht nur, wie die Dialektik, auf Überzeugung des Verstandes, sondern auch auf Willenssteuerung ausgerichtet sei (182 f.). Die Zuordnung von *inventio/dispositio* zur Dialektik schließt demnach nicht aus, daß es entsprechende Bestandteile auch für die Rhet. gibt.

Eine generelle Abwertung der Rhet. und insbes. der rhet. A. bringt die Aufklärung mit sich. Geprägt von der Erkenntnistheorie Descartes' (1596–1670) verstärkt sich die Ansicht, daß rhet. Argumentation nicht dem Wahrheitsstreben, sondern der Täuschung und Manipulation diene. Auf Plausibilität gerichtete Schlußverfahren könnten keine exakten Ergebnisse liefern und seien zur Erkenntnisgewinnung untauglich [29. 143]. Hier hat sich ein deutlicher Wertewandel gegenüber der ant. Auffassung vollzogen: Verfahren, die zur Erzeugung von Plausibilität bestimmt waren in Fragen, in denen keine letzte Sicherheit zu erzielen ist, und somit Hilfe bei Entscheidungsfindungen bieten sollten, werden nunmehr als Instrument der vorsätzlichen Wahrheitsverschleierung angesehen (wie es noch in der scharfen Verurteilung der Rhet. als ›Kunst, ... durch den schönen Schein zu hintergehen‹ in Kants *Kritik der Urteilskraft*

zum Ausdruck kommt, § 53: ›Rednerkunst ist, als Kunst sich der Schwächen der Menschen zu seinen Absichten zu bedienen, ... gar keiner Achtung würdig.‹). In der Fortsetzung der Trad., die die A. der Dialektik zuschreibt, befindet sich jene Ausprägung der Logik, die im Zisterzienserinnenkloster Port-Royal entwickelt wurde. Angélique Arnauld und Pierre Nicole üben in ihrer Schrift *La logique ou l'art de penser* (1662/1683) [2] Kritik an der Topik, die für die Logik ohne Nutzen sei. Ihre Absicht ist die Befreiung der A. von allem Rhet. im klass. Sinn, weil diese nicht im Dienst der Sachlogik, sondern anderer Interessen stehe. Stattdessen wird die wahrhaftige Rhet. (*véritable rhétorique*) propagiert, ein von Wahrheitsansprüchen geleitetes rein analytisch-logisches Verfahren.

Einen Versuch, Rhet. und aufklärerischen Rationalismus miteinander in Einklang zu bringen, unternimmt Bernard Lamy (*De l'art de parler*, 1676) [4], der in seinem Werk zunächst die *elocutio* (*l'art de parler*), dann die A. (*l'art de persuader*) behandelt, unter bes. Berücksichtigung von Ethos und Pathos. Neben sachlichem Argumentieren sei auch Affekterregung nötig, und zwar in der kathartischen Funktion, den Geist zu befreien und zum Wahrheitsstreben anzuregen. Auch Lamy teilt allerdings die Auffassung, daß die Topik für die Argumentation nutzlos ist, da topische Verfahrensweisen Sachkenntnis nicht ersetzen können, und plädiert für sachliche Tiefe statt methodischer Breite beim Argumentieren (279 ff.). Zu einer Rehabilitierung der Topik kommt es bei Giambattista Vico (1668–1744), der die geistige Entwicklung des Menschen zugrundelegt, in der das Entdecken dem Beurteilen vorangeht, wonach Topik (*ars orationis copiosae*, ›Kunst der wortreichen Rede‹) von Kritik (*ars verae orationis*, ›Kunst der wahrhaftigen Rede‹) zu unterscheiden ist [9. 28 f.]. Das topische Verfahren entspricht der menschlichen Natur; ›die Topik ist die Disziplin, die den Geist schöpferisch, die Kritik die, die ihn exakt macht‹ [10. 101]. Doch trotz dieser und anderer Versuche, die rhet. A. (oder zumindest Teile von ihr) wieder aufzuwerten, ließ sich der Rang, den sie im ant. System innehatte, nicht mehr herstellen.

3. MODERNE

Mit dem allg. Niedergang der Rhet. seit der Mitte des 18. Jh. kommt auch die Theoriebildung weitgehend zum Erliegen; die A. lebt fast nur noch als Gegenstand der Logik und Sprachphilos. fort. Erst mit der »Ren.« der Rhet. im 20. Jh. (seit den 30er J. in den USA, *New Rhetoric*, und nach dem Krieg in Europa) wird die rhet. A. als wiss. Disziplin neuentdeckt. Eine wesentliche Rolle spielt hierbei, daß Begriffe wie Konsens oder »allgemeingültige Meinung« eine Anerkennung als wiss. Operationsfaktoren erhalten, die ihnen der auf exakte faktische Nachprüfbarkeit gerichtete Szientismus der vergangenen Jh. abgesprochen hatte. Viele mod. Theorien gehen von der Notwendigkeit der Argumentation aus, um Konsens und Entscheidungsfähigkeit als Grundlage menschlichen Soziallebens herbeizuführen, was die A. als Wiss. legitimiert. Mod. A. ist Gegenstand verschiedener, mit der Rhet. verwandter oder sie berührender Fachrichtungen wie Philos., Soziologie, Kommunikationswiss., Politik, Jura, Sprach- und Literaturwiss. Zahlreiche neuartige Konzepte und Perspektiven entstehen, in denen jedoch immer wieder Elemente ant. A. zu finden sind, teils aufgrund gezielter Rückgriffe, teils infolge sachimmanenter Analogien.

Grundlegend für die juristische (aber auch allg.) A. ist Theodor Viehweg (*Topik und Jurisprudenz*, 1954), der, ausgehend von der Kritik an der trad. juristischen Axiomatik, eine inventive Topik (›Téchné des Problemdenkens‹) als methodologische Basis für die Rechtswiss. beschreibt und dabei auch auf die ant. Topik (Aristoteles; Cicero) zurückgreift. Aus der Viehweg-Schule gingen juristische Toposkataloge hervor, deren Sinn jedoch auch in Zweifel gezogen wurde [11; 34]. Ist Viehwegs Ansatz praxisorientiert, so ist derjenige eines anderen Grundlagenwerkes der mod. A., des *Traité de l'argumentation* von Chaïm Perelman und Lucie Olbrechts-Tyteca (1958,) strukturanalytisch: auch in der zeitgenössischen A. ist die ant. Aspektverschiedenheit von Anleitung und Analyse vorhanden. Perelman/Olbrechts-Tyteca versuchen, aus den in den Geistes- und Rechtswiss. verwendeten Verfahren eine Argumentationslogik zu konstruieren, die die Strukturen der Alltagsargumentation untersucht, deren Grundmuster (entsprechend dem ant. Enthymem) deduktiv ist. Sie entwickeln eine Konsenstheorie (Zustimmung des »universellen Publikums« als Gradmesser für den Erfolg einer Argumentation; ein gutes Argument erzwingt allgemein Zustimmung) und erörtern die Prämissen der Argumentation (Klassifizierung der *accords* = allg. zugestandene Ansichten, Werte, Fakten) sowie ihre Techniken (Verknüpfung und Dissoziation von Begriffen als Folgerungstypen).

Wichtig auf dem Gebiet der linguistischen Argumentationstheorie sind die Unt. von Stephen Toulmin (*The Uses of Argument*, 1958), die, ohne sich auf die rhet. Trad. zu stützen, große Ähnlichkeit mit der ant. A. aufweisen. Toulmin unterscheidet deduktive *warrant-using arguments* und induktive *warrant-establishing arguments* (ähnlich M. Kienpointners ›schlußregelbenützenden‹ und ›schlußregel-etablierenden Argumentationsschemata‹ [23], die dem aristotelischen Enthymem bzw. Paradeigma-Schluß entsprechen. Der Dreischritt aus Argument, Schlußfolgerung (in der mod. A. Schlußregel) und Konklusion (bei Toulmin *grounds, warrant, claim*) wird um ein Element erweitert (*backing*, ›Rückversicherung‹), das die Schlußregel zusätzlich begründet oder absichert und damit eine Funktion hat, die mit der *rationis confirmatio* bzw. *adsumptionis adprobatio* (zusätzliche Bekräftigung) des ant. Epicheirems (vgl. Rhet. Her. 2,28ff.; Cic. inv. 1,57ff.) vergleichbar ist. Neu hinzu kommen bei Toulmin ein Indikator (*modality*) für die sprachliche Feinnuancierung (Verstärkung oder Relativierung) und das *rebuttal* (›Zurückweisung‹), in dem eventuelle Einschränkungen formuliert werden. In neuerer Zeit ist eine »Radikalisierung« der linguisti-

schen Argumentationstheorie zu beobachten, in der Sprechen und Argumentieren gleichgesetzt werden (z. B. in den Arbeiten O. Ducrots). Bestimmte Begriffe verleiten zu bestimmten Schlußfolgerungen, und insofern ist Sprache immer argumentativ: dieser Ansatz ›impliziert, daß der Wortschatz einer Sprache als topisches Feld begriffen wird, in dem die jedem Wort zukommenden Topoi in ihren strukturellen Relationen angeordnet sind‹ [16. 984].

Unter ethischem Aspekt wird in Jürgen Habermas' Kommunikationstheorie die A. gesehen. Auch Habermas sieht als Ziel von Argumentation die Aufhebung von Strittigkeit bzw. Konsenserzeugung an und fordert ein ›rational motiviertes Einverständnis‹; er nennt für das Argumentieren vier universale Geltungsansprüche (verständlich, aufrichtig, wahr, richtig), auf die hin jede Äußerung im Hinblick auf ihre Akzeptanz prüfbar ist [19]. Die Sprache muß verständlich sein, der Sprecher aufrichtig, die Aussage sachlich zutreffend und normativ richtig (dem Wertedenken des Gesprächspartners entsprechend). In der ant. Rhet. finden sich diese Geltungsansprüche aufgeteilt auf die Bereiche *elocutio*, Ethos, Logos und, soweit es um Wertnormen geht, Topik.

Anknüpfungen an die aristotelische Lehre von den argumentativen Schlußverfahren finden sich in jüngster Zeit z. B. bei G. Öhlschläger (*Linguistische Überlegungen zu einer Theorie des Argumentierens*, 1979) und M. Kienpointner (*Alltagslogik*, 1992), der das Enthymem als Prototyp eines jeden Argumentationsverfahrens ansieht. Kienpointner hat ebenfalls eine mit Groß- und Subklassen operierende Klassifizierung von Topoi vorgenommen, die inhaltlich weitgehend auf der ant. Topik beruhen. Von maßgebender Autorität ist die ant. A., wie die ant. Rhet. überhaupt (v. a. Aristoteles, Cicero, Quintilian), noch h. in einführenden oder deskriptiven Darstellungen, die mit dem Gegenstand und der Systematik der Rhet. im allg. vertraut machen wollen [29]; rhet. A. stellt sich hier dem Leser größtenteils in der Gestalt ant. A. vor.

→ AWI Argumentatio

→ Ciceronianismus; Figurenlehre; Logik; Rhetoriklehrbücher/Rhetorikunterricht

QU **1** R. AGRICOLA, De inventione dialectica, ed. L. MUNDT, 1992 (mit dt. Übers. und Komm.) **2** A. ARNAULD, P. NICOLE, La logique ou l'art de penser, ed. L. MARIN, 1970 **3** JOHANNES V. SALISBURY, Metalogicon libri III, ed. C. C. I. WEBB, 1919 (engl. Übers. v. D. D. MCGARRY, 1955) **4** B. LAMY, De l'art de parler, ed. R. RUHE, 1980 **5** PH. MELANCHTON, Rhet., ed. J. KNAPE, 1993 **6** Ders., Erotemata dialectices (= Corpus reformatorum Bd. 13) **7** P. RAMUS, Brutinae Quaestiones in Oratorem Ciceronis, Frankfurt 1593 (Ndr. 1965) **8** Ders., Dialectique, ed. M. DASSONVILLE, 1964 **9** G. VICO, De nostri temporis studiorum ratione (lat.-dt. Ausgabe), übers. v. W. F. OTTO, 1984 **10** Ders., Scienza Nova, dt. Übers. v. E. AUERBACH, 1966

LIT **11** R. ALEXY, Theorie der juristischen Argumentation, 1977 **12** W. BARNER, Barockrhet. – Unt. zur ihren gesch. Grundlagen, 1970 **13** K. BARWICK, Augustins Schrift *de rhetorica* und Hermagoras, in: Philologus 105, 1961, 97–110 (s. auch 108, 1964, 80–101; 109, 1965, 186–218) **14** B. BAUER, Jesuitische *ars rhetorica* im Zeitalter der Glaubenskämpfe, 1986 **15** R. BUBNER, Was ist ein Argument?, in: G. UEDING, TH. VOGEL (Hrsg.), Von der Kunst der Rede und Beredsamkeit, 1998, 115–131 **16** E. EGGS, s. v. Argumentation, HWdR 1, 914–991 **17** M. FUHRMANN, Die ant. Rhet., 1984 **18** K.-H. GÖTTERT, Argumentation. Grundzüge ihrer Theorie im Bereich theoretischen Wissens und praktischen Handelns, 1978 **19** J. HABERMAS, Theorie des kommunikativen Handelns (2 Bde.), 1981 **20** A. HELLWIG, Unt. zur Theorie der Rhet. bei Platon und Aristoteles, 1973 **21** W. S. HOWELL, Logic and Rhetoric in England 1500–1700, 1956 **22** G. A. KENNEDY, A New History of Class. Rhet., 1994 **23** M. KIENPOINTNER, Alltagslogik, 1992 **24** J. KLOWSKI, Zur Entstehung der logischen Argumentation, in: RhM 113, 1970, 111–141 **25** J. KOPPERSCHMIDT, H. SCHANZE (Hrsg.), Argumente – Argumentation. Interdisziplinäre Problemzugänge, 1985 **26** E. A. MOODY, Stud. in Medieval Philosophy, Science and Logic, 1975 **27** J. J. MURPHY, Rhet. in the Middle Ages, 1974 **28** Ders. (Hrsg.), Ren. Eloquence, 1983 **29** C. OTTMERS, Rhet., 1996, (mit ausführlicher Bibliogr.) **30** M. POHLENZ, Die Stoa. Gesch. einer geistigen Bewegung, ⁷1992, 49 ff. **31** ST. E. PORTER (Hrsg.), Handbook of Class. Rhet. in the Hellenistic Period, 1997 **32** C. PRANTL, Gesch. der Logik im Abendlande Bd. I–IV, Leipzig 1855–1870 **33** W. RISSE, Die Logik der Neuzeit Bd. I, 1964, Bd. II, 1970 **34** G. STRUCK, Topische Jurisprudenz, 1971 **35** G. UEDING, B. STEINBRINK, Grundriß der Rhet. – Gesch., Technik, Methode, ³1994.

SYLVIA USENER

Aristokratie s. Verfassungsformen

Aristotelismus A. EINLEITUNG
B. GRIECHISCHER ARISTOTELISMUS
C. ARABISCHER ARISTOTELISMUS
D. LATEINISCHER ARISTOTELISMUS DES MITTELALTERS
E. RENAISSANCE-ARISTOTELISMEN
F. NEUZEITLICHE ARISTOTELESFORSCHUNG
G. ARISTOTELES-REZEPTION IM 20. JAHRHUNDERT

A. EINLEITUNG

Der Terminus »A.« bezeichnet eine von Aristoteles sich herschreibende bestimmte Form von Philos., die bereits in der Ant. ausgebildet und bis in die Neuzeit vertreten wurde. Der A. betont die theoretischen gegenüber den praktischen Wiss. und unterstreicht die synthetische Darstellung des Wissens als System, das aus bereits bekannten Prinzipien abgeleitet wird, gegenüber der analytischen Suche nach den Prinzipien der synthetischen Darstellung. In diesem Sinne ist der A. eine ausgeprägte Form der Rezeption der Philos. des Aristoteles, die sehr viel enger gefaßt ist als die Bezugnahme – sei sie marginal oder zentral – auf Lehrmeinungen des Aristoteles und einzelne seiner Schriften. In der Geschichte der Philos. wurden und werden z. T. bis heute

in der → Logik, in der → Metaphysik und → Naturphilosophie sowie in der → Praktischen Philos. und Polit. Philos. aristotelische Theorien herangezogen und diskutiert, ohne daß man von A. sprechen könnte. Auch die aristotelische → Rhetorik und Poetik (→ Tragödie) war für diese Disziplinen von kaum zu unterschätzendem Einfluß.

B. GRIECHISCHER ARISTOTELISMUS

Die älteren Repräsentanten des Peripatos setzten die Schultradition des gemeinschaftlichen Forschens nach konkreten Daten dadurch fort, daß sie auf empirische Erforschung in den Wiss. der Natur, der Ethik und der Politik gerichtet waren. Mit dem Beginn der christl. Zeitrechnung jedoch wurde der enzyklopädische Aspekt der peripatetischen Philos. infolge der neu erwachten wiss. Aktivität in der spät-ant. Welt immer bedeutsamer. Durch das neuplatonische Verständnis des Aristoteles als einer Einführung in die höhere Weisheit Platons wurde die aristotelische Enzyklopädie der Wiss. in ein geschlossenes System transformiert. In seiner *Elementatio theologica* und *Elementatio physica* stellt Proklos (ca. 410–485) seine Schlußfolgerungen hinsichtlich der Formen von Substanz gemäß der von Aristoteles entworfenen und von Euklid ausgeführten geometrischen Methode so dar, daß sie die »Elemente« einer kontinuierlichen Kette bilden. Dieser »synthetische« Abstieg von Prinzipien zu Schlüssen setzt nach Proklos einen »analytischen« Aufstieg hinter alle Hypothesen zum einzigen Prinzip von allem voraus. Indem er aber das platonische *Hen* zum voraussetzungslosen Prinzip nahm, brach Proklos mit dem fundamentalen Grundsatz aristotelischer Wiss. wonach alles Erkennen von vorher bestehendem Wissen ausgeht.

Etwa zur gleichen Zeit wurde Aristoteles' Logik von neuplatonischen Autoren dergestalt erweitert, daß sie seine *Rhetorik* und die *Poetik* mit umfaßte. Simplikios (6. Jh.), dem letzten wichtigen Repräsentanten der Schule in Athen, war es so möglich, poetische, rhet. und dialektische Beweisführung als unterschiedliche Stufen der Partizipation am Ideal der absoluten Demonstration anzusehen. Das neuplatonische Verständnis des Aristoteles rief eine reiche Kommentartradition in griech. und syr. Sprache hervor.

C. ARABISCHER ARISTOTELISMUS

Schon in der zweiten H. des 8. Jh. trat Aristoteles im Islam in Erscheinung. Die arabische Rezeption des Aristoteles beruhte auf dem Interesse an griech. Medizin. Aristoteles' Einteilung der Wiss. stellte eine Struktur bereit, in der klass. Autoren wie Hippokrates und Galen, Euklid und Ptolemaios gleichermaßen ihren Platz fanden. Mit der Gründung des *bayt al-hikma* (»Haus der Weisheit«) in Baghdad im Jahre 830 durch den Abbasidenkalifen al-Ma'mûn (786–833) wurde nahezu das gesamte überlieferte Corpus der aristotelischen Werke (die *Eudemische Ethik*, die *Magna moralia* und die *Politik* ausgenommen) samt seinen griech. Kommentatoren verfügbar. Dieses Corpus stellte eine einheitliche Basis für den islamischen A. von Persien bis Spanien bereit. In

Baghdad war bis zum 10. Jh. eine Trad. des Studiums der Logik und der naturphilos. Schriften etabliert. Zur praktischen Philos. wurden nur sehr wenige Komm. verfaßt, da Aristoteles' Werke v. a. als eine Propädeutik für das Studium der Medizin betrachtet wurden [31].

In Übereinstimmung mit der Methodologie von Aristoteles und Euklid wurde die synthetische Darstellung eines Lehrzusammenhangs mit großem Erfolg in arabischen naturphilos. Werken angewendet, z. B. in Alhazens (965–ca. 1040) *Optik* [2]. Die Veränderung der aristotelischen Theorie der Wiss. in Richtung eines voraussetzungslosen Prinzips, die auf Proklos zurückgeht, fand aber im Islam kein Echo. Obgleich das fälschlich Aristoteles zugeschriebene *Buch über das reine Gute* (lat. *Liber de causis*, ca. 9. Jh. [3]), dessen Aussagen die Struktur des Universums nach der Methode der logischen Deduktion aus einem voraussetzungslosen obersten Prinzip entfalten, einen Schöpfergott an die Stelle des platonischen Hen setzte, blieb dieser Versuch im Islam ohne Auswirkungen.

Von Beginn an verstanden arabische Philosophen Aristoteles' Bücher über Naturphilos. und Metaphysik als Teile einer philos. Gesamtdarstellung. Aus der Begegnung dieser »rationalen« Wiss. mit den »traditionellen Wiss. der Araber« (Koran, arab. Sprache sowie dialektische Theologie = *kalâm*) ist der arab. A. entstanden. *Kalâm* hatte sich im 9. und 10. Jh. als Antwort auf aufkommende Häresien im Islam herausgebildet. Aufgabe der Theologen war es, die Gläubigen mit den logischen Beweisen für ihren Glauben zu versehen. Der erste Versuch, die »Wiss. der Araber« in die aristotelische Wiss.-Einteilung zu integrieren, wurde von Alfarabi (ca. 870–950) in seinem *Katalog der Wiss.* [1] unternommen. Während die philos. Gotteslehre der spekulativen Wiss. der Metaphysik eingegliedert wurde, diente *kalâm* als praktische Wiss. der Verteidigung der Glaubensartikel. Ein Jh. später unternahm Avicenna (980–1037) eine Reform der Theologie gemäß der aristotelischen Theorie demonstrativer Wiss. Er versuchte, *kalâm* nicht als bloße Apologetik, sondern als aristotelische Metaphysik zu verstehen. Demgemäß listete er diejenigen Arten von Prämissen auf, die in den verschiedenen Argumentationsformen zulässig sind. Wenn die Lehre von Gott wiss. (d. h. demonstrativ, nicht dialektisch bzw. rhet.) dargestellt werden soll, dann können nur Axiome, Sinnesdaten und die einmütige Übereinstimmung der islamischen Trad. als Prinzipien dienen.

Mit den Komm. des Averroes (1126–1198) kam der A. im strikten Sinne des Wortes zur vollen Blüte. Averroes' Auffassung nach führten die demonstrativen Argumente des Aristoteles zu wahren und sicheren Schlüssen. Die aristotelischen Schriften stellten die philos. Wahrheit synthetisch dar. So wie Euklid die Geom. abgeschlossen hatte, waren die spekulativen Wiss. durch Aristoteles abgeschlossen. In Fällen, in denen der Beweis zu solchen Schlußfolgerungen führe, die offensichtlich der islamischen Theologie widersprechen, sei es nötig, zw. einer exoterischen Bed. für die Vielen und einer esoterischen Bed., die nur einer kleinen Elite verstehbar ist, zu unterscheiden. Philos. sei der Beruf dieser intellektuellen Elite und deren gottgegebene Aufgabe das freie Streben nach der Wahrheit. Bis zum 14. Jh. verschwand jedoch diese Elite im Islam ebenso wie ihre wiss. Gesamtdarstellungen.

Auch im ma. Judentum wurde von aristotelischer Wiss. Gebrauch gemacht. In Spanien und dem südl. Frankreich machten hebräische Übersetzer das islamische Corpus der Werke des Aristoteles ebenso zugänglich wie die zugehörigen Komm. des Averroes und die medizinischen Werke, die sie begleiteten. Wo Konflikte zw. der Philos. und dem jüd. Glauben aufkamen, traten einige Denker, unter denen Moses Maimonides (1135–1204) der bedeutendste ist, dafür ein, daß das philos. Denken gemäß der Theorie demonstrativer Wiss. vorgehen müsse, ohne theologische Lehren zu beachten. Trotz dieser Ansicht trat im 14. Jh. eine zunehmend kritische Bewertung aristotelischer Lehren im Lichte des Glaubens im Judentum in Erscheinung und trug dazu bei, daß sich eine neue wiss. Weltsicht entwickelte.

D. LATEINISCHER ARISTOTELISMUS DES MITTELALTERS

Aristoteles' Werke wurden im lat. Westen in drei klar voneinander zu unterscheidenden Phasen zugänglich gemacht und behandelt: 1. Die erste Phase begann im sechsten Jh. mit Boethius' (ca. 480–ca. 524) Übers. der aristotelischen Schriften zur Logik; in den monastischen Schulen wurden diese v. a. als Einleitung zum Studium der Bibel verstanden. 2. Die »scholastische« Phase des lat. A. begann im 12. Jh. mit der schrittweisen Übers. zunächst aus dem Arab., später aus dem Griech. nahezu des gesamten Corpus der ant. Wiss. In dieser Phase war die Rezeption des Aristoteles durch das synthetische Wissenschaftsverständnis des Averroes stark beeinflußt. 3. Die letzte Phase fällt in die Zeit der Ren. Sie konzentrierte sich weitgehend darauf, jene Unregelmäßigkeiten zu behandeln, die das einseitige scholastische Konzept der Wiss. zunehmend unhaltbar machten [26].

In der scholastischen Phase wurden die Werke des Aristoteles im Zusammenhang mit dem umfassenden Bemühen rezipiert, das weltliche Wissen Griechenlands, des Judentums und des Islams aufzunehmen. Die Übers. des 12. und 13. Jh. trugen erheblich zum Gesamtbestand des Wissens im MA bei: Euklid, Ptolemaios, Hippokrates und Galen, v. a. aber die Bücher des Aristoteles zusammen mit den Komm. des Averroes. Schon vor der Übers. des aristotelischen Corpus wurden die *magistri* der neuen städtischen Schulen auf der Suche nach einer wiss. Konzeption, die eine systematische Darstellung philos. und theologischen Wissens umfaßte, durch Boethius geleitet. Boethius verstand Wiss. im aristotelischen Sinne als Lehre, die ihren Ausgang von ersten Prinzipien nimmt und durch strenge Beweise zu wahren und sicheren Schlüssen voranschreitet. Durch Boethius – später auch durch Euklid – wurden frühscholastische Autoren bewegt, daraus eine allg. Theorie wiss. Methode zu entwickeln.

Bis Anf. des 13. Jh. waren die naturphilos. Bücher des Aristoteles (einschließlich *Metaphysik* und *Liber de causis*) im lat. Westen verfügbar. Bereits in den J. 1210 und 1215 wurden aber in Paris die *libri naturales* verurteilt. Es scheint, als zielten diese Verurteilungen nicht nur auf einzelne Lehren des Aristoteles wie die von der Ewigkeit der Welt, sondern auch auf die proklische Idee einer voraussetzungslosen Wiss., die durch den islamischen *Liber de causis* überliefert worden war. Die *Regulae caelestis iuris* von Alain von Lille (gest. ca. 1203) ähneln der axiomatischen Lehrdarstellung. Da aber das Werk — wie *De causis* — keine Axiome oder Postulate am Anf. voraussetzt, erweckte Alain den Anschein, als handele es sich um einen Versuch, die für den Christen unbeweisbaren Glaubensartikel zu beweisen.

Die Tatsache, daß diese Verurteilungen zw. 1215 und 1255, als das aristotelische Corpus in Paris schließlich Akzeptanz fand, zumeist beachtet wurden, macht diese 40 J. für die Formulierung der scholastischen Methode entscheidend. Da Aristoteles' Logik ausdrücklich von den Verurteilungen ausgenommen war, richteten die *magistri artium* ihre Aufmerksamkeit zunehmend auf die Wissenschaftstheorie der *Zweiten Analytik*. Sie arbeiteten an einer axiomatischen Darstellung der Disziplinen des Quadriviums (insbes. der Optik, als einer der Geom. untergeordneten Wiss.), während die Theologen ihrerseits bestrebt waren, ihre Wiss. nicht auf der Basis von *regulae* wie denen des Alain zu begründen, sondern auf den Glaubensartikeln als zwar unbeweisbaren, aber sicheren Axiomen, die aufgrund ihrer Offenbarung evident waren [24].

Der Grundstein für den wiss. Fortschritt des 13./14. Jh. wurde im Jahr 1255 gelegt, als die Logik, Naturphilos. und Ethik des Aristoteles für die Vorlesungen an der Pariser Artistenfakultät vorgeschrieben wurden. Seither bestimmt das Werk des Aristoteles die Struktur der philos. Lehre an den ma. → Universität. Einer der ersten, der dem gesamten aristotelischen Wissensumfang Aufmerksamkeit widmete, war Albert der Gr. (ca. 1200–1280). Seine Paraphrasen aller grundlegenden Werke des Aristoteles bereiteten den Weg für die weitumfassende Kommentarlit., durch die das MA sich die aristotelische Wiss. aneignete.

Im Laufe des nächsten Jh. wurden außerordentliche Fortschritte auf den Gebieten der Naturphilos. gemacht. Für diese Entwicklung stellte die aristotelische Physik sowohl die philos. Prinzipien als auch die enzyklopädische Struktur bereit. Die neuerdings übersetzten Komm. des Averroes, der Aristoteles' Werke als synthetische Darstellung der philos. Wahrheit verstand, trugen dazu bei, den Rang des Aristoteles als ›il maestro di color che sanno‹ (Dante, Inferno 4,131) zu festigen. Der Fortschritt dehnte sich auch auf die aristotelische praktische Philos. aus. Neue Übers. der *Nikomachischen Ethik* und der *Politik* aus dem Griech. eröffneten eine neue Blickrichtung für die Bestimmung des Menschen und für eine säkulare Konzeption des Staates [20].

Die Theologen waren ihrerseits bestrebt, eine *concordia* zu begründen zw. der geoffenbarten Lehre und der philos. Wahrheit, wie von Aristoteles und Averroes dargestellt. Zu apologetischen Zwecken behauptete Thomas von Aquin (1225–1274), daß aristotelische Wiss. einerseits und die Wiss. der christl. Offenbarung andererseits sich in grundsätzlicher Übereinstimmung befänden. Die Akzeptanz christl. Lehren sollte vernünftig erscheinen, da sie mit grundlegenden philos. Schlußfolgerungen — wie die der Existenz Gottes und der Unsterblichkeit der menschlichen Seele — übereinstimmten, von denen man annahm, daß Aristoteles sie bewiesen habe.

Im Jahr 1277 verurteilte jedoch der Bischof von Paris (Etienne Tempier) 219 Sätze, von denen eine Mehrzahl aristotelische Positionen darstellten [5]. Daher hatte diese Verurteilung sowohl für die Theologie als auch für die Philos. im späten MA weitreichende Auswirkungen. Die Tatsache, daß zahlreiche Vorstellungen des Aristoteles — sein Determinismus, seine Lehre von der Ewigkeit der Welt sowie die Unsicherheit seiner Lehre hinsichtlich der Unsterblichkeit der Seele — zu katholischen Lehren im Widerstreit standen, erlaubte es den Philosophen, die Wiss. der Natur aus ihrer engen Anbindung an die Autorität des Aristoteles in philos. Fragen im gewissen Sinn zu befreien [17].

Vor dem Hintergrund der Verurteilung bestimmte Johannes Duns Scotus (1265–1308) den Gegenstand der aristotelischen Metaphysik als einer Lehre vom Sein in der Weise, daß es auf eine Kritik der aristotelischen Theorie der spekulativen Wiss. hinauslief. Während Aristoteles zu Schlußfolgerungen allein innerhalb des Bereiches der Physik gelangen konnte, behauptete Scotus, daß das erste Objekt des Verstandes nicht die sinnliche Realität, sondern vielmehr das Sein als solches. Diese Feststellung erlaubte es, die körperliche Wirklichkeit in metaphysischer Weise zu untersuchen als endliches Sein, das Veränderungen unterliegt (*ens mobile*), im Gegensatz zur Betrachtung des *corpus mobile* in der Physik, wie sie Aristoteles verstand.

Durch diese und ähnliche Modifikationen von Aristoteles' Theorie der spekulativen Wiss. war es Philosophen des 14. Jh. möglich, in den Naturwiss. über Aristoteles hinauszugehen. Denker wie Johannes Buridan (ca. 1295–ca. 1358) konnten, durch die aristotelische Vorstellung unterstützt, daß jegliche Wiss. in ihrem Gebiet autonom ist, Theorien in der → Physik entwickeln wie die Theorie der Bewegung eines Projektils, die von Aristoteles' Ansichten nicht abhängig waren. Indessen konnten Mathematiker wie Nikolaus Oresme (ca. 1320–82) ihre Aufmerksamkeit auf Gebiete lenken, die Aristoteles vernachlässigt hatte, und z. B. neue Theorien von Proportionen und unendlichen Reihen entwickeln [28].

E. RENAISSANCE-ARISTOTELISMEN

Der A. der klerikalen Elite des MA legte eine einheitliche Sicht der Welt zu Grunde, die mit dem Aufkommen neuer gesellschaftlicher Gruppierungen in der

→ Renaissance völlig auseinanderbrach, so daß in der Periode von 1450 bis 1650 weniger von *einem* als vielmehr von *diversen* Aristotelismen zu sprechen ist [12].

Diese dritte Phase der lat. Aristotelesrezeption eröffnete sich 1438 mit dem Traktat des byz. Philosophen Georgios Gemistos Pletho (ca. 1360–1452) über den Vorrang Platons vor Aristoteles [6]. Pletho warf den Lateinern vor, sie interpretierten Aristoteles fälschlicherweise so, als sei seine Lehre mit der christl. Theologie in Übereinstimmung. Pletho erklärte, daß man bei Aristoteles keine Idee eines providenten Schöpfergottes noch der Unsterblichkeit der menschlichen Seele finde. Die Irrtümer der Lateiner seien auf den Araber Averroes zurückzuführen, der behauptete, die Werke des Aristoteles stellten die Vollendung der Naturphilos. dar. In der Ren. riefen die Vorwürfe Plethos eine Revolution im lat. Verständnis des Aristoteles hervor. Befördert durch byz. Denker, die einen den Scholastikern unbekannten Aristoteles nach It. trugen, erstellten lat. Gelehrte ab Mitte des 15. Jh. neue Editionen des griech. Textes des Aristoteles sowie neue lat. und volkssprachliche Übers. seiner Werke. Ferner schufen sie griech. Ausgaben und lat. Übers. nahezu des gesamten Corpus ant. griech. Komm. [26]. Schließlich kommentierten sie das aristotelische Corpus auf neue Weise. Es ist eine bemerkenswerte Tatsache, daß die Anzahl der lat. Aristoteleskomm., die während des Jh. zw. Pietro Pomponazzi (1462–1525) und Galileo (1564–1642) angefertigt wurden, die des ganzen Jt. von Boethius bis Pomponazzi übersteigt.

Im 16. Jh. führten neuartige wiss. Interessen dazu, daß verschiedene Gelehrte einzelne Werke des Aristoteles beachteten, ohne seine Gesamtorganisation der Wiss. zu berücksichtigen. In It. wendeten sich professionelle Philosophen an den Univ. der Naturphilos. und den zoologischen Schriften zu (→ Zoologie). Human. Gelehrte nahmen die aristotelische Moralphilos. auf, während diejenigen, deren Interesse der Lit. galt, die *Poetik* studierten. Gelehrte, denen es um konstitutionelle Reformen ging, griffen auf die aristotelische Logik zurück, um neue Weisen zu finden, ihre rechtlichen Lehren zu interpretieren. Die aristotelische *Politik* gewann in ganz Europa erneute Beachtung, nahezu ohne jede Bezugnahme auf andere Teile des aristotelischen Werkes [19].

1. KATHOLISCHER ARISTOTELISMUS

Mit dem E. des Basler Konzils (1437) hatte bereits eine neue Phase in der Geschichte der katholischen Interpretation aristotelischer Wiss. begonnen. Die Idee eines christl. A., wie sie von der *via antiqua* entwickelt wurde, entstand v. a. in den nordeurop. Univ. Um die Mitte des 15. Jh. wurde sie auch nach It. getragen. Aus der Begegnung des christl. A. und seinem weltlichen Gegenstück in It. resultierte eine grundlegende Transformation der aristotelischen Wiss.

Zum Konflikt kam es 1516 mit der Publikation des *Tractatus de immortalitate animae* Pietro Pomponazzis [7]. Dieser behauptete, daß nach Aristoteles die Lehre von der Seele zur Physik gehöre, doch als ein Teil der Lehre vom beseelten Körper (*corpus animatum*). Da die Seele eine materielle Form sei, sei sie auch vergänglich. Die Versuche, dieser Herausforderung zu begegnen, die hauptsächlich in den Mendikantenorden unternommen wurden, basierten auf der Suche nach metaphysischen anstelle von physischen Beweisen für die Unsterblichkeit der Seele. Die skotistische Definition der Metaphysik als einer Wiss. vom unerschaffenen und erschaffenen Sein ermöglichte es, die menschliche Seele und die Welt als metaphysische Objekte zu betrachten. Diese Möglichkeit implizierte aber im Gegenzug die Notwendigkeit einer systematischen Neuinterpretation der aristotelischen Philos. in Übereinstimmung mit den Prinzipien, die als ihre wahren Prinzipien galten – diejenigen nämlich, welche zu Schlußfolgerungen führten, die mit der katholischen Lehre im Einklang standen.

Der erste Schritt in diese Richtung wurde von Benito Perera (ca. 1535–1610) getan, der Professor am *Collegio Romano* des neu gegründeten Jesuitenordens war. Perera behauptete, daß die Lehre von der Seele zur Metaphysik gehöre. Da diese Wiss. indes unkörperliche Wirklichkeit nur als Ursache betrachten kann, schlug er vor, die traditionelle Metaphysik in zwei bes. Wiss. zu unterteilen: »göttl. Wiss.«, in der Gott, die Intelligenzen und die Seele behandelt werden, und »erste Philos.«, die das Seiende als solches betrachtet.

Das Projekt, Aristoteles umzuschreiben, wurde v. a. an iberischen Univ. unternommen. Die großen systematischen Werke der span. Scholastik machten den Versuch, die Metaphysik *per modum doctrinae* darzustellen, d. h. als ein organisches Ganzes, das aus ersten Prinzipien der Philos. abgeleitet ist. In seinen berühmten *Disputationes metaphysicae* fand der Jesuit Francisco Suárez (1548–1617) im Verhältnis der endlichen Wirklichkeit zur unendlichen schöpferischen Macht Gottes die Grundlage seiner christl. Neuinterpretation des aristotelischen Denkens. Endliches Sein ist solches, daß es durch Gottes absolute Macht in seinem aktuellen Sein konstituiert werden kann, weil seine Essenz keine widersprüchliche Bestimmungen enthält. Der Gott, der durch die natürliche Vernunft erkannt wird, ist das Prinzip eines Systems, das durch die verschiedenen Einteilungen des endlichen Seins hinabsteigt [18].

2. DER WELTLICHE ARISTOTELISMUS IN ITALIEN

Weil die Artistenfakultäten an it. Univ. weniger auf die Theologie als vielmehr auf Medizin ausgerichtet waren, beschäftigte man sich weniger mit der *Metaphysik* als mit den naturphilos. Werken des Aristoteles. Genötigt aber von den Entdeckungen von Kopernikus, Kolumbus und Galilei, von den verschiedenen ant. philos. Richtungen → Platonismus, → Stoizismus, → Epikureismus –, die seit der Mitte des 15. Jh. zunehmend Aufmerksamkeit gewannen, und von dem immensen Umfang des wiss. Materials, das in der Ren. aufgedeckt wurde, versuchten aristotelische Autoren, die Wissenschaftstheorie des Aristoteles innerhalb eines umfassenderen Kontextes einzuordnen.

Während die aristotelische Trad. seit Proklos sich v. a. auf die kompositive (synthetische) Seite der aristotelischen Wissenschaftlehre konzentriert hatte, entdeckte der weltliche A. lt. die gleichfalls aristotelische Methode der Resolution (Analysis) wieder [13]. Das Verständnis dieser Methoden entwickelte sich im Rahmen einer Theorie des wiss. *regressus*, der aus zwei Momenten besteht. Zunächst schreitet man von einer bekannten Wirkung zur konfusen Erkenntnis der Existenz der Ursache voran; dann beweist man apodiktisch die Wirkung durch die in einem mühsamen *examen mentale* gewonnene Erkenntnis der Essenz der Ursache. Durch seinen Rückgriff im *examen* auf Experimentation und mathematische Deduktion trug Galileo Galilei (1564–1642) zur Formulierung der neuzeitlichen Wissenschaftstheorie bei.

Gegen Ende des 16. Jh. setzte der Paduaner Aristoteliker Jacopo Zabarella (1533–89) mit seiner Schrift *De methodis* (1578) [8], deren Quellen Aristoteles' *Analytica posteriora*, Galens *Ars parva* sowie Averroes' Komm. zur aristotelischen *Physik* sind, die Theorie des *regressus* deutlich zur aristotelischen Unterscheidung theoretischer und praktischer Wiss. in Bezug. Die kompositive Methode leitet Schlüsse aus ersten Prinzipien ab; die resolutive Methode nimmt ihren Ausgang vom Ziel einer Handlung und sucht die Mittel und Prinzipien zu entdecken, durch die das Ziel erreicht werden kann. Zabarellas Ansicht nach ist es aber notwendig, »Methoden« von »Ordnungen« der Darstellung zu unterscheiden. Die »Methoden« bewirken die Erkenntnis von etwas Unbekanntem aus etwas Bekanntem; »Ordnungen« geben bereits durch menschliche Anstrengung erzieltes Wissen weiter. Die zwei »Ordnungen« entsprechen den zwei »Methoden«: die kompositive Ordnung stellt den Gegenstand der Wiss. vollständig als die von ersten Prinzipien ausgehenden Schlüsse dar; die resolutive Ordnung stellt für die Praxis ein System von *praecepta* und *regulae* auf, wonach ein gegebenes Ziel erreicht werden kann [29].

3. BAROCKE SCHOLASTIK

Im 17. Jh. wirkten die Ideen sowohl des christl. als auch des weltlichen A. lt. an den Schulen Europas weiter. Der christl. A. der katholischen Schulen beabsichtigte, eine Weltsicht zu verteidigen, in der die Akzeptanz einer Offenbarung vernünftig erschien. Aus ihrem Unterricht entstand eine neue lit. Form, der *cursus philosophicus* – z. B. der *Cursus conimbricensis* (1592–98) des Jesuitenordens [14] und die Zusammenfassungen der scholastischen Philos. von Eustachius a S. Paulo O.Cist. (gest. 1640) und Johannes a S. Thoma O. P. (gest. 1644). Suárez' Einteilung der Wirklichkeit in *ens infinitum*, *ens creatum immateriale* und *ens creatum materiale* stellte für den *cursus* eine Basis bereit. Sie schloß die Einteilung der Metaphysik in die (später so genannten) Sparten der *theologia naturalis*, der *psychologia rationalis* sowie der *cosmologia* ein. Während dadurch dem zunehmenden Bedarf einer unabhängigen Behandlung des Gottesproblems entgegengekommen werden konnte, ließ sie die

sich verschärfende Krise der aristotelischen Physik als Wiss. vom *corpus mobile* für die Scholastiker des Barock irrelevant werden.

4. LUTHERISCHE ORTHODOXIE

Obwohl Aristoteles und die scholastische Vermischung von Theologie und Philos. von Martin Luther verworfen wurden, rückte die aristotelische Wissenschaftskonzeption im 16. Jh. ins Zentrum protestantischer Univ. [32]. In den Gebieten, die sich konfessionell an Luther orientierten, galt die aristotelische Metaphysik als geeignete Basis für die Einheit der Lehre, welche die lutherische Orthodoxie benötigte [25]. Gegen Anhänger Calvins und Melanchthons, aber auch gegen radikale Lutheraner, die behaupteten, es gebe Glaubenslehren, wie die der Trinität, welche der Vernunft widersprächen, wendeten sich dt. philos. Lehrbücher – z. B. die *Exercitationes metaphysicae* (1603–04) Jakob Martinis (1570–1649) und die *Metaphysica commentatio* (1605) Cornelius Martinis (1568–1621) – der Vorstellung des Suárez von einer möglichen, konfessionell neutralen Welt zu, die jeder akzeptieren konnte, der die Idee der Schöpfung annahm. Obwohl lutherische Bedenken gegen die Vorstellung eines natürlichen Wissens von Gott bestanden, räumten die Theologen zu apologetischen Zwecken bald die Notwendigkeit einer natürlichen Theologie ein. Bereits 1621 wurde eine *Theologia naturalis* von Johannes Scharf (1595–1660) veröffentlicht. Die lutherische Orthodoxie versuchte auch, die Offenbarungstheologie in Übereinstimmung mit der aristotelischen Theorie praktischer Wiss. zu systematisieren. Georg Calixt (1586–1656) wendete Zabarellas Idee der analytischen Ordnung in seiner *Epitome theologiae* von 1619 auf die Theologie an.

5. KALVINISTISCHER ARISTOTELISMUS

In den Gebieten, die zum Kalvinismus tendierten, galt die dogmatische Theologie als eine spekulative Wiss., die einer synthetischen Methode folgt. Wie Perera unterschieden auch reformierte Theologen zwei metaphysische Wiss. Die eine betrachtet Gott, die andere ist eine allg. Wiss. vom Sein, die maßgeblich ist für die Prinzipien der einzelnen Wiss. »Ontologie« hat für Rudolphus Goclenius (1547–1628), der das Wort zum ersten Mal gebrauchte, die Aufgabe, den verschiedenen wiss. Disziplinen ihren je eigenen Ort innerhalb einer neuen Enzyklopädie des Wissens anzuweisen. Die Idee einer systematischen Gesamtheit des Wissens war im kalvinistischen Denken fundamental. In diesem Sinne veröffentlichten im frühen 17. Jh. Bartholomäus Kekkermann (1571/73–1609), Clemens Timpler (1567–1624) und Johann Heinrich Alsted (1588–1638) Systeme der diversen *artes*. In diesen Systemen wurden die Disziplinen nicht als Wiss. im aristotelischen Sinn verstanden, sondern als *artes liberales*, freie Künste, die von der *technologia* regiert sind [33].

F. NEUZEITLICHE ARISTOTELESFORSCHUNG

Die große Vielzahl der Aristotelismen in der Ren. und das revolutionäre Wissenschaftsverständnis der Neuzeit setzten dem A. im strikten Sinn des Wortes um die Mitte des 17. Jh. ein Ende. Obwohl weiterhin einzelne Werke – die *Logik*, die *Zoologischen Traktate*, die *Politik*, die *Poetik* Studierende anzogen, rief die wiss. Revolution des 17. Jh. eine vollkommen neue Gesamtheit der Wiss. hervor. Seit der Aufklärung galt Aristoteles nicht so sehr als Begründer eines hierarchischen Systems der Wiss., sondern vielmehr als einer der Gelehrten, die sich bemühen, die Wirklichkeit durch empirische Forsch. in einzelnen Disziplinen zu verstehen. Die Abkehr von dem bis dahin beherrschenden A. ging in der Philos. des 19. Jh., zumal dem »Dt. Idealismus«, einher mit einer verstärkten Hinwendung zur platonischen Trad. (→ Platonismus).

Die Veröffentlichung der *Aristotelis opera* durch die Berliner Akad. zw. 1831 und 1870 und ihre Edition der *Commentaria in Aristotelem Graeca* zw. 1882 und 1909, sowie die Ausgabe des Aristoteles Latinus, die 1939 von der *Union Académique Internationale* für die ma. lat. Übers. begonnen wurde, stellen die Basis für mod. Unt. des Aristoteles und der Trad. seiner Philos. bereit.

→ AWI Aristoteles-Kommentatoren; Aristoteles
→ Arabisch-islamisches Kulturgebiet

QU **1** AL-FARABI, Catálogo de las ciencias, hrsg. und übers. von A. GONZÁLEZ, 1953 **2** Opticae thesaurus. Alhazeni arabis libri VII, Basel 1572, Ndr. mit Einleitung von D.C. LINDBERG, 1972 **3** Die ps.-aristotelische Schrift »Ueber das reine Gute, bekannt unter dem Namen Liber de causis«, hrsg. von O. BARDENHEWER, 1882, Ndr. 1958 **4** Le Liber de causis, hrsg. von A. PATTIN, 1966 **5** Aufklärung im MA? Die Verurteilung von 1277. Das Dokument des Bischofs von Paris, übers. und erklärt von K. FLASCH, 1989 **6** G.G. PLETHO, Περὶ ὧν Ἀριστοτέλης πρὸς Πλάτωνα διαφέρεται, Paris 1541, lat. Basel 1574 (= PL Bd. 160, 773 ff.) **7** P. POMPONAZZI, Abhandlung über die Unsterblichkeit der Seele, lat.-dt., hrsg. von B. MOJSISCH, 1990 **8** JACOPO ZABARELLA: Über die Methoden (De methodis); Über den Rückgang (De regressu), hrsg. von R. SCHICKER, 1995

LIT **9** E. KESSLER et al. (Hrsg.), A. und Ren. In memoriam Charles B. Schmitt, 1988 **10** Aristotelismo padovano e filosofia aristotelica: Atti del XII Congresso internazionale di filosofia, Venezia 1958, 1960, IX **11** L. OLIVIERI (Hrsg.), Aristotelismo veneto e scienza moderna, 1983 **12** CH. B. SCHMITT et al. (Hrsg.), The Cambridge History of Ren. Philosophy, 1988 **13** E. KESSLER et al. (Hrsg.), Method and Order in Ren. Philosophy of Nature: The Aristotle Commentary Trad., 1998 **14** L. GIARD (Hrsg.), Les jésuites à la Ren.: Système éducatif et production du savoir, 1995 **15** Platon et Aristote à la Ren. XVIᵉ Colloque International de Tours, Paris 1976 **16** J. KRAYE et al. (Hrsg.), Ps.-Aristotle in the Middle Ages, 1986 **17** L. BIANCHI, Il vescovo e i filosofi. La condanna Parigina del 1277 e l'evoluzione dell' aristotelismo scolastico, 1990 **18** J.-F. COURTINE, Suárez et le système de la métaphysique, 1990 **19** H. DREITZEL, Protestantischer A. und absoluter Staat, 1970 **20** CH. FLÜELER, Rezeption und Interpretation der Aristotelischen Politica im späten MA, 2 Bde., 1992 **21** L. GIARD, »L'Aristotélisme au XVIᵉ siècle«, in: Les études philosophiques, 1986, Nr. 3, 281–405 **22** P. O. KRISTELLER, La tradizione aristotelica nel Rinascimento, 1962 **23** Ders., Die Aristotelische Trad., in: Human. und Ren., 1974, 30–49 **24** A. LANG, Die theologische Prinzipienlehre der ma.

Scholastik, 1964 **25** U. G. LEINSLE, Das Ding und die Methode. Methodische Konstitutionen und Gegenstand der frühen protestantischen Metaphysik, 1985 **26** CH. H. LOHR, Latin Aristotle Commentaries: I. Medieval Latin Aristotle Commentaries, in: Traditio, 23–30, 1967,74; II. Ren. Authors, 1988; III. Indices, 1995 **27** Ders., Traditio aristotelica: Bibliography of the Secondary Literature, 1999 **28** A. MAIER, Stud. zur Naturphilos. der Spätscholastik, 5 Bde., 1951–66 **29** H. MIKKELI, An Aristotelian Response to Ren. Humanism. Jacopo Zabarella on the Nature of Arts and Sciences, 1992 **30** B. NARDI, Saggi sull'aristotelismo padovano dal secolo XIV al XVI, 1958 **31** F. E. PETERS, Aristoteles arabus, 1968 **32** P. PETERSEN, Gesch. der Aristotelischen Philos. im protestantischen Deutschland, 1921 (Ndr. 1964) **33** W. SCHMIDT-BIGGEMANN, Topica universalis. Eine Modellgesch. human. und barocker Wiss., 1983 **34** CH. B. SCHMITT, Aristotle and the Ren., 1983 (it. 1985, frz. 1992).   CHARLES H. LOHR

G. ARISTOTELESREZEPTION IM 20. JAHRHUNDERT

1. EINLEITUNG

Die Aristotelesrezeption im 20. Jh. läßt sich am besten von ihrem kritischen Anliegen her charakterisieren. Durch Aristoteles sollen Engführungen der neuzeitlichen Philosophie seit Descartes überwunden werden. Aristoteles wird nicht als Systematiker gelesen; vielmehr werden Momente seiner Philos. herausgegriffen und von gegenwärtigen Fragestellungen her weiterentwickelt. Zu nennen sind v. a.: a) die Kritik am Rationalismus und an idealistischen Spekulationen durch die Methode des Aristoteles; b) die Kritik am Empirismus durch die Aristotelische realistische Ontologie; c) das verschärfte Bewußtsein dafür, daß theoretische und praktische Vernunft nicht aufeinander rückführbar sind und daß ein bloßer Formalismus für die Begründung moralischer Normen nicht ausreicht. – Hier sollen die beiden großen Rezeptionsstränge skizziert und auf a) und b) eingegangen werden; c) wird unter → Praktische Philosophie ausgeführt.

2. ANGELSÄCHSISCHE PHILOSOPHIE

In Gegenstellung zum neohegelianischen Idealismus beginnt in Oxford mit dem Werk des klass. Philologen und Philosophen John Cook Wilson (1849–1915) eine Ren. der Aristotelischen Philos. Aristoteles wird als methodisches Vorbild gesehen: Die Philos. muß sich an der normalen Sprache orientieren und (was Aristoteles exemplarisch in metaph. 5, nicht zuletzt für den Terminus »seiend«, V 7, vorführt) den vielfachen Gebrauch der Wörter herausarbeiten. Gilbert Ryle (1900–1976) unterscheidet mit Hilfe der Kategorienlehre sinnvolle von sinnlosen Aussagen und löst so philos. Dilemmata. Mit seiner Methode der »linguistischen Phänomenologie« klärt John L. Austin (1911–1960), der wie Wilson v. a. die *Nikomachische Ethik* schätzt, philos. Begriffe, z. B. durch die Unt. der alltäglichen Praxis der Entschuldigungen die Begriffe Handlung und Freiheit. Der Aristotelischen Orientierung an der Alltagssprache verpflichtet, unterscheidet Peter Strawson, *Individuals* (1959) zw. »deskriptiver« und »revisionärer Metaphysik«. Während die revisionäre eine bessere Struktur hervorbringen will, begnügt die deskriptive Metaphysik sich damit, die tatsächliche Struktur unseres Denkens über die Welt zu beschreiben; auf diese Weise zeigt sie, daß in der Ontologie unserer Alltagssprache die materiellen Einzeldinge, die ersten Substanzen des Aristoteles, grundlegend sind.

Οὐσία (ousía) steht bei Aristoteles nicht nur für die Substanz, sondern auch das Wesen oder die Form (eídos), das durch sortale Terme, z. B. »Mensch«, »Leopard«, »Wasser«, »Gold« bezeichnet wird. Für Aristoteles ist das Wesen eine von unserem Denken und Sprechen unabhängige Wirklichkeit. Gegenüber dem auf den Wiener Kreis zurückgehenden Nominalismus, der ein solches reales Wesen bestreitet und nur sprachliche Konventionen kennt, wird von Saul A. Kripke, *Naming and Necessity* (1972), Hilary Putnam, *The Meaning of Meaning* (1975), David Wiggins, *Sameness and Substance* (1980) u. a. ein aristotelischer Realismus vertreten. Sortale Terme enthalten ein indexikalisches Moment: Sie beziehen sich auf die Wirklichkeit; wir können ihre Bed. nur in der Weise erkennen, daß wir ein Exemplar der natürlichen Art erforschen. Der Vorrang, den Aristoteles der Kategorie der ousía zuspricht, wird dadurch bestätigt, daß die verschiedenen Aspekte unseres Umgangs mit Einzeldingen (Zählen, Identifizieren, Existenzaussagen) zur Voraussetzung haben, daß wir das Einzelding als Exemplar einer Art, der zweiten ousía der Aristotelischen Kategorienschrift, verstehen können.

3. DER DEUTSCHE SPRACHRAUM

Abgestoßen von den Spekulationen eines Fichte, Schelling und Hegel, wendete sich Franz Brentano (1838–1917) unter dem Einfluß seines Lehrers Adolf von Trendelenburg dem Studium des Aristoteles zu. Von Brentano gingen entscheidende Anregungen für die Philos. des 20. Jh. aus: Er war der Lehrer Husserls und steht somit am Beginn der Phänomenologie; er hat auch die gegenwärtige Ontologie maßgeblich beeinflußt. Durch seine Methode der sprachlogischen Unt. steht er der analytischen Philos. nahe. Brentanos Interesse gilt v. a. der Analyse der psychischen Phänomene, für welche die »Intentionalität«, d. h. die Beziehung auf etwas, wesentlich ist, und der Ontologie. Beide Fragestellungen sind angeregt durch Aristoteles. Brentanos Dissertation untersucht die vier Bed. von »seiend«, die Aristoteles in metaph. 5,7 unterscheidet; seine Habilitation gilt der Aristotelischen Psychologie; Mittelpunkt seiner späten, zusammenfassenden Aristotelesdarstellung ist die Theologie von *Metaphysik* XII [1].

Brentanos Dissertation hat Heidegger beeinflußt; dessen Lehrveranstaltungen zu Aristoteles seit den 20er J. [2; 3] sind der entscheidende Anstoß zu einem neuen Interesse. Philosophiegeschichtliche Interpretation hat nach Heidegger die Aufgabe der Destruktion; sie soll zu einer urspr. Auslegung der Trad. hinführen. Heideggers Verhältnis zu Aristoteles ist zwiespältig: Aristoteles bestimme die Anthropologie der griech.-christl. Lebensauslegung; deshalb sei er kritisch daraufhin zu befragen,

als welchen Seinscharakter er das Leben des Menschen auslege: ›Das Gegenstandsfeld, das den urspr. Seinssinn hergibt, ist das der hergestellten, umgänglich in Gebrauch genommenen Gegenstände‹ [4. 253]. Nach Gadamers Urteil ist Aristoteles für Heidegger mehr eine ›verdeckende Traditionsfigur, die das eigene okzidentale Denken nicht zu sich selbst kommen (...) ließ‹ [5. 232]. Aber in der zitierten Deutung des Seinssinns ist Aristoteles für Heidegger nur die Vollendung der vorangegangenen Philos. In seiner Physik, für Heidegger die Mitte des Aristotelischen Denkens, gewinne er einen neuen Grundansatz: die Explikation des Seienden im Wie seines Bewegtseins [4. 251].

Angeregt durch Heideggers Interpretationen haben u. a. Hans-Georg Gadamer, Hannah Arendt und Joachim Ritter Ansätze des Aristoteles für ihre eigene Philos. fruchtbar gemacht. Die Anfänge von Gadamers *Wahrheit und Methode* (1960) reichen zurück in ein Freiburger Seminar Heideggers über das sechste B. der *Nikomachischen Ethik* [5. 230f.], in dem Aristoteles verschiedene Formen des Wissens und der Wahrheit unterscheidet. Das praktische Wissen ist für Aristoteles nicht auf das theoretische und technische reduzierbar. Es ist kein gegenständliches und bloß feststellendes Wissen; vielmehr ist der Wissende von diesem Wissen selbst betroffen; es schreibt ihm vor, was er zu tun hat. Praktisches Wissen hat es immer mit der konkreten Situation zu tun; die Vollendung des praktischen Wissens, die Phronesis, ist daher die Urteilskraft, die sich nicht auf einen Kalkül bringen läßt. Als Erneuerung der Aristotelischen Phronesis gelesen, ist Gadamers Hermeneutik eine Kritik und Grenzziehung der wissenschaftlich-technischen Vernunft. In kritischer Auseinandersetzung mit der Verarmung der sozialen Beziehungen in der Neuzeit will Hannah Arendt, *Vita activa oder Vom tätigen Leben* (1960) den Aristotelischen Begriff des Handelns (práxis) wieder in seinem vollen Sinn zur Geltung bringen. Unter den drei Formen der Vita activa, Arbeiten, Herstellen und Handeln, spricht sie mit Aristoteles dem Handeln, in dem der Mensch sich als sprachbegabtes und für die Polis bestimmtes Lebewesen entfaltet und das sein Ziel in sich selbst hat, den höchsten Rang zu. Handeln spiele sich ohne Vermittlung von Material und Dingen im Medium der Sprache direkt zw. Menschen ab; es sei Leben im eigentlichen Sinn, denn Leben bedeute »unter Menschen weilen«. Es sei Ausdruck der Pluralität der Menschen und zugleich der unwiederholbaren Einmaligkeit des Einzelnen. Gegenüber einer abstrakten (kantischen) Moralität rehabilitiert Joachim Ritter, *Metaphysik und Politik. Studien zu Aristoteles und Hegel* (1969) unter Rückgriff auf Hegels Sittlichkeit Aristoteles' Begriff des Ethischen, unter den außer der Tugend auch Brauch, Trad. und Institution fallen. Um wirksam sein zu können, müsse die praktische Vernunft, wie bei Aristoteles in der Polis, histor.-konkrete Gestalt annehmen.

→ AWI Aristoteles

QU **1** F. Brentano, Von der mannigfachen Bed. des Seienden nach Aristoteles, 1862; Die Psychologie des Aristoteles, insbes. seine Lehre vom NOYΣ ΠΟΙΗΤΙΚΟΣ, 1867; Aristoteles und seine Weltanschauung, 1911 **2** M. Heidegger, Gesamtausgabe II. Abteilung: Vorlesungen 1919–1944, 17, 1994 (WS 1923/24), 6–41; 19, 1992 (WS 1924/25), 21–189; 21, 1976 (WS 1925/26), 127–196; 22, 1993 (SS 1926) 22–45; 33, ²1990 (SS 1931) **3** Ders., Wegmarken, 1967, 309–372 **4** Ders., Phänomenologische Interpretationen zu Aristoteles (Anzeige der hermeneutischen Situation), hrsg. von H.-U. Lessing, in: Dilthey-Jb. 6, 1989, 237–269

LIT **5** H.-G. Gadamer, Heideggers »theologische« Jugendschrift, in: Dilthey-Jb. 6, 1989, 228–234 **6** M.-Th. Liske, Aristoteles und der aristotelische Essentialismus, 1985 **7** Ch. Rapp, Identität, Persistenz und Substantialität, 1995 **8** F. Ricken, Die Oxford-Philos., in: E. Coreth u. a., Philos. des 20. Jh., ²1993, 158–176 **9** F. Volpi, Heidegger e Aristotele, 1984 **10** Ders., Praktische Klugheit im Nihilismus der Technik: Hermeneutik, praktische Philos., Neo-A., in: Internationale Zschr. für Philos. 1, 1992, 5–23.

FRIEDO RICKEN

Arithmetik s. Mathematik

Arkadismus A. Das antike Vorbild
B. Arkadismus in der Antike
C. Die Wiedergeburt des Arkadismus
D. Der Arkadismus in der Malerei
E. Die Institutionalisierung des Arkadismus
F. Arkadismus in der Neuzeit

A. Das antike Vorbild

Arkadien, die Gebirgslandschaft inmitten der Peloponnesos, spielte in der Ant. nur eine unbedeutende Rolle. Die Gründung von Megalopolis 368/67 v. Chr. unterstrich die vordem nur eingeschränkte staatliche Selbständigkeit. Seit der zweiten H. des 3. Jh. v. Chr. schlossen sich die arkadischen Poleis dem Achaiischen Bund an, dessen Schicksal der röm. Sieg bei Pydna 168 besiegelte.

B. Arkadismus in der Antike

Arkadien bedeutete indes schon sehr früh mehr als lediglich eine geogr. Entität, es wurde zur ›geistigen Landschaft‹ [2. 257], die eine kulturelle Idee verkörperte, auf welche sich im Laufe der Zeit verschiedenartige Ideale gründeten. Diese Entwicklung war jedoch nicht mit Arkadien als vielmehr mit Sizilien verbunden, wo sich in hell. Zeit die → Bukolik als anmutige, wirklichkeitsferne Hirten- und Schäferpoesie herausbildete. Daß aber Bukolik und A. nahezu gleichgesetzt werden konnten, geht nicht auf einen Griechen, sondern auf den röm. Nationaldichter Vergil (70–19 v. Chr.) zurück. Vergil kannte das Geschichtswerk des Polybios und dessen liebevolle Schilderung seiner arkadischen Heimat, die der Römer zum Schauplatz seiner *Bucolica* machte, fern vom Weltgeschehen und darum nicht anstößig für die jeweilige Staatsmacht.

C. Die Wiedergeburt des Arkadismus

Zu vollem Leben erwachte das Arkadienthema in der Zeit der Ren. Wegbereiter wurde dabei Francesco Petrarca (1304–1374) mit seinem postum veröffentlichten, an Vergil angelehnten *Bucolicum carmen*, dem freilich ob seines geringen poetischen Wertes die Breitenwirkung versagt blieb. Der eigentliche Begründer des neuzeitlichen A. wurde daher erst im darauffolgenden Jh. der Neapolitaner Jacopo Sannazaro (1456–1530) mit seiner um 1480 entstandenen *Arcadia*. Der Schäferroman machte ausgiebig Anleihen bei ant. Klassikern, voran Vergil. Von dem Alltag des Hirtenlebens entfernte er sich noch weiter als seine Vorbilder, indem er der arkadischen Idee Gestalt verlieh als einem Traumbild des »Goldenen Zeitalters«, das keinen Raum ließ für das christl. Paradies. Sannazaros A. beinhaltete vielmehr widerchristl., antikische Liebesfreiheit. Die *Arcadia* übte auf ihre Gegenwart wie auf nachfolgende Jh. und weit über It. hinaus beachtliche Wirkung aus. Einige wenige markante Beispiele dafür seien angeführt.

Giovanni Battista Guarino (1538–1612), Adliger aus Ferrara, Literaturprofessor und Diplomat, verfaßte 1590 in vollendeter poetischer Technik seinen tragikomischen Hirtenroman *Il Pastor fido*, der Vorbild für seine Gattung wurde; das bezeugt auch eine vulgärgriech. Bearbeitung. Guarinos A. gründete sich auf strenge Sitten und, wie es sein Prolog fixierte, auf eine gemäßigte Freiheit, und erst gegen Ende des Stückes führte er das Goldene Zeitalter vor. Für Spanien sind in diesem Zusammenhang charakteristisch Garcilaso de la Vega (1501–1536) mit seinen Eklogen, Lope de Vega Carpio (1562–1635) mit seinem Hirtenroman *Arcadia* und nicht zuletzt der große Miguel de Cervantes Saavedra (1547–1616) mit dem zu seiner Zeit wenig erfolgreichen Schäferroman *La prima parte de la Galatea*. In Frankreich ließ 1565 Rémy Belleau (1528–1577), ein jüngerer Angehöriger des Dichterkreises der *Pléiade française*, unter der Bezeichnung *Bergeries* seine Gedichte erscheinen, in denen im Schäfergewande hochgestellte Persönlichkeiten über öffentliche Geschehnisse in allegorischen Wendungen debattierten. Vergleichbar bot der Holländer Johan van Heemskerck (1597–1656) in *Batavische Arcadia* Plaudereien über Geschichte und vergangenes Brauchtum. Noch weiter ging der Engländer Sir Philip Sidney (1554–1586), der in seiner 1590 postum edierten *Arcadia*, den bewährten Formen folgend, Anschauungen der Ren. über Politik und Gesellschaft, Moral, Religion und schöne Künste vortrug. Der poetisch begabte Autor hatte in seinem Prosatext Sonette und Lieder eingefügt. 1629 erschien eine Übertragung ins Deutsche, die der Sprachreformer Martin Opitz (1597–1639) überarbeitete (gedruckt postum 1642). Darüber hinaus entwickelte die dt. Lit. des 17. Jh. einen A. eigener Prägung, der sich aus ant. und human. Quellen speiste. In Schäferroman und Schäferlyrik schlugen sich in der bewegten Zeit des Dreißigjährigen Krieges und seiner Nachwirkungen der Wunsch nach Harmonie und Ausgleich, nach Frieden und Stille, aber auch die verstärkte

Reaktion auf die höfische Unnatur nieder. In seiner erst nach seinem Tode 1639 publizierten *Trutz Nachtigal* verband der Jesuit Friedrich Spee (von Langenfeld; 1591–1635) geistliche Thematik mit bukolischem Dekor. Nürnberger Patrizier huldigten in dem von Georg Philipp Harsdörffer (1607–1658) begründeten Pegnitzorden (nach dem Flüßchen Pegnitz benannt) nach dem Beispiel von Harsdörffers *Arcadia* der Schäferallegorie, die sich einer gekünstelten Sprache, dem it. Marinismus vergleichbar, bediente. Die Panflöte war das Abzeichen der Pegnesier, die sich mit ihrem Tun von dem zunftbürgerlichen Meistergesang zu distanzieren suchten.

D. Der Arkadismus in der Malerei

Neben diesem vielgestaltigen lit. A., als dessen grundlegendes Charakteristikum ungeachtet aller immanenten Wirklichkeitsferne Züge ant. Diesseitsbejahung offenkundig sind, stand, weitgehend unabhängig von ihm, ein bildkünstlerischer A. von nicht geringerer Bed., im Unterschied zu jenem jedoch fast durchgehend mit der Stadt → Rom verbunden. Er erwuchs aus dem neuerwachten Naturgefühl der Ren., das sich zum einen in einer Neigung zum Heroischen niederschlug, zum anderen aber in einer idyllischen Richtung, in der Götter und Nymphen ihr Spiel trieben, Schäfer ihre Herden versorgten und sich ansonsten in Gesang und Tändelei ergingen. Vorbereitet wurde diese Richtung durch den Venezianer Giovanni Bellini (um 1430 bis 1516), der, freilich vornehmlich um biblische Sujets bestrebt, detailliert Flora und Fauna erfaßte, und durch Bellinis Schüler Giorgio Giorgione (um 1477–1510) mit seiner berühmten *Tempestà* (in der Accademia zu Venedig). Die volle Entfaltung des künstlerischen A. verbindet sich mit dem Franzosen Nicolas Poussin (1594–1665), der seit 1624 fast durchgehend in Rom lebte. Zwei seiner Bilder tragen die Grabschrift ›Et in Arcadia ego‹ zum Zeichen dafür, daß auch in dem utopischen Arkadien der Tod allzeit zur Stelle ist; *Les bergers d'Arcadie* zeigt ein Bild im Louvre. Claude Lorrain (1600–1682) malte griech. Tempel, Paläste und prächtige Bäume und wurde zum Vorbild der Klassik und weiter Teile der Kunst des 19. Jh., ohne sich auf Autopsie des Dargestellten gründen zu können. Authentische Arkadiendarstellungen gibt es erst in der → Reiseliteratur seit dem beginnenden 19. Jh.

E. Die Institutionalisierung des Arkadismus

Der A. strebte über Lit. und Kunst hinaus nach Institutionalisierung. Die wichtigste dieser Gründungen war die *Accademia degli Arcadi* in Rom. Die vormalige Königin Christine von Schweden (1626–1689), die sich nach ihrer Abdankung (1654) zumeist in Rom aufhielt, stellte ihren Palazzo für Begegnungen von Literaten und Gelehrten zur Verfügung, aus denen sich die genannte → Akademie entwickelte, die sich 1690 in aller Form konstituierte; ihr Wortführer war der Kanonikus Giovanni Mario Crescimbeni (1663–1728). Die Institution sah ihr Hauptziel darin, die it. Dichtung wiederherzustellen, die nach der Auffassung der Akademiker bar-

barisiert worden war, wobei ihr Angriff sich gegen den bereits erwähnten Marinismus richtete, die nach Giambattista Marini (1569–1625) benannte schwülstige, barocke Dichtungsart, die es übrigens durchaus nicht verschmähte, sich bukolischer Themen zu bedienen. Die Akademie setzte ihr die Forderung nach sprachlicher Schlichtheit und Natürlichkeit der Inhalte entgegen. Crescimbeni selbst verfaßte einen Roman *Arcadia* sowie eine beachtliche *Istoria della volgar poesia*. Die Mitglieder der Akademie nahmen arkadische Namen an und versammelten sich im Bosco Parrasio. Sie entstammten der gesellschaftlichen Oberschicht; bemerkenswerterweise wurden auch Frauen in ihren Kreis aufgenommen. Vom Vortrage ausgeschlossen waren ›mala carmina et famosa, obscoena, superstitiosa, impia‹. 1711 unter Papst Clemens XI. zählte die Akademie 1195 Mitglieder. 1725 errichtete ihr König Johann V. von Portugal ein Gebäude auf dem Gianicolo. Die Akademie übte Einfluß im Sinne eines formalen Klassizismus; 1807 wählte sie Goethe zum Mitglied. Dieser stellte dem zweiten Teil seines it. Reisetagebuches das Motto ›Auch ich in Arcadien!‹ voran. Die Akademie überlebte Epochen des Verfalls und wirkt noch h. als *Accademia letteraria italiana dell'Arcadia*. Auch in Deutschland gab es eine kurzlebige arkadische Gesellschaft mit der Bezeichnung Phylandria. Sie stiftete der junge hessische Adlige Ernst Karl Ludwig Ysenburg von Buri (1747–1806), später Offizier und Verfasser von Dramen. Die Phylandria war zunächst ein Kränzchen zur Aufführung von Schäferspielen. Sie gewann in ihrem Umkreis zeitweilig einen gewissen Einfluß und ging später in der Freimaurerei auf. 1764 beantragte Goethe, damals noch in Frankfurt, die Aufnahme in die Phylandria, wurde aber, wie es hieß, wegen mangelnder Tugend zurückgewiesen.

F. Arkadismus in der Neuzeit

Die Revolutionen des 19. Jh. und in ihrem Gefolge tiefgreifende soziale, ökonomische und technologische Veränderungen ließen den A. zurücktreten. Erst in den letzten Jahrzehnten zeigte sich in Griechenland, gestützt auf lokale Vereinigungen sowie auf die Arkadische Akademie in Athen, eine Rückbesinnung auf die arkadische Idee einer organischen Verbindung von Natur, Kunst und Menschengemeinschaft, die sich praktisch in Heimatpflege und Maßnahmen zum Schutz der Umwelt äußert.

→ AWI Vergilius

1 B. Snell, Arkadien, Die Entdeckung einer geistigen Landschaft, in: Antike und Abendland 1, 1945, 26ff.
2 Ders. Die Entdeckung des Geistes, ⁴1975 3 J. Irmscher, A. und Revolutionarismus, in: Rivista Storica dell' Antichità 22/23, 1992/93, 267–274 4 Πρακτικὰ Αʹ Συνεδρίου γιὰ τὴν ἀναβίωση τοῦ Ἀρκαδικοῦ ἰδεώδους, 1984.
JOHANNES IRMSCHER

Armenien A. EINLEITUNG
B. MITTELALTER C. NEUZEIT

A. EINLEITUNG

A. gehört zu den hell. geprägten Kulturregionen des Vorderen Orients, wo Rezeptionsprozesse schon in ant. Zeit selbst stattfanden. Der im 1. Jh. n. Chr. erbaute und dem Sonnengott Mihr (Mithras) gewidmete Tempel Garni als einzig erhaltener vorchristl. Tempel auf dem Territorium A. ist samt den 15farbigen Thermen-Mosaiken mit griech. Inschr. und mythischen Figuren ein eindrucksvolles Symbol dafür.

Das zw. den Großmächten geteilte, um seine Identität ringende A. wollte weder von dem iranischen, später arab. oder russ. noch mit dem griech.-röm./byz., später türk./mongolischen Kulturkreis assimiliert werden. In seiner wechselhaften Geschichte zeigen sich daher neben Versuchen zu einer kulturellen Synthese auch deutlich entgegengesetzte Tendenzen bei der Annahme der jeweiligen Kulturelemente. Ein Kulturtyp wurde gepflegt bzw. abgelehnt je nachdem, ob er zur armenischen Identitätsbewahrung beitrug oder eine Gefahr für sie darstellte. Dieses Kriterium galt auch für die klass. Ant. und bedingte ihre Wirkungsgeschichte in A.

Die Rezeptionsgeschichte der griech.-röm. Ant. in A. hat drei Höhepunkte erfahren, die im folgenden paradigmatisch in der Rezeption der Lit. charakterisiert werden sollen: 1. Die eigentliche hell. Blütezeit, nach dem Sieg Alexanders des Gr. (334 v. Chr.), als das Königreich A. seine Unabhängigkeit von Medern und Persern erlangte und die Emanzipation der orontidischen Dynastie dem alten iranischen Bestandteil der armenischen Kultur eine neue hell. Dimension hinzufügte. Damals stand der armenische Staat im Wirkungskreis des ant. Griechenlands, des hell. Syriens und Kappadokiens. Die Spuren dieser Wirkungen sind durch das ganze MA und weiter zu beobachten. 2. Die Periode der ersten armenischen (Kultur-)Ren. (11.–13. Jh.); 3. der zweiten Ren. (17.–19. Jh.), die auch eine Reaktion auf verschiedene Identitätsgefährdungen darstellten (im ersten Fall durch Invasionen von Osten, im zweiten Fall durch Verlust der staatlichen Organisation). Vorbilder aus der nationalen Klassik (in Anlehnung an die klass. Ant.) wurden wiederbelebt als Träger zukunftsträchtiger Ideale hinsichtlich der Hoffnungen auf nationale Unabhängigkeit.

B. MITTELALTER

Im Ergebnis der Begegnung der Kulturen in dieser Region entstand eine hochentwickelte, typisch armenische Kultur, die in der frühen Ausprägung eines armenischen Christentums ihre Fortführung findet. In dichter Folge entstehen in der frühen christl.-armenischen Zeit die Übers. griech. ant. und patristischer Werke. Für diese komplexe Kultur spielt die Autorität der ant. Welt eine große Rolle. Nicht zufällig erhält die Schlüsselgestalt dieser Kultur, der hl. Grigor Lusaworič (Gregor Illuminator), die Grundstrukturen der armenischen christl. Kultur in engem Zusammenhang mit der kappadokisch-oström. Kultur bestimmt hat, seine endgültige geistige Formung zu Ende des 3. Jh. im kappadokischen Kaisareia. Auch das im 5. Jh. erfundene und als Auftakt zu einem umfangreichen Kulturprogramm konzipierte armenische Alphabet, das Wahrzeichen der armenischen christl. Lit. und die Grundlage für das ganze ma. Schrifttum, folgt ganz bewußt dem phonetischen Prinzip und der Schreibrichtung des griech. Alphabets. Die ersten christl.-armenischen Schriftsteller wie Agat'hangełos und P'awstos von Byzanz (5. Jh.) geben an, ihre Werke in griech. Sprache geschrieben zu haben, die neben dem Aramäischen die zweite Sprache in Administration und Kultur A. war. So ist bereits der Anf. armenischer Schriftsprache und Lit. ein gräkophiler Höhepunkt, dem im Laufe der armenischen Literaturgeschichte weitere Phasen im 8. (zweite gräkophile Schule, z.B. Übers. des *Corpus areopagiticum*), im 12. (vgl. die Werke von Grigor Magistros) oder im 18.–19. Jh. entsprechen (vgl. die in griech. Metrik entstandenen armenischen Gedichte, Trag. und epischen Poeme oder die in Nachahmung der lateinischsprachigen wiss. Traktate im Klass.-Armenischen verfaßten Geschichts-, Geogr.- und naturwiss. Arbeiten der klassizistischen Schule bei den Mechitharisten). Die griech. Bildungszentren in Athen, Kaisareia, Edessa, Konstantinopel und Alexandrien waren auch Zentren armenischer Bildung und Vorläufer der armenischen Bildungsstätten im Raum von Ost-A. bis Kilikien und Jerusalem. Aber auch an den späteren armenischen Studienstätten blieben – in armenischer Übers. – wichtige Werke der ant. Trad. Grundlage der Ausbildung durch die Jh., wie etwa die *Grammatik* des Dionysios Thrax (2. Jh. v. Chr.) oder die *Progymnasmata* des Aphthonios (4./5. Jh. n. Chr.).

Die philos. und theologischen Arbeiten der Griechen im Original und in Übers. (u. a. Aristoteles, Platon, Proklos, Porphyrios, Iamblichus mit ihren zahlreichen, auch einheimischen Auslegungen – vgl. Dawit' Anyałt', »David der Unbesiegbare« –, sowie Aisops Fabeln) wurden bis in das späte 17./18. Jh. hinein von mehreren Generationen von Schreibern kopiert. Beispielhaft für diesen kreativen Rezeptionsprozeß ist das Schaffen von Yovhannēs Sarkawag (1045/50–1129, auch »Sophestos/Philosophos« und »Poetikos« genannt) aus dem Kloster Hałpat, der die ant. und christl. Autoren in seinen Schriften auslegte und u. a. auch die armenische Variante der Pythagoras-Tabelle anfertigte, weiter das Schaffen des oben genannten Grigor Magistros, des Übersetzers von Euklids *Elementen* (armenisch *Prinzipien*) und Verehrers des altgriech. Myth., Poesie, Philos., Musiktheorie und Gramm. Er versuchte, durch Verarbeitung dieser Themen das Interesse für Kunst und Kultur der ant. Welt wiederzubeleben. Ein weiteres Beispiel ist das Schaffen von Xačatur von Kečaris (1260–1331), der die armenische Variante des Alexanderromans (armenisch *Alexander-Vita*) des Ps.-Kallisthenes rekonstruierte, 18 Abschriften davon anfertigte und sie illustrierte. Die ant. Trad. fand eine bes. lebhafte Adaption bei den armenischen Chalkedoniten, z. B. im Kreis um Simēon (1188–1255) aus dem Kloster Płnjahankʻ, h. Achtala im Lalwargebirge, wo die *Institutio theologica* von Proklos Diadochos, die Schriften von Johannes von Damaskus, die *Himmelsleiter* des Johannes Klimakos und die byz. liturgischen Bücher ins Armenische übers. wurden (→ Adaptation).

C. Neuzeit

In dieser Epoche beginnt die wissenschaftsgeschichtlich reflektierte Antikerezeption in der armenischen Welt, bes. durch die Tätigkeit in den Zentren armenischer Wiss. und Kultur in Konstantinopel (im Rahmen des Versuchs des gelehrten konstantinopolitanischen armenischen Patriarchen Yakob Nalean, 1706–1764, eine theologische Brücke im Istanbul des 18. Jh. zw. den Orthodoxen Kirchen der verschiedenen Trad. zu schlagen) und in Venedig (später auch Wien) bei den Mechitharisten, den Mitarbeitern und Nachfolgern des Ordensgründers Mxitʻar von Sebaste (1676–1749). Bes. in deren Kreis werden die Grundsteine zur armenischen Pflege der Altertumswiss. und der Klass. Philol. gelegt, wobei die Vorstellung über die griech.-röm. Ant. so eng mit der klass. Periode der armenischen Kultur verbunden ist, daß der eigentliche, griech.-röm. Gegenstand dieser Wiss. bis h. bei den Armeniern mit dem der klass.-armenologischen Stud. verwechselt wird.

Im J. 1651 wird die im 12. Jh. übers. *Institutio theologica* des Proklos Diadochos von Simēon von Juła, Bischof von Garni, redigiert und mit neuen Komm. versehen. Diese wurde später als Schulbuch verwendet. Wie groß das Interesse an dieser Schrift im 17. und 18. Jh. bei den Armeniern war, bezeugt die Tatsache, daß der armenische Gelehrte Stepʻannos von Lemberg 1661 das Werk *Liber de causis* unter dem Titel *Aus dem Buche der Ursachen des Aristoteles oder wie es von anderen bezeichnet wird, des Proklos*, mit Hinweis auf die Parallelstellen bei Proklos, aus dem Lat. ins Armenische übers. hat. Es wurde 1750 in Konstantinopel herausgegeben. Xačatur von Ēṙzrum (1666–1740), ein Philosoph und Gelehrter enzyklopädischer Dimension, geistiger Vater des Klassizismus in der armenischen Kultur, verfaßte einen Teil seiner philos., theologischen, rhet., geogr., geologischen, mathematischen und naturwiss. Werke in lat. Sprache (auch in der Polemik gegen Thomas von Aquin). In seinem zweibändigen Werk *Kurzer Abriß der Philos.* (Venedig 1711) zeichnet er das Bild der Erhabenheit des Menschen, der Schlichtheit, Harmonie und Symmetrie der Form und des Inhalts, verbindet den Fortschritt der Gesellschaft mit der erzieherischen Rolle von Kunst und Kultur. Die Sorge um die Pflege der armenischen Sprache spiegelt sich wider in der Herausgabe zahlreicher Gramm.und Sprachbücher für Alt- und Neuarmenisch parallel zur Zusammenstellung lat. und griech. Gramm. sowie mehrsprachiger Wörterbücher. Für die Qualität der philol. Arbeit auf diesem Gebiet steht das zweibändige, h. maßgebliche klass.-armenische Wörterbuch *Nor baṙgirkʻ haykazean lezui* (hrsg. von Gabriel Awetikʻean und Mkrtič Awgerean, Venedig 1836/37, Ndr. Jerewan 1979/1981) mit griech.-lat. Äquivalenten, etym. Exkursen und Belegstellen.

Ein weiteres Beispiel für die Aneignung klass. Quellen sowie europ. klassizistischer Werke und Theorien ist die *Dichtkunst* von Nicolas Boileau-Despréaux (1674), besprochen schon bei Xačatur von Ēṙzrum in seinem oben genannten Werk. Andere Autoren schrieben aber auch selber aktiv in den Gattungen und in der Metrik der ant. Lit. (vgl. die dreibändige Ausgabe der klassizistischen poetischen Werke der Mechitharisten-Patres, 1852–1854) und waren zugleich Erforscher des klass. Altertums. Sie waren vielfach gebürtige Konstantinopolitaner, die ihre Laufbahn bei den Mechitharisten fortsetzten oder in enger wiss. Zusammenarbeit mit ihnen in Konstantinopel wirkten, wie z. B. Geworg Dpir von Palat (1737–1811), der Eusebius' *Chronik* in der armenischen Version für die Wiss. rettete und die Mechitharisten mit vielen anderen, oft unikalen Abschriften der klass. Werke belieferte. Aus seiner Feder stammen zahlreiche Übers. aus dem Griech. und Lat., die unediert in den armenischen Hss.-Sammlungen Jerusalems, Konstantinopels, Venedigs und Jerewans ruhen (u. a. die erste Übers. von Homers *Ilias*).

Begonnen von Mxitʻar von Sebaste, Stepʻannos Agoncʻ (*Rhetorik*, Venedig 1775), Petros von Łapʻan (gest. 1784) und weitergeführt durch die Autoren der klassizistischen Tragödien Łukas Inčičean (*Histor. Geogr. A.*, Venedig 1822), Manuel Jaxjaxean (Übers. von Fénelons *Fortsetzung des vierten Buchs der Odyssee von Homer oder die Abenteuer des Telemach, Sohn des Odysseus*, Venedig 1827) u. a., erlangte der armenische Klassizismus seine reife Periode in der Tätigkeit solcher berühmter Verehrer des Alt. und Schöpfer klassizistischer Meisterwerke wie Arsen Bagratuni (episches Poem *Hayk Diwcʻazn* sowie Übers. von Vergils *Georgica*, Venedig 1847, und von Werken des Sophokles, Aischylos, Demosthenes und Cicero). In dieser Zeit entfaltet sich die Editionstätigkeit von Yovhannēs von Vanand (1772–1841) und Ełiay Tʻovmačanean (Übers. und vergleichende Studien der *Homilien* von Johannes Chrysostomos in zwei Bänden, Venedig 1818, der *Parallelbiographien* von Plutarch in sechs Bänden, Venedig 1843–1848, sowie viele metrische Übertragungen aus der *Ilias* und *Odyssee* ins Altarmenische). Eduard Hiwrmiwzean macht die literaturwiss. Gedankenwelt der Ant. dem armenischen Leser zugänglich (*Poetik* und *Rhetorik*, Venedig 1839, *Mythologie* sowie eine Beschreibung der Pflanzenwelt A. nach dem Muster von Vergils *Georgica*, *Burastan, Duftland*, betitelt, Venedig 1851). Mkrtič Awgerean alias J. B. Aucher übersetzte aus dem Lat. ins Alt-Armenische, z. B. die Schrift *De officiis* des Cicero (Venedig 1845), die *Dialogi* von Seneca (Venedig 1849), sowie aus dem Armenischen ins Lat., z. B. aus der im griech. Original verlorenen armenischen Version der *Reden* des Philo Judaeus oder der *Chronik* des Eusebios von Kaisareia. Epʻrem Setʻean schrieb neben der *Kunst der Rhetorik* (Venedig 1832) Arbeiten über armenisches

Recht in Auseinandersetzung mit dem Gedankengut der griech.-röm. Rechtsgeschichte.

Die lange, bis auf die Ant. zurückgehende Trad. des Theaters in A. erschließen die Arbeiten von Sargis Tigranean (1812–1875) und Petros Minasean (1799–1867). Aus der Feder des ersteren stammt die erste vollständige Unt. zur Geschichte und Theorie des armenischen Theaters (im Lichte der Darlegungen des Dawit' Anyałt' über Trag. und Kom.), in der auch die erste armenisch-klassizistische Trag. *Die hl. Jungfrau Hrip'sime* (1668), die der Aufklärung und Bildung des Volkes dienen sollte, besprochen wurde. Hambarjum Limončean (1768–1839) und Minas Bžškean (1777–1851) widmeten ihre Bemühungen der Erforschung armenischer ma. Musikzeichen (*Chazen*) und ihrer Wiedergabe durch das europ. Notensystem, wobei Limončean in der griech. Psaltiklehre und byz. Neumenkunde griech. Lehrer hatte. Auch in der armenischen Buchmalerei finden sich griech.-hell. Elemente.

Eine systematische Forsch. über die Nachwirkung des klass. Alt. in den verschiedenen Bereichen der armenischen Wiss. und Kultur ist ein Desiderat. Unt. dazu werden im Kontext der armenologischen Studien in der Republik A. an der Akad. der Wiss., an der Staatlichen Univ. Jerewan und am Institut für Alte Hss. (Mesrop-Maštoc'-Matenadaran) sowie in den Kulturzentren der armenischen Diaspora betrieben. Eine Heimstatt für die Erforschung speziell der griech.-röm. Ant. gibt es in A. nicht (z.B. keinen Lehrstuhl für Klass. Philol. an der Jerewaner Univ.). Aber die Mosaiken des neoklass. Mesrop-Maštoc'-Matenadaran auf dem Hügel oberhalb Jerewans aus den 60er und 70er J. des 20. Jh. können als Fortsetzung der Wellen armenischer Ren. in die Gegenwart hinein betrachtet werden.

→ AWI Armenia

1 A. ALPAGO-NOVELLO, Die armenische Architektur zw. Ost und West, in: Die Armenier. Brücke zw. Abendland und Orient, 1986, 131–224 **2** S.P. COWE, Armenological Paradigms and Yovhannēs Sarkawag's »Discours on Wisdom«, in: Révue des études arméniennes 25, 1994–1995, 125–155 **3** S. DER NERSESSIAN, Armenian Art, 1979 **4** M. TADEWOSJAN, Die Theorie des armenischen Klassizismus, 1977 (armenisch) **5** N. TAHMIZJAN, Xačatur Ērzrumc'i als Theoretiker der armenischen Musik, in: LHG (Zschr. der Akad. der Wiss. der Republik A.), 1966, Nr. 11 (armenisch) **6** R.W. THOMSON, Stud. in Armenian Literature and Christianity, 1994 **7** C. ZUCKERMAN, A repertory of published Armenian translations of classical texts, 1995.   ARMENUHI DROST-ABGARJAN

Artemis von Ephesos s. Diana von Ephesus

Artes liberales A. BEGRIFF
B. KAROLINGISCHE BILDUNGSREFORM
C. HUMANIMUS BIS 18. JAHRHUNDERT

A. BEGRIFF

Die A. L. bezeichnen eine Gruppe von in der Regel sieben Bildungsfächern, ›die eines freien Mannes würdig sind‹ (Seneca epist. 88; d.h.: Gramm., Logik/Dialektik, Rhet. und Arithmetik, Musik, Geometrie und Astronomie). Sie gehen zurück auf das griech. Bildungsprogramm der *enkyklios paideia*, die durch die Enzyklopädien des Martianus Capella, Cassiodorus und Isidor von Sevilla an das lat. MA tradiert werden. Man pflegt sie in eine Dreier- und Vierergruppe aufzuteilen; seit Boethius (*De arithmetica* 1,1) wird die Vierergruppe *quadruvium* bzw. *quadrivium* genannt; die Dreiergruppe erhielt den Namen *trivium*, der wohl zuerst in den Horazscholien (*Scholia Vindobonensia ad Horatii artem poeticam* 307, ed. J. ZECHMEISTER, Vindobonae 1877, 36f.) auftritt. Der regelmäßige Gebrauch beider Ausdrücke ist aber erst seit Anf. des 9. Jh. bezeugt [1. 183ff., 184 Anm. 8; 3. 4–36]. Spätestens seit der ersten H. des 13. Jh. werden an der Artistenfakultät auch die Bezeichnungen *artes* bzw. *scientiae sermocinales* (für das *trivium*) und *artes* bzw. *scientiae reales* (für das *quadrivium*) üblich [4. 58ff.]. Diese Namensgebung verdeutlicht den sachlichen Zusammenhang der *artes*: das *trivium* befaßt sich mit der Wirklichkeit unter dem Gesichtspunkt der Sprache. Das *quadrivium* befaßt sich mit der Wirklichkeit unter dem Gesichtspunkt der Sache, d.h. insofern die Dinge auf eine ihnen zugrundeliegende mathematische Struktur zurückgeführt werden können. Diese Einteilung der *septem* A.L. in Sprach- und Realwiss. geht auf die Unterscheidung zurück, die Augustinus in *De doctrina christiana* 1,2 (= CCL 32, 1962, 7) trifft: ›omnis doctrina de rebus vel de signis‹. Entsprechend werden die *artes* eingeteilt; etwa bei Hugo von St. Viktor (*Didascalicon. De studio legendi*, 2,20, ed. OFFERGELD, Fontes christiani 27, 1997, 192.): Das *trivium* handelt von Worten, die nach außen gesprochen, das *quadrivium* hingegen von Gedanken oder Begriffen, die im Geist erfaßt werden [5]. Zur gleichen Unterscheidung gehört das, was Bernhard von Chartres (*The Glosae super Platonem of Bernard of Chartres*, hrsg. von P.E. DUTTON, Stud. and Texts 107, 1991, 143) die *studia humanitatis* nennt: diese unterscheiden sich (mit Calcidius) durch den ›blühenden Geist‹ (*animus florens*) für das *trivium* und den ›herausragenden Scharfsinn‹ (*ingenium excellens*) für das *quadrivium*. Wie Wilhelm von Conches (*Glossae super Platonem/Accessus ad Timaeum*, hrsg. von É. JEAUNEAU, 1965, 62 und 65) mit Bezug auf Horaz hervorhebt, handelt es sich dabei um ein integratives Wissen: in Hinsicht auf alles das, was ›vom Menschen gewußt werden kann‹.

B. KAROLINGISCHE BILDUNGSREFORM

Die karolingische Bildungsreform [6. 800ff.] (→ Karolingische Renaissance), die mit den Namen Alkuin und Hrabanus Maurus verknüpft ist, übertrug den Klöster- und Kathedralschulen (→ Klosterschule) die Aufgabe, für einen angemessenen Unterricht zum Verständnis der Hl. Schrift zu sorgen. Die freien Künste sind die »Säulen« und »Stufen«, auf denen die »Weisheit« (*sapientia*) steht – so Alkuin in seinen Opuscula didascalica 1 (MPL 101, 853 C). Hugo von St. Viktor (*Didascalicon* 3,3 ed. OFFERGELD, p. 228) bezeichnet die freien Künste als »Mittel-« und »Vorschule«, als Wege, auf denen der lebendige Geist in die Geheimnisse der Weisheit eintritt: Die ›Grundlage aller Bildung (*omnis doctrinae*) liegt in den sieben freien Künsten‹ (Didascalicon 3,4 ed. OFFERGELD, p. 235). Seine Behauptung: ›Diese hängen so miteinander zusammen und sind in ihren Inhalten wechselseitig so aufeinander angewiesen, daß, wenn auch nur eine fehlen sollte, all die anderen nicht ausreichen, um jemanden zum Philosophen zu bilden‹, gilt nicht mehr für das 13. und die folgenden Jh. Aber auch schon für das 12. Jh. ist diese Ansicht fragwürdig. Sie trägt eher dazu bei, das Bildungssystem der *artes* als Ideal, denn als Spiegel faktischer Verhältnisse erscheinen zu lassen. Die Bekanntschaft mit der Aristotelischen *Physik* und v. a. *Metaphysik* und weiter den arab. Wiss. tut ein übriges zur Auflösung des einheitlichen Bildungssystems dazu.

Das *trivium* [7. 279–302] bezeichnet den im lat. MA grundlegenden Bildungsgang, das *quadrivium* schließt sich an [8. 303–320; 9. 25 ff., 120 ff.]. Insofern ist das Bildungssystem der sieben freien Künste [10; 11] jene im Hintergrund wirkende einheitliche Bildungsformation, von und im Gegensatz zu der sich im Laufe des 12. und 13. Jh. die einzelnen Wiss. entfalten [12. 151–184]. Neue Wiss. treten von außen hinzu, v. a. die Naturphilos., Ethik und Metaphysik. Die sieben freien Künste – so Thomas von Aquin (*Expositio super Librum Boethii De trinitate* q. 5, a. 1 ad 3) – können die theoretische Philos. nicht mehr hinreichend einteilen. Die Geschichte der A. L. ist durch das Auseinanderfallen des einheitlich enzyklopädischen Bildungssystems, das anfangs mit der philos. Bildung gleichzusetzen ist, gekennzeichnet: Die einzelnen *artes* verselbständigen sich [13. 1–20]. Die Fächer des *quadrivium* erleben eine ähnliche Auflösung [14. 1736–1739]. Die Selbständigkeit der einzelnen Fächer der *artes* war ohnehin für ihren Zusammenhalt prägend. Die Gemeinsamkeit bestand in der propädeutischen Aufgabe. Die Artistenfakultät als unverzichtbare Vorbereitung auf das höhere Studium ist ein deutliches Zeichen für die Auflösung der alten *artes*-Struktur. Mit der Entstehung der Univ. im 13. Jh. weicht das enzyklopädische Bildungswissen dem wiss. Expertenwissen.

C. HUMANISMUS BIS 18. JAHRHUNDERT

Die Wiederbelebung der *studia humanitatis* ist der maßgebende Gesichtspunkt im Human. und in der Ren. [15; 16; 17]. Die Sprache [18. 135 ff.] wird zum Gegenstand menschlicher Bildung. Das *trivium* erhält eine Aufwertung: Es ist nicht mehr nur propädeutisch, sondern als Ziel der moralischen Bildung des Menschen zu verstehen. Die *studia humanitatis* und die *eruditio moralis* hängen aufs engste zusammen; so bei Philipp Melanchthon [19. 146 ff.]. Zu den Fächern des *trivium* treten die Poetik [20], Geschichte [21] und Moralphilos. [22]. An Dante Alighieri (*Convivio* 2,13,8; [23. 174 f.]) ist zu erinnern und ebenso an Francesco Petrarca: das Studium der Sprache und die moralische Bildung des Menschen gehen Hand in Hand. Die Gramm. wird zur histor. Philol. – etwa bei Gulielmus Budaeus. Die Logik

bzw. Dialektik zeichnet eine histor., human. Attitude [25]. Die *Dialecticae disputationes* des Lorenzo Valla versuchen sie auf die Grundlage der Sprache zu stellen. Rudolf Agricola und v. a. Petrus Ramus setzen diese Richtung fort. Die traditionelle Logik wird allerdings weiter gepflegt [26]. Im ganzen gewinnt die Rhet. die Überhand. Anders als das *quadrivium* konnte sich das *trivium* der Artistenfakultät gegenüber den neuen Herausforderungen behaupten [16. 372 f., 377]. Bestand das *quadrivium* aus einem Nebeneinander der vier mathematischen und physikalischen Disziplinen und nicht aus einer zusammenhängenden Wiss. von der Natur, so hatte das *trivium* in der Sprache jenen einheitlichen Gesichtspunkt, der nun zum Tragen kommt. Neben dem Lat. sind nun auch das Griech. und Hebräische, neben der Logik nun auch die Rhet. anerkannte Universitätsfächer. Petrus Ramus behandelt in seinen *Scholae in liberales artes* (1569) die klass. Fächer des *trivium*; an die Stelle der Fächer des *quadrivium* treten die Physik und Metaphysik. Das Ungenügen des *quadrivium* wird dabei ebenso deutlich wie die herausragende Stellung des *trivium*. Das zeigt sich auch bei Juan Luis Vives' *De causis corruptarum artium*. Er behält die Disziplinen des *trivium* bei; das *quadrivium* kommt nicht mehr vor. Der ›histor.-philol. Ciceronianismus‹ [17. 398 ff.] bezieht sich mehr auf die *artes* als auf die *scientia*.

So markiert das *trivium* im 16. und 17. Jh. den Ausbildungsweg an den akad. Gymnasien und das im Unterschied zu den philos. Fakultäten der Univ., d. h. der Artistenfakultät. Der Lehrplan der 1586 verabschiedeten und 1599 redigierten *Ratio atque Institutio Studiorum SJ*, die bis 1773 in Kraft war, also der an den Konstitutionen des Ignatius von Loyola orientierten Unterrichtsgang an den Jesuitengymnasien verdeutlicht das [27]. Das ›J'ai été nourri aux lettres‹ (Descartes) bedeutet die Ausbildung in den *studia humanitatis*, d. h. Gramm., Geschichte (*historia*), Poetik und Rhet. [28. Bd.4, 100 f., 112 ff., 117 f.]. Die Logik gehört häufig zur Oberstufe und ist der Einstieg in die Philos. Unter der Logik hat man hier freilich – wie Descartes kritisch anmerkt [29. 116 f.] und bereits Michel de Montaigne (*Essais* 1,26; [30. 162, 280]) moniert hat – ›eher die Dialektik‹ zu verstehen, die ›uns lehrt, über alle Dinge zu schwatzen (*disserere*)‹ und so den *bon sens* eher ›verdreht‹ als ›befestigt‹, als die Logik, die ›Beweise vorlegt‹. Es geht um die Sachwiss., nicht mehr um das *trivium* als Ganzes. Die urspr. Dreiereinheit des *trivium* besteht nicht mehr. Das Jesuitenkolleg in La Flèche, gegen das sich René Descartes in seinem *Discours de la méthode* wendet, ist ein Beispiel für die Verschulung des Wissens. Das *trivium* fristet sein Dasein im Sinne der Vorbereitung auf die höheren Schulen und gehört als solches nicht mehr an die Univ. Es stellt die Eingangsstufe in die philos. Bildung dar und hat propädeutischen Charakter, wie es heutzutage an den sog. altsprachlich-human. Gymnasien und den Grammar Schools üblich ist. Das *quadrivium* spielte schon im Ausgang des MA keine Rolle mehr. Die A. L. gehen in die Allgemeinbildung über. Allgemeinbildung und Wiss.,

Gymnasium und Univ. treten auseinander, wenn auch diese auf jene angewiesen bleibt. Wiss. scheint ohne Bildung kaum möglich zu sein.

→ Altsprachlicher Unterricht; Bildung; Enzyklopädie; Jesuitenschule; Philosophie; Universität.

→ AWI Artes liberales; Bildung; Enkylios paideia

1 H.-I. MARROU, Augustinus und das Ende der ant. Bildung, 1982 2 Ders., Les arts libéraux au moyen âge, 1969, 5–27 3 P. RAJNA, Le denominazioni trivium e quadrivium, in: Studi medievali Nuova 1, 1928, 4–36 4 J. H. J. SCHNEIDER, Scientia sermocinalis / realis. Anm. zum Wissenschafts-begriff im MA und in der Neuzeit, in: Archiv für Begriffsgesch. 35, 1992, 54–92 5 Ders., s. v. Trivium, HWdPh 10 (im Druck) 6 G. SCHRIMPF, s. v. Philos. Institutionelle Formen. B. MA, HWdPh 7, 800–819 7 G. LEFF, Das trivium und die drei Philos., in: W. RÜEGG (Hrsg.), Gesch. der Univ. in Europa, 1: MA, 1993, 279–302 8 J. NORTH, Das quadrivium, in: W. RÜEGG (Hrsg.), Gesch. der Univ. in Europa, 1, 303–320 9 P. SCHULTHESS, R. IMBACH, Die Philos. im lat. MA. Ein Handbuch mit einem bio-bibliographischen Repertorium, 1996 10 J. KOCH (Hrsg.), AL. Von der ant. Bildung zur Wiss. des MA, 1959 11 D. ILLMER, s. v. A. L., TRE 4, 156–171 12 R. McKEON, The Organization of Sciences and the Relations of Cultures in the Twelfth and Thirteenth Centuries, in: J. E. MURDOCH, D. SYLLA (Hrsg.), The Cultural Context of Medieval Learning. Proceedings of the First International Colloquium on Philosophy, Science, and Theology in the Middle Ages, September 1973, Boston Stud. in the Philosophy of Science 26, 1975, 151–184 13 D. E. LUSCOMBE, Dialectic and Rhetoric in the Ninth and Twelfth Centuries: Continuity and Change, in: J. FRIED (Hrsg.), Dialektik und Rhet. im frühen und hohen MA. Rezeption, Überlieferung und ges. Wirkung ant. Gelehrsamkeit vornehmlich im 9. und 12. Jh. Schriften des Histor. Kollegs 27, 1997, 1–20 14 J. DOLCH, s. v. Quadrivium, HWdPh 7, 1736–1739 15 W. RÜEGG, Epilog. Das Aufkommen des Human., in: Ders. (Hrsg.), Gesch. der Univ. in Europa, 1: MA, 1993, 387–408 16 O. PEDERSEN, Trad. und Innovation, in: W. RÜEGG (Hrsg.), Gesch. der Univ. in Europa, 2: Von der Reformation bis zur frz. Revolution 1500–1800, 1996, 363–390 17 W. SCHMIDT-BIGGEMANN, Die Modelle der Human- und Sozialwiss. in ihrer Entwicklung, in: W. Rüegg (Hrsg.), Gesch. der Univ. in Europa, 2: Von der Reformation bis zur frz. Revolution 1500–1800, 1996, 391–424 18 J. H. J. SCHNEIDER, Der Begriff der Sprache im MA, im Human. und in der Ren., in: Archiv für Begriffsgesch. 38, 1995, 66–149 19 PH. MELANCHTHON, De corrigendis adolescentiae studiis, in: Ders., Glaube und Bildung. Texte zum christl. Human. Lat./dt., hrsg. von G. R. SCHMIDT, 1989 20 B. VICKERS, Rhetoric and poetics, in: CH. B. SCHMITT, Q. SKINNER (Hrsg.), The Cambridge History of Ren. Philosophy, 1988, 1992, 715–745 21 D. R. KELLEY, The Theory of History, in: CH. B. SCHMITT, Q. SKINNER (Hrsg.), The Cambridge History of Ren. Philosophy, 1988, 1992, 746–761 22 J. KRAYE, Moral Philosophy, in: CH. B. SCHMITT, Q. SKINNER (Hrsg.), The Cambridge History of Ren. Philosophy, 1988, 1992, 301–386 23 D. ALIGHIERI, Opere, hrsg. von F. CHIAPELLI, 1963–1978 24 É. GILSON, Dante et la philosophie, 1986, 103 ff. 25 L. JARDINE, Humanistic Logic, in: The Cambridge History of Ren. Philosophy, 1992, 173–198 26 E. J. ASHWORTH, Traditional logic, in: The Cambridge History of Ren. Philosophy, 1992, 143–172 27 J. H. J. SCHNEIDER, s. v. Eruditio, Histor. WB der Rhet. 2, 1994, 1421–1425 28 R. DESCARTES, Discours de la méthode, hrsg. von É. GILSON, 1976 29 Ders., Entretiens avec Burman. Manuscrit de Göttingen, hrsg. von CH. ADAM, 1975 30 M. DE MONTAIGNE, Œuvres complètes, hrsg. von A. THIBAUDET, M. RAT, 1962 (nach der Ausgabe von P. COSTE ins Dt. übers. von J. D. TIETZ, Leipzig 1753/54; Zürich 1992, Bd. 1 = I, 25. Hauptstück) 31 U. LINDGREN, Die A. L. in Ant. und MA. Bildungs- und wissenschaftsgesch. Entwicklungslinien, 1992 32 F. DECHANT, Die theologische Rezeption der A. L. und die Entwicklung des Philos.-Begriffs in theologischen Programmschriften des MA von Alkuin bis Bonaventura, 1993 33 B. ENGLISCH, Die A. L. im frühen MA (5.–9. Jh.). Das Quadrivium und der Komputus als Indikatoren für Kontinuität und Erneuerung der exakten Wiss. zw. Ant. und MA, 1994 34 O. WEIJERS, L. HOLTZ (Hrsg.), L'enseignement des disciplines à la Faculté des arts (Paris et Oxford, XIIIᵉ–XVᵉ siècles). Actes du colloque int., 1997.

JAKOB HANS JOSEF SCHNEIDER

Assyriologie s. Altorientalische Philologie und Geschichte; Vorderasiatische Archäologie

Astrologie s. Naturwissenschaften

Astronomie s. Naturwissenschaften

Atheismus s. Religionskritik

Athen   I. GESCHICHTE UND DEUTUNG
II. AGORA III. AKROPOLIS IV. KERAMEIKOS
V. NATIONALES ARCHÄOLOGISCHES MUSEUM
VI. SONSTIGE MUSEEN

I. GESCHICHTE UND DEUTUNG
A. EINLEITUNG B. DIE QUELLEN AUS DER
KLASSISCHEN ZEIT – FESTE BEZUGSPUNKTE BEIM
UMGANG MIT DER GESCHICHTE ATHENS C. ZUR
GESCHICHTE ATHENS UND DEM INTERESSE FÜR
ATHEN UND DIE ANTIKE HINTERLASSENSCHAFT
D. CHARAKTERISTIKA UND TENDENZEN DER
WISSENSCHAFTSGESCHICHTE
E. ATHEN UND SEINE DEUTUNG

A. EINLEITUNG

Unter den großen Orten des Alt., welche Kultur und Gedächtnis der westl. Welt bestimmen, kommt A. eine erstrangige Rolle zu. Immerhin ist festzuhalten, daß die geschichtliche Wirkung → Roms größer ist. Seit jeher stand insbes. → Jerusalem mit A. im Wettbewerb, wenn es um die Frage ging, welches die Fundamente von Geschichte und Kultur seien und sein müßten. → Sparta wiederum galt schon in der Ant. als polit. attraktiveres Gegenmodell und verlor diese Faszination auch nach dem II. Weltkrieg nicht völlig. Auch den ant. Bundesstaaten, insbes. dem Achaiischen Bund, kommt bei histor. gesättigten Gedankengängen im Bereich polit. Denkens regelmäßig eine Rolle zu. Zweifellos hat sodann → Atlantis (oft mit A. verbunden) die utopischen Phantasien bes. stark beflügelt.

Die suggestive Kraft des Sinnbildes A., histor., polit., gesellschaftliche oder kulturelle Orientierung zu geben, hing immer auch von dem ab, was über A. auf Grund der ant. Quellen und der dort vorgegebenen Angaben und A.-Bilder gewußt werden konnte. Ebenso finden sich die wesentlichen Bestimmungen der mit A. assoziierten Sinngehalte bereits in den ant. Quellen.

B. Die Quellen aus der klassischen Zeit – feste Bezugspunkte beim Umgang mit der Geschichte Athens

Was zu allen Zeiten als Geschichte A. verstanden worden ist, geht wesentlich zurück auf die zahlreichen Zeugnisse der klass. Zeit, aber auch auf ant. Trad. des Umgangs mit diesen Zeugnissen [15; 23]. Die Geschichte A. ist präsent in der myth. Bilderwelt (bes. wichtig: Athena, Theseus), in den Texten der Philosophen (allen voran Platon und Aristoteles) und Historiker (Herodot, Thukydides, Xenophon), in den Werken der Atthidographen, den Verfassern von Werken zu Mythos, Religion, Geschichte, Kultur, Lit. und Top. A. und Attikas, in den Werken der att. Redner (bes. Isokrates und Demosthenes) und hier v. a. in den Lobreden auf A., bes. auf die Gefallenen der Stadt, eine Trad., welche in der röm. Kaiserzeit über Ailios Aristeides bis Himerios oder Libanios lebendig gewesen ist und von Leonardo Bruni 1428 verwendet wurde, um den gefallenen florentinischen General Nanni Strozzi ebenso wie Florenz zu rühmen [2].

Vielleicht noch wichtiger sind die athenischen Bauten der klass. Zeit (siehe [7; 8]) und die von Plutarch kunstvoll festgehaltenen Geschichten sowie mehr noch seine Athenerbiographien mit enormer Wirkung auf künftige A.-Bilder. Die in A. entstandenen Tragödien und Komödien erhielten das Wissen über die Stadt, ihre Einrichtungen und Besonderheiten lebendig. Kunstwerke – in Form von Vasenmalerei, Grabrelief und mehr noch: Plastik – spielten eine wichtigere Rolle im kulturellen Gedächtnis als die Inschr.

Inschr. wußte zwar ein Pausanias im 2. Jh. n. Chr. selbstverständlich zu konsultieren. Erst wieder in der Neuzeit wurden sie indes systematisch ausgewertet, wobei auch noch in diesem Jh. wichtige Neuentdeckungen zu verzeichnen sind. Einen Durchbruch bedeutete z. B. 1924 der erste Artikel von Allen Brown West und Benjamin Dean Merritt über die att. Tributlisten (ediert von B. D. Merritt, H. T. Wade-Gery, M. F. Mac Gregor, 1939–1953). Ohne Vorarbeiten verschiedener Wissenschaftler, die großen systematischen Sammlungen von Inschr. und die Entwicklung der Abklatschtechnik – alles schon seit Beginn des 19. Jh. – wäre dies nicht möglich gewesen.

Die Aristoteles zugeschriebene und sicher in seiner Schule entstandene *Athenaion Politeia* war in der Kaiserzeit zwar noch bekannt, erst 1891 wurde aber die Wiederentdeckung kundgemacht. Im gleichen Jahr besorgte Frederic George Kenyon die *editio princeps*. Der Text

ist seither [6] einer der wichtigsten Bezugspunkte für das Studium der athenischen Demokratie.

C. Zur Geschichte Athens und dem Interesse für Athen und die antike Hinterlassenschaft

[19; 21; 27; 29; 30] A. in der röm. Kaiserzeit und in spätröm. Zeit [14; 18] war eine Provinzstadt, deren ant. Überreste v. a. durch den Herulersturm (267) geschädigt wurden. Als kulturelles Zentrum behielt es immerhin großes Ansehen, nicht zuletzt, weil die neuplatonischen Schulen noch einen erheblichen Ausstrahlung ausübten. Vom Nebeneinander christl. und paganer Kultur sowie von der Bed. A. zeugt es, daß einige Jahrzehnte vor der Schließung der Akademie die legendär gewordene Athenais (nach der Taufe: Eudokia), dichtende Tochter des Philosophen Leontios, als Gemahlin von Theodosios II. christl. Kaiserin wurde.

Die einflußreiche Irene (Alleinherrscherin 797–802) und kurz nachher deren Verwandte Theophano waren weitere Kaiserinnen aus A., wie uns Theophanes berichtet. Die Stadt wurde von den Slaven 582 geplündert, blieb aber in byz. Händen. Positive Auswirkungen für die Stadt hatte der Aufenthalt des Kaiser Konstans II. 662/3 während seiner Kampagne gegen die Slaven [18. 117]. In Byzanz sah man A. mit seiner untergegangenen und erst noch paganen Kultur in der folgenden Zeit freilich eher im Zwielicht. 1018 feierte Basileios II. seinen Sieg über die Bulgaren in der Marienkirche im Parthenon (Joh. Skylitzes 364, 80–83 ed. Thurn).

Von den Bischöfen (seit Anf. des 9. Jh. Erzbischöfen) A. zeigte Michael Akominatos (Choniates) aus Chonai in Phrygien die größte Begeisterung für die klass. Vergangenheit A. und deutete diese in seiner ersten Predigt 1182 als Metropolit für seine Zwecke um: Was vom einstigen Glanz in der ärmlichen Stadt geblieben und offenbar den Athenern noch immer bekannt war, sollte durch die christl. Gesinnung in der Gegenwart übertroffen werden [1]. In der Tat gibt es zahlreiche Kirchen aus dem 11./12. Jh. – mit allerdings jeweils kleinen Räumen. Ähnlich wie Michael Choniates respektierte übrigens auch Papst Innozenz III. in Rom die ant. Größe A. [19. 227f.]: ›Antiquam Atheniensis gloriam civitatis innovatiogratiae non patitur antiquari‹.

Bereits 1204 hatte allerdings der byz. Provinzialdynast von Nauplia die Unterstadt A. verwüstet. Der 4. Kreuzzug (1198–1204) führte zur Zerlegung des Byz. Reiches. A. wurde erobert und zum fränkischen Feudalherzogtum. Nach der Herrschaft v. a. der burgundischen Familie de la Roche (1204–1311) und der Katalanischen Kompagnie (1311–85) folgten die florentinischen Acciaiuoli, wobei die Stadt 1394 ganz kurz in die Hände Venedigs geriet. Die Verbindungen nach It. sind für die aufkommende Ren. von Bed. 1446 kam die Stadt noch einmal zu Byzanz, fiel dann aber 1456 an die Türken, wobei die Burg noch bis 1458 aushielt.

Nach einer Reihe vereinzelter ma. Hinweise haben wir zusammenhängende und ausführlichere Beschreibungen der ant. Monumente erst Ende des 14. Jh., aus dem 15. Jh. u. a. von Cyriakus von Ancona, der 1436 und 1437 A. besuchte [13]. Im ma. und früh-neuzeitlichen A. selbst gab es ein gewisses Interesse für die ant. Hinterlassenschaft, wie die phantasievolle Be-nennung ant. Denkmäler belegt. Sultan Mehmet II., der osmanische Eroberer der Stadt, behandelte A. großzü-gig, besichtigte interessiert die Altertümer und ließ A. weithin unbeschädigt. Der in Mistra aufgewachsene Athener Laonikos Chalkokondylas (ca. 1423–ca. 1490) berichtet darüber in seinem Geschichtswerk, stellt an-gesichts der geschichtlichen Entwicklung aber den Auf-stieg des Osmanenreiches in den Mittelpunkt. Unbe-schadet dessen steht er in der Trad. der großen atheni-schen Historiker.

Ein Wiederaufleben A. nach 1456 war nur von kur-zer Dauer. Die Stadt verkam zu einem Provinznest. Die Zeit der türk. Herrschaft war überdies wegen der stän-digen Kämpfe mit Venedig unruhig und brachte im 17. Jh. schlimme Zerstörungen, u. a. des Parthenons.

Im 17. Jh. begannen die Franzosen, in A. die Al-tertümer zu studieren. Eine wichtige Funktion hatten Jesuiten und die seit 1658 in A. ansässigen Kapuziner, welche von den Türken das Lysikrates-Monument, die sog. Laterne des Demosthenes, kauften und dort ihr Kloster bauten (Abb. 1). Die Expedition des Lyoner Arztes Jacques Spon – zusammen mit George Wheler – führte 1678 zur Publikation der ersten wiss. Top. A., die rund ein Jh. maßgebend blieb.

Nach den Franzosen waren es v. a. Engländer, wel-che A. erforschten. Höhepunkt ist das Werk des engl. Architekten James Stuart und Nicholas Revett *The An-tiquities of Athens* [4], das auf eine das frz. Konkurrenz-unternehmen Julien-David Le Roys übertreffende Mis-sion zurückgeht, welche die 1732 in London gegr. *So-ciety of Dilettanti* inspiriert hatte. Der Botschafter bei der Hohen Pforte, Lord Elgin (Thomas Bruce), schlug 1816 dem engl. Staat den Kauf der von ihm nach London verfrachteten Skulpturen vom Parthenon vor. Die An-tiken sollten als Vorbilder für die Zeitgenossen dienen, ›beneficial to the progress of the Fine Arts in Great Bri-tain‹ sein (Report from the Select Committee of the House of Commons on the Earl of Elgin's Collection of Sculptured Marbles, 1816, 2).

Philhellenismus und Klassizismus, wie sie durch die Jagd nach Kunstschätzen, durch Reisende und Wissen-schaftler, durch Museen und Sammlungen, Bilder und Bücher sowie eine breite lit., künstlerische und geistige Bewegung gefördert wurden, waren nicht allein ein äs-thetisches Phänomen. Sie gingen einher mit Reformen im Bildungswesen, und sie hatten ihre gesellschaftlichen und polit. Dimensionen.

Griechenland und A. rückten mit dem griech. Un-abhängigkeitskrieg von 1821–1830 in den Mittelpunkt diesbezüglicher Interessen. 1833 wurde das stark zer-störte A. Hauptstadt des neugegr. griech. Königreiches, was angesichts des üblen Zustandes der Stadt keineswegs selbstverständlich war. Dazu bedurfte es des Wittelsba-chers Ludwig I. und seines Architekten Leo von Klenze.

Zwei bis dahin unbekannte Architekten, Schüler Karl Friedrich Schinkels, der Deutsche Eduard Schaubert und der Grieche Stamathios Kleanthes, erarbeiteten ei-nen Stadtplan, der klassizistischen Vorbildern nacheifer-te (Abb. 2). Beim Ausbau der Stadt spielten bayerische, preußische und dänische Architekten eine wichtige Rolle [25].

Unmittelbar nach den Kriegen begannen systemati-sche Erforschungen der ant. Denkmäler: Die griech. Gesetzgebung, das Arch. Zentral-Mus. (schon 1833 im Theseion), später das 1889 vollendete Athener Natio-nalmuseum, ein griech. arch. Dienst – all dies trug zu günstigen Rahmenbedingungen bei. Daneben sind im-mer wieder bedeutende Einzelpersönlichkeiten zu nen-nen. In A. starb 1840 nur 43-jährig K. O. Müller (1797–1840), ein Gelehrter mit großer Ausstrahlung und einem freilich auch unheilvollen Einfluß durch seine Wesens-beschreibungen von Ionern und Doriern. Die griech. Archäologische Gesellschaft (1837), die École Française d'Athènes (1846), ein Deutsches Archäologisches Insti-tut (1874), die American School of Classical Studies at Athens (1882), die British School at Athens (1886), 1898 eine Station des österreichischen Archäologischen In-stituts, 1909 die Scuola Archeologica Italiana in Atene, 1946 ein Schwedisches Institut und weitere für die Forsch. wichtige Institutionen haben seither starke Im-pulse für die Auseinandersetzung mit dem ant. A. ge-geben. Nebst den Ausgrabungen in A. haben die auslän-dischen Schulen auch wiss. Tätigkeiten im griech. Raum – oft in großem Stil – organisiert und finanziert.

D. CHARAKTERISTIKA UND TENDENZEN DER WISSENSCHAFTSGESCHICHTE

[16; 24] Die neuere athenische Ortskunde habe sich langsam entwickelt, urteilt Walther Judeich [21. 16], ge-stützt nicht zuletzt auch auf eine grundlegende ältere Arbeit von L. Comte de Laborde (1854), d. h. noch h. benützte Werke stammen erst aus dem 19. Jh. Viel ra-schere Fortschritte machte in der Tat die Auswertung der lit. Quellen. Ein hervorragendes Werk entstand im It. des 16. Jh.: Carolus Sigonius (1523–1584) verfaßte nebst grundlegenden Büchern über Rom und Bologna eine ebenso fundamentale wie bahnbrechende Darstel-lung der athenischen Staatseinrichtungen [3], die in den folgenden Jh. wiederholt gedruckt wurde (*Gronovii The-saurus Graecarum antiquitatum*, 13 Bde. Fol., Leiden 1697–1702, siehe Abb. 3). Frz. und niederländische Phi-lologen waren daneben führend. Erhebliche Ausstrah-lung besaß die zusammenfassende Darstellung griech. Staatsverfassungen des Friesen Ubbo Emmius (1547–1625). Der einer florentinischen Patrizierfamilie ent-stammende Eduardo Corsini (1702–1763) veröffent-lichte 1744–56 die *Fasti Attici*.

Im 17. Jh. wurde gefordert, die Genauigkeit der phi-lol. Methode beim Studium der Hss. auf Inschr., Mün-zen und Bilder anzuwenden. Ein von histor. Deutungs-gesichtspunkten her bestimmtes Interesse und die Aus-wertung sämtlicher Quellen, insbes. aber auch der Inschr., sind der Hintergrund für das epochemachende

Abb. 1: Das Denkmal des Lysikrates mit dem Kapuzinerkloster;
Stich nach einer Zeichnung von 1751

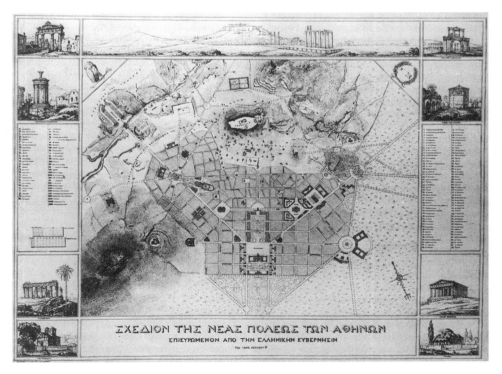

Abb. 2: Kleanthes-Schaubert-Plan aus Papageorgiou-Venetas

Lebenswerk von August Boeckh (1785–1867), dessen *Staatshaushaltung der Athener* [5] bahnbrechend und nach wie vor fundamental ist. Auf das 19. Jh. zurück gehen eine Reihe wiss. Großprojekte zur Erforschung der Ant., wie die *Realencyclopädie* ab 1837, in denen ebenso wie in den zahlreichen Sammlungen und Museen auf der ganzen Welt A. notwendigerweise immer zentral ist. Hinzu kommen Textausgaben und -komm., die Inschrifteneditionen sowie zahlreiche weitere Werke über arch. und numismatische Werke sowie die großen histor. Synthesen.

Maßgebend von A. Boeckh vorangetrieben, entstand das *Corpus Inscriptionum Graecarum*: Antrag Boeckhs an die Akademie 1815, publiziert ab 1825 mit dem Datum von 1828 bis 1877. Es folgten das *Corpus Inscriptionum Atticarum* ab 1873 und die *Inscriptiones Graecae* ab 1903. Eine wichtige Auswertung der Quellen und Grundlage für weitere Forsch. ist Johannes Kirchners *Prosopographia Attica* (1901–1903). Für ein Corpus der att. Grabreliefs sorgte Alexander Christian Leopold Conze (4 Bde., 1893–1922). Eine Schlüsselfigur für die Top. war Ernst Curtius (1814–1896). Unersetzt ist nach wie die *Geschichte der Stadt A. im Mittelalter* [19] von Ferdinand Gregorovius (1821–1891), welche dieser nach seinem bedeutenden Werk über Rom v. a. in München verfaßte [19], in einer Zeit, in der die Byzantinistik erheblichen Auftrieb bekam. Große Synthesen über die att. Feste (so L. Deubner 1932) oder das att. Recht (so J. H. Lipsius 1905) im 20. Jh. haben ihre Vorläufer in entsprechenden Arbeiten des 19. Jh. Im

20. Jh. trieben insbes. John Davidson Beazley und John Boardman eine auf Maler, Malerschulen und Bilder gerichteten Erforschung der att. Vasenmalerei voran.

Die von den Griechen 1882 begonnenen Grabungen in → Eleusis, die zunächst griech., dann ab 1913 dt. im Kerameikos und die amerikanische Agoraausgrabung (ab 1931) sind bes. erwähnenswert; letztere beeindruckte durch ihre gewaltige organisatorische Leistung und führte zu grundlegenden Publikationen, die weit über die Agora und A. hinaus von Bed. sind.

Die Darstellung der Geschichte A. in den seit dem 18., v. a. aber dem 19. Jh. zahlreich gewordenen *Griechischen Geschichten* hatte immer ein breites Publikum und löste regelmäßig Diskussionen aus. Einer der wirkungsmächtigsten Autoren ist George Grote (1794–1871), auch wenn die *Griech. Geschichte* seines späteren Gegners Karl Julius Beloch (1854–1929) wiss. höher eingeschätzt wird. In Grotes *A History of Greece* wird die athenische Demokratie als Staatsform gesehen, in welcher die Einzelnen zu höchsten Leistungen angespornt wurden und diese zum Wohle aller dank der vorhandenen Freiheit auch erbringen konnten.

Die Diskussionen über Vor- und Nachteile der athenischen Demokratie sowie über Stärken und Schwächen des Staates als histor. Macht haben aber ebenso im Zusammenhang mit den Gestalten v. a. von Perikles, Sokrates [22] und Demosthenes [28] stattgefunden. Die Vergleiche zw. ant. und mod. Verhältnissen haben oft erhebliche Emotionen ausgelöst. Der moralisierende Impetus beim Einsatz der ant. *exempla* war

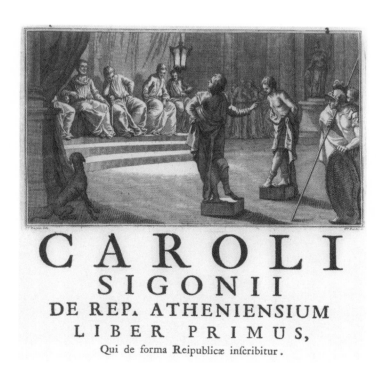

Abb. 3: Titelblatt

hier ebensowichtig wie die Möglichkeit, anhand des ant. A. über die grundsätzliche Ausgestaltung von Staatswesen zu diskutieren.

Altertumswissenschaftler dachten hier regelmäßig an ein breiteres Publikum, so die h. höchstens wissenschaftsgeschichtlich als interessant beurteilten Demokratiegegner Julius Schvarcz im 19. und Hans Bogner im 20. Jh. Größen ihres Faches wie Engelbert Drerup und noch wichtiger Ulrich von Wilamowitz-Moellendorff bezogen Position. Alfred Croiset kreuzte 1909 die Klinge mit der Action Française. Arthur Rosenberg stellte 1921 A. unter marxistischem Blickpunkt dar. Viel beachtet ist Moses I. Finleys Plädoyer für eine Demokratie mit breiter Partizipation (*Democracy Ancient and Modern*, 1973). Der Deutsche Jochen Bleicken, die Französin Jacqueline de Romilly, die Amerikanerin Jennifer Talbert Roberts [26], der finnische Diplomat und Staatsrechtler Tuttu Tarkiainen und viele andere wären zu nennen. Am eingehendsten mit den Einrichtungen der Demokratie, insbes. im 4. Jh. v. Chr., hat sich der Däne Mogens Herman Hansen auseinandergesetzt und dabei regelmäßig Vergleiche mit der mod. Demokratie angestellt [9].

Die übermäßige Aufmerksamkeit für die att. Demokratie und mehr noch für ein ganz auf Klassik reduziertes (Gips-)A. ist oft kritisiert worden (programmatisch etwa der Titel eines Buches von Hans-Joachim Gehrke, *Jenseits von A. und Sparta. Das Dritte Griechenland und seine Staatenwelt*, 1986, aber auch schon Paul Nerrlich, *Das Dogma vom Klass. Alt. in seiner geschichtlichen Entwicklung*, 1894). Markante und beeindruckende Studien mit einer nicht auf Klassisches verengten Perspektive gibt es indes immer wieder. Ein Musterbeispiel ist Christian Habichts Synthese der hell. Geschichte [9] oder Hans Lohmanns siedlungsarch. Studie des Demos Atene (1993).

E. ATHEN UND SEINE DEUTUNG

[15; 20; 23; 24; 26] In der athenischen Selbstdarstellung wie in den ant. A.-Bildern gehören zu den Sinngehalten A. die Bed. der Stadt für Bildung, Wiss. und Kultur, für Recht und Menschenfreundlichkeit, für Freiheit, Handel und Wohlstand, für eine kurze Zeit einer beachtlichen Reichsbildung sowie für Religiosität [15; 23]. Die Dimensionen des Sinnbildes A. lassen sich immer wieder auffinden und kommen in ihrer Vielfalt regelmäßig zum Tragen, wo A. mit neuzeitlichen Städten ineins gesetzt wird: das »Spree-A.« Berlin, Dresden, Florenz, das »A. Amerikas« La Paz, London, das »Isar-A.« München (Abb. 4), Paris oder das »Limmat-A.« Zürich (im 18. Jh.). Die immer wieder zentrale Anspielung auf Wiss. und Philos. kommt erst recht bei der Verwendung von Wörtern wie »Akademie«, »akad.« oder »Athenäum« zum Tragen, und Pallas Athene wird immer noch gerne als Signum akad. Institutionen verwendet.

A. als erste Demokratie hatte und hat eine bes. Bed. im Zusammenhang mit den polit. Umbruchsprozessen der Neuzeit, der engl. Glorious Revolution, der Amerikanischen und Französischen Revolution, aber auch mit dem mod. Nachdenken über Politik und Staat.

Abb. 4: Die Propyläen in München

Ähnlich wie im Alt. dominierten bis zum II. Weltkrieg die Vorbehalte gegenüber demokratischen Einrichtungen. Die 1993/94 an den 2500–Jahr-Feiern für die Einführung der Demokratie in A., Paris oder Washington [11] Beteiligten vertraten und vertreten hier histor. gesehen neue Positionen. Auch, daß die kleisthenische Isonomie im Prozeß der Demokratiebildung so stark in den Vordergrund gestellt wird, ist nicht das bisher übliche, obwohl Kleisthenes, allerdings neben Theseus oder Solon, schon in der ant. Überlieferung (Hdt. 6,131) regelmäßig genannt ist.

Die Wiederentdeckung der Politik und Ethik des Aristoteles im 13. Jh. vervielfachte die Bezugnahmen auf A., nicht aber die positive Bewertung der Demokratie. Vorrangig blieb die Orientierung an einer bestmöglichen Verfassung, wie sie schon Aristoteles skizziert hatte. Gewaltig bestärkt wurde diese Tendenz, welche letztlich in den Utopien gipfelt, durch die Wirkung der platonischen Dialoge. Das Bild der athenischen Demokratie in der frühen Neuzeit ist gewissermaßen ein Kontrapunkt zum schönen Bild von Raffaels »Schule von A.«, wobei Raffael überdies viel stärker an röm. Thermen denn athenische Umgebung erinnert, denn von der ästhetischen Wende in der Zeit Winckelmanns sind wir hier noch weit entfernt. Negativ zu Buche schlugen immer wieder die dynamischen Elemente in der athenischen Demokratie, allen voran die Unruhe, welche vom Demos ausging. Dessen wechselhafter Sinn, seine Undankbarkeit in der raschen Abwendung von Politikern und Intellektuellen oder: die Unruhen unter den Bürgern – das alles wurde häufig kritisiert, ebenso aber auch der Wechsel der Gesetze sowie eine Reihe von Faktoren, welche man als sittlichen und polit. Niedergang interpretierte, allen voran die Niederlage gegen die Makedonen.

Das röm. Recht und die Geschichte Roms boten ganz abgesehen davon geschichtlich nähere Anknüpfungspunkte, wie etwa bei Niccolò Machiavelli deutlich zu beobachten ist. Das Interesse für die großen Texte aus A. als Inbegriff griech. Bildung und der Wiss. schlechthin wuchs erst allmählich und wohl nicht zuletzt deshalb, weil das Zurückgreifen auf das Vorröm. und das Vorchristl. Freiheiten erschloß, wobei es gleichzeitig leicht möglich war, den Anspruch auf die Autorität der Orientierung an Trad. und kanonisch Gültigem zu erheben.

Der mod. Republikanismus bezog sich gerne auf die ant. Beispiele, und schon Thomas Hobbes wies an einer berühmten Stelle seines Leviathan (2,21) auf diesen Zusammenhang hin. Bei ihm wie auch bei den amerikanischen Gründervätern oder im revolutionären Frankreich wurde regelmäßig auf die Unzulänglichkeiten der att. Demokratie hingewiesen, wobei Kritik an der Demokratie durchaus mit Bewunderung für A. als Inbegriff der Kultur einhergehen kann. Immer wieder ist festzustellen, daß Ruhm und Ansehen des klass. Modells letztlich dazu benützt wurden, um eigene Vorstellungen zu untermauern. Dies zeigt eine Reihe wissenschaftsgeschichtlicher Studien zum Umgang mit der Ant. in der Zeit der Amerikanischen (M. Reinhold 1984; P. Rahe 1992; S. F. Wiltshire 1992; C. J. Richard, 1994) und Französischen Revolution (H. Parker 1937; J. Bouineau 1986; C. Mossé 1989 – sowie L. Guerci [20] und P. Vidal-Naquet, N. Loraux [31. 95 ff.]).

Ant. Texte werden dabei immer verwendet, am wichtigsten sind wohl die Philosophen Aristoteles und Platon, die att. Dramen und die Parallelbiographien Plutarchs, sodann Herodot und seit dem 19. Jh. Thukydides. Noch wichtiger freilich wurden die großen mod. Autoren wie Bodin, Hobbes oder Montesquieu sowie Geschichtsabrisse – im Rahmen großer Geschichtswerke, in Lexika oder als histor. Skizzen in der Lit. – nicht zuletzt die Dichter und Denker der Deutschen Klassik.

In polit. Debatten, Festreden oder Ansprachen an Univ. und Gymnasien taucht A. regelmäßig auf. Im 19. Jh. wurde es fester Bestandteil bürgerlichen Bildungswissens [31]. Beliebt war allezeit die Gegenüberstellung mit Sparta. Als am 22.3.1877 der große Philologe Ulrich von Wilamowitz-Moellendorff an Kaisers Geburtstag »Von des att. Reiches Herrlichkeit« sprach, sah er im Ersten Att. Seebund einen erfolgreichen Bundesstaat und einen Rechtsstaat, dessen Gemeinsamkeit mit Deutschland er in der Sinnesart des Volkes erkennen wollte.

Beim Einsatz der Geisteswiss. im Dienste der Nation während der Weltkriege wie bei Diskussionen über die sozialpolit. Ausgestaltung der Verhältnisse in zahlreichen Ländern spielte A. alleweil eine Rolle [24]. Der ehemalige frz. Premier Georges Clemenceau ließ in solcher Atmosphäre 1926 einen *Démosthène* erscheinen (verfaßt von Robert Cohen). Die *mater liberalium litterarum et philosophorum nutrix*, wie sie Isidor von Sevilla (orig. 14,4,10) am Übergang vom Alt. zum MA genannt hatte, blieb auch im 20. Jh. eine zentrale Bezugsgröße der Kultur- und Unkulturgeschichte.

→ Bayern; Deutsches Archäologisches Institut; Demokratie; École française d'Athènes; Revolutionen
→ AWI Atlantis; Rom; Sparta

QU 1 Sp. P. Lampros, Μιχαὴλ Ἀκομινάτου τοῦ Χωνάτου τὰ Σωζόμενα, 2 Bde., Athen 1879–80 2 S. Daub, Leonardo Brunis Rede auf Nanni Strozzi, Beiträge zur Altertumskunde 84, 1996 3 C. Sigonius, De republica Atheniensium, Bononiae 1564 4 J. Stuart, N. Revett, The Antiquities of Athens Measured and Delineated, 4 Bde., London 1762–1816 5 A. Boeckh, Die Staatshaushaltung der Athener, Berlin 1817 (3. Aufl. hrsg. v. M. Fränkel, Berlin 1886) 6 U. von Wilamowitz-Moellendorff, Aristoteles und A., 2 Bde., 1893 7 J. Travlos, Bildlex. zur Top. des ant. A., 1971 8 Ders., Bildlex. zur Top. des ant. Attika, 1988 9 M. H. Hansen, Die Athenische Demokratie im Zeitalter des Demosthenes, 1995 (engl. 1991) 10 Ch. Habicht, A. Die Gesch. der Stadt in hell. Zeit, 1995 11 J. Ober, Ch. Hedrick (Hrsg.), Demokratia. A Conversation on Democracies, Ancient and Modern, 1996

LIT 12 Athènes. Ville capitale, sous la direction de
Y. Tsiomis, 1985 13 E. W. Bodnar, Cyriacus of Ancona
and Athens, 1960 14 P. Castrèn (Hrsg.), Post-Herulian
Athens, 1994 15 D. Lau, s. v. A. I (Sinnbild), RAC Suppl. 1,
639–668 16 R. und F. Etienne, Griechenland. Die
Wiederentdeckung der Ant., 1992 (frz. 1990)
17 A. Frantz, s. v. A. II (stadtgeschichtlich), RAC Suppl. 1,
668–692 18 Ders., Late Antiquity, A. D. 276–700. The
Athenian Agora, 24, 1988 19 F. Gregorovius, Gesch. der
Stadt A. im MA, Neuaufl. der Ausgabe von 1889 hrsg. v.
H. G. Beck, 1980 20 L. Guerci, Libertà degli antichi e
libertà dei moderni. Sparta, Atene e i »philosophes« nella
Francia del Settecento, 1979 21 W. Judeich, Top. von A.,
²1931 22 M. Montuori, The Socratic Problem, 1992
23 B. Näf, Die att. Demokratie in der röm. Kaiserzeit. Zu
einem Aspekt des A.-Bildes und seiner Rezeption, in:
P. Kneissl, V. Losemann (Hrsg.), Imperium Romanum. FS
für K. Christ, 1998, 552–570 24 Ders., Von Perikles zu
Hitler? Die athenische Demokratie und die dt. Althistorie
bis 1945, 1986 25 A. Papageorgiou-Venetas, Hauptstadt
A. Ein Stadtgedanke des Klassizismus, 1994 26 J. T.
Roberts, Athens on Trial. The Antidemocratic Trad.in
Western Thought, 1994 27 K. M. Setton, Athens in the
Middle Ages, 1975 28 U. Schindel, Demosthenes im
18. Jh. Zehn Kapitel zum Nachleben des Demosthenes in
Deutschland, Frankreich, England, 1963 29 E. K.
Stasinopoulos: Ἱστορία τῶν Ἀθηνῶν, 1973 30 J. Travlos,
Athènes au fil du temps. Atlas historique d'urbanisme et
d'architecture, 1972 (griech. 1960) 31 P. Vidal-Naquet,
Die griech. Demokratie von außen gesehen, 2 Bde.,
1993–96 (frz. 1990).   BEAT NÄF

II. Agora
A. Einleitung   B. Ausgrabungen bis 1930
C. Ausgrabungen ab 1930

A. Einleitung

Die athenische Agora A. ist als polit., rel., gesell-
schaftliches und wirtschaftliches Zentrum der Stadt einer der geschichtsträchtigsten Orte Griechenlands. Allerdings können die Reste seiner Bauwerke diese Bed.
nicht unmittelbar sichtbar machen, denn hervorragend
erhalten ist nur das Hephaisteion aus Perikleischer Zeit
(zweite H. des 5. Jh. v. Chr.), das durch die rechtzeitige
Umwandlung in eine christl. Kirche vor Zerstörung
und Verfall bewahrt wurde (Abb. 1). Wegen ihres Sym-
bolwertes weckte die A. früh das arch. Interesse. Da
jedoch heute weniger Reste erkennbar sind, als früher –
durch die Literatur bekannte – Gebäude vorhanden
waren, ist die Ausgrabungsgeschichte lange durch Kontroversen bestimmt gewesen. Erst die Ausgrabungen
nach dem II. Weltkrieg haben den Spielraum für Spekulationen verringert. Die Ausgrabung der A. galt lange
als bes. Aufgabe, aber auch als das Privileg griech. Forscher.

B. Ausgrabungen bis 1930

Unmittelbar nach dem griech. Unabhängigkeitskrieg
(1821–1829) wurden 1832 zwei herausragende Architekten, S. Kleanthes und E. Schaubert, von der griech.
Regierung beauftragt, einen Plan für die Entwicklung
Athens als Hauptstadt für das neue Königreich zu ent-

werfen. Sie empfahlen, die neue Anlage auf das Gebiet
nördl. der Akropolis zu beschränken, damit das Gebiet
der ant. Theseus- und Hadriansstädte für spätere Forsch.
zur Verfügung stehe. Wirtschaftliche Schwierigkeiten
verhinderten zunächst die systematische Durchführung
dieses Planes, aber die Griech. Arch. Gesellschaft nahm
jede sich bietende Gelegenheit wahr, einzelne Bauwerke zu erforschen.

Ihr größtes Verdienst ist die Freilegung der Stoa des
Attalos (Attalos-Halle) in einer langen Reihe von Grabungskampagnen (1859–1862, 1874 und 1898–1902).
Zunächst brachte man die Reste mit verschiedenen aus
der Ant. bekannten Bezeichnungen in Verbindung (u. a.
Stoa Poikile, Gymnasium des Ptolemaios), die sich auch
in den mod. Namen der in der Nähe gelegenen Stra-
ßenzüge niederschlugen. 1861 wurde jedoch eine
Inschr. entdeckt, durch die das Gebäude eindeutig als
die bisher nur aus Athen. 5, 212F bekannte Stoa des
Attalos II. von Pergamon (159–138 v. Chr.) identifiziert
werden konnte.

Auch das jetzt sog. Gymnasion der Giganten (1859,
1871 und 1912) und Teile der westl. A. (1907–1908)
wurden von den griech. Archäologen ausgegraben. Die
riesigen Marmorfiguren dieses Gebäuderestes waren im
15. Jh. noch bekannt (Erwähnung als Zeusstatuen durch
den »Wiener Anonymus«, 1456–1458, bei [6 Bd. I.732];
Zeichnung einer Statue als Meerjungfrau von Cyriacus
von Ancona 1436 oder 1440er j:), wurden dann jedoch
überbaut. Erst nach der Zerstörung dieser Häuser im
griech. Unabhängigkeitskrieg wurden die großen Figuren wieder sichtbar (jetzt im A.-Mus.) und gaben Anlaß zu vielen Spekulationen. Der dt. Gelehrte Ludwig
Ross etwa hielt die Gruppe für eine aus röm. Zeit stammende Rekonstruktion der Eponymen Heroen (Heroen, nach denen die 10 Phylen benannt waren). Nach
den Ausgrabungen der Arch. Gesellschaft erwies sich
die Reihe der Statuen als Teil einer größeren Anlage,
deren Zweck und Entstehungszeit jedoch im dunkeln
blieben. Erst nachdem das Gebiet in den 30er J. des
20. Jh. vollständig freigelegt worden war, ließ sich erkennen, daß die Giganten den nördl. Eingang eines großen spät-ant. Gymnasiums schmückten.

1890–1891 wurde für den Bau der Eisenbahnstrecke
von Athen zum Piräus ein ca. 15 m breiter Graben
durch den nördl. Teil der A. gezogen, der umfassende
Überreste ant. Gebäude und Skulpturen zum Vorschein
brachte; diese wurden von dt. Archäologen vermessen
und gezeichnet. Der Graben verlief größtenteils durch
den Platz und richtete deshalb an den ant. Gebäuden
geringen Schaden an. Allerdings fielen dem Eisenbahn-
bau dennoch Reste am nordwestl. Rand der A. zum
Opfer. 1891–98 begann das Dt. Arch. Inst. mit systematischen Ausgrabungen unter der Leitung von Wilhelm Dörpfeld, durch die die genaue Lage der A. erforscht werden sollte. Zw. dem Areopag und der Pnyx
(Platz für die Volksversammlung) gruben die dt. Archäologen ein großes Gebiet mit Privathäusern und
kleinen Heiligtümern aus. Diese Ausgrabungen ermög-

Area of the Agora from the Southwest: Mt. Lykabettos in the Background. Engraving by J. Thürmer, 1819.

Abb. 1: Das Gebiet der Agora von Südwesten,
im Hintergrund der Berg Lykabettos (nach J. Thürmer, 1819)

Modell der Agora von Nordwesten

lichen einen lebendigen Einblick in ein Wohngebiet im
ant. Athen.

1907–08 übernahm die Griech. Arch. Gesellschaft
das Gebiet unterhalb des Hephaistos-Tempels (Hephaisteion). Dabei wurden v. a. Reste des Apollon-Patroos-
Tempels, Reste weiterer Tempel, des Metroon (Heiligtum der μήτηρ θεῶν = Kybele; Staatsarchiv), des Buleuterion (Versammlungsgebäude der búlē, »Rat«) und die
vier langen Steinbänke am Osthang des Kolonos freigelegt. Die ersten Identifizierungen v. a. durch Dörpfeld erwiesen sich nicht selten als falsch.

C. Ausgrabungen ab 1930

Der Bevölkerungszuwachs in Athen nach dem I.
Weltkrieg und der Zustrom von Flüchtlingen aus
Kleinasien nach 1922 zwangen den griech. Staat dazu,
sich zw. einer Weiterführung der großangelegten Ausgrabungen einerseits und einer Lockerung der Vorschriften und der Erlaubnis zur Bebauung des Geländes
andererseits zu entscheiden. Unter der Leitung des
griech. Archäologen Alexander Philadelpheus entstand
eine Bewegung, die sich für die Fortsetzung der Grabungen einsetzte. Nachdem ein entsprechender Geset-
zesantrag im griech. Parlament zunächst gescheitert war,
wurden ausländische arch. Inst. um Unterstützung ge-
beten. Die American School of Classical Stud., die von
John D. Rockefeller und der Rockefeller-Stiftung finanzielle Unterstützung erhielt, setzte sich erfolgreich
für die Ausgrabungen ein. Das griech. Parlament verab-
schiedete 1930 ein Gesetz, nach dem die American
School of Classical Stud. nach Entschädigung der
Grundeigentümer berechtigt war, auf dem Gebiet aus-
zugraben und die Ergebnisse zu veröffentlichen; nach
Abschluß der Grabungen sollte das Gelände landschaftsgärtnerisch gestaltet werden. Alle Funde mußten als Eigentum des griech. Staates in Griechenland bleiben. Zu
dieser Zeit war das Gelände fast vollständig bebaut. Es
handelte sich um mehr als 300 Häuser, in denen etwa
5000 Menschen lebten. Obwohl die Lage des Platzes
recht genau bestimmt worden war (zwei Grenzsteine,
die die exakte Ausdehnung des Platzes markierten, wurden 1938 und 1968 gefunden), herrschte nur wenig
Übereinstimmung über die genauen Standorte der einzelnen aus ant. Schriften bekannten Gebäude. Nur die
Stoa des Attalos war zu diesem Zeitpunkt eindeutig
identifiziert.

Die Ausgrabungen begannen 1931 und wurden bis
1940 in jährlichen Grabungskampagnen von vier bis
fünf Monaten fortgesetzt. Hierbei mußten zunächst die
mod. Gebäude, für deren Bau oft ant. Material verwendet worden war, vorsichtig abgerissen und bis zu 12 m
Schlick und Schutt abgetragen werden. Bis zum Ausbruch des II. Weltkriegs wurde der größte Teil des Geländes freigelegt, und der Umriß des ant. Platzes konnte
bestimmt werden.

Nach der Entdeckung der anhand ihrer Rundform
eindeutig zu identifizierenden Tholos (Gebäude für die
Prytanen, 1934) konnten auch die nördl. davon gelegenen Gebäude anhand der Aufzählung bei Paus.

(1,3,1 ff.) identifiziert werden: das Buleuterion, das
Metroon, der Tempel des Apollon Patroos (der Fund
einer Kolossalstatue des Apoll durch die Griech. Arch.
Gesellschaft hatte schon 1907 einen Hinweis auf den
Tempel gegeben) und die Stoa des Zeus Eleutherios.
Auch die Entdeckung des von Peisistratos dem Jüngeren
im J. 521/20 gestifteten Zwölf-Götter-Altares, dessen
zentrale Stellung im ant. Stadtbild aus den lit. Quellen
bekannt war, erleichterte die Identifizierung und Datier. seiner Umgebung. 1933 wurden südl. der Stoa des
Attalos Teile der spät-ant. Stadtmauer ausgegraben, die
bis dahin als Valerianische Mauer bezeichnet worden
war. Durch stratigraphische Unt. konnte die Mauer auf
die Zeit kurz nach der herulischen Zerstörung (267
n.Chr.) datiert werden. Aus der Tatsache, daß die gesamte Mauer aus bereits vorhandenem Baumaterial errichtet worden war, erklärt sich der sehr ruinöse Zustand der älteren Gebäude auf der A. Ab 1935 wurden
vermehrt Begräbnisstätten gefunden, die Aufschlüsse
über die frühe Besiedlung Athens und die Begräbnisri-
ten ermöglichen: ein Familiengrab vorwiegend aus dem
späten 8. Jh. v. Chr. südlich der Tholos (1935), ein myk.
Kammergrab am Nordhang des Areopags (1939, 1947),
weitere myk. Grabstätten zw. dem nordöstl. und dem
nordwestl. Teil des ant. Platzes (1949–1953), eine Be-
gräbnisstätte aus der frühen geom. Zeit am nordwestl.
Fuß des Areopags (1932, 1967) und ein eingeschlossener
Begräbnisplatz am Westhang des Areopags, der vom 8.
bis zum späten 6. Jh. v. Chr. benutzt wurde (1939). Mitte der 30er J. wurden auch die größeren Gebäude auf
der Südseite der A. ausgegraben und identifiziert: die
Mittel-Stoa, das Odeion des Agrippa sowie ein Gymnasion von etwa 400 n. Chr. (Gymnasion der Giganten).
Nachdem die Nordost-Ecke des Platzes von spätröm.
und ma. Schutt befreit worden war, kamen hier ein
Peristylhaus aus dem späten 4. Jh. n.Chr., ein rundes
Brunnenhaus aus der Mitte des 2. Jh. n. Chr. und die ›für
die röm. Generäle errichtete Rednertribüne‹ (»Bema«,
Athen. 5,212F) zum Vorschein, außerdem eine kleine
Säulenhalle, die lange als nordöstl. Stoa bekannt war,
1970 jedoch als Anbau der nach dem Platz hin gelegenen
großen Basilika erkannt wurde.

Weiter westl. wurde 1937 unter dem Schutt der
Ares-Tempel entdeckt, dessen Nähe zum Odeion sich
mit Pausanias' Beschreibung (Paus. 1,8,6; 14,1) deckte.
Die Diskrepanz zw. seiner eindeutig aus der Mitte des
5. Jh. v. Chr. stammenden Superstruktur und seinen
Grundmauern aus dem späten 1. Jh. v. Chr. erklärt sich
durch die Praxis des 1. Jh., berühmte alte Tempel aus
ländlichen Bezirken Attikas auf die A. zu versetzen.
Nachdem so die eigentliche A. größtenteils freigelegt
war, wandte man sich dem Bereich zw. der südöstl.
Ecke des Platzes und dem nordwestl. Rand der Akropolis zu. In drei Grabungskampagnen konnte hier 1937
bis 1939 der exakte Verlauf der Panathenäen-Straße bestimmt werden. Auch das Eleusinion (Tempel der Demeter), über dessen Lage die lit. Quellen nur ungenaue
Angaben machen, wurde freigelegt und identifiziert.

Mit der Freilegung des Nordhanges des Areopags wurde 1939 begonnen. Während die Forsch. vor den Ausgrabungen eher der Ansicht war, auf diesem Abhang hätten viele öffentliche Gebäude der A. gestanden, zeigte sich nun, daß das Gelände während der gesamten Ant. v. a. mit Privathäusern bebaut war, von denen nur spärliche Reste erhalten sind. Der II. Weltkrieg unterbrach die Arbeiten, richtete jedoch keine nennenswerten Schäden an. Nach dem Krieg wurden die Arbeiten mit dem Ziel wiederaufgenommen, das ganze Gebiet bis zu dem Niveau freizulegen, das es in der Ant. gehabt hatte. Diese zweite Reihe von Grabungskampagnen reichte von 1946 bis 1960. Zu diesem Zeitpunkt waren alle größeren Gebäude auf der Grundlage der urspr. Grabungserlaubnis erforscht und zahlreiche Sondierungen in tiefere Schichten unternommen worden. Mit Absicht blieb ein großer Teil der frühesten Schichten unberührt. Zwar blieben dadurch viele frühe Grabstätten, Brunnen und kleinere Denkmäler unentdeckt, diese Vorgehensweise ermöglichte jedoch, die Folgerungen der ersten Ausgräber durch neue Grabungen zu überprüfen.

Die urspr. Grabungserlaubnis von 1930 gestattete die Erforsch. des größten Teiles der westl. A. sowie der gesamten Ost- und Südseite. Die Entdeckung der nördl. Seite des ant. Platzes stand noch aus. Sie mußte nördl. der Eisenbahnstrecke zum Piräus liegen, die die nördl. Grenze der ersten Grabungserlaubnis bildete. Die Suche nach der Nordseite begann 1969 in Zusammenarbeit mit dem griech. Staat. Die jüngsten Ausgrabungen in diesem Gebiet führten zur Entdeckung der Stoa Basileios an der äußersten nordwestl. Ecke des Platzes sowie einer Basilika an der nordöstl. Ecke. Die Ausgestaltung der Panathenäen-Straße durch Kolonnaden, die von ant. Autoren erwähnt wird, kann jetzt anhand der Funde nachvollzogen werden. Eine Reihe bescheidener Häuser z. T. mit Ladengeschäften aus klass. Zeit zeigt, daß der Ausbau des Platzes an der Ostseite erst spät vorgenommen wurde. In der frühen röm. Zeit wurden diese Gebäude durch eine nach Süden gerichtete Stoa ersetzt. Die Errichtung einer großen und prächtig ausgestatteten Basilika demonstriert sowohl das Wiederaufblühen Athens unter Hadrian (Paus. 1,20,7) als auch den Einfluß röm. Vorlieben in der Architektur öffentlicher Gebäude auf die alte griech. Stadt. Neue Ausgrabungen entlang der Nordseite der Hadrian-Straße haben seit 1980 nördl. des Platzes das Heiligtum der Aphrodite und die Stoa Poikile zum Vorschein gebracht. Die Ausgrabungen in diesem Bereich dauern noch an.

In dem Maße, wie die histor. und architektonische Entwicklung der A. in der klass. Zeit Athens deutlich wurde, wuchs auch das Interesse an dem Verhältnis zw. dem alten Platz und den großen röm. Gebäuden an seiner Ostseite, dem Markt von Caesar und Augustus und der Bibliothek des Hadrian. Auch hier konnten seit 1971 bedeutende Ausgrabungen durchgeführt werden. Urspr. sollte für die bei den Ausgrabungen gemachten Funde ein Mus. zw. dem Areopag und dem Nymphenhügel errichtet werden. Dieses Gebiet erwies sich je-

doch als so reich an Funden, daß ein großer Neubau unmöglich schien. Stattdessen wurde 1948 beschlossen, ein ant. Gebäude als Mus. zu rekonstruieren. Die Stoa des Attalos erschien wegen ihrer Größe und der Möglichkeit einer genauen Rekonstruktion am geeignetsten. Ab 1949 wurde daher zunächst das Gelände um die Stoa an der Ostseite des Platzes erforscht. 1953 begannen die Arbeiten an der Verstärkung der ant. Grundmauern und am Neubau der Stoa. Das 1956 eröffnete Mus. beherbergt alle beweglichen Gegenstände, die seit 1931 auf der A. gefunden wurden, sowie einige herausragende Funde aus früheren Ausgrabungen, so z. B. die Statuen des Apollon Patroos und den Kopf eines Tritonen vom Gymnasium der Giganten. Außerdem wird hier die gesamte Dokumentation der jüngsten Ausgrabungen aufbewahrt.

Seit den 50er J. begann die Konservierung der Ausgrabungen sowie die Anlage eines Parkes, wie er im Gesetz von 1930 gefordert worden war. Die Anpflanzungen beschränken sich auf in Griechenland heimische Pflanzen und folgen nach Möglichkeit lit. und arch. Hinweisen auf die ant. Bepflanzung.

→ Deutsches Archäologisches Institut
→ AWI Athenai

1 The Athenian A. Guide, 1990 2 J. M. CAMP, The Athenian A. Excavations in the heart of classical Athens, 1986 3 H. R. GOETTE, s. v. Athenai II, DNP 2, 173 4 H. A. THOMPSON, R. E. WYCHERLEY, The A. of Athens. The history, shape, and uses of an ancient city center, 1972 (The Athenian A. 14), 220–234 5 TRAVLOS, Athen, 20–27 6 TRAVLOS, Attika, 46 7 K. WACHSMUTH, Die Stadt Athen im Alterthum, 2 Bde., Leipzig 1874 (Bd. 1) und 1890 (Bd. 2.1). BARBARA KUHN-CHEN

III. AKROPOLIS

A. WIRKUNGS- UND BEDEUTUNGSGESCHICHTE DER AKROPOLIS – ALLGEMEINER ÜBERBLICK B. DIE NACHANTIKE ÜBERLIEFERUNGSGESCHICHTE DER MONUMENTE BIS INS FRÜHE 19. JAHRHUNDERT C. FORSCHUNGS-, AUSGRABUNGS- UND RESTAURIERUNGSGESCHICHTE IM 19. UND 20. JAHRHUNDERT D. DIE AKROPOLIS ALS VORBILD UND INBEGRIFF VON KLASSIZITÄT

A. WIRKUNGS- UND BEDEUTUNGSGESCHICHTE DER AKROPOLIS – ALLGEMEINER ÜBERBLICK

Bereits an der Wende vom 5. zum 4. Jh. v. Chr. wurde die A. zu einer musealen Erscheinung und damit zu einem Denkmalensemble, das in seinem Rückverweis auf die »große Zeit« Athens zunehmend symbolische Bed. erhielt. Auch wenn die A. in den folgenden Jh. weiterhin Zielpunkt von Baumaßnahmen und Denkmälerweihungen blieb, so beginnt ihre Rezeptionsgeschichte dennoch schon in der griech. Ant. Die wenigen Denkmäler, die die autonome Polis Athen nach der Niederlage bei Aigospotamoi auf der A. errichten ließ (u. a. Weihungen für die Nauarchen Konon und Ti-

Abb. 1: Skizze der Westfront des Parthenon. Aus den
Aufzeichnungen des Cyriacus von Ancona, entstanden 1447

Abb. 2: Bombardierung der Akropolis und Explosion des
Parthenon 1687. Illustration aus Francesco Fanelli, Athene
Attica ... , Venedig 1707 (nach zeitgenössischer Zeichnung)

Abb. 3: Der Aufgang zur Akropolis als Festung: Zinnen-
gekrönte Verteidigungsmauern, Türme und die vermauerten
Interkolumnien der Propyläen sichern den Zugang zum
Burgberg. Radierung nach einer Zeichnung von Joseph
Türmer (1819/1825)

Abb. 4: Die bewohnte Akropolis um 1800. Aquatinta-Tafel
aus E. Dodwell, Views in Greece from Drawings, 1821

motheos 394 bzw. 375 v. Chr.), zeigen dies ebenso wie
die Verwendung der A. als Kulisse, etwa für das in der
Mitte des 4. Jh. v. Chr. am Südhang in massiver Stein-
bauweise errichtete Dionysos-Theater.

Intensiv nutzten hell. und später röm. Regenten die
A. als Folie für herrscherliche Inszenierungen, wobei
oftmals ein histor.-mil. Bezug auf Athens weltpolit.
Rolle im 5. Jh. v. Chr. insinuiert war. Herausragende
Beispiele sind Alexanders Waffenweihung aus der Per-
serbeute nach der Schlacht am Granikos 334 v. Chr. mit
der auf Athens Persersiege 480/79 v. Chr. anspielenden
Bronze-Inschr. am Architrav des Parthenon (überliefert
bei Arr. an. 1,16,7), die Eingliederung Roxanes in die
im Erechtheion versammelte Götter- und Heroenwelt
Athens, die pergamenischen Weihungen (Eumenes-
Pfeiler vor den Propyläen 178 v. Chr. sowie »kleines«
Gallieranathem auf der Burgmauer vor dem Parthenon,
wohl in der Regentschaft des Attalos II. entstanden), die
Umwidmung des Eumenespfeilers auf Agrippa 27
v. Chr., die Errichtung des Monopteros für Roma und
Augustus vor dem Parthenon, die Ehrungen für Nero
(eine Statue mit zugehöriger Inschr. am Architrav des
Parthenon), der Bau eines Odeions durch den Mäzen
Herodes Atticus am Südhang der A. (in hadrianischer
Zeit) sowie die anspielungsreiche Errichtung zweier
Porträtstatuen der Julia Domna unmittelbar neben der
Athena Parthenos im Parthenon und dem Athena-Po-
lias-Xoanon im Erechtheion (frühes 3. Jh. n. Chr.). Ein

nicht minder relevanter Teil der ant. Rezeptionsgeschichte der A. sind Beraubungen und Plünderungen
des Ortes, beginnend mit der Schändung des Erechtheions durch Demetrios Poliorketes (304 v. Chr.) und
der Tyrannis des Lachares (297/96 v. Chr.), gipfelnd
dann in der Einnahme der Stadt durch die Heruler 267
n. Chr., der Demontage der Monumentalplastiken der
Athena Promachos und der Athena Parthenos, vermutlich im späten 4. oder 5. Jh. n. Chr. (beide Bildwerke
wurden vermutlich nach Konstantinopel überführt und
sind dort untergegangen) und der mutwilligen, christl.
motivierten Zerstörung zahlreicher Metopen des Parthenon wohl im 5. Jh.

In gleichem Maße, wie Athen im oström. und später
im byz. Reich ins Abseits geriet, reduzierte sich die Bed.
der A. Parthenon und Erechtheion wurden in christl.
Kirchen umgewandelt, die A. mit der Marienkirche im
Parthenon als Zentrum jedoch erst im 9. Jh. Bischofssitz; in beredten Worten führte 1145 Erzbischof Michael
Choniates Klage über den Verfall Athens. Die mil. Wirren des 12.–15. Jh. (fränkische, byz., katalanische, flo-
rentinische und venezianische Eroberungen) sowie die
fortschreitende Fixierung der welthistor. Perspektive
auf Byzanz und das Hl. Land führten zu einem weitgehenden Vergessen der realen Stadt Athen, so daß 1573
der Tübinger Gelehrte Martin Crusius (Kraus) sogar die
Frage nach der Existenz der Stadt stellen konnte; Bilder
von Athen, etwa in der flandrischen Chronik des Jean
de Courcy (1473) oder in Hartmann Schedels Weltchronik (1493), sind visuelle Topoi der Gotik ohne irgend eine Spezifik des Ortes und beruhen nicht auf Autopsie. Eine wichtige Bestandsaufnahme von Bauten
und Bildern der A. unmittelbar vor der türk.-osmani-
schen Eroberung (1457/58) wird dem Kaufmann Cyriacus di Piccicolle aus Ancona verdankt, der Athen
1436 und 1447 besuchte, zahlreiche Inschr. kopierte
und u. a. Skizzen des Parthenon fertigte.

In den knapp 400 J. der osmanisch-türk. Okkupation
Athens (1458–1827) war die A. Sitz der lokalen Ver-
waltung; die ant. Bauten wurden in neuen Kontexten
genutzt (die Kirche im Parthenon dabei in eine Mo-
schee umgewandelt, das Erechtheion zu einem Harem),
dabei jedoch in keinem Fall willkürlich zerstört. Der
Burgberg selbst wurde zunehmend intensiv besiedelt.
Verschiedene Ansichten des 17.–19. Jh. (bes. bei Stuart-
Revett und Dodwell) und Berichte wie diejenigen von
Jacques Spon (1678) schildern eine unbefangen genutzte
A., die belebter Teil der Stadt Athen war. Zerstörungen
an den ant. Monumenten sind ganz überwiegend das
Produkt von Kriegshandlungen (Explosion des Pulver-
magazins im Parthenon nach venezianischem Bom-
bardement 1687; Verbauung von Propyläen und Nike-
tempel in Schanzungen), daneben die Folgen gezielten
Kunstraubes. Seit dem 18. Jh. wird, im Zuge der
»Wiederentdeckung Griechenlands« (→ Klassizismus;
→ Griechenland), die A. mit ihren Bauten und Bildern
zum Synonym und Paradigma idealisierter Klassik; der
Aneignungsvorgang der europ. Kulturliten erstreckte

sich dabei vom zeichnerischen Kopieren (u. a. LeRoy;
Stuart-Revett) über das besitzergreifende Demontieren
und Berauben (u. a. Expeditionen des Comte Choiseul-
Gouffier 1787 und des Lord Elgin 1800–1803; → Museum), das umfassende Kopieren und Umbilden von
Bauten und Bildern in Europa und Amerika (s. u.) bis
hin zum mehrfachen Rekonstruieren der ant. Ruinen
vor Ort nach der jeweiligen Maßgabe aktueller
Wunschvorstellungen (s. u.).

B. Die nachantike Überlieferungsgeschichte der Monumente bis ins frühe 19. Jahrhundert

(Abb. 1–4) Eine wichtige Zäsur in der Überlieferungsgeschichte der A.-Monumente bildet die Auflösung des heidnischen Heiligtums und die Zwangs-
Christianisierung Griechenlands im frühen 5. Jh. Parthenon und Erechtheion wurden, wohl schon im 5.
oder im frühen 6. Jh., in Kirchen umgewandelt. Bes. am
Parthenon hinterließ der Umbau deutliche Spuren
(Verlegung des Eingangs auf die Westseite; Abschluß der
Ostseite durch eine außen eckig ummantelte Apsis; Einbau eines Altars; Durchbruch zwischen Cella und
Opisthodom – sowie Durchbruch von seitlichen Fen-
steröffnungen?–; Ausbau der Cella samt Galerien zu
einer zweistöckigen Basilika mit drei Schiffen; Ausmalung des Inneren mit christl. Fresken; Zerstörung verschiedener als heidnisch-anstößig empfundener Meto-
pen-Reliefs). Umorientierung und Einbau einer Apsis
sind auch für das Erechtheion belegt. In der Pinakothek
und den weiteren Annexbauten der Propyläen entstanden Repräsentationsräume für kirchliche bzw. weltliche Würdenträger (und blieben dies, mit Unterbrechungen, bis ins frühe 19. Jh.). Der eigentliche Propy-
läenkomplex diente weiterhin als Torbau, der wegen
seiner Kleinheit als Gebäude in sekundärer Nutzung relativ unbrauchbare Niketempel zunächst als Magazin.
Die weiteren Bauten der A. verfielen. Ihre Reste wurden wiederverwendet, Marmortrümmer dabei vielfach
zu Kalk gebrannt. In den Wirren des 13. und 14. Jh.
wurde die A. zur regelrechten Burg ausgebaut, die
Mauern um Zinnen erhöht und die Propyläen von den
Franken durch einen massiven Wehrturm gesichert (der
bis zu seinem Abbruch im 19. Jh. ein bauliches Wahrzeichen Athens war). Mit der osmanisch-türk. Eroberung wurde das Erechtheion unter Entfernung aller
christl. Ein- und Umbauten zu einem Harem umgestaltet (was die äußere Erscheinung des Bauwerks weitgehend unberührt ließ, das vielräumige Innere jedoch
entscheidend veränderte); am Parthenon wurden die
christl. Fresken übertüncht, der Altar demontiert, Kanzel und Gebetsnische in strenger Ost-Ausrichtung nach
Mekka installiert und ein hohes Minarett beigefügt.

Eine zweite markante Zäsur bilden Belagerung, Beschießung und Eroberung der A. durch venezianische
Truppen Francesco Morosinis 1687. Als Defensiv-Maß-
nahme der Besatzung wurde der Niketempel zur Gänze
abgetragen und in eine Schanze verbaut, die Interkolumnien der Propyläen zugleich durch massive Ver-

Abb. 5: Zeichnung
des Parthenon-Westgiebels
von Jaques Carrey, 1674

Abb. 7: Ausgrabung auf der Akropolis
in den 1880er Jahren

Abb. 6: Der Wiederaufbau des Niketempels 1835/36,
nach: L. Ross, E. Schaubert, Ch. Hansen, Die Akropolis
von Athen nach den neuesten Ausgrabungen I:
Der Tempel der Nike Apteros, 1839, Frontispiz

Abb. 8: Anastylosis-Arbeiten
im Parthenon 1988

mauerung geschlossen. Der Versuch der Venezianer, den A.-Felsen zu unterminieren und insgesamt zu sprengen, mißlang. Schlüssel zur (ephemeren) Eroberung der A. war ein Treffer des Pulvermagazins im Parthenon (26.9.1687); die hierdurch ausgelöste Explosion verwüstete weite Teile der Burg und kostete über 300 Verteidiger das Leben. Der bis dahin als Gebäude weitgehend vollständig erh. Parthenon wurde auseinandergesprengt und blieb als Ruine liegen, in der nach Abzug der Venezianer und nach Rückkehr der Türken eine kleine, überkuppelte Moschee erbaut wurde; eine unschätzbare, im Detail von der Forsch. jedoch bis h. kontrovers diskutierte Bestandsaufnahme des Bauschmucks des intakten Parthenon bilden die 1674 entstandenen Zeichnungen von Jacques Carrey (h. in London, BM), im Kontext der A.-Expedition des Marquis de Nointel angefertigt.

Mit der venezianischen Eroberung des A. beginnt zugleich die mod. Geschichte ihrer mutwilligen Beraubung. Zahlreiche Skulpturenfragmente wurden als Andenken mitgenommen (und gelangten später in verschiedenste Mus. der Welt). Der Versuch des Eroberers Morosini, sich in die Trad. des Byzanz-Eroberers Enrico Dandolo zu stellen und die Mittelgruppe des Parthenon-Westgiebels als Kriegstrophäe zu demontieren, schlug fehl; die Figurenguppe stürzte zu Boden und zerschellte (nur wenige Fragmente konnten bis h. gesichert und zugewiesen werden). Höhepunkt der Beraubung bildete die – zunächst als Unternehmung zur Gewinnung von Gipsabgüssen gestartete – Expedition von Lord Elgin, der zw. 1800 und 1803 mit Genehmigung der Hohen Pforte nahezu die Hälfte des Frieses, 14 Metopenplatten und 17 Giebelskulpturen vom Parthenon, ferner eine Säule und eine Karyatide vom Erechtheion demontierte, Friesplatten vom Niketempel und weitere am Boden liegende Skulpturen auflas und nach London verbrachte (wo die Elgin-Marbles später zu einem wichtigen Nukleus des British Museums avancierten; → London, British Museum).

Anders als die relativ gut dokumentierte Geschichte der Bauten ist das Schicksal der freistehenden Marmor-, Bronze- und Goldelfenbeinskulpturen der A. unbekannt. Die Athena Parthenos, vermutlich auch die kolossale, bronzene Athena Promachos sind nach Konstantinopel verbracht worden und dort spätestens im Inferno der Plünderung von 1204 untergegangen. Am Ort verbliebenes Edelmetall, Bronze oder Elfenbein sind, wie üblich, generell nachant. Produktion zugeflossen; Marmorplastik hat sich ebenfalls – von den nach 479 v. Chr. im »Perserschutt« einplanierten und deshalb unzugänglichen archa. Bildwerken abgesehen – nur in geringem Umfang erh.; das meiste ist im Laufe der Jh. zu Kalk gebrannt worden.

C. FORSCHUNGS-, AUSGRABUNGS-
UND RESTAURIERUNGSGESCHICHTE
IM 19. UND 20. JAHRHUNDERT

(Abb. 5–8) Bereits 1834, also nur ein Jahr nach der Übergabe der A. durch die kapitulierende türk. Besat-

zung an ein bayerisches Truppenkontingent wurde die A. per Dekret von jeder Besiedelung geräumt und nach kontroverser Diskussion über die Zukunft des Platzes nun unter maßgeblichem Einfluß des Bayern Leo v. Klenze zum exklusiven Betätigungsfeld der Arch. Griechen, v. a. aber Deutsche wurden nun gemeinsam tätig; binnen weniger Wochen wurden alle bestehenden, nicht griech.-ant. Bauten abgebrochen. Es besteht h. in der Forsch. Konsens darüber, daß die ersten Kampagnen der Ausgrabungen, die bis 1890/91 stattfanden, zu den größten Desastern der mod. Feld-Arch. zählen. Die Kenntnisse von Ausgrabungstechniken, die sich im 19. Jh. rapide verfeinerten, kamen hier kaum zur Anwendung; in der Schatzgräbermentalität des 18. Jh. hatte man sich binnen kurzer Zeit bis auf den Fels hindurchgegraben, den störenden Aushub immer wieder verlagert (und ihn schließlich ganz vom Burgberg gekippt). Eine Dokumentation der Befunde unterblieb fast vollständig. Die Folgen dieses Tuns sind bis h. Gegenstand arch. Kontroversen, denn zentrale Probleme wie die genaue Datierung und die Schichtenfolge des »Perserschutts« (mit Auswirkung auf die gesamte Chronologie griech. Kunst) sind bis h. ebenso ungeklärt wie die Zeitstellung, die Abfolge, mitunter gar, wie etwa beim → Parthenon, die genaue Anzahl der Bauphasen einzelner Architekturen. Symbolkraft und Bekanntheit der A. von Athen stehen bis h. in einem bemerkenswerten Gegensatz zur außerordentlich geringen Kenntnis ihrer Top.; selbst die akribische Analyse von Fotos und Tagebuchaufzeichnungen der Ausgräber durch J. Bundgaard in den 1970er-Jahren konnte vielfach nicht mehr zur Klärung wichtiger Sachverhalte beitragen. Die gesammelten Funde dieser Kampagnen werden bis h. im 1874 auf zuvor nur flüchtig sondiertem Terrain erbauten A.-Mus. verwahrt (ein Neubau außerhalb des Plateaus und ein Abbruch des alten Mus. werden derzeit diskutiert).

Ein weiteres, erst in jüngerer Zeit ernsthaft zur Kenntnis genommenes Problem der wiss. Erforsch. der A. stellen – nicht nur aus technischer Sicht – die Restaurierungen von Parthenon, Propyläen, Niketempel und Erechtheion dar, die zu keiner Zeit objektiv-histor. Kriterien folgten, sondern immer das Produkt eines Wunschbildes von der Klassizität des Ortes waren. Zielpunkt nicht nur der Ausgrabungen, sondern auch der Restaurierungsbemühungen war die A. des 5. Jh. v. Chr.; alle anderen histor. Phasen und Konstellationen wurden von vornherein ausgeblendet (und ihre Relikte und Spuren auf diese Weise zum großen Teil unwiederbringlich getilgt). Es entstand in Grabungen und Anastylosis-Maßnahmen letztlich ein gerippehaftes Konstrukt von Klassik, ein Anblick der A., der h. selbstverständlich erscheint, den es so jedoch zu keiner Zeit vor dem 19. Jh. gegeben hat.

Bereits unmittelbar nach Entsiedelung des Burgbergs begann man, herumliegende Bauglieder aufzulesen und den Architekturen wieder zuzuführen; größte Anastylosis-Maßnahmen des 19. Jh. waren der komplette Wie-

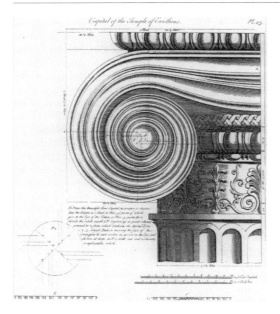

Abb. 10: Der Parthenon als Schmuckmotiv der Visitenkarte des amerikanischen Architekten J. H. Dawkin, 1833

Abb. 9: Aufnahme der ionischen Ordnung des Erechtheion, aus: J. D. LeRoy, Les ruines des plus beaux monuments de la Grèce, 1758

Abb. 11: Erechtheionkoren an der Fassade der Boutique »Hyper, Hyper« in London, Knightsbridge, 1988

Abb. 12: Kopie der Korenhalle des Erechtheion an der St. Pancras Church, London, erbaut 1819–1822 von W. H. und W. Inwood

deraufbau des Niketempels vermittels der aus der Schanzung geborgenen Bauglieder auf der ant. Bastion (1835/36 sowie 1843/44) und die Restaurierung der Korenhalle des Erechtheions (1844 vollendet). Weitergehende Restaurierungen erfolgten unter N. Balanos; der Parthenon (1898–1902 und 1922–1933) wurde um weite Teile der 1687 zerborstenen Peristase ergänzt, am Erechtheion (1902–1909) Teile des Wandaufbaus wiederhergestellt, die Propyläen (1909–1917) von allen unklass. Resten »gesäubert«, der Niketempel (1935–1939) schließlich erneut komplett demontiert und neu zusammengesetzt. Problematisch war nicht nur die Verwendung von Eisenklammern (die im Laufe der Zeit korrodierten, den Marmor zersprengten und so weitere Schäden verursachten), sondern das uneinheitliche Vorgehen der Restaurierung insgesamt. Ziel war, eine Ruine zu »verschönern«, sie zwar zu vervollständigen, nicht aber zu komplettieren; dennoch wurde vielfach neues Material benutzt (und nicht, etwa aus Authenizitätsgründen, allein ant.),– Material, das durch gezielte Beschädigung der Oberflächen optisch »angepaßt« wurde und h. kaum mehr von der originalen Bausubstanz unterscheidbar ist. Das vielfach und kontrovers diskutierte Restaurierungsprojekt der 1980er- und 1990er-Jahre war technisch motiviert durch die Schäden der Balanos-Restaurierungen, stand aber dennoch grundsätzlich in der gleichen klassizistischen Trad.: Es bezog sich, von Ausnahmen abgesehen, ebenfalls weitgehend auf die Klassik als histor. Ausschnitt und hatte ebenfalls eine »Verschönerung« der Ruinen, nicht aber eine methodisch-theoretisch und technisch mögliche Komplettierung zumindest der Körper der Bauten zum Ziel.

D. Die Akropolis als Vorbild und Inbegriff von Klassizität

(Abb. 9–12). Bereits in der Ant. avancierte die A. mit ihren Bauten und Bildern zum Vorbild, zum universellen klass. Kunst- und Architekturideal, das in Form von Kopien und Umbildungen adaptiert und verbreitet wurde. Eine Kopie der Athena Parthenos zierte die Bibliothek von Pergamon; Kopien der Karyatiden (Rom, Augustus-Forum; Tivoli, Villa Hadriana), der Bauornamentik (ebenfalls am Augustusforum) und der ionischen Säulenordnung des Erechtheions (am Monopteros für Roma und Augustus auf der A. selbst) entstanden ebenso wie umfassende Adaptionen von Baustrukturen (»große« Propyläen in → Eleusis als teilweises Duplikat des Mnesikles-Propyläen der A.). Von der in röm. Kopien erh. klass.-griech. Plastik gehört ein nicht geringer Teil zu den Bildwerken von der A.

Im Zuge der »Wiederentdeckung« Griechenlands wird die A. erneut zum Paradigma eines klass. Ideals. Detailliertes Studium der Ruinen wird zur Basis eigenen Bauens. Zahlreich werden nun Architekturmotive der A., v.a. der Mittelteil der Propyläen, die achtsäulige Parthenon-Front und die Westwand des Erechtheion, in mehr oder minder großer Authentizität in Europa und Nordamerika als nobilitierende Zitate adaptiert (→ Greek Revival), wobei die vor Ort entstandenen Bauaufnahmen (neben Stuart-Revett im bes. das weit verbreitete und vielfach übers., einbändige Kompendium von Le Roy, später diverse Derivate dieser Vorlagen), vereinzelt auch Abgüsse die Vermittlung von Formen und Proportionen gewährleisteten. Zugleich wird im frühen 19. Jh. die A. im Kontext der → Romantik zum begehrten Reiseziel. Idyllisch-bukolische Traumbilder, die Landschaften und folkloristischen Ambientes mit der A.-Silhoutte kunstvoll verweben, finden sich als visuelle und sprachliche Topoi nicht nur in der Druckgraphik und den damit eng verwandten Reiseberichten des 19. Jh. zuhauf, sondern auch in Dichtung (z.B. Hölderlins Hyperion), Theater und Musik (z.B. Beethovens Ouverture Die Ruinen von Athen zu einer Opernfabel von Kotzebue); dominant ist bei allen diesen Erscheinungen eine Mischung aus authentischer Ant., frei erfundener ant. Myth. und zeitlos-verklärtem Griechentum. Visuelle Adaptionen von A.-Motiven finden sich bis h. zahlreich, überwiegend dem Bereich des Kitsch zugehörig.

Für den mod. Staat Griechenland hat die A. und damit die klass. Epoche des Perikles von Staatsgründung an eine wesentliche Rolle als nationales Symbol übernommen, ganz oder in Teilen vielfach wiedergegeben auf Münzen, Geldscheinen, Briefmarken und anderen hoheitlichen Bildträgern. Mit der Entdeckung der Königsgräber von Vergina 1977 erfolgte hinsichtlich der Nationalidentität Griechenlands indessen eine bis h. virulente, auch außenpolit. begründete Akzentverschiebung auf den Frühhell. und die Region Makedonien.

QU 1 R. Bohn, Die Propyläen der Akropolis von Athen, Berlin 1882 2 R. Chandler, Travels in Greece, London 1776 3 M. G. Comte de Choiseul-Gouffier, Voyage pittoresque de la Grèce, 4 Bde. Paris 1782–1822 4 E. Dodwell, Views in Greece from Drawings, London 1821 5 P. Kavvadias, G. Kawerau, Die Ausgrabungen der Akropolis im Jahre 1885 bis zum Jahre 1895, 1906/07 6 L. Comte de Laborde, Athènes aux XVe, XVIe et XVIIe siècles, Paris 1854 7 W. M. Leake, The topography of Athens with some remarks on its antiquity, London 1821 8 J. D. LeRoy, Les ruines des plus beaux monuments de la Grèce, Paris 1758 9 L. Ross, E. Schaubert, Ch. Hansen, Die A. von Athen nach den neuesten Ausgrabungen 1: Der Tempel der Nike Apteros, Berlin 1839 10 J. Spon, Voyage d'Italie, de Dalmatie, de Grèce et du Levant, Lyon 1678 11 J. Stuart, N. Revett, The Antiquities of Athens, 4 Bde. London 1762–1816

LIT 12 N. Balanos, Les monuments de l'Acropole. Relèvement et conservation, 1938 13 M. S. Brouskari, The Acropolis-Mus., 1974 14 J. Bundgaard, The excavations of the Athenian Acropolis 1882–1890. The original drawings, 1974 15 J. Colin, Cyriaque d'Ancône. Le voyageur, le marchand, l'humaniste, o.J. 16 B. F. Cook, The Elgin-Marbles, 1984 17 K. H. Ditlevsen, Rejsen til Athen. Danske i Graekenland i 1800-tallet, 1978 18 F. Gregorovius, Gesch. der Stadt Athen im MA, Stuttgart 1889 (Ndr. 1980) 19 H. Hiller, J. Cobet, Die A. von Athen. Verwandlungen eines klass. Monuments, Ausstellungs-Kat. Xanten 1983 20 E. Harris, British architectural books and writers 1556–1785, 1990

21 J. HAUGSTED, The Architect Christian Hansen.
Drawings, letters and articles referring to the excavations on
the Acropolis 1835–37, in: Analecta Romana Instituti
Danici 10, 1982, 56–96 22 W. HAUTUMM (Hrsg.), Hellas.
Die Wiederentdeckung des klass. Griechenland, 1988
23 W. D. HEILMEYER, H. SCHMIDT, Berliner Hausfassaden:
Ant. Motive an Mietshäusern der 2. H. des 19. Jh., Berliner
Forum 4/81, 1981 24 CH. HÖCKER, L. SCHNEIDER, Pericle e
la costruzione dell'Acropoli, in: S. SETTIS (Hrsg.), I Greci
2/II, 1997, 1239–1274 25 CH. HÖCKER, Greek Revival
America? Reflections on uses and functions of antique
architectural patterns in American architecture between
1760 and 1860, in: Hephaistos 15, 1997, 197–240
26 H. KIENAST, Der Wiederaufbau des Erechtheion, in:
Architectura 13, 1983, 89–104 27 R. A. MCNEAL,
Archaeology anf the destruction of the later Athenian
Acropolis, in: Antiquity 65, 1991, 49–63 28 A. MICHAELIS,
Der Parthenon, Leipzig 1871 29 M. PAVAN, L'avventura
del Partenone, 1983 30 J. MORDAUNT CROOK, The Greek
revival. Neoclassical attitudes in British architecture, ²1995
31 L. SCHNEIDER, CH. HÖCKER, Die A. von Athen, 1990
32 A. SCHOLL, Die Korenhalle des Erechtheion auf der A.,
1998 33 K. M. SETTON, Athens in the Middle Ages, 1975
34 T. TANOULAS, The Propylaea of the Acropolis at Athens
since the 17th century, in: JDAI 102, 1987, 413–483
35 P. TOURNIKIOTIS (Hrsg.), The Parthenon and its impact
in modern times, 1994 36 F.-M. TSIGAKOU, Das
wiederentdeckte Griechenland, 1982 37 D. L. WIEBENSON,
Sources of Greek revival architecture, 1969 38 Dies., Stuart
and Revett's »Antiquities of Athens«: The influence of
archaeological publications on the neoclassical concept of
Hellenism, (Diss. Ann Arbor) 1983 39 The Acropolis at
Athens: conservation, restauration and research 1975–1983,
Ausstellungs-Kat. Athen u. a. 1985/86 40 Parthenon:
Second International Meeting for the Restoration of the
Acropolis Monuments, Kongr. Athen 1985.

CHRISTOPH HÖCKER

IV. KERAMEIKOS
A. EINLEITUNG B. GESCHICHTE DER AUSGRABUNG
C. KERAMEIKOSMUSEUM UND
RESTAURIERUNGSMASSNAHMEN
D. FORSCHUNGSGESCHICHTLICHE BEDEUTUNG DER
FUNDE E. REZEPTION DER DENKMÄLER

A. EINLEITUNG
Der Kerameikos (K.) war der Stadtteil der Töpfer im
Nordwesten der ant. Stadt A. Das Ausgrabungsgelände
befindet sich h. im Stadtzentrum zw. der mod. Piräus-
und der Hermesstraße. In der Flußniederung des Eridanos, der durch die Ausgrabungen wieder freigelegt
wurde, verliefen in der Ant. bedeutende Ausfallstraßen
zum Piräus und nach → Eleusis. An den Flußufern wurden seit der Bronzezeit Gräber angelegt, seit submyk.
Zeit bis in die Spät-Ant. wurde das Gelände kontinuierlich als Friedhof genutzt. Nach dem Bau der Themistokleischen Stadtmauer (478 v. Chr.) erstreckte sich der
vornehmste Friedhof A. im K. vor dem Hl. Tor und
dem Dipylon. Der K. umfaßte urspr. auch die Agora
von Athen (Paus. 1,2,4; 1,3,1; 1,14,6). Die Stadtmauer
teilte den innerhalb des Mauerrings gelegene sog. »Inneren« K. vom »Äußeren«. Das arch. Gelände umfaßt

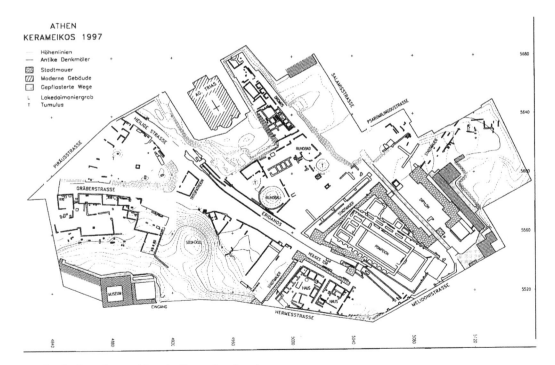

Gesamtplan des Ausgrabungsgebietes im Kerameikos (1997)

einen kleinen Teil des Inneren (Pompeion und Privat-
häuser) sowie einen größeren Teil des Äußeren K. mit
Staatsgräbern und Familiengräbern der klass. Zeit entlang der Straßen, Heiligtümern, einer Badeanlage und
Werkstätten. Ausgrabungen förderten Denkmäler vom
späten 3. Jt. v. Chr. bis zum 6. Jh. n. Chr. zutage. Im
19. Jh. stand eine kleine Kirche der Haghia Trias im
Gelände vor der Porta Morea der türk. Stadtmauer
Athens. 1931 wurde die Kirche für die Durchführung
der Ausgrabungen abgerissen. Sie ist 1957 durch einen
großen Neubau ersetzt worden, der nun das arch. Gelände dominiert.

Die Gräberstraße und die alte Kirche der Haghia Trias
von Westen (Ende 1909)

Stadtmauer kononischer Zeit und die moderne Kirche
Haghia Trias 1995

B. GESCHICHTE DER AUSGRABUNG

Das heutige Grabungsareal heißt in frühen Fundbe-
richten »Dipylon«, während mit »K.« der Bereich an der
Plateia Eleftherias bezeichnet wird. Erste Ausgrabungen
im K. wurden zu Beginn des 19. Jh. unternommen (zu
Ausgrabungen des frz. Botschafters L.-F.-S. Fauvel im
K. [54. 13, 33], außerdem [16. 415]). K. S. Pittakis
(1798–1863) dokumentierte seit 1838 Funde vom K.,

v. a. Inschr. aus der Gegend. In Zusammenhang mit
dem Bau der neuen Piräusstraße (1860) wurden erstmals
klass. Grabreliefs entdeckt. 1861 leiteten jeweils P. Per-
vanoglu (1833–1894) und St. A. Kumanudis (1818–
1899) Unt. im Gebiet der Haghia Trias. K. S. Pittakis
führte schließlich Ausgrabungen im Bereich zw. der
Kirche und der neuen Piräusstraße durch. Den Anstoß
für eine systematische Erforsch. des Geländes gab 1863
die zufällige Entdeckung der Akroterstele aus dem
Grabbezirk einer Familie aus Herakleia am Pontos. Die
Stele stand noch aufrecht innerhalb der Mauern des Fa-
miliengrabes. Diese Unt. an der Gräberstraße standen
unter der Leitung der Arch. Gesellschaft A., durchgeführt wurden sie von A. S. Rhusopulos (1823–1898). Es
wurden mehrere, nebeneinander in der gleichen Flucht
liegende Familiengräber festgestellt und man erkannte
die Möglichkeit, an dieser Stelle einen att. Friedhof der
klass. Zeit zu rekonstruieren. Die Entdeckung des
Denkmals des Ritters Dexileos ließ zur Gewißheit werden, daß man sich im K. befand (IG II–III² 3, 1940, 363
Nr. 5222; 435 Nr. 6217). Trotz oder eher gerade wegen
der in Griechenland herrschenden polit. Krisensituation
[11. 82, 264] fanden die Entdeckungen im K. bes. Aufmerksamkeit in der Öffentlichkeit (vgl. [36. 38]). Die
erste umfangreiche Publikation der Gräberstraße lag
schon 1863 vor [55]. Im Oktober desselben J. wurden
König Georg I. bei seiner Ankunft in A. die Schlüssel
zur Stadt im K. übergeben. Die Arch. Gesellschaft setzte
ab 1870 die Grabungen im K. fort und führte sie mit
Unterbrechungen weiter bis 1913. Erforscht wurden
die Denkmäler an der Gräberstraße, ein großer Teil der
Stadtmauer sowie die beiden Stadttore und Teile des
Pompeion. In dieser Zeit unterstützten bekannte Politiker die Erforsch. des Geländes: So entschied 1889 der
Innenminister St. Dragoumis (1842–1923) persönlich
über die neue Straßenführung entlang des Grabungs-
geländes, 1890 setzte sich der Premierminister Charilaos
Trikoupis (1832–1896) für die Fortsetzung der Unt. an
der Gräberstraße ein.

   1913 wurde die K.-Grabung dem → Deutschen Archäologischen Institut übergeben. Vorausgegangen waren Jahre fruchtbarer Zusammenarbeit dt. und griech.
Archäologen ([9; 45; 14; 46. 123 ff.]; A. Brückners Der
Friedhof am Eridanos aus dem J. 1909 ist Paniotis Kavvadias (1850–1928), erster Sekretär der Arch. Gesellschaft
von Athen, gewidmet). Zuletzt hatten A. Brückner
(1861–1936) und H. Knackfuß (1866–1948) im Auftrag
der Preußischen Akad. der Wiss. mit Unterstützung der
Arch. Gesellschaft im Kerameikos gegraben [61]. A.
Brückner leitete die Ausgrabungen von 1913 bis 1916
und, nach der Unterbrechung durch den I. Weltkrieg,
von 1926 bis 1930. In dieser Zeit wurde mit der Freilegung der von Paus. 1,29,1 ff. beschriebenen klass.
Staatsgräberstraße [6; 59] zw. Dipylon und Akademie
begonnen. Außerdem setzte man die Grabungen an der
Hl. Straße, im Dipylon und im Pompeion fort. Zu den
bedeutendsten Funden gehörte das Staatsgrab der 403
v. Chr. gefallenen Lakedaimonier (Xen. hell. 2,4,33;

Entwurfskizze des Kerameikos-
museums von H. Johannes (1936)

Innenraum des
Grabungsmuseums (1933)

Innenraum des
Oberländermuseums (1968)

[7]). K. Kübler (1897–1990) leitete die Ausgrabungen von 1930 bis 1943. Er leitete die Erforsch. der submyk. Nekropole unter dem Pompeion und des Grabhügels unter der Kirche der Haghia Trias. Parallel dazu führte K. Gebauer Ausgrabungen im Gelände vor den beiden Toren sowie im Bereich der Staatsgräberstraße durch. Von 1926 bis 1936 wurde die K.-Grabung von dem deutschstämmigen amerikanischen Industriellen G. Oberländer (1867–1936) finanziert. Die Funde wurden in der vom Dt. Arch. Institut neu eingerichteten Reihe *Kerameikos. Ergebnisse der Ausgrabungen* publiziert, deren erster Band 1939 erschien. Nach der Unterbrechung durch den II. Weltkrieg (1943–1955) wurde die Grabung ab 1956 durch das Dt. Arch. Institut wieder aufgenommen. Grabungsleiter war zunächst D. Ohly (1911–1979), der von 1956 bis 1961 die Forsch. in der Nekropole und an der themistokleischen Stadtmauer wiederaufnahm und die Unt. an der Staatsgräberstraße fortsetzte. Ihm folgte F. Willemsen (*1910). Unter seiner Leitung wurde von 1961 bis 1974 der Bereich vor dem mittleren und dem nördl. Teilabschnitt des Proteichisma untersucht, ferner wurden Ausgrabungen am Südhügel, am Dipylon und an der Hl. Straße durchgeführt. Zu den bedeutendsten Funden dieser Jahre zählen mehrere tausend Ostraka des att. Scherbengerichts. U. Knigge (*1930) leitete von 1974 bis 1995 hauptsächlich Unt. an Privathäusern hinter dem Hl. Tor. Die Erforsch. dieses Bereichs ist noch nicht abgeschlossen [27; 28; 29; 30; 35]. Die Ausgrabungen werden bis zum gegenwärtigen Zeitpunkt fortgesetzt.

C. KERAMEIKOSMUSEUM UND RESTAURIERUNGSMASSNAHMEN

[32] Einige Funde aus den ersten, privaten Unt. im K. befinden sich h. in europ. Mus. [51; 62]. Die Funde aus den Grabungen der Arch. Gesellschaft blieben im Gelände oder gelangten über verschiedene Zwischenstationen (Mus. beim Theseion: [24]; die Kleinfunde aus den Grabungen wurden dem Ministerium und am 23.07.1885 dem Nationalmus. übergeben, die Funde aus den Ausgrabungen von 1890 wurden zuerst im Polytechnion aufgestellt, bevor sie ins Nationalmus. gebracht wurden) schließlich ins Nationalmus. bzw. ins Epigraphische Mus. von Athen [12; 23; 22]. Seit 1863 wurde ein Wächter im Gelände beschäftigt, für den ein Häuschen auf dem Südhügel errichtet wurde, das vorübergehend auch als Mus. diente. Seit 1881 befand sich ein behelfsmäßiges Mus. im K. 1915 existierte ein Museumsraum hinter dem Dipylon ([8]; bis h. das Grabungsmagazin), das vor 1931 durch den Anbau eines Magazingebäudes erweitert wurde. Durch eine Spende G. Oberländers wurde 1936 der Neubau eines Mus. im K. möglich, das nach den Plänen des dt. Architekten H. Johannes (1901–1945) errichtet und im Oktober 1938 anläßlich der 100-Jahrfeier der Arch. Gesellschaft A. eingeweiht wurde. Während des II. Weltkrieges blieb das K.-Mus. als einziges Mus. Griechenlands bis 1943 geöffnet. Das Mus. wurde seit der Nachkriegszeit mehrfach erweitert.

1863 sind erste Restaurierungsarbeiten an den Malereien in den Grabnaiskoi durch den dt. Architekten E. Ziller (1837–1923) belegt. Für die Rekonstruktion der klass. Nekropole wurden urspr. viele originale Grabskulpturen im Gelände belassen oder wieder aufgestellt (z. B. 1884 Wiederaufstellung des Stieres aus dem Bezirk des Dionysios von Kollytos durch den Bildhauer Lazaros Phytalis (1831–1909); Praktika 1884, 23). Um die Denkmäler vor der zunehmenden Umweltbelastung zu schützen, wurde von D. Ohly ein Restaurierungsprogramm begonnen, bei dem die ant. Skulpturen im Gelände durch Abgüsse ersetzt werden. Die Originale werden ins Mus. gebracht. Dieses Programm wird kontinuierlich his h. fortgesetzt.

D. FORSCHUNGSGESCHICHTLICHE BEDEUTUNG DER FUNDE

Durch die Ausgrabungen im K. wurde die Top. der ant. Stadt A. in einem wesentlichen Bereich geklärt [21; 60]: Der Verlauf des Eridanos vor und nach der Kanalisierung unter Themistokles, die Entwicklung der Nekropolen an seinen Ufern und beiderseits der Ausfallstraßen, ferner der Verlauf und die verschiedenen Bauphasen der Stadtmauer [46. 123 ff.] und die Lokalisierung der beiden Stadttore (Hl. Tor und Dipylon; [2]). Das Pompeion wurde identifiziert und seine Baugeschichte geklärt [1; 19]. Die geschlossenen Grabkontexte des K.-Friedhofes stellen die Grundlage für die Erforsch. der att. Keramik der submyk. bis spätröm. Zeit dar. Im K. wurde 1927 sowie 1937/38 der erste und größte bisher bekannte Friedhof der submyk. Zeit (1100–1000 v. Chr.) ausgegraben und von W. Kraiker und K. Kübler publiziert [25. Bd. I und IV]. Das Studium des K.-Materials ist noch h. Voraussetzung für jede weitere Beschäftigung mit dieser Epoche. Dasselbe gilt für die att. geom. Keramik. Der »Dipylonstil« wurde nach einer Gruppe geom. Vasen, die 1873/1874 beim Dipylon gefunden wurden, benannt [52; 5]. Ebenso sind die im K. gefundenen Grabskulpturen ([13; 15; 53; 57; 33; 10]; zum Dipylonkouros, Athen NM 3372: [26; 18; 40. 173 ff.]) Meilensteine in der Entwicklung der archa. und klass. Plastik. Auf der Auswertung der Grabkontexte vom K. basieren die Erforsch. der att. Grabsitten und Forsch. zur ant. Soziologie [63; 35; 43; 44; 4; 3]. Die Funde aus dem Schutt der Zerstörung Athens durch Sulla (86 v. Chr.; Paus. 1,20,4 ff.; Plut. Sulla 14; [64]) lieferten einen chronologischen Anhaltspunkt für die Datierung des Ersten Stils in der röm. Wandmalerei. Schließlich bieten die Ausgrabungen im K. auch Material für die Erforsch. verschiedener Handwerksbetriebe (Töpfer, Gießerei [66]). Die epigraphischen Zeugnisse aus dem K. (Grenzsteine, Grabinschr., Ostraka, Fluchtafeln) sind von Bed. für die Stadtgeschichte A., für die Erforsch. des att. Scherbengerichtes sowie für die Prosopographie A. [48]; die Publikation der umfangreichen Neufunde von Columellen, Trapezai und Ostraka steht bisher noch aus.

Stele des Lysanias im Kerameikos

Grabstele des Archäologen
H. G. Lolling (1848–1894).
Erster Friedhof von Athen

Grabstele des Archäologen
W. Reichel (1858–1900).
Erster Friedhof von Athen

Grabbezirk der Potamier
im Kerameikos

Grabsäule im ersten Friedhof
von Athen

E. REZEPTION DER DENKMÄLER

Die Entdeckung des klass. Friedhofs entlang der Gräberstraße mit den Grabskulpturen regte die Gestaltung mod. Grabdenkmäler an. Die Rezeption einzelner Denkmäler wurde gefördert durch die Veröffentlichungen über den K.-Friedhof. Der it. Bildhauer N. Martinelli bot seit 1875 weltweit Gipsabgüsse griech. Skulpturen, auch nach Originalen vom K. an [38; 39]. Klassizistische Grabdenkmäler auf dem ersten Friedhof von A. kopieren das Palmettenakroter der Stele des Lysanias von Thorikos ([42] – Gräber der Archäologen H. G. Lolling (1848–1894), W. Reichel (1858–1900) und des Botanikers Th. von Heldreich, 1822–1902) oder die Säule vom Grabbezirk der Potamier [32. 134 Abb. 162]. Das verstärkte Auftreten von klassizistischen

Grabstelen auf Friedhöfen in ganz Europa gegen Ende des 19. Jh. muß als Reflex auf die Ausgrabungen im K. angesehen werden. Das Grabungsgelände vor der Ausgrabung wird mehrfach in Stichen gezeigt ([58]; Bleistiftzeichnung des dänischen Künstlers Harald Conrad Stilling (1815–1891) von 1853 in: [47. 21, 162 f., Abb. 188]). Die Ausgrabungen im K. waren Gegenstand der Arbeiten bedeutender Photographen ([20]; eine Serie von Fotografien der Gräberstraße fertigte auch W. Hege an: K.-Archiv des DAI Athen) und inspirierten Maler und Zeichner bis h. (Angelo Giallina, Aquarell von 1891 in: [50], Otto Zaberer, 1863–1945, Aquarell von 1912 in: [31. Abb. 162], Serie von Bildern des Sarantis Karavousis, geb. 1938, in: [41]). Das K.-Gelände wurde als Kulisse für die Verfilmung des Romans *Homo Faber* gewählt.

1 F. ADLER, Aus Kleinasien und Griechenland, in: Arch. Zeitung 32, 1875, 161 f. 2 G. VON ALTEN, Die Thoranlagen bei der Hagia Triada zu Athen, in: MDAI(A) 1878, 28–48 Taf. 3.4 3 J. BERGEMANN, Demos und Thanatos. Unt. zum Wertsystem der Polis im Spiegel der att. Grabreliefs des 4. Jh. v. Chr. und zur Funktion der gleichzeitigen Grabbauten, 1997 4 A. BRÄUNING, Unt. zur Darstellung und Ausstattung des Kriegers im Grabbrauch Griechenlands zw. dem 10. und 8. Jh. v. Chr., 1995 5 M. ΜΠΡΟΥΣΚΑΡΗ, Ἀπό τόν Ἀθηναϊκό Κεραμεικό του 8 ᵒᵘ π. Χ. αιώτα, 1979 6 A. BRÜCKNER, Neue K.-Grabungen, in: AA 1914, 41 ff. 91 ff. 7 Ders., K., in: AA 45, 1930, 90, 102 Abb. 5 8 Ders., Ber. über die K.-Grabung 1914–1915, in: AA34, 1915, 109 f. (Plan: 109) 9 Ders., E. PERNICE, Ein att. Friedhof, in: MDAI(A) 18, 1893, 73–191 Taf. 6–9 10 CH. W. CLAIRMONT, Classical Attic Tombstones, 1993, Suppl.-Bd. 1995 11 R. CLOGG, Gesch. Griechenlands im 19. und 20. Jh. Ein Abriß, 1997 12 M. COLLIGNON, L. COUVE, Catalogue des vases peints du Museé National d'Athènes, 1902 13 A. CONZE, Die att. Grabreliefs Bd. 1–4, Berlin 1893–1922 14 R. DELBRUECK, Über einige Grabhügel bei Agia Triada, in: MDAI(A) 25, 1900, 292 ff. 15 H. DIEPOLDER, Die att. Grabreliefs des 5. und 4. Jhs., 1931 16 E. DODWELL, A Classical and Topographical Tour Through Greece During the Years 1801, 1805, and 1806, London 1819 17 ΕΛΕΥΘΕΡΟΥΔΑΚΗΣ, Εγκυκλοπαιδικόν Λεξικόν, 1931 (Biographien der Griechen) 18 J. FLOREN, Die griech. Plastik, Bd. I. Die geom. und archa. Plastik, 1987, 251 f. Taf. 23, 1 19 W. HOEPFNER, Das Pompeion und seine Nachfolgebauten. K. Ergebnisse der Ausgrabungen X, 1976 20 G. HÜBNER, Bild als Botschaft. Das ant. Erbe A. in fotografischen Zeugnissen des 19. und 20. Jh., in: Fotogesch. Beiträge zur Gesch. und Ästhetik der Fotografie, 29, 1988, 15, Abb. 17 (Aufnahmen von K. und A. Rhomaidis, Athen), 23, Anm. 23, 26 Abb. 27 21 W. JUDEICH, Top. von A. ²1931 (Ndr. 1994) 22 S. KAROUSOU, Arch. Nationalmus. Ant. Skulpturen, 1969, 81 ff. 23 Π. ΚΑΣΤΡΙΩΤΗΣ, Γλυπτά τού Ἐθνικοῦ Μουσειού, Ἀθῆναι, 1908, Nr. 7, 38, 87, 2822, 3372 24 R. KEKULÉ VON STRADONITZ, Die ant. Bildwerke im Theseion zu A., Leipzig 1869, 27 ff. 385 ff. und passim. 25 Kerameikos. Ergebnisse der Ausgrabungen, Bd. I–XIV, 1939 ff. 26 H. KNACKFUSS, K., in: AA 1916, 157 ff. 27 U. KNIGGE, K. Tätigkeitsber. 1975/76, in: AA 1978, 44 ff. 28 Dies., Tätigkeitsber. K. 1977, in: AA 1979, 178 ff. 29 Dies., K. Tätigkeitsber. 1978, in: AA 1980, 256 ff. 30 Dies., K. Tätigkeitsber. 1981, in: AA 1983, 209 ff. 31 Dies., Der K. von A., 1988 32 A. KOKKOY, Ἡ μέριμνα γιά τίς ἀρχαιότητες στήν Ἑλλάδα καί τά πρῶτα μουσεῖα, 1977, 269–273 Abb. 111, 112 33 G. KOKULA, Marmorlutrophoren, 10. Beiheft MDAI(A), 1984 34 ST. KUMANUDIS, Praktika 1876, 13 ff.; 1880, 7 f. 35 D. KURTZ, J. BOARDMAN, Greek Burial Customs, 1971 36 F. LENORMANT, La voie sacreé, Paris 1864 37 R. LULLIES, W. SCHIERING (Hrsg.), Archäologenbildnisse, 1988, passim 38 N. F. MARTINELLI, Catalogo dei getti in gesso di diversi oggetti di scultura greca antica, Athen 1875, 28–30 Nr. 104–115 39 Ders., Catalogue of Casts in Gypsum, taken direct from the Masterpieces of Greek Culture existing in Athens and other Places in Greece … 2, Athen 1881, 22 ff. 40 W. MARTINI, Die archa. Plastik der Griechen, 1990 41 D. MICHALOPOULOS, S. Karavousis, Perpetual Athens, 1996, 144–163 Abb. 23–32 42 H. MÖBIUS, Die Ornamente der griech. Grabstelen klass. und nachklass. Zeit, ²1968, Taf.

22 a 43 I. MORRIS, Burial and Ancient Society. The Rise of the Greek City-State, 1987 44 Ders., Death-Ritual and Social Structure in Classical Antiquity, 1992 45 K. Δ. ΜΥΛΩΝΑS, Ἀι παρά του Διπύλου ατασκαφαί, Praktika 1890, 19–25 46 F. NOACK, Die Mauern A. Ausgrabungen und Unt., in: MDAI(A) 32, 1907, 123 ff. 47 A. PAPANICOLAOU-CHRISTENSEN, Athens 1818–1853. Views of Athens by Danish Artists, 1985 48 W. PEEK, K. Ergebnisse der Ausgrabungen. Bd. 3: Inschr., Ostraka, Fluchtafeln, 1941 49 B. X. ΠΕΤΡΑΚΟF, Ἡ ἐν Ἀθήναις Ἀρχαιολογική Ἐτειρεῖα, (44, 46, 61, 85 f., 111, 199, 344 und Abb. 48), 1987 50 A. TH. PHILADELPHEUS, Monuments of Athens ¹¹1995, 147 51 E. POTTIER, Vases antiques du Louvre, Paris 1897, 22–24 Nr. A 514–A 560 52 F. POULSEN, Die Dipylongräber und die Dipylon-Vasen, 1905 53 G. RICHTER, The Archaic Gravestones of Attica, 1961 54 L. ROSS, Arch. Aufsätze, Bd. I, Leipzig 1855 55 A. SALINAS, I monumenti sepolcrali scoperti nei mesi di maggio, giugno e luglio 1863 presso la chiesa della Santa Trinità in Atene, Turin 1863 56 W. SCHIERING, s. v. K., in: U. HAUSMANN (Hrsg.), Allg. Grundlagen der Arch. (Hdb. der Arch.), 1969, 133 57 B. SCHMALTZ, Griech. Grabreliefs, 1983 58 F. STADEMANN, Panorama von A., München 1841, Taf. 8 59 R. STUPPERICH, Staatsbegräbnis und Privatgrabmal, 1977 60 TRAVLOS, Attika 61 CHR. TSOUNTAS, Praktika 1907, 99 62 H. B. WALTERS, Catalogue of the Greek and Etruscan Vases in the British Museum II, London 1893, 98 Nr. B 130 63 S. WENZ, Stud. zu att. Kriegergräbern, 1913 64 F. WIRTH, Wanddekorationen ersten Stils in A., in: MDAI(A) 56, 1931, 33 f. 65 H. YIAKOUMIS, La Grèce. Voyage photographique et littéraire au XIXᵉ siècle ²1998, 117 66 G. ZIMMER, Giessereieinrichtungen im K., in: AA 1984, 63 ff.

JUTTA STROSZECK

V. NATIONALES ARCHÄOLOGISCHES MUSEUM
A. EINLEITUNG   B. GRÜNDUNG UND ZIEL C. DAS BAUWERK   D. DIE KONZEPTE DER AUSSTELLUNG

A. EINLEITUNG

Das NAM ist das größte arch. Mus. Griechenlands und für das griech. Alt. das bedeutendste Mus. der Welt. In ihm sind eine unschätzbare Zahl von Originalwerken jeder Gattung gesammelt, die zum größten Teil aus Ausgrabungen in allen Gebieten Griechenlands aus der Zeit vom 5. Jt. v. Chr. bis in das 5. Jh. n. Chr. stammen.

B. GRÜNDUNG UND ZIEL

Auf der Grundlage der arch. Gesetzgebung des neugegr. Staates → Griechenland wurde das Mus. 1834 als »Zentrales Mus. für Altertümer« zu jenem Zeitpunkt gegr., als die Hauptstadt von Nauplion nach Athen verlegt wurde. Vorausgegangen war um 1829 die Gründung des Nationalen Arch. Mus. auf → Ägina, dessen Altertümer jetzt mehrheitlich nach Athen gebracht wurden. Erst 1888 wurde das Mus. in Athen in »Nationales Arch. Mus.« umbenannt. Zu seinem Ziel wurde die Versammlung ›der seltensten je entdeckten Altertümer‹, die nach der Bestimmung des angesprochenen Gesetzes ›als Werke der Vorfahren des griech. Volkes und als Eigentum aller Griechen gelten‹, bestimmt. In dem Beschluß spiegelt sich der Einfluß des → Huma-

Abb. 1: Das Archäologische Nationalmuseum (NAM). Ansicht. Zeichnung von L. Lange, 1860

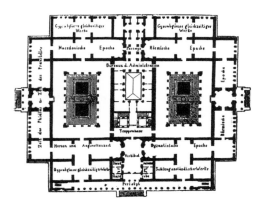

Abb. 2: NAM, Grundriß. Zeichnung von L. Lange, 1860

nismus auf das eben erwachte nationale Bewußtsein wieder; ein Einfluß, der bereits in den letzten J. der türk. Herrschaft die Intellektuellen zu der Suche nach einem wirksamen Schutz der geplünderten ant. Stätten geführt hatte. Der wiss. und didaktische Charakter des NAM wurde 1893 definiert, als per Gesetz über die Einrichtung der Sammlungen und ihre Funktion bestimmt wurde: Es sollte dem Studium und der Lehre der arch. Wiss., der Verbreitung arch. Wissens unter den Griechen sowie der Pflege des Interesses an den Schönen Künsten dienen. Die gesetzlich festgelegte Konzentration der in ganz Griechenland entdeckten Altertümer und die zwar seit 1834 vorgesehene, aber aus Kostengründen um viele Jahrzehnte verschobene Gründung provinzialer Mus. hatten zur Folge, daß sich das NAM zu

einem Zentrum mit einzigartiger Bed. für das Studium der Geschichte der ant. Kunst und des ant. Lebens entwickelte. Nach 1910 wurde die Sammlung von Altertümern hauptsächlich auf Funde aus Attika beschränkt, nach dem II. Weltkrieg kam dann die Sammeltätigkeit mit der Entwicklung der provinzialen Mus. zum Erliegen. Die Bereicherung der Museumsbestände des NAM hängt nunmehr allein von Schenkungen und Ankäufen ab. Die Auffassung, daß arch. Kunstwerke keine Luxusartikel sind, die nur für eine kleine Gruppe von Fachleuten von Interesse sind, sondern auch für weite Kreise des Volkes, wurde nach der Wiedereröffnung des während des II. Weltkriegs geschlossenen NAM zum ideologischen Fundament; dabei spielte auch die Überzeugung eine Rolle, daß das Mus. als soziale Einrichtung nationale Bildung und Kunsterziehung für die Jugend bieten könne [3; 6. 27–56, 201].

C. DAS BAUWERK

Mit der Planung und Standortzuweisung des NAM wurden international renommierte Architekten beauftragt, die zu jenem Zeitpunkt ohnehin mit der städteplanerischen Organisation Athens und der Errichtung der öffentlichen Bauten beschäftigt waren. Die ersten Pläne legte 1836 Leo von Klenze vor, in denen er dem NAM zunächst einen Platz auf der Akropolis, später dann auf dem Kerameikos zuwies. 1859 schlug Theophil Hansen die Errichtung des Mus. zur Linken der Univ. vor, um dann 1887 in Ablehnung des nun schon im Bau befindlichen NAM wieder auf Pläne für den Südhang der Akropolis zurückzukommen. Im J. 1860, nach der Ablehnung aller 14 Entwürfe des 1858 ausgeschriebenen Architekturwettbewerbs durch eine Kommission der Münchener Akad., legte eines der Mitglie-

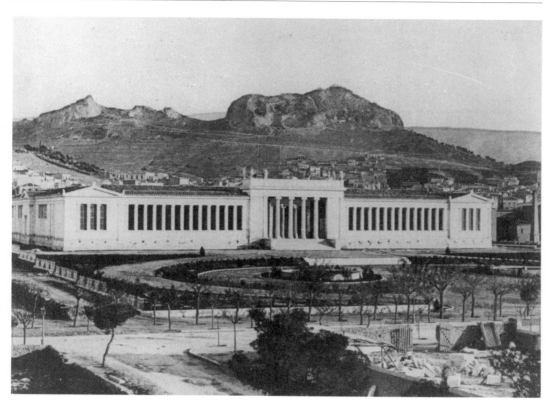

Abb. 3: Das NAM. Gestaltung der Ansicht nach E. Ziller, 1889

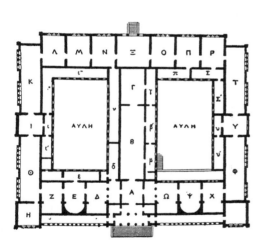

Abb. 4: Das NAM. Gestaltung des Grundrisses
nach E. Ziller, 1889

der eben dieser Kommission, Ludwig Lange, Pläne vor, in denen er als Ort für den Museumsbau den Kerameikos vorschlug (Abb. 1 und 2). Um 1866 begann man nach den Plänen von Lange mit der Errichtung des Mus., ermöglicht durch die Überlassung des Grund-stücks von Frau Eleni Tositsa an der Patision-Straße und eine Geldspende von Dimitrios Bernardakis (1856) – nicht ohne Einwände von seiten der Fachleute und der Bevölkerung. Langes Entwürfe wurden allerdings durch den Architekten Panagis Kalkos aus Kostengrün-den verändert; die vorgesehene Säulenreihe der Fassade wurde gestrichen. Die Gestaltung der Fassade in der h. sichtbaren neoklass. Form geht auf Ernst Ziller zurück, der 1887–88 die Fertigstellung des NAM mit weiteren Planänderungen im Inneren, v. a. im Zentralflügel, übernahm (Abb. 3 und 4). Das Innere des Bauwerks blieb bis auf die Mosaikböden und die von G. Kawerau entworfene Ausmalung in den Räumen der myk. und ägypt. Sammlung undekoriert. Die Bauausstattung wurde mit Geldzuwendungen der Arch. Gesellschaft und des Staates vervollständigt. Eine erste Erweiterung erfolgte 1903–06 mit drei aufeinanderfolgenden Räu-men in der Mitte des Ostflügels nach den Plänen von Anastasios Metaxas (Abb. 5). 1932 wurde an der östl. Seite unter Einschränkung des Gartens eine neue zwei-stöckige Erweiterung beschlossen, die die Ausstellung-fläche verdreifachte. Die zugehörigen Pläne im neoklassizistischen Stil stammen von Georgios Nomi-kos. Nach dem II. Weltkrieg veränderte der Architekt Patroklos Karadinos parallel zu den notwendig gewor-denen Reparaturen und zur Einrichtung der unterirdi-

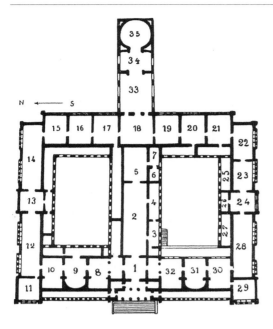

Abb. 5: Das NAM. Grundriß nach Anfügung des östlichen Flügels. Zeichnung A. Metaxas, 1903–1906

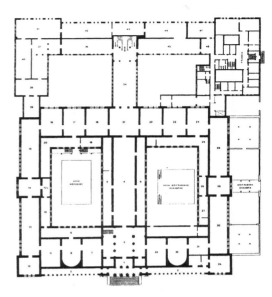

Abb. 6: Das NAM. Grundriß des Erdgeschosses nach den Ergänzungen von G. Nomikos und P. Karadinos (Archiv NAM)

schen Magazinräume unter dem alten Bau den Vorraum des Eingangs zu seiner heutigen Gestalt und plante darüber hinaus den Anbau im Südflügel der Räumlichkeiten des Epigraphischen Mus. (Abb. 6). In dieser baulichen Gestalt wird das NAM nun als erhaltenswertes Denkmal anerkannt [3; 6. 201–246, 250–258].

D. Die Konzepte der Ausstellung

Bereits seit der Grundsteinlegung werden im Hof des NAM Antiken aufbewahrt. Eine erste Ausstellung wurde im Westflügel eingerichtet, nachdem dieser 1874 vollendet war. Sie wurde allerdings von der Presse und den Fachleute kritisiert [3; 6. 246–250]. A. Milchhöfer beschreibt in seiner Schrift *Die Museen Athens* (1881) noch auf dem Boden liegende Antiken. 1885 begann der Generaldirektor Panagiotis Kavvadias mit der Organisation der sich laufend weiter ansammelnden Altertümer in dem erst teilweise vollendeten Gebäude. 1893 wurde das NAM fertiggestellt und der Öffentlichkeit übergeben. Die Aufstellung nach Kunstgattungen in ihrer chronologischen Entwicklung beinhaltete eine ägypt. Sammlung und zwei Säle mit byz. Altertümern. Die beiden letzteren wurden später ausgelagert. In Übereinstimmung mit der Geisteshaltung und Ästhetik ihrer Zeit eingerichtet, gelangte die Ausstellung zu wiss. Ansehen, allerdings vermittelte die Anordnung der Objekte mit ihrer Orientierung an den Wandflächen der Säle eine eher dekorative Disposition [3; 4; 8]. Die ständige Erweiterung der Sammlungen und die Einbeziehung jedes wichtigen ant. Gegenstandes beeinträchtigte im Laufe der folgenden J. die anfängliche Gestalt der Ausstellung und verlieh dem NAM eher den Charakter eines Depots (Abb. 7 und 8).

Die Vorbereitung zu einer Neuaufstellung 1939/40 wurde durch den Ausbruch des II. Weltkrieges unterbrochen, der dann auch die vollständige Räumung des NAM und das Verbergen sämtlicher Antiken notwendig machte. Als 1945 das Gebäude, das während der dt. Besatzung von verschiedenen öffentlichen Instanzen genutzt worden war, wieder seinem urspr. Zweck überantwortet wurde, waren langjährige Arbeiten zur Wiederherstellung und Modernisierung des Baus sowie zum Entpacken der Kisten, der Identifizierung und der Restaurierung der unter den Fußböden vergrabenen Antiken notwendig. Aus einem pädagogischen Anliegen heraus organisierten die verantwortlichen Leiter des NAM, Semni und Christos Karousos, bereits 1947 eine vorläufige Ausstellung in den Räumlichkeiten des neuen östl. Flügels mit den repräsentativsten Werken der Sammlungen (Abb. 9 und 10). Diese Ausstellung war in Auffassung und Erscheinungsbild richtungsweisend hinsichtlich der neuen musealen Epoche, die in der Nachkriegszeit in ganz Europa begann [3; 7]. Die endgültige Wiedereinrichtung des nachkriegszeitlichen NAM ist mit der Arbeit des Ehepaares Karousos verbunden und nahm ein ganzes Jahrzehnt (1954–1964) in Anspruch. Die Aufstellung bewahrte die histor. Abfolge nach Kunstgattungen, versuchte jedoch den didaktischen Charakter mit der Präsentation jedes Kunstwerkes, der ästhetischen Einrichtung der Exponate im Raum, zu verbinden. Grundsätzlich bestand die Überzeugung, daß in einer Zeit, in der das Bildwerk selbst zu Lasten des human. Bildungsanspruchs im Vordergrund stand, das Hervorheben des künstlerischen Wertes jeden

Abb. 7: Der Saal der Grabreliefs.
Aufstellung P. Kavvadias, 1883 (Archiv NAM)

Abb. 8: Der Saal der archaischen Bildwerke.
Aufstellung P. Kavvadias, 1883 (Archiv NAM)

Abb. 9: Die vorläufige Aufstellung, 1947
(Archiv NAM)

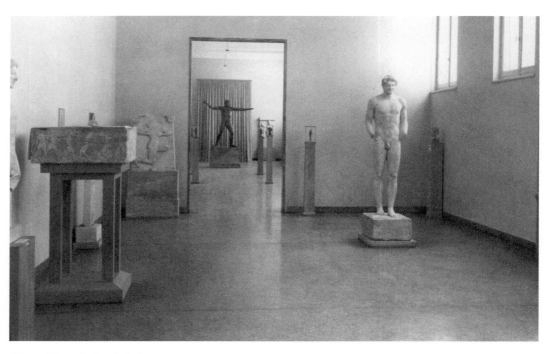

Abb. 10: Die vorläufige Aufstellung, 1947
(Archiv NAM)

Kunstwerkes Verständnis und Deutung der Werke fördere [1; 2; 3; 5; 6]. Das Aufstellungskonzept wandte sich an den umsichtig aufmerksamen Besucher und nicht an die h. vielfach üblichen eiligen »Kultur-Konsumenten«. Nach 35 J. führten nun die mod. Auffassung und die museumsbezogenen Sachzwänge zur Inangriffnahme einer neuen Erweiterung des NAM und Reorganisation seiner Ausstellungen.

1 B. ANDREAE, Die Ausstellung der archa. Sculpturen im Nationalmus. A., FS G. v. Osten (o.J.), 257–266 2 XP. ΚΑΡΟΥΖΟΣ, Αρχαία Τέχνη, in: Ομιλίες-Μελέτες, 1972, 137–141 3 S. KARUSU, Ath. Nationalmus. Ant. Skulpturen. Beschreibender Kat., 1969, I–XXVIII 4 Dies., Η νέα Έκθεση των Ελληνικών Αγγείων στο »Αυστριακό Μουσείο« της Βιέννης, in: Νέα Εστία 21 (242), 1937, 122–128 5 Dies. Η νέα αίθουσα του Εηνικού Μθσειου, in: Νέα Εστία 59 (695), 1956, 849–855 6 A. KOKKOY, Η Μέριμνα για τις αρχαιότητες στην Ελλάδα πρώτα Μουσεία, 1977, 27–56; 61–67 7 E. LANGLOTZ, The National Mus. at A. Its new Arrangement, in: Archaelology 7 (3), 1954, 160–163 8 S. REINACH, Chronique d'Orient, in: RA 1893, 237.

EOS ZERVOUDAKI

VI. SONSTIGE MUSEEN
s. Griechenland/Museen

Atlantis   A. DER PLATONISCHE MYTHOS
B. NACHWIRKEN

A. DER PLATONISCHE MYTHOS   1. NAME

Die Insel A. (Ἀ. νῆσος) wird in Platons *Timaios* eingeführt (Tim. 24e–25d) und im *Kritias*-Fragment beschrieben (Kritias 113b–121c). Eine davon unabhängige Trad. ist nicht nachgewiesen [4]. Den Namen leitet Platon von Atlas' Nachfahren ab (Kritias 114a). Das ist etym. korrekt. A. gehört zum Atlas bzw. zu τλῆναι = »er/tragen«. Analoga bilden die A. Μαίη (Hes. theog. 938), die A. *thálassa* (Hdt. 1,202,4) und das Volk der Atlantes (Hdt. 4,184,3–4). A. läßt sich aber auch als ›die große/namenlose Insel‹ aus dem Ägypt. herleiten [16; 8].

2. EINFÜHRUNGS-SZENARIO

Das Vorspiel zum *Timaios* Platons beginnt mit Sokrates' Wunsch, eine Stadt nach dem Ideal des Platonischen Staats in der Bewährung des Krieges zu sehen (Tim. 17a–20c). Der Staatsmann Kritias erinnert sich dazu einer Erzählung, nach der 9000 Jahre vor Solon ein urzeitliches Athen existierte, das dieses Ideal verkörperte und eine Invasion aus A. zurückschlug (Tim. 20d ff.). Dieses A. lag außerhalb der Säulen des Herakles und war größer als Asien und Libyen zusammen (Tim. 24e). Kritias' Bericht will kein erdichteter Mythos sein, sondern ein wahrer Logos (Tim. 26e). Kritias referiert zunächst eine Erzählung seines gleichnamigen Großvaters (Tim. 21e–25d), der von Solon erfuhr, was Priester zu Sais in 8000 Jahre alten Schriften lasen (Tim. 23e). Später aber beruft sich Kritias auf Aufzeichnungen, angeblich eine Übers. des äygpt. Berichts durch Solon (Kritias 113a-b). Die ägypt. Herkunft des Logos dürfte dessen Fiktiona-

lität signalisieren (vgl. Phaidr. 275b), zugleich aber auf die Benutzung ägypt. Mythologeme deuten [8]. Ägypt. wird auch zum Paradigma für den Platonischen Staat. Denn dort sollen sich noch viele Einrichtungen finden, die einst die Göttin Athene-Neith zunächst die Urathener und dann die Ägypter gelehrt hatte (Tim. 21e; 24a-d). Nach Ansicht des hell. Exegeten Krantor reagierte Platon damit auf Spötter, die ihm vorwarfen, seine *Politeia* stelle lediglich eine Imitation altägypt. Einrichtungen dar (Proklos, In Timaeum 24 a-b p. 76 DIEHL) [4]. Das dürfte sich auf Isokrates' Schrift *Busiris* beziehen [5. 183 ff., 208 ff.].

3. UNTERGANGS-SZENARIO

In späterer Zeit sollen A. und das Heer der Urathener innerhalb eines Tages versunken sein (Tim. 25c-d), als Opfer der dritten weltweiten Zerstörung vor der Deukalionischen Flut (Kritias 112a). Solche Katastrophen treten periodisch auf und vernichten alle Kultur. Nur im geschützten Niltal konnte sich die Kunde von der Vorzeit bewahren (Tim. 22c–23c). Platon liebt die Idee zyklischer Weltkatastrophen (polit. 269c–274d; leg. 3,677a ff.). Konkret scheint er auf die Zerstörung der Stadt Helike und ihres Poseidontempels 373/2 v. Chr. anzuspielen [7]. Spekulativ bleibt die These, daß Platon wie auch Pindar (fr. 38 BOWRA) eine Reminiszenz an die bronzezeitliche Thera-Katastrophe verarbeitet hätten [15. 86 ff.].

4. NATUR UND ZIVILISATION VON ATLANTIS

A. fasziniert durch das Nebeneinander von üppiger Natur und extremer Zivilisation. An Wasser, Holz und Edelmetallen, Früchten und Duftstoffen herrscht Überfluß. Die Tierwelt ist reich und exotisch. Es gibt sogar Elephanten (Kritias 114d–115b). Das Fruchtland ist exakt parzelliert und durch ein Netz von Kanälen versorgt (Kritias 118c-e). Streng geom. Formen prägen auch das Bild der Metropole. Konzentrische Ringe von Land und Wasser umschließen die Akropolis. Dort schmückt ein zentrales Heiligtum den Hügel, auf dem Poseidon und Kleito das Königsgeschlecht von A. zeugten (Kritias 113d–114c; 116c). Daneben erhebt sich ein kolossaler Poseidontempel. Er ist mit Gold, Silber und Bergerz verkleidet und von goldenen Weihestatuen umgeben. Das Kultbild zeigt den Gott auf einem Wagen, den sechs geflügelte Rosse ziehen und hundert Nereiden auf Delphinen reitend umringen (Kritias 116d-e). Vier Ringmauern, verkleidet mit Gold, Bergerz, Zinn und Kupfer, fassen das zentrale Heiligtum, die Akropolis sowie die innere und die äußere Wohnstadt ein (Kritias 116a-c). Vom Zentrum in Richtung Peripherie sind die Wohnstätten der Herrschaft, ihrer Wächter, der Krieger und der Bürgerschaft verteilt. Überdachte Kanaldurchstiche, mit buntem Stein verkleidete Brücken und Häuser, kalte und warme Becken und Sportanlagen für Menschen, Rosse und Zugtiere geben der Metropole Glanz (Kritias 115d–116b; 117a-c). Ein großer Handelshafen, der äußerste von drei Häfen, signalisiert die rege Außenwirtschaft (Kritias 117d-e).

5. Macht und Dekadenz von Atlantis

Die Macht war von dem Gott Poseidon auf zehn Könige verteilt worden (Kritias 114a-c). Atlas' Nachfahren regierten die Hauptstadt. Sie geboten über 10000 Streitwagen, 60000 leichte Gespanne, je 120000 Hopliten, Bogenschützen und Schleuderer sowie 240000 Mann Besatzung für 1200 Schiffe (Kritias 119a-b). Dazu kommt das Heerwesen der neun anderen Könige (Kritias 119b). A. Herrschaft erstreckte sich nämlich über viele weitere Inseln im riesigen Ozean und über Teile eines gewaltigen Festlands, das diesen umschließt (Tim. 24e–25a). Im Mittelmeer reichte A.' Macht bis Tyrrhenien und Ägypt. (Tim. 25b; Kritias 114c). Seine weitere Expansion scheiterte am Widerstand Urathens (Tim. 25b-c). Das Debakel sollte A.' Hybris strafen (Tim. 24e; Kritias 120e; 121 c). Lange hatten A.' Könige ihre einträchtige Herrschaft zu wahren gewußt. Ein archa. Stieropfer führte sie in einem Poseidonheiligtum auf der Inselmitte zusammen, wo sie mit Eiden die väterlichen Satzungen beschworen, die auf einer Stele aus Bergerz eingraviert waren (Kritias 119c–120d) [10]. Mit dem Schwinden des göttl. Erbteils im Geschlecht der Atlasnachfahren verdarben diese. Während sie äußerlich als schön und glücklich erschienen, waren die Herren von A. innerlich bereits von Begier nach unrechtem Besitz und nach Macht erfüllt (Kritias 121a-c).

In diesem Bild von A. spiegelt sich das Perserreich, denkt man sich dieses auf einen imaginären Westen projiziert. Urathens Verdienst erinnert an die Taten bei Marathon und Salamis. Dazu paßt die legendäre Zahl von 1200 feindlichen Kriegsschiffen. Die polychromen Ringmauern von A. zitieren Herodots Bild von Ekbatana, dem Archetypus einer despotischen Stadt (Hdt. 1,98). A. läßt sich somit partiell als ›ideisierter Orient‹ interpretieren [6. 214ff.]. In A.' Tempeln, Häfen und Werften, seinen Mauern und seinem überdimensionierten Kriegswesen lassen sich aber zugleich Züge dessen finden, was nach Platons Überzeugung aus Athen nach den Perserkriegen geworden ist: eine hybride Seemacht, deren äußerem Glanz keine innere Stärke mehr entsprach. So bildet A. auch ein Mahnmal für den Verfall, den die Athener im Peloponnesischen Krieg mitmachten [19. 222ff.; 2].

B. Nachwirken

1. Antike

Die A.-Erzählung rief zunächst rein lit. Reaktionen hervor. Theopomp parodierte sie in seiner Erzählung vom Lande Meropis auf dem wahren Festland jenseits des (Atlantischen) Ozeans und dem Heerzug der zehn Mio. Krieger von Machimos (FGrH 115 F 75c = Ail. var. 3,18). Euhemeros wiederum gab seiner utopischen Insel Panchaia (Diod. 5,41–46; 6,1) Züge, die an Urathen wie an A. erinnern [1. 191ff.]. Indes stellte sich der Naturkunde die Frage, ob A. lediglich als ein *plásma* und sein Untergang nur als ein dichterischer Kunstgriff anzusehen seien oder ob es sich nicht empfehle, von seiner tatsächlichen Existenz auszugehen (Poseidonios bei Strab. 2,3,6). Ob die Geschichte solcher Zweifel bis

Aristoteles zurückreicht (erschlossen aus dem Vergleich von Strab. 2,3,6 und 13,1,36), ist unsicher. Plinius jedenfalls läßt noch Zweifel an der Existenz von A. erkennen (nat. 2,92,205). Plutarch läßt die Qualifikation Logos oder Mythos offen, geht aber von der äygpt. Provenienz der Geschichte aus (Plut. Solon 31). Spätere Autoren nutzen A. ohne Vorbehalt als geologisches oder histor. Paradigma (Tert. apol. 40,4; Amm. 17,7,13; Arnob. adv. gentes 1,5) [14. 194f.]. Doch noch im 6. Jh. hielt Kosmas Indikopleustes den fiktionalen Charakter der A.-Erzählung fest (Topographia Christiana 12 p. 452c-p. 453b; p. 456c-d Migne). Ihm ging es um die Überzeugung, daß Timaios seinen Bericht an der at. Sintflutgeschichte ausgerichtet und die Katastrophe in den Westen transferiert habe [18. 9].

2. Frühe Neuzeit

Der Mythos von A. hatte im MA ›unauffällig überlebt‹ [20. 72]. Seine Faszination als → Utopie stellte sich auch mit der Ren. nicht sofort ein. Thomas Morus erklärte seine *Utopia* zur Rivalin der *Civitas Platonica* [12] und nahm am Musterbild eines disziplinierten Modellstaats Maß und nicht etwa an A. [9]. Die auf Taprobane (Ceylon) angesiedelte *Città del Sole* des Tommaso Campanella, die mit ihren sieben konzentrischen Ringmauern, der Lage der Gebäude und des großen Tempels zunächst an A. erinnert [9. 117ff.], zeichnet sich durch eine strikte Regelung auch intimster Lebensbereiche aus und läßt damit eher an Platons *Nomoi* denken als an das überbordende Leben auf A. Erst Francis Bacon machte mit seiner optimistischen Sicht auf das Vermögen der Mod., das bewunderte zivilisatorische Vorbild der Alten noch zu übertreffen, Nova A. zu einem expliziten utopischen Projekt: Auf der (fiktiven) Insel Bensalem in der Südsee lenkt christl.-salomonische Weisheit eine experimentierfreudige und wissensdurstige Gelehrtenzunft. Bacon griff – nicht ohne Ironie – die Trad. über das alte A. auf, in der sich Märchenhaftes mit Wahrem mische. A. habe vormals dort bestanden, wo Amerika liegt. Eine Sintflut habe seine hybride Macht bis auf die heutigen Nachkommen der wenigen Überlebenden vernichtet [9. 188ff.].

Bacon zollte mit seiner Lokalisierung von A. einer Mode Tribut. Vom 16. Jh. weg hatte sich eine Vielzahl von Varianten der geogr.-geologischen A.-Spekulation ausgeformt. Die Reste des versunkenen Kontinents wurden zunächst in Gefolgschaft des platonischen Textes in diversen Inseln des Atlantischen Ozeans, dann auch in Amerika, Afrika und selbst in der Südsee entdeckt [13. 361ff.]. Damit ließ sich auch der Anspruch span. Conquista-Politik rechtfertigen [20. 77ff.]. Bald aber ging es um mehr. In A. erschien der Ursprung der Zivilisation schlechthin. Deren Spuren wurden nun als kulturelles Erbe an den unterschiedlichsten Orten entdeckt, förderten nationale Mythen und stimulierten Großmachtambitionen. So erhob Olaus Rudbeck gegen Ende des 17. Jh. die Gothen Schwedens zu Nachfahren der Atlanter und verknüpfte A. mit Upsala [18. 18ff.; 20. 81ff.]. Als Wiege der Kultur konnte A.

aber auch wieder in weite Ferne projiziert werden, ohne daß damit die Verbindung zum Ort des Betrachters abriß. In der Ära der Französischen Revolution wurde – durch Jean-Sylvain Bailly – selbst Sibirien als Ursprungsland der Kultur schlechthin entdeckt und mit der Trad. von A. verknüpft [18. 28 f.]. Solche Spekulationen gaben aktuellen kulturell-ideologischen Bedürfnissen eine ps.-histor. Normativität und bargen eine folgenschwere weltanschauliche Tendenz: Die jüd.-biblische Schöpfungs- und Geschichtstradition sollte einer ps.-ant. Trad. weichen [18; 20].

19. UND 20. JAHRHUNDERT

Mit der Verwissenschaftlichung histor.-antiquarischer Forsch. trennten sich die Wege derjenigen, die A. nur mehr in einer Welt der Gedanken lokalisierten, vom Mainstream der A.-Begeisterung. Die *Dissertation de l'Atlantide* des Thomas Henri Martin (1841) markiert einen Meilenstein auf diesem Wege und erhob die A.-Suche zugleich zu einem Objekt der Forsch. [13]. Sie wurde in jüngerer Zeit v. a. durch Aspekte der Rezeptions-Forsch., der Ideologiekritik und der Auseinandersetzung mit dem Phänomen trivialer Popularisierung des A.-Stoffs bereichert. Diese Meta-Forsch. über A. hat viel zu tun. Die Suche nach den kulturellen Spuren von A. hatte sich im späten 19. Jh. etwa auch der Maya-Tradition bemächtigt und – durch Le Plongeon – mit der Phantasiegeschichte vom Lande Mu und in der Folge mit Spekulationen über ein im Pazifik versunkenes Lemuria vermengt – ein Thema, das in okkultistischen Kreisen beliebt wurde [17. 34 ff.; 3. 136 ff.]. Als traditionsreich erwies sich auch der Anspruch, geologisches Ps.-Wissen über A. fruchtbar zu machen. Große Popularität fand dabei Ignatius Donelly, der das Erbe von A. in zahlreichen alten Hochkulturen entdecken wollte, wobei ihm der Einfluß der indoeurop.-arischen Völkerschaften ausschlaggebend war [17. 36 ff.]. Auf einer analogen rassistischen Basis fußen Spekulationen nationalsozialistischer Kreise. Alfred Rosenberg etwa ließ im *Mythus des 20. Jh.* die Wellen »nordischen Blutes«, die er als ein mutmaßliches Erbe von A. ansah, so weit strömen, daß selbst Jesus zum Arier in semitischer Umgebung wurde. Derartige Spekulationen wurden durch NS-Institutionen auch gezielt instrumentalisiert [20. 91 f.; 3. 140 ff.]. Die ab den 50er J. durch Jürgen Spanuth populär gemachte Entdeckung von A. bei Helgoland wurzelt noch in »nordischer« Begeisterung, setzte aber den Akzent vor allem auf die Verknüpfung von A.-Katastrophe und Seevölkerwanderung der späten Bronzezeit [3. 157 ff.; 20. 92]. Diese Verbindungslinie beherrscht auch jene Trad., die A. Untergang – angeregt durch die nationalpatriotische Spekulation von Spyridon Marinatos – in die ägäische Bronzezeit versetzt und mit der Thera-Katastrophe verknüpft [20. 90 f.; 17. 41 ff.]. Auch die von Eberhard Zangger bemühte Verbindung von A. und Homers Troja sucht das Vorbild für Platons Erzählung in der Geschichte der ägäischen Spätbronzezeit [11]. Noch weiter zeitlich herab hatte die Entdeckerfreude seinerzeit Adolf Schulten geführt,

als er die legendäre Stadt Tartessos als Vorbild für Platons A. postulierte und sie an der Mündung des Guadalquivir finden wollte [3. 172 ff.].

Von dieser Richtung einer zunehmend verwissenschaftlichenden Spekulation läßt sich nach dem II. Weltkrieg eine Strömung abgrenzen, bei der die Beschäftigung mit der A.-Katastrophe als Reflex auf Krisen der Mod. erscheint. Da wird A. in den 50er J. bei Otto Muck zum Monument einer kosmisch-planetarischen Katastrophe (angeblich vom 5. Juni des Jahres 8498 v. Chr.), deren Schreckensszenario das Bild atomarer Zerstörung und katastrophaler Giftgas-Wirkung evoziert. Angst vor einem drohenden Verfall der Werte durch »artfremde« Kultureinflüsse konnte in der Spätzeit des Wirtschaftswunders und der Ära des Kalten Krieges ebenso zur mahnenden Beschwörung von A. bewegen wie in den 80er Jahren die Angst vor der ökologischen Selbstzerstörung der Menschheit [2]. Dagegen spiegelt sich der histor. Eklektizismus der Postmoderne im Projekt von Léon Krier, ein neues A. auf Teneriffa zu bauen, das der Rettung unseres Planeten durch human. Geist dienen soll. A. ist auch als utopisches Projekt im Sinne von Francis Bacon noch lebendig.

→ Mythos

1 R. BICHLER, Zur histor. Beurteilung der griech. Staatsutopie, in: Grazer Beiträge 11, 1984, 179–206 2 Ders., Die Position von A. in der Gesch. der Utopie, in: G. POCHAT, B. WAGNER (Hrsg.), Utopie. Gesellschaftsformen – Künstlerträume, 1996 (= Kunsthistor. Jb. Graz 26), 32–44 3 B. BRENTJES, A. Gesch. einer Utopie, 1993 4 A. CAMERON, Crantor and Posidonius on A., in: CQ 3, 1983, 81–91 5 CH. EUCKEN, Isokrates. Seine Position in der Auseinandersetzung mit den zeitgenössischen Philosophen, 1983 6 P. FRIEDLÄNDER, Platon I, ³1964 7 A. GIOVANNINI, Peut-on démythifier l'Atlantide?, in: MH 1985, 151–156 8 J. G. GRIFFITHS, A. and Egypt, in: Historia 34, 1985, 3–28 9 K. J. HEINISCH (Hrsg.), Der utopische Staat. Morus: Utopia. Campanella: Sonnenstaat. Bacon: Nova A., 1960 10 H. HERTER, Das Königsritual der A., in: RhM 109, 1966, 236–259 11 M. KORFMANN, Troia und A., in: Ant. Welt H. 4, Jg. 1992, 299 12 B. KYTZLER, Zur neu-lat. Utopie, in: W. VOSSKAMP (Hrsg.), Utopieforsch. Interdisziplinäre Stud. zur neuzeitlichen Utopie II, 1982, 197–209 13 TH. H. MARTIN, Dissertation sur l'Atlantide, in: Études sur le Timée de Platon, Bd. I, Paris 1841, 257–332 14 J. M. ROSS, Is there any Truth in A.?, in: The Durham Univ. Jour. 69/2, 1977, 189–199 15 F. SCHACHERMEYR, Die myk. Zeit und die Gesittung auf Thera (= Die ägäische Frühzeit II), 1976 16 W. SCHENKEL, A.: die »namenlose« Insel, in: Göttinger Miszellen 36, 1979, 57–60 17 W. H. STIEBING JR., Ancient Astronauts, Cosmic Collisions and Other Popular Theories About Man's Past, 1984 18 P. VIDAL-NAQUET, Hérodote et l'Atlantide: entre les Grecs et les Juifs, in: Quaderni di Storia 16, 1982, 3–76 19 Ders., Athen und A. Struktur und Bed. eines platonischen Mythos (frz. 1964), in: Der Schwarze Jäger, 1989, 216–232 20 Ders., A. und die Nationen, in: Athen. Sparta. A., 1993, 61–94.   REINHOLD BICHLER

Atomistik A. Einleitung B. Mittelalter
C. Wiederentdeckung in der Renaissance
D. Weltanschauliche Auseiandersetzung
E. Rezeption in Physik und Chemie

A. Einleitung

Der kühne Entwurf Demokrits einer Atomtheorie, die von Epikur modifiziert aufgenommen und von Lukrez ausführlich dargestellt worden war, konnte sich in der Ant. nicht durchsetzen. Zwar finden sich Spuren einer Weiterführung des A. bei einigen hell. Ärzten (Erasistratos, Asklepiades) und Technikern (Philon von Byz., Heron) [7], doch wurde die Lehre von den Atomen durch den überwältigenden Einfluß des Aristoteles, der Stoa und später des Christentums weitgehend verdrängt [8]. Dabei richtete sich die Kritik (etwa Cic. nat. deor. 2,93; Lact. div. inst. 3,17; Aug. contr. Acad. 3,23; civ. 8,5) weniger gegen eine atomare Materievorstellung als vielmehr gegen die mit ihr verbundene materialistische Weltanschauung, in welcher keine *providentia* (»Vorsehung«) Platz hatte und die somit dem Atheismus nahe schien.

B. Mittelalter

Neben diesen kritischen Urteilen bei vielgelesenen Autoren waren im MA nur zwei knappe, neutralere Abrisse der Atomlehre in zwei verbreiteten Sammelwerken zugänglich, in den *Etymologiae* des Isidor von Sevilla (13,2, um 600 n.Chr.) und im byz. Lexikon *Suda* (s.v. ἄτομα, um 1000 n.Chr.). Der bereits in der Ant. wenig verbreitete Lukrez war verschollen. Daher blieb die Atomlehre im MA in der westl. Welt, bis auf wenige Spuren etwa bei Wilhelm von Conches (ca. 1080–1154) [6], weitgehend vergessen. Das Wort »Atom« selbst hatte jede physikalische Bed. verloren und bezeichnete die kleinste Zeiteinheit (C. Du Cange, Glossarium mediae et infimae Latinitatis 1,462). Im arab. Bereich fand die Atomlehre bes. in der Kosmologie der sog. Mu'taziliten des 8.–10.Jh. erhebliches Interesse, sie wurde später aber auch hier weitgehend zurückgedrängt [2].

C. Wiederentdeckung
in der Renaissance

Die Geschichte der Rezeption des A. beginnt mit der Auffindung einer Lukrezhandschrift durch Poggio im Jahre 1417 [9], die großes Aufsehen erregte und sogleich mehrfach abgeschrieben wurde. Bereits 1473 erschien Lukrez als einer der ersten lat. Autoren im Druck; zusammen mit der 1470 edierten lat. Übers. des Diogenes Laertius lagen somit zu E. des 15.Jh. die wichtigsten Quellentexte zur A. einem weiteren Publikum vor. Eine der ältesten Belegstellen für die Wiederverwendung des Begriffes »Atom« im physikalischen Sinn findet sich in der Folge in einem um 1500 verfaßten Traktat des Leonardo da Vinci, der von ›minutissimi e insensibili attimi‹ der Luft spricht (Cod. Leicester fol. 4r). Die erste eingehendere Bezugnahme auf die ant. Atomlehre, bei welcher unter Berufung auf Demokrit, Epikur und Lukrez die ant. Korpuskulartheorie zur Erklärung stofflicher Vorgänge herangezogen wird, findet

sich beim it. Arzt Girolamo Fracastoro (de sympathia et antipathia rerum, cap. 5, 1545).

D. Weltanschauliche Auseinandersetzung

Nach diesen ersten mehr punktuellen Rückgriffen auf ant. atomistische Materievorstellungen trat in der Folgezeit eine grundsätzlichere Auseinandersetzung in den Vordergrund, bei welcher die A. mit ihren weltanschaulichen Implikationen dem aristotelischen, weitgehend von der Kirche gestützten Weltbild gegenüberstand. Die Kühnheit, Aristoteles kritisiert und, unter Berufung auf Lukrez, die Atomlehre propagiert zu haben (etwa de triplici minimo 1,9,1 ff.), büßte Giordano Bruno 1600 mit dem Tod auf dem Scheiterhaufen. Vorsichtiger waren Francis Bacon (1561–1626) [3] und Pierre Gassendi (1592–1655), die nur Elemente des A. übernahmen, dessen weltanschauliche Tendenzen (Materialismus, Zufallsprinzip) aber ablehnten.

E. Rezeption in Physik und Chemie

Außerhalb der Naturphilos. spielt die Rezeption des A. vor allem im Bereich der → Physik eine bedeutende Rolle. Schon Galilei hatte in den *Discorsi* (Leiden 1638) zugunsten des A. Stellung bezogen (1. Tag, 8,85 f., Edizione nazionale). Das Verdienst, die Lehre von den Atomen ins Zentrum der Betrachtung gestellt und durch eigene Beobachtungen über den Stand der Ant. hinausgeführt zu haben, kommt dem dt. Arzt und Chemiker Daniel Sennert (1572–1637) zu. In seiner Schrift *De consensu ac dissensu chymicorum cum Galenicis et Peripateticis* (Wittenberg 1619) und im *Hypomnema physicum* (Wittenberg 1636) widerlegte er die aristotelische Transmutationslehre und trat für die Atomlehre ein, die geeigneter schien, physikalisch-chemische Vorgänge (etwa Stoffverflüchtigungen und -konzentrationen) zu erklären (Hypomnema 3,1 de atomis). Ähnlich argumentierte J. Jungius in seinen *Praelectiones physicae* (um 1630). Ihren Höhepunkt fand die Auseinandersetzung mit Aristoteles in der programmatischen Schrift des Joh. Chrys. Magnien, *Democritus reviviscens* (Pavia 1646), in welcher eine erste Größenberechnung des Atoms vorgeführt wurde (Disputatio 2,3). Mit Newton, der sich in der 23. Propositio seiner *Philosophiae naturalis principia mathematica* (London 1687) zur atomaren Materieauffassung bekannte, und J. Dalton, der sich in seiner am 27. Januar 1810 gehaltenen epochemachenden Vorlesung auf diese 23. Propositio berief, war der Anschluß zur neuzeitlichen Atomphysik hergestellt.

→ AWI Atomismus; Demokritos; Lucretius
→ Epikureismus; Naturwissenschaften

QU 1 A. Stückelberger, Ant. Atomphysik, (Texte, Übers., Komm.), 1979

LIT 2 A. Dhanani, The Physical Theory of Kalām. Atoms, Space, and Void in Basrian Mu'tazilī Cosmology, 1994
3 B. Gemelli, Aspetti dell'atomismo classico nella filosofia di Fr. Bacon e nel seicento, 1996 4 K. Lasswitz, Gesch. der A. vom MA bis Newton, Ndr. 1963 5 A.G.M. van Melsen, s.v. Atomtheorie, HWdPh 1, 1971, 606–611
6 B. Papst, Atomtheorien des lat. MA, 1994
7 A. Stückelberger, Vestigia Democritea. Die Rezeption

der Lehre von den Atomen in der ant. Naturwiss. und Medizin, 1984 **8** Ders., Die A. in röm. Zeit, in: ANRW II 36.4, 2561–80 **9** Ders., Lucretius reviviscens, Von der ant. zur neuzeitlichen Atomphysik, in: Archiv für Kulturgesch. 54, 1972, 1–25.   ALFRED STÜCKELBERGER

Aufklärung

A. AUFKLÄRUNG ALS EUROPÄISCHE BEWEGUNG
B. AUFKLÄRUNG UND REZEPTION DER ANTIKE
C. EINZELNE GRUNDIDEEN UND PRINZIPIEN

A. AUFKLÄRUNG ALS EUROPÄISCHE BEWEGUNG

Das dt. Wort »A.« hat als Metapher [33] Äquivalente in den meisten europ. Sprachen; im Engl. ist »enlightenment« üblich geworden, im Frz. »lumières«, im It. »illuminismo«, im Span. »ilustración«, im Niederländischen »verlichting«. Allerdings sind nur in Frankreich und Deutschland die Bezeichnungen »A.« und »lumières« bei den Zeitgenossen gebräuchlich gewesen. Die Formulierungen in den anderen Sprachen sind spätere Übersetzungen. Den Beginn der A. markiert in Frankreich die → Querelle des Anciens et des Modernes, die mit C. Perraults Gedicht *Le Siècle de Louis XIV* (1687) und den vier Büchern *Parallèle des Anciens et des Modernes* (Paris 1688, 1690, 1692, 1697) einsetzte, in England die »Glorious Revolution« von 1688 mit der *Bill of Rights* von 1689, der *Toleration Act* von 1689 und der *Epistola de tolerantia* von J. Locke (Gouda 1689), in Deutschland mit der Wirksamkeit von Chr. Thomasius um 1690; das Ende setzte die Französische Revolution von 1789, mit der die A. im polit. Raum Europas wirksam wurde, nachdem sie bereits 1776 in Amerika durch die Unabhängigkeitserklärung die polit. Wirklichkeit bestimmt hatte.

Innerhalb der A. sind drei Phasen zu unterscheiden: 1. Phase (Frühaufklärung, Rationalismus): J. Locke (1632–1704); P. Bayle (1647–1706); Chr. Thomasius (1655–1728); B. Le Bovier de Fontenelle (1657–1757), Chr. Wolff (1679–1754); C. de Montesquieu (1689–1755) v. a. mit *De l'esprit des lois* (Genf 1748); Voltaire (1694–1778). 2. Phase (v. a. Empirismus, Sensualismus): J. J. Bodmer (1698–1783); J. Chr. Gottsched (1700–1766); J. J. Breitinger (1701–1776); G. L. L. Buffon (1707–1788); D. Hume (1711–1776); J.-J. Rousseau (1712–1778); D. Diderot (1713–1784) v. a. mit der seit 1751 – zusammen mit d'Alembert – herausgegebenen *Encyclopédie*; A. G. Baumgarten (1714–1762); É. B. Abbé de Condillac (1715–1780); J. le Rond d'Alembert (1717–1783), M. Mendelssohn (1729–1786). 3. Phase (Spätaufklärung): P. H. T. d' Holbach (1723–1789); G. E. Lessing (1729–1781); I. Kant (1724–1804); A. R. J. Turgot (1727–1781) v. a. mit den *Discours sur les progrès successifs de l'esprit humain* von 1751–53 (Paris 1808); Chr. M. Wieland (1733–1813); A. de Condorcet (1743–1794) u. a. mit *Esquisse d'un tableau historique des progrès de l'esprit humain* (Paris 1795). Die A. war als kulturgeschichtliche Bewegung ein gesamteurop. Phänomen [11; 27; 13], das ziemlich ge-

nau das 18. Jh. ausfüllte. Sie war zwar v. a. auf England, → Frankreich und → Deutschland konzentriert, erreichte aber auch Nordamerika (Amerikanische Unabhängigkeitserklärung von 1776) sowie Süd- und Osteuropa. Da sie zur dominanten Bewegung des 18. Jh. wurde, gilt dieses Jh. mit Recht als das Jh. oder Zeitalter der A. Mögen die Ideen der A. auch die Signatur jenes Jh. bestimmt haben, so gab es doch eine Reihe von kulturellen Strömungen, die in polarer Distanz zur A. standen oder zu deren Widersacher wurden, so das → Rokoko, spätbarocke Trad. in der Musik, Kunst und Architektur, dann auch – in Deutschland – → Klassik, Frühromantik, Idealismus und → Neuhumanismus, schließlich auch rel., pseudorel. und antirationalistisch-emotionalistische Bewegungen wie der Pietismus, der Okkultismus, der Sturm und Drang sowie die Empfindsamkeit, sofern einzelne von diesen nicht – wie der Sturm und Drang und die Empfindsamkeit – als emotionalistische Unterströmungen bzw. radikalisierte Spielarten der A. zu begreifen sind.

B. AUFKLÄRUNG UND REZEPTION DER ANTIKE

Die A. hat als Philos. kein geschlossenes System aufgebaut, sondern ein Ensemble von Ideen [23; 14; 19] entwickelt, die in den einzelnen Phasen und Ländern durchaus unterschiedlich sein konnten; trotzdem hatten die Vertreter der A. das Bewußtsein von der Einheit ihrer Bewegung, weil allen der Glaube an die Vernunft als eines fundierenden Prinzips zur Entwicklung und Vervollkommnung des Individuums, der Gesellschaft, des Staates und der Menschheit gemeinsam war. Dieser Vernunftoptimismus hatte ein Jh. lang eine starke mobilisierende Wirkung. Er war nicht aus Schwäche, sondern aus Stärke systemfeindlich; er war dezidiert eklektisch [16] und knüpfte damit an ein Verfahren an, dem sich Philosophen der frühen Kaiserzeit wie Seneca und Plutarch verschrieben hatten: ›Wahre A. ist eklektisch. Sie prüft alles, und das Gute behält sie‹ [28]. Ein Lob der → Eklektik ist der Artikel *Eclectisme* von D. Diderot in der *Encyclopédie*: ›Der Eklektiker ist ein Philosoph, der das Vorurteil, die Überlieferung, alles Althergebrachte, die allg. Zustimmung, die Autorität, ja alles, was die meisten Köpfe unterjocht, mit Füßen tritt und daher wagt, selbständig zu denken, auf die klarsten allg. Prinzipien zurückzugehen, sie zu prüfen und zu erörtern, kein Ding anzuerkennen ohne das Zeugnis seiner Erfahrung und seiner Vernunft, und aus allen Philos., die er rücksichtslos und unvoreingenommen untersucht hat, eine besondere, ihm eigentümliche Hausphilos. zu bilden‹ [1; 5]. Dieser Eklektizismus steuerte auch die Rezeption der Ant. Damit gewannen die Aufklärer ein anderes Verhältnis zur Ant. als ihre Vorgänger aus → Renaissance und → Barock. Während für diese die Autoren und Texte des griech.-röm. Alt. fraglos Vorbildcharakter hatten und rückhaltlos bewundert wurden, setzte die A. ihr grundlegendes Prinzip einer vernunftgemäßen Kritik [17. XI; 29] auch zur Urteilsbildung über Wert und Gültigkeit der Ant. ein [32] und leitete dadurch ihre Relativierung und Historisierung ein. Dabei behielt die Ant. jedoch Vorrang vor anderen Epochen für die Gegenwart, da sie auf dem Wege der A. von allen Epochen am weitesten fortgeschritten war (Voltaire, *Le siècle de Louis XIV*, Berlin 1751; Ders., *Essay sur l'histoire génerale sur le moeurs*, Genf 1756) [24. 356 f.]. Ähnlich räumte J. G. Herder in dem *Journal meiner Reise aus dem Jahre 1769* der griech. Geschichte eine bevorzugte Stellung in der Geschichte der Humanität ein. Die Begründung dieses Vorrangs führte dann v. a. in der dt. Spät-A. zu einer folgenreichen geschichtsphilos. Konstruktion: Der mod. Mensch steht in einem Entwicklungsprozeß, der ihn aus der Zerrissenheit seiner Kräfte in der Gegenwart zu ihrer in der Ant., bes. der griech., gegebenen Ganzheit neu führen wird (J. G. Herder, *Ideen zur Philos. der Geschichte der Menschheit*, Riga 1784–1791; G. E. Lessing, *Die Erziehung des Menschengeschlechts*, Berlin 1780; ähnlich dann F. Schiller, *Über die ästhetische Erziehung des Menschen*, in: *Die Horen*, Tübingen 1795) [2. 316–319]. Obwohl sich also die Aufklärer als Neuerer präsentierten und durch ihre Kritik an der Trad. als Inbegriff von Vorurteilen in der »Querelle« zu den »Modernen« wurden, verwarfen sie jedoch im allg. nicht die Ant., sondern nahmen sie in kritischer Perspektive wahr und setzten sie für die eigene Produktivität ein. Selbst radikal aufklärerische Denker wie D. Diderot und G. E. Lessing argumentierten im Horizont v. a. griech. Modelle. Nicht zuletzt setzten sie dabei häufig provokativ auf die Ant. als ein Gegenbild zu den kirchlichen und gesellschaftlichen »Autoritäten« der Gegenwart. Auf jeden Fall hatte die Kenntnis der Alten stimulierenden Charakter. Das Studium der Ant. vermittelte zwar keine Normen, wohl aber Anregungen: ›Kurz! als Poetische Heuristik wollen wir die Mythologie der Alten studieren, um selbst Erfinder zu werden‹ [12. 444]. Daher lassen sich die meisten aufklärerischen Ideen und Motive auch bis in die Ant. zurückverfolgen. So ist auch die Wirkungsmächtigkeit des auf die Ant. zurückgehenden gattungspoetischen Systems in der aufklärerischen Poetik noch so zwingend, daß neue lit. Formen wie v. a. die Erzählung und der Roman nur zögerlich und notdürftig in das System aufgenommen wurden, wie J. Chr. Gottscheds *Versuch einer Critischen Dichtkunst* von der 1. Auflage (Leipzig 1730) bis zur 4. Auflage (Leipzig 1751) zeigt.

Aber nicht nur die A., sondern auch gleichzeitige antirationalistische Bewegungen blieben im Banne der Ant. Die Rezeption der Ant. ist auf weite Strecken hin immer ambivalent. Daher kann es nicht überraschen, daß Sokrates einmal wegen des unbedingten Einsatzes seiner Vernunft zum »Urvater« aller Aufklärer werden konnte, zum anderen durch sein Bekenntnis zum Nichtwissen von der Gegenaufklärung (Beispiel: J. G. Hamann) vereinnahmt wurde [8].

C. Einzelne Grundideen und Prinzipien

Die Grundideen und Prinzipien der A. übten schnell eine große Suggestivkraft in lebensweltlichen, rel., wiss., lit.-poetischen und künstlerischen Zusammenhängen aus. Das Wort »A.« selbst wurde zum Modewort, dem freilich keine begriffliche Eindeutigkeit zukam. So konnte am Ende der Epoche K. F. Bahrdt [3] formulieren: ›Das Wort A. ist jetzt in dem Munde so vieler Menschen, und wir haben gleichwohl noch nirgends einen Begriff gefunden, der ganz bestimmt und gehörig begrenzt gewesen wäre‹.

Die wichtigsten Grundideen und Prinzipien: 1) Idee der A. Sie ist bestimmt durch das Prinzip der Vernunft. Obwohl die Begriffe der A. und der Vernunft unterschiedlich und widersprüchlich verstanden wurden – ›Aber lassen Sie doch hören, wie vernünftig diese Vernunft‹ – G. E. Lessing, *Minna von Barnhelm* (2,9) –, war doch die Zusammengehörigkeit von A. und Vernunft unbestritten. A. wurde begriffen als richtiger Gebrauch des Verstandes oder der Vernunft [31]. Am bündigsten hat am Ende der A. I. Kant (*Was ist A.?*, Berlinische Monatsschrift 1784) den Begriff A. formuliert: ›A. ist der Ausgang des Menschen aus seiner selbst verschuldeten Unmündigkeit. Unmündigkeit ist das Unvermögen, sich seines Verstandes ohne Leitung eines anderen zu bedienen. Selbstverschuldet ist diese Unmündigkeit, wenn die Ursache derselben nicht am Mangel des Verstandes, sondern der Entschließung und des Mutes liegt, sich seiner ohne Leitung eines andern zu bedienen. *Sapere aude!* Habe den Mut, dich deines eigenen Verstandes zu bedienen! ist also der Wahlspruch der A.‹ [15. 444]. Über die frühneuzeitliche Vernunftphilos. in ihrer Radikalisierung durch Descartes weist der Vernunftbegriff auf die klass. Vernunftphilos. der Griechen zurück, die in der Platonischen Philos. und in der Gestalt des Platonischen Sokrates ihren ersten Höhepunkt erreicht hatte. Die Philosophen der A. machten diesen Platonischen Sokrates daher zu ihrem Ahnherrn, weil er als erster die Geltung von Wissensinhalten und Handlungsvorstellungen allein durch die Vernunft erstrebt und erreicht habe. So wurde das Zeitalter der A. nicht nur allg. als ein »siècle philosophique«, sondern auch als »sokratisches Jh.« bezeichnet [4; 9].

Im einzelnen setzte man den Vernunftbegriff als Strukturprinzip in allen möglichen Bereichen an, seien diese nun lit., künstlerischer, wiss., rel., rechtlicher, sozialer, polit. oder lebenspraktischer Art. Indem man ihn dann auch in der Ant. entdeckte, entstanden vielfältige Rezeptionsmöglichkeiten. Ausdruck dieses Vernunftbegriffs sind weitere Ideen und Prinzipien geworden.

2) Idee einer vernünftigen natürlichen Religion. Sie ist unter der Bezeichnung Deismus zum erstenmal in England entwickelt und Grundlage der Religionsartikel der *Encyclopédie* geworden, von denen die meisten D. Diderot verfaßt hat: ›Der Name Deisten wird v. a. jenen Personen gegeben, ... die ... jede Offenbarung als bloße Fiktion verwerfen und nur an das glauben, was sie aufgrund natürlicher Einsichten erkennen können und woran jede Religion glaubt, nämlich an einen Gott, eine Vorsehung, ein künftiges Leben, Belohnungen und Strafen für die Guten und die Bösen‹ (s. v. Déistes, in: [1. Bd. 4]). Im Unterschied zu England und Frankreich hatte der Deismus in Deutschland nur wenige offene An-

hänger (H. S. Reimarus). Er wurde als Vernunftreligion zum mehr oder weniger expliziten Gegner des Christentums als Offenbarungsreligion und geriet in den Verdacht der Ketzerei, zumindest wurde er als »Freigeisterei« diffamiert. Die Konzeption des Deismus ist im wesentlichen eine selektive Reformulierung der aus mittelplatonischen und stoischen Elementen geprägten Religionsphilos. des Plutarch (um 46–nach 120) [25]. Widersacher einer solchen vernünftigen Religion ist der Aberglaube als Übertreibung der Religion (mit Phänomenen wie z. B. den Riten der Kirche, der Magie, der Astrologie, dem Hexenwahn, dem Gespensterglauben), dessen Erläuterung v. a. an Plutarchs Begriff der δεισιδαιμονία (deisidaimonía) in der Schrift Περὶ δεισιδαιμονίας (Perí deisidaimonías) [25. 411 f.] anknüpft. Wie der griech. Religionsphilosoph den Aberglauben für schlimmer als den Atheismus hielt, so auch D. Diderot in dem Artikel *Superstition* der *Encyclopédie* [1. Bd. 15]: ›Er ist die schrecklichste Plage der Menschheit. Nicht einmal der Atheismus (das sagt alles) zerstört die natürlichen Gefühle, er tastet weder die Gesetze noch die Sitten des Volkes an; aber der Aberglaube ist ein despotischer Tyrann, der es fertigbringt, daß alles seinen Hirngespinsten weicht.‹

Zwar distanzierten sich die Deisten unter den Aufklärern nachdrücklich vom Atheismus, aber dieser hatte sich vielfältig in der aufgeklärten Religionskritik eingenistet. Es war dann P. H. T. d'Holbach, der in seinem Werk *Système de la nature* (Amsterdam 1770) die unterschiedlichen Ansätze zu einem konsequenten materialistischen Atheismus bündelte und ihn durch das Beispiel des ant. Materialismus (Epikur und Lukrez) stützte.

3) Idee vom vernunftgemäßen Wissen als einem empirischen Wissen. Da die Welt nach den Prinzipien der Vernunft geschaffen wurde, kann sie nach den Vorstellungen der A. auch durch eine Wiss. erkannt werden, die auf Empirie und Experiment als Regeln der Vernunft basiert. Wenn auch die Aufklärer mit dieser Einsicht im Namen des Fortschritts zu entschiedenen Parteigängern der Modernen wurden, behielten sie doch einen offenen Blick für die Leistungen der »Alten«, weil diese nach den mod. Regeln gewonnen waren und gegen falsche mod. Verfahren ausgespielt werden konnten: ›Die Alten, über die wir uns in den Wiss. sehr erhaben dünken, weil wir es einfacher und bequemer finden, für uns den Vorrang zu beanspruchen, als sie zu lesen, haben die experimentelle Physik nicht etwa vernachlässigt, wie wir uns gewöhnlich einbilden; sie haben frühzeitig eingesehen, daß die Beobachtung und die Erfahrung das einzige Mittel zur Erkenntnis der Natur waren. Die Werke des Hippokrates würden schon allein ausreichen, zu zeigen, von welchem Geist sich die Philosophen damals leiten ließen. An Stelle jener zumindest lächerlichen, wenn nicht sogar mörderischen Systeme, die von der mod. Medizin hervorgebracht und später verdammt worden sind, findet man bei Hippokrates trefflich beobachtete und miteinander in Einklang gebrachte Tatsachen; man erkennt bei ihm auch ein System von Beobachtungen, das der Heilkunde noch heute zugrunde liegt und ihr voraussichtlich immer zugrunde liegen wird‹ (s. v. Experimentel: [1. Bd. 6]).

4) Idee vom Nutzen des Wissens. Ziel der Wiss. sollte nicht die Theorie, sondern Praxis und Nutzen sein: ›Der Mensch ward zum Thun und nicht zum Vernünfteln erschaffen‹ [20. 155]. Die Philos. ist also nicht Selbstzweck, sondern sie hat Nutzen für das – individuelle, gesellschaftliche und polit. – Leben zu bringen. Mit der Betonung des praktischen Nutzens setzte sich die frühe A. von der Verstandesphilos. ab und begründete damit die Wende von Metaphysik und Theologie zur Anthropologie. In Deutschland war es v. a. Chr. Thomasius, der z. B. in der *Einleitung zur Sittenlehre* (Halle 1692) den Primat des Handelns vor der Erkenntnis vertrat. Dabei sahen bereits die frühen Aufklärer – wie Chr. Thomasius – in dem athenischen Philosophen Sokrates ihren Ahnherrn, weil die Wende von der theoretischen Philos. der Vorsokratiker zur praktischen Philos. eingeleitet hatte. Und sie beriefen sich auf Cicero, der in einer klass. gewordenen Formulierung aus den *Tusculanae disputationes* (5,4,10) festgestellt hatte: ›Socrates ... primus philosophiam devocavit e caelo et in urbibus conlocavit et in domus etiam introduxit et coegit de vita et moribus rebusque bonis et malis quaerere‹ (›Sokrates hat als erster die Philos. vom Himmel herabgerufen, sie in den Städten angesiedelt und in die Häuser eingeführt; außerdem hat er die Menschen veranlaßt, über das Leben, über die Sitten sowie über das Gute und Schlechte zu forschen‹). Während sich die neuen Philosophen in der Methode des Philosophierens mit Sokrates eins fühlten, griffen sie inhaltlich auf die moralischen Lehren Platons [30], Senecas und Plutarchs zurück, die ganz im Sinne der neuen Zeit vernunftorientiert und – wie Seneca und Plutarch – zugleich eklektisch waren, dabei gegen Gelehrsamkeit um ihrer selbst willen polemisierten. Sie ließen nur Wissen gelten, das die *virtus* ›nährte‹ (Seneca, Epistulae morales 88).

Wichtigstes Medium der Vermittlung aufgeklärter Ideen wurden für die Philosophen Bücher und Zeitschriften, dazu auch der Universitätsunterricht. Die Popularisierung war das erklärte Ziel. Ein nicht unbedeutender Faktor bei der Verbreitung der Ideen der A. war die *Encyclopédie*, die seit 1751 erschien. Ihre Publikationsgeschichte zeigt, mit welchen ehrbaren und welchen unehrenhaften Mitteln die A. ihre Ziele verfolgte [6]. Ein neuartiger Typus von Literaten entstand, der im »Untergrund« die Vermittlung zw. der Philos. und den Unruhen auf der Straße betrieb [7]. Unterstützung erhielten die Philosophen von den Vertretern der »schönen Literatur«, denn diese machten sich die Sache der A. vielfältig zu eigen und propagierten unverhüllt aufklärerische Ideen. Und auch die Philosophen selbst wurden zu Dichtern wie Voltaire und D. Diderot. Dichtung wurde programmatisch für die philos. Ungeschulten konzipiert, während sie im Barock eher exklusiven Charakter hatte: ›Die gründliche Sittenlehre ist für den großen Haufen der Menschen viel zu mager und zu trocken. Denn die rechte Schärfe in Vernunfftschlüssen ist nicht für den gemeinen Verstand unstudirter Leute. Die nackte Wahrheit gefällt ihnen nicht: es müssen schon philos. Köpfe seyn, die sich daran vergnügen sollen. Die Historie aber, so angenehm sie selbst den Ungelehrten zu lesen ist, so wenig ist sie ihm erbaulich. Die Poesie hergegen ist so erbaulich, als die Morale, und so angenehm, als die Historie; sie lehret und belustiget, und schicket sich für Gelehrte und Ungelehrte: darunter jene die besondere Geschicklichkeit des Poeten, als eines künstlichen Nachahmers der Natur, bewundern, diese hergegen einen beliebten und lehrrreichen Zeitvertreib in seinen Gedichten finden.‹ [10. 167]. Hinsichtlich des Wirkungsanspruchs berief man sich mit Vorliebe auf die Aussage des Horaz aus seiner *Ars poetica* (333 f.): ›aut prodesse volunt aut delectare poetae / aut simul et iucunda et idonea dicere vitae‹ (›Entweder wollen die Dichter nutzen oder erfreuen oder zugleich Angenehmes und für das Leben Geeignetes sagen‹), wobei freilich meist das *prodesse* bevorzugt wurde oder das *delectare* ein Mittel des *prodesse* wurde. So ist es kein Zufall, daß J.Chr. Gottsched anstelle einer Einleitung mit einer Übers. und Erläuterung der *Ars poetica* seine *Critische Dichtkunst* beginnt.

Mögen auch neue Gattungen zunehmend Bed. erhalten haben, so waren es doch v. a. die alten Gattungen, die im Dienst der A. die Belehrung nach den Regeln der Vernunft zu ihrem zentralen Anliegen machten [2]. In der Praxis wie in der Theorie blieben die ant. Trad. meist manifest. Für die Theorie war die *Critische Dichtkunst* von Gottsched (Leipzig 1730, ⁴1751) der entschiedenste Versuch, die ant. Gattungen nach den Ideen der A. zu beurteilen [2. 70 f.] und sie dadurch für die Gegenwart nutzbar zu halten. Die größten Schwierigkeiten in Theorie und Praxis bereitete die → Tragödie, denn ihre spezifische Aufgabe, Furcht bzw. Schrecken (*phóbos*) und Mitleid bzw. Jammer (*éleos*) hervorzurufen, wie es seit Aristoteles (poet. 1449 b24–27) immer wieder formuliert worden war, stand quer zum vernunftbestimmten Denken der A. [21] und bestimmte die dramentheoretische Diskussion der Zeit. Während z. B. für Gottsched die Affekte Bestandteile zur Förderung des lehrhaften Zweckes der Trag. waren, entwickelte Lessing eine Mitleidsästhetik, durch die das Ziel der Trag. bestimmt wurde: ›Verwandlung der Leidenschaften in tugendhafte Fertigkeiten‹ (Hamburgische Dramaturgie, 78. Stück) [22].

5) Die Idee von Naturrechten. Das Naturrecht als ein Vernunftrecht leitete das Denken der A. Es beeinflußte die amerikanische (1776) und die Französische Revolution (1789) gleichermaßen. V.a. der Gedanke der Freiheit und Gleichheit aller Menschen war das zentrale Element dieses Naturrechts. Als Menschenrechte oder Grundrechte sind diese Naturrechte in die mod. Verfassungstexte eingegangen.

Der philos. Diskurs der A. schloß v. a. an den Neustoizismus (u. a. Pufendorf, *De iure naturae et gentium*, Lund 1672, Frankfurt 1684) an, dadurch auch – direkt oder indirekt – an den ant. Stoizismus [26]. In Deutschland war es v. a. Chr. Thomasius (*Fundamenta juris naturae et gentium*, Halle/Leipzig ⁴1718), der die Lehre vom Naturrecht auch mit polit. Implikation propagierte [18]. Die *Encyclopédie* machte in Frankreich mit den Naturrechten vertraut (namentlich in den Artikeln *Droit naturel*, *Egalité naturelle*, *Esclavage*, alle Bd. 5, *Homme*, *Intolérance*, beide Bd. 8 und *Liberté naturelle*, Bd. 9). Unter dem Eindruck des philos. Diskurses und der engl. Verfassungswirklichkeit (*Bill of Rights*, 1689) bestimmten sie dann die *Virginia Declaration of Rights* (12.6.1776), die ihrerseits zum Vorbild für Bürger- und Menschenrechtskataloge in den USA wurde, und die *Déclaration des droits de l'homme et du citoyen* (26.8.1789) zu Beginn der Französischen Revolution. Während es in der *Virginia Bill of Rights* ›All men are by nature equally free and independent‹ heißt, beginnt die frz. Erklärung (Art. 1): ›Les hommes naissent et demeurent libres et égaux en droits‹. Mit diesen Erklärungen haben die Naturrechte des philos. Diskurses den Status positiven Rechts erhalten.

Diese Menschenrechte sind nicht christl., sondern bes. antik-stoisch und römisch-rechtlich fundiert [5]. Vermittelt sind sie durch den Neustoizismus und durch das röm. Recht der Neuzeit als geltendes Recht. Nach stoischer Anthropologie sind alle Menschen gleich, weil sie an der Weltvernunft Anteil haben; sie sind daher auch alle miteinander verwandt. Am Anfang der Geschichte ist diese Gleichheit verwirklicht gewesen: sie ist Ausdruck des Naturzustandes des Menschen, in dem die Menschen glücklich waren: ›Gemeinsam genoß man die Gaben der Natur: wie eine Mutter sorgte sie für den Schutz aller, sie war Bürgschaft für den sorgenfreien Besitz des gemeinsamen Reichtums. Nenne ich nicht mit Recht das Menschengeschlecht das reichste auf Erden, in dem keine Armut sichtbar ward?‹ (›in commune rerum natura fruebantur: sufficiebat illa ut parens ita tutela omnium, haec erat publicarum opum secura possessio. Quidni ego illud locupletissimum mortalium genus dixerim, in quo pauperem invenire non posses?‹, Seneca, *Epistulae morales* 90,38). Diese Idee vom Naturzustand ist bei J.-J. Rousseau produktiv geworden. Die naturrechtliche Begründung von Freiheit und Gleichheit ist dann vom röm. Recht rezipiert worden (Dig. 1,1,9), so daß in ihm formuliert werden konnte, daß die Sklaverei ›gegen die Natur‹ (›contra naturam‹) sei (Dig. 1,5,4). Positiv heißt es dann Inst. 1,2,2: ›Iure enim naturali ab initio omnes homines liberi nascerentur‹ (›denn nach dem Naturrecht sind von Anfang an alle Menschen frei geboren‹) und Dig. 50,17,32: ›Quod ad ius naturale attinet, omnes homines aequales sunt‹ (›Was das Naturrecht betrifft, sind alle Menschen gleich‹). Das sind genau die Formulierungen, die die frz. Erklärung wählt. Dadurch, daß diese naturrechtlichen Grundsätze das positive Recht bestimmten, erhielt die A. eine außergewöhnliche Bed. für Politik und Gesellschaft und wurde damit ihrem Anspruch auf Praxis gerecht.

→ Philhellenismus; Stoizismus; Superstitio

QU **1** D. Diderot, J. le Rond d'Alembert (Hrsg.), Encyclopédie ou dictionnaire raisonné des sciences, des arts e des métiers, par une société de gens de lettres, 17 Bde., Paris 1751–1772, ²1985 (Übers.: Th. Lücke, Artikel der von Diderot und d'Alembert hrsg. Enzyklopädie, ²1985 in Auswahl)

LIT **2** P.-A. Alt, A., 1996 **3** K. F. Bahrdt, Über A. und die Beförderungsmittel derselben, Leipzig 1789, 3 (Reaktion auf eine Fußnote J. F. Zöllners in der Berlinischen Monatsschrift von 1783: »Was ist A.?«) **4** B. Böhm, Sokrates im 18. Jh. Stud. zum Werdegang des mod. Persönlichkeitsbewußtseins, 1929 **5** H. Cancik, Gleichheit und Freiheit. Die ant. Grundlagen der Menschenrechte (1983), in: Ders. (Hrsg.), Antik – Modern. Beiträge zur röm. und dt. Kulturgesch., 1998, 293–316 **6** R. Darnton, The Business of the Enlightenment, 1979; (dt. Kurzfassung: Glänzende Geschäfte, 1993) **7** Ders., The literary underground of the Old Regime, 1982 (dt.: Literaten im Untergrund, 1985) **8** K. Döring, Sokrates, die Sokratiker und die von ihnen begründeten Trad., 66 Ph² Bd. 2/1, 1998, 172–174 (Grundriß der Gesch. der Philos.) **9** G. Funcke, Einleitung zu: A. In ausgewählten Texten dargestellt, 1963, 10 ff. **10** J. Chr. Gottsched, Versuch einer Critischen Dichtkunst, Leipzig ⁴1751 (Faksimile-Ndr. 1962) **11** N. Hampson, The Enlightenment, 1968 **12** J. G. Herder, Kritische Wälder, in: B. Suphan (Hrsg.), Sämmtliche Werke 1, Berlin 1877 **13** W. Hinck, Europ. A., Bd. 1, 1974 **14** N. Hinske, Die tragenden Grundideen der dt. A. Versuch einer Typologie, in: R. Ciafardone (Hrsg.), Die Philos. der dt. A. Texte und Darstellung. Dt. Bearbeitung von N. Hinske und R. Specht, 1990, 407–458 **15** Ders. (Hrsg.), Was ist A.? Beiträge aus der Berlinischen Monatsschr., ⁴1990 **16** H. Holzhey, Philos. als Eklektik, in: Studia Leibnitiana 15, 1983, 19–29 **17** I. Kant: »Unser Zeitalter ist das eigentliche Zeitalter der Kritik«, in: Ders., Kritik der reinen Vernunft, Riga 1781 (⁵1975) **18** D. Klippel, Polit. Freiheit und Freiheitsrechte im dt. Naturrecht des 18. Jh., 1976 **19** G. Kurz, »Aber lassen Sie doch hören, wie vernünftig diese Vernunft . . .«. Perspektiven der A. in Deutschland, in: A. Maler, A. San Miguel, R. Schwaderer (Hrsg.), Europ. Aspekte der A., 1998, 13–23 **20** G. E. Lessing, Gedanken über die Herrnhuter (1750), in: Ders., Sämtliche Werke, hrsg. von K. Lachmann, F. Muncker, Bd. 14, Leipzig ³1898 **21** M. Luserke, Die Bändigung der wilden Seele. Lit. und Leidenschaft in der A., 1995 **22** Ders. (Hrsg.), Die Aristotelische Katharsis. Dokumente ihrer Deutung im 19. und 20. Jh., 1991 **23** R. Mortier, Varianten der europ. A., in: A. Maler, A. San Miguel, R. Schwaderer (Hrsg.), Europ. Aspekte der A., 1998, 25–36 **24** U. Muhlack, Geschichtswiss. im Humanismus und in der A. Die Vorgeschichte des Historismus, 1991 **25** Nilsson, GGR Bd. 2, 402–413 **26** G. Oestreich, Ant. Geist und mod. Staat bei Justus Lipsius (1547–1606). Der Neustoizismus als polit. Bewegung, 1989 **27** R. Pomeau, L'Europe des Lumières, 1966, ²1982 **28** J. W. Reche, Vermischte Papiere. Für Westphalens Leser. Zur Beförderung wahrer A. und Menschlichkeit Bd. 1, 1780, 188 f. **29** F. Schalk, s. v. A., HWdPh 1, 622 f. **30** J. Schapp, Moral und Recht. Grundzüge einer Philos. des Rechts, 1994 **31** W. Schneiders, Die wahre A. Zum Selbstverständnis der dt. A., 1974 **32** A. Wetterer, Publikumsbezug und Wahrheitsanspruch. Der Widerspruch zw. rhet. Ansatz und philos. Anspruch bei Gottsched und den Schweizern, 1981,

24 f. **33** F. Wolfzettel, Zur Metaphorik der Ren. in der frz. Literaturgeschichtsschreibung der Romantik, in: FS F. Nies, 1994, 101–116. MANFRED LANDFESTER

Augustinismus A. Definition B. Rezeption C. Mittelalter D. Reformation E. Neuzeit F. Gegenwart

A. Definition

Als A. wird die Aufnahme und Umbildung zentraler Grundlehren des Kirchenvaters Augustinus bezeichnet. Da es bis zur Mitte des 13. Jh. keinen ernsthaften theologischen Gegenentwurf gab, könnte man alle theologischen Denker bis zu diesem Zeitpunkt als Augustinisten bezeichnen. Dies gilt bes. von der Gnadenlehre, der theologischen Erkenntnistheorie, der Kirchenlehre und der Mystik. Der A. ist auch nach dem 13. Jh. die wirkmächtigste theologische und philos. Strömung des MA und der Neuzeit und behauptet sich eigenständig neben dem aristotelischen und neuplatonischen Denken. A. im engeren Sinne bezeichnet eine Philos./Theologie, die sich auf drei das gesamte augustinische Werk durchziehende Grundprobleme bezieht: *beatitudo, ratio* und *auctoritas*. Die inhaltliche Diskussion dieser drei Grundprobleme wird durch die in *De doctrina christiana* entwickelte Hermeneutik von Sache und Verweis (*res et signa*) formal bestimmt. Der A., auf diesen drei Problemfeldern und der damit zusammenhängenden Hermeneutik aufbauend, ist deshalb von sehr differenzierter Erscheinung und hat bei den verschiedenen Denkern eine spezifische Ausbildung erfahren. Im weitesten Sinne wird deshalb auch als A. bezeichnet, wenn innerhalb der Anthropologie der Gnade ein Vorrang vor der Natur und dem freien Willen eingeräumt wird.

B. Rezeption

1. Formale Aspekte

Augustinus' Denken ist seines unsystematischen Charakters wegen und aufgrund des immensen Umfangs seines Oeuvres als Ganzes nie rezipiert worden. Bereits kurz nach Augustinus' Tod (430) schreibt Prosper Tiro von Aquitanien um 450 ein *Liber sententiarum ex operibus S. Augustini delibatarum* (CCL 68A, 221–252), einen Überblick über die augustinische Theologie, dem er ein *Liber epigrammatum ex sententiis S. Augustini* (PL 51, 497–532) folgen läßt.

Eugippius stellte vor 550 die umfangreichen im MA stark benutzten *Excerpta ex operibus S. Augustini* (CSEL 9) zusammen. Daneben war das *Aurelii Augustini Milleloquium veritatis* (Brescia 1734) des Bischofs Bartholomäus de Urbino († 1350) das wichtigste Werk im MA, das 15 000 exzerpierte Stellen vermittelte. Diese Florilegientradition hielt sich bis in die Gegenwart, wie F. Moriones' *Enchiridion theologicum S. Augustini* (1961) zeigt. Die großen Gesamtausgaben von J. Amerbach (Basel 1506), Erasmus (Basel 1528/29), der Mauriner (Paris 1679–1700) sowie der Nachdruck der Mauriner-Ausgabe in PL 32–46 (1841/42) förderten die breite Augustin-Rezeption der Neuzeit.

2. Inhaltliche Aspekte

a) Antike. Vier Rezeptionsstränge lassen sich in der Ant. aufweisen: 1) die nicht unwidersprochene Rezeption der augustinischen Gnadenlehre. Im Kampf mit Pelagius und Julian von Eclanum siegte mit kirchlicher Billigung die augustinische Gnadenlehre. Sie wurde auf dem 2. Konzil von Orange 529 sogar sanktioniert. In Lérins, einer Mönchssiedlung bei Marseille und in Hadrumetum (Nordafrika) regte sich Widerstand. Faktisch setzte sich ein abgeschwächter A. (Semipelagianismus) durch. 2) Fulgentius von Ruspe schafft in seiner Schrift *de fide ad Petrum* eine erste, die scholastische *summa* fast vorwegnehmende, systematische Zusammenfassung des A. Er bereitet so die ma. Systembildung vor. 3) V. a. bei Leo dem Gr. und Gregor dem Gr. wird die augustinische Sakramenten- und Kirchenlehre für die westl. Theologie endgültig rezipiert. Im wesentlichen ist die spätere westl. Ekklesiologie über Augustinus nicht hinausgekommen. 4) Im Rezeptionsprozeß der → *artes liberales* von Augustinus zu Boethius, Cassiodor und Isidor von Sevilla bildet Augustinus ein wichtiges Bindeglied, da er in *De doctrina christiana* die christl. Rezeption der ant. Kultur vorbereitet hat.

C. Mittelalter

Der ma. A. war v. a. Präzisierung und Weiterentwicklung der Grundthesen Augustins. Diese Entwicklung war oft eine Reaktion auf verschiedene augustinische Einzelthesen. Die Rezeption Augustins im MA weist zwei Stränge auf: 1) der philos. A. des Hoch-MA wird mit Anselm von Canterbury eingeleitet, der das augustinische Programm von *fides quaerens intellectum* und die augustinische Erkenntnistheorie weiterbildet. Der A. des 13. Jh. ist allerdings eine facettenreiche Bewegung, die sich von den Viktorinern über die Schule von Chartres und Wilhelm von Auvergne bis hin zu Bonaventura zieht. Man kann diesen Rezeptionsvorgang als Herausbildung einer platonisch-christl. Anthropologie charakterisieren. Der stärker theologisch geprägte A. des Spät-MA bereitet über Thomas von Bradwardine, Gregor von Rimini und Wyclif die Abkehr von der Institution und damit die Reformation vor. 2) Der polit. A. kann sich nur bedingt auf Augustins *De civitate Dei* berufen, weil Augustinus selbst eine heilsgeschichtliche Deutung der Geschichte, nicht aber eine polit. Konzeption vorgetragen hat. Aegidius von Rom ist, neben Wyclif und Richard Fitzralph, der Hauptzeuge für diese Konzeption von priesterlicher und königlicher Autorität, die v. a. der päpstlichen Macht mehr Einfluß sichern wollte.

D. Reformation

Die Augustinus-Rezeption Luthers ist durch den A. der Augustinereremiten vorbereitet [7]. Luther hat diesen A. in den Schriften des Gregor von Rimini, Jacobus Perez und Staupitz kennengelernt. Den direkten Zugriff Luthers auf Augustinus kann man an seiner Beschäftigung mit den *Enarrationes in psalmos*, dem Galaterbrief-Komm. und der Schrift *De spiritu et littera* nachweisen [4]. Wenngleich Luther die zentralen Be-griffe seiner Theologie bei Augustinus vorfand, so hat er doch Augustinus ganz im Lichte seines eigenen Paulusverständnisses gelesen. Die unterschiedlichen Augustinusbilder der Reformationszeit (Karlstadt [10], Zwingli, Calvin [19]) sind noch weitgehend unerforscht.

E. Neuzeit

Die neuzeitliche Augustinus-Rezeption geschieht weitgehend auf katholischem Boden. Verschiedene, z. T. überlappende Stränge lassen sich aufweisen. 1) Gegen einen strengen A., der Wert auf die Erbsünden- und Gnadenlehre legte, traten im 16. Jh. die Jesuiten, namentlich Luis de Molina, an. Sie lehren faktisch einen Semipelagianismus, der das menschliche Vermögen und den menschlichen Anteil am Heil betont. 2) Die in ihren Folgen wirksamste Aufnahme Augustinus' geschah in den Niederlanden und Frankreich, als das Buch *Augustinus* des Cornelius Jansen, Bischof von Ypern († 1576) postum veröffentlicht wurde. Es ist der Augustinus des Jansenius, nicht der histor. Augustinus, der das Augustinbild der Neuzeit stark prägte. Namentlich B. Pascal wurde einer der prominentesten Vertreter des A. 3) Die neuzeitliche Augustinusforsch. wurde wesentlich beflügelt durch die von den Maurinern zw. 1679–1700 herausgegebene große Augustin-Edition, auf der alle mod. Ausgaben fußen.

F. Gegenwart

Im 20. Jh. ist Augustinus philos. präsent bei Denkern wie Max Scheler, der den augustinischen Liebesbegriff und dessen Auffassung über Glückseligkeit in seine Wertphilos. einbezog [6]. Grundlegend für die philos. Augustinus-Rezeption ist H. Arendts Werk über den augustinischen Liebesbegriff [2]. Die wohl bedeutendste Augustinus-Aneignung leistete M. Heidegger. Sein Werk *Sein und Zeit* (1927) könnte man als Variation zum augustinischen Zeitbegriff und zu den augustinischen Daseinskategorien der ›Verfallenheit an diese Welt‹ bezeichnen [11].

Mit dem Rückgang des scholastischen Denkens in der katholischen Theologie hat Augustinus wieder stärkeren Einfluß erhalten. Namentlich in der Ekklesiologie und Sakramententheologie ist dieser Einfluß spürbar. Die nach dem *Vaticanum II* deutlicher spürbare »existentielle« Komponente der Theologie mit ihrem Nachdruck auf Erfahrung und Mystik räumt Augustinus wieder großen Raum ein. In der evanglischen Theologie der Gegenwart ist Augustinus aufgrund des reformatorischen Erbes immer präsent. Das Augustinbild dieses Jh. ist wesentlich bestimmt durch die Darstellung A. v. Harnacks, der Augustin als Reformator der christl. Frömmigkeit würdigte und die augustinische Denkweise als die im Christentum einzig berechtigte heraushob [8]. Korrigiert und ergänzt wurde das Bild Harnacks durch Karl Holl [9]. Beide Autoren leiteten eine Phase der intensiven Beschäftigung mit Augustin ein, in der v. a. die Frage der Hellenisierung des christl. Glaubens und die persönliche Bekehrungsproblematik Augustins diskutiert wird.

→ AWI Augustinus

1 C. ANDRESEN, Bibliographia Augustiniana, 1973
2 H. ARENDT, Der Liebesbegriff bei Augustin, 1929 **3** H. X.
ARQUILLIÈRE, L'Augustinisme politique, ²1955
4 D. DEMMER, Lutherus interpres, 1968 **5** W. GEERLINGS,
s. v. Augustin, A., LThK ³1, 1240–1247 **6** J. GROOTEN,
L'Augustinisme de Max Scheler, Augustinus Magister II,
1111–1120 **7** A. HAMEL, Der junge Luther und Augustinus,
2 Bde., 1934/35 **8** A. v. HARNACK, Lehrbuch der
Dogmengesch., 1926 **9** K. HOLL, Augustins innere
Entwicklung: Ges. Aufsätze zur Kirchengesch. III, 1928,
54–116 **10** E. KÄHLER, Karlstadt und Augustin, 1952
11 K. LEHMANN, Christl. Geschichtserfahrung und
ontologische Frage beim jungen Heidegger, in: Philos. Jb.
74, 1966, 126–153 **12** H. OBERMANN, Der Herbst der ma.
Theologie, 1965 **13** J. ORCIBAL, Les Origines du
Jansenisme, 1947 **14** K. POLLMANN, Augustins de doctrina
christiana, 1997 **15** J. RATZINGER, Volk und Haus Gottes in
Augustins Lehre von der Kirche, 1954 **16** Revue des Etudes
Augustiniennes 1 ff., 1954 ff. (fortlaufende Bibliogr.)
17 A. SCHINDLER et al., s. v. Augustin, A. I–IV, TRE 4,
646–723 **18** PH. SELLIER, Pascal et S. Augustin, 1970
19 L. SMITS, Saint Augustin dans l'œuvre de Calvin,
1957/58 **20** D. TRAPP, Augustinian theology of the 14th
century, in: Augustiniana 6, 1965, 146–274.

WILHELM GEERLINGS

Aussprache   I. GRIECHISCH   II. LATEIN

I. GRIECHISCH
A. ERASMUS   B. REUCHLIN, HENNING
C. AUSBLICK

A. ERASMUS

Die Byzantiner dürften das Altgriech. wie das gesprochene Griech. ihrer Zeit ausgesprochen haben, d. h.
in etwa entsprechend der Aussprache des heutigen
Standard-Neu-Griech. (jedoch zumindest lokal bis ins
9./10. Jh. υ, οι = [ü]). Diese mittel-/neu-griech. A. (deren Hauptmerkmale η = [i] – daher Itazismus – sowie ει,
οι, υ, υι = [i], daher auch Iotazismus, αι = [e], αυ = [av,
af], ευ = [ev, ef], β = [v] sind) war bis ins 16. Jh. ausschließlich die Sprache, in der das Altgriech. auch in den
nichtgriech. Gebieten Europas in erster Linie von Griechen gelehrt wurde.

Theoretische Erwägungen bezüglich der urspr.,
richtigen A. des Altgriech. sind sowohl bei byz. Gram-
matikern und Philologen als auch in den frühesten
westl. Gramm. zu finden. Zu einer Darstellung zusammengefaßt wurden diese Einwände gegen die traditionelle neu-griech. Aussprache bereits von dem Spanier
Antonio Nebrija (1444–1522). Weitreichende Bed. sollten die 1528 von Desiderius Erasmus (1466/7–1536) in
seinem *De recta Latini Graecique sermonis pronunciatione
dialogus* (Basel 1528) niedergeschriebenen Bemerkungen über die richtige A. des Griech. erlangen. Auf Erasmus (der selbst der traditionellen neu-griech. A. gefolgt war und stets zw. wiss. Diskussion über die tatsächliche Lautung und der anzuwendenden Schulaussprache
unterschied) bzw. dessen Vorgänger beriefen sich in der
Folge Bemühungen, diese seit langem bekannten theo-

retischen (in erster Linie auf Vergleiche mit griech.
Lehnwörtern im Lat. sowie auf das Argument, die
schriftliche Differenzierung müsse einst auch einer lautlichen entsprochen haben) Vorbehalte gegen die neu-
griech. A. in die Tat umzusetzen und das klass. Griech.
im Unterricht im Sinne einer Annäherung an die tatsächliche Aussprache der klass. Zeit »richtig« auszu-
sprechen, d. h. vor allem β = [b], η = [e:], υ = [y] und
Realisierung der geschriebenen Diphthonge auch in der
A. (αι = [ai], ει = [ei], οι = [oi], υι = [yi]) sowie Beachtung der Vokallängen (im Gegensatz zur rein akzentuierenden neu-griech. A., die die Opposition Kurzvo-
kal : Langvokal nicht kennt).

B. REUCHLIN, HENNING

Diese später als Etazismus bzw. erasmische A. bezeichnete Neuerung verbreitete sich zuerst in kalvinistischen Kreisen und wurde erstmals in England von
John Cheke (1514–1557) und in der Folge in Frankreich, der Westschweiz und den Niederlanden in der
Schule praktisch umgesetzt. Der nicht zuletzt religions-
polit. motivierte (katholische bzw. lutherische) Widerstand dagegen, der sich u. a. auf den dt. Humanisten
Johannes Reuchlin (1455–1522) sowie Philipp Melanchthon (1497–1560) berief, beharrte auf der traditionellen als reuchlinisch bzw. itazistisch bezeichneten
neu-griech. A. Die Diskussion verlief beiderseits mitunter höchst unwiss., wobei praktische Erwägungen wie
leichteres Erlernen der Orthographie nach der erasmischen oder Kommunikationsmöglichkeit mit lebenden
Griechen durch die reuchlinische A. keine geringe Rolle spielten. Ohne die reuchlinische Trad. je vollständig
zu verdrängen, gewann der Erasmianismus aufgrund des
fortschreitenden Verfalls des Griech.-Studiums, welches
sich immer mehr auf das Lesen von Texten in einer
»toten« Sprache beschränkte, während Lat. das gesprochene Kommunikationsmedium war, stetig an Boden;
ein weiterer Grund hierfür war die zunehmende Entfremdung vom zeitgenössischen Griechentum.

Nur dieser Niedergang des Griechischunterrichts
kann die Entwicklung der sich auf Henricus Christianus
Henninius (Henning, 1658–1704) berufenden Reformbewegung erklären, welche die etazistische Aussprache
des Griech. gemäß den lat. Betonungsregeln vertritt
(*anthrópos*, *árete*). Das henninische (sich u. a. auf pädagogische Argumente wie leichteres Erlernen der A. sowie der metrischen Strukturen stützende) Programm
eroberte im 18. Jh. die gelehrte Welt und ist noch h. die
in den Niederlanden und Großbritannien übliche A. des
Griech.

C. AUSBLICK

Trotz eines kraftvollen Wiederauflebens des Reuch-
linianismus im Zuge intensivierter Kontakte des unabhängig gewordenen Griechenland mit dem übrigen Europa (v. a. in Frankreich und Deutschland) verhalf
schließlich der von Deutschland ausgehende → Neuhumanismus mit seiner internationalen Vormachtstellung auf dem Gebiete der klass. Philol. der alterasmi-
schen A. (im Gegensatz zum Henninismus) im 19. Jh.

zum endgültigen Durchbruch. Mit Ausnahme Griechenlands und der henninischen Länder folgt man h. weltweit in der Theorie den Grundsätzen des Erasmus, die in den einzelnen Ländern jedoch mit beträchtlichen Unterschieden und unter weitgehender Mißachtung sprachwiss. Erkenntnisse, was die Lautung des Griech. in klass. Zeit betrifft, in die Praxis umgesetzt werden. Trotz pädagogischer Vorzüge der erasmischen Schul-A. erscheint angesichts ihrer Widersprüchlichkeit die Rückkehr zur neu-griech. A. im Altgriech.-Unterricht im Sinne der Wiedergewinnung einer längst verlorenen Einheitlichkeit einigen Forschern als eine erwägenswerte Alternative.

→ Altsprachlicher Unterricht

1 W. S. ALLEN, Vox Graeca. The Pronunciation of Classical Greek, ³1987, bes. 140–161 2 G. DANEK, S. HAGEL, Homer-Singen, Wiener Human. Blätter 37, 1995, 5–20 3 E. DRERUP, Die Schul-A. des Griech. von der Ren. bis zur Gegenwart. Im Rahmen einer allg. Gesch. des griech. Unterrichts, 1930. MARTIN HINTERBERGER

II. LATEIN
A. SACHLAGE B. ARTEN DER BEZEUGUNG
C. FOLGEN VOLKSSPRACHLICHEN LAUTWANDELS
D. ZWISCHEN WILDWUCHS UND GELEHRTER
ZUCHT E. REGIONALE UNTERSCHIEDE
F. REFORMANSTRENGUNGEN UND DEREN
ERGEBNISSE

A. SACHLAGE
Während bei den Gegenwartssprachen der mündliche Gebrauch im Vordergrund steht und Probleme allenfalls bei deren geordneter Verschriftlichung entstehen, so sind bei einer der Vergangenheit angehörenden Sprache für uns die Schriftzeugnisse das Primäre, die seinerzeitige A. bleibt oft zweifelhaft. Nur schon aus der Orthographie des Engl. oder des Frz. erhellt, wie sehr das Schriftsystem hinter der lautlichen Entwicklung einer Sprache zurückbleiben kann. Abgesehen davon, daß bei traditionsbeladenen Literatursprachen eine (quasi-) lautschriftliche Wiedergabe ohnehin nicht zur Rede steht, wäre die hergebrachte Alphabetschrift hierzu auch viel zu wenig differenziert. Beim ma. und frühneuzeitlichen Lat. ist die – in den einzelnen Zeitabschnitten unterschiedlich akzentuierte – Situation die, daß zwar die Kenntnis der Sprache aus den (ant. und den seither neu produzierten) Schriftzeugnissen je und je neu erstand, daß hieraus jedoch in geschlossenen Gruppen neue Zonen der Mündlichkeit erwuchsen, dies in Klöstern und an Stiftskirchen, an Univ. oder in human. Freundeskreisen.

B. ARTEN DER BEZEUGUNG
Zu einem geringen Teil gab man den eigenen A.-Gewohnheiten in der Schrift unmittelbar Raum, doch zum größeren Teil sind wir zu deren Erhebung auf indirekte Zeugnisse angewiesen: auf umgekehrte Schreibungen, auf das, was aus dem Gebrauch der Wörter in der Dichtung hervorgeht, und auf die Auskünfte, die

sich den Orthographie- und den A.-Traktaten entnehmen lassen. Im folgenden einzelne Beispiele für diese verschiedenen Kategorien: Unmittelbaren Niederschlag von Lautwandel finden wir in celestis für cael- oder cepisse für coep-. Zeugnisse für dieselben Sachverhalte in Form umgekehrter Schreibungen sind aecclesia für eccl- oder foemina für fem-. In metrisch korrekter Hexameterdichtung finden sich am Versschluß etwa mulĭěrem oder philosophía. In Dichtungen mit strenger zweisilbiger Reimung können sich c(a)ecus, decus und m(o)echus [-ekus] entsprechen. In einem A.-Traktat des 11. Jh. aus Frankreich wird th mit c wiedergegeben, was auf spirantische A. [ð] deutet. Nach derselben Quelle gilt, daß r wie auch s zw. zwei Vokalen expresse sonum non habent.

C. FOLGEN VOLKSSPRACHLICHEN LAUTWANDELS
Zunächst, in der Spät-Ant. und im Übergang zum MA, bestimmte das Volkslat. die Entwicklung der A., wobei es zu einer regionalen Ausdifferenzierung und zur Beeinflussung durch die jeweiligen Substrat-, später auch: die Superstratsprachen kam. Von großer Wirkung war der Quantitätenkollaps, demzufolge die hergebrachte Unterscheidung in lange und kurze Vokale sich zwar noch in der Nuancierung von e als [ẹ] bzw. [ę] und von o als [ọ] bzw. [ǫ] äußerte, aber nicht mehr im Sinne einer phonematischen Opposition – etwa lĕgis »du liest« gegenüber lēgis »des Gesetzes« – funktionierte. Umgekehrt bestand und besteht die Tendenz, die den Hauptakzent eines Wortes tragende Silbe zu längen: Dōmini, tēnet. Früh setzte sich die Monophthongierung von ae und von oe als [ę] bzw. [ẹ] durch, die sich als zählebig erwiesen hat. Weitere wichtige Ergebnisse des Lautwandels in der ausgehenden Ant. sind die Assibilierung von vorvokalischem [ti] zunächst (ungefähr) zu [tsi], ferner die Palatalisierung und Assibilierung des k-Lautes vor den Palatalvokalen e und i. Zum Teil trat bei den Gruppen [kt] und [pt] assimilatorische Vereinfachung zu [t] ein.

D. ZWISCHEN WILDWUCHS UND GELEHRTER ZUCHT
Im Zuge der karolingischen Bildungsreform wurde in der Schreibung des Lat. zwar nicht Einheitlichkeit erreicht, doch konnten sich gewisse Standards größerenteils durchsetzen. Im Einflußbereich der Schule, die für diese Traditionssprache entscheidend war, wurde die Ausrichtung der A. nach der Schrift immer wieder erzielt oder blieb doch als Postulat erhalten. Wegen ihres (rezeptiven und produktiven) Interesses für die metrische Dichtung lebten hier vielleicht ein Stück weit die ant. Quantitätenstrukturen in der A. wieder auf.

Nun hatte die Schrift ihre eigenen Konventionen, welche sich in Anomalien oder alternativen Normen äußern: Nicht allen Graphietraditionen darf unterstellt werden, daß sie A.-Gewohnheiten abbilden. Die Sorge der Lateinkundigen galt zunächst mehr der Schrift als der A., und bei letzterer ging es v. a. um die richtige Betonung. In der Schrift können sich Einflüsse der Analogie morphologischen oder lexikalischen Charakters wie auch solche der etym. Spekulation niederschlagen:

Gerade hierbei konnten alternative Schreibungen allg. gebräuchlich werden, so *capud* (wegen *apud*) und umgekehrt *aput* (wegen *caput*). Gewisse Grapheme hatten keinen oder keinen spezifischen Lautwert mehr; das erste trifft für *h*, das zweite für *y* zu. (Hier konnte sich etymologisierende Spekulation in der Schrift festsetzen, so in den Schreibungen *habundare*, *abhominare* oder *ymago*, *ymber* usf.). Die Gemination von *s* braucht nicht in jedem Falle von geschärfter A. zu zeugen: Zumal hinter Schreibungen wie *missi* für *misi* oder *misus* für *missus* kann die Tendenz zur Vereinheitlichung des Flexionsparadigmas stehen.

E. REGIONALE UNTERSCHIEDE

Mit der Herausbildung der einzelnen Volkssprachen Europas – und v. a.: deren Schriftfähigkeit – scheint sich auch die A. des Lat. regional stark differenziert haben. So wurde in Frankreich zw. dem 7. und dem 10. Jh. *u* zu [ü], das Graphem *u* wechselte somit seine Funktion (und seine Benennung). Vor *m* allerdings wurde *u* als [õ] ausgesprochen, und so konnte am E. des MA die frz. A. von *habitaculum* durch die frz. Wortfolge *habit à cul long* veranschaulicht werden. Im Übergang vom Mittel- zum Neuengl. vollzogen sich tiefgreifende Änderungen des Vokalsystems, so die A. von *a* als [ei], von *e* als [ī], von *i* als [ai] und von *u* als [iu], was auch auf das Lat. durchschlug. *c* [ts] vor Palatalvokalen wurde im Altfrz. um 1200 zu [s(s)] vereinfacht, was sich lateinischerseits bisweilen in Schreibungen wie *ratiosinatio* oder *disentes* äußert. Doch auch abgesehen davon, daß sich nicht alle Lautentwicklungen abbilden ließen, kannte man die orthographischen Normen zu gut, als daß man dies in größerem Stile zugelassen hätte. Die Unterschiede der A. dürften die mündliche Kommunikation, beispielsweise im akad. Alltag einer Univ., an welcher sich verschiedene »Nationen« trafen, nicht groß gestört haben.

F. REFORMANSTRENGUNGEN UND DEREN ERGEBNISSE

Wenn manche Humanisten das Bedürfnis empfanden, die A. des Lat. (und des Griech.) zu reformieren, entsprang das weniger einem praktischen Erfordernis als dem Postulat, auch auf diesem Gebiet sich nach der Ant. auszurichten. Zwar wurden große Anstrengungen unternommen – erwähnt seien die Schriften von Antonio de Nebrija (1444–1522?) und Desiderius Erasmus (1469–1536) –, doch sie fruchteten vorerst wenig. Erst im 19./20. Jh. kam es zu stärkeren Impulsen zur Wiedergewinnung einer der ant. Praxis angenäherten A. Wenn nunmehr gewisse hergebrachte A.-Gewohnheiten – etwa die Längung akzenttragender kurzer Silben, die A. von *ce* / *ci* als [tse[/[tsi] in Deutschland bzw. [sse]/[ssi] in Frankreich, von *u* als [ü] ebenfalls in Frankreich usf. – außer Gebrauch gekommen sind, bedeutet dies einesteils den Erfolg von Reformkampagnen, ist aber ein Stück weit auch die Folge dessen, daß der Lateingebrauch sich aus dem Diskurs der Gebildeten zurückgezogen hat. Wohl allenthalben wird *h*. eine reformierte A. vermittelt. Die A. von Cicero als [kikero] gilt weithin als Schibboleth. Andere unrichtige Angewohnheiten jedoch, etwa *laudāretur* und *laudātorem*, gehen allg. unbemerkt durch. Die schmale Stundendotierung des Lateinunterrichts sowie die oft geübte Praxis, vom Blatt zu übersetzen und übersetzen zu lassen, tragen dazu bei, daß die Schulabgänger in manchen Dingen der A. unsicher sind, so in der Betonung proparoxytonischer Wortformen. Neben anderen Unzulänglichkeiten der Lateinkompetenz erscheint dieser Mangel zwar als gering, doch er ist ein äußeres Anzeichen dessen, daß das Lat. nunmehr aufgehört hat, das von Generation zu Generation weiter vermittelte Medium eines echten, lebendigen Diskurses zu sein.

→ Altsprachlicher Unterricht

1 W. S. ALLEN, Vox Latina, 1965 2 CH. BEAULIEUX, Essai sur l'histoire de la prononciation du latin en France, in: Revue des études latines 5, 1927, 68–82 3 M. BONIOLI, La pronuncia del latino nelle scuole dall'antichità al rinascimento, 1962 4 L. LEONE, M. GRECO, La pronunzia del latino dall'antichità ai nostri giorni, 1972 5 J. MAROUZEAU, La prononciation du latin, 1943 6 A. G. RIGG et al., Singing early music: the pronunciation of European languages in the late middle ages and ren., 1996 7 P. STOTZ, Lautlehre, in: Ders., Hdb. zur lat. Sprache des MA, Bd. 3, 1996.   PETER STOTZ

Australien und Neuseeland A. BESIEDLUNG UND POLITISCHE ENTWICKLUNG B. SCHULEN UND UNIVERSITÄTEN C. KULTURELLE INSTITUTIONEN D. KLASSISCHE WISSENSCHAFT E. ANTIPODISCHE KULTUR UND KLASSISCHE ANTIKE

A. BESIEDLUNG UND POLITISCHE ENTWICKLUNG

Im J. 1788 sah sich die britische Regierung wegen der überfüllten Gefängnisse in London und Südengland veranlaßt, strafrechtlich Verurteilte unter mil. Führung in Sydney an der Südostküste Neu-Hollands anzusiedeln. Die ersten freiwilligen Siedler kamen im Jahre 1793. Sehr bald entwickelte sich aus diesen Neuankömmlingen eine Bourgeoisie. Das Proletariat auf dem Land und in der Stadt war sich einer Geltung sicher, wie sie das engl., schottische und irische nie erreichen konnte. Zu freien Siedlungen in Neuseeland kam es seit 1840. Als 1901 die sechs Kolonien von Neu-Holland und Van-Diemen's Land (damals Tasmania) einen Staatenbund anstrebten, entschied sich Neuseeland gegen den Beitritt. Das sog. Australian Commonwealth (Australischer Staatenbund) ernannte den britischen Monarchen zu seinem nominellen Oberhaupt und erklärte sich damit einverstanden, seine Bürger generell – trotz eines beträchtlichen irischen Anteils – mit dem Oberbegriff »britisch« zu etikettieren. Viele der heutigen Bürger sind nicht britischer Herkunft, und die elementare Kultur der Nation hat sich weiter von der Britanniens entfernt als diejenige Neuseelands, auch wenn das nur eine Minderheit der Wortführer unter den Intellektuellen annehmen würde.

B. Schulen und Universitäten

Die wenigen aus der Reihe der ersten Siedler, die für ihre Kinder mehr als eine elementare und strikt praktische Ausbildung erwarteten, schickten sie zurück nach Großbritannien. Die weiterführenden Schulen, die schließlich gegr. wurden, entsprachen entweder dem engl. oder dem schottischen Muster. Dort ermutigte man die Schüler, körperliche Tüchtigkeit höher als geistige Aufgewecktheit zu bewerten. An allen diesen Schulen lehrte man Lat., an den anspruchsvolleren, zumindest in New South Wales und in Victoria, auch ein wenig Griech. Die im Jahre 1850 in Sydney, 1853 in Melbourne, 1869 in Dunedin sowie die in den anderen bevölkerungsreichen Orten gegr. Univ. forderten bis etwa 1945 von den Eingeschriebenen Lateinkenntnisse. Die beiden ersten Rektoren der Univ. Sydney waren anglikanische Geistliche mit klass. Ausbildung. Griech. war ein Pflichtfach in den Geisteswiss. von 1853 bis 1872; Lat. war bis 1933 im Studium kaum zu umgehen, und noch viele J. danach sah sich jeder, der das Fach als Hauptfach studieren wollte, gezwungen, auch das Fach Griech. zu belegen. Andere Univ. stellten weniger hohe Anforderungen. In Sydney gab es ab 1933 Griechischunterricht auf Grundkursniveau, Lateinunterricht auf diesem Niveau um 1980. Um 1983 waren die Vertreter der Fächer Lat. und Griech. jedoch wegen der geringen Anzahl an Studenten, die eine gute Ausbildung hinter sich hatten und ein ernsthaftes Studium anstrebten, so resigniert, daß sie dem Druck nachgaben und Seminare im Bereich der klass. Lit. in Übers. anboten. Kurse in dieser Form waren schon seit einiger Zeit an der 1958 in den Außenbezirken Melbournes gegründeten Univ. Monash gefördert worden. Der erste Philosophieprofessor an der Univ. Sydney schloß in seine Veranstaltungen die Theorien der griech. Philosophen mit ein. An der *School of Law* gab es gleich seit ihrer Gründung im J. 1890 einen Kurs über röm. Recht. 1939 berief der Fachbereich Geschichte einen Dozenten für röm. Geschichte mit der Aufgabenbeschreibung »Geschichte der ant. Welt«, um alles abzudecken, wie es hieß – vom »Urschleim« bis zum Untergang Konstantinopels. Einen Kunsthistoriker, der 1939 den Lehrstuhl in Griech. innehatte, ließ man 1946 einen Fachbereich gründen, der Seminare über die Arch. des Mittleren Ostens, Griechenlands und Roms anbot. Dieser Fachbereich sollte später seine eigenen Ausgrabungen in Griechenland, Zypern und Jordanien durchführen.

C. Kulturelle Institutionen

Die von Univ. und öffentlichen Körperschaften eingerichteten → Bibliotheken in A. und N. sind nach und nach in den Besitz von Buchsammlungen vermögender Privatpersonen gelangt; daher finden sich vereinzelte griech. Papyri oder Codices aus dem MA. Auf der anderen Seite gibt es nirgends eine systematische wiss. Bibl., die die gesamte oder auch nur einen wichtigen Ausschnitt aus der klass. Ant. abdeckt. Gleichermaßen verdankt man die wenigen ant. Kunstgegenstände zum größten Teil der privaten Sammleraktivität reicher Persönlichkeiten, die ihre Sammlungen nach ihrem eigenen (ungeschulten) Geschmack zusammenstellten (z. B. Charles Nicholson, 1808–1903).

D. Klassische Wissenschaft

Die Begründer und Entwickler der klass. Fächer an den »antipodischen« Univ. im letzten Jh. hatten entweder gerade an einer britischen oder irischen Univ. abgeschlossen oder waren nach ihrer Ausbildung direkt in den Schuldienst gegangen. Der einzige, der sich einen Namen als Gelehrter gemacht hatte, war Charles Badham (1813–1884). Vor 1914 setzten eine Reihe Graduierter aus Sydney ihre Studien an dt. Univ. fort. Die meisten Australier und Neuseeländer zogen hingegen, wenn sie die Gelegenheit bekamen, die angesehenen Abschlußexamina in Oxford (»Greats«) oder Cambridge (»Part II of the Classical Tripos«) vor. Die Gelehrteren unter ihnen blieben häufig in Britannien, wie z. B. Ronald Syme (1903–1985), der 1925 von Wellington nach Oxford ging. Einer der wenigen, die nach ihrer Rückkehr in die Heimat einen permanenten Beitrag zu den Wiss. leisteten, war G. P. Shipp (1900–1980), der 1922 von Sydney nach Cambridge ging und 1925 zurückkehrte.

E. Antipodische Kultur und klassische Antike

So gut wie jeder von einem in A. bzw. Neuseeland geborenen und ausgebildeten Vertreter in der Architektur, Kunst oder Lit. hervorgebrachte Gegenstand, der sich einen klass. Anschein gibt, stellt sich nach genauerer Unt. eher als ein Ergebnis der klassizistischen Kultur des 19. Jh. in Großbritannien heraus, als daß er einen direkten Bezugspunkt in der klass. Ant. selbst hätte. Die Gedichte C. J. Brennans (1870–1932) beispielsweise, des einzigen »Antipoden« mit klass. Ausbildung, der sich als Dichter einen Namen gemacht hat, sind als auffallend unklass. zu bezeichnen.

→ Schulwesen; Universität

1 R. G. Tanner, The Classics in Australia, in: Journal of the Royal Australian Historical Society 57, 1971, 310–319 2 H. D. Jocelyn, Australia – New Zealand – Greek and Latin Philology, in: La filologia greca e latina nel secolo XX. Atti del Congresso Internazionale, Roma, Consiglio Nazionale delle Ricerche, 17–21 settembre 1984, 1989, 543–578.   HENRY DAVID JOCELYN/
Ü: SYLVIA ZIMMERMANN

Autobiographie   A. Einleitung   B. Mittelalter   C. Humanismus und Renaissance   D. Darstellungsformen der modernen Autobiographie

A. Einleitung

Die A. gehört nicht zu den traditionellen lit. Gattungen; es gibt für sie kein normatives stilistisches Modell. Die *Confessiones* des Augustinus sind ein Produkt der Spät-Ant. und haben daher nie den Status eines verbindlichen Vorbilds erlangt. Selten wurden sie direkt imitiert; Gegenstand der Nachahmung waren vielmehr einzelne Elemente (Konversionsgeschichte, mystischer Seelenaufstieg, Gedächtnismeditation), die Augustinus seinerseits ant. und frühchristl. Traditionszusammenhängen entnommen hat [3]. Die hybride Verbindung unterschiedlicher Darstellungsmuster in den *Confessiones* und das Fehlen eines normativen Modells haben zur Entstehung einer Vielfalt autobiographischer Formen beigetragen. Der Rechenschaftsbericht der öffentlichen Persönlichkeit (Caesar), das biographische Portrait (Sueton, Plutarch), die stoische Selbstprüfung (Seneca, Marc Aurel) und die philos. *consolatio* (Boethius) bieten in thematischer wie auch formaler Hinsicht weitere Anknüpfungspunkte für die neuzeitliche lit. Selbstdarstellung. Die von Teilen der A.-Forsch. favorisierte enge Definition des Genres, welche die A. auf die rückblickende Prosaerzählung des eigenen Lebens festlegt [7. 14], wird der großen Bandbreite der Darstellungsmuster und ihrer komplexen Rezeptionsgeschichte nicht gerecht.

B. MITTELALTER

Aus dem Zeitraum zw. dem 7. und dem 11. Jh. sind nur wenige A. erh. Sie folgen nicht dem augustinischen Beispiel, sondern orientieren sich an der Hagiographie [8. 310–317]. Erst die verstärkte Beschäftigung mit dem lit. und philos. Erbe der Ant. im Rahmen der sog. → Renaissance des 12. Jh. führt zu einem neuen Interesse an der Problematik der Selbstdarstellung. Die A. des Hoch-MA entstehen vor dem Hintergrund einer aufblühenden Kultur der Innerlichkeit, die sich u. a. in einer vertiefenden Ausgestaltung des Bußsakraments und in innovativen, den Willensentschluß gegenüber der Tat aufwertenden moralphilos. Ansätzen manifestiert [9]. Diese Tendenz zur Subjektivierung der Sünde kennzeichnet die A. des frz. Abts Guibert de Nogent, der als erster ma. Autor seine *Vita* (ca. 1115) konsequent am Vorbild der *Confessiones* ausrichtet, dabei aber zugleich das bei Augustinus gewahrte Gleichgewicht zw. Sündenbekenntnis und Gotteslob zugunsten der *confessio peccatorum* aufhebt und somit die Selbstdarstellung der Privatbeichte annähert [17. 185]. Einen anderen Weg wählt der frühscholastische Theologe Petrus Abaelardus, der mit seiner *Historia calamitatum mearum* (ca. 1132) an die ant. Trad. der *epistolae consolatoriae* anknüpft. Die Form des Trostbriefes ermöglicht es ihm, seiner Leidensgeschichte einen exemplarischen Status zu verleihen und mit der Apologie seines philos. Wirkens zu verbinden. Obgleich das Bild der Persönlichkeit dabei eine für das MA außergewöhnliche Vielschichtigkeit gewinnt, wird es nicht um seiner selbst willen präsentiert. Die Darstellung individuellen Lebens dient der Bestätigung einer vorgegebenen Typik und erfüllt eine didaktisch-erbauliche Funktion [2]. Das gilt auch für die im 13. und 14. Jh. zahlreich in Erscheinung tretenden mystischen Seelengeschichten, unter denen die A. des Dominikanermönchs Heinrich Seuse (1295–1366) hervorragt. Die Mystiker-Viten bieten *exempla* einer methodisch geschulten Seelenzucht, die auf das das Ich übersteigende Gotteserfahrung abzielt.

C. HUMANISMUS UND RENAISSANCE

In der A. des Renaissancezeitalters vollzieht sich die Loslösung des Individuums von rel. sanktionierten Deutungsmodellen. Während Dante im 1. Traktat des *Convivio* die Frage erörtert, ob das Reden über sich selbst überhaupt statthaft sei, und die Selbstdarstellung nochmals dem Zweck erbaulicher Exhortation unterordnet, erkennen die it. Autobiographen des 14. bis 16. Jh. dem Individuum einen Eigenwert zu [4; 16]. Eine differenziertere Darstellung der Persönlichkeit wird möglich, weil die human. Hinwendung zur ant. Kultur der A. – über die von Dante angeführten Vorbilder Augustinus und Boethius hinaus – eine Vielzahl von Darstellungsmustern erschließt. So bedient sich Petrarca in seinem *Secretum* der Form des ciceronianischen → Dialogs; Enea Silvio Piccolomini lehnt sich mit seinen *Commentarii* an den ant. Tatenbericht an; Girolamo Cardano beruft sich in seiner A. auf das Beispiel Marc Aurels; Montaignes essayistische Schreibweise orientiert sich am informellen Reflexionsstil der Briefe Senecas und der *Moralia* Plutarchs. Die Emanzipation von rel. Sinnstiftungsverfahren setzt bei Petrarca ein [13]: Das *Secretum* (= *De secreto conflictu curarum mearum*, 1342) inszeniert die Selbstanalyse in Form eines Zwiegesprächs zw. dem Autobiographen und dem Kirchenvater Augustinus, der als Symbolgestalt der christl. A. auftritt, dem es jedoch nicht gelingt, seinen Dialogpartner zum endgültigen Verzicht auf die weltlichen Güter zu bewegen. Die Konversion findet nicht statt; der Autobiograph verharrt bewußt in der Zerrissenheit seiner irdischen Existenz. Deutlicher noch tritt die säkulare Perspektive in der *Epistola ad posteritatem* (ca. 1370) hervor [6], in der Petrarca – auf das biographische Schema Suetons zurückgreifend – ein Idealbild der human. Lebensform zeichnet. Eine ähnliche, auf die Sicherung des Nachruhms gerichtete Tendenz der Selbststilisierung bestimmt die *Vita* (1558–66) des Bildhauers Benvenuto Cellini, wobei dieser nicht die Gelehrsamkeit, sondern das künstlerische *ingenium* und die der *fortuna* widerstehende *virtù* in den Mittelpunkt seiner Lebensgeschichte stellt. Freilich kontrastiert Cellinis naive Selbstheroisierung mit der reflektierten Haltung Petrarcas; stärker noch hebt sie sich von dem skeptizistischen Menschenbild ab, das Cardanos *De vita propria* (1575–76) und Montaignes *Essais* (publ. 1580–95) zugrundeliegt. Beide tragen der Endlichkeit menschlicher Existenz Rechnung, indem sie jegliche Form der Idealisierung vermeiden. Sie verzichten auf die narrative Herstellung eines kohärenten Lebensbildes; ihre Selbstdarstellungen sind nach topischen Gesichtspunkten geordnet, so daß die von ihnen bejahte Disparatheit des Ichs klar erkennbar wird [1. 113–126, 316–319].

D. DARSTELLUNGSFORMEN DER MODERNEN AUTOBIOGRAPHIE

Im 17. und frühen 18. Jh. verliert die weltliche Selbstdarstellung gegenüber der rel. A. an Bed. Die puritanische Bewegung in England und der dt. Pietismus fördern die Herausbildung einer Kultur der Introspektion, die erneut auf das Beispiel der *Confessiones* zurückgreift. Im Unterschied zur Augustinus-Rezeption der span. Mystikerin Teresa de Jess, die in ihrem *Libro de su Vida* (1562–65) die rückschauende Erzählung mit der meditativen Selbstanalyse verbindet, akzentuieren die protestantischen Autobiographen (John Bunyan, George Fox, August Hermann Francke) den Aspekt der Bekehrung, so daß die narrative Komponente in der A. zur Vorherrschaft gelangt. Die Säkularisierung der protestantischen Seelengeschichte (Adam Bernd, Karl Philipp Moritz) [11. 62–75], die im Aufklärungsdenken dominierende empiristische Psychologie, welche dem Vermögen der Erinnerung konstitutive Bed. für die personale Identität zuerkennt, und die Entwicklung neuer Darstellungstechniken im Roman [10] sind weitere Faktoren, die dem Typus der rückblickenden A. gegen Ende des 18. Jh. zum Durchbruch verhelfen. In J.-J. Rousseaus *Confessions* (publ. 1782–89) laufen alle diese Fäden zusammen. Rousseau, der mit dem Titel seiner Selbstdarstellung direkt auf das Werk seines ant. Vorläufers Bezug nimmt, kehrt das augustinische Schema um: Sein »Bekehrungserlebnis« (die im 8. B. beschriebene Erleuchtung vor Vincennes) markiert nicht die heilsame Intervention göttl. Gnade, sondern den verhängnisvollen Eintritt des Individuums in die entfremdete Daseinsweise des gesellschaftlichen Menschen; seine Kindheit illustriert nicht die von der Erbschuld gezeichnete Schwäche der menschlichen Kreatur, sondern wird erstmals als eigenständiger, persönlichkeitsprägender Lebensabschnitt gewürdigt. Als Kontrafaktur der *Confessiones* inszeniert die A. Rousseaus die Freisetzung des autonomen Subjekts, das sich die augustinischen Gottesprädikate aneignet [5]. Das neue Persönlichkeitsmodell wird in J. W. v. Goethes A. *Dichtung und Wahrheit* (publ. 1811–33) um die Dimension der äußeren Historie bereichert: Goethe sieht die Aufgabe der A. darin, die Entwicklung der Persönlichkeit als Zusammenspiel von individueller Veranlagung und geschichtlicher Situation einsichtig zu machen [15].

Rousseau und Goethe verleihen dem Darstellungstyp der retrospektiv erzählten Lebensgeschichte eine Autorität, die in der reichen autobiographischen Lit. des 19. Jh. (F. R. de Chateaubriand, Stendhal, J. S. Mill, J. Ruskin, Th. Fontane) nicht in Frage gestellt wird. Auch im 20. Jh. findet er weite Verbreitung, gerät aber bei den avancierten Vertretern der lit. Mod. zunehmend unter Druck [12; 14]: Die narrative Vergegenwärtigung vergangenen Lebens wird als Mystifikation entlarvt (A. Gide, J.-P. Sartre), die abgeschlossene Lebensgeschichte durch das fragmentarische Selbstporträt ersetzt, das an essayistische Schreibtraditionen anknüpft (M. Leiris); an die Stelle der totalisierenden Erinnerung tritt die Entzifferung von Spuren und Dokumenten (W. Benjamin); das Ethos der Aufrichtigkeit weicht dem spielerischen Umgang mit Schreibkonventionen (G. Stein, V. Nabokov) und dem bewußten Verwischen der Grenze zw. Wahrheit und Fiktion (A. Robbe-Grillet). Kennzeichnend für die autobiographische Lit. des 20. Jh. ist eine neue Vielfalt der Darstellungsformen.

→ Biographie
→ AWI Autobiographie; Biographie; Konsolationsliteratur

1 M. BEAUJOUR, Miroirs d'encre. Rhétorique de l'autoportrait, 1980 2 E. BIRGE VITZ, Type et individu dans l'»autobiographie« médiévale, in: Poétique 6, 1975, 426–445 3 P. COURCELLE, Les Confessions de saint Augustin dans la tradition littéraire, 1963 4 M. GUGLIELMINETTI, Memoria e scrittura. L'autobiografia da Dante a Cellini, 1977 5 H. R. JAUSS, Gottesprädikate als Identitätsvorgaben in der Augustinischen Trad. der A., in: O. MARQUARD, K. STIERLE (Hrsg.), Identität, 1979, 708–717 6 E. KESSLER, Ant. Trad., histor. Erfahrung und philos. Reflexion in Petrarcas Brief an die Nachwelt, in: A. BUCK (Hrsg.), Biographie und A. in der Ren., 1983, 21–34 7 PH. LEJEUNE, Le pacte autobiographique, 1975 8 G. MISCH, Gesch. der A., II. ii, 1955 9 C. MORRIS, The Discovery of the Individual 1050–1200, 1972 10 K.-D. MÜLLER, A. und Roman. Studien zur lit. A. der Goethezeit, 1976 11 G. NIGGL, Gesch. der dt. A. im 18. Jh., 1977 12 H. R. PICARD, A. im zeitgenössischen Frankreich, 1978 13 T. C. PRICE ZIMMERMANN, Bekenntnis und A. in der frühen Ren., in: G. NIGGL (Hrsg.), Die A., 1989, 343–366 14 M. SCHNEIDER, Die erkaltete Herzensschrift. Der autobiographische Text im 20. Jh., 1986 15 E. SEITZ, Talent und Gesch. Goethe in seiner A., 1996 16 CH. WEIAND, »Libri di famiglia« und A. in It. zw. Tre- und Cinquecento. Stud. zur Entwicklung des Schreibens über sich selbst, 1993 17 M. ZINK, La subjectivité littéraire. Autour du siècle de saint Louis, 1985.

CHRISTIAN MOSER

Automaten s. Technik

B

Baalbek A. Einleitung B. Forschungs-
und Grabungsgeschichte C. Bedeutung
der Grabungen im wissenschaftlichen
und politischen Kontext
D. Denkmalpflegerische Aspekte

A. Einleitung

B., in der fruchtbaren Ebene der Bekaa nordöstl. von
Beirut gelegen, war seit alters her Sitz eines einheimischen Kultes des Baal. Vermutlich begann man bei
Gründung der röm. Veteranenkolonie 16 n. Chr. mit
der Errichtung des Heiligtums, dessen monumentaler
Ausbau bis in das 3. Jh. n. Chr. andauerte. Der alte Kult
lebte bei der Bevölkerung der neuen Kolonie fort. Das
Heiligtum blieb auch unter dem Wandel neuer Kulte in
christl. und byz. Zeit in Benutzung. Im 12. Jh. verwan-
delten die Ayyubiden die Anlage in eine Zitadelle. Seit
dieser Zeit wird die ehemalige Kultstätte von den Einwohnern Qalaa genannt. Die gut erh. Monumentalbauten, von denen der Tempel des Jupiter Heliopolitanus
der größte bekannte Sakralbau der röm. Welt ist, machen B. zu einem vielbesuchten Attraktions- und Erin-
nerungsort. Anläßlich des 100. Jahrestag des Besuchs des
dt. Kaiserpaars, Wilhelm II. und dessen Frau Auguste
Victoria, in B. am 10. November 1898 wurde am 7.
November 1998 das in den Gängen im Untergeschoß
des Altarhofes und dem Südturm der Zitadelle neu errichtete Mus. eröffnet [6].

B. Forschungs- und Grabungsgeschichte

Schon in nach-ant. Zeit fanden die röm. Ruinen von
B. große Beachtung. Die frühesten bekannten schriftlichen Zeugnisse dafür liefern arab. Historiographen
und Geographen in der Zeit vom 10.–14. Jh. In ihren
Schriften rühmen sie v. a. die Schönheit und Monumentalität der Bauten und deren Ausstattung. Ohne
Rücksicht auf den histor. Kontext wurden die Monumente als uralte Gebäude gepriesen. Der 1256 in Damaskus geborene Historiograph Dimashki glaubte gar,
daß die Heiligtümer aus der Zeit des Abraham, Moses
und Salomon stammten [1]. Vom Beginn des 16. Jh. an
wird B. zunehmend von europ. Reisenden besichtigt.
Einer der ersten namentlich bekannten Europäer war
der Ritter Martin Baumgarten, der am 13.1.1508 den
Ort aufgesucht hat [6]. Im Dezember 1647 kam Balt-
hazar de Monconys nach B., wo er erste Ansichten der
Sakralbauten und Wehranlagen zeichnete [9]. Die erste
wiss. Dokumentation der Ruinen von B. lieferte R.
Wood, der 1751 mit seinem Kollegen J. Dawkins detaillierte Zeichnungen der Bauwerke machte [16]. Im frühen 18. Jh. zeichneten L. de Laborde, W. H. Bartlett
und v. a. D. Roberts Veduten der Bauten in B. [11].
Dabei waren aber weniger der wiss. Aspekt als vielmehr
die nostalgisch anmutende Stimmung der Ruinen von
Interesse. Seit der Mitte des 19. Jh. rückten die Monumente in das Blickfeld arch. Unt., wobei v. a. der architektonische Befund im Zentrum der Betrachtung
stand. Wesentliche Entdeckungen in B. machte F. de
Saulcy bei seinem Aufenthalt im März 1851 [13]. Er
erkannte als erster den großen Kirchenbau im Altarhof
des Heiligtums und konnte ihn mit der in dem *Chroni-
kon paschale* (1,561) erwähnten theodosianischen Basilika identifizieren. Die monumentale Podiumsmauer des
Jupiter-Tempels schrieb er einem Vorgängerbau zu. Zudem untersuchte er die Stadtmauer und den Nordhang
des Scheich Abdallah, auf dem urspr. ein Merkur ge-
weihter Tempel stand. Der Aufenthalt des dt. Kaisers
Wilhelm II. am 10./11. November 1898 in B. leitete
eine neue Ära der wiss. Erforschung der Stadt ein. Der
Regent war von den Ruinen so beeindruckt, daß er sich
veranlaßt sah, eine umfangreiche und systematische
Ausgrabung der Bauwerke durchführen zu lassen. Die
Genehmigung für dieses Vorhaben erteilte Sultan Ab-
dul-Hamid II. am 18. November. Vom 27. Dezember
1898 bis 16. Januar 1899 führten die Architekten R.
Koldewey und W. Andrae Vorunt. in B. durch. Um die
Arbeiten vor Ort zu ermöglichen, mußte zuerst Land
erworben werden. Die Ausgrabungen begannen im
September 1900 unter der Leitung von O. Puchstein
und der Mitarbeit von B. Schulz und D. Krencker. In
vierjähriger Arbeit wurden mit Hilfe von 150 Arbeitern
und der Verwendung einer Feldbahn die Bauten des
Heiligtums vom teilweise meterhohen Schutt befreit.
Die Unt. beschränkten sich zuerst auf den Tempel des
Jupiter, aber auch der sog. Bacchustempel, die späteren
Ein- und Umbauten in christl. und islamischer Zeit sowie der »Venustempel« wurden aufgenommen und in
Plänen, Grund- und Aufrissen, Rekonstruktionen und
in zahlreichen Photographien wiss. dokumentiert. Ergänzend dazu fanden Surveys statt, die der Erforschung
des Ortes in röm. Zeit dienten. Zu den untersuchten
Bauwerken gehören die Stadtmauer mit ihren Toren,
das System der Wasserversorgung sowie die außerhalb
der Stadt liegenden Nekropolen und Steinbrüche.
Während der Arbeitskampagnen in B. wurden zweimal
vergleichende Stud. an Tempelbauten in Syrien und im
Libanon vorgenommen. Die Ergebnisse wurden in einer eigenen Monographie veröffentlicht [8].

Der I. Weltkrieg unterbrach die Forsch., ehe Th.
Wiegand und K. Wulzinger 1917 die Arbeiten in B.
fortsetzten und schließlich die Ergebnisse der Ausgrabungen publizierten [15]. Von 1930 bis 1935 führten frz.
Archäologen Arbeiten im Altarhof des Jupiter-Heiligtums durch. Dabei wurde 1933 unter der Leitung von P.
Collart und P. Coupel die Ruine der theodosianischen
Basilika komplett abgetragen, um die beiden Altäre freizulegen und teilweise wieder aufzubauen [5]. 1938 entdeckte D. Schlumberger auf dem Nordhang des
Scheich Abdallah die zum Merkurtempel hinaufführen-
de monumentale Treppe, die in ant. Zeit vermutlich
auch als Prozessionsweg fungierte [14]. Bei Ausgrabun-

Tempel des Jupiter, Freitreppe, Fundamente der aus der Treppe geschlagenen Westapsis der christl. Basilika

Bustan al-Khan, Gebäude mit zwölfsäuliger Portikus, Nordansicht

Zitadelle, Südturm und Reste der abgetragenen Mauer an der Südseite der Freitreppe zum »Bacchustempel«

gen in den J. 1961/62 fanden sich im Bereich des »Kleinen Altars« im Hof des Jupiter-Heiligtums Spuren eines wesentlich älteren Siedlungshügels. Libanesische Archäologen gruben im Stadtviertel Sueidiye eine Villa aus röm. Zeit aus, in der polychrome Fußbodenmosaiken zutage kamen [2]. Das berühmteste Mosaik mit der Darstellung der »Sieben Weisen« stammt aus dem Haus des Patricius und befindet sich h. in Beirut (National-Mus). Wichtige Ausgrabungen unternahm der libanesische Antikendienst in einem südl. von der Qalaa gelegenen Gebiet namens Bustan al-Khan, das vermutlich vor den Toren des röm. B. lag [7].

Die 1967 begonnenen Arbeiten, die 1975 durch den Bürgerkrieg zum Stillstand kamen, führten zur Freilegung monumentaler Bauwerke. Zu dem Ensemble zählen ein mit einer zwölfsäuligen Portikus versehenes Gebäude, wohl ein profaner Repräsentationsbau, eine halbrunde bühnenartige Anlage, vielleicht ein Rathaus (Buleuterion) sowie Ruinen mehrerer Wohnhäuser und einer Kolonnadenstraße. Das gesamte Areal blieb bis in die omaijadische Zeit in Benutzung. Der vor den Portiken zentral gelegene Hof diente in der Neuzeit als Khan für die Karawanen. Aus diesem Grund heißt das

C. BEDEUTUNG DER GRABUNGEN IM WISSENSCHAFTLICHEN UND POLITISCHEN KONTEXT

Die dt. Grabungen lieferten die erste wiss. Aufarbeitung der Monumente in B. von der Kaiserzeit bis in das MA. Ziel der Arbeiten war eine umfassende Dokumentation des architektonischen Befundes der Ruinen. Die Publikation dieser Grabung ist bis h. die Grundlage aller arch. Forsch. über B. geblieben. Die Verf. beschränkten sich aber nicht nur auf eine systematische Bestandsaufnahme der Bauwerke, sondern führten auch eine typologische und stilkritische Unt. der Bau- und Dekorformen durch. Dank dieser Methode konnte erstmals eine relative Chronologie der Gebäude gewonnen werden. Nach dieser war der Tempel des Jupiter im 1. Jh. n. Chr. im Bau, der Altarhof und der »Bacchustempel« wurden im 2. Jh. n. Chr., der hexagonale Hof und die Propyläen im 3. Jh. n. Chr. vollendet. Zu den späteren Einbauten gehören die christl. Basilika aus dem 4. Jh. n. Chr. und der Ausbau des Heiligtums zur Zitadelle in ayyubidischer Zeit (12. Jh.). Darüber hinaus trugen die Stud. zu grundlegenden Erkenntnissen über den Aufbau eines lokalen Heiligtums im Osten aus röm. Zeit bei. Elemente wie die Tempel mit dem Allerheiligsten (adyton), die verschiedenen Bezirke mit ihren Umfriedungen, die Lustrationsbecken und die Altäre sind gängige kultgebundene Einrichtungen, die spezifische Funktionen für die Ausübung lokaler Riten innehatten. Die späteren Einbauten in christl. und islamischer Zeit bezeugen die fortwährende Benutzung und den funktionalen Wandel der Kultstätte. Die Unt. lieferten auch wichtige Ergebnisse über den ant. Ort und dessen Umgebung. Aus den Spuren der ant. und ma. Stadtmauer ließen sich der rhombische Grundriß und die 70 Hektar große Fläche des röm. B. rekonstruieren. Die Erforschung der

Der »Bacchustempel«

Wiederaufgestellte Gedenktafel in der Cella
des »Bacchustempels«

ant. Wasserleitungen gab Aufschlüsse über die Wasser-
versorgung der Stadt. Ein in den beiden außerhalb von
B. liegenden ant. Steinbrüchen durchgeführter Survey
erbrachte neue Erkenntnisse über die Technik des
Steinabbaus sowie über Transport und Versetzen der
Blöcke am Bau.

Die dt. Ausgrabungen in B. kamen infolge des Wandels in der Außenpolitik zw. Deutschland und dem Osmanischen Reich zustande und sind somit auch als eine
kulturpolit. Angelegenheit zu werten. Nach seiner
Thronbesteigung forcierte Kaiser Wilhelm II. die außenpolit. Kontakte zu den Osmanen und pflegte dabei
v. a. freundschaftliche Beziehungen zu Sultan Abdul
Hamid II. Von der Verbundenheit zeugt eine Gedenktafel, die aus Anlaß zum Besuch des dt. Kaiserpaars in B.
am 10. November 1898 in der Cella des »Bacchustempels« aufgestellt wurde. In dem Text wird ›Die gegenseitige unwandelbare Freundschaft‹ zw. den beiden
Herrschern betont. Wilhelm II. gefiel bes. der »Bacchustempel«, der während der Herrschaft des Kaisers
Antoninus Pius vollendet wurde. Dieser Grund und die
Tatsache, daß Wilhelm II. diesen röm. Regenten als
Vorbild für das Kaisertum verehrt hatte, bestimmten die
Entscheidung, die Gedenktafel in diesem Sakralbau zu
plazieren. Nach dem I. Weltkrieg entfernte man auf
Befehl des engl. Generals Allenby die Gedenktafel aus
dem Tempel, Namen und Titel des Kaiserpaares wurden
eradiert. Die Tafel, die der damalige Besitzer des Hotels
Palmyra, M. Alouf, aufbewahrt hatte, wurde dort an-
fangs der 70er J. von dem dt. Botschafter H. C. Lankes
aufgefunden. Dieser ließ die Namen erneuern und die
Tafel an den urspr. Aufstellungsort zurückbringen [12].

D. DENKMALPFLEGERISCHE ASPEKTE

Die dt. Ausgräber führten eine Reihe von Maßnahmen zur Konsolidierung der Monumente in B. durch.
Dabei wurde ein Konzept erarbeitet, das eine behutsa-
me Konservierung vorschrieb. Sicherungs- und Ergän-
zungsarbeiten wurden nur an den Gebäuden vorgenommen, die über eine noch ausreichende originale
Bausubstanz verfügten. Ergänzungen sollten nicht als
Originale imitiert, sondern als Reparaturen gekennzeichnet werden. Die urspr. Bausubstanz durfte so wenig wie möglich verändert werden, um die Bauten nicht
in ihrem Wert als histor. Zeugnisse zu mindern. Als eine
der wichtigsten Maßnahmen war geboten, den vom
Einsturz bedrohten herabhängenden Schlußstein des
Türsturzes über dem Portal des »Bacchustempels« in die
originale Position zurückzuheben. Während des frz.
Mandats im Libanon fanden umfangreiche Restaurierungsarbeiten am »Bacchustempel« statt [10]. Ein Turm
aus arab. Zeit, der auf vier Säulen über der Südostecke
des Tempels stand, wurde entfernt. Von 1934 an wurden
alle neun Säulen und die darüberliegenden Gebälke an
der Nordseite des Tempels in ihre originale Position zurückgebracht und konsolidiert. Mit Hilfe von Klammern und Beton wurden die auf Anschluß neu bearbeiteten Fries- und Gebälksblöcke aneinandergesetzt.
1935 wurden die letzten Reinigungsarbeiten im Innern

des Tempels ausgeführt. Unmittelbar vor dem II. Weltkrieg wurde die vor der Front des Tempels stehende Mauer aus ayyubischer Zeit entfernt, um einen ungestörten Blick auf die Fassade zu haben. Eine umstrittene Entscheidung, die nach Maßstäben mod. Denkmalpflege nicht mehr vertretbar wäre, war der von P. Collart und P. Coupel veranlaßte Abbau der christl. Basilika im Altarhof [5]. Die Maßnahme diente dem Ziel der Freilegung und des teilweisen Wiederaufbaus der beiden Altäre [3; 4]. Dabei hätte sich keine Notwendigkeit ergeben, die auf der Freitreppe zum Jupiter-Tempel liegende Westapsis mit ihren flankierenden Apsiden abzutragen, zumal diese die Arbeit an den Altären nicht beeinträchtigt hätte. Dieses Bauwerk, das über der zentralen Verehrungsstätte des paganen Heiligtums errichtet worden war, galt als ein histor. Zeugnis ersten Ranges für die Weiterbenutzung der alten Anlage, die aber durch die für den neuen christl. Kult bestimmten Ein- und Umbauten ein verändertes Bild erhielt. Seit 1991 bemüht sich der libanesische Antikendienst um eine intensive Konsolidierung der Bauten in B.

→ Zeichnungen

→ AWI Baal; Baalbek

QU **1** G. LE STRANGE, Palestine Under the Moslems, London 1890 (Ndr. 1965) (Texte, Übers.)

LIT **2** M. CHEHAB, Mosaïques du Liban, in: Bull. du Mus. de Beyrouth 14, 1958, 29–52 **3** P. COLLART, P. COUPEL, L'autel monumental de B., 1951 **4** Diess., Le petit autel de B., 1977 **5** P. COUPEL, Travaux de restauration à B. en 1933 et 1934, in: Syria 17, 1936, 321–334 **6** M. VAN ESS (Hrsg.), Heliopolis. B. 1898–1998. Forschen in Ruinen, 1998 **7** H. KALAYAN, Les fouilles de Bostan – El Khan, in: Histoire et archéologie. Les dossiers 12, 1975, 31–35 **8** D. KRENCKER, W. ZSCHIETZSCHMANN, Röm. Tempel in Syrien, 1938 **9** MONSIEUR DE MONCONYS, Journ. des voyages de Monconys, conseiller du roi en ses conseils d'état, Paris 1665 **10** F. RAGETTE, B., 1980 **11** D. ROBERTS, The Holy Land II, London 1843 **12** H. SADER, T. SCHEFFLER, A. NEUWIRTH, B.: Image and Monument 1898–1998, 1998 **13** F. C. DE SAULCY, Voyage autour de la Mer Morte II, Paris 1853 **14** D. SCHLUMBERGER, Le temple de Mercure à B.-Héliopolis, in: Bull. du Mus. de Beyrouth 3, 1939, 25–36 **15** TH. WIEGAND (Hrsg.), B. Ergebnisse der Ausgrabungen und Unt. in den J. 1898–1905 I–III, 1921–1925 **16** R. WOOD, The Ruins of B., other Heliopolis in Coelosyria, London 1757.

KLAUS STEFAN FREYBERGER

Babylon A. VORBEMERKUNG B. EINLEITUNG
C. GEOGRAPHIE UND FORSCHUNGSGESCHICHTE
D. MONUMENTE ALS SYMBOL
E. BABYLON ALS ARGUMENT

A. VORBEMERKUNG

Der Name B. kann sowohl auf die Stadt als auch auf das gleichnamige Land bezogen sein. Unter letzterem kann auch das ant. Assyrien subsumiert werden. Eine Unterscheidung zw. diesen Ebenen ist nicht immer möglich.

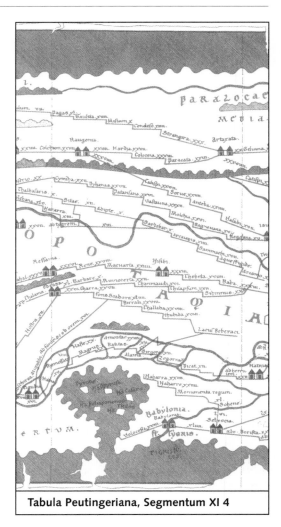

Tabula Peutingeriana, Segmentum XI 4

B. EINLEITUNG

In den ersten Jh. n. Chr. verliert die ant. Stadt B. zunehmend an Bed. Scheint sie durch das Zeugnis der Tabula Peutingeriana (3. Jh.) im ant. Reiseverkehr noch präsent (s. Karte TAVO B S 1.2), so bezeugen klass. ant., talmudische und arab. Quellen den Niedergang [1. 136–145; 2. 44–60]. Die in den Quellen der folgenden Jh. greifbare Referenz »B.« besteht einerseits aus einem Rekurs auf die Größe von Stadt und Land in ferner Vergangenheit, andererseits aus dem Bemühen um exakte geogr. Lokalisierung und Beschreibung der Ruinenstätte der Gegenwart. Als grundlegende Bezugspunkte der Rezeption sind bis ans E. des 19. Jh. vornehmlich zwei Textkategorien wirksam: biblische Erzählungen, von denen bes. jene um Turmbau und Sprachverwirrung (Gn 11,1–9), die Visionen Daniels und die Apokalypse des Johannes hervorzuheben sind, sowie Beschreibungen von Stadt und Turm durch ant. Autoren (Hdt. 1,178–187; Diod. 2,7–10; Strab. 16,1,5–7; Curt. 5,1,24–35; Arr. an. 7,17). Daneben er-

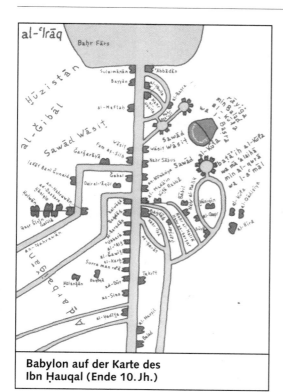

Babylon auf der Karte des Ibn Ḥauqal (Ende 10. Jh.)

geben sich zahlreiche andere Anknüpfungspunkte: Ninos, Nimrod, Semiramis, Nitokris, Belsazar, Nebukadnezar, Alexander, Susanna.

C. Geographie und Forschungsgeschichte

Talmudische Quellen sprechen neben den Ruinen B. von »Nebukadnezars Haus« (Reste des Palastes?) und der »Brücke von B.« Die Lokalisierung des von den Rabbinen als »Haus Nimrods« bezeichneten Turmes in Borsippa sowie die Gleichsetzung dieses Ortes mit B. deuten bereits sehr früh die Vorstellung einer ehemaligen Riesenstadt an. Auch scheint sich eine kleine jüd. Gemeinde in den Ruinen niedergelassen zu haben. [2. 59f., 103]. Früharab. Quellen erwähnen neben einem Distrikt (ṭassūǧ) auch ein kleines Dorf Bābil. Sie bezeugen den Besuch der Grube (ǧubb) Daniels durch jüd. und christl. Pilger. Das Bild der Ruinen bleibt vage. Die Identifizierung der Altertümer zeigt den Einfluß der jüd. Diaspora (Turm: Birs Nimrūd; Brücke: Jisr Bābil [2. 59 Anm. 41; 1. 23f., 83, 132ff.], s. Karte TAVO B S 2). Dieser bleibt auch in der ersten westeurop. Beschreibung des Rabbi Benjamin v. Tudela spürbar (1178). Die wachsende Bed. der erhaltenen Ruinen des ant. B. im abendländischen Bewußtsein zeigen die Notierung in ma. Weltkarten [33. 58, 126f.; 18. 56] sowie die Erwähnung von Turm und Stadt in fiktiven oder kompilierten Reiseberichten des Wilhelm v. Boldensele (1336), Jean de Mandeville und Hans Schiltberger (1475). Am Ende des 16. Jh. wird mit der Ruine von

'Aqar Qūf eine gegenüber dem Birs Nimrūd neue Identifizierung des Turmes vorgeschlagen (Leonhard Rauwulf), die zahlreiche Anhänger (Gasparo Balbi, John Eldred, Anthony Sherley, Thomas Herbert, Jean-Baptiste Tavernier, Jean Otter), aber auch Gegner (Vincenzo Maria di Santa Caterina di Siena, Carsten Niebuhr, Domenico Sestini, Joseph de Beauchamp) findet. Die Lokalisierung der Stadt B. wird hingegen durch Pietro della Valle (Anf. 17. Jh.) an der Stelle des arab. Dorfes Bābil allg. akzeptiert. Wenig später versucht Johannes Kepler in den *Tabulae Rudolphinae* die geogr. Breite B. mit Hilfe der Angaben aus Ptolemaios' *Almagest* exakt zu bestimmen [8. 504f.]. Eine erste systematische Geländeaufnahme verbunden mit einer Grabung und einer Beschreibung der Ruinenhügel erfolgen 1811 durch Claudius James Rich. Weitere Grabungen werden 1827 durch Robert Mignan und 1850 durch Austen Henry Layard durchgeführt. Seit 1852 arbeitet eine frz. Expedition unter Fulgence Fresnel in B. Inzwischen stößt die These einer Gleichsetzung des Birs Nimrūd mit dem Turm von B. auf breite Akzeptanz. Gestützt auf den Bericht Herodots entwickelt Julius Oppert 1853 die Vorstellung eines »Groß-B.«, das Borsippa einschließt. Zw. 1899 und 1917 wird das Gelände der ant. Stadt von Robert Koldewey systematisch ergraben [15; 28; 38; 43; 50. 182–184, 195–200].

D. Monumente als Symbol

1. Der babylonische Turm

Sowohl in frühjüd.-hell. als auch in rabbinischer Trad. erfährt die Turmbauerzählung Gn 11,1–9 breite Kommentierung und Paraphrasierung. Dabei wird das im biblischen Grundtext dominierende Thema vom Bau der Stadt zugunsten zahlreicher Motiverweiterungen unterdrückt. Dazu zählen die Zerstörung des Turmes, sowie Nimrod als erster König, Tyrann und Bauherr (Ios. ant. Iud. 1,109–121), dem mit Abraham die Kontrastfigur des »Gerechten« zur Seite gestellt wird (Antiquitates Biblicae 6f.). Die Turmerzählung wird vielfältig interpretier- und instrumentalisierbar. Die hellenisierte Diaspora verknüpft sie als herausragendes Ereignis der menschlichen Frühgeschichte mit den Titanenkämpfen des griech. Mythos und verbindet so die eigene Vergangenheit mit jener der ant. Welt (SamAn, OrSib 3). Philon deutet das Geschehen allegorisch und bezeugt das Interesse am Thema der »Sprachverwirrung« (*De confusione linguarum*). Das frühe Christentum übernimmt die jüd. Trad. und versieht sie mit neuen Deutungsmustern. Diese ermöglichen sowohl eine positive Interpretation (Turm als Symbol der monolithischen Einheit der jungen Kirche, Hirt des Hermas) als auch eine negative (Kirche als antitypische *turris corporis Christi*, Ephraem der Syrer *De nativitate* 1,44). Seit dem ausgehenden 2. Jh. nimmt eine moralisierende Betrachtungsweise zu. Turmbau und *superbia* werden zusehends fest miteinander verwoben (Iren. demonstratio 23; Tert. ad Prax. 16). Gleichzeitig wird die Turmbaugeschichte gegenüber der heidnischen Umwelt als histor. verteidigt. Seit dem 4. Jh. wird der Text mit dem

Abb. 3: Maurits Cornelis Escher, Der Turm zu Babel, 1928

Pfingstwunder Apg 2 in Zusammenhang gebracht und die Harmonie der christl. Gemeinde dem als gottlos verstandenen Turmbau gegenübergestellt. Diese Interpretation verstärkt sich durch die Gleichsetzung des Turmes mit den Ruinen einer Ziqqurrat, einer Leistung der talmudischen Rabbinen. Während *Septuaginta* und *Vetus Latina* eine Lokalisierung des Turmbaues in B. unterdrücken, wird sie durch die *Vulgata* verbindlich eingeführt, wodurch die von Off. 17 vorgegebene Deutung B. als gottlose Macht auch in Verbindung mit dem Turm stärkeres Gewicht erhält und dieser endgültig zu einer *turris superbiae* wird (Hier. in Zach. 1,5,99.11). Diese Sichtweise bleibt über das MA hinweg bis in das 19. Jh. lebendig (z.B. Isidor von Sevilla, Beda, Alkuin, Hrabanus Maurus, Rupert v. Deutz, Albertus Magnus, M. Luther, H. Zwingli, J. Calvin, K. Barth) [9 II/1. 446ff., 476ff., 488ff., 514ff.; II/2 647ff., 718, 807ff.; III/1 1062ff., 1081ff., 1131ff.; 10. 119–144; 50. 255–273]. Gestützt auf die Thesen Gerhard v. Rads, sieht die mod. Exegese die Turmbauerzählung als Höhepunkt einer jahwistischen Hamartiologie, die später um den Gedanken der menschlichen Hybris erweitert wird [50. 273–290].

Neben der christl. wird auch die muslimische Trad. stark von den frühen jüd. Vorstellungen geprägt. Der Koran greift die Geschichte auf, nennt aber B. nicht (Sure 16,28 f.). Sprachverwirrung und menschliche Hybris bestimmen die Betrachtungsweise. Nimrod erscheint als Bauherr, der Turm selbst als erstes Gebäude nach der Flut. Eine eigene Deutung legt die Interpretation des Turmes als »Palast Nebukadnezars« nahe [1. 138–141]. MA und Neuzeit greifen weitgehend auf die in der Ant. ausgebildeten Vorstellungen zurück und formen sie weiter aus. So erscheint der Turm-Nimrod als negativer Typos in Fürstenspiegeln [9 II/2. 706ff.], der sich bei Francesco Petrarca [9 III/1. 959ff.] und Zwingli [9 III/1. 1081] auch zur Charakterisierung eines als verrucht empfundenen Papsttums eignet. Andererseits vermag die Gegenreformation mit diesem Bild die ketzerischen Reformatoren zu brandmarken [9 III/2. 1266]. Rationalismus und Aufklärung betonen die positiven Züge des Königs, der so zum ersten Großmeister der Freimaurer aufsteigt [9 III/2. 1404].

Seit dem Hoch-MA ist die bildliche Darstellung des babylonischen Turmes reichhaltig bezeugt. Zorn Gottes, menschliche Hoffart und Zerstörung des Turmes bleiben bis ins 15. Jh. die beherrschenden Themen. Dabei beginnt zusehends eine »arch.-histor.« Betrachtungsweise die »moraltheologische« zu verdrängen. Die Berichte ant. Autoren, vornehmlich Herodots, werden wichtige Grundlagen der Rekonstruktion. Im 16. und 17. Jh. wird der Turm als Ausdruck menschlicher Schaffenskraft und Beginn der Architekturgeschichte positiv gedeutet. Steinmetze und Maurer greifen auf den Turm als Anfang und Höchstleistung ihrer Zunft zurück. Das göttl. Eingreifen wird rationalisierend als durch die Naturgesetze vorgeschriebene Grenze menschlicher Möglichkeiten verstanden. Gleichzeitig werden mit dem Erstarken des nationalen Selbstbewußtseins und der Aufwertung der Landessprachen die Sprachenvielfalt und damit der Turmbau positiv konnotiert [52]. So wird etwa von Franciscus Irenicus (1518) das hohe Ansehen der dt. Sprache damit begründet, daß diese bis zu Nimrod zurückreiche, dessen Enkel Trebeta sie aus B. nach Trier mitgebracht habe [45. 305]. Einen Höhepunkt erreicht die Darstellung in der niederländischen Kunst zw. 1550 und 1650 (J. und P. Bruegel d.Ä., H. und M.v. Cleve, L.v. Valckenborch, T. Verhaecht). Die Deutung dieses Phänomenes als Ausdruck calvinistischer Kritik an den röm.-katholischen Ansprüchen der span. Krone im Rahmen des Freiheitskampfes der Niederlande (1568–1648) [53; 18. 63–65] blieb nicht unwidersprochen [52]. Seit dem 17. Jh. findet der Turm als Inbegriff menschlicher und göttl. Weisheit Eingang in die zeitgenössische Architektursprache (Trinitatiskirche in Kopenhagen von J. Scheffel 1637–1656; Laterne von S. Ivo alla Sapienza in Rom von F. Borromini 1642ff.). Gleichzeitig wächst das Bemühen, sowohl den Turm als auch andere Bauwerke B. als realiter rekonstruierbare Bestandteile einer wohl durchkomponierten Stadtanlage darzustellen, die zeitgenössisches Kolorit aufweist. Ein erster Höhepunkt dieser Entwicklung findet sich in den Stichen Coenrat Deckers im Werk *Turris Babel* von Athanasius Kircher (1679, Abb. 1) und wenig später in jenen von Johann Andreas Pfeffel in dem Werk *Physika Sacra* des Johann Jakob Scheuchzer (1731). Neue Akzente setzt Johann Bernhard Fischer v. Erlachs *Entwurf zu einer histor. Architektur* (1721–1723). Der Turm erscheint in einer Riesenstadt, die wie ein frühgeschichtliches Versailles anmutet [18. 60f., 67f; 48. 503f.]. Diese Entwicklung mündet in die ersten wiss. Rekonstruktionsversuche des 19. Jh., die bis in die Gegenwart den Bestandteil einer lebhaften Diskussion darstellen [43. 25–46; 6].

In der Lit. (A. Austin, *Tower of Babel*, 1874; P. Emmanuel, *Babel*, 1952) sowie in Oper und Oratorium des 19. und 20. Jh. (C. Franck, *La Tour de Babel*, 1865; A. Rubinstein, *Der Turm zu Babel*, 1858/72; R. Barbier, *La tour de Babel*, 1932; I. Stravinsky, *Babel*, 1944/52) ist der Turm präsent. Am Übergang zum 20. Jh. wird der Turm für eine immer vielschichtigere metaphorische Symbolik nutzbar, die durch Säkularisation und Pluralität gekennzeichnet ist. Sie weiß sowohl die faszinierenden Möglichkeiten menschlicher Schaffenskraft als auch die Bedrohung einer überbordenden Zivilisation aufzunehmen. Der Turm steht für menschlichen Fortschritt (A. Rodins unausgeführter Entwurf eines Monument du travail 1898), die faszinierenden Möglichkeiten einer neuen polit. Ordnung (W. Tatlins Entwurf eines Denkmals der III. Internationalen 1919/20), als pazifistisches Signal für die Wiedervereinigung der zersplitterten Menschheit (S. Zweigs Kurztext *Der Turm von Babel*, 1916) oder aber als Bild beißender Gesellschaftskritik, Symbol der Zwietracht und Chiffre eines polit.-ideologischen Antagonismus bis in die jüngste Vergangenheit [47. 49f., 126, 143, 144ff., 171ff.]. In der Bildenden Kunst erscheint er als Teil eines Atommeilers bei Pierre Brauchli (1979), als Baukörper in einer urbanen Großstadt bei Jules C. v. Paemel (1931), Hans Escher (1960) und Dominique Appia (1978), als Sinnbild für die Geschichte der Menschheit und deren Konflikte bei Maurits Cornelis Escher (1928, Abb. 3) und Cobi Reiser (1967). Er dient als Anregung und Anknüpfungspunkt mod. Architekturphantasien und Hochhausarchitektur (L. Mies van der Rohe, H. Scharoun, O. Schubert, O. Kohtz, R. Tschammer, H. Ferris, Le Corbusier, H. Poelzig, A. Loos, F. A. Breuhaus de Groot), als Medium polit. Satire, als Relikt in der Filmindustrie (*Metropolis* von F. Lang, *Das neue B.* von G. Kosinzew und L. Trauberg, *Die Bibel* von J. Huston) oder als Kuriosum in zeitgenössischen Freizeitparks bis hin zum lukrativen Markenartikel [33. 95f., 99f, 103, 254f., 259, 265, 269f., 273f., 275f.; 47; 49; 18. 70–89].

2. DIE HÄNGENDEN GÄRTEN UND DIE STADTMAUERN VON BABYLON

Seit den frühesten Weltwunderlisten (→ Sieben Weltwunder) der hell. Zeit zählen die Mauern und die Hängenden Gärten von B. meist zu deren Bestandteil, die nur selten durch andere *miracula* ersetzt werden. Daneben können allerdings auch andere Bauwerke B. treten wie der Obelisk der Semiramis (Diod. 2,11,5) oder die Brücke von B. (Curt. 5,1,24ff.). Seit der auf Ktesias zurückgehenden Darstellung bei Diod. 2,7,2ff. werden die gewaltigen Mauern B. mit Semiramis verknüpft. Die ant. Listen werden über die Spät-Ant. an ma. Autoren weitergegeben (Niketas von Herakleia, 11. Jh.; Eustathios von Thessalonike, 12.Jh.; Anonymus des Codex Ambrosianus gr. 886 fol. 180v, 13.Jh.; Giorgio Sanguinato, um 1450). Dabei konnten die »Schaustükke« bis auf 30 erweitert werden (Codex Vaticanus gr. 989 fol. 144r, um 1300). Die Ren. führt zu einer Rückbesinnung auf die kanonische Siebenzahl und zu einer bes. Beliebtheit der ant. Weltwunder: Angelo Ambrogini vulgo Politianus (E. des 15. Jh.), Hadrianus Iunius (um 1550). Gleichzeitig werden diese auch im Bild dargestellt und zeitgenössisch interpretiert: Maarten van Heemskerck (1572), Crispijn de Passe d. Ä. (1614). Erst seit dieser Zeit werden auch die Hängenden Gärten mit Semiramis verknüpft [12. 9–20, 35–57, 92–117].

E. BABYLON ALS ARGUMENT

1. ALLGEMEINES

Sowohl für die islamische als auch für die westl. Welt ist schon sehr früh eine von der theologischen Interpretation unabhängige symbolische Verwendung B. bemerkbar. Mandäische Beschwörungen erwähnen mehrfach B. und einen König von B. [13]. Erzählungen um Sanherib (*König von B.*), Nebukadnezar, Daniel und Belsazar fanden Eingang in islamische Prophetenlegenden (*qiṣaṣ al-anbiyāʾ*) [25]. Die einzige Erwähnung im Koran (Sure 2,101f.) verbindet B. mit den gefallenen Engeln Hārūt und Mārūt und zeigt den Ort als eine unheimliche, düstere Stätte, wie sie auch sonst in der frühislamischen Überlieferung begegnet [1. 187ff.]. Eine schiitische Trad. läßt den Boden B. verflucht sein [2. 59 Anm. 40]. Gleichzeitig ist eine positive Konnotierung B. greifbar, die auf persische Quellen zurückgehen dürfte. Darin erscheint B. als eines der sieben großen Königreiche der Welt (*kišwar-iqlīm*), das sowohl ideale klimatische als auch kulturelle Eigenschaften aufweist und dessen Grenzen man sich zeitweise bis China dachte. Diese Vorstellung wird schließlich von den Abbasiden für ihre Herrschaftsideologie übernommen [1. 116–127].

Schon in der Spät-Ant. wird die Hauptstadt der Sasaniden, Ktesiphon, archaisierend nicht nur mit dem alten Susa (Lib. or. 12,100; epist. 331,2; or. 18,243), sondern auch mit B. gleichgesetzt (Lib. epist. 513, 2; 1452, 1; or. 18,2,124; 1,136; 24,37). Analoges gilt für die Doppelstadt Koch (Veh Ardaschir)-Ktesiphon (Lib. or. 18,244). Diese Trad. setzt sich im MA fort, wo B. als Syn. für Baghdad figuriert (Wilhelm v. Boldensele, Hans Schiltberger [50. 195–197], Ludovico de Varthema [3.190]) oder in märchenhaftem Zusammenhang gar als Teil des Königreiches des Priesterkönigs Johannes (›Babilonem desertam iuxta turrim Babel‹ [4. 910:12]) erscheint. Der phantastische Zug einer fernen Stadt des Orients findet, vermengt mit realen geogr. Kenntnissen (B. in Kairo), Eingang in die Spielmannsepik, wo in

König Rother Ymelot von Wüsten-Babylonien als Gegner des abendländischen Helden erscheint [11. 288–290]. In der frühneuzeitlichen Magie figuriert B. als verlockender Bannungsort, wo drei Brunnen, aus denen ›ayder, milch und rôdes blued‹ fließen, stehen [7]. In Calteróns *La cena del rey Baltasar* (1632), Metastasios' *Semiramide* (1729) und Händels *Belshazzar* (1745) stellen Barocktheater, musikalisches Drama und Oratorium ein babylonisches Szenario auf die Bühne. Mit der Erweiterung des geogr. und geschichtlichen Horizonts sowie einer allg. aufkommenden Orientfaszination seit dem frühen 18. Jh. wird auch B. zum Projektionsbild einer aufklärerischen Gesellschaftskritik. Voltaires *Zadig* läßt in B. ein zeitgenössisches Paris erstehen (1747). In der Tragödie *Sémiramis* tritt neben die Königin Ninus auf (1748), wohingegen in *La Princesse de Babylone* Belus und Nimrod vorgeführt werden (1768). Der junge Goethe hinterließ ein Belsazar-Fragment (1767). Mit Lord Byron bedient sich die schwärmerische Romantik des Sujets. In den *Hebrew Melodies* (1815) wird die babylonische Gefangenschaft der Juden zur polit. Allegorie gegen Exil und Fremdherrschaft (*On Jordan's Banks*, *To Belshazar*, *Vision of Belshazar*). Ähnliches findet sich in Heinrich Heines *Romanzero* (1851). Die Thematik bleibt über das ganze 19. Jh. präsent. Sie wird sowohl von der Bühne (J. Péladans Drama *Babylone*, 1895), Oper (Pläne Mozarts und Beethovens zu einem Stück *Semiramis* bzw. *Die Ruinen von B.*; Verdis *Nabucco*, 1842) als auch von der bildenden Kunst (J. Martin, *Das Fest des Belsazar*, 1826, *Der Fall B.*, 1831; J.M.W. Turner, *Babylone*, 1834; Ed. Long, *The Marriage Market of B.*, 1875) aufgegriffen [48. 358, 507 f.; 30. 72–74, 77 f.]. Dabei besetzt B. bis in unsere Zeit ein vielschichtiges Geflecht von Bedeutungsnuancen. Franz Grillparzer polemisiert gegen Großprojekte als Symbol der dt. Einheit (Gedicht *Kölner Dombau*, 1842). Roger Caillois benutzt es als Mittel zur Sprachkritik (*Babel*, 1948). Alfred Döblins *Babylonische Wanderung* (1932) transportiert den vom Propheten Jeremias verfluchten Marduk als Konrad in die Gegenwart des 20. Jh. Jorge Luis Borges verwendet das Sujet B. in zwei Erzählungen seiner *Ficciones* (1944): *La loteria en Babilonia* und *La Biblioteca de Babel*. Friedrich Dürrenmatt greift das Thema in einer polit. Satire um Macht und göttl. Gnade auf: Ein Engel kommt nach B. (drei Fassungen: 1953, 1957, 1980). Gleichzeitig bedient sich die mod. Großstadtkritik der Thematik (J. Ponten, *Der babylonische Turm*, 1918; F.S. Fitzgeralds *B. revisited*, 1931; F. Rossos Film *B.*, 1980) ebenso wie deren Gegenpart, die faszinierende Charakterisierung einer pulsierenden Metropole (New York als »New Babel«), die Metaphorik noch breiter und universaler instrumentalisiert [18. 77–88; 47. 214 ff.]. Popkultur und Esoterik greifen gleichfalls auf B. zurück. Schließlich erhält B. als identitätsstiftende Projektion einen bedeutenden Stellenwert in der Politik des mod. Irak [14].

2. Apokalyptisch-eschatologische Vorstellungen

Am Ende des 6. Jh. v. Chr. nimmt der Begriff B. in der at. Prophetie abstrakte Züge an und wird zum Symbol für die Jahwe feindlich gegenüber stehende Macht. Mit Jes 47 wird die mit Zion verknüpfte Frauenmetapher auf B. übertragen (›Tochter B.‹). Dieses Bild wird über *Septuaginta* Nah 3,4–5 verschärft (Ninive als ›Hure‹, *pórnē*) und findet schließlich Eingang in die auf Rom gemünzte Vorstellung von B. als ›Mutter der Huren‹ (*hē métēr tōn pórnōn*), wie sie Off. 17,5 begegnet und in jüd.-christl. Kreisen weite Verbreitung fand [32; 40; 51]. Origines' und Augustinus' Deutung B. als Stadt des Teufels hat großen Einfluß auf die patristische Exegese [17. 1131–1133; 34].

3. Weltreiche und Weltzeitalter

Daneben erfährt B. im AT eine differenziertere Bewertung durch die bei Dan 3 und 7 faßbare Vorstellung der vier Weltreiche, als deren erstes B. figuriert. Nebukadnezar wird zum Bekenner Jahwes (Dan 4). Dieser Vorstellung war eine große Wirkkraft beschieden. Seit Sulpicius Severus (um 400) finden die vier Weltreiche Eingang in den heilsgeschichtlichen Plan einer christl. Chronistik, die sich über Orosius (417), Jordanes (um 550) bis weit ins MA verfolgen läßt: z.B. Frutolf von Michelsberg (1101), Hugo von Fleury (1110), Sigebert von Gembloux (1111), Honorius Augustodunensis (um 1135) und Otto von Freising (1157) [24; 26. 123–179; 35. 186] (→ *Sacrum Imperium Romanum*).

Auch in den unterschiedlichen Vorstellungen von der Einteilung der Weltgeschichte in sieben *aetates* bleibt B. lebendig, da in einer für das MA stark wirksamen Trad., die sich auf Augustin berief, die Babylonische Gefangenschaft die Grenze zw. Viertem und Fünftem Weltzeitalter darstellte [44; 46].

4. Babel-Bibel-Streit und Panbabylonismus

1902 und 1903 hielt der Assyriologe Friedrich Delitzsch vor kaiserlichem Publikum zwei Vorträge mit dem programmatischen Titel *Babel und Bibel*, die zu einer die breite Öffentlichkeit einbeziehenden heftigen Auseinandersetzung führten. Delitzsch forderte dabei die theologischen Konsequenzen der Erkenntnisse der noch jungen Keilschrift-Wiss. ein, indem er nicht nur auf babylonisches Gedankengut in biblischem Schrifttum hinwies, sondern letztlich auch gegen den kirchlichen Begriff der göttl. Offenbarung Stellung bezog. Eine öffentliche Stellungnahme Wilhelms II. (*Hollmannbrief*) wurde von der kritischen Öffentlichkeit als Rüge durch den Kaiser aufgefaßt und beendete schließlich die Kontroverse [23; 29].

Unter Panbabylonismus läßt sich eine mit dem Babel-Bibel-Streit indirekt verknüpfte Geisteshaltung subsumieren, die um die Jahrhundertwende aufkam und von namhaften Assyriologen mit deutlich unterschiedlicher Akzentuierung vertreten wurde. Darunter fallen sowohl Gelehrte, die über ein auf B. zurückgehendes astralmythologisches System die Myth. und

Weltanschauung aller anderen Völker diffusionistisch zu erklären trachteten (H. Winckler, H. Zimmern, E. Schrader, A. Jeremias) als auch Vorstellungen, die, vom Gilgamesch-Epos ausgehend, at. und nt. Personen und Erzählstoffe durch lit. Beeinflussung zu deuten versuchten (P. Jensen) [23. 265–290; 29. 38–48].

QU 1 C. Janssen, Babil, the City of Witchcraft and Wine, 1995 2 A. Oppenheimer, Babylonia Judaica in the Talmudic Period, 1983 3 Ludovico de Varthema, Reisen im Orient, 1996 4 F. Zarncke, Der Priester Johannes, Abh. der Königl. Sächsischen Ges. der Wiss., philos.-histor.-Kl. 7, 1879, 827–1030

LIT 5 I. Aghion et al., s. v. Semiramis, Flammarion Iconographic Guides. Gods and Heroes of Classical Antiquity, 1996, 268 f. 6 W. Allinger-Csollich, Tieftempel-Hochtempel (Birs Nimrud II), in: BaM 29, 1998, 95–330 7 Bächtold-Stäubli, s. v. Krebs, HWB des dt. Aberglaubens 5, 1933, 455–458 8 A. Becker, U. Becker, »Altes« und »Neues« B.?, in: BaM 22, 1991, 501–511 9 A. Borst, Der Turmbau von Babel. Gesch. der Meinungen über Ursprung und Vielfalt der Sprachen und Völker, 4 Bde., 1959–63 10 H. Bost, Babel. Du texte au symbol, 1985 11 R. Bräuer (Hrsg.), Dichtung des europ. MA, 1991 12 K. Brodersen, Die sieben Weltwunder. Legendäre Kunst- und Bauwerke der Ant., 1996 13 E. S. Drower, The Book of Zodiac, 1949 14 Ch. Dyer, Der Golfkrieg und das neue B., 1991 15 R. Fischer, B. Entdeckungsreisen in die Vergangenheit, 1985 16 T. Ehlert, Deutschsprachige Alexanderdichtung des MA. Zum Verhältnis von Lit. und Gesch., 1989 17 K. Galling, B. Altaner, s. v. B., RAC 1, 1118–1134 18 J. Ganzert (Hrsg.), Der Turmbau zu Babel. Maßstab oder Anmaßung?, 1997 19 O. Holl, s. v. Baltassar, LCI 1, 241 f. 20 Ders., s. v. Semiramis, LCI 4, 149 21 Ders., s. v. Weltalter, LCI 4, 509 f. 22 Ders., s. v. Weltreiche, vier, LCI 4, 523 f. 23 K. Johanning, Der Bibel-Babel-Streit. Eine forschungsgesch. Stud., 1988 24 K. Koch, Europa, Rom und der Kaiser vor dem Hintergrund von zwei Jt. Rezeption des Buches Daniel, 1997 25 R. G. Khoury, Les légendes prophétiques dans l'Islam depuis le Iᵉʳ jusqu'au IIIᵉ siècle de l'Hégire, 1978 26 R. G. Kratz, Translatio Imperii. Unt. zu den aramäischen Danielerzählungen und ihrem theologiegesch. Umfeld, 1988 27 B. Kuklick, Puritans in B. The Ancient Near East and American Intellectual Life, 1880–1930, 1996 28 M. T. Larsen, The Conquest of Assyria: Excavations in an Antique Land, 1840–1860, 1996 29 R. G. Lehmann, Friedrich Delitzsch und der Babel-Bibel-Streit, 1994 30 J. M. Lundquist, B. in European Thought, in: J. M. Sasson (Hrsg.), Civilizations of the Ancient Near East. Vol. I, 1995, 67–80 31 A. Mann, s. v. Babylonischer Turm, LCI 1, 236–238 32 R. Martin-Achard, Esaïe 47 et la tradition prophétique sur Babylone, in: J. A. Emerton (Hrsg.), Prophecy. Essays presented to Georg Fohrer in his sixty-fifth Birthday, 1980 33 H. Minkowski, Vermutungen über den Turm zu Babel, 1991 34 J. van Oort, Jerusalem and B. A study into Augustine's City of God and the Sources of his Doctrine of the two Cities, 1991 35 N. H. Ott, Chronistik, Geschichtsepik, Histor. Dichtung, in: V. Mertens, U. Müller (Hrsg.), Epische Stoffe des MA, 182–204, 1984 36 B. Ott, s. v. Jünglinge, Babylonische, LCI 2, 464–466 37 S. A. Pallis, The Antiquity of Iraq. A Handbook of Assyriology, 1956 38 A. Parrot, Ziggurat et tour de Babel, 1953 39 J. Paul, W. Busch, s. v. Nabuchodonsor, LCI 3, 303–307 40 M. Rissi, Die Hure B. und die Verführung der Heiligen. Eine Stud. zur Apokalypse des Johannes, 1995 41 H. Schlosser, s. v. Daniel, LCI 1, 469–473 42 Ders., s. v. Susanna, LCI 4, 228–231 43 H. Schmid, Der Tempelturm Etemenanki in B., 1995 44 R. Schmidt, Aetates mundi. Die Weltalter als Gliederungsprinzip der Gesch., in: ZKG 67, 1955/6, 288–317 45 R. Schnell, Dt. Lit. und dt. National-bewußtsein in Spät-MA und früher Neuzeit, in: J. Ehlers (Hrsg.), Ansätze und Diskontinuität dt. Nationsbildung im MA, 247–319, 1989 46 K. H. Schwarte, Die Vorgesch. der augustinischen Weltalterlehre, 1996 47 A. Senarclens DeGracy, Der Turm von Babel als Thema der Kunst und Architektur des 20. Jh., Diss. (Graz) 1993 48 G. Sievernich, H. Budde, Europa und der Orient, 800–1900, 1989 49 Ch. W. Thomsen, Architektur-phantasien. Von B. bis zur virtuellen Architektur, 1994 50 Chr. Uehlinger, Weltreich und »eine Rede«. Eine Deutung der Turmbauerzählung (Gn 11,1–9), 1990 51 S. Uhlig, Die typologische Bed. des Begriffs B., in: Andrews Univ. Seminary Stud. 12, 1974, 112–125 52 U. B. Wegener, Die Faszination des Maßlosen. Der Turmbau zu Babel von Pieter Bruegel bis Athanasius Kircher, 1995 53 S. E. Weiner, The Tower of Babel in Netherlandish Painting. Diss. (Columbia University) 1985 (Microfiche New York 1986) 54 S. Maul, Die Altoriental. Hauptstadt – Abbild und Nabel der Welt, in: Die oriental. Stadt – Kontinuität, Wandel, Bruch (= Colloquien der Dt. Orient-Ges. I), 1997, 109–124.   Robert Rollinger

Baghdad, Iraq Museum. Die weltweit bedeutendste Sammlung mesopot. Altertümer, das Iraq Mus. (IM) in Baghdad, verdankt seine Entstehung der Initiative von Gertrude Bell, Direktorin der irakischen Antikenverwaltung, die 1923 in einem bescheidenen Raum eine erste Dauerausstellung mit Funden aus den Grabungen C. L. Woolleys in Ur eröffnete. Infolge des ersten irakischen Antikengesetzes (1924), das dem IM die wichtigsten Funde der ausländischen Grabungen im Lande sicherte, wuchsen dessen Bestände rasch und konnten 1932 in ein eigenes Gebäude umziehen. Mit Gründung des Irakischen Antikendienstes und dem damit einhergehenden Anstieg der Grabungstätigkeit, insbes. im Zusammenhang mit Staudammprojekten (unter reger internationaler Beteiligung), füllten sich die Magazine zusehends. 1963 wurde ein großzügiger Neubau im Stadtteil Salhiye im Westen Baghdads bezogen. 1984 erfolgte eine beträchtliche Erweiterung; derzeit stehen 20 Säle als Austellungsfläche zur Verfügung. Das IM als Nationalmus. hat in mehreren Orten des Landes Dependancen mit eigenen Schausammlungen. Ende der 70er J. wurde in Baghdad ein arch. Kindermus. als Abteilung des IM eröffnet. Wanderausstellungen mit Funden des IM waren 1964–67 und E. der 70er sowie Mitte der 80er J. in Europa und Japan zu sehen. Eine große Ausstellung in den USA war für 1991 geplant. Mit Ausbruch der Kuwait-Krise 1990 wurde die Schausammlung des IM in Baghdad geschlossen, seine Bestände ausgelagert. 1991 wurden mehrere Provinzmus. geplündert und verwü-

Abb. 1: Plakat (kupferner Herrscherkopf aus Ninive, Akkad-Zeit, 23. Jh.)

Abb. 2: Kultvase aus Uruk (Uruk-Zeit, Ende 4. Jt.)

stet (Verlust von mehr als 4000 Objekten). Eine Wiedereröffnung der irakischen Mus. ist bisher (1999) nicht erfolgt. Die Bestände des IM (mehr als 250 000 registrierte Objekte) umfassen das gesamte Spektrum der mesopot. Geschichte, von der Altsteinzeit bis zur Neuzeit. Es handelt sich um Objekte, die auf dem Territorium des Staates Irak nach 1923 geborgen wurden. Das Fundmaterial von ausländischen Grabungen kam zunächst nur zur Hälfte ins IM (der andere Teil stand laut Antikengesetz den Ausgräbern zu und gelangte so u. a. nach → London (British Mus.), Oxford (Ashmolean Mus.), Paris (→ Louvre), → Berlin (Vorderasiatisches Mus.), Heidelberg (Uruk-Warka-Sammlung), → Philadelphia (Univ. Mus.) und → Chicago (Oriental Institute Mus.; Field Mus. of Natural History); bis 1917 kam der dem Gastland zustehende Fundanteil nach Istanbul (Eski šark Eserleri Müzesi). Seit 1974 hat das IM Anspruch auf alle im Irak geborgenen arch. Funde. Durch Ankauf, Schenkung und Tausch gelangten auch Funde anderer Länder in das IM. Die Schausammlung ist chronologisch aufgebaut und beginnt im Prähistorischen Saal mit paläolithischen Steingeräten und Skelettfunden (Neandertaler) aus der Šanidar-Höhle im Nordirak und Material neolithischer Ackerbausiedlungen. Im Sumerischen Saal werden Funde der frühsumerischen Hochkultur der Uruk-Zeit, u. a. aus Uruk selbst, ausgestellt. Dazu gehören die ältesten Schriftzeugnisse (Tontafeln mit piktographischer Schrift, E. 4. Jt.), Steinskulpturen, Rollsiegel (ebenfalls die ältesten Vertreter ihrer Gattung) und Steingefäße (Abb. 2). Zu den Zeugnissen der

frühdynastischen Stadtstaaten im Süden des Landes gehören die Beigaben der Königsgräber von Ur (Mitte 3. Jt.): Schmuck, Geräte und Waffen aus Edelmetall und wertvollen Steinen (Abb. 4) sowie Mosaikeinlagen von hölzernen Musikinstrumenten. Im Akkadischen und Babylonischen Saal finden sich lebensgroße Kupferplastiken aus der Zeit des akkadischen Großreiches, u. a. der Herrscherkopf aus Ninive (Abb. 1) und die Kultstatue von Bassetki, mit Weihinschr. des Königs Naramsin (3. Jt.). Aus dem frühen 2. Jt. v. Chr. stammen altbabylonische Tontafeln vom Tell Ḥarmal, Ešnunna und weiteren Städten. Zu den ausgestellten Funden der mittelbabylonischen (kassitischen) Zeit gehört die aus Formziegeln zusammengesetzte Fassade des Karaindaš-Tempels in Uruk mit lebensgroßen Wasser- und Berggottheiten. Der Assyrische Saal enthält monumentale Steinskulpturen und Orthostatenreliefs aus den neuassyrischen Palästen im Nordirak (Kalḫu = Nimrud, Ḫorsabad und Ninive). Zwei neu eingerichtete Säle beherbergen die reichen Beigaben der in Kalḫu unversehrt entdeckten Gräber neuassyrischer Königinnen des 9. und 8. Jh. v. Chr. In zwei weiteren Sälen sind Funde derselben Zeit aus anderen Fundorten (u. a. phönikische Elfenbeine aus Kalḫu, Abb. 3), zu sehen. Der Neubabylonische Saal enthält u. a. Material aus den neuen Ausgrabungen in → Babylon und aus Kiš. In drei Hatra-Sälen sind Funde aus seleukidischer und parthischer Zeit ausgestellt, u. a. eine bronzene Herkulesstatuette aus Seleukia (Abb. 5), und lebensgroße Steinskulpturen und Reliefs aus der parthischen Wüstenstadt Hatra (Abb. 6)

Abb. 4: Goldhelm des Meskalamdug
(Königsfriedhof in Ur, Mitte 3. Jt.)

Abb. 3: Elfenbein-Sphinx aus Nimrud
(neuassyrisch, 8./7. Jh. v. Chr.)

Abb. 6: Statue des Sanatrug I. aus Hatra
(parthisch, 2. Jh. n. Chr.)

Abb. 5: Herkulesstatuette aus Seleukia
(parthische Zeit, 1. Jh. v. Chr.–2. Jh. n. Chr.)

sowie frühchristl. Zeugnisse aus al-Qusair, Dakakin und Tikrit. Im Taha-Baqir-Saal werden arab. Mss., u. a. bedeutende Qur'an-Ausgaben gezeigt. Vier weitere Säle schließlich enthalten Funde aus islamischer Zeit, darunter Baudekorationen aus Stein und Stuck sowie glasierte Kacheln und hölzerne Sarkophage.

→ AWI Hatra; Kalḫu; Naramsin; Ninive; Ur; Uruk
→ Altorientalische Philologie und Geschichte; Vorderasiatische Archäologie

1 Anon., Guide-Book to the IM (¹1966; ²1973) 2 F. BASMACHI, Treasures of the IM (1975–76) 3 M. S. DAMERJI, Das Kindermus.-Baghdad. Idee und Experiment (arab.), in: Sumer 38, 1982 (arab. Teil 25–39) 4 Sumer, Assur, Babylon, 1978 (Austellungskat. Berlin) 5 The Land Between Two Rivers, 1985 (Ausstellungskat. Turin) 6 The Oasis and Steppe Routes, 1988 (Ausstellungskat. Nara) 7 Lost Heritage, Bd. 1, 1992; Bd. 2, 1993; Bd. 3, 1996.

MICHAEL MÜLLER-KARPE UND
DONNY GEORGE YOUKHANNA

Baltimore, Walters Art Gallery s. Vereinigte Staaten/ Museen

Baltische Sprachen
A. EINLEITUNG B. LITAUISCH
C. LETTISCH D. ALTPREUSSISCH

A. EINLEITUNG

Der Begriff B. S. bezieht sich auf einen eigenständigen Zweig der indogerman. Sprachfamilie, zu dem Litauisch, Lettisch und das um 1700 ausgestorbene Altpreußische gehören. Bereits in der Ant. unterhielten die Balten über die Bernsteinstraße Handelskontakte mit den Römern (→ Handel), doch lassen sich für diese Zeit keine Sprachkontakte nachweisen. Erst ab dem 13. Jh. traten die baltischen Völker mit der Christianisierung in das Licht der europ. Geschichte. Das Lat. der Kirche blieb zunächst ohne direkte Einwirkung auf die Volkssprachen, aber es wurden lat. und griech. → Lehnwörter durch Mittlersprachen übernommen, und zwar in das Litauische großteils aus dem Polnischen und dem Weißruss., in das Lettische und wohl auch in das Altpreußische aus dem Deutschen. Mit der Reformation wuchs der Einfluß der Kirche, und vom 19. Jh. an gelangten v. a. durch das Russ. zahlreiche → Internationalismen aus Bereichen wie Wiss., Kultur, Technik, Politik oder Medizin ins Litauische und Lettische.

B. LITAUISCH

Zu den Lehnwörtern, die ab dem 13./14. Jh. über das Polnische und das Weißruss. ins Litauische eindringen, gehören z. B. *adventas* »Advent« < polnisch *adwent* zu lat. *adventus*, *apaštalas* »Apostel« < polnisch *apostoł* zu griech. ἀπόστολος oder *arnotas* »Ornat« < polnisch *ornat* zu lat. *ornatus*. In dieselbe Zeit fallen einige Entlehnungen, die über das Deutsche vermittelt worden sind, z. B. *mūras* »Mauer« < mittelniederdt. *mūr* zu lat. *murus* oder *kalkès* »Kalk« < dt. *kalk* zu lat. *calx*. Im Zuge der Nationalbewegung wird vom 19. Jh. der Wortschatz durch Internationalismen erweitert, die nach russ. Vorbild übernommen werden, vgl. z. B. den fehlenden Anlaut in *istorija* »Historie« < russ. *istorija*; dazu werden die Fremdwörter in der Regel an einige sprachliche Gegebenheiten des Litauischen angepaßt. So ist in bezug auf Orthographie und Lautung zu konstatieren, daß *ph* als *f* wiedergegeben wird, z. B. *filosofas* »Philosoph«, *x* wird durch *gz* ersetzt, z. B. *egzaminas* »Examen«, *qu* durch *kv*, z. B. *kvadratas* »Quadrat« und *y* durch *i*, z. B. *gimnastika* »Gymnastik«. Die Betonung liegt häufig auf der Pänultima, z. B. *advokātas* »Advokat«. Zur Eingliederung in das morphologische System erhalten Maskulina meist die Endungen *-as* oder *-(i)us* wie *docentas* »Dozent« oder *profesorius* »Professor«, während *-a* für Feminina kennzeichnend ist, wie z. B. auch in *problema* »Problem«. Häufige Suffixe sind *-ija* für Feminina, z. B. in *amnestija* »Amnestie« oder *revoliucija* »Revolution« oder *-izmas* für Maskulina wie in *komunizmas* »Kommunismus«. Lat. feminine Substantive auf *-as* werden mit dem maskulinen Suffix *-etas* wiedergegeben, z. B. *fakultetas* »Fakultät« oder *autoritetas* »Autorität«. Adjektive enden meist auf *-us* (mask.) bzw. *-i* (fem.), z. B. *konkretus/-i* »konkret« oder *momentanus/-i* »momentan«. Häufig werden auch Adjektive mit litauischen Suffixen gebildet, z. B. mit *-iškas/-a* wie *diplomatiškas/-a* »diplomatisch«, oder mit *-inis/-ine* wie *kultūrinis/-e* »kulturell«. Verben erhalten in der Regel den Infinitivausgang *-uoti*, z. B. *emigruoti* »emigrieren«.

C. LETTISCH

Zunächst gelangten durch die Vermittlung des Mittelniederdeutschen urspr. lat. oder griech. Wörter ins Lettische, z. B. *alūns* »Alaun« < mnd. *allūn* zu lat. *alumen*, *ārsts* »Arzt« < mnd. *arste* (sehr entstellt) zu griech. ἀρχίατρος oder *pulveris* »Pulver« < mnd. *pulver* zu lat. *pulvis*. In der Zeit des nationalen Erwachens setzte sich von der Mitte des 19. Jh. an die »junglettische Bewegung« für die Herausbildung einer Literatursprache ein, in der Internationalismen für unausweichlich gehalten wurden. So wurden von 1863 an in der Zeitung »Pēterburgas Avīzes« regelmäßig Fremdwörter nach russ. und dt. Vorbild vorgestellt und erklärt. Die Betonung der Fremdwörter liegt – wie im Lettischen üblich – stets auf der ersten Silbe, also *pólitika* »Politik« oder *stúdents* »Student«. Auch orthographisch und lautlich werden die Lexeme angepaßt, indem Vokallängen durch Striche gekennzeichnet und *g* und *k* vor hellen Vokalen durch *ģ* bzw. *ķ* ersetzt werden, z. B. *koleģis* »Kollege«. Doppelkonsonanten sind unbekannt, und *ph* wird mit *f*, *qu* mit *kv*, *x* mit *ks* und *y* mit *i* wiedergegeben, z. B. *ksilofons* »Xylophon«; damit sind die Veränderungen insgesamt größer als im Litauischen. Die Fremdwörter werden mit Endungen in das sprachliche System integriert, indem mask. Substantive mit *-s* oder *-is* und Feminina mit *-a* oder *-e* versehen werden. Eines der häufigsten Suffixe ist *-ija* z. B. *koncentrācija* »Konzentration«. Vom 19. Jh. an wurden auch Ländernamen hiermit gebildet, z. B. *Francija* »Frankreich« oder die neugeschaffene Bezeichnung *Latvija* für Lettland. In dieser Funktion ist *-ija* vermutlich aus dem Russ. übernommen worden und ist

hier wiederum lat. Ursprungs, vgl. russ. *Italija* »Italien«.
Adjektive werden häufig mit dem lettischen Suffix
-isks/-a gebildet, z. B. *fonētisks/-a*, während Verben
meist auf *-ēt* ausgehen, z. B. *integrēt* »integrieren«.

D. Altpreussisch

Zu den wenigen erh. Texten zählen Glossare und
drei Übers. von Luthers *Kleinem Katechismus* aus dem
16. Jh. Diese lassen kaum Aussagen über die Volkssprache zu, doch finden sich hier einige Lehnwörter.
Dazu gehören kirchliche Begriffe wie *altari* »Altar«, *bīs-
kops* »Bischof«, *catechismus* »Katechismus« oder *euangelion*
»Evangelium«, aber auch Bezeichnungen für Kulturgüter, die über das Deutsche oder das Slavische entlehnt
sein könnten, z. B. *kelks* »Kelch« zu dt. Kelch < lat. *calix*,
kamenis »Esse« zu polnisch *komin* < lat. *camīnus* oder *kna-
pios* »Hanf«, wohl aus älterem **kanapś* zu griech.
κάνναβις.

1 E. Jakaitienė, Lietuvių kalbos leksikologija, Vilnius 1980
2 S. Jordan, Niederdt. im Lettischen, 1995 3 A. Laua,
Latviešu leksikologija, Riga ²1981 4 V. Mažiulis, Prūsų
kalbos etimologijos žodynas, Vilnius 1988 ff.
5 B. Metuzāle-Muzikante, The morphological structure
of the stem of international words in Latvian, in: Lingua
Posnaniensis XXII, 1979, 51–58 6 Z. Zinkevičius, Lietuvių
kalbos istorija I–VI, Vilnius 1984–1994.

BERTHOLD FORSSMAN

Barberinischer Faun   A. Objekt   B. Auffindung und Schicksal   C. Rezeption

A. Objekt

Bei dem sog. B. F. handelt es sich um eine 2,15 m
große griech. Skulptur der 2. H. des 3. Jh. v. Chr. Ein
Jüngling ist in halb sitzender Stellung eingeschlummert
dargestellt. Der jugendliche, nackte, muskulöse Körper
des B. F. ruht entspannt aber nicht kraftlos auf einem
über steinigen Grund gebreiteten Tierfell, das ebenso
wie der Efeu mit den Korymben in seinem Haar auf
einen dionysischen Kontext weist. Dem halbtierischen
Triebwesen entspricht er weniger in seiner Körperlichkeit als durch die zur Schau gestellte Sinnlichkeit. Urspr.
war der B. F. vermutlich in einem kult. Kontext aufgestellt. Der genaue Zeitpunkt seiner Überführung nach
Rom ist unbekannt, wahrscheinlich ist eine kaiserzeitliche Wiederverwendung verbunden mit der Profani-
sierung der Statue als Brunnenfigur zum Schmuck einer
röm. Villa [7].

B. Auffindung und Schicksal

Aus dem zw. 1632 und 1640 erstellten Inventar
Kardinal F. Barberinis schließt man, daß der B. F. bei
den zw. 1624 und 1628 unter dem Barberini-Papst Urban VIII. ausgeführten Arbeiten an der Engelsburg gefunden wurde. Die Notiz eines Statuentransportes am
15.5.1627 in den Palazzo Barberini könnte sich auf ihn
beziehen. 1628 ist seine Restaurierung durch A. Gonelli
belegt, deren Resultat in einem Stich von H. Tetius
überliefert ist [8. 181–184, 215] (Abb. 1). Bei einer weiteren Restaurierung 1679 führten G. Giorgetti und L.

Ottoni Beine und Arm in Stuck aus [3. 163–169; 227]
und veränderten die Haltung zu einer halbsitzenden.
Der Sockel wurde als bewachsener Felsen gestaltet und
dem B. F. ein Musikinstrument beigegeben. Stiche (von
Maffei vor 1704 [2. 87, XCIV], von B. Montfaucon
1719 und nach C. Natoire von L. Deplaces zw. 1720
und 1730 gestochen) und Kopien dokumentieren diese
Ergänzung. Obwohl unveräußerlicher Familienbesitz
der Barberini, wurde der B. F. im Juli 1799 für 4000
scudi dem Bilderhauer V. Pacetti verkauft. Dieser führte
die fehlenden Gliedmaßen in Marmor aus, wobei er die
Positur, bes. durch eine starke Ausstellung des rechten
Beines, veränderte. Diesen Zustand gibt die Bleistiftzeichnung A. Menzels von 1874 wieder (Abb. 4). Im
Streitfall um den B. F. mußte Pacetti den Barberini
zurückerstatten, von denen er über den Unterhändler
M. v. Wagner 1814 für 8000 scudi an L. v. Bayern verkauft wurde. Nach Verzögerung der Exportgenehmi-
gung gelangte er schließlich 1820 nach München, wo er
1827 den für ihn vorgesehenen Raum in der Glyptothek
bezog. 1965 wurden die Ergänzungen bis auf das linke
Bein mit den orginalen Bruchstücken entfernt, das
rechte Bein erhielt 1983 von K. Vierneisel eine neue
Form. Ein abweichender Ergänzungsversuch wurde
1959/60 von H. Walter und E. Luttner an dem Gipsab-
guß unternommen [9].

C. Rezeption

Rezeption und Rekonstruktion des B. F. stehen in
einem schwer zu trennenden Wechselverhältnis. Die
erste Aufstellung als horizontale Liegefigur kann mit der
Übernahme des Bildschemas des schlafenden Endymion oder auch G. A. Montorsolis »Pan Barberini«, den
man im 17. Jh. für ant. hielt, erklärt werden. Diese Rekonstruktion des B. F. stand Poussins schlafendem Jüngling im Baccanale von 1635–36 Modell [3].

Die zweite Restaurierung, die in einer kleinen Bis-
cuit-Reproduktion G. Volpatos und der Kopie E.
Bouchardons von 1726 (h. Paris, LV) überliefert ist
(Abb. 5), wurde, auf Grund eines Inventarvermerkes
von 1738, zunächst G. L. Bernini zugeschrieben, ebenso
wie ein *bozzetto*, der Entwurf der Restaurierung gewesen sein könnte (Abb. 3). Verschiedentlich ist versucht worden, Bezüge zw. Werken Berninis und dem
B. F. herzustellen. Müller [4. 56–60] sieht den B. F. bes.
in der Entrückung der Hl. Theresa im Sinne eines iko-
nischen Palimpsestes rezipiert. J. T. Sergel schuf 1774
die Mamorskulptur eines liegenden Fauns, wobei sich
das erste Terracottamodell stärker am B. F. orientierte als
die ausgeführte Figur, deren Pose durch Weinschlauch
und Trauben konkret an den Rausch gebunden ist
(Abb. 2). V. Agricola (Bauer) entwarf in den ersten Jahren des 19. Jh. einen Schmuckcameo, auf dem er den
B. F. mit diversen Requisiten, u. a. einem Weinschlauch
und einer Theatermaske versah. Der B. F. findet sich als
Dekoration um 1830 am Nymphenburger Onyx Service der Münchner Residenz. B. Thorvaldsen zitiert sei-
tenverkehrt die Haltung des B. F. in einer 1837 entworfenen Torlonia-»Kamee« mit der Darstellung des schla-

Abb. 1: Barberinischer Faun,
Stich von H. Tetius (vor 1642)

Abb. 2: Faun von Johan Tobias Sergel,
1774. Stockholm Nationalmuseum

Abb. 3: Bozzetto von Bernini
(Privatbesitz)

Abb. 5: Marmorkopie von
E. Bouchardon. Zwischen 1726
und 1730. Paris, Louvre

Abb. 4: Adolf von Menzel,
Bleistiftzeichnung 1874, München,
Staatliche Graphische Sammlung

fenden Endymion. Eine Kopie des B. F. wurde 1861 vergoldet in der Grande Grotte als Teil des Skulpturenschmuckes der Großen Kaskade des Petershofes installiert. Der B. F. hat sehr unterschiedliche Beurteilungen erfahren [1. 202–205]. Indem v. Stosch die Statue höher als den → Apoll von Belvedere bewertete, rief er den Protest Winkelmanns hervor, der den B. F. als »Waldnatur« aburteilte [10].

Goethe läßt den Paris (Faust II, 6453–6474) bei dessen Auftritt in einer Verlebendigung des Kunstwerkes in der Pose des B. F. einschlummern. Er thematisiert dabei die zu voyeuristischer Betrachtung animierende sinnliche Qualität des Marmorjünglings, dessen provokante Anstößigkeit durch den Zuspruch gerade des weiblichen Publikums noch pikant gesteigert wird.

Insgesamt zeigt sich in der künstlerischen Rezeption die Tendenz, den B. F. durch äußerliche Betonung des satyrischen und dionysischen Charakters zu »animalisieren«, wohl um so den nackten männlichen Körper in seiner ungewohnten lasziven Passivität zu rechtfertigen.

→ Satyr

→ AWI Bakchos; Dionysos

1 F. HASKELL, N. PENNY, Taste and the Antique. The Lure of Classical Sculpture, 1981 2 P. A. MAFFEI, Raccolta di Statue antiche e moderne, data in Luce da Domenico de Rossi, Roma 1704 3 J. MONTAGU, Roman Baroque Sculpture. The Industry of Art, 1989 4 A. MÜLLER, Die ikonische Differenz. Das Kunstwerk als Augenblick, 1997 5 D. NEBENDAHL, Die schönsten Antiken Roms. Stud. zur Rezeption ant. Bildwerke im röm. Seicento, 1991 6 D. SPENGLER, Der Traum des Faun: Theorie und Praxis in der Kunst, 1993 7 Standorte – Kontext und Funktion ant. Skulptur. (Ausstellung, Abguss-Sammlung Antiker Plastik FU Berlin, 1994/1995), hrsg. von K. STEMMER, 1995, 212–213 8 G. TETI (H. TETIUS), Aedes barberinae ad Quirinalem … descriptae, Roma 1642 9 H. WALTER, Der schlafende Satyr in der Glyptothek in München, in: Stud. zur klass. Arch. Friedrich Hiller zu seinem 60. Geburtstag, 1986, 91–122 10 J. WINKELMANN, Abhandlung von der Fähigkeit der Empfindung des Schönen in der Kunst, und dem Unterrichte in derselben. An den Freiherrn von Berg (KS und Briefe), 1960, 154.   PHILINE HELAS

Barock

I. DEUTSCHLAND   II. GROSSBRITANNIEN
III. ROMANIA   IV. KUNST UND MALEREI

I. DEUTSCHLAND
A. BEGRIFF UND BEGRIFFSGESCHICHTE
B. NATIONALSPRACHE UND SPRACHGESELLSCHAFTEN
C. GELEHRSAMKEIT, BILDUNG UND WISSEN
D. GESELLIGE INSTITUTIONEN DER BILDUNGSKULTUR

A. BEGRIFF UND BEGRIFFSGESCHICHTE

Der wohl von der portugiesischen Bezeichnung für eine schiefrunde unregelmäßige Perle (barroco) abgeleitete Begriff B. erscheint seit dem 18. Jh. als Syn. für Begriffe wie »bizarr, schwülstig, sonderbar«.

Im Sinne eines stilistischen Terminus oder eines Epochenbegriffs fand B. erst in der 2. H. des 19. Jh. zunächst im Umkreis kunsthistor. Überlegungen Verwendung. So zuerst bei J. Burckhardt [6], der B. als Weiterentwicklung (Verwilderung) von Stilelementen der Ren. sieht. Zwar übertragen bereits Nietzsche (1879), der von der Gemeinsamkeit aller Künste ausgeht und auf die enge Verbindung des von ihm als überzeitliches Phänomen verstandenen B.-Stil und seine enge Verbindung mit der Rhet. hinweist, und Borinski (1886), der explizit von einem poetischen B. spricht, den Begriff auch auf die Lit., doch bleibt die weitere terminologische Arbeit zunächst eine Domäne der Kunstgeschichte. Hervorzuheben sind hier die Arbeiten von Wölfflin. In der Absicht, formanalytische Beschreibungskategorien für Kunstwerke zu entwickeln, weist er in fünf antinomischen Begriffspaaren eine fundamentale Differenz der Gestaltungsprinzipien von Ren. und B. auf und postuliert damit B. als eigenständigen Stil. Im Gefolge von Wölfflin haben dann Walzel und Strich den kunstwiss. B.-Begriff in der Literaturwiss. etabliert und den Versuch unternommen, den Wölfflinschen Begriffsapparat auf die Lit. zu übertragen, wobei B. als Gegen-Ren. gesehen und, zumal bei Walzel, sowohl zur Kennzeichnung eines überzeitlichen Stiltypus als auch einer bestimmten Epoche verwendet wird (zur Problematik dieser lit.-wiss. Begriffsbildung und ihren heuristischen Implikationen [2; 8; 11]).

Gleichwohl kann man davon sprechen, daß sich der Begriff B. für die dt. Lit. zw. → Humanismus und → Aufklärung etabliert hat. Die Grenzen sind allerdings nach beiden Seiten fließend, und die jüngere Forsch. hat — im Unterschied zu älteren Ansätzen — die Kontinuität zw. der Gelehrtenkultur der Ren. und der des B. hervorgehoben.

B. NATIONALSPRACHE UND SPRACHGESELLSCHAFTEN

Signifikantes Merkmal dieser lit. Epoche ist die Propagierung einer dt. Literatursprache, eine Entwicklung, die sich in Deutschland im europ. Vergleich deutlich verspätet vollzog. Die Hinwendung zur Nationalsprache proklamiert Martin Opitz programmatisch zunächst im *Aristarchus sive de Contemptu Linguae Teutonicae* (1617) und 1624 in der ersten deutschsprachigen Regelpoetik, dem *Buch von der deutschen Poeterey*. Inhaltlich knüpft Opitz dabei v. a. an die Poetiken Scaligers und Ronsards an.

Treibende Kräfte für die Förderung der dt. Sprache waren auch die sog. Sprachgesellschaften, die sich nach dem Vorbild der it. Akad. der Sprachpflege widmeten. Die erste dieser Gesellschaften war die *Fruchtbringende Gesellschaft*, deren Gründung 1617 von Ludwig von Anhalt-Köthen angeregt wurde. Weitere ähnliche Institutionen waren die *Aufrichtige Tannengesellschaft* (Straßburg 1633), die *Deutschgesinnete Genossenschaft* (Hamburg 1643), der *Pegnesische Blumenorden* (Nürnberg 1644) und der *Elbschwanenorden* (Hamburg 1653). Träger dieser Gesellschaften waren der gebildete Adel sowie die Gelehrtenschicht, die in Höfen, Städten und Univ. präsent war und zunehmend an Bed. gewann und, von wenigen Ausnahmen abgesehen, die Sprachgesellschaften quantitativ dominierte.

Wie bereits in der Ren. verstand sich diese Gelehrtenschicht als Teil der europ. Gelehrtenwelt, die durch eine äußerst intensive persönliche Kommunikation (Brief, Reisen, Studium) in ständiger Verbindung stand. Auch die zeitgenössische europ. Lit. wurde lebhaft rezipiert und übersetzt.

C. Gelehrsamkeit, Bildung und Wissen

Gelehrsamkeit und Bildung sind die zentralen Elemente des Selbstverständnisses der Literatenschicht. Die Mitglieder dieser Gruppe gingen aus den zeitgenössischen Bildungsinstitutionen (protestantische Gelehrtenschule, Jesuitengymnasium, → Universität und adligen Bildungseinrichtungen wie die → Ritterakademie) hervor und waren ihnen häufig auch professionell verbunden. Wesentlicher Bestandteil des gebildeten Unterrichts war die Rhet., die durchweg auf dem Fundament ant. Theorie fußte und im wesentlichen in lat. Sprache vermittelt wurde. Die Zweisprachigkeit der Literaten und der Lit. war daher trotz des kulturpatriotischen Engagements für die dt. Sprache die Regel. Beherrschung des Bildungskanons und der rhet. Regularien, Ostentation von Wissen und allusionsreiches Sprechen wurden zum Ausweis gelehrter Kompetenz und damit zum wichtigen Bestandteil gesellschaftlichen Prestiges. Diese Kompetenz wirkte nicht nur als Instrument sozialen Aufstiegs, sondern konstituierte auch einen Raum, in dem es möglich war, Standesunterschiede im Horizont des gemeinsamen Bildungsinteresses zu überspielen.

D. Gesellige Institutionen der Bildungskultur

Die Institutionen, in denen Gelehrsamkeit praktisch Anwendung gefunden hat und zugleich im Dienste der Selbstrepräsentation demonstriert werden konnte, waren neben den primär unterrichtsgebundenen Redeakten (Disputationswesen, Deklamation, Jesuitendrama, Schultheater) der Hof und die höfische Zeremonial- und Festkultur sowie v. a. die höfische und bürgerliche Gesprächskultur.

Konversation spielt daher nicht nur in den Handbüchern zur Lebensführung des 17. Jh. (N. Faret, B. Gracián, E. Tesauro) eine zentrale Rolle, sondern motivierte auch das Interesse des Lesers an polymathisch-enzyklopädischer Lit. wie etwa dem *Polyhistor* des D. G. Morhof (1687). Hierher gehören auch Ph. Harsdörffers *Frauenzimmer-Gesprächspiele* (1641–1649) und seine unter dem Titel *Kunstquellen Denckwürdiger Lehrsprüche und Ergötzlicher Hofreden* erschienenen *Ars Apophthegmatica* (1655). Schriften dieser Art sollten dem Leser ein Arsenal an im Gespräch reproduzierbarem Wissensstoff vermitteln, der ihn als versatilen, sinnreichen, über Witz und *acutezza* verfügenden Gesprächsteilnehmer erweisen sollte.

Auch die poetische Lit. ist als Bestandteil gelehrter Kultur von diesen Grundzügen geprägt. Die *doctrina*, die Kunst der sinnreichen Fügung, Wortkunst und die Beherrschung der lit. und gelehrten Trad. wurden als Voraussetzungen der Dichtkunst verstanden. Dies schlug sich u. a. in umfangreichen erläuternden Anmerkungsapparaten zu lit. Texten (so etwa bei Opitz, Gryphius, Zesens und Lohenstein) nieder.

→ Deutschland

1 W. Adam (Hrsg.), Geselligkeit und Ges. im B.-Zeitalter I/II, 1997 2 W. Barner, B.-Rhet. Unt. zu ihren gesch. Grundlagen, 1970 3 K. Borinski, Gesch. der dt. Lit., Bd. 2, Stuttgart 1893 4 G. Braungart, Hofberedsamkeit. Stud. zur Praxis höfisch-polit. Rede im dt. Territorialabsolutismus, 1988 5 Ders., Ein Ferment der Geselligkeit: Zur Poetik des Apophthegmas, in: W. Adam (Hrsg.), Geselligkeit und Ges. im B.-Zeitalter I/II, 1997, 463–472 6 J. Burckhardt, Cicerone, Basel 1855 7 G. E. Grimm, Lit. und Gelehrtentum in Deutschland. Unt. zum Wandel ihres Verhältnisses vom Human. zur Frühaufklärung, 1983 8 H. Jaumann, Der B.-Begriff in der nicht-wiss. Lit. und Kunstpublizistik um 1900, in: K. Garber (Hrsg.) , Europ. B.-Rezeption, 1991, 619–633 9 W. Kühlmann, Gelehrtenrepublik und Fürstenstaat. Entwicklung und Kritik des dt. Späthuman. in der Lit. des B.-Zeitalters, 1982 10 Ders., Frühaufklärung und B. Traditionsbruch-Rückgriff-Kontinuität, in: K. Garber (Hrsg.), Europ. B.-Rezeption, 1991, 187–214 11 H.-H. Müller, Die Übertragung des B.-Begriffs von der Kunstwiss. auf die Literaturwiss. bei Fritz Strich und Oskar Walzel, in: K. Garber (Hrsg.), Europ. B.-Rezeption, 1991, 95–112 12 M. Schilling, Ges. und Geselligkeit im Pegnesischen Schaefergedicht und seiner Forts., in: W. Adam (Hrsg.), Geselligkeit und Ges. im B.-Zeitalter I/II, 1997, 473–482 13 C. Schmölders (Hrsg.), Die Kunst des Gesprächs. Texte zur Gesch. der europ. Konversationstheorie, 1979 14 R. Zeller, Spiel und Konversation im B. Unt. zu Harsdörffers »Gesprächsspielen«, 1974. HELMUT KRASSER

II. Grossbritannien

s. Klassik/Klassizismus (Großbritannien)

III. Romania

A. Begriffsprobleme und Allgemeines
B. Relativierung und ästhetizistische Funktionalisierung antiker Prätexte in den romanischen Literaturen zwischen Renaissance und Barock   C. Tendenzen einer Dekonstruktion des Vorbildcharakters der Antike und Anfänge der Querelle des Anciens et des Modernes im Barock

A. Begriffsprobleme und Allgemeines

Der Begriff des lit. B. bezeichnet in seinem heutigen Gebrauch eine in ihrer allg. Bed. wie in Einzelfragen kontrovers diskutierte, kaum in kohärenten Epochengrenzen konkretisierbare Periode der literarhistor. Entwicklung oder zumindest ihrer wesentlichen stilistischen Aspekte in etwa zw. der zweiten H. des 16. und

Abb. 1

Abb. 2

17. Jh. Mit unterschiedlichem Gewicht in die Geschichtsschreibung fast aller europ. Literaturen eingegangen, hat der B.-Begriff in den wichtigsten romanischen Literaturen zu Periodisierungen unterschiedlicher Reichweite geführt. Dabei wird als vorausgehende Periode mit je nach Nationallit. unterschiedlich akzentuierten Übergangsperioden wie etwa vornehmlich in It. dem → Manierismus die → Renaissance angesetzt, als nachfolgende die mehr oder weniger kohärenten (neo-) klassizistischen Tendenzen (→ Klassizismus) der zweiten H. des 17. bzw. (v. a. in Spanien) des 18. Jh.

Die mit dem B.-Begriff intendierte retrospektive Stil- oder Epochenkonstruktion wird zusätzlich erschwert durch seine Herkunft aus kunstgeschichtlichen Diskussionen des 19. Jh., in der er eine erste, die Periode des B. eher abwertende oder doch zumindest problematisierende Bed. gewonnen hat. Die bis ins 18. Jh. zurückreichende Vorgeschichte des Begriffs weist ein Bedeutungsfeld negativer Konnotationen des Unregelmäßigen, Abweichenden oder Bizarren auf, die er aus der Sicht einer regelorientierten ästhetischen Perspektive transportiert (vgl. dazu [10. 9f.; 21. 402–419; 25. 55ff.; 27. 69ff.]; außerdem die romanistischen Beiträge zu [15; 20; 22]). Deren Wirkung zeigt sich etwa in einer berühmten Formulierung aus Jakob Burkhardts *Der Cicerone* (1855), wo der B.-Begriff erstmals Eingang in die Kunstgeschichte findet: ›Die B.-Baukunst spricht dieselbe Sprache wie die Ren., aber einen verwilderten Dialekt davon‹. Eine Periode der Auflösung des dem

Renaissanceklassizismus zugeschriebenen Kunstideals zu beschreiben und sie (trotz der seit Heinrich Wölfflin, im Anschluß an Burckhardt der eigentliche Begründer des B.-Begriffs in der Kunstgeschichte, durchaus anerkannten künstlerischen Qualitäten des B.) als Niedergang zu begreifen: damit ist ein Grundproblem der wertenden Dimension des Begriffs bezeichnet, die bei seiner Übertragung auf lit. Phänomene ungeachtet der zunehmenden Verwendung des B.-Begriffs für eine Periodisierung der romanischen Nationalliteraturen seit den 20er J. des 20. Jh. noch nachwirkt. So reagiert der bedeutende it. Philosoph und Literarhistoriker Benedetto Croce auf die erste literarhistor. Konjunktur des Begriffs mit dem Urteil, daß ›die Kunst niemals barock ist und das, was barock ist, keine Kunst‹ (Vorwort zu [12. 37]), und der einflußreiche frz. Literaturwissenschaftler M. Fumaroli warnt noch im J. 1980 vor einem Begriff, der ›aus Zentraleuropa importiert, mit nationalistischen Vorurteilen und intellektuellen Zweideutigkeiten aufgeladen‹ sei (Vorwort zu [24. 13 f.]). Beiden Urteilen ist aus nationallit. unterschiedlich motivierten Gründen ein klassizistischer Standpunkt gemeinsam, dem in It. die Periode des B. als Verfall einer als Blütezeit gedachten Ren. gilt, während in Frankreich die Annahme einer solchen Periode die überragende Geltung des Klassizismus des 17. Jh. bedroht.

Diese Überlegungen weisen bereits darauf hin, daß die Verwendung des B.-Begriffs mit Wertungsfragen belastet ist, bei denen die Relativierung des Vorbildcharakters bzw. die Entwertung ant. Modelle durch die lit. Entwicklung zumindest implizit eine wichtige Rolle spielt. Indem die Periode des B. als Abwendung von bzw. als Auflösung der als Ort eines harmonischen Kunstschaffens gedachten Ren. konzipiert wird, bleibt ihre Wertung trotz der seit Wölfflin sich entwickelnden, die eigenständige künstlerische Konstellation des B. betonenden Sicht häufig von der Idee einer der Ren. zugeschriebenen Norm bestimmt, einer regelhaften Vorbildlichkeit als harmonisch verstandener ästhetischer Gesetze, als deren Auflösung der B. mit seiner Orientierungslosigkeit und seinen Inkohärenzen gedacht wird. Eine solche Konzeptualisierung des Epochen- oder Stilgegensatzes aus kunstgeschichtlichen Prämissen hat allerdings in der Geschichtsschreibung v. a. der span. und it. Lit. schon seit längerem ihren normativen Anspruch verloren. Dennoch verdeutlicht diese traditionelle, in der frz. Forsch. teils bis h. vertretene Sichtweise – dabei spielt dort nicht wie insbes. in der it. Lit. die Abgrenzung zur vorausgehenden Periode der Ren. eine Rolle, sondern eine Abwertung des B., in der älteren Forsch. gängig auch als *préclassicisme* bezeichnet gegenüber dem nachfolgenden, als dessen Überwindung gedachten Klassizismus –, daß eine Relativierung oder Entwertung von ästhetischen und poetologischen Positionen, die unter Rekurs auf der Ant. zugeschriebene Modelle entworfen werden, ein Grundproblem der Epoche ausmacht.

Wenn Hugo Friedrich beispielsweise in einer berühmten Formulierung das Grundcharakteristikum der it. Barocklyrik als eine ›Überfunktion des Stils‹ fassen will, als einen ›Stilprunk‹, der auf die ›Großartigkeit des Scheins‹ abziele [13. 545 ff., 562], dann insistiert er mit dieser Perspektive, die sich ähnlich in vielen Konzeptualisierungen des B. in den romanischen Literaturen wiederfinden läßt, auf einer Abkehr von dem poetologischen Ideal der → Mimesis, wie es in der Ren. in Aus- und Umdeutung der *Poetik* Aristoteles' neu begründet worden war. Allerdings wird damit auch in der Trad. wichtiger Tendenzen der Forsch. der Begriff des B. in erster Linie durch eine Anhäufung von für ihn als charakteristisch angesetzten Stilmerkmalen konkretisiert. Repräsentativ hierfür sind insbes. die Arbeiten von H. Hatzfeld (vgl. die zusammenfassende Darstellung in [16] sowie allgemeiner zu diesen Problemen [27. 76 ff.; 10. 25 ff., 71 ff.]). Ohne solche Positionen hier näher diskutieren zu können, muß gerade in Hinblick auf die Frage des Verhältnisses von B. und Ant. darauf verwiesen werden, daß eine in erster Linie phänomenologisch argumentierende (in Hinsicht auf lit. Texte also primär auf Aspekte einer Intensivierung und Verabsolutierung der *elocutio* abhebende) Begründung des B.-Begriffs keine systematisierende Perspektive auf die für diese Frage relevanten Zusammenhänge ermöglicht. Angesichts der wenig eindeutigen Epochengrenzen wie angesichts der in Einzelerscheinungen und in Hinsicht auf stilistische Eigenheiten geradezu chaotisch anmutenden Vielfalt barocker Texte in den romanischen Literaturen er-

scheint hierfür vielmehr eine Konzeptualisierung erforderlich, die weniger auf epochalen Kohärenzen oder stilistischen Gemeinsamkeiten aufbaut, sondern darauf abzielt, allg. Tendenzen der die einzelnen Texte in durchaus unterschiedlicher Intensität prägenden diskursiven Dominanzen zu rekonstruieren.

Unter Rückgriff auf eine von J. Küpper vorgeschlagene Rekonstruktion der Epochenkonzepte von Ren. und B. (die folgenden allg. Überlegungen stützen sich insbes. auf [19. 7–35, 230–304; 17]) kann man zunächst die vielbeschworene »Entdeckung« der Ant. durch die Ren. diskursgeschichtlich genauer fassen als eine v. a. unter dem Einfluß nominalistischer Skepsis sowie neuer Möglichkeiten der Welterfahrung sich vollziehende Auflösung der totalisierenden theologischen Diskursordnung (insbes. der → Scholastik), in deren Weltdeutung die ant. Texte heteronom funktionalisiert worden waren. Die Ren. kann so als eine Epoche gedacht werden, in der eine produktive Rezeption ant. Texte (neu entdeckter wie auch bereits bekannter) als Orte einer zunehmend nicht mehr von hegemonialen theologischen Diskursen gesteuerten offenen Bedeutungsvielfalt möglich wird. Der human. Optimismus zielt auf die Entdeckung einer Pluralität ant. Sinnbildungsleistungen, die er nicht mehr unter dem primären Verstehensansatz einer deutend zu korrigierenden paganen Verfälschung heilsgeschichtlicher Wahrheit sich aneignen muß. Die Aufwertung des Status ant. Texte, die dadurch eine neue Legitimationsfunktion erlangen, daß sie zu einem wichtigen Bezugspunkt in sich wenig kohärenter Diskurse der Weltmodellierung in der frühen Neuzeit werden, gerät jedoch im Horizont der rel. und polit. Umbrüche des 16. Jh. in eine Krise, die diskursgeschichtlich als Ausgangspunkt des B. angesetzt werden kann – als eine diese Krise in sehr unterschiedlicher Weise verarbeitende Neuorientierung ästhetischer Reflexion wie lit. Diskurse. Diese erfolgt mit einer Phasenverschiebung in den romanischen Ländern, die sich vom *Sacco di Roma* als histor. frühestem Kristallisationspunkt einer Krise der Ren. über die frz. Religionskriege bis hin zum beginnenden Niedergang des span. Imperiums gegen Ende des 16. Jh. erstreckt (vgl. dazu das ereignis- und mentalitätsgeschichtliche Panorama, das D. Souiller in [24. 20 ff.] entwirft). Erweist sich der human. Enthusiasmus, in der Erschließung und Neudeutung ant. Trad. eine Vielfalt von Möglichkeiten des Denkens und Schreibens zu entwerfen, dem ideologischen und gesellschaftlichen Wandel gegenüber zunehmend als ohnmächtig (paradigmatisch hierfür ist der philos. bzw. lit. Skeptizismus eines Montaigne oder Cervantes), so setzen mit dem Tridentinum zugleich ideologische und ästhetische Restaurationsbestrebungen ein, die auch den ungesteuerten Umgang mit der ant. Trad. massiv in Frage stellen. Deren ungeordnete Mannigfaltigkeit, die in den Anfängen des → Humanismus sogar theologisch beglaubigt worden war (etwa in den Konzeptionen einer der Ant. zugeschriebenen *prisca theologia* oder der Paralleloffenbarung), erscheint nunmehr als nicht kontrollierbare Tendenz eines verweltlichten Denkens. Dies gilt nicht nur für Trad. wie den Pyrrhonismus oder den ant. Materialismus, an denen sich ausgehend von It. die Tendenzen einer im B. v. a. in Frankreich einflußreichen freigeistigen Philos. inspiriert hatten, nicht nur für Tacitus, der als wichtigste ant. Quelle für die auf Macchiavelli zurückgehende Trad. der im B. weit verbreiteten Rationalisierung der polit. Theorie angesehen wurde, sondern selbst für Aristoteles, den ant. Gewährsmann der Scholastik, aus dessen *Metaphysik* etwa bereits im it. Human. Argumente gegen die Lehre von der Unsterblichkeit der Seele entwickelt worden waren.

Neben solchen allg. Aspekten der ideologischen Krise wird die Geltung ant. Trad. in der Zeit des B. zugleich aber auch relativiert durch die Entwicklung neuer, über den Zirkel der human. Gebildeten hinausgehender Publikumsschichten im Bereich der gesellschaftlichen Eliten wie auch der Fürstenhöfe – insbes. in den trotz der Krisen fest etablierten Nationalstaaten Spanien und Frankreich.

Zwar bleiben ant. Trad. (des Denkens wie der Myth.) weit über die Zeit des B. hinaus prägender Bildungshorizont dieses neuen Publikums, aber ihre Bed. reduziert sich vor dem Hintergrund neuer Welten des Denkens und der Erfahrung deutlich. Die Intensität der ideologischen und polit. Krise der Zeit darf nicht darüber hinwegtäuschen, daß der B. nicht nur in Frankreich – aber v. a. dort – auch eine Periode gesellschaftlicher und kultureller Modernisierung ist. Für den damit verbundenen Wandel ist es bezeichnend, daß so zentrale Repräsentanten des frühneuzeitlichen Denkens wie Galilei und Descartes in ihren Publikationen vom Lat. in die mod. Sprachen wechseln – mit der strategischen Absicht, über die elitäre Gelehrtenrepublik hinaus (deren Sprache bis in die zweite Hälfte des 17. Jh. hinein weitgehend das Lat. bleibt) von neuen Publikumsschichten rezipiert zu werden. All dies ist für die Entwicklung der B.-Lit. zumindest ebenso prägend wie die ideologische und gesellschaftliche Krise oder die auf eine Restauration der theologischen wie auch polit. Dominanz über die chaotische Vielfalt der Diskurse zielenden Bestrebungen. Aus solch widersprüchlichen Voraussetzungen ergibt sich eine in den verschiedenen romanischen Literaturen und selbst innerhalb der einzelnen Nationalliteraturen höchst disparate Entwicklung, die in der Relativierung und Umbesetzung ant. Modelle und Prätexte ein gewichtiges gemeinsames Charakteristikum hat.

B. Relativierung und ästhetizistische Funktionalisierung antiker Prätexte in den romanischen Literaturen zwischen Renaissance und Barock

In dem mit den bisherigen Ausführungen sehr vereinfacht umrissenen Konfliktfeld orientiert sich die Lit. mit einem am Ren.-Klassizismus geschulten gewachsenen Bewußtsein ihres Eigenwerts und ihrer Sonderstellung. Die daraus resultierenden Autonomietendenzen werden v. a. in einer Relativierung der mimetischen Funktion der lit. Diskurse und in einer Verabsolutierung der Instanz des Dichters weitergeführt. Das aufschlußreichste Indiz hierfür ist die Dynamik einer allen romanischen Nationalliteraturen – wenn auch mit unterschiedlichen Resultaten – gemeinsamen poetologischen Diskussion, die sich aus der um 1500 »neuentdeckten« *Poetik* Aristoteles' entwickelt (erste Übers. ins Lat. 1498). Bei genauerer Betrachtung ist es sicher so, daß die im 16. Jh. massiv einsetzende Rezeption dieser Übers. der ja auch zuvor schon im griech. Originaltext bekannten Abhandlung selbst ein Resultat der intensiven Reflexion über die bes. diskursive Position der Lit. ist. Seit der Mitte des 16. Jh. florieren von It. ausgehend Komm. und Bearbeitungen der *Poetik* sowie zunehmend stärker eigenständige poetologische Abhandlungen, deren Charakteristikum die Diskussion und Entwicklung von verallgemeinerbaren, gattungs- und stilbezogenen Regeln ist. Bereits die europaweit bis ins 17. Jh. hinein einflußreichste dieser Abhandlungen, Julius Scaligers *Poetices libri septem* (1561), der Aristoteles als Vordenker ausgibt, ihn in vielen Urteilen aber bereits relativiert, begründet unter Integration der lat. poetologischen und rhet. Trad. die Autonomie der Regeln und damit die eigenständige Bed. des Dichters gegenüber den anderen *genera dicendi* aus der bes. Natur seines Sprechens, mit der es ihm gegeben sei, über die vorfindliche Wirklichkeit hinaus ›velut alter Deus condere‹ [7.3]. Scaliger steht mit dieser Tendenz zu einer Überhöhung der Funktion des Dichters am Übergang zu jenen meist nicht sonderlich systematischen poetologischen Traktaten des B., in denen zunehmend an die Stelle der hierarchisch aufgebauten und mimetisch orientierten Argumentation der neoaristotelischen Regelpoetik Reflexionen über die eigenständige Logik dichterischen Sprechens treten. Stärker als an den ant. Trad. der Poetik an denen der *Rhetorik* von Aristoteles selbst bis hin zu Quintilian – bisweilen zudem auch an Ps.-Longin und einer platonisch inspirierten Idee des *furor poeticus* – orientiert, verschieben sich in dieser eklektischen Relativierung der Autorität Aristoteles' wie in der Verlagerung der poetologischen Argumentation auf Aspekte der *elocutio* und *persuasio* (wobei die *persuasio* in erster Linie als durch sich selbst legitimierter Effekt des ingeniösen sprachlichen Ausdrucks gedacht wird und jene traditionelle *ratio dicendi* zurücktritt, die verlangt: ›ut probemus vera esse, quae defendimus‹, Cic. de orat. 2,27,115) die Begründungszusammenhänge für die Qualität lit. Diskurse nunmehr deutlich vom Mimesispostulat auf deren vom Dichter hervorgebrachte sprachliche Struktur. Dessen Einbildungskraft (*ingegno*) ist in der von Emanuele Tesauro in seinem *Cannocchiale aristotelico* (1655, s. Abb. 1+2) entworfenen Perspektive eine schon von der Ant. als gottgegeben beglaubigte Fähigkeit zur Erzeugung einfallsreicher Rede, der *argutie* oder *argutezze* (bei anderen Theoretikern *acutezze*) in Vermischung der lat. Etyma *acutus*, rhet.: alle Formen des metonymischen Sprechens und *argutus* als Charakteristikum ausdrucksreicher Rede bezeichnen bei den it. Theoretikern des B. die Verwendung überraschender, v. a. metaphorischer Bilder und Figuren (vgl. dazu [14. 628 f.]), die zugleich ein naturgegebenes Vorrecht genialer Individuen sei ([8.83] vgl. hierzu und zum Folgenden [23.128 ff.]). Tesauro bindet in seiner einflußreichen Abhandlung, einer Art Summe der it. B.-Poetik, seine im Grunde schon als Geniepoetik lesbare Konzeption des Dichtens noch in ant. Trad. wie auch in eine rel. Kosmologie ein, u. a. mit dem traditionell die Bed. der Dichtung legitimierenden Argument, daß die *argutezze* ein Mittel der Verkündigung der Offenbarung bzw. eine Repräsentanz des Göttl. unter den Menschen seien ([8. 1f., 59] u.ö.). Doch ist diese Dichtung für ihn nicht mehr auf die Veranschaulichung einer Wahrheit verpflichtet, sondern zielt mit ihren überraschenden Figuren (*concetti*) auf die Herstellung eines publikumswirksamen Scheins. Tesauro verbildlicht seine mod. Intention einer Verbindung von ant. Rhet. und wiss. Anschauung, indem er mit der für seine Orientierung bezeichnenden kühnen Titelmetapher die *Rhetorik* Aristoteles' zu einem Fernrohr (*cannocchiale*) macht, mit dessen Hilfe es der Dichtung möglich werde, die Sonne (zugleich als traditionelles Symbol Apolls) zu schauen (vgl. Titelkupfer: Abb. 2 sowie [8. 2f.]), eine Intention, die sich auch in seinen ausufernden Bemühungen zeigt, die metaphorische Rede verstehbar und damit verfügbar zu machen. Gerade mit solchen Tendenzen steht er anderen barocken Theoretikern nahe, insbes. Baltasar Graciáns *Agudeza y arte de ingenio* (1648), einem der wichtigsten span. Verfechter eines sog. dunklen dichterischen Stils (*conceptismo*).

Der in solchen Tendenzen des romanischen B. anklingende Autonomieanspruch der lit. Diskurse ist allerdings in sich durchaus widersprüchlich; die ihn begründende Logik einer selektiven Lektüre und Umdeutung ant. Prätexte wird nur verständlich, wenn man das oben skizzierte ideologische und polit. Spannungsfeld bedenkt, in dem er entsteht. Dies läßt sich an der in diesem Kontext wesentlichen Kategorie des Wunderbaren (*maraviglioso/meraviglia*) verdeutlichen, die nicht erst bei Tesauro für die Relativierung bzw. Aufhebung des Wirklichkeitsbezugs der Dichtung eine zentrale Rolle spielt und an der sich zugleich die Tendenzen einer Abwendung des B. von der Trad. der ant. Poetik (insbes. Aristoteles') deutlich fassen lassen. Zwar lassen sich Elemente dieses Begriffs auch von Plato oder aus der aristotelischen *Metaphysik* ableiten, in der *Poetik* kommt ihm jedoch angesichts des dominanten Nachahmungspostulats allenfalls eine funktional untergeordnete Bed. zu (etwa bei der Diskussion des homerischen Epos). Am Übergang zw. Ren. und Barock haben it. Aristoteles-Komm. wie die von Castelvetro (1570) oder Patrizi (1586) in kritischer Wendung gegen Aristoteles das Wunderbare zum eigentlichen Ziel der Dichtung erklärt, und zwar gerade mit Rücksicht auf deren Wirkung: ›Das Ziel der Dichtung (...) ist das Vergnügen; und insbes. das Wunderbare bewirkt das Vergnügen‹

[2. 175]. Doch die darin zum Ausdruck kommende Abwendung vom Mimesispostulat folgt neben den Autonomietendenzen der Dichtung zugleich auch Bestrebungen nach einer Restauration theologischer Dominanz über die lit. Diskurse, insofern das Wunderbare Bestandteil einer rel. strukturierten Wirklichkeitsmodellierung werden kann.

Dies zeigt sich exemplarisch in der Entwicklung des Epos, der Gattung die seit der Ren. (und auch in Abweichung vom Urteil Aristoteles') an die Spitze der Gattungshierarchie gestellt worden war. Dabei setzt sich gegen Homer, dessen Sprache seit Scaliger harsch als uninspiriert und zu wenig elaboriert kritisiert wird, Vergil als das große Vorbild epischer Dichtung durch (vgl. [7. 216 ff.]); der wertende Vergleich zw. den beiden epischen Dichtern wie der griech. und der lat. Dichtung insgesamt, den Scaliger in Buch V und VI seines Werks ausführt und in dem die letztere jeweils deutlich den Vorzug erhält, bleibt bis ins 18. Jh. hinein repräsentativ für die Rezeption der ant. Lit. in der Romania. Hatte am Ende der Ren. Pierre Ronsard in seiner Fragment gebliebenen *Franciade* (1572) noch versucht, die *Aeneis* auf eine Gründungsgeschichte Frankreichs umzuschreiben (die das Werk des Hektor zugeschriebenen Sohnes Francus werden sollte), so gibt es seit Tasso v. a. in der it. und frz. Lit. eine über die gesamte Periode des B. reichende Reihe von Versuchen, die nationale Perspektive der Gattung rel. neu zu modellieren. Der eine selbstverständliche Einheit von göttl. und menschlichem Handeln konstruierende Kosmos des Vergilschen Prätextes wird in Tassos *Gerusalemme liberata* (1580/81) heilsgeschichtlich umgeschrieben, wobei das Wunderbare v. a. im gegen das Ziel des Kreuzfahrerheers gerichteten Wirken teuflischer Mächte eine große Rolle spielt (die in der Forsch. intensiv diskutierte Frage, inwieweit Tasso ein dem B. zuzurechnender Autor ist, kann hier nicht näher behandelt werden; diskursgeschichtlich ist sein Epos jedenfalls ein Begründungstext für die Epik des romanischen B.). Allerdings gewinnen die daraus resultierenden Handlungsstränge (insbes. die der Dido-Episode nachgebildete Verzauberung Rinaldos durch Armida) eine eigene Logik, die nur noch schwer in die totalisierende rel. Perspektive integrierbar ist (weshalb Tasso dann unter dem Eindruck gegenreformatorischer Kritik sein Werk zu einer *Gerusalemme conquistata* umgeschrieben hat). Das Wunderbare, das Tasso halbherzig unter Rückgriff auf den Platonismus und das Christentum theoretisch zu legitimieren versucht (vgl. hierzu [23. 79 ff.]), erhält trotz nachhaltiger, auf seine rel. Funktionalisierung ausgerichteter Bestrebungen in allen Gattungen des B. eine ästhetische Eigendynamik, die man zwar etwa im nationalrel. Epos des B. immer wieder rel. zu begründen versucht hat, die sich dem hegemonialen Anspruch einer rel. Funktionalisierung aber nur begrenzt fügt. So heißt es noch bei dem frz. Autor Desmarets de Saint Sorlin, der ein von Vergil und Tasso inspiriertes Epos über die Taufe des Frankenkönigs Chlodwig als heilsgeschichtliche Begründung der frz.

Monarchie verfaßt: ›Alles was die Allmacht Gottes oder die Macht der Dämonen bewirken kann, ist nach unserer Religion wahrscheinlich‹ [6. 756]. Desmarets intendiert explizit eine Überbietung der *Aeneis*, deren paganem Begründungszusammenhang er schon durch das sein Werk prägende Licht der christl. Erkenntnis überlegen sei (vgl. [6. 739 f.]). Eindeutig ist es jedoch so, daß dieser Anspruch, der in allen romanischen B.-Literaturen, jedoch in sehr unterschiedlicher Intensität präsent ist, nur durch eine weitreichende Relativierung der Geltung poetologischer wie lit. Prätexte aus der Ant. durchsetzbar sein kann.

Am deutlichsten zeigt sich dies in dem explizit von der Orientierung an ant. Gattungsvorbildern sich abwendenden span. B.-Drama, das v. a. in seinen der rel. Erbauung dienenden *autos sacramentales*, aber auch in rel. inspirierten Handlungselementen der weltlichen *comedia* ausladend Elemente des Wunderbaren verwendet. Das bekanntestes Beispiel hierfür ist die erste Dramatisierung der Don-Juan-Thematik durch Tirso de Molina (*El burlador de Sevilla o convidado de piedra*, 1630), ähnlich aber auch − in komplexer christl. Neukodierung und Entwertung der ant. Myth. − Calderóns berühmtes Drama *La vida es sueño* (1636; vgl. hierzu [18; 19]). Gerade wegen der in Spanien ungebrochenen diskursiven Dominanz der Kirche ist dort im B. die Auflösung des Vorbildcharakters der Ant. bes. ausgeprägt. Doch ist diese Entwicklung selbst in Spanien ambivalent und darf nicht über das der barocken Dekonstruktion der Ant. innewohnende Modernisierungspotential hinwegtäuschen, das bereits Elemente einer → Querelle des Anciens et des Modernes enthält. Dieses ist im übrigen auch in den span. Diskussionen ansatzweise präsent. So formuliert ein Verteidiger der antiaristotelischen, von Lope de Vega begründeten *comedia nueva* zu dessen Rechtfertigung Überlegungen, die die Überwindung der Ant. durch diese selbst legitimieren sollen. Er postuliert ein Entwicklungsdenken in der Naturerkenntnis und in den Künsten, das eine stetige Perfektionierung der in der Ant. noch rohen und unvollkommenen Erkenntnis ansetzt. Von diesem Postulat her kann die Ant. nicht mehr als Vorbild dienen, denn, wie Aristoteles selbst gesagt habe, ›ille melior artifex est, qui naturae propius accesserit‹. Aus solchen Annahmen folgt, daß es einem ›viro docto prudentique‹ durchaus zustehe, ›ex his quae a maioribus inventa perfectaque sunt eximere multa, addere, mutare‹. Und ähnlich wie bei Tesauro beruft er sich auf den technischen Fortschritt, um diese Relativierung der Ant. auch für das Denken allg. zu legitimieren (*Appendix ad expostulationem Spongiae*, 1618, zit. nach [11. 564]).

C. TENDENZEN EINER DEKONSTRUKTION DES VORBILDCHARAKTERS DER ANTIKE UND ANFÄNGE DER QUERELLE DES ANCIENS ET DES MODERNES IM BAROCK

Daß die neue Bed. des Wunderbaren in den lit. Diskursen des B. Ansätze zu deren Modernisierung transportiert, zeigt sich bes. deutlich zu Beginn des 17. Jh. im Werk Giambatista Marinos. Als Zentralfigur des lit. B. in It. betreibt Marino in seinem lyr. Werk ein vielfältiges dekonstruktives Spiel mit dem myth. Bild- und Gestalteninventar der Ant. (u. a. mit der seit der Ren. in allen romanischen Literaturen verbreiteten Konstruktion Arkadiens (vgl. dazu [26]). Theoretisch wie praktisch ist für sein Werk in vielfältiger Hinsicht das ästhetizistisch verstandene Wunderbare ein wesentliches Element. So bezeichnet er nicht nur in ironischer Volte gegen den Verf. eines rel. Epos die diesseitig orientierte *maraviglia*, die auf das Erstaunen (*far stupir*) ziele, als Ziel des Dichters [4. 248]; v. a. aber verfaßt er mit dem *Adone* (1620/23) ein ausladendes Epos, das letztlich als Dekonstruktion sowohl der ant. Gattungstradition wie auch der rel. Funktionalisierung des Wunderbaren (nicht umsonst wurde es 1627 auf den Index gesetzt!) verstanden werden kann. Einen nur noch als Dekor dienenden rel.-kosmologischen Rahmen aufbauend, zitiert dieses ganz episodisch strukturierte Werk, ausgehend von dem maßlos ausgeweiteten Ovidschen Prätext, ein breites Inventar myth. Elemente, die mit Fragmenten mod. Welterfahrung und ästhetizistischem Spiel vermischt und derart dekonstruiert werden. Um nur ein Beispiel anzuführen: im fünften Buch betrachten Venus und Adonis die Geschichte Aktaions als Tragödieninszenierung, wobei sie nicht nur als Zuschauer eben jene Transgression (die Betrachtung der badenden Diana) begehen, deren Bestrafung der Mythos inszeniert, sondern wobei zudem die Welt der Gewalt, die der Mythos repräsentiert, in einer Transgression der Grenzen der Bühne in die der Liebe von Venus und Adonis aufgehoben wird, indem die von Aktaion gejagten Tiere sich in die Arme des Liebespaars flüchten. In ironischer Wendung gegen die Regelpoetik nennt Marino sein Epos einen ›zusammengeflickten Rock‹ und erklärt an anderer Stelle, es sei gegen die Regeln verfaßt, aber die ›wahre Regel‹ bestehe darin, ›die Regeln zur rechten Zeit und am rechten Ort zu durchbrechen um sich den herrschenden Gewohnheiten und dem Geschmack der Zeit anzupassen‹ [5. 206, 397].

Es ist nun kein Zufall, daß dieser in Umschreibung und Dekonstruktion der ant. Trad. sich konstituierende Modernitätswille die Verbindung von It. nach Frankreich herstellt, wo der *Adone* mit einer Widmung an Ludwig XIII. erscheint. Und nur ein scheinbares Paradox ist es, daß der später als Theoretiker des frz. Klassizismus aufgetretene Jean Chapelain den Stil dieses Werks wegen seiner Neuerungen nachdrücklich lobt, weil ›das Licht der Ant. darin überall leuchtet und alle Anmut der Mod. sie durchdringen‹ [3. 82]. Denn die frz. Diskussionen der ersten H. des 17. Jh. wie die lit.

Orientierungen dieser Zeit, die weithin dem B. zuzurechnen sind, verdeutlichen innerhalb der Romania am
konsequentesten das in einem Bruch mit dem Human.
und einer Dekonstruktion des Vorbildcharakters der
Ant. sich manifestierende Modernisierungspotential des
lit. Barock. Im Bereich der lit. Produktion zeigt sich
dieser Umbruch gerade in dem zuvor behandelten Gat-
tungsfeld an den Epenparodien, die ausgehend von It. in
Frankreich florieren (insbes. der seit 1648 erscheinende
Virgile travesti von Paul Scarron) oder, auch wieder ausgehend von It., in der Reihe der burlesken Parnaßrei-
sen, die sich in allen romanischen Literaturen finden
und die weder Aristoteles noch die Musenführer
Apollo selbst das Stigma der Lächerlichkeit ersparen (so
etwa Cesare Caporale, *Viaggio in Parnaso*, 1582, Miguel
de Cervantes, *Viage del Parnaso*, 1612, Traiano Boccalini,
De' Ragguagli di Parnaso, 1624; in Frankreich als späteres
Echo Antoine Furetière, *Nouvelle allégorique ou Histoire
des derniers troubles arrivés au Royaume d'Eloquence*, 1656).

Doch geht gerade in der frz. Diskussion die Entwicklung über eine solche dekonstruierende Auseinandersetzung mit der Ant. weit hinaus.

Der eigenständige, nicht mehr an die Legitimation
durch traditionelle Vorbilder gebundene Geltungsan-
spruch der Lit. führt um 1630 zu einem Modernismus-
streit, der im Grunde schon als erste Phase der Querelle
des Anciens et des Modernes verstanden werden kann.
Programmatisch erklärt der im Zentrum dieser Debatte
stehende Jean-Louis Guez de Balzac: ›Ich nehme die
Kunst der Alten, wie sie sie von mir genommen hätten,
wenn ich als erster auf der Welt gewesen wäre, aber ich
bin kein Sklave ihres Geistes (...). Im Gegenteil, wenn
ich mich nicht irre, bin ich in der Erfindung viel geschickter als in der Nachahmung; wie man in unserer
Zeit neue Sterne entdeckt hat, die bis dahin verborgen
geblieben waren, so suche ich in der Beredsamkeit
Schönheiten, die noch niemand ersonnen hat‹ [1. 147].
Hier erhält die Ant. den Status einer Vergangenheit, deren Material zwar zur Verfügung steht, die aber angesichts der Erkenntnis- und Erfindungsmöglichkeiten
der Gegenwart ihre normative Bed. verloren hat – und
es ist kein Zufall, daß Balzac ähnlich wie Tesauro das
Paradigma der Astronomie zur Begründung heranzieht.
Die ant. Trad. verliert angesichts des Erkenntnisfort-
schritts der frühen Neuzeit ihre Funktion als Ort normativer Beglaubigung von Wissen – und sie kann gerade dadurch zum Bezugspunkt ästhetischer Spekulation und lit. Konstruktion werden. Auch darin hat die
barocke Dekonstruktion des Vorbildcharakters der Ant.
ihren Anteil. In Frankreich etwa bildet sie eine wesentliche Voraussetzung für den Klassizismus des 17. Jh., in
dem eine auf die spekulative Rekonstruktion einer
idealisierten Ant. gegründete lit. Modernität sich entfalten kann, die sich im heterogenen Diskursfeld der
romanischen B.-Lit. nur als eine Tendenz entwickeln
konnte.

→ Arkadismus; Epochenbegriffe; Klassik; Rhetorik;
Poetik

QU **1** H. BIBAS, K. BUTLER (Hrsg.), Les premières Lettres de
Guez de Balzac, Bd. 1, 1933 **2** L. CASTELVETRO, Poetica
d'Aristotele vulgarizzata e sposata, hrsg. von W. ROMANI,
Bd. 2, 1979, **3** J. CHAPELAIN, Opuscules critiques, hrsg. von
A. C. HUNTER, 1936 **4** G. GETTO (Hrsg.), Opere scelte di
Marino e di marinisti, Bd. 1, ²1962 **5** M. GUGLIELMINETTI
(Hrsg.), Marino, Lettere, 1966 **6** D. DE SAINT SORLIN,
Discours pour prouver que les sujets Chrestiens sont les seuls
propres à la poësie Heroïque, 1673, in: R. FREUDMANN
(Hrsg.), Clovis ou la France Chrestienne, Poëme heroïque
par J. Desmarets de Saint-Sorlin, texte de 1657, 1972
7 J. SCALIGER, Poetices libri septem, Lyon 1561, Ndr. hrsg.
von A. BUCK, 1987 **8** E. TESAURO, Il Cannocchiale
Aristotelico, Ndr. der 5. Aufl. Turin 1670, 1968

LIT **9** W. BARNER (Hrsg.), Der lit. B.-Begriff, 1975
10 A. BUCK, Forsch. zur romanischen B.-Lit., 1980
11 Ders., K. HEITMANN, W. METTMANN, Dichtungslehren
der Romania aus der Zeit der Ren. und des B., 1972
12 B. CROCE, Storia della età barocca in Italia, 1929
13 W. FLOECK, Die Literarästhetik des frz. B. Entstehung –
Entwicklung – Auflösung, 1979 **14** H. FRIEDRICH, Epochen
der it. Lyrik, 1964 **15** K. GARBER (Hrsg.), Europ.
B.-Rezeption, 1991 **16** H. HATZFELD, Der gegenwärtige
Stand der romanistischen B.-Forsch., 1961 **17** J. KÜPPER,
Die span. Lit. des 17. Jh. und das B.-Konzept, in: K. GARBER
(Hrsg.), Europ. B.-Rezeption, 1991, 919–941 **18** Ders.,
La vida es sueño: Aufhebung des Skeptizismus, Recusatio
der Mod., in: Ders., F. WOLFZETTEL (Hrsg.), (Re-)
Dezentrierungen. Aspekte des B. in der Romania, 1999
19 Ders., Diskurs-Renovatio bei Lope de Vega und
Calderón. Unt. zum span. B.-Drama, 1990 **20** Ders.,
F. WOLFZETTEL (Hrsg.), (Re-) Dezentrierungen. Aspekte
des B. in der Romania, 1999 **21** B. MIGLIORINI, Etym. und
Gesch. des Terminus »B.«, in: W. BARNER (Hrsg.), Der lit.
B.-Begriff, 1975 **22** U. SCHULZ-BUSCHHAUS, Der
B.-Begriff in der Romania. Notizen zu einem vorläufigen
Resümee, in: Zschr. für Lit.-Wiss. und Linguistik 98, 1995,
6–24 **23** G. SCHRÖDER, Logos und List. Zur Entwicklung
der Ästhetik in der frühen Neuzeit, 1985 **24** D. SOUILLER,
La Littérature baroque en Europe, 1988 **25** V. L. TAPIÉ,
Baroque et classicisme, ²1980 **26** W. WEHLE, Diaphorie.
Über barocken Lustverlust in Arkadien, in: J. KÜPPER, F.
WOLFZETTEL (Hrsg.), (Re-) Dezentrierungen. Aspekte des
B. in der Romania, 1999 **27** R. WELLEK, The Concept of
Baroque in Literary Scholarship, in: Ders., Concepts of
Criticism, 1963.   HARTMUT STENZEL

IV. KUNST UND MALEREI

A. EINLEITUNG   B. KUNSTTHEORIE UND
AKADEMIEN   C. MALEREI UND PLASTIK
D. ARCHITEKTUR

A. EINLEITUNG

Wie in der Ren. orientierte sich auch im B. die Kunst
an ihren ant. Vorbildern. Im 17. Jh. erfuhr die ant. Kunst
erstmals eine systematische Bearbeitung, die zur Vermehrung und Vertiefung ihrer Kenntnis beigetragen
hat. Die arch. Forsch. brachten zahlreiche neue Antikenfunde zutage, denen illustrierte Publikationen mit
Darstellungen der überlieferten Statuen und Bauwerke
folgten. In zunehmendem Maße erfreuten sich die
Zeugnisse ant. Kunst der Beliebtheit in Sammlerkreisen.

Abb. 1: »Et in Arcadia ego« von Poussin. Paris, Louvre

»Heilige Susanna« von Duquesnoy. Rom, S. Maria di Loreto

Damit ging ein wachsendes Interesse an ant. Lit. und Geschichte einher, befördert durch die meist attraktiv illustrierten Neuauflagen von Texten ant. Autoren. Die unterschiedlichen Möglichkeiten der sowohl theoretischen als auch praktischen Auseinandersetzung mit dem ant. Erbe ließen die Rezeption im B. vielschichtiger erscheinen, als dies in der Ren. der Fall war. Ant. Kunstwerke wurden nicht nur als Studienobjekte und Quellen benutzt, sondern dienten zudem als Korrektiv für die Beurteilung des eigenen Kunstschaffens, gleichzeitig dienten aber die Vorbilder in höherem Maße als im vergangenen Jh. als Anregung zur eigenen Formfindung. In ihrer Rezeption fand allerdings eine konsequente Differenzierung zw. griech. und röm. Ant. kaum statt.

Nicht nur in der Bildhauerei, sondern auch in der → Malerei des B. wurden v. a. ant. Skulpturen rezipiert (Statuen, Büsten, Sarkophagreliefs, Münzen, Gemmen), die am häufigsten überliefert waren. Die Rezeption der ant. Malerei begann erst mit der Entdeckung der Vesuvstädte in der Mitte des 18. Jh. Die Vorlieben für bestimmte Kunstwerke verlagerten sich im 17. Jh. Während in der Ren. der → *Apoll vom Belvedere* das am meisten beachtete Vorbild war, orientierten sich die Künstler des B. eher am → *Laokoon*, dem *Farnesischen Herkules* oder der *Mediceischen Venus*. Neben den Studien der Originale erfolgte die Rezeption der Werke über Kopien und Abgüsse sowie über → Druckwerke. Kopien und Abgüsse in Kunstkammern und → Antikensammlungen ermöglichten auch außerhalb It. den Zugang zur ant. Kunst. Im B. gab die Rezeption ant. Werke die Möglichkeit, neue allegorische Inhalte zum Ausdruck zu bringen.

Im Laufe des 16. Jh. wurden die ant. Autoren in die lebenden europ. Sprachen übersetzt und damit auch den Künstlern, die meist weder Lat. noch Griech. beherrschten, zugänglich gemacht. Die Anzahl der rezipierten Autoren war aber relativ gering: Ovid, Herodot, Tacitus, Livius, Flavius Josephus und Plutarch. Themen der griech. und röm. Historiographie fanden in der Kunst eine vergleichsweise geringe Beachtung. Es waren Ovids ›Metamorphosen‹ und seine Interpretation der ant. Myth., die vom 16. bis zum 18. Jh. am häufigsten dargestellt wurden; dabei erfolgte eine allegorische Auslegung der Metamorphosen, die als Quelle moralischer Exempel dienten. Myth. Themen fanden zunehmend Eingang in die ikonographischen Programme von Palästen und Villen, unter Hinnahme der stellenweise gröblichen Verletzung christl. Auffassung durch die Darstellung der ant. Götter; die Auftraggeber wollten ihre human. Bildung durch ausgeklügelte Anspielungen zur Schau stellen, auch wenn dies manchmal auf Kosten von Moral und Glauben erfolgte.

Im Unterschied zum späten 18. Jh. zeigt das 17. Jh. kein Bestreben, die Ant. als verbindliches stilistisches Vorbild aufzufassen und doktrinär zu verfestigen. Da die barocke Kunst über keinen einheitlichen Begriff von der Ant. verfügte, erfolgte auch die Annäherung unterschiedlich: sowohl auf romantische, subjektive, als auch auf rationale, wiss. Weise. In allen Kunstgattungen lassen sich zwei Haupttendenzen erkennen, eine barockpathetische und eine klassizistische, die die Ant. auf jeweils unterschiedliche Weise rezipieren. Während die Künstler der barocken Richtung Wert auf spektakuläre Effekte legten, war das höchste Ziel der Klassizisten die Darstellung idealer Schönheit, wobei diese nicht in der niemals vollkommenen Natur zu suchen war, sondern in den Kunstwerken der Ant. als erreicht galt. Die bedeutendsten Vertreter der klassizistischen Richtung des 17. Jh. sind in der Malerei die Carracci, Reni, Poussin, Lorrain und Sacchi, in der Skulptur Algardi und Duquesnoy, ihr Sprecher ist der italienische Kunstschriftsteller Giovanni Pietro Bellori.

B. KUNSTTHEORIE UND AKADEMIEN

Die ant. Kunst spielt bei der Ausbildung der Künstler sowohl in den traditionellen Werkstätten als auch in den im Laufe des 17. Jh. gegründeten Akad. eine entscheidende Rolle, auch wenn in den im Anschluß an das Tridentiner Konzil entstandenen Kunsttraktaten (Paleotti u. a.) gefordert wurde, die ant. Plastik in die Studierstuben der Gelehrten zu verbannen. Die lebensgroßen Abgüsse nach ant. Statuen ermöglichten den Künstlern ein eingehendes Studium der Komposition, Haltung, Gestik sowie Mimik und führten sie über getreue Nachzeichnungen hinaus zu eigenen neuen Figurenerfindungen. In seinen Schriften erhebt Giovanni

Pietro Bellori die Forderung nach Antikennachahmung zur Doktrin. In einem Vortrag über die »Idea« an der Accademia di San Luca in Rom (1664) rät er den Künstlern, nicht die Natur selbst nachzuahmen, sondern die ant. Künstler, welche in ihren Werken die Idee einer vollkommenen Natur verwirklichten.

Innerhalb der klassizistischen Auffassungen wird an der 1648 gegr. Académie Royale de Peinture et de Sculpture die normative Vorstellung von der Vollkommenheit und Schönheit ant. Kunst weiter ausgeprägt. Die Ant. hat den Status eines nicht zu übertreffenden Vorbildes, sie gilt als absolute Norm. Selbst die Natur sei zu korrigieren, soweit sie nicht dem griech. respektive röm. Schönheitsideal standhalte. Jean-Baptiste Colbert in seiner Eigenschaft als Surintendant des Bâtiments und Vize-Protektor der Académie Royale veranlaßte die Gründung einer → Abgußsammlung der berühmtesten Statuen Roms. Als akad. Studienobjekte dienten Abgüsse nach Skulpturen wie der Laokoon-Gruppe, des Antinous, der → Diana von Ephesus, des Apoll vom Belvedere und der Mediceischen Venus, nach denen die Schüler zeichneten, noch bevor sie zum Aktzeichnen zugelassen wurden. Die Proportionen der ant. Statuen sollten dabei auf die lebenden Modelle übertragen werden, da sie als vollkommene und unumstrittene Vorbilder für die Darstellung des Menschen betrachtet wurden. Zentrales Thema der an der Académie Royale gehaltenen conférences waren ant. Statuen. Mehrere conferences waren der Laokoon-Gruppe gewidmet, die als vorbildliche Darstellung des extremen Leidens galt. In der zweiten Hälfte des 17. Jh. vollzog sich ein Wandel in der Einschätzung der Ant.: Ist sie für Fréart de Chambray in seiner Parallèle de l'architecture ancienne et moderne (1650) noch das Maß aller Dinge, so begann die an der Académie Royale in den letzten drei Jahrzehnten des 17. Jh. geführte → Querelle des Anciens et des Modernes, die Überlegenheit und den Vorbildcharakter der ant. Kunst in Frage zu stellen. Dieser Angriff auf die postulierte Vollkommenheit der Ant. war eine Folge der Entfaltung der frz. Kultur unter Ludwig XIV., des Fortschritts der mod. Naturwiss. und der Verbreitung der neuzeitlichen Philos. der Aufklärung. Auf der Seite der Modernes stritt Charles Perrault, der mit seiner programmatischen Schrift Parallèle des Anciens et des Modernes (1693) die Auffassung vertrat, daß die Gegenwart der Ant. auf fast allen Gebieten der Kunst und Wiss. überlegen sei. Wichtigstes Ergebnis der »Querelles« war die Einsicht, daß ant. und mod. Kunst histor. verschieden fundiert und damit nicht vergleichbar seien. Mit der Infragestellung des Modellcharakters und der Überlegenheit der ant. Kunst wurde eine histor. Sicht dieser Epoche eingeleitet, die diese schließlich ihrer normativen Wirkung auf die zeitgenössische Kunst beraubte.

C. MALEREI UND PLASTIK

Es sind v. a. zwei Motivkreise, in denen der Geist der Ant. in Malerei und Skulptur am stärksten nachwirkte: a) in der Darstellung von Göttern und Helden der Myth. und Geschichte und b) in der Evozierung des ant.

Bernini, »Proserpinaraub«. Rom, Villa Borghese

Abb. 2: Rubens, »Kreuzabnahme«. Antwerpen, Kathedrale

Traumlandes Arkadien. In zahlreichen Gemälden, Skulpturengruppen und Wandmalereien wird die animalische Kraft der Götter und Helden gefeiert und mit allegorischen Inhalten gefüllt, die sie gegenwartsnah erscheinen lassen. Gleichzeitig werden auf den großen Deckenfresken der Residenzen die absolutistischen Herrscher mittels komplizierter myth.-allegorischer Programme als göttl. zu verehrende Heroen präsentiert. Mit Arkadien als einem Utopia voller Glückseligkeit und Schönheit wurde die Ant. zur endgültig und unwiederbringlich vergangenen Zeit, zum fernen Land der Sehnsucht, zum Inbegriff eines glücklichen Gefildes, das es ›mit der Seele zu suchen‹ galt. Den zivilisatorischen Zwängen der eigenen Zeit setzt man Arkadien als ein Symbol der Sehnsucht nach der Ant. als einem Goldenen Zeitalter, einen erträumten Zustand von Harmonie und Freiheit entgegen. Das Sehnen nach paradiesischen Urzuständen findet Ausdruck in den mit ant. oder biblischen Figuren bevölkerten harmonischen Landschaftsszenerien in den Gemälden von Lorrain und Poussin (Abb. 1).

Die Tatsache, daß sich die Maler eng an berühmten Antiken orientierten, führte gelegentlich dazu, daß die Figuren unbewegt wie Statuen wirkten. Während Poussin dies in Hinblick auf mehrere seiner Gemälde durchaus als Qualitätsmerkmal hervorhebt, äußerte sich Rubens kritisch dazu, dabei selbst ein hervorragender Kenner der Ant. in seiner Zeit und Besitzer einer Antikensammlung. Rubens, der selbst viele seiner Figuren getreu nach Marmorstatuen gestaltet hat (Seneca, Kreuz-

abnahme; Abb. 2), betrachtet in seiner 1630–40 entstandenen Schrift *De imitatione antiquarum statuarum* das Antikenstudium seitens der Maler mit gewissem Vorbehalt. Viele Künstler ahmten nach seiner Auffassung anstelle von Fleisch Marmor nach, den sie mit verschiedenen Farben anmalten. Die gründliche Kenntnis der Antiken sei zwar unerläßlich, gleichzeitig aber sollten die Maler bemüht sein, diese Modelle auch ›mit Fleisch und Blut zu erfüllen, damit diese auf keinerlei Weise nach dem Stein schmeckten‹. Die Rezeption der Ant. in der Skulptur des B. ist untrennbar mit dem Ergänzen von Antiken verbunden. Alle berühmten röm. Bildhauer des Seicento orientierten sich in ihren Werken nicht nur eng am Formenkanon der ant. Plastik, sondern ergänzten und restaurierten in eigenen Umsetzungen die Antiken, wozu deren Fragmentierung geradezu herausforderte. Für Bellori galten Algardi und Duquesnoy als die einzigen, die ant. Statuen ›conforme la buona maniera antica‹ zu rekonstruieren vermochten. Von dem hohen Stand der Antikenkenntnis im frühen 17. Jh. zeugen die ps.-ant. Reliefs der *Villa Ludovisi*, die bis in unsere Tage als ant. Werke galten. Für Bernini sind die Antiken ›reliquie innamorte‹, an die er sich v. a. in seinen frühen Werken so eng anlehnt, daß man beispielsweise seine *Ziege Amalthea* noch zu Beginn unseres Jh. als ant. Werk ansah.

D. ARCHITEKTUR
Während die theoretische Beschäftigung mit der ant. Architektur sich in der Ren. in einer Vielzahl von Architekturtraktaten äußerte, die sich auf Vitruvs ›10 Bü-

Tempio antico nella Via Appia quale si vedevono non molti anni sono, una buona parte, ora è affatto consumato sino la superfice del terreno.

Abb. 3: Montano, Tempio antico nella via Appia

Abb. 4: Blondel, Porte Saint-Denis, Paris

cher von der Architektur‹ und auf die Erkenntnisse aus eigenen Antikenstudien beriefen, sind solche theoretischen Äußerungen von it. Architekten des 17. Jh. kaum zu finden. Dies läßt jedoch keineswegs den Schluß zu, daß das Interesse an der ant. Baukunst nachgelassen hätte, es fand nur einen anderen Ausdruck. Berninis Arbeiten für Papst Alexander VII. in Rom sind von der Auseinandersetzung mit der Ant. bestimmt, mit der Ovalform des kolonnadenumstandenen Petersplatzes etwa bezieht er sich direkt auf den an dieser Stelle urspr. gelegenen *Circus Neronianus*. Auch Berninis röm. Kontrahent Borromini war ein anerkannter Antikenkenner; der Grundriß von *San Carlo alle Quattro Fontane* beispielsweise läßt auf die Kenntnis der röm.-hell. Architektur der *Villa Adriana* schließen. Im Gegensatz zur Antikenrezeption der Hochrenaissance, die – bes. bei Palladio – darin bestand, ganze Gebäude im Sinne des von Vitruv überlieferten Kanons zu errichten, zeichnet sich der Umgang der B.-Architektur mit dem ant. Erbe dadurch aus, daß sie einzelne Formen übernimmt und daraus Neues schafft. Wie schon in der Ren. werden ant. Bauformen wie der Zentralbau auf Kreisgrundriß (→ *Pantheon*) verwendet und christl. umgedeutet. Waren in der Ren. genaue Zeichnungen nach der überlieferten Architektur bzw. nach einzelnen Architekturgliedern angefertigt worden, so tritt im 17. Jh. eine neue Form der Antikenaneignung zutage: Herausragendes Beispiel ist Giovanni Battista Montanos erstmals 1624 erschienene und oftmals neu aufgelegte *Raccolta de' tempij et sepolcri disegnati dall'antico*; es handelt sich bei seinen Entwürfen nicht um Rekonstruktionen im strengen Sinne, sondern zum Teil um Gebilde seiner Phantasie, die sich an ant. Grundformen entzündete (Abb. 3). Bes. Borromini ließ sich von solchen Entwürfen inspirieren. Gegen die akribische Antikenrekonstruktion der Ren. steht die phantasievolle Antikenwiederbelebung des B. Auch in der Vorliebe für bestimmte Ordnungen zeigen sich Unterschiede. In der Ren. wurden die dorisch/toskanische und ionische Ordnung am häufigsten eingesetzt, während nun die viel reichere korinthische bevorzugt verwendet wird (Bernini – Louvre-Entwurf). Allein der Palladianismus des 17. Jh. v. a. in Nordeuropa bleibt der ionischen Ordnung treu.

Die frz. B.-Architektur ist ohne Beschäftigung mit der Ant. nicht zu denken, sie verläuft jedoch wesentlich akademischer als in It. 1671 gründete Colbert die Académie Royale d'Architecture und stellte sie unter die Leitung von François Blondel. Ihre Aufgabe war es, eine verbindliche, systematische Architekturlehre und -ästhetik zu erarbeiten und junge Architekten darin auszubilden. Im Mittelpunkt der Lektüre stand Vitruv, gefolgt von den anerkannten Ren.-Theoretikern. Claude Perrault erhielt den Auftrag, Vitruv neu zu übersetzen. Reisestipendien wurden vergeben, um Bauaufnahmen ant. Bauten in Südfrankreich und v. a. It. anzufertigen. In seinem *Cours d'architecture* (1675–1683) zitiert Blondel die Meister und Bauwerke der Ant. als Vorbilder, zugleich aber sieht er es als Aufgabe der Architektur an, die

Ant. zu überwinden und zu vervollkommnen. Dies gipfelt in der Forderung nach einer eigenen nationalen Säulenordnung. Frz. Besonderheiten sind die paarweise Säulenstellung und der konsequente Verzicht auf Säulenarkaden (Claude Perrault, Louvre-Kolonnade). Unter den Bedingungen des frz. Absolutismus entstanden 1670–80 in Paris die ersten → Triumphbögen der Baukunst des B.: ein herausragendes Beispiel ist Blondels *Porte Saint-Denis* in Paris (Abb. 4), – nur eine Denkmalform der Ant. war der herausragenden Stellung des Sonnenkönigs angemessen.

→ Arkadismus;
Architekturtheorie/Vitruvianismus

1 H. BECK, S. SCHULZE (Hrsg.), Antikenrezeption im Hoch-B., 1989 2 A. BLUNT, Baroque architecture and classical antiquity, in: Classical Influences on European Culture, A. D. 1500–1700, 1976, 349–354 3 M. BULL, Poussin and the Antique, in: Gazette des Beaux-Arts 129, 1997, 116–130 4 E. FORSSMAN, Dorisch, jonisch, korinthisch. Stud. über den Gebrauch der Säulenordnungen in der Architektur des 16.–18. Jh., 1961 5 E. H. GOMBRICH, The Style all'antica, in: Stud. in Western Art 2, 1963, 31–41 6 Ders., Norm and Form. Stud. in the Art of Ren. 1, 1966 7 F. HASKELL, N. PENNY, Taste and the Antique. The Lure of Classical Sculpture 1500–1900, 1981 8 M. JAFFÉ, Rubens and Italy, 1977 9 H. KELLER, Das Nachleben des ant. Bildnisses von der Karolingerzeit bis zur Gegenwart, 1970 10 H.-W. KRUFT, Die Quelle für die Ovalform von Berninis Petersplatz, in: Imagination und Imago, FS Kurt Rossacher, 1983 11 H. LADENDORF, Antikenstudium und Antikenkopie, 1958 12 M. LYTTELTON, Baroque Architecture in Classical Antiquity, 1974 13 M. VAN DER MEULEN, Rubens' Copies after the Antique, 3 Bde., 1994 (= Corpus Rubenianum Ludwig Burchard 23) 14 J. MULLER, Rubens: The Artist as Collector, Princeton, 1989 15 D. NEBENDAHL, Die schönsten Antiken Roms. Stud. zur Rezeption ant. Bildhauerwerke im römischen Seicento, 1990 16 W. OECHSLIN, Bildungsgut und Ant. im frühen Settecento in Rom, 1972 17 E. PANOFSKY, Et in Arcadia ego. Poussin und die Trad. des Elegischen, in: Ders., Sinn und Deutung in der bildenden Kunst, 1975, 351–377 18 Ders., Idea, ein Beitrag zur Begriffsgeschichte der älteren Kunsttheorie, 1924 19 H. SEDLMAYR, Die Architektur Borrominis, 1986 20 W. STOPFEL, Triumphbogen in der Architektur des B. in Frankreich und Deutschland, 1964 21 CH. TÜMPEL, Bild und Text: Zur Rezeption ant. Autoren in der europ. Kunst der Neuzeit (Livius, Valerius Maximus), in: W. SCHLINK, M. SPERLICH (Hrsg.), Forma et Subtilitas. FS für Wolfgang Schöne zum 75. Geburtstag, 198–218 22 G. VALERIUS, Ant. Statuen als Modelle für die Darstellung des Menschen. Die decorum-Lehre in Graphikwerken frz. Künstler des 17. Jh., 1992 23 M. VICKERS, Greek and Roman Antiquities in the Seventeenth Century, in: O. IMPEY, A. MACGREGOR (Hrsg.), The Origins of Museums. The Cabinet of Curiosities in Sixteenth and Seventeenth-century Europe, 1985, 223–231 24 M. WARNKE, P. P. Rubens. Leben und Werk, 1997.

KARIN HELLWIG UND CAROLA WENZEL

Basel, Antikenmuseum und Sammlung Ludwig

A. EINLEITUNG   B. SKULPTURHALLE
C. GEBÄUDE DES ANTIKENMUSEUMS
D. SAMMLUNG   E. AUFSTELLUNG

A. EINLEITUNG

Obwohl das Basler Antikenmus. erst vor wenigen Jahrzehnten gegr. wurde und damit im europ. Vergleich eines der jüngsten seiner Art ist, beherbergt es eine arch. Sammlung von hohem Rang. Die verschiedenen Gattungen der bildenden Kunst sind unter kulturhistor. wie qualitativen Gesichtspunkten herausragend vertreten. Entstehung und Förderung des Mus. beruhen auf einer spezifischen Verbindung von städtischer Trägerschaft und Mäzenatentum. Analog werden der Präsentation des eigenen Bestandes in stärkerem Maße, als es bei öffentlichen Sammlungen sonst in Europa üblich ist, Leihgaben aus Privatbesitz beigegeben. Die mentalen Voraussetzungen, die letztlich die Museumsgründung veranlaßten, lagen im human. Selbstverständis einer lokalen bürgerlichen Oberschicht des 19. Jh. Davon zeugt neben privater Sammlertätigkeit die örtliche Trad. einer nachmalig in die Organisation des Antikenmus. eingebundenen → Abgußsammlung.

B. SKULPTURHALLE

Um 1830 wurde in Basel mit dem Aufbau einer Sammlung von Abgüssen ant. Skulpturen begonnen. Ab 1849 zunächst in das Universitätsmus. eingegliedert und 1887 in die damalige Skulpturhalle bei der Basler Kunsthalle überführt, fand die Abgußsammlung nach wechselvollen Geschicken 1963 in einer neuen, eigens errichteten Skulpturhalle einen adäquaten Ausstellungsort mit angeschlossenen Werkstätten. Die verwaltungsmäßig dem Antikenmuseum unterstellte, regelmäßig geöffnete Skulpturhalle dient im Unterschied zur Abgußsammlung des 19. Jh. nicht mehr der exemplarischen Dokumentation ausgewählter Werke, sondern soll die über die Mus. der Welt verstreuten ant. Originale in Abgüssen vereinen. Mit diesem Ziel konnte der Bestand der Skulpturhalle in den letzten Jahrzehnten vervielfacht werden; er umfaßt h. mehrere tausend Objekte und nimmt, allein schon quantitativ gemessen, international eine führende Stellung ein. So beherbergt die Skulpturhalle seit den 70er J. im Abguß nahezu alle bauplastischen Reste, die vom → Parthenon in Athen erhalten sind. Sie bildeten 1982 den Bezugspunkt für ein wiss. Parthenon-Kolloquium.

C. GEBÄUDE DES ANTIKENMUSEUMS

1966 wurde in einem klassizistischen Bürgerhaus (Haus A) und einem rückwärtig angeordneten zeitgenössischen Annexbau die Originalsammlung der Öffentlichkeit zugänglich gemacht. Dem zunehmenden Bedarf an Ausstellungsfläche entsprach in den 80er J. der Anschluß eines benachbarten, ebenfalls in der ersten H. des 19. Jh. entstandenen Gebäudes (Haus B). Der Museumskomplex bietet sich h. als eine gegliederte Architekturlandschaft, die im Außenbau weitgehend das überkommene Erscheinungsbild bewahrt hat, während

Abb. 1: Bauchamphora des Amasis-Malers

Abb. 2: »Basler Arztrelief«

die Innengestaltung mit neuen Begehungsmöglichkeiten der veränderten Nutzung Rechnung trägt. Dabei beschränkten sich die Eingriffe in die bauliche Substanz auf das Notwendigste; auch suchte man im Haus B den Charakter großbürgerlicher Wohnkultur weiterhin zu veranschaulichen. Der Entscheidung zugunsten des Umbaus war um 1980 eine Diskussion mit der Alternative eines Neubaus vorausgegangen.

D. SAMMLUNG

Den Kernbestand der Sammlung machte bei der Museumsgründung der nicht sehr umfangreiche, vordem verstreut aufbewahrte städtische Besitz aus, der von 1960 bis zur Eröffnung des Mus. immerhin verdoppelt werden konnte. Gleichen Anteil besaßen Schenkungen (bes. die Sammlungen Käppeli und Züst). Die Hälfte der 1966 gezeigten Werke – es waren rund 640 Exponate – stammte aber aus Privatbesitz und war als Leihgabe in die Dauerausstellung integriert. Bis h. wuchs der Bestand etwa auf das Vierfache an, wovon rund ein Drittel auf Schenkungen beruht. Die umfangreichste Stiftung, die auch die Museumserweiterung notwendig machte, war diejenige des Ehepaars Ludwig. Die Bezeichnung *Sammlung Ludwig* wurde zum festen Bestandteil des Museumsnamens.

Schwerpunkte der Sammlung bilden Skulpturen, Terrakotten, Vasen und Münzen, aber ebenso sind andere Gattungen bis hin zu Waffen gut dokumentiert.

Bei der Erwerbung der Objekte waren von Anbeginn qualitative Maßstäbe verbindlich. Den Ausbau des Bestandes kennzeichnet insofern eine Entwicklung, als der Akzent zunächst auf die griech. Kunst vom 6. bis 4. Jh. v. Chr. lag, während die Zeugnisse künstlerischen Schaffens nunmehr vom 3. Jt. v. Chr. bis zur byz. Periode reichen und vereinzelt Randkulturen einschließen. Zu den herausragenden Gruppen bzw. Einzelwerken griech. Kunst zählen att. Vasen des 6. und 5. Jh. v. Chr. (z. B. eine Amphora des Amasis-Malers, Abb. 1), ein nahezu singuläres ionisches Relief des frühen 5. Jh. v. Chr. mit der Darstellung eines Arztes (Abb. 2) und eine Kopfreplik des vatikanischen → Apolls vom Belvedere, die als dessen beste ant. Wiederholung gelten darf (Abb. 3). Auch die Porträtkunst der röm. Republik ist gültig repräsentiert (Abb. 4).

E. AUFSTELLUNG

Die museumsdidaktische Konzeption folgt dem Prinzip, dem Besucher innerhalb der Ausstellungsräume einerseits zusätzliche Informationen anzubieten, andererseits den Blick auf die Werke nicht durch ein Überangebot an Wissensvermittlung zu verstellen. Einzelne Abteilungen oder Werkgruppen werden auf Einführungstafeln erläutert. Die komplizierte bauliche Struktur verhindert eine Begehung der Sammlung auf einem einheitlichen, sämtliche Abteilungen sukzessive erschließenden Weg; deshalb sind Rundgänge ausge-

Abb. 3: »Steinhäuserscher Kopf«;
Replik des Apoll von Belvedere

Abb. 4: Bildnis eines Republikaners

wiesen, die jeweils im Eingangsraum des Hauses A beginnen. Die Verteilung der Objekte erfolgte vornehmlich nach Gattungen und innerhalb derselben nach Perioden. So befinden sich Denkmäler der griech. Plastik aus archa. und klass. Zeit im Oberlichtsaal des mod. Anbaus, hell. und röm. Skulpturen im darunterliegenden Kunstlichtsaal; Vasen und Objekte der Kleinkunst sind, nach Gruppen geordnet, auf die verschiedenen Stockwerke der Häuser A und B verteilt. Bei der Zuordnung der Vasen zu einzelnen Räumen wurde nicht nur nach regionalen und chronologischen Gesichtspunkten verfahren, sondern auch der jeweilige Raumcharakter berücksichtigt, so daß z.B. die – in Meisterwerken vertretene – att. Keramik des späteren 6. und frühen 5. Jh. v. Chr. in den würdigsten Räumen des Hauses A ihren Standort fand. Bes. didaktischen Aktivitäten ist ein eigenes, von der Ausstellung separiertes Gebäude vorbehalten.

1 Antikenmus. und Slg. Ludwig. 120 ausgewählte Werke, 1987 **2** E. BERGER, Zur Eröffnung des erweiterten Antikenmus. in Basel am 3. Mai 1988, in: AK 31, 1988, 29–44 **3** Ders., Hundert J. Skulpturhalle Basel (1887–1987), in: AK 31, 1988, 45–46 **4** Ders. (Hrsg.), Ant. Kunstwerke aus der Slg. Ludwig 1–3, 1979–89 **5** Ders. und Mitarbeiter, Bauwerk und Plastik des Parthenon. – Zur Ausstellung »Basel und die Akropolis« in der Skulpturhalle, in: AK 23, 1980, 59–65 **6** J.J. BERNOULLI, Mus. in Basel. Catalog für die antiquarische Abtheilung, Basel 1880 **7** R. BURCKHARDT, Die Gipsabgüsse in der Skulpturhalle zu

Basel, 1907 **8** D. HUBER, M. SCHMIDT, Die Gebäude des Antikenmus., 1990 **9** Kunstwerke der Ant. aus der Slg. Käppeli, 1963 **10** K. SCHEFOLD, Klass. Kunst in Basel, 1955 **11** Ders., Führer durch das Antikenmus. Basel, 1966.

DETLEV KREIKENBOM

Basilika A. TERMINOLOGIE UND DEFINITION
B. BAUGESCHICHTLICHE ENTWICKLUNG DER
CHRISTLICHEN BASILIKA

A. TERMINOLOGIE UND DEFINITION
1. PROFANBAU

Im Rückgriff auf die Funktion der ant.-röm. B. als Markt-, Amts- und Gerichtshalle fand der Begriff B. in der ital. Ren. (A. Palladio [11. lib. III, cap. 20]) Anwendung auf multifunktionale Kommunalpaläste mit Verkaufs- und Versammlungsräumen (B. in Vicenza, Padua, Brescia).

2. SAKRALBAU

Der Begriff B., 303 n.Chr. für kirchliche Gebäude erstmals nachweisbar und seit konstantinischer Zeit allg. üblich geworden, war zunächst an keinen architektonischen Typus geknüpft, sondern bezeichnete gleichermaßen Longitudinal- wie Zentralbauten: so firmieren in frühchristl. Zeit auch Rotunden wie S. Stefano Rotondo/Rom oder S. Vitale/Ravenna als B. Unterschiedslos wurde der Begriff auch im frühen MA, z.B. von Widukind v. Corvey, auf Kirchen oblonger wie zentraler Baugestalt angewendet (›B. Caroli magni, in

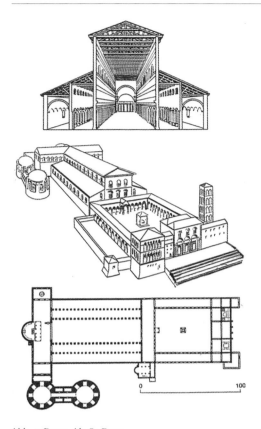

Abb. 1: Rom, Alt-St. Peter,
spätkonstantinianisch
(Querschnitt, Gesamtansicht,
Grundriß; rekonstruiert)

illa B., in rotundum facta‹, SS rer. germ. 43 1935, 65
[21. 910; 28. 213–215]). Erst mit dem 15. Jh. zeichnet
sich die verbreitete begriffliche Spezifizierung ab. Ausgehend von L. B. Albertis Definition [1. VII, cc. 3, 14,
15] wurde »B.« zum festen baugeschichtlich-typologi-
schen Begriff und bezeichnet seither einen längsgerichteten, durch Stützenstellungen unterteilten drei- oder
mehrschiff. Bau (»Pfeiler-«, »Säulen-B.«) mit schmalen,
niedrigeren Seitenschiffen und einem weiten, erhöhten
und im Obergaden durchfensterten Mittelschiff. Ist das
Mittelschiff höher als die Seitenschiffe, jedoch ohne eigenen Lichtgaden, spricht man von »Pseudo-B.« Eine
fünf- oder mehrschiffige B., deren innere Seitenschiffe
höher sind als die äußeren, ist eine »Staffel-B.«

Kirchrechtlich bezeichnet der Titel B., unabhängig
vom Bautyp, einen mit bestimmten Privilegien verbundenen Ehrenrang einer Kirche (»B. maior«, »B. minor«).

B. Baugeschichtliche Entwicklung
   der christlichen Basilika
   1. Frühchristentum
Die konstantinische Zeit schuf die Voraussetzung für
die Entstehung christl. Monumentalarchitektur, deren
häufigster Vertreter die B. ist. Der Grundtyp der konstantinischen B. zeigt eine axiale Raumfolge mit Vorhof
(Atrium), Vorhalle (Narthex), drei- oder fünfschiffigem
Langhaus mit hölzerner Flachdecke oder offenem
Dachstuhl und Apsis, der ein Querschiff vorgeschaltet
sein konnte (Laterans-B., St. Paul v. d. M., Alt-St. Peter,
s. Abb. 1, sämtlich in Rom). Daneben entwickelte sich
im 4. Jh. als Sonderform die dreischiffige »Coemete-

Abb. 2: Rekonstruierte
Gesamtansicht von
St. Riquier/Centula,
ca. 790–799

rial-B.«, deren Seitenschiffe als gerundeter Umgang um Chorbereich und Apsis herumgeführt sind (SS. Marcellino e Pietro, S. Sebastiano, S. Agnese, sämtlich in Rom). Die konstantinische B. fand weite Verbreitung (Palästina, Syrien, Nordafrika) und begegnet, häufig als Emporen-B. konzipiert, auch im byz. Kunstkreis (Demetrius-B./Saloniki 412, Johannes-Studios-B./Konstantinopel 463). Seit dem 6. Jh. wurde das basilikale Konzept in Byzanz und dem christl. Osten durch die Kreuzkuppelkirche zunehmend zurückgedrängt [26; 27. 1249–1259].

2. MITTELALTER

Im Abendland dominierte die B. den Kirchenbau bis zum Ende des MA. Die karolingische Zeit schuf die Grundlage zur Konzeption der ma. B. Im Dienst der *Renovatio Imperii* rezipierte die Sakralarchitektur das Vorbild konstantinischer Kirchen (Klosterkirche Fulda 791, Klosterkirche Hersfeld 831), paßte dabei jedoch die frühchristl. B. sukzessive neuen Erfordernissen (Krypten, Nebenchöre) an, die in karolingisch-ottonischer Zeit in neuartigen Lösungen von Haupt- und Nebenabschluß ihren Niederschlag fanden. Chorlösungen wie das zw. Querhaus und Apsis eingeschobene Chorquadrat (Reichenau/Mittelzell 799), Dreiapsidenanlage (Agliate bei Monza 824), Staffelchor (Cluny II 981) sowie Umgangschor mit Radialkapellen (St-Philibert/Tournus 950) gehören zu den bevorzugten Lösungen der Chorpartie. Nebenabschluß: Verbreitet war die Ausbildung als mächtiges Westwerk (St-Riquier/Centula 790, Abb. 2), als Doppelturmfront (Klosterkirche Hersfeld 831) oder als eine liturgisch als Gegenchor genutzte Apsis (Klosterkirche Fulda 791, Plan St. Gallen 820). Zusätzlich konnte dem Nebenabschluß ein eigenes Querhaus mit Vierungsturm vorgeschaltet sein (St. Michael/Hildesheim um 1000). Mit der deutlichen Betonung des Nebenabschlusses verlor die B. in karolingisch-ottonischer Zeit ihren gerichteten Raumcharakter und war, im Unterschied zur frühchristl. B., dadurch stärker auf die Ausgewogenheit von Ost und West hin konzipiert. Unter dem Eindruck der Reformbewegungen des 11. Jh. setzte sich im Kirchenbau der Romanik (1000–1200) das frühchristl. Konzept der gerichteten B. wieder durch: Den flachgedeckten, zu gewaltiger Höhe gesteigerten Anlagen der Bischofskirchen (Strasbourg 1015, Speyer I 1030, Pisa 1063) lag das klass. basilikale Schema ebenso zugrunde wie den Klosterkirchen der Reformorden (Cluniazenser, Hirsauer, Zisterzienser), durch deren Bautätigkeit es im 11./12. Jh. in weiten Teilen Europas Verbreitung fand. Eine Neuerung im romanischen Kirchenbau erfolgte in Gestalt der vollständigen Einwölbung der B. (»Gewölbe-B.«), die im späten 11. Jh. in Deutschland und Frankreich begegnet (Speyer II um 1080, Cluny III 1089) und, mit Ausnahme It., wo sich die frühchristl. Trad. der Flachdecke auf weite Strecken hielt (Torcello 1008, Montecassino 1066), in das basilikale Konzept Eingang fand. Mit turmbekrönter Vierung, Umgangschor und Seitenschiffemporen verkörpern Bauten wie Paray-le-

Monial (1090), St-Madelaine/Vézelay (Anf. 12. Jh.) oder Santiago de Compostela (vollendet 1128) den hochromanischen Typus der durchgehend gewölbten B., der in der frz. Kathedralarchitektur zum Höhepunkt geführt wurde. Kennzeichnend für die B. in ihrer gotischen Ausformung (Notre-Dame/Paris 1163, Reims 1211) war die Betonung der West-Ost-Richtung, die gezielte Zusammenfassung der Raumeinheiten zum Einheitsraum sowie die durch gesteigerte Höhenentwicklung veränderte Proportionierung des Hauptschiffes (von 1:2 Dom Pisa zu 1:2,5 Chartres bis 1:3,5 Beauvais). Ausgehend von Frankreich fand die B. im belgisch-niederländischen Raum ebenso Verbreitung (Brüssel Anf. 13. Jh., Utrecht 1321) wie in England (Canterbury 1174) und Skandinavien (Uppsala 1270). Im 13. Jh. tritt sie verstärkt auch in Spanien auf (Leon 1205, Burgos 1221), während sie auf dt. Boden in reiner Form nur in wenigen Großbauten begegnet (Köln 1248, Strasbourg Langhaus 1250, Prag 1344). Seit dem 13. Jh. begann sich, mit erstem Höhepunkt um 1300 in Deutschland, die Hallenkirche gegen die B. durchzusetzen, ohne diese jedoch gänzlich zu verdrängen. In It. entstanden einige basilikale Bauten in enger Bindung an dt. und frz. Bauhütten (Mailänder Dom 1386, S. Petronio/Bologna 1390), im wesentlichen blieb die nordeurop. Kathedralgotik dem ital. Stilempfinden aber fremd. Bezeichnenderweise gingen von hier die Impulse für die Konzeption der nach-ma. B. aus [20; 22. 1356–1372].

3. NEUZEIT

Der Gotik stellte It. mit der Renaissancearchitektur einen neuen, an der Ant. orientierten Formenkanon entgegen, mit dem eine Wiederbelebung ant. Bautypen, so auch der B., einherging. Unbenommen der Affinität zum Zentralbau in den Traktaten als Baukonzept für Sakralarchitektur legitimiert (L. B. Alberti [1. lib. VII, capp. 3, 14]; Filarete [5. lib. X, 77r–78r]; F. di G. Martini [6. vol. II, lib. IV, bes. 372]; S. Serlio [16. lib. V, 215–218]), wurde die klass. B. nach Disposition und Proportion neu erfaßt und ab 1419 variantenreich realisiert: als flachgedeckte dreischiffige Säulen-B. mit ausladendem Querschiff und Kapellenkranz (S. Lorenzo 1419, s. Abb. 5, S. Spirito 1436, beide Florenz), als dreischiffige, kreuzgratgewölbte Pfeiler-B. mit Kapellenzeilen (S. Pietro/Modena 1476) oder in der zukunftsweisenden Gestalt von S. Andrea in Mantua (1472), bei der L. B. Alberti in Rezeption der röm. Maxentius-B. die Seitenschiffe zu quertonnengewölbten Kapellenzeilen modifizierte und die Flachdecke des Hauptschiffes durch ein mächtiges kassettiertes Gewölbe ersetzte. Albertis Lösung wurde wegbereitend für den gegenreformatorischen Kirchenbau (P. Cataneo [3. lib. III pass.]). Durch Modifikation des basilikalen Grundschemas gemäß innerkirchlichen Reformideen kam es um 1560 zur Herausbildung der »B. della Riforma cattolica« [18], die in oblonger Grundform mit tonnengewölbtem Hauptschiff und zu Kapellenzeilen umgestalteten Seitenschiffen (Jesuitenkirche Il Gesu/Rom) oder als mehr-

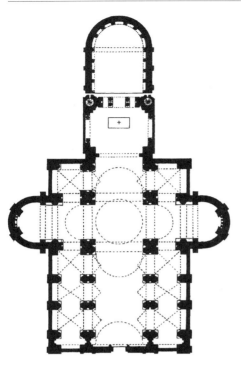

Abb. 3: Grundriß von S. Giorgio Maggiore
in Venedig (ab 1566)

Abb. 4: Innenansicht der »Vor Frue Kirke«
in Kopenhagen (ab 1811)

Abb. 5: Innenansicht von S. Lorenzo in Florenz (ab 1421)

schiffiges Raumgefüge über lat. Kreuz (S. Giorgio Maggiore/Venedig, Abb. 3) begegnet. Wegweisend wurde überdies die Langhauslösung von St. Peter/Rom (1607), die die langjährige Diskussion um die konzeptionelle Gestalt der Kirche (Panvinius [12. 228 ff.]; 24]) im Sinne der Gegenreformation und zugunsten des basilikalen Konzeptes beendete. Ausgehend von diesen Lösungen fand der basilikale Langhausbau im 17. und 18. Jh. in weiten Teilen Europas Verbreitung (Theatinerkirche/München 1663, Jesuitenkirche/Salamanca 1614, St. Nikolaus/Prag 1703, Klosterkirche Mafra 1717) und konnte sich neben den Zentral- und Saalbauten des Barock und Spätbarock erfolgreich behaupten. Auch in der frz. Sakralarchitektur kam es im 18. Jh. zu einer neuerlichen Rückbesinnung auf das basilikale Schema. Die von den Theoretikern geforderte Auseinandersetzung mit ant. Architektur und frühchristl. Kirchenbau (J. Cordemoy [4. 193–222]; M.A. Laugier [10. 173–208]; Ch. Percier/P. Fontaine [13. pl. 92, 27]) fand seit der Jahrhundertmitte ihre Umsetzung in dreischiffigen, tonnengewölbten Säulen-B. klassizistischer Prägung (St-Symphorien/Versailles 1764, St-Louis/St-Germain-en-Laye 1765, St-Philippe-du-Roule/Paris 1768) [19. 123–136], deren Konzept über Frankreich hinaus den christl. Kirchenbau bis in das 19. Jh. hinein bestimmte (Frauenkirche/Vor Frue Kirke, Kopenhagen 1811, s. Abb. 4, Dionysioskirche/Athen 1848). Aufbauend auf der im frühen 19. Jh. einsetzenden wiss. Beschäftigung mit den frühchristl. B. Roms (Bauaufnahmen etc. [7]) und der dadurch ausgelösten B.-Diskussion wurde die B. auch im deutschsprachigen Raum als zeitgemäß propagiert (›Die Form der B. scheint der jetzigen Zeit am meisten zuzusagen (...)‹, G. Moller an Goethe, 1818 [9. 6; 17. 154–223]) und durch Schriften, Musterbücher und Abhandlungen (L. v. Klenze [9]; Ch. Bunsen [2], G. Semper [15. 443–467]; H. Hübsch [8]) für den protestantischen wie katholischen Kirchenbau praktikabel gemacht. Einfacher Grundplan von oblonger Gestalt, basilikales Schema sowie ein geräumiges, wahlweise von Tonnengewölbe oder flacher Holzdecke überspanntes Hauptschiff sind jene von den Theoretikern geforderten Elemente, die für den Kirchenbau des 19. Jh. weithin konstitutiv wurden (St. Bonifaz/München 1828, Altlerchenfelderkirche/Wien 1848, Liebfrauenkirche/Zürich 1894) [22. 1372–1394]. Seit dem Ende des 19. Jh. kam es zur Überwindung des Historismus im Kirchenbau und zur Abkehr von klass. Raumformen wie der B., an deren Stelle neue formale Lösungen traten. Eine – zumindest theoretische – *Renovatio* erlebte die B. zur Zeit des → Nationalsozialismus, der im basilikalen Prinzip ›das Wesen nordischer Raumauffassung‹ erkannte (A. Rosenberg [14. 384]). In der Baupraxis blieb der basilikale Typ gegenüber dem im Kirchenbau der 1930er J. verbreiteten Saalbau jedoch die Ausnahme (Hl. Kreuz/Würzburg 1934, Benediktiner-Abtei Münsterschwarzach 1935).

1 L.B. Alberti, De Re Aedificatoria, Florenz 1485 (Ndr. 1975) **2** Ch. v. Bunsen, Die B. des christl. Roms nach ihrem Zusammenhange mit Idee und Gesch. der Kirchenbaukunst, 2 Bde., München 1842–44 **3** P. Cataneo, I quattro primi libri di Architettura, Venedig 1554 (Ndr. 1964) **4** J. Cordemoy, Dissertation sur la manière dont les eglises doivent être bâties (...) in: Nouveau Traité de toute l'Architecture ou l'art de bastir (...), Paris 1714 (Ndr. 1906) **5** A. Filarete, Trattato di Architettura, 2 Bde., 1972 **6** F. di Giorgio Martini, Trattati di Architettura, Ingegneria e Arte Militare, 2 Bde., 1967 **7** J.G. Gutensohn, J.M. Knapp, Denkmale der christl. Religion, oder Sammlung der ältesten christl. Kirchen oder B. Roms vom 4. bis zum 13. Jh., Tübingen/Stuttgart 1822–27 **8** H. Hübsch, Die Altchristl. Kirchen nach den Baudenkmalen und älteren Beschreibungen und der Einfluß des altchristl. Baustyls auf den Kirchenbau aller späteren Perioden, Karlsruhe 1862 **9** L. v. Klenze, Anweisung zur Architectur des christl. Cultus, München 1822 (Ndr. 1990) **10** M.A. Laugier, Essai sur l'architecture, Paris 1755 (Ndr. 1966) **11** A. Palladio, I Quattro Libri dell' Architettura, Venedig 1570 (Ndr. 1968) **12** O. Panvinius, De Rebus antiquis memorabilibus (...), in: Spicilegium Romanum IX, Rom 1843, 194–382 **13** Ch. Percier, P. Fontaine, Palais, Maisons et autres édifices modernes dessinés à Rome, Paris 1798 (Ndr. 1980) **14** A. Rosenberg, Der Mythus des 20. Jh., ³1932. **15** G. Semper, Über den Bau evangelischer Kirchen. in: KS, Berlin/Stuttgart 1884 (Ndr. 1979) **16** S. Serlio, Tutte l'opere d'Architettura et Prospetiva, Venedig 1619 (Ndr. 1964) **17** Ch. L. Stieglitz, Encyklopädie der bürgerlichen Baukunst, 3 Bde., Leipzig 1796, s. v. Kirche, 101–223 **18** J. Ackerman, Il contributo dell'Alessi alla tipologia della chiesa longitudinale, in: Galeazzo Alessi e l'Architettura del Cinquecento. Atti del Convegno int. di Studi, 1975, 461–466 **19** A. Braham, The Architecture of the french enlightenment, 1980 **20** G. Dehio, G. v. Bezold, Die kirchliche Baukunst des Abendlandes, 7 Bde., 1892–1901 **21** F. W. Deichmann, s. v. B., RGG 1, ³1957, 910–912 **22** Ders., G. Bandmann, W. Hager, H. Hampe, s. v. Kirchenbau, RGG 3, 1959, 1347–1406 **23** J. Hecht, s. v. B., RDK 1, 1480–1488 **24** Ch. Jobst, Die christl. B., in: Aspekte der Gegenreformation, 698–749 (= Zeitsprünge 1, 1997, Sonderheft) **25** W. Koch, Baustilkunde, Europ. Baukunst von der Ant. bis zur Gegenwart, 1982 **26** R. Krautheimer, Early Christian and Byzantine Architecture, 1975. **27** E. Langlotz, F. W. Deichmann, s. v. B., RAC 1, 1225–1259 **28** A. Weckwerth, Die christl. B. – ein theologischer Begriff und eine theologische Gestalt, in: Westfälische Zeitung 112, 1962, 205–223.

BARBARA KILIAN

Bayern A. Von den Klöstern zum Humanismus
B. Bildung und Universitäten vom 15.–19.
Jahrhundert C. Die Zeit Ludwigs I.
D. Der George-Kreis
E. Universitäten und Institutionen
im 19. und 20. Jahrhundert

A. Von den Klöstern zum Humanismus

Charakteristisch für die karolingische Epoche in B. ist das Bemühen um die Überlieferung und die Verbreitung der lat. Kultur. Zeugnis darüber legen die Überreste der alten → Bibliotheken und → Skriptorien der Bischofsitze (z. B. St. Emmeran, Freising, Prüfening bei Regensburg, Passau, Salzburg) und der Klöster ab, wo neben christl. auch pagane Autoren bezeugt sind: Vergil, Horaz, Lukan, Sallust, Ovid, Persius, Statius, Terenz, Cicero, Cato [26. 116–124]. Aufgrund der Ungarnstürme ist jedoch von diesen Bibliotheken fast nichts erhalten. Der nicht ganz leichte Wiederaufbau nach 955 (Sieg Ottos d.Gr.) führt zu bedeutenden Leistungen bis ins 11. Jh.: Gottschalk, Bischof von Freising (994–1005), ließ zahlreiche Hss. ant. Autoren kopieren; B. spielte eine wichtige Rolle in der Textüberlieferung der Komödien des Plautus, des myth. Handbuchs des Hyginus, der Spruchsammlung des Publilius Syrus und eines Teils der Elegien des Tibull. Bes. Aufmerksamkeit erfuhr die Schullit., darunter Ciceros rhet. Schriften und die ant. Grammatiken (z. B. Marius Victorinus). Im MA gehörten die ant. paganen Autoren im Unterricht der Klosterschulen zur Pflichtlektüre, obwohl sie nur als Hilfsmittel zum besseren Verständnis der christl. hl. Schriften dienten [4], insgesamt jedoch für gefährlich gehalten wurden. Othloh von St. Emmeran (ca. 1010–1070) z.B. berichtet, daß er als Lehrer in Regensburg nach allzu intensiver Lukanlektüre krank geworden und nun vom göttl. Strafgericht bedroht sei (PL 146, 347A–353D). Seine Sammlung von *Proverbia* zielt darauf ab, bei der Anfängerlektüre Avian und Cato zu ersetzen (PL 146, 299A–338A), die beiden Autoren, an denen man sich im ma. Lektüreunterricht hauptsächlich übte [8].

Die lat. lit. Tätigkeit begann in B. mit Arbeo, dem Bischof von Freising (764–782) [8]; in dieselbe Zeit ist das älteste lat.-dt. Glossar *Abrogans*, benannt nach dem ersten Wort, zu datieren. Die ältesten Belege lat. Verskunst führen in die ausgehende Agilolfingerzeit (555–788): die rythmischen Verse von Liutprand in den Salzburger Formelbüchern und die Kircheninschr. aus Tegernsee. Im 11. Jh. ist der Höhepunkt der lat. Lit. in B. anzusiedeln; zu erwähnen sind *Ruodlieb*, ein episches ritterliches Lied, von dem rund 2300 Hexameter überliefert sind, und drei geistliche Schauspiele – eine zw. dem 11. und 13. Jh. in B. sehr verbreitete lit. Form, die z. T. in der berühmten Handschrift der *Carmina Burana* (13. Jh.), 1803 in Benediktbeuren (Buranus) gefunden, überliefert ist .

Die Blütezeit des bayerischen Human. setzt mit der Gründung der Landes-Univ. Ingolstadt (1472) ein [43. 350–353; 4]. Schon in der Eröffnungsrede äußerte sich der Jurist und Ratsherr Martin Mayr († 1481), einer der ersten human. gebildeten Staatsmänner in Deutschland, über die polit. Funktion der Bildung: ›...a Platone ... recte dictum est, beatas fore respublicas, quarum gubernatores vel sapientes sunt vel sapientiae studio tenentur‹ (›Schon vor Platon sei gesagt ganz richtig worden, daß nur die Staaten, deren Politiker philos. gebildet seien, in jeder Hinsicht glücklich genannt werden könnten‹). Bildung sollte nicht berufsorientiert, sondern auf die Formung der Persönlichkeit ausgerichtet sein: ›una ... superest via, qua meliora et laetiora acquiretis tempora, ut scilicet vobis animos faciatis meliores, quod sine virtute seu litteris fieri nequit‹ (›Dies sei der einzige Weg, um bessere Zustände in der Menschheit zu erreichen‹) [49. II 8, 10]. In der Artistenfakultät von Ingolstadt lehrte 1491–92 und 1494–97 Konrad Celtis (1459–1508), ein bedeutender Dichter des dt. Human. und Herausgeber von Tacitus' *Germania* (1500). »Erzhumanist« nennt ihn sein Biograph Ulrich von Hutten. Mit seiner Antrittsvorlesung begründete er die human. Stud. in Deutschland. Er setzte sich für die Wiederbelebung der ant. Dichtung, die Kenntnis der griech. und röm. Geschichte und der dt. Altertümer ein. Mehrere seiner Schüler, Andreas Stiborius († 1515), Georg Tannstetter (Collimitius, 1482–1535), Johann Stabius († 1522) und Jakob Ziegler (um 1470–1549), Kommentator u.a. einiger ant. Naturwissenschaftler, versuchten programmatisch die *studia humanitatis* mit Mathematik und Astronomie zu verbinden. Jacob Locher (Philomusos, um 1470–1523), Nachfolger von Celtis, wird der erste dt. Herausgeber des Horaz (1498). Ein heftiger Streit brach zw. ihm und dem Theologen Georg Zingel, einem Anhänger der Scholastik aus, der die paganen Dichter als ›laszive und obszöne Sittenverderber‹ bekämpfte. Dies war der letzte konservative Widerstand gegen den Human., der nach der Berufung (1519) von Johannes Eck (1486–1543) auf Zingels Lehrstuhl aufblühte und Studenten aus ganz Europa anzog [4]. Während durch den Einfluß der Reformation die human. Bildungsideale zurücktraten und die Univ. fast ausstarben, formierte sich Ingolstadt bald zum aktiven Zentrum des Katholizismus und seines geistiges Kampfes gegen die Reformation. Dort hielt Johann Reuchlin 1520–21 Vorlesungen über die aristophanischen Komödien und lehrte hebräische Grammatik. Wenige Jahrzehnte später nannte der bayerische Abt Wolfgang von Aldersbach neben Lat. die Kenntnis des Griech. und Hebräischen ›so gemein, daß ohne sie niemand als Gelehrter gelte‹ (zit. bei [43. 352]). Ingolstadt spielte weiterhin eine zentrale Rolle, wenn auch theologische Streitigkeiten das Interesse für die Ant. oft zurückzudrängen drohten. Dort wirkten Hubert Gyphanius, Herausgeber von Lukrez (1566/1595) und Homer (1577), Matthias Rader, Kommentator des Martial (1602) und Curtius Rufus (1615). Auch die Klöster bekamen durch den Human. neue Impulse. Die Klosterbibliotheken erwarben human. Lit. Gebildete Mönche und Äbte arbeiteten daran, eine *eruditio christiana* (christl.

Bildung) zu begründen (z.B. der Emmeramer Abt Leonhard, † 1540 und Wolfgang Haimstöckl, † 1509, Probst des Klosters Rohr).

Das anfänglich geringe Interesse des Hofes am Human. wuchs langsam. 1508 bestellte Herzog Wilhelm einen Schüler von Celtis, Johannes Turmair, alias Aventin (1477–1534), zum Erzieher der Prinzen Ludwig und Ernst. Für diese schrieb Aventin eine lat. Gramm., erschienen 1512 in München, die wegen ihrer dt. Erklärungen als erste lat.-dt. Gramm. gilt und die an der Univ. lange verbindliches Lehrbuch blieb. Aventin versuchte seine human. Ideale mit der Unterstützung der polit. Macht zu verwirklichen: 1516 gründete er in Ingolstadt eine gelehrte Gesellschaft, die *Sodalitas litteraria Boiorum*. Mit Aventin, dem ›Vater der bayerischen Geschichte‹ (G.W. Leibniz), beginnt eine neue Bewertung der geschichtlichen Quellen: ›Wir brauchen eine neue Art der Quellenbetrachtung‹, schrieb er, ›und müssen das Alte zum Verständnis des Neueren heranziehen‹ [16. 17]. »Quellen« sind für Aventin nicht nur Texte (Chroniken, Urkunden, Sagen und Dichtungen), sondern auch Inschr. und Münzen, Denkmäler sowie arch. Funde. Wie sein Lehrer Celtis verstand er Tacitus' *Germania* als idealisiertes Vorbild für das dt. Volk. In das Jahr 1558 fällt die Gründung der Münchner Hofbibliothek, für die Herzog Albrecht V. die Bibliotheken des Humanisten Johann Albrecht Widmanstetter († 1557) und des großen Sammlers Johann Jakob Fugger († 1575) erwarb. Neben der Bibliothek ließ Albrecht V. das Antiquarium erbauen, das erste Mus. Deutschlands, welches Münchens Ruf als Kulturstadt von internationalem Rang begründete. Der Grundstock der Bestände entstammt ebenfalls dem Besitz von J.J. Fugger, ergänzt durch Ankäufe aus Italien. Der bayerische Hof nahm sich dabei it. Adelige und den Papst zum Vorbild, für die eine Sammlung von Antiquitäten ein Zeichen von *nobilitas* (adeligem Lebensstil und Lebensart) war. Beim Erbauen des Gebäudes und der Aufstellung der Sammlung wurden Prinzipien verwirklicht, die in der späteren Museumsarchitektur wieder aufgegriffen werden [29. 310–321].

In München wurde Simon Scheidenreisser (Minervius) 1532 Lehrer für Poetik und Stadtschreiber; er vollendete 1537 die erste dt. Homerübers. ›in kräftiger unbefangener bayerischer Prosa, die ganz wundersam »Homers Einfachheit und Ruhe« wiedergibt‹ (Joseph Nadler). Für die Rezeption des ant. Epos war dies ein wichtiger Einschnitt; die Übers. auch hat auf die erzählende Prosa des 17. Jh. großen Einfluß. Aus Eichstätt stammte Willibald Pirckheimer (1470–1530), der mit Erasmus und Reichlin zu den angesehensten Humanisten gehörte, der ›gelehrigst Doctor, der im Reich ist‹, so die Worte des Kaisers Maximilian. Im bedeutendsten Verlagsort B., Landshut (das erste Buch erscheint 1482), wurden Klassikerausgaben sowie Übers. von Sallust, Cicero, Seneca und Lukian von Dietrich von Plieningens (um 1450–1520), einem der wichtigsten Wegbereiter der Antikenrezeption in Deutschland, veröffentlicht [4].

Während B. den Weg des spät-ma. Geisteslebens vom Kloster zur Univ. und von der Scholastik zum Human. nur zögernd mitgegangen ist, beschritten Franken und Schwaben diesen Weg intensiver und rascher [21. 141]. Franken hat in frühhuman. Zeit noch keine Univ.; begabte Studenten mußten andere Univ. besuchen, um dann als Gelehrte bei Fürsten oder in Städten in Dienst zu treten. Dadurch erlangten die fränkischen Humanisten Einfluß auf die allgemeine geistige Entwicklung in Deutschland: Johann Müller, alias Regiomontanus (1436–1476), ist der größte Astronom seiner Zeit und Entdecker der mathematischen Werke des Diophant in Venedig; mit Johannes Cuspinian (1473–1529) begann die kritische Würdigung der historiographischen ant. Quellen (die wichtigsten Werke: *De Caesaribus atque Imperatoribus Romanis*, 1540; *De Consulibus Romanis Commentarii*, 1553); Johannes Cochläus (1479–1552), ein scharfer Gegner Luthers, verfaßte Einführungswerke zu Sprache und Kultur der Ant. und veröffentlichte die Kosmographie des Pomponius Mela mit dem berühmten Anhang der *Brevis Germaniae descriptio* (1514). Ivo Wittich († 1507), Herausgeber der *Epitomai* des Lucius Florus, ist der erster Übersetzer des Livius; Georg Dont († 1537), Herausgeber von Senecas *De vita beata* (1496), übersetzte Aristoteles ins Lat.; Veit Werler (geb. nach 1480), gab Plautus, Lukian, Valerius Maximus und Cicero 1510 bis 1516 heraus. Aus Franken (Bamberg) stammt auch Joachim Camerarius (1500–1574).

B. BILDUNG UND UNIVERSITÄTEN VOM 15.–19. JAHRHUNDERT

Im späten MA (ab ca. 1200) wurden auch in B., Franken und Schwaben, v.a. in den Reichsstädten, zusätzlich zu den alten Dom- und → Klosterschulen Pfarrund → Lateinschulen eingerichtet, in denen das für den Chorgesang, für den Ministrantendienst und für das Lesen der Gebetbücher notwendige Lat. gelehrt wurde. Ab ca. 1500 ist der Einfluß des Human. an den Schulordnungen erkennbar. In München (1489), Freising, Ingolstadt und Nürnberg wurden Poetenschulen eingerichtet, in denen man auch Griech. unterrichtete. Sie sind typisch human. Schulinstitutionen, die als elitäre Poetenschulen bald in Konflikt mit den scholastischen Dominikanern einerseits und mit den ärmeren Lateinschulen andererseits gerieten. In den Städten leiteten die Humanisten selbst bürgerliche Lateinschulen. V.a. von protestantischer Seite sind die Äußerungen gegenüber klass. Autoren oft sehr scharf. In einem bayerischen Schuldokument von 1548 heißt es, ›daß die heidnischen Schwätzer und Fabelhansen, die mit heidnischer Phantasie, Götzen- und Buhlwerk zu tun haben‹, die jungen Gemüter von Gott abwenden (zit. bei [41. 354]). Durch die oben genannten Poetenschulen schufen die Humanisten eine klass. lit. Bildungsidee, die dann zwei Jh. lang den Gymnasialunterricht maßgeblich prägte. Die Jesuiten nahmen schließlich das human. Bildungsideal in ihr katholisches Erziehungskonzept mit auf. Im lat. und griech. Sprachunterricht der Jesuitenschulen dominierte das Verständnis für Sprachschönheit und die praktische Sprachanwendung.

Wie in ganz Deutschland blieben die Schulen in B. zunächst Kirchenschulen. Im Herzogtum bzw. Kurfürstentum B. wird das Jesuitengymnasium bis in die Mitte des 18. Jh. zum Prototyp der höheren Bildungsanstalt [43. 370–372]. Andererseits nahm die Zahl der Klosterschulen seit dem 17. Jh. mehr und mehr zu. 1773, mit der Auflösung der *Societas Jesu*, wechselte das bayerische Lyzealwesen aus jesuitischer Verantwortung in die des Staates über und wurde, was es im Verlauf seiner mehr als 150jährigen Geschichte nie gewesen war, zum Gegenstand ständiger Konflikte [46. 33]. Deswegen wird die Zeit 1773–1830 als ›eine Sturm- und Drangperiode in der Schulgeschichte Bayerns‹ bezeichnet [41. 1]. Schon im Laufe des 17. Jh. ist die Richtung des pädagogischen Realismus erkennbar, der eine stärkere Einbeziehung der »praktischen« Fächer und lebendiger Sprachen förderte. Zw. den Anhängern der pädagogischen Ideale der Aufklärung und des Philanthropinismus einerseits und denjenigen des → Neuhumanismus andererseits entstand ein heftiger Streit. Hauptperson war ein Schüler von Christian Wolff, J. A. v. Ickstatt (1702–1776), ab 1744 Rektor der Univ. Ingolstadt, wo er einen Kreis von Gelehrten um sich sammelte, mit denen er aufklärerische Ziele in Bayern verfolgte. Er forderte eine berufsorientierte Schule und betonte die mathematischen Wiss. und die ›weltkundigen Disziplinen‹. Mit seinem Reformplan (1774) versuchte Ickstatt als Reaktion auf die Jesuiten- und Lateinschulen, der lat. Gramm. als Unterrichtsgegenstand einen geringeren Stellenwert einzuräumen.

Auf Anregung von Johann Georg Lori (1723–1787), Jurist und Mitglied des Ickstatt-Kreises, entstand 1759 die Bayerische Akademie der Wissenschaften, die auch zum Zentrum der Schulreformbestrebungen wird [31]. Mit Ickstatt konkurrierte Heinrich Braun (1732–1792), der v. a. das Studium der dt. Sprache gepflegt sehen wollte und deshalb viel näher am Neuhuman. ist. Braun, 1765 als Professor für dt. Sprach- und Redekunst an die Bayerische Akademie der Wissenschaften berufen, war Herausgeber von Horaz und Ovid und lat. Grammatikhandbüchern. Mittels seiner Schulordnung, dem ›Markstein der bayerischen Schulgeschichte‹ [50. 952], wurden in B. erstmals Realschulen als bürgerliche Schulen eingeführt; das Gymnasium sollte hingegen eine Schule für Studierende sein. Im Zentrum des Gymnasialunterrichts standen die alten Sprachen: ›Lektüre! Lektüre der Alten‹, liest man in Brauns Einleitung zur *Lat. Sprachkunst*, ›unter der Aufsicht und Erklärung eines geschickten Lehrers, dies ist das einzige Mittel, nicht nur die Sprache der Alten zu erlernen, sondern sich durch ihre Ausdrücke in ihre Denkungsart hineinzudenken, das natürlich Feine ihres Geschmacks zu fühlen, sich ihre Wendungen nicht nur im Lat., sondern durch das Lat. auch im Dt. geläufig zu machen‹. Wie schon Johann Matthias Gesner (1691–1701) sieht er im Sprachstudium nicht ein bloßes ›Gedächtnisgeschäft‹, sondern eine ›Be-

schäftigung für den Verstand selbst‹. Doch auch nach dem Lehrplan von Braun blieben 2/3 der Lehrer Jesuiten; und obwohl der Unterricht der alten Sprachen, namentlich des Lat., vorherrschte, war das Ziel immer die ›rednerische Fertigkeit‹, die von den Jesuiten gefordert wurde. Ab 1781 übernahm der Prälatenstand noch einmal den Unterhalt der Mittelschulen. In der neuen Schulordnung des Jahres 1782 ist die Übers. aus dem Lat. ins Dt. wichtigster Punkt. Lat. wurde in Prüfungen, Unterricht, Vorlesungen und Vorträgen am Lyzeum gesprochen; auch Rhetorik- und Poetikübungen werden lat. vorgetragen. Die griech. Sprache wurde hingegen viel oberflächlicher gepflegt, ihre Kenntnis – als Urquelle aller Wiss. – wurde nur theoretisch gefordert.

Philologie als eigenständiges Fach wurde in Ingolstadt erst spät (1788) eingeführt. Ihre Aufgabenstellung war auch an der Univ. auf das Sprachliche begrenzt; sie sollte den Mängeln der Gymnasialbildung in der Sprachbeherrschung abhelfen. Obwohl Lat. nicht mehr Vorlesungssprache war, wurden Logik, Metaphysik und Physik noch lat. vorgetragen. ›Was im vorigen Jh. (in der Philologie) geleistet wurde, ging nicht über die damals geforderten Bedürfnisse der Schule, welche gering genug waren, hinaus; von eigentlicher Philologie hatte man keinen Begriff‹, schrieb Leonhard Spengel 1854 (zit. bei [34. 13]). Nach Verlegung der Univ. Ingolstadt nach Landshut im Jahr 1800 klagte der neue Professor für Philologie, Anton Drexel, daß gelehrtes Studium alter Sprachen in B. eine Seltenheit sei und daß im Unterricht die Aufmerksamkeit auf die »Sachen« und nicht die Gramm. gerichtet werde. 1799 begann, von der Regierung unterstützt, auch in B. der Kampf gegen die Sprachschulen und gegen Lat. im allgemeinen. Für den Kantianer Kajetan Weiller (1762–1826), Rektor in München, Mitarbeiter am Lehrplan des Jahres 1804, Anhänger der aufklärerischen Pädagogik, aber ein Gegner ihres Enzyklopädismus, war die lat. Sprache nicht für alle gebildeten Menschen, sondern nur für Gelehrte notwendig – und auch für diese nicht immer. Viel besser sei es, die ant. Klassiker in Übersetzung zu lesen. ›Schlägt man mit allem Lat. in der Welt eine Armee? Stillt oder hindert man damit einen Aufruhr? Bekehrt oder verscheucht man damit das Laster und seinen Unglauben?‹ fragte er (zit. bei [41. 24]). 1804 erschien der Lehrplan für alle kurpfalz-bayerischen Mittelschulen von Joseph Wismayr (1767–1858), Studiendirektionsrat in München, in dem der Sachunterricht gegenüber den Sprachen überwiegt, unter denen bes. das Griech. vernachlässigt erscheint [41. 26; 50. 957]. J. H. Voß, dem die bayerische Regierung anbot, ein Philologisches Seminar in Würzburg einzurichten, lehnte den neuen Lehrplan ab: ›Offenbar ist der Wismayrische Studienplan darauf angelegt, die freiere Ausbildung der menschlichen Natur, welche aus den freien Künsten und Wiss. der alten Klassiker hervorgeht, mit wohlwollender Miene zurückzuhalten. Seine Zöglinge, wo nicht eigene Kraft sich über die Schranken schwingt, sind noch verdorbener für die alte Humanität als die vormaligen Jesuitenschüler . . .‹, schrieb er in der *Jenaischen Allgemeinen Literaturzeitung* (vgl. [41. 25–27]).

1805 kam aus Jena, einem Zentrum des Neuhuman., Friedrich Ast als Professor für Klass. Philol., Philos. und Ästhetik an die Univ. Landshut und eröffnete seine Lehrtätigkeit mit der Rede *Über den Geist des Altertums und dessen Bed. für unser Zeitalter*, in der er sich als philosophisch gebildeter Philologe und romantisierender Neuhumanist erweist [34. 54]: ›Wie . . . das Altertum der Grundpfeiler ist, auf dem das moderne Zeitalter ruht, . . . so ist das klassische Altertum auch das wahre Muster unserer Bildung‹. ›Bilde dich griechisch!‹, war sein Motto. Im Anhang zu der Eröffnungsrede entwickelte Ast einen Plan zur Errichtung des Philol. Seminariums in Landshut. Asts Ansicht des klass. Alt. zeigt eine ästhetisch-normative und fast rel. Art, die Griechen zu betrachten, noch keine histor. Die ant. Welt war Vorbild jeder zukünftigen Bildung; die ant. Kultur wurde als einziges Mittel angesehen, eine selbständige nationale Kultur hervorzubringen ([25] mit Lit.; [63]). Ast steht in der älteren Trad. der Hermeneutik, aber in seinen Schriften (wie auch bei August Friedrich Wolf) werden neue Probleme und Anforderungen sichtbar, v. a. die Notwendigkeit einer philos. fundierten Philol.

Ein anderes Mitglied des *Jenaer Kreises*, Friedrich Immanuel Niethammer (1766–1848), erhielt von Minister Montgelas den Auftrag, einen neuen Lehrplan auszuarbeiten. 1804 wurde er nach Würzburg berufen, 1808 als Studienrat beim Geheimen Ministerium des Inneren in München. In diesem Jahr veröffentlichte er seine Programmschrift *Der Streit des Philanthropinismus und des Human. in der Theorie des Erziehungsunterrichts unserer Zeit* (Ndr. in [48]), wobei er den Begriff »Human.« prägte und der Gegensätzlichkeit von Human. und Philanthropinismus beizukommen versuchte [11; 19]. Der Leitgedanke der Schrift ist, daß der Human. die geistige und rationale Seite des Menschen pflegt. Die Schrift ist folglich ein Plädoyer für die didaktisch-philol. Reformbewegung. Die Kritik richtete sich gegen die utilitaristisch-eudämonistische Aufklärungspädagogik und ihren Enzyklopädismus, aber auch gegen eine idealisierende Humanitätsauffassung, die die realen Verhältnisse nicht adäquat berücksichtigt [50. 958–959]. ›Die Ideen Niethammers sind ein Gemeingut der neuen klass.-dt. Geistesbewegung; die lebendigere Sprachauffassung geht auf Herder und Humboldt zurück, die begriffliche Formulierung auf Schelling und Hegel‹. Die Tätigkeit Niethammers bezeichnete ›den Beginn der Verschulung (des »Human.«) im human. Gymnasium und seiner Verwissenschaftlichung in dem großartigen Entwurf von F. A. Wolf, (Darstellung der) Altertumswissenschaft (1807)‹ ([11. 322] mit Lit.). Nach Niethammer konnte die Auswahl der Unterrichtsgegenstände ›kein anderes Gebiet als das des Alterthums finden, indem unleugbar wahre Classicität in allen Arten der Darstellung des Wahren, Guten und Schönen in ihrer größten Vollendung nur bei den classischen Nationen des Alterthumes angetroffen wird‹. Deshalb wurde die spezielle Berufs-

ausbildung, welche die Philanthropinen in die Mitte der Erziehung gestellt hatten, sekundär. Das Niethammersche Normativ erschien am 3.11.1808 und sah neben dem Progymnasium und Gymnasium eine Realschule und ein Realinstitut vor. Die Lyzeen stellten, obwohl sie nur einen Bruchteil des universitären Lehrangebotes bieten konnten, zusammen mit den Univ. die höchstrangigen Ausbildungsstätten des Niethammerschen Konzepts dar. Die bayerischen Lyzeen waren typische katholische Produkte des Barockzeitalters, vom Tridentinum begründet, um die wiss. Erziehung des Priesternachwuchses zu pflegen. Sie sind ›(semi-)universitäre Vor- und Sonderformen, die sowohl die Aufgabe des Gymnasium wahrnehmen als auch solche der wissenschaftlichen Propädeutik und des Studium generale einer Univ.‹ [35. 642–643].

Ein wichtiges Ergebnis der Erziehungspolitik Niethammers war die Berufung bedeutender Persönlichkeiten: Hegel wurde nach Nürnberg an das Ägydiengymnasium gerufen. Am 7.12.1807 begann Friedrich Jacobs seine Tätigkeit in München mit der Rede *Vom Zwecke der gelehrten Schulen*: ›Die Jugend auf die rechte Weise bilden, heißt also, sie bilden zur Menschheit – zur Humanität‹. Der sicherste Weg zu diesem hohen Ziel sei das Studium des Altertums. Jacobs nahm es mit der ihm von der Regierung auferlegten Pflicht, die klass. Lit., vornehmlich die griech., zu fördern, sehr ernst. Er äußerte sich gegen den Lehrplan von Wismayr folgendermaßen: ›Mitleid muß es einflößen zu sehen, daß Leute, die nicht eine Seite im Plato oder einem anderen alten Philosophen verstehen, über die Geschichte der Philos. und die größten Männer mit einer Keckheit von Hörensagen aburteilen, die sich kein Kenner erlauben würde‹ (vgl. [58. 63–65]).

Friedrich Thiersch (1784–1860) schließlich, ein Schüler von Gottfried Hermann und Ch. G. Heyne, wurde von Göttingen nach München berufen [20; 36; 40; 61]. 1811 erhielt er eine Professur am Lyzeum und die Leitung des Philol. Instituts; durch ein königliches Dekret von 1812 bekam er einen bestimmten Etat für Stipendien und eine philol. Bibliothek zugewiesen: Thiersch wandelte seine privaten Veranstaltungen in ein Philol. Seminar um. Er erhielt die Erlaubnis des Ministeriums, die Disputationes der jungen Seminar-Mitglieder zu veröffentlichen. So erschienen die *Acta Philologorum Monacensium*, die auch Arbeiten von Jacobs und Thiersch enthalten. In der Vorrede postuliert Thiersch, der einzige Weg, der zur Altertumswiss. führe, sei die kritische Kenntnis der lat. und griech. Sprache. Die *Acta* enden 1828 mit den ersten Heften des vierten Bandes. Von 1819 an war Joseph Kopp (1788–1842) Mitleiter des Seminars, von 1823 an Leonhard Spengel (1803–1880); am 14. Dezember 1823 wurde das Philol. Institut vom Lyzeum getrennt und mit der Akademie der Wiss. verbunden. Neben München wurde das Philol. Seminar Erlangen, an dem von 1819 an J. Ludwig Döderlein (1791–1863) und seit 1842 Karl Friedrich Nägelsbach tätig waren, zur Ausbildungsstätte für die Gymnasiallehrer B. [60].

Das Niethammersche Normativ und seine Vetreter aus dem Norden fanden heftigen Widerstand von seiten der konservativen katholischen Kräfte und der altbayerischen Patriotenpartei: Thiersch war sogar Opfer eines versuchten Mordanschlags (vgl. [20. 438]). Die neue Schulordnung von Niethammer (1824) ist durch eine noch stärkere Betonung der alten Sprachen, bes. des Lat. (höhere Anforderungen im Lehrplan), charakterisiert. Auch gut dt. zu schreiben, lernt man, wie Wieland schreibt, ›vom Cicero‹ [50. 962]. Nach der Schulordnung Thierschs (1829) sollen im Gymnasium andere Unterrichtsgegenstände den alten Sprachen und ihrer Lit. ›in jeder Hinsicht untergeordnet‹ sein. Diese Schulordnung prägte, wenn auch in einer »gemilderten« Version von 1830, das bayerische Gymnasium das ganze 19. Jh. hindurch (Statistisches bei [56]). Auch an der Univ. vertrat die Jenenser Kolonie, Schelling und Niethammer in primis, in München eine idealistische Konzeption gegenüber dem aufgeklärten Pragmatismus der Ministerialbürokratie. 1826 wurde die altbayerische Landesuniv. nach München verlegt, um der Hauptstadt, mit den Worten des kulturpolitischen Beraters Ludwigs I., Eduard v. Schenk, in geistiger Hinsicht ›einen herrschenden Einfluß auf ganz Deutschland‹ auszuüben. Einen bes. Einfluß auf den König hatte die Programmschrift Thierschs *Über Gelehrte Schulen mit besonderer Rücksicht auf Bayern*, die 1826–1831 bei Cotta erschien.

C. Die Zeit Ludwigs I.

Der Neuhuman. Thierschs zielte, wie die Kulturpolitik von Ludwig I., auf die Kunst ab. Die entscheidende Erfahrung Ludwigs, die seine Liebe zur Kunst der Ant. weckte, ist seine Italienreise 1804/1805: ›Ich war in Schwetzingen erzogen‹, erinnert sich Ludwig später, ›und keineswegs Kunstfreund, aber die scheußlichen Figuren im Hofgarten von Nymphenburg machten mich der Skulptur abgeneigt, bis ich nach Venedig kam und es mir vor Canovas *Hebe* wie Schuppen von den Augen fiel‹ [29. 23]. Die Idee einer → Antikensammlung kam Ludwig in Rom; er stand dabei unter dem Einfluß des pfälzischen Malers und Dichters Friedrich Müller (1749–1825), der auch dem Freundeskreis Goethes angehörte. Ludwig begann mit dem Ankauf von Kunstwerken schon wenige Monate nach seiner Rückkehr. Müller war bis 1810 sein erster Kaufagent in Rom; neben ihm berieten der Bildhauer Konrad Eberhardt, der Maler und spätere Galeriedirektor in München, Johann Georg von Dillis [33] und der Würzburger Bildhauer und Maler Johann Martin v. Wagner (1777–1858) den Kronprinzen. ›Wir müssen auch zu München haben, was zu Rom *museo* heißt‹ – diese Worte Ludwigs bezeichnen die Geburtsstunde der → Glyptothek, einer Sammlung die sich ›durch Qualität auszeichnen soll‹, wie ebenfalls Ludwig 1810 an v. Wagner (1777–1858) schreibt [66]. Ludwig will nur ›das Klass.‹ suchen, d. h. Werke ›für die Ewigkeit, die sogar mit jedem Jh. an Werth gewinnen‹. Ludwigs Projekt verbindet Gedanken Winckelmanns und der Französischen Revolution,

denn eine solche Ausstellung sollte auch der Kunstbildung des Volkes dienen [66]. Andererseits wollte der Kronprinz einen Mangel der dt. und bayerischen Kunst beheben und die Plastik fördern. »Glyptothek« ist eine Wortschöpfung, um den Ausstellungsort plastischer Bildwerke zu bezeichnen [29]. Das Gebäude sollte ein Symbol der Wiedergeburt der ant. Kunst, einer neuen perikleischen Epoche, in München sein. Es ist ›etwas ridikül‹, schreibt Heinrich Heine in den *Reisebildern*, daß man ›die ganze Stadt ein neues Athen nennt‹ (*Sämtliche Schriften* III 320). Das Mus. soll die Vorbildhaftigkeit der Ant. beweisen. Nichts konnte das Projekt mehr fördern als der Besitz griech. Originale. Während der Kronprinzenzeit von Ludwig I. wurde fast die gesamte Skulpturensammlung der Glyptothek auf seine Kosten erworben (zu einer detaillierten Erwerbungsgeschichte R. Wünsche in [18]). Max I. hatte kein Verständnis dafür, was seinem Sohn an diesen ›zerbrochenen schmutzigen Puppen‹ gefiel [29. 9]. Nach dem Beginn der Arbeiten heißt das merkwürdige Bauwerk im Volksmund das ›närrische Haus des Kronprinzen‹. Seit 1811 plante Ludwig in Griechenland nach ›ausgezeichnet Schönem‹ zu suchen: Deshalb schrieb er an Carl Haller von Hallerstein (1774–1817), der seit einem Jahr mit einem bayerischen Stipendium in Griechenland war, um ihn als Kunstagenten einzustellen. Im Frühling desselben Jahres entdeckten Haller und der engl. Architekt Charles Robert Cockerell (1788–1863) die berühmten Ägineten, die Giebelskulpturen des Aphaiatempels; ein halbes Jahr später kamen die ersten Bruchstücke des Bassai-Frieses ans Licht.

Diese Entdeckungen machten die Forscher in der europ. Presse berühmt. Im Mittelpunkt des Interesses Hallers von Hallerstein und seiner Freunde (O. M. v. Stackelberg, P. O. Bröndsted, G. Koes, J. Linckh) stand jedoch die wiss. Erkenntnis und Forsch.: ›Wir haben uns vereint‹, schreibt Bröndsted, ›zu einer graphischen und histor. Darstellung des Besten von dem, was wir in verschiedenen Teilen von Griechenland gesehen, erfahren und gelernt haben‹ (zit. bei K. Fräßle in: [3. 22]). Cockerell wollte die *Antiquities of Athens* (4 Bde., 1762–1816) erweitern und verbessern [3. 48–49]. Haller wollte gegen ›die Barbarey‹ kämpfen, wie z. B. gegen die des berühmten britischen Botschafters, Lord Elgin, der die Skulpturen des Parthenon abgebaut und nach England abtransportiert hatte. Durch den Einfluß Hallers wurde es zum Ziel Ludwigs, griech. Denkmäler nicht nur zu besitzen, sondern auch zu schützen. Eine Verbindung dieser beiden Prinzipien findet man in der ersten Beschreibung der Glyptothek. Alle weiteren Ausgrabungspläne wurden durch den Tod Hallers unterbrochen, nicht aber das Projekt des Mus. Für diesen Zweck hinterließ Haller eigenhändige Entwürfe und begründete damit den arch. Klassizismus in Deutschland. 1814 wurde ein Preis für das Museumsprojekt ausgeschrieben, ›das Ganze wie die Theile wird im reinsten ant. Styl gefordert‹ (Wortlaut des Preisausschreibens in [29. 98]). Die Aufgabe wurde schließlich dem Architekten Leo von Klenze (1784–1864) übertragen [32]. Für Klenze war die Aufgabe des Mus., histor. Verständnis für das gesamte ant. Kunstschaffen zu vermitteln. ›Der Grund‹, schreibt er, ›welcher uns als der mächtigste für die Wahl einer histor. Ordnung bestimmt, ist die Entfernung unserer Kunstideen von denen der Alten, denen die Idealcharaktere ihrer Götter als rel. und pantheistischer Grund, der stets lebendig, vor der Seele schwebte. Da diese Aussicht uns aber entrückt, so glauben wir, daß nächst des artistischen Genusses die Verfolgung der histor. Ordnung, und der daraus entspringenden Entwicklung des Ganges der Kunst, uns lebhafter ergreifen muß, als eine unvollkommene Reihe von Idealen, welche unsere rel. Begriffe verwerfen‹ (vgl. [18. 38]). Die Eröffnung des Mus. fand 1830 statt, die letzte der Nischenfiguren wurde aber erst 1862 aufgestellt. Der Bau stieß auf die Kritik der Künstler: Die Trad. der dt. Architektur schien verraten. Der Anspruch Ludwigs war es, architektonische Muster aller Stile in München zu haben und ›auf einen Punkt‹, wie ihm v. Klenze schreibt, ›ein Bild des reinen Hell.‹ zu verpflanzen [64]. Das Ergebnis ist ›ein Mischmasch von Monumenten aller Zeiten‹ (F. Ch. Gau), ein ›Gebäude … völlig ohne Stil, ohne Konsequenz, aber an welches ungeheure Summen verschwendet werden‹ (Friedrich Schelling, zit. in [29. 286]). Es entstand ein ›steinerner Stilatlas‹, um eine Formulierung Anton Springens von 1845 zu gebrauchen. Angeregt durch Hallers Entwürfe, errichtete Klenze zw. 1830–42 die Walhalla (bei Oberstauf an der Donau, 11 km östl. von Regensburg), eine Nachbildung des → Parthenon der Athener Akropolis, die Ludwig I. als Ruhmeshalle für berühmte Deutsche in Auftrag gegeben hatte. In München entstanden an der Westseite des Königsplatzes zw. 1846–62 die Propyläen, für die die → Propyläen der Akropolis als Vorbild gedient hatten. Klenze bezweckte jedoch keineswegs, eine bloße Kopie der als vollendet schön geltenden griech. Originale in B. zu erstellen; vielmehr wollte er eine freie Variation und Übertragung des Ideals der Gegenwart bieten. Der klassizistische Rückbezug auf die griech. Vorbilder ist jedoch nicht nur als architektonisches Zitat zu sehen. Er ist Ausdruck einer Bildungsarchitektur, durch die auf die Geltung all dessen, was man mit Griechenland verband, verwiesen werden sollte.

Das Programm Klenzes folgte den Spuren Hallers und ist in der Vorlesung *Über das Hinwegführen plastischer Kunstwerke aus dem jetzigen Griechenland und die neuesten Unternehmungen dieser Art*, die am 31. März 1821 in der Königlich Bayerischen Akademie der Wiss. gehalten wurde, formuliert. Jedes ›Kulturgut, gleichgültig, welchem Volk es gehört‹, ist als Teil ›des kulturellen Erbes der ganzen Menschheit‹ anzusehen; deshalb sei es nicht nur erlaubt, sondern sogar Pflicht, ant. Kunst aus Griechenland fortzubringen. Klenze plante eine dt. Grabung in Olympia, wo er ›reiche Schätze der Plastik‹, die Werke des Phidias und Miron, zu finden hoffte. C. O. Müller und Friedrich Thiersch griffen den Plan begeistert auf; man begann, Geld zu sammeln. Doch gerade Ende

März 1821 brach in Griechenland der Befreiungskrieg aus, in dem B. eine zentrale Rolle spielte. Der → Philhellenismus ist ein fast einzigartiges Beispiel dafür, wie eine Idee in polit. Handeln umgesetzt wurde [1; 14]. Er ist undenkbar ohne die dt. Klassik mit ihrem Griechenkult. Ludwig I. hat die Idee polit. verwirklicht. B. gewann eine zentrale Bed. in der dt. Griechenbewegung als inhaltlicher und praktischer Impulsgeber. Die Projekte und v. a. die publizistischen Anstöße Friedrich Thierschs und deren praktische Anregung, die Ergänzungen und Umsetzversuche durch Emmerich Carl von Dalberg verleihen den bayerischen Initiativen die Position eines ideellen und realen Schrittmachers [59. 255]. Seit 1814 stand Thiersch in Verbindung mit der *Hetairie der Philomuse*, die junge Griechen mit Stipendien nach Deutschland brachte. Im selben Jahr gründete er in Wien den *Musenverein* zur Förderung der griech. Kultur und des Befreiungskampfes und in München das *Atheneum*, ein Studienzentrum für junge Griechen. 1821 leitete er den *Münchner Griechenverein*; er führte außerdem eine ausführliche Korrespondenz mit dem Patrioten und Philologen Adamantios Korais und mit Johannes Capodistria. Thiersch ist der erste dt. Gelehrte, der neugriech. Lit. und Kultur wiss. zu behandeln versuchte; 1831 und 1832 setzte er sich in Griechenland für die Wahl des jungen Otto ein. B. wurde dadurch Mittel- und Ausgangspunkt des Philhellenismus. Eine zweite Welle des Philhellenismus erhebt sich in B. nach der Wahl Ottos zum König von Griechenland. Die griech. Revolution von 1843 aber bereitete der sog. »Bavarokratie« ein Ende. Vor diesem Hintergrund wurde Anf. des 19. Jh. an der Münchner Univ. die Trad. des Studiums des Mittel- und Neu-griech. begründet: In München wirkte Karl Krumbacher (1856–1909), der Begründer der Byzantinistik und des Mittel- und Neugriechischen Seminars, Verf. der *Geschichte der byzantinischen Literatur* (1891, ²1897) und Begründer der *Byzantinischen Zeitschrift* (1892), der ersten Fachzeitschrift der Disziplin.

Der Klassizismus zur Zeit Ludwigs hatte auch seinen Einfluß auf die Lit. [22]: Der König selbst schrieb Dichtungen [22; 57] und unterstützte finanziell den Hauptvertreter der klassizistischen Stilrichtung, August von Platen, der in München großen Erfolg hatte. Nach dem Erscheinen des *Romantischen Oedipus* 1829 wurde er in einer langen Besprechung in der Zeitschrift *Aurora* als ›dt. Aristophanes‹ gefeiert. Diese Dichtung steht ›wie ein plastisches, in allen Theilen volles und gerundetes Kunstgebilde in höchster Vollendung da, auf unser ästhetisches Gefühl mit einer Gesamtberuhigung wirkend, wie es nur dem schönsten ant. Marmorbilde gelingen kann‹: Winckelmanns Deutung griech. Plastik ist unüberhörbar. Die Argumentation gipfelt in einem Plädoyer für die Notwendigkeit der ›ausgebildeten Form‹ als Gegensatz zu romantischem ›Irrthum‹ und ›Barbarey‹. Um diese Notwendigkeit zu verwirklichen, brauche man eine ›gründliche klass. Bildung‹, obwohl darunter nicht ›die pedantische Schulgelehrsamkeit einseitiger Philologen‹ zu verstehen ist. Ohne diese Bildung stehe ›kein wahres Heil‹ für die Kunst zu erwarten [22. 68–69]. Ein epigonaler Klassizismus wirkte noch in der lit. Produktion und Literaturtheorie der Zeit Max II. (insbes. bei Paul Heyse) nach.

D. DER GEORGE-KREIS

Am Ende des 19. Jh. entstand durch den Einfluß des Dichters Stefan George ein neues Antikenverständnis. In der neunten Folge der *Blätter für die Kunst* feierte er die Erscheinung des Göttl. im vollkommenen Leib als ›das hellenische Wunder‹; dieses mächtige Vorbild der archa. Kunst zusammen mit der ungewohnten Dichtung Georges hat Anf. des 20. Jh. eine starke Wirkung auf die Generation der Archäologen, Historiker und Religionshistoriker, die dem Freundeskreis Georges angehörten [54]. So sah Horst Rüdiger 1935 in der Verlebendigung der Ant. bei George den Weg für die ›Erneuerung Deutschlands‹ [53]. Durch George entstand ein vertieftes Verständnis für die vor- und nachklass. Kunstwelt [44; 54]. Denn das Gefühl für die Ant. bei George und seinem Kreis ist alles andere als Klassizismus: Es ist eine neue rel. Erfahrung. Damit eröffnete sich ein neuer Weg für die arch. Forsch. sowie für die Religionswiss. und die Altertumsforsch. im allg., d.h. das Erkennen des rel. Gehaltes großer Kunst. ›Kunst ist nicht immer »Kunst« gewesen‹: mit diesem Satz, der in den Dichtungen von George vorweggenommen ist, beginnt Ernst Buschors Buch *Vom Sinn der griechischen Standbilder* (1942) Figuren der Arch. des 20. Jh. (vgl. K. Schefold in: [24. 183–203; 54. 94]) Das Buch von Walter F. Otto, *Die Götter Griechenlands* (1929), ist schon im Titel als Produkt im Stile des George-Kreises, als ein »Gestalt-Buch«, erkennbar: ›Nicht »die Religion der Griechen«, sondern Gestalten und Mythen, Göttergeschichten, *theologia* im alten Sinne also, verspricht dieser Titel, dichterische Schau, von Hölderlin und von Schillers *Wesen aus dem Fabelland* inspiriert, nicht Historismus, nicht altphilol. Emsigkeiten oder gar Ideologiekritik‹ [11. 140–141]. Es ist kein Zufall, daß in den 20er J. die »Bachofen Ren.« von München bzw. aus den Kreisen der sog. Münchener Kosmiker ausging [55]: Sie wollten ein »heidnisches« Leben führen, d.h. ein natürliches und archa. Leben, das nicht unter der Kontrolle des »Geistes« steht. Der Hauptrepräsentant dieses neuen Heidentums, der »Metaphysik des Lebens«, war Ludwig Klages. In diesem Umfeld, zu dem auch Rainer Maria Rilke und der junge Thomas Mann gehörten, erschien bei C.H. Beck 1926 die Anthologie: Bachofen, *Der Mythus von Orient und Occident*, herausgegeben von Manfred Schröter, mit einer langen Einleitung von Alfred Bäumler, dem NS-Theoretiker: Bäumler betonte die Wichtigkeit des oriental. »Symbols« gegenüber der klassizistischen Auffassung griech. Kunst. Friedrich Creuzer (1771–1858), der Autor von *Symbolik und Mythologie der alten Völker* (1812, ³1836), wurde von Bäumler und den Münchener Kosmikern als bahnbrechend für diese antiklassizistische Betrachtung von Kunst und Myth. des Alt. bezeichnet.

E. UNIVERSITÄTEN UND INSTITUTIONEN IM 19. UND 20. JAHRHUNDERT

Histor. Forsch. waren an den bayerischen Univ. immer von großem Gewicht [15; 65]: Leopold von Ranke war Lehrer und Freund von Max II., und eine Reihe seiner Schüler wurden 1848–1864 nach B. berufen. Die Histor. Kommission bei der Akad. der Wiss., die *Monumenta Germaniae Historica* [27], an denen auch der Paläograph Ludwig Traube mitarbeitet ([27]; über Traube: [6; 9]), das Institut für Zeitgeschichte, das Osteuropa-Institut, das Südost-Institut sind Münchner Institutionen, die von zentraler Bed. für die Geschichtswiss. sind. Ein herausragender Vertreter der Alten Geschichte in München war Robert v. Pöhlmann (1852–1914), der als Experte der Nationalökonomie die sozialen Verhältnisse der ant. Welt untersuchte und den klassizistischen und neuhuman. Mythos der Idealzustände der Ant. zerstörte [12]. Seine *Geschichte des ant. Kommunismus und Sozialismus* (2 Bde., 1893 und 1901), ab der 2. Auflage mit dem Titel *Geschichte der sozialen Frage und des Sozialismus in der ant. Welt*, die konsequent wirtschaftliche und soziale Kategorien des 19. Jh. anwendet, wird wegen des modernistischen Sichtweise der Ant. kritisiert. Sie erschien 1925 in der 3. erweiterten Auflage mit einem Anhang von Friedrich Oertel [24. 316f.].

Ordinarius für Alte Geschichte in München war von 1918–1941 Walter F. Otto. Er beherrschte die Hauptsprachen des alten Orients und hatte eine universalistische Vorstellung vom Studium der Antike. Otto spielte eine bes. Rolle in der Geschichte der Interpretationen des Hell., dem er auch die ganze röm. Epoche zurechnen wollte. Für Otto war der Hell. eine gemeingriech. Kultur; er teilte mit seinem Lehrer Ulrich Wilcken die Idee, daß die hell. Überwindung des polit. Partikularismus lehrreich für die Deutschen sein kann [24. 298f.]. Hinzu kam die Hoffnung auf einen Führer als ›alles bezwingenden Volksheld‹, der die »Revolution« verwirklichen sollte, einen Führer, der eine konkrete Gestalt angenommen hat [24. 304]. Otto ist auch ein bedeutender Wissenschaftsorganisator gewesen und Herausgeber des grundlegenden Handbuchs der klass. Altertumswiss. (begründet von Iwan Müller, der in München und Erlangen lehrte).

Nach Walter Otto wurde der Lehrstuhl für Alte Geschichte 1942 durch Hermann Bengston (1909–1989) vertreten, der u. a. das *Hdb. der Altertumswiss.* erneuerte und auch Verf. grundlegender Gesamtdarstellungen der griech. und röm. Geschichte war; im WS 1943/44 wurde Helmut Berve aus Leipzig nach München berufen. Die klass. Philol. wurde in München lange Zeit durch Wilhelm Christ (1831–1906) vertreten [13], Herausgeber der *Geschichte der griech. Literatur*, die ›zum eisernen Bestand unsrer Fachlit.‹ gehört [13. 28], und gleichzeitig durch Eduard Wölfflin (1831–1908), dem Begründer des → *Thesaurus Linguae Latinae*, nach einem Plan von Friedrich Ritschl. Martin Schanz (1842–1914), Platoniker (*Novae commentationes platonicae*, 1871) und Verf. der lat. Literaturgeschichte (1890–1914 in verschiede-

nen Auflagen, von Carl Hosius neubearbeitet) in oben genanntem Handbuch, lehrte in Würzburg [17]. Um die Bed. der Münchener Gräzistik zu unterstreichen, genügt es daran zu erinnern, daß Eduard Schwartz, eine ›der imposantesten Figuren der Altertumswiss. ... aller Zeiten‹ (R. Pfeiffer), Professor in München war [51]. Sein Nachfolger wurde bis zum Herbst 1937 Rudolf Pfeiffer [45]. Nach der Wiedereröffnung der schwer zerstörten Univ. München im März 1946 wurden die drei Lehrstuhlinhaber Franz Dirlmeier, Richard Harder und Rudolf Till ihres Amtes enthoben [23]. Der erste kommissarische Rektor wurde Albert Rehm (1871–1949), der schon 1930 Rektor war und damals die rechtsradikalen Studentenunruhen meisterte [30; 62]: in seiner Antrittsrede des Jahres 1930 *Neuhuman. einst und jetzt, auf den Spuren von Gesner, Niethammer, Humboldt,* betonte er die Notwendigkeit der klass. Bildung vom Beginn der Gymnasialjahre an. Nach dem Krieg hat Rehm u. a. die große Leistung vollbracht, das Unternehmen des *Thesaurus Linguae Latinae* zu retten: am 7.4.1949 wurde eine Internationale Thesaurus-Kommission gegründet. Rehm, der auch Epigraphiker war, plante eine Institution zur Förderung der Epigraphik. Diese wurde von den Münchner Althistorikern Alexander Graf Schenk von Stauffenberg, Hermann Bengston und Siegfried Lauffer mit der Gründung der Kommission für Alte Geschichte und Epigraphik verwirklicht (1951) [10]. Im Rahmen dieser Kommission entstehen seit 1959 die Schriftenreihen *Vestigia* und *Staatsverträge des Altertum,* seit 1971 die Zeitschrift *Chiron* sowie die Betreuung der *Sylloge Nummorum Graecorum Deutschland* (von H. Gebhardt und K. Kraft begonnen).
→ Griechenland; Humanistisches Gymnasium; Philhellenismus

1 R. F. Arnold, Der dt. Philhellenismus. Kultur- und literarhistor. Unt., in: Euphorion, 2. Ergänzungsheft, 1896, 151–161 2 F. Baethgen, Die Bayerische Akad. der Wiss., 1909–1959, Trad. und Auftrag, 1959 3 H. Bankel, (Hrsg.), Carl Haller von Hallerstein in Griechenland. 1810–1817, 1986 4 L. Boehm et al. (Hrsg.), s. v. Das geistige Leben vom 13. bis zum Ende des 18. Jh., Hdb. der Bayerischen Gesch. III.1, 1997, 963–1249 5 L. Boehm, s. v. Das akad. Bildungswesen in seiner organisatorischen Entwicklung (1800–1920), Hdb. der Bayerischen Gesch. IV.2, 1979, 995–1035 6 F. Boll, Erinnerung an Ludwig Traube, 1907 7 K. Bosl (Hrsg.), Bayerische Biographie, Bd. I–II, 1983–1988 8 F. Brunhölzl, s. v. Die lat. Lit., Hdb. der Bayerischen Gesch. I, 1981, 582–606 9 H. Brunn, E. Monaci et al. (Hrsg.), Ludwig Traube zum Gedächtnis, 1907 10 E. Buchner, 25 Jahre Kommission für Alte Geschichte und Epigraphik, in: Chiron 6, 1976, VII–VIII 11 H. Cancik, Antik. Modern. Beiträge zur röm. und dt. Kulturgeschichte, 1998 12 K. Christ, Robert von Pöhlmann (1852–1914), in: Von Gibbon zu Rostvtzeff. Leben und Werk führender Althistoriker der Neuzeit 1979, 201–247 13 O. Crusius, Wilhelm von Christ. Gedächtnisrede 1907 14 Der Philhellenismus und die Modernisierung in Griechenland und Deutschland, 1986 15 H. Dickerhof-Fröhlich, Das histor. Studium an der Univ. München im 19. Jh., 1979 16 E. Dünninger,

E. Stahleder, Aventinus zum 450. Todesjahr 1984, 1986 (mit Lit.) 17 A. Dyroff, Martin von Schanz, in: BiogJahr 249, 1935, 50–87 18 Ein griech. Traum. Leo von Klenze. Der Archäologe, Kat. der Austellung vom 6. Dezember 1985–9. Februar 1986, Glyptothek München 1986 19 C. v. Elsperger, s. v. Friedrich Immanuel von Niethammer, Encyclopädie des gesammten Erziehungs- und Unterrichtswesens V, Gotha 1866, 233–237 20 Ders., s. v. Friedrich Thiersch, Encyclopädie des gesammten Erziehungs- und Unterrichtswesens VI, 1867, 432–443 21 R. Endres, s. v. Das Schulwesen von ca. 1200 bis zum Reformation. Gesamtdarstellung, Hdb. der Gesch. des Bayerischen Bildungswesen, Bd. 1, 1991, 141–188 22 K.-H. Falbacher, Lit. Kultur in München zur Zeit Ludwigs I. und Maximilians II., 1992 23 FS für Ernst Vogt, (Eikasmos 4) 1993 24 H. Flashar (Hrsg.), Altertumswiss. in den 20er J. Neue Fragen und Impulse, 1995 25 Ders., Die methodisch-hermeneutischen Ansätze von Friedrich August Wolf und Friedrich Ast – Traditionelle und neue Begründungen, in: Philol. und Hermeneutik im 19. Jh., 1979, 21–31 (Ndr. Eidola 38, 529–539) 26 Th. Frenz, Das Schulwesen des MA bis ca. 1200. Gesamtdarstellung, Hdb. der Gesch. des Bayerischen Bildungswesen, Bd. 1, 1991, 81–133 27 W. D. Fritz, Theodor Mommsen, Ludwig Traube und Karl Strecker als Mitarbeiter der Monumenta Germaniae Historica, in: Das Altertum 14, 1968, 235–244 28 Geist und Gestalt. I. Geisteswiss., 1959 29 Glyptothek München: 1830–1980. Jubiläumsausstellung zur Entstehungs- und Baugesch., 17. September–23. November 1980, hrsg. von K. Vierneisel, G. Leiny, K. J. Sembach, 1980 30 H. Haffter, Albert Rehm, in: Gnomon 22, 1950, 315–318 31 L. Hammermayer, Gründung- und Frühgesch. der Bayerischen Akad. der Wiss. 1959 32 O. Hederer, Leo von Klenze. Persönlichkeit und Werk 1964 33 C. Heilmann (Hrsg.), Johann Georg von Dillis 1759–1841. Landschaft und Menschenbild 1991 (Kat.) 34 J. Hermann, Friedrich Ast als Neuhumanist. Ein Beitrag zur Gesch. des Neuhuman. in B., 1912 35 R. W. Keck, W. Wiater, s. v. Gesch. der Univ. und Hochschulen. 1. Von den Anfängen bis 1900. 2. Von 1900 bis 1990, Hdb. der Gesch. des Bayerischen Bildungswesen, Bd. 4, 1997, 637–717 (mit Lit.) 36 H.-M. Kirchner, Friedrich Thiersch. Ein liberaler Kulturpolitiker und Philhellene in B., 1996 37 M. Kraus, J. Latacz, Zum Geleit, in: U. Hölscher, Das nächste Fremde 1994, I–X 38 M. Kraus, Vorwort des Herausgebers, in: H. Flashar, Eidola, 1989 39 J. Latacz (Hrsg.), In memoriam Uvo Hölscher (8.3.1914–31.12.1996). Gedenkfeiern des Instituts für Klass. Philol. der Univ. München am 9. Mai 1997, in Zusammenarbeit mit W. Suerbaum, 1997 40 H. Loewe, Friedrich Thiersch. Ein Humanistenleben im Rahmen der Geistesgesch. seiner Zeit, Bd. 1: Die Zeit des Reifens, 1925 41 Ders., Die Entwicklung des Schulkampfs in B. bis zum vollständigen Sieg des Neuhuman., 1917 42 H. Lutz, A. Schmid, s. v. Vom Human. zur Gegenreformation, Hdb. der bayerischen Gesch. II, 1988, 861–875 43 K. E. Maier, s. v. Das Schulwesen von der Zeit der Reformation bis zur Aufklärung. Gesamtdarstellung, Hdb. der Gesch. des Bayerischen Bildungswesen, Bd. 1, 1991, 349–384 44 H. Marwitz, Stephan George und die Ant., in: WJA 1, 1946, 226–257 45 E. Mesching, Ein Versuch, Rudolf Pfeiffer 1937 zu helfen? Zur Gesch. der klass. Philol. in B. (1987), in: Nugae zur Philol.-Gesch. II, 1989, 93–98 46 R. A. Müller, Akad. Ausbildung zw. Staat und Kirche.

Das bayerische Lyzealwesen 1773–1849, Teil 1 und 2, 1986
47 E. NEUBAUER, Das geistig-kulturelle Leben der Reichstadt Regensburg (1750–1806), 1979 **48** F. I. NIETHAMMER, Philanthropinismus-Human. Texte zur Schulreform, bearb. von W. HILLEBRECHT, 1968 **49** K. V. PRANTL, Gesch. der Ludwig-Maximilians-Univ. in Ingolstadt, Landshut, München, 2 Bde., 1968 **50** A. REBLE, s. v. Das Schulwesen, Hdb. der bayerischen Gesch. IV.2, 1979, 950–994 **51** A. REHM, Eduard Schwartz wiss. Lebenswerk, 1942 **52** Ders., Das Seminar für Klass. Philol., in: K. A. v. MÜLLER (Hrsg.), Die wiss. Anstalten der Ludwig-Maximilian-Univ. zu München, 1926, 168–173 **53** H. RÜDIGER, Georges Begegnung mit der Ant., in: Die Antike 11, 1935, 236–254 – **54** K. SCHEFOLD, Wirkungen Stefan Georges. Auf drei neuen Wegen der klass. Arch., in: Castrum peregrini 173–174, 1986, 72–97 **55** G. SCHIAVONI, Bachofen-Ren. e cultura di destra, in: Nuova Corrente 28, 1981, 597–618 **56** L. SCHILLER, s. v. B. (D. Die Gelehrtenschulen in B.), Encyclopädie des gesammten Erziehungs- und Unterrichtswesens I, 1859, 444–458 **57** W. SEIDL, Der Teutschland half, wird Hellas retten! Ludwig I. von B. als philhellenischer Dichter, in: E. KONSTANTINOU (Hrsg.), Europ. Philhellenismus. Die europ. philhellenische Lit. bis zur 1. H. des 19. Jh., 1992, 111–118 **58** K. SOCHATZY, Das Neuhuman. Gymnasium und die rein-menschliche Bildung, 1973 **59** L. SPAENLE, Der Philhellenismus in B. 1821–1832, 1990 (polit. Aspekte) **60** O. STÄHLIN, Das Seminar für klass. Philol. an der Univ. Erlangen. Rede gehalten bei der Feier seines 150-jährigen Bestehens am 17. Dezember 1927, 1928 **61** H. W. J. THIERSCH, Friedrich Thiersch's Leben, Bd. I: 1784–1830; Bd. II: 1830–1860, Leipzig 1866 **62** ThLl (Hrsg.), Albert Rehm zum Gedächtnis (mit einem Verzeichnis der Schriften), in: Philologus 98, 1954, 1–13 **63** F. VERCELLONE, Lo spirito e il suo altro. L'ermeneutica di Friedrich Ast, in: Identità dell'antico. L'idea del classico nella cultura tedesca del primo Ottocento 1988, 48–65 **64** K. VIERNEISEL, Ludwigs I. Verlangen nach dem Reinen griech. Stil in: G. GRIMM, TH. NIKOLAOU (Hrsg.), B. Philhellenismus, 1993, 113–145 **65** E. WEIS, s. v. Wissenschaftentwicklung im 19. und 20. Jh., Hdb. der bayerischen Gesch. IV.2, 1979, 1036–1088 **66** R. WÜNSCHE, Antiken aus Griechenland – Botschafter der Freiheit, in: R. HEZDENREUTER, J. MURKEN, R. WÜNSCHE (Hrsg.), AA.VV. Die erträumte Nation. Griechenlands Wiedergeburt im 19. Jh., 1995, 9–46.

SOTERA FORNARO /
Ü: SYLVIA ZIMMERMANN

Bearbeitung s. Adaptation

Belarus s. Weißrußland

Belgien s. Niederlande und Belgien

Bellum Iustum s. Krieg

Berlin
I. STAATLICHE MUSEEN PREUSSISCHER KULTURBESITZ, ANTIKENSAMMLUNG
II. VORDERASIATISCHES MUSUEM
III. ÄGYPTISCHES MUSEUM

I. STAATLICHE MUSEEN PREUSSISCHER KULTURBESITZ, ANTIKENSAMMLUNG
A. VORGESCHICHTE
B. DIE ANTIKENSAMMLUNGEN AB 1830
C. DIE ANTIKENSAMMLUNGEN AB 1901
D. DIE ANTIKENSAMMLUNGEN SEIT DEM ZWEITEN WELTKRIEG

A. VORGESCHICHTE

Der Ursprung der Berliner A. reicht bis in das 16. Jh. zurück. Wahrscheinlich legte Kurfürst Joachim II. von Brandenburg (Regierungszeit 1535–1571) den Grundstock für die Kunstkammer im Berliner Schloß und ließ wohl auch bereits Antiken ankaufen. Dieser erste Bestand ging während des Dreißigjährigen Krieges fast vollständig verloren, wurde aber nach 1640 durch Neuerwerbungen ersetzt (1649 und 1672 Inventare der ant. Mz. bzw. Skulpturen). Den Aufbau eines eigenständigen, von der Kunst- und Naturalienkammer abgetrennten Antiken- und Medaillenkabinetts veranlaßte 1698 der Ankauf der Sammlung Bellori. Diese umfaßte mehr als 200 Antiken und wurde von Lorenz Beger, dem Leiter der Kunstkammer, publiziert. Laut Beger war der kurfürstliche, ab 1701 königliche Besitz auch einer interessierten Öffentlichkeit zugänglich.

Starke Einbußen erfuhr der Antikenbestand des Berliner Schlosses wiederum unter dem »Soldatenkönig« Friedrich Wilhelm I. (Regierungszeit 1710–1740). Mz. aus Edelmetall wurden eingeschmolzen, die wichtigsten Skulpturen an andere Herrscher abgegeben, v. a. an August den Starken (→ Dresden, Staatliche Kunstsammlungen). Die Situation änderte sich grundlegend unter Friedrich II. (Regierungszeit 1740–1786). Um den Park und die Bauten von Potsdam-Sanssouci, zunächst aber auch Schloß Charlottenburg bei Berlin auszustatten, erwarb der König zahlreiche Kunstwerke; ant. Skulpturen kam dabei eine führende Rolle zu. Die umfangreichste Sammlung, die er bald nach Regierungsbeginn ankaufte, war diejenige des Kardinals Polignac. Neben weiteren, aus dem königlichen Vermögen finanzierten Kollektionen und Einzelwerken wie dem *Betenden Knaben* (Abb. 5) gelangte die Sammlung seiner Schwester Wilhelmine von Bayreuth als Erbschaft nach Sanssouci. Die damalige, h. nur noch in wenigen Teilen existente bzw. restituierte Aufstellung der Antiken innerhalb der Schloßbauten von Potsdam-Sanssouci verdeutlicht, daß Friedrich II. einerseits die Konkurrenz zu anderen Residenzen, in erster Linie zu Dresden, suchte und insofern gängige Repräsentationsmuster des Absolutismus adaptierte, andererseits um die Veranschaulichung einer aus der frz. Aufklärung abgeleiteten Idealwelt bemüht war. Diese verdichtete sich, wenige J. vor Winckel-

Abb. 1: Altes Museum am Lustgarten
(Aufnahme um 1900)

Abb. 2: Altes Pergamonmuseum
(Aufnahme um 1905)

Abb. 3: Pergamonmuseum,
Saal 3 der antiken Skulpturen
(Aufnahme um 1965)

manns Schriften, in der Imagination eines Griechen-
landbildes, das in den Innenräumen des Lustschlosses
Sanssouci als eine in das Private gewendete gesellschaftliche Utopie figurierte. Bei den im Park und nach dem
Siebenjährigen Krieg im Neuen Palais aufgestellten Antiken blieb dagegen die herkömmliche absolutistische
Bezugsebene der imperialen Romanitas relevant (Abb.
9). Bürgerlich-aufklärerischen Erwartungen kam die
Öffnung der Räumlichkeiten für ein interessiertes Publikum entgegen. Den Besuchern standen listenartige,
vom Galerieinspektor Matthias Oesterreich verfaßte
Kat. der Kunstwerke zur Verfügung. Zeitgemäßen Forderungen nach einem Mus. entsprach 1770 des weiteren
die Errichtung eines eigenständigen Antikentempels,
der gleichermaßen auf engl. Gartenbauten und verschiedene, bes. Dresdner Museumskonzeptionen re-
kurrierte.

In der nachfriderizianischen Ära ging der königlich-
preußische Antikenerwerb deutlich zurück. Eine neue
bedeutende Ankaufsphase setzte im 19. Jh. mit dem
Kronprinzen und nachmaligen König Friedrich Wilhelm IV. ein. Für die Geschichte der Berliner Mus. ist
dieser Bestand aber fast ohne Belang geblieben, da er im
Gegensatz zur Mehrzahl der im 18. Jh. zusammenge-
tragenen Objekte nicht in die Hauptstadt transferiert
wurde, sondern mit wenigen Ausnahmen bis h. in das
klassizistisch-romantische Ambiente der von Friedrich
Wilhelm IV. in Potsdam-Sanssouci errichteten Gebäude
(bes. Schloß Charlottenhof und Röm. Bäder) integriert
ist.

B. Die Antikensammlungen ab 1830

Bestrebungen, in Berlin ein Kunstmus. einzurichten,
reichen bis zum 18. Jh. zurück. 1810 entschied Friedrich
Wilhelm III., die vornehmsten Teile des königlichen
Besitzes einer öffentlichen Sammlung zur Verfügung zu
stellen. Allerdings war die Rückführung der 1806 nach
Paris verbrachten Bestände abzuwarten, ehe die Planungen konkrete Gestalt annehmen konnten. 1822 erhielt
Karl Friedrich Schinkel freie Hand für die Lokalisierung
und Ausführung eines entsprechenden Bauwerks. 1830
wurde das Mus. am Lustgarten (Abb. 1) eingeweiht, an
dem seit 1833 Eduard Gerhard (ab 1855 Direktor der
ant. Skulpturen) angestellt war. In programmatischer
Gegenüberstellung zum Berliner Schloß auf der Spreeinsel errichtet und mit einer weiten Vorhalle zum vorgelegten Platz geöffnet, war das Hauptgeschoß zur
Aufnahme der ant. wie auch neuzeitlichen Skulpturen
bestimmt. In der zentralen Rotunde wurden Götterstat-
tuen plaziert, die sich vorher in Potsdam-Sanssouci befunden hatten. Die Antikensammlungen schlossen auch
das im Untergeschoß eingerichtete Antiquarium ein:
die Kollektion der Kleinkunst, die seit den 30er J. des 19
Jh. systematisch erweitert wurde, v. a. durch den Ankauf
griech. Vasen, deren Zahl sich 1885 gemäß der *Beschreibung* von Adolf Furtwängler schon auf 4221 Stücke belief. Hinzu kamen u. a. zahlreiche Bronzen, v. a. aus den
Ausgrabungen von → Olympia, und der Hildesheimer
Silberfund, der 1869 auf königlichen Erlaß überstellt
wurde.

Das Mus. am Lustgarten erwies sich jedoch von Anbeginn als zu klein. Abhilfe schuf das 1855 fertigge-
stellte, von Friedrich August Stüler entworfene Neue Mus.
auf der Rückseite des nunmehr als Altes Mus. bezeichneten Schinkelbaus. Hierhin wurden sukzessive die
Gipsabgüsse, die Vasen (Abb. 11) und die gemalten, aus
dem Fayum stammenden Mumienporträts überführt.
Die Gipsabgüsse gingen, als Theodor Wiegand 1911 die
Leitung der Antikenabteilung der Berliner Mus. übernahm, in den Besitz der Univ. über und wurden 1921
dort aufgestellt.

C. Die Antikensammlungen ab 1901

Die Geschichte der Berliner A. trat in eine neue Phase ein, nachdem 1873 der → Pergamonaltar entdeckt
worden war. Zusammen mit einem erweiterten Bestand
der Skulpturensammlung durch Funde aus den vom
Mus. durchgeführten Grabungen gaben die nach Berlin
gelangten Friesplatten des Pergamonaltars (Abb. 6 und
7) Anlaß zur Planung eines neuen Mus. auf der »Museumsinsel«. 1901 eröffnete das allerdings nur kurzlebige, von Fritz Wolff 1897–1899 in spätklassizistischem
Stil errichtete erste Pergamonmus. (Abb. 2). Die Idee,
die Front des pergamenischen Altars weitgehend vollständig innerhalb des Gebäudes zu wiederholen, setzte
sich erst während der Bauausführung durch. Das Mus.
fand jedoch wegen seiner wenig repräsentativen Erscheinung nicht das Wohlwollen Kaiser Wilhelms II.,
war tatsächlich zu klein konzipiert und wies zudem
Mängel in der Fundamentierung auf, so daß es bereits
1908 wieder abgerissen wurde. Der kaiserlichen Forderung, dem Pergamonaltar in voller Höhe Geltung zu
verschaffen, entsprach 1907 der Architekt Alfred Messel
mit Entwürfen zu einem Neubau, der unter der Leitung
von Ludwig Hoffmann realisiert und 1930 zur Hun-
dertjahrfeier der Berliner Mus. eingeweiht wurde. Die
gräzisierende, neoklassizistische Dreiflügelanlage war
aber im Außenbau noch nicht in allen Teilen vollendet;
der heutige Haupteingang, bei dem auf einer Glashalle
ein attikaartiger Aufbau statt eines vorgesehenen Giebels lastet, kam erst ab 1980 zur Ausführung.

Der Eröffnung im J. 1930 ging eine heftige, in der
Presse ausgetragene Kontroverse um die Kosten voraus,
wobei nicht nur die Aufwendungen für das Bauwerk
Gegenstand der Diskussion waren, sondern auch die
zum Ankauf von Kunstwerken aufgebrachten Mittel.
Bei den Theodor Wiegand verdankten Erwerbungen
handelte es sich u. a. um so wichtige, den Bestand essen-
tiell bereichernde archa. Skulpturen wie die sog. *Thro-
nende Göttin* (Abb. 4) und die *Kore mit dem Granatapfel*,
die 1916 bzw. 1925 für Berlin gesichert werden konnten. Die Skulpturen wurden noch immer im Alten Mus.
präsentiert, wo sich bis zum Ausbruch des II. Weltkriegs
auch das Antiquarium (Terrakotten, Metallarbeiten,
Gemmen und Gläser) weiterhin befand.

Die Besonderheit des (neuen) Pergamonmus. bestand in der Orientierung auf die ant. Architektur. Baudenkmäler wurden ganz oder teilweise in Oberlichtsä-
len wieder aufgerichtet. Neben der Front des Perga-

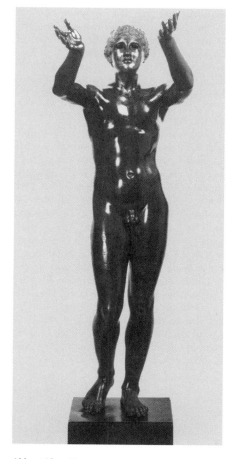

Abb. 4: Pergamonmuseum,
Statue einer thronenden Göttin

Abb. 5: Altes Museum,
Statue des Betenden Knaben

Abb. 6: Pergamonmuseum, Kleiner
Altarfries von Pergamon, Auffindung
des Telephas durch Herakles

Abb. 7: Pergamonmuseum,
Großer Altarfries von Pergamon,
Ostseite, Zeus-Platte

monaltars löst v. a. das Markttor von Milet (2. Jh. n. Chr., Abb. 8) den Anspruch ein, Proportionen und Dimensionen ant. Architektur zu veranschaulichen. Nicht minder beeindruckend ist die Rekonstruktion des babylon. Ischtar-Tores (6. Jh. v. Chr.) in der Vorderasiatischen Abteilung (seit 1953 Vorderasiatisches Mus.) desselben Hauses.

D. DIE ANTIKENSAMMLUNGEN SEIT DEM ZEITEN WELTKRIEG

Während des Krieges blieb das Pergamonmus. geschlossen. Die beweglichen Antiken aus allen Sammlungsteilen (Altes Mus., Neues Mus., Pergamonmus.) wurden ausgelagert, die festen Installationen des Pergamonmus. soweit als möglich geschützt. Letztere Maßnahmen erwiesen sich aber gegenüber den anglo-amerikanischen Bombenangriffen als unzureichend, so daß auch das Markttor von Milet (Abb. 8) 1945 stark beschädigt wurde. Eine Reihe von Gegenständen, darunter fast die gesamte Kollektion an Gläsern, fiel einem Brand in einem Berliner Bunker zum Opfer.

Die Auslagerungen bewirkten in der Nachkriegsgeschichte eine Teilung der Bestände. Die in den Westen Deutschlands verbrachten Objekte, die etwa die Hälfte des Antiquariums umfaßten und dabei die größere Menge der Vasen (Abb. 10) und den Hildesheimer Silberfund einschlossen, wurden von der britischen und amerikanischen Besatzungsmacht zunächst in Wiesba-

den und Celle konzentriert und 1957/58 nach Westberlin überstellt. Dort fanden sie 1960 einen Platz in einem 1851–1859 von Friedrich August Stüler errichteten Kasernengebäude vor dem Schloß Charlottenburg. 1961 als Antikenabteilung unter die Verwaltung der Stiftung Preußischer Kulturbesitz gestellt, bildete das nachmalige Antikenmus. für rund drei Jahrzehnte ein Pendant zur Ägypt. Abteilung bzw. zum Ägypt. Mus., das in einem gleich gestalteten, gegenüberliegenden Bauwerk Stülers untergebracht wurde. Der Altbestand des Antikenmus. wurde sukzessive um mehr als 600 Neuerwerbungen und Stiftungen vermehrt. Die zunächst vom Geschmack der 50er und 60er J. geprägte, sehr schlichte Ausstattung der kabinettartigen Räume wurde 1974 durch ein auffälliges Vitrinensystem unter Mischung von Kunst- und Tageslicht aktualisiert. In der Gunst der Besucher rangierte die im Kellergeschoß eingerichtete Schatzkammer an erster Stelle. Der Platznot wurde während der letzten J. des Antikenmus. durch Hinzunahme von Räumen in einem Nachbarhaus entgegengesteuert.

Der 1945 auf ostdt. Gebiet verbliebene – umfangreichere – Bestand gelangte zunächst in die Sowjetunion (Leningrad, Ermitage und Moskau, Puschkin-Mus.), kehrte 1958 größtenteils nach Berlin/DDR zurück und fand bereits unmittelbar darauf im Pergamonmus. verbindliche Aufstellung. Vorausgegangen waren intensive

Abb. 8: Pergamonmuseum, das »Markttor von Milet«

Abb. 9: Altes Museum,
Porträtbüste, sog. Caesar

Abb. 10: Altes Museum,
Kelchkrater des Euphronios

Abb. 11: Ausstellung antiker Vasen
im Neuen Museum (z. Zt. Altes Museum)

Bemühungen um die Wiederherstellung der kriegsbe-
schädigten Architektursäle. Eine partielle Wiedereröffnung des Gebäudes, das als Teil der Staatlichen Mus. zu
Berlin 1951 der Regierung der → DDR unterstellt wurde, fand 1954 statt. Bis 1965 folgte die Einrichtung weiterer einzelner Räume. Konzeptionell neu war die Verbindung aller Gattungen innerhalb eines Hauses: Während in den Architektursälen Wiegands Anordnung
gewahrt blieb, sorgte Carl Blümel, der schon vor dem
Krieg verantwortlich am Pergamonmus. tätig war und
seit 1947 dessen Direktor, dafür, daß man in den der
Skulpturgeschichte gewidmeten Abschnitten des Nord-
flügels mit der strikten Aufreihung der Exponate brach,
um thematisch-chronologische Ensembles zu schaffen
(Abb. 3). Das Prinzip der Auflockerung, verbunden mit
der Herausbildung inhaltlicher Schwerpunkte, kam
1982/83 anläßlich der Umgestaltung einiger Räume
noch mehr zur Geltung. Waren stellenweise auch Werke der Kleinkunst in die Abfolge der Skulptursäle schon
1959 und vermehrt 1982/83 integriert, so herrschte
doch eine Aufgliederung nach Gattungen vor, indem
Architektur und Großplastik das Hauptgeschoß bean-
spruchten, Kleinkunst und röm. Porträts (Abb. 9) dagegen im Obergeschoß konzentriert waren.

Die polit. Veränderungen 1989/90 lösten verschiedene Überlegungen aus, wie der auf die beiden Stadt-
hälften verteilte Besitz der Staatlichen Mus. organisatorisch und räumlich zusammenzuführen sei. Hinsichtlich des Antikenbestandes fiel rasch die Entscheidung,
sämtliche Werke auf der Museumsinsel »wiederzuver-
einen«. Das Antikenmus. in Charlottenburg (Westberlin) wurde aufgelöst, das Gebäude ab 1995 für andere
museale Zwecke genutzt. Den gegenwärtigen Mu-
seumsplanungen liegt ein ausgeprägt restaurativer Charakter zugrunde, indem man direkt an die Vorkriegssi-
tuation anknüpfen will: Angestrebt wird mittelfristig
wieder eine Aufteilung zw. Altem Mus., Neuem Mus.
und Pergamonmus. Die Tendenz, alter Konzeption Re-
verenz zu erweisen, läßt sich bis in die Geschichte der
DDR zurückverfolgen, da die zur 150-Jahrfeier der Berliner Mus. rekonstruierte Rotunde des Alten Mus. in
Anlehnung an ihre urspr. Ausstattung schon 1980 mit
ant. Statuen komplettiert wurde. Seit 1998 beherbergt
das Hauptgeschoß des Alten Mus. in einer provisorischen, bis zum Abschluß der Gebäudesanierung vorgesehenen Aufstellung Objekte der Kleinkunst aus
Charlottenburg (Abb. 11), ergänzt um Werke aus dem
Pergamonmus., unter denen sich auch einige großformatige Skulpturen befinden. Den Mittelpunkt dieser
Präsentation bildet der *Betende Knabe* (Abb. 5). Die
weitgehend chronologisch geordneten, auf einem
Rundgang erschließbaren Objekte werden von einem
umfangreichen didaktischen Angebot begleitet.

→ Antikensammlung; Griechenland

1 Antikenmus. Staatliche Mus. Preußischer Kulturbesitz
(Kunst der Welt in den Berliner Mus.), 1980
2 Antikenmus. Berlin. Die ausgestellten Werke, 1988 3 Die
Antikenslg. Altes Mus., Pergamonmus. Staatliche Mus. zu

Berlin, ²1988 4 W. ARENHÖVEL (Hrsg.), Berlin und die Ant.
Kat. und Aufsätze, 1979 5 Beschreibung der ant.
Skulpturen. Königliche Mus. zu Berlin, Berlin 1891
6 C. BLÜMEL, Die archa. griech. Skulpturen, 1964 7 Ders.,
Die klass. griech. Skulpturen, 1966 8 A. FURTWÄNGLER,
Beschreibung der Vasenslg. im Antiquarium, 2 Bde., Berlin
1885 9 U. GEHRIG et al., Staatliche Mus. Preußischer
Kulturbesitz Berlin. Führer durch die Antikenabteilung,
1968 10 G. HERES, M. KUNZE, Antikenslg. I. Griech. und
röm. Plastik (Staatliche Mus. zu Berlin Hauptstadt der DDR,
Führer durch die Ausstellungen), 1984 11 H. HERES et al.,
Griech. und etr. Kleinkunst. Röm. Porträts (Staatliche Mus.
zu Berlin Hauptstadt der DDR, Führer durch die
Ausstellungen des Pergamonmus., Antikenslg. III), 1985
12 V. KÄSTNER, Pergamonmus. Griech. und röm.
Architektur, 1992 13 H. KAUFFMANN, Zweckbau und
Monument. Schinkels Mus. am Berliner Lustgarten, in:
Eine Festgabe für Ernst Hellmut Vitts, 1963, 135–166
14 D. KREIKENBOM, Die Aufstellung ant. Skulpturen in
Potsdam-Sanssouci unter Friedrich II., in: Wilhelmine und
Friedrich II. und die Antiken, in: Schriften der
Winckelmann-Gesellschaft 15, 1998, 43–99 15 M. KUNZE,
V. KÄSTNER, Der Altar von Pergamon. Hell. und röm.
Architektur (Staatliche Mus. zu Berlin Hauptstadt der DDR,
Führer durch die Ausstellungen des Pergamonmus.,
Antikenslg. II) 16 E. ROHDE, Griech. und röm. Kunst in
den Staatlichen Mus. zu Berlin, 1968 17 A. RUMPF, Kat. der
etr. Skulpturen, 1928 18 C. THEUERKAUFF, Zur Gesch. der
Brandenburgisch-Preußischen Kunstkammer bis gegen
1800, in: Die Brandenburgisch-Preußische Kunstkammer.
Eine Auswahl aus den alten Beständen, 1981 19 H. WREDE
(Hrsg.), Dem Archäologen Eduard Gerhard 1795–1867 zu
seinem 200. Geburtstag (Winckelmann-Institut der
Humboldt-Univ. zu Berlin, 2), 1997.

DETLEV KREIKENBOM

II. VORDERASIATISCHES MUSEUM
A. EINLEITUNG   B. VORGESCHICHTE
C. GESCHICHTE   D. SAMMLUNGSBESTAND
E. AUSSTELLUNGSKONZEPTION

A. EINLEITUNG

Das Vorderasiatische Museum (VAM), bis 1953 Vorderasiatische Abteilung genannt, wurde 1899 im Rahmen der Berliner Königlichen Museen gegr. Es gehört
zu den großen arch. Museumssammlungen altorientaI.
Kulturen und ist in Deutschland das einzige seiner Art.
Heute befindet sich das VAM im Südflügel des Pergamonmus., wo es mit den Rekonstruktionen von Ischtar-Tor und Prozessionsstraße von Babylon (siehe Abb.
3) eine der Hauptattraktionen bildet.

B. VORGESCHICHTE

Die Entwicklung der Berliner Sammlung oriental.
Alt. ist eng mit dem wachsenden dt. Interesse an den
altorientaI. Kulturen verbunden. Bis 1885 waren die
Altorientalia verstreut im Antiquarium, in der An-
tikensammlung und der Abgußsammlung der Berliner
Mus. aufbewahrt. Während aus der Königlichen Kunst-
kammer nur einige Stempelsiegel in das 1830 eröffnete
Alte Mus. gelangten, profitierten auch die Berliner
Sammlungen von dem Beginn der großen Grabungen

Abb. 1: Relief des Barrakib mit
Schreiber, aus Sendschirli

Abb. 2: Raubvogel, vom Tell Halaf

Abb. 3: Rekonstruktionen von
Ischtar-Tor und Prozessionsstraße
von Babylon

(1842) in Mesopotamien durch England und Frankreich. So wurden nun gezielt Roll- und Stempelsiegel durch das Antiquarium angekauft. V. a. aber gelang es 1855 und 1858, eine Reihe assyrischer Reliefs aus Nimrud und Ninive für die Antikensammlung zu erwerben, die 1860 im Assyrischen Saal des Alten Mus. gemeinsam zu besichtigen waren. Die Abgußsammlung bestellte zudem aus London und Paris Gipsabgüsse altorient. Funde. Nach dem E. der ersten Grabungswelle (um 1855) ging auch in Berlin das Interesse an den Altorientalia zunächst zurück. Dies änderte sich durch die Reichsgründung 1871, da die Berliner Mus. nun mit den hauptstädtischen Sammlungen Europas konkurrierten. Davon profitierte auch die altorient. Sammlung, zumal die Assyriologie mit Einrichtung des ersten Lehrstuhles an der Berliner Univ. im Jahre 1875 in Deutschland als Wiss. allg. Anerkennung fand. Dies führte 1885 zunächst zur Zusammenführung der Altorientalia in der Ägypt. Abteilung im Neuen Mus., wo 1889 die erste größere Ausstellung vorderasiatischer Alt. eröffnet wurde. Abteilungsdirektor Adolf Erman (1854–1937) bemühte sich gemeinsam mit Generaldirektor Richard Schöne (1840–1922) um eine Vergrößerung des Sammlungsbestandes. So initiierte er die erste dt. Expedition 1886/87 nach Mesopotamien, die von dem Baumwollhändler Louis Simon finanziert wurde. Doch diese Unternehmung führte nicht zu der urspr. geplanten Ausgrabung im Zweistromland. Stattdessen veranstaltete das *Deutsche Orient-Comité*, ein 1888 unter Mitwirkung Ermans gegr. privater Förderverein, seine erste Grabung in Sendschirli in Nordsyrien (siehe Abb. 1). Ziel des *Orient-Comités* war es, die nach Deutschland gelangten Funde den Mus. zum Selbstkostenpreis der Grabung zu verkaufen. Doch dieses Finanzkonzept scheiterte, da die Mus. die hohen Kosten nur mühsam in Raten abzahlen konnten, so daß das *Orient-Comité* nach den ersten drei Kampagnen handlungsunfähig war. Neben den Expeditionen gelangen Erman einige spektakuläre Ankäufe, so ein beträchtlicher Teil der Tafeln aus Amarna sowie eine Reihe urartäischer und südarab. Objekte. Der Plan einer Grabung in Mesopotamien zur Vergrößerung des Sammlungsbestandes konnte schließlich erst nach Deutschlands Einstieg in die »Weltpolitik« (1897) und dem wachsenden wirtschaftlichen und polit. dt. Einfluß im Osmanischen Reich umgesetzt werden. Erneut entsandten die Mus. 1897/98 eine Expedition zur Erkundung erfolgversprechender Grabungsorte. Kurz darauf wurde im Januar 1898 unter Mitwirkung der Museumsvertreter Erman und Schöne und durch das Engagement James Simons (1851–1932) die → *Deutsche Orient-Gesellschaft* (DOG) gegr. Als erstes gemeinsames Projekt von Mus. und DOG wurden im März 1899 die Ausrabungen in → Babylon eröffnet.

C. GESCHICHTE

Parallel zu den Grabungsvorbereitungen bemühte man sich um die Gründung einer eigenständigen Vorderasiatischen Abteilung (VA) der Berliner Mus. Dies wurde schließlich durch die Berufung von Friedrich Delitzsch (1850–1922) zum Professor für Assyriologie an die Berliner Univ. im Frühjahr 1899 möglich, da das Amt mit dem nebenamtlichen Direktorenposten der neuen Abteilung verbunden wurde. Diese Ämterkombination sollte die enge Zusammenarbeit von Wiss. und Mus. gewährleisten. Die Sammlung zog zunächst aus den großen Ausstellungsräumen im Neuen Mus. in einen umgebauten Speicher auf der Museumsinsel. Die beengten Räumlichkeiten waren nicht öffentlich zugänglich. Stattdessen fand dort ein großer Teil der assyriologischen Forsch. und Lehre statt. Die ersten Jahre der VA bis zum I. Weltkrieg waren geprägt von der gezielten Sammlungsformierung durch großangelegte Grabungen. So wurden in Kooperation zw. der DOG und den Berliner Mus. Grabungen in Babylon (1899–1917), Assur (1903–1914), Fara und Abu Hatab (1902/03), Kar Tukulti-Ninurta (1913/14), Uruk (1912/13), Hatra sowie in Palästina veranstaltet. Ein Großteil der Unternehmungen wurde dabei nicht von den DOG-Mitgliedsbeiträgen, sondern durch kaiserliche Zuschüsse und den Preußischen Staat finanziert. Die guten Beziehungen des Deutschen Reiches zum Osmanischen Reich ermöglichte es nicht nur, die entsprechenden Grabungslizenzen, sondern v. a. auch Fundteilungen zu erwirken. Hilfreich war dabei das 1899 geschlossene »Teilungsabkommen« zw. den Berliner Mus. und dem Osmanischen Reich, das besagte, daß den Mus. aus ihren Grabungen jeweils die Hälfte der Funde zustand. Regulär eingesetzt wurde dieses allerdings nur bei der Teilung der Assur-Funde im J. 1914. Neben den DOG-Grabungen gelangten in diesem Zeitraum auch Funde aus einer weiteren Kampagne des *Orient-Comités* in Sendschirli, aus dem hethitischen Boghazköy und aus den Grabungen auf dem Tell Halaf (siehe Abb. 2) in die Berliner VA. Obgleich ein großer Teil der Funde aus Assur und Babylon, bedingt durch den Ausbruch des I. Weltkrieges, erst 1926/27 in Berlin eintrafen, bestand spätestens seit 1907 der Plan eines großen VAM im Südflügel des Gebäudes, das h. als Pergamon-Mus. bezeichnet wird. Dabei spielten die Rekonstruktionen von Ischtar-Tor und Prozessionstraße von Babylon, die aus Tausenden von reliefierten Ziegelbrocken zusammengesetzt wurden (Abb. 4) von Anfang an eine zentrale Rolle. Wegen der beginnenden Bauvorbereitung mußte der Ausstellungsschuppen geräumt werden, so daß die VA von 1911 bis zur endgültigen Zuteilung der Räume im Museumsneubau 1927 im Keller des Kaiser-Friedrich-Mus. (h. Bode-Mus.) untergebracht war. Die wirtschaftlich und polit. veränderte Situation während der Weimarer Republik ließ Grabungsunternehmungen nur noch im begrenzten Umfange zu. Hervorzuheben ist hier die Grabung von Uruk, deren erster Kampagne 1912/13 seit 1928 weitere Kampagnen, finanziert von der Notgemeinschaft der dt. Wiss., folgten. Die wichtigste Aufgabe der Museumsabteilung, seit 1918 unter Leitung des ersten hauptamtlichen Direktors Otto Weber (1877–1928), war in der Zeit bis zum II. Weltkrieg die Aufarbeitung der Grabungsergebnisse und Funde.

Abb. 4: Foto der auf langen Tischen ausgebreiteten, in Babylon gefundenen Ziegelbrocken, aus denen das Ischtar-Tor und die Prozessionsstraße von Babylon rekonstruiert wurden

Abb. 6: Mittelassyrische Gesetzestafel

Abb. 5: Saalansicht der rekonstruierten Steinstiffassade aus Uruk

Diese Arbeiten fanden in enger Kooperation mit der DOG statt und wurden ebenfalls von der Notgemeinschaft der dt. Wiss. gefördert. Bes. hervorzuheben sind die Vorbereitungen für die große Ausstellung der VA im Pergamonmus., deren Gestaltung nach dem Tode Otto Webers 1928 Walter Andrae (1875–1956), der ehemalige Ausgräber von Assur, übernahm. Die Mittelachse mit Ischtar-Tor und Prozessionsstraße konnte 1930 eröffnet werden. Die übrigen Säle wurden erst 1936 endgültig fertigestellt, mußten jedoch 1939 aufgrund des Kriegsausbruches wieder geschlossen werden. Durch Andraes Widerstand gegen die geplante Auslagerung blieben die Bestände bis 1945 beinahe vollständig zusammen. Kriegsbedingte Gebäudeschäden und Diebstähle bedrohten in den ersten Nachkriegsjahren die Sammlung. Darüber hinaus wurden 1946 von der sowjetischen Besatzungmacht wertvolle Objekte abtransportiert. In den folgenden J. waren Reparatur- und Restaurierungsarbeiten vorrangig, die seit 1951 Gerhard Rudolf Meyer (1908–1977) leitete. Im Mai 1953 wurden schließlich alle 14 Säle der nun in VAM umbenannten Sammlung wiedereröffnet. 1958 konnten die aus der Sowjetunion zurückgebrachten Objekte wieder in den Sammlungsbestand eingegliedert werden. Die folgenden J. galten vornehmlich der weiteren Aufarbeitung der Grabungsergebnisse. Dabei lag ein Schwerpunkt auf den Editionen von Keilschrifttexten. Gleichzeitig beteiligte sich das VAM in Kooperation mit der Akad. der Wiss. an kleineren Grabungsunternehmungen und Feldforsch. im Irak und in Syrien. Nach 1989 wurde die Zusammenarbeit mit der DOG wieder aufgenommen, die sich insbes. im Assur-Projekt, einer gemeinsamen Aufarbeitung der Funde und Befunde aus Assur, manifestiert. Darüber hinaus bemüht sich das VAM h. um Kooperationen mit Forschungseinrichtungen und Mus. sowie um eine breitere Öffentlichkeitsarbeit. Im Zuge der aktuellen Umstrukturierungen der Berliner Museumslandschaft stehen auch dem VAM Veränderungen bevor.

D. SAMMLUNGSBESTAND

Insgesamt beziffert sich der Sammlungsbestand des VAM auf ca. 70 000 arch. Objekte und 26 500 Schriftdenkmäler. Ein Großteil der Bestände stammt aus den großen Grabungen in Mesopotamien, Nordsyrien, Palästina und Anatolien. Darüber hinaus gelangen eine Reihe bedeutungsvoller Ankäufe. Neben Skulpturen und Gebrauchsgegenständen ist v. a. die große Tontafelsammlung zu nennen, die ca. 25 000 Tafeln umfaßt. Dabei sind neben den Tafeln aus Babylon, Assur (siehe

Abb. 6) und Fara, die Amarna- und Boghazköy-Tafeln hervorzuheben. Gerade durch die letztgenannten wurde das Mus. zu einem Zentrum der hethitologischen Forsch. Während ein Großteil der Objekte aus der Zeit bis zum E. der altoriental. Reiche stammen, sind einige Objekte auch jüngeren Datums. So Objekte aus parthischer Zeit sowie aus Palmyra und Südarabien.

E. AUSSTELLUNGSKONZEPTION

Die Ausstellung des VAM h. entspricht in ihren Grundzügen der Konzeption Andraes. Dabei spielen die Rekonstruktionen von architektonischen Zusammenhängen entsprechend der Idee eines Architekturmus. eine entscheidende Rolle. So stehen das Ischtar-Tor und die Prozessionstraße im Zentrum der Ausstellung. Die übrigen Säle sind in erster Linie geogr. aufgeteilt. Während der große Kopfsaal am Kupfergraben den Funden aus Syrien und Anatolien gewidmet ist, sind die Räume links und rechts des Mittelganges nach Nord- und Südmesopotamien aufgeteilt. Auch innerhalb der zeitlichen Abfolge der Raumreihen sind architektonische Rekonstruktionen, wie ein assyrischer Palastraum und ein Teil der Stifsmosaikfassade aus Uruk (Abb. 5), hervorzuheben. Zur Erläuterung der (kultur-)histor. Zusammenhänge werden die Originale durch Gipsabformungen, wie die Nachbildungen des Kodex Hammurabi und der großen Lamassu-Figuren ergänzt. Große, die überdimensionalen Raumhöhen nutzende Wandgemälde veranschaulichen die Situation am Grabungsort.

→ Abgußsammlung; Altorientalische Philologie und Geschichte; Antikensammlung; Vorderasiatische Archäologie

→ AWI Assur; Babylon; Hatra; Hattusa

1 N. CRÜSEMANN, Vom Zweistromland zum Kupfergraben. Vorgesch. und Entstehungsjahre (1899–1918) der VA der Berliner Mus. vor fach- und kulturpolit. Hintergründen, (unveröffentlichte Diss.) 1999 2 J. MARZAHN, Die Keilschriftsammlung des VAM zu Berlin, in: H. KLENGEL, W. SUNDERMANN, Ägypten-Vorderasien-Turfan. Probleme der Ed. und Bearbeitung altoriental. Hss., 1991, 30–50 3 J. RENGER, Die Gesch. der Altorientalistik und der Vorderasiatischen Altertumskunde in Berlin von 1875–1945, in: W. ARENHÖVEL (Hrsg.), Berlin und die Ant., Aufsätze, Ergänzungs-Bd. zum Kat. der Ausstellung 1979, 151–192 4 Staatliche Mus. zu Berlin, Das VAM, 1992 5 G. WILHELM (Hrsg.), Zw. Tigris und Nil. 100 J. Ausgrabungen der DOG in Vorderasien und Ägypten, 1998.

NICOLA CRÜSEMANN

III. ÄGYPTISCHES MUSEUM
A. INHALTLICHE DEFINITION B. RECHTSFORM
C. GESCHICHTE D. AKTUELLE SITUATION

A. INHALTLICHE DEFINITION

Die offizielle Bezeichnung »ÄM und Papyrussammlung, Staatliche Mus. zu Berlin – Stiftung Preußischer Kulturbesitz« beschreibt die inhaltliche Bandbreite und die Organisationsstruktur der im dt. Sprachraum größten Sammlung altägypt. Kunst und Kultur. Das ÄM vereint in sich eine arch. Sammlung klass. Zuschnitts und

eine der weltweit größten Papyrussammlungen (ca. 50 000 Texte). Während erstere sich auf Alt-Ägypt. vom Paläolithikum bis in die röm. Kaiserzeit konzentriert, greift letztere über die frühchristl. bis in die islamische Epoche aus und verfügt neben Texten in altägypt. Sprache vom AR bis in griech.-röm. Zeit (hieroglyphisch, hieratisch, demotisch geschrieben) über einen äußerst umfangreichen Bestand an Dokumenten in Griech., Lat., Aramäisch, Koptisch, Pehlevi und Arab. auf Papyrus, Pergament sowie Keramik- und Kalksteinostraka. Die Paprussammlung vertritt im philol. Bereich auch die Sammelgebiete der Antikensammlung, des Mus. für Spät-Ant. und Byz. Kunst und des Mus. für Islamische Kunst und bildet damit ein multidisziplinäres Element der arch. Mus. Der arch. Teil des ÄM umgreift mit ca. 40 000 Objekten die gesamte materielle Kultur Alt-Ägypt. Den bes. Charakter des Mus. prägen die Kunstwerke des AR und der Amarnazeit.

B. RECHTSFORM

Ehemals zu den Königlichen Mus. zu Berlin gehörig, ist das ÄM h. eine der 17 Institutionen der Staatlichen Mus. zu Berlin, die der Stiftung Preußischer Kulturbesitz als Rechtsnachfolgerin Preußens unterstehen. Die Stiftung wird als Bundesbehörde gemeinsam vom Bund und den Bundesländern finanziert.

C. GESCHICHTE

Die ersten Aegyptiaca gelangten 1698 mit den Antiken der Sammlung Bellori aus Rom in die Kurfürstlich Brandenburgischen Sammlungen. Von einer speziellen Ägypten-Sammlung kann erst gesprochen werden, als 1822 unter Friedrich Wilhelm III. von Preußen für das Antiquarium die Sammlung des Freiherrn Heinrich Menu von Minutoli erworben wurde, die er auf seiner im Auftrag des Königshauses durchgeführten Orientreise zusammengetragen hatte. Ein Teil dieser Sammlung ging auf dem Seetransport in der Elbmündung unter und ist bis h. verschollen. 1828 wurde auf Betreiben von Alexander von Humboldt die Sammlung des Triestiner Kaufmanns Giuseppe Passalacqua erworben; Passalacqua selbst wurde zum ersten hauptamtlichen Sammlungsdirektor und installierte im Schloß Monbijou (gegenüber der Spreeinsel, h. als »Museumsinsel« bekannt) das erste eigenständige ÄM. Die Motivation des preußischen Königshauses für den Aufbau eines ägypt. Mus. durch den gezielten Ankauf von geschlossenen Sammlungen lag in der Bed. repräsentativer Kunstsammlungen als Teil polit. Selbstdarstellung und folgte dem Vorbild anderer Museen → Paris, Louvre, → London, British Mus., Museo Egizio Turin, Rijksmuseum van Oudheden Leiden, letztlich auch der Vatikanischen Mus. Als Akt herrscherlicher Repräsentation darf auch die Expedition gelten, die der preußische König Friedrich Wilhelm IV. unter Leitung von Richard Lepsius 1842–1845 nach Ägypt. und in den Sudan schickte. Mit Genehmigung des Vizekönigs Mohamed Ali brachte Lepius 1500 Objekte – von Kleinplastiken bis zu ganzen Grabkammern – nach Berlin. Während dieser Reise formulierte Lepsius sein inhaltliches Kon-

Ägyptisches Museum Charlottenburg,
Säulenhalle des Sahurê (1994)

August Stüber, Der Ägyptische Hof
im Neuen Museum (1862)

Ägyptisches Museum Charlottenburg,
Tempeltor aus Kalabscha

Ägyptisches Museum Charlottenburg,
Rotunde (1998)

zept für ein künftiges ÄM, für das seit 1840 von dem Architekten August Stüler durch die Errichtung des Neuen Mus. auf der Museumsinsel die baulichen Voraussetzungen geschaffen wurden. Die Pläne Passalacquas, des bis 1865 amtierenden Sammlungsleiters, wurden vom Generaldirektor Olfers und König nicht beachtet. Lepsius begriff das Mus. als die monumentale Darstellung der Geschichte und Religion Ägypt. im Medium großflächiger Wandbilder nach altägypt. Vorbildern, wie sie von seiner Expedition in Ägypt. dokumentiert und in *Denkmäler aus Ägypt. und Äthiopien* veröffentlicht wurden. Die Originalobjekte dienten als Belegmaterial für dieses dominante didaktische Konzept, das bereits unmittelbar nach Eröffnung der »Ägypt. Abtheilung« im Neuen Mus. heftig kritisiert wurde. Lepsius' Interesse galt hinfort weniger dem Mus. als seinen histor. und philol. Forsch.; die Übernahme des Direktorenamtes der Königlichen Bibl. entfremdete ihn weiter der Museumsarbeit. Erst mit Adolf Ermans Direktorat (1884–1914) erfuhr das Mus. eine konsequente Erweiterung durch Ankäufe auf dem Kunstmarkt in Europa und Ägypt. Die wiss. Stellung des Mus. wurde weltweit durch das von Erman initiierte Projekt *Wörterbuch der ägyptischen Sprache* gefestigt, das ebenso wie die akad. Lehre der → Ägyptologie am Mus. angesiedelt wurde. In die Zeit von Adolf Ermans Direktorat fallen die von James Simon finanzierten großen Grabungsunternehmungen der → Deutschen Orient-Gesellschaft in Abusir (Pyramiden und Sonneheiligtum der 5. Dyn.) und in Amarna, der Hauptstadt Echnatons und der Nofretete. Die James Simon durch die Fundteilung zugefallenen Objekte gingen später als Schenkungen ins Eigentum des ÄM über. Durch die Amarna-Funde, allen voran die Büste der Königin Nofretete, gewann das ÄM eine einzigartige Stellung im Kreis der großen Ägypten-Sammlungen, wenn auch die Präsentation im umgebauten Griech. Hof des überbelegten Neuen Mus. dem Rang der Sammlung in keiner Weise gerecht wurde. Die Bed. des ÄM für die Kunstgeschichte Alt-Ägypt. wurde durch Ermans Nachfolger Heinrich Schäfer (Direktor 1914–1935) nachhaltig gefördert, dessen grundlegende Arbeiten zur Kunst Ägypt. weitgehend auf Berliner Material aufbauen. 1939 wurde das Mus. geschlossen; während Großobjekte vor Ort gegen drohende Kriegsschäden gesichert wurden, lagerte man das Gros der Bestände in und um Berlin aus. Das Neue Mus. wurde 1944 durch Bomben teilweise zerstört. 1945 wurden die evakuierten Bestände von den Westalliierten und der Roten Armee sichergestellt und nach Frankfurt am Main (später Wiesbaden) und Celle bzw. nach Moskau und Leningrad verbracht. Bei ihrer Rückkehr in den 50er J. fanden sie ihren Platz in der geteilten Stadt teils in der Obhut der *Staatlichen Mus. zu Berlin – Hauptstadt der DDR* auf der Museumsinsel mit einer provisorischen Ausstellung im Bode-Mus., die bis 1989 laufend aktualisiert wurde und bis 1998 zugänglich blieb, teils als Institution der *Staatlichen Mus. zu Berlin – Stiftung Preußischer Kulturbesitz* in Charlottenburg, wo seit 1967

zunächst im östl. Stülerbau, dann im anschließenden Marstall ein Teil-Mus. entstand, das mit der Nofretete-Büste zum Publikumsmagneten wurde. Das 1963 von der Republik Ägypt. der Bundesrepublik als Dank für die Beteiligung an der Rettung der nubischen Altertümer geschenkte Tempeltor von Kalabscha (Unternubien) fand seinen Platz in Charlottenburg und vermittelt mit den 1989 in einem Anbau wiedererrichteten Säulen aus dem Pyramidenkomplex des Sahure, die bereits um 1910 auf der Museumsinsel aufgestellt werden sollten, einen museal einzigartigen Eindruck altägpt. Monumentalarchitektur.

D. AKTUELLE SITUATION

Nach der Wiedervereinigung Deutschlands ist die Stiftung Preußischer Kulturbesitz seit 1991 die Dachorganisation der ehemaligen Ost- und Westinstitutionen der Staatlichen Mus. Das ÄM wird in das wiederaufzubauende Neue Mus. auf der Museumsinsel zurückkehren (ab 2006) und ein essentieller Bestandteil eines Komplexes werden, der unter Betonung fächerübergreifender Aspekte als *Mus. der ant. Welt* die arch. Sammlungen als Ganzes darstellt. Kalabschator und Sahurehof werden im Kontext des Pergamon-Mus. zu Elementen eines Architektur-Mus., das von Ägypt. über Mesopotamien und den Hell. bis zum röm. Kaiserreich reicht. Dieses integrierte Konzept der arch. Mus. versucht, die konventionelle Präsentation strikt getrennter Kulturbereiche und den Partikularismus administrativer Gliederungen zu überwinden. Die Trad. der Feldforsch. in Ägypt. wird durch ein langfristiges Grabungsprojekt im Sudan fortgesetzt.
→ AWI Amarna

1 J. ALTHOFF, Das ÄM, 1998   2 W. KAISER (Hrsg.), ÄM Berlin, 1967   3 K.-H. PRIESE (Hrsg.), Das ÄM Berlin, 1991   4 D. WILDUNG, Ägypt. Kunst in Berlin, ²1999.
DIETRICH WILDUNG

Berufsverbände   A. DEFINFITION
B. DER DEUTSCHE ALTPHILOLOGENVERBAND
C. DIE MOMMSEN-GESELLSCHAFT   D. AUSLAND

A. DEFINITION

Die Vertreter der altertumskundlichen Disziplinen an den → Universitäten und Schulen haben sich in Deutschland und anderen (auch außereurop.) Ländern, wie andere Berufsgruppen auch, in lokalen und überregionalen Organisationen zusammengeschlossen, um sich gegenseitig zu informieren, zu fördern und die von ihnen gelehrten Fächer gegenüber der Öffentlichkeit wirkungsvoll zu vertreten. Die Verbände haben in den verschiedenen Staaten je h. eine sehr unterschiedliche, voneinander ganz unabhängige Geschichte und Gestalt. Die folgende Darstellung beschränkt sich im wesentlichen auf die dt. Verhältnisse und auf die jüngere Geschichte. Im Zentrum steht hier paradigmatisch die Geschichte des *Deutschen Altphilologenverbandes* und der *Mommsen-Gesellschaft*. Beide Verbände sind eher als Fachverbände zu bezeichnen. Daneben gibt es weitere

Fachverbände, deren Mitglieder sich z. T. hauptberuflich mit der Ant. und ihrer Rezeption befassen, insbes. der *Deutsche Archäologen-Verband* (DArV), der *Verband der Historiker Deutschlands* und der *Verband der Geschichtslehrer Deutschlands.*

Die Vertretung berufsständischer Interessen (Fragen der Besoldung, Arbeitszeit usw.) obliegt anderen Verbänden, denen die Mitglieder der Fachverbände zusätzlich und unabhängig von ihrer Fachzugehörigkeit angehören können. Bei den Lehrern an Gymnasien kommen hierfür hauptsächlich der *Deutsche Philologenverband* und die *Gewerkschaft für Erziehung und Wiss.* in Frage, bei den Hochschullehrern der *Deutsche Hochschulverband.* Auch diese Verbände äußern sich gelegentlich zur Bed. des → Altsprachlichen Unterrichts für die Allgemeinbildung oder wiss. Grundbildung.

B. DER DEUTSCHE ALTPHILOLOGENVERBAND

Der *Deutsche Altphilologenverband* (DAV) wurde im Anschluß an die Berliner Tagung des Zentralinst. für Erziehung und Unterricht *Das Gymnasium* am 6. April 1925 in Berlin gegr. Er sollte die enge Zusammenarbeit von Univ. und Schule speziell im Bereich der alten Sprachen (Lat. und Griech.) fördern. Erster Vorsitzender wurde Emil Kroymann (1865–1951), der Leiter des Gymnasiums Steglitz (Berlin), zweiter Vorsitzender wurde der Universitätsprofessor Werner Jaeger (1888–1961), der seit seiner Berufung nach Berlin (März 1921) weithin als Schöpfer und Vorkämpfer eines ›erneuerten Humanismus‹, des (von ihm selbst urspr. nicht so benannten) → Dritten Humanismus, hervorgetreten war. Weitere Mitglieder des Vorstandes waren von seiten der Univ. Eduard Fraenkel, Otto Regenbogen, Albert Rehm, Otto Immisch, Richard Meister, von seiten der Gymnasien außer E. Kroymann Hans Lamer, Max Krüger, Heinrich Weinstock, Otto Viedebantt, Paul Gohlke, A. Krause und Bernhard Kock. Zum Vorstand gehörte auch Fritz Sommer (1931–56 Direktor des Gymnasiums Steglitz). Die erste Verbandstagung fand am 27.9.1925 in Erlangen statt (im Rahmen der 55. Versammlung dt. Schulmänner und Philologen). Der Verband hatte 1926 bereits 3700 Mitglieder, 1932 hatte sich diese Zahl fast verdoppelt. Es folgten Tagungen in Göttingen (1927), Salzburg (1929) und Trier (1931), sowie Vertreterversammlungen in Weimar (1932) und, letztmalig vor dem II. Weltkrieg, am 30. September 1933 in Berlin. Der Verband gliederte sich von vornherein in Landesverbände; er umfaßte 1929 alle Länder des Deutschen Reiches, einschließlich des Saargebietes, ferner Österreich und Danzig. Sein Publikationsorgan waren die *Mitteilungen des Deutschen Altphilologenverbandes* (1927–1934). Der DAV pflegte – meist durch Personalunion – die Zusammenarbeit mit dem *Deutschen Gymnasialverein* (DGV) und den lokal weitverbreiteten *Vereinigungen der Freunde des humanistischen Gymnasiums.* Auch diese beiden Vereine waren nicht eigentlich B., auch keine Fachverbände im eigentlichen Sinn, vielmehr nahmen sie gern Förderer der human. Bildung aus anderen Bereichen des kulturellen Lebens auf.

Man könnte den DGV als Vorläufer des DAV bezeichnen, doch existierte er nach Gründung des DAV zunächst parallel fort. Seit seiner Gründung (15.12.1890) hatte sich der DGV allmählich immer stärker zum Interessenverband aller an den »human.« (d. h. altsprachlichen) Gymnasien unterrichtenden und die Bildungskonzeption dieses Schultyps vertretenden Lehrkräfte (also nicht nur der dort tätigen Altphilologen) entwickelt. Die Zahl seiner Mitglieder stieg von 1925 bis 1929 noch um 600 auf 4533 an. Eine eindeutige Kompetenzabgrenzung zum DAV hat es nicht gegeben. Zu den Gründern des DGV gehörten Oskar Jäger (1830–1910), E. Zeller, Theobald Ziegler und Gustav Uhlig (1838–1914). Letzterer hatte schon im Juni 1890 die Zeitschrift *Das humanistische Gymnasium* als Publikationsorgan des DGV begründet (Mitherausgeber ab 1891 O. Jäger, ab 1910 E. Grünwald). Sie wurde 1937 umbenannt in *Das Gymnasium* und nach kurzer Unterbrechung im II. Weltkrieg ab 1949 unter dem Namen *Gymnasium – Zeitschrift für Kultur der Antike und Humanistische Bildung* fortgeführt (s.u.). Vorsitzende des Gymnasialvereins waren (bis zu seiner Auflösung 1945) stets bedeutende Gymnasialpädagogen oder Universitätsprofessoren: Zeller (ab 1890), Schrader (1892), Jäger (1901), Aly (1907), Uhlig (1913), Immisch (1915), Kroymann (1926), Regenbogen (1929), Kroymann (1936), Herzog (1937–45). Auch durch die ebenfalls 1925 gegr. *Gesellschaft für antike Kultur* ist nicht die damals von manchen befürchtete ›Gefahr der Überorganisation‹ (Kroymann) eingetreten. Die erste Tagung dieser Gesellschaft fand im Mai 1929 im Rahmen der Zentenarfeier des Arch. Inst. im Plenarsaal des Preußischen Landtages zu Berlin statt. Den Höhepunkt der Tagung bildete die bekannte Rede Werner Jaegers *Die geistige Gegenwart der Antike.*

In der Zeit des → Nationalsozialismus wurden alle Verbände und Publikationsorgane der Kontrolle von Staat und Partei unterworfen. Der (allg.) *Deutsche Philologenverband* wurde in den Jahren 1935–37 durch die *Reichsfachschaft 2* des *Nationalsozialistischen Lehrbundes* (NSLB) ersetzt. Der DAV wurde durch ein »Abkommen« zw. dem NSLB und dem *Deutschen Altphilologenverband* (20. März 1935) in ein *Reichssachgebiet für alte Sprachen* überführt, zum Reichssachbearbeiter wurde der Parteigenosse Dr. Friedrich Eichhorn (Frankfurt/M.) ernannt, zum Stellvertreter Dr. Herbert Holtorf (Salzwedel). Ein eigenes Verbandsleben gab es nicht mehr. Die Fortbildung fiel nun in die Zuständigkeit der von den Gausachbearbeitern abgehaltenen Tagungen und Schulungslager. Aufgrund der sog. *Anordnung zur Wahrung der Unabhängigkeit des Zeitschriftenverlagswesens* (12.9.1937) mußte ab 1938 die Mitgliedschaft im *Deutschen Gymnasialverein* vom Bezug der Zeitschrift *Das Gymnasium* getrennt werden. Infolgedessen reduzierte sich die Aktivität des DGV auf die Herausgabe der Zeitschrift. O. Regenbogen legte den Vorsitz am 17.7.1936 nieder, am 28.2.1937 übernahm der Parteigenosse Prof. Dr. Rudolf Herzog (München) die Führung bis zum Zusammenbruch 1945. Damit war der DGV erloschen;

die Zeitschrift wurde jedoch 1949 unter Mitwirkung des ab 1950 wiederbegründeten Altphilologenverbandes fortgesetzt (s.o.) und sollte ab 1951 das offizielle Verbandsorgan des DAV sein.

Nach dem II. Weltkrieg wurde das Bildungswesen in den westl. Bundesländern wieder dezentralisiert. So bildeten sich in den einzelnen Ländern auch neue Landesverbände, die sich 1952 wieder zum *Deutschen Altphilologenverband* zusammenschlossen. Dieser Verband mit (1998) über 7000 Mitgliedern hat in allen Bundesländern durch seine Repräsentanten die Schulpolitik und die Gestaltung der → Lehrpläne für den altsprachlichen Unterricht mitbeeinflußt. Seit den 70er J. hat er auch die wiss. fundierte Fachdidaktik an den Univ. gefördert und mitgeprägt. Der didaktischen und fachwiss. Fortbildung der Mitglieder dienen die alle zwei J. stattfindenden Kongresse (Berlin 1953, Speyer 1955, Hamburg 1957, Stuttgart 1959, Hannover 1961, Augsburg 1963, Münster 1965, Berlin 1968, Freiburg 1970, Kiel 1972, Saarbrücken 1974, Köln 1976, Regensburg 1978, Göttingen 1980, Mainz 1982, Frankfurt 1984, Tübingen 1986, Bonn 1988, Hamburg 1990, Berlin 1992, Bamberg 1994, Jena 1996, Heidelberg 1998). Die Vorträge und Arbeitskreisreferate der Kongresse werden in der Zeitschrift *Gymnasium* veröffentlicht. Der wiss., didaktischen und fachpolit. Information dient das seit 1958 erscheinende *Mitteilungsblatt des DAV*, seit 1997 umbenannt in *Forum Classicum – Zeitschrift für die Fächer Latein und Griechisch an Schulen und Universitäten*, das wegen der – im Vergleich zu anderen Ländern – sehr hohen Mitgliederzahl des Verbandes zugleich das weltweit größte Periodicum im altsprachlichen Bereich darstellt. Dem Verband gehören auch h. Mitglieder aus Schule und Univ. an, dementsprechend waren die Vorsitzenden meist Oberstudiendirektoren oder Universitätsprofessoren: Erich Burck (ab 1952), Erich Haag (1956), Otto Walter (1960), Kay Hansen (1964), Will Richter (1969), Otto Leggewie (1971), Hermann Steinthal (1977), Eckard Lefèvre (1981), Hans Werner Schmidt (1985), Kurt Selle (1989), Friedrich Maier (ab 1993).

Seit 1984 ist der DAV Mitglied der *Fédération Internationale des Études Classiques* (FIEC); seit 1991 gehört er zu EUROCLASSICA, dem europ. Verbund der Altphilologenverbände. An dessen Gründung (2.9.1991 in Nîmes) wirkten mit Vertreter aus Belgien, Deutschland, Frankreich, Großbritannien, Luxemburg, Niederlande, Norwegen, Rumänien, Spanien, Österreich; erster Präsident wurde John Thorley (Großbritannien); 1998 Edouard Wolter (Luxemburg).

Auf bundesdeutscher Ebene gab es in bezug auf Fragen der Studierfähigkeit, insbes. der notwendigen Latein- und Griechischkenntnisse, mehrfach Absprachen mit der *Mommsen-Gesellschaft* und gemeinsame Stellungnahmen sowie Eingaben an die Kultusministerien (zur Zusammenarbeit von DAV und MG vgl. Mitteilungsblatt des DAV 2–3/70, 5–13; 4/72, 1–8; 3/74, 14 f.; 3/75, 1–3; 4/81, 1–3; 3/89, 51–52; 3/91, 70; 2/97, 58–62).

C. DIE MOMMSEN-GESELLSCHAFT

In einer Versammlung dt. Altertumsforscher am 1. Juni 1950 in Jena wurde die bereits im Vorjahr [4] beschlossene Gründung eines Verbandes der Forscher auf dem Gebiet des griech.-röm. Alt. vollzogen und dieser Vereinigung der Name *Mommsen-Gesellschaft* (MG) beigelegt [5]. Man wählte mit Theodor Mommsen einen der bedeutendsten dt. Altertumsforscher des 19. Jh. zum Namensgeber. Seine umfassende Quellenbenutzung und exakte Kritik gelten bis h. als vorbildhaft. In seiner *Römischen Geschichte* hatte er sich zudem als Meister der wiss. Prosa erwiesen und 1902 dafür den Nobelpreis für Lit. erhalten. Zweck des Verbandes sollte, wie es in einer ersten Verlautbarung hieß, ›der Zusammenschluß der auf dem Gebiet der klassischen Altertumswissenschaft tätigen deutschen Gelehrten und ihre Vertretung vor der deutschen und internationalen Öffentlichkeit‹ sein. Somit gehören dem Verband hauptsächlich Klass. Philologen, Althistoriker und Archäologen an.

Die neugegr. Ges. konnte schon beim ersten *Congrès International des Études Classiques* in Paris (28.8.–3.9.1950) erstmals in Erscheinung treten und dort die dt. Altertumswiss. repräsentieren und wurde in die *Fédération Internationale des Association des Études Classiques* (FIEC) aufgenommen. In den ersten Vorstand wurden gewählt: Bruno Snell (Hamburg, Klass. Philol.), Kurt Latte (Göttingen, Klass. Philol.), Friedrich Matz (Marburg, Klass. Arch.) und Hermann Kleinknecht (Rostock, Klass. Philol.). Die Mitgliedschaft können erwerben die Hochschuldozenten der altertumswiss. Disziplinen, die Mitarbeiter in einschlägigen wiss. Unternehmungen und die sonst in den betr. Fachgebieten wiss. Tätigen. Eine Dienstleistung der MG für den wiss. Nachwuchs ist das im Internet veröffentlichte Verzeichnis der aktuellen Dissertationsvorhaben [9].

Die MG ist ihrem Ursprung und ihrer Zielsetzung nach gesamtdeutsch. Von den Tagungen fanden nach der Gründungsversammlung Jena aber nur noch zwei in der → DDR statt: 1954 wieder in Jena, 1958 in Eisenach. Danach, v. a. nach dem Mauerbau 1961, erschwerte die polit. Teilung Deutschlands die Zusammenarbeit und verhinderte gemeinsame Tagungen von Ost und West. Auf der Tagung in Speyer am 2. Juni 1966 wurde schließlich mit der Zustimmung zu einer (dann aber nie zustande gekommenen) Schwestergesellschaft in der DDR eine faktische Teilung vollzogen. Aber unmittelbar nach der Wende fand am 7.2.1990 eine konstituierende Sitzung der Mommsen-Gesellschaft in der DDR statt. Da diese sich neben der Förderung der Altertumswiss. auch die Förderung des in der DDR stark reduzierten altsprachlichen Unterrichts zum Ziel setzte, traten ihr auch viele Lehrer bei. Schon im Herbst 1990 wurde von den Vorständen beider Gesellschaften ein Verfahren zur Zusammenführung beschlossen: Der Vorstand der MG Ost empfahl seinen Mitgliedern, individuelle Anträge auf Aufnahme in die MG West zu stellen. Den Lehrern wurde nahegelegt, in die Landesverbände des DAV einzutreten. Die MG Ost löste sich am 21.5.1991

wieder auf. Vom 21. bis 24. Mai 1991 fand in Berlin die
21. Tagung der (nunmehr gemeinsamen) MG statt. Vorsitzender war zu dieser Zeit der Althistoriker Manfred
Clauss. Ihm folgten der Gräzist Bernd Seidensticker und
(ab 1997) der Latinist Siegmar Döpp. Die MG hat mehr
als 500 Mitglieder. Vorstand und Mitglieder der MG unterhalten wiss. Kontakte zu allen interessierten Inst. im
Ausland.

D. AUSLAND

Die in Europa und im außereurop. Ausland tätigen
Verbände und Ges. zur Förderung der altertumswiss.
Forsch. und des altsprachlichen Unterrichts (und ihre
Selbstdarstellung) sind h. am besten erreichbar über das
Internet. Hierfür bietet bes. der an der Univ. Erlangen
eingerichtete *Katalog der Internet-Ressourcen für die Klassische Philol. aus Erlangen* (KIRKE) schnelle und aktuelle
Informationen über Namen, Adressen und Veröffentlichungen von Inst., Projekten und Ges. aus aller Welt
(s. v. Professional Organizations, Activities and Direc-
tories of their Members). Im folgenden werden exemplarisch nur einige Vereinigungen (ohne Angabe spezieller Ziele und Leistungen) aufgeführt, die über das
Internet erreichbar sind: *Classicists in British Universities*
(Classical Association); *Joint Association of Classical Teachers* (JACT); *Classicists in Universities and Colleges in the
Republic of Ireland; Classical Association of Scotland; American Classical League* (ACL); *Coordination Nationale des
Associations Régionales des Enseignantes de Langue Ancien-
nes* (CNARELA, Frankreich); *American Philological Asso-
ciation* (APA); *Classical Association of the Atlantic States*
(CAAS) mit den Sektionen: of the Middle West and
South (CAMWS); of Minnesota; of New England
(CANE); of the Pacific Northwest (CAPN); *Illinois Classical Conference; Texas Classical Association* (TCA); *Ele-
mentary Teachers of Classics* (ETC); *National Junior Classical
League; Classical Association of Canada (Société canadienne
des études classiques).* – Eine genaue Übersicht über die in
EUROCLASSICA zusammengeschlossenen Verbände
bietet H.-J. Glücklich [3]. Zu Gründung und Arbeitsweise der EUROCLASSICA vgl. Mitt. des DAV 4/91,
136; 1/92, 1–12; 2/97, 62–70; 2/98, 72–94.

→ Humanistisches Gymnasium; Lehrer; Schulwesen

1 F. MAIER, Klass. Philologe/Klass. Philologin. Blätter für
Berufskunde, 1994 2 E. BURCK, A. CLASEN, A. FRITSCH,
Die Gesch. des Dt. Altphilologenverbandes 1925–1985,
hrsg. v. K. SALLMANN, 1986 3 H.-J. GLÜCKLICH, Der
Verband EUROCLASSICA – ein richtiger Schritt zur
Europäisierung und ein schwieriger Weg zu Sicherung des
altsprachlichen Unterrichts, in: Forum Classicum 40, 1997,
62–70 4 J. CLASSEN, Die Tagung der dt. Altertumsforscher
in Hinterzarten 29.8. bis 2.9.1949, in: Eikasmos 4, 1993,
51–59. 5 Gründungsanzeige der Mommsen-Gesellschaft,
in: Gymnasium 57 (1950), 311f.
6 http://siren.ipa.net/~tanker/organiza.htm

ANDREAS FRITSCH

Besitz. Die justinianischen Quellen berücksichtigen
den B. v. a. hinsichtlich des Rechtsinstituts der Ersitzung, bei der Übertragung des → Eigentums sowie bei
der Ausgestaltung des Schutzes bestimmter Rechtsposi-
tionen in den Digesten. Die ma. Rechtswiss. knüpft
insoweit an die röm. Quellen an. Daneben tritt deutlich
der Zusammenhang zw. Besitzschutz und staatlicher
Wahrung des öffentlichen Friedens. Auch das kirchliche
Recht greift energisch das Problem des Landfriedens
auf. Die Theorie und die Gerichtspraxis der → Kanonisten auf der Grundlage des *Canon Redintegranda* im
Dekret (C 3qu I c 3) führen zur Entwicklung des umfassenden Besitzschutzes durch die *actio spolii.* Die ma.
Rechtswiss. dehnt dabei den Besitzschutz über den eigentlichen Sachbesitz hinaus auch auf die Ausübung
von Rechten, etwa kirchliche Ämter, Pfründe oder
Herrschaftsrechte, aus. Die → Glossatoren knüpfen daran an: Neben dem Grundelement der Sachherrschaft,
der *detentio,* wird die Lehre vom Erfordernis eines *animus* aufrechterhalten. Die gemeinrechtlichen Juristen
zeigen dabei die Tendenz, Regelungen in lokalrechtli-
chen Quellen, die sich auf Besitzverhältnisse beziehen,
im Sinne der röm. Quellen aufzufassen und zu definieren. Symptomatisch ist etwa die Gleichstellung der *sai-
sine* des frz. *Droit Coutumier* mit der *possessio* oder die
Übers. des dt. rechtlichen Terminus *Gevere* ebenfalls mit
possessio. Das Röm. Gemeine Recht entwickelt insbes.
den Besitzschutz über die Justinianischen Interdikte
hinaus.

Es scheint, daß in der gerichtlichen Praxis in zahlreichen europ. Ländern das Interdiktum *uti possidetis,* das
Interdiktum *unde vi* verdrängt hat. Außer durch die röm.
Quellen ist der Besitzschutz v. a. durch die Entwicklungen des Kanonischen Rechts bestimmt. Das *caput Saepe*
(10,2,13,18) erweitert den Schutz, den das Interdiktum
unde vi dem Entwehrten gewährt. Noch bedeutsamer ist
die Übernahme der *actio spolii* aus dem *Canon Redintegranda.* Sie wurde als *condictio ex canone* bezeichnet; ihre
Grundlage war jegliche *iniusta causa amissionis.* Die Klage
stand auch dem bloßen *detentor* (›Fremdbesitzer‹) zu.
Ziel war die Rückgabe der entzogenen Sache. Die Uni-
versitätswiss. scheint der *actio spolii* kritisch gegenüber-
gestanden zu haben. Die Gerichte haben jedoch grundsätzlich daran festgehalten. Für deren prozessuale
Durchsetzung entwickelte das Gemeine Röm. Prozeßrecht das *Summarissimum:* Der Richter konnte nach
kursorischer Prüfung der Sachlage einstweilen entscheiden, wer den Besitz des Streitgegenstandes behalten sollte. Diese verfahrensrechtlichen Grundsätze sind
erst im 19. Jh. in die Regelung des prozessualen einst-
weiligen Rechtsschutzes eingegangen. Die *actio spolii* ist
vielfach von der territorialen Gesetzgebung übernommen worden. In Anlehnung an lokale Gewohnheits-
rechte hat die gemeinrechtliche Wiss. zugleich im freiwilligen Verlust des B. beweglicher Sachen ein Hindernis, diese zu vindizieren, gesehen (*mobilia non habent
sequelam*). Die europ. → Kodifikationen haben daraus
das Institut des gutgläubigen Erwerbs des Eigentums
entwickelt (Art. 2279 Code civil, § 932 BGB).

Die europ. Kodifikationen des 19. Jh. haben an die
gemeinrechtlichen Entwicklungen vielfach ange-

knüpft. So unterscheidet das österreichische ABGB (1811) etwa zw. *possessio* und *detentio*. Der frz. *Code Civil* (1804) regelt den Besitz nur im Zusammenhang mit der Ersitzung. Die possessorischen Besitzschutzklagen werden nur im Code der *Procédure Civile* erwähnt. Die frz. Gerichtspraxis knüpfte jedoch an die im *Ancien Droit* entwickelten Grundsätze weiterhin an. Das dt. BGB (1900) führte erst eine Reihe von Neuerungen ein. Insbes. wird der Besitzwille in der Definition des Besitzes (§ 859), den die herrschende Lehre in der deutschen → Pandektistik noch für entscheidend hielt, nicht mehr erwähnt. Es wird daneben ein gestufter Besitz eingeführt: Hat der Eigentümer einem anderen die Sachherrschaft überlassen, so sind beide Besitzer: unmittelbarer und mittelbarer Besitzer im Sinn von § 868 BGB. Auch hier wurde durch eine Entscheidung der zweiten Kodifikationskommission bewußt die Trad. des Röm. Gemeinen Rechts aufgegeben. Ähnlich verfuhr das schweizerische ZGB (1911). Durch die Einführung im Immobiliarsachenrecht des Grundbuchsystems wurden die Wirkungen des Besitzes und der Eintragung ins Grundbuch (Tabularbesitz) abgegrenzt: Die Eigentumsvermutung findet ihre Grundlage in der Eintragung, und der faktische Besitz behält seine Bed. nur für den Schutz gegen Eigenmacht.

→ Digesten; Prozeßrecht

→ AWI Interdictum; Possessio; Traditio; Usucapio

1 H. COING I, 277–290; II, 372–382 2 H. DEDEK, Der B.-Schutz im röm., dt. und frz. Recht, in: Zschr. für Europ. Privatrecht, 1997, 343 ff. 3 G. DIURNI, Le situazioni possessorie nel medioevo. Età longobardo-franca, 1989 4 W. HINZ, Die Entwicklung des gutgläubigen Fahrniserwerbs in der Epoche des Usus modernus pandectatorum und des Naturrechts, 1991 (dazu R. FEENSTRA, in: TRG 1995, 355–375) 5 F. RUFFINI, L'actio spolii. Studio storico-giuridico, Torino 1889 6 G. WESENER, Zur Dogmengesch. des Rechtsbesitzes, in: FS W. Wilburg, 1975, 453–476 7 W.J. ZWALVE, Hoofdstukken uit de Geschiedenis van het Europese Privaatrecht. 1. Inleiding en zakenrecht, 1993, 68 ff.

FILIPPO RANIERI

Bevölkerungswissenschaft/Historische Demographie A. ANTIKE REFLEXIONEN ÜBER BEVÖLKERUNGSGRÖSSEN B. ANTIKE DENKELEMENTE IN MITTELALTER UND (FRÜHER) NEUZEIT C. DIE AUSBILDUNG DER WISSENSCHAFTLICHEN DEMOGRAPHIE D. TENDENZEN IN DER HISTORISCHEN DEMOGRAPHIE DER ANTIKE SEIT DEM 19. JAHRHUNDERT E. TENDENZEN NACH 1945

A. ANTIKE REFLEXIONEN ÜBER BEVÖLKERUNGSGRÖSSEN

1. DAS BEVÖLKERUNGSOPTIMUM

Demographische Überlegungen im engeren Sinn wurden in der Ant. kaum angestellt die Größe einer Bevölkerung wurde dennoch thematisiert. In den staatstheoretischen Entwürfen Platons und des Aristoteles wird die Frage erörtert, welche Bevölkerungsgröße die innere Einheit der Polis zu gewährleisten imstande ist. Legt sich Platon auf eine Bürgerzahl von 5040 fest, so ergibt sich für Aristoteles die optimale Bürgerzahl aus ihrer Relation zum Polis-Territorium. Der Bürger soll von den gegebenen Ressourcen maßvoll und großzügig, eines freien Mannes würdig leben können, gleichzeitig soll auch die Verteidigung der Polis gewährleistet sein. Die hierfür nötige stationäre Bevölkerung soll mittels verschiedener Methoden der Kinderbeschränkung, aber auch der Aussendung überzähliger Männer in Kolonien erreicht werden. Ähnliche Überlegungen wurden schon vor Platon und Aristoteles von Hippodamos von Milet formuliert, der die für eine griech. Polis sehr hohe Zahl von 10000 Bürgern für das Optimum hielt [3. 152 ff.].

2. DER WERT DER »GROSSEN ZAHL«

Abgesehen von Andeutungen über eine zu große Bevölkerung (Hes. erg. 376; Eur. Hel. 38; auch Gn 13,6) dominieren während der gesamten Ant. positiv konnotierte Angaben über hohe Bevölkerungs- bzw. Einwohnerzahlen. Ägypten bzw. Indien galt nach Herodot (5,165 f.) und anderen Autoren als das bevölkerungsreichste Land der Welt, Perser (Hdt. 3,90 ff.) bzw. Juden (Ios. bell. Iud. 6,9,3) sollen bes. zahlreich gewesen sein. Als Städte mit großer Einwohnerzahl werden z.B. → Babylon (Plin. nat. 6,121), Tyros (Strab. 16,2,23), Seleukeia (Pol. 8,9), Caesarea (Ios. bell. Iud. 3,9,1) oder Ninos (Diod. 2,3) genannt, indirekt auch das ägypt. Theben und Karthago, deren Häuser höher als jene in Rom gewesen sein sollen (Diod. 1,45; App. Hann. 128). Die Bed. großer Menschenzahlen läßt sich auch aus der positiven Erwähnung großer Heere ableiten oder aus der Nennung bes. eindrucksvoller Menschenverluste; so sollen z.B. nach Prokop (BG 2,21) bei der Eroberung Mailands durch Goten und Burgunder 300000 Männer getötet worden sein. In die gleiche Richtung weisen auch Nachrichten, daß aus einzelnen Ländern bes. hohe Einkünfte zu erzielen sind (z.B. Hdt. 3,90 ff. über die Satrapien der Perser) [13]. Diese Zahlen – wohl auch die vielfach wiederkehrende Zahl 30000 – tragen meist den Charakter sog. metaphernhafte Größen wiedergebender Rundzahlen. Möglicherweise sind Vorbilder für manche dieser Zahlen in den altorient. Texten zu suchen [20. 216 ff.; 17. 1–19; 15]. Die Qualität einer großen Bevölkerung wird allg. damit begründet, daß nur ein bevölkerungsreicher Staat gefährdende Situationen wie Krieg oder Krankheiten zu überstehen in der Lage ist. Der Staat muß unsterblich sein (Cic. Marcell. 23), weshalb die Zeugung von Kindern nicht nur ein Gesetz der Natur ist (Cass. Dio 56,2; Val. Max. 2,9), sondern auch eine Verpflichtung gegenüber dem Staat.

3. DIE ABWERTUNG DER STATIONÄREN UND DER STERBENDEN BEVÖLKERUNG

Das Komplementärbild zur positiven Einschätzung großer Bevölkerungen findet sich in einer weithin zu beobachtenden Abwertung niedriger oder sinkender Bevölkerungszahlen. Sie gelten als Zeichen verfallender

Moral und Sitten, der Hinwendung der Menschen zu Luxus und Exzess. Die zeitliche Ansetzung der behaupteten (oder auch tatsächlichen) Abnahme der Bevölkerungsgröße variiert, hängt jedoch mit der Weltsicht des jeweiligen Autors zusammen. Polybios (36,17) scheint das Bild des demographischen Verfalls von Rom aus auf das hell. Griechenland zu projizieren, Appian (civ. 1,2 und 27) sieht den Niedergang Roms mit der nur in Ansätzen erfolgten Bodenverteilung ab der Zeit der Gracchen einsetzen. Die Zeit der Bürgerkriege stellt für Diodor (2,5f.) und Cassius Dio (56,1–10), das Ende der Republik für Tacitus (ann. 3,25ff.; 54; 4,27) die entscheidende Wende zum Negativen dar. Weil als Ursache des fehlenden Kinderreichtums individuelle Verderbtheit betrachtet wird, werden die Kinderlosen auf moralischer Ebene – aber ohne grundsätzliche Ablehnung von Kontrazeption, Abtreibung oder Kindestötung – als Mörder, Frevler, Räuber oder wilde Tiere attackiert und für die Gefahr der Überfremdung bzw. für die relative Zunahme der Sklavenzahl verantwortlich gemacht. Umgekehrt gibt es Lob für jede Steigerung der Kinderzahl, insbes. für die Ehegesetzgebung des Augustus [25. 56–64].

4. Geschichte als Argument

Ähnlich wie z.B. im altbabylonischen Atramchasis-Epos wird in der griech.-röm. Ant. die Gegenwart als bevölkerungsarm betrachtet und ihr eine besser bewertete bevölkerungsreiche Gegenwelt gegenübergestellt. Die oben genannten hohen Bevölkerungszahlen sind in der Regel in einer zeitlich und/oder räumlich entfernten Welt angesiedelt. Das gilt z.B. für das 480 Stadien Umfang aufweisende, bevölkerungsreiche Babylon Herodots (1,178) oder die von ihm genannten riesigen Zahlen der Skythen (4,81), die mit Ägypten verbundenen großen Zahlen, die unrealistisch zahlreichen Helvetier bei Caesar (Gall. 1,29) und 400 Völkerschaften in Gallien, die sich in Kombination mit den Angaben Diodors (5,25,1; App. Celt. 1,2) auf die phantastische Zahl von 200 Millionen Menschen berechnen lassen. In das Bild der Gegenwelt kann auch eine modifizierte Klima-Theorie eines volkreichen Nordens einfließen [43. 65; 36]. Die Funktion einer Gegenwelt erfüllen auch Nachrichten wie die, daß Philipp von Makedonien die Bevölkerung nach der Niederlage im zweiten Makedonischen Krieg gezwungen habe, Kinder zu zeugen, um die alte Bevölkerungszahl wiederherzustellen (Liv. 39,24,3f.). Das Gegenbild läßt sich auch in die eigene »gute alte« (röm.) Frühzeit projizieren, in der die Bevölkerung wegen der Beachtung der Gesetze noch zahlreich gewesen sein soll (Cic., Balb. 31; Dion Hal. ant. 2,15; 9,22; Gell. 4,3,2).

5. Christliche Gedanken über die Bevölkerungsgrösse

Die Christen sehen sich durch ihre Ablehnung von Kontrazeption, Abtreibung und Kindestötung einerseits (z.B. Lact. inst. 6,20) und andererseits durch die Forderung der Genesis (1,28) nach der Vermehrung der Menschen und die Koppelung von Sexualität an Kinder-

nachwuchs spätestens nach der Aufgabe der unmittelbaren Endzeiterwartung ab dem ausgehenden 1. Jh. n. Chr. vor die Frage gestellt, wohin der Bevölkerungszuwachs führt (Min. Fel. 31,7). Die Antworten deuten die Vorsehung Gottes je nach der konkreten histor. Situation anders. Gott kann mittels natürlicher Vorgänge wie Hunger oder Seuchen für die Eindämmung der Überbevölkerung sorgen (Tert. de anima 30; Eusebius HE); er kann aber auch nur die für die Welt erträgliche Zahl von Menschen überhaupt entstehen lassen; ein Mittel hierfür stellt die Forderung der Virginität dar (Methodius, Über die Keuschheit 1,2–4); es kann aber auch verneint werden, daß die Gefahr einer Überbevölkerung überhaupt besteht (Cypr. ad Demetrianum 3). In diesen Zusammenhang führt aber auch die nicht direkt auf demographische Überlegungen bezogene, von Paulus ausgehende, über das kanonische Recht bis in die Gegenwart wirkende Forderung eines restriktiven Sexualverhaltens, bes. in der Form des Zölibats [52; 43; 46. 72–76].

B. Antike Denkelemente in Mittelalter und (früher) Neuzeit

1. Das Bevölkerungsoptimum in der utopischen und der Politica-Literatur

Die an Aristoteles, aber auch Platon anschließenden Überlegungen über den rechten Zustand des Staates (sog. Politica-Lit.) nehmen seit Thomas von Aquin deren Gedanken zur Erhaltung einer stationären Bevölkerung auf; diese Trad. reicht im wesentlichen bis zu der gravierenden Reduktion der Autorität des Aristoteles in der Zeit der frühen Aufklärung [40. 491; 16. 184ff.; 4. 39; 53. 21]. Ähnliches gilt für die auf die beiden ant. Philosophen sich stützende staatsutopische Lit., so für Thomas Morus (Utopia, 1516), Tommaso Campanella (Civitas Solis, 1637), Francis Bacon (Nova Atlantis, 1638), aber auch für die utopischen Elemente in der Reiselit. wie bei F. Fénelon (Les aventures de Télémaque, 1699), bei merkantilistisch orientierten Denkern wie J. H. G. Justi oder J. P. Süßmilch oder bei antiphysiokratischen bzw. antikapitalistischen wie Morelly (Code de la Nature, 1755), G. B. de Mably oder J. J. Rousseau. Nachwirkungen in die jüngere utopische Lit. wären noch näher zu analysieren. Selbst die Physiokraten standen insofern in der Nachfolge der ant. Staatstheoretiker, als für sie – im Bestreben, höhere landwirtschaftliche Produktivität zu erreichen – die kleinen ant. Staaten das Vorbild für ihre Überlegungen abgaben [52. 241ff.; 31. 381ff.; 40. 485].

2. Antike Bevölkerungsvorstellung als Argument

Die großen Zahlen bei Cäsar, Diodor u. a. für Gallier und Germanen erscheinen ab Tacitus (Germ. 4; 19,3) mit den älteren Vorstellungen der Klima-Theorie verknüpft. Ab jetzt gilt der Norden (Europas) als bes. volkreich, was mit der Etymologie Germania von germinare (›erzeugen‹) sekundär noch unterbaut wird (Isidor von Sevilla, Etymologiae 14,4,4). Seit Paulus Diaconus (Historia Langobardorum 1,1) findet sich das Bild eines bes.

volkreichen Germaniens von N. Macchiavelli, Aventinus (Joh. Thurmayr) bis zu Sebastian Franck (*Germaniae Chronicon*, 1538). Es bildet auch ein Element der über Tacitus' *Germania* vermittelten positiven Bewertung der Germanen (z. B. bei Ulrich von Hutten). Wie T. Campanella empfahl auch H. Conring zur Steigerung der Fruchtbarkeit der (span.) Frauen die Heirat mit Männern aus dem Norden, während J. F. Melon noch Anfang des 18. Jh. die Institutionen der nordischen Länder der menschlichen Fruchtbarkeit für bes. zuträglich hielt. Erst im Zuge der allg. Kritik des Glaubens an die Ant. als ungeprüfte Autorität ab der Mitte des 18. Jh. wurde die Vorstellung als problematisch erkannt [52].

3. DIE AUGUSTEISCHEN EHEGESETZE

Die positive Bed. einer großen Bevölkerung und die Verpflichtung des Bürgers gegenüber dem Staat zu Ehe und Fruchtbarkeit werden von Denkern verschiedener Positionen, bes. aber von Merkantilisten noch im 16. und 17. Jh. mit dem Verweis auf die Ehegesetze des Augustus unterbaut (z. B. J. Bodin, D. Saavedra-Faxardo, S. Dugard, Ch. Davenant, G. de Ustariz, noch im 18. Jh. A. Goudar, J. Jobert, Ch. Montesquieu) und finden sich in Deutschland im zeitlichen Umfeld des Dreißigjährigen Kriegs (1618–1648) bes. verbreitet (J. Bornitius, H. Latherus, Ch. Besold). Von derartigen merkantilistisch motivierten, sich direkt auf die Ant. beziehenden Gesetzen ist das in Frankreich von J. B. Colbert initiierte, von 1666–1683 geltende als Adaptation der *lex Papia Poppaea* das bekannteste [33. 199 f.; 52. 125, 227, 158; 40. 483 f.; 51].

C. DIE AUSBILDUNG DER WISSENSCHAFTLICHEN DEMOGRAPHIE:

1. DER EINFLUSS DER ANTIKE AUF DIE DEMOGRAPHISCHEN ÜBERLEGUNGEN

Die Bevölkerungsschwankungen seit dem MA führen zu unterschiedlichen Einschätzungen der existierenden demographischen Situation, aber auch zu divergierenden demographischen Forderungen. So behandelt schon am Ende des 16. Jh. G. Botero (*Delle cause della grandezza della città*, 1592) das Problem der durch die Begrenztheit der Subsistenzmittel verursachten Überbevölkerung mit dem Verweis auf die ant. Kolonisation. Die spätere Ausbildung der wiss. Demographie steht in Verbindung mit dem realen Wachstum der großen europ. Städte und mit der vom Merkantilismus geforderten Peuplierungspolitik. Theoretiker des 16. und 17. Jh., die wie G. Schönborner, H. Boecler, J. J. Becher – v. a. in den Städten – eine zu große Bevölkerung konstatieren, verweisen als Lösung – wie etwa auch Montaigne – auf die bekannten ant. bevölkerungspolit. Vorstellungen und Maßnahmen, v. a. auf die Gründung von Kolonien [33. 199 ff.; 52. 110; 4. 38, 70]. Die zum Teil auch *Politica* verfassenden Merkantilisten, die das Problem der Überbevölkerung nicht sehen, verweisen dagegen in ihrer Argumentation für das ihrer Ansicht nach nötige Bevölkerungswachstum häufig auf das Beispiel der röm. Ehe- und Ackergesetze und ebenso auf die von ant. Schriftstellern genannten hohen Bevölkerungszah-

len. Sie behaupten, daß die Bevölkerung seit der Ant. durch den Einfluß des Christentums, bes. durch den Zölibat, von Anfang an (z. B. H. Conring, H. Moritz v. Sachsen) oder aber erst ab dem MA (J. H. G. Justi) mehr oder weniger drastisch zurückgegangen sei. Zu dieser Grundtendenz stimmen die v. a. im 17. Jh. angestellten, geradezu abenteuerlichen Versuche, die Größe ant. Städte, im speziellen diejenige Roms (J. Lipsius 1675: 4 Millionen; I. Vossius, 1685: 14 Millionen, Weltbevölkerung: 50 Millionen, zum Teil sogar von P. Bayle akzeptiert) zu berechnen, aber auch die von Ch. Montesquieu (*Lettres persanes*, 1721) unter dem Eindruck der Hugenottenkriege und Frankreichs wirtschaftlichen Problemen vorgetragene Behauptung, daß die Erde nur noch 1/10 der ant. Bevölkerung aufweise [52. 226 ff.].

Diesen mit der vorbildhaft-ant. Trad. argumentierenden »gelehrten Denkern« stand eine in der Volkssprache publizierende Gruppierung gegenüber, in deren demographischen Überlegungen die Ant. bewußt nur mehr eine geringe Rolle spielt. Aktuelle Beobachtungen der demographischen Verhältnisse führten zu den ersten statistischen Betrachtungen zuerst im 17. Jh. in England (W. Petty, J. Graunt), dann im 18. Jh. auch in Deutschland (J. P. Süßmilch, *Die göttl. Ordnung*, 1741). Diese Gelehrten verstanden sich zumeist als Vertreter einer den Aristotelismus ablehnenden *philosophia christiana*. Die dt. Demographen schlossen an die von M. Luther (*Predigt vom ehelichen Leben*, 1522) vertretene Auffassung an, daß Gott für die Kinder sorge [19. 932]. Diese Äußerung, verbunden mit der Aufforderung im AT ›Gehet hin und mehret euch‹ (Gn 1,28; 9,1), führte zu der Überlegung, daß die Bevölkerung von der Schöpfung bis zur Sintflut und von der Sintflut bis in die Ant. bzw. zur Gegenwart in einem die Größe der Erde weit überforderndem Maß angewachsen sein müßte (V. L. v. Seckendorff, *Teutscher Fürstenstaat*, 1655; R. Cumberland). Dem Dilemma begegnete man im Anschluß an W. Derhams Physiko-Theologie mit dem Hinweis auf die stabile und perfekte göttl. Ordnung, in der Krieg und Seuchen nicht nur gerechte Strafen, sondern auch – so schon von Kirchenvätern formuliert – weise Mittel seien, die Weltbevölkerung in Balance zu halten [16. 177 ff.; 33; 29. 14 ff.].

2. EINE VARIANTE DER QUERELLE DES ANCIENS ET DES MODERNES: DER HUME-WALLACE-STREIT

Gegen die im 18. Jh. einsetzenden staatlich-statistischen Erhebungen und der darauf basierenden Erkenntnis real wachsender Bevölkerungen in Europa formierte sich meist konservativ fundierter Widerstand, der dagegen die These sinkender Bevölkerungszahlen, hervorgerufen durch dekadentes Verhalten, setzte [24]. In diesem Spannungsfeld formulierte David Hume (*Discourse concerning the Populousness of the Antient Nations*, 1752) – die biologistische Metapher von der Jugend der Ant. kritisierend – grundsätzliche Ablehnung des Glaubens an die Richtigkeit der ant. demographischen Vorstellungen, Maßnahmen und Angaben über Größen von Bevölkerungen und bes. der Sklavenzahlen. Er begründete seine Vorbehalte mit allg., aber auch quellenkritischen Überlegungen. Auf die Schrift Humes antwortete der schottische Geistliche Robert Wallace mit seiner *Dissertation on the Number of Mankind in Antient and Modern Times* (1753) und verteidigte – neben mancher Übereinstimmung mit Hume in grundsätzlichen demographischen Fragen – ausgehend von Vossius und Montesquieu, die Autorität der Ant. mit der Behauptung, daß sich zur Bevölkerungsreduktion führende *checks* erst in den großen und industrialisierten Staaten der Neuzeit durch Luxus und ungleich verteilten Reichtum ausgebildet hätten. Im Umfeld dieser Auseinandersetzung erschienen zahlreiche Schriften in ganz Europa, entweder die Partei Humes (z. B. F. de Chastelleux, Voltaire, W. Temple, G. Filangieri, mit Einschränkung auch Gibbon) oder jene von Wallace (z. B. Mirabeau, W. Bell, A. Genovesi, F. Briganti, Doria) ergreifend [7; 51. 212 ff.; 12. 294 ff.].

3. DER WANDEL DER ARGUMENTATION AUF DEM WEG ZU R. TH. MALTHUS

Einzelne Merkantilisten argumentierten, daß die Ant. zwar volkreich gewesen sei, sich aber die Bevölkerung durch die Sexualmoral des Christentums (auch jene des Islam), v. a. durch den Zölibat zuerst vermindert habe, dann aber wieder gewachsen sei. Einen Schritt über diese Reduktion der Bed. der Ant. als Norm für die zeitgenössischen demographischen Überlegungen hinaus stellt die Leugnung der demographischen Wirksamkeit der ant. Ehe- bzw. Agrargesetze dar (B. Franklin, J. H. G. Justi). Längerfristig setzte sich die genannte Position Humes durch. Es begannen Fragen nach den konkreten ökonomischen Bedingungen für demographische Veränderungen zu dominieren, wie das Verhältnis zw. Territorium und Bevölkerungsgröße oder auch wie die Lebensbedingungen der Masse beschaffen sind. Von hier führte ein direkter Weg zu der auf einer Vielzahl von Vorläufern – u. a. auf einer pessimistischen Interpretation der Physiko-Theologie – basierenden Hauptthese der in geom. Reihe sich vermehrenden Bevölkerung und der ihr entgegenwirkenden verschiedenen *checks* von R. Th. Malthus und von ihm zum Ausbau der Demographie zu einer eigenständigen wiss. Disziplin, in der die Ant. nicht mehr Berufungsinstanz, sondern nur mehr ein Untersuchungsgegenstand unter vielen anderen ist [7; 28].

D. TENDENZEN IN DER HISTORISCHEN DEMOGRAPHIE DER ANTIKE SEIT DEM 19. JAHRHUNDERT:

1. ALLGEMEINE ENTWICKLUNG

Die unterschiedlich intensive Beschäftigung mit der Demographie, aber auch die demographischen Thesen selbst scheinen ein direktes oder indirektes Spiegelbild der realen demographischen und ökonomischen, aber auch der polit. Veränderungen in den einzelnen europ. Ländern darzustellen [28; 19. 988 f., 993; 31. 1–7]. Ant. Bildungswissen blieb bis weit ins 20. Jh. so selbstverständlich, daß viele der oben genannten demographischen Argumentationen direkt oder indirekt auch in der sich als Wiss. verselbständigenden Demographie Eingang fanden. So verwies z. B. Ch. Bernoulli in seinem Handbuch *Populationistik oder B.* noch 1840 auf die Unhaltbarkeit der Vorstellung von einstmals dicht bevölkerten Ländern Europas oder A. Held (im *Staatswörterbuch*, hrsg. von Bluntschli, 1872, s. v. Bevölkerung) auf die Ansichten Platons und des Aristoteles und die *lex Papia Poppaea* zur Illustration der mod. demographischen Zustände, während der einflußreiche Nationalökonom W. Roscher in seinen *Ansichten der Volkswirtschaft* (³1878) Fragen zum Verhältnis von Vermögensverteilung und Fruchtbarkeitsrate und die Großstadtfrage sogar mit direktem Bezug auf die Antike diskutierte.

2. DIE BEWAHRUNG DER AUTORITÄT DER ANTIKE

In der Altertumswiss. wurden im Anschluß an R. Wallace die ant. Bevölkerungszahlen vorerst verteidigt, so z. B. von G. de Sainte Croix oder A. Böckh, dessen Autorität dazu führte, daß die von Athenaios (6,272a-c) für Athen genannten 400000 Sklaven, aber auch die – von Böckh nicht verteidigten – noch höheren Zahlen für Korinth und Aigina lange Zeit in der Handbuchlit. akzeptiert wurden. Das Festhalten bes. an den ungeheueren Sklavenzahlen ist im Zusammenhang mit einem für Hellenismus und Kaiserzeit angenommenen Sittenverfall zu sehen, dessen Dimension durch die große Zahl von Sklaven als Ausdruck von Immoralität und/oder schlechter Ökonomie noch gesteigert werden sollte; die intensive marxistische Beschäftigung mit den Sklaven setzte erst nach dem II. Weltkrieg ein [21. 46 ff., 67 f.]. Die Hauptvariante des Sittenverfall-Gedankens stellt aber seine Verknüpfung mit jenem der Völkertods als Begründung für das Ende der Ant. dar. Diese Vorstellung findet sich etwa schon bei Bodin oder Montesquieu und führt in verschiedenen Variationen über Ch. Meiners und J. Ch. Krause im 18. Jh. zu B. G. Niebuhr und der ganz darauf konzentrierten Unt. von K. G. Zumpt aus dem Jahr 1840, weiter etwa zu J. R. Seeley (1870) in England oder A. Dumont (1890) in Frankreich. Die Geschichte dieser von den verschiedensten ideologischen Lagern vertretenen Argumentation läßt sich über die Genannten hinaus bis zu P. Chaunu verfolgen [2. 86; 21. 28 ff.; 14. 352–365]. Die wiederholte, auch monographische Behandlung der augusteischen Ehegesetze vom 18. bis ans Ende des 19. Jh. paßt gut in dieses Umfeld.

3. KRITIK AN DEN ANTIKEN TEXTEN

Auf Quellenkritik basierender Widerspruch gegen die Verteidigung der ant. Angaben entwickelte sich in Verbindung mit der Rezeption der Methoden der sich entwickelnden Demographie und wurde nicht nur hinsichtlich der Sklavenzahlen seit Hume immer wieder geäußert. Dies gilt schon für B. G. Niebuhr und H. F. Clinton, dann für K. Bunsen, A. Dureau de la Malle und E. Wietersheim, auch L. Friedländer, W. Ihne und Th. Mommsen. H. Wallons Beschäftigung mit den Sklavenzahlen greift in vielem auf J. Letronne zurück [2. 34–40;

21. 32 ff.). Diese Bemühungen um eine adäquate Beurteilung ant. Bevölkerungsgrößen führt ab den 1870er J. auch als Reflex der Intensivierung der allg. demographischen Unt. in diesem Zeitraum zu einer gesteigerten Beschäftigung mit der ant. Demographie, als deren Folge das bis in die Gegenwart als Grundlage demographischer Analysen zu benützende Werk von Julius Beloch anzusehen ist. Durch Beloch wurde die weitere Diskussion verschiedener Detailfragen unter dem Aspekt kritischer Quellenanalyse stimuliert [8. 179; 12. 301 ff.], aber auch heftige Angriffe bes. durch Schüler von Th. Mommsen gegen seinen modernistischen Ansatz und die Anwendung sozialwiss. Methoden [22]. Dieser Gegensatz wirkt auf die sich intensivierenden Bemühungen um die Erfassung der ant. demographischen Realität in allen nationalen Wiss. bis in die Zeit nach dem II. Weltkrieg ein [54].

4. DAS PROBLEM DER ÜBERBEVÖLKERUNG

Die Argumente von R. Th. Malthus wurden schon im 19. Jh. etwa von B. G. Niebuhr in seiner *Römischen Geschichte* oder von E. Wietersheim (*Geschichte der Völkerwanderung*, Bd. 1, 1859) aufgegriffen. Die Urteile über die Dimension des Problems sind offensichtlich vom jeweiligen Standpunkt in der im sog. Bücher-Meyer-Streit gipfelnden Diskussion über die Charakteristik der ant. Wirtschaft abhängig [44. 25–55]. So verglichen z. B. Th. Mommsen und A. Dureau de la Malle die ant. Wirtschaft mit den Verhältnissen in vorindustriellen europ. Städten, während R. Pöhlmann – mit der zeitgenössischen Großstadt-Thematik vor Augen und stark beeinflußt von W. Roscher – das mod. industrielle Europa zur Beurteilung der Ant. heranzog. Als Korrektur dieser offensichtlichen Präjudizierung der Interpretation der ant. Aussagen durch vorgefaßte Prämissen ist die Weiterführung der sich bei Beloch findenden Berechnungen von Arealgrößen im Verhältnis zu Getreideproduktion und -konsum bei L. Gernet (1909), A. Jardé (1925) und N. Jasny (1944) und der diesen Studien implizite anthropologische Ansatz anzusehen [8. 104 ff.; 47. 1 ff.].

5. NATION, RASSE UND BEVÖLKERUNGSGRÖSSE

Schon B. G. Niebuhr (Römische Geschichte, Bd. 2, 1812, 105) vertrat die Meinung, daß sich die auf der Welt lebenden ›Menschenarten‹ in ihrer Fruchtbarkeit unterscheiden würden; die Menschenarten seien generell in ihrer Jugend fruchtbarer als später, niedere Rassen aber seien durch eine nur ihnen eigene Fruchtbarkeit gekennzeichnet‹. Derartige Gedanken gewannen im Laufe des 19. Jh. an Einfluß. Am Beginn des 20. Jh. findet sich z. B. bei dem Nationalökonomen Werner Sombart der Versuch, die für einzelne europ. Völker gewonnenen demographischen Daten auf die Entwicklung von Rassen umzurechnen. Er stellte dabei fest, daß die Germanen ihre Position im Vergleich zu Romanen und Slawen halten würden, die Romanen einen starken Rückgang zu verzeichnen hätten, die Slawen aber auf Kosten der Romanen stark wachsen würden [19. 996 f.]. J. Beloch veröffentlichte 1913 einen programmatischen Artikel *Die Volkszahl als Faktor und Gradmesser der histor. Entwicklung* (HZ 3, 321–337), in dem er die Meinung vertrat, daß ›nur ein numerisch starkes Volk ein führendes Kulturvolk werden könne‹ [22. 123 ff.]. In solchen Versuchen beginnt sich die Verbindung der Demographie mit der nachdarwinistischen Biologie, Eugenik und Rassenhygiene anzudeuten, die sich ab den 1920er J. Faschismus und Nationalsozialismus zunutze machen konnten [37. 34].

Der unterschiedliche Aufbau der umfassend angelegten Artikel von Ed. Meyer (1909) und U. Kahrstedt (1924) läßt einige der Möglichkeiten dieses Weges erkennen. Deutlich stärker als Meyer benützte Kahrstedt die Terminologie der zeitgenössischen Demographie, verwendete aber gleichzeitig auch viel stärker als Meyer Erkentnisse der ant. Demographie zur Vermittlung seiner Weltanschauung. U. a. vertrat er die These, daß der Bevölkerungsreichtum zur Zeit des Hellenismus die Grundlage der von ihm als Höhepunkt der ant. Zivilisation bezeichneten ›Weltherrschaft der Griechen‹ gewesen sei, während er Orient und Semiten abwertete [14. 357 ff., 368 ff.; 35. 26, 29]. Vor dem Hintergrund derartiger Tendenzen und natürlich der faschistischen und nationalsozialistischen Ideologie ist die verstärkte Beschäftigung mit demographischen Themen der verschiedensten Art [54] zu sehen. Diese Arbeiten lieferten häufig Argumente für ein Bevölkerungswachstum unter nationalem Vorzeichen, standen manchmal aber auch in bewußter Opposition zu derartigen Intentionen und wiesen z. B. mit der Frage der Migration schon auf die sich verfeinernde Methodik der Demographie nach dem II. Weltkrieg.

E. TENDENZEN NACH 1945

Nach dem II. Weltkrieg wurden einerseits die alten Fragen der ant. Demographie weitergeführt, andererseits aber die von der mod. Sozialwiss. erarbeiteten Möglichkeiten intensiver genutzt.

1. FORTSETZUNG DER DISKUSSION
ÜBER DIE HISTORISCHE AUSSAGEKRAFT
DER ANTIKEN QUELLEN

Die Problematik der aus der Ant. überlieferten demographisch verwertbaren Angaben wurde nach 1945 weiterhin vielfach, meist in thematisch zentrierten Einzelstudien behandelt. Sie beschäftigten und beschäftigen sich nach wie vor mit Themen wie der Kindesaussetzung und -tötung, dem Heiratsverhalten, der Lebenserwartung, der Auswirkung der sozialen Gliederung ant. Gesellschaften, der Zusammensetzung der Heere, den demographischen Auswirkungen der ökonomischen Bedingungen, aber auch nach wie vor mit den »klass.«, schon von und vor Beloch behandelten quellenkritischen Problemen wie der Auswertbarkeit der röm. Zensusangaben, des mit Demetrios von Phaleron verbundenen athenischen Zensus oder auch der Ephebenlisten. An umfassenden Unt. erschien schon 1933 eine Monographie zur Bevölkerung Athens von A. W. Gomme, 1959 folgte von A. Mócsy die Analyse der Bevölkerung Pannoniens. An diese Unt. schloß sich zunehmend die methodologische Reflexion – oft auf einzelne Quellengattungen bezogen – an. Insbes. die Qualität der aus epigraphischem Material gezogenen Schlußfolgerungen wurde mehrfach diskutiert [9. 38]. Diese Methodendiskussion wirkt dann auf die umfangreiche Darstellung von P. A. Brunt zu Rom [6] und die nachfolgenden Arbeiten zu Griechenland, aufgrund der Quellenlage bes. zu Athen [45; 10; 27].

2. DAS INSTRUMENTARIUM DER MODERNEN DEMOGRAPHIE ALS ARBEITSGRUNDLAGE

Unter dem Einfluß der Entwicklung der mod. und der histor. Demographie [32] hat das Bemühen um die Bestimmung der als Grundfaktoren der Bevölkerungsentwicklung betrachteten Sterbe- und Fruchtbarkeitsrate in Verbindung mit dem Heiratsalter und der Altersstruktur nach 1945 derart zugenommen, daß eine von diesen Fragen losgelöste quellenkritische Unt. heute kaum mehr möglich erscheint [30. 1]. Hierzu gehören auch Unt. über die Möglichkeiten und Anwendungshäufigkeit von Verhütung, der Häufigkeit und Intensität von Krankheiten und Seuchen [26], den Wandel von Moralvorstellungen und auch über Migrationen [5]. Verstärktes Interesse galt in jüngerer Zeit auch der Auswertung arch. Befunde, insbes. von Gräbern, wobei anthropologisch-naturwiss. Methoden zunehmend Anwendung finden. Die Verbindung mit der Paläodemographie ist hierbei sehr eng [50; 41; 18]. Die so gewonnenen Ergebnisse unterliegen bewußter als früher der Kontrolle durch verbesserte Berechnungen der möglichen landwirtschaftlichen Erträge (*carrying capacity*), aber auch durch den Blick auf mögliche Analogiefälle aus nicht-ant. oder der Ethnologie zugerechneten Kulturen. Die Verwendung von Modellsterbetafeln spielt hierbei eine bes. Rolle [23; 43]. Diesen Bemühungen parallel ging und geht die methodische Reflexion über die Berechtigung der Anwendung des an der Analyse nicht-ant. und mod. Bevölkerungen gewonnenen Instrumentariums [11; 43; 55].

3. DEMOGRAPHIE ALS TEIL DER ÖKOLOGIE

Die Vernetzung der in Verbindung mit der Demographie zu erwägenden Fragen und Probleme von der Paläodemographie bis zur mod. Epidemiologie hat zum deutlichen Bewußtsein geführt, daß demographische Erkenntnisse nicht mehr allein aus der Analyse der ant. Quellen gewonnen werden können, aber v. a. nicht ohne die Aufhebung der angeblich existierenden Trennung zw. Geistes- und Naturwiss. möglich sind. R. Sallares [47] hat – von älteren Ansätzen ausgehend – einen derartigen groß angelegten Versuch gestartet, der zwar in Einzelheiten vielfach kritisierbar ist und kritisiert wurde. Ein Zurückgehen hinter diese methodische Position erscheint aber kaum mehr möglich, wenn auch ihr Anspruch nicht leicht einzulösen sein wird. W. Scheidel [48. 49] ging jüngst insofern noch einen Schritt weiter, als er die Einbindung der zentralen demographischen Fragestellungen in die Soziobiologie forderte und selbst schon Beispiele für derartige Unt. vorgelegt hat.

→ Aristotelismus; Bücher-Meyer-Kontroverse; Tacitismus
→ AWI Bevölkerung/Bevölkerungsgeschichte

1 R. S. BAGNALL, B. W. FRIER, The demography of Roman Egypt, 1994 2 J. BELOCH, Die Bevölkerung der griech.-röm. Welt, Leipzig 1886 3 R. BICHLER, Von der Insel der Seligen zu Platons Staat. Gesch. der ant. Utopie, Teil 1, 1995 4 H. BIRG (Hrsg.), Ursprünge der Demographie in Deutschland. Leben und Werk Johann Peter Süßmilchs, 1986 5 H. BRAUNERT, Die Binnenwanderung. Stud. zur Sozialgesch. Ägyptens in der Ptolemäer- und Kaiserzeit, 1964 6 P. A. BRUNT, Italian Manpower 225 B. C.-A. D. 14, 1971 7 G. CAMBIANO, La Grecia antica era molto popolata? Un dibattito nel XVIII secolo, in: Quaderni di storia 10/20, 1984, 3–42 8 K. CHRIST, Röm. Gesch. und Dt. Geschichtswiss., 1982 9 M. CLAUSS, Probleme der Lebensalterstatistiken aufgrund röm. Grabinschr., in: Chiron 3, 1973, 395–417 10 J.-N. CORVISIER, Aux origines du miracle grec. Peuplement et population en Grèce du nord, 1991 11 Ders., La démographie historique est-elle applicable à l'histoire grecque?, in: Annales de démographie historique 1980, 161–184 12 W. DAHLHEIM, B. – Die Herausforderung einer sozialwiss. Disziplin an die Althistorie, in: Ders., W. SCHULLER, J. v. UNGERN-STERNBERG (Hrsg.), FS Robert Werner, 1989, 291–321 13 H. DELBRÜCK, Gesch. der Kriegskunst, Bd. 1, Berlin 1920 (Ndr. 1964) 14 DEMANDT 15 M. DE ODORICO, The Use of Numbers and Quantifications in the Assyrian Royal Inscriptions, 1995 16 H. DREITZEL, Der Aristotelismus in der polit. Philos. Deutschlands im 17. Jh., in: E. KESSLER, CH. LOHR, W. SPARN (Hrsg.), Aristotelismus und Ren., 1988, 163–192 17 A. DREIZEHNTER, Die rhet. Zahl, 1978 18 U. DRENHAUS, Paläodemographie, ihre Aufgaben, Grundlagen und Methoden, in: Zschr. für B. 3, 1977, 3–40 19 L. ELSTER, Bevölkerungslehre und Bevölkerungspolitik, Hdb. der Staatswiss., Bd. 2, ³1909, 926–1002 20 D. FEHLING, Herodotus and his »Sources«, 1989 21 M. FINLEY, Die Sklaverei in der Ant., 1981 22 L. GALLO, Beloch e la demografia antica, in: L. POLVERINI (Hrsg.), Aspetti della storiografia di Giulio Beloch, 1990, 113–158 23 B. FRIER, Roman Life Expectancy: Ulpian's Evidence, in: Harvard Stud. in Classical Philology 86, 1982, 213–251 24 D. GLASS, The Population Controversy in Eighteenth Century England, in: Population Stud. 6, 1952, 69–91 25 H. GRASSL, Sozialökonomische Vorstellungen in der kaiserzeitlichen griech. Lit., 1982 26 M. D. GRMEK, Diseases in the Ancient Greek World, 1989 27 M. H. HANSEN, Demography and Democracy. The Number of Athenian Citizens in the Fourth Century B. C., 1986 28 P. M. HAUSER, O. D. DUNCAN (Hrsg.), The Study of Population. An Inventory and Appraisal, 1959 29 J. HECHT (Hrsg.), Johann Peter Süßmilch (1707-1767). »L'ordre divin« aux origines de la démographie, Bd. 1, 1979 30 F. HINARD (Hrsg.): La mort, les morts et l'au-delà dans le monde romain. Actes du colloque de Caen 20–22 novembre 1985, 1987 31 E. P. HUTCHINSON, The Population Debate, 1967 32 A. E. IMHOF, Einführung in die Histor. Demographie, 1977 33 O. JOLLES, Die Ansichten der dt. nationalökonomischen Schriftsteller des 16. und 17. Jh. über Bevölkerungswesen, in: Jbb. für Nationalökonomie und Statistik, 13, 1886, 193–224 34 U. KAHRSTEDT, Die Bevölkerung des Alt., in: HWB der Staats-Wiss., Bd. 2,

⁴1924, 655–671 **35** V. LOSEMANN, Nationalsozialismus und Ant., 1977 **36** A. A. LUND, Zum Germanenbild der Römer, 1990 **37** R. MACKENSEN, L. THILL-THOUET, U. STARK (Hrsg.), Bevölkerungsentwicklung und Bevölkerungstheorie in Gesch. und Gegenwart, 1989 **38** F. G. MAIER, Röm. Bevölkerungsgeschichte und Inschriftenstatistik, in: Historia 2, 1953/54, 318–351 **39** ED. MEYER, Die Bevölkerung des Alt., HWB der Staats-Wiss., Bd. 3, ³1909, 898–913 **40** P. MOMBERT, Die Anschauungen des 17. und 18. Jh. über die Abnahme der Bevölkerung, in: Jbb. für Nationalökonomie und Statistik 80, 1931, 481–503 **41** I. MORRIS, Burial and Ancient Society: the Rise of the Greek City State, 1987 **42** P. NEURATH, Die Frühgesch. der Demographie vor Malthus, in: Jbb. für Nationalökonomie und Statistik 208, 1991, 505–524 **43** T. G. PARKIN, Demography and Roman Society, 1992 **44** H. W. PLEKET, s. v. Wirtschaft, in: VITTINGHOFF 25–160 **45** E. RUSCHENBUSCH, Unt. zu Staat und Politik in Griechenland vom 7.–4. Jh. v. Chr., 1978 **46** P. SALMON, Population et dépopulation dans l'Empire romain, 1974 **47** R. SALLARES, The Ecology of the Ancient Greek World, 1991 **48** W. SCHEIDEL, Die biologische Dimension der Alten Gesch., in: Tyche 11, 1996, 209–222 **49** Ders., Measuring Sex, Age and Death in the Roman Empire: Exploration in Ancient Demography, 1996 **50** A. M. SNODGRASS, Archaeology and the Rise of the Greek State, 1977 **51** J. J. SPENGLER, French Predecessors of Malthus, 1942, Ndr. 1965 (frz.: Economie et population. Les doctrines françaises avant 1800, 1954) **52** CH. E. STANGELAND, Pre-Malthusian Doctrines of Population, 1904 (Ndr. 1967) **53** M. STOLLEIS, (Hrsg.), Hermann Conring (1606–1681). Beitr. zu Leben und Werk, 1983 **54** W. SUDER, Census Populi. Bibliogr. de la démographie de l'antiquité romaine, 1988 **55** L. WIERSCHOWSKI, Die histor. Demographie – ein Schlüssel zur Gesch.? Bevölkerungsrückgang und Krise des Röm. Reiches im 3. Jh. n. Chr., in: Klio 76, 1994, 355–380.

CHRISTOPH ULF

Bibel s. Theologie und Kirche des Christentums

Bibliotheca Corviniana. Die B. C., gegr. im Schloß von König Mathias I. (Corvinus; 1458–1490) in Buda (h. ein Teil von Budapest), war zu ihrer Zeit nach der Bibliotheca Vaticana die zweitgrößte und -wertvollste fürstliche Humanistenbibliothek. Der König strebte an, die wertvolle Lit., hauptsächlich die Klassiker des Alt., darunter mit bes. Berücksichtigung auch die griech. Autoren, möglichst vollständig zu sammeln. Diese griech.-lat. Zweiheit war ein Charakteristikum der Bibl. Um den wertvollen Inhalt in eine entsprechende Form zu kleiden, beschäftigte der König, bes. in der zweiten H. seiner Regierungszeit, die besten it., hauptsächlich florentinischen Scriptoren und Illustratoren, richtete aber auch in seinem Schloß in Buda eine Werkstatt ein, die Bücher herstellte und deren Niveau um nichts hinter dem der it. zurückblieb. Die Zahl der Codices kann etwa auf 2000–2500 geschätzt werden. Der Untergang erfolgte 1526, als Sultan Suleiman, der nach der Schlacht bei Mohács zunächst vorübergehend Buda eroberte, als Beute mit anderen Schätzen auch die Bibl. nach Istanbul verschleppte, wo sie während der folgenden Jh. mit

Ausnahme von wenigen Stücken zugrunde ging. Das noch Vorhandene gab Sultan Abdul Hamid II. am Ende des 19. Jh. zurück. Daß nur etwa ein Zehntel des ehemaligen Bestandes erh. geblieben war, ist darauf zurückzuführen, daß unter den schwachen Nachfolgern von König Mathias ausländische Humanisten, bes. kaiserliche Gesandte, viele Codices erworben und mitgenommen haben. Die h. bekannten authentischen Codices der B. C. sind in 51 Bibl. von 43 Städten zerstreut.
→ Bibliothek; Humanismus; Kodikologie; Scriptorium; Ungarn

1 Cs. CSAPODI, The Corvinian Library. History and Stock, Budapest 1973 **2** Ders., K. CSAPODI-GÁRDONYI, B. C., 3. neubearb. dt. Ausg., Budapest 1982 (wesentlich erweiterte 4. Ausg. nur ungarisch: Budapest 1990).

CSABA CSAPODI

Bibliothek
A. SPÄTANTIKE UND FRÜHES MITTELALTER
B. HOHES UND SPÄTES MITTELALTER
C. HUMANISMUS   D. REFORMATION
E. BAROCK   F. 18. JAHRHUNDERT
G. 19. JAHRHUNDERT   H. 1870 UND SPÄTER

A. SPÄTANTIKE UND FRÜHES MITTELALTER:
1. WESTEN

Schon in der Spät-Ant. erfuhren die noch bestehenden öffentlichen und privaten B. in Rom eine Ergänzung durch die neu entstehenden kirchlichen B. Die christl. Gemeinden verfügten neben den für die Gottesdienst benötigten Büchern bald auch über Archivalien aus dem Gemeindeleben (Bischofslisten, Kalender, Synodalbeschlüsse, Märtyrerakten und Briefwechsel). Die wichtigsten Zentren in den großstädtischen Gemeinden richteten wohl bereits zu Beginn des 3. Jh. theologische B. ein. Zu nennen sind hier neben Rom (vgl. Eusebios HE 6,20) v. a. Alexandreia (mit leistungsfähiger Hochschule und Schreibwerkstatt), Jerusalem und das palästinensische Caesarea, die Gründung des Origenes [7]. Die B. von Caesarea hat für die christl. Lit. eine ähnliche Bed. wie das alexandrinische Museion für die ant. Ihr verdanken wir die systematische Bewahrung der älteren christl. Schriften und die sorgfältige Erstellung von Texten der LXX und des NT. In Rom wurden päpstliches Archiv und B. zunächst in S. Lorenzo in Damaso, später im Lateranspalast aufbewahrt. Die Sammlung muß bereits in der Zeit des Hieronymus sehr umfangreich gewesen sein (vgl. epist. 48,3). Auch die Peterskirche und andere Basiliken verfügten schon früh über B. (vgl. z. B. ein Epigramm des Paulinus v. Nola über das Lesen in der von ihm erbauten Kirche, epist. 32,13; 16). Nach dem E. des weström. Reiches fehlte dem Westen ein kulturelles Zentrum. Die Hauptrolle bei der Bewahrung und Weitergabe von Lit. übernahmen deshalb nach und nach neben dem Episkopat die Kloster-B. Das von M. Aurelius Cassiodorus ca. 540 gegr. Kloster Vivarium (zuletzt erwähnt 598) wirkte vorbildhaft. Die Schreibermönche hatten sich nach genauen Vorschriften beim Abschreiben und Verbessern nicht nur der Hl. Schrift und theologischer Autoren, sondern auch profaner Texte zu richten. Obwohl die *Regula Benedicti* zunächst keine Pflege der Hss., sondern nur die Lektüre vorsieht, ist also davon auszugehen, daß auch die benediktinischen Klöster bereits im 6. Jh. und in der Folge die anderen Orden in ihren Kloster-B. und angeschlossenen Skriptorien zur Tradierung der ant. Lit. beitrugen. In It. sind v. a. Bobbio (gegr. 614) und das Severinus-Kloster in Castellum sowie als bedeutende B. an einem Bischofssitz Verona zu nennen. Bobbio kann als Beispiel dienen, daß nicht nur bedeutende Hss. geschaffen werden (etwa der *Vergilius Mediceus* oder die verlorene, im Katalog des 9. Jh. verzeichnete Hs. der *Partitiones* und *Topica* Ciceros), sondern auch schon früh Palimpseste angefertigt werden; so wird im 7. Jh. der Psalmenkomm. des Augustinus über den Text von Cicero rep. geschrieben (Vaticanus Latinus 5757). Die Kloster-B. in Afrika, bes. die in Hippo von Augustin geschaffene (Aug. De haeresibus 88), und die in Spanien (vgl. z. B. zur bischöflichen B. von Saragossa Isidor, Etymologiae 6,3–6) sowie im Frankenreich verloren im frühen MA bereits wieder an Bed. Dagegen wuchsen die B. der von Aquitanien aus gegr. Klöster auf den britischen Inseln, zunächst in → Irland (Kells und Bangor), dann in Schottland und England rasch an. Am wichtigsten waren hier Lindisfarne, Canterbury (gegr. 596, unter dem Erzbischof Theodoros v. Tarsos 698 durch it. Bestände bedeutend erweitert) und das Doppelkloster Wearmouth und Jarrow (674, bzw. 681), wo Beda Venerabilis († 735) wirkte, etwas später York, die Wirkungsstätte Alkuins [32]. Die irische und angelsächsische Mission führte dann seit dem späten 6. Jh. zu den Gründungen von Luxeuil (590), Corbie (660), St. Gallen (612) und Fulda (744). Auch die Mainzer B. verdankt Bonifatius († 754) und Lullus († 786) bedeutende Zuwächse.

2. OSTEN

Die byz. B. erlebten gegenüber dem durch die polit. Wirren gekennzeichneten Geschehen im Westen eine Sonderentwicklung [31]. Die kaiserliche B. von Konstantinopel basierte auf der Gründung des Constantius im J. 356; Julian erweiterte den Bestand und ließ ein eigenes Gebäude errichten. Da die B. organisatorisch mit der Hochschule verbunden war, umfaßten ihre Bestände von der Gründung an die Fächer Gramm., Rhet. und Philos., spätestens seit Theodosios II. (425) kam die Rechtswiss. hinzu. Trotz mehrerer Brände (in den J. 475 und 726) spielte sie, v. a. auch durch die planmäßige Transkription aus Papyrusrollen in Codices, eine wichtige Rolle bei der Überlieferung der klass. griech. Lit. Sie hörte mit der Eroberung Konstantinopels durch Mehmed II. (1453) auf zu bestehen. Der verlorene Bestand der christl. B. im Osten wurde nach den Verfolgungen durch Diokletian systematisch wieder aufgebaut. Die B. des Patriarchen von Konstantinopel nahm bald die führende Stellung ein, namentlich, was die Sammlung häretischer Lit. betraf. Sie bestand mit der orthodoxen Kirche auch unter der Türkenherrschaft

weiter. Die Kloster-B. wurden erst seit dem 8. Jh. für die Herstellung und Bewahrung von Mss. bedeutsam. Hier sind neben dem Studioskloster in Konstantinopel, wo seit 789 Abt Theodoros wirkte, das von Kaiser Justinian gegr. Katharinenkloster am Sinai, die Klöster auf Athos sowie Zypern, Patmos und Mistra zu nennen. Für ihre Bed. legen nicht nur die noch erh. Hss., sondern z. T. auch alte B.-Kat. Zeugnis ab. Bed. für die Überlieferung haben auch die Privat-B. berühmter Gelehrter wie Photios und Tzetzes, im westl. Bereich die B. des Tertullian, Hieronymus und Origenes.

B. HOHES UND SPÄTES MITTELALTER
1. KLOSTERBIBLIOTHEKEN

Während die Palast-B. Karls des Gr. zwar für die Überlieferungsgeschichte durch die Anfertigung von fehlerfreien Normalexemplaren große Bed. hatte, aber nach seinem Tod nicht mehr lange bestand [2], erlebten die B. an Bischofssitzen und die Kloster-B. mit ihren → Skriptorien, v. a. in Deutschland und Frankreich bis zum Beginn des 13. Jh. ihre Hauptblüte. Unter den Dom-B. sind Köln, Mainz, Trier, Münster und Würzburg zu nennen. Der Schwerpunkt des Klosterbibliothekswesens lag in Westdeutschland. Die jetzt erstmals auftauchenden Bücherinventare geben Aufschluß über den Inhalt der Sammlungen z. B. von St. Gallen (880, 362 Einträge), der Reichenau (um 840) und des Klosters Lorsch (drei Kataloge) [19]. Von der im Dreißigjährigen Krieg zerstörten B. in Fulda zeugen vier erh. Kat. des 16. Jh.; Schwerpunkt war hier die Abschrift der ant. Autoren. Fulda spielt z. B. in der komplizierten Überlieferung des Servius eine wichtige Rolle. In ottonischer Zeit erlebten die Wiss. und damit auch die B. einen neuen Aufschwung; Neugründungen dieser Epoche waren Tegernsee, St. Emmeram in Regensburg, die Dom-B. in Hildesheim und Korvey. Bes. produktiv war im 9. und 10. Jh. in It. die Kapitel-B. von Verona. Sie bewahrte z. B. nicht nur den Palimpsest der ersten Dekade des Livius (Veronensis XL, überschrieben mit den *Moralia* des Gregor), sondern dort entstand auch der für die Textherstellung wichtige Codex M (vor 968, Laur. 63.19). Die bedeutendste frz. Schreibstube des 9. Jh. war das Kloster Tours (853 durch die Normannen zerstört), das u. a. in der Überlieferung von Ciceros Reden eine wichtige Rolle spielte.

Aber auch Corbie, St. Denis, Reims und Lyon verfügten über große Bestände [10; 12]. In England erholte sich die durch die Wikingereinfälle darniederliegende Kultur. So entstand im 10. Jh. in der Kloster-B. Winchester wieder eine bedeutende Schreib- und Malschule, der wir u. a. eine Hs. der *Appendix Vergiliana* verdanken (jetzt Cambridge, Univ. library Kk. 5.34). Im 11. und 12. Jh. bewirkten die Klosterreformen eine Konzentration auf rein theologische Lit.; die Pflege und Sammlung profaner Lit. trat vorerst in den Hintergrund. Doch öffneten sich im 12. Jh. auch Cluny und Cîteaux den Wiss. Dem Kat. des 12. Jh. zufolge besaß Cluny zahlreiche Cicero-HSS. Neugründungen, die auch bibliothekarische Bed. erlangten, waren Odilienberg im

Elsaß und Hirsau, in Bayern Wessobrunn und Michelsberg bei Bamberg sowie die Neugründungen nach den Ungarneinfällen in Österreich, bes. durch die Augustiner Chorherren, Zisterzienser und Prämonstratenser. Melk (985), St. Florian (1071), Admont (1074) und Vorau (1163) können als Beispiele dienen [26]. In It. hatten die Basilianerklöster wie Grottaferrata (gegr. 1044) und Rossano ebenso wie die B. von Palermo, Messina und Syrakus bes. Bed. durch ihre Pflege der griech. Sprache und Lit., teils über das Arab. vermittelt. Ebenso war die arab. Kultur in Spanien, wo Cordoba im 10. Jh. über eine B. von 400000 Bänden verfügte, Vermittlerin für die griech. Philos., Medizin und die Naturwiss. In Toledo setzte nach der Rückeroberung durch die Spanier im J. 1085 eine ausgedehnte Übersetzertätigkeit ein [9].

2. UNIVERSITÄTSBIBLIOTHEKEN

Die kulturelle Hegemonie der geistlichen Orden ging im ausgehenden MA zurück; jetzt erhoben die Univ. den Anspruch, Wiss. und → Bildung zu vermitteln. Die Rechtsschule von Bologna stellte bereits im 12. Jh. eine Vorstufe dar; über die reichhaltigste Büchersammlung verfügte dann die Pariser Sorbonne (gegr. 1257), deren frühe Kat. zum erh. sind. Oxford und Cambridge besaßen ebenfalls bedeutende B., während die der dt. Univ. (Prag, Wien, Köln, Erfurt, Heidelberg) zunächst bescheideneren Ausmaßes waren. Zunächst gab es nur Büchereien der einzelnen Kollegien oder Nationen, die erst nach und nach durch Sammlungen der Fakultäten oder der Gesamtuniv. abgelöst wurden. Die Einrichtung dieser B. wurde vom Wissenschaftsbetrieb bestimmt. Bestand die Kloster-B. überwiegend aus Schränken, in denen die Hss. lagen (St. Galler Klosterplan von 820), wurden nun die Bücher angekettet auf Pulten untergebracht, teils liegend, bald auch in Kästen stehend. Ein erh. Beispiel ist die Bibliotheca Laurentiana in Florenz (s.u.). Regale an der Wand oder mehrere Regalreihen ermöglichten dann die Unterbringung größerer Bestände und sind Vorläufer des heutigen Magazinsystems [8].

3. FÜRSTENBIBLIOTHEKEN

Allmählich entstanden die ersten Fürsten-B. Friedrich II. († 1250) ließ in Neapel und Palermo große Sammlungen anlegen. Die Sammlung Ludwigs IX. von Frankreich wurde zwar nach seinem Tod auf mehrere Klöster verteilt. Trotzdem erlangte dann die B. des frz. Hauses Valois große Bed.: Karl V. ließ die Bestände 1367 im Louvre aufstellen. Der päpstliche Hof in Avignon, Karl IV. in Prag (1348–78), im 15. Jh. dann Philip der Gute und Karl der Kühne von Burgund und schließlich die Sammlung der Pfälzer Kurfürsten zeigen das zunehmende wiss. Interesse der Fürstenhäuser. Auch Privat-B. von Gelehrten, Adligen und Bürgern wurden seit dem 13. Jh. häufiger. Die Schrift des Richard de Fournival (1260), *Biblionomia*, und das *Philobiblon* des Richard de Bury (1287–1345) sind dafür lit. Zeugnisse. Der Verbreitung dieser B. neuen Typs stand der Niedergang der Kloster-B. gegenüber. Auch die mit der Reformbewegung in den Benediktinerklöstern des frühen 15. Jh.

verbundene Erneuerung von Skriptorien und B. konnte ihren allmählichen Verfall nicht aufhalten.

C. HUMANISMUS

Das wiedererwachte Interesse an der lat. Lit. führte zunächst in It. zu einer umfangreichen Sammeltätigkeit lat. Hss. Francesco Petrarcas († 1374) Pläne, die von ihm gesammelten Bücher in Venedig öffentlich aufzustellen, wurden nicht verwirklicht. Weitere bedeutende Sammler waren Giovanni Boccaccio († 1375), Coluccio Salutati († 1406), Francesco Poggio Bracciolini († 1459), der anläßlich des Konstanzer Konzils zahlreiche Hss. aus Kloster-B. nach It. brachte, der spätere Pius II. Aeneas Silvius Piccolomini († 1464), Niccolo Niccoli († 1437) in Florenz, und der spätere Nikolaus V., Tommaso Tarentucelli. Der Tätigkeit Poggios etwa verdanken wir Abschriften u. a. von Catull, zahlreicher Werke Ciceros, Valerius Flaccus, Silius Italicus, Calpurnius und Petronius. Die Fürstenhöfe von Urbino, die Sforza in Pavia (diese Sammlung gelangte später über Blois in die B. der Könige von Frankreich), die Visconti in Mailand, die Este in Ferrara, deren B. sich seit 1598 bis h. in Modena befindet [16], hatten jeweils umfangreiche Bestände; so berichtet ein Inventar von 1482 von 1120 Bänden in Urbino. Aus Privat-B. entwickelten sich, häufig unter Protektion des Fürsten, erstmals seit dem E. der Ant. öffentliche B. Aus den Kollegien-B. übernahm man generell das Pultsystem. Die älteste (gegr. 1441) öffentliche B. war die Markus-B. in Florenz, die auf den Beständen von Niccolo Niccoli aufbaute; es folgte die Laurenziana, deren bauliche Gestaltung schließlich im J. 1560 vollendet war. In Venedig bildete die Sammlung von 746 Bänden, darunter 482 griech., des Kardinals Bessarion († 1472) den Grundstock für eine öffentlich zugängliche B., die im 16. Jh. in einem eigenen Saal aufgestellt wurde. Die bedeutendste Ren.-B. war die päpstliche Sammlung in Rom. Bald nach dem E. des Schisma (1417) neu gegr., wuchs sie rasch an. Unter Sixtus IV. wurde sie der Öffentlickeit zugänglich gemacht. Diese Sammlungen und Bauten sicherten It. auch für die kommenden Jh. die Vorrangstellung. Der sich im 15. Jh. weiter ausbreitende Human. schlug sich aber auch in der Zusammensetzung der Privat-B. dt. Gelehrter nieder. Zentren waren Basel, Nürnberg, wo die Sammler H. Schedel († 1514) und W. Pirckheimer († 1530) wirkten, und Augsburg mit den großen B. K. Peutingers. Sind die meisten human. Büchereien in anderen Sammlungen aufgegangen (so Reuchlin, Hutten), ist die B. des Beatus Rhenanus († 1547) in Schlettstadt vollständig erh. Auch wohlhabende Bürger begannen jetzt und namentlich im 16. Jh. Bücher zu sammeln.

Die Kloster-B. erlebten im 15. Jh. eine Phase der Erholung. So erweiterten St. Gallen und Tegernsee (am E. des 15. Jh. an die 2000 Bände) ihre Bestände, die Kartäuser-B. von Basel und Mainz übertrafen sie noch. Ebenso umfangreich und wegen des Bestandes an griech. und auch hebräischen Hss. bemerkenswert war Kloster Sponheim (gegr. 1124). Der *Liber de scriptoribus ecclesiasticis* seines Abtes Johannes Trithemius († 1516) kann als eine Art Literaturgeschichte anhand der Bestände der B. gelten. Die engl. Franziskaner-B. entwickelten nun Sammelverzeichnisse, die den mod. Gesamtkat. schon recht nahe kommen (z. B. in Bury St. Edmunds von 1410). Starken Aufschwung nahmen die fürstlichen Sammlungen. Am umfangreichsten war in Deutschland die Sammlung des Kurfürsten Ludwig III. von der Pfalz (+1436), die den Kern der Bibliotheca Palatina bildet. Aber auch Kaiser Maximilian I. wandte hohe Summen für die Sammlungen in Wien und Innsbruck auf, mit deren Betreuung Konrad Celtis beauftragt war. Der Hof in Burgund und seit Ludwig XII. auch das frz. Königshaus unterhielten umfangreiche B. Zunächst breitete sich die gewerbsmäßige Vervielfältigung von Hss. noch weiter aus; mit der Erfindung und Verbreitung des Buchdrucks verschwand zu Beginn der frühen Neuzeit die organisatorische Einheit von Buchproduktion und -aufbewahrung vollends. Die gedruckten Bücher dienten allerdings zunächst vorrangig der Information und drangen nur langsam in die B. ein; als Sammelgegenstand blieb die Hs. noch lange bevorzugt. Jedoch bewirkte das Anwachsen der Auflagenzahlen einen grundlegenden Wandel auch im B.-Wesen.

D. REFORMATION

Zu den bis dahin ausgeprägten B.-Typen kamen im Zeitalter der Reformation neue Institutionen. Die Reformatoren machten die Laienbildung, das öffentliche Schulwesen und die Förderung öffentlicher, städtischer Büchereien zu ihren Zielen. So bildeten die Kloster-B., die der Vernichtung oder Plünderung entgingen, häufig den Grundstock für neue Stadt- oder Landes-B. oder andere an Kirchen und Hochschulen zugängliche Bestände. Zu ersteren gehörten Magedeburg (1525), Hamburg (1529, h. Staats- und Univ.-B.), Straßburg (1521) und Augsburg (1532, gedruckter Kat. von 1575), Königsberg (1541), Danzig (1596) und Lübeck (1616). Büchersammlungen evangelischer Kirchen und Geistlicher wurden in den Kirchenordnungen ausdrücklich gefordert. Sie entstanden in meist kleinerem Umfang in großer Zahl und nahmen häufig ebenfalls Bestände aufgehobener Kloster-B. auf. Ebenso wurden seit dem 16. Jh. etwa 40 Schul-B. gegr. Viele dieser Gründungen gingen auf Bestrebungen Melanchthons zurück. Als Beispiel wären die Schulen von Meißen und Zwickau zu nennen, später kamen im Zusammenhang mit dem Pietismus Halle und Zeitz dazu und die Landesschulen Pforta, Grimma, Joachimsthal. Die Trennung zw. Stadt- und Schul-B. war nicht immer streng durchgeführt.

Die Katholischen Ordens- und Kloster-B. dagegen spielten als Bildungszentren keine Rolle mehr, bis die Jesuitenkollegien, z. B. in Ingolstadt, Würzburg und Prag, eigene Sammlungen einrichteten und betreuten. Im Zuge der Reformation wurden auch mehrere Univ. (Wittenberg, Marburg, Königsberg, Jena, Helmstedt und Gießen) gegr., die teils eigene B. erhielten, teils mit den Beständen der Schloß-B. arbeiteten (Wittenberg, Königsberg, auch Heidelberg). Die landesfürstlichen B.,

auf Privatsammlungen basierend, wurden nun allmählich zu den wichtigsten öffentlichen B., teils durch ihre Überführung und Vereinigung mit anderen Beständen, wie die Bibliotheca Palatina, die nun die Sammlungen des Kurfürsten Ottheinrich († 1559) und die Sammlung Ulrich Fuggers mit der Universitäts-B. vereinte, teils selbständig bleibend, wie die Herzogliche B. in München, seit 1558 bestehend und h. Bayerische Staats-B. Hier wurden planmäßig Hss. erworben (Johann Jakob Fugger), in einem bes. Gebäudeteil der Residenz untergebacht und früh katalogmäßig erschlossen (1602 Kat. der griech. Mss.). Wien, Dresden, die ältere Wolfenbütteler Sammlung und Kassel sind andere Beispiele. Auch private B. der Humanisten und des städtischen Patriziats gewannen an Bed. Allerdings war die Vorrangstellung des dt. B.-Wesens, die auch im Buchhandel und in der Bibliogr. erkennbar war, nach dem Dreißigjährigen Krieg zu Ende.

E. BAROCK

In den romanischen Ländern, v. a. in Spanien und Frankreich, entwickelte sich zeitgleich der Typus der Barock-B. Eigens geschaffene Saal-B. dienten der repräsentativen Aufstellung der fürstlichen Sammlungen, die jetzt häufig unter Leitung von hauptamtlichen Bibliothekaren standen, wie z. B. G. W. Leibniz und G. Naudé, dem eines der ersten bibliothekstheoretischen Werke zu verdanken ist (*Advis pour dresser une bibliothèque*, 1627). Aufschluß über die Bestände geben nicht nur die Kat., sondern auch die Berichte über B.-Reisen (z. B. Z. C. von Uffenbach, 1753). In Frankreich wirkten sich planmäßige Pflege der Wiss. (Gründung der Académie Française 1635, der Académie des sciences 1666) und Begründung der Geschichtsforsch. (z. B. 1643: *Acta sanctorum*) sowie das Entstehen lit. und wiss. Zeitschriften auch im B.-Wesen aus. Die Bibliothèque Royale (h. Bibliothèque Nationale) war schon 1518 auf der Grundlage der Haus-B. von François I in Fontainebleau gegr. und 1534 durch die Bestände aus Blois erweitert worden. Die Sammlung war bald öffentlich zugänglich, seit 1537 bestand Zwang zur Ablieferung von Pflichtexemplaren und gleichzeitig Schutz der Zensurbehörde. Unter Charles IX (1560–74) übersiedelte sie nach Paris. 1622 gab es den ersten Kat. Seit dem Vermächtnis von J. Du Puy († 1656) wurde die Sammlung über die Hss. hinaus auf Bücher ausgedehnt und 1675 neu aufgestellt. Die erste öffentliche B. Frankreichs gründete Kardinal Mazarin 1643 nach dem Muster der B. Bodleiana und Ambrosiana (s. u.). Sie umfaßte um 1650 40000 Bände und stand unter der Leitung von G. Naudé. Die Vertreibung Mazarins und der Weggang des Bibliothekars Naudé verursachten zwischenzeitlich die Zerstreuung der Bestände und Unterbrechung bis 1691. Sie existiert bis h. (350000 Bde.).

In England wurde 1602 die Univ.-B. Oxford durch Thomas Bodley in den alten Räumlichkeiten wieder begründet. Sie war die erste öffentliche B. Englands. Zuwächse erhielt sie durch Freiexemplare und wurde im Laufe des Jh. mehrfach ausgebaut, allmählich auch nach dem stall-Prinzip. 1605 erschien der erste gedruckte Kat. Durch Schenkungen wie z. B. die der Sammlung griech. und oriental. Mss. von John Selden war sie am E. des 17. Jh. eine der reichsten Sammlungen Europas. It. erlebte die kontinuierliche Überleitung der human. Kultur in die Barockkultur. Die B. standen im 17. und 18. Jh. auf dem Höhepunkt ihrer Geschichte. Auch der B.-Bau war vorbildlich; im 16. Jh. herrschte noch das Pultsystem vor (B. Laurenziana im Auftrag Clemens VII. seit 1525, eröffnet 1571), dann die Saal-B., z. B. die Vaticana (1587/9 von Fontana unter Sixtus V. errichtet [25]). Die Vaticana war die bedeutendste it. B., nicht zuletzt durch Einverleibungen wie die der Palatina (3500 Codices und 5000 Drucke, 850 meist alt-dt. Hss. kamen 1815/6 zurück nach Heidelberg) und der B. von Urbino (*codices Urbinati*) sowie des Nachlasses der Königin Christine von Schweden († 1689: B. regia oder Alexandrina). Die B. Ambrosiana wurde 1602 in Mailand begründet, sie erhielt ein bes. Gebäude und war zugleich Forschungsstätte mit Wissenschaftlerkollegium, Kunstsammlung und Druckerei. Nennenswert sind auch die Univ.-B. von Bologna und Padua und die B. Angelica (1614) und Alessandrina (1661, heute Univ.-B.) in Rom. Auch in anderen Staaten ging die Entwicklung voran. Bedeutende B. entstanden in der Schweiz [24], in den nordischen Staaten [11;18], in den osteurop. Ländern [1; 20; 22] und in Nordamerika (zunächst Harvard 1638, dann weitere im 18. Jh.) [21]. Wichtigste dt. Neugründung des 17. Jh., das sonst durch den Dreißigjährigen Krieg und die Kriege Ludwigs des XIV. eher eine Zeit des Niedergangs war, ist in Wolfenbüttel die B. Augusta (1604) durch August den Jüngeren von Braunschweig-Wolfenbüttel. Als er 1666 starb, umfaßte sie schon 28000 Bde. und war täglich dem Publikum geöffnet. Privat-B. fehlten jetzt fast ganz, weil das Bürgertum verarmt war. Dafür nahmen die fürstlichen B. zu, während die Univ.-B. noch in ma. Strukturen verhaftet blieben.

F. 18. JAHRHUNDERT

Im Zuge der → Aufklärung gelangte auch eine neue Wissenschaftsorganisation über England nach Frankreich und Deutschland. Charakteristisch dafür war die Gründung von → Akademien (nach Paris auch Berlin und St. Petersburg) und das Zeitschriftenwesen. Daß im Zeitalter des Absolutismus die fürstlichen B. den Vorrang in der Entwicklung hatten, überrascht nicht. Aber es gab nun auch wieder bedeutende Privat-B. Frankreich hatte die führende Rolle in der Urkundenlehre und Handschriftenkunde. Die B. Royale sammelte nun auch Kupferstiche und Münzen. Die Sammlung des Marquis de Paulmy († 1787) wurde nach der Revolution zum Grundstock der Arsenal-B. (h. ca 1,5 Mio. Bde). In England gab es bisher noch keine National-B. und wenige Regional-B. Diese Lücke wurde erst durch Gründung des Britischen Mus. geschlossen. 1693 schlug R. Bentley, Leiter der Haus-B. des Königs, die Gründung einer National-B. vor. Es kam zu bedeutenden Ankäufen (darunter 1753 die B. von Robert Harley),

1759 wurde das Britische Mus. eröffnet. Die B. verfügte noch nicht über einen festen Etat, sondern erweiterte sich durch Geschenke, Pflichtexemplare und Tausch. Bis E. des 18. Jh. hatte sie 100000 Bde. und war damit kleiner als Oxford (h. ca. 8,8 Mio.). Die Subscription Libraries waren Bildungs-B., sie standen zw. den wiss. und öffentlichen B. (Liverpool, Bristol). Ihnen entsprachen in Deutschland die Lesegesellschaften. In It. blühten im 18. Jh. unter dem Einfluß der Mauriner die histor. Studien auf. A. M. Bandini fertigte einen Hss.-Kat. für die Laurenziana an. Einer der bedeutenden Sammler und Bibliothekare war A. Magliabechi († 1714 in Florenz). Wichtige B.-Stiftungen und Neubauten trugen zur Fortentwicklung der B. bei; 14 der h. noch vorhandenen staatlichen B. wurden im 18. Jh. gegr. (z. B. Magliabechiana 1714 in Florenz, Brera 1770 in Mailand), die großen Univ.-B. alle vor 1815 (Turin, Pisa, Pavia). In Spanien stand die spätere National-B., 1712 als Biblioteca Real von Philipp V. gegr., erst unter Einfluß der Jesuiten und wurde unter Karl III. (mit Druckerei) zum kulturellen Mittelpunkt. Über die dt. B. des 18. Jh. sind wir unterrichtet durch F. C. G. Hirsching [13]. Die Privat-B. hatten große Bed. Manche der Fürsten- und Privat-B. standen jetzt unter der Leitung haupt- oder nebenamtlicher Bibliothekare. Bekannte Namen sind J. M. Francke (Dresden), J. M. Gesner und Ch. G. Heyne (Göttingen), A. F. von Oefele (München), F. S. Rautenstrauch (Wien) und natürlich G. E. Lessing (1770–81 in Wolfenbüttel). G. W. Leibniz († 1716, seit 1676 Bibliothekar in Herrenhausen und Hannover) stellte theoretische Überlegungen zu den Aufgaben einer B. an. Seine Ideen für die mod. wiss. Gebrauchs-B. wurden zuerst in der Univ.-B. Göttingen verwirklicht. Der Benutzungszweck, nicht Repräsentation stand hier bei der Organisation im Vordergrund. 1737 eingerichtet, erhielt sie einen festen Etat. Systematische Anschaffung, regelmäßige Besprechung der Neuzugänge (Göttingischer Gelehrter Anzeiger), liberale Benutzungsbestimmungen, musterhafte Kat. (auch ein Real-Kat.) und der Zusammenhang zw. Aufstellung und Kat. durch die Signaturen machten sie bis 1800, als sie ca. 150000 Bde. zählte, für die mod. Lit. zur bedeutendsten B. Europas. Andere B. erhielten immerhin allmählich Kat. ihrer Bestände oder doch der Hss. (ab 1704 Wien, 1818 München, um 1860 Dresden). Die Kloster-B. erlebten in Süddeutschland ihre letzte Blütezeit; in Österreich dagegen war es schon vor der Säkularisation zu Klosteraufhebungen gekommen, unter Maria Theresia zur Aufhebung des Jesuitenordens (1773), es folgten 1782 die Maßnahmen Josephs II. Die Buchbestände von 1300 Klöstern sind v. a. nach Wien, Freiburg/Breisgau und Graz gelangt.

G. 19. JAHRHUNDERT

Grundlegende Veränderungen in den Besitzverhältnissen des öffentlichen und privaten B.-Guts gingen vor sich aufgrund der Aufhebung zahlreicher Univ., der Nationalisierung des Bücherbesitzes in Frankreich, der napoleonischen Kriege und der Säkularisation der geistlichen Besitztümer. Trotz vieler Verluste wurden doch die wertvollen Hss. und Inkunabeln meist gerettet. In Frankreich gelangten 1789 die Kirchengüter, 1792 die B. der adligen Emigranten in Sammelmagazine (*Dépots littéraires*). Die beabsichtigte Dezentralisierung fand jedoch nicht statt, im Gegenteil kam es zu einer entschiedenen Zentralisierung in Paris. Hier waren National-B. und B. des Louvre (1871 zerstört) am wichtigsten. Die Hss. aus St. Germain-des-Prés und St. Victor kamen ebenfalls dorthin, teilweise verblieben auch die von Napoleon erbeuteten Bestände dort (um 1830 460000 Bde. Druckschriften und 80000 Hss.). Die Wiss. im Deutschland des 19. Jh. war geprägt durch Quellenforsch. und große wiss. Gemeinschaftsunternehmungen. Dabei spielten die B. eine wichtige Rolle. Die lit. und wiss. Produktion stieg erheblich an, die Ablieferungspflicht wurde ausgedehnt. Die Univ.-B. gewannen nebst den Landes-B. an Bed. Beschlagnahmungen während der frz. Invasion trafen v.a. das Rheinland (Köln, Metz, Trier, Mainz; außerdem auch Nürnburg, Salzburg, Wien, Wolfenbüttel). Verluste entstanden auch durch Evakuierung, z.B. geriet die Kurfürstliche B. in Bonn 1794 in Privatbesitz und wurde dann versteigert. Die Rückführung der im Zuge der Napoleonischen Kriege verlorenen Hss. gestaltete sich schleppend, Wolfenbüttel und Wien erhielten die meisten Mss. zurück, dagegen kamen aus der Palatina nur 847 alt-dt. und 38 lat. Hss., die in den Louvre gelangt waren, wieder nach Heidelberg. Erhalten blieben die fürstlichen Sammlungen z.B. in Donaueschingen (Fürstenberg) und in Stolberg und Wernigerode (Stolberg), während andere Sammlungen, v.a. in Baden, Württemberg und Bayern, großenteils in den Landes- und Hof-B. aufgingen. Münster und Breslau nahmen die Bestände der in Preußen konfiszierten Sammlungen auf. Die Reform des Universitätswesens führte zur Aufhebung von kleinen Univ. und ihrer B., die teils aufgeteilt (Helmstedt, Herborn, Rinteln), teils komplett verlegt wurden (Frankfurt/Oder nach Breslau, Altdorf nach Erlangen, Ingolstadt nach Landshut und dann München, Wittenberg nach Halle), teils als Stadt-B. am Ort bleiben (Trier und Mainz, Erfurt, Münster). Die veränderten wiss. Anforderungen und die zunehmende Größe der B. machten die Funktion des Bibliothekars immer wichtiger. Neben den Gelehrten, die zugleich auch bibliothekarische Aufgaben übernahmen wie J. Grimm oder Hoffmann von Fallersleben, leisteten sie organisatorisch und theoretisch grundlegende Arbeit (F. A. Ebert in Dresden 1794–1831, M. Schrettinger in München, † 1851).

Allmählich bildete sich eine geregelte Laufbahn heraus, die im wesentlichen noch h. gilt [14]. Die bedeutendste B. im 19. Jh. wurde die Münchner Hof-B., der Hss. und Inkunabeln in großer Zahl aus den bayrischen Klöstern eingegliedert wurden sowie 1804 die Mannheimer Hof-B. mit ca. 100000 Bde. Sie umfaßte bereits 1830 355000 Bde. (die heutige Staats-B. 5,2 Mio Bde.) Die Königliche B. in Berlin gewann durch die Einverleibung der Bestände der Akad. der Wiss. sowie Erwerbungen von Privatsammlungen (v. Diez ab 1819, Graf Méjan 1847, Frh. v. Meusebach 1850). In Wien litt die Sammlung unter Raumnot und der nur schleppend vorangehenden Katalogisierung (abgeschlossen erst 1875, in München alphabetisch schon 1818). In England erreichte die B. des Britischen Mus. durch große Erwerbungen (Arundelsche Hss. 1831, George III King's Library, 60000 Bde. 1829, Sammlung Grenville 1846 20000 Werke u.a.) und die Organisation ihres Leiters Antonio Panizzi (seit 1837, 1856 Prinzipal) den Rang einer National-B. von Weltrang. It. litt zunächst unter den Wirren der Napoleonischen Zeit und der nachfolgenden polit. Unruhe. Die Vaticana erlitt Verluste (500 Hss. lagerten zeitweise in Paris), aber dann schritt die Erschließung der Bestände durch Angelo Mai voran (1813–38) (h. 1,1 Mio Bde., 72000 Hss.). Die Universitäts-B. Neapel (1812 unter Murat gestiftet) wurde zur größten it. Univ.-B. Nach der Einigung It. entstanden zwei große National-B. in Rom und Florenz. Die Hss.-Bestände wurden zentral katalogisiert (*Inventari dei manoscritti delle biblioteche d'Italia* seit 1891). Die Vaticana wurde, auch durch bedeutende Erwerbungen wie die Sammlungen Borghese, Barberini und Chigi, zur wichtigsten Hss.-Studien-B. der Welt. Auch in den meisten anderen Staaten entstanden spätestens im 19. Jh. große National- oder Zentral-B. In den USA übernahm diese Rolle die Library of Congress. Die Entwicklung ging zügig zur mod. Gebrauchs-B. Industrialisierung, Erhöhung des Wohlstandes, Zunahme der gebildeten Schicht, Ausdehnung des Universitätsstudiums, Steigerung der lit. Produktion hatten ein Anwachsen der B.-Bestände und der Benutzerzahlen zur Folge. Die Folge war Technisierung und die Ausbildung des mod. B.-Typs. Grundlegend sind folgende Strukturen: [27. 70ff.]: 1. Der Bau wird bestimmt durch Magazinsystem und Lesesaal. 2. Unter hauptamtlicher Leitung wird das B.-Personal differenziert, es bildet sich ein Vereins- und Kongreßwesen. 3. Die Erwerbung verläuft planmäßig; die Aufstellung ist allerdings nach wie vor uneinheitlich. 4. Die Kat. werden nach detaillierten Instruktionen ausgearbeitet, sind aber bis h. weder national noch international einheitlich. 5. Die Benutzung wird geregelt, es gibt den Typus der Präsenz- und der Ausleih-B.

H. 1870 UND SPÄTER

In Deutschland wechselten in der Entwicklung der B. Zeiten der Prosperität mit Notlagen, v.a. nach den Weltkriegen. Daraus entstand eine ›Bibliothekarische Planwirtschaft‹ [27. 77]. Sondersammelgebiete der einzelnen B. wurden unter Aufsicht der Dt. Forschungsgemeinschaft eingerichtet, die in modifizierter Form bis h. bestehen. Für die Arch. ist die Univ.-B. Heidelberg, für die anderen Altertumswiss., Neu- und Mittellatein die Bayerische Staats-B. München zuständig. Die Hochschul-B. übernahmen auch Sonderaufgaben wie die Papyrussammlungen in Gießen, Hamburg und Heidelberg. Wichtigste B. in Deutschland wurden neben den wiss. B. die Staats-B. und die zugleich einen regionalen Schwerpunkt bildenden Landes-B. Vor 1945 war nur die Dt. Bücherei Leipzig zentrale Sammelstelle für das deutschsprachige Schrifttum, seit 1947 auch die Dt. B. in Frankfurt/Main; beide Häuser übernahmen zugleich die Herausgabe von National-Bibliogr. (Dt. Bibliogr., Dt. National-Bibliogr.). Seit 1990 bilden beide Bestände die Dt. B. mit zusammen ca. 15,5 Mio. Einheiten. Die neueste Entwicklung ist geprägt durch die elektronische Datenverarbeitung, die nicht nur Kat.- und Ausleihwesen, sondern auch die Publikation selbst erfaßt hat. So ist es schon jetzt eine wichtige Aufgabe der B., Datenbanken und recherchierbare Publikationen bereitzustellen oder an ihrer Herstellung mitzuwirken und Informationsmaterial über die Druckerzeugnisse hinaus zur Verfügung zu stellen.

→ AWI Bibliothek

→ Textüberlieferung

1 B. BIŁÚKOWSKA, H. CHAMERSKA, Books in Poland, past and present, 1990 2 B. BISCHOFF, La biblioteca di corte di Carlo Magno, in: [6], S. 113–136 3 L. BUZAS, Dt. B.-Gesch. des MA, 1975 4 Ders., Dt. B.-Gesch. der Neuzeit (1500–1800), 1976 5 Ders., Dt. B.-Gesch. der neuesten Zeit (1800–1945), 1978 6 G. CAVALLO (Hrsg.), Le bibliotheche nel mondo antico e medievale, 1989 7 Ders., Scuola, scriptorium, biblioteca a Cesarea, in: [6], 65–78 8 J. W. CLARK, The Care of Books, 1901 9 H. ESCOLAR SOBRINO, Historia de las bibliotecas, 1990 10 P. FOUCHÉ (Hrsg.), Histoire des bibliothèques françaises (4 Bde.), 1989–1992 11 K. C. HARRISON, Libraries in Scandinavia, ²1969 12 W. HILLEN, Das B.-Wesen Frankreichs, 1992 13 F. C. G. HIRSCHING, Versuch einer Beschreibung sehenswürdiger B. Teutschlands nach alphabetischer Ordnung, 4 Bde. Erlangen 1786ff., Ndr. 1971 14 U. JOCHUM, B. und Bibliothekare, 1991 15 Ders., Kleine B.-Gesch., 1993 16 E. MILANO, M. S. DeSALVIA BADINI, Biblioteca Estense, Modena, 1987 17 T. NIELSEN, C. CALLMER, Die B. der nordischen Länder in Vergangenheit und Gegenwart, 1983 18 G. OFFERVIK, S. MÖHLENBOCK, I. ANDERSSON, Libraries and Archives in Sweden, 1954 19 B. OLSEN, Le biblioteche del XII secolo negli inventari dell'epoca, in: [6], 137–162 20 M. B. REMNEK, Books in Russia and the Soviet Union, 1991 21 M. V. ROVELSTAD, P. SCHWEIGER, Die B. in den Vereinigten Staaten von Amerika, 1988 22 E. RYZNAN, M. CROUCHER, Books in Czechoslovakia past and present, 1989 23 W. SCHMITZ, Dt. B.-Gesch., 1984 24 CH. SENSER, Die B. der Schweiz, 1991 25 A. STICKLER, M. S. DeSALVIA BADINI, Biblioteca Apostolica Vaticana, 1986 26 F. UNTERKIRCHNER, R. FIEDLER, Die B. Österreichs in Vergangenheit und Gegenwart, 1980 27 B. VORSTIUS, S. JOOST, Grundzüge der B.-Gesch., ⁷1977 28 K.-H. WEIMANN, B.-Gesch., 1975 29 C. WENDEL, s. v. B., RAC 2, 231–274 30 W. A. WIEGAND, D. G. DAVIS JR. (Hrsg.), Encyclopedia of Library History, 1994 31 N. G. WILSON, Le Biblioteche del mondo bizantino, in: [6], 79–112 32 F. WORMALD, C. E. WRIGHT (Hrsg.), The English Library before 1700: Stud. in its History, 1958 33 http://www.biblio.unibe.ch/stub/vorl.96 34 http://www.ib.hu-berlin.de/˜pz/html/homezahn 35 http://www.ddb.de:80/gabriel/en/welcome.htm 36 http://www.oeaw.ac.at/˜ksbm/kb.htm.

CHRISTIANE REITZ

Bildung A. BEGRIFF B. GESCHICHTE

A. BEGRIFF

Unter B. wird für die Nachwirkung und Rezeption der ant. B. in der nachant. B.-Geschichte im Sinne eines allgemeinsten Rahmenbegriffs jede Art von geistigem Formungsprozeß (und sein Ergebnis) verstanden, ob nun dieser durch den einzelnen selbst oder durch seine Mitmenschen, durch Göttliches oder durch Menschen initiiert oder verursacht sowie durch äußere (z. B. gesellschaftliche) Umstände oder durch geschichtliche Überlieferung mitbedingt sei oder nicht. B.-Begriffe und B.-Konzeptionen, B.-Ideale und die Menschenbilder, aus denen sie hervorgehen, sowie B.-Inhalte und → Lehrpläne stehen im Mittelpunkt der Darstellung.

B. GESCHICHTE

1. MITTELALTER

Die ant. B. ist dem MA durch eine Anzahl spät-ant., christl. Autoren vermittelt worden, die alle die philos. und rhet. Trad. der ant. B. in verkürzter und auf die Bedürfnisse des christl. Glaubens und der christl. Theologie zugeschnittener Form verarbeitet haben, so z. B. Hieronymus, Boethius, Cassiodor, Isidor von Sevilla, Benedikt von Nursia, Gregor der Gr. und Beda Venerabilis [1. 315–342]. Eine außergewöhnliche Bed. als Vermittler der ant. B. an den lat. Westen kommt Augustinus zu (bes. *De magistro, De catechizandis rudibus, De doctrina christiana* II [1. 293–303], vgl. [2]).

1.1 DIE KAROLINGISCHE BILDUNGSREFORM

Karl der Gr. versammelte an seinem Hofe eine Anzahl maßgebender Gelehrter wie z. B. den Angelsachsen Alkuin (ca. 730–804), Berater des Kaisers und obersten Leiter des Erziehungswesens, welche im Auftrag des Kaisers das B.-Wesen und die Wiss. reformieren und nach einer Formulierung Heirics von Auxerre die von Karl vollzogene *Translatio imperii* durch eine *Translatio studii*, eine Überführung der ant. B. in das neue Reich, ergänzen sollten (→ Karolingische Renaissance). Eine bedeutende Rolle als Autor und Propagandist der neuen B.-Bewegung sowie als *Praeceptor Germaniae* spielte Alkuins Schüler Hrabanus Maurus (gest. 856), Abt von Fulda und Erzbischof von Mainz.

Bes. tiefgreifend wirkte sich die ant. B.-Trad.in der Ausgestaltung der Lehre von den sieben freien Künsten aus, welche als B.-Kanon schon im Hell. (*enkyklios paideia*, vgl. die Anf. bei den Sophisten und bei Platon) und in der röm. Kaiserzeit (Quint. inst. 1,10,1; vgl. Cic. de orat. 3,21; Varro) bekannt, seit der karolingischen B.-Reform die allg. Grundlage für das Theologiestudium im MA darstellten und zuerst mit der philos. B. identifiziert, dann aber ihr noch untergeordnet wurden (→ Artes liberales). Alkuin und Hrabanus Maurus haben über die sieben freien Künste (*septem artes liberales*) geschrieben (Alkuin in verschiedenen Lehrbüchern zu den einzelnen *artes*, Hrabanus in *De institutione clericorum* 3). Alkuin hat sich in seiner Darstellung des Triviums (der drei »Wortwiss.« Gramm., Dialektik, Rhet.) an Donat, Priskian, Cassiodor, Isidor und Beda orientiert,

Hrabanus folgte in seiner Behandlung der freien Künste Cassiodor, hat aber auch in seiner B.-Konzeption vieles von Augustinus übernommen. Eine bekannte früh-ma. philos.-theologische Interpretation des B.-Sinns der sieben freien Künste findet sich auch im Komm. des Remigius von Auxerre (841–908) zum Werk des spätröm. (5. Jh.) Enzyklopädisten Martianus Capella, *De nuptiis Philologiae et Mercurii*, welches in allegorischer Einkleidung und in neuplatonischem Geist die *septem artes* behandelt [1. 343–387; 3. 99–106].

1.2 BILDUNGSDENKER DES HOCHMITTELALTERS

Das Hoch-MA hat eine Reihe von Systemen des Wissens und der B. (meist in der Form von Enzyklopädien) hervorgebracht, welche in einzelnen herausragenden Formen der denkerischen Bearbeitung auf verschiedene Weise die Beziehungen zw. den sieben freien Künsten, der Philos. und der christl. Theologie darstellen. Bei der Bestimmung des Verhältnisses zw. diesen drei Bereichen spielt der Rückbezug auf die ant. Philos. und ihre B.-Theorie immer eine bedeutende Rolle. So hat z. B. Hugo von St. Victor (1096–1141) in seinem *Didascalicon* in Form einer Enzyklopädie ein System alles Wissens entworfen und dabei alle Wiss. in vier übergreifende Bereiche (›Theorik, Praktik, Mechanik und Logik‹) eingeteilt. Hugo bezieht sich für die erste dieser Rubriken explizit auf Boethius, aber die philos. Konzeption des Aristoteles scheint zumindest in den Bereichen Theorik, Praktik und Logik (Dialektik) deutlich durch. Johannes von Salisbury (1115–1180) verteidigte in seiner *Metalogicon* genannten Schrift das Trivium, insbes. aber Gramm. und Dialektik (→ Logik) gegen theologische Opponenten als Grundlage der höheren Allgemein-B. und als Propädeutikum für das Theologiestudium, wobei er sich auf Autoritäten wie Platon und Aristoteles, Cicero und Martianus Capella berief und im übrigen erstmals die sämtlichen im *Organon* vereinigten logischen Schriften des Aristoteles berücksichtigte. Alain de Lille (Alanus ab Insulis, 1128–1203) gab in seinem philos.-theologischen Epos *Anticlaudianus*, in welchem er sich auf den spätröm. Dichter Claudius Claudianus (um 400 n. Chr.) bezog, eine Summe der sieben *artes* und führte dabei in neuplatonischem Geist der Schule von Chartres von den Künsten und Wiss. über die natürliche Philos. bis hinauf zur überhimmlischen Philos., der Theologie als Krönung aller Wiss. Die umfassende Rezeption der Philos. des Aristoteles im 13. Jh. durch Albert den Gr. und Thomas von Aquin hat in der Reflexion über B. zu einer strengen Scheidung der *artes* von der Philos. und dieser (mitsamt ihrer natürlichen Theologie) von der Offenbarungstheologie geführt. Nach Thomas von Aquin (Expositio in Boethii de trinitate qu. 5, Art. 1, ad 3) sind die *artes liberales*, obwohl den *artes mechanicae* noch überlegen, nur eine der Praxis nähere Vorstufe der Philos. als reiner Wiss. und kommen nicht als Einteilungsprinzip der theoretischen Philos. in Frage. Für die Theorie der B. war Thomas auch insofern bedeutungsvoll, als er in Auseinandersetzung mit Augustins *De magistro* gegenüber der Doktrin von

Gott als dem alleinigen Lehrer auch eine Mitwirkung des Menschen an der lehrmäßigen Vermittlung der Wahrheit eingeräumt hat (Quaestiones disputatae de veritate qu. 11, art. 1) [1. 388–432; 4. Bd. 1].

2. NEUZEIT: 14.–18. JAHRHUNDERT
2.1 DER RENAISSANCE-HUMANISMUS

Im B.-Ideal und in den B.-Vorstellungen des Ren.-Human. begegnen sich in nachwirkungsreicher Verbindung ein sich herausbildendes neuzeitliches Menschenbild und die B.-Welt der Ant.: Der neue Mensch interessiert sich für sich selbst als individuelle Persönlichkeit und tritt allmählich aus den polit. und kirchlich-rel. Bindungen des MA heraus. ›Er ist durchdrungen von der einzigartigen Würde des Menschen, welcher als eine Art zweiter Prometheus den Schöpfungsakt Gottes wiederholt und sich selbst durch B. immer wieder neu zu gestalten berufen ist‹ (Boccaccio). ›Da der Mensch kein bloßes Abbild eines göttl. Archetypus ist, hat er die Aufgabe, die ganze Welt und alle Geschöpfe in sich zu reproduzieren‹ (Pico della Mirandola). Von dieser Ausgangsposition her gestaltet sich auch das Verhältnis des Ren.-Human. zur Ant. In der Ant., bes. in der ant. Kunst und Wiss., war die wahre Humanität des sich in Freiheit selbst gestaltenden Menschen auf vorbildliche Weise verwirklicht. Für das MA war die ant. B.-Welt Instrument des Glaubens und Autorität in Fragen weltlichen Wissens. Für den → Humanismus der → Renaissance geht es darum, aus einem individuellen Erleben und Sichbilden heraus die Ant. als Vorbild einer von theologisch-kirchlichen Voraussetzungen befreiten Humanität zu entdecken. Die ant. Autoren sollten nicht nur bruchstückweise und aus zweiter Hand in Kompendien überliefert und angeeignet, sondern in ihren urspr. Originaltexten philol. kritisch und im histor. Kontext studiert werden.

Vorbildlich war die Ant. für den Human. v. a. in ihrer sprachlichen, dichterischen und rhet. Kultur, in welcher die Humanität des Alt. bes. deutlich zur Geltung kommt. Von diesen Voraussetzungen aus bestimmten sich auch die Akzente, welche die Humanisten hinsichtlich der B.-Inhalte und des Lehrplans der höheren Allgemein-B. setzten. Von den sieben freien Künsten legte der Ren.-Human. das Schwergewicht gemäß seiner Vorliebe für die sprachlich-lit. B. auf das Trivium, wobei die → Grammatik einschließlich der Interpretationskunst von Texten und die → Rhetorik gegenüber der abstrakteren Dialektik (welche oft mit den verpönten scholastischen Spitzfindigkeiten in Verbindung gebracht wurde) im Vordergrund standen. Im Ren.-Human. ging es aber nicht nur um philol.-histor. Aneignung der ant. Kultur, sondern auch um eine schöpferische Neubelebung der ant. Kunstformen des sprachlichen Ausdrucks. Charakteristisch dafür waren die Hochblüte einer neuen Rhet., das Verfertigen lat. Abhandlungen und Briefe sowie eine neue Wertschätzung aller Formen der Poesie, welche noch ein Thomas von Aquin (Augustinus und anderen folgend) als die unterste der Künste bezeichnen konnte. So stellte Petrarca

Gramm. und Rhet., aber auch Dichtkunst ins Zentrum der human. B.-Bemühungen, und so sollten nach Papst Nikolaus V. Gramm., Rhet., Geschichtswiss. und Poetik wesentlich dem moralischen Aufbau der Persönlichkeit dienen. Ausgefeilte human. Lehrpläne besitzen wir z. B. von Battista Guarino dem Jüngeren (*De modo et ordine docendi ac discendi*, 1459) und Aeneas Sylvius Piccolomini (*De liberorum educatione*, 1450). Bei Erasmus ist die Reihenfolge der human. Studienfächer bes. deutlich herausgearbeitet (vgl. z. B. *De ratione studii*, 1511): Die gramm. und rhet. Grund-B. bei Erasmus bereitet die philos. B. vor, und diese wiederum bildet die Überleitung zu der auch bei einem christl. Humanisten den ganzen B.-Gang krönenden theologischen B. Philos. und theologische B. sind in der human. B.-Konzeption undenkbar ohne die grundlegende sprachliche Ausbildung; der angehende Philosoph und Theologe wird durch den Human. darauf verpflichtet, sich an den maßgebenden Quellentexten zu orientieren [1. 507–631; 3. 176–193; 4. Bd. 2].

2.2 DIE REFORMATION DES GLAUBENS

Die Erneuerung des christl. Glaubens und der christl. Kirche durch Martin Luther (1483–1546) wäre nicht möglich gewesen ohne die human. B.-Bewegung mit ihrer Wiederentdeckung der Ant. und ihrer Tendenz, durch Aneignung der ant. Sprachen Lat., Griech. und Hebräisch einen direkten, unverfälschten und kritischen Zugang zu den Quellentexten der ant. Kultur zu gewinnen. Luther selbst hat das Studium der alten Sprachen als für den Zugang zur Hl. Schrift nützlich und wesentlich erachtet und auch gegen Angriffe auf die human. B. verteidigt (z. B. in seiner Schrift an die Bürgermeister und Ratsherren dt. Städte über die Notwendigkeit der Errichtung christl. Schulen, Wittenberg 1524). Aber erst Philipp Melanchthon (1497–1560), der Großneffe des Humanisten und Hebraisten Reuchlin, seit 1518 Professor der griech. Sprache in Wittenberg und seit 1519 enger Mitarbeiter Luthers, verwirklichte eine umfassende Synthese des Gedankengutes der Reformation mit den neuen Errungenschaften der human. B. Bereits in seiner Antrittsrede in Wittenberg zeichnete er enthusiastisch das Bild des Wiederauflebens der Studien und der Neuentdeckung der ant. Autoren im Human. und bedauerte im Gegensatz dazu das finstere MA und die → Scholastik, in denen die human. Studien darniederlagen (*De corrigendis adulescentiae studiis*, 1518). Im Geiste des Human. und auf Grund eines christl. platonischen Menschenbildes konzipierte Melanchthon auch seinen human.-reformatorischen Lehrplan. Dieser umfaßte das Studium der alten Sprachen, das Trivium von Gramm., Rhet. und Dialektik, aber auch Mathematik, Geschichte und Philos. [4 Bd. 3. 7–20; 5. 15–101].

2.3 RATIONALISMUS UND AUFKLÄRUNG

Der Geist der Neuzeit, welcher vom einzelnen denkenden und zweifelnden Menschen ausgeht, hat sich allmählich aus der Bewunderung der Ant. und ihrer Autoritäten gelöst und geglaubt, mit den Kräften des eigenen Denkens und insbes. in der empirischen Erforsch. der Außenwelt ein neues, von der Ant. unabhängiges System des Wissens und der B. aufstellen zu können. Der Rationalismus des 17. Jh. und die Philos. der → Aufklärung des 18. Jh. entfernten sich zudem in ihrer B.-Philos. von der human. Grundeinstellung zur B. Die neue Auffassung von B. ist nicht mehr primär an Sprache und Wort interessiert, sondern an den Sachen und ihrer erkenntnismäßigen Bewältigung und praktischen Nutzbarmachung durch die Ratio. Dennoch ist auch in dieser Epoche der Einfluß der Ant. in verschiedenen Aspekten des geistigen Lebens nachweisbar. Dies zeigt sich schon bei Montaigne (1533–1592), der trotz realistischer Ausrichtung seines B.-Denkens ein Bewunderer und Kenner der ant. Philos. (Sokrates, Platon, Cicero, Seneca und Plutarch) war und sie als Lebenskunst pädagogisch umsetzte (vgl. Essais 1,25 und 1,26), ferner bei Descartes (1596–1650), der trotz Rückweisung scholastischer Denkverfahren (z. B. der auf Aristoteles zurückgehenden Methoden) doch vom Geiste Augustins und von der ant. beeinflußten Scholastik (Anselm) inspiriert ist (vgl. Discours de la méthode 1 und Meditationes 2,3 und 5). Es zeigt sich auch im Barockrationalismus des Didaktikers Ratke, bes. aber des Pädagogen Comenius, für welchen die die Universität vorbereitende Mittelschule immer noch eine → Lateinschule ist, welcher neben den mod. Wiss. die freien Künste empfiehlt (Didactica magna 20–21) und trotz moralisierender Warnungen vor heidnischen Autoren (ebd. 25) immer auch lat. schreibt und in seiner Pansophie neuplatonisch beeinflußt ist (vgl. *Prodromus pansophiae*). Auch der Ahnherr der engl. Aufklärungs-Philos., Locke (1632–1704), rückt zwar die human. B. in den Hintergrund, behält aber Lat. (im Unterschied zum Griech.) für die B. des Gentleman noch bei (vgl. Some thoughts concerning education, 162 ff., 168 ff.), und selbst der Vollender der frz. Aufklärungs-Philos., Rousseau (1712–1778), läßt seinen sonst ganz naturalistisch und realistisch erzogenen Modellzögling Emile noch klass. Studien pflegen (vgl. Emile 4). Der Archeget der dt. Aufklärungs-Philos., Christian Thomasius (1655–1728), sah in Sokrates den Ursprung der europ. Aufklärung und war dem Human. zugeneigt, während z. B. Trapp in Campes Revisionswerk den Wert der human. B. sehr kritisch diskutierte (Teil 7, Wien/Braunschweig 1787, p. 309 ff.) [4 Bd. 3. 21–55; 5. 115–375].

2.4 DER NEUHUMANISMUS

Die Blüte des dt. Geisteslebens (1770–1830) in Dichtung und Philos. ist gleichzeitig die Blüte eines neuen Human., der sich nun in erster Linie an der griech. Kunst, Geisteshaltung, Philos. und Lit. orientiert (»Hell.«), aber ebenso wie der primär am Lat. orientierte Ren.-Human. den Rückgang zu den Quellen der europ. Kultur in der Ant. fordert und die Idee der Vermenschlichung durch B. mittels Sprachbeherrschung in den Mittelpunkt stellt. Der glänzendste Repräsentant des B.-Begriffs des → Neuhumanismus ist der Sprachforscher, B.-Theoretiker und B.-Politiker W. v. Humboldt. Der Neuhuman. Humboldts wurde v. a. durch das verstärkte philol.-histor. Interesse am klass. Alt. begünstigt, welches sich zunächst in einer Reform des → Altsprachlichen Unterrichts und der human. Stud. durch Philologen und Schulmänner wie J. M. Gesner (1691–1761) und J. A. Ernesti (1707–1781) auswirkte (der Unterricht in ant. Lit. sollte vom Verbalismus und gramm.-rhet. Formalismus weg zu einer ethisch relevanten Beschäftigung mit den in der ant. Lit. behandelten Inhalten geführt werden) und schließlich in einer umfassenden Neukonzeption der wiss. Erforsch. des klass. Alt. durch C. G. Heyne (1729–1812) und F. A. Wolf (1759–1824) mündete (vgl. seine *Darstellung der Altertumswiss.*, Berlin 1807). Erwartete schließlich auch F. A. Wolf von der Vertiefung der Seele in die Welt des Alt. eine Erhöhung aller Gemütskräfte zu einer schönen Harmonie des inneren und äußeren Menschen, so hatte bereits J. J. Winckelmann (1717–1768) in seiner *Geschichte der Kunst des Alt.* (Dresden 1764) ein idealisches Bild der Kunst der Griechen entworfen, welches durch den Gedanken der ›edlen Einfalt und stillen Größe‹ der allg. Begeisterung für die Ant. stärkste Impulse gab (vgl. auch seine *Gedanken über die Nachahmung der griech. Werke*, Dresden 1755).

Der Neuhuman. bei W. v. Humboldt (1767–1835) zeigt nun eine neue philos.-anthropologische Grundlage des human., an der Geisteswelt der Ant. orientierten B.-Begriffs auf: Humboldt treibt gewissermaßen den neuzeitlichen Individualismus, der sich schon im B.-Begriff des Ren.-Human. angedeutet hatte, unter dem Einfluß der Metaphysik Leibnizens noch auf die Spitze. Der einzig wahre Zweck des Weltalls ist nach Humboldt die B. der Individualität. Gerade aber von diesem »mod.« Ausgangspunkt aus war W. v. Humboldt in bes. Maße berufen, den idealischen und vorbildlichen Charakter der ant. Geisteswelt hervorzuheben. Die griech. Dichter, Philosophen und Historiker (wie Homer, Pindar, Aischylos, Sophokles und Aristophanes, Herodot, Thukydides und Platon) offenbaren ihm die ›reine, um ihrer selbst willen verwirklichte Menschlichkeit des Menschen‹ (*Über den Charakter der Griechen . . .* = Gesammelte Schriften Bd. 7, 609–616). Das B.-Ideal Humboldts selbst ist denn auch am Vorbild der ant. Kultur orientiert. Es geht ihm um die ›höchste und proportionierlichste‹ B. aller Kräfte des Menschen ›zu einem Ganzen‹. Freiheit (von staatlicher polit. Einmischung) ist die unerläßliche Voraussetzung dieser B., die eine reine Menschen-B. jenseits aller beruflichen Zweckhaftigkeit und jenseits aller Unterschiede des Standes und der Klasse sein soll (*Ideen zu einem Versuch, die Grenzen der Wirksamkeit des Staates zu bestimmen* = Gesammelte Schriften Bd. 1, 107). In Sprache und Kunst, in denen sich die Kultur und B. des Menschen verwirklichen, ist das Griechentum maßgebend: In der griech. Sprache ist Sinnliches mit Geistigem, Objekt und Subjekt, Welt und Gemüt idealisch verschmolzen, und die griech. Kunst zeugt von höchster Ausbildung des Schönheitsgefühls und des Geschmacks bei den Griechen. Von diesem B.-Ideal und seinen ant. Voraus-

setzungen her bestimmen sich auch die Lehrplanvorstellungen Humboldts, die er in seine Organisationskonzepte des höheren Schulwesens eingebracht hat: Sein Begriff der allg. B. umfaßt eine gymnastische, ästhetische und didaktische Komponente, welch letztere sich wieder in einen mathematischen, philos. und histor. Aspekt gliedert. Es geht ihm um körperliche, musische und geistige B.; Sprachbeherrschung, histor. Bewußtsein und Sittlichkeit sind die B.-Ziele dieser Allgemein-B. (vgl. den Litauischen Schulplan, Gesammelte Schriften 13, 277f.) [5. 490–523; 6. 177–179, 185–189].

2.5 DEUTSCHE KLASSIK UND DEUTSCHER IDEALISMUS

Der Neuhuman. als B.-Bewegung war gleichsam umrahmt und getragen von geistigen Kräften und Strömungen, die in ähnlicher Weise wie er ihren B.-Begriff in Bewunderung und Auseinandersetzung mit der ant. Kultur entwickelten. Dies geschah in den B.-Vorstellungen und B.-Theorien der dt. → Klassik z. B. bei J. G. Herder (1744–1803), welcher die *studia humanitatis* mit der Ant. (Cicero) als schöne Wiss. bezeichnet, die den Menschen in Sprache, Vernunft und Geselligkeit zum Menschen bilden (vgl. z. B. Herders *Schulreden*, 1763–1802, und seine *Briefe zu (sic!) Beförderung der Humanität*, 1793–95), bei Goethe (1749–1832), der in der klass. Periode seines künstlerischen Schaffens ganz vom neuhuman. Ideal eines ästhetisch verklärten Griechentums geprägt war (*Iphigenie* 1787, *Torquato Tasso* 1790) und in seinem B.-Roman *Wilhelm Meisters Lehrjahre* (1796) einem B.-Ideal der Selbst-B. des Menschen aus dem Stoff der Welt huldigte, welches mit der B.-Konzeption Humboldts vergleichbar ist, sowie bei Schiller (1759–1805), der in seinen *Briefen über die ästhetische Erziehung des Menschen* (1793/94), inspiriert von ant. Kunst und Dichtung, dem Schönen und der Kunst sowie dem in dieser wirksamen Spieltrieb als einer Synthese von Formtrieb und Stofftrieb eine so zentrale Bed. für die B. des Menschen zum Menschen zugewiesen hat, wie sie weder von der ant. Ästhetik noch von der ant. Metaphysik seit Platon her denkbar gewesen wäre.

Die B.-Theorien des spekulativen dt. Idealismus bei Fichte und Hegel sind insofern mit der Ant. verbunden, als die Ant. selbst als Kulturepoche sowie die human. B. eine große Wertschätzung genießen und als die B.-Konzeptionen selbst von platonisch-neuplatonischen Gedankengängen inspiriert sind. So ging J. G. Fichte (1762–1814) von der Ant. als dem goldenen Zeitalter der Herrschaft der Vernunft durch Instinkt aus, zu dem es durch den oberflächlichen Rationalismus der Aufklärung hindurch wieder in einer bewußten Vernunftwiss. und Vernunftkunst zurückzukehren gelte (*Grundzüge des gegenwärtigen Zeitalters* 1804/05), um sich in seinem B.-Ideal des Gelehrten ganz in platonisch-neuplatonischem Geiste an den Ideen als der Manifestation des Absoluten zu orientieren (vgl. z. B. *Fünf Vorlesungen über die Bestimmung des Gelehrten* 1811), und so hat G. F. W. Hegel (1770–1831) in seinen *Gymnasialreden* (1809–1815) die Kultur der Griechen und Römer als den

Grund und Boden bezeichnet, auf dem alle weitere Entwicklung Europas sich vollzogen habe, und er sah das Wesen der wahren B. darin, im ant. Kulturerbe wie in einem Andern zu sich selber zu kommen (vgl. Hegels *Philos. Propädeutik* 1809/11) [5. 403–528; 6. 167–242].

3. 19.–20. JAHRHUNDERT

Die B.-Begriffe, welche im Zusammenhang mit der Wissenschaftsgeschichte der sich um 1800 entwickelnden Disziplin Pädagogik stehen (z. B. bei Schleiermacher, Herbart, Dilthey und in der geisteswiss. Pädagogik des 20. Jh.) und mit der Ant. zu tun haben, werden unter dem Stichwort → Pädagogik behandelt. Die Voraussetzungen für eine umfassende Rezeption der ant. B. und Geisteswelt in der Philos. und Pädagogik des 19. und des 20. Jh. sind nicht günstig: Der große Aufschwung der Naturwiss. und der Technik im 19. und 20. Jh., welcher auch für den wirtschaftlichen Fortschritt von großer Bed. war, und der damit einhergehende Positivismus auf philos. Ebene ließen B.-Theorien und B.-Konzeptionen entstehen, welche durch ein entschiedenes Zurückdrängen der human. Stud. und der histor.-philol. Aneignung des klass. Alt. zugunsten der naturwiss.-mathematischen Fächer gekennzeichnet waren. Oft kam es zu regelrechten Polemiken gegen die klass. Studien (vgl. H. Spencer, *What knowledge is of most worth?* 1861; A. Comte, *Cours de philosophie positive* Bd. 1, 1830, 1. Vorlesung und *Discours sur l'ensemble du positivisme* 1848). Im dt. Sprach- und Kulturbereich entsprach der Entwicklung der Natur- und Gesellschaftswiss. in fast ebenso hohem Maße ein umfassendes Voranschreiten der sog. Geisteswiss., insbes. der Historie, der Lit.- und der Sprachwiss. Auch die klass. Altertumswiss. erlebte als histor. Disziplin eine auf verschiedenste Teilbereiche sich erstreckende und bis ins 20. Jh. fortdauernde Entfaltung. Einer gewissen Dominanz des → Humanistischen Gymnasiums in Deutschland stand somit auch im 19. Jh. nach seiner Begründung durch Melanchthon und seiner Neukonzeption durch Humboldt nichts im Wege.

Gerade gegen die Art und Weise, wie an den human. Gymnasien auf der Grundlage der histor.-philol. Erforsch. der Ant. durch die Altertumswiss. die ant. Kultur und B. angeeignet wurden, wandte sich von seiner Lebens-Philos. und seinem B.-Begriff her Friedrich Nietzsche (1844–1900). Der klass. Philologe legte schon in seiner ersten größeren Publikation *Die Geburt der Tragödie aus dem Geiste der Musik* (Leipzig ¹1872, ²1874) eine umfassende geschichts- und kulturphilos. Betrachtung vor, in der er die weitere Entwicklung der europ. Kulturgeschichte wesentlich von grundlegenden Vorgängen, Konflikten und Gegensätzen in Kunst und Philos. der Ant. her deutete. Nietzsches Vorträge *Über die Zukunft unserer Bildungsanstalten* (1872) zeigen das Grundanliegen seiner B.-Theorie: Die Lehrer am Human. Gymnasium sollen nicht ihr eigenes, an der Univ. erworbenes spezialistisches Fachwissen als Philologen und Historiker weitergeben, sondern von der Schulung der Muttersprache und dem Studium der dt. Klassiker

ausgehen und von daher zu einer Begegnung mit den ›allg. Fragen ernsthafter Natur‹ bei den großen Dichtern und Denkern des Alt. hinführen sowie anhand der beiden Sprachen Griech. und Lat. zur Beherrschung einer regelrecht fixierten Sprache mittels Gramm. und Lex. verhelfen.

Zeit- und Kulturkritik einerseits sowie Bedenken gegenüber einer in positivistisch-historistischem Geiste betriebenen klass. Philol. andererseits haben zum sog. → Dritten Humanismus Werner Jaegers (1888–1961) geführt, welcher aus der Einsicht in die geschichtliche Herkunft der Gegenwart von der Ant. in der griech. Kultur die ewig gültigen Modelle aufzeigte, die der Gegenwart zur Orientierung dienen sollten und angesichts derer sich die Notwendigkeit einer Wiederbelebung der klass. Studien ergibt (vgl. *Die geistige Gegenwart der Ant.*, 1929; *Paideia, die Formung des griech. Menschen* I, 1933; II, 1944; III, 1947; *Human. Reden und Vorträge*, 1937).

Im 20. Jh. waren es nurmehr vereinzelte Denker und Theoretiker der Erziehung und B. (am ehesten noch Angehörige der geisteswiss. Pädagogik), welche in ihrer B.-Theorie oder B.-Reflexion sich auf die Ant. bezogen, sich mit ihr auseinandersetzten oder gar von ihr inspiriert waren. Auch die B.-Diskussion des 20. Jh. bewegte sich, sofern sie auf die Ant. bezogen war, wesentlich um das Problem des Human.: Dies wird deutlich in der einflußreichen Schrift Theodor Litts (1880–1962) über *Das B.-Ideal der dt. Klassik und die mod. Arbeitswelt* (1955), in welcher das an der Ant. und ihren gesellschaftlichen Verhältnissen orientierte Ideal der zweckfreien B. als Wert an sich, wie es Humboldt entwickelt hatte, mit der technisierten Arbeitswelt als einem Produkt der Mod. und ihrer Wiss. konfrontiert wird. Das zeigt sich aber auch in der umfassenden, problematisierenden Erörterung des Begriffes und der Realität der B. als eines Versuches der Selbstermächtigung und Weltbewältigung durch den Menschen bei Theodor Ballauff (geb. 1911), welcher im Anschluß an Martin Heidegger (1889–1976) den Human. und seine B.-Intentionen als ein im europ. Denken mit der Ontotheologie Platons und des Aristoteles einsetzendes Ergebnis der Seinsvergessenheit des Menschen analysierte und zu einem neuen Denken des Seins erziehen will, welches Sache und Mitmensch sie selbst sein läßt (vgl. Heideggers *Platons Lehre von der Wahrheit* und *Humanismusbrief*, 1947, und Ballauffs *Die Idee der Paideia*, 1952 sowie *Systematische Pädagogik*, 1962, ²1966 und *Philos. Begründungen der Pädagogik*, 1966). Josef Derbolav (1912–1987), welcher auch mit verschiedenen Arbeiten über ant. Philos. hervorgetreten ist (vgl. seine Bücher über Platon 1953, 1954, 1972 sowie über Platon und Aristoteles, 1979), hat insbes. das Problem der Suche nach einer neuen Humanität eigens thematisiert (1988), in seinem B.-Begriff die Hegelsche, an der human. Begegnung mit der Ant. ausgebildete Konzeption des ›in einem Andern zu sich selber Kommens‹ auch im Anschluß an Theodor Litt weiterentwickelt (vgl. *Das Selbstverständnis der Erzie-*

hungswiss., 1966) und in seiner praxeologischen Neu-
begründung der Erziehungswiss. ebenso wie Dietrich
Benner (geb. 1941, vgl. dessen *Allg. Pädagogik*, 1987) bei
der Theorie-Praxis-Diskussion (→ Theorie/Praxis) von
Platon und Aristoteles angeknüpft (vgl. Derbolavs
Grundriß einer Gesamtpädagogik, 1987). Hartmut von
Hentig (geb. 1925) hat in seinem Buch *Platonisches Leh-
ren* (1966), ausgehend von Problemen einer Didaktik
des altsprachlichen Unterrichts sowie zugunsten einer
Rettung des human. Gymnasiums, eine sich am philos.
Fragen Platons orientierende und den Human. als Me-
thode einsetzende Theorie der B. vorgelegt (bisher er-
schienen Bd. 1) [6. 244–369; 7].
→ Mittelalter; Schulwesen; Universität
→ AWI Artes liberales; Bildung; Enkyklios Paideia

QU **1** T. BALLAUFF unter Mitwirkung von G. PLAMBÖCK,
Pädagogik. Eine Gesch. der B. und Erziehung, Bd. 1: Von
der Ant. bis zum Human., 1969 **2** MARROU **3** J. DOLCH,
Lehrplan des Abendlandes. Zweieinhalb Jt. seiner Gesch.,
1959 **4** E. GARIN, Gesch. und Dokumente der
abendländischen Pädagogik, Bd. 1: MA, 1964, Bd. 2:
Human., 1966, Bd. 3: Von der Reformation bis John Locke,
1967 **5** T. BALLAUFF, K. SCHALLER, Pädagogik. Eine Gesch.
der B. und Erziehung, Bd. 2: Vom 16. bis zum 19. Jh., 1970
6 A. REBLE, Gesch. der Pädagogik, 1951, ¹¹1971
7 T. BALLAUFF, K. SCHALLER, Pädagogik. Eine Gesch. der B.
und Erziehung, Bd. 3: 19./20. Jh., 1973

LIT **8** G. BÖHME, B.-Gesch. des frühen Human., 1984
9 Ders., Der histor.-systematische Zugang zur Histor.
Pädagogik, in: Ders., H.-E. TENORTH (Hrsg.), Einführung
in die Histor. Pädagogik, 1990, 47–116 **10** F.-P. HAGER,
Plato Paedagogus. Aufsätze zur Gesch. und Aktualität des
pädagogischen Platonismus, 1981 **11** Ders., Wesen, Freiheit
und B. des Menschen. Philos. und Erziehung in Ant.,
Aufklärung und Gegenwart, 1989 **12** Ders., Aufklärung,
Platonismus und B. bei Shaftesbury, 1993
13 E. LICHTENSTEIN, s. v. B., in: HWdPh 1, 921–937
14 Ders., Zur Entwicklung des B.-Begriffs von Meister
Eckhardt bis Hegel, Pädagogische Forsch. des
Comenius-Inst. 34, 1966 **15** C. MENZE, s. v. Human., in:
HWdPh 3, 1217–1219 **16** Ders., Das griech. Alt. und die dt.
B. aus der Sicht Wilhelm von Humboldts, in: F.-P. HAGER
(Hrsg.), Aspects of Antiquity in the History of Education,
1992, 45–60 **17** G. MÜLLER, B. und Erziehung im Human.
der it. Ren., 1969 **18** F. PAULSEN, Gesch. des gelehrten
Unterrichts auf den dt. Schulen und Univ. vom Ausgang des
MA bis zur Gegenwart. Mit bes. Rücksicht auf den klass.
Unterricht, 2 Bde., Leipzig 1885, ²1896 **19** R. PFEIFFER, Die
Klass. Philol. von Petrarca bis Mommsen (dt. Übers., 1982)
20 W. RITZEL, Philos. und Pädagogik im 20. Jh., 1980
21 W. RÜEGG, Cicero und der Human., 1946 **22** H. WEIL,
Die Entstehung des dt. B.-Prinzips, 1930.

FRITZ-PETER HAGER †

Billigkeit   A. BEGRIFF   B. ANTIKE WURZELN
C. REZEPTION IM MITTELALTER
D. WEITERENTWICKLUNG IN DER NEUZEIT

A. BEGRIFF

Seit dem Spät-MA wird der Rechtsbegriff *aequitas*
(*ae.*) mit B. übers., wenngleich insbes. im 19. Jh. zw.
beiden differenziert worden ist.

Die B. läßt sich am besten als eine Rechtsquelle beschreiben, die neben der positiven Rechtsordnung Gültigkeit beansprucht und die Einzelfallentscheidung mit-
prägt. Martinus Gosia (*um 1100) bezeichnete die B. als
fons et origo iustitiae (›Quelle und Ursprung der Gerechtigkeit‹). Als bes. Erscheinungsform der → Gerechtigkeit ist die B. sowohl ein Auslegungsmittel für die positiven Gesetze als auch eine ergänzende Rechtsnorm
zur Korrektur im Einzelfall ungerecht erscheinender
gesetzlicher Lösungen bzw. zur Lückenfüllung. Seit Beginn der europ. Rechtswiss. im MA gehört sie zu den
zentralen Institutionen des Rechts. Sie wurde v. a. im
Zivilrecht und kanonischen Recht ausgeprägt, später
auch im Strafrecht und öffentlichen Recht verwendet.

B. ANTIKE WURZELN

Die nach-ant. *ae.*-Lehre ist eine Fortentwicklung
von drei ant. Elementen: der aristotelischen *epieíkeia*
(›Schicklichkeit, B.‹) der röm.-rechtlichen *ae.* und deren
Verarbeitung durch die Kirchenväter.

Der von Aristoteles (eth. Nic. 5,14, 1137a–1138a;
rhet. 1,13, 1373b–1374b) entwickelte Begriff *epieíkeia*
meint eine höhere Gerechtigkeit als die der positiven
Gesetze. Die B. besagt bei Aristoteles, daß man bei der
Auslegung von Gesetzen nicht am Wortlaut haften, sondern auf den Sinn achten soll. Abstrakte Gesetze können
im Einzelfall wegen nicht vorhergesehener Umstände
ungerecht sein. Dann ermöglicht die *epieíkeia* eine
Milderung oder sogar Abweichung vom Gesetz zugunsten der Einzelfallgerechtigkeit. Es geht also um die Anpassung allg. Normen an konkrete Lebenssachverhalte
im Sinne des Gesetzgebers.

Im ant. röm. Recht bezeichnete *ae.* die ethischen
Anforderungen an das Recht, wie etwa in der Definition des Rechts als *ars aequi et boni* (Celsus, Dig. 1,1,1
pr.). *Ae.* meinte zunächst v. a. die Gleichheit von Leistung und Gegenleistung, also die Tauschgerechtigkeit.
In der Nachklassik war die B. Handlungsmaßstab für
den Gesetzgeber und den Richter. Unter dem Einfluß
der lat. Patristik weitete sich der Begriff der *ae.* ganz allg.
zur überpositiven Gerechtigkeit. Die Begriffe *caritas,
humanitas, misericordia, benignitas* und *clementia* wurden
mit der B. in Verbindung gebracht. Die *ae.* erhielt eine
rel. Begründung in der Gleichheit der Menschen vor
Gott und im Gebot der Nächstenliebe.

C. REZEPTION IM MITTELALTER

Die ma. Rechtswiss. war beherrscht von dem Ge-
danken der *ratio scripta*. Das *Corpus iuris civilis* genoß un-
bedingte Autorität, von der abzuweichen für den Richter grundsätzlich keine Rechtfertigung bestand. Die
bes. Verpflichtungskraft des justinianischen Rechts ergab sich gerade aus der Tatsache, daß es sich um ge-
schriebenes Recht handelte. Es gehört deshalb zu den
bes. Leistungen der → Glossatoren, in die so verstandene positive Rechtsordnung die Idee der *ae.* integriert
zu haben, so daß es in den *Exceptiones Petri* (um 1160)
etwa heißt: ›Si quid inutile, ruptum aequitative contra-
rium in legibus reperitur, nostris pedibus subcalcamus‹
(›Wenn etwas Unnützes, Schädliches oder der B. Ent-

gegengesetztes in den Gesetzen gefunden wird, wollen wir es mit unseren Füßen zertreten‹ [9]. Den scheinbaren Widerspruch zw. Cod. Iust. 1,14,1 (nur dem Kaiser ist die billige Auslegung erlaubt) und Cod. Iust. 3,1,8 (der Richter soll Gerechtigkeit und B. gegenüber dem strengen Recht bevorzugen) lösten die Glossatoren anknüpfend an Cicero (top. 2,9 und 5,28) mit der Unterscheidung von *ae. scripta* und *non scripta*. Cod. Iust. 3,1,8 wurde als Ausdruck der *ae. scripta* angesehen: Der Richter sollte im Rahmen des Wortlauts die *ae.* zur Geltung bringen, die im Gesetz selbst enthalten war. Eine wirkliche Abweichung vom Gesetz aus Gründen der *ae. non scripta* sollte dem Gesetzgeber vorbehalten bleiben (Cod. Iust. 1,14,1).

Cinus da Pistoia (1270–1336/7) stellte folgende Regel zum Verhältnis von positivem Recht und *ae.* auf: 1. Sind weder *ius* noch *ae.* geschrieben, geht die *ae.* vor. 2. Ist eines von beiden geschrieben, hat es Vorrang. 3. Sind beide geschrieben, geht die speziellere der allgemeineren Norm vor; sind beide gleichermaßen speziell oder generell, so geht wieder die *ae.* vor [7]. Alle Elemente der ant. *ae.* sind in der legistischen und kanonistischen Rechtslit. nachgewiesen worden. Letztere hat die B. v. a. in Verbindung mit dem → Naturrecht gebracht (vgl. Decretum Gratiani 1. c. 7), was sogar zur Nichtanwendung oder Korrektur im Einzelfall möglicherweise ungerechter Gesetze berechtigte. Gemeinsam ist Legistik und Kanonistik allerdings, daß die *ae.* stets mehr in der Auslegung als in der Korrektur des Gesetzes gesucht wurde. Die B. hat so eine Kontrollfunktion für das positive Recht erhalten. Zu den wichtigen Vermittlern der aristotelischen *epieíkeia* für die Folgezeit gehört Thomas von Aquin [1].

Auch das german. Recht des MA kannte B.-Erwägungen, die in ihrer Funktion der ant. *ae.* glichen, wenngleich sich hier eine direkte Abhängigkeit von ant. Vorstellungen nicht nachweisen läßt. Thomas More definierte in Anlehnung an das kanonische Recht die wichtigsten Anwendungsfälle der *equity* als ›to help in conscience fraud, accident and things of confidence‹. Wie bei der ant. *ae.* ging es der *equity* im engl. Recht urspr. um den Ausgleich eines bei strenger Normanwendung entstehenden Gerechtigkeitsdefizits. Im Laufe der Zeit hat sich die *equity* zu einem eigenen Normensystem neben dem *common law* entwickelt.

D. WEITERENTWICKLUNG IN DER NEUZEIT

Bis h. hat die *ae.* ihre Funktion als Interpretationsmaßstab behalten. Normen müssen so ausgelegt werden, daß sie nicht im Einzelfall zu ungerechten Ergebnissen führen. Insbes. ist dabei auf den Sinn der Vorschriften zu achten. Nicht weit entfernt von der *epieíkeia* ist die Definition der B. in einem Traktat von Johannes Oldendorp (ca. 1488–1567): ›B. ist ein Urteil der natürlichen Vernunft, wodurch weltliche Gesetze gemildert und auf ein rechtes Leben ausgerichtet werden‹ [6]. Entscheidend sollte es dabei auf die Umstände des Einzelfalls ankommen. Die span. Spätscholastik hat die ma. *ae.*-Lehre in einer Weise zusammengefaßt, die lange

Zeit maßgeblich blieb. Francisco Suárez (1541–1617) definierte in Übereinstimmung mit der ant. Trad. die wichtigsten Anwendungsfälle der B.: drückende und ungerechte Verpflichtungen zu mildern sowie den wahren Sinn des Gesetzes zu verwirklichen [11]. Die frühe Neuzeit brachte eine Fülle von Abhandlungen über die *ae.* hervor [5]. Im Usus modernus war im Einzelfall eine Abmilderung des Gesetzes durch den Richter völlig anerkannt. Man berief sich dabei häufig auf die ant. Wurzeln [10]. Die Vernunftrechtler bedienten sich im Unterschied zu den Juristen früherer Zeiten sogar des B.-Arguments, um Regeln zu begründen, die im röm. Recht positiv normiert waren [8. lib. cap. 15, § 9]. Grotius übernahm aufbauend auf Thomas von Aquin die aristotelische *epieíkeia*-Lehre [3]. Auch für Pufendorf war ein Abweichen vom Gesetz wegen der Umstände des Einzelfalls billig [8. lib. 2, § 10]. Wie bei Aristoteles war die *ae.* v. a. bei der Gesetzesauslegung zu beachten.

In der frühneuzeitlichen Lit. ist immer wieder vor der *ae. cerebrina*, dem B.-Urteil, das allein im »Kopfe« des Richters, nicht aber in objektiven Gründen seinen Ursprung hat, gewarnt worden. Insbes. Christian Thomasius (1655–1728) wollte wegen der Gefahr der Willkür den Anwendungsbereich der *ae.* sehr stark einengen [12]. Die B. behauptete sich allerdings sogar gegen die Kodifikationsidee des 18. Jh., die nur den Gesetzgeber an die B. gebunden sah, während der Richter die Gerechtigkeit des Gesetzes nicht bewerten sollte. Nur der *Codex Maximilianeus Bavaricus Civilis* (1756) versuchte dieses Ideal vollständig umzusetzen (I 1 § 11). Die späteren Kodifikationen entfernten sich mehr und mehr von diesem Ziel und kehrten schließlich zur traditionellen Auffassung zurück (vgl. Allg. Landrecht für die Preußischen Staaten, Einl. §§ 20, 49; § 7 Allg. Bürgerliches Gesetzbuch; Art. 565, 1135 Code civil; §§ 242, 315, 660, 745, 829 BGB; Art. 4 Schweizerisches Zivilgesetzbuch): Auslegung nach dem Sinn des Gesetzes und Lückenfüllung nach B.-Gesichtspunkten.

Neben traditionelle Lehren [2] traten im 19. Jh. solche, die die B. als Begriff der Moral und nicht des Rechts verstanden, weil das Recht in einem liberalen Rechtsstaat berechenbare Normen haben müsse, die B. aber unberechenbar sei [13]. Dennoch behielt die B. im Sinne der *epieíkeia* ihre Rolle in der Jurisprudenz. Windscheid schrieb in seinem Pandektenlehrbuch: ›Billig ist das den thatsächlichen Verhältnissen angemessene Recht‹ [4].

Im 20. Jh. hat die B. ihre Stellung verteidigt. Im Zeitalter des Verfassungsstaats sind freilich die Inhalte eines billigen Urteils stark geprägt von den Verfassungsgrundsätzen. Das gilt insbes. für das öffentliche Recht, das den Verhältnismäßigkeitsgrundsatz als Ausprägung der B. zu einem zentralen Rechtsinstitut ausgebildet hat. Art. 20 III des Grundgesetzes bindet alles staatliche Handeln an Gesetz und Recht. Diese Vorschrift entstand gerade aus der Erfahrung, daß Gesetze nicht immer gerechte Ergebnisse zeitigen und kann daher als Ausdruck der B. verstanden werden. Auch der Europ. Gerichtshof

hat den aristotelischen Gedanken der B. im Sinne einer
Gleichheitsregel und Korrektur im Einzelfall ungerecht
erscheinender Gesetze aufgegriffen (Europ. Gerichtshof, Urteil vom 20.5.1981, RS 152/80, in: Slg. 1981,
129ff.). Ungeklärt ist die Frage, wem in den einzelnen
Epochen der **1** Rechtsgeschichte das B.-Argument genützt hat, also seine rechtspolit. Funktion.
→ AWI Aequitas

QU **1** Thomas v. Aquin, Summa Theologica IIa IIae, q.
120 **2** Ch. F. Glück, Pandecten, Erlangen ²1797, 1. Buch,
1. Tit., § 26, 194–198 **3** H. Grotius, De Aequitate,
Amsterdam 1735 **4** B. Windscheid, Lehrbuch des
Pandektenrechts, Bd. 1, Frankfurt/M. ⁶1887, § 28, S. 73
5 M. Lipenius, Bibliotheca Realis Iuridica, Leipzig ab 1757,
36f. **6** J. Oldendorp, Wat byllick unn recht ys. Eyne korte
erklaring, allen stenden denstlick, Rostock 1529 (Ndr. in
hochdt. in: E. Wolf, Quellenbuch zur Gesch. der Dt.
Rechtswiss., 1950, 51–68, hier 55f.) **7** Cinus da Pistoia,
In Codicem commentaria, C. 1,14,1, n. 12, tom. 1,
Frankfurt/M. 1578, fol. 25, 25' **8** S. Pufendorf, De officio
hominis, Lund 1673 (dt. von K. Luig, 1994) **9** Prologus zu
den Exceptiones petri, in: F. C. von Savigny, Gesch. des
röm. Rechts im MA, Bd. 2, Heidelberg ²1834, 321 **10** G. A.
Struve, Syntagma Jurisprudentiae, Frankfurt-Leipzig
³1738, nr. 44 zu Dig. 1,4 **11** F. Suárez, De legibus 2,16,
1973, 77–98, **12** Ch. Thomasius, Dissertationes
Academicae, Bd. III, Diss. LXXIII: De Aequitate Cerebrina,
1777, 43–78; Bd. IV, Diss. CXVI: De Aequitate Cerebrina et
exiguo usu, 1780, 230–259 **13** C. Welcker, s. v. B., in:
Rotteck, Staatslex., Altona 1846, Bd. 2, 526–533

LIT **14** P. G. Caron, »Ae.« romana, »misericordia« patristica
ed »epicheia« aristotelica nella dottrina dell'»ae. canonica«,
1971 **15** N. Horn, Ae. in den Lehren des Baldus, 1968
16 H. Lange, Ius aequum und ius strictum bei den
Glossatoren, in: ZRG 71, 1954, 319–347 **17** M. Rümelin,
Die B. im Recht, 1921 **18** C. Schott, Ae. cerebrina, in:
Rechtshistor. Stud. Hans Thieme zum 70. Geburtstag, hrsg.
von B. Diestelkamp u. a., 1977, 132–160 **19** H. Schotte,
Die Ae. bei Hugo Grotius, 1963 **20** G. Wesener, Ae.
naturalis, »natürliche B.« in der privatrechtlichen Dogmen-
und Kodifikationsgesch., in: Der Gerechtigkeitsanspruch
des Rechts, hrsg. von M. Beck-Mannagetta u. a., 1996,
81–105 **21** E. Wohlhaupter, Ae. canonica. Eine Stud. aus
dem kanonischen Recht, 1931. Tilman Repgen

Biographie A. Einleitung B. Mittelalter
C. Renaissance, Humanismus, Reformation
D. 17. und 18. Jahrhundert
E. 19. und 20. Jahrhundert

A. Einleitung
B. gehören zum ältesten lit. Genre, wobei es eine
Fülle von Typen gibt: Helden-B., Politiker-B., Red-
ner-B., Künstler-B. usw. Auf die Darstellungsart und
auf die Funktion der B. heben Termini wie Individual-B. bzw. Einzel-B., Sammel-B., Parallel-B., So-
zial-B. bzw. Gesellschafts-B. u. a. ab. Daneben gibt es
eine Reihe von mod. biographischen Genres wie biographischer Essay, Roman, Novelle, Film. Zur Biographik – dieser Terminus hat sich als Gattungsbegriff

durchgesetzt – gehören aber auch die Charakteristik, das
Psychogramm, das Interview u. a. Die B. ist immer
Spiegel der jeweils herrschenden Individualitätsauffas-
sung. In die Gattungsgeschichte der B. ist die Sozialgeschichte der Individuation eingeschrieben. Von der Ant.
bis zur Ren. spielt der Begriff B. keine Rolle, er wird
erst im 17. Jh. populär. Bis dahin waren Bezeichnungen
wie *vitae, libri de viris illustribus, commentarii de vita* bzw.
rebus gestis, declamationes, epistolae demonstrativae, elegiae
usw. üblich [3. 3]. Bis zur Ren. war die B. stark durch
ant. Muster geprägt, wobei Cornelius Nepos' *De viris
illustribus* (um 36 v. Chr.), Suetons *De vita Caesarum* (um
120 n. Chr.), Plutarchs *Bioi parállēloi* (105–115 n. Chr.)
sowie Tacitus' *De vita Iulii Agricolae* (98 n. Chr.) die
größte Wirkung zeitigten. Auch die Trad. der Lob- und
Preisrede (*enkomion, panegyrikos, laudatio funebris*) bleibt
bis ins 18. Jh. erhalten (vgl. Apotheosen, Elogen,
Nekrologe u. a.)

B. Mittelalter
Im MA trat die ant. Trad. der B. über Philosophen,
Literaten und Herrscher hinter der Trad. der Hagio-
graphik zurück. Mit dem Verständnis von Geschichte als
göttl. gelenkter Ordnung korrespondierte das Interesse
für die Lebensgeschichte von Heiligen, die sich auf exemplarische Weise zum »Gefäß« Gottes in der Welt
machten. So gerieten auch die Herrscherviten, deren
Trad. immerhin nicht ganz abriß, in den Sog der Hagio-
graphik. Selbst Einharts um 830 entstandene *Vita Karoli
Magni* (edd. G. H. Pertz, G. Waitz, O. Holder-Eg-
ger, ⁶1911), die einen für das MA ungewöhnlich engen
Anschluß an das Vorbild der suetonischen Kaiserviten
sucht, stützt sich im Prolog auf die berühmte *Vita S.
Martini* des Sulpicius Severus aus dem späten 4. Jh. (ed.
C. Halm, CSEL 1, 1866; ed. J. Fontaine, 3 Bde., 1967–
1969). Ansonsten konnten Herrscherviten, wenn sie
nicht ohnehin Heiligenviten waren, im Einzelfall durch
die gezieltere Profilierung des weltlich-polit. Aspekts
neben der des rel. eine gewisse Eigenständigkeit behaupten (wie die 1305/06 entstandene *Histoire de Saint
Louis* des Jehan de Joinville; ed. N. de Wailly, 1874).
Auch Abtviten überschritten im Schutz ihrer kloster-
geschichtlichen Funktion mitunter den hagiographischen Rahmen [1. 272–326]. Insgesamt aber ist gerade
im Fall der (nicht kult. verehrten) kirchlichen wie weltlichen Amtsträger weniger die Darbietungsform der
Vita charakteristisch als die der Chronistik bzw. Anna-
listik, bei der nur amtsbezogene Taten ausgewählt und
in andere sachliche Zusammenhänge eingeordnet werden.

Die mit der Ehre einer Vita bedachten Heiligen werden seit Tertullian in Märtyrer und Bekenner eingeteilt.
Im MA hat man die aus den frühchristl. *Acta martyrum*
hervorgegangenen Märtyrerviten wegen der Bed. der
Blutzeugenschaft stets weiter tradiert bzw. bearbeitet,
obwohl seit E. der Christenverfolgung die Bekenner
dominieren. Hier ist die Konzentration auf den Opfer-
tod durch eine um so intensivere, zw. Geburt und (na-
türlichem) Tod eingespannte Rekurrenz von Heilig-

keitsbeweisen ersetzt. Hinsichtlich ihres Aufbaus greifen diese Bekennerviten über das Vorbild der frühchristl. enkomiastischen B. [1. Bd. 1; 3. 43–59] hinaus auf die dispositionellen Regeln zurück, die die ant. Rhet. (etwa Quint. inst. 3,7) für das Personenlob vorgibt [4. 33–45]. Substantiell kanalisiert sich die Vielfalt der Lebensbilder durch eine ausgeprägte Topik. Sie läßt Viten oft wie narrative Ausfaltungen eines rel. Tugendkatalogs erscheinen und bewirkt, daß trotz histor. variabler Akzentuierungen ein Heiliger sofort als solcher erkennbar ist. Das Bedürfnis, Heilige als exemplarische Repräsentanten der *Communio sanctorum* in den Blick zu nehmen, indiziert auch die Tendenz zur Vitensammlung. Bekanntestes Beispiel dafür ist die *Legenda aurea* (ed. TH. GRAESSE, ³1890, Ndr. 1965) des Jacobus de Voragine († 1298). Andererseits eignet ma. Heiligenviten aber eine bemerkenswerte Flexibilität auf der Ebene der diskursiven Vermittlung. Sie zeigt sich gerade bei Mehrfachbearbeitungen, die die Lebensgeschichte eines Heiligen, so stereotyp sie selbst sein mag, auf funktions- und adressatenspezifisch differenzierte Weise darbieten und dabei stilistisch das Spektrum zw. *sermo humilis* und *sermo grandis* ausloten. In diesem Sinn sind Heiligenviten nicht rundweg als naive Legenden abzutun, sondern können – unter der Prämisse eines je histor. Begriffs von Gattung – durchaus als spezifisch ma. Ausprägung der B. verstanden werden.

C. RENAISSANCE, HUMANISMUS, REFORMATION

Zwar läßt sich für die Ren. ein neues individuelles Selbstbewußtsein konstatieren, aber dennoch blieb für die B. das Prinzip der → *imitatio* bzw. *aemulatio* bestimmend, d.h. es wurden Vorbilder gesucht und konstruiert. Die Biographen schrieben weiterhin Sammelwerke von berühmten Männern und Frauen, oft in Abhängigkeit von C. Nepos, Sueton und Plutarch. Die bekanntesten Sammlungen sind Vasari, *Le Vite de' più eccellenti pittori, scultori e architettori* (1550) und K. van Mander, *Het Schilderboeck* (1604). Daneben entstanden auch erste Individual-B. wie Boccaccios *Vita di Dante* (1373), Machiavellis B. des Castruccio Castracani, des Tyrannen von Lucca (um 1500), W. Ropers *Life of Sir Thomas More* (nach 1535, ed. 1626) und C. Cavendishs *Life of Wolsey* (zw. 1554 und 1557). Durch die Übers. des Plutarch ins Frz. durch J. Amyot (1559) und ins Engl. durch Th. North (1579) wurden die Parallelbiographien das meist benutzte Quellenwerk der Ant. [2. 129–156]. Zwar wurde damit der Akzent der B. auf die individuelle Ethik gelegt, aber allmählich setzte sich auch eine Würdigung polit., künstlerischer, wiss. oder geistlicher Tätigkeit durch (vgl. R. Agricolas *Vita Petrarchae* um 1473/74 oder die biographischen Briefe und Reden bei Erasmus und Melanchton) [2. 23–96].

D. 17. UND 18. JAHRHUNDERT

Auch in diesen Jh. lebten die Muster der ant. Biographik weiter, erfuhren sogar eine neue Blüte: Sowohl der Typus *De viris illustribus* (vgl. v.a. Brantômes *Vies des Dames illustres* und *Vies des Hommes illustres*, entstanden 1584–1604, ed. 1665/66) [2. 97–128] als auch Sammel-B. der akad. Berufsstände und v.a. die biographische Panegyrik (Eloge, Nekrolog, Widmungsgedichte) beherrschten den lit. Markt. In Frankreich wurde durch J. de La Bruyères Übers. (1688) der *Charakteres ethikoi* des Theophrast (372–287 v.Chr.) die Aufmerksamkeit auf die anthropologische Typik gelenkt, die auch ihre Auswirkung auf die Real-B. hat. Im 18. Jh. entstanden in Frankreich (vgl. Voltaire) und England (vgl. S. Knight) große Einzel-B., wobei J. Boswells *Life of Samuel Johnson* (1791) den größten Erfolg hatte, weil hier erstmals versucht wurde, aus intimer persönlicher Kenntnis und einer Fülle von Dokumenten ein umfassendes Lebensporträt zu entwerfen. In Deutschland entfaltete sich v.a. der biographische Essay (G. Forster, J.G. Herder, Chr.M. Wieland), der einem bürgerlichen Publikum neue Vorbilder – v.a. aus dem 16. und 17. Jh. – entwarf. Allmählich setzte sich auch eine B. durch, die das Leben in ein weites kulturgeschichtliches Panorama stellt (vgl. Goethes *Winckelmann*, 1805) [7. 9–53].

E. 19. UND 20. JAHRHUNDERT

Das 19. Jh. wird das Jh. der großen Einzel-B., die ein abgerundetes Porträt mit vielfältigen Facetten bieten wollten. Die B. wurden durch den Siegeszug der neuen → Geschichtswissenschaft aufgewertet. Dabei entstand eine Diskussion über die Stellung der B. zw. Kunst und Wiss. (vgl. J.G. Droysen, *Historik*, 1858; ed. R. HÜBNER, 1937). Leopold von Ranke erinnert 1869 in der Einleitung zu seiner *Geschichte Wallensteins* an Plutarchs Unterscheidung von »Geschichte« und »Biographie« (in *Alexandros*). So blieb das Verständnis der B. immer noch auf die lebensweltliche Ethik verpflichtet. Dennoch entstand eine Fülle von histor. B. in Europa und auch in Amerika (vgl. R.W. Emerson, *Representative Men*, 1850), die einmal eine heroisierende Darstellung anstrebten (z.B. Th. Carlyle, *The History of Friedrich II of Prussia*, 1858–65) oder die B. nationalstaatlichen Interessen unterwarfen (vgl. die »preußische Schule« mit J.G. Droysen, G.H. Pertz, H. Lehmann, R. Koser, H. v. Treitschke). Andererseits wurde die Trad. der geisteswiss. B. des 18. Jh. fortgeführt; Beispiele dafür sind die großen Einzel-B. von W. Dilthey, Schleiermacher (1870), R. Haym, Herder (1880–85), E. Schmidt, Lessing (1884, 1892). Biographen wie C. Justi (Winckelmann, 1866–72) und H. Grimm (Goethe, 1877) boten zudem eine kunst- und kulturgeschichtliche B. für das Bildungsbürgertum an. In der zweiten H. des 19. Jh. entfaltete sich eine reiche biographische Essayistik (O. Gildemeister, H. Grimm, K. Hillebrand, L. Speidel). Den Höhepunkt erreichte die Biographik mit dem Positivismus, der Werkdeutung und Lebensgeschichte miteinander verknüpfte (»Biographismus«). Außerdem eroberte der biographische Roman in Europa die Leser und hat sich bis zum E. des 20. Jh. stark entfaltet (u.a. die *biographie romancée* von A. Maurois, St. Zweig).

Zu Beginn des 20. Jahrhunderts entwickelte sich ein weites Spektrum der Biographik: mit der → Psychoanalyse wird eine neue »intime« B. möglich (vgl. z.B. E. Ludwig, L. Strachey, St. Zweig), die auch S. Freud in

Eine Kindheitserinnerung des Leonardo da Vinci (1910) erprobt hat. Die positivistische B. opponierte die neue »Mythographie« des George-Kreises (vgl. E. Bertram, *Nietzsche*, 1918; G. Gundolf, *Goethe*, 1916; E. Kantorowicz, *Kaiser Friedrich der Zweite*, 1927). In den 20er und 30er J. erlebte die Biographik einen Boom als biographischer Roman (u. a. H. Broch, A. Döblin, L. Feuchtwanger, H. Mann, Th. Wilde, M. Yourcenar, V. Woolf), biographischer Essay (z. B. H. und Th. Mann, St. Zweig) und als »histor. Belletristik«, d. h. als B., die Kunst und Wiss. zugleich sein wollte (H. Eulenberg, F. Hegemann, E. Ludwig u. a.). Zw. Schriftstellern und Historikern brach E. der 20er J. ein Streit über die B. aus (*Historische Zeitschrift* 1928: A. Maurois, Die B. als Kunstwerk; E. Ludwig, *Historie und Dichtung*, 1929; S. Kracauer, *Die B. als neubürgerliche Kunstform*, 1930 u. a.). Der Gegensatz zw. Kunst und Wiss. löst sich am E. des 20. Jh. auf, da auch von Historikern anerkannt wird, daß die Geschichtsschreibung immer auch lit. Konstrukt ist (vgl. die Narrativitätsdebatte in den 70er und 80er J.). Da die histor. Fachwiss. sich stärker auf eine Mentalitäts-, Sozial- und Strukturgeschichte konzentriert, erfährt die B. eine Belebung v. a. durch die Schriftsteller, die sie auf der Grenze zw. Kunst und Wiss., zw. Subjektivität und Objektivität situieren. In Frankreich gehört dazu J. P. Sartres große Flaubert-Studie *L'Idiot de la famille* als *roman vrai* (1971/72); in Deutschland vertreten v. a. Dieter Kühn (*Ich Wolkenstein*, 1977), Peter Härtling (*Hölderlin*, 1976), Wolfgang Hildesheimer (*Mozart*, 1977) einen neuen Typus der B., indem sie ein »offenes« Schreiben in Analogie zum mod. Roman erproben und dennoch dem Anspruch auf Überprüfbarkeit gerecht werden wollen. In den 90er J. setzt sich auch eine neue wiss. B. durch, die an diese Technik anknüpft und die übliche teleologische Lebensentfaltung zugunsten einer komplexen, diskontinuierlichen und z. T. auch narrativen Darstellungstechnik aufgibt.

→ AWI Biographie

1 W. BERSCHIN, B. und Epochenstil in lat. MA, 3 Bde., 1986–1991 2 Ders. (Hrsg.), B. zw. Ren. und Barock, 1993 3 A. BUCK (Hrsg.), B. und Auto-B. in der Ren., 1983 4 E. FEISTNER, Histor. Typologie der dt. Heiligenlegende des MA, 1995 5 D. MADELÉNAL, La biographie, 1984 6 J. ROMEIN, Die B., 1948 7 H. SCHEUER, B., Stud. zur Funktion und zum Wandel einer lit. Gattung vom 18. Jh. bis zur Gegenwart, 1979 8 TH. WOLPERS, Die engl. Heiligenlegende des MA, 1964. EDITH FEISTNER

Böckh-Hermann-Auseinandersetzung
A. BEDEUTUNG UND ENTSTEHUNG DES METHODENSTREITES B. GOTTFRIED HERMANN C. AUGUST BÖCKH

A. BEDEUTUNG UND ENTSTEHUNG DES METHODENSTREITES
Die langjährige Auseinandersetzung zw. Gottfried Hermann und August Böckh (zur Schreibweise [5. 15 Anm. 11] reiht sich in die im 19. Jh. aufkommenden

altertumswiss. Methodenreflexionen [1. 15] ein und sie entzündete sich an der Frage nach dem Selbstverständnis und der Standortbestimmung des Faches Klass. Philol. Die konträren Positionen von Böckh, dem größeren Systematiker und Weiterführer der von A. Wolf [2. 80f.] eingeleiteten Neubegründung der Klass. Philol. als Altertumswiss., und Hermann, dem Konservativeren und auf dem Eigenwert der Klass. Philol. Beharrenden, wurden schon zu Lebzeiten der beiden Gelehrten in ihrer Bed. eines Methodenstreites erkannt und gingen unter den Schlagworten der histor.-antiquarischen Sach- oder Realphilol. und der gramm.-kritischen Wortphilol. in die Wissenschaftsgeschichte ein [11. 117 Anm. 44; 5. 102 Anm. 112]. Wenn auch bereits im 19. Jh. zur Kennzeichnung der beiden Lager diese programmatischen Kürzel kursierten und wenn in ihnen auch Stichpunkte der Auseinandersetzung zitiert sind, so müssen sie dennoch als irreführend abgelehnt werden, weil der Gegensatz eines ausschließlichen »Entweder Sachphilologie – Oder Wortphilologie« nie zur Diskussion stand (vgl. G. Hermann, Über Herrn Prof. Böckhs Behandlung der griech. Inschr., Leipzig 1826, 3).

Das anfangs auf gegenseitiger Anerkennung beruhende Verhältnis zw. Böckh und Hermann geriet erstmals durch unterschiedliche Auffassungen in Fragen der Metrik ins Wanken [11. 111]; der eigentliche Streit brach jedoch 1825 aus, als Hermann auf das Erscheinen des ersten Heftes des *Corpus inscriptionum Graecarum* mit einer ungewöhnlich scharfen Rezension reagierte, in der er dem Herausgeber Böckh oberflächliches Recherchieren vorwarf und die Kompetenz zur Bewältigung einer so hohen Aufgabe absprach. Diese vernichtende und verletzende Kritik löste einen regelrechten Schlagabtausch von Schriften und Gegenschriften aus (ausführliche Besprechung bei [3. 48–62]). Der Streit, der von den jeweiligen Schülerkreisen mitgetragen [4. 44] und bis in die 30er J. fortgeführt wurde, eskalierte (insbes. durch Hermann) in derart scharfen Attacken, daß an den Beteuerungen, es gehe stets *sine ira et studio* um fachliche Differenzen, berechtigte Zweifel aufkommen, die dadurch bestätigt werden, daß in den 40er J. eine Aussöhnung ohne Beseitigung der Fachkontroversen stattfand. Doch sind die konkreten Streitpunkte nicht nur wegen der persönlichen Ereiferungen zuweilen schwierig zu ermitteln, sondern auch aufgrund der unterschiedlichen Gewichtung und Ausarbeitung methodologischer Erwägungen: Dem über viele J. hin in Vorlesungen erarbeiteten komplexen wissenschaftstheoretischen Entwurf Böckhs (*Enzyklopädie und Methodenlehre der philol. Wiss.*, 1809–1865; vgl. [9. 68]) konnte und wollte Hermann nichts entgegensetzen (seine wichtigste Abhandlung hierzu: *De officio interpretis*, 1834), so daß er das systematische Gebäude von Böckhs Philologieverständnis nie als ganzes, sondern stets nur in einzelnen Punkten kritisierte.

B. Gottfried Hermann

Gottfried Hermann (geb. 28.11.1772 in Leipzig, Studium der alten Sprachen in Leipzig und der Philos. Kants in Jena, 1803 Professur in Leipzig, gest. 1.1.1848) schätzte die alten Sprachen als die ›wichtigste Sache, die schwer zu ersteigenden Propyläen des gesammten Alterthums‹ (Über Herrn Böckhs Behandlung der griech. Inschr., Vorrede, 8), durch welche allein ›alles übrige, was einem Volk eigen ist, begriffen und verstanden werden kann‹ (ebenda 4). Die Aufgabe des Philologen bestehe daher in dem sorgfältigen Studium, der Interpretation und der Kritik der ant. Texte (*interpretatio* und *emendatio*, De officio interpretis, 5), während in nichtsprachlichen Zugängen (z.B. Arch.) die Gefahr liege, aus einer »Vogelperspektive« zwar auf vieles, aber Verschwommenes niederzublicken und sich in klangvoller, aber törichter Geschwätzigkeit zu verlieren (*vana ostentatio aut stulta garulitas*, De officio interpretis, 102). Das richtige Textverständnis garantiere die zeitlose menschliche *ratio* (Einfluß Kants), die den Philologen mit den in den Texten ausgesagten Sachen verbinde, wobei zu einer überragend guten Interpretation ›Congenialität‹ erforderlich sei [11.116]. Durch diese rationalistisch-aufklärerische Überzeugung von der Ungeschichtlichkeit der Vernunft deutete Hermann den Interpretationsvorgang einlinig.

C. August Böckh

Gegen die Beschränkung auf den formalen Bereich der Gramm., der engen Textauslegung und Textkritik wandte sich August Böckh (geb. 24.11.1785 in Karlsruhe, Studium der alten Sprachen in Halle, 1809 Professur in Heidelberg und 1811 in Berlin, gest. 3.8.1867). Aus jener ›Silben- und Buchstabenkritik‹ (Der Staatshaushalt der Athener, Berlin 1817, XIX) entstehe engstirniger Fachidiotismus. Wieviel weiter er den Begriff der Philol., worunter er zunächst [5. 73 f.] auch die mod. Philol. zählte, faßte, und wie intensiv er die Frage nach dem Wesen der Wiss. überhaupt in sein Denken einbezog, zeigt seine berühmt gewordene Definition der Philol. als ›das Erkennen des vom menschlichen Geist Producierten, d.h. Erkannten‹ (Enzyklopädie, 101). Diese Formel von der Erkenntnis des Erkannten, in der sich platonische und aristotelische Anschauungen mit denen des Neuhuman. und des dt. Idealismus vermengen, weist den Philologen nicht den primären, sondern den sekundären Erkenntnisschritt zu: So soll er z.B. nicht die philos. Erkenntnisarbeit eines Platon leisten, vielmehr jenes von jenem Philosophen Erkannte erkennen (*gigṓnoskei, anagigṓskei*). Indem Böckh andererseits mit dem Terminus des Producierten in gleicher Weise alle Kulturdenkmäler und geschichtliche Ereignisse bezeichnet, bestimmt er Philol. als Geschichtswiss. und indem er als Träger eines jeden Werkes Ideen (*lógoi*) ansetzt, die der Wissenschaftler erkennen muß, charakterisiert er die Philol. weitgehend als Philos. (Schleiermacher, Schlegel, vgl. [5. 32, 41]: ›Denn man kann das Erkannte nicht erkennen ohne überhaupt zu erkennen und man kann nicht zu einer

Erkenntnis schlechthin gelangen, ohne, was Andere erkannt haben, zu kennen‹ (Enzyklopädie, 17). Durch diese wissenschaftstheoretische Bestimmung der Philol. als *universae antiquitatis cognitio historica et philosopha* (histor. und philos. Erkundung des ges. Alt.) wird die Bed. der Sprache insofern relativiert, als sie zwar immer noch der wichtigste, keinesfalls aber mehr der alleinige Schlüssel zum Verständnis der Ant. ist (Enzyklopädie, 54): Die Sprache wird so zu einer Sache neben anderen Sachen. Zudem teile das Fach das Schicksal jeglicher wahren Wiss., wegen der Unendlichkeit des Stoffes nur approximative Ergebnisse bieten zu können: ›Wo die Unendlichkeit aufhört, ist die Wissenschaft zu Ende‹ (Enzyklopädie, 15). Der approximative Charakter wird durch den hermeneutischen Zirkel verstärkt: die einzelnen Arbeitsschritte der individuellen, der gramm., der histor. und der generischen Interpretation [10. 94 f.] bedingen sich wechselseitig, so daß weder ein Textverständnis ohne Sachkenntnis noch Sachkenntnis ohne Textverständnis gelingt (s. die einlinige Interpretationsauffassung Hermanns). Allein die ›divinatorische Kraft des Geistes‹ (Enzyklopädie, 184) könne diesen Zirkel durchbrechen [9. 70 f.]; mit dieser Vorstellung der Genieästhetik [2. 93 f.] nähert sich Böckh dem Kongenialitätsbegriff Hermanns.

Indem Böckh die Legitimation der Klass. Philol. darin sieht, daß ›die Cultur der Griechen und Römer die Grundlage unserer gesammten Bildung ist‹ (Enzyklopädie, 21), geht er mit dem Argument des Fundaments über das bislang gängige Argument des Vorbildcharakters hinaus, ohne die pädagogische normative Funktion des Faches aufzugeben: Denn ›noch waltet nirgends ein höherer Geist als im Alterthum‹ (Enzyklopädie, 31). Die hierin angelegte Trennung zw. → Historismus (Fach als Objekt der Forsch.) und → Humanismus (Fachinhalte als Norm) wird dadurch aufgehoben, daß die Forsch. als philos., wahrheitsorientierter Erkenntnisprozeß verstanden wird [4.50].

Der Methodenstreit zw. Hermann und Böckh (›Sprache als der einzig richtige Weg der Erkenntnis‹; ›Sprache als ein Weg neben anderen‹) leitete die weitere Geschichte der Klass. Philol. des 19. Jh., wobei jedoch nicht, wie die Darstellungen einiger Wissenschaftsgeschichten glauben machen wollen [11.117ff.], die schroffe Gegenüberstellung zweier Lager beibehalten wurde.

→ Wilamovitz-Nietzsche-Auseinandersetzung; Klassische Philologie

1 H. Flashar, Zur Einführung, in: Ders., K. Gründer, A. Horstmann, Philol. und Hermeneutik im 19. Jh. Zur Gesch. und Methodologie der Geisteswiss., 1979
2 A. Hentschke, U. Muhlack, Einführung in die Gesch. der Klass. Philol., 1972 3 A. Hoffmann, August Böckh. Lebensbeschreibung und Auswahl aus seinem wiss. Briefwechsel, 1901 4 A. Horstmann, August Böckh und die Ant.-Rezeption im 19. Jh., in: L'Antichità nell' Ottocento in Italiae Germania, hrsg. von K. Christ, A. Momigliano, 1988, 3975 5 Ders., Die Forsch. in der

Klass. Philol. des 19. Jh., in: Konzeption und Begriff der Forsch. in den Wiss. des 19. Jh., hrsg. von A. DIEMER, 1968 **6** Ders., s. v. Philol., HWdPh 7, 561 f. **7** O. JAHN, Gottfried Hermann. Eine Gedächtnisrede, Leipzig 1849 **8** C. LEHMANN, Die Auseinandersetzung zw. Wort- und Sachphilol. in der dt. klass. Altertumswiss. des 19. Jh., 1964 **9** F. RODI, »Erkenntnis des Erkannten« – August Boeckhs Grundformel der hermeneutischen Wiss., in: Philol. und Hermeneutik im 19. Jh., 68–83 **10** I. STROHSCHNEIDER-KOHRS, Textauslegung und hermeneutischer Zirkel zur Innovation des Interpretationsbegriffes von August Boeckh, in: Philol. und Hermeneutik im 19. Jh., 84–102 **11** E. VOGT, Der Methodenstreit zw. Hermann und Böckh und seine Bed. für die Gesch. der Philol., in: Philol. und Hermeneutik im 19. Jh., 103–121 **12** W. NIPPEL, Philologenstreit und Schulpolitik. Zur Kontroverse zw. Gottfried Hermann und August Böckh, in: W. KÜTTLER, J. RÜSEN, E. SCHULIN, Geschichtsdikurs, Bd. 3: Die Epoche der Historisierung, 1997, 244 ff.   CLAUDIA UNGEFEHR-KORTUS

Böhmen s. Tschechien

Bonapartismus s. Cäsarismus

Bonn, Rheinisches Landesmuseum und Akademisches Kunstmuseum
A. EINLEITUNG B. GESCHICHTE DES RHEINISCHEN LANDESMUSEUMS C. SAMMLUNG UND PRÄSENTATION DES RHEINISCHEN LANDESMUSEUMS D. GESCHICHTE DES AKADEMISCHEN KUNSTMUSEUMS E. SAMMLUNG UND PRÄSENTATION DES AKADEMISCHEN KUNSTMUSEUMS

A. EINLEITUNG
Die zwei Bonner Mus., die Zeugnisse des Alt. beherbergen, erwuchsen aus gemeinsamen histor. Rahmenbedingungen. Sie gingen nicht aus älteren fürstlichen Sammlungen hervor, sondern verdanken ihre Existenz mittelbar der Regierung in Berlin, nachdem die Rheinlande 1814 dem preußischen Staat zugeschlagen worden waren. Die Voraussetzungen und Grundlagen der Museumsgründungen können einerseits als positive Auswirkung der »bürgerlichen« Reformen Preußens nach den Freiheitskriegen gesehen werden, zeugen andererseits aber auch von einer dezidierten Kulturpolitik, mit der die Zentralmacht ihre Ideale in der neuen – katholischen und keineswegs preußenfreundlich gestimmten – Provinz zu propagieren suchte.

B. GESCHICHTE DES RHEINISCHEN LANDESMUSEUMS
1820 verfügte Staatskanzler Hardenberg, daß eine Sammlung regionaler Denkmäler als ›Museum Rheinisch-Westfälischer Alterthümer in Bonn‹ zu schaffen sei. Dessen Bestände waren von 1823 bis 1874 organisatorisch der im Bonner Schloß untergebrachten Univ. angeschlossen. Daneben trat seit 1841 der als Bürgerinitiative entstandene, teilweise stark lokalpatriotisch geprägte *Verein von Alterthumsfreunden im Rheinlande* mit

eigenen Sammlungsbestrebungen hervor. Zusammengeführt wurden diese Kollektionen im *Rheinischen Provinzialmus.*, das der Provinzialverwaltung unterstand und 1893 in einem eigenständigen Bauwerk Platz fand. 1909 kam ein Erweiterungsbau hinzu. Die Umbenennung in *Rheinisches Landesmus.* erfolgte 1934. Durch Kriegseinwirkungen nahmen die Gebäude 1943 starken Schaden, während die Bestände mittels Auslagerung weitgehend gesichert werden konnten. Die Objekte wurden 1969 der Öffentlichkeit wieder zugänglich gemacht.

C. SAMMLUNG UND PRÄSENTATION DES RHEINISCHEN LANDESMUSEUMS
Innerhalb des Hauses beansprucht die Ant. nur ein, wenngleich wichtiges, Segment. Insgesamt reicht der zeitliche Bogen der in mod. gestalteten Räumen ausgestellten Werke von der Steinzeit bis in die Gegenwart. Der gemeinsame Nenner aller Objekte ist die regionale Bindung.

Die arch. Denkmäler figurieren primär nicht als Kunstwerke, sondern als histor. Zeugnisse. Ästhetische und stilistische Kategorien kommen zwar auch zur Geltung, sind aber nachgeordnet. Wenngleich im Hauptraum, der Oberlichthalle, ein in den Boden eingelassenes Mosaik, einige um die Mitte gruppierte Steinskulpturen und eine aus Aachen stammende Arkadenstellung optisch dominieren, finden gleichermaßen Werke anderer Gattungen bis zu schlichten Gebrauchsgegenständen adäquate Berücksichtigung. Eine herausragende Gruppe von Denkmälern mit hohem Quellenwert für die Geschichte des röm. Germanien bilden Grabsteine von Militärmitgliedern, darunter das bekannte, bei Xanten gefundene Relief des Caelius (Abb. 1), der als Hauptmann im Feldzug des Varus gefallen war. Von rel. Besonderheiten und regionalen Kulttrad. zeugen einige Matronenaltäre. Die röm. Porträtkunst ist v. a. in einem jugendlichen Kopf der frühen Kaiserzeit aus Zülpich und in einem Bronzekopf des Kaisers Gordian III. (Regierungszeit 238–244 n. Chr.) vertreten.

D. GESCHICHTE DES AKADEMISCHEN KUNSTMUSEUMS
Nachdem 1818 König Friedrich Wilhelm III. den Aufbau einer preußischen Univ. in Bonn veranlaßt hatte, fiel rasch die Entscheidung, an der Univ. auch ein arch. Mus. einzurichten. Dessen Gründer Georg Friedrich Welcker – vormals Hauslehrer bei Wilhelm von Humboldt in Rom und nunmehr Inhaber des Lehrstuhls für die Altertumswiss. – suchte eine Sammlung aufzubauen, die den ›Sinn für das Wesen der bildenden Künste‹ wecken sollte. Diesem Zweck diente weniger die, anfänglich bescheidene, Kollektion von Originalen als vielmehr die → Abgußsammlung ant. Skulpturen. Das *Akad. Kunstmus.* wurde während mehrerer Jahrzehnte parallel zum gleichfalls der Univ. angegliederten *Mus. Rheinisch-Westfälischer (bzw. vaterländischer) Alterthümer* entwickelt. Enge Bindungen bestanden ab 1841 zunächst ebenso zw. der Univ. und dem *Verein der Alterthumsfreunde*; die Kooperation schlug jedoch nach

Abb. 1: Bonn, Rheinisches Landesmuseum,
Grabrelief des Marcus Caelius

Abb. 2: Bonn, Akademisches Kunstmuseum, Ansicht
der ehemaligen Eingangsseite (Aufnahme um 1990)

Abb. 4: Bonn, Akademisches Kunstmuseum,
Bildnis der Arsinoe

Abb. 3: Bonn, Akademisches Kunstmuseum,
Kelchkrater des sog. Kopenhagener Malers

1860 in Rivalitäten und Konfikte um. Zur gleichen Zeit brach die gemeinsame Direktion der beiden Mus. an der Univ. auseinander. 1870 wurde die offizielle Trennung der universitären Mus. vollzogen.

Der Sammlungsumfang des Akad. Kunstmus. und insbes. Schäden der Abgüsse durch Feuchtigkeit machten zunehmend die Unterbringung in gesonderten Räumen erforderlich. 1884 fand der Umzug – einschließlich des Arch. Instituts – in das ehemalige Anatomiegebäude (Abb. 2) statt, das, 1824 in streng klassizistischer Form errichtet, für die neue Funktion umgebaut und erweitert wurde, wobei auch die Frage der angemessenen Beleuchtung durch Oberlicht bzw. hohes Seitenlicht eine wichtige Rolle spielte. Der Anbau, der entschieden mehr Grundfläche besitzt als der alte Trakt, nahm die Abgußsammlung auf.

Die Abgüsse traten jedoch, wie anderenorts auch, während der zweiten H. des 19. Jh. in ihrer Wertschätzung zurück. Um die Jahrhundertwende verlagerte sich die Förderung innerhalb des Kunstmus. ganz zugunsten der Originale, indem deren Bestand systematisch ergänzt wurde. Seit dem I. Weltkrieg gingen Neuankäufe allerdings wegen fehlender Mittel drastisch zurück.

E. Sammlung und Präsentation des Akademischen Kunstmuseums

Die 1820 begonnene Abgußsammlung gehört h. weltweit zu den größten. Wegen des begrenzten Platzes wird von den rund 900 Stücken nur eine Auswahl präsentiert. Aber selbst die etwa 250 im Anbau gezeigten Statuen stehen eng beieinander.

Lag der Abgußsammlung anfänglich der Gedanke eines ästhetischen Bildungsauftrags mit dem Schwergewicht auf der klass.-griech. Plastik zugrunde, so entwickelte sich dieser Bereich des Mus. zu einer, wenn auch notwendig exemplarisch begrenzten, Gesamtschau der ant. Skulpturgeschichte. Seine Funktion war und ist primär der einer Lehrsammlung. Das gilt gleichermaßen für die Originalsammlung. So ist die Keramikproduktion aus allen Phasen der Ant. nahezu lückenlos mit charakteristischen Zeugnissen dokumentiert, und sei es nur in Gestalt unscheinbarer, zumeist magazinierter Scherben. Zugleich existieren herausragende Monumente unterschiedlichster Gattungen, die ein Interesse auch jenseits der universitären Ausbildung verdienen. Erwähnt seien nur ein Kykladenidol des 3. Jt. v. Chr., ein Bildnis der Ptolemerin Arsinoe II. (3. Jh. v. Chr., Abb. 4) und ein att.-rf. Kelchkrater des sog. Kopenhagener Malers (um 470–460 v. Chr., Abb. 3).

Seit 1968 ist das Mus. bestrebt, ein breiteres Publikum zu gewinnen. In den letzten J. verstärkten sich die Aktivitäten um Anerkennung als öffentliche Bildungseinrichtung und um Einbindung in die »Bonner Museumsmeile«. Dazu zählte zu Beginn der 90er J. eine anspruchsvolle, in internationaler Kooperation durchgeführte Sonderausstellung. Parallel wurden Vorschläge unterbreitet, wie die Räumlichkeiten des Hauses einer verbesserten Nutzung zugeführt werden könnten, um einerseits der gedrängten Fülle in der Dauerausstellung entgegenzusteuern, andererseits Stellflächen für wechselnde Präsentationen auszuweisen.

1 Antiken aus dem Akad. Kunstmus. Bonn, Kat. Rheinisches Landesmus. Bonn, 1969 2 W. Ehrhardt, Das Akad. Kunstmus. der Univ. Bonn unter der Direktion von F. G. Welcker und O. Jahn, Abh. der Rhein-Westfälischen Akad., Düsseldorf, Nr. 68, 1982 3 W. Geominy, Das Akad. Kunstmus. der Univ. Bonn unter der Direktion von Reinhard Kekulé, 1989 4 R. Kekulé, Das akad. Kunstmus. zu Bonn, Bonn 1872 5 Rheinisches Landesmus. Bonn. Führer durch die Slgg., 1985 6 Verzeichnis der Abguß-Slg. des Akad. Kunstmus. der Univ. Bonn, hrsg. vom Dt. Arch. Institut, 1981 7 F. G. Welcker, Das akad. Kunstmus. in Bonn, Bonn 1827, ²1841. DETLEV KREIKENBOM

Bosnien s. Osmanisch-islamische Kulturregion

Boston, Museum of Fine Arts

A. Institution B. Sammlungsgeschichte
C. Museumstätigkeit

A. Institution

Träger des Mus. of Fine Arts (MFA), das 1870 gegr. wurde, ist eine private Stiftung (Adresse: MFA, 465 Huntington Avenue, Boston, Massachusetts 02115-5523, USA).

B. Sammlungsgeschichte

Das MFA gehört neben dem Metropolitan Mus. of Art in New York und anderen zu den bahnbrechenden amerikanischen Museumsinstitutionen des 19. Jh.

Die Museumsgründung erfolgte am 4. Februar 1870, die Eröffnung im Haus am Copley-Square am 4. Juli 1876. 1909 zog das rasch gewachsene Mus. in sein heutiges Quartier, das seit dem durch Ausbauten, u. a. durch I. M. Pei, seine heutige Größe erreicht hat. Bei der Konzeption des Mus. diente Europa mit seinen kulturellen und v. a. erzieherischen Idealen als Leitbild [1].

Die Sammlungen des MFA sind der »genialen Kunst« verpflichtet. Alle Gebiete der Weltkunst wurden gesammelt, unter denen h. die Kollektionen ant., europ. und asiatischer Kunst einen hohen Rang besitzen. Neben Originalen wurden in der Skulptur anfänglich auch Gipsabgüsse repräsentativer Werke zusammengetragen, denn insgesamt gesehen ›würden Originale entweder unerreichbar bleiben oder von geringem Wert oder gar zweifelhaft sein‹ [1].

Die Antikenabteilung bildet innerhalb des MFA eine eigene Abteilung, das *Department of Classical Archaeology*, h. das *Department of Classical Art*, 1885 unter der Leitung von Edward Robinson eingerichtet. Es begann u. a. mit einer Gruppe zyprischer Skulpturen, die 1872 Luigi Palma di Cesnola, dem späteren Direktor des Metropolitan Mus. in New York abgekauft worden waren. 1876, zum 100-jährigen Bestehen der USA, schenkte Charles Perkins eine Gruppe von Reliefs, die er offenbar aus Rom mitgebracht hatte. Darunter war auch ein Fragment des sog. Kapaneus vom Schild der Athena Parthenos des Phidias. Weitere Sammlungsbestände (1884) kamen aus

Abb. 1: »Bostoner Thron«
nach Vorbild des 5. Jh. v. Chr.,
italienisch, 19. Jh.

Abb. 2: Statuette des
Mantiklos aus Boeotien
mit Weihinschrift an
Apollo, ca. 700–650 v. Chr.

Abb. 3: Kopf der Arsinoe II.,
aus Ägypten ca. 275–250 v. Chr.

Abb. 4: Glocken-Krater des
Pan-Malers ca. 470 v. Chr.

dem türk. Assos, Objekte, die das MFA für seine Beteiligung an der dortigen Ausgrabung erhielt. Auch Funde aus der griech. Kolonie Naukratis im Nildelta kamen wenig später auf diesem Wege nach Boston.

Robinson begann den gezielten Ankauf von Originalen, v. a. von Vasen, Terrakotten und Skulpturen. Dem Museumsmanifest getreu war seine erste Publikation allerdings der Kat. der Gipse von 1887 [2]. Die Antiken selbst wurden 1893 in einem Vasenkat. mit über 600 Einträgen und Fragmenten aus Naukratis vorgestellt [3].

Das persönliche Interesse einer Reihe von Stiftern war für den Aufbau der Sammlung entscheidend [4]. Unter diesen ragt bes. E. P. Warren hervor, der aktiv mithalf, die Antikensammlung zu erweitern. Geldstiftungen ermöglichten den gezielten Ankauf von klass. Kunst, so daß die Sammlung zw. 1895 und 1904 um mehr als 4000 Objekte anwuchs, darunter über 1000 griech. Münzen, sowie Skulpturen, Vasen, Bronzen, Terrakotten und Gemmen.

Zw. 1908 und 1944 prägte der Kurator L. D. Caskey die Antikenabteilung: Unter seiner Ägide wurde u. a. der *Bostoner Thron* (1908), die Sammlungen Carter – ant. Glas – (1916–1931) und E. P. Warren – ant. Gemmen – (1927) erworben. 1918 fanden Teile des Frieses vom Tempel der Athena Nike auf der Akropolis ihren Weg nach Boston. In großem Umfang wurden auch Porträts, etr. Kunst und prähistor. Kunst Griechenlands erworben [4]. Diese Ankaufaktivitäten wurden von Caskeys Nachfolgern gezielt fortgesetzt. Ergänzt durch Stiftungen und Geschenke, besticht die Sammlung in Boston h. v. a. durch ihre Breite und bietet einen weitgespannten Überblick der ant. Kunst von der Prähistorie bis zum frühen Byzanz.

C. MUSEUMSTÄTIGKEIT

Zu den bekanntesten Objekten gehört der *Bostoner Thron*, der allerdings wohl als Pendant zu dem Ludovisi Relief in Rom im 19. Jh. geschaffen wurde (Abb. 1). Um dieses Relief gibt es eine lange Debatte, die exemplarisch ein Grunddilemma des Antikensammelns verkörpert: die Schwierigkeit, → Fälschungen oder Neuschöpfungen als solche auch zu erkennen. Unter den anerkannten Höhepunkten sind u. a. zu nennen: die nachgeom. Statuette des Mantiklos aus Boeotien, der durch seine »mod.« Einfachheit besticht (Abb. 2), der schöne Kopf der jungen Arsinoe II. aus Ägypt. (Abb. 3), ein Beispiel für die bedeutenden Serie ant. Porträts, die bis in die Spät-Ant. läuft. Ein Klassiker der griech. Vasenmalerei ist die Amphora des Andokides-Malers, die den Beginn der rf. Vasenmalerei markiert. Eine große Zahl herausragender Beispiele dieser Kunst- und Handwerksgattung, so der Glockenkrater des Pan-Malers mit Artemis und Aktaion (Abb. 4), lassen deren Geschichte bis in die Zeit Alexanders des Gr. verfolgen.

Neben Großplastik und Vasenmalerei besitzt das MFA auch eine bestechende Kleinkunstsammlung, in der Gemmen, Goldschmuck oder Kleinbronzen ebenso vertreten sind wie Münzen und Medaillen. Auch hier entfaltet sich vor dem Besucher ein breites histor. Spek-

trum, das sich von der Bronzezeit bis zur frühbyzantinischen Epoche spannt.

Das MFA hat einen Teil seiner Sammlung in einer Reihe wiss. Publikationen vorgelegt. Dazu gehört der erste Skulpturenkat. [4] von L. C. Caskey, der auch die Keramik, teilweise zusammen mit Sir John D. Beazley, publizierte [5]. Bereits 1916 hatte G. H. Chase die arretinische Sigillata vorgelegt [6], und A. Fairbanks hatte 1928 griech. und etr. Vasen zugänglich gemacht [7]. Eine Reihe weiterer Kat. zu einzelnen Spezialgebieten zeigen den Fortgang der Bearbeitung der Bestände in jüngerer Zeit an [8–17]. Darüber hinaus arbeitet das MFA an einer Reihe wiss. Regelwerke mit [18; 19]. Außerdem hat es sich an einer Ausgrabung in Zypern beteiligt und damit noch einmal auf die arch. Trad. des 19. Jh. zurückgegriffen [20].

→ AWI Andokides [2]

1 D. PICKMAN, MFA, Boston. The First One Hundred Years, Archaeology 23 (2), 1970, 114–119 2 E. ROBINSON, Descriptive Catalogue of Casts from Greek and Roman Sculpture, Boston 1887 3 Ders., Catalogue of Greek, Etruscan and Roman Vases, Boston, MA, 1983 4 L. D. CASKEY, Catalogue of Greek and Roman Sculpture, Cambridge, MA, 1925 5 Ders., Attic Vase Paintings in the MFA, Parts I, 1931, (zusammen mit J. D. BEAZLEY) voll. II & III 1954, 1963 6 G. H. CHASE, Catalogue of Arretine Pottery, Boston, 1916 7 A. FAIRBANKS, Catalogue of Greek and Etruscan Vases, 1928 8 A. B. BRETT, Catalogue of Greek Coins, 1955 9 Dies., Greek and Roman Portraits 470 B. C.- A. D. 500, 1959 10 M. COMSTOCK, C. C. VERMEULE, Greek Coins. 1950 to 1963, 1964 11 A. VON SALDERN, Ancient Glass in the MFA, 1968 12 M. COMSTOCK, C. C. VERMEULE, Greek, Etruscan, and Roman Bronzes in the MFA, 1971 13 Greek and Roman Portraits, 470 B. C.- A. D. 500 (o. Hrsg.), Boston, MFA, 1972 14 C. C. VERMEULE, Art of Ancient Cyprus. MFA Boston, 1972 15 M. B. COMSTOCK, C. C. VERMEULE, Sculpture in Stone. The Greek, Roman and Etruscan Collections of the MFA Boston, 1976 16 C. C. VERMEULE (Hrsg.), Sculpture in stone and bronze in the MFA, Boston. Additions to the collections of Greek, Etruscan, and Roman art, 1971–1988, 1988 17 J. M. PADGETT, M. B. COMSTOCK, J. J. HERRMANN et al., Vasepainting in Italy. Redfigure and related works in the MFA Boston, 1993 18 H. HOFFMANN, CVA United States of America, 14. Boston, MFA, 1. Attic blackfigured amphorae, 1973 19 M. TRUE, CVA United States of America, 19. Boston, MFA, 2. Attic blackfigured pelike, kraters, dinoi, hydriai, and kylikes, 1978 20 E. T. VERMEULE, Toumba tou Skourou. The Mound of Darkness. A bronze age town on Morphou Bay in Cyprus. The Harvard Univ. Cyprus Archaeological Expedition and the MFA Boston, 1971–1974, 1974.   WOLF RUDOLPH

Botanik A. EINLEITUNG B. LANDWIRTSCHAFT C. MEDIZIN UND PHARMAZIE D. REINE BOTANIK E. ASTROLOGIE UND MAGIE

A. EINLEITUNG

Der Begriff wurde nach *botanik-̔e* (sc. *epist-̔emē*) und nlat. *botanica* (sc. *scientia*) bereits 1663 von Schorer als *Botanic oder Kräuterwiss.* eingeführt [32] und begegnet im eingeschränkten Sinne von Pflanzensystem 1694 im Titel der *Elemens de Botanique* von Joseph Pitton de Tournefort. Erst im 19. Jh. hat B. die umfassende Bed. für alle wiss. Disziplinen erhalten, welche sich mit den Pflanzen beschäftigen [29]. Vorher konnte man nur sehr bedingt von einer Pflanzenkunde sprechen.

B. Landwirtschaft

In der Frühzeit richtete sich das Interesse der Menschen an der sie umgebenden Pflanzenwelt darauf, die eßbaren Gewächse kennenzulernen und zu sammeln, um damit ihren Hunger zu stillen. Beerentragende und Früchte darbietende Bäume und Sträucher sowie Grasarten, mit denen das Vieh gefüttert wurde, waren daher als erste bekannt. Die Kenntnisse wurden auch bei den in verschiedenen Wellen aus Zentraleuropa eingewanderten griech. Stämmen mündlich weitergegeben. Auch aus dem Klass. Griechenland ist keine Fachlit. zur landwirtschaftlichen B. erhalten. Spuren lassen sich lediglich bei Theophrast finden, aber kaum Namen damit verbinden [33. 14–30]. Manche ältere Information ist in die *Geoponica* aus dem 10. Jh. n. Chr. aufgenommen worden sowie in die Werke der lat. landwirtschaftlichen Autoren wie Cato, M. Terentius Varro, Columella und Palladius. Albertus Magnus (um 1200–1280) hat seinem Werk *De vegetabilibus libri VII* vielfach auf den im ganzen MA bekannten Palladius zurückgegriffen. Unter ausdrücklicher Berufung auf ihn wurden im 14. Jh. in Deutschland von Gottfried von Franken alte und neue Pfropftechniken zur Erzielung besserer Obst- und Weinsorten beschrieben. Sein Pelzbuch wirkte in einer (bisher unedierten) lat. und mehreren dt. Fassungen stark weiter. Auch Petrus de Crescentiis (um 1233–um 1320) schöpfte in seinem *Opus ruralium commodorum* ebenso aus zahlreichen ant. landwirtschaftlichen Werken, z. B. dem des Palladius, wie aus eigener Erfahrung als Gutsherr. Weitere lat. Traktate (ed. Kiewisch) beruhen mehr auf eigenen Erfahrungen denn auf Rezeption ant. Texte.

C. Medizin und Pharmazie

Die nächstwichtige Bed. hatten die Pflanzen in der Heilkunde. Vor Hippokrates, der wie später Diokles von Karystos großen Wert auf die Diät legte, besitzen wir aber keine schriftliche Heilmittellehre. Die *Rhizatomika* des Diokles waren nach W. Jaeger [31. 164, 181–185] das erste und offenbar richtungsweisende Werk der pharmakologischen B., welches sowohl von Theophrast (h. plant. Buch 9) als auch von Dioskurides, Nikander und Plinius stillschweigend benutzt worden sei (vgl. [39]). Jaeger sah in Diokles einen ca. von 340–260 v. Chr. lebenden Peripatetiker. Ob er als vermutlicher Zeitgenosse des Aristoteles (384–322 v. Chr.) mit diesem in engerer Beziehung stand, wissen wir nicht. Von Krateuas, der um 100 v. Chr. am Hofe von Mithridates VI. wirkte, kennen wir aus dem berühmten illuminierten griech. Dioskurides-Prachtkodex für die Kaisertochter Julia Anicia vom Jahre 512, der aus der Bibl. in Konstantinopel durch Schenkung an die kaiserliche Hofbibl. in Wien gelangte, nur zehn Fragmente, wahr-scheinlich aus dem wiss. πιζοθομικόν und nicht aus dem populären Kräuterbuch mit farbigen Abb. Der den Krateuas als Quelle benutzende griech. Arzt Pedanios Dioskurides hat im 1. Jh. n. Chr. in seinem Arzneimittelbuch *de materia medica* (περὶ ὕλης ἰατρικῆς) in fünf B. neben der Behandlung der Pflanzen als Drogen manche gute Beschreibung geliefert. Als sog. *Dioscorides Longobardus* ist das Werk in vulgärlat. Form des 6. Jh. im Codex Latinus Monacensis 337 in München erh. Die zweite lat. Übers. in alphabetischer Reihenfolge wurde Constantinus Africanus (2. H. 11. Jh.) zugeschrieben und von Petrus de Abano im 14. Jh. überarbeitet. Sie und der erstmals 1499 in Venedig veröffentlichte griech. Text [36. 69ff.] wurden an den ma. Univ. dem Unterricht in der Arzneimittellehre (*materia medica*) zugrunde gelegt und vielfach lat. kommentiert, z. B. von Valerius Cordus 1561. In der Auseinandersetzung mit den botanischen Angaben des Dioskurides entwickelte sich die B. vom 16. Jh. an zu einer eigenständigen Wiss. Sein zweites Werk *De simplicibus medicamentis* (περὶ ἁπλῶν φαρμάκων) umfaßt dagegen nur zwei B. und erzielte kaum Wirkung. Dioskurides war Zeitgenosse des Plinius Secundus (23–79 n. Chr.), in dessen *Naturalis historia* alle Arten botanischer Kenntnisse viele Bücher füllen. Bes. seit dem 12. Jh. wurde die Enzyklopädie des Plinius zuerst in Form von Epitomeen wie der *Defloratio naturalis historiae Plinii* des Robert von Crikelade (Erstausgabe in Vorbereitung), ferner durch zahlreiche Ausgaben seit 1469 [36. 80], Komm. und Ren.-Schriften für und gegen ihn [36. 81–86] sehr bekannt.

D. Reine Botanik

Von dem verlorenen Werk des Aristoteles über die Pflanzen, woraus er selber an einigen Stellen der *Historia animalium* und anderer Schriften in Vergleichen zitiert, haben wir nur 147 Fragmente. Theophrast aus Eresos (372–285 v. Chr.) auf der Insel Lesbos war Peripatetiker und direkter Schüler des Aristoteles. Er scheint schon vor der Begegnung mit Aristoteles botanische Kenntnisse besessen zu haben, aber erst der tägliche Umgang miteinander befähigte ihn dazu, seine Ansichten systematisch faßbar in zwei Werken darzustellen. Dies sind a) die der aristotelischen Tierkunde entsprechende Pflanzenkunde (*Historia plantarum*) und b) die Ursachen der Pflanzen (*De causis plantarum*), die nach Wöhrle [40. 11] der Schrift *De generatione animalium* des Aristoteles entsprechen. Mit diesen beiden Werken wurde Theophrast zum Begründer einer wiss. B.

G. Senn [37] gelangte zu der von der Forsch. nicht akzeptierten Ansicht, daß die Pflanzenkunde aus etwa neun Einzelschriften von Andronikos um 80 v. Chr. zusammengestellt worden sei, während Wöhrle [40] nachweist, daß jedes Buch gut in den Plan des Gesamtwerkes eingefügt ist. Die Gliederung von a) ist [40. 2–3] folgende: Buch 1, Kap. 1–4: Definition der Pflanzenteile und allg. Aussagen über die wichtigsten von ihnen sowie über die unterscheidenden Gegensatzpaare wie fruchttragend und fruchtlos, immergrün und blattabwerfend. Dabei hat Theophrast viele Begriffe nicht nur genau definiert, sondern auch neu geschaffen [37]. Ferner wird der Einfluß des Standorts einer Pflanze auf ihren Habitus und ihre Eigenschaften angesprochen. Kap. 5–14: Die Differenzierung (διαφοραί) der Teile in Stamm oder Stengel, Rinde, Holz, Mark, Blätter, Wurzeln usw., wobei die wichtigsten Pflanzentypen (Baum = δένδρον, Strauch = θάμος , Halbstrauch = φρύγανον, Kraut = πόα) berücksichtigt werden. ›Der Baum gilt als Idealfall, als »Modell« für die Behandlung der Pflanzen‹ [40. 149–153]. Buch 2, Kap. 1–4: Die (nicht sexuelle!) Fortpflanzung der verschiedenen Pflanzentypen (der μέγιστα ἔιδη). Kap. 5–8: Die Kultur und Pflege der »zahmen« (ἥμερα), d.h. fruchttragenden Bäume (δένδρα). Buch 3: Die »wilden« (ἄγρια) Bäume und Sträucher. Buch 4: Das Vorkommen der Bäume und anderer Pflanzen an verschiedenen Standorten, wobei auch auf die Pflanzen in Seen, Flüssen und Meeren eingegangen wird (vgl. [40. 105–108]). In h. plant. 4,4,4 beschreibt Theophrast den indischen Banyan (Ficus bengalensis) mit seinen gewaltigen Stützwurzeln nach den Berichten vom Alexanderzug [30]. Auch Lebensdauer, Krankheiten und andere negative Einflüsse auf die Pflanze werden diskutiert [34. 107–120]. Buch 5: Die verschiedenen Holzarten und ihre Nutzung. Buch 6–8: Die Halbsträucher und Kräuter im einzelnen, darunter in Buch 8 der Cerealien. Buch 9: Die Pflanzensäfte, aber auch die Gewinnung von Balsam, Harz und Pech sowie die medizinisch-pharmazeutische Verwendung von Pflanzenteilen. b) Die pflanzenphysiologische Schrift handelt in sechs Büchern von den Bewegungsursachen der pflanzlichen Reproduktion und ist folgendermaßen gegliedert [40. 43–46]: Buch 1: Die Fortpflanzungsarten, das jährliche Austreiben und die Fruchtbildung. Buch 2: Die Einflüsse der Natur, insbes. durch Wind, Regen und Bodenverhältnisse, auf das Austreiben und die Fruchtbildung. Buch 3–4: Die Einwirkung des Menschen auf die von ihm kultivierten Pflanzen. Buch 5, Kap. 1–7: Unbeeinflußte widernatürliche Prozesse und auf bestimmte Ergebnisse wie z.B. kernlose Früchte zielende Bemühungen des Menschen. Kap. 8–18: Pflanzenkrankheiten und das Absterben von Pflanzen. Buch 6: Die Entstehung von Pflanzensäften und deren Geschmack und Geruch unter dem Einfluß der Standorte.

In beiden Werken beweist Theophrast gründliche botanische Erfahrungen sowohl in theoretischer als auch praktischer Hinsicht. Er kannte die landwirtschaftlichen Verfahren des Pflanzenbaus [40. 46–51] ebenso wie die unterschiedlichen Qualitäten der handelsüblichen Holzsorten. Auffallend sind auch – wie bei Aristoteles hinsichtlich der Tiere – seine ausgezeichneten pflanzengeographischen Kenntnisse. Die Sexualität der Pflanzen, d.h. die Notwendigkeit der Bestäubung des weiblichen Griffels mit dem Pollen aus den männlichen Staubgefäßen zur Erzeugung des Samens und der Frucht, hat er aber nicht wahrhaben wollen. Freilich war er diesem zur tierischen Reproduktion parallelen Vorgang anhand der künstlichen Bestäubung der Eßfei-

ge und der Dattelpalme (c. plant. 2,9 und 3,18) auf der Spur gewesen, hatte sich aber vor einer entsprechenden Verallgemeinerung gehütet [35. 141–194, 166–169]. Das Werk De plantis des Nikolaus von Damaskus (1. Jh. v.Chr.) in zwei kurzen Büchern wurde lange für das verlorene aristotelische gehalten. Es hat im Abendland zunächst nur in der unvollständigen lat. Übers. (um 1200) aus dem Arab. von Alfredus Anglicus (de Sareshel) gewirkt und wurde daraus 100 J. später von einem unbekannten Byzantiner ins Griech. übertragen. Die Verfasser lat. naturkundlicher Enzyklopädien (13.–15. Jh.) zitierten es gelegentlich unter dem Namen des Aristoteles. Nach einer Diskussion über den Unterschied in den Lebensäußerungen bei Pflanze und Tier bespricht der Autor die pflanzlichen Bestandteile wie Holz, Mark und Rinde, parallelisiert das Abwerfen der Blätter im Winter mit dem Haarwechsel mancher Tiere und diskutiert die Unterschiede der Gewächse in ihrer morphologischen Ausbildung, ihren Standorten und ihrer z.T. vom Menschen und von meteorologischen Einflüssen abhängigen Reproduktion. Einige Pflanzenarten werden dabei als Beispiele genannt.

E. Astrologie und Magie

Aus byz. Zeit kennen wir kleinere Schriften, in denen gewisse Pflanzen wie die Mandragora in magischer Weise gedeutet und angewendet werden [38]. Zu diesem Bereich gehören auch die ins Lat. übers. Koiraniden, aus denen z.B. um die Mitte des 13. Jh. Thomas von Catimpré in seinem Liber de natura rerum zitiert, und das dazu in Beziehung stehende Compendium aureum.

→ AWI Columella; Diokles [6]; Pedanius Dioskurides

QU 1 M. Catonis de agricultura, ed. A. MAZZARINO, 1962 2 W.D. HOOPER, H.B. ASH, Marcus Porcius Cato, On agriculture, Marcus Terentius Varro, On agriculture, 1934 3 O. SCHÖNBERGER, M.P. Cato, Vom Landbau, Fragmente, lat.-dt., 1980 4 Pedani Dioscuridis Anazarbei de materia medica, ed. princeps Venedig, Manutius, Juli 1899 (ed. M. WELLMANN, 3 vol., 1907–1914, Ndr. 1958) 5 Dioskurides' Arzneimittellehre, übers. von J. BERENDES, 1902, Ndr. 1970 6 K. HOFMANN, T.M. AURACHER (später H. STADLER), Der Longobardische Dioskorides des Marcellus Virgilius, 1883–1903, in: Romanische Forsch. 1, 49–105; 10, 181–247 und 372–446; 11,1–121; 13, 161–243; 14, 602–636 7 DIOSCORIDES, De materia medica, ed. princeps, Colle, Medemblik, Juli 1478 8 VALERIUS CORDUS, Annotationes in Pedacii Dioscoridis Anazarbei de medica materia libros V, ed. C. GESNERUS, Straßburg, J. RIBEL, 1561 9 Pedani Dioscuridis ... De simplicibus medicamentis, ed. M. WELLMANN, vol. 3, 151–317 10 R. ANKENBRAND, Das Pelzbuch des Gottfried von Franken, Unt. zu den Quellen, zur Überlieferung und zur Nachfolge der ma. Gartenlit., (Diss. Heidelberg) 1970 11 G. EIS, Gottfrieds Pelzbuch, 1944, Ndr. 1966 12 Nicolai Damasceni de plantis libri duo Aristoteli vulgo adscripti. Ex Isaaci ben Honayn versione arabica Latine verfit Alfredus, ed. E.H.F. MEYER, Leipzig 1841 13 H.J. DROSSAART LULOFS, E.L.J. POORTMAN, Nicolaus Damascenus, De plantis. Five translations, 1989 (Aristorteles semitico-latinus), 465–561 (lat. Ed.), 563–648 (griech. Ed.) 14 Theophrasti Eresii opera, ed. princeps in: Aristoteles, Opera, vol. 3, Venedig, Manutius, 29. Januar

1497 **15** A. HORT, Theophrastus Enquiry into plants, 2 vol.
1916 **16** K. SPRENGEL, Theophrasts Naturgesch. der
Gewächse, 2 Bde., 1822, Ndr. 1971 **17** Theophrasti c. plant.
ed. F. WIMMER, 165–319 **18** Albertus Magnus de
vegetabilibus libri VII, ed. E. MEYER, C. JESSEN, Berlin 1867
19 Geoponica sive Cassiani Bassi Scholastici de re rustica, ed.
H. BECKH, Leipzig 1895 **20** Lucius Iunius Moderatus
Columella, Zwölf B. über Landwirtschaft, B. eines
Unbekannten über Baumzüchtung, lat.-dt. hrsg. von
W. RICHTER, 3 Bde., 1981–83 **21** S. KIEWISCH, Obstbau
und Kellerei in lat. Fachprosaschriften des 14. und 15. Jh.,
(Diss. Hamburg) 1995 = Würzburger medizinhistor.
Forschungen, Bd. 57 **22** KRATEUAS, Fragmente, ed.
M. WELLMANN, in: Dioscorides, vol. 3, 144–146 **23** Palladii
Rutilii Tauri Aemiliani Opus agriculturae, De veterinaria
medicina, De insitione, ed. R. H. RODGERS, 1975
24 PETRUS DE CRESCENTIIS, Opus ruralium commodorum,
ed. princeps Augsburg, Schüssler, 16. Februar 1471: Ruralia
commoda. Das Wissen des vollkommenen Landwirts um
1300, Teil 1 (Einleitung mit Buch IIII), ed. W. RICHTER,
1995 (= Editiones Heidelbergenses 25) **25** C. PLINIUS
SECUNDUS Naturalis historia, ed. princeps Venedig J. SPIRA,
1469 (ed. I. IAN, C. MAYHOFF, 5 vol., 1892–1909, Ndr. 1967)
26 Textes latins et vieux français relatifs aux Cyranides, ed.
L. DELATTE, 1942 **27** M. WELLMANN, Die Fragmente der
sikelischen Ärzte Akron, Philistion und des Diokles von
Karystos, 1901 (Neuausgabe von P. VAN DER EIJK in
Vorbereitung) **28** F. WIMMER, Phytologiae Aristotelicae
fragmenta, 1838

LIT **29** W. BARON, Gedanken über den urspr. Sinn der
Ausdrücke B., Zoologie und Biologie, in: G. RATH,
H. SCHIPPERGES (Hrsg.), Medizingesch. im Spektrum (=
Sudhoffs Archiv, Beiheft 7), 1–10 **30** H. BRETZL,
Botanische Forsch. des Alexanderzuges, 1903
31 W. JAEGER, Diokles von Karystos, 1938 **32** F. KLUGE, S. V.
B., Etym. WB der dt. Sprache, 93 ff. **33** E. H. F. MEYER,
Gesch. der B., Bd. 1, Königsberg 1854 **34** G. B. ORLOB,
Frühe und ma. Pflanzenpathologie, in:
Pflanzenschutz-Nachrichten Bayer, 26. Jg. 1973/H. 2
35 O. REGENBOGEN, Eine Forschungsmethode ant.
Naturwiss. (1930), in: KS, hrsg. von F. DIRLMEIER, 1961
36 G. SARTON, The appreciation of ancient and medieval
science during the Ren. (1450–1600), 1955
37 R. STRÖMBERG, Theophrastea. Stud. zur botanischen
Begriffsbildung, 1937 **38** M. H. THOMSON, Textes grecs
inedits relatifs aux plantes, 1955 **39** M. WELLMANN, Das
älteste Kräuterbuch der Griechen, in: FS F. Susemihl,
Leipzig 1898, 2–23 **40** G. WÖHRLE, Theophrasts Methode
in seinen botanischen Schriften, 1985.

CHRISTIAN HÜNEMÖRDER

Brief, Briefliteratur   A. BEGRIFF   B. GESCHICHTE

A. BEGRIFF

Der B., erläutert der Herausgeber der Aristoteles-B.
Artemon, sei gleichsam die eine Seite eines Gesprächs.
Dieses älteste Zeugnis der B.-Theorie bietet eine Beschreibung des Formproblems des B. in nuce: Im Gespräch findet ein kontinuierlicher und gemeinsamer, im
B. ein diskontinuierlicher und einseitiger Diskurs statt;
der B. verbindet zwei Seiten eines Diskurses (Schreib-
und Lesegegenwart), indem er sie trennt.

B. GESCHICHTE

Der Prozeß der Rezeption dieser in allen Schrift-
kulturen früh entwickelten Diskursform ist in der Mod.
zum Abschluß gekommen; die Anfänge lagen im
→ Humanismus: Die kulturelle Praxis des B. – im MA
weiter nach an. Vorbildern gepflegt (freilich mit restriktiven Tendenzen: in der Formelhaftigkeit des B.-
Stils werden soziale Beziehungen festgeschrieben) [11] –
stieß auf ein gewandeltes, aus Distanzbewußtsein her-
rührendes Interesse. Ein prägnantes Datum bildet die
Rezeption von Ciceros B.-Werk (nebst den B. Plinius
des J.) im it. Trecento [13]: Über ein exemplarisches
Œuvre konnten die B.-Praxis des Alt. und mit ihr die
B.-Form neu entdeckt werden. Schon hier, wie in der
gesamten neuzeitlichen Rezeption, kreist das Interesse
um zentrale, in der Ant. entwickelte Topoi; diese gehen
wiederum zurück auf spezifische Gegebenheiten der
Form.

In den Diskurs müssen zwei zeitlich differierende,
einander unzugängliche Perspektiven hineingenommen werden. Das leistet, traditionell, der Freundschafts-
topos, die Stilisierung des Diskurses im Sinne eines
Beieinanderseins getrennter Freunde. Petrarca übernimmt ihn aus Ciceros Atticus-B., die er 1345 kopiert,
um später eigene B. zu sammeln und zu veröffentlichen.
Noch in Goethes B.-Roman *Die Leiden des jungen Wer-
thers* (1774) heißt es (mit mod. Verschiebung des Akzents
vom Schreiber auf die Schrift): ›(L)aß das Büchlein deinen Freund seyn‹. – Aber: Die Zeitdifferenz kann nur
von einer Seite her überbrückt, der Diskurs nur einseitig
und mithin selbstbezüglich geführt werden. Der Topos
vom »Brief als Spiegel der Seele« – wichtig zumal bei
Seneca, aufgenommen von der neu-lat. Epistolartheorie
der Ren. (Lipsius, 1591) [9] – trägt diesem Aspekt Rechnung; desgleichen der Kunstgriff, durch B. Augenblicke
der Entscheidung zu vergegenwärtigen. Er begegnet
schon in der ant. Alexanderdichtung [7. 48 ff.], in der
Neuzeit dann in der heroischen B.-Dichtung (in Versen), einer dem Vorbild von Ovids *Epistulae Heroidum*
verpflichteten Gattung, die mit bekannten Stoffen,
auch solchen der B.-Lit., arbeitet (Drayton und Hofmann von Hofmannswaldau im 17. Jh., frz. Héroide im
18. Jh.) [3]. Noch die lit. Großform, Richardsons emp-
findsamer B.-Roman – ›Familiar Letters, written, as it
were, to the Moment‹ (*The History of Sir Charles Grandison*, 1753/54, Preface) – baut auf den selbstbezüglich-
situativen Charakter des B.

Damit der B. verstanden werden kann, muß freilich
von der formspezifischen Selbstbezüglichkeit und Au-
genblicks-Bedingtheit wiederum abstrahiert werden.
Zumal die B.-Lit. (publizierte B., ob echt oder fingiert)
wäre gar nicht denkbar ohne die Voraussetzung situa-
tionsabstrakter Verstehbarkeit. Eine Gewähr bot die
Vereinheitlichung des B.-Stils nach Regeln der Rhet.
(Schulausbildung im Alt., *artes dictaminis* im MA) – wobei zugleich Ungezwungenheit des Stils geradezu verlangt wurde. Hier knüpft Erasmus (*De conscribendis epi-

stolis, 1521) an, indem er sich gegen das Nachahmen von Mustern (Cicero!) wendet und doch den B. auf Regelhaftigkeit (ein neues *genus familiare*) verpflichtet. Bezeichnenderweise wird in den parodistischen *Epistolae obscurorum virorum* (1515/17) der Erfurter Humanisten (Modell der satirischen B.-Lit.) eben der Stil – Mönchs-Lat. – zur Zielscheibe. Wie hier wird nicht nur in pragmatischen B.-Lehren, sondern auch in B.-Theorie und B.-Lit. der Neuzeit durchweg davon ausgegangen, daß eine Norm formuliert und das je ›Eigenthümliche‹ des B.-Diskurses auf ein ›Allgemeines‹ bezogen werden könne (K. Ph. Moritz, *Briefsteller*, 1793).

Innerhalb des durch die Anforderungen der Form gesteckten Rahmens vollzieht sich im neuzeitlichen Rezeptionsprozeß ein tiefgreifender Wandel des B. Urkundliche, amtliche oder geschäftliche Schreiben sind davon nur mittelbar betroffen; in dem Maß, wie hier Schreib- und Lesesituation typisiert sind, tritt das Problem der Form in den Hintergrund. Im Brennpunkt von Reflexion und Innovation steht weiterhin der publizierte (lit.) B. privaten Zuschnitts. Er hat nun gleichermaßen teil an den Entwicklungen der Alltagskommunikation, der Massenmedien (Buchdruck!) und der Evolution von Kunst [5. 341 ff.]. Wo die B.-Form an letzterer partizipiert, wird sie zur Herausforderung spezifisch dichterischer Rede; dieser ist es nun vorbehalten, den B. zum »Spiegel der Seele« und den abwesenden Partner zum anwesenden zu machen (für die Shakespearezeit: John Donne [9. 148 ff.]). Das Zeitalter der Aufklärung identifiziert dann die poetische Selbstaussage im B. zudem mit dem moralisch guten Affekt (A. Pope, *Eloisa to Abelard*, 1717) [3. 223]. – Wie sich die B.-Lit. zugleich in den neuen Kommunikationsbereich der Massenmedien einfügte, zeigt das Beispiel der *Lettres Portugaises* (einer wohl auf authentischen B. beruhenden Fiktion), auf deren Veröffentlichung (1669) binnen kurzem Neuauflagen, Raubdrucke, Nachahmungen und dichterische Bearbeitungen folgten.

Die große Flut der B.-Lit., zumal der B.-Romane, bricht dann im 18. Jh. herein. Die Romane Richardsons – *Pamela; or, Virtue Rewarded* (1740), *Clarissa; or, The History of a Young Lady* (1747/48), zuletzt *Grandison, or The History of Sir Charles* (1753/54) – stechen hervor durch die luzide Handhabung der B.-Form [12] (gewürdigt von Diderot, *Eloge de Richardson*, 1762): Der einzelne B. wird konsequent verpflichtet auf die vergegenwärtigende Vermittlung augenblickshaften Erlebens und tritt so in Spannung zur (Gesamt-)Komposition des Romans. Rousseau (*La Nouvelle Héloïse*, 1761), Goethe, Restif, Laclos, Tieck werden dieses Modell aufgreifen und modifizieren. Von der Attraktivität der B.-Form zeugt ebenso die Vielfalt der Genres [8. 144 ff.], darunter Marivaux' B.-Bekenntnisroman *La Vie de Marianne* (1731 ff.), die subjektivitätskritischen B.-Romane Wielands, Hölderlins Synthese von Geschehen und Rückschau in *Hyperion* (1797/99). – Zugleich bleibt die B.-Form fest eingebunden in die Alltagskommunikation. *Pamela* war aus Richardsons Ar-

beit an einem Briefsteller hervorgegangen [2. 201 ff.]; in Chr. F. Gellerts wirkungsmächtiger B.-Lehre begegnet der B. gleichsam als das Organon der »Sittlichkeit« (*Briefe, nebst einer praktischen Abhandlung von dem guten Geschmacke in Briefen*, 1751). Es geht hier um mehr als nur einen Leser-Soziolekt (als solcher hatte in der B.-Lit. des 17. Jh., Ninon de Lenclos, Marie de Sévigné, *Lettres à Babet* von E. Boursault, das Frz. fungiert [10. 40 ff.]); vielmehr wird angeleitet zu einer Sprache, die »den« Menschen befähigen soll, »natürliche« und »vernünftige« Geselligkeit zu praktizieren. Die pragmatischen, bürgerlich-emanzipatorischen und nationalpädagogischen Ambitionen der Epistolographie im 18. Jh. [4. IXff.] sind bezogen auf einen »menschheitlichen« Horizont. Wie die B.-Form zw. Alltag, Unterhaltung und Kunst oszilliert, wird bes. deutlich an Goethes *Werther*-Roman: Er wurde alltagsweltlich-identifikatorisch gelesen; er zog eine Welle von Nachfolgeproduktionen – Wertheriaden – nach sich (Unterhaltungswert); und der Autor beharrte wiederum auf dem Kunst-Charakter des Textes. Aber es war nicht zuletzt die Verschränkung dieser (sich mehr und mehr gegeneinander abschließenden) Kommunikationsweisen, durch die die B.-Lit. des 18. Jh. sich auszeichnete.

Nachdem der B. dergestalt zum Paradigma gelungener sozialer Kommunikation avanciert war, begegnet er bereits um das J. 1800 – ganz konträr – als Paradigma mod., ästhetischer Abweichung von sozialer Subjektivität [1]. Die Kehrtwende, die sich hier in den B. einer radikalromantischen Elite (Kleist, Günderrode, Brentano) beobachten läßt, ist charakteristisch für die – ambivalente und dekonstruktive – Einstellung der ästhetisch geprägten Mod. zum B. [5. 239 ff.]. Das Formproblem wird zu Ende gedacht und die B.-Form dabei überfordert: Der Akt des Schreibens bzw. Lesens als solcher wird vergegenwärtigt – als »bloßes« Konstruieren eines erlebten Augenblicks; und der abwesende Partner wird monologisch mit-entworfen. Von der Schwierigkeit, aus solchem Problembewußtsein noch B. zu schreiben, spricht F. Kafka in einem B.(!) an Milena Jesenská – zugleich eine mod., ironische Replik auf Artemon: ›Alles Unglück meines Lebens (...) kommt (...) von der Möglichkeit des Briefeschreibens her. (...) Man kann an einen fernen Menschen denken und man kann einen nahen Menschen fassen, alles andere geht über Menschenkraft.‹

Abgekoppelt von der nach 1800 einsetzenden Sonderentwicklung des B. als eines ästhetischen Problems und unbeeinflußt durch Form-Experimente, hat sich der B. in den Bereichen der Massenmedien (siehe nur die großen B.-Editionen, die nicht allein dem Bedürfnis der Wiss., sondern auch dem der Unterhaltung dienen) und der Alltagskommunikation – über sozialen und kommunikationstechnischen Wandel hinweg – anpassungsfähig erhalten [10. 59 ff.]. Vor dem Hintergrund postmod. Sinn-Pluralität und wechselnder sozialer Zugehörigkeiten mutet das alte Stil-Postulat ›kontrollierter Ungezwungenheit‹ nicht unaktuell an; und das Form-

problem des B. (Zeitdifferenz, Einseitigkeit) über-
dauert, trotz aller Beschleunigung der Kommunikation,
noch im E-mail.
→ Briefkunst
→ AWI Brief; Cicero

1 K. H. BOHRER, Der romantische. B., 1987 2 R. A. DAY,
Told in Letters. Epistolary Fiction Before Richardson, 1966
3 H. DÖRRIE, Der heroische B., 1968 4 J. DYCK,
J. SANDSTEDE, Quellenbibliogr. zur Rhet., Homiletik und
Epistolographie des 18. Jh. im deutschsprachigen Raum,
1996 5 A. EBRECHT u. a. (Hrsg.), B.-Theorie des 18. Jh.,
1990 6 N. LUHMANN, Die Kunst der Ges., 1995
7 R. MERKELBACH, Die Quellen des griech. Alexanderromans, ²1977 8 N. MILLER, Der empfindsame
Erzähler, 1968 9 W. G. MÜLLER, Der B. als Spiegel der
Seele, in: Ant. und Abendland 26, 1980, 138–157
10 R. M. G. NICKISCH, B., 1991 11 F.-J. SCHMALE, s. v. B.,
B.-Lit., B.-Sammlungen IV, LMA 2, 652–659
12 W. VOSSKAMP, Dialogische Vergegenwärtigung beim
Schreiben und Lesen. Zur Poetik des B.-Romans im 18. Jh.,
in: DVjS 45, 1971, 80–116 13 F. J. WORSTBROCK (Hrsg.),
Der B. im Zeitalter der Ren., 1983.

MARKUS HEILMANN

Briefkunst/Ars dictaminis
A. VORGESCHICHTE B. GESCHICHTE
C. CHARAKTERISTIK D. NACHGESCHICHTE .

A. VORGESCHICHTE
Im röm. Prinzipat und Dominat verlor die öffentliche Rede (außer allenfalls dem *genus demonstrativum*) an
praktischer Bed. [21. 236f.]. Im Geflecht von offiziellem Brief und briefartiger Urkunde, die z. T. dafür eintraten, zeichnete sich die Tendenz ab, das ›pragmatische
Zentrum‹ [19. 17, 22] des Textes durch zunehmend umfangreichere, zeremoniell stilisierte proömiale Teile
motivierend vorzubereiten. Die Kanzleibeamten (oft
zugleich auch Literaten und Panegyristen) brachten hier
insbes. Einflüsse aus dem zeitgenössischen privaten
Kunstbrief und aus dem *genus demonstrativum* ein. Schon
im 4./5. Jh. hatte sich ein pragmatisch weitgehend pa-
ralleles Text-»Formular« für Urkunden und offizielle
Briefe (Tab. 1: I) herauskristallisiert [19. 15–28]. Dieses
Grundformular läßt sich in der Kanzleitradition einerseits von den röm. Kaisern und ihren Beamten über die
Germanenherrscher (Cassiodor *Variae*; Frankenherr-
scher) bis zu den ma. Herrschern, andererseits über die
Bischöfe ab dem 4. Jh. n. Chr. bis zu den ma. Päpsten
verfolgen ([13]; zum Urkundenformular [11 Bd.
I.46ff.]). Die starke Formalisierung von offiziellem
Brief und Urkunde ging Hand in Hand mit der Ver-
wendung von Modellsammlungen (*Variae*; ab 4. Jh. Register der Päpste usw.).

B. GESCHICHTE
[28. 194–268; 12. 29–50; 33; 27] Nach einer tiefen
Depression der europ. Schriftlichkeit im 9./10. Jh. stieg
ab dem 11. Jh. wieder der Bedarf an öffentlich-amtli-
chem Schriftwechsel 1. auf Grund eines immer stärker
schriftlich geprägten Rechtsverständnisses, 2. im Rah-

men zunehmend zentralisierter weltlicher und kirchlicher administrativer Strukturen und 3. (speziell in Nord-
und Mittel-It.) durch expandierende Korrespondenz in
und zw. den durch handeltreibendes Bürgertum selbst-
bewußteren Städten [36. 146ff.; 16. 53ff.; 40]. Die zunehmende Beschäftigung weltlicher Kleriker in it.
Kanzleien machte eine explizite Unterweisung in der
seit Jh. gängigen Brief- und Urkundenpraxis (s.o.) immer dringlicher. Neuartige Versuche, eine solche Unterweisung explizit von der Rhet. her anzugehen, finden sich in It. ab dem dritten Drittel des 11. Jh. an zwei
Schwerpunkten [10. 253f.]: 1. in dem mit der Kurie
interagierenden Einzugsgebiet Montecassinos (ab 1077
Alberico di Montecassino, dessen Zugehörigkeit zur
A.d. heftig umstritten ist [34; 24 vs.; 28. 202–211; 43];
im Umfeld die späteren Päpste Giovanni da Gaeta und
Alberto da Morra; im 13. Jh. dann *dictatores* wie Tommaso da Capua); 2. in dem nord-it. Bologna mit seiner
Rechtsschule und seinem aufblühenden *studium*, das im
ersten Drittel des 12. Jh. eine erste Blüte als eigentliches
Zentrum der A.d. erlebte (Adalberto Samaritano; Ugo
da Bologna u. a.). Die in ihren Kernpunkten stabilisierte
neue Doktrin strahlte Mitte des 12. Jh. mit Bernardo da
Bologna [5] nach Frankreich und Deutschland aus. Anders als im stärker juristisch ausgerichteten Bologna
stand in den frz. Zentren (im Loire-Tal) der rhet.-lit.
Aspekt mit Bezug auf die ant. Klassiker im Vordergrund
(ab dem letzten Drittel des 12. Jh. v. a. Bernard de
Meung, Pierre de Blois, Geoffroy de Vinsauf; Mitte des
13. Jh.: Pons de Provence, u. a.; von hier auch Ausstrahlung auf England: Gervase de Melkley, Anf. 13. Jh., und
spätere). Ab ca. 1200 erlebte Bologna in z. T. scharfer
Reaktion gegen die frz. Schule eine zweite Blüte: v. a.
Boncompagno da Signa, Bene da Firenze, Guido Fava
(nüchtern-didaktisch orientiert; bes. über seine *Summa
dictaminis* von 1228/29 stark im Ausland rezipiert; zu
seinen volkssprachlichen Texten s.u.); zweite H. des
13. Jh.: Matteo de' Libri u. a. Unter it. Einfluß entwikkelte sich eine A.d. im dt. Sprachgebiet – nach dem
isolierten Baldwin v. Viktring (ab 1160) – erst ab Mitte
des 13. Jh. (Ludolf v. Hildesheim, Konrad v. Mure, Ber-
nold v. Kaisersheim u. a.), auf der Iberischen Halbinsel
erst gegen E. des 13. Jh. (Dominicus Dominici de Viseu;
Juan Gil de Zamora; u. a.). Soweit man es angesichts der
bislang unüberschaubaren Menge bis ins 15. Jh. hinein-
reichender, noch nicht edierter Texte zur A.d. beurteilen kann, sind seit dem 13. Jh. keine wesentlichen kon-
zeptionellen Neuerungen mehr zu verzeichnen [12. 41]
(wichtige Editionen sind nach wie vor [8] und jetzt [9];
ein Gesamtrepertorium von Traktaten bis 1200 findet
sich in [44]).

C. CHARAKTERISTIK
Dictamen heißt zunächst allg. »kunstvoll verfertigter
Text«, spezieller: »kunstvoller Prosatext« und in der Regel dann »offizielle(r) Brief/Urkunde«. Ein Lehrwerk
der A.d. als ma. Briefrhet. besteht aus einem Traktat (=
ars dictandi im engeren Sinne) und/oder aus Modellsammlungen mit Formulierungsvorbildern bzw.

I	II ➤	III ◄	IV
URKUNDE/ OFFIZIELLER BRIEF (spätantik-frühmittel-alterliche Tradition)	**DICTAMEN** („experimentelle" Terminologien)	**DICTAMEN** (kanonische „Kompromiß"-Terminologie")	**REDETEILE** (antike Rhetorik)
Salutatio Begrüßung			
Arenga / Proemium / Exordium Einleitungsteil	**Blandities** Schmeichelei/ **Captatio benevolentiae** Werben um Wohlwollen		
Narratio Erzählung	**Causa blanditiei** Grund der Schmeichelei/ **Insinuatio** Mitteilung		
			Partitio Aufteilung
Dispositio Verfügung / **Petitio** Ersuchen	**Imperium** Befehl		**Argumentatio** Argumentation - Confirmatio Fürrede - Reprehensio Gegenrede
Sanctio Strafandrohung			**Conclusio** Schlußfolgerung

Kopiervorlagen (es geht eher um *reproductio* als um *imitatio* [28. 218 f.]). Ein Hauptthema ist Art und Zahl der Briefteile, wobei das Verdienst der A.d. darin besteht, das in der spät-ant./früh-ma. Brief- und Urkundenpraxis (s.o.) bereits vorfindliche Fünferschema (Tab. 1: I) – mit Varianten in Zahl und Benennung – auf den Begriff zu bringen. Als Katalysator wirkte dabei im Zuge der »Renaissance« des 12. Jh. [39] eine – ex post konstruierte – terminologisch-begriffliche Parallelisierung mit den Redeteilen der klass. Rhet. (Tab. 1: IV): zw. radikaler Anlehnung an die Redeteile einerseits (ergänzt nur durch die *salutatio*: Alberico, um/vor 1080 [2. 38 f.]) und ganz eigenständigen, »experimentellen« Benennungen andererseits (Tab. 1: II; vermutlich ebenfalls Alberico, vor Mitte 1085 [3. 35]; ferner z. B. Adalberto, ca. 1115 [1. 33 f.]) setzte sich letztlich die Kompromiß-Terminologie entsprechend Tab. 1: III durch (kanonisch bei Bernardo da Bologna, 1138–43 [7. 10]; Überblick in [44. 181 f.]; die *dictatores* lassen allerdings gegebenenfalls eine Reduktion der Zahl oder eine Umstellung von Briefteilen zu [8. 22–25; 42. 191]).

In kommunikativer Hinsicht war es nicht völlig abwegig, vom *dictamen* eine Brücke zur ant. Rede zu schlagen, insofern der – stets vorgelesene – ma. Brief so wie auch die Rede als eine lautlich realisierte, öffentliche, wohlgesetzte und auf ein »pragmatisches Zentrum« hinstrebende Zusprache rezipiert wurde. Aber wie im 13. Jh. teilweise schon Brunetto Latini erkannte [6. 147–149, 153; 7. 322, 389], ist die Parallelisierung auch in mehr als einem Punkt problematisch [21. 236; 30. 135, 152; 19. 30 f.]: de facto Reduzierung der drei klass. Funktionen des *exordium* auf die einer – z. T. auch so benannten – *captatio* [42. 190]; unterschiedliche Typen von »Sprechakten« (Behaupten vs. Auffordern); verfehlte Parallele zw. Rede-*conclusio* und Brief-*conclusio* (s. Tab. 1: III/IV; vgl. auch [4. 150]). Eine Mischung aus Anleihen bei der ant. Rhet. (insbes. Cic. inv.; Rhet. Her.) und kodifizierten ma. Kommunikationsnormen kennzeichnet die A.d. auch in manch anderer Hinsicht. Innerhalb der Lehre von den *virtutes et vitia elocutionis* wird die Systematik der *ornatus*-Mittel (*colores rhetorici* [29. 871 f. n. 2]) von einer reinen Klassifikation zunehmend zu einem Repertoire stildifferenzierender Mittel in Abhängigkeit von der *materia* [42. 191–193]. Die in der Spät-Ant. bei Iulius Victor (4. Jh. n. Chr.) gerade nur angedeutete Differenzierung von *epistolae negotiales* nach dem hierarchischen Verhältnis zw. Absender und Adressat (rhet. 27) wird in der A. d. zu einer differenzierten Kasuistik des Briefschreibens nach relativer oder absoluter Hierarchie der Kommunikationspartner ausgebaut, was vornehmlich in die meist sehr umfangreiche Lehre von der *salutatio* eingeht [22; 14]. Soweit hier eine Applikation der ant. *genera dicendi* zu unterstellen ist ([31. 63 ff., 272–278] aber [42. 204 n. 49]), liegt eine radikale Umdeutung von der Ebene der dargestellten Personen (wie in der Poesie) auf die Ebene der kommunikativ interagierenden Personen (Absender/Adressat) vor. Im Bereich des *exordium* stellt der häufige Einsatz von Sprichwörtern [36], rel. Sentenzen und Bibelsprüchen (mit Einflüssen aus der Predigt) eine völlige Neuerung gegenüber der klass. Rhet. dar. Die beiden am ausführlichsten behandelten Textteile, *salutatio* und *exordium*, tragen nun gerade am meisten dazu bei, im Brief (wie in der Urkunde) die das MA kennzeichnende repräsentative Öffentlichkeit [15. 17–21] zu erzeugen [19. 27 f.]. In dieselbe Richtung zielen auch die in allen Briefteilen präsenten Anreden bzw. Selbstbezeichnungen durch substantivische Abstrakta des Typs *tua prudentia* bzw. *mea devotio*, die seit der Spät-Ant. in der oben (A.) hergeleiteten Brief-/Urkundentrad. regelhaft auftreten [18]. All diese Mittel der Stereotypisierung und Ritualisierung der Kommunikation haben mit dem kreativen *aptum*-Konzept der klass. Rhet. nicht mehr viel zu tun. Was die rhythmischen Satzschlüsse (sog. *cursus*) betrifft, so erfährt das – in der Ant. zwar schon bekannte – Prinzip des Prosarhythmus nach spät-ant. Umstrukturierung (von der Silbenquantität zum Wortakzent) in der jahrhundertelangen Praxis in der päpstlichen Kanzlei eine ganz eigene Ausformung, auf deren Grundlage der *cursus* erstmals im letzten Drittel des 12. Jh. in Frankreich und ab Anfang des 13. Jh. dann auch in It. in den Kanon der A. d. aufgenommen wurde [29. 4 f., 41 ff., 55 ff., 290 ff., 757 ff., 909–960; 25; 17]. Insgesamt ist das Verhältnis der A. d. zur Ant. und ihrer Rhet. eine ›distanzlos wählende und abwandelnde, umdeutende und auch mißverstehende Applikation‹ [42. 193]. Dies gilt nicht zuletzt für den in der – eher spärlichen – ant. Brieftheorie greifbaren topischen Vergleich des Briefs mit einem Gespräch (Demetrios, Περὶ ἑρμηνείας 223/224; Cic. ad Q. fr. 1,1,45; später Iul. Vict. rhet. 27 u. a.), an den in den Traktaten der A. d. Formulierungen wie z. B. *acsi ore ad os et presens* . . . (›wie von Angesicht zu Angesicht‹) [1. 32] anzuklingen scheinen: die hier teilweise angenommene Kontinuität [20; 23] ist in Wahrheit äußerst brüchig, da der ant. Topos auf der (trotz des schriftlichen Mediums fingierten) emotionalen Nähe insistierte, während die *dictatores* – de facto in Unkenntnis der ciceronianischen Briefe und ihres Stils [10. 251] (s. u.) – gerade die Vorzüge des schriftlichen Mediums (mit Vorlesen) im Rahmen ihres extrem distanzierten, formellen Briefstils rühmen [18].

D. NACHGESCHICHTE

Die A. d. als rhet. Standardsystem des 13. Jh. wurde selbstverständlich auch zum Bezugspunkt für weitere geistesgeschichtliche Entwicklungen: 1. für eine sich ab Anfang des 13. Jh. emanzipierende *ars notariae* (›Notarskunst‹) zur Deckung des Bedarfs an juristischer Spezialkompetenz in den nord- und mittel-it. Städten (Rainerio da Perugia u. a.) [38; 28. 263–265; 12. 35–37]; 2. für eine *ars arengandi* (›Kunst des Redenhaltens‹), die den jetzt wieder aufkommenden Bedarf an öffentlicher Rede in und zw. diesen Städten zu decken hatte und zu der die *dictatores* als Theoretiker und Kenner der ant. Rhet. (z. B. Brunetto Latini [6; 7. 317–390]), noch erfolgreicher aber als Lieferanten volkssprachlicher Redemodellsammlungen beitrugen, wobei eine Beeinflussung durch, aber auch eine sukzessive Emanzipation vom *dictamen* zu beobachten ist (Guido Fava, Parlamenta et epistole, 1242/43; Matteo de' Libri, Arringhe, zweite H. des 13. Jh. u. a.) [37; 26; 19. 32–44]; 3. für die ersten Humanisten [21. 91–95; 41], die wie alle gebildeten Italiener des 13./14. Jh. ganz selbstverständlich durch die Schule der A. d. gegangen waren, dann aber – nach der Wiederentdeckung der ciceronianischen Briefe im 14./15. Jh. [32. 213 f.] – notwendigerweise ihren privaten Briefstil änderten [35], während in offiziellen Briefen bis ins 15. Jh. hinein die A. d. weiter wirkte.

→ Brief/Briefliteratur; Humanismus; Rhetorik

→ AWI Argumentatio; Brief; captatio benevolentiae; Cicero; Demetrios [41]; exordium; genera causarum; genera dicendi; ornatus; partes orationis; Prosarhythmus; Rhetorik

QU 1 ADALBERTUS SAMARITANUS, Praecepta dictaminum, ed. F.-J. SCHMALE, 1961 2 ALBERICI CASSINENSIS Flores rhetorici, ed. D. M. INGUANEZ, H. M. WILLARD, 1938 (auch unter dem Titel Dictaminum radii) 3 ALBERICO DI MONTECASSINO, Ars dictandi, ed. [43. 32–37] (zur Bestätigung der Autorschaft [43. 25–29]) 4 Bene Florentini Candelabrum, ed. G. C. ALESSIO, 1983 5 BERNARDO DA BOLOGNA, Rationes dictandi, Buch I, ed. [8. 9–28] (dort fälschlich Alberico zugeschrieben [44. 25]) 6 BRUNETTO LATINI, Rettorica, ed. F. MAGGINI, 1968 7 Ders., Li Livres dou tresor, ed. F. J. CARMODY, 1948 (Ndr. 1975) 8 L. ROCKINGER (ed.), Briefsteller und formelbücher des eilften bis vierzehnten jahrhunderts, 2 Bde., München 1863/64 (Ndr. 1961 und 1969) 9 ST. M. WIGHT (Hrsg.), Medieval diplomatic and the a. d., 1999 (http://dobc.unipv.it/scrineum/wight)

LIT 10 A. BARTOLI LANGELI, Cancellierato e produzione epistolare, in: P. CAMMAROSANO (Hrsg.), Le forme della propaganda politica nel Due e nel Trecento, 1994, 251–261 11 H. BRESSLAU, Hdb. der Urkundenlehre für Deutschland und It., 3 Bde., ²1912–31 (Ndr. 1968/69) 12 M. CAMARGO, A. d., Ars dictandi, 1991 13 P. CLASSEN, Kaiserreskript und Königsurkunde, ²1977 14 G. CONSTABLE, The structure of medieval society according to the dictatores of the twelfth century, in: Law, church, and society. Essays in honor of Stephan Kuttner, 1977, 253–267 15 J. HABERMAS, Strukturwandel der Öffentlichkeit, ⁹1978 16 I. ILLICH, Schule ins Mus., 1984 17 T. JANSON, Prose rhythm in

medieval Latin from the 9th to the 13th century, 1975
18 P. Koch, Distanz im Dictamen, (Habil.-Schrift Freiburg)
1987 **19** Ders., Urkunde, Brief und Öffentliche Rede, in:
Das MA 3, 1998, 13–44 **20** K. Krautter, Acsi ore ad os …,
in: A&A 28, 1982, 155–168 **21** P. O. Kristeller, Ren.
thought and its sources, 1979 **22** C. D. Lanham, Salutatio
formulas in Latin letters to 1200: syntax, style, and theory,
1975 **23** Dies., Freshman composition in the early
Middle-ages, in: Viator 23, 1992, 115–134 **24** V. Licitra, Il
mito di Alberico di Montecassino iniziatore dell'A. d., in:
Studi Medievali Ser. 3, 18, 1175–1193 **25** G. Lindholm,
Stud. zum ma. Prosarhythmus, 1963 **26** P. v. Moos, Die it.
»ars arengandi« des 13. Jh. als Schule der Kommunikation,
in: H. Brunner, N. R. Wolf (Hrsg.), Wissensliteratur im
MA und in der frühen Neuzeit, 1993, 67–90
27 F. Morenzoni, Epistolografia e artes dictandi, in:
G. Cavallo et al. (Hrsg.), Lo spazio letterario del
Medioevo, I., II, 1994, 443–464 **28** J. J. Murphy, Rhetoric
in the Middle-Ages, ⁶1990 **29** Norden, Kunstprosa
30 W. D. Patt, The early A. D. as response to a changing
society, in: Viator 9, 1978, 133–155 **31** F. Quadlbauer,
Die ant. Theorie der genera dicendi im lat. MA, 1962
32 R. Sabbadini, Le scoperte dei codici latini e greci nei'
secoli XIV e XV, ²1967 **33** H. M. Schaller, s. v. A. d., Ars
dictandi, in: LMA I, 1980, 1034–1039 **34** F.-J. Schmale,
Die Bologneser Schule der Ars dictandi, in: Dt. Archiv für
Erforsch. des MA 13, 1957, 16–34 **35** P. L. Schmidt, Die
Rezeption des röm. Freundschaftsbriefes (Cicero-Plinius)
im frühen Human. (Petrarca-Coluccio Salutati), in: F. J.
Worstbrock (Hrsg.), Der Brief im Zeitalter der Ren.,
1983, 25–59 **36** V. Vecchi, Il »proverbio« nella pratica
letteraria dei dettatori della scuola di Bologna, in: Studi
mediolatini e volgari 2, 1954, 283–302 **37** Ders., Le Arenge
di Guido Faba e l'eloquenza d'arte, civile e politica
duecentesca, in: Quadrivium 4, 1960, 61–90
38 P. Weimar, s. v. Ars notariae, LMA I, 1045–1047
39 Ders. (Hrsg.), Die Ren. der Wiss. im 12. Jh., 1981
40 A. Wendehorst, Wer konnte im MA lesen und
schreiben?, in: J. Fried (Hrsg.), Schulen und Studium im
sozialen Wandel des hohen und späten MA, 1986, 9–33
41 R. G. Witt, Medieval A. D. and the Beginnings of
Humanism, in: Ren. Quarterly 35, 1982, 1–35 **42** F. J.
Worstbrock, Die Antikerezeption in der ma. und der
human. Ars dictandi, in: Buck 187–207 **43** Ders., Die
Anfänge der ma. Ars dictandi, in: Früh-ma. Stud. 23, 1989,
1–42 **44** Ders. et al. (Hrsg.), Repertorium der Artes dictandi
des MA I: Von den Anfängen bis um 1200, 1992.

PETER KOCH

Bücher-Meyer-Kontroverse   A. Einleitung
B. Wissenschaftlich-historische und
politische Voraussetzungen   C. Büchers
Theorie wirtschaftlicher Entwicklung
D. Eduard Meyers Sicht der antiken
Wirtschaft   E. Zustimmung und Kritik –
Die folgenden Beiträge zur Diskussion

A. Einleitung

Als Bücher-Meyer-Kontroverse (BMK) wird in der
neueren alt-histor. und wiss.-geschichtlichen Lit. die
zw. 1893 und 1902 geführte Debatte über die grundlegenden Merkmale der ant. Wirtschaft bezeichnet. Ausgangspunkt dieser Diskussion war die 1893 erschienene

Schrift *Die Entstehung der Volkswirtschaft* des Ökonomen
Karl Bücher, der die Auffassung vertrat, für die Ant. sei
eine Dominanz der Hauswirtschaft charakteristisch gewesen. Auf der dritten Versammlung dt. Historiker in
Frankfurt 1895 nahm der Althistoriker Eduard Meyer in
dem Vortrag *Die wirtschaftliche Entwicklung des Alt.* ausführlich zu den Thesen Büchers Stellung, wobei er die
Modernität der ant. Wirtschaftsverhältnisse betonte.
Die wiss.-histor. Bed. der BMK beruht wesentlich auf
der Tatsache, daß die Position Meyers trotz der kritischen Einwände einzelner Historiker innerhalb der
Fachwiss. weitgehend akzeptiert wurde und die Forsch.
zur ant. Wirtschaftsgeschichte bis in die Zeit nach dem
II. Weltkrieg geprägt hat; noch 1972 wurde den wirtschaftshistor. Arbeiten Meyers von Karl Christ der
›Rang einer verbindlichen Synthese‹ zuerkannt.

B. Wissenschaftlich-historische und politische Voraussetzungen

Die überaus scharfe Kritik Eduard Meyers an den
wirtschaftshistor. Theorien Büchers kann nur vor dem
Hintergrund der Methodendiskussion in der dt. Geschichtswiss. und der schulpolit. Situation nach 1890
verstanden werden. Kurz vor 1895 war der Versuch von
Karl Lamprecht, in seiner *Deutschen Geschichte* durch die
Rezeption sozialwiss. Theorien verschiedenster Provenienz und durch Einbeziehung der materiellen und
geistigen Kultur des Volkes eine neue Konzeption his-
toriographischer Darstellung zu realisieren, auf die Ablehnung vieler Fachhistoriker gestoßen; die vorherrschende Meinung hat Georg von Below 1893 in einer
Rezension zum Ausdruck gebracht, in der er Lamprecht
vorwirft, die polit. Geschichte vernachlässigt zu haben,
und gleichzeitig den Primat der polit. Ereignisgeschichte bekräftigt: ›Wir wollen aus einem Geschichtswerk
nun einmal lernen, was geschehen ist, uns über die polit.
Ereignisse und Personen unterrichten lassen‹. Polit. war
bedeutsam, daß Below Lamprecht ›als Anhänger der
jetzt blühenden materialistischen und physiologischen
Geschichtsbetrachtung‹ bezeichnet und ihn damit in der
eher konservativen Historikerzunft als Außenseiter erscheinen läßt. Für die Klass. Altertumswiss. waren in
dieser Zeit die Ergebnisse und Folgen der Schulkonferenz von 1890 ernüchternd: Die Zahl der Unterrichtsstunden war für Griech. und Lat. ebenso wie für Alte
Geschichte innerhalb des Geschichtsunterrichtes gekürzt worden. Als bes. problematisch wurde empfunden, daß Wilhelm II. diese Veränderungen selbst befürwortet hatte. Nach Meinung des Althistorikers Robert
v. Pöhlmann kam es in dieser Situation darauf an, einerseits die Aktualität der klass. Stud. und ihre Relevanz für
die Gegenwart zu betonen und andererseits jegliche
Modelle einer sozialistischen Interpretation der Ant. zurückzuweisen. Für die Beurteilung der BMK ist in diesem Zusammenhang aufschlußreich, daß Pöhlmann die
Auffassung, die Menschheit durchlaufe ›in streng gesetzmäßiger Weise bestimmte Stufen‹, als ›geschichtliches Dogma‹ der sozialistischen Wiss. abqualifiziert hat.
Unter diesen Voraussetzungen konnten die Althistori-

ker nicht daran interessiert sein, eine ökonomische Theorie zu billigen, die von dem Gedanken der Wirtschaftsstufen ausgehend die Primitivität der ant. Wirtschaft postulierte.

C. BÜCHERS THEORIE WIRTSCHAFTLICHER ENTWICKLUNG

Büchers Ausführungen waren primär gegen theoretische Annahmen der histor. Schule der dt. Nationalökonomie gerichtet; er versuchte zu zeigen, daß die von der mod. Volkswirtschaft abgeleiteten Kategorien nicht auf frühere Wirtschaftsepochen übertragen werden können, sondern die Volkswirtschaft vielmehr ein Produkt der histor. Entwicklung ist. Um die Wirtschaft früherer Epochen zu kennzeichnen, nimmt Bücher die Wirtschaftsstufen der geschlossenen Hauswirtschaft, der Stadtwirtschaft und der Volkswirtschaft an, wobei die Aufstellung solcher Wirtschaftsstufen für ihn ein ›unentbehrliches methodisches Hilfsmittel‹ ist. Für die geschlossene Hauswirtschaft ist nach Bücher charakteristisch, ›daß der ganze Kreislauf der Wirtschaft von der Produktion bis zur Konsumtion sich im geschlossenen Kreise des Hauses‹ vollzieht und somit ›Gütererzeugung und Güterverbrauch‹ ineinander übergehen. Für die folgende Debatte wurde die Gleichsetzung dieser Wirtschaftsstufe mit den wirtschaftlichen Verhältnissen in Griechenland, Karthago und Rom entscheidend. Bücher konnte für seine Theorie in Anlehnung an die Arbeiten von Johann Karl Rodbertus durchaus eine Reihe von Argumenten anführen; wichtig war v. a. der Hinweis auf die ausgeprägte Tendenz zur Selbstversorgung auf den großen römischen Gütern; die Existenz eines Fernhandels wird nicht geleugnet, nach Bücher war dieser Handel aber auf ›seltene Naturprodukte‹ oder Handwerkserzeugnisse von hohem Wert beschränkt und damit für die Wirtschaftsstruktur weitgehend bedeutungslos: ›Anstoß und Richtung empfängt jede Einzelwirtschaft nach wie vor durch den Eigenbedarf ihrer Angehörigen; was sie zur Befriedigung desselben selbst erzeugen kann, muß sie hervorbringen‹.

D. EDUARD MEYERS SICHT DER ANTIKEN WIRTSCHAFT

Meyer wählte für seinen Frankfurter Vortrag ein wirtschaftshistor. Thema, weil er glaubte, daß auf diese Weise ›die Bed. klar hervortreten könnte, die auch für unsere Gegenwart noch eine richtige Erkenntnis der Probleme besitzt, welche die alte Geschichte bewegen‹, und weil er die von Rodbertus und Bücher formulierten Anschauungen, die seiner Meinung nach ›einem richtigen Verständnis nicht nur des Alt., sondern der weltgeschichtlichen Entwicklung überhaupt hindernd im Wege‹ standen, als ›irrtümlich bekämpfen‹ wollte. Grundlegend für Meyers Geschichtsbild war die Vorstellung, die homerische Zeit Griechenlands könne als ›griech. MA‹ aufgefaßt werden. Seit Beginn der Kolonisation entwickelte sich dann nach Meyer der Seehandel und dadurch bedingt eine ›für den Export arbeitende Industrie‹; gleichzeitig gewannen Sklavenarbeit und Geldwirtschaft an Bed. Im Ägäisraum waren ›überall

ausgeprägte Handels- und Industriestädte‹ zu finden, Athens Politik war ›vollständig von den Handelsinteressen beherrscht‹, und Megara erscheint bei Meyer aufgrund der lokalen Textilproduktion als »Industriestaat«. Wie derartige Feststellungen zeigen, hat Meyer deutliche Parallelen zw. der wirtschaftlichen Entwicklung in der Ant. und der in der Neuzeit gesehen; es werden sogar direkte Entsprechungen zw. den Epochen postuliert: ›Das siebente und sechste Jh. in der griech. Geschichte entspricht in der Entwicklung der Neuzeit dem vierzehnten und fünfzehnten Jh. n. Chr.; das fünfte dem sechzehnten. Über den Hell. heißt es zusammenfassend, diese Epoche könne ›in jeder Hinsicht nicht mod. genug gedacht werden‹, sie kann durchaus mit dem 17. und 18. Jh. verglichen werden. Die Ursachen für den Zusammenbruch des Röm. Reiches sucht Meyer eher in einer allg. Zersetzung, im kulturellen Niedergang als in wirtschaftlichen Faktoren, unter denen aber das ›Anwachsen des Großkapitals‹, die ›volle Ausbildung des Kapitalismus‹ eigens angeführt werden; sie führen zum Ruin der Landbevölkerung und schließlich zur Vernichtung von Wohlstand und Kultur. Mit der Rückkehr zur Naturalwirtschaft in der Spät-Ant. ist aber ›der Kreislauf der ant. Entwicklung‹ wiederum abgeschlossen. Der Themenkomplex wurde 1898 von Eduard Meyer erneut in dem Vortrag *Die Sklaverei im Alt.* erörtert, in dem er die Kritik an den Thesen Büchers wiederholt. Auch an dieser Stelle geht es ihm wesentlich um den aktuellen Zeitbezug: ›Da ist es natürlich, daß der wirtschaftlichen Entwicklung des Alt. nur noch ein histor. Interesse zugebilligt wird; waren seine Zustände in der Tat von den unseren in dieser Weise fundamental verschieden, so versteht es sich von selbst, daß unsere Zeit aus ihnen nichts mehr lernen kann‹.

Meyers Ausführungen beruhen weitgehend nicht auf eigenen Forsch., sondern folgen v. a. der Darstellung von Büchsenschütz, der bereits 1869 die Ausweitung von Handel und Industrie in nachhomerischer Zeit ausführlich beschrieben und dabei in differenzierter Weise auch auf Faktoren, die die Entwicklung des Gewerbes hemmten, hingewiesen hat, so etwa auf die weitverbreitete Produktion für den Eigenbedarf oder die ›Mangelhaftigkeit der Transportmittel‹.

E. ZUSTIMMUNG UND KRITIK – DIE FOLGENDEN BEITRÄGE ZUR DISKUSSION

Meyers modernistische Sicht der Ant. fand die Zustimmung von Julius Beloch, der in dem Aufsatz *Die Großindustrie im Altertum* (1899) ähnlich wie Meyer annahm, während des 5./4. Jh. v. Chr. habe es in Athen eine Reihe von Fabriken und Großbetrieben gegeben; It. hingegen wurde nach Beloch nie ›ein eigentliches Industrieland‹. Der Versuch Büchers, die Diskussion in dem Aufsatz *Zur griechischen Wirtschaftsgeschichte* (FS Albert Schäffle, 1901) fortzuführen, blieb in der Althistorie weitgehend unbeachtet; in einer kurzen Replik machte Beloch 1902 überzeugend klar, daß die ant. Angaben über die Hafenzölle im Peiraieus durchaus ein Beleg für den Umfang des Warenaustausches im

5./4. Jh. v.Chr. sind. Auch die wesentlich erweiterte Fassung von Büchers Aufsatz (*Beitr. zur Wirtschaftsgeschichte*, 1922) hatte trotz einer Reihe gewichtiger Einwände gegen Meyers Interpretation der Quellen keinen Einfluß mehr auf die althistor. Forsch.

Immerhin gab es aber auch kritische Einwände anderer Wissenschaftler gegen Meyers Position; hier ist v.a. Ludo Moritz Hartmann zu nennen, der in einer Besprechung des Frankfurter Vortrages nachdrücklich feststellt, die Ansicht, ›daß sich die ant. Wirtschaft von der mod. nicht wesentlich unterschieden hat‹, widerspreche den ›Thatsachen, die wir kennen‹. Hartmann selbst ist der Überzeugung, daß in der Ant. keine einzelne Wirtschaftsform vorherrschte, sondern ›ein Nebeneinander verschiedener wirthschaftlicher Typen‹ existiert habe. Max Weber schließlich, der bereits 1896 in deutlichem Widerspruch zu Meyer die Meinung äußerte, daß man für die ›heutigen sozialen Probleme ... aus der Geschichte des Alt. wenig oder nichts‹ lernen könne, interpretiert in dem Artikel *Agrarverhältnisse im Altertum* (1909) die Ausführungen Büchers als ›idealtypische Konstruktion einer Wirtschaftsverfassung‹ und konstatiert gleichzeitig das Fehlen jeglicher Belege für die Existenz von Fabriken im ant. Griechenland. Zusammenfassend heißt es, nichts wäre ›gefährlicher, als sich die Verhältnisse der Ant. »modern« vorzustellen‹. Während von späteren Autoren M. Rostovtzeff (1929/30) oder W.L. Westermann (1935) in wichtigen Arbeiten die Thesen von Meyer und Beloch aufgriffen und so das mod. Bild der ant. Wirtschaft nachhaltig beeinflußten, findet sich ein Reflex der kritischen Position in den Arbeiten von Johannes Hasebroek.

Nach 1970 wurde mit dem wachsenden Interesse an wirtschaftshistor. Fragestellungen der BMK erneut größere Beachtung geschenkt; Michael Austin widmete ihr 1972 einen längeren Abschnitt in *Économies et sociétés en Grèce ancienne*, und Moses Finley, dessen Konzeption der ant. Wirtschaft stark von Max Weber und Karl Polanyi geprägt war, edierte 1979 die wichtigsten Beitr. zu der BMK In der neueren wirtschaftshistor. Forsch. wird nicht mehr über alternative Positionen wie Subsistenzwirtschaft oder Marktproduktion gestritten, sondern der Versuch unternommen, die verschiedenen Wirtschaftsformen und ihre regionale und zeitliche Verbreitung in einem differenzierten Modell der ant. Wirtschaft zu erfassen.

QU 1 A.B. BÜCHSENSCHÜTZ, Besitz und Erwerb im griech. Alt., Halle 1869 2 G. VON BELOW, Rez. K. Lamprecht, Dt. Gesch. 1–3, in: HZ 71, 1893, 465–498 3 K. BÜCHER, Die Entstehung der Volkswirtschaft, 1893 4 R. V. PÖHLMANN, Aus Alt. und Gegenwart, München 1895 5 ED. MEYER, Die wirtschaftliche Entwicklung des Alt., in: Ders., KS 1, 1924, 81–168 6 L.M. HARTMANN, Rez. Ed. Meyer, Die wirtschaftliche Entwicklung des Alt., in: Zschr. für Sozial- und Wirtschaftsgesch. 4, 1896, 153–157 7 ED. MEYER, Die Sklaverei im Alt., in: Ders., KS 1, 1924, 171–212 8 J. BELOCH, Die Großindustrie im Alt., in: Zschr. für Social-Wiss. 2, 1899, 18–26 9 K. BÜCHER, Zur griech. Wirtschafts-Gesch., in: Ders., Beitr. zur Wirtschaftsgesch., 1922, 1–97 10 J. BELOCH, Zur griech. Wirtschaftsgesch., in: Zschr. für Social-Wiss. 5, 1902, 95–103; 169–179 11 M. WEBER, Gesammelte Aufsätze zur Sozial- und Wirtschaftsgesch., 1924 (Ndr. 1988) 12 J. HASEBROEK, Staat und Handel im alten Griechenland, 1928 (Ndr. 1966) 13 Ders., Griech. Wirtschafts- und Gesellschaftsgesch. bis zur Perserzeit, 1931 (Ndr. 1966) 14 M.I. ROSTOVTZEFF, The Decay of the Ancient World and its Economic Explanations, in: Economic History Review 2, 1929/30, 197–214 15 W.L. WESTERMANN, s.v. Sklaverei, RE Suppl. 6, 894–1068

LIT 16 M.M. AUSTIN, P. VIDAL-NAQUET, Économies et sociétés en Grèce ancienne, 1972 17 K. CHRIST, Von Gibbon zu Rostovtzeff, 1972 18 M.I. FINLEY (Hrsg.), The Bücher-Meyer Controversy, 1979 19 A. MOMIGLIANO, Premesse per una discussione su Eduard Meyer, in: Rivista storica italiana 93, 1981, 384–398 20 M. MAZZA, Meyer vs Bücher: Il Dibattito sull'economia antica nella storiografia Tedesca tra otto e novecento, in: Società e storia 29, 1985, 507–546 21 N. HAMMERSTEIN (Hrsg.), Dt. Gesch.-Wiss. um 1900, 1988 22 W.M. CALDER III, A. DEMANDT (Hrsg.), Eduard Meyer, 1990.   HELMUTH SCHNEIDER

Bürger A. ANTIKE   B. MITTELALTER
C. ARISTOTELISCHE UND RÖMISCHE TRADITION
D. BÜRGER UND STÄDTE IM ALTEN REICH
E. 19./20. JAHRHUNDERT

A. ANTIKE

Sowohl in der griech. als auch in der röm. Ant. besitzt der Begriff des B. (griech. *polítes*, lat. *civis*) eine zweifache Dimension: nämlich einmal B. der Stadt und zum anderen B. des Staates, da es sich um Stadt und Land umfassende Stadtstaaten handelt (für den *civis Romanus*: Dig. 1,5,17; Dig. 50,1,1; Cod. Iust. 10,40,7). Der mod. B.-Begriff (v.a. polit., rechtlich – aber auch sozial, kulturell, ökonomisch) hat hier seinen Ausgangspunkt, der zu verschiedenen inhaltlichen Bed. führt, die mit der Entwicklung der Städte und der Staaten sowie der Verfassung beider Institutionen in Verbindung stehen. Sowohl nach der griech. Auffassung (Aristot. pol. 1275 a 23: ›Der Staatsbürger schlechthin läßt sich nun durch nichts anderes genauer bestimmen als dadurch, daß er am Gericht und an der Regierung teilnimmt‹) als auch nach röm. Verständnis machte die Teilnahme an der Stadtherrschaft den bloßen Einwohner zum B. Als ein durchgängiges Entwicklungsmerkmal des B.-Begriffs kann dessen enge Bindung an die Frage der polit. Partizipation gesehen werden. Der rechtliche Status des *civis* in Rom war nach dem *ius civile* definiert: Das Bürgerrecht umfaßte v.a. – neben den Pflichten zu Steuer und Wehrdienst – das *ius suffragii* (Stimmrecht auf den Volksversammlungen), *ius provocationis* (Berufung an die Volksversammlung gegen Kapitalstrafen) und das *ius honorarium* (Wählbarkeit für die Ämter) sowie Rechtsschutz [12]. Als *civis Romanus* besaß nur der *pater familias* die volle Rechtsfähigkeit. Das B.-Recht wurde durch Geburt, Verleihung, Adoption (Cod. Iust. 10,40,7; Dig. 50,1,1) und teilweise durch Vertrag erworben. Entsprechend der röm. Machtausdehnung und Unterwerfung fremder Völker und Länder trat im 3. Jh. v. Chr. neben das *ius civile* Roms das *ius gentium* als Fremdrecht. Die notwendige rechtliche Angleichung der *peregrini* (Fremden) an den Status des röm. B. gab dem B.-Recht eine weitere Dimension: Das Stadtbürgerrecht Roms wurde ein Staatsbürgerrecht und in der Kaiserzeit zum Reichsbürgerrecht des Imperium Romanum ausgeweitet. Durch die *constitutio Antoniniana* wurden alle freien Einwohner des Reiches – mit Ausnahme der *dediticii* – zu röm. B. und damit das röm. Recht zum einheitlichen Recht des röm. Imperiums erhoben [19. 91]. ›Cives vocati, quod in unum coeuntes vivant . . .‹, lautet die allg. Erklärung des B.-Begriffs bei Isidor (Etymologiae 9,4,2). In der für alle Staats-B. gleichen Rechtsstellung liegt eine Entwicklungstendenz zur ständelosen Staatsordnung bis in die Mod. Die christl. Religion war mit dem röm. B.-Recht unvereinbar, nimmt aber bei den Kirchenvätern in der Vorstellung vom Erdenbürger – im Gegensatz zum *civis caeli* – oder in der Bezeichnung der Glieder der Augustinischen *Civitas dei* den civis-Begriff auf [10. 544].

B. MITTELALTER

Im Früh-MA taucht der spät-ant. Begriff des *civis Romanus* nur für den Freigelassenen auf [7. 98]. *Civis* bezeichnet den Mitbewohner – *communiter vivens*, in der Übers. *geburo*. Kumulative oder alternative Verwendungen im hohen MA belegen *burger, civis* und *burgensis* je nach Kanzleistil und regionaler Herkunft. *Burgensis* besitzt gegenüber *civis* im 13. Jh. teilweise einen ›psychologisch bedingten sprachlichen Mehrwert‹ [17. 120] – auch eine unterschiedliche rechtliche Bed. indizierend. Mit der Übernahme von *civis* in die Urkundensprache wird der Wandel zum Rechtsbegriff erkennbar, der mit der Aufnahme des röm. *ius civile* als später sog. ›bürgerliches Recht‹ einhergeht [7. 35, 100]. Der Rechtsbegriff des B. ist auf die ma. Stadt bezogen, die ihrerseits durch Immunität, herrschaftliche Schutzerklärungen, Privilegien, Coniuratio, Verwillkürung rechtlich bestimmt ist. Rechtlich konstitutiv für den B.-Begriff werden – mit landschaftlichen und zeitlichen Varianten – Grundbesitz, B.-Geld und B.-Eid als ›Beitrittseid zum Gesamtschwur, aus dem er seinen rechtlichen Bestand bezog‹ [3. 117; 5]. Daraus folgt die definitionsfähige Rechtsstellung des Stadt-B. (Wehrpflicht, Steuerpflicht, Erbrecht, Freizügigkeit), die v. a. durch gerichtlichen Rechtsschutz, eine freiheitliche und für alle B. gleichartige Rechtsstellung und bes. durch Teilhabe oder Teilnahme des B. an den polit. Rechten in der Stadt gekennzeichnet war. Auch wenn diese polit. Partizipation in den ma. Städten nicht überall gleichmäßig gewährleistet war, so zeigte sie doch eine direkte Entsprechung zur aristotelischen B.-Definition (pol. 1275 a 23). Ma. Bürgerrechtselemente, die korporativ vermittelt waren, sind jedoch nicht als Rezeptionsergebnis ant. Bürgerrechts anzusehen, sondern zeigen nur strukturelle Teilidentitäten und funktionale Äquivalente. Nach der Übers. der *Politik* des Aristoteles durch Wilhelm von Moerbeke im späten 13. Jh. war es der *scientia politica*

jedoch möglich, seit dem späten 14. Jh. die aristotelische polit. Theorie auch auf die ma. Stadt – *civis* und *civitas* – anzuwenden oder anwendbar zu machen.

C. ARISTOTELISCHE UND RÖMISCHE TRADITION

Die Stadt war bevorzugt das Anschauungsobjekt bei der ma. Interpretation der aristotelischen Politik. Die Unterschiede zur ant. Polis – der griech. *polítes* und der *civis Romanus* waren Grundherren, die B. der ma. Städte überwiegend Kaufleute und Handwerker [16. 676] – wurden entweder nicht beachtet oder umgedeutet [13. 122]. Die ständische Differenzierung sowie die polit. und rechtliche Abgrenzung der B. und Untertanen (*cives et subditi*) widersprach dem aristotelischen B.-Begriff der Politie, der grundsätzlich von Freien und unter sich Gleichen ausging. Entsprechend den unterschiedlichen aristotelischen Verfassungsformen und Kriterien konnten die polit. Traktate des 14. und 15. Jh. z. B. Handwerkern und Gewerbetreibenden den Zugang zur polit. Teilhabe an der Stadtregierung verwehren, den B.-Begriff auf Adlige eingrenzen oder auch nur die *principes* als *cives* ansehen, die von Aristoteles vom B.-Begriff ausgenommenen Handwerker und Kaufleute in den Bürgerrechtsstand einrücken oder andererseits Tagelöhner und Lohnabhängige in die Kategorie der aristotelischen Sklaven einstufen [9. 15]. Letztlich war die Einteilung nach ständischen Kriterien nur entgegen oder außerhalb der aristotelischen Begrifflichkeit möglich [14. 48 f.]. Die enge Fassung des aristotelischen B.-Begriffs, der von jedem B. Herrschaftsfähigkeit verlangte, wurde kommentiert, aber nicht als polit. Forderung aufgenommen. Dennoch gab es Versuche bei Johann von Soest, über Aristoteles hinausgehend das *animal politicum* mit dem *civis*-Begriff zu verbinden und über das *vivere civiliter* ethische und christl. Postulate in den Begriff der B.-Stadt aufzunehmen [15. 15 ff., 63]. Zudem erlaubte es die aristotelische *Politik*, die immer wieder als Referenztext für polit. Staatslehre benutzt wurde [13. 125 ff.], durch graduelle Unterscheidungen des Bürgerseins (*species civium*) einen ausgeweiteten B.-Begriff auf Städte und Reiche anzuwenden, um so am aristotelischen B.-Kriterium der Teilhabe an der Regierung festhalten zu können (*civis simpliciter, civis secundum quid, civis subjectus*) [14. 53]. Althusius griff dafür direkt auf die ›Romana libertas, consistens in juri civitatis Romanae‹ zurück [4. 202], indem er die privaten und polit. Statusrechte des *plenus civis Romanus* genau aufführte und erläuterte (Politica, 3. ed., Herbornae Nassoviorum 1614, cap. 5 n. 4, Ndr. 1932, 40). Das Ergebnis war die Spaltung des aristotelischen polit. B.-Begriffs in die Trägerschaft polit. Rechte und den Status der Unterworfenheit, die durch die Antinomien *civis – subditus, civitas – respublica* und Partizipation – Unterordnung (Grund- und Lehnsherrschaft) gekennzeichnet waren [13. 106]. Aus diesem Verhältnis von Unterordnung und staatlicher Souveränität definierte Bodin den B. als Untertan (*civis urbanus* bzw. *bourgeois*) gezielt gegen die aristotelische B.-Definition (Bodin, Six livres de la République, Paris 1583, livre I, cap. 6, 77) [16. 678].

D. Bürger und Städte im Alten Reich

Die subsidiäre Geltung des *ius commune* im »Hl. Röm. Reich dt. Nation« (→ Sacrum Imperii Romanum) gab der Legistik unmittelbare Wirkungskraft im Reich. Mit der Formel des Bartolus *civitas superiorem non recognoscens* (›die Stadt erkennt keinen Oberherrn an‹), die dieser zum Satz *civitas sibi princeps* (›die Stadt ist sich ihr eigener Herr‹) ausbaute, ließ sich auch über die Frage der Reichsunmittelbarkeit bzw. -mittelbarkeit entscheiden [15. 150, 175]. Die Aristoteliker hielten am bürgerlichen Partizipationskriterium fest, so daß dann als *cives imperii* (›Reichsbürger‹) nur die auf den Reichstagen versammelten Ständevertreter – einschließlich der *civitates imperiales liberae* (›freie Reichsstädte‹) – galten [2. 100–101]. Der damit einhergehenden Ausweitung des Untertanenstatus' im Reich widersprach Pufendorf mit der histor. Begründung, daß das aristotelische B.-Kriterium nur für die B. der att. Polis gelte [16. 681]. Andererseits wurden aber auch Reichsstände als Untertanen qualifiziert, jedoch mit dem Begriff *civis* belegt. So tritt das polit. Partizipationsrecht zurück: ›Civis est persona sui juris‹ (J.J. Müller, Institutiones politicae, Jenae ²1705, 150) [4. 202]. Die *civitas* repräsentiert einen neutralen Rechtsbestand der B.: ›... nomen civitatis accipitur pro coetu et multitudine civium iisdem legibus et moribus viventium‹ (Ph. Knipschild, De juribus et privilegiis civitatum imperialium, Argentorati ³1740, lib. I, cap. 1, n. 21), wofür auf Cicero (*Somnium Scipionis* und rep. 1,25,39) Bezug genommen wird. Der aristotelische polit. Partizipationsgehalt im B.-Begriff war dadurch nicht ausgeschlossen und blieb reaktivierbar.

E. 19./20. Jahrhundert

Die Diskussion um den B.-Begriff in der Neuzeit hat im Grunde die aristotelische polit. Partizipationsformel zur Voraussetzung, die durch die Frz. Revolution neu dynamisiert wird. Kant reflektiert dieses Ereignis für den B.-Begriff im emanzipatorischen Sinn:›... welcher das Stimmrecht in dieser Gesetzgebung hat, heißt ein B. (*citoyen*, das ist Staats-B, nicht Stadt-B., *bourgeois*). Die dazu erforderliche Qualität ist ... die einzige: daß er sein eigener Herr (*sui juris*) sei, mithin irgendein Eigentum habe ... folglich, daß er niemanden als dem gemeinen Wesen ... diene.‹ (Über den Gemeinspruch: Das mag in der Theorie richtig sein, taugt aber nicht für die Praxis, in: Werke VI, 378 f. ed. Cassirer). Auch bei Hegel, der die Rechte des Menschen als Rechte des B. interpretierte, dienten die antiken Beispiele der att. Polis und des untergehenden republikanischen Rom als Erklärungshintergrund für den polit. Citoyen und den dem Privatinteresse huldigenden Bourgeois innerhalb der ›bürgerlichen Gesellschaft‹ [16. 707]. Dominierend wurde die histor. Begründung und Aufladung des B.-Begriffs im 19. Jh. Bei Bluntschli bildete der »B.-Stand« das Verbindungsglied ›aus dem MA zur neuen Zeit. Das heutige Staatsbürgerthum wurzelt vorzüglich in dem Begriffe der ma. Stadtbürgerschaft‹ [1. 302]. Ma. Stadtfreiheit taucht neben liberaler Staatsabwehr v.a. wieder als Selbstbestimmung und kommunale Selbstverwaltung

auf, d.h. als polit. Teilhabe am städtischen und staatlichen Leben – ganz entsprechend der aristotelischen B.-Auffassung. ›Der demokratische Zug der neuen Zeit fand daher auch vornehmlich in den Städten den eifrigsten Anhang‹ [1. 306]. Der im 19. Jh. gescheiterte Versuch, bürgerliche und polit. Freiheit zu vereinheitlichen, bedeutete auch, die ant. B.-Elemente – nämlich Rechtssicherheit im Sinne des röm. Rechts und aristotelische polit. Partizipation an der Regierungs- und Gesetzgebungsarbeit – für die demokratischen Bewegungen des 19. und 20. Jh. zu aktivieren [18. 93, 105]. Für den liberalen »Staats-B.« wurden Eigentum und ökonomische Selbständigkeit zum Hauptkriterium, das dann bei Max Weber im ma. *homo oeconomicus* dem ant. *homo politicus* gegenübergestellt wird [20. 1022].

→ AWI Aristoteles [6]; Bürgerrecht; Constitutio Antoniniana; civitas; pater familias; polis

1 J.C. Blumschli, s.v. B.-Stand, in: Blumschli/Brater, Dt. Staats-WB II, Stuttgart/Leipzig 1857, 300–307 **2** W. Brauneder, Civitas et Cives Sancti Romani Imperii, in: G. Lingelbach et al. (Hrsg.), Dt. Recht zw. Sachsenspiegel und Aufklärung (FS Rolf Lieberwirth), 1991, 95–117 **3** G. Dilcher, B.-Recht und Stadtverfassung im europ. MA, 1996 **4** H. Dreitzel, Grundrechtskonzeptionen in der protestantischen Rechts- und Staatslehre im Zeitalter der Glaubenskämpfe, in: G. Birtsch (Hrsg.), Grund- und Freiheitsrechte von der ständischen zur spätbürgerlichen Ges., 1987, 180–214 **5** W. Ebel, Der B.-Eid als Geltungsgrund und Gestaltungsprinzip des dt. ma. Stadtrechts, 1958 **6** J.F. Gardner, Being a Roman Citizen, 1993 **7** G. Köbler, Civis und Ius Civile im dt. Früh-MA, 1965 **8** R. Koselleck, K. Schreiner (Hrsg.), Bürgerschaft. Rezeption der Begrifflichkeit im hohen MA bis in das 19. Jh., 1994 **9** Diess., Einleitung: Von der alteurop. zur neuzeitlichen Bürgerschaft, in: Diess., Bürgerschaft, 11–39 **10** K. Kroeschell, s.v. B., in: HWB zur Dt. Rechtsgesch. I, 1971, 543–553 **11** E. Levy, Libertas und Civitas, in: ZRG 78, 1961, 143–172 **12** H. Volkmann, s.v. B.-Recht, LAW I, 515 f. **13** A. Löther, B.-, Stadt- und Verfassungsbegriff in frühneuzeitlichen Komm. der Aristotelischen Politik, in: R. Koselleck, K. Schreiner, Bürgerschaft, 90–128 **14** U. Meier, Burgerlich vereynung, Herrschende, beherrschte und »mittlere« B. in Politiktheorie, chronikalischer Überlieferung und städtischen Quellen des Spät-MA, in: R. Koselleck, K. Schreiner, Bürgerschaft, 43–89 **15** Ders., Mensch und B. Die Stadt im Denken spät-ma. Theologen, Philosophen und Juristen, 1994 **16** M. Riedel, B., Staats-B., Bürgertum, in: Gesch. Grundbegriffe, Bd. 1, 1972, 672–725 **17** R. Schmidt-Wiegand, s.v. Burgensis/B., in: J. Fleckenstein, K. Stackmann (Hrsg.), Über B., Stadt und städtische Lit. im Spät-MA, 1980, 106–126 **18** K. Schreiner, Jura et libertates, in: H.-J. Puhle (Hrsg.), B. in der Ges. der Neuzeit, 1991, 59–106 **19** F. Schulz, Prinzipien des röm. Rechts, 1954 **20** M. Weber, Die nichtlegitime Herrschaft. Typologie der Städte, in: Wirtschaft und Ges. Bd. II, 1964 **21** P.-L. Weinacht, »Staats-B.«. Zur Gesch. und Kritik eines polit. Begriffs, in: Der Staat 8, 1969, 41–63 **22** F. Wieacker, Recht und Ges. in der Spät-Ant., 1964.

HEINZ MOHNHAUPT

Bukolik/Idylle A. Gegenstandsbereich
B. Entfaltung der bukolischen Poesie in
Renaissance und Barock
C. Erneuerung der Gattung in der modernen
idyllischen Dichtung
D. Entwicklungslinien der idyllischen
Dichtung im 19. und 20. Jahrhundert

A. Gegenstandsbereich

Einen ›Schlüssel zur lit. Trad. Europas‹ nannte E. R. Curtius Vergils 1. Ekloge [4]. Um die so eröffnete Traditionslinie zu beschreiben, muß zunächst begründet werden, warum sie hier mit den beiden Begriffen B. und I. bezeichnet wird. B. (auch Pastoral-, Hirten- und Schäferdichtung) meint die Reihe der Dichtungen, die an diejenigen – authentischen oder ihm zugeschriebenen – Gedichte Theokrits anschließt, die eine Hirtenwelt evozieren. Der Begriff der I., wenngleich aus der Bezeichnung der theokritischen Texte als *eidýllia* abgeleitet, muß aus der Perspektive der Rezeptionsgeschichte weiter gefaßt werden. Konstitutiv ist die Vorstellung eines begrenzten Raums, der die Pflege von Kunst, insbes. Poesie und Musik, und von intensiven menschlichen Beziehungen, insbes. erotischen, erlaubt. Idyllische Dichtung in diesem Sinn findet sich bereits vor Theokrit (so bei Homer) und entfaltet sich seit dem 18. Jh. mehr und mehr unabhängig von der Hirtenszenerie. Beide Dichtungsformen zusammenzusehen, fordert aber die explizite oder implizite Bindung auch der modernsten und individuellsten idyllischen Dichtungen an die ant. Modelle. Bestimmend bleibt für die bukolisch-idyllische Trad. eine Grundstruktur, die sich bereits in diesen findet: eine Spannung zw. der dezidierten Fiktionalität der Texte, die sich durch verschiedenartige Signale selbst anzeigt, und realitätsmimetischen Momenten. Oft wird seit Vergil die außertextuelle zeitgenössische Realität durch allegorische Verweise einbezogen. So entsteht jeweils ein Spiel verschiedener Textebenen, deren Ausgestaltung dadurch große Freiheit gewinnt, daß für die spät entstandene Gattung keine ant. Regelpoetik vorliegt. Maßgeblich ist indes lange die in den Poetiken tradierte Zuordnung zum *genus humile*. Im Lauf der Rezeptionsgeschichte verschmelzen mit den bukolischen Elementen verwandte ant. Motive aus anderen Gattungen: Schilderung des Landlebens (Vergil, *Georgica*), Lob des einfachen Lebens (Horaz, 2. *Epode*), Goldenes Zeitalter (Ovid, *Metamorphosen* 1. Buch).

B. Entfaltung der bukolischen Poesie in Renaissance und Barock

Von dem Facettenreichtum der vergilischen B. (Gesang, Poetik, Liebe, Freundschaft, Landschaft, Mythos) ist es die Bezugnahme auf die persönliche und polit. Situation und Problematik, mit der die ant. B. in karolingischer Zeit endet und mit der sie – diskontinuierlich – im 14. Jh. wieder einsetzt. Warum sich in der ma. Lit. keine umfassende christl. Umbildung der ant. B. vollzog, hat komplexe Gründe [5]. Der Neuansatz schreibt

sich ein in die Auseinandersetzung zw. lat. und it. Literatursprache. Der Grammatikprofessor Giovanni di Virgilio fordert Dante brieflich in Form einer Hexameterekloge auf, anstelle seiner Vorliebe für das *volgare* in lat. Sprache große Zeitereignisse zu besingen und mit ihm in Bologna eine Dichtergemeinschaft zu begründen – Vorschläge, die Dante gleichfalls in lat. Eklogenform und in bukolischer Umschreibung zurückweist (1319/20). Diese neue Form der Brief-Ekloge übernimmt Boccaccio (1347/48), der auch 1357 ein aus 16 Eklogen bestehendes *Bucolicum carmen* publiziert. Bei ihm wie in Petrarcas gleichnamiger Sammlung wird die bukolische Verkleidung zum Medium polit. Stellungnahme in bezug auf die Machtkämpfe in Italien. Ein evasiver Impuls gegenüber der polit. Realität führt den Lyriker Petrarca zur Begründung einer wichtigen Traditionslinie: der bukolisch-idyllischen Einsamkeitspoesie. Bis ins 17. Jh. hinein bleibt die allegorische Ekloge eine beliebte Form gelehrter Diskussion. Bes. einflußreich ist der Karmeliter Mantuanus (Baptista Spagnuolo), der in seiner Sammlung *Adulescentia* (1500) die Hirten über einen großen Fächer traditioneller und aktueller Themen dialogisieren läßt. Auch in Deutschland bezeugt die lat. B. der Reformationszeit (Euricius Cordus, Eobanus Hessus u. a.) den engen Zusammenhang von Idylle und Satire, den Schiller theoretisch begründen wird (*Über naive und sentimentalische Dichtung*, 1795). Eklogen werden in paralleler Entwicklung in den Volkssprachen verfaßt, so im Frz. von Pierre Ronsard. Ein bes. komplexes Beispiel allegorischer B. ist Edmund Spensers *The Shepheardes Calender* (1579). Indem er in einem formen- und zitatenreichen Zyklus jedem Monat eine Ekloge zuordnet, führt Spenser in die B. das für künftige Idyllik zentrale Motiv der Jahreszeiten ein. Beigegebene Kommentare verweisen explizit auf die Existenz von aktuellen Bezugsebenen, die sich so sehr überlagern, daß der Text mehrfach lesbar wird. [6. 76–92].

Machtvoll entfaltet sich die Ren.-B. in den Formen des Hirtenromans und -dramas. Von größter Bed. ist der neapolitanische Dichter und Hofmann Jacopo Sannazaro [10]. In seiner prosimetrischen Dichtung *Arcadia* (1502/04) wandert der Ich-Erzähler Sincero, von unglücklicher Liebe umgetrieben, durch das anmutige Hirtenland Arkadien, wo er das Leben und Singen der Hirten teilt, bis schließlich eine Nymphe den Heimwehkranken nach Neapel zurückführt. Auch diese vom Untergang des Königreichs Neapel beschattete Dichtung hat Bezüge auf die histor. Situation; zugleich gewinnt aber das Hirtenland eine zusammenhängende fiktionale Existenz, gekennzeichnet durch landschaftliche Schönheit, mußevolles Leben, Konzentration auf Liebe und Gesang. Der Name »Arkadien«, zurückweisend auf Vergils mehrfache Erwähnung dieser Region als der Heimat des Gesangs, wird fortan zur Chiffre für eine imaginäre, am Rand der empirischen angesiedelte Text- und Kunstwelt. So erscheint sie in Tassos *Aminta* (1573), dem sich stets in der Nähe des

Tragischen bewegenden Drama der Bekehrung einer amazonenhaften Hirtin zur Liebe. Das berühmte Chorlied auf das Goldene Zeitalter der Liebesfreiheit rückt Arkadien in die Nähe einer seligen Urzeit. Tassos erotischem Freiheitsideal antwortet antithetisch Guarinis *Pastor fido* (1590). Ebenso wie die von der Hofkultur geförderten Dramen und Opern entstehen nun etwa zwei Jh. lang zahlreiche pastorale Gedichte und Romane. In der Struktur der letzteren verschlingen sich die bukolischen Liebeswirren mit den Intrigen der Abenteuerromane und der polit. Allegorik. Die wichtigsten sind: Jorge de Montemayors *Siete libros de la Diana* (1559), Miguel de Cervantes Saavedras *Galatea* (1585), Lope de Vegas *Arcadia* (1598), Philip Sidneys *Arcadia* (1590/3), *Astrée* (1607/27) von Honoré d'Urfé. Die im 17. Jh. ins Dt. übersetzten *Schäferromane* tragen zum Anschluß der dt. Lit. an die europ. bei; die verspätete eigenständige Romanproduktion erlangt demgegenüber nur begrenzte Bedeutung. Dagegen erreicht die nun sich entfaltende christl. B. nicht nur in der vom Hohenlied inspirierten spanischen Lyrik des Juan de la Cruz, sondern auch in den innigen Christus-Gedichten seines dt. Schülers Friedrich Spee von Langenfeld einen Höhepunkt. Die Überformung der empirischen Umwelt durch die pastorale vollzieht sich bis zum Ende des 18. Jh. auch konkret: in den höfischen Aufführungen von Hirtenspielen und -opern sowie in den Dichtergesellschaften. Die starke Präsenz der bukolischen Motive im kulturellen Leben zeitigt indes eine Trivialisierung, die dazu beiträgt, daß eine Erneuerung dieser Dichtungsart notwendig wird.

C. ERNEUERUNG DER GATTUNG IN DER MODERNEN IDYLLISCHEN DICHTUNG

Die Erneuerung setzt in Frankreich im Kontext der → Querelle des Anciens et des Modernes ein. Bernard de Fontenelle fordert in seinem *Discours sur l'Eglogue* (1688) für den zeitgenössischen Autor das Recht, seine Darstellung der Hirtenwelt dem mod. Geschmack anzupassen. Er hält dabei aber noch an einer Idealisierung fest, die durch die Verlegung des Hirtenlebens in eine vollkommenere Urzeit gerechtfertigt wird. Die ersten Jahrzehnte des 18. Jh. sind geprägt durch den Kampf zw. den Verfechtern eines weiterhin prinzipiell fiktionalen Arkadien und den Befürwortern einer stärkeren Präsenz realitätsmimetischer Momente [11]. Die letzteren Stimmen kommen v. a. aus England, wo im *Guardian* von 1713 eine breite Diskussion über die Orientierung der Pastoralpoesie zu lesen ist. Motivationen für die Forderung nach Einführung einheimischer Elemente sind die neue Sensibilität für die Natur und die zunehmende Aufmerksamkeit auf das konkrete Leben der Landbewohner. Doch wird deren Elend eben dann spürbar, wenn sie in Arkadien einrücken sollen. Die Unmöglichkeit solcher Integration ist ein Hauptargument jener, die auf der Fiktionalisierung beharren. Die Aufwertung der Arbeit in den protestantischen Ländern schwächt die alte bukolische Konstituente der Muße und läßt den Einfluß der *Georgica* auf die I. stärker wer-

den: von ihnen ist Albrecht v. Hallers einflußreiches Gedicht *Die Alpen* geprägt (1729). Die verworrene lit. Situation wird entscheidend modifiziert durch die Idyllenpoesie Salomon Gessners (1756; 1772), die, ungemein erfolgreich und rasch in zahlreiche Sprachen übersetzt, das Bild der bukolisch-idyllischen Dichtung bis ans Ende des Jh. bestimmt. Gessner hat teil an der neuen spezifisch dt. Ant.-Begeisterung, die gegenüber der traditionellen gelehrten Konzeption der ant. Lit. diese lebendiger erfassen will. Sein Vorbild ist Theokrit, der, als urspr. Naturdichter mißverstanden, in den letzten Jahrzehnten des 18. Jh. zum Leitstern der erneuerten Idyllendichtung wird. So setzt sich auch der auf Theokrit verweisende Name Idylle, als Femininum vom Plural aus rückgebildet, gegenüber den konkurrierenden Bezeichnungen durch und beeinflußt die poetische Praxis durch seine Fehldeutung als »Bildchen«. Gessner variiert die theokritische Kleinform in musikalischer Prosa. An der ant. B. geschult, entwirft er eine noch durch griech. Namen, Götter und Top. als fiktional ausgewiesene Hirtenwelt, deren Bewohner indes zeitgenössisches Gefühl für Natur und Moral zeigen. Mit dem von ihm begründeten Texttypus ändert sich das Verhältnis der Textebenen. War beim klass. bukolischen Typus der Bezug auf die außertextuelle Welt sowohl durch realitätsmimetische Einzelelemente als auch durch die allegorischen Verweise gegeben, so schwinden jetzt die letzteren, und der eventuelle polit. Gehalt wird vorwiegend implizit mitgeteilt. So zeigt die soziale Struktur der Gessnerschen Idyllenwelt eine gemeinschaftliche Existenz mehr oder minder gleichgestellter Personen, zw. denen Freundschaft und Hilfsbereitschaft herrscht und die Geschlechterdifferenz eine geringe Rolle spielt. Zwar sind jetzt die mod. Momente Arbeit und Familie integriert [3], doch bleibt Raum für Liebe, Gesang, Gespräch und Erzählung. So entsteht eine Gegenwelt zum Luxus von Hof und Stadt ebenso wie zu aggressivem Heroismus.

Indes läßt das implizite Verfahren den Lesern die Möglichkeit, die Idyllenwelt als Impuls zu gesellschaftlicher Veränderung oder aber als Einladung zur Evasion zu deuten – eine Unklarheit, die bes. in den 70er und 80er J. des 20. Jh. Anlaß zur Forschungsdiskussion gab. Mit seinen klassizistischen bukolischen Gemälden führt Gessner die Trad. pastoraler Malerei fort (Abb. 1 und 2), die unter dem Eindruck von Sannazaros *Arcadia* in It. eingesetzt und mit dem früher Giorgione, jetzt meist Tizian zugeschriebenen *Ländlichen Konzert* und Poussins *Les Bergers d'Arcadie* Inbilder der Arkadien-Idee geschaffen hatte. Diese gewinnt in *Faust II* noch einmal große poetische Gestalt. An Goethes mannigfachen idyllischen Dichtungen tritt immer wieder der enge Bezug zur Ant. hervor. Mit dem Hexametergedicht *Hermann und Dorothea* (1797) versucht er, in der reduzierten Form der I. die einstige epische Gestaltung der Weltschicksale zu erneuern. Der hier aufgerissene Kontrast zw. ruhigem Kleinstadtleben und fundamentaler Erschütterung durch die Folgen der Frz. Revolution un-

Abb. 1: Arkadische Landschaft mit Tempelanlage und Denkmal
(1787) von Salomon Gessner

Abb. 2: Flußlandschaft mit Panherme und bukolischer Szene
(1784) von Salomon Gessner

tersteht einem an Vergils 1. Ekloge anknüpfenden Modell. Vergil mit seinen polit. Implikationen ist neben Theokrit und Homer wichtig für den lange Zeit populärsten dt. I.-Autor, Johann Heinrich Voss. Dieser streitbare Aufklärer funktionalisiert in seinen frühen sozialkritischen I. den Hexameter, um durch die Evokation der bukolischen Muster die Barbarei der Feudalherrschaft zu betonen – so wie es André Chénier mit dem ant. Dekor tut (*La Liberté*, 1787). Andererseits verstärkt das ant. Maß in Vossens Schilderungen ländlich-bürgerlichen Lebens (*Luise*, 1795) bei den zeitgenössischen Lesern die Illusion, hier existiere bereits eine neue humane Kultur.

D. Entwicklungslinien der idyllischen Dichtung im 19. und 20. Jahrhundert

Bestimmend wird für die weitere Entfaltung der I. die Freigabe der Schauplätze und Berufe, die um 1800 durch Herder und Jean Paul ausdrücklich legitimiert wird. Das begünstigt die Variationsbreite der nunmehr dominanten Enklavenform der I., die es erlaubt, sie für die Darstellung komplexer Themen zu instrumentalisieren. So können die Autoren dem Ungenügen an der Begrenztheit der bukolisch-idyllischen Inhalte begegnen, das Schiller zu der Forderung veranlaßte, die I. solle den Menschen nicht zurück in das »Arkadien« einfacher Lebensformen, sondern vorwärts in das »Elysium« höchster Entwicklung führen. Aus der Fülle der Beispiele können hier nur wenige Linien bezeichnet werden, die erkennen lassen, wie präsent trotz aller mod. Lizenzen die bukolischen Modelle bleiben. Wenn das Landleben nun mit betont illusionslosem Realismus geschildert wird, so wird gerade darum oft die Folie früherer bukolischer Poetisierung aufgerufen. Durch mod. Attribute variiert, kehren die *locus amoenus* und andere Züge der I. in der bäuerlichen Welt wieder (Balzac, George Sand, Jeremias Gotthelf, George Eliot). Insbes. in der Auseinandersetzung mit der Modernisierung werden als Gegenbilder geschützte Räume evoziert: Gärten, Kleinstädte, Großstadtwinkel (Dickens, Hugo, Zola, Keller, Raabe u.a.). Ihre Bedrohung und Zerstörung ist ein konstantes Thema des 19. Jh., wobei aber diese Zerstörung nicht nur von außen kommt, sondern auch aus den Spannungen, die in einer geschlossenen Kleinwelt entstehen. Seit der Romantik findet der wachsende psychologische Scharfblick im Entwurf solcher Bezirke eine Form für die Schilderung narzißtischer oder todesgebundener Seelenzustände (Tieck, Stifter, Tennyson). In der Lyrik entfaltet sich wieder die petrarkistische I. einer Einsamkeit, die zum Ursprung von Reflexion und Kunst wird (Leopardi, Mörike, C.F.Meyer, Pascoli). Baudelaire belauscht im Programmgedicht zu den *Tableaux Parisiens* (1857) als mod. Eklogendichter die erwachende Stadt, errichtet aber auch in seinem Inneren eine topische Idyllenwelt.

Die Position der bukolisch-idyllischen Dichtung im 20. Jh. steht, zumal in Deutschland, in engem Zusammenhang mit histor. Ereignissen und Mentalitätswandlungen. Die Funktionalisierung von Naturzuwendung und Landdichtung durch die nationalsozialistische Ideologie (→ Nationalsozialistisches Antikenbild) läßt ein Mißtrauen gegen die I. als gegen einen Ausdruck von evasiver, wenn nicht gar angepaßter Haltung zurück. Dies ändert sich zumindest in der Literaturwiss. im Zuge der linksintellektuellen Bewegung der 60er J.: man entdeckt die polit. Valenzen der bukolisch-idyllischen Gegenbilder. Auch der neue ökologische Impetus kommt der – auch wegen ihrer Trivialisierung im 19. Jh. – eine Zeitlang mißachteten Gattung zugute. Wichtiger aber für ihr Fortbestehen ist die gleichsam »stille« Praxis des idyllischen Schreibens: so von Léon-Paul Fargue zu Philippe Jaccottet; von Robert Walsers Miniaturen zu Musils *Bildern*. Peter Handke und Gerhard Meier entwickeln in ihrer idyllischen Prosa aus der Spannung zw. begrenztem Raum und umfassender Reflexion und Phantasie ein neuartiges Spiel von Textebenen, die beide zugleich fiktional und auf die außertextuelle Welt bezogen sind.

→ Arkadismus
→ AWI Bukolik; Vergilius

1 K. BERNHARDT, I., Theorie, Gesch., Darstellung in der Malerei 1750–1850, 1977 2 R. BÖSCHENSTEIN-SCHÄFER, I., 1977 3 Dies., Arbeit und Muße in der Idyllendichtung des 18. Jh., in: G. HOFFMEISTER (Hrsg.), Goethezeit, 1981, 9–30 4 E. R. CURTIUS, Europ. Lit. und lat. MA, 1948ff., Kap. 10: Die Ideallandschaft 5 W. SCHMID, Tityrus Christianus, in: K. GARBER (Hrsg.), Europ. B. und Georgik, 1976, 44–121 6 W. ISER, Das Fiktive und das Imaginäre, 1991 7 K. KRAUTTER, Die Ren. der B. in der lat. Lit. des XIV. Jh.: von Dante bis Petrarca, 1983 8 B. LOUGHREY (Hrsg.), The Pastoral Mode, 1984 9 R. POGGIOLI, The Oaten Flute, 1975 10 E. A. SCHMIDT, Arkadien: Abendland und Ant., in: A&A 21, 1975, 36–57 11 H. J. SCHNEIDER (Hrsg.), Dt. Idyllentheorien im 18. Jh., 1988 12 H. U. SEEBER, P. G. KLUSSMANN (Hrsg.), I. und Modernisierung in der europ. Lit. des 19. Jh., 1986 13 W. WEHLE, Arkadien. Eine Kunstwelt, in: W. D. STEMPEL, K. STIERLE (Hrsg.), Die Pluralität der Welten, 1987. RENATE BÖSCHENSTEIN

Bulgarien A. Allgemeines
B. Mittelalter C. 15.–17. Jahrhundert
D. 18.–20. Jahrhundert

A. Allgemeines

Die auf dem Territorium der heutigen Republik B. gelegenen Gebiete gehörten seit dem ausgehenden 8. Jh. v. Chr. (Kolonisation) zur nahen Peripherie der ant. Welt und waren in unterschiedlichem Ausmaß hellenisiert, romanisiert und in der Spät-Ant. als Hinterland von → Byzanz einem starken byz. Einfluß ausgesetzt. Es ergeben sich keinerlei Hinweise für die Vermutung, daß zu dieser Zeit noch größere Gruppen der alten einheimischen thrakischen Einwohner ethnisch und kulturell existierten.

B. Mittelalter

Als im 6. und 7. Jh. n. Chr. zunächst Bulgaren, danach größere Gruppen von Slaven, denen später kleinere Scharen von Turkvölkern folgten, die z. T. bereits die byz. Kultur kannten, sich auf dem Territorium des heutigen B. niederließen, fanden sie ein wenig besiedeltes, weitgehend christianisiertes Land mit einer auch die ant. Trad. weiterführenden Bevölkerung vor. Obwohl diese weitgehend vernichtet, vertrieben und assimiliert wurde, blieben etliche Elemente der ant. Kultur weiter bestehen: Das romanische Sprachelement wurde von den Wlachen getragen, das griech. von der Bevölkerung der Schwarzmeerstädte (hauptsächlich Mesambria, Sozopol und auch Philippopolis im Inneren des Landes). Verschiedene ant. Elemente aus dem Kult und der Überlieferung, die die Christianisierung überlebt hatten, sind bis h. in der Folklore erhalten. Die Einwanderung der Bulgaren und Slaven bedeutete trotzdem einen kulturellen Neuanfang, bei dem ant. Kulturelemente teilweise über Byzanz wiedererworben werden mußten.

Die griech. Sprache wurde von den bulgarischen Khanen als offizielle anerkannt und benutzt: Die sog. protobulgarischen Inschr. sind alle in für diese Zeit gutem Griech. verfaßt; mit ihnen sind auch Begriffe aus der staatlichen Sphäre eingedrungen. Eine weite Verbreitung in den höheren Schichten des slavisch-bulgarischen Staates erhielt das Griech. nach der Christianisierung unter Zar Boris I. (ab 864). Die lat. Sprache war wenig verbreitet und erlebte nur einen kurzen Aufschwung in den Jahren 866–870, als röm. Geistliche ins Land kamen. In Pliska und Preslav wurden bislang drei lat. Inschr. gefunden.

Alle höheren staatlichen und kirchlichen Würdenträger besaßen im 1. Bulgarischen Reich eine hellenische Bildung. Das im 9. Jh. einsetzende slavische Schrifttum verstärkte sogar den griech. Sprachunterricht in den kirchlichen Schulen, die Übersetzer aus dem Griech. vorbereiten mußten. Nach der parallelen Anwendung des Bulgarischen und des Griech. in den Anfängen der altslavischen Lit. ist die Verbreitung eines Bilingualismus E. des 9. und im 10. Jh. anzunehmen. Die eigentlichen Schöpfer des altslavischen Schrifttums, die Brüder Konstantin (Kyrill; 826/7–869) und Methodios, besaßen eine hohe griech. Bildung, die sie in der Magnaura-Schule in Konstantinopel, u. a. auch bei Photios, erhalten hatten. Im J. 850 lehrte er an der gleichen Schule Philos. Wohl 855 schuf er ein slavisches Schriftsystem, die sog. Glagolica, aufgrund der griech. Minuskelschrift unter Zufügung spezifisch slavische Phoneme wiedergebender Buchstaben. Das sog. kyrillische Alphabet, das sich durch den Gebrauch der griech. Unzialschrift in den staatlichen Kanzleien schon vor der Einführung des slavischen Schrifttums entwickelt hatte, verdrängte jedoch später gegen E. des 9. und endgültig im 10. Jh. die Glagolica. Man erkennt altbulgarische Inschr. an einem Gemisch aus griech. und glagolischen Buchstaben. Als hochgebildeter Mann, der im Zuge der frühen byz. Vor-Ren. die altgriech. Schriftsteller nach dem byz. Bildungsprogramm sehr gut kannte, ließ Kyrill diesen archaisierenden Stil auch in seine altbulgarisch verfaßten Schriften einfließen. Das beeinflußte die altbulgarische Lit. und ihre Sprache auch

weiterhin und damit alle sich daraus entwickelnden altslavischen Literaturen. Ende des 9. und zu Beginn des 10. Jh. entwickelte sich die altbulgarische Lit. hauptsächlich in den Schriftschulen in Preslav und Ohrid. Ihre Blütezeit fällt in die Regierungszeit von Zar Symeon (893–927). Die meisten Werke dieser Schulen waren Übers. griech. Kirchenlit., doch wurden auch originale altbulgarische Bücher verfaßt. Die wichtigsten Vertreter dieser neuen Schriftstellergenerationen waren Kliment Ohridski, Černorizec Hrabăr, der Episkop Konstantin Preslavski u. a. Der Zar Symeon selbst war ein hochgebildeter Mann, der ebenfalls in Konstantinopel studiert hatte und diese Schulen durch Aufträge und eigene schriftstellerische Tätigkeit aktiv unterstützte. Durch ihn wurden viele wichtige frühbyz. Werke in altbulgarischen Übers. im gesamten slavischen Schrifttum verbreitet, wie z. B. *Über die poetischen Figuren* des Georgios Cheiroboskos. Auf seine Veranlassung verfaßte Černorizec Hrabăr Sammlungen, Kompilationen und Übers. aus ähnlichen byz. Sammelbänden, in denen u. a. Probleme der Rhet., Philol. und Naturkunde abgehandelt wurden. Er schrieb u. a. auch eine Geschichte der Buchstaben, in der er eine sehr gute Kenntnis der ant. Lit. und Philos. zeigt. Konstantin Preslavski war Verf. einer kurzen Geschichte, die von der Schöpfung der Welt bis zum J. 894 führte. Auch sie hat byz. Vorbilder. 906 wurden die vier *Reden gegen die Arianer* von Athanasios Alexandrinos übers. und vervielfältigt. Ioan Ekzarh war ein weiterer Vertreter der Preslaver Schule, Philosoph, Dogmatiker, Priester, Übersetzer, Schriftsteller und Dichter. Seine Schriften wandten sich insbes. an die hohen, gebildeten Schichten. Durch seine Übers. der *Theologia* des Ioannes Damaskinos wurden Probleme der ant. Naturkunde und Philos. bekannter. Seine Kenntnisse der paganen ant. Schriften legte er v. a. in seinem *Šestodnev* (Hexameron) dar. Die wichtigste Vorlage dafür war Basilios der Gr. Die Beschreibung der Natur, der Tiere und des Menschen steht weitgehend unter dem Einfluß von Aristoteles (hist. an.), auch wenn er nach dem Auszug des Mönches Meletios gearbeitet hatte. Darin erwähnt er eine Reihe ant. Schriftsteller, wie Thales, Demokrit, Parmenides u. a., die in dieser Vorlage jedoch nicht erscheinen, sondern von Ioan Ekzarh zugefügt worden waren, ebenso wie die Platonzitate. Dieses Werk wurde zur Grundlage der weiteren Entwicklung der slavischsprachigen Naturkunde und Anthropologie.

Zu noch größerem Einfluß kamen byz. Sprache und Kultur in den Jahren 1018–1186, nachdem das 1. Bulgarische Reich durch Basileios II. vernichtet war und das heutige bulgarische Territorium an Byzanz fiel. Die griech. Sprache war nicht nur die offizielle Sprache, sondern auch sonst in der Bevölkerung, bes. der städtischen, weit verbreitet – vorwiegend durch die Kirche, die vielerorts das Slavische verdrängte. Die bulgarische Oberschicht stellte sich in byz. Dienste und erhielt dadurch eine obligatorische griech. Bildung. Nicht nur in den Schwarzmeerstädten, sondern in allen größeren

Städten wie Plovdiv, Vidin, Tărnovo u. a. gab es griech. Schulen. Griech. Bücher fanden immer mehr Abnehmer. Dazu kam eine von byz. Seite geschürte Kulturpropaganda gegen das »barbarische Slaventum«. Dieses massive kulturelle Eindringen von Byzanz stieß jedoch auch auf Widerstand und löste eine Gegenbewegung aus: In der damaligen altbulgarischen Apokryphen-Lit., die weitgehend von der byz. abhing, wurden mit offensichtlichen propagandistischen Zielen Momente der bulgarischen Geschichte aufgezeigt. Dabei werden ant. bzw. frühbyz. Leistungen nicht erwähnt, alles wird Bulgaren zugeschrieben, wie z. B. die Gründungen von Drăstár (Durostorum) u. a. Der anerkannte kulturelle Stellenwert griech. Bildung blieb auch während des 2. Bulgarischen Reiches (1186–1393) hoch und entwickelte sich nach zeitgenössischem byz. Vorbild. Die griech. Schulen hatten weiterhin aus den sozial höher gestellten Schichten Zulauf, zumal sie im Gegensatz zu den rein kirchlichen bulgarischen Schulen auch säkulares Wissen vermittelten: Grundzüge der Naturwiss. und bes. die Schriften altgriech. Philosophen. In der Bibl. des Bačkover Klosters befanden sich zur Zeit des 2. Bulgarischen Reiches auch Sammelbände mit altgriech. Lit., z. B. mit Ausschnitten aus Werken des Sophokles und Euripides. Griech. Inschr. findet man auf Ikonen, Stein-Inschr. und sogar griech. Marginalien in altbulgarischen Hss. (Tomičov-Psalter aus der Mitte des 14. Jh.). Weite Teile der Bevölkerung sprachen mehr oder weniger Griech.: Die südl. Teile des Landes waren stark gräzisiert, und in den Kirchen wurde Griech. und Bulgarisch gelehrt und gesprochen. Hervorragende Schriftsteller dieser Zeit wie Teodosij Tărnovski, Grigorij Camblak, Kyprian u. a., die insbes. von der Tărnover Schule ausgebildet und geprägt waren, beherrschten die griechische Sprache vollkommen. Dabei ist das Streben, auch individuelle Auffassungen und Geschmacksrichtungen durchzusetzen, zu bemerken. Im Zuge des stärker werdenden Interesses in Byzanz an der altgriech. Kultur und bes. an der altgriech. Philos. fand diese auch in B. offensichtlich weite Verbreitung. Das beweisen das Eindringen eines von ihnen beeinflußten Rationalismus in bulgarische Werke (*Die Lehre des Varlaam und Akindin*) und die Polemik der Kirche gegen derartige Beschäftigungen (so z. B. ein Anathema aus dem Borilov-Synodik: ›Diejenigen, die sich mit den hellenischen Wiss. beschäftigen und sie nicht nur wegen ihrer Bildung erlernen, sondern ihren unvernünftigen Gedanken folgen, die sie für wahr halten (...) und manchmal sogar auch andere an sich ziehen und sie darin unterweisen: verflucht sollen sie sein!‹). Die Werke von Ps.-Kaisarios, Kosmas Indikopleutes u. a., die bereits im 8. und 9. Jh. übers. worden waren, erhielten in beiden Sprachen weite Verbreitung. Die bulgarischen Zaren waren für diese Tendenzen in gewisser Weise richtunggebend: Ivan Alexander (1331–1371) z. B. besaß eine bedeutende persönliche Bibl., für die er Aufträge erteilte und die sowohl bulgarische Übers. als auch griech. Originale enthielt. Eine der aufschlußreichsten

dieser Hss. ist das sog. Tomičov-Evangelium. Auf Wunsch des Zaren wurde in die Vatikaner Hs. der Manassi-Chronik die Geschichte über den Trojanischen Krieg zugefügt. Überhaupt waren heroisch-histor. Erzählungen sehr beliebt, was sich in den bulgarischen Übers. der griech. Originale zeigt. Aus der Ant. waren es bes. die byz.-modernisierten Fassungen des Trojanischen Krieges und der Alexanderroman. V. a. der letztere trägt in den bulgarischen Fassungen stark nationalistische Züge: Der Makedonenkönig wird als Bulgare dargestellt, und der Zar Ivan Alexander wird ›der zweite Alexander aus dem Alt.‹ genannt. Verbreitet waren auch die aesopischen Fabeln als Vorlagen zu neuen folkloristischen Erzählungen (Hităr Petăr).

Zwar waren die ersten protobulgarischen und slavischen Siedlungen und Gebäude noch primitiv und bescheiden, doch änderten sie sich sehr schnell mit der Bildung des bulgarisch-slavischen Staates. Sowohl unter dem Einfluß byz. Architektur als auch nicht weniger unter dem der vorgefundenen Reste aus der Spät-Ant. entwickelte sich sehr schnell der Städtebau (s. bes. Preslav und Pliska, wo spät-ant. Baumaterialien aus den nahen Städten Marcianopolis und Nicopolis an der Donau stammen). Zum Schmuck der neuen repräsentativen Gebäude wurden nicht nur hell. und röm. Bauelemente (Kapitelle, Säulen u. ä.) eingebaut, sondern man vermischte diese architektonischen Elemente mit byz. und eigenen, neu geschaffenen, so daß eine einmalige Skulpturdekoration entstand. Ähnlich war die Entwicklung der monumentalen Skulptur, für die der sog. *Reiter aus Madara* aus dem 9. Jh. bes. repräsentativ ist: Seiner Ikonographie nach steht er dem thrakischen Reiterheros aus der Kaiserzeit sehr nahe. Die Juwelierkunst nahm ebenfalls sowohl zeitgenössische byz. als auch ant. Elemente auf der Grundlage eines früh-ma. Nomadenstils auf, wie er in den eurasischen Steppen verbreitet war. Bereits um 864 begann der Bau von Kirchen, die oft über paganen Heiligtümern errichtet wurden, ganz in byz. Trad. stehen und öfters spät-ant. Fundamente zu neuen Bauten benutzten. So steht z. B. die Kirche des Hl. Georgi in Sofia, ein quadratischer Kuppelbau mit Wandmalereien aus dem 9.–10. Jh., auf viel älteren Fundamenten. Solche ant. Grundrisse beeinflußten zuweilen auch die Architektur anderer Kirchen.

C. 15.–17. JAHRHUNDERT

Die Eroberung B. durch die Türken setzte der eigenständigen Entwicklung des kulturellen Schaffens und der Bildung ein Ende. Die geistige und polit. Oberschicht wurde vernichtet oder emigrierte (vorwiegend nach It.), wobei auch wertvolle Hss. aus dem Lande gebracht wurden. Die bulgarische Kirche wurde der Patriarchie in Konstantinopel unterstellt. Während in einigen Klöstern die slavischen Kulturgüter (durch Anfertigung von Abschriften u. ä.) dürftig gepflegt wurden, blieb die griech. Bildung v. a. in den Schwarzmeerstädten, deren Einwohner vorwiegend Griechen waren (bes. Sozopol, Nesebăr, etwas weniger Varna) in einem geringen Ausmaß erhalten. Aus dem J. 1515 stammt ein

Buch mit Oden Pindars nebst Scholien, von 1557 eines mit den Tragödien des Aischylos. Auch Bücher mit Werken des Aristoteles, Thukydides, Apollonios Rhodios u. a. sind in diesen Städten gefunden worden. Die griech. Sprache wurde auch in einigen Kirchen und Klöstern in Süd-B. gesprochen und gelehrt, in denen vorwiegend griech. Geistliche tätig waren. Daß ein Wissen um das ant. Erbe trotz allem noch lebendig war, zeigen einige interessante Wandmalereien aus Klöstern des ausgehenden 16. und 17. Jh. Das Refektorium des Bačkovo-Klosters wurde im J. 1643 mit Wandmalereien, die mit griech. Inschr. versehen sind, ausgeschmückt. Neben verschiedenen kirchlichen und kirchengeschichtlichen Sujets sind hier die Komposition *Die Wurzeln Jesse* und die Darstellungen von 12 altgriech. Philosophen und Dichtern zu sehen, deren Namen − wenn auch nicht immer richtig geschrieben − angegeben sind. Sie halten wie die christl. Heiligen je eine Schriftrolle in Händen, auf denen griech. apokryphe und prophezeiende Inschr. zu lesen sind. Ähnliche Darstellungen sind auch in der Kirche ›Geburt Christi‹ in Arbanassi zu sehen.

Im 16. und 17. Jh. wuchs der katholische Einfluß in B., ausgehend vom Städtchen Čiprovci. Die Katholiken gründeten mehrere Schulen, an denen auch it. Humanisten lehrten. Durch sie verbreitete sich auch die Beherrschung der lat. Sprache in einem bescheidenen Maße. Wichtig waren die Verbindung mit It. und die Möglichkeit junger Bulgaren, an it. Schulen und Univ. zu lernen und damit auch eine klass. Bildung zu erwerben. Lat. Schriften verfaßten zu dieser Zeit P. Bogdan, P. Parčevič, F. Stanislavov. P. Bogdan war der bedeutendste Führer der bulgarischen Katholiken im 17. Jh. Er studierte in Rom und beherrschte Lat. und It. In seinen Werken benutzte und zitierte er ant. Schriftsteller. Außerdem kann man ihn wegen seines Interesses an ant. Inschr. und Ruinenstätten als den ersten bulgarischen Archäologen und Epigraphen bezeichnen.

D. 18.−20. JAHRHUNDERT

Die sog. »Zeit der bulgarischen Wiedergeburt« begann mit dem 18. Jh. Ihre Wurzeln liegen an erster Stelle in der neu-griech. kulturellen Wiedergeburt, die ihren Einfluß sowohl der Kirche als auch den griech. Bevölkerungsteilen im Lande verdankte. Die ersten Bibl. und Schulen (→ Schulwesen) weltlichen Charakters waren griech., und die Beherrschung dieser Sprache wurde wieder zur Voraussetzung für eine bessere Bildung. Diese Institutionen vermittelten sowohl ant.-byz. Erbe als auch Ideen der westl. Aufklärung. Die altgriech. Sprache und Lit. gehörten zu den obligatorischen Fächern. Durch solche Schulen gingen sehr viele führende Politiker, Schriftsteller und Publizisten dieser Zeit wie I. Dobrovski, G. Rakovski, Seliminski u. a. Durch die Öffnung des bislang fast völlig isolierten Landes gelangten Bulgaren ins Ausland, wobei Rußland, Frankreich und Österreich die wichtigsten Ausbildungsländer junger Leute waren. In Rußland lernte N. Bončev, der zu den leidenschaftlichsten Verfechtern der klass. Bildung

zu dieser Zeit in B. gehörte. Bončev, Parličev u. a. übers. zum ersten Mal Auszüge aus den homer. Epen ins Bulgarische. Auch die Verbindung zu It. war nicht abgebrochen. So studierte z. B. der Metropolit Ierotej Anf. des 18. Jh. Medizin in Padua, bevor er in Bukarest an der Bej-Akademie lehrte. Sein Nachfolger, der Metropolite Athanasis, beschäftigte sich mit Übers. altgriech. Autoren und veranlaßte den Schriftsteller Paläologis aus Konstantinopel, ebenfalls dort zu lehren. Eine nicht unwichtige Rolle spielte auch die Akad. *Hl. Sava* in Bukarest zu Beginn des 18. Jh., an der z. B. Partenij Pavlovič Teile der aristotelischen Lehre gehört hat und viele einflußreiche bulgarische Schriftsteller und Gelehrte ihre Ausbildung erhielten. Dort lehrten aufgeklärte Wissenschaftler wie L. Photiadis, Nikola Pikolo und A. Bogoridi altgriech. Dichtung und Philosophie. Hier lernte auch Sofronij Vračanski, der die Fabeln Aesops ins Bulgarische übers. und seinen damaligen Lesern auch die altgriech. Philos. näherbrachte. Seine vom Griech. bestimmten bzw. sich ans Griech. anlehnenden Schriften haben die neubulgarische Literatursprache nachhaltig beeinflußt. Charakteristisch ist für die Wiedergeburtszeit, daß alle führenden Männer, die das Glück einer guten Ausbildung genossen hatten, ihre Hauptaufgabe darin sahen, das allg. Bildungsniveau ihres Landes durch den Aufbau von Schulen und die Herausgabe von Zeitungen und Büchern anzuheben, wobei die klass. Bildung nach dem Vorbild anderer Länder einen wichtigen Stellenwert besaß. In den 50er−70er J. des 19. Jh. schwand der Einfluß der neu-griech. Kultur und Sprache wegen des Kampfes der Bulgaren für die Wiederherstellung ihrer autokephalen Kirche immer mehr. »Griech.« hatte einen pejorativen Sinn bekommen. Die neubulgarische Lit. entwickelte sich im Vergleich mit den übrigen Balkanvölkern erst später und verhältnismäßig langsam, was einerseits von der längeren türk. Herrschaft und andererseits von der größeren, geogr. bedingten Isolierung abhing. Da ihr Hauptthema die nationale Befreiung und die ruhmvolle Vergangenheit war, sie sich in ihrer Form stark an die Folklore anlehnte, sich dem Bildungsniveau des Volkes anpaßte und das griech. Element wegen des oben genannten Kirchenkampfes ablehnte, waren ant. Elemente nur sehr selten anzutreffen, obwohl viele der großen Dichter und Schriftsteller der Wiedergeburtszeit eine klass. Ausbildung erhalten hatten. Dennoch sind in einigen Werken von I. Vazov, G. Rakovski, S. Mihailovski, Penčo Slavejkov u. a. Anklänge an und Assoziationen zur ant. Lit. deutlich. Nach Erlangen der geistlichen (1870) und polit. Freiheit (1878) wuchs der Bedarf nach klass. Bildung rapide. Schon in den ersten Jahren wurden human. Gymnasien gegr. Zunächst übers. man (vorwiegend dt.) → Schulbücher, ersetzte diese aber auch bald durch selbst verfaßte. 1888 entstand die Hochschule, in der Altgriech. und Lat. gelehrt wurden. Man berief auch Lehrer aus dem Ausland, um den Nachholbedarf zu befriedigen. V. a. die Tschechen I. Brožka, K. Jireček, die Brüder K. und H. Škorpil und Dobruski schufen die

Grundlagen für die Alte Geschichte und Arch. in B. Außer der Lehrtätigkeit brachten auch ihre intensiven Forschungsarbeiten außerordentlich große Fortschritte. 1921 wurde aus der oben erwähnten Hochschule die Sofioter Univ., an der seit dem Gründungsjahr Klass. Philol. gelehrt wird.

Die nächste Generation an Lehrern und Professoren bestand aus bulgarischen Gelehrten. Klass. Bildung verbreitete sich nicht nur wegen der Schulen immer mehr. 1937 wurde die Zeitschrift für Klass. Philol. *Prometheus* gegründet, die ant. Kultur auch weiteren Schichten des Volkes zugänglich machte. Ihr Chefredakteur war A. Balabanov, Professor für Klass. Philol., Schriftsteller und Übersetzer mehrerer griech. Tragödien, Lyriker und großer Teile der homerischen Epen und überhaupt einer der wichtigsten Figuren im bulgarischen Kulturleben seiner Zeit. Andere Wissenschaftler wie A. Milev, D. Dečev, V. Beševliev u. a. verfaßten Lehrbücher für die Klass. Philologie. Eingehende Unt. der frühen Geschichte B. aufgrund ant. Schriftsteller wurden v. a. von G. Kacarov, J. Todorov u. a. geschrieben, die ant. Arch. von B. Filov und I. Velkov vorangetrieben. Auf dem Gebiet der Spät-Ant. und der byz. Zeit war I. Dujčev führend. Diese hohe Einschätzung des ant. Erbes führte dazu, daß jeder gebildete Bulgare Griech. und Lat. gelernt hatte. Das beeinflußte die Lit. in einem gewissen Maße (Form und Ästhetisierung) bis zum II. Weltkrieg.

Nach der sog. sozialistischen Revolution 1944 wurden die human. Gymnasien abgeschafft, das Schulwesen wurde nach sowjetischem Vorbild reformiert. Die Beschäftigung mit der Ant. wurde als ideologisch irrelevant und sogar schädlich in den Hintergrund gedrängt. Die Unt. über das Alt. beschränkten sich auf die eigene Geschichte: Thraker, Protobulgaren und Slaven standen im Vordergrund; die eigentliche ant. Geschichte wurde eher als Kulisse behandelt. Obwohl die allg. Verbreitung klass. Bildung und ihr Einfluß auf die Kultur stark zurückgingen, sind die Werke einzelner Wissenschaftler aus dieser Zeit trotz Isolation des Landes, d. h. mangelnder Kommunikationsmöglichkeiten, fehlender wiss. Lit. und ideologischen Beschränkungen, wegweisend, v. a. die der Philologen, Historiker und Epigraphiker V. Beševliev, B. Gerov, D. Dečev, G. Mihailov, Chr. Danov und V. Velkov. Das Studium der klass. Sprachen war außer für Medizin für kein Studienfach obligatorisch, und der Lehrstuhl für Klass. Philol. existierte nur noch mit minimaler Besetzung und Studentenaufnahme. Zwar erlernten die Studenten erst dort die klass. Sprachen, dafür erhielten sie eine sehr weite Einführung in die Altertumswiss., die Geschichte, Epigraphik, histor. Gramm., Kulturgeschichte, Literaturgeschichte u. a. einschloß. Außerhalb dieses Lehrstuhls hatte die Altertumswiss. nur die Geschichte der Thraker und Bulgaren zum Gegenstand. Es entstanden Quellensammlungen (*Quellen zur bulgarischen Geschichte, Quellen über Thrakien und die Thraker*) und zahlreiche Reihen (*Thrakia, Studia Thracica, Terra Antiqua Balcanica* u. a.). Erst zu Beginn der 70er J. wurde die human. Bildung durch

zahlreiche Initiativen von L. Živkova, der Tochter des kommunistischen Staatsoberhauptes, wieder langsam positiver bewertet; man gründete das Inst. für Thrakologie (1972) und das klass. Gymnasium in Sofia (1977), eine klass. Sprache wurde als obligatorisch für das Geschichtsstudium eingeführt. Man begann auch wieder intensiv, griech. und lat. Schriftsteller zu übers. In Verbindung damit förderte der Staat in großem Ausmaß die arch. Unt. von Anfang an im Bestreben, die materielle Kultur der Vergangenheit und dabei v. a. die kulturellen Leistungen der Thraker, Protobulgaren und Slaven ans Licht zu bringen. Durch systematische Grabungen wurden die griech. Städte am Schwarzen Meer (Dionysopolis, Odessos, Anchialos, Mesambria, Apollonia u. a.) und im Landesinneren (Kabyle, Philippopolis u. a.), thrakische Siedlungen (Seuthopolis, Sveštari u. a.), röm. Städte und Kastelle am Limes (Oescus, Novae, Durostorum, Iatrus u. a.) und im Landesinneren (Abritus, Nicopolis ad Istrum), frühbyz. Zentren (Marcianopolis, Serdica u. a.) und die altbulgarischen Siedlungen und Städte (Pliska, Preslav u. a.) untersucht. Jede Stadt, sogar manches Dorf, besitzt ein arch. Mus. bzw. zumindest eine Sammlung. Seit der polit. Wende im J. 1989 erhält die human. Bildung wieder größere Bed., was zahlreiche neue Übers. griech. und lat. Schriftsteller, originale Werke über ant. Kultur und Philos. und ein stärkeres Einbeziehen ant. Elemente in die zeitgenössische bulgarische Kunst beweisen. An der 1992 gegr. privaten *Neuen Bulgarischen Univ.* gibt es eine Fakultät für Ant. Geschichte und Kultur.

→ AWI Alexanderroman; Alexandros [4] der Gr.; Bulgaroi

→ Humanistisches Gymnasium; Mittelalter; Universität

1 R. AITZETMÜLLER, Das Hexameron des Exarchen Johannes, 1958; IV, 1966 2 D. ANGELOV, Obštestvo i obštestvena misăl v srednovekovna Bălgarija (Ges. und ges. Denken in der ma. B.), Sofia 1979 3 S. S. AVERINČEV, Drevneslavjanskie literatury i tradicija ellinizma, in: Slavjanskie kul'tury i Balkany, 1978 4 V. BEŠEVLIEV, Părvobălgarski nadpisi, Sofia 1992 5 FR. BAKŠIĆ, Petri Bogdani episcopi Galliponensis et coadiutoris Sophiensis de statu ecclesiae suae relatio accuratissima. Cum notis cuisdam in margine adposuit E. FERMENDŽIN, Acta Bulgariae ecclesiastica ab anno 1565 usque ad annum 1799. Monumenta spectantia historiam slavorum meridionalium, Bd. 18, Zagabriae 1887 6 A. CAMARIANO-CIORAU, Les académies princières du Bucarest et de Jassy et leur professeurs, 1974 7 P. DINEKOV, Starobălgarskata literatura I, Sofia 1950 8 I. DUJČEV, Les débuts littéraires de Constantin Philosophe-Cyrille, in: Slavica 41, 1972, 357–67 9 Ders., Klass. Alt. im ma. B., in: Ren. und Human. in Mittel- und Osteuropa, 1962 10 Ders., Drevnoezičeski misliteli i pisateli v starata bălgarska živopis (Ant. heidnische Dichter und Denker in der alten bulgarischen Malerei), Sofia 1978 11 N. GENČEV, Bălgarskoto văzraždane (Die bulgarische Wiedergeburt), Sofia 1988 12 Ders., Bălgarskata Kultura 15.–19. Jh., Sofia 1988 13 V. GJUZELEV, Učilšta, skriptorii, biblioteki i znanija v Bălgarija, XIII–XIV v. (Schulen, Scriptoria, Bibl. und Wissen in Bulgarien, 13.–14. Jh.), Sofia 1985 14 Istorija na

filosofskata misǎl, Sofia 1970 **15** Izsledvanija v pamet na K.
Škorpil, Sofia 1961 **16** C. Jireček, Beitr. zur ant. Geogr. und
Epigraphik von Bulgaren und Rumelien, in: Monats-Ber.
der Königlich Preußischen Akad. der Wiss. zu Berlin, 1881
17 D. Kosev (Hrsg.), Istorija na Bǎlgarija, Bd. II, 1981
18 C. Kristanov, I. Dujčev, Estestvoznanieto v
srednovekovna Bǎlgarija (Die Naturwiss. im ma. B.), Sofia
1954 **19** N. Mavrodinov, Starobǎlgarskoto izkustvo, Sofia
1959 **20** G. Mihailov, Aleksandǎr Balabanov, Sofia 1989
21 K. Mijatev, Arhitekturata v sredovekovna Bǎlgarija,
Sofia 1965 **22** K. Ohridski, Prostranni žitija na Kirili
Metodij, in: Sǎbrani cǎčinenija, Bd. 3, Sofia 1973 **23** K.
Škorpil, Pametnici ot stolica Preslav, in: Bǎlgarija 1000
godini, Sofia 1930 **24** M. Stojanov, Livres anciens grecs à
la bibliotheque nationale de Bulgare, in: Studia in honorem
V. Beševliev, Sofia 1978, 96–99 **25** E. Teodorov,
Drevnotrakijsko nasledstvo v bǎlgarskija folklor (Das
altthrakische Erbe in der bulgarischen Folklore), Sofia 1972
26 V. N. Zlatarski, Istorija na bǎlgarskata dǎržava, Bd. 1–3,
Sofia 1918–1940. IRIS VON BREDOW

Bund A. EINLEITUNG B. ANTIKE
C. MITTELALTER UND FRÜHE NEUZEIT
D. RELIGIÖSER BUND UND FÖDERALTHEOLOGIE
E. THEORETISCHE ANSÄTZE ZUM BÜNDISCHEN
STAAT F. BUNDESSTAAT UND ANTIKE
ARGUMENTATION IM 19. JAHRHUNDERT

A. EINLEITUNG

Der B. ist eine vielschichtige Institution, was auch
seine vielgestaltige histor. Begriffsbreite widerspiegelt.
Als ein Grundbegriff menschlicher Sozialisationsge-
schichte und rechtlicher Verfassungsgeschichte vermag
B. gesellschaftliche und polit. Organisationen zu repräsentieren [10. 582f.]. Er kommt zustande durch die
Ver-»Bindung« von gesellschaftlich oder/und polit. de-
finitionsfähigen Personengruppierungen und Organi-
sationseinheiten, die durch diesen Zusammenschluß die
effektive Verfolgung gemeinsamer Interessen erstreben.
Das kann einmal geschehen unter Wahrung der Grup-
penindividualität und organisatorischen Autonomie,
zum anderen durch teilweise Aufgabe autonomer Positionen ›unter Einsicht in die Notwendigkeit höherer
Verbindungen‹ [15. 7f.]. Dieses dominierende Grundprinzip im Begriff des B. gewinnt in der Mod. im verfassungsrechtlichen Föderalismus Gestalt. Insoweit wird
das h. geläufige Verständnis vom B. aus seinem Verhältnis zum Staat gewonnen. Die Unterscheidung zum
›philos. und soziologischen Föderalismus‹ [5. 13] und
zur Föderaltheologie basiert seit der Ant. auf der histor.
Entwicklung bündischer Institutionen und der Vielzahl
ihrer begrifflichen und institutionellen Varianten [7.
462; 10. 584] sowie rechtlichen Entstehungsformen, die
die Traditions- und Wirkungslinie von B. stets kon-
textabhängig und linear schwer verfolgbar machen.

B. ANTIKE

1. DIE GRIECHISCHEN POLEIS

Für die griech. Poleis besaßen die B. eine wichtige
Bed. für zwischenstaatliches Zusammenwirken und als
Zweckbündnisse der Stadtstaaten. In der jüngsten Lit.

werden diese oft mit dem Begriff der mod. »Bundesstaaten« und »Staatenbünde« belegt [5. 14ff.; 6. 103–
131]. Diese Terminologie ist nur bedingt richtig, da ein
griech. Ausdruck für »B.« in diesem Sinne nicht existierte. Verbindungen und Zusammenschluß der griech. Poleis bzw. Stadtstaaten waren nach Ursprung, Zweck und
Form sehr verschieden, so daß rezeptionsfähige Klassifizierungen schwierig und Bezeichnungen unterschiedlich sind. Der vereinheitlichende Sammelbegriff für B.
fehlt deshalb verständlicherweise. Von funktionalen
Äquivalenten kann jedoch gesprochen werden. Die
wichtigsten Institutionen bilden die *symmachía* als mil.
Schutz- und Kampfbündnis zweier oder mehrerer
Stadtstaaten [2. 191] – in wahrscheinlicher genetischer
Verbindung zur »Eidgenossenschaft« [28. 149ff.]. Die
koiné eiréne war ein Friedensvertrag meist zweier Stadtstaaten zur Wahrung des Friedens; die *sympoliteía* stellte
einen Zusammenschluß zweier oder mehrerer Stadtstaaten (*póleis*) zu einer neuen staatlichen Einheit (*poli-
teía; koinón políteuma* – so Pol. 2,41,6) mit doppeltem
Bürgerrecht dar. Das rechtliche Fundament dieser B.
war in der Regel der → Vertrag. Durch diesen konnten
auch *koiné eiréne* und *symmachía* zu einem einzigen Instrument – wie im Korinthischen B. 338/337 – verschmolzen werden [21. 3–14]. Unabhängig vom Typ
des bündischen Zusammenschlusses bestand ein strukturelles verfassungsrechtliches Problem zw. einzelnem
Stadtstaat und übergeordneten B.-Organen regelmäßig
im Kompetenzumfang des B., nämlich in der Zusammensetzung der bündischen Ratsorgane und Versammlungen, in der Bindungskraft ihrer Beschlüsse, in ihrer
Exekutivgewalt, in der Kompetenz von B.-Oberhaupt
und B.-Feldherr sowie des Synedrion als B.-Gericht
[21. 12f.; 6. 126–131]. Die Verträge versuchen diese für
das Funktionieren des B. essentiellen Punkte oft ausdrücklich zu regeln, namentlich in Autonomieerklärun-
gen und Verpflichtungen auf Streitbeilegung durch
Schiedsgerichte [2. 75, 118]. Für Aristoteles konnte aus
solchen Bündnisverträgen keine neue einheitliche Polis
– ein zusammengesetzter Staat – entstehen, solange
nicht dessen typische Elemente gemeinsamer überge-
ordneter Herrschaftsorgane zur Bildung eines Über-
und Unterordnungsverhältnisses bestanden (Aristot.
pol. 1280 a 38). Der Vertragscharakter der B. deutet auf
Gleichberechtigung und Wahrung der Selbständigkeit
hin, die jedoch kraft polit. Machtverhältnisse auch zu
tatsächlich und rechtlich hierarchischen Strukturen ge-
staffelter Unter- und Überordnung – je nach dem Typus des B. – führen konnte. In der Lit. werden rechtliche und tatsächliche Gleichheit der B.-Glieder oft als
Indikator für die Qualität eines Bundesstaates oder Staatenbundes benutzt [17. 1102ff.; 6. 127]. Die unterschiedlichen zentralen bündischen Organisationsformen besaßen keine Prägekraft für die Uniformität der
entsprechenden Institutionen in den einzelnen Stadtstaaten des B. [11. 45f.]. Deren Verfassung blieb auch
innerhalb des B. bestehen [5. 17].

2. ROM

Das röm. *foedus* bezeichnet den Bündnisvertrag völkerrechtlicher Qualität, durch den ein Freundschaftsverhältnis (*amicitia*), Frieden (*pax*) oder B. (*societas*) begründet werden konnte [21. 258–266]. Der lateinische Wortstamm *foedus* wurde Grundlage für den mod. bundesstaatlichen »Föderalismus«-Begriff, ohne dessen typische Strukturmerkmale zu zeigen. *Foedera* und Bündnispolitik waren die rechtlichen Instrumente, mit deren Hilfe Rom zur Wahrnehmung völkerrechtlicher Rechte und Pflichten sein Imperium aufgebaut hat. Das *foedus aequum* [21. 46ff.] ging von der Gleichberechtigung der mit Rom auf diese Weise verbundenen *civitates foederati* aus, die – je nach der Vertragsgestaltung – ihre eigenen Institutionen (Verwaltung, Gericht, Steuer) behielten. Das *foedus iniquum* (›ut in dicione populi Romani essent‹ [21. 34]) stellte dagegen im Stil eines Klientelvertrages auf die Anerkennung der Oberherrschaft Roms ab (›... foedere comprehensum est, ut is populus alterius populi maiestatem comiter conservaret ... ut intellegatur alterum populum superiorem esse‹, Dig. 49,15,7,1). Auch das *foedus aequum* konnte jedoch – vom machtbewußten röm. ›leisetretenden Officialstil‹ [14. III 664] geprägt – Abhängigkeit der *foederati* festlegen. Solche vertraglichen Anbindungsformen waren typisch für den Latinischen und Italischen Städtebund bis zu dessen Auflösung. Diese blieben außerhalb It. bis zum 1. Jh. v. Chr. noch gebräuchlich, wurden aber zunehmend durch eine auf *senatus consultum* beruhende Stellung der Städte ersetzt, die Rom rechtlich bessere Lenkungsmöglichkeiten bot. Der instrumentell verfolgte Zweck der *foedera*, der auf Frieden oder mil. Hilfe der *foederati* und Beherrschung des außenpolit. Feldes abzielte [23. 158ff.], machte angesichts der Dominanz Roms keine gemeinsamen »föderalen« B.-Institutionen (B.-Versammlung, Gerichte usw.) erforderlich. Deren typische Konkurrenzprobleme unterschiedlicher Kompetenz- und Beschlußebenen gehörten nicht zum Kern röm. Staatspraxis und Politik.

C. MITTELALTER UND FRÜHE NEUZEIT

Im Wort- und Begriffsfeld »B.« bildet die »Einung« (*Aynung, verpuntnus*) [10. 583–586; 12. 64f.] das dominierende deutschsprachige Äquivalent zu *foedus* und *confoederatio*. Sie war die konsensbezogene Vereinbarung, die Recht schaffen oder verfassungsrechtlich bündische Organisationen im staatlichen und gesellschaftlichen Raum bilden konnte. Im Reich determinierte sie das verfassungsrechtliche Verhältnis zw. der monarchischen Reichsspitze und den ständischen Reichsgliedern. Reich und bündische Organisationen waren kein Gegensatz, sondern im komplexen System des Reichsverbandes bildete bündisches Paktieren ein Element der Reichsverfassung selbst, auch wenn dieses entsprechend unterschiedlicher Bundeszwecke gegnerische oder separatistische Positionen produzieren konnte. Gierke ging sogar so weit, aus der Sicht des 19. Jh. der Einung des MA die – verpaßte – Chance zuzusprechen, die ›verloren gegangene Einheit auf föderativem Wege zurückzugewinnen‹ [7. I 299, 458]. Der B. war ein ambivalentes Instrument rechtlicher und polit. Gestaltungsmöglichkeiten, das oft unter dem Vorbehalt kaiserlicher oder umgekehrt kurfürstlich-ständischer Zustimmung stand [29. 310 § 6, 7]. Die Vielgestaltigkeit der Einungen umfaßte Schwurvereine, Eidgenossenschaften, Vereinigungen, B., Konföderationen usw., denen das Vertragsprinzip zugrunde liegt. Sie zeigen überwiegend den Charakter des *foedus aequale* und die Bündniszwecke der Ant.: Frieden, mil. Beistand, Schutz, Handel, Rechts- und Interessenwahrung für die so Verbundenen. Zu den Hauptformen der Einung mit bündischen Organisationsformen gehören die Städte-B., Adels-B., Rittergesellschaften, Kleriker-Unionen, Religions-B., Bauern-Einungen, Assoziationen, teilweise mit regionalen Ansätzen zu bundesstaatlichen Bildungen (Schweizerische Eidgenossenschaft, Vereinigte Niederlande) [27. 108; 7. 514ff.]. Die Institutionalisierung und die Ausbildung fester Organisations- und Entscheidungsstrukturen blieben unterschiedlich. Schiedsgerichte, gemeinsame Ratsgremien, exekutive Verfahren, Steuersystem, organisatorische Untergliederungen sind nachweisbar [10. 599] und belegen die generelle analoge Strukturproblematik des B., ohne ausdrücklichen Bezug auf ant. Modelle. In den zum Verfassungsinstitut ausgebauten Reichskreisen wird das Problem der Mehrebenenstruktur besonders in dem als Defensivbündnis konzipierten ›special foedus und Association‹ (1691) deutlich, dessen föderativer Grundzug der Verfassungsstruktur des Reiches entsprach [13. 23ff.]. Die Partikular-Kreistage behielten die Letztentscheidung, bevor der übergeordnete Assoziationskonvent den Assoziationsrezeß verabschieden konnte. Die Kreise besaßen Gesandtschaftsrecht und *ius foederis et armorum* (›Recht auf Bündnisschluß und Bewaffnung‹), was ihnen jedoch keine Qualität als Staat oder Staatenbund mangels eigener Gerichtshoheit zukommen ließ. Das *ius faciendi inter se et cum exteris foedera* (›Recht, unter sich und mit Fremden Bündnisse zu schließen‹) stand reichsgrundgesetzlich den Reichsständen ab 1648 zu (*Instrumentum pacis Osnabrugense*, Art. VIII § 2) und begründete Souveränität innerhalb des Reichsverbandes.

D. RELIGIÖSER BUND UND FÖDERALTHEOLOGIE

Die Idee des rel. B. zw. Gott und den Menschen erlangte im calvinistischen Protestantismus des 16. und 17. Jh. eine große Bed. für die polit. Vertragslehre – sowohl für den Gesellschafts- wie auch Herrschaftsvertrag. Thomas von Aquin sprach vom ›foedus amicitiae hominis ad Deum‹ (›Freundschafts-B. des Menschen zu Gott‹: Tertia pars Summae Theologiae, Suppl.: quaestio 65, art. 4). Das polit. Gemeinwesen ließ sich danach als Bund vor Gott in Analogie zur rel. Gemeinde deuten, die einen Bund Gottes mit den Menschen darstellt [16. 177]. Die Angehörigen dieses Gnaden-B. – die *confoederati* – waren nach Olevianus (1585) die ›veri regni Christi cives‹ (›die wahren Bürger des Königreiches Christi‹) [16. 166]. Eine weitere Analogie im Verhältnis zw. Gott und Menschen sowie Herrscher und Volk bestand im gemeinsamen römischrechtlichen Vertragsmerkmal der *mutua obligatio* (›wechselseitigen Verpflichtung‹) [16. 165]. Dieser säkularisierte B.-Gedanke wird als Ergänzung griech. Staatstheorie gesehen, die ›die Einsicht in Zusammengesetzte Ordnungen‹ befördert habe [5. 33]. In der Soziallehre (*consociatio*) des Johannes Althusius (*Politica methodice digesta*, 1603) spielt diese Vertragslehre eine zentrale Rolle.

E. THEORETISCHE ANSÄTZE ZUM BÜNDISCHEN STAAT

Ausgangspunkt sind die römischrechtlichen *foedera aequalia* und *inaequalia* in Bezug auf Über- und Unterordnung bzw. neue bündische Staatsbildung mit einem Oberstaat und Gliedstaaten. Für Bodin steht die Unaufgebbarkeit der Souveränität durch das *foedus aequale* – mit griech. Beispielen belegt – im Vordergrund: ›In omni ... foedere ... iura maiestatis cuique principi populove salva sint, oportet‹ [3. 110]. Das schloß nicht aus, daß aus allen Einzelstaaten ein identischer Gesamtstaat (›ex omnibus civitatibus eadem respublica‹) geschaffen werden konnte, wenn – nach dem Beispiel des Achaiischen Staatenbundes – sich die *foederatae civitates* auf eine einheitliche Souveränität einigten [3. 116]. Auch die Schaffung gemeinsamer Organe – wie beim Ionischen Städtebund – führte zu keiner Souveränitätseinbuße. Der B. hat für Bodin grundsätzlich keinen staatlichen Charakter, sondern vereinigt nur souveräne Staaten bzw. Stadtstaaten. Bei Althusius wird der Staat durch das vertragliche *vinculum consensus* (›Band der Zustimmung‹) gebildet [1. Cap. IX, 88 f.], aus dem kein bes. Bundesstaatsbegriff folgt, jedoch die Möglichkeit von *plena* oder *non-plena confederatio* (›gänzlichen oder teilweisen Verbindung‹) ergibt. In der *plena confederatio* oder *consociatio* werden die Glieder gleichsam zu ein und demselben Körper (*quasi in unum idemque corpus*) vereinigt, während die *non-plena confederatio* – als Beispiel dient die griech. *symmachía* – den Mitgliedern ihre Souveränität vorbehält [1. 128 f.]. Sie wird nach röm. Vorbild in das *foedus aequum* und *impar* mit einem Überordnungsverhältnis unterteilt, das bindende Beschlußfassungen unter Berufung auf Cod. Iust. 5,59,5,2 (›quod omnes similiter tangit‹) [1. 133 f.] auf eigenen Zusammenkünften der Bundesgenossen (*conventibus confederatorum sociorum*) zuließ [1. 337–342]. Ist auch das ›Leitbild der griech. Polis‹ noch spürbar, so wird doch eine differenziertere Interpretation in sich gegliederter Staatswesen deutlich [5. 37]. Die griech. Städtebünde geben immer wieder histor. Beispiele ab, den Charakter der römischrechtlichen *conventiones aequales aut inaequales* zu analysieren (Grotius, De iure belli ac pacis, Lib. II, cap. 15, VI; Lib. I, cap. 3, XXI). Die *symmachía* taucht dabei oft als Beleg für das *foedus offensivum* auf, durch das Athener und Spartaner ihre Bundesgenossen *sub ipsorum ducatu* (›unter eigener Führung‹) vereinigt haben (U. Huber, Institutionis reipublicae liber singularis, Franequerae 1698, 190 f.).

Die Bemühungen, unter Nutzbarmachung der »foederalistischen Idee« das Phänomen des »zusammengesetzten Staates« des Alten Reiches zu erklären (Hoe-

nius, Ludolph Hugo), führen bei Besold zur *civitas composita* [8. 226–263, 245 f.; 10. 629–635; 5. 37–46]. Er verwendet dabei die römischrechtlichen *foedera*-Zwecke und Einteilungen *amicitia, pacificatio* und *societas* [10. 630]. Für die Herausbildung der bundesstaatlichen Strukturen bildet das Alte Reich den problematischen Definitionsgegenstand. »Erfahrung und Geschichte« bilden das Prüfungskriterium [18. 21]. Die traditionelle Strukturproblematik von Über- und Unterordnung sowie von geteilter und unbeschränkter Majestas (Souveränität) der ›verbundenen Staatskörper‹ [18. 25] wird deshalb mehr anhand der zeitgenössischen Verfassungsbeispiele (*Corpus Helveticum, Republica Belgarum unita* usw.) als nach ant. Vorbildern behandelt. Die aristotelische Staatsformenlehre wird jedoch zur Bestimmung der Staatsqualität des Alten Reiches (Leibniz: *nudum foedus, unio, systema foederatorum*; Pufendorf: *foedus systema producens*; Pütter: *systema foederatorum civitatum*) [10. 630–633] angesichts des empirischen Befundes als untauglich verworfen.

F. BUNDESSTAAT UND ANTIKE ARGUMENTATION IM 19. JAHRHUNDERT

Für die Entwicklungsgeschichte von Staat und B. kam es angesichts des aktuellen Streits um eine bundesorganisatorische Neuordnung des Reiches – mit den Worten Gierkes (1902) – ›weniger auf das an, was Griechen und Römer über Staat und Recht gedacht haben, als vielmehr auf das, was von ihren Gedanken in der Überlieferung fortlebte und als von ihnen gedacht geglaubt wurde‹ [8. 327]. Die polit. und verfassungsrechtliche Diskussion über die Vorzüge von Staaten-B. oder Bundesstaat und die Präzisierung beider Staatsformen wird nur am Rande vom Rekurs auf ant. Vorbilder getragen. Schleiermacher griff 1814 im Diskussionszusammenhang vor dem Wiener Kongreß noch einmal auf die aristotelische Staatsformenlehre zurück, die er als Stufenentwicklung zur Monarchie wertete. Er forderte den »föderativen Staat«, wobei er die Zusammenschlüsse der griech. Poleis zu Staaten-B. als exemplarische, aber unzureichende föderative Formen ansah [5. 68 f.; 10. 649 f.]. Welcker stilisierte 1834 mit philhell. Emphase den Achaiischen Bund hoch zum ›nationalen Bundesstaat‹ mit ›souveräner Leitung und Entscheidung aller wichtigsten Nationalangelegenheiten‹ [26. 195]. Waitz (1852) und Swoboda (1914) benutzten die griech. Stadtstaaten und ihre Bünde als Anschauungsobjekte föderativer Ordnungsmodelle mit der Fragestellung, inwieweit sie (Sympoliteia, Koinon) als Vorbild des mod. Bundesstaates in Anspruch genommen werden können [5. 18–22]. Swoboda betonte nicht nur Analogien zw. griech. Bünden und mod. Bundesstaat, sondern partielle Identitäten ihrer bundesstaatlichen Kriterien. Für eine solche Interpretation und Indienstnahme ant. Institutionen waren jedoch die röm. *foedera* angesichts der zentralistischen Struktur des Imperium Romanum ungeeignet.

→ Bürger; Sacrum Imperium Romanum

→ AWI Amicitia; foedus; koine eirene; pax; polis; societas; symmachia; sympoliteia

1 J. ALTHUSIUS, Politica methodice digesta, ed. C. J.
FRIEDRICH, 1932 2 H. BENGTSON (Hrsg. und Bearbeiter),
Die Verträge der griech.-röm. Welt von 700 bis 338 v. Chr.
(= Die Staatsverträge des Alt. II), 1962 3 J. BODIN, De
republica libri sex, Lib. I, Cap. VII, Francofurti 1622
4 S. BRIE, Der Bundesstaat I, 1874 5 E. DEUERLEIN,
Föderalismus. Die histor. und philos. Grundlagen des
föderativen Prinzips, 1972 6 V. EHRENBERG, The Greek
State, ²1974 7 O. v. GIERKE, Das dt. Genossenschaftsrecht I:
Rechtsgesch. der dt. Genossenschaft, 1868 (Ndr. 1954)
8 Ders., Johannes Althusius, ⁵1958 9 H. H. HORN,
Foederati, 1930 10 R. KOSELLECK, s. v. B. Bündnis,
Föderalismus, Bundesstaat, in: Gesch. Grundbegriffe, Bd. 1,
582–671 11 J. A. O. LARSEN, Representative Government in
Greek and Roman History, 1966 12 A. LAUFS, Der
Schwäbische Kreis, 1971 13 H. MOHNHAUPT, Die
verfassungsrechtliche Einordnung der Reichskreise in die
Reichsorganisation, in: K. O. FRHR. v. ARETIN (Hrsg.), Der
Kurfürst von Mainz und die Kreisassoziationen 1648–1746,
1975, 1–29 14 MOMMSEN, Staatsrecht 15 H. NAWIASKY,
Note sur le concept »Foedéralisme«, in: Politeia I, 1948/49
16 G. OESTREICH, Die Idee des rel. Bundes und die Lehre
vom Staatsvertrag, in: Ders., Geist und Gestalt des frühmod.
Staates, 1969 17 W. SCHWAHN, s. v. Symmachia, RE 4 A,
1102–1134 18 J. ST. PÜTTER, Beyträge zum Teutschen
Staats- und Fürsten-Rechte I, Göttingen 1777
19 A. RANDELZHOFER, Völkerrechtliche Aspekte des Hl.
Röm. Reiches nach 1648, 1967 20 F. SCHLEIERMACHER,
Über die Begriffe der verschiedenen Staatsformen (1814),
in: Sämtliche Werke, III. Abt., Bd. 2, Berlin 1838, 246–286
21 H. H. SCHMITT (Bearbeiter), Die Verträge der
griech.-röm. Welt von 338 bis 200 v. Chr. (= Die Staatsverträge des Alt. III), 1969 22 G. SCHRENK, Gottesreich und
Bund im Älteren Protestantismus, vornehmlich bei
Johannes Coccejus, 1923 23 R. SCHULZ, Die Entwicklung
des röm. Völkerrechts im 4. und 5. Jh. n. Chr., 1993
24 H. SWOBODA, Die griech. B. und der mod. Bundesstaat.
Prager Rektoratsrede vom 20. Oktober 1914, in: Die
feierliche Inauguration der K. K. Dt. Karl-Ferdinands-
Univ. in Prag … 1914/15 …, 30–62 25 G. WAITZ, Das
Wesen des Bundesstaates. Reden und Betrachtungen von J.
v. Radowitz (GS II), Berlin 1852, Rezension, in: Allg.
Monatsschrift für Wiss. und Lit. 1853, 494–530
26 C. WELCKER, s. v. Achaiischer Bund, in: Staats-Lex. I,
1834, 185–199 27 D. WILLOWEIT, Dt. Verfassungsgesch.,
1997 28 F. R. WÜST, Amphiktyonie, Eidgenossenschaft,
Symmachie, in: Historia 3, 1954/55, 149 ff. 29 K. ZEUMER,
Quellenslg. zur Gesch. der Dt. Reichsverfassung in MA und
Neuzeit (Wahlkapitulation 1519), ²1913.

HEINZ MOHNHAUPT

Burleske s. Adaptation

Byzantinistik

A. VON 1453 BIS ZUM 18. JAHRHUNDERT
B. 19. UND FRÜHES 20. JAHRHUNDERT
C. NEUESTE ZEIT   D. KUNSTGESCHICHTE
E. MUSEEN

A. VON 1453 BIS ZUM 18. JAHRHUNDERT

Bald nach der Eroberung → Konstantinopels durch
die Osmanen 1453 erregte deren Vordringen das Interesse der Gelehrten Mitteleuropas für die byz. Historiker
als Quelle für die Geschichte der Türken. Hieronymus
Wolf (1516–1580), der die Geschichtswerke des Niketas
Choniates und des Nikephoros Gregoras unter dem erwähnten Aspekt herausgegeben hatte, war auch der erste, der den Eigenwert der byz. Welt erkannte, deren
konventionelle zeitliche Fassung von Konstantin dem
Gr. bis Konstantin XI. (1453) festsetzte und zudem den
Begriff »byz.« kreierte. Die sog. Byzantiner hatten sich
freilich stets als Römer (ρωμαῖοι) verstanden und bezeichnet. Weitere Impulse für die byz. Stud., insbes. für
die theologische B., kamen im Zusammenhang mit der
Reformation vom Interesse der Konfessionen für die
Orthodoxie als Gegner oder potentiellen Mitstreiter.

Eine Wahlverwandtschaft des europ. Absolutismus
mit der partikulär byz. Synthese von Romanitas, imperialer Machtfülle, christl. Nation und Religion wirkte
positiv auf die Entwicklung der Studien insbes. in
Frankreich, Deutschland und Rußland. In Paris erging
1648 ein Aufruf an die internationale Gelehrtengemein-
schaft, unter der Schirmherrschaft Ludwig XIV. und
Colberts bei der Erarbeitung einer Gesamtausgabe, eines *Corpus Byzantinae Historiae* mitzuwirken. Das Projekt war bereits drei J. zuvor eröffnet worden, bezeichnenderweise durch das Geschichtswerk eines gekrönten
Autors, Johannes VI. Kantakuzenos (1347–1354). In
diesem Pariser Corpus erschienen insgesamt 42 Bände.
Das noch h. im Bewußtsein vieler Gebildeter präsente
Bild vom Oström. Reich, das sich auf Abfolge von
Kaiserherrschaften und auf die ma. Reichskapitale Kon-
stantinopel beschränkt, konzeptualisierte erstmalig der
Jurist Du Cange (1610–1688), einer der Mitarbeiter des
Pariser Corpus. In seinem zweiteiligen Werk *Historia
constantinopolitana* legte er die erste Kaisergeschichte und
zugleich das erste Kompendium zur Entwicklung und
Top. Konstantinopels vor [1]. Diese wegweisende Lei-
stung zielte allerdings zugleich darauf ab, dem Absolu-
tismus geschichtliche Vergangenheit zu verleihen; Du
Cange projizierte Vorstellungen seiner Zeit über die
Macht des frz. Monarchen und über dessen Hauptstadt
Paris auf → Byzanz zurück, nahm jedoch von den
kulturellen Leistungen des Oström. Reiches als Mittler
ant. Kultur und als Geisteswelt mit eigener Kraft, die
Ost- und Südosteuropa mitprägte, kaum Kenntnis.

Du Cange erstellte überdies ein mittelgriech. Lex.,
welches weitgehend volkssprachliches Material aus
überwiegend unedierten, ihm in Hss. der Pariser Bibliothèque Royale zugänglichen Werken verarbeitete und
somit den → *Thesaurus linguae graecae* des H. Stephanus
ergänzte [2]. Wiss. Sammlungen griech. Hss., die von
kirchlichen oder weltlichen Fürsten angelegt worden
waren (v. a. Vatikan, Paris, London, Venedig, Mailand,
Oxford, Cambridge, Sankt Petersburg, Leiden), ermöglichten überhaupt die Entfaltung byz. Stud. Zur gleichen Zeit entstanden die Urkundenlehre (Jean Mabil-
lion, 1632–1707 [3]), die → Paläographie (Bernard de
Montfaucon, 1655–1741 [4]), und es wurde an kirchen-
und rechtshistor. Quellen gearbeitet. Als nachhaltig
wirksam erwies sich die Geringschätzung des Oström.
Reiches einerseits seitens der Aufklärer, die undifferen-

ziert in der byz. Autokratie Despotie und Niedergang sahen, und andererseits seitens der Interpreten der Weltgeschichte nach Kultursphärenschemata, die in Byzanz einen identitätsschaffenden Gegenpol zu einem karolingisch inspirierten Europa suchten oder hinter dem russ. Koloß Byzanz vermuteten. In diesem Zusammenhang seien erwähnt Edward Gibbon mit seiner *Geschichte vom Verfall und Untergang des röm. Reiches* [5], aber auch der geistreiche Publizist Jakob Philipp Fallmerayer, der ein auf Byzanz zurückgehendes, die orthodoxen Völker gegen das Abendland einigendes kulturelles Band zu erkennen glaubte [6]. Die negativen Äußerungen renommierter Persönlichkeiten der → Aufklärung, bis hin zu einer Bemerkung Voltaires über Byzanz als ›Schandfleck für die Menschheit‹, sind Legion [7]. Ein dermaßen verzerrtes Bild konnte allerdings auch deswegen entstehen, weil die byz. Staatsarchive, anhand derer ein gewiß realistischeres Weltbild des *homo byzantinus* vermittelt worden wäre als das, was sich aus der theologischen Lit. ableitet, verlorengegangen sind.

B. 19. UND FRÜHES 20. JAHRHUNDERT

In der Zeit des aufkommenden → Historismus fand dann die ohnehin nicht haltbare Ansicht, Byzanz sei eine ein Millenium fortwährende Verfallserscheinung gewesen, wenig Anhänger. Barthold Georg Niebuhr (1776–1831), Altphilologe, Althistoriker und einflußreicher Funktionär im aufstrebenden Preußen, gab 1828 das Werk des Agathias heraus und initiierte somit das Bonner *Corpus Scriptorum Historiae Byzantinae*, das 50 Bde. (z. T. Nachdrucke aus dem Pariser Corpus) umfassen sollte. Die histor.-kritische Methode, die neuen Möglichkeiten zu archivalischen Forsch. (Athosklöster, Venedig) und das allg. polit. Klima führten insgesamt zur Neubelebung der byz. Stud.

Die Hinwendung der Humanisten zu byz. Themen, unumgänglich, weil der Zugang zur griech. Ant. nur über Byzanz möglich war, hatte dazu geführt, daß insbes. die philol. B. zum Ableger der Klass. Philol. geworden war und deren Methoden übernommen hatte. Die B. als selbständiges Studium der Kultur und Geschichte des Ostrom. Reiches organisierte und institutionalisierte sich endgültig mit Karl Krumbacher (1856–1909), der die erste Literaturgeschichte veröffentlichte [8], das noch h. führende bibliogr. Fachorgan, die *Byzantinische Zeitschrift*, gründete, dieser vorausschauend eine der Gliederung der B. entsprechende Einteilung gab und das in München für ihn eingerichtete, weltweit erste byzantinologische universitäre Inst. (*Inst. für Mittel- und Neugriech. Philol.*) zum Zentrum der internationalen Forsch. machte. Gleichzeitig initiierte er v. a. die Erstellung eines Corpus der griech. Urkunden des MA, ein Projekt, das nach den Weltkriegen zersplittert wurde; neben etlichen Teilvorhaben wird in München weiterhin an den Regesten der Kaiserurkunden gearbeitet [9], während mit den Regesten der Patriarchatsurkunden von Konstantinopel sich Angehörige des gelehrten Ordens der Assumptionisten befaßten [10] und die Zuständigkeit für die Edition der Urkunden der Athosklöster von Frankreich übernommen wurde [11].

In der russ. B. machte sich bereits im 19. Jh. die Tendenz bemerkbar, aus byz. Quellen Nachweise für den vermeintlichen frühslavischen Einfluß auf die Grundeigentumsverhältnisse in Byzanz bzw. für eine gegenüber Byzanz und den Normannen selbständige, frühe Staatenbildung bei den Ostslaven herauszulesen (Vasilij G. Vasiljevskij, 1838–1899), was auch in sowjetischer Zeit vielfach zu beobachten war. Das begriffliche Instrumentarium der marxistischen B. (→ Marxismus) erwies sich im 20. Jh. schon deswegen als unzulänglich, weil es von feudalistischen Gegebenheiten geprägt ist, die Betonung wirtschafts- und sozialgeschichtlicher Aspekte wirkte jedoch produktiv. Auch in Frankreich wandte man sich unter dem Einfluß der Annales-Schule, in den USA unter Anwendung quantitierender Methoden agrar- und sozialgeschichtlichen Themen zu.

C. NEUESTE ZEIT

Beim Aufschwung der amerikanischen B. im 20. Jh. wirkten Gelehrte europ. Abstammung mit, die als etablierte Wissenschaftler oder in jungen Jahren (v. a. P. Charanis, Fr. Dvornik, H. Grégoire, E. Kitzinger, A. A. Vasiljev, K. Weitzmann [12]) in die USA emigrierten oder Zuflucht suchten. Neben der byzantinistischen Grundlagenforsch., für die amerikanische Wiss. h. ebenso selbstverständlich wie für die anderen Kulturnationen, erhofft man sich in den USA von der B. eine bessere Einsicht in angeblich byz. geprägte Kulturen wie die russ. In den Ländern Ost- und Südosteuropas werden byz. Quellen gelegentlich im Sinne aktueller polit. Anliegen nationalgeschichtlich ausgelegt. Eine größere Rolle und Verantwortung insbes. für Erhaltung und Erschließung arch. Reste der byz. Kultur kommt jetzt der türk. B. zu.

Zum Gedeihen der B. trugen im 20. Jh. auch glückliche Umstände bei. Als solche seien genannt das Wirken des Ehepaars Bliss in den USA und Herbert Hungers in Wien. Die kulturbeflissenen Bliss stifteten in Washington, D. C. das Zentrum von → Dumbarton Oaks, statteten es vorbildlich aus und unterstellten es der Univ. Harvard. Dumbarton Oaks hat sich zu einer der weltweit führenden byzantinologischen Forsch.-Einrichtungen entwickelt [13]. Der klass. Philol. Hunger kam über die Katalogisierung der griech. Hss. der Wiener National-Bibl. an die B. und baute auf dem Hintergrund des traditionellen Interesses der österreichischen Wiss. für Südosteuropa ein Inst. für B. und Neogräzistik an der Univ. Wien sowie eine Kommission für B. an der dortigen Akad. der Wiss. auf, die beide sowohl bei der systematischen Erschließung von Quellen im philol.-geistesgeschichtlichen Kernbereich des Faches als auch bei den Hilfsdisziplinen hervorragende Leistungen erbringen.

Der internationale Charakter und die Aufgeschlossenheit der B. zeigt sich beispielsweise darin, daß das vorläufig bedeutendste Projekt nunmehr *Corpus Fontium Historiae Byzantinae* heißt und gleichzeitig von etlichen Zentren in der Alten und in der Neuen Welt betreut wird. Die diversen Ansätze, die Verankerung der

B. im akad. Fächerkanon weltweit (hier nicht zuletzt das Aufblühen von Arch. und Kunstgeschichte [14]), die Internationalisierung der Forsch. und die Verbindung von Trad. mit mod. Methodologie tragen insgesamt zur immer gründlicheren Erschließung der Grundlagen bei.
→ AWI Byzantion

QU 1 C. DU FRESNE DOM. DU CANGE, Historia Byzantina duplici commentario illustrata, 1: Familiae ac stemmata imperatorum Constantinopolitanarum, 2: Descriptio urbis constantinopolitanae, Paris 1680 (Ndr. 1964) 2 Ders., Glossarium ad scriptores mediae et infimae Graecitatis, Lyon 1688 (Ndr. 1958) 3 J. MABILLON, De re diplomatica libri VI, Paris 1681 4 B. DE MONTFAUCON, Palaeographia Graeca, Paris 1708 5 E. GIBBON, The History of the Decline and Fall of the Roman Empire, London 1776–1788 (u.ö.) 6 H. SEIDLER, Jakob Philipp Fallmerayers geistige Entwicklung, 1947 7 A. A. VASILIEV, History of the Byzantine Empire, I, ⁵1964, 6–13 8 K. KRUMBACHER, Gesch. der byz. Litteratur, München ²1898 9 F. DÖLGER, Regesten der Kaiserurkunden des Oström. Reiches, I–V, 1924–1965 (z. T. in späterer Überarbeitung durch P. WIRTH) 10 V. GRUMEL, Les regestes des actes du Patriarcat de Constantinople, I–VII, 1932–1991 11 P. LEMERLE, Archives de l'Athos, 1937 ff. 12 K. WEITZMANN, Sailing with Byzantium from Europe to America: The Memoirs of an Art Historian, 1995 13 http://www.doaks.org 14 http://www.gzg.fn.bw. schule.de/lexikon/Byz./contents.htm

LIT 15 H.-G. BECK, Kirche und theologische Lit., ²1970, 7–23 16 G. OSTROGORSKY, Gesch. des byz. Staates, ³1963, 1–18 17 E. HÖSCH, s. v. Byzanz, in: Sowjetsystem und demokratische Ges., I, 1966, 972–984 18 La filologia medievale e umanistica greca e latina nel secolo XX (Atti del Congresso Internazionale ... Roma 1989), 1993 19 O. MAZAL, Hdb. der B., 1988, 7–22 20 R.-J. LILIE, Byzanz. Kaiser und Reich, 1994, 258–271 21 P. SCHREINER, Byzanz, ²1994, 98–113 22 F. TINNEFELD, B. im dt. Sprachbereich, in: Das MA 2, 1997, 178–180. GEORGIOS MAKRIS

D. KUNSTGESCHICHTE

I. FORSCHUNG

Das Interesse an byz. wie überhaupt an ma. Kunst entwickelte sich – eher zögerlich – erst seit dem ausgehenden 18. Jh., stand doch auch die Kunst von Byzanz unter dem klassizistischen, nicht zuletzt von Johann Joachim Winckelmann bestimmten, aber durchaus einer communis opinio folgenden Verdikt, wonach seit dem Ausgang der Ant. nur ein allg. Niedergang jeglicher Kunstübung zu verzeichnen sei. Gleichwohl läßt sich schon früh ein gelegentlich aufkeimendes Sammlerinteresse an »ostkirchlichen« Kunstwerken nachweisen, das sich vom ma. Reliquienerwerb deutlich unterscheidet, obgleich ausgeschlossen werden muß, daß die kunstgeschichtliche Provenienz der Gegenstände (Ikonen, Elfenbein- und Steatitreliefs u. a.) ihren Besitzern bewußt war. Eine umfangreiche → Reiseliteratur über den christl. Orient vermittelte mindestens seit dem ausgehenden 16. Jh. immer genauere, z. T. durch bedeutende Stadtansichten von hohem top. Wert ergänzte Nachrichten über die Bauten und Denkmäler von Byzanz [4].

Die bewußte Wahrnehmung »griech. Heiligenbilder« setzte bereits im 17. Jh. ein. Die seit 1643 von den Bollandisten herausgegebenen Acta Sanctorum enthalten u. a. zahlreiche Stichabbildungen von Ikonen und ostkirchlichen Kleinkunstwerken, die zur Illustration der Heiligenviten herangezogen wurden. Die erste antiquarische, einer russ. Vitenikone des Theodoros Stratilates in der Kirche zu Kalbensteinberg (Franken) geltende Unt. in dt. Sprache legte 1724 Heinrich Alexander Döderlein vor [3. 251–253; 6]. Der röm. Kardinal Alessandro Albani ließ 1727 in einer dreibändigen Ausgabe das Menologion Basileios II. herausgeben, dessen ca. 400 Miniaturen in erstaunlich getreuen Kupferstichen reproduziert wurden (Menologium Graecorum iussu Basilii imperatoris graece olim editum tres vol., Urbini). Der Arabist und Philologe Johann Jakob Reiske, dem die Entdeckung und erste Edition des Zeremonienbuches Kaiser Konstantins VII. Porphyrogennetos verdankt wird, publizierte 1756 ein (inzwischen verschollenes) byz. Steatitrelief mit wichtigen Beobachtungen zur Ikonographie und hagiographischen Bed. der dargestellten Heiligen [3. 253–255]. Der wohl interessanteste Versuch einer kunsthistor. orientierten Betrachtung der russ. Kunst findet sich bei dem Göttinger Kunstgelehrten Johann Dominikus Fiorillo [3. 255–257]. Das monumentale Werk des frz. Autodidakten Jean-Baptiste Seroux d'Agincourt, das in sechs Bänden größtenteils 1811–1824 postum erschien, bietet die wohl umfangreichste Berücksichtigung frühchristl. und byz. Kunstwerke, die auf zahlreichen Kupferstichtafeln in allerdings recht kuriosen Zusammenstellungen abgebildet sind [2]. Der Begriff »byzantinisch«, der seit Hieronymus Wolf (1515–1580) ausschließlich in der Historiographie gebräuchlich war, wurde erstmals 1810 in dem zw. Goethe und Sulpiz Boisserée brieflich verhandelten Kunstanschauungen auf die Kunst von Byzanz übertragen und begann die bis dahin gebräuchlichen Termini wie »gräcisierend«, »altgriechisch« etc. abzulösen [1]. Bedeutende Ansätze zu einer ernsthaften Beschäftigung mit byz. Kunst findet sich auch bei den dt. Romantikern (u. a. Friedrich Schlegel). Die im 19. Jh. einsetzende Kunstgeschichtsschreibung (Carl Friedrich von Rumohr, Gustav Friedrich Waagen, Anton Springer, Franz Theodor Kugler u. a.) überwand allmählich die abwertende Beurteilung der byz. Kunst und näherte sich so einer systematischen und vergleichenden Betrachtung der Kunst des Mittelalters.

Die eigentliche wiss. Behandlung der byz. Kunst setzte dann Ende des 19 Jh. und Beginn des 20. Jh. in Deutschland, England (O. M. Dalton), Frankreich (Ch. Diehl, J. Ebersolt) und Rußland (F. I. Uspenskij, D. V. Ajnalov, N. P. Kondakov) ein, wobei zumeist auch die christl. Denkmäler der Spät-Ant., die bis dahin ausschließlicher Forschungsgegenstand der konfessionell geprägten → Christlichen Archäologie waren, einbezogen wurden. Als Meilenstein in der Erforsch. der byz. Kunst darf bis h. das von Oskar Wulff 1914–1918 puliziertе Standardwerk Altchristliche und byzantinische Kunst (2

Abb. 1: Fragment einer Schrankenplatte (?),
Petrus in einer Wunderszene;
Konstantinopel, letztes Drittel des 5. Jh.

Abb. 2: Zwei Reliefikonen:
Maria Orans und Erzengel Michael;
Konstantinopel, drittes Viertel des 13. Jh.

Abb. 3: Flügelaltärchen (Triptychon):
Kreuzigung Christi, Apostel, Konstantin und Helena,
Kirchenväter Konstantinopel, 11. Jh.

Abb. 4: Friesplatte: Reitender Christus und zwei Engel,
Ägypten, 6./7. Jh.

Bde., 1914–1918; Bibliogr.-kritischer Nachtrag, 1935) gelten, das einen von hoher Kennerschaft bestimmten Gesamtüberblick über die christl. Kunstentwicklung vom Ausgang der röm. Kaiserzeit bis zum Ende von B. (1453) bietet.

Bis zur Mitte des 20. Jh. hat sich die byz. Kunstgeschichte als selbständiger Forschungszweig innerhalb der allg. Kunstgeschichte etabliert und zugleich in einzelne Spezialgebiete aufgesplittert (Forsch. zur Architektur, Skulptur, Monumentalmalerei, Buchmalerei, Elfenbeinskulptur usw.), was nicht zuletzt dem erheblichen Zuwachs an systematisch erfaßten oder arch. gewonnenen bzw. durch umfangreiche Restaurierungsprojekte gesicherten Denkmälern zu verdanken ist, an deren Erforsch. eine internationale Wissenschaftsgemeinde beteiligt ist. Eine histor. Darstellung der Forschungsdisziplin, ihrer Intentionen und Methoden fehlt jedoch.

E. Museen

Bereits in den späten 1880er J. begann Wilhelm v. Bode in den Berliner Mus. mit dem systematischen Aufbau einer Sammlung frühchristl. und byz. Kunstwerke, die in dem 1904 eröffneten Kaiser-Friedrich-Mus. (h. Bode-Mus.) im Rahmen der »Abteilung der Bildwerke der christl. Epochen« (h. Mus. für Spätant. und Byz. Kunst der Staatlichen Mus. zu → Berlin) öffentlich in Erscheinung trat, wodurch der byz. Kunst erstmals der Rang einer eigenständigen und »museumswürdigen« Kunstepoche zuerkannt wurde. Das Mus. besitzt v. a. hervorragende Zeugnisse der raren figürlichen Steinskulpturen des 5.–11. Jh. aus Konstantinopel, Kleinasien und Griechenland (Abb. 1 und 2) sowie exzeptionelle Beispiele der Bauplastik, Elfenbeinbildwerke (Abb. 3) und eine der weltweit umfangreichsten Sammlungen koptischer Kunst (Abb. 4; [7]).

Bedeutende Sammlungen byz. Kunst entstanden auch in anderen europ. Ländern und in den USA oder wurden bereits bestehenden Mus. hinzugefügt (Athen: Benaki Mus., Byz. Mus.; Istanbul: Arch. Mus.; → London: British Mus.; Paris: Musée du → Louvre; St. Petersburg: Staatl. Eremitage; Washington: → Dumbarton Oaks Collection u. a.). Bedeutende byz. Kunstwerke befinden sich, z. T. ununterbrochen seit fast 1000 J., in zahlreichen europ. Kirchenschätzen und Bibliotheken.

1 A. EFFENBERGER, Goethe und die »Russ. Heiligenbilder«. Anfänge byz. Kunstgesch. in Deutschland (= Beitr. der Winckelmann-Gesellschaft, 18), 1990 2 Ders., Goethe und Seroux d'Agincourt. Anfänge byz. Kunstforsch. am Vorabend der Frz. Revolution, in: La Grecia antica. Mito e simbolo per l'età della Grande Rivoluzione. Genesi e crisi di un modello nella cultura del Settecento, a cura di PH. BOUTRY at al., 1991, 323–332 3 Ders., Frühes Ikonenstudium in Deutschland, in: Stud. zur byz. Kunstgesch. FS für Horst Hallensleben zum 65. Geburtstag, hrsg. von B. BORKOPP, B. SCHELLEWALD, L. THEIS, 1995, 249–258 4 J. EBERSOLT, Constantinople Byzantin et les Voyageurs du Levant, 1918 (Ndr. 1986) 5 J. D. FIORILLO, Versuch einer Gesch. der bildenden Künste in Rußland, in: KS artistischen Inhalts, Bd. 2, Göttingen 1806 6 H. LOHSE,

Die Ikone des hl. Theodor Stratilat zu Kalbensteinberg, eine philol.-histor. Unt. (= Slavistische Beitr., 98), 1976 7 A. EFFENBERGER, H.-G. SEVERIN (Hrsg.), Das Mus. für Spät-Ant. und Byz. Kunst. Staatliche Mus. zu Berlin, 1992.

ARNE EFFENBERGER

Byzanz I. GESCHICHTE
II. LITERATUR   III. KUNST

I. GESCHICHTE
A. EINLEITUNG   B. ANTIKEREZEPTION
C. VERMITTLUNG ANTIKER KULTUR

A. EINLEITUNG

Der Begriff B. bezeichnet zunächst den östl. Teil des Röm. Reiches seit der Gründung → Konstantinopels als »Zweites Rom« durch Kaiser Konstantin den Großen 330 n. Chr. auf dem erweiterten Areal der Stadt Byzantion am Bosporos, nach dem E. des Kaisertums im weström. Reichsteil im späten 5. Jh. das im Osten bis 1453 fortbestehende Röm. Reich.

Die Neuentdeckung der klass. Ant. im 18./19. Jh. führte dazu, daß man der Kultur der Byzantiner lange Zeit kaum einen selbständigen Wert beimaß, sondern ihnen im wesentlichen nur die Pflege und Weitergabe ant. Trad. dankte. Die neuere Forsch. hingegen würdigt stärker den eigenen Beitrag, den B., auch in Auseinandersetzung mit dem ant. »Erbe«, einbrachte [13]; doch ist es unbestritten, daß es zu dessen Pflege und Weitergabe, v. a. an das Abendland, wesentlich beigetragen hat. Für alle byz. Epochen gilt allerdings die Einschränkung, daß das Geistesleben insgesamt und damit auch die Rezeption des Antiken nur von einer kleinen gesellschaftlichen Gruppe getragen wurde. Immerhin war aber wenigstens eine sprachlich-rhet. Grundbildung, die am ant. Standard orientiert war, Gemeingut eines breiteren Personenkreises, der v. a. den umfangreichen staatlichen und kirchlichen Beamtenapparat umfaßte.

Die erste Phase der byz. Geschichte fällt in die Spät-Ant. (4.–6. Jh.), eine Blütezeit der städtischen Kultur, die noch wie selbstverständlich vom ant. Bildungskanon geprägt war. Sie erlebte unter dem Druck äußerer Katastrophen des Reiches im 7. Jh., v. a. durch den Siegeszug der islamischen Araber in den Ostprov. und das Eindringen der Slaven und turkstämmigen Bulgaren auf die Balkanhalbinsel, einen drastischen Niedergang, der fast alle kulturellen Bereiche betraf. Eine Ausnahme bildete in einigen Fällen die theologische Lit., in der ant. Philos. in christl. Gewande auf hohem Sprachniveau fortlebte (z. B. bei Maximus Confessor, Johannes von Damaskos). Doch setzte bereits gegen E. des 8. Jh. eine verstärkte Rückbesinnung auf die kulturelle Trad. ein, die zunächst an Vorbilder der Spät-Ant. anknüpfte [19].

Diese Strömung mündete um 840 in eine bis zum späten 10. Jh. reichende Phase der byz. Kulturgeschichte, die man als »Makedonische Ren.« bezeichnet hat; entsprechend wurde der Begriff Ren. auch für spätere byz. Epochen verwendet [22]. Während aber die abendländische Ren. des 15./16. Jh. als ein kultureller Neuansatz zu verstehen ist, war in B. die Kontinuität der Verbindung zur ant. Kultur in den vier Bereichen Sprache, Schrift, Lit. und bildende Kunst nie ganz unterbrochen [18]. Jedenfalls begann man um die Mitte des 9. Jh., Werke ant. und spät-ant. Autoren systematisch zu sammeln und zu kopieren; gleichzeitig wurde die Entwicklung der bildenden Kunst durch den Rückgriff auf spätant. Stilformen beeinflußt [24].

Nach dieser Phase des Sammelns wandte man sich in einer späteren Zeit (11.–12. Jh.) verstärkt den Inhalten ant. Texte zu, traf eine bewußte Auswahl bei der Rezeption des Materials und variierte die Formen der Auseinandersetzung. So wurden z.B. Realitäten des byz. Alltages anhand ant. Beispiele veranschaulicht oder Anspielungen auf Antikes zu ironischer Verfremdung verwendet [13]. Die Zeit von etwa 1250 bis zum E. des Reiches (1453) war zwar von fortschreitendem polit. Niedergang geprägt, aber auch von einer erneuten, bes. intensiven Beschäftigung mit dem ant. Erbe, sei es mit den Inhalten der Texte, mit Stilfragen oder auch mit der Textüberlieferung. Sogar einige Werke der klass. lat. Lit. wurden nun durch griech. Übers. erschlossen. Diese Entwicklung des Geisteslebens wurde z.T. durch den Versuch, mit dem hohen Standard der abendländischen Wiss. zur Zeit der Scholastik zu konkurrieren, begünstigt [20].

B. Antikerezeption

Der Begriff der Rezeption wird im folgenden im Sinne einer konkreten kulturellen Rückbesinnung im Kontext der fortdauernden Bindung der byz. Kultur an die Ant. verwendet und für die Gebiete Lit., Philos., Recht, Fachwiss. sowie Architektur und bildende Kunst untersucht.

1. Literatur

Die byz. Lit. ist den in der Ant. begründeten Kategorien der Rhet. verpflichtet und aus diesem Grund auch zu allen Zeiten mehr oder weniger um die bewußte Nachahmung [11] der ant. Lit. bemüht, wie sie bereits in der späthell. und frühkaiserzeitlichen Epoche postuliert und theoretisch begründet wurde. Im Rahmen des Mimesis-Ideals bemühte man sich im einzelnen, ant. Autoren sprachlich (Attizismus), stilistisch oder auch nur in einzelnen Formulierungen [1] nachzuahmen, man zitierte aus ihren Werken (einschließlich einiger bes. beliebter Standardzitate), spielte auf einzelne Stellen an oder übernahm in mehr oder weniger abgewandelter Form ganze Passagen. Wenn dies in Geschichtswerken geschieht, kann solche Abhängigkeit zur Verfälschung der histor. Realität führen, doch gibt es auch Autoren, die einen übernommenen Bericht so geschickt abwandeln, daß die Übernahme der Anhebung des lit. Niveaus dient, die Information aber in den entscheidenden Punkten zuverlässig bleibt [12]. Ferner bezog man sich auf Helden und Ereignisse der ant. Myth. und Gesch., die nicht selten allegorisch umgedeutet wurden. Manche ant. Helden wie Herakles erscheinen mit stereotyper Häufigkeit. Einige Autoren

wählten aber auch bewußt Anspielungen auf wenig bekannte Personen und Ereignisse, so im 12. Jh. Johannes Tzetzes in seinen Briefen, die er anschließend in einem Gedicht von 12 000 Versen erläuterte [9 Bd. 2. 118]. Die sprachliche Nachahmung des Antiken ging bei vielen Autoren, v.a. bei den Historikern, so weit, daß sie auch Ausdrücke des alltäglichen Lebens, gebräuchliche Termini der Amtssprache oder des Kalenders sowie geogr. und ethnographische Namen archaisierend verfremdeten [9 Bd. 1. 407, 414, 446, 452].

In der Dichtung [9 Bd. 2. 87–180] wurden ant. Metren (Hexameter, elegische Distichen, iambische Trimeter und Anakreonteen) nachgeahmt, obwohl diese Mimesis wegen des bereits in der Koine erfolgten Ausgleichs der Quantitäten und des Übergangs vom musikalischen zum exspiratorischen Akzent rein äußerlich blieb. Der Trimeter wurde denn auch in der Konsequenz der sprachlichen Entwicklung zum byz. Zwölfsilber. Viele ant. Dichtungsgattungen wurden in B. in mehr oder weniger abgewandelter Form weitergeführt, so das myth., histor. und das didaktische Epos, der Roman, das Drama (das aber nicht zur Aufführung bestimmt war), die Satire, das Epigramm und einige andere Kleinformen. In mancher byz. Dichtung werden ant. Verse mit einer Häufigkeit zitiert, die sie der Form des Cento annähert (z.B. in dem anon. christl. Poem *Christós páschon*, das v.a. den Dramen des Euripides verpflichtet ist). Andere Autoren wiederum, bes. der schon genannte Johannes Tzetzes, kommentierten oder paraphrasierten Werke der Ant. in Gedichtform.

2. Philosophie

[9 Bd. 1. 3–62] Der Einfluß der ant. Philos. in B. ist noch nicht umfassend erforscht. Doch war sie, v.a. in ihren herausragenden Vertretern Platon (z.T. durch Vermittlung des Neuplatonismus) und Aristoteles, seit der Väterzeit zumindest in der byz. Theologie stets präsent, und vielfach läßt sich auch direkte Auseinandersetzung mit der ant. Philos. in Komm. und Abhandlungen nachweisen. Mit Platon beschäftigten sich in der Spät-Ant. in der Nachfolge des Porphyrios und Iamblichos v.a. die Schulen zu Athen (Proklos, Damaskios) und Alexandreia (Ammonios, Olympiodoros), in mittelbyz. Zeit in Konstantinopel Michael Psellos und sein Kreis, im 15. Jh. Georgios Gemistos Plethon in Mistras [28] und sein bedeutendster Schüler Bessarion, der seit 1444 als röm. Kardinal in It. lebte und ein hervorragender Kenner der platonischen Dialoge war. Auch Plethon hielt sich anläßlich des Konzils von Ferrara-Florenz (1438/39) in It. auf. Der letzte byz. Platoniker, der Athener Demetrios Chalkokandyles (Chalkondyles), lehrte seit 1463 in Padua und seit 1475 in Florenz. Doch waren die bedeutendsten Platoniker It. wie Marsilio Ficino eher Autodidakten, und der Einfluß byz. Philosophen wie Plethon auf sie wird im ganzen als gering eingeschätzt [6].

Porphyrios sollte mit seiner *Eisagoge* auch der erste Vermittler der byz. Aristoteles-Stud. werden. Bedeutende byz. Interpreten des Aristoteles waren in der Spät-

Ant. Themistios, Simplikios, Johannes Philoponos und die zuvor genannten Alexandriner, im 11./12. Jh. Johannes Italos, Eustratios von Nikaia und Michael von Ephesos, im 13. Jh. Nikephoros Blemmydes und Georgios Pachymeres, im 14. Jh. Theodoros Metochites und Sophonias, im 15. Jh. Georgios Scholarios (später als Gennadios II. Patriarch von Konstantinopel), Georgios Trapezuntios aus Kreta und Johannes Argyropulos. Die beiden letzteren wirkten in späteren J. ihres Lebens als Lehrer in It., Trapezuntios auch als Vermittler der byz. Rhet.

3. RECHT

Das byz. Recht basiert auf dem röm. Recht, wie es zunächst von Berufsjuristen und später durch Verfügungen der kaiserlichen Kanzlei festgelegt und weiterentwickelt wurde. Durch die Kodifikationen der Kaiser Theodosios II. (5. Jh., Kaisergesetze) und v. a. Iustinianus I., der im 6. Jh. neben den Kaisergesetzen auch das Juristenrecht der *Digesten* sammelte und selbst zahlreiche Gesetze novellierte, erlangte das röm. Recht einen fortdauernden Anspruch auf Gültigkeit, die ihm erneut durch die *Basilika* genannte Gesetzessammlung Leons VI. (spätes 9. Jh.) bestätigt wurde. Doch entsprachen viele Bestimmungen der *Basilika* nicht mehr den gewandelten gesellschaftlichen Verhältnissen, denen sich kleinere Gesetzessammlungen wie die *Ekloge* des 8. Jh. und die juristische Praxis besser angepaßt hatten.

4. FACHWISSENSCHAFTEN

Die Fachwiss. (Geogr., Mathematik, Astronomie, Zoologie, Botanik, Mineralogie, Medizin, Kriegswiss.) [9 Bd. 2. 221–340] sind in B. weitgehend den Erkenntnissen der Ant., v. a. des Hell. und der Kaiserzeit, verpflichtet. Für Geogr. und Astronomie hatte Klaudios Ptolemaios (2. Jh. n. Chr.) Maßstäbe gesetzt, über die erst die frühe Neuzeit hinausgelangte. Auch in den übrigen genannten Fachwiss. sowie in der Technik sind in B. keine bahnbrechenden Neuansätze erkennbar; doch wurde in all diesen Bereichen das Überkommene eifrig studiert und in Abhandlungen tradiert. Auch die Kriegswiss., die bes. im 10. Jh., der Zeit großer Siege der byz. Heere, betrieben wurde, ist in der Regel weitgehend der ant. Trad. (z. B. Onosandros, 1. Jh. n. Chr.) verpflichtet, doch liegt z. B. in dem anon. Werk *Perí paradromḗs* (um 965) ein ganz an der byz. Praxis orientiertes Handbuch des Bewegungskrieges vor.

5. FORTWIRKEN ANTIKER ELEMENTE IN ARCHITEKTUR UND BILDENDER KUNST

Die byz. Architektur der Spät-Ant. knüpft an vorausgehende Bauformen an. V. a. erwies sich der profane Bautyp der längsgerichteten → Basilika (Markt- oder Versammlungshalle) im Bereich des christl. Kirchenbaus als produktiv [23. 27–31; 3], aber auch die in der Kaiserzeit als Mausoleum dienende Form des überkuppelten Zentralbaus, die in christl. Zeit häufig für Märtyrergräber (Martyria) sowie für Baptisterien übernommen wurde [23. 31f.]. Diese Ansätze wurden etwa seit dem 6. Jh. schöpferisch weiterentwickelt, so daß sich in der Architektur der späteren Jh. ant. Elemente vom Innovativen nur noch schwer trennen lassen.

Deutlicher wirkte Antikes in Plastik und Malerei nach [17]. Dabei ist zu bedenken, daß Statuen der griech. Ant., aber auch ant. Wandgemälde in Konstantinopel und an anderen Orten manche Jh. überdauerten und so die Trad. präsent hielten. In der Spät-Ant. hielt man sich zunächst weiter an die ant. Vorbilder, in der Plastik an die überkommene realistische Formgebung, in der → Malerei an illusionistische Techniken wie die Hell-Dunkel-Modellierung, die architektonische Perspektive und die Andeutung von Landschaftsräumen; menschliche Personen ließ man in Plastik und Malerei ihre Gefühle durch Gesten und Mienenspiel zeigen. Auch ant. Mythen und Heroen blieben zunächst noch Gegenstände der bildenden Kunst. Aus mittelbyz. Zeit liegen wieder bildliche Darstellungen ant. Themen vor, die allerdings auf bestimmte Bereiche beschränkt bleiben. So sind z. B. einem Komm., verfaßt wohl im 6. Jh. von einem gewissen Nonnos, der christl. Lesern myth. Anspielungen in Predigten Gregors von Nazianz erklärt, in vier Hss. des 11. und 12. entsprechende Illustrationen beigegeben. Myth. findet sich in den späteren Jh. ferner als Schmuck auf Gegenständen des Haushalts, Textilien, Silbergefäßen und Elfenbeinkästen; aber auch auf Wandgemälden wurden, wie aus zahlreichen Beschreibungen [8] bekannt ist, histor. und myth. Themen der Ant. dargestellt. Die Wiederaufnahme ant. Stilformen bleibt nicht auf Profanes beschränkt; sie werden auch, v. a. in der Elfenbeinglyptik und in der Buchmalerei, zur Darstellung christl.-rel. Themen verwendet.

C. VERMITTLUNG ANTIKER KULTUR

1. DIE BEWAHRUNG DER TEXTE

Das byz. Reich war als Nachfolgestaat des griech. Reiches Alexanders des Gr. und seiner Diadochen der natürliche Erbe der ant. griech. Kultur. Auf seinem Territorium wurden im wesentlichen die ant. griech. Texte aufbewahrt, v. a. in den größeren Bibliotheken: in → Alexandria (hier verblieb nach der Zerstörung der Museion-Bibl. 48/47 v. Chr. wohl nur noch die Bibl. des Serapeions, die 391 n. Chr. allenfalls in ihrem Bestand beeinträchtigt, aber nicht zerstört wurde), → Athen, Ephesos, Smyrna, Pergamon und Kaisareia/Palästina, seit dem 4. Jh. auch in Antiocheia und Konstantinopel. Zweifellos ist aber auch an viele kleinere, meist private Bibliotheken zu denken.

Von großer Bed. für die Bewahrung und Weitergabe dieser klass. Texte in byz. Zeit war die Entwicklung der Buchminuskel aus der älteren Gebrauchsschrift (Kursive), die seit ca. 800 mehr und mehr statt der Majuskel verwendet wurde. Sie ermöglichte, weil sie wendiger als jene war, ein schnelleres Kopieren und somit eine Erhöhung der Buchproduktion, die ab ca. 900 auch durch die allmähliche Einführung oriental., im späteren 13. Jh. noch mehr durch die Einfuhr abendländischen Papiers erleichtert wurde. Mit dem Erwachen des verstärkten antiquarischen Interesses zur Zeit Leons des Mathematikers und des Photios, des späteren Patriarchen von Konstantinopel, begann man damit, mehr und mehr Texte auch aus ant. Zeit in Minuskelschrift zu transkribieren [7]. Photios selbst verfaßte eine Sammlung von Referaten und Exzerpten aus ant. und spät-ant. Werken (*Bibliothek*), die vom Inhalt mancher h. nicht mehr erhaltener Texte wenigstens eine Vorstellung vermittelt [21], und trug zugleich durch die Abfassung eines Lex. zum besseren Verständnis ant. Texte bei. Um 900 gab Arethas von Patras, später Metropolit von Kaisareia, Kopien zahlreicher ant. philos. und anderer Texte in Auftrag, die er z. T. eigenhändig kommentierte [15. 243–270]. Zu den frühesten Hss. mit Dialogen Platons gehören z. B. Oxford Bodleian CLARK 39 und Vat. gr. 1 (erstere sicher im Auftrag des Arethas kopiert) sowie Paris. gr. 1807, der vielleicht schon vor Arethas kopiert wurde [15. 247–250]. Die Kopiertätigkeit in der Minuskelschrift wurde in den folgenden Jh. fortgesetzt, und ihr allein ist die Erhaltung der meisten ant.-griech. Texte bis auf unsere Zeit zu verdanken.

Die von Kaiser Constantinus VII. im 10. Jh. veranlaßten Exzerptensammlungen mit moralischer Zielsetzung, von denen nur ein Bruchteil erhalten ist, konzentrierten sich hingegen mehrheitlich auf Autoren seit der Spät-Ant. [15. 323–332]. Sowohl ant. wie auch spät-ant. Epigramme enthält die um 900 von Konstantinos Kephalas kompilierte byz. Sammlung, die h. als *Anthologia Palatina* bekannt ist. Von ihr erstellte Maximos Planudes 1299 eine revidierte Ed., der er zahlreiche Epigramme hinzufügte; er ließ aber auch eine Reihe von Epigrammen aus, v. a., wenn sie ihm anstößig erschienen (*Anthologia Planudea*). Im 12. Jh. verfaßte der antiquarisch interessierte Literat Johannes Tzetzes in Prosa oder in Gedichtform Komm. und allegorische Deutungen zu Werken ant. Autoren (Homer, Hesiod, Aristophanes, Lykophron und anderen) oder erstellte Kurzfassungen von ihren Werken, z. B. von der *Eisagoge* des Porphyrios [9 Bd. 2. 59–63]. Der bedeutendste byz. Kommentator Homers, aber auch Pindars und des Aristophanes, war aber des Tzetzes Zeitgenosse Eustathios, später Metropolit von Thessalonike [9 Bd. 2. 63–67]. Beide Autoren beeinflußten auch die Textgeschichte der von ihnen bearbeiteten Werke. Es ist hier schließlich daran zu erinnern, daß Süd-It., das bis zum späteren 11. Jh. z. T. noch in byz. Hand war, einen eigenständigen Beitrag zur Überlieferung ant. Lit. geleistet hat [7].

Die Eroberung und ca. 60–jährige Besetzung Konstantinopels 1204 durch abendländische Kreuzritter und die Venezianer führte zum Verlust noch manchen ant. Textes, aber im Rahmen des erneut wachsenden Interesses an der Ant. seit etwa 1250 leisteten einige Byzantiner wertvolle textphilol. Arbeit an ant. Werken, so der gelehrte Mönch Maximos Planudes für die Dichter Hesiod, Pindar, Sophokles, Euripides, Theokrit, Arat, Tryphiodor, den spät-ant. Nonnos und die *Anthologia Palatina*, ferner für die *Moralia* Plutarchs und die *Geographie* des Ptolemaios. In seiner Qualifikation als Philologe umstritten ist sein Schüler Manuel Moschopulos, der ebenfalls Pindar, Sophokles, Euripides und Theokrit, ferner Homer und Aristophanes textkritisch bearbeitete. Der bedeutendste Philologe der Epoche

(1. H. des 14. Jh.) war Demetrios Triklinios, der für die Textüberlieferung der Dichter Hesiod, Pindar, Aischylos, Euripides und Aristophanes wertvolle Arbeit leistete. Am geringsten wird die philol. Leistung seines Zeitgenossen Thomas Magistros eingeschätzt [20].

2. DIE WEITERGABE DES ANTIKEN ERBES AN DAS ABENDLAND

Bereits um die Mitte des 14. Jh. zeigten it. Humanisten Interesse, das Altgriech. bei einem Byzantiner zu lernen. Der erste war um 1340 der Dichter Petrarca; sein Lehrer war der kalabresische Mönch Barlaam, der längere Zeit in Konstantinopel gelebt hatte [16]. Gegen E. des 14. Jh. lud der Humanist und Staatsmann Lino Coluccio de' Salutati den byz. Literaten Manuel Chrysoloras [2] an das »Studium« (Univ.) zu Florenz ein, und eine Reihe it. Humanisten studierte bei ihm in den J. 1397–1400 das Altgriech., u. a. Leonardo Bruni Aretino, später ein bedeutender Übersetzer der Dialoge Platons ins Lat. Danach lehrte Chrysoloras auf Einladung des Giangaleazzo Visconti von Mailand noch bis 1403 in Pavia, bevor er nach Konstantinopel zurückkehrte. Einige seiner Schüler wie Pier Paolo Vergerio waren später selbst als Lehrer des Griech. in It. tätig. Guarino Veronese gab 1414–18 in It. die Griechischkenntnisse weiter, die er sich zuvor in Konstantinopel erworben hatte. Griech. lehrten auch Georgios Trapezuntios aus Kreta ab 1420 in Vicenza und 1427–1437 in Venedig sowie Andronikos Kallistos aus Konstantinopel in Bologna seit 1449–1473 und dann noch ca. ein J. in Florenz.

Zugleich mit diesen sprachlichen Kontakten erwachte auch das Interesse der it. Humanisten an den Hss. ant. griech. Autoren, die in B. reichlich zu finden waren [7]. Sie gelangten erstmals in größerer Zahl nach It., als bald nach der Florentiner Lehrtätigkeit des Chrysoloras von dort einige Humanisten wie Guarino Guarini, Francesco Filelfo und Giovanni Aurispa nach Konstantinopel kamen und mit einer systematischen Sammeltätigkeit begannen. Niccolò Niccoli begründete seine Sammlung mit den Hss., die Chrysoloras nach It. mitgebracht hatte. Aber auch Griechen, die nach It. kamen, waren als Sammler und Kopisten von griech. Hss. tätig, die schon erwähnten Gelehrten Georgios Trapezuntios, Bessarion, Johannes Argyropulos und Andronikos Kallistos sowie im späteren 15. Jh. Konstantinos Laskaris (Kopist) und Johannes (Ianos) Laskaris (Sammler und Editor ant. Texte).

Die älteste große Sammlung griech. Hss. auf it. Boden war um 1450 dank der Sammeltätigkeit von Papst Nikolaus V. (der Griech. bei Filelfo gelernt hatte) die des Vatikans, die erst einige J. später von der Sammlung Bessarions übertroffen wurde; dieser hatte seit 1455 Michael Apostoles beauftragt, griech. Hss. in Kreta aufzukaufen, doch verdankte er viele auch der seit dem MA bestehenden bedeutenden Bibl. des südit. Klosters San Nicola di Casole bei Otranto. Ferner ergänzte er seine Bestände durch Kopien, die er bei Johannes Rhosos und anderen in Auftrag gab. Erst gegen E. des 15. Jh. wurden

Padua und Venedig wichtige Umschlagplätze für griech. Hss., als Aldus Manutius 1494 in Venedig mit dem Druck ant. griech. Texte begann [5; 27].

Insofern die byz. Kunst in der beschriebenen Form ant. Elemente tradierte, gab sie diese im Rahmen der Gesamtrezeption auch an andere Kulturen, v. a. an das Abendland, weiter [4; 14; 25]. Zeiten verstärkter Aufnahme ant., aus B. entlehnter Elemente in der abendländischen Kunst, v. a. in Buchmalerei und Elfenbeinglyptik, waren die Karls des Gr. und die der Ottonen und Salier. Letzteres ist v. a. mit der Wirkung und Nachwirkung der Anwesenheit einer einflußreichen Byzantinerin im Abendland, der Gattin Ottos II., Theophanu, zu erklären.

→ AWI Byzantion; Constantinus [1]

1 A. CAMERON, Herodotus und Thucydides in Agathias, in: ByzZ 57, 1964, 33–52 2 G. CAMMELLI, I dotti bizantini e le origini dell' umanesimo, I, Manuele Crisolora, 1941 3 F. W. DEICHMANN, Wandsysteme, in: ByzZ 59, 1966, 334–358 (zum ant. Charakter der frühchristl. Basilika) 4 O. DEMUS, Byzantine Art and the West, 1970 5 D. GEANAKOPLOS, Greek Scholars in Venice, 1962 6 J. HANKINS, Plato in the Italian Ren., 1990 7 D. HARLFINGER (Hrsg.), Griech. Kodikologie und Textüberlieferung, 1980 (v. a. die Beiträge von A. Dain, J. Irigoin, R. Sabbadini) 8 A. HOHLWEG, Ekphrasis, in: Reallex. zur byz. Kunst, 2, 33–75 9 H. HUNGER 10 H. HUNGER et al. (Hrsg.), Gesch. der Textüberlieferung der ant. und ma. Lit., 1961, 1 (Ndr. 1975) 11 H. HUNGER, On the Imitation (Mimesis) of Antiquity in Byz. Literature, in: Dumbarton Oaks Papers 23/24, 1969/70, 17–38 12 Ders., Thukydides bei Johannes Kantakuzenos, in: Jb. Österr. Byz. 25, 1976, 181–193 13 A. KAZHDAN, L'eredità antica à Bisanzio, in: Studi classici e orientali 38, 1989, 140–153 14 E. KITZINGER, The Art of Byzantium and the Medieval West, 1976 15 P. LEMERLE, Byzantine Humanism, The First Phase, 1986 (Übers. des frz. Originals, 1972, mit erweiterter Bibliogr.) 16 P. L. M. LEONE, Barlaam in Occidente, in: Annali Università di Lecce 8–10, 1977–80, 427–446 17 H. MAGUIRE, s. v. Antico, area bizantina, Enciclopedia dell'arte medievale 2, 108–111 18 P. SCHREINER, »Ren.« in B.? in: W. ERZGRÄBER (Hrsg.), Kontinuität und Transformation der Ant. im MA, 1989, 389 f. 19 P. SPECK, Ikonoklasmus und die Anfänge der Makedonischen Ren., in: Poikíla Byzantiná 4, 1984, 175–209 20 F. TINNEFELD, Neue Formen der Antikerezeption bei den Byzantinern der frühen Palaiologenzeit, in: IJCT 1/3, 1995, 19–28 21 W. TREADGOLD, The Nature of the Bibliotheca of Photius, 1980 22 Ders., Renaissances before the Ren., 1984 23 W. F. VOLBACH, J. LAFONTAINE-DOSOGNE, B. und der christl. Osten (Propyläen Kunstgesch.), 1968 24 K. WEITZMANN, The Classical Heritage in Byzantine and Near Eastern Art, 1981 25 Ders., Art in the Medieval West and its Contacts with Byzantium, 1982 26 Ders., Greek Mythology in Byzantine Art, ²1984 27 N. WILSON, The Book Trade in Venice ca. 1400–1515, in: H.-G. BECK et al. (Hrsg.), Venezia: Centro di mediazione tra Oriente e Occidente (secoli XV–XVI), 1977, 381–397 28 C. M. WOODHOUSE, George Gemistos Plethon,

FRANZ TINNEFELD

A. EINLEITUNG UND METHODISCHE VORBEMERKUNGEN

Die Betrachtung der Geschichte der byz. Lit. umfaßt, wie auch in den entsprechenden altertumswiss. Disziplinen üblich, das gesamte »Schrifttum« einschließlich Philos., Recht, Medizin und anderer Fachwiss. Das entspricht der eigenen Konzeption der Byzantiner, die alles, was mit Bildung, Wiss. und »Lit.« zu tun hatte, unter den Begriff lógoi subsumierten. Unter »byz.« verstehen wir den weltanschaulich christl. geprägten, sprachlich vom Griech. dominierten (aber keineswegs allein beherrschten) Kulturraum, der im wesentlichen mit den jeweiligen Grenzen des Oström. (»Byz.«) Reiches identisch ist, allerdings mit zeitlichen Verschiebungen v. a. im Vorderen Orient (Syrien, Palästina) und in Sizilien/Unter-It.; hier entstand byz. Lit. in griech. Sprache auch noch nach der Eroberung dieser Länder durch die Araber im 7. bzw. die Normannen im 11. Jh. Es gibt keine allg. anerkannten Gliederungsprinzipien für die byz. Lit.; die Einteilung der Handbücher [4; 5; 9] in hochsprachlich-profane, volkssprachliche und theologische Lit. wird zunehmend als wenig befriedigend angesehen [10; 11; 13]. Es ist äußerst problematisch, in einer in allen ihren Äußerungen so vom Christentum durchdrungenen Gesellschaft wie der byz. einen »profanen« Bereich auszugrenzen, und v. a. entziehen sich viele Autoren einer solchen Kategorisierung; sie sind als lit. Gesamtpersonen mit dieser Methode gar nicht oder nur jeweils in Ausschnitten wahrnehmbar. Auch werden die levels of style nicht mehr in einer einfachen Zweiteilung in »Hochsprache« und »Volkssprache«, sondern sehr viel differenzierter und in ihrer Funktionalität im Verhältnis von Autor und Publikum gesehen [18]. Eine wirkliche byz. Lit.-Geschichte ist noch nicht geschrieben worden. Erst in neuerer Zeit hat die Forsch. begonnen, die byz. Lit. wenigstens teilweise als ästhetisches Phänomen sui generis zu würdigen [1; 15] und nicht weiter von dem Vorurteil auszugehen, es handele sich lediglich um Erscheinungen des Verfalls und über 1000-jähriger Sterilität. Die Binnengrenzen einzelner Epochen der byz. Lit. werden zum Teil unterschiedlich definiert; über den Beginn im 4. Jh. (wenn man ein fixes Datum der polit. Geschichte nennen will: Einweihung der neuen Residenz Konstantinopel 330 n. Chr. durch Konstantin I.) ist man sich jedoch weitgehend, über den Endpunkt (Eroberung von Konstantinopel durch die Osmanen 1453) allg. einig. Im Folgenden werden die einzelnen Epochen der byz. Lit. nur unter dem speziellen Aspekt der Ant.-Rezeption betrachtet; von einigen Gattungen, von vielen ihrer Leistungen und den Personen, die sie erbracht haben, wird daher nicht die Rede sein. Allerdings erfaßt der Aspekt der Ant.-Rezeption eine zentrale Eigenart: Ein wesentlicher Zug der byz. Lit. ist → Mimesis [8] in einem doppelten Sinn: Mimesis einer als kanonisch angesehenen Sprachform, wie sie sich als Schriftsprache in der Zweiten Sophistik aus dem Attizismus entwickelt hatte, und Mimesis von lit. Formen, deren sich geschätzte Autoren der Ant. und der Kaiserzeit unter Einschluß biblischer und patristischer Modelle bedient hatten. Daß das Spiel mit diesen Sprach- und lit. Formen im 19. und 20. Jh. überwiegend als negativ (nicht schöpferisch und originell) gewertet wurde, liegt weniger an der byz. Lit. als an den ästhetischen Kategorien ihrer Betrachter.

B. ÜBERGANGSPERIODE UND FRÜHBYZANTINISCHE ZEIT (4.–MITTE 7. JAHRHUNDERT)

Die wichtigste Weichenstellung für die gesamte byz. Lit. bestand darin, daß trotz der neuen ideologischen Ausrichtung der byz. Gesellschaft (Annahme des Christentums durch Konstantin I., Christentum als Staatsreligion unter Theodosios I., Kampf gegen das Heidentum) die griech. Ant. die bestimmende Bildungsmacht blieb. Vergeblich versuchte Kaiser Julian (361–363), selbst hochgebildet und in verschiedenen lit. produktiv, in der kurzen Phase der von ihm betriebenen heidnischen Reaktion die Christen vom ant. Bildungsgut per Gesetz auszuschließen. Rhet. und Philos. wurden in den Dienst der neuen Weltanschauung gestellt. Die *Progymnasmata* des Aphthonios (E. des 4. Jh.) bildeten zusammen mit dem älteren *Corpus* des Hermogenes und den beiden Traktaten des Menander von Laodikeia über die epideiktische Beredsamkeit das fundamentale Regelwerk für byz. Autoren aller Perioden, das auch immer wieder für den höheren Schulbetrieb komm. wurde. → Aristotelismus und → Neuplatonismus blieben ebenfalls für das gesamte byz. Jt. die alles bestimmenden Denksysteme. Entscheidend war, daß die großen Kirchenväter des 4. Jh. (die »Kappadozier« Gregor von Nazianz, Gregor von Nyssa und Basileios der Große sowie Ioannes Chrysostomos) die ant. Lit. insgesamt einschließlich der Poesie und der Philos. (insbes. Platon über den Neuplatonismus) in ihr gedankliches System und in ihre lit. Produktion haben Eingang finden lassen. Die ant. epideiktische Beredsamkeit feiert in den Predigten dieser Kirchenväter neue Triumphe. Die Ausgrenzung der dem Christentum widersprechenden Inhalte der ant. Lit. blieb ein beständiges Problem, das man durch Rückzug auf das Formale oder euhemeristische bzw. allegorische Interpretation immer wieder neu zu lösen versuchte. Der direkten Konkurrenz der ant. Philos. suchte Justinian I. administrativ durch Schließung der philos. Schule Athens (529) zu begegnen, die christl. orientierte Variante in Alexandreia kam durch die arab. Eroberung (642) zum Erliegen. Doch befand sich Ari-

stoteles über den Weg der Ausgestaltung des christologischen Dogmas längst innerhalb der Hürde der christl. Lit. (seine logischen Schriften waren ja auch ideologisch unbedenklich), Platonisches war über Synesios von Kyrene, Nemesios, Gregor von Nyssa und v. a. über Ps.-Dionysios Areopagites (Anf. 5. Jh.) ein immer mit Mißtrauen betrachtetes, aber nicht mehr herauslösbares Ingredienz byz. Denkens. Insgesamt dominierte auch in der lit. Produktion die ant. Trad., mit ihrer Internationalität und auch Interreligiosität, beides zum E. dieser Periode hin abnehmend. Noch spielte Lat. auch als Lit.-Sprache im Osten eine Rolle: Der antiochenische Grieche Ammianus Marcellinus verfaßte sein histor., der alexandrinische Grieche Claudian sein panegyrisches dichterisches Werk auf Lat., und auf der anderen Seite machte Romanos, der Syrer aus Emesa, als Schöpfer und Vollender der Kirchendichtung des *Kontákion* urspr. syrische Literaturformen für das Griech. fruchtbar. Aus der Spät-Ant. ererbte dichterische Gattungen wie → Epos und → Epigramm wurden weiterhin gepflegt: Mit den *Dionysiaka* schuf der Ägypter Nonnos (1. H. des 5. Jh.) – und er ist nur ein Dichter unter vielen – das umfangreichste Epos in griech. Sprache in bes. streng und artifiziell gebauten Hexametern. Die Trad. hielt sich neben dem neuen akzentuierenden Vers des byz. Zwölfsilbers (aus dem quantitierenden ant. jambischen Trimeter entwickelt) und den ebenfalls akzentuierend gebrauchten Anakreonteen bes. im Epigramm. Der Heide Palladas (aus Alexandreia, 4. Jh.) und der Christ Agathias (aus Myrina in Kleinasien, 6. Jh.) benutzen dieselben Formen, Agathias stellt sich mit seiner Sammlung neuer Epigramme in die Trad. älterer Sammlungen. Nur zum Teil erhaltene Versuche, die ant., insbes. epische Formen für christl. Inhalte zu nutzen (Apollinaris von Laodikeia, 4. Jh., Nonnos mit einer Paraphrase des Johannes-Evangeliums, Eudokias Homerokentra, 5. Jh.) hatten keinen oder nur ganz geringen Erfolg. Auf anderem Gebiet gelingt eine fruchtbare Weiterentwicklung: Die ant. Biographie wurde für ein neues Menschenideal nutzbar gemacht und umgeformt. In radikaler Abkehr von ant. Werten wird das Leben in der Einsamkeit der Wüste gepriesen. Die *Vita Antonii* des Athanasios von Alexandria (Mitte 4. Jh.) steht als Prototyp am Beginn einer neuen und überaus fruchtbaren Gattung, der hagiographischen Vita. Am auffälligsten sind Kontinuität und Rückgriff auf das sprachliche und kompositionelle Vorbild der Ant. in der Königsdisziplin der byz. Lit., der → Geschichtsschreibung: Neben dem neu entwickelten Genus der Chronik mit seiner betont christl. Sicht eines linearen Geschichtsverlaufs (erstes vollständig erh. Werk dieses Typs ist die Chronik des Ioannes Malalas aus Antiocheia, 6. Jh.) und dem ebenfalls neuen Genus der Kirchengeschichte (von Eusebios von Kaisareia, 4. Jh., bis zur Kompilation seiner Vorgänger durch Theodoros Lector, 6. Jh.) setzt sich die ant. Form der Zeitgeschichtsschreibung in Stil und Konzeption fort, um bis zum Ende des byz. Reiches nicht mehr abzureißen. Im hier skizzierten Zeitabschnitt haben wir neben umfangreichen Fragmenten anderer Autoren die Werke des Prokop von Kaisareia (Mitte 6. Jh.), des schon als Lyriker erwähnten Agathias (2. H. 6. Jh.) und des Theophylaktos Simokattes (Anf. 7. Jh.). Zur Ant. rezipierenden Lit. dieser Zeit im weiteren Sinn müssen auch die großen Sammlungen auf einzelnen Fachgebieten gezählt werden: Medizinisches in den Kompilationen des Aetios von Amida und des Alexandros aus Tralleis, Juristisches im von Justinian I. angeregten *Corpus iuris civilis*, Lit. im Sinne von *belles lettres* in den Exzerpten des Ioannes Stobaios und im Lex. des Hesychios. Insgesamt wird in dieser Epoche die ant. → Bildung weiter tradiert, ihre Formen werden weiter verwendet oder umgebildet, die Inhalte leben weiter; sofern sie nicht Christl. eklatant widersprechen, werden sie erfolgreich integriert.

C. DIE »DUNKLEN JAHRHUNDERTE« (MITTE 7. JAHRHUNDERT – CA. 800)

Mit Recht wird in der neueren Forsch. die Gültigkeit dieses Standardbegriffs, was die Lit. insgesamt angeht, bestritten oder zumindest eingeschränkt. Tatsache bleibt jedoch, daß in der Zeit nach der Regierung des Herakleios (610–641) die lit. und sonstige künstlerische Produktion abnimmt. Das ältere Erklärungsmuster, das habe ursächlich mit dem »Bilderstreit« (»Ikonoklasmos«) (730–843) zu tun, der zwischen 730 und 843 die byz. Gesellschaft gespalten und in eine schwere Krise gestürzt hat, ist offensichtlich falsch [20]. Schon rein zeitlich decken sich die Phasen nicht. Auch hat die Auseinandersetzung über die Rechtmäßigkeit der Bilderverehrung eher anregend als lähmend gewirkt. So hat Ioannes von Damaskos unter Zuhilfenahme aristotelischer Denkkategorien in seinen Bilderreden eine differenzierte Bildertheologie entworfen. Eher erscheint ein Zusammenhang mit dem in diese Zeit fallenden allg. Zusammenbruch der ant. Stadtkultur plausibel sowie mit den außenpolit. Bedrängnissen des Reiches durch die Eroberung der südöstl. Reichsprov. (Ägypten, Syrien, Palästina, Mesopotamien) durch die Araber und die Inbesitznahme der Balkanhalbinsel durch Avaren und slawische Stämme. Allerdings ist der Abbruch der Trad. in Syrien-Palästina auch unter arab. Herrschaft gerade nicht ausgeprägt [7]. Das lit. Schaffen kommt auch sonst keinesfalls zum Erliegen; sein Schwerpunkt verlagert sich indessen sehr deutlich in den theologischen Sektor. Hier blühen v. a. die Gattungen der liturgischen Dichtung mit Ioannes von Damaskos und Andreas von Kreta, dem »Erfinder« der Kanon-Dichtung, die das ältere *Kontákion* ablöst, und der Homiletik. In den Predigten des Sophronios von Jerusalem, des Andreas von Kreta und des Patriarchen von Konstantinopel Germanos I. wird deutlich, daß die ant. Bildungs-Trad. weder bei den Rednern noch bei ihrem Publikum abgerissen ist. Entsprechendes gilt für die Philos. Maximos Homologetes (580–662) nahm das Denken des Ps.-Dionysios Areopagites auf und verankerte damit die Verbindung von aristotelischen und platonischen Denkansätzen noch fester in der byz. Theologie. Am deutlichsten ist der Abriß des aus der Ant. hergeleiteten Traditionsstranges in den erzählenden Genera der Geschichtsschreibung und der Hagiographie. Die Kette antikisierender Zeithistoriker wird nach Theophylaktos Simokattes nicht sogleich fortgesetzt. Die Chronik des Theophanes Confessor (ca. 760–817/18), welche die Jahre 285 bis 813 umfaßt, ist keine von der Mimesis der Ant. in irgendeiner Weise inspirierte Lit.; für die Parallelquelle, die *Historia Syntomos* des Patriarchen Nikephoros I. (verfaßt um 780, sie behandelt die J. 602–769) gilt das nicht ganz, bewegt sie sich doch ebenso wie die gegen die Ikonoklasten gerichteten theologischen Schriften dieses Autors sprachlich-stilistisch im Rahmen des ererbten rhet. Ideals. Das gleiche gilt von wenigen Produkten der insgesamt schwach vertretenen Hagiographie, etwa der Vita des Theodoros von Sikyon oder Teilen der Vita des Symeon Salos von Leontios von Neapolis auf Zypern. Der Hauptteil dieser Vita und derjenigen des Ioannes Eleemon desselben Autors folgt dagegen anderen, viel eher der mündlichen Alltagsrede verpflichteten sprachlich-stilistischen Tendenzen. Die »Dunklen Jahrhunderte« der byz. Lit. sind nicht so dunkel, wie man lange gemeint hat; die Ant. ist als Bildungsmacht jedoch eher im Hintergrund vorhanden denn als direktes Vorbild lit. Produktion oder als Gegenstand philol. Beschäftigung.

D. ENZYKLOPÄDISMUS UND WIEDERANEIGNUNG DER ANTIKE (9.–10. JAHRHUNDERT)

Schon gegen E. des 8. Jh. beginnt, zunächst zaghaft, eine Epoche, die dann bewußt und dezidiert an die spätant. Trad. vor der Krise des 7. Jh. und damit an die Ant. selbst anknüpft [12]. Sie wird (mit etwas anderer Abgrenzung) in der mod. Lit. oft auch als »Maked. Ren.« bezeichnet, doch sind beide Bestandteile des Begriffs problematisch: Die sog. maked. Dyn. (nach dem Herkunftsort des Dynastiegründers Basileios I. so benannt) regierte 867–1056, und der inflationäre Gebrauch des Begriffs Ren. ist irreführend; der Rückgriff auf die Ant. ist im 9. und 10. Jh. gerade noch nicht verbunden mit einer Autonomie des Individuums oder einer radikalen Veränderung des gesamten Weltbildes [21]. Der Rückgriff vollzieht sich v. a. in zwei Bereichen, der philol. und literaturwiss. Beschäftigung mit den Texten selbst sowie einer reichen klassizistisch geprägten lit. Produktion auf vielen Gebieten. Die Herausgabe ant. Texte durch die byz. Philol. dieser Zeit war nicht zuletzt deshalb so wichtig, weil nahezu die gesamte griech. Lit. der Ant., die uns erh. ist, das Nadelöhr des sog. Metacharakterismós (d. h. der Umschrift aus der Majuskel- in die zu Beginn des 9. Jh. aufkommende Minuskelschrift) passieren mußte. Bezeichnenderweise sind wie im Hell. in vielen Fällen die sammelnden Philol. selbst auch die lit. schöpferisch Tätigen. Die herausragenden Gestalten der ersten Phase bis zum Anf. des 10. Jh. sind Leon der Mathematiker (ca. 790–nach 869), Photios (Patriarch von Konstantinopel 858–867 und 877–886) sowie Arethas (ca. 850–nach 932, nach 902 Erzbischof von Kaisareia in Kappadokien) [22]. Leon der Mathematiker, der an der von Bardas nach 843 in Konstantinopel gegr. privaten Hochschule [19] lehrte, hat v. a. mathematisch-naturwiss. Hss. gesammelt und damit wesentlich zur Erhaltung verschiedener astronomischer sowie algebraischer und geom. Schriften der Ant. (Ptolemaios, Euklid, Apollonios von Perge, Diophant) beigetragen. Nachweislich hat er aber auch Porphyrios, Platon und Achilles Tatios studiert. Durch uns erh. Hss. sind ganze Editionsunternehmen des 9. Jh. kenntlich, so z. B. die sog. *Philos. Sammlung* aus der Mitte des Jh. mit einem Kern von Mss. mit verschiedenen Werken Platons und Komm. zu platonischen und aristotelischen Schriften. Platon und Aristoteles finden sich auch am E. des Jh. in der Bibl. des Arethas unter den noch erhaltenen Hss., flankiert außer von christl. Autoren von Lukian, Aelius Aristides und Euklid. Aus den eigenhändigen Scholien des Arethas wird eine umfassende klass. Bildung einschließlich Tragiker und Kom. deutlich. Die eindrucksvollste Gestalt auch in dieser Hinsicht ist jedoch Photios als umfassend human. gebildeter Gelehrter. Als Autor auf vielen Gebieten tätig (u. a. Dogmatik, Exegetik, Homiletik, Epistolographie, Staatsrecht), liegt seine Bed. für die Rezeptionsgeschichte der Ant. v. a. in seinem Lex. zu Wörtern attischer Autoren mit den dort thesaurierten zahlreichen unschätzbaren Zitaten aus sonst verlorenen Werken und seiner *Bibliotheke*, einer literaturgeschichtlichen Bestandsaufnahme von 280 Codices mit insgesamt 386 Werken der ant. und byz. Lit. Eine Reihe ant. Historiker und anderer Werke kennen wir nur aus den Referaten des Photios.

Hier und in vielen anderen Unternehmungen wird auch der enzyklopädische Geist der Epoche deutlich, der in der zweiten Phase in der Gestalt des Kaisers Konstantin VII. Porphyrogennetos (geb. 905, regierte 945–959) gipfelte. Lange von der Macht ferngehalten, setzte Konstantin ein riesiges Sammelprogramm von Exzerpten ins Werk: die gesamte histor. Lit. der Ant. und der früh-byz. Zeit nach Sachgruppen geordnet, Geoponika, Iatrika und Hippiatrika neben anderen nicht auf die Ant. bezogenen Unternehmungen. Die Sammlung von Kaiserbiographien des sog. Theophanes Continuatus geht ebenfalls auf Konstantin zurück, er selbst steuerte in Buch V unter Rückgriff auf die Gattung der ant. Kaiservita eine enkomiastische Biographie seines Großvaters und Dyn.-Gründers Basileios I. bei. Im Genus der Historiographie findet man dieselben klassizistischen Tendenzen in den Kaiserbiographien (für die Jahre 813 bis 886) des konventionell Joseph Genesios genannten anon. Autors, der ebenfalls am Hof Konstantins schrieb, sowie bei dem ganz der ant. Form verpflichteten Leon Diakonos (schrieb Ende 10. Jh. über die J. 959–976). Große allg. Enzyklopädien entstanden: Im 9. Jh. das *Etymologicum Genuinum* [2] und, wahrscheinlich ebenfalls im Umkreis Konstantins, die Suda. Beide enthalten eine Fülle an Material aus der ant. Lit. Das ant. Recht wird über den Rückgriff auf die Rechtssammlung Justinians im Riesenwerk (60 B.) der *Basilika* (begonnen unter Basileios I., vollendet unter Leon VI. wahrschein-

lich 888) zu aktuellem Gebrauch aufbereitet [17]. Derselbe Kaiser Leon VI. tritt als Autor hoch-rhet., ganz in klassizistischem Sprachduktus gehaltener Homilien auf. Die lukianische Satire findet im anon. Dialog Philopatris (10. Jh.) ihre Wiedergeburt und Fortsetzung. Auch die Hagiographie steht nicht zurück. Symeon Metaphrastes (gest. um 1000) sammelte Heiligenviten, teils von ihm selbst verfaßt, teils mit dem Ziel der Anhebung auf ein klassizistisches Sprach- und Ausdrucksniveau von ihm umgeschrieben, in einem in der Regel nach dem kirchlichen Festkalender. Auf dem Gebiet der Dichtung treffen wir auf dieselben Tendenzen: Wiederbelebung antikisierender Formen (Anakreonteen, die ant. Prosodie beachtende Zwölfsilber, daktylische Hexameter, elegische Distichen) und enzyklopädische Sammlung. Ant. prosodische Gesetze hatte schon Theodoros Studites (759–826) in seinen Epigrammen wieder beachtet, und ganz von ant. Vorbildern geprägt ist der bedeutendste Dichter dieser ganzen Epoche, Ioannes Geometres (2. H. 10. Jh.). Zu Beginn dieses Jh. hatte Konstantin Kephalas eine große Epigrammsammlung angelegt, die wie so oft auch auf anderen Gebieten ant. und byz. Material vereinigte; seine Quellen waren sowohl die großen klass. Anthologien (Meleager von Gadara, Philipp von Thessalonike) als auch der *Kyklos* des Agathias. Umgeordnet und erweitert wurde diese Sammlung von einem Anon. (nach Cameron Konstantin Rhodios) einige Jahrzehnte später und ist in dieser Form unter der mod. Bezeichnung *Anthologia Palatina* auf uns gekommen [6]. Die Wiederbelebung ant. Sprach- und lit. Form hat insgesamt zu großer Produktivität geführt; hier nicht behandelt sind Formen, die ohne Rückgriff auf ant. Vorbilder in derselben Zeit neu entstanden sind, so z. B. der *versus politicus* genannte Fünfzehnsilber, der zum erstenmal in Grabgedichten auf Leon VI. (gest. 912) stichisch verwendet wurde und später der Hauptvers byz. und neu-griech. Dichtung werden sollte.

E. PROTORENAISSANCE (11.–MITTE 13. JAHRHUNDERT)

Der Begriff ist in Anklang an das von Kazhdan geprägte *prerenaissance* gewählt [14. 146]. Ohne daß eine wirkliche Ren. folgen würde, gibt es deutliche renaissancehafte Züge, v. a. ein ganz neues Interesse am Individuum sowohl der lit. dargestellten Personen als auch der Autoren selbst. Das Interesse an der ant. Lit. mündete nicht mehr überwiegend in enzyklopädischer Sammeltätigkeit, sondern in eigenschöpferischer Umsetzung. Das betrifft ganz verschiedene Genera: In der Dichtung steht der große Mystiker Symeon der Neue Theologe in seinen Hymnen mit ihrem Ausdruck persönlichster mystischer Erfahrungen außerhalb klassizistischer Formen, aber die beiden anderen großen Dichter Christophoros von Mytilene und Ioannes Mauropus verbinden persönliche Aussage mit antikisierender Form. Die Geschichtsschreibung zeichnet individuelle psychologische Porträts ihrer Protagonisten; nicht so sehr Thukydides und Herodot sind hier die Vorbilder, sondern Polybios, Diodor und spätere. Der große Meister auch hierin ist der Universalgelehrte und Staatsmann Michael Psellos (1018–1079), der auf fast allen Gebieten der Lit. glänzt, bes. aber durch seine *Chronographia* (für die J. 976–1077). Anna Komnene (1083–ca. 1153) verbindet in ihrer *Alexias* (behandelt die Regierungszeit ihres Vaters Alexios I. Komnenos 1081–1118) Ereignisgeschichte, Biographie und Enkomion mit starken autobiographischen Elementen unter Verwendung der homer. Ilias als ständigen intertextuellem Bezugsrahmens. Niketas Choniates, der die anschließende Zeit (1118–1206) behandelt, pflegt auf höchstem lit. und gedanklichen Niveau eine im einzelnen ausgeprägte Mimesis. Der anon. *Christos Paschon* verwebt Verse und Versteile aus Euripides, Aischylos und Lykophron zu einem neuen Ganzen; der ebenfalls anon. Dialog *Timarion* setzt die Lukian-Rezeption fort mit ironisch-parodistischen Tönen auch gegenüber christl. Dogmen; die *Katomyomachia* des Universal-Literaten Theodoros Prodromos parodiert die klass. Trag. Der Rückgriff auf platonisch-neuplatonische Gedanken und auf Aristoteles führt bis zum Zusammenstoß mit den Wächtern des orthodoxen Glaubens: Michael Psellos entgeht einer Anklage knapp, die Lehre seines Schülers Ioannes Italos wird 1082 mit dem Anathem belegt. Der hell. Roman regt im ritterlichen Geist der Epoche die Neubelebung dieses Genus an, von dem uns aus dem 12. Jh. vier Werke erhalten sind; das romanhafte Epos des Digenes Akrites verknüpft diese Trad. wiederum mit Elementen der Volksdichtung. Große Komm. zu ant. Autoren verfassen Eustathios von Thessalonike (zu Homer, Aristophanes, Dionysios Periegetes, Pindar) sowie Ioannes Tzetzes (zu Homer, Hesiod, Aristophanes, Lykophron), die in ihren rhet. Werken ebenfalls umfassende ant. Bildung dokumentieren. Insgesamt sind für die Epoche die Tendenzen zu schöpferischem, gattungsübergreifendem Aufbruch kennzeichnend, der sich in großem Stil der Anregungen aus der ant. Lit. für neue Zwecke bedient.

F. PALAIOLOGENZEIT. RESIGNATIVE BLÜTE UND AUFLÖSUNG

(MITTE 13.–MITTE 15. JAHRHUNDERT)

Der polit. und ökonomische Niedergang des byz. Reiches nach der Eroberung von Konstantinopel durch den sog. Vierten Kreuzzug 1204 war begleitet von einer erstaunlichen kulturellen Hochblüte, deren resignativer Grundton allerdings unüberhörbar ist. Neben der intensiven, jedoch mehr philol. als lit. Beschäftigung mit der Ant. zeichnen sich neue Tendenzen ab: Öffnung zur nicht-byz., bes. der westl. Lit. und Hinwendung zu volkssprachlichen Genera (Ritterromane, satirische Tiergeschichten). Auch Autoren der lat. Ant. werden rezipiert: Maximos Planudes (2. H. des 13. Jh.) übers. aus eher lit. Interesse u. a. Augustin, Ovid, Cicero, Macrobius und Boethius; Demetrios und Prochoros Kydones (14. Jh.) übersetzen aus eher philos. Interesse neben Thomas v. Aquin auch Augustin und Boethius. Es

ist die hohe Zeit der byz. Philol.; als Herausgeber und kritische Textbearbeiter ragen bes. hervor Planudes (Epigrammsammlung, Plutarch, Arat), Manuel Moschopulos (Pindar, Aristophanes), Thomas Magistros (Pindar, Tragiker, Aristophanes) und v. a. Demetrios Triklinios (Hesiod, Tragiker und Komiker). Eine bemerkenswerte Reihe großer, auf verschiedenen lit. Gebieten tätiger und wiss.-philos. interessierter Polyhistoren zieht sich vom Nikänischen Reich (1204–1261) bis in die Zeit nach 1453, von Nikephoros Blemmydes (verschiedene philos. Werke) über seine Schüler, Kaiser Theodoros II. Laskaris (1254–1258) und Georgios Akropolites (Historiker und Lehrer), Georgios Pachymeres (Historiker, philos., mathematische, rhet., juristische Schriften), Nikephoros Gregoras (Historiker, rhet. und theologische Traktate, u. a. philos. Kontroverse in Form eines platonischen Dialogs) bis hin zu Georgios-Gennadios Scholarios (Patriarch von Konstantinopel 1454–1456, 1463 und 1464–1465) und seinem philos.-theologisch interessierten Kreis. Einen wichtigen Platz unter diesen Polyhistoren nimmt Theodoros Metochites (1270–1332) ein, der in seinen zahlreichen Schriften (u. a. Komm. zu Aristoteles, Essays zu philos., naturwiss., histor. und literaturhistor. Fragen, Hexametergedichte, Einführung in die Astronomie) eine umfassende ant. Bildung erkennen läßt. Er hat die Endzeitstimmung zusammen mit einem damit einhergehenden Gefühl der Inferiorität gegenüber der Ant. klar zum Ausdruck gebracht [3]. Die Ant. hat jedoch nicht aufgehört, Autoren sowohl lit. als auch philos. zu inspirieren, auch solche, die nicht wie etwa Bessarion und viele andere den Weg nach Westen gegangen sind und dort eine Rolle in der it. Ren. gespielt haben: Georgios-Gemistos Plethon (ca. 1360–1452) verbindet platonisches, neuplatonisches und zoroastrisches Gedankengut zum Entwurf einer neuen Religion und einer auf ihr basierenden Staatsreform. Die Historiker Laonikos Chalkokondyles und Kritobulos von Imbros rücken die Osmanen ins Zentrum ihrer histor. Darstellung. Für die lit. Form ihrer Werke aber ist die Mimesis ant. Autoren nach wie vor konstitutiv, für Laonikos Thukydides, für Kritobulos neben Thukydides, Herodot, Flavius Josephus und Aelius Aristides in erster Linie Arrian. So bleibt ein Teil der byz. Lit. bis zum E. und über dieses hinaus auf die Ant. bezogen.

→ Osmanisch-islamische Kulturregion

1 P. AGAPITOS, Narrative Structure in the Byz. Vernacular Romances. A Textual and Lit. Study of Kallimachos, Belthandros and Libistros, 1991 2 K. ALPERS, Eine byz. Enzyklopädie des 9. Jh. Zu Hintergrund, Entstehung und Gesch. des griech. Etymologikons in Konstantinopel und im italo-griech. Bereich, in: G. CAVALLO, G. DE GREGORIO, M. MANIACI (Hrsg.), Scritture, libri e testi nelle aree provinciali di Bisanzio, Bd. 1, 1991, 235–269 3 H.-G. BECK, Theodoros Metochites: Die Krise des byz. Weltbildes im 14. Jh., 1952 4 Ders., Kirche und theologische Lit. im Byz. Reich, 1959 5 Ders., Gesch. der byz. Volks-Lit., 1971. 6 A. CAMERON, The Greek Anthology from Meleager to Planudes, 1993 7 G. CAVALLO, Qualche riflessioni sulla

continuità della cultura greca in Oriente tra i secoli VII e VIII, in: ByzZ 88, 1995, 13–22 **8** H. HUNGER, On the Imitation (Μίμησις) of Antiquity in Byz. Lit., in: Dumbarton Oaks Papers 23–24, 1969–1970, 17–38 **9** Ders., Die hochsprachliche profane Lit. der Byzantiner, Bd. I–II, 1978 **10** Ders., s. v. Byz. Lit., LMA 2, 1182–1204 **11** A. KAMBYLIS, Abriß der byz. Lit., in: H.-G. NESSELRATH, Einleitung in die griech. Philol., 1997, 316–342 **12** P. LEMERLE, Le premier humanisme byz., 1971. **13** A. KAZHDAN, s. v. Lit., ODB 2, 1234–1237 **14** Ders., L' eredità ant. à Bisanzio, in: Studi Classici e Orientali 28, 1988, 139–153 **15** J. LJUBARSKIJ, Why is the Alexiad a Masterpiece of Byz. Lit., in: J. O. ROSENQVIST, ΛΕΙΜΩΝ. Stud. Presented to Lennart Rydén, 1996, 127–141 **16** G. PODSKALSKY, Theologie und Philos. in B., 1977 **17** A. SCHMINCK, Stud. zu mittelbyz. Rechtsbüchern, 1986 **18** I. ŠEVČENKO, Levels of Style in Byz. Prose, in: Jb. der Österreichischen Byzantinistik 31/1, 1981, 289–312 **19** P. SPECK, Die Kaiserliche Univ. von Konstantinopel, 1974 **20** Ders., Ikonoklasmus und die Anf. der Maked. Ren., in: ΠΟΙΚΙΛΑ ΒΥΖΑΝΤΙΝΑ 4, 1984, 175–210 **21** W. TREADGOLD (Hrsg.), Renaissances before the Ren., 1984 **22** N. WILSON, Scholars of Byzantium, 1983 (²1996).   DIETHER RODERICH REINSCH

III. KUNST

A. AUSSERHALB DES BYZANTINISCHEN REICHES (726–1453)   B. NACH DEM UNTERGANG DES BYZANTINISCHEN REICHES (1453–17. JAHRHUNDERT)

A. AUSSERHALB DES BYZANTINISCHEN REICHES (726–1453)

1. EINLEITUNG

Es lassen sich zwei Arten der Rezeption der byz. Kunst unterscheiden: Eine ihrem jeweiligen Entwicklungsstand gleichzeitige und eine weitere, die erst nach ihrem Ende einsetzte. Doch die byz. Kunst hat nach dem Ende des Bilderstreits (726–843) wiederholt auf klass., durch die Kunst der Spät-Ant. vermittelte Muster in thematischer (ikonographischer), v. a. aber in formaler Hinsicht zurückgegriffen, weshalb es üblich geworden ist, von »makedonischer«, »komnenischer« oder »palaiologischer Renaissance« zu sprechen. Entscheidend für die Wirkung und Nachwirkung der byz. Kunst ist jedoch, daß sie in den christianisierten Anrainergebieten des Mittelmeers (stark eingeschränkt auch in den seit dem 7./8. Jh. von den Arabern besetzten Prov. Syrien, Ägypten, Nordafrika) und bes. nach dem Schisma von 1054 in allen Ländern Ost- und Südosteuropas, die sich der orthodoxen Kirche angeschlossen hatten, die bestimmende war und somit in zweifacher Hinsicht wirksam werden konnte: 1. Indem sie ihren theologisch fundierten Formenkanon exportierte und 2. dadurch zugleich das in ihren komplexen Bildschöpfungen mehr oder minder deutlich aufbewahrte ant. Erbe, etwa das selbst in expressiven oder linear erstarrten Figurendarstellungen noch immer wirksame »klassische« Körper-Gewand-Schema mit deutlich erkennbaren Anklängen an die Ponderation, aber auch so gegensätzliche Kompositionsprinzipien wie die hieratische Präsentations-

weise (auf den Betrachter bezogene Frontalität; Porträt) oder die narrative Schilderung (kontinuierende bzw. sequentielle Bilderfolge: Historienmalerei/-relief), schließlich die Art der Einbindung der Figur(en) in den umgebenden Bildraum (illusionistische Perspektive), an die Empfängerländer weitergab. Allerdings handelte es sich dabei um eine erheblich reduzierte ant. Trad., da die abbildende Kunst schon in B. im wesentlichen auf die Gattungen der Malerei (Wandmalerei und Mosaik, Buchmalerei, Email) und des Flachreliefs (Steinrelief, Elfenbeinschnitzerei, Flachguß) beschränkt geblieben war und die Statue kaum noch eine Rolle spielte.

2. WESTLICHES MITTELALTER (8.–12. JAHRHUNDERT)

Im Westen kam die gleichzeitige Rezeption der byz. Kunstformen eigentlich nie zum Erliegen. In Rom gab es seit dem 6. Jh. eine starke griech. Kolonie, während Unteritalien und Sizilien, aber auch Ravenna und Venetien noch lange Zeit unter byz. Herrschaft standen und somit unter dem bestimmenden Einfluß der byz. Kunst verblieben. Kunstsinnige und als Auftraggeber wirksame Päpste griech. Abkunft wie Johannes VII. (705–707) und Zacharias (741–752) haben byz. Geistigkeit und Kunst in Rom Geltung verschafft. Wandernde oder während des Bilderstreits emigrierte byz. Künstlergruppen, die in Rom und It. tätig wurden, haben byz. Bildmuster und Stilmittel verbreitet, wie die röm. Gnadenbilder des 7./8. Jh. und die Fresken in Santa Maria Antiqua zeigen (Abb. 1). Auch sind zu allen Zeiten byz. Kunstwerke durch kaiserliche Gesandtschaften, Pilger, Reisende oder Kaufleute in den Westen verbracht wor-

Abb. 1: Rom, S. Maria Antiqua in Foro Romano: Fresko in der Theodotus-Kapelle, um 750

Abb. 2: Elfenbeinrelief: Christus krönt
Kaiser Romanos II. und Eudokia, um 945.
Paris, Bibl. Nat., Cabinet des Médailles

Abb. 3: Elfenbeinrelief: Christus krönt Otto II. und
Theophano, um 982. Paris, Musée Cluny

den. Allerdings ist während der Zeit des Bilderstreits wegen des starken Rückgangs der künstlerischen Produktivität kaum ein nennenswerter byz. Kunstexport zu erwarten. Gleichwohl kann man davon ausgehen, daß sich in den »dunklen Jahrhunderten« (ca. 600–800), so spärlich die erhaltenen byz. Zeugnisse auch sein mögen, doch so etwas wie eine künstlerische Einheit in Ost und West bewahrt hat.

Hingegen knüpfte die ca. 780 einsetzende → »Karolingische Renaissance« aus dem Gegensatz zu B. und gemäß der bewußt verfolgten Idee einer »Renovatio« des weström. Kaisertums dezidiert an die Kunst der westl. (lat.) Spät-Ant. an, deren überkommene Produkte (v. a. Elfenbeinarbeiten, Bilderhandschriften, architektonische Spolien) sie sich aneignete und gleichsam anverwandelte [21]. Die byz. Kunst setzte hingegen erst allmählich im späten 9. Jh. mit bedeutsamen Leistungen ein. Seit ottonischer Zeit (Mitte 10. Jh.) fand ein starker Zustrom an byz. Kunstwerken – hauptsächlich der höfischen Kunst (Bilderhandschriften, Elfenbeinschnitzereien, Arbeiten aus Gold, Silber und Email, Seidenstoffe) – in den Westen (It., Sächsisches Kaiserreich) statt

und führte zu einer eigentümlichen Rezeption, die einerseits durch neue Formen der Wiederverwendung (z. B. byz. Elfenbeinikonen als Deckelschmuck westl. liturgischer Hss.), andererseits durch bewußte Nachahmung gekennzeichnet war (Abb. 2 und 3) und die Entwicklung der abendländischen Kunst des 10. und 11. Jh. nördl. der Alpen erheblich beeinflußt hat [2. 434–507].

3. ITALIEN (11.–ANFANG 14. JAHRHUNDERT)
In It. waren die Bedingungen für die Rezeption der byz. Kunst weiterhin bes. günstig. In Unter-It. und bes. in Sizilien blieb auch während der Normannenherrschaft (1091–1189) der nach dem Bilderstreit ausgebildete byz. Formenkanon in der Mosaikmalerei [7] bestimmend (Palermo, Cappella Palatina, 1132–1140; S. Maria dell'Ammiraglio, 1143; Monreale, Kathedrale, 1185–1189) [14]. Venedig hatte insofern eine Sonderstellung, als die Stadt – urspr. byz. Dukat – trotz der allmählichen Ablösung von Konstantinopel in einem Spannungsverhältnis zu B. blieb. Die 1063/1094 errichtete und bis zum 13. Jh. ausgeschmückte Markuskirche [8], in vielem eine Kopie der im J. 550 vollendeten iustinianischen Apostelkirche von Konstantinopel, ist reich ausgestattet mit architektonischen und figürlichen Spolien byz. Herkunft und mit Mosaikprogrammen [9], die, obwohl Venedig zum katholischen Westen gehörte, ganz im Sinne orthodoxer Spiritualität ausgeführt sind (Abb. 4).

Abb. 4: Innenansicht von
San Marco, Venedig

Zahlreiche byz. Kunstwerke, die nach der Eroberung und Ausplünderung Konstantinopels im Verlauf des Vierten Kreuzzugs (1202–1204) nach It., Frankreich und Deutschland gelangten, sowie der Zustrom byz. Künstler, die während der Lateinerherrschaft (1204–1261) in den Westen ausgewandert waren, haben zu einer erneuten Auseinandersetzung mit der byz. Kunst geführt [2. 441–449]. Die venezianische »Protorenaissance« des 13. Jh., deren Zeugnisse sich oft nur schwer von genuinen byz. Arbeiten unterscheiden lassen, ist daher ebenso ein Produkt des unvermindert fortwirkenden byz. Einflusses wie die in der it. Tafelmalerei des 12./13. Jh., hauptsächlich in der Toskana, vorherrschende »Maniera greca«, die das künstlerische Schaffen so bedeutender Maler wie Cimabue, Duccio und Giotto entscheidend geprägt hatte [15]. Der Begriff »Maniera greca« bezeichnet dabei weniger eine simple Nachahmung gängiger byz. Figurentypen wie etwa der byz. Varianten der thronenden Gottesmutter als vielmehr deren Anverwandlung und Weiterentwicklung, nicht zuletzt auch durch die Erfindung neuer Formen von

Bildträgern (z. B. Polyptychen, Altarretabel, monumentale Triumphkruzifixe). Aus der Synthese von byz. Vorbild, dessen anerkannt archetypische Autorität auch in den Neuschöpfungen stets wirksam blieb, und einer veränderten Bild-Beziehung, die aus dem Verlangen nach Zuwendung des oder der Dargestellten an den Betrachter erwuchs, überwand die it. Tafelmalerei allmählich die byz. Normiertheit [5].

4. BALKANLÄNDER

Griechenland einschließlich der Inselgruppen (etwa in den heutigen Grenzen) bildete seit dem 7./8. Jh. nach dem Verlust der orientalischen Provinzen an die Araber zusammen mit Kleinasien das Kerngebiet des byz. Staates, blieb somit immer der byz. Kunst unmittelbar verbunden [1] und beeinflußte dadurch auch die benachbarten Regionen der Balkanhalbinsel (Makedonien, Bulgarien, Serbien) bis etwa zur unteren Donau [4]. Seit der Mitte des 7. Jh. eingewanderte Slawen trafen hier auf die Kultur der spätant.-frühbyz. Bevölkerung und gründeten nach und nach eigene Herrschaftsgebiete. So entstand das erste Bulgarenreich (651–1018) aus meh

Abb. 5: Sopocani, Dreifaltigkeits-Kirche,
Marientod, um 1265

reren ethnischen Gruppen (Slawen, Protobulgaren),
deren kulturelle Eigenheiten sich mit dem fortwirkenden spätant.-frühbyz. Substrat vermischten [2. 321–
335]. Mit der Annahme des orthodoxen Christentums
als Staatsreligion unter Boris I. (867) geriet das Bulgarenreich vollends unter den Einfluß der byz. Kunst, bewahrte jedoch viele traditionelle Elemente (z. B. den
basilikalen Kirchentyp: Pliska, Große Basilika, 870–
880). Mit der Verlegung der Residenz nach Preslav unter Zar Symeon (893–927) kam der byz. Einfluß stärker
zur Geltung (z. B. Übernahme des, wenn auch verein-
fachten Typs der Kreuzkuppelkirche), doch entstanden
durchaus eigenständige Schöpfungen (Rundkirche von
Preslav, um 900). Mit dem Ende des ersten Bulgarenreichs und der Wiedererrichtung der byz. Herrschaft
über → Bulgarien, Makedonien und Serbien (1018–
1186) verstärkte sich erneut der Einfluß der Kunst von
B. (Wandmalereien Sofia, Georgs-Rotunde, um 1000;
Bačkovo-Kloster, 11./12. Jh.), doch blieben auch während der Zeit des zweiten Bulgarenreichs (1186–1396)
mit der Hauptstadt Veliko Tŭrnovo die Charakteristika
der ma. bulgarischen Kunst bes. in der Architekturde-
koration, Monumentalmalerei und im Kunsthandwerk

deutlich erkennbar (Bojana, Kirche der Hll. Nikolaus
und Panteleimon, 1259; Nessebar, Pantokrator-Kirche,
14. Jh.). Mit der türk. Eroberung endete die lebendige
Rezeption der byz. Kunst [18] und mündete später in
die allg. postbyz. Entwicklung ein.

Hingegen war Serbien [17] aufgrund seiner geogr.
Lage stets ein west-östl. geprägtes Kontaktgebiet, v. a. in
der Architektur und Skulptur des 13/14. Jh., wo sich
Elemente der einheimischen mit romanisch-frühgoti-
schen Formen vermischen (Studenica, Muttergottes-
Kirche, nach 1190; Dečani, Christi-Himmelfahrts-Kirche, 1327–1335). Nach der byzantinischen Rückeroberung weiterer Gebiete des Balkans (1018) und der
Wiederherstellung des Erzbistums Ohrid wurde Makedonien ein wichtiges Zentrum byz. Kultur. Bes. in der
monumentalen Wandmalerei ist der bestimmende Einfluß zunächst des Komnenenstils (Ohrid, Sophien-Kir-
che, um 1050; Nerezi, Panteleimon-Kirche, 1164; Kur-
binovo, Georgs-Kirche, 1191), später auch des Palio-
genstils deutlich ablesbar [13]. Unter der serbischen
Dynastie der Nemanjiden (1168–1371) erlangte die
serbisch-orthodoxe Kirche ihre Selbständigkeit. Die
Kunst, insbes. die monumentale Wandmalerei der Kir-

Abb. 6: Ikone der Gottesmutter von Wladimir,
11./12. Jh., Moskau, Tretjakov-Galerie

chen und Klöster, blieb aber weiterhin der byz. Kunst
verpflichtet, zumal sich während der Lateinerherrschaft
(1204–1261) die Tätigkeit emigrierter hauptstädtischer
Künstler gerade auf die Balkanregionen verlagerte (Studenica, Marien-Kirche, 1209; Mileševa, Christi-Himmelfahrts-Kirche, um 1235; Peć, Apostel-Kirche, 1235–
1250). In Sopoćani (Dreifaltigkeits-Kirche, um 1265
u. a.) erreichte die ma.-serbische Monumentalmalerei
ihren Höhepunkt und nimmt bereits Elemente des
frühpalaiologischen Stils voraus (Abb. 5). Unter König
Milutin (1282–1321), der zahlreiche neue Kirchen stiftete, entstanden in Serbien und dem hinzugewonnenen
maked. Landesteil dem Palaiologenstil ebenbürtige Malerschulen, z. T. mit namentlich bekannten Künstlern
wie Michael Astrapas und Eutychios (Ohrid, Periblep-
tos-Kirche, 1297; Studenica, »Königskirche«, 1313/14;
Kloster Gračanica, Mariä-Verkündigungs-Kirche, 1321;
Dečani, Christi-Himmelfahrts-Kirche, um 1340). Unter der Dynastie der Lazarević (1371–1427) gingen bereits Teile Serbiens (v. a. Makedonien) an die Türken
verloren (1398 Schlacht auf dem Kosovo). Nach dem
kurzen Zwischenspiel der nur noch auf ein kleines Gebiet beschränkten »Morava-Schule« (z. B. Ravanica:
Christi-Himmelfahrts-Kirche, um 1375; Kalenić: Mut-
tergottes-Kirche, um 1410) endete 1459 die ma.-serbi-
sche Kunstepoche [13].

5. KIEVER RUS' UND RUSSLAND

Mit der Annahme des orthodoxen Christentums
(988) durch Großfürst Wladimir von Kiev (1015) setzte
die zunächst unter bestimmendem Einfluß von B. stehende Entwicklung der altruss. Kunst ein [2. 281–319],
wobei byz. Bauleute, eingewanderte Künstler und importierte Materialien die kirchliche Architektur [10] sowie die Mosaik- und Monumentalmalerei der neuen
Hauptstadt Kiev bestimmten (Desjatinnaja-Kirche,
989–996), die unter Jaroslav dem Weisen (1015–1054)
eine erste Blütezeit erlebte. Der Kernbau der 1037–1043
errichteten Sophien-Kathedrale, eine fünfschiffige
Kreuzkuppelkirche mit fünf Apsisden, 13 Kuppeln und
dreiseitig umlaufender Galerie (im 12. Jh. erweitert),
bietet bereits eine deutlich eigenständige Rezeption
byz. Bauformen, wohingegen die → Mosaiken und
Fresken 1043–1046 von eingewanderten griech. und
einheimischen Künstlern ausgeführt worden sind. Die
Kiever Architektur wurde vorbildlich für weitere Zentren wie Černigov (Erlöser-Kirche, 1036) und die weit
im Norden gelegenen Städte Smolensk, Polock (Sophien-Kathedrale, um 1050), Pskov und Novgorod
(Sophien-Kathedrale, 1042–1052). Im Verlauf des
12. Jh. setzte sich die über vier Pfeilern errichtete
Kreuzkuppelkirche in Ziegel- bzw. Ziegel-Putz-Bau-
weise und mit einfacherem Baudekor als künftige Leit-
form der russ. Sakralarchitektur durch (Černigov, Pa-
raskeva-Pjatnica-Kirche, E. 12. Jh.). In die Rus' und in
andere Städte gelangten byz. Kunstwerke der Tafelmalerei (Abb. 6), illuminierte Hss., Gold- und Sil-
berschmiedearbeiten wirkten ebenfalls vorbildhaft und
haben ein hochentwickeltes lokales Kunstschaffen angeregt. Ähnlich wie im ma. Serbien haben sich in der
Architektur und baugebundener Skulptur von Vladi-
mir-Suzdal', wo im 12. Jh. ein weiteres Zentrum altruss.
Kunst entstand, byz. mit westl. romanischen Einflüssen
zu einer Synthese vermischt (Vladimir, Demetrios-Ka-
thedrale, 1193–1197). Mit dem Tatareneinfall (1237–
1241) endet zunächst die erste Phase der Rezeption byz.
Kunst in fast allen russ. Teilfürstentümern mit Ausnahme der Stadtrepubliken Novgorod und Pskov, wo in
der Monumental- und Tafelmalerei der gesamtbyz.
Themen- und Formenkanon, teils in deutlich lokaler
Ausprägung, bewahrt ist. Durch den Zustrom byz. Maler wie Feofan Grek († 1410) gelangte im 14./15. Jh. der
späte Palaiologenstil nach Novgorod und beeinflußte
hier zunächst die Monumentalmalerei, während sich in
der Tafelmalerei der Novgoroder Stil entwickelte. Nach
dem Sieg über die Tataren auf dem Kulikovo-Feld
(1380) begann der Aufstieg Moskaus zum entscheidenden polit. und kulturellen Zentrum Rußlands, das nunmehr das v. a. in Novgorod und Pskov aufbewahrte und
weiterentwickelte byz.-russ. Erbe antrat. Eingewanderte russ. und byz. Maler begründeten die Moskauer
Schule, an deren Beginn Feofan Grek und Andrej Rub-
lëv († um 1427/30) stehen und die in Dionissij – nach
dem Untergang von B. – ihren Höhepunkt erlebte
[4. 285–315].

Abb. 7: Das Innere der Hagia Sophia

Abb. 8: Süleymaniye Camii, Inneres nach Nordosten

6. KREUZFAHRERSTAATEN

Ein Problem für sich stellt die byz. beeinflußte Kunst in den von den Kreuzfahrern errichteten Herrschaftsgebieten im Hl. Land [11], in Konstantinopel und in Teilen Griechenlands dar (Antiochia, 1098–1268; Lat. Königreich von Jerusalem, 1099–1291; Lat. Kaiserreich von Konstantinopel, 1204–1261; Zypern, 1275–1291). Die in diesen Regionen von einheimischen griech. bzw. syrischen und/oder fränkischen Künstlern geschaffenen Werke (Wandmalerei, Buchmalerei, Kunsthandwerk) entziehen sich wegen dieser Gemengelage oft der eindeutigen Bestimmung oder erweisen sich gerade aufgrund der unterschiedlichen Stilkomponenten als typisch kreuzfahrerzeitliche Produkte [2. 389–401].

B. NACH DEM UNTERGANG DES BYZANTINISCHEN REICHES (1453–17. JAHRHUNDERT)

1. EINLEITUNG

Während das lit. Erbe der Ant., das in B. fast ungeschmälert aufbewahrt worden war, nach dem Ende des Byz. Reiches (1453) an das Abendland weitergegeben wurde und dort eine lit. Rezeption unter Einschluß der byz. Historiographie (→ Byzantinistik) angeregt hat, lebten die unter byz. Einfluß entstandenen »Nationalstile« in der Kunst der postbyz. Zeit, trotz türk. Fremdherrschaft, im 15.–17. Jh. v. a. in den orthodoxen Gebieten Südost-Europas (Griechenland, Serbien, Bulgarien, Rumänien) fort. Obgleich von einer lebendigen Rezeption der erloschenen byz. Kunst nicht mehr gesprochen werden kann, setzt sich eine aus den jeweiligen künstlerischen Trad. gespeiste »Koine« durch (»Maniera bizantina«), die aus der Bewahrung orthodoxer Spiritualität ihre übergreifende und die unterschiedlichen Ethnien verbindende Kraft bezog. Sie brachte in der Wandmalerei (Athos, Meteora) durchaus Neuerungen hervor, hatte aber in der (privaten) Ikonenmalerei und im Kunsthandwerk ihr eigentliches Betätigungsfeld, zeigt jedoch keine Anklänge an die klass. Epochen der byz. Kunst mehr [20].

2. GRIECHENLAND UND GRIECHISCHE INSELN

Eine Sonderstellung innerhalb der postbyz. Malerei [6] nahm die Insel Kreta ein, die bereits seit 1201 unter venezianischer Oberhoheit stand. Schon während und nach dem Ende der Lateinerherrschaft bestand ein reger künstlerischer Austausch mit Konstantinopel. Nach 1453 emigrierten viele Künstler aus der Hauptstadt nach Kreta und verpflanzten die Errungenschaften der »palaiologischen Renaissance« in der Wand- und Tafelmalerei auf die Insel. Bes. Heraklion/Kandia entwickelte sich in der Folgezeit zu einem bedeutenden geistigen und künstlerischen Zentrum mit einer starken, v. a. durch den Export von Ikonen bedingten Ausstrahlung auf die postbyz. Malerei des griech. Festlands (Athos, Meteora) und der griech. Inseln (Patmos); ihr Einfluß reichte bis zum Sinai und bis nach Venedig. Umgekehrt nahm die kretische Malerei bes. seit dem ausgehenden 15. Jh. in starkem Maße Anregungen der it. Ren. auf, was zu einem eklektischen Stil führte (italo-

kretische Schule, »Maniara italiana«). Künstlernamen sind in ungewöhnlich reicher Zahl überliefert und archivalisch gesichert. Die bekanntesten sind Andreas und Nikolaos Ritzos, Nikolaos Tzafouris, Theophanes der Kreter, Michael Damaskenos, Georgios Klontzas, Emanuel Tzane und schließlich Domenikos Theotokopoulos (El Greco). Während des türk.-venezianischen Krieges (1630–1669) verließen viele Künstler die Insel und trugen auf diese Weise zu einer weiten Verbreitung kretischer Eigenarten bes. auf den ionischen Inseln (z. B. Zakynthos) und dem Festland bei. Die Entwicklung mündete schließlich in die sog. Heptanesische Schule, eine stark von westl. barocken Einflüssen geprägte Richtung [19].

3. OSMANISCHE ARCHITEKTUR

Zu einer wirklich schöpferischen Auseinandersetzung, und zwar mit dem frühbyz. Kirchenbau der justinianischen Epoche, kam es hingegen in der Architektur des Osmanischen Reichs [12]. Vorbild für alle in İstanbul nach 1453 errichteten Großmoscheen [16] war die Hagia Sophia (Abb. 7), deren zentrale, von Stützkuppeln und einem System verdeckter Strebepfeiler getragene Hauptkuppel zu immer neuen Variationen des Kuppelzentralbaus und der damit verbundenen technisch-konstruktiven Problemlösungen angeregt hat. Bereits 1462 ließ Mehmet II. Fatih die baufällige justinianische Apostelkirche abreißen und an ihrer Stelle den riesigen Komplex der Fatih Camii errichten. 1500–1506 entstand die Beyazıt Camii. Unter dem bedeutendsten osmanischen Architekten Sinan (1490–1588) wurden nacheinander die Şahzade Camii (1543–1548) und – als seine wohl größte Leistung – die Süleymaniye Camii (1550–1557, Abb. 8) errichtet, die in ihren Ausmaßen der Hagia Sophia fast genau entspricht.

→ Armenien; Basilika; Georgien; Ikonoklasmus; Osmanisch-islamische Kulturregion

1 A. CUTLER, J.-M. SPIESER, Das ma. B. 725–1205, 1996 2 The Glory of Byzantium. Art and Culture of the Middle Byzantine Era A.D. 843–1261, hrsg. von H. C. EVANS, W. W. WIXOM, The Metropolitan Mus. of Art, 1997 (Ausstellungs-Kat.) 3 R. KRAUTHEIMER, Early and Christian Architecture, ⁴1986 (überarbeitet von R. K. und SL. ĆURĆIĆ, 4 W. F. VOLBACH, J. LAFONTAINE-DOSOGNE, B. und der christl. Osten (Propyläen Kunstgesch., Bd. 3), 1968 5 H. BELTING, Bild und Kult. Eine Gesch. des Bildes vor dem Zeitalter der Kunst, 1990 6 M. CHATZIDAKIS, Études sur la peinture postbyzantine, 1976 7 O. DEMUS, The Mosaics of Norman Sicily, 1950 8 Ders., The Church of San Marco in Venice: History, Architecture, Sculpture (Dumbarton Oaks Studies 6), 1960 9 Ders., The Mosaics of San Marco in Venice, Bd. 1: The Eleventh and Twelfth Centuries, 1984 10 H. FAENSEN, W. IWANOW, Altruss. Baukunst, 1972 11 J. FOLDA, The Art von the Crusaders in the Holy Land, 1098–1187, 1995 12 G. GOODWIN, A History of Ottoman Architecture, 1971 13 R. HAMAN-MAC LEAN, H. HALLENSLEBEN, Die Monumentalmalerei in Serbien und Makedonien vom 11. bis zum frühen 14. Jh., 3 Bde., 1963–76 14 E. KITZINGER, The Mosaics of St. Mary's of the Admiral in Palermo (Dumbarton Oaks Studies 27), 1990 15 V. N. LAZAREV,

Gesch. der byz. Malerei, 1986 **16** W. Müller-Wiener, Bild-Lex. zur Top. Istanbuls. Byzantion – Konstantinupolis – Istanbul bis zum Beginn des 17. Jh., 1977 **17** Sv. Radojčić, Gesch. der serbischen Kunst von den Anf. bis zum E. des MA, 1969 **18** A. Tschlilingirov, Die Kunst des christl. MA in Bulgarien vom 4. bis 18. Jh., 1978 **19** D. D. Triantaphyllopulos, Die nachbyz. Wandmalerei auf

Kerkyra und den anderen ionischen Inseln. Unt. zur Konfrontation zw. ostkirchlicher und abendländischer Kunst (15.–18. Jh.), = Miscellanea Byzantina Monacensia 30A, 1985 **20** Thesauroi tou Hagiou Orous, 1997 (Ausstellungs-Kat., griech.) **21** 799 – Kunst und Kultur der Karolingerzeit. Karl der Gr. und Papst Leo III. in Paderborn (Ausstellungsbeginn Juli 1999).   ARNE EFFENBERGER

C

Cäsarismus A. Einleitung B. Definition C. Voraussetzung und Verbreitung D. Ausblick

A. Einleitung

Der Begriff C. umfaßt nur einen, wenn auch wesentlichen Teil der Wirkungsgeschichte Caesars in der Neuzeit. Seine Verwendung im polit. Diskurs des 19. und beginnenden 20. Jh. wird ergänzt durch wiss., künstlerische und lit. Adaptionen (z. B. Thornton Wilder, *The Ides of March*, 1948; Bertolt Brecht, *Die Geschäfte des Herrn Julius Caesar*, 1957, [17. 119ff.; 13. 247ff.]) bis hin zur Verarbeitung und Instrumentalisierung in den Medien (u. a. die Filme *Der kleine Caesar*, 1930; *Kleopatra*, 1963; *Die Lorbeeren des Caesar* in der Reihe *Asterix*, frz. 1972, dt. 1993).

B. Definition

Der Begriff C. erhält seine Prägung und seine Virulenz von der zweiten H. des 19. Jh. ab in der Auseinandersetzung mit der Herrschaft Napoleons III. (Präsident Frankreichs 1848, Kaiser der Franzosen 1852–1873). Er wird vielfach syn. mit Bonapartismus, »dem neuen Caesarentum« verwandt (›. . .so giebt Napoleon seinen Namen einem neuen Caesarenthume, wozu nur der berechtigt ist, der die höchste Fähigkeit und den besten Willen besitzt‹, Heinrich Heine, Frz. Zustände von 1832, Tagesbericht 20. August in: H. Heine, Säkularausgabe 7, 1970, 210, [20. 741]) und kann damit auch die bes. Herrschaftsstruktur Napoleons I. einschließlich seiner expansionistischen Außenpolitik umfassen. Verbreitung gewann der C. durch das Werk des frz. Publizisten A. Romieu, *L'ère des Césars* (1850, dt. 1851) [4]. Nach ihm bedeutet C. einerseits polit. Gewaltherrschaft, die sich wie bei den römischen Caesaren auf die Vereinigung von mil. Imperium und tribunizischer Volksherrschaft stützt und dabei die traditionellen Herrschaftsstrukturen weitgehend überlagert bzw. ausschaltet [22. 1814ff.]. Anderseits gewinnt eine derartige Gewaltherrschaft dann eine histor. Notwendigkeit, wenn in Volk und Gesellschaft traditionelle Bindungen wegbrechen, soziale Krisen aufkommen und Bürgerkriege drohen, die den überragenden Führer als Retter fordern. Diese Gemengelage von histor. Vorbild, mod. gesellschaftlichen Prozessen und neuer Herrschaftsstruktur sichert dem C. seinen schillernden und strittigen

Charakter. Als aktuelle polit. Größe ist er in allen bedeutenden europ. Konversationslexika und → Enzyklopädien der zweiten H. des 19. Jh. präsent (z. B. *Meyers Konversations-Lex.* ⁴1886 und [1; 9] u. a.). C. wird gedeutet ›als unbeschränkte Monarchie mit scheinkonstitutionellen Einrichtungen. Der Caesar (Kaiser) übt seine absolute Macht als Vertreter des Volkes aus, sein Wille steht Volksbeschlüssen gleich‹ [6. 1195]. Er ist der höchste Repräsentant des Volkes und trägt die volle Verantwortlichkeit, das Volk kann auf dem Wege des Plebiszits seinen Willen kundtun [23. 525]. C. läßt sich je nach polit. Einstellung dem Despotismus, der → Tyrannis, der Diktatur und dem totalitären Führertum annähern. In ihnen allen sind plebiszitäre Entscheidungen und mil. Basis für die Herrschaft konstitutiv.

C. Voraussetzung und Verbreitung

Die verbreitete und weitgehend ideologische Verwendung des Begriffs ruht auf histor. Voraussetzungen im 19. und beginnenden 20. Jh., die epochenspezifisch sind. Die Frz. Revolution hatte in Europa die Rolle und Funktion der traditionellen Monarchie nachhaltig in Frage gestellt und das Problem einer zeitgemäßen polit. Repräsentation von Volk und Nation langfristig zum Thema gemacht. Adel, Bürgertum und der sich allmählich entwickelnde sog. Vierte Stand unterlagen infolge der industriellen Revolution gewaltigen Veränderungen. Neue polit. und soziale Organisationsformen (Vereine, Verbände, Parteien) traten auf den Plan, mußten vorbedacht und publizistisch verbreitet werden. Diese tiefgreifenden Veränderungen gehen einher mit einem geschärften histor. Bewußtsein, das in vergleichender Weise die polit. und sozialen Probleme der Zeit mit den Kategorien der Vergangenheit, bes. denen der griech.-röm. Ant., zu begreifen suchte, gleichsam eine komplementäre Gegenströmung zum → Historismus der Zeit, der auf Individualität und Unwiederholbarkeit geschichtlicher Phänomene abhob. Das Vorbild Caesar, seine mil. Erfolge, seine populare Politik, seine Beendigung der Bürgerkriege und seine diktatorische Alleinherrschaft schienen so die Herrschaft Napoleons I. zugleich zu illustrieren wie zu legitimieren [28. 120ff.; 15. 135ff.] (vgl. Abb. 1 und 2). Generell stellte das röm. Caesaren- bzw. Kaisertum für Napoleon I. ein wichtiges Referenzmodell auch in den äußeren Formen dar. Hippolyte Taine (1828–1893) sah in Napoleon ›den

Abb. 1: Place Vendôme, Paris

Diokletian von Ajaccio, den Konstantin des Konkordats, den Justinian des bürgerlichen Gesetzbuches, den Theodosius der Tuilerien‹, durch dessen Wirken das mod. Frankreich ›als Meisterstück des klass. Geistes‹ Gestalt angenommen hatte [11. 180, 187]. Fortan bildete der Typus der napoleonischen bzw. caesarischen Herrschaft eine Herausforderung in der Theorie wie in der Praxis. Diese erhielt durch den Staatsstreich Napoleons III. 1851, den ›Geburtsakt des C. in Frankreich‹ (Stürmer) lebendiges Anschauungsmaterial (ausführlich [19]).

Auch Mommsens genialer Entwurf Caesars in der Röm. Geschichte [3. 461 ff.] verdankt seine Faszination nicht zuletzt der Nähe zum aktuellen C. bonapartistischer Prägung [30. 3, 636, 649, 651 ff.; 14. 151 ff.]. Diesen weitverbreiteten Eindruck sucht Mommsen in der dritten Auflage seiner *Röm. Geschichte* durch einen distanzierenden Einschub [3. 477 f.] zu korrigieren, indem er auf der Einmaligkeit des ant. Vorbildes besteht; ›wo er (sc. der C.) u. a. Entwicklungsverhältnissen auftritt, ist er zugleich eine Fratze und eine Usurpation‹ (Röm. Geschichte, Bd. 3, 478). Gleichwohl erwies sich Mommsens Vision eines machtvollen Demokratenkönigs, der auf den Trümmern einer abgewirtschafteten Junkerherrschaft nach der Einigung It. eine Mittelmeermonarchie aufrichtete (Röm. Geschichte, Bd. 3, 567 f.), von großer Wirksamkeit, nicht nur in Frankreich, wo Napoleon III. dem genialen Feldherrn C. selbst ein lit. Denkmal setzte (*Histoire de Jules César*, I–II, 1865/66), sondern nicht minder in It. und im übrigen Europa. Das

Spannungsfeld zw. polit. Realität in der Gestalt Napoleons III. und histor. Vorbild machte den C. zu einem höchst ambivalenten Begriff, mit dem sich um die rechte polit. Ordnung in Europa streiten ließ. Für J. G. Droysen (1808–1884) war der C. Anzeichen einer gesamteurop. Krise und ein Übergangselement in Staat und Gesellschaft (*Zur Charakteristik der europ. Krise*, Braunschweig 1854). Daß die sozialen Umbrüche, die Spannungen im Bürgertum selbst und das Aufkommen eines Proletariats, der Nährboden für den C. bzw. Bonapartismus bildeten, wurde von verschiedenen Seiten (K. Marx, W. H. Riehl u. a., im einzelnen [23. 21 f.]) gesehen und je nach polit. Einstellung unterschiedlich gedeutet. In der Form des frz. Bonapartismus ließ sich der mod. C. in Deutschland als Warnung vor uneingeschränkter Volkssouveränität und der Einführung der Demokratie verstehen (›caesaristische Demokratie‹, Karl Hillebrand, 1873 [20. 763]), die mit einer gewissen Sachlogik auf die Herrschaft einer mit Machtinstinkt begabten Führerpersönlichkeit hinauslief. In diesem Sinne ließ sich der ›C. Caesars‹ (vgl. [16. 275 f.]) als seinerzeit geglückte histor. Verbindung von Alleinherrschaft und Bedürfnissen des Volkes gegen seine mod. Verzerrungen im Gewande des Bonapartismus wenden [8; 21. 74 f.], den es als Menetekel zu verstehen und in den histor. Prozeß einzuordnen galt.

›Hauptförderungsmittel des C. ist der Gedanke, daß man sich doch lieber von einem Löwen, als von zehn Wölfen oder von hundert Schakalen oder tausend Rat-

Abb. 2: Napoleon I. als Imperator Caesar,
Radierung (der Statue auf dem Place Vendôme)
um 1810

ten Person und Habe will auffressen lassen‹, so deutete der Nationalökonom und Historiker W. Roscher (1817–1894) in seiner *Politik* (Geschichtliche Naturlehre über Monarchie, Aristokratie und Demokratie, Stuttgart 1892, 492 [24. 279f.]) den »naturhaften« Übergang von einer chaotisch gewordenen Demokratie in eine plebiszitäre Autokratie (Anknüpfung an ant. Kreislauftheorie: [22. 1808f.; 20. 764ff.]). Roschers Schüler R. von Pöhlmann knüpfte an diesen Entwurf an, wenn er vom ›Janushaupt des C.‹ sprach, der ein ›extrem monarchisches und ein extrem demokratisches, ja ochlokratisches Gesicht trug‹ [3. 284]. Wie bei der artverwandten Tyrannis gab es eine vergleichbare Genese: ›Das Emporkommen ... auf dem Wege der proletarischen Revolution, die Verbindung des individuellen Ehrgeizes mit der in den Massen liegenden Kraft der Fäuste‹ [3. 282]. Die Ansätze zur Systematisierung des C. bei Roscher und Pöhlmann schlagen den Bogen zur sozialwiss. Deutung [20. 764ff.] und geben die Möglichkeit, die Tyrannen der Griechen, die röm. Kaiser, die Gewaltherrscher der oberital. Stadtstaaten, Cromwell, Napoleon I. und III. unter den Begriff C. zu summieren und nach vergleichbaren Größen abzuhandeln (Populismus, Sucht nach außenpolitischen Erfolgen, Bauwut, Kult der eigenen Person, Gespür für Aufmachung und Propaganda, Streben nach Erblichkeit, Effektivierung des Militärapparates [5. 491ff.]). Auch in M. Webers (1864–1920) Herrschaftssoziologie wächst der C. aus der Demokratie heraus [10. 707], bedient sich massendemagogischer Mittel und stellt eine bes. Form der Füh-

rerauslese nicht nur in staatlichen Organisationen dar [10. 1094f.]. Er beruht auf Akklamation und emotionaler Gefolgschaft und ist damit dem Typus der bürokratischen wie der traditionalen Herrschaft entgegengesetzt. C. kann deshalb eine ganz allg. Dimension in mod. Herrschaftssystemen gewinnen. Er läßt sich auf Cavour, auf Bismarck ebenso anwenden [10. 1988] wie auf den populistischen Kaiser Wilhelm II. und auf Hindenburg, auf plebiszitär untermauerte Präsidentschaften [26. 1958] und auf mod. Diktaturen, deren Vorläufer und Spielart er darstellt [19. 73ff.; 26. 233ff.; 12. 161f.]. Bei O. Spengler (1880–1936) bildet der C. ein Verfalls- und Endzeitphänomen von zu Zivilisationen degenerierten Kulturen, eine ›formlose‹ Herrschaft des ›großen Tatsachenmenschen‹, der die mod. Möglichkeiten des Militärapparates zur Etablierung persönlicher Macht ohne eigentliches Sachprogramm benutzt [7. 1080ff., bes. 1101ff.]. Als Erbe der Demokratie und des Parlamentarismus tritt der C. zum Endkampf, zur welthistor. Entscheidungsschlacht an, die zw. Demokratie und C. ausgefochten wird, zw. den führenden Mächten einer diktatorischen Geldherrschaft und dem rein polit. Ordnungswillen der Caesaren [7. 1144]. ›Die Heraufkunft des C. bricht die Diktatur des Geldes und ihrer polit. Waffe, der Demokratie‹ [7. 1193]. Die Suggestion dieser düsteren Endzeitanalyse verdankt sich nicht zuletzt dem Erlebnis des I. Weltkrieges und der durch ihn verursachten geistigen wie polit. Erschütterung. Spenglers *Untergang des Abendlandes* sicherte dem C. noch einmal eine weite Resonanz und schuf bes. in Intellektuellenkreisen Verständnis und Bejahung der heraufziehenden totalitären Diktaturen.

D. AUSBLICK

Der C. ist eine Wortschöpfung des an der Ant. geschulten 19. Jh. und seines Verständnisses der Person Caesars, dessen mythisch überhöhte Gestalt auch hinreichende Rezepte für die gesellschaftlichen und polit. Krisen der Zeit bereitzuhalten schien. Der Begriff verliert im Verlauf des 20. Jh. seine Brauchbarkeit, seine analytische Fähigkeit wie auch die Kraft zur Selbstprädikation und wird durch Diktatur und Führertum weitgehend abgelöst [22. 1819]. Im it. → Faschismus bedeutete der Diktator Caesar noch einmal eine wichtige Bezugsperson, der zusammen mit dem Princeps Augustus das Vorbild für mil. Tüchtigkeit und expansionistische Außenpolitik abgab und eine imperiale Ideologie der Romanità bzw. Italianità begründen half [13. 90ff., 249ff.; 14. 267ff.; 19. 5ff.]. Dieser polit. Strang der Caesarrezeption endete 1945, wobei machtbegabte plebiszitäre Führer neben und auch innerhalb parlamentarischer Demokratien als Typus nach wie vor existent blieben und die polit. Landschaft der zweiten H. des 20 Jh. mit bestimmten.
→ Herrscher, Faschismus
→ AWI Augustus; Caesar

QU 1 P. GUIRAUD, s. v. Césarisme, Grande Encyclopédie, hrsg. v. A. BERTHOLET, Bd. 10 (Paris 1892), 13 f. 2 K. MARX, Der 18. Brumaire des Louis Bonaparte, in: Ders., F. ENGELS,

Werke Bd. 8, 1960, 111–207 (Erstausgabe 1852, ²1869)
3 R. PÖHLMANN, Aus Alt. und Gegenwart Bd. 2, 245–293
(Die Entstehung des C.), ²1911 **4** A. ROMIEU, L'ère des
Césars, 1850 (dt.: Der C. oder die Notwendigkeit der
Säbelherrschaft, dargestellt durch gesch. Beispiele der
Caesaren bis auf die Gegenwart, Leipzig 1851)
5 W. ROSCHER, Politik, Gesch. Naturlehre der Monarchie,
Aristokratie und Demokratie, 1892 (Ndr. 1933)
6 H. SACHER (Hrsg.), s. v. C., Staats-Lex. I.5, 1926, 1195 f.
7 O. SPENGLER, Der Untergang des Abendlandes, Umriß
einer Morphologie der Weltgesch., 1923 (Ndr. 1969)
8 H. v. TREITSCHKE, Frankreichs Staatsleben und der
Bonapartismus (1865), in: Histor. und polit. Aufsätze III.4,
Leipzig 1871, 43–113 **9** H. WAGENER (Hrsg.), s. v. C., Staats-
und Ges.-Lex. 5 (1861), 122 f. **10** M. WEBER, Wirtschaft
und Ges. I–II, ⁴1956 **11** H. TAINE, Les Origines de la France
Contemporaine 3.1, Paris 1891

LIT **12** P. BAEHR, Max Weber as a Critic of Bismarck, in:
Archive of European Sociol. 29, 1988, 149–164
13 L. CANFORA, Ideologie del classicismo, 1980
14 K. CHRIST, Caesar. Annäherungen an einen Diktator,
1994 **15** M. ERBE, Der Caesarmythos im Spiegel der
Herrschaftsideologie Napoleons I. und Napoleons III., in:
R. STUPPERICH (Hrsg.), Lebendige Ant., 1995, 135–142
16 R. ETIENNE, Jules César, 1997 **17** E. FRENZEL, Stoffe der
Weltlit., ⁸1992 **18** F. DI GEORGI, Science humane e concetto
storico: Il Cesarismo, in: Nuova Rivista Storica 68, 1984,
323–354 **19** H. GOLLWITZER, Der C. Napoleons III. im
Widerhall der öffentlichen Meinung Deutschlands, in: HZ
173, 1952, 23–75 **20** D. GROH, C., Napoleonismus,
Bonapartismus, in: Gesch. Grundbegriffe 1, 1972, 726–771
21 F. GUNDOLF, Caesar im 19. Jh., 1926, **22** A. HEUSS, Der
C. und sein ant. Urbild (1980), in: GS III, 1995, 1803–1830
23 G. JELLINEK, Allg. Staatslehre ³1914 **24** W. MEYER,
Demokratie und C., Konservatives Denken in der Schweiz
zur Zeit Napoleons III., 1975 **25** A. MOMIGLIANO, Per un
riesame della storia dell'idea di Caesarismo (1956), in:
Secondo Contributo, 1960, 273–282 **26** F. NEUMANN
(Hrsg.), The Democratic and the Authoritarian State, 1964
27 A. DE RIENCOURT, The Coming Caesars, 1958
28 M. STÜRMER, Krise, Konflikt, Entscheidung: Die Suche
nach dem neuen Caesar als europ. Verfassungsproblem
(1977), in: Ders., Dissonanzen des Fortschritts, 1986,
119–137 **29** R. VISSER, Fascist Doctrine and the Cult of
Romanità, in: Journ. of Contemporary History 27, 1992,
5–22 **30** L. WICKERT, Theodor Mommsen. Eine
Biographie, 3–4, 1969 und 1980.   HANS KLOFT UND
                                          JENS KÖHLER

Cambridge, Fitzwilliam Museum s. Großbritannien/
Museen

Cambridge School s. Religionsgeschichte

Campanien s. Kampanien

Cannae s. Schlachtorte

Carmen figuratum s. Figurengedicht

Causa. Das Wort *c.* knüpft in der ma. und gemeinrechtlichen Rechtswiss. mit beträchtlichen Veränderungen
an die jeweiligen Verwendungen in den röm. Rechtsquellen an. Man spricht von *c. stipulationis, c. conditionis*
sowie von *iusta c. traditionis*. Zu einer einheitlichen Lehre der *c.* ist die europ. gemeinrechtliche Wiss. jedoch
nicht gekommen.

Bereits die Justinianischen Quellen kennen die *c. stipulationis*. Die *stipulatio* war kausal geworden: die Erklärung des Schuldners allein konnte seine Verpflichtung nicht mehr begründen. Es mußte ein Grund für sie,
etwa ein empfangenes Darlehen, in den Beziehungen
zw. Gläubiger und Schuldner hinzutreten. Bei den In-
nominatkontrakten, welche in den Justinianischen
Quellen durch eine Leistungsklage geschützt werden,
wenn die betreffende Partei einseitig erfüllt hat, wird
diese Vorleistung als *c.* bezeichnet und macht den Vertrag klagbar. Erst die → Kanonisten haben eine
Gleichstellung des *pactum* (Vertrag) mit der *stipulatio* eingeleitet. Die Lehre von der *c.* war ihr wichtigstes Element. Das einfache *pactum*, bei dem die Form der *stipulatio* nicht gewährt war, wurde als verbindlich angesehen, wobei die Lehre von der Notwendigkeit einer *c.*
übernommen wurde, wie sie im Justinianischen Recht
für die *stipulatio* entwickelt worden war (vgl. insbes.
Dig. 44,4,2,3). Baldus dehnte dabei den Begriff der *c.*
auch auf jede *c. extrinsica* im Sinne der scholastischen
Logik aus. Eine vorhergehende Schuldverpflichtung
wie bei der *stipulatio* wurde nicht mehr als notwendig
angesehen. Es genügte vielmehr auch eine *c. impulsiva*,
d. h. ein vernünftiges Motiv. Der Satz *ex pacto nudo actio
non oritur* (›kein Anspruch aus einem schlichten Versprechen‹) erhielt damit einen neuen Sinn; er wurde
nunmehr auf ein *pactum nudum a c.* bezogen. Diese Lehre wurde seit Ende des 15. Jh. auch von den → Glossatoren übernommen. Das *pactum*, der → Vertrag, muß
die *c.* erkennen lassen. Ein einfaches Schuldversprechen
wird als unwirksam angesehen. Eine *c. falsa* oder *erronea*
macht die Vertragserklärung unwirksam. Die frz., span.
und it. gemeinrechtliche Doktrin scheinen an diesen
Lehren bis zum Ende der gemeinrechtlichen Zeit
(18. Jh.) festgehalten zu haben. Sie machten das Vor-
handensein einer *c.* zum Element eines gültigen Vertrags. Die Autoren des niederländischen und → deutschen Usus modernus lassen dagegen diese Lehre seit der
zweiten H. des 17. Jh. in den Hintergrund treten. Eine
abstrakte Verpflichtungserklärung ist zwar nicht bin-
dend, denn ihre *c.* muß dargetan und bewiesen werden.
Dieses Erfordernis wird allerdings nicht mehr unter dem
Begriff der *c.* abgehandelt. In der Definition des Vertrags kommt die Notwendigkeit einer *c.* nicht mehr vor.

Der frz. *Code Civil* (1804) hat an diesem Erfordernis
festgehalten (Artikel 1108 und Artikel 1131); es wird
allerdings nicht gefordert, daß die *c.* ausdrücklich im
Vertrag festgehalten werden muß; sie kann im Streitfall
auch anders bewiesen werden (Artikel 1132). Dem *Ancien Droit* wird auch darin gefolgt, daß ein Vertrag, bei
dem eine *cause érronée* oder *illicite* vorliegt, für unwirksam
erklärt wird (Artikel 1131). Entsprechend den Lehren
des dt. Usus modernus sprechen weder das preußische
Allg. Landrecht (1794) noch das österreichische Allg.

bürgerliche Gesetzbuch (1811) von der Notwendigkeit einer *c.* des Vertrags. Die dt. → Pandektistik hält zunächst zu der traditionellen gemeinrechtlichen Lehre: Zu einer wirksamen obligatorischen Verpflichtung bedarf es einer *c.* Savigny nennt als *c.*, daß *donandi c., solvendi c.* oder *credendi c.* versprochen oder geleistet wird. Durch die Entwicklung der Lehre eines abstrakten Schuldversprechens in der späteren Pandektistik in der zweiten H. des 19. Jh. wird die Lehre der Notwendigkeit einer Vertrags-*c.*, etwa im Pandektenlehrbuch von Windscheid, endgültig aufgegeben.

Die gemeinrechtliche Lehre spricht von *c.* auch als Titel für die Eigentumsübertragung bei der *traditio.* Als *c.* (*titulus*) für die Eigentumsübertragung wurde jede vertragliche Abrede angesehen, die auf die Übertragung gerichtet war, als *iusta et ad transferendum dominium habilis* (›geeignet zur Eigentumsübertragung‹), insbes. also ein Kauf- oder ein Schenkungsvertrag. Das Erfordernis einer *c. iusta* wurde dahin verstanden, daß der Titel nicht gesetzwidrig, der Vertrag nicht nichtig sein mußte. Bei der Frage, ob eine *c. erronea* oder *putativa* genüge, war die gemeinrechtliche Lehre zerstritten und stieß auf den Widerspruch zw. Dig. 12,1,18 und Dig. 41,1,36. Die Lehre der *iusta c. traditionis* als *titulus* bei der Eigentumsübertragung fand eine ausdrückliche Anerkennung im österreichischen ABGB (1811). In der Vertragslehre von Savigny wurde dagegen daraus die Theorie des abstrakten dinglichen Rechtsgeschäfts entwickelt. Die *iusta c. traditionis* wird darin auf das Motiv der Parteien reduziert, das → Eigentum verschaffen zu wollen. Die neue Lehre liegt auch der Gestaltung des derivativen Eigentumserwerbs im dt. BGB (1900) zugrunde (§§ 929 ff. BGB). Die Lehre Savignys und die darauf aufbauende Dogmatik des dt. Zivilrechts vereinheitlicht insoweit die *c.* der *traditio* mit der *c.* der *conditio indebit* (Leistungskondition; §§ 812 ff. BGB).

→ AWI causa; condictio; stipulatio; traditio

1 E. BATTISTONI, La *c.* nei negozi giuridici. Dal diritto intermedio al codice civile italiano, 1932 2 I. BIROCCHI, C. e categoria generale del contratto. Un problema dogmatico della cultura privatistica dell'età moderna. I. Il Cinquecento, 1997 3 G. CHEVRIER, Essai sur l'histoire de la cause dans les obligations. Droit savant du moyen-âge. Ancien droit français, 1929 4 H. COING, I, p. 304; 402–403; 495; II, p. 394–395; 435–437 5 J.P. DAWSON, Gifts and Promises. Continental and American Law compared, 1980 6 H. KIEFNER, Der abstrakte obligatorische Vertrag in Praxis und Theorie des 19. Jh., in: COING/WILHELM (Hrsg.), Wiss. und Kodifikation des Privatrechts im 19. Jh., 1977, 74 ff. 7 TH. MAYER-MALY, Fragmente zur c., in: FS W. Wilburg, 1975, 243 ff. 8 E.M. MEIJERS, Les théories médiévales concernant la cause de la stipulation et la cause de la donation, in: TRG 14, 1936, 379 ff. 9 F. RANIERI, Die Lehre der abstrakten Übereignung in der dt. Zivilrechtswiss. des 19. Jh., in: COING/WILHELM, wie [6], 90 ff. 10 A. SÖLLNER, Die c. im Kondiktionen- und Vertragsrecht des MA bei den Glossatoren, Kommentatoren und Kanonisten, in: ZRG 77, 1960, 212 ff., bes. 264 f. 11 A. STADLER, Gestaltungsfreiheit und Verkehrsschutz durch Abstraktion, 1995 (rechtsvergleichend grundlegend) 12 R. ZIMMERMANN, The Law of obligations, 1990, 549 f.; 556 f.; 867.   FILIPPO RANIERI

Chanson de geste s. Epos

Charakterkunde s. Psychologie

Chemie s. Naturwissenschaften

Chicago, Oriental Institute Museum. Das Mus. des Oriental Inst. (OIM) führt seine Entstehung auf das J. 1896 zurück, als das *Semitic Language Department* der gerade fünf J. alten Univ. of Chicago, in welchem der damalige Universitätpräsident William Rainey Harper und sein Bruder Robert Francis Harper Hebräisch und Assyriologie unterrichteten, in neue Räumlichkeiten zog: das Haskell Oriental Mus. Die Galerien wurden zum Studium des Vorderen Orients eingerichtet. Die Sammlung bestand aus Gipsabgüssen und angekauften Objekten, sollte sich aber bald durch arch. Expeditionen erheblich erweitern. Das OIM in seiner heutigen Form war die Idee von James Henry Breasted, des ersten Ägyptologen Amerikas, der am Anfang dieses Jh. die Rolle des Vorderen Orients bei der Herausbildung der abendländischen Zivilisation erforschen wollte. Ihm schwebte ein »Laboratorium« vor, in dem der Aufstieg der ersten Hochkulturen und des zivilisatorischen Fortschritts vor der klass. Ära untersucht werden sollte: 1919 wurde das OIM mit finanzieller Unterstützung von John D. Rockefeller Jr. gegr. und erhielt 1931 einen Neubau.

Das Inst. avancierte rasch zu einer der bedeutendsten Forschungsstätten für den Alten Orient, nicht zuletzt dank der Berufung dt.-jüd. Gelehrter, die das Dritte Reich fliehen mußten – unter ihnen Benno Landsberger, Leo Oppenheim, Hans-Gustav Güterbock, Ernst Herzfeld. Das OIM, urspr. eine Studiensammlung, beherbergt h. über 110000 registrierte und ca. 200000 unregistrierte Funde aus mehr als 30 Surveys und Ausgrabungen in Ägypten, Mesopotamien, Iran, Anatolien, und Palästina. Bes. zu erwähnen sind: der *Epigraphic Survey* mit der Basis in Luxor; die Grabungen im Diyala-Gebiet (Henri Frankfort), Grundlage für die chronologische Einordnung mesopot. Artefakte; die Weiterführung von Ausgrabungen in Khorsabad (von Sargon II. gegr. assyrische Hauptstadt) und in Nippur; die Ausgrabungen in Persepolis, Megiddo, im Amuq Gebiet sowie in prähist. Siedlungen in Syrien und im Iran. Die unregistrierten Funde setzen sich hauptsächlich aus Keramik aus dem prähist. Projekt von Robert und Linda Braidwood und aus den Grabungen in Khirbet-al-Kerak und Choga Miš (Iran) zusammen.

Die Konzentration des OIM auf den vorderen Orient und die Kombination von philol. und arch. Forsch. einerseits und einer beachtlichen musealen Sammlung andererseits sind einmalig. Zudem bietet das OIM die vollständigste Fachbibl. auf dem Gebiet des Alten Orients. Es bietet zahlreiche Lehrveranstaltungen, die sich an ein interessiertes Laienpublikum wenden. Ein in Angriff genommener Anbau, der heutigen Anforderungen zur Konservierung von Antiken entspricht, wurde im Sommer 1998 fertiggestellt (Wiedereröffnung der Sammlungen ab 1999).

Elfenbeinplättchen mit der Darstellung
eines Greifen aus Megiddo

Plakat aus den dreißiger Jahren

Sumerische Statuen aus dem Diyala-Gebiet

Stierkopf aus Persepolis

Der ägyptologische Teil der Sammlung (hauptsächlich Ankäufe) beleuchtet in anschaulicher Weise das tägliche Leben der alten Ägypter. Unter anderem vermittelt eine vollständige Sammlung von landwirtschaftlichen Geräten und Bauwerkzeugen ein Bild damaliger Technologie in diesen Branchen. Zu den künstlerisch herausragenden Stücken gehören die Büste einer lebensgroßen Statue eines Gottes aus der 18. Dyn. und drei bemalte Reliefs aus dem Grab des Mentuemhat, eines spätzeitlichen Statthalters von Theben. In der mesopot. Abteilung sind die frühdynastische und die assyrische Zeit bes. gut vertreten. Die Statuenhorte aus dem Diyala-Gebiet und weitere Exemplare aus Nippur sowie reliefverzierte Türplatten bilden die größte an einem Ort vereinigte Sammlung sumerischer Skulpturen. Aus dem Diyala-Gebiet stammen zudem zwei außergewöhnliche altbabylon. Bronze-Statuetten eines viergesichtigen Götterpaares, aus Bismaya ein neusumerischer Steinkopf eines Fürsten mit Originalbemalung. Die assyrische Zeit wird durch die kolossalen Torhüterstatuen und Palastreliefs aus Khorsabad veranschaulicht. Im Unterschied zu Ägypt. übertreffen in der mesopot. Überlieferung die Texte bei weitem die Zahl der erh. bildnerischen Werke: Das OIM besitzt ca. 8000 Tontafeln, die sich auf einen Zeitraum vom ausgehenden 4. Jt. bis zur Seleukidenzeit verteilen. Außergewöhnlich ist eine Steintafel, die alle Völker aufzählt, die sich kurz nach den Revolten bei Xerxes' Thronantritt unter achämenidischer Herrschaft befanden. Das Prunkstück der iranischen Abteilung ist ein kolossaler Stierkopf aus Persopolis, der urspr. zu einem der beiden schnaubenden Stiere gehörte, die den Eingang der Hundertsäulenhalle dekorierten und bewachten. Er ist im typischen achämenidischen Hofstil geschaffen, und hatte wahrscheinlich Hörner aus Gold, die h. fehlen. Aus dem Iran stammen außerdem qualitätvoll bemalte Keramiken der Frühzeit sowie Luristanbronzen aus regulären Grabungen.

Die Palästinasammlung umfaßt u. a. einige Bronzestatuetten kanaanäischer Götter und zwei Pergamentfragmente aus Qumran, eines mit dazugehörigem Topf. Unter den Funden aus Megiddo sind die Elfenbeinschnitzereien aus dem 2. und 1. Jt. v. Chr. bes. zu erwähnen, die wertvoll für die Definition von Lokalstilen sind, dazu ein protoäolisches Kapitell und ein gehörnter Altar. Die Syrien- und Anatoliensammlungen stammen größtenteils aus den Grabungen im Amuq-Gebiet bzw. in Ališar Höyük, und setzen sich hauptsächlich aus Keramikfunden zusammen.
→ Ägyptologie

1 A Guide to the The OIM. The Univ. of Chicago, 1982 2 The OIM: Highlights from the Collection (ohne J. und Ort) 3 Oriental Inst. Communications, 1922ff 4 Oriental Inst. Publications, 1924 ff.
5 http://www.oi.uchicago.edu/OI/MUS (Website).
CLAUDIA E. SUTER

China. Ch. als uralte Hochkultur verfügt selbst über nicht wenige eigene »klass.« Modelle in den bildenden Künsten, in der Lit. und Philos. Die um Jt. jüngere sog. klass. Ant. des Westens ist hier allein wegen ihres Stellenwertes im Ausland von einigem eingeschränkten Interesse.

Zwar kam es schon im Alt. gelegentlich zu Kontakten zw. dem röm. Imperium und Ch; insbes. gab auch die Seidenstraße Gelegenheit zu Waren- und Kulturaustausch, so daß z. B. in Xian nestorianisches Christentum inschr. bezeugt ist. Dennoch blieben diese Berührungen im ganzen vereinzelt und folgenlos.

Nestorianische Christen intrigierten auch gegen den franziskanischen Missionar Giovanni di Montecorvino, der am Hofe des Tartarenkhans in Beijing 1294–1328 für den Katholizismus warb. Er hatte jedoch immerhin einigen Missionserfolg. Im Laufe der Zeit kaufte er 40 Knaben, die er ausbildete und auch Lat. lehrte. In der 2. H. des 14. Jh. ging seine Gemeinde nach dem Ende der Mongolenherrschaft unter.

Der Jesuit Matteo Ricci missionierte am E. des 16. Jh. am chinesischen Kaiserhof. Er übertrug die Geometrielehre des Euklid in die Landessprache und verbreitete auch in einer Sentenzensammlung (→ Aphorismus) und in einem Traktat über die Tugend ant. Gedankengut (u. a. Epiktet) auf Chinesisch.

Im 19. Jh. entstanden im Reich der Mitte katholische Missionsschulen und Priesterseminare (Shanghai, Wuhan), in denen Lat. gelehrt wurde und sogar in der Oberstufe als Unterrichtssprache Verwendung fand (→ Altsprachlicher Unterricht). Sie erhielten sich in wechselnder Form bis zur Kulturrevolution in den 60er J. des 20. Jh.; seit den 80er J. wurden vereinzelt erneut katholische Priesterseminare aufgebaut, wo begrenzte Lat.- und Philos.-Kenntnisse der westl. Ant. vermittelt werden.

Neben diesem ekklesiastischen Ansatz findet sich im lit. wie im akad. Bereich weiteres Begegnungspotential. In mehreren Schüben wurden und werden ant. Texte ins Chinesische übers. So entstanden in der letzten Zeit Übertragungen für Theateraufführungen, z. B. *Antigone*, *Oidipus*, *Medea*, die in Ch. (Beijing, Harbin, Shijizhuang) zur Aufführung gelangten und als Gastspiele nach Europa kamen. Aber auch andere Dramen wurden übers., ebenso platonische Texte, Teile des Homer, des Thukydides und Livius, ferner Aristoteles, Herondas, Aesop, Sallusts Monographien, Caesar, Ciceronisches, Cornelius Nepos, Plinius' Briefe.

Die Lektüre derartiger Texte im Original ist nur verschwindend wenigen vorbehalten. Seit 1985 existiert in der ehemaligen Hauptstadt des Marionettenstaates Mandschukuo, dem heutigen Changchun in der nordöstl. Prov. Jilin, an der Northeast Normal University das von Beijing unterstützte *Institute for the History of Ancient Civilisations* (= IHAC). Hier wird einigen Althistorikern aus ganz Ch. Ausbildung in Altgriech. und Lat., Alter Geschichte, Myth. und Philos. angeboten. Die Studenten werden von ausländischen Experten auf Engl. un-

terrichtet; einige von ihnen studieren selbst eine Zeit-
lang in Europa oder den USA. Eine für chinesische Ver-
hältnisse außergewöhnlich gut bestückte Bibl. bietet
Bestände für hethitische, ägypt., mesopotamische und
klass. Stud. in den Originalsprachen, in Übers. und als
Sekundärlit. IHAC ediert auch das jährlich erscheinende
Journal of Ancient Civilisations (= JAC) und bringt Ed.,
Übers. und Stud. heraus. Changchun war auch 1997 der
Ort der 2. Internationalen Konferenz für Ant. Weltgeschichte; die 1. hatte 1993 an der Nankai University in
Tianjin stattgefunden. Nach ihrem Studium sind verschiedene der Absolventen als Lehrer für Alte Weltgeschichte landesweit an Univ. tätig oder arbeiten als Forscher an der Chinesischen Akad. in Beijing. Ansätze zu
ähnlichen Schwerpunkten zeichnen sich in Tianjin,
Wuhan und Shanghai ab; ihre Zukunft bleibt unbe-
stimmt.

Während der japanischen Invasion vor der Mitte des
20. Jh. wurden auch öffentliche Gebäude im Kolonial-
stil errichtet, die klobige Zementarchitektur mit griech.
Formgebung verbanden. So ist Changchun hier und da
mit korinthischen und dorischen Säulen geschmückt.
Auch begegnet man gelegentlich Abgüssen von griech.
Plastik; sie stammen aus der → Abgußsammlung des
ehemaligen Präsidenten der Zentralen Kunstakad. in
Beijing, Xu Bei Hong, und finden im Kunstunterricht
als Vorlagen für die Gestaltung im Stil des (sozialistischen) Realismus Verwendung.

Insgesamt ist die Bilanz dürftig. Ein Besuch von Sir
Gilbert Murray, von dem die Gründung einer chinesischen Gesellschaft für klass. westl. Ant. herrühren sollte,
blieb folgenlos. Die Begeisterung des Literaten Zhuo
Zuo Ren (1885–1966) für das Griechentum fand über
sein eigenes Werk hinaus kaum Echo. Es bleibt festzuhalten, daß der volkreichste Staat der Erde wohl die
Geschichte der Alten Welt im akad. Bereich behandelt,
daß aber nachhaltige Kultureinflüsse nicht festzustellen
sind.

→ AWI China; Nestorianismus; Seidenstraße

1 F.-H. MUTSCHLER, »Western Classics« im Reich der Mitte,
in: Wiss. Zschr. der TU Dresden, Fakultät Sprach- und Lit.
Wiss., 44, 1995, 45–52 (grundlegend, mit Bibl.)
2 G. BRUGNOLI, C. SANTINI, Latinitas Sinica, in: Bolletino di
Studi Latini 20, 1990, 381–386 3 B. KYTZLER, Classics in
Ch., in: Mitteilungsblatt des dt. Altphilologenverbandes 31,
1988, 30–32 4 JI CI LE (= B. KYTZLER), Chila Luoma Yanjiu
zai Zhongguo, in: Dongbei Shida Xuebao 6, 1988, 61f.
5 W. BRASHEAR, Classics in Ch., in: The Classical Journal 86,
1990, 73–78 6 Y.C. WANG, Chinese Intellectuals and the
West, 1966 7 J.G. LUTZ, Ch. and the Christian Colleges
1850–1950, 1971 8 D.W. TREADGOLD, The West in Russia
and Ch. Religious and Secular Thought in Mod. Times,
Vol. 2: Ch. 1592–1949, 1973 9 LIN ZHI CHUN et al., The
study of Classics in Ch. and the West, in: Journal of Ancient
Civilisations 8, 1993, 1–24 10 LI PING, Klass. Philol. in Ch.,
in: Desiderius 1992, 545–547.   BERNHARD KYTZLER

Chrêsis (χρῆσις)   A. EINLEITUNG
B. VORCHRISTLICHE ANTIKE
C. KIRCHENVÄTER   D. AUSBLICK

A. EINLEITUNG

Mit dem Begriff des rechten Gebrauchs (*chrêsis dikaía,
usus iustus*) oder einfach mit den Wörtern für »gebrauchen« (oft durch Adverbien oder Angabe des
Zwecks näher bestimmt) bezeichnen die Kirchenväter
(→ Patristische Theologie) ihre Methode im Umgang
mit der ant. Kultur. Sie nehmen damit ein Lehrstück
auf, das im vorchristl. Denken eine lange Geschichte
hat. Unter den authentischen Begriffen der Väter ist
dieser bes. geeignet, die Sache im Ganzen zu erfassen.
Für das Verständnis der Auseinandersetzung zw. Ant.
und Christentum bietet er einen hermeneutischen
Schlüssel.

B. VORCHRISTLICHE ANTIKE

Die Erkenntnis, daß Besitz nichts nützt, wenn er
nicht gebraucht wird, und daß der Wert einer Sache von
der Art ihres Gebrauchs abhängt, beruht auf allg. Le-
benserfahrung, gewinnt aber innerhalb fachwiss. Reflexion, bes. der Mediziner [2. 40ff.], terminologische
Schärfe. Auf das Prinzip des rechten Gebrauchs berufen
sich die Sophisten [5. 16–24; 2. 30f.], namentlich zur
Verteidigung der Rhet. (Plat. Gorg. 456B–557B). Es
bildet eine Achse platonischen Denkens und erscheint
hier eng verbunden mit der Vorstellung überlegenen
Wissens und seiner Anwendung [2. 31ff.; 5. 60–85].
Auch der aristotelische *Protreptikos* kreist um diese Achse. In Aristoteles' Lehrschriften dient das Begriffspaar
»Besitzen« und »Gebrauchen« zur Veranschaulichung
der Potenz-Akt-Beziehung, was sich in der Definition
der Eudaimonie als ›enérgeia kaí chrésis aretés teleía‹
(pol. 7,13,1332 a 9) niederschlägt [2. 34–36; 5. 86–113].
Die Stoa lehrt, die Welt sei zum Nutzen der Menschen
geschaffen, der allein, dank der Vernunft, imstande sei,
sie zu gebrauchen (Cic. nat. deor. 2,157; Lact. ira 13).
Der Satz vom rechten Gebrauch gelangt in der jüngeren
Stoa bei Epiktet zu bes. Ausprägung [2. 36ff.]. Indem
der Begriff so durch Philos. und Fachwiss. ging, nahm er
eine Wertigkeit an, die oberhalb der Grenzen der Systeme liegt: mit ihm verbindet sich die Forderung nach
Unterwerfung des Handelns unter einen leitenden
Wert und die Notwendigkeit der Entscheidung zw.
Richtig und Falsch.

C. KIRCHENVÄTER

Dadurch wurde die Ch. zu einem tauglichen Instrument für die kirchlichen Denker und selbst zu einem
Beispiel christl. Nutzung [2. 52]. Bereits bei Tertullian,
Clemens v. Alexandrien und Origenes begegnet sie mit
terminologischer Festigkeit [2. 45–63]. Sie wird durch
das NT gestützt (Röm 1,26f.; 1 Kor 7,31) und durch
allegorische Exegese (→ Allegorese) des AT [2. 57f.,
59f., 76–79, 89f.] und Analogien aus der Natur [2. 16f.,
102–133; 3. 83–86] entfaltet. Der Christ sieht sich hin-
eingestellt in eine Welt, die Gottes Werk ist und insofern
gut (Gn 1,31; 1 Tim 4,4), aber auch in eine Welt des

Götzendiensts und der moralischen Perversion: in ihr sind die Dinge der gottgewollten Bestimmung mehr oder minder entzogen, also mißbraucht [2. 44]. Die diakritische Aufgabe der Ch. ist daher eine allg., und in diesen weiten Rahmen gehört die Ch. der Bildungsgüter (Greg. Naz. or. 43,11). Man sah sie beispielhaft verwirklicht in der Areopagrede des Apostels (Act. 17,23. 28 [2. 124–129; 3. 79 f.]). Ch. ruht auf der Überzeugung, daß es in der vorchristl. Geisteswelt wahrheitshaltige Keime gibt, die aber dort nur in Vermischung mit Falschem und Bösem existieren [2. 13–16; 3. 177–186]. Iustinus Martyr (um 150) versuchte, die Tatsache unter Nutzung der stoischen Lehre vom *lógos spermatikós* zu erklären [4. 35–40]. Die Elemente des Wahren, Guten und Schönen müssen herausgelöst und Gott als dem rechtmäßigen Besitzer »zurückgegeben« werden [3. 79 f.]. Das ist Pflicht des Christen. Wie die Israeliten beim Auszug aus Ägypten, Gottes Befehl gehorchend, goldene und silberne Gefäße und Gewänder der Ägypter mitnahmen (Ex 3,21 f.; 11,2; 12,35 f.), um damit das Allerheiligste auszustatten, so muß der Christ die Güter, welche die Heiden verkehrt gebrauchen, zur Verehrung Gottes einsetzen.

Diese Exegese bringt den terminologischen Sinn der Ch., ihre theozentrische Ausrichtung und universale Geltung klar heraus. Sie findet sich zuerst bei Irenaeus, dann bei Origenes [2. 57 f.], Gregor v. Nyssa [2. 89 f.], Augustinus (doctr. chr. 2,40,60 f. [2. 94]) und anderen. Ch. wird aber nicht nur als selektive Maßnahme, sondern auch als schöpferische, einigende Kraft verstanden. Als Exempel der Natur galten die Bienen, die aus allen Blüten das Brauchbare sammeln, aber neue Einheiten (die Waben) und eine neue Substanz (den Honig) erzeugen [2. 102–133]. Dennoch dient Ch. nicht der Erweiterung der Offenbarung, sondern ihrem Schutz, ihrer Vorbereitung und Darstellung (ihrem »Schmuck«): sie wird so insgesamt zum Mittel der Konversion des Einzelnen wie der Kultur [2. 134–140; 3. 93–127]. Verwandt mit ihr, aber nicht identisch, ist die *synkatábasis* (*condescensio*), die pädagogische bzw. missionarische Anpassung an Gewohnheiten des Denkens und Lebens [2. 63 f.; 3. 81 f.]. Höchstes Vorbild für beides ist Gott, der sich herabließ, sein Wort dem Menschenwort anzupassen [3. 31, 82], und der alles gut gebraucht, sogar das Böse (Aug. civ. 11,17 f.; 18,51; de natura boni 36 f.). Bei Augustinus erhält die Ch. eine neue theologische Vertiefung, indem sie hineingenommen wird in die Ordnung des Gebrauchens und Genießens: Gegenstand des *frui* ist allein der Dreifaltige Gott, Gegenstand des *uti* alles andere. Die *fruitio Dei* bildet den höchsten Zweck menschlichen Daseins, alles andere, auch die Wiss. und Künste, dienen diesem Zweck als Mittel ([2. 80–91] mit Lit.).

D. AUSBLICK

Die Gedanken der Kirchenväter bilden ein Reservoir, aus dem geschöpft werden konnte, wenn es galt, die klass. → Bildung vom christl. Standpunkt aus zu verteidigen. Unter Berufung auf die augustinische Exegese

der Schätze der Ägypter rettete Cassiodor (6. Jh.) die profanen Autoren für die Ausbildung der Mönche (Cassiod. inst. var. 1,28,4) und später Hrabanus Maurus (780–856) für die Unterweisung des Klerus (cler. inst. 3,26 mit wörtlichem Zitat). Der christl. Human. kämpfte mit denselben Waffen, obwohl sein Ziel sich doch von dem der Ch. der Kirchenväter wesentlich unterscheidet [1]. An das Gold und Silber der Ägypter erinnert Petrarca (*De sui ipsius et multorum ignorantia*, 1366), um die Lektüre Ciceros zu rechtfertigen [2. 89]; Erasmus verteidigt (*Antibarbari*, 1520) mit Hilfe dieser berühmten Allegorie die klass. Stud. überhaupt (Amsterdamer Ausgabe: Opera omnia 1, 1969, 116–118), und mit den alten Bildern stellt sich auch die alte Terminologie wieder ein (*uti, usus* in den *Antibarbari*). Aber die Terminologie kann fehlen, wenn die Sache erfaßt ist: John Henry Newman hat sie erfaßt und durchdrungen, obwohl er andere Ausdrücke verwendet (*Essay on the Development of Christian Doctrine*, 1845, ²1878). Ch. ist innerhalb der Kirche ein lebendiges Prinzip, wesenhaft verbunden v. a. mit Praxis und Theorie der Mission. Daher wird es in kirchlichen Dokumenten bis in neuere und neueste Zeit festgehalten – auch in solchen des Zweiten Vatikanischen Konzils – und gelangt hier zu sehr geschlossenen Formulierungen [2. 33, 121 ff., 165–176]. Den Wert des Ch.-Begriffs hat der Indologe Paul Hacker [4] neu entdeckt und für das Problem der sog. Inkulturation fruchtbar zu machen versucht.

→ AWI Artes liberales; Bildung

1 A. BUCK, Der Rückgriff des Ren.-Human. auf die Patristik, in: K. BALDINGER (Hrsg.), FS W. v. Wartburg, Bd. I, 1968, 153–175 2 CH. GNILKA, ΧΡΗΣΙΣ. Die Methode der Kirchenväter im Umgang mit der ant. Kultur I. Der Begriff des »rechten Gebrauchs«, 1984 3 Ders., Chrêsis II. Kultur und Conversion, 1993 4 P. HACKER, Theological Foundations of Evangelization, 1978 (= Veröffentlichungen des Inst. für Missionswiss. der Westfälischen Wilhelms-Univ. Münster 15, 1980) 5 R. NICKEL, Das Begriffspaar Besitzen und Gebrauchen. Ein Beitrag zur Vorgesch. der Potenz-Akt-Beziehung in der aristotelischen Ethik, 1970.   CHRISTIAN GNILKA

Christentum s. Theologie und Kirche des Christentums

Christliche Archäologie A. DEFINITION
B. BIS ZUM ANBRUCH DER NEUZEIT
C. 16. BIS 18. JAHRHUNDERT
D. 19. UND FRÜHES 20. JAHRHUNDERT
E. BIS ZUR GEGENWART

A. DEFINITION

Neuzeitlicher Forschungsbereich, der das frühe Christentum – dieses anfänglich ganz exklusiv, h. aber mit dem gesamten Umfeld – in seiner etwa ab 200 greifbaren materiellen Hinterlassenschaft erkundet. Den histor. Gegebenheiten entsprechend wendet das Fach sich h. allen röm. Reichs- und weiteren christianisierten Nachbargebieten zu. Erscheinungen wie Arabersturm

(7./8. Jh.), Bilderstreit (8./9. Jh.) oder im Westen spätestens der Beginn der Romanik beschließen den Untersuchungszeitraum. Die Disziplin Ch. A. hat eine prekär-chancenreiche Mittlerrolle u. a. zw. → Klassische Archäologie/→ Provinzialrömische Archäologie, Früh-, Kunst-, Kirchengeschichte und → Byzantinistik. Mit histor.-kulturkundlichen Nachbarfächern teilt sie Mission (Denkmäler erfassen und schützen; Geschichte darstellen und erklären; Kulturbewußtsein festigen), Methoden (Quellenstudium; Erschließen, auch durch Grabungen; Dokumentation; Bauanalyse; Ikonographie; Stilkritik) und Gattungsaufteilung (Architektur, → Malerei, Skulptur usw.), wobei sie auch nicht-künstlerische Relikte einbezieht, speziell Inschr. und Handwerkliches. Ein Sektor der dt. Fachwelt tendiert, nach langer konfessioneller Vereinnahmung als Hilfswiss. der Kirchengeschichte [7], zur Ersetzung von »christl.« durch »spät-ant.« [22; 25]; so würde auch die nötige Miterfassung profaner Denkmäler sowie des Paganen und Jüdischen erleichtert, ohne die das Christl. nicht zu verstehen ist.

B. Bis zum Anbruch der Neuzeit

Weder Ant. noch MA kannten eine Ch. A. als Instrument zur objektiven Klärung geschichtlicher Kontexte, obwohl größtes Interesse an greifbarem rel. Gut bestand; erwähnt seien im 4. Jh. Helenas Kreuzes-»Auffindung« oder der massive Kult an den Märtyrergräbern der röm. Katakomben, im 9. Jh. die »Entdeckung« des Jakobusgrabes. Die ständige Verfügbarkeit und gelegentliche Neufassung von Memorien, Gebeinen oder auch nur winzigen Reliquien bedeutet per se intensiven Kontakt mit christl. Altertümern. Dabei interessierten aber an deren physischer Präsenz und (vermeintlichen) Zeugnisqualität im wesentlichen der Heilsaspekt und seine liturgische Handhabung; hinzutreten konnten Vorteile dogmatischer (so um 200 im Montanistenstreit beim Philippusgrab in Hierapolis und den stadtröm. Apostel-Tropaia) oder polit./wirtschaftlicher Art. Noch im Hoch-MA ist man kaum um genaue Darstellung bemüht; Ausnahmen bilden im Rom des 12. Jh. die engagierten Beschreibungen Alt-St. Peters von P. Mallius bzw. der Laterankirche von J. Diaconus, die aus akuter Konkurrenz entsprangen. Echtes Forschertum fehlte auch noch den im 14. Jh. tätigen Humanisten (Petrarca), doch trat im 15. Jh. eine dezidiert den Antiken zugewandte, speziell der Epigraphik sammelnd gewidmete, auch top. und Baustud. treibende Gelehrsamkeit auf (Fl. Biondo, † 1436; M. Vegio, † 1458; A. Fulvio, 16. Jh.), welche die Antikenpassion der → Renaissance offenbarte und folglich auch der Ch. A. ihren Weg bahnte.

C. 16. bis 18. Jahrhundert

Obwohl die werdende Ch. A. theologisch-apologetischen Anliegen diente, gelangte man nun zu nachhaltigem Kenntnisgewinn über die Monumente, anfangs fast nur in Rom und durch it. Forscher. Im Zeichen der Gegenreformation betrieb O. Panvinio († 1568) seine ehrgeizige kirchenhistor. Publizistik und schuf dabei für das frühe Christentum durch materielle Befunde und

schriftliche Quellen eine breite Basis. Auch C. Baronio († 1607), Autor der *Annales ecclesiastici*, stand, wie mehrere noch zu Nennende im Geist der röm. Oratorianer arbeitend, für die katholische Reaffirmation, aber mit aufgeschlossener Objektivität den arch. Zeugnissen gegenüber. Das Inventar constantinisch christl. Monumente Roms erfuhr in jenen Jahren eine herbe Schmälerung, indem man ehrwürdige Werke zerstörte oder kaschierte (Alt-St. Peter: Abriß 1506–1618; Lateranbasilika: Umbau Mitte des 17. Jh.; Kuppelmosaik in dem vermeintlichen *Templum Bacchi* S. Costanza: Unterdrückung 1620). Die »wiedergeborene«, aber neuzeitlich gewandelte ant. Form trat so der authentisch spät-ant. entgegen. Kirchenleuten verdanken wir andererseits Dokumentationen Alt-St. Peters (T. Alfarano, † 1596; G. Grimaldi, † 1623) bzw. bei S. Costanza die in Wahrheit christl. Einordnung des Kuppelmosaiks. Leider drang P. Ugonio († wohl 1613) mit letzterem nicht durch, da sein *Theatrum urbis Romae* unvollendet blieb.

Gleichzeitig wuchs das Denkmälerinventar substantiell und namentlich bei Inschr. und Bildern durch die Katakomben, deren Erforsch. zum fruchtbarsten Keim der Ch. A. werden sollte: 1578 erfolgte die aufsehenerregende Entdeckung der zunächst irrig nach Priscilla benannten, reich ausgemalten Via Anapo-Katakombe. Bald konnten im röm. Tuff weitere Anlagen (Domitilla, SS. Marcellino e Pietro) erkundet werden, und sie alle schienen – bei entsprechenden Frühdatierungen – den zur dogmatischen Verteidigung gesuchten Urgrund des röm.-katholischen Christentums und der Märtyrer-Kultpraxis zu eröffnen. Ihnen wandten sich drei kooperierende Ausländer zu: A. Chacón/Ciacconio († 1599) und – mit echtem antiquarisch-wiss. Antrieb – der gute Zeichner Ph. van Winghe († 1592) [21] sowie J. L'Heureux/Macarius († 1614), Autor der *Hagioglypta* [3], des ersten Kompendiums zur frühchristl. Ikonographie. Als gründlichster Katakombenforscher und eigentlicher Urvater der Ch. A. behielt A. Bosio († 1629) trotz gegenreformatorischer Einbindung und gravierender Nachlaß-Verluste – nur ein Bd. *Roma sotterranea* [1] (s. Abb.) erschien postum – überragende Bed. Er dokumentierte auch h. verlorene oder unzugängliche Anlagen. In seiner Nachfolge arbeiteten u. a. A. Boldetti († 1749) und G. Marangoni († 1753). Den oberirdischen christl. Monumenten nicht nur Roms galt das Wirken G. Ciampinis († 1698), der durch Abbildungen unsere Kenntnis mehrerer früher Mosaiken sicherstellte. Die Nachfrage nach Umzeichnungen der verfallenden ant. Bildkompositionen bediente an prominenter Stelle P. S. Bartoli († 1700) mit Hang zur phantastischen Ergänzung, etwa beim Kuppelmosaik von S. Costanza (was erst im 19. Jh. auffiel). Im Settecento bildeten die Monumente die Folie für konfessionelle Polemik, während es an zukunftsweisenden Ansätzen mangelte. Auch Frankreich sah schon einzelne Aktivitäten am eigenen Gebiet [15], so im 17. Jh. die Publikationen der *Daurade* von Toulouse (O. Lamothe) und des Grabes Childerichs I.(J.-J. Chifflet); Spanien folgte im späten 18. Jh. mit den Segobriga-Stud. von J. Córnide.

Umzeichnung und Erläuterung eines Arkosols
in der Katakombe SS. Marcellino e Pietro
(A. Bosio, Roma sotteranea, 1632)

D. 19. UND FRÜHES 20. JAHRHUNDERT

Postum erschien die *Histoire de l'art* des Franzosen
J. B. L. G. Séroux d'Agincourt († 1814), welche laut Titel ihrem Zielpunkt, der künstlerischen Erneuerung des
16. Jh., ausgehend von der *décadence au IVᵉ siècle* zustrebt.
Sein Landsmann E. Le Blant († 1897) unterstrich die
Internationalisierung der Ch. A. auch bezüglich des Gegenstandsbereichs: Fundamentale Werke zur Epigraphik sowie zur Sarkophagkunst in Gallien und speziell
in Arles erwiesen ihn als Pionier der mod. Ch. A. in
Frankreich [15. 340 f.] und lenkten einen gesteigerten
Anteil des Interesses von der Ewigen Stadt ab. Die Weitung des Blickes betrieb auch R. Garrucci († 1885), der
1873 zur Vorlage des ersten bebilderten Gesamtkat. früher christl. Kunst ansetzte; als ein Repertorium wahrt
dieser hohen Wert. Dennoch blieb Rom der alles überragende Schauplatz: Hier hatte der dt. Protestant
Chr. C. J. Bunsen († 1860) seine Abhandlung über die
lokalen christl. Basiliken verfaßt. Hauptsächlich hier
und konsequent mit frühchristl. Altertümern erarbeitete
G. B. De Rossi († 1894) [20] sein monumentales Lebenswerk, ein weiterer Vertreter des Aufbruchs der
Ch. A. zu Modernität und fachlicher Selbständigkeit,
der sich ausdrücklich nicht als Theologe sah. Er begann
die *Inscriptiones christianae urbis Romae*, war 1863 Gründer
des jahrzehntelang von ihm allein geschriebenen ersten
Fachblattes *Bullettino di Archeologia cristiana* (dessen Stelle

h. die *Rivista di Archeologia cristiana* einnimmt) und widmete sein Hauptwerk *Roma sotterranea cristiana* den Katakomben. Im callixtinischen Komplex entdeckte er die
Lucina-Region wieder und fand, wie erwartet, die
durch Quellen bezeugten Gräber etlicher früher röm.
Bischöfe; ihm half die *Pontificia Commissione di Archeologia Sacra*, 1852 eigens von Pius IX. gegr., der auch die
päpstliche Museumstätigkeit auf diesem Gebiet förderte. Pionier der photographischen Publikation von Katakombenmalerei wurde 1879/81 Th. Roller. Auch die
dt. Ch. A. gewann nun an Gewicht: Fr. X. Kraus
(† 1901) [2] verbreitete die Resultate De Rossis, dessen
Nachfolge als »Doyen« des Faches in Rom J. Wilpert
(† 1944) [20; 23; 27] antrat. Dieser akkumulierte eine
enorme Bibliogr., allem voran drei mehrbändige, apodiktisch gehaltene, vorzüglich bebilderte und bis h. unentbehrliche Foliantenwerke zu Roms Katakombenmalereien (1903), frühem Kirchenbildschmuck in Rom
und Italien (1916) sowie zu den christl.-ant. Sarkophagen (1929–36). Er stand im Widerspruch zu protestantischen Landsleuten, so zu F. Piper († 1889), weniger wegen dessen Vorstoß, die frühchristl. Denkmäler in
eine eigene Unterdisziplin ›Monumentale Theologie‹
[4] einzubinden, als wegen der Tatsache, daß Piper ohne
Scheu den – für katholische Kreise unerhörten – Umgang früher Christen mit nicht-christl. Bildgut aufzeigte
und den Beginn ihrer Kunst zu Recht erst um das 3. Jh.
vermutete. Ein Dissens über das Konzept vom eigenen
Tun brach 1889 zw. Wilpert [6] und anderen Protestanten auf (die der dt. Ch. A. zu universitärer Akzeptanz
und mod. Wissenschaftlichkeit verhelfen sollten). Deren Wortführer war V. Schultze († 1937); er warf
Wilpert und der kath. Ch. A. vor, ›unter der Direktive
feststehender Resultate‹ kirchlicher Vorgaben zu exemplifizieren; dagegen seien aber die Denkmäler als Zeugnisse zu nehmen, die ›aus ihrer Eigenart und ihrer Zeit
verstanden und nach den Regeln histor. Unt. behandelt
werden wollen. Sie sind nicht ... danach zu befragen,
ob sie irgend eine dogmatische oder ethische Anschauung beweisen, sondern was sie ihrem Wesen und Inhalte
nach sind‹ [5. bes. 29 f.]. Wilperts romzentrierter und
frühdatierender Arbeit entsprach seine These vom Vorrang Roms in der nach 1900 auflebenden »Orient-oder-
Rom?«-Debatte: Neue Forsch. lieferten immer mehr
spektakuläre Altertümer des christl. Orients, dem namentlich der Österreicher J. Strzygowski († 1941) die
Priorität einräumte.

E. BIS ZUR GEGENWART

Ab 1907 versuchte das Großprojekt *Dictionnaire d'archéologie chrétienne et de liturgie* von F. Cabrol und H.
Leclercq dieser sukzessiven, umwälzenden Erweiterung
zu einem gesamtmediterranen, die Peripherie einschließenden Arbeitsareal gerecht zu werden. Der ungeahnte
Reichtum auch außerhalb Roms und It. hat die jüngere
Wiss. bes. geprägt: Das Abendland bietet eine Fülle bedeutender Denkmäler; dem weiteren ostmediterranen
Bereich aber gilt das legitime Hauptinteresse eines auch
in den Techniken immer fortschrittlicher werdenden

Faches, wobei die sensationelle Entdeckung von Synagoge und Hauskirche in Dura Europos am Euphrat, jeweils mit Malereien aus dem 2. Viertel des 3. Jh., den Anspruch Roms störte, Wiege der christl. Kunst zu sein. Als Forscher traten nun ganz überwiegend Deutsche, Franzosen, Engländer, Russen, Amerikaner usw. auf. Durch die Internationalisierung von Fachgebiet und -vertretern, die zunehmend Nicht-Kleriker waren, verringerte sich der Einfluß katholischer Instanzen. Mißfallen erregte bei jenen der zukunftsträchtige formenkundliche Ansatz, dem, basierend auf Arbeiten A. Riegls († 1905) und Fr. Wickhoffs († 1909), im zeitigen 20. Jh. L. von Sybel († 1929) nachging: Durch Formbetrachtung ist die frühchristl. Kunst zwanglos als Teil der ant. zu erweisen und damit als jüngere Schwester, nicht als die Antagonistin paganer Kunst, als welche sie den rel. Traditionalisten galt. Auch sollte es dann die vergleichende Stilkritik erlauben, das späte Einsetzen der Katakombenmalerei um 200 und der christl. Sarkophagskulptur erst im 3. Jh., also weit jenseits der urchristl. Phase, immer klarer festzustellen. Noch ältere christl. Kunst existiert nach heutiger Kenntnis nicht. Nur bis etwa 200 ließ sich, dementsprechend, bei Grabungen der 1940er J. unter St. Peter in Rom die bauliche Filiation zurückverfolgen: Man fand dort das Tropaion (s.o.). Gleichwohl bestand die Kurie auf der Entdeckung des authentischen Petrusgrabes. Doch konnten nüchternere Geister wie A. Grabar, Fr. W. Deichmann und R. Krautheimer das Geschehen immer mehr bestimmen. Bes. erwähnt sei auch Th. Klauser, der, die Forschungsrichtung F. J. Dölgers († 1940) aufnehmend, das seit 1941 erscheinende *Reallex. für Ant. und Christentum* über Jahrzehnte vorangetrieben und flankierend das *Jahrbuch für Ant. und Christentum* initiiert hat [12]. Ersteres liegt zu etwa 40% seines geplanten Umfangs vor, wird von einer internationalen Autorenschaft gespeist und führt als *Sachwörterbuch zur Auseinandersetzung des Christentums mit der ant. Welt* über den engen Bereich der Ch. A. hinaus, für die es gleichwohl auch international das wichtigste Nachschlagewerk darstellt. 14 Internationale Kongresse für Ch. A. haben seit 1894 stattgefunden, der jüngste 1999 in Wien, mit einer begleitenden Ausstellung zur Genese der Ch. A. in Österreich.
→ Humanismus; Inschriftenkunde

QU **1** A. Bosio, Roma sotterranea, 1632 (Ndr. 1998) **2** F. X. Kraus, Über Begriff, Umfang, Gesch. der Ch. A., Freiburg im Breisgau 1879 **3** J. L'Heureux (Macarius), Hagioglypta, Paris 1856 **4** F. Piper, Einleitung in die Monumentale Theologie, Gotha 1867 (Ndr. 1978) **5** V. Schultze, Die altchristl. Bildwerke und die wiss. Forsch., Erlangen 1889 **6** J. Wilpert, Principienfragen der Ch. A., Freiburg im Breisgau 1889

LIT **7** C. Andresen, Einführung in die Ch. A., 1971 **8** X. Barral i Altet, Les étapes de la recherche au XIXe siècle et les personnalités, in: Naissance des arts chrétiens, 1991, 348–367 **9** G. Bovini, Gli studi di archeologia cristiana dalle origini alla metà del secolo XIX, 1968 **10** C. Cecchelli, Origini romane dell'Archeologia

Cristiana, in: Roma 7, 1929, 105–112 **11** J. Christern, Ch. A., in: Mitt. des Dt. Archäologen-Verbandes 11/2, 1980, 13 f. **12** E. Dassmann, Entstehung und Entwicklung des RAC und des Franz Joseph Dölger-Inst. in Bonn, in: JbAC 40, 1997, 5–17 **13** F. W. Deichmann, Einführung in die Ch. A., 1983, 7–45 (rez. v. W. Gessel, in: Theologische Rev. 79, 1983, 353–362) **14** J. Engemann, s. v. Ch. A., LThK 1, 943–945 **15** P.-A. Février, Naissance d'une archéologie chrétienne, in: Naissance des arts chrétiens (ohne Hrsg), 1991, 336–347 **16** W. H. C. Frend, The Archaeology of Early Christianity, 1996 **17** G. P. Kirsch, L'Archeologia Cristiana, in: Rivista di Archeologia cristiana 4, 1927, 49–57 **18** W. E. Kleinbauer, Early Christian and Byzantine Architecture. An annoted Bibliography and Historiography, 1992 **19** G. Koch, Frühchristl. Kunst, 1995, 14–18 **20** V. Saxer, Zwei christl. Archäologen in Rom: das Werk von G. B. de Rossi und J. Wilpert, in: Röm. Quartalschrift 89, 1994, 163–172 **21** C. Schuddeboom, Philips van Winghe (1560–1592) en het ontstaan van de christelijke archeologie, 1996 **22** H. R. Seeliger, Ch. A. oder Spät-Ant. Kunstgeschichte?, in: Rivista di Archeologia cristiana 61, 1985, 167–187 **23** R. Sörries, Josef Wilpert (1857–1944). Ein Leben im Dienste der Ch. A., 1998 **24** M. Schmander, R. Wisskirchen (Hrsg.), Ausstellungs-Kat.: Spiegel einer Wiss. Zur Gesch. der Ch. A. vom 16. bis 19. Jh. (rez. v. H. R. Seeliger, in: Röm. Quartalschrift 87, 1992, 112–115) **25** R. Warland, Von der Ch. A. zur Spät-Ant. Arch., in: Zschr. für ant. Christentum 2, 1998, 3–15 **26** A. Weiland, Zum Stand der stadtröm. Katakombenforsch., in: Röm. Quartalschrift 89, 1994, 173–198 **27** J. Wilpert, Erlebnisse und Ergebnisse im Dienste der Ch. A., 1930 **28** W. Wischmeyer, Die Entstehung der Ch. A. im Rom der Gegenreformation, in: ZKG 89, 1978, 136–149.   ACHIM ARBEITER

Chronologie s. Zeitrechnung

Ciceronianismus
A. Wort und Begriff B. Geschichte

A. Wort und Begriff [8]

Das Wort C. als Bezeichnung für die Orientierung an Sprachform und Inhalt der Schriften Ciceros (106–43 v. Chr.) in der Ren. ist eine Bildung im 19. Jh. durch das Suffix *-ismus* zu *Ciceronianus* »Anhänger Ciceros« und bedeutet »sprachlich-formale und inhaltlich-philos. Bildung in der Art und Nachahmung Ciceros«. Es ist also Ausdruck für ein klassizistisches Verfahren. Der Urheber der Wortbildung ist unbekannt; gebräuchlich ist das Wort durch die *Storia del Ciceronianismo* von R. Sabbadini (1886) geworden. Während der Terminus C. frei von einer wertenden Nebenbedeutung ist, kann das zugrundeliegende Subst. *Ciceronianus*, das in der Ren. zur Bezeichnung des Begriffs üblich ist, alternativ eine negative – im Sinne einer engen und pedantischen Nachahmung – oder eine positive – im Sinne einer freien und schöpferischen Nachahmung – Konnotation erhalten, wenn auch die positive Nebenbedeutung dominiert.

Der C. der Ren. hat eine ant. Vorgeschichte, die für den Begriffsinhalt von Bed. ist: Quintilian, der röm. Redelehrer der frühen Kaiserzeit (ca. 35–ca. 100), hat in seiner *Institutio oratoria* (*Ausbildung des Redners*) die Klassizität der Werke Ciceros aufgrund der Sprachform und der durch sie ausgedrückten Inhalte beansprucht. Aus dem Werk Ciceros gewann er das Ideal des *perfectus orator*, des vollkommenen Redners, der Redner und Philosoph in einer Person sein sollte. Danach ist die höchste Form der Bildung eine Verbindung aus *eloquentia* »Beredsamkeit« und *sapientia* »Weisheit«, wie sie Cicero gefordert hatte. Dieses Ideal Ciceros blieb nicht ohne Wirkung auf die christl. Bildungskonzeption. So mußte etwa der Kirchenvater Hieronymus (ca. 345–419) in einem Traum den Vorwurf Gottes hören (Epist. 22,30): ›Ciceronianus es, non Christianus‹ (›Du bist ein Ciceronianer, kein Christ‹). V. a. Augustin (354–430) formulierte in seinem Werk *De doctrina christiana* (*Über die christl. Lehre*) die Bed. Ciceros für die christl. Trad. : er übertrug nicht nur Ciceros Lehre von der Beredsamkeit auf die christl. Predigt, sondern erkannte auch in der Philos. Ciceros eine verwandte heidnische Vorform der christl. »Weisheit«. Während im MA die Ciceronische »Weisheit« attraktiv blieb, erhielt die Ciceronische Sprache für das ma. Lat. keine bevorzugte Stellung. Das ma. Lat. wurde dagegen zum Sammelbecken der gesamten lat. Sprachtrad. Zwischen christl.-ant. und profan-ant. Autoren wurde nicht unterschieden. Außerdem waren semasiologische und lexikalische Neuerungen üblich. V. a. das scholastische Lat. ist durch solche Neuerungen charakterisiert. Die Satzstruktur wurde einfach, in der Prosa häufig gestützt durch den Reim. In Syntax und Morphologie setzte sich immer wieder die Umgangssprache durch. Gelegentliche Versuche, diese Entwicklung durch klassizistische Rückgriffe zu korrigieren, blieben ohne dauerhafte Wirkung (Servatus Lupus, 9. Jh.; Gerbert von Aurillac/Silvester II., ca. 940–1003; Bernhard von Chartres, ca. 1100–ca. 1160; Peter von Blois, gest. ca. 1200) [6].

Die Wende kam mit dem umfassenden Klassizismus der Ren. Das Ciceronische Bildungsideal in der Perspektivierung Quintilians setzte sich als C. auf breiter Front durch. Der C. der Frühen Neuzeit war nie ein rein formal-sprachliches Bildungsideal, sondern er erhielt seine bes. Qualität in der Theorie der Zeit immer durch die Verbindung von formal-sprachlicher und inhaltlich-philos. Bildung, mag sich auch in der Praxis nicht selten der formal-sprachliche Aspekt emanzipiert haben. Im Prinzip ist der C. der Frühen Neuzeit nichts anderes als der dominante Typus der *studia humanitatis*. Typisch für den theoretischen Anspruch sind Werktitel wie *Oratio de studiis philosophiae et eloquentiae coniungendis* (*Rede über die Studien, bei denen Philos. und Beredsamkeit verbunden werden müssen*; P. de la Ramée/Ramus, 1546) und *De philosophiae et eloquentiae coniunctione* (*Über die Verbindung von Philos. und Beredsamkeit*; M. A. Muret, 1557). Und im selben Sinne formulierte C. Landino (1424–1504) in der Vorrede zu Ciceros *Tusculanae disputationes* [5] programmatisch: ›Perfectissima eloquentia existimanda est, quae a sapientiae studio non sit seiuncta, sed et bene vivendi et bene loquendi simul rationem

habeat‹ (›Als vollendete Beredsamkeit hat diejenige zu gelten, die nicht vom Studium der Weisheit getrennt ist, sondern Rücksicht nimmt auf das richtige Leben und zugleich auf das richtige Reden‹). Dabei wurde die »Weisheit« Ciceros v. a. aus *De officiis* (*Über die Pflichten*), *Tusculanae disputationes* (*Gespräche in Tusculum*) und *De finibus bonorum et malorum* (*Über das höchste Gut und das höchste Übel*) gewonnen, entweder als – meist verdeckte – Alternative zur christl. Bildung oder als deren Erweiterung und Ergänzung im Augustinischen Sinne der geistigen Verwandtschaft von heidnischer Ciceronischer Philos. und Christentum. Für den Bereich der Beredsamkeit konzentrierte man sich v. a. auf die Nachahmung der Lexik, der Figuren und Tropen (*ornatus*), des kunstvollen Satzbaus (*compositio*) in der Art des Satzgefüges (Periode), des Satzrhythmus (*numerus, numerositas*), der »Sprachrichtigkeit« (*latinitas*), der »Klarheit« (*perspicuitas*), der Angemessenheit (*aptum*) hinsichtlich der Inhalte der Rede und der Redesituation und der ›Eleganz‹ (*elegantia*). Dabei orientierte man sich im allg. an der Sprachform Ciceros, die in Distanz zu dem figuren-, tropen- und rhythmusreichen Stil des ant. Asianismus stand, den Cicero zwar in seinen frühen Werken kultiviert, aber später in Richtung auf die weniger artifizielle Schreibweise des Attizismus verändert hatte. Auf dem Hintergrund der Sprachform Ciceros wurde jetzt das ma. Lat. zu einem barbarischen Lat., dem man theoretisch und praktisch abschwor. Von der Verurteilung der Ciceronianer – v. a. in der Antibarbarus-Lit. (L. Valla, 1407–1457, *Elegantiarum linguae Latinae libri VI*, 1440, ed. princeps 1471; Hadrian/Adriano Castello, ca. 1458 bis nach 1517, *De sermone Latino et modis latine loquendi*, 1505) – hat sich das ma. Lat. bis heute nicht erholt; sein Ruf entspricht nicht seiner wirklichen Qualität. Durch das Prinzip des philos. fundierten Sprechens wurde der C. zu einem frühneuzeitlichen internationalen Stilideal, das am besten geeignet erschien, den unterschiedlichen Anforderungen der einzelnen sprachlichen Diskurse (Dichtung, höfische Redepraxis, Schulbildung und Wiss. wie Poetik, Philos., Theologie und Rhet.) gerecht zu werden.

B. GESCHICHTE [9; 7]
Der C. entstand in It. in der 1. H. des 15. Jh.; nachdem er in der 2. H. zur Mode geworden war, wurde er zu einem internationalen Stilideal mit bes. Ausstrahlung nach Frankreich, Deutschland und England. Der C. ist jedoch kein homogenes Phänomen gewesen. Es hat heftige Richtungswettkämpfe gegeben, die durch Polemik das Gemeinsame verdeckten. Anlaß der Auseinandersetzungen war der Grad der Nachahmung Ciceros. Ein radikaler (orthodoxer, strenger, puristischer, fundamentaler) C. – in der Formulierung der Gegner wurden diese Ciceronianer als *simii Ciceronis* (»Affen/ Nachäffer Ciceros«) verhöhnt (nach A. Poliziano) – stand einem gemäßigten (freien, liberalen) C. – häufig als Anticiceronianismus bezeichnet – gegenüber. Der radikale C. ließ nichts außer der Sprache Ciceros gelten (P. Cortesi, 1465–1510 [2]; P. Bembo, 1470–1547 [1];

G. Budé/Budaeus, 1467/68–1540; E. Dolet, 1509–1546 [3]). Er war daher an der systematischen Sammlung des Ciceronischen Wortschatzes interessiert. Solche Sammlungen sind bereits um 1500 so zur Manie geworden, daß Erasmus von Rotterdam in seinem *Ciceronianus* (1528) einen – fiktiven – Verf. verspottet [4. 17f.]. Die wichtigsten Grundlagen für die Erfassung der Ciceronischen Sprache schuf M. Nizolio in den *Observationes in Ciceronem* (1535), die später unter den Titeln *Thesaurus Ciceronianus* und *Lexicon Ciceronianum* herausgegeben wurden. C. Estienne veröffentlichte 1556 einen *Thesaurus M. Tullii Ciceronis* in Paris. Wegen seiner rigorosen Fixierung auf Cicero war der orthodoxe C. nicht selten latent antichristl. Offener war der gemäßigte C. So forderte etwa A. Poliziano (1454–1494) – in der Auseinandersetzung mit P. Cortesi [2] – die Nachahmung auch von Autoren der frühen Kaiserzeit (insbes. Seneca und Tacitus), weil sie erst die Möglichkeit eines individuellen Stils schaffe. Petrarcas Bienengleichnis (fam. 1,8; nach Seneca ep. 84,3 f.; 16,7: die Bienen machen etwas Neues und Eigenes, den Honig, aus dem Nektar vieler verschiedener Blumen) verweist dabei auf die produktive → *imitatio*. Bes. dt. Humanisten plädierten entschieden und wirkungsvoll für einen freien C., weil sie der Meinung waren, daß die mod. christl. Welt nicht allein mit den sprachlichen und gedanklichen Kategorien Ciceros erfaßt werden könne; Meinungsführer wurde Erasmus von Rotterdam (ca. 1469–1546) durch seinen satirischen Dialog *Ciceronianus: Sive de optimo dicendi genere* (*Ciceronianus. Oder über die beste Art des Redens*) [4]. Dieser Dialog ist in einzelnen Partien gearbeitet nach der Schrift *Lexiphanes* des griech. satirischen Literaten Lukian von Samosata (ca. 120–ca. 180) gegen den rigiden griech. Attizismus, der nur Sprachelemente der klass. att. Lit. des 5. und 4. vorchristl. Jh. zuließ. Das Hauptargument des Erasmus: Ein radikaler C. verstößt gegen das grundlegende Stilprinzip des *aptum*, weil strikter Ciceronischer Stil – dazu gehört immer die Lexik – nur zu alten ciceronisch-heidnischen Inhalten paßt, nicht jedoch zu christl. – und damit mod. – Gedanken. In einer christl. gewordenen Welt hat ein strenger C. keinen Platz; damit ist v. a. eine Beschränkung auf den Ciceronischen Wortschatz unsinnig.

Ähnlich argumentierte der Reformator und Pädagoge Philipp Melanchthon (1497–1560) in seinen *Elementa Rhetorices* (1532): eine enge Ciceronische Nachahmung ist unmöglich, denn ›alia forma nunc est imperii, religio alia est quam Ciceronis temporibus. Quare propter rerum novitatem interdum verbis novis uti convenit‹ (›Jetzt gibt es eine andere Form des Reiches, auch eine andere Religion als zu Zeiten Ciceros. Daher ist es erlaubt, wegen der Neuheit der Tatsachen bisweilen neue Wörter zu gebrauchen‹, Elementa Rhetorices libri duo, 1532, fol. EGr). Als allerdings P. de la Ramée (Ramus) mit seinem *Ciceronianus* (1577) noch einmal im Sinne des Erasmus in die Auseinandersetzung um den richtigen C. eingriff, hatte der C. seinen Höhepunkt überschritten. Der Manierismus mit seiner hochartifi-

ziellen Stilisierung durch ein hohes Maß an Figuren und Tropen (in der Art des ant. Asianismus) und der Tacitismus mit der Rezeption Taciteischer Sprachformen waren an die Stelle der *Querelles ciceroniennes* getreten. v. a. war es der → Tacitismus, der sich – im Sinne der ant. Stilgeschichte – zu einem dezidierten Anti-C. entwickelte. Nach seinem leidenschaftlichen Anhänger J. Lipsius (1547–1606) wurde er auch Lipsianismus genannt. Dieser Tacitismus begründete seine Aktualität mit der Verwandtschaft von röm.-kaiserzeitlichem und frühneuzeitlichem Absolutismus. Aber auch er war von kurzer Dauer, denn die lat. Sprache insgesamt wurde durch die Nationalsprachen zurückgedrängt. Der C. behielt im Bereich von Schule und Univ. eine starke Stellung, entwickelte sich dabei aber zu einem ausschließlich sprachlich-formalen Phänomen. Eine späte Blüte – mit stark antitaciteischem und antisenecanischem Effekt – erlebte er noch einmal in Schule und Univ. in der 2. H. des 19. Jh., als er – zusammen mit der Sprache Caesars – zur sprachlichen Norm wurde, die auch selbst bis in die Gegenwart hinein die Sprach- und Stilübungen bei der Ausbildung der Studierenden der Latinistik an den Univ. nicht unerheblich bestimmt, wie der unverwüstliche H. Menge mit seinem *Repetitorium der lat. Syntax und Stilistik* ([10]1914, [11]1953) beweist.

→ Altsprachlicher Unterricht; Rhetorik

→ AWI Cicero

QU 1 P. BEMBO, Brief: De imitatione (1513) an G. Pico della Mirandola (Text: Le Epistole De imitatione di G. Pico della Mirandola e di P. Bembo, hrsg. v. G. SANTANGELO, 1954, 46, Übers. in Teilen: A. BUCK, Human., 1987, 206f.) 2 P. CORTESI, Brief über die lit. Nachahmung (nicht datiert) des A. Poliziano an P. Cortesi, Text und Übers.: E. GARIN, Gesch. und Dokumente der abendländischen Pädagogik, Bd. 2: Human., Quellenauswahl für die dt. Ausgabe von E. KESSLER, 1966, 246–248 (Übers.: Die Kultur des Human. Reden, Briefe, Traktate, Gespräche von Petrarca bis Kepler, hrsg. v. N. MOUT, 1998, 42f.) 3 E. DOLET: Dialogus de imitatione Ciceroniana, Lyon 1535 4 ERASMUS VON ROTTERDAM, Ausgewählte Schriften, Bd. 7, hrsg. v. W. WELZIG, übers. v. TH. PAYR, 1972, 1–355 5 C. LANDINO, Scritti critici e teorici, hrsg. v. R. CARDINI, Bd. 1, 1974, 5–15

LIT 6 E. NORDEN, Die ant. Kunstprosa, Bd. 2, [2]1909, 699–719 7 TH. PAYR, Einleitung zu: ERASMUS VON ROTTERDAM, Bd. 7, hrsg. v. W. WELZIG, übers. v. TH. PAYR, 1972, XXXV–XLII 8 F. TATEO, s. v. C., in: HWbRh 2, 1994, 225–229 9 Ders., B. TEUBER, R. E. SCHADE, s. v. C., in: HWbRh 2, 1994, 230–247.   MANFRED LANDFESTER

Circus s. Stadion

Civilians A. EINLEITUNG B. GESCHICHTE C. BEDEUTUNG D. WERKE E. EINFLUSS

A. EINLEITUNG

Im Rechtssystem Englands spielte neben dem *common law* auch das als *civil law* bezeichnete röm. Recht, genauer das auf dem europ. Festland herrschende, auf röm.-kanonischen Quellen beruhende *ius commune*, eine wichtige Rolle. Es wurde von als C. bezeichneten Juristen in der Praxis angewendet sowie an Univ. gelehrt und wiss. bearbeitet. Bes. Bed. hatte es im 16. und 17. Jh. aufgrund seiner Verbindung mit den Tudors und Stuarts für eine Anzahl bed. Gerichte außerhalb der königlichen Gerichte von Westminster.

B. Geschichte

Die ersten Anf. lagen schon im 12. Jh., zu der Zeit, in der man an den engl. Univ. Oxford und Cambridge das Studium des röm. und des kanonischen Rechts begann. Von da an waren fast für 600 J., bis 1758 Blackstone Professor für engl. Recht wurde, an den Univ. ausschließlich das röm. und bis zur Reformation auch das kanonische Recht Gegenstand des Unterrichts. Die eigentliche Geschichte der C. begann um 1500. Etwa 1511 schloß sich eine Gruppe von Juristen, die *civil law* studiert und einen Grad an einer Univ. erworben hatten, nach dem Modell der *Inns of Court* des *common law* zu einer berufsständischen Vereinigung mit Sitz in der Nähe der Kirche St. Paul zusammen. Den Kern bildeten zunächst die *Advocates* oder *Doctors of Law* des geistlichen Gerichtes des *Court of Arches*. Dazu gehörten aber auch fast von Anf. an die im röm. *civil law* ausgebildeten Juristen, die das Personal des *Admiralty Court* stellten. Nach der Reformation verschwanden die *canon lawyers* als eigener Stand. Die Gerichte der anglikanischen Kirche wendeten zwar weiterhin das herkömmliche kanonische Recht an. Doch alle Ämter an den geistlichen Gerichten waren jetzt ausschließlich den C. zugänglich. Dazu kam, daß sich Heinrich VIII. bei der Gründung oder Reorganisation einiger wichtiger Gerichtshöfe auf die C. stützte. Von großer Bed. war 1540 die Gründung von *regius chairs* für *civil law* in Oxford und Cambridge. Diese Maßnahme diente der Schaffung von Ersatz für das Studium des kanonischen Rechts, war aber auch Teil des human. Programms der Pflege der Altertumswiss. Der erste bed. Inhaber des Lehrstuhls in Oxford war Alberico Gentili (1552–1608), der dem *mos italicus* anhing. Erster Inhaber des Lehrstuhls in Cambridge war der human. geprägte Thomas Smith.

1568 bezog die Vereinigung der C. ein ansehnliches Gebäude, welches ebenso wie die Vereinigung selbst als *Doctors' Commons* bezeichnet wurde. Kurz nach Bezug des Gebäudes begannen der *Court of Admiralty* und einige kleinere geistliche Gerichte ihre Sitzungen in *Doctors' Commons* abzuhalten. Im Unterschied zu den *Inns of Court* diente die Vereinigung der C. aber niemals der Ausbildung des Nachwuchses. Diese blieb Sache der Univ. Zunächst bestand eine gewisse Abhängigkeit von *Trinity Hall* in Cambridge. Erst 1768 wurde die Vereinigung als *College of Doctors of Law exercent in the Ecclesiastical and Admiralty Courts* durch *Royal Charter* als völlig selbständig anerkannt.

Die C. betrachteten sich als juristische Elite auf gleichem Niveau wie der Stand der *Serjeants at law*. Zwar hatte schon Sir Edward Coke (1552–1634) als *Chief Justice* versucht, ihnen Konkurrenz zu machen, doch erst

im Verlaufe der Rechtsreformen des 19. Jh. wurden 1857 für Ehefragen und Testamentsangelegenheiten die weltlichen Gerichte zuständig. 1859 verloren die C. auch ihr Monopol in den Sachen, für welche die *Admiralty Courts* zuständig gewesen waren. Deswegen beschlossen die letzten 26 Mitglieder von *Doctors' Commons* 1858 nach einer langen Phase des Niedergangs die Auflösung der Vereinigung. Das Gebäude wurde verkauft, die Bibl. mit ihrem hervorragenden Bestand internationaler juristischer Lit. verstreut.

C. Bedeutung

Das *civil law* wurde von einer ganzen Anzahl von Gerichten mit weitreichenden Zuständigkeiten angewendet. Die bedeutendsten dieser Gerichtshöfe waren das für Ehe- und Testamentssachen zuständige Konsistorialgericht und der *Court of Admiralty*, der über Seerecht und internationale Angelegenheiten des Handels urteilte. Bis 1857 wurden alle in der Erzdiözese London errichteten Testamente in *Doctors' Commons* aufbewahrt. Durch die Rechtsprechung der Admiralität wurde das gemeineurop. Recht der *lex mercatoria* in England rezipiert. Dem *common law* unbekannte Einrichtungen wie Wertpapiere, Versicherungen, Ladescheine etc. wurden hier behandelt. Zu den insgesamt als *Conciliar Courts* bezeichneten Gerichten gehörten weiter *Privy Council, Star Chamber, Court of Requests, Court of High Commission, High Court of Chivalry, High Court of Delegates, Council of the North, Council of Wales*. Dazu kamen die Kriegsgerichte sowie die Gerichtshöfe der Vizekanzler der beiden engl. Univ. Oxford und Cambridge. In Verwaltung und Diplomatie waren die C. treue Diener des Königs. Von der großen Politik waren sie jedoch ausgeschlossen. Manchmal dienten Juristen beider Arten nebeneinander an den Gerichten. Etliche Juristen hatten aber auch beide Qualifikationen. Mehr als 20 bis 25 C. gleichzeitig gab es selten in *Doctors' Commons*. Das ist, verglichen mit der Zahl der praktizierenden Juristen des *Common law*, die stets etwa 400 betrug, keine sehr große Zahl. So waren die C. zwar eine Konkurrenz für die *Common Lawyers*, konnten ihnen aber nie ernsthaft gefährlich werden.

D. Werke

Die Liste der insbes. auf Grund ihrer wiss. Leistungen bedeutenden C. umfaßt in einer ersten Gruppe oder – wie Coquilette sagt – *generation* folgende Namen: Christopher St. German (1457–1539), Thomas Smith (1513–1571), Alberico Gentili (1552–1608), William Fulbecke (1560–1603) und John Cowell (1554–1611). Smith, Gentili und Cowell waren *regius professors*.

St. German war zwar ein *common lawyer*, gilt aber mit seiner Erörterung über Gemeinsamkeiten und Unterschiede von *civil law* und *common law*, dem Hauptthema dieser ersten Generation, als der geistige Stammvater der *civilians*. Fulbecke studierte bei Gentili in Oxford und wurde der bedeutendste der C. Cowell betonte mehr die Übereinstimmungen zw. den beiden Rechtssystemen und versuchte konsequenterweise auch, einen Unterricht im *common law* an seiner Univ. einzuführen. Die

Gegensätze von *civil law* und *common law* spielten eine bes. große Rolle auf dem Gebiete des Handelsrechts, auf dem Thomas Ridley (1549–1629) das *civil law* und Charles Molloy (1607–1690) das *common law* repräsentierten.

Für die späteren Generationen von C. sind zunächst die Namen Arthur Duck (1580–1648), Richard Zouche (1590–1662), Thomas Wood (1661–1722), William Strahan und John Ayliffe (1676–1732) hervorzuheben. Duck blieb mit seinem Buch *De usu et authoritate iuris civilis Romanorum in dominiis principum Christianorum* von 1653 auf der Linie von Cowell. Ihm ging es um die ›common ideas of law and equity, shared by all european nations‹, als deren Wurzel aber in der Regel das röm. Recht angesehen wurde. Zouche, wie Duck ein Schüler des Gentili-Nachfolgers Budden, verteidigte die Gerichtsbarkeit der *admiralty* und die Prinzipien des *ius inter gentes*. Bei Wood begann sich der Einfluß des neuzeitlichen Naturrechts im Stile von Jean Domat bemerkbar zu machen, das dann seinen Höhepunkt in Strahans Domat-Übers. von 1722 fand.

E. EINFLUSS

Das *civil law* war auch für die Entwicklung des engl. Rechts insgesamt von Bed. Hervorzuheben ist insbes. der Beitrag, den die C. in ihren Schriften zur Bildung genereller juristischer Prinzipien und Methoden des Rechtsdenkens und auch zur Darstellung des Rechts in wiss. Systemen geleistet haben. »Methode« bedeutet, daß der Richter nicht den in den *abridgements* zusammengestellten *precedents* folgt, sondern die Fälle unter abstrakte Regeln subsumiert, die sich für die Darstellung in systematischer Rechtswiss. und für die Lehre an Univ. eignen. Auch die Vorstellung, daß es als *ius gentium* allg. akzeptierte Grundsätze der Gerechtigkeit geben müsse, ist von den C. verbreitet und vom *common law* nutzbar gemacht worden. Die C. waren die Begründer der Rechtsvergleichung und des internationalen Privatrechts, von daher von großer Bed. für die Entwicklung des Handelsrechts und des Prozeßrechts.

Zu den *common lawyers*, die offen für den Einfluß der C. waren, gehörte in erster Linie Francis Bacon. Ihm folgten in dem Bestreben, das Recht als rationale Wiss. zu behandeln, Thomas Hobbes, John Seldon, Matthew Hale, John Holt, Lord Mansfield und auch Jeremy Bentham.

→ Großbritannien; Römisches Recht

1 C. T. ALLMAND, The Civil Lawyers, in: Profession, Vocation and Culture in Later Medieval England, ed. C. H. CLOUGH, 1982, 155–180   2 D. R. COQUILLETTE, The Civilian Writers of Doctors' Commons (= Comparative Stud. in Continental and Anglo-American Legal History, Bd. 3), 1988   3 N. HORN, Röm. Recht als gemeineurop. Recht bei Arthur Duck, in: Stud. zur europ. Rechtsgesch., hrsg. von W. WILHELM, 1972, 170–180   4 B. LEVACK, The Civil Lawyers in England, 1603–1641, 1973   5 Ders., The English C., 1500–1750, in: Lawyers in Early Modern Europe and America, ed. W. PREST, 1981, 108–128   6 G. SQUIBB, Doctors' Commons, 1977   7 P. STEIN, Continental Influences on English Legal Thought, 1600–1900, in: La formazione storica del diritto moderno in Europa, 1977, III 1105–1125   8 Ders., Röm. Recht und Europa, 1997, 145–147.

KLAUS LUIG

College   A. BEGRIFF   B. GESCHICHTE   C. GEGENWÄRTIGER STAND

A. BEGRIFF

C. bezeichnet Institutionen des englischen und (US-)amerikanischen Bildungssystems, die teilweise dem oberen Sekundarschulbereich, teilweise dem Hochschulbereich zugerechnet werden. Dem urspr. Wortsinn nach meint C., auf die ma. Hausgemeinschaft der Scholaren und ihrer Magister (*collegium*) zurückverweisend, die Lebens- und Studiengemeinschaft von *fellows* und *students*. Der C.-Begriff ist weder klar definiert noch gesetzlich geschützt. C. können in England und Amerika sowohl schulische Einrichtungen allg.- oder berufsbildender Art als auch universitäre Lehr- und Forschungsinstitute genannt werden, teilweise setzen sich die Univ. aus mehreren C. zusammen (vgl. Oxford, Cambridge), teilweise heißen spezielle Inst. der Univ. so, teilweise tragen fachspezialisierte Hochschulen/Univ. diese Bezeichnung. Sogar volkshochschulähnliche Institutionen werden in Amerika so genannt. Gemeinsam ist ihnen allen die Idee der Gemeinschaft und des intensiven, offenen Kontakts zw. den Lehrenden und Studierenden, die eine zeitweilige Studien- und Lebensgemeinschaft bilden.

B. GESCHICHTE

Entstehung und Entwicklung der C. hängen eng mit der Geschichte der Univ. in Westeuropa zusammen. Ihr Ursprung liegt in den klösterlich organisierten Kollegienhäusern des MA, in denen vorwiegend mittellose Theologieaspiranten mit ihren unverheirateten Professoren/Lehrern zusammen wohnten und von ihnen unterrichtet wurden. Als in der Scholastik das Interesse an Geistesbildung und die Nachfrage nach Advokaten, Juristen und Medizinern stieg, bildeten sich neben den Kollegien freie Lehr- und Lebensgemeinschaften. Diese freien Gelehrten- und Scholarenkorporationen sind der Grundstock für die Entstehung der Univ. (Bologna 1119, Oxford 1163, Paris, Salerno, Padua 1200, Cambridge 1249), da sie kirchlicher- und staatlicherseits anerkannt und mit den Privilegien der akad. Lehre, Prüfung, Graduierung und Selbstverwaltung ausgestattet wurden (vgl. *universitas magistrorum et scolarium*, das Rechtskollegium aus Lehrern und Schülern, als Bezeichnung für die neue Lehranstalt »Univ.«). Zwar verloren die Kollegien zw. dem 13. und 16. Jh. infolge des Aufstiegs der Univ. an Bed. und wurden zu unternehmerisch organisierten Internaten; sie gewannen ihre Stellung als Wissenschaftsinstitutionen im 16. Jh. jedoch wieder zurück, da der Studienbetrieb immer mehr in ihren Räumen und Gebäuden stattfand. So bildeten die Kollegien im 16./17. Jh. vielerorts eine Univ. innerhalb der Univ. oder wurden selbst als Univ. konzipiert (vgl. Kollegien der Orden in ganz Europa). Im 19. Jh. setzte sich hier die Univ. gegen die Bildungsanstalten Kolleg, Akad. und Lyzeum durch.

Das im MA und bis zur → Aufklärung in Europa allg. übliche Kolleg mit seiner Konzeption der Studiengemeinschaft hat sich nur in England bis in die Gegenwart erhalten. Die Grundkonzeption der engl. C., Lebens- und Studiengemeinschaft von Fellows (Baccalaureaten, Magister oder Doktoren mit Lehr- und Verwaltungskompetenzen) und Studierenden zu sein, geht auf William of Wykeham, den Gründer des New C. in Oxford (1386), zurück. In der Kolonialzeit wurden in Neuengland C. für die Ausbildung von Söhnen wohlhabender Familien (vgl. William-and-Mary-C. Williamsburg, Harvard-C., Yale-C. u. a.) nach dem engl. Vorbild als lebensgemeinschaftliche Lehranstalten gegr. Das Gemeinschaftsleben außerhalb des studierten Studiengangs gilt seitdem als wesentliches Element der körperlichen, moralischen und gesellschaftlichen Bildung.

Die Neuerrichtung von selbständig organisierten C. auf dem Campus im Laufe der Jh. hat dazu geführt, daß z. B. die engl. Traditions-Univ. Oxford mittlerweile aus etwa 40 C. besteht, die lediglich durch die Universitätsleitung, mit dem Chancellor an der Spitze, koordiniert werden. Mitte des 19. Jh. setzte in Nordamerika eine Organisationsreform ein, die den amerikanischen Schulen und Univ. ein eigenständiges Profil verlieh, ohne allerdings C. und Univ./Hochschulen begrifflich klar voneinander abzugrenzen.

C. GEGENWÄRTIGER STAND

In England sind als C. vorrangig die traditionsbehafteten höheren privaten Internatsschulen wie Eton, Harrow, Rugby oder Winchester zu nennen, deren Besuch vorwiegend den wohlhabenden, adeligen Bevölkerungsklassen reserviert ist. Elitär in ihren Anforderungen und Zugangsvoraussetzungen sind auch die Traditionsuniv. Oxford und Cambridge, die sich als Hochschulen aus einer Vielzahl von selbständig organisierten C. zusammensetzen, die ihnen im Laufe ihrer Geschichte zuwuchsen. Davon zu unterscheiden sind in Großbritannien die Six-form-C. An ihnen erwerben durchschnittlich etwa ein Drittel aller engl. Schülerinnen/ Schüler, die den GCSE-Abschluß (General Certificate of Secondary Education) erreicht haben, in weiteren zwei Schuljahren den A-Level mit Universitätszugangsberechtigung.

Bei den amerikanischen C. des tertiären Bildungsbereichs herrscht eine große Typenvielfalt vor. Gemeinsam ist allen der über 1500 Einrichtungen der Bachelor-Abschluß als B. A. (Baccalaureus Artium) oder B. S. (Baccalaureus Scientiarum) nach einem vierjährigen Grundstudium; einige verleihen auch den Master-Grad (M. A.) oder den Ph. D. (Philosophiae Doctor). Zahlenmäßig überwiegen die allgemeinbildenden, geisteswiss. orientierten Vierjahrs-C. (*liberal arts colleges*), die Teil einer Univ. (*univ.-c.*) oder auch selbständig sein können. Sie sind das Kernstück des amerikanischen Hochschulsystems. Auf ihnen bauen die Graduiertenstudiengänge der Univ. in *graduate-schools* oder die Spe-

zialstudiengänge in *professional schools* bzw. *vocational-technical c.*, die als *schools* oder als *c.* bezeichnet werden, auf. Stark vertreten sind auch die landwirtschaftlich-polytechnischen Dotations-C. (*land-grant c.*). Für die ersten beiden Studienjahre gibt es noch als bes. Schultyp die Junior C. mit allgemeinbildendem Curriculum, die organisatorisch sowohl einer High school als auch einer Univ. zugehören können. Den Univ. angeschlossen sind indes die *evening c.* für das Erwachsenenstudium. *Community c.* schließlich werden in Amerika (noch) volkshochschulähnliche Institutionen mit allg.- und berufsbildenden Angeboten genannt.

Die Theologenausbildung an den engl. Traditions-C. bildete bis zur Wende des 19./20. Jh. die Grundlage für die zentrale Stellung der *litterae humaniores* und der alten Sprachen. Das änderte sich mit der Ausgestaltung der mathematisch-naturwiss. Studieninhalte nach dem I. Weltkrieg entscheidend. Der Bedeutungsverlust von Lat. und Griech. hat an den Six-Form-C. dazu geführt, daß beide Sprachen derzeit allenfalls noch von zwei Prozent der Schüler in einem Wahlkurs gelernt werden. Ähnlich verlief die Entwicklung im amerikanischen Schulwesen. Bis etwa 1914 war Lat. dominant an den High schools; es verlor diese Position aber endgültig bei den Reformen Anf. der 60er J.

→ Altsprachlicher Unterricht; Großbritannien; Mittelalter; Vereinigte Staaten von Amerika; Universität

1 O. A. SINGLETARY (Hrsg.), American Univ. and C., 1968
2 CH. E. MALLET, A History of the Univ. of Oxford, 1968
3 R. OLLARD, An English Education. A Perspective of Eton, 1982.   WERNER WIATER

Comics

I. GATTUNG   II. MOTIVATIONSHELFER IM UNTERRICHT   III. IM MEDIENVERUND

I. GATTUNG
A. DEFINITION   B. ALLGEMEINES

A. DEFINITION

C. sind eine spezielle Art der Bildergeschichte, die vor der Jahrhundertwende in den USA entstand. Sie läßt sich als Erzählform beschreiben, in der Text und Bilder in einer narrativen, meist chronologisch angeordneten Sequenz gegliedert sind. C. entwickelten sich aus der polit. und satirischen Karikatur des 18. und 19. Jh. [1]. Lange als Trivial- und Jugendlit. abqualifiziert, hat sich durch die Rezeption von C.-Elementen in der avantgardistischen Kunst (Malerei: Roy Lichtenstein, Andy Warhol, Picasso; Film: Jean-Luc Godard, Quentin Tarantino) und durch den kommerziellen Erfolg seit den 70er J. eine differenziertere Betrachtungsweise durchgesetzt, die C. als Massenmedium mit spezifischen kunsthistor. und soziokulturellen Charakteristika akzeptiert. Die Kombination von Bild und Text (selten auch in Personalunion von Zeichner und Autor) hat eigenständige Erzähltechniken mit eigener narrativer Struktur (»Bild-in-Bild« bzw. »Cut-Up«-Technik;

Erzähltechniken eines Comics und eines antiken Bildfrieses

Sprechblasen, Onomatopoetik) herausgebildet, die über bloße Anleihen bei Lit., Malerei und Film hinausgehen. Heute sind C. als Form der Alltagskunst bes. in Frankreich und Amerika anerkannt. Künstler wie Carl Barks, Hal Foster oder Frank Miller haben nachweislich sehr großen Einfluß auf Sprache und Bildwahrnehmung der mod. Gesellschaft ausgeübt [2]. C. transportieren Alltagsmythen [3]. C.-Figuren wie *Superman* oder *Donald Duck* haben sich längst einen festen Platz im kulturellen Gedächtnis vieler Völker erobert. Die hohen Auflagenzahlen und die massenhafte Verbreitung haben zur Ausbildung eines vielgesichtigen Massenmediums beigetragen, das in seiner thematischen und stilistischen Breite (Underground-C., Polit-C., Erwachsenen-C., Funnies, Superhelden-C. etc.) kaum mehr zu übersehen ist. In bedeutendem Maße haben C. zur Formulierung einer gegenständlichen, auf die genormte zivilisatorische Umwelt bezogenen Popularkunst beigetragen [4]. Schließlich spielen sie als Kommunikationsmedium eine wichtige Rolle in der mod. Didaktik. Bei der Vermittlung und Einübung von Lehrstoffen haben sich Bildergeschichten als Stütze für die inhaltliche Erschließung von Texten, als Verständnishilfe für gramm., strukturelle und histor. Phänomene und nicht zuletzt als Motivations- und Lernanreiz bewährt [5; 6].

B. Allgemeines

Die Ant. nimmt in den C. eine nur untergeordnete Rolle ein. Wenige C. sind dort angesiedelt oder bedienen sich ant. Stoffe und Figuren (z.B. Plautus: Die Gespenstergeschichte, Mostellaria, 1971 oder [7]), da geschichtliches Setting und Identifikationsfiguren im Bewußtsein der traditionell jungen und selten human. gebildeten Leserschichten kaum mehr präsent und abrufbar sind. Die Inhalte sind daher oft standardisiert, die traditionellen Klischees rekursiv und amplifizierend gebraucht, der ant. Hintergrund auf das dem Leser noch zumutbare Minimum reduziert. Die bekannteste C.-Serie ist *Asterix*, die 1959 vom Texter René Goscinny und dem Zeichner Albert Uderzo konzipiert wurde und nach mehr als 30 Alben zu den erfolgreichsten C. überhaupt zählt [8]. Sie beschreibt die Abenteuer des gallischen Helden Asterix (frz. Astérix), der, zusammen mit seinem gargantuesken Freund Obelix (frz. Obélix) und mit Hilfe eines Zaubertranks des Druiden Miraculix (frz. Panoramix), um 50 v.Chr. den röm. Eroberern trotzt. Der Reiz der Geschichten liegt neben der artistischen Sprach- und Zeichentechnik in der satirischen Überzeichnung der nationalen Tugenden der Franzosen und anderer Nationen und in dem geschickten Spiel mit dem ant. Bildungsgut. Neben *Astérix* haben noch die 1948 geschaffene *Alix l'intrépide*-Serie von Jacques Martin (um den gallischen Adoptivsohn eines röm. Patriziers) und die zw. 1967 und 1970 erschienene zwölfteilige Serie *Jugurtha* ([9] vgl. auch [10]) von Hermann (Huppen) und Jean-Luc Vernal (nach dem *Bellum Iugurthinum* des Sallust) wegen der graphisch ansprechenden und histor. fundierten Gestaltung internationale Anerkennung gefunden. *Jugurtha* sorgte während des

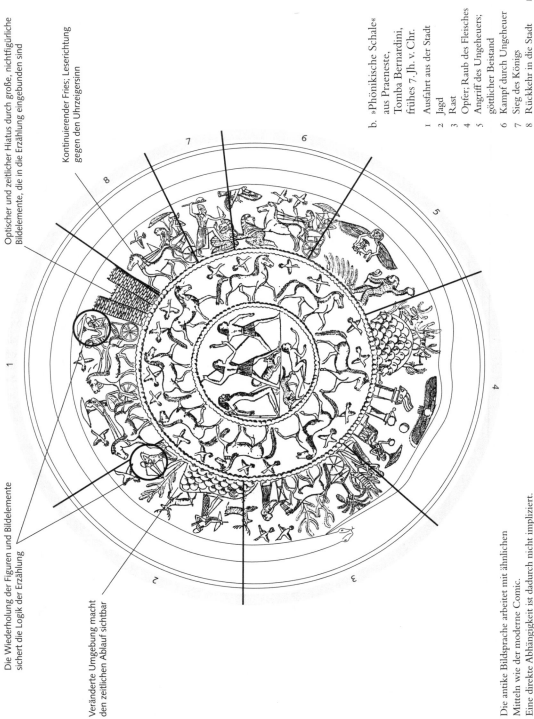

Die Wiederholung der Figuren und Bildelemente sichert die Logik der Erzählung

Optischer und zeitlicher Hiatus durch große, nichtfigürliche Bildelemente, die in die Erzählung eingebunden sind

Kontinuierender Fries; Leserichtung gegen den Uhrzeigersinn

Veränderte Umgebung macht den zeitlichen Ablauf sichtbar

b. »Phönikische Schale«
aus Praeneste,
Tomba Bernardini,
frühes 7. Jh. v. Chr.

1 Ausfahrt aus der Stadt
2 Jagd
3 Rast
4 Opfer; Raub des Fleisches
5 Angriff des Ungeheuers;
   göttlicher Beistand
6 Kampf durch Ungeheuer
7 Sieg des Königs
8 Rückkehr in die Stadt

Die antike Bildsprache arbeitet mit ähnlichen
Mitteln wie der moderne Comic.
Eine direkte Abhängigkeit ist dadurch nicht impliziert.

MAREILE HAASE

frz. Algerien-Konflikts sogar kurzfristig für polit. Aufsehen [11] (ab 1976 vom Zeichner F. Drappier fortgesetzt; vgl. auch [12]).

1 A. C. KNIGGE, C., 1996, 7–10 2 B. FRANZMANN, H.-J. KAGELMANN, R. ZITZLSPERGER, C. zw. Lese- und Bildkultur, 1991 3 P. HERMAN, Epopée et Mythes du Western dans la Bande Dessinée, 1982 4 G. METKEN, C., 1970, 177 5 M. FUHRMANN, Asterix der Gallier und die »röm. Welt«, in: Alte Sprachen in der Krise?, 1976, 105–127 6 T. VISSER, Bilder(geschichten) und Gramm., in: AU 36, 1994, 8–26 7 Caesaris commentarii belli Gallici: bellum Helveticum pinxit FABER, composuit RUBRICASTELLANUS, 1988 8 A. STOLL, Asterix. Das Trivialepos Frankreichs, 1975 9 R. LEHNER, Jugurtha, in: Comixene 36, März 1981, 17 10 B. DE CHOISY, Uderzo-storix, 1991 11 A. C. KNIGGE, in: Jugurtha. Kampf um Numidien, 1983, 91–93 12 TH. GROENSTEEN, Hermann, 1982, 13 ff.   KLAUS GEUS

II. MOTIVATIONSHELFER IM UNTERRICHT
A. EINLEITUNG   B. SPEKTRUM DES ANGEBOTS AN COMICS IN LATEINISCHER/GRIECHISCHER SPRACHE

A. EINLEITUNG

Im Falle der »Lat. C.« stehen wir vor einem Sonderfall der Antikenrezeption in der Literaturform C. Die Frage nach der Art der Rezeption, die so unterschiedliche Formen wie z. B. Ant. als bunte Staffage für den Plot oder als produktive Auseinandersetzung mit Bezügen zur Gegenwart annehmen kann [19. 22], bleibt zwar von Bed., doch tritt sie hinter den Aspekt der Sprache und den didaktischen Überlegungen zur Sprachvermittlung mit diesem Hilfsmittel zurück. Seit dem Anfang der 70er J. – 1971 erschien die Adaption einer Plautus-Komödie von H. Oberst [5], 1973 die erste Übers. eines Asterix-Bandes [1] – ist das Angebot an C. in lat. und (in seltenen Fällen) auch altgriech. Sprache stetig gewachsen [18. 293–295; 13]. So führt Kipf 40 C. auf, die ins Altgriech. (2) bzw. Lat. (38) übersetzt wurden [15. 6f.; 29. 37–38]. Bes. Interesse finden C., da sie eine Motivationssteigerung zu versprechen scheinen [12; 14. 61]. Auf den ersten Blick vereinen sie eine Vielzahl von Vorzügen. Sie behandeln kindgerechte Themen, verwenden eine dem Leseverhalten von Kindern entgegenkommende Kombination von Wort und Bild [12. 54 ff.], entsprechen der Forderung nach Anschaulichkeit [20. 3] und stellen eine zeitgemäße Präsentationsform dar, die den im Unterricht der neuen Fremdsprachen verwendeten Lernmitteln nahesteht [20. 5].

Die Publikation lateinischsprachiger C. fällt zeitlich einerseits mit einer im Rahmen der Trivialliteraturforsch. intensivierten Diskussion über die Literaturform »C.« zusammen [8. 228 ff.], andererseits begann die Lateindidaktik Mitte der 70er J., sich mit der (Um-)Gestaltung des Lektürekanons zu beschäftigen. M. Fuhrmann plädierte für die »kleinen Gattungen«, um den Unterricht verstärkt dem Alter und den Bedürfnissen der Schüler gerecht zu gestalten und für den Hinzugewinn an Motivation auch trivialere Themen in Kauf zu nehmen [11]. Infolgedessen gerieten neu-lat. Übers.,

u. a. von traditionellen Bildergeschichten (Max und Moritz, Struwwelpeter), insbes. auch die Übers. der Asterix-C. und die Komödien-C. von Oberst in das Blickfeld der Didaktik [9]. Während M. Fuhrmann die bes. Form der Antikenrezeption n der dt. Ausgabe der Asterix-Serie als Potential für den Lateinunterricht erschlossen hat und hierin vornehmlich ein Mittel sah, die Schüler dazu anzuregen, sich positiv mit der Ant. auseinanderzusetzen [12], wurden in der Folgezeit Wege gesucht, um dieses Potential auch für die Sprachvermittlung zu nutzen. Zu diesem Zweck wurden die Qualitäten lat. C. als Frühlektüre ausgelotet [10; 17]. Des weiteren gab es wiederholt Versuche [4; 6], Unterrichtsstoff mit Hilfe des Gestaltungsmittels C. aufzubereiten. Seit den 80er J. wurden in den Fachperiodika (*Altsprachlicher Unterricht, Anregung*) handlungsorientierte Ansätze vorgestellt, in denen die Vorteile einer kreativen Umsetzung der Lektüre (aller Schwierigkeitsstufen) in die Form von C. durch Schüler entwickelt wurden [18; 13].

B. SPEKTRUM DES COMICS-ANGEBOTS

Traditionell wird die C.-Lit. in Funnies und Adventure-C. unterteilt [8. 326]. Hierzu gibt es weitere Unterkategorien (Humor, Action-Adventure, Real-Life, Fantasy und Serious [19. 22]) sowie eine Vielzahl von Mischformen, die sich einer eindeutigen Zuordnung entziehen [8. 289 ff.]. Auch das Angebot an lat. C. zeigt eine erstaunliche Vielfalt. Es finden sich Beispiele für Funnies (*Disney lingua Latina*, 1984 ff.), Semi-Funnies (*Browne, D., Haegar terribilis, miles sine timore vitiisque,* in Lat. conv. K. Ulrichs, 1986), Adventure (*Hergé lingua Latina: De Titini et Miluli facinoribus* = Tim und Struppi, in Lat. conv. C. Eichenseer, 1987 ff.). Diese traditionelle Einteilung gibt jedoch nur bedingt Aufschluß über die speziellen Eigenschaften der Texte, ihre Vorzüge und Nachteile im altsprachlichen Unterricht. Für die Gruppe der C., die sich explizit mit der Ant. beschäftigen, sind die Erkenntnisse der Geschichtsdidaktik hilfreicher. Diese können auch ergänzend zum Sprachunterricht Material für die Vermittlung der Realienkunde und die Facetten der mod. Antikenrezeption erschließen.

Für »hist. C.«, eine die gattungstypische Unterscheidung überschreitende Kennzeichnung, differenziert Pandel (an Ecos Typologie histor. Romane angelehnt) fünf Typen [19. 22]: Quellen-C. (Zeugen ihrer Zeit), C.-Romance (»Geschichte als Bühnenbild« – Umstände sind nicht Bedingungen für die Handlung), C.-Roman (Vorder- und Hintergrundnarration sind verwoben), Epochen-C. (Handeln und Denken der – fiktiven, Anm. der Autorin – Personen dient zum besseren Verständnis der Geschichte), C.-Historie (»gezeichnetes Geschichtsbuch«). Die Vorzüge, die für die Arbeit mit C. im Geschichtsunterricht entwickelt wurden, bieten sich in diesem Fall auch für den Lateinunterricht an: ›Sie vertiefen Themen um die Erfahrungsdimension der Sinnlichkeit und Emotionalität und liefern damit einen Beitrag zur Ästhetik des Geschichts-

Verwendung antiker Quellen im Comic: ein Beispiel

a. Panel aus »Asterix und Cleopatra«

Der Asterix-Zeichner Uderzo hat Besonderheiten der Transkription übernommen: die Ergänzung in eckigen Klammern, eine Hieroglyphe in ungewöhnlicher Schreibweise und die fetten Balken, die angeben, wo nach der (heute überholten) Ansicht des Herausgebers ein neuer Satz beginnt. Daher ist es wahrscheinlich, daß er die Ausgabe von Budge als Vorlage benutzt hat. Ein Teil des ägypt. Texts wurde ausgelassen.

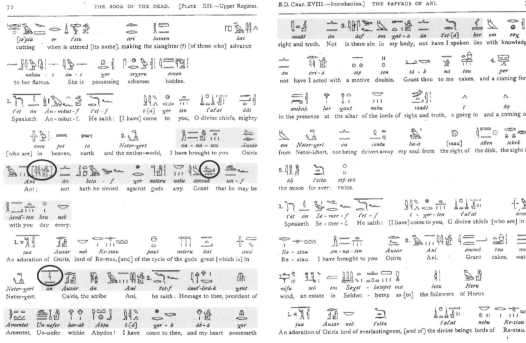

b. Transkription einer Textpassage aus dem Totenbuch des Ani von Budge (1895)

bewußtseins und zur Rhet. histor. Erzählens‹ [19. 23]. Da die Anforderungen der Geschichtsdidaktik v. a. eine inhaltliche Typologisierung der Texte notwendig machen und die Lateindidaktik darüber hinaus die Dimension der Sprachvermittlung berücksichtigen muß, erscheint die Unterteilung des C.-Angebots in zwei Gruppen sinnvoll: 1. Übers. »aktueller« C., 2. C., die bewußt für die Vermittlung lat. Sprache und Lit. produziert wurden.

1. Übersetzungen »aktueller« Comics

Neben Übers. »histor.« C. [1; 2; 3], finden sich auch eine Reihe lat. C., die keinen histor. Bezug auf die Ant. aufweisen. Hier fiel die Wahl in der Mehrzahl der Fälle auf Titel, die als »Klassiker« ihrer Literaturform gelten [16. 342 ff.]. Ihre Beliebtheit soll die Schüler ansprechen und motivierend wirken. Allerdings wird man in diesem Fall mit den für neu-lat. Texte spezifischen Problemstellungen konfrontiert, denn auch wenn sich ein Groß-

c. Totenbuch des Ani (pBM 10470; ca. 1250 v. Chr.)

Der Iunmutef-Priester führt den verstorbenen (»Osiris«) Schreiber Ani bei den Göttern ein; Ani entbietet einen Gruß.
Die Übersetzung des Texts lautet:
»Hiermit bringe ich euch den Osiris Ani. Er ist ohne Fehler vor allen Göttern. Laßt ihn mit euch sein jeden Tag. [Osiris anbeten, den Herrn von Ra-Setau (und die große Götterneuheit), der in der Nekropole ist,] durch den Osiris, den Schreiber Ani, der sagt: »Sei gegrüßt, Chontamenti Onofris in Abydos, ich komme zu dir mit Maat-gemäßem Herzen, ohne Unrecht in mir, ohne Falschheit ... .«
Die Passage in eckigen Klammern wurde von den Asterix-Autoren ausgelassen.

MAREILE HAASE

teil der Übersetzer an dem normativen Lat. Caesars und Ciceros orientiert [20.5; 2. 49], müssen sie für die lebendige Dialogsituation auf sprechsprachliche Formen (z.B. Interjektionen) zurückgreifen, die v.a. aus den Stücken der röm. Komödie bekannt sind [20. 5]. Hinzu kommt das Problem des mod. Vokabulars und der gattungsüblichen Onomatopöien. Nur wenige Übers. sind mit einer solchen Sorgfalt bearbeitet, daß die sog. »Peng-Wörter« latinisiert werden (so z.B. von Rothenburg und Eichenseer). Doch auch gewissenhafte Übers. sind selten vollkommen ciceronianisch, und die Aufbereitung durch Vokabelindices zeigt ebenfalls große Unterschiede. Bei der Lektüre eines Gesamtwerks im Unterricht kommt erschwerend hinzu, daß sich die Vorteile der Literaturform (Dynamik, Spannung, Witz), die motivierend wirken sollen, den Schülern nur durch ein flüssiges Lesetempo erschließen. Als weitere Möglichkeit wird diskutiert, Textausschnitte zur Auflockerung des Grammatikunterrichts zu verwenden ([17. 36]: ›Steinbruch für zahlreiche gramm. Probleme‹).

2. FÜR DIE VERMITTLUNG LATEINISCHER SPRACHE UND LITERATUR KONZIPIERTE COMICS
a) GRAMMATIKLEKTIONEN

Es gibt einige Beispiele für den Versuch, das Gestaltungsmittel C. bewußt auf den Sprachunterricht zuzuschneiden. Solche Veröffentlichungen setzen ihren Schwerpunkt auf die Vermittlung von Gramm. [6] oder Übersetzungsmethodik [4], weshalb sie entsprechende Vokabelangaben und unterstützende Arbeitsblätter zur Gramm. bieten. Der Bildanteil soll einen umfangreichen Wort-Kontext kondensieren, so daß sich die Aufmerksamkeit der Schüler auf die Sätze richten kann, die das Grammatikpensum vermitteln. Hinzu kommt die Vorstellung von einem der Textsorte C. immanenten Motivationspotential. Das Problem dieser Gattung besteht allerdings darin, das Ziel mit einer gelungenen Balance von Wort und Bild zu erreichen, da man nicht auf C. zurückgreift, die ihre Popularität bereits bewiesen haben.

Comics im Lateinunterricht

Plautus, Mostellaria, 4. Akt, 2. Szene: Theopropides trifft zufällig auf Bekannte seines Sohnes und erfährt, daß dieser hinter seinem Rücken sein Geld verschleudert. Der Comic ergänzt das Theaterstück um den optischen Aspekt.

THEOPROPIDES:	Quanti?
PHANISCUS:	Triginta.
THEOPROPIDES:	Talentis?
PHANISCUS:	Μὰ τὸν Ἀπόλλω, sed minis.
THEOPROPIDES:	Liberavit?
PHANISCUS:	Liberavit valide, triginta minis.
THEOPROPIDES:	Ain minis triginta amicam destinatam Philolachi?
PHANISCUS:	Aio.
THEOPROPIDES:	Atque eam manu emisisse?
PHANISCUS:	Aio.
THEOPROPIDES:	Et, postquam eius hinc pater sit profectus peregre, perpotasse assiduo, ac simul tuo cum domino?
PHANISCUS:	Aio.
THEOPROPIDES:	Quid? is aedis emit has hinc proxumas?
PHANISCUS:	Non aio.
THEOPROPIDES:	Quadraginta etiam dedit huic quae essent pignori?
PHANISCUS:	Neque istud aio.

THEOPROPIDES:	Um wieviel?
PHANISCUS:	Um dreißig.
THEOPROPIDES:	Talente?
PHANISCUS:	Bei Apollo, nein. Nur um dreißig Minen!
THEOPROPIDES:	Dafür hat er sie freigekauft?
PHANISCUS:	Um dreißig Minen hat er sie freigekauft.
THEOPROPIDES:	Dreißig Minen, sagst du, kostete Das Mädchen dem Philolaches?
PHANISCUS:	Ja.
THEOPROPIDES:	Und er hat sie freigelassen?
PHANISCUS:	Ja.
THEOPROPIDES:	Und, seit sein Vater weg war, immerfort Gezecht mit deinem Herrn?
PHANISCUS:	Ja.
THEOPROPIDES:	Und hat er auch Das Haus hier nebenan gekauft?
PHANISCUS:	Nein.
THEOPROPIDES:	Gab er nicht Dem Besitzer vierzig Minen gleich als Pfand?
PHANISCUS:	Nein, nein.

Der Vergleich mit dem Originaltext zeigt, daß Kürzungen vorgenommen und Archaismen geglättet wurden, ohne den Wortlaut zu verändern.

MAREILE HAASE

Latinisierung von »Peng-Wörtern« in »Tim und Struppi«

Französische Originalausgabe   Deutsche Ausgabe   Lateinische Ausgabe

b) ILLUSTRATED CLASSICS

Die dieser Gruppe zugehörigen C. legen ihren Schwerpunkt auf die Hinführung bzw. auf Vermittlung von Originaltexten der Ant. Sie stehen in der Tradition der Illustrated Classics-Ausgaben [9. 48]. Die grundsätzliche Schwierigkeit einer gelungenen Umsetzung liegt darin, eine interpretierende Kombination von Wort und Bild zu erreichen, die dem Charakter des Originals gerecht wird. Für eine C.-version wird die Selektion der Textausschnitte und unter Umständen eine Textbearbeitung notwendig, die nur selten allg. Zustimmung finden kann. Während die Komödien-C. wegen der Glättung und Kürzung des Plautus- bzw. Terenztextes kritisiert wurden [9], beschreiten die von von Rothenburg betreuten Ausgaben andere Wege. Er adaptiert nicht-dialogische Texte für die Präsentationsform C. Im Falle des »Caesar-C.« (*Caesaris Bellum Helveticum picturis narratum*, pinxit Faber = W. Schmid, composuit Rubricastellanus = K. H. von Rothenburg, 1987) greift er in den Text ein, wandelt u. a. indirekte in direkte Rede um. In den *P. Ovidii Nasonis Metamorphoses selectae*, composuit Rubricastellanus, pinxit M. Frei (1996) wird der Text stärker in seiner Originalform bewahrt, indem er als Bildunterschrift mitgeliefert wird, während für die Sprechblasen ein vereinfachter Dialog verfaßt wurde. Mit Ausgaben dieser Art soll der »Lektüreschock« [20. 2] gemindert und die Erschließung des Textes durch die Vermittlung von Informationen über Bilder erleichtert werden.

→ Altsprachlicher Unterricht

QU **1** R. GOSCINNY, A. UDERZO, Pericula quaedam Asterigis. Composuit Goscinny, pinxit Uderzo, in Latinum convertit Rubricastellanus (= K. H. VON ROTHENBURG), 1973 ff. **2** J. MARTIN, Alix. Spartaci filius, in Lat. conv. C. AZIZA, M. DUBROCARD, 1983 **3** J. MARTIN, Alix. Ho Athenaios Pais, ins Griech. übertragen v. einer Schulklasse unter der Leitung v. R. RINGELE, 1994 **4** W. MISSFELDT, C.

zur Analyse lat. Sätze, 1976 **5** H. OBERST, Plautus in C. Die Gespenstergesch. (Mostellaria) mit dem lat. Text, 1971 **6** J. RICHTER-REICHHELM, Casus in C., 1982 **7** Terenz, Die Brüder, hrsg. v. K. BARTELS, in C. gezeichnet v. H. OBERST, 1975

LIT **8** B. DOLLE-WEINKAUFF, C.: Gesch. einer populären Literaturform in Deutschland seit 1945, 1990 **9** U. FRINGS, C. im Lateinunterricht?, in: Gymnasium 85, 1978, 47–54 **10** Ders., H. KEULEN, R. NICKEL, Lex. zum Lateinunterricht, 1981 **11** M. FUHRMANN, Caesar oder Erasmus?, in: Gymnasium 81, 1974, 394–407 **12** Ders., Asterix der Gallier und die »röm. Welt«. Betrachtungen über einen geheimen Miterzieher im Lateinunterricht, in: Ders., Alte Sprachen in der Krise? Analysen und Programme, 1976, 105–127 **13** D. GERSTMANN, Bibliogr.: Lateinunterricht. Didaktik, Methodik, Realien, Sachbegriffe, Eigennamen, Gramm., 1997 **14** D. GRÜNEWALD, C. Kitsch oder Kunst?, 1982 **15** S. KIPF, Mediensammlung zum Altsprachlichen Unterricht 1995 (Mitteilungsblatt des Dt. Altphilologenverbandes, Sonderheft 1995) **16** A. C. KNIGGE, C. Vom Massenblatt ins multimediale Abenteuer, 1996 **17** E. LÜTHJE, Asterix als Motivationshelfer im lat. Grammatikunterricht, in: AU 22/5, 1979, 34–47 **18** A. MÜLLER, M. SCHAUER, Bibliogr. für den Lateinunterricht. Clavis Didactica Latina, 1994 **19** H.-J. PANDEL, C.-Lit. und Gesch., in: Gesch. lernen 37, 1994, 18–26 **20** K.-H. GRAF V. ROTHENBURG, C. im Lateinunterricht, in: Lat. und Griech. in Berlin 33/1, 1989, 2–10.   BIRGIT EICKHOFF

Abbildungsliteratur: ABB 1 D. RANDAIL-MACIVER, Villanovans and Early Etruscans, 1924, Taf. 39,2 · F. CANCIANI, F. W. v. HASE, La tomba Bernadini di Palestrina · H.-J. PANDEL, C.-Lit. und Gesch., in: Gesch. lernen 37, 1994, 19 · ABB 2 The Book of the Dead. Facsimile of the Papyrus of Ani in the British Mus., London ²1894, Taf. 12 · E. A. WALLIS BUDGE, The Book of the Dead. The Papyrus of Ani in the British Mus. The Egyptian Text, London 1895 · GOSCINNY, UDERZO, Asterix und Kleopatra, 1968 (frz. Originalausg. 1961), 19 · ABB 3 W. BINDER, W. LUDWIG, Ant. Komödien. Plautus/Terenz,

Bd. 1, 1971, 335 · H. Oberst, Plautus in C. Die
Gespenstergesch. (Mostellaria) mit dem lat. Text, 1971 ·
ABB 4 Hergé, Les aventures de Tintin. L'Île Noire, 1984,
2 · Hergé, Tim und Struppi. Die schwarze Insel, 1998, 4 ·
Hergé, C. Eichenseer, , De Titini et Miluli facinoribus. De
insula nigra, 1987, 2.   MAREILE HAASE

III. IM MEDIENVERBUND
A. EINLEITUNG   B. ASTERIX
C. HERAKLES/HERCULES

A. EINLEITUNG
Ein Kennzeichen mod. Vermarktungsstrategien ist
die medienübergreifende Verbreitung. Ausgehend von
einem Produkt, das in einem Medium erfolgreich ist,
wird es in anderen verwertet, im lit. wie nichtlit. Sektor.
Bei der Übertragung kommt es zu medienspezifischen
Veränderungen und/oder zu (Neu-)Interpretationen
des urspr. Textes ([5] = Beispiel einer Fallstud.). Gleichzeitig ist ein bestimmter Wiedererkennungsfaktor notwendig, um seine Popularität in der sekundären/tertiä-
ren etc. Auswertung nutzen zu können. Stoffe und
Figuren aus C. wurden seit der Anfangszeit dieser Literaturform in andere Textsorten und Medien aufgenommen und umgekehrt [2. 249; 4. 316ff.], so daß dieser Prozeß auch die Ant. rezipierende C. betrifft. Infolgedessen wirkt die vom Ausgangsprodukt geprägte Antikenrezeption in anderen Erscheinungsformen nach.

B. ASTERIX
Die Literaturform C. kann, wie in dem Fall der
Asterix-Serie, Ausgangspunkt dieses Prozesses sein. Sie
nahm ihren Anfang mit Episoden, die seit 1959 in der
Zeitschrift Pilote veröffentlicht und seit 1961 in Alben-
form zusammengefaßt wurden [2. 213ff.; 1. 16ff.]. In
ihnen haben sich mit der Zeit die Charakteristika der
Serie, wiederkehrende Charaktere, Handlungsmuster,
Zeichenstil usw. herausgebildet [2. 215–217]. Der erste
Medienwechsel erfolgte 1967 zum Zeichentrickfilm
[1. 22ff.]. Seither sind sechs Trickfilme produziert worden. Trotz der großen Nähe dieser beiden Gattungen
[4. 316ff.] resultieren aus den produktionsästhetischen
Bedingungen Modifikationen. Offensichtliche Änderungen bestehen z.B. in der Verwendung von Musik
und Geräuschen als Gestaltungsmittel, aber auch von
Bewegungen und Stimmen als Charakterisierungsmit-
tel. Allerdings gehen comicspezifische Ausdrucksmittel
verloren. Ein Beispiel dafür ist der Einsatz der Schrift als
graphisches Element – bes. virtuos in den Asterixheften
eingesetzt – u. a. zur Gestaltung von Fremdsprachen
(Ägypt., Gotisch usw.). Die Filmhandlung kann aus einer neu konzipierten Geschichte oder der Kompilation
aus verschiedenen Alben bestehen. Auf der Stufe der
tertiären Verwertung stehen Filmalben, in denen eine
Paraphrase der Filmhandlung mit Bildern aus dem Film
illustriert werden (z.B. Asterix et la Surprise de César = dt.
Asterix. Sieg über Caesar, 1986). Begleitet werden solche
Veröffentlichungen von der Auswertung auf dem
nichtlit. Sektor: Motive der Asterixserie erscheinen auf

Textilien, Schreibbedarf, als Spielzeug, in Rollenspie-
len, Computerspielen, etc. 1989 wurde auch ein
Asterix-Freizeitpark eröffnet [1. 23]. Das neueste Produkt in dieser Reihe ist die erste Realverfilmung Asterix
und Obelix gegen Caesar (1999) unter der Regie von
Claude Zidi, in der die Handlung mit Motiven aus verschiedenen Alben gestaltet wurde. Die internationale
Popularität von Asterix findet ihren Ausdruck in der
frz.-dt.-it. Koproduktion, die sich auch in der internationalen Besetzungsliste widerspiegelt. Ein Leitmotiv
der Serie, der Sieg der Schwachen gegen den scheinbar
übermächtigen Gegner, wird geradezu auf seine Entstehungsbedingungen projiziert: ›Dans la lutte héroique
que mène le village du cinéma français assiégé par les
centurions hollywoodiens, enfin vinrent Astérix et
Obélix. Dieu, quel tapage!‹ (Pierre Georges, in: Le
Monde vom 3.2.99). Der Prestigewert dieser Produktion wird auch an dem Aufwand deutlich, den man in
diesen Film investiert hat: Mit einem Budget von ca.
42,81 Mio. Euro ist es bislang das höchste für einen
französischsprachigen Film (Le Monde vom 3.2.1999).

C. HERAKLES/HERCULES
In den zwei folgenden Beispielen ist die Literaturform C. eine Stufe in der Verwertung eines Ausgangs-
produkts, in dem Antikenrezeption stattfindet. 1. Dis-
neys Hercules: 1997 erschien der Disney-Film Hercules,
der zum Ausgangspunkt einer weiteren Verwertung im
Medienverbund wurde. Elemente der Sagen um Herakles wurden in diesem Fall als bunte Staffage auf ein
familientaugliches Format gebracht und umgestaltet.
Weiterhin wurde der ant. Mythos erweitert durch Züge
des mod. »Mythos« Supermann (Findelkind, Heldentaten, äußeres Erscheinungsbild mit Cape und Symbol)
erweitert durch medienkritische Ansätze (Satire auf das
Merchandising). Die Filmhandlung wurde unter die
Leitfrage gestellt: Wodurch wird man ein Held? Das
Merchandising erfolgte auf die für Disney typische Art
[4. 59]. Die Filmhandlung wurde zur Grundlage von
Romanversionen (z.B. Lisa Ann Marsoli, Disney's Hercules, 1998), dem offiziellen C. zum Film (E. Skolnick et
al., Disney's Hercules: Official C. Movie Adaptation, 1997),
Computerspielen, begleitend erschienen die Filmmusik, Noten der Filmmusik, Spielzeug etc. und sie
wurde in die Gestaltung der Disney-Themenparks miteinbezogen. Für die neue TV-Zeichentrickserie (USA
1998) wurde ein Aspekt des Films – die Kindheit und
Ausbildung des Hercules – herausgegriffen. Er besucht
die »Academy of Prometheus«. Neu für die Serie entwickelte Gestalten (Ikarus, Kassandra, Adonis) und bereits aus dem Film bekannte Figuren (Hades als Böse-
wicht mit seinen Helfershelfern, Philoktet als Ausbilder)
werden zusammengeführt.

2. Hercules Legendary Journeys: Die Mythen um Hera-
kles wurden auch in der Reihe von fünf zweistündigen
Fernsehfilmen (Hercules and the Amazon Women, 1994,
Hercules and the Circle of Fire, 1994, Hercules and the Lost
Kingdom, 1994, Hercules in the Maze of the Minotaur 1994,
Hercules in the Underworld, 1994) [6. 36ff.] aufgegriffen,

die in der Trad. der Sandalenfilme zu sehen sind. Im darauffolgenden J. wurde das Konzept zu einer wöchentlichen einstündigen Serie umgewandelt (*Hercules: The Legendary Journeys*, 1995). In ihrem Mittelpunkt steht der Halbgott Hercules, der mit seinen Freunden durch ein fiktiv-ant. Griechenland wandert, Menschen in der Not hilft und häufig gegen mythische Ungeheuer kämpft. Aus dieser Serie sind inzwischen zwei weitere Serien (*spin-offs*) hervorgegangen (*Xena. Warrior Princess*, 1996, *Young Hercules*, 1998) und ein Zeichentrickfilm (*Hercules and Xena – The Animated Movie: The Battle for Mount Olympus*, 1998). Diese Serien werden begleitet von Roman- und Comicveröffentlichungen, die nicht nur Nacherzählungen der Fernsehfolgen, sondern auch eigenständige Geschichten beinhalten. In ihnen wird gleichfalls auf ant. Myth. und Geschichte zurückgegriffen, doch der ironische Ton, der neben den eskapistischen Abenteuergeschichten ein Element der Serie ist, wird in ihnen stärker zurückgenommen. Zur Produktpalette des Merchandising gehören wiederum Computerspiele, Rollenspiele, Soundtracks, Actionfigures etc. [6. 261 f.].

Auch das Internet wird einerseits als Werbefläche von offizieller Seite und andererseits als Möglichkeit des privaten Meinungsaustauschs genutzt [6. 259]. Die spezifische Form der Antikenrezeption dieser Produktgruppe wird durch eine Stellungnahme eines Koproduzenten (R. J. Stewart) zu dieser Frage illustriert: ›R. J. Stewart, der von Jugend an viele Mythen gelesen hat, betont ihren Wert, sofern man sie schlicht als Ausgangspunkt betrachtet und nicht als Fesseln, die die Autoren dazu verdammen, diese alten Geschichten wortwörtlich zu wiederholen: … Das Wissen über diese Mythen ist wichtig, aber n i e, in keiner Generation, hat man sie, soweit man weiß, sklavisch wiederholt‹. Und diese Einstellung, so behauptet Stewart, entspreche auch der Auffassung der alten Griechen selbst: ›Da gibt es einen Kerl namens Euripides, der Theaterstücke schrieb und noch sehr viel näher an den Quellen dieser Mythen war, als wir es heute sind. In seinem Stück mit dem Titel *Helena* läßt er Helena nicht nach Troja gehen, sondern nach Ägypten. Warum wohl? Er mußte sich bewußt gewesen sein, daß sie in den meisten Mythen, die er

gehört hatte, nach Troja ging. Ich wette darauf, daß bestimmt jemand zu ihm gesagt hat: »Euripides, wir haben so ein tolles Bühnenbild mit einer Pyramide!« Also hat Euripides praktisch gehandelt, damit die Sache klappte. Und so ist es seit jeher immer gewesen‹. [7. 48]

→ AWI Herakles; Hercules

→ Film

1 P. BILLARD, Asterix & Obelix gegen Cäsar. Das Buch zum Film, 1999 2 B. DOLLE-WEINKAUFF, C.: Gesch. einer populären Literaturform in Deutschland seit 1945, 1990 3 J. HANIMANN, Seifen- statt Sprechblasen, in: FAZ vom 5.2.1999 4 A. C. KNIGGE, C. Vom Massenblatt ins multimediale Abenteuer, 1996 5 R. STROBEL, Die »Peanuts« – Verbreitung und ästhetische Formen. Ein C.-Bestseller im Medienverbund, 1987 6 J. VAN HISE, Hercules & Xena. The Unofficial Companion, 1998 7 R. WEISBROT, Xena. Warrior Princess. Der offizielle Führer zur Serie, 1998 8 »Antico-mix« Ant. in C. Hrsg. v. T. LOCHMANN (ausstellungs-Kat.) 1999.

BIRGIT EICKHOFF

Corpus Medicorum. Auf Anregung des Dänen J. L. Heiberg im Jahre 1901 gegr. und mit Hilfe der sächsischen und dänischen Akad. der Wiss. und der Puschmann-Stiftung in der Akad. der Wiss. zu Berlin angesiedelt, wurde dieses Unternehmen, das sich die Edition aller überlieferten medizinischen Autoren der Ant. zur Aufgabe gestellt hat, zunächst von Hermann Diels geleitet. Dessen Katalog der Hss. der griech. Ärzte (1906) nebst Nachtrag (1907) bleibt das Standardverzeichnis zu griechischsprachigen Hss. aus dem Bereich der Medizin. Die erste Ausgabe eines griech. Textes im Rahmen des C. M. war Max Wellmanns *Philumenos*, der 1908 erschien; die erste Edition eines lat. Textes ist die des Cornelius Celsus von Friedrich Marx aus dem Jahre 1915. Die in der Kühnschen Ausgabe nicht enthaltenen galenischen Texte erschienen als Supplementa seit 1934; ein *supplementum Orientale*, das Übers. galenischer Texte in oriental. Sprachen enthält, wurde 1963 begonnen. Seit 1964 werden griech. und lat. Texten aus dem C. M. auch dt.-, engl.-, frz.- oder it.-sprachige Übers. beigegeben.

→ Medizin   VIVIAN NUTTON/
Ü: LEONIE V. REPPERT-BISMARCK

D

Dänemark

I. Kultur II. Geschichte der
Altertumswissenschaften

I. Kultur

A. Mittelalter B. Renaissance und Barock
C. Aufklärung und Klassizismus
D. 19. Jahrhundert E. 20. Jahrhundert

A. Mittelalter

D. wurde von der Ant. zum ersten Mal im 10. Jh.
durch das Christentum beeinflußt, das sich selbst als legitimen Erben der lat. Sprache und Kultur betrachtete.
Die großen romanischen Kirchen aus dem 11. Jh. sind
Zeugnisse einer Architekturtradition, die das MA in direkter Linie mit der Ant. verband. Das Studium des Lat.
wurde international betrieben, und die einflußreichsten
Männer der dänischen Kirche hatten im Ausland ihre
lat. Ausbildung erhalten. Bemerkenswerte Zeugnisse
für eine Ren. im 12. Jh. sind die lat. *Gesta Danorum* (ca.
1186–1200) des Saxo Grammaticus und die scholastische
Sprachphilos. eines Martinus de Dacia (gest. 1304). Tro-
ja-Erzählungen scheinen zur mündlichen Trad. des dänischen MA gehört zu haben.

B. Renaissance und Barock

Während die lat. Ant. in der ma. Bildungskultur als
natürliches Vorbild betrachtet wurde, dem man sogar
unbewußt folgte, brachte um 1500 die Kritik an der ma.
Latinität einen Neubeginn, der seinerseits zu den ant.
Ursprüngen zurückführte – in der Sprache, in der Kultur und in der christl. Religion. Eine Säkularisierung
setzte ein, als König und Adel als Kunstmäzene auftraten. König Christian II. (1513–23) lud niederländische
Maler an seinen Hof ein. Der Gelehrte Christiern Pedersen (ca. 1480–1554), der Saxos Geschichtswerk 1514
in Paris veröffentlichte, begründete durch seinen Enthusiasmus für die einheimische Kultur und für die klass.
Bildung die Wegrichtung der folgenden Intellektuel-
lengenerationen.

Die Blütezeit der lat. Kultur während der Regierung
König Frederiks II. (1559–88) stand wesentlich unter
dem Einfluß Philipp Melanchthons. Durch Mittel des
Hofes unterstützt, wurden junge Gelehrte aus dem Bürgertum an führende protestantische Univ., v. a. nach
Wittenberg, gesandt. Ambitionierte Dichter – wie der
Vergil-Imitator Erasmus Laetus (1526–82) sowie der Lyriker und Epigrammatiker Hans Jørgensen Sadolin
(1528–ca. 1600) – verfaßten eine beträchtliche Anzahl
an neo-lat. Werken. Die Regel, daß Dichter bürgerlichen Standes für adelige Mäzene tätig waren, wurde
von dem adeligen Astronomen und Ovid-Imitator Tycho Brahe (1546–1601) durchbrochen. In der Medizin
war Galenus an der Univ. tonangebend, während der
Paracelsist Peder Sørensen (1540–1602) Karriere als
Hofarzt machte.

Zu dieser Zeit herrschte auch in der Baukunst rege
Aktivität: Sowohl Adelige als auch Könige ließen ihre
Schlösser im Ren.-Stil errichten und mit von der ant.
Kunst inspirierten Skulpturen, Springbrunnen, Malereien und Wandteppichen dekorieren. Während die
Dichter Dänen waren, waren Künstler und Architekten
sehr häufig Ausländer, oder Kunstwerke wurden von
dänischen Mäzenen z. B. in niederländischen Werkstätten in Auftrag gegeben.

Unter Christian IV. (1588–1648) entwickelte sich der
dänische Königshof zu einem der elegantesten in Europa. Seine luxuriösen Feste im ant. Ambiente, insbes.
die Prinzenhochzeit 1634, zogen Musiker, Dichter und
andere Künstler an. Seine groß angelegte Bautätigkeit
hat ihre Spuren in Kopenhagen hinterlassen. 1658 eroberten die Schweden einige der reichsten Regionen,
womit D. seine Vormachtstellung im Norden verlor.
Die Einführung des Absolutismus (1660) ermöglichte es
aber zumindest noch den Königen, weiterhin als Mäzene aufzutreten.

Kennzeichnend für die barocke Dichtung war ihre
schrittweise Abkehr vom Lat. hin zur Volkssprache.
Dabei wurden im Lat. übliche lit. Formen ins Dänische
übertragen, im ganzen aber blieb man dem geistigen lat.
Hintergrund verbunden. Thomas Kingo (1634–1703)
und andere Dichter, die in dänischer Sprache schrieben,
richteten jedoch allmählich ihr Augenmerk mehr auf dt.
und niederländische als auf röm. Vorbilder. Der dt.
Dichter Martin Opitz übte aber sowohl mit seiner lat. als
auch mit seiner dt. Dichtung, selbst stark von der ant.
Denkweise geprägt, auf D. einen großen Einfluß aus.

C. Aufklärung und Klassizismus

Die Aufklärung brachte eine Abwendung von der
Dominanz der klass. röm. Vorbilder mit sich. Ludvig
Holberg (1684–1754) jedoch verfaßte weiterhin lat.
Epigramme in der Trad. John Owens, einen satirischen
Roman in lat. Sprache, *Niels Klim (Eine unterirdische Reise*, 1741), sowie eine Reihe von Komödien in dänischer
Sprache, zu deren Vorbildern u. a. auch Plautus und Terenz zählen. Der Architekt Nicolai Eigtved (1701–54)
baute den Königspalast Amalienborg in Kopenhagen in
einer Rokoko-Version der Ant.; frz. Bildhauer und Architekten wurden eingeladen, um dieses neue Regie-
rungsviertel auszuschmücken.

Im Klassizismus erwachte ein erneutes Interesse an
der Kultur des ant. Griechenland. Zwar las man in D.
griech. Autoren bereits seit dem 16. Jh., doch hielt man
sie im allg. für den röm. Nachfolgern unterlegen. Dieses
Bild änderte sich gegen Ende des 18. Jh.; das aufstreben-
de Bürgertum fand seine geistigen Vorgänger eher in
→ Athen als in → Rom. Der Bildhauer Johannes Wie-
dewelt (1731–1802), ein persönlicher Freund Winckelmanns, brachte diese Begeisterung für griech. Kunst
und Architektur nach D., und auch der Architekt C. F.
Harsdorff (1735–99) zog das griech. Vorbild dem röm.

vor. Nach einem Brand im J. 1795 leitete er die Wiederaufbaumaßnahmen, die aus Kopenhagen eine überwiegend klassizistische Stadt machten. Auch Maler wurden von der griech. Kunst beeinflußt, wie z. B. der Portraitmaler Jens Juel (1745–1802). Nicolai Abildgaard (1743–1809) war zwar Angestellter des Königs, trotzdem aber von der Frz. Revolution fasziniert; so bringt eine Analyse seiner beliebtesten klass. Motive eine unterschwellige subversive Aussage ans Licht.

Der Bildhauer Bertil Thorvaldsen (1768–1844) war der wichtigste dänische Klassizist. Als junger Künstler favorisierte er ant. griech. Themen und präsentierte sie in einer idealisierten Form, wie z. B. seine 1803 in Rom angefertigte Statue des Iason mit dem Goldenen Vlies. Nach dem Sturz Napoleons wandelten sich seine Motive etwas zugunsten nationaler oder biblischer Themen; doch sogar diesen verlieh erst das griech. Vorbild ihre künstlerische Ausdruckskraft. Mit dem Bau eines ihm gewidmeten Mus. in Kopenhagen demonstrierte Gottlieb Bindesbøll (1800–56) mit der reichen Koloration dieses Gebäudes ein neues Verständnis von (ant.) griech. Architektur.

D. 19. JAHRHUNDERT

In der Mitte des 19. Jh. erhielt das alte nordische Volksgut denselben Stellenwert der idealisierten Vergangenheit wie zuvor die Ant. Der führende Romantiker Adam Oehlenschläger (1779–1850), sowie der Theologe und Dichter J. N. F. Grundtvig (1783–1872) waren wegweisend darin, die ant. Myth. durch eine nordische zu ersetzen; auch für den Märchenautor H. C. Andersen (1805–75) war die klass. Kultur von geringerer Relevanz. Im Gegensatz dazu war der Philosoph Søren Kierkegaard (1813–55) fundamental von griech. Philos. geprägt; nicht zuletzt spielte Sokrates als paganes Gegenstück zu Christus eine wichtige Rolle in seinem philos. System.

Der griech. Unabhängigkeitskrieg löste bei den dänischen Intellektuellen eine heftige Reaktion aus. Die Architekten Christian (1803–83) und Theophilus (1813–91) Hansen zeigten in ihrem Beitrag zur Verschönerung der neuen Metropole Athen, wie sie das ant. und zeitgenössische Griechenland als ein einheitliches Ganzes betrachteten. Der Maler Constantin Hansen (1804–80) stellte in seiner Freskendekoration in der Eingangshalle der Univ. Kopenhagen künstlerisch seine Idee einer freien Wiss. und Bildung durch ant. Mythen dar, wie z. B. den aus Lehm Menschen schaffenden Prometheus.

Zwei führende Persönlichkeiten im aufkommenden Modernismus waren stark von der Beschäftigung mit der Ant. beeinflußt: Der Kunsthistoriker Julius Lange (1838–96) betrachtete das Perikleische Athen als ein nie übertroffenes Ideal, und der Literaturkritiker Georg Brandes (1842–1927) erhielt durch Griechenland die entscheidenden Anstöße für seine programmatische Forderung, daß Lit. ein Ausdrucksmittel des freien Geistes sein solle. Seine einflußreiche Biographie über Caesar (1918) beschreibt diesen als herausragendes Genie.

Zur selben Zeit investierten der Bierbrauer I. C. Jacobsen (1811–87) und sein Sohn Carl (1842–1914) unermüdlich ihre Energie und Geldmittel dafür, griech. und röm. Bildhauerei durch Import von Originalwerken und Gipskopien der berühmtesten Meisterstücke der dänischen Öffentlichkeit nahezubringen. Dennoch wandelte sich das »Goldene Zeitalter« der dänischen Malerei von der idealisierten Ant. zu dänischem Realismus. So war der Komponist Carl Nielsen (1865–1931) hauptsächlich durch nationale Themen und volkstümliche Überlieferung beeinflußt. Eine mod. Adaptation ant. Motive, die zugleich als Abkehr von der Ant. interpretiert werden kann, ist das Bild Harald Giersings (1881–1927), *Das Urteil des Paris*: Der Maler selbst, der dem Betrachter den Rücken zukehrt, mustert prüfend drei weibliche Modelle in seinem Atelier (1909).

E. 20. JAHRHUNDERT

Im 20. Jh. wurde die Ant. verstärkt zum Gegenstand der Wiss., während ihre Rolle als »Quelle der Inspiration« an Bed. verlor. Ausnahmen waren einige bildende Künstler, Dichter und Schriftsteller. So schuf der rechtsbürgerliche Bildhauer Rudolph Tegner (1873–1950) ant. Gestalten wie Oedipus und arbeitete auch in vielen anderen Werken nach ant. Mustern. Der kommunistische Dichter Otto Gelsted (1888–1968) widmete sich dem Bemühen, griech. Lit. der dänischen Arbeiterklasse durch Übers. att. Dramen und Paraphrasierungen homerischer Dichtungen nahezubringen, und auch in seiner eigenen Dichtung machte er von ant. griech. Gedankengut vielfach Gebrauch. Nis Petersen (1897–1943) verfaßte 1931 *Sandalmagernes Gade*, einen histor. Roman, der zur Zeit Marc Aurels spielt. Auch in den Werken Karen Blixens (1885–1962) spielt die Ant. eine wichtige Rolle.

Der herausragende Klassizist der Gegenwart ist der Schriftsteller und Philosoph Willy Sørensen (geb. 1929). Ebbe Kløvedal Reich (geb. 1940) entwirft in seinen histor. Romanen zahlreiche Szenen des alten Rom, die als Metaphern der mod. EU gedeutet werden. In Palle Nielsens (geb. 1920) graphischer Kunst fungieren Orpheus und Eurydike als Leitfiguren; auch Per Kirkeby (geb. 1938) hat sich einiger Themen des ant. Griechenland bedient. Der Filmemacher Lars von Trier (geb. 1956) interpretierte 1987 in seinem Erstlingswerk, einer Fernsehserie, den Medea-Stoff neu.

Trotz alledem ist die ant. Kultur im mod. D. wenig geschätzt, aber Klassiker in Übers. werden sowohl verkauft als auch gelesen. Darüber hinaus werden griech. Dramen häufig mit bemerkenswerter Zuschauerzahl aufgeführt.

→ Abgußsammlung; Antikensammlung; Aufklärung; Barock; Klassizismus; Mittelalter; Renaissance

K. FRIIS-JENSEN, Saxo Grammaticus as Latin Poet, 1987 · I. HAUGSTED, The architect Christian Hansen, in: Analecta Romana Instituti Danici 10, 1982, 53–96 · M. SKAFTE JENSEN (ed.), A History of Nordic Neo-Latin Literature, 1995 · P. KRAGELUND, The Church, the Revolution, and the »Peintre Philosophe«. A Study in the Art of Nicolai

Abildgaard, in: Hafnia 9, 1983, 25–65 · M. LEISNER-JENSEN, Holberg et le Latin, in: Analecta Romana Instituti Danici 15, 1986, 151–180 · S. H. ROSSEL, A History of Danish Literature, 1992 · H. M. & W. SVENDSEN, Gesch. der dänischen Lit., 1964 · M. WADE, Heinrich Schütz and »det Store Bilager« in Copenhagen (1634), in: Schütz Jb. 11, 1989, 32–52 · Ders. Festival Books as Historical Literature: The reign of Christian IV of Denmark (1596–1648), in: The Seventeenth Century 7, 1992, 14 · P. ZEEBERG, Tycho Brahes »Urania Titani« – et digt om Sophie Brahe, 1994.

MINNA SKAFTE JENSEN / Ü: SYLVIA ZIMMERMANN

II. GESCHICHTE DER ALTERTUMSWISSENSCHAFTEN
A. BIS 1750 B. NACH 1750 C. ZEITSCHRIFTEN

A. BIS 1750

Ein regelmäßiger Unterricht in den Sprachen Lat. und Griech. auf höherem Niveau begann im Königreich D. mit der Wiedereröffnung der Univ. Kopenhagen nach der Reformation im J. 1537 mit dem Ziel einer adäquaten Ausbildung von Theologen. Bis ins 19. Jh. nahmen zahlreiche Studenten, Kandidaten und Professoren, in vielen Fällen unterstützt durch königliche Stipendien, längere Studienaufenthalte im Ausland wahr. Durch die dadurch entstandenen Beziehungen haben sich die dänischen wiss. Institute auch auf den Gebieten auf dem laufenden gehalten, in denen sie keine bedeutenden primären Forschungsaktivitäten geleistet hatten. Neben der Produktion von Lehrwerken für Schule und Univ. beschäftigten sich die Philologen mit antiquarischen Themen, lat. Sprachgeschichte (Ole Borch 1636–90), der älteren dänischen Geschichte sowie den Runen. Mit welch großem Interesse die europ. Gelehrten dieser Erweiterung der europ. Vorgeschichte folgten, davon zeugen die Briefe von und an Ole Worm (1588–1654) und die Beziehungen von Joh. Rhodius (1587–1659) während seines 37 Jahre andauernden Aufenthalts in Padua. Diese Gelehrtenstudien gipfelten in der systematischen Herausgabe der MA-Quellen zur dänischen Geschichte (1772 ff.).

B. NACH 1750

Zwei wiss. Expeditionen, die zweite unter der Leitung von Carsten Niebuhr (1733–1815), wurden mit königlicher Unterstützung in der Mitte des 18. Jh. nach Ägypten und in den Mittleren Osten entsandt. Auf der Grundlage der damals und später mitgebrachten Abschriften und Mss. brachte die Orientalistik in ihren Entzifferungsversuchen bedeutende Erträge von Fr. Münter (1761–1830), Rasmus Rask (1787–1832) und N. L. Westergaard (1815–1878) hervor. Im J. 1818 erschien R. Rasks Beweisführung zur Verwandtschaft einiger indoeurop. Sprachen. Obwohl er sein ganzes Leben in Rom ansässig war, übte G. Zoega (1755–1809), Schüler von Heyne in Göttingen, großen Einfluß auf die dänische Altertumswiss. aus. P. O. Brønsted (1780–1842) reiste in Griechenland (1810–14) und beschrieb den Parthenon.

In einer Reihe von Abhandlungen zu Cicero und Lucrez von 1825 an bis zur Herausgabe von Ciceros De finibus im J. 1839 erarbeitete J. N. Madvig teils polemisch, teils mit Philologen in deutschsprachigen Ländern zusammenarbeitend (bes. Orelli, Zumpt und Lachmann) grundlegende Prinzipien der textkritischen Methode: das genealogische Verhältnis der Mss. (Stemmatik) und die Definition des Archetypus [1]. J. N. Madvigs (1804–1886) philol. Aktivität umfaßte textkritische Unt. und Konjekturalkritik zu griech. und lat. Schriftstellern, bes. Prosaisten, die Erstellung der lat. (1841) und griech. Gramm. (1846) (beide sind in alle europ. Sprachen übersetzt), Schriften zu allg. Gramm. mit polemischen Tendenzen gegen die romantische Sprachphilos. sowie die Darstellung der röm. Staatsverfassung und Verwaltung. Er prägte auch als Kulturorganisator und Politiker das dänische → Schulwesen. Von ihm stammt die Trad. der dänischen Texteditoren, deren Ausgaben und textkritische Unt. große Verbreitung fanden, u. a.: J. L. Ussing (1820–1905, Komm. zu Plautus), M. Cl. Gertz (1844–1929, Seneca), J. L. Heiberg (1854–1928, Archimedes, griech. Kommentatoren zu Aristoteles, Euklid, Hippokrates, griech. Mathematiker), K. Hude (1860–1936, Herodot, Thukydides, Lysias), A. B. Drachmann (1860–1935, Scholia vetera in Pindarum, Diodoros), Ada Adler (1878–1946, Suidas), H. Ræder (1869–1959, Oribasios, Theodoretos), W. Norvin (1878–1940, Olympiodoros). Heiberg war der Initiator der internationalen Zusammenarbeit zur Herausgabe des Corpus Medicorum Graecorum, zu dem er selbst und andere dänische Philologen mit Ausgaben beitrugen, etwa wie Carsten Høeg (1896–1961) die internationale Herausgabe der Monumenta Musicae Byzantinae (von 1935 an) initiierte.

Vom Ende des 19. Jh. an verstärkte sich der Wunsch, kulturhist. Probleme und die Interpretation der ant. Werke in Form von Abhandlungen, Artikeln und Handbüchern explizit darzustellen. Neue Forschungsgebiete wurden einbezogen: Philos., bes. Platon und der → Neuplatonismus, die Lexikographie des → Mittellateins (Fr. Blatt, 1903–1979), römische Geschichte (A. Afzelius, 1905–57), Geschichte der Technik (A. G. Drachmann, 1891–1980); auch geistesgeschichtliche Gesichtspunkte (v. a. durch die Religionsgeschichtler V. Grønbech, 1873–1948, und H. Frisch, 1893–1950) wurden entfaltet. Chr. Blinkenberg (1863–1948) leitete und publizierte (1941) die Ausgrabungen in Lindos (1902–1905); Knud Friis Johansen (1887–1971) sicherte die frühe archa. Chronologie durch seine Unt. der protokorinthischen Vasen. Frederik Poulsen (1876–1950) leistete Bedeutendes in der Betrachtung griech. und röm. Porträtkunst.

Die Forsch. der letzten Jahrzehnte (vgl. die Namen der meisten jetzt tätigen Forscher und Bibliogr. in [2]) zeigen bes. methodische Interessen. Ohne die Leistungen auf den traditionellen Gebieten, v. a. Epos, Drama und Philos., zu verringern, nehmen die hell. Kultur, die → Byzantinistik, das lat. MA und die Rezeptionsforsch.

einen breiten Platz ein. Zahlreiche klass. Schriftsteller werden durch mod. Übers. dem breiten Publikum zugänglich gemacht. Derzeitige gemeinsame Projekte sind u.a.: die polit. Strukturen in Griechenland, *Corpus Philosophorum Danicorum Medii Aevi*, die neu-lat. Lit. im Norden.

Die Altertumswiss. werden an drei von den fünf dänischen Univ. gelehrt: Kopenhagen; Aarhus, seit 1930; Odense, seit 1966.

C. Zeitschriften

Nordisk Tidskrift for Filologi, København 1859–1919. *Museum Tusculanum* 1967–1987. In beiden waren die Beiträge in einer skandinavischen Sprache verfaßt. *Classica et Mediaevalia*, 1938 ff., mit Beiträgen in Engl., Frz. und Dt.

→ Altorientalistische Geschichte und Philologie; Altsprachlicher Unterricht; Entzifferungen; Musik; Schulbuch; Sprachwissenschaft; Überlieferungsgeschichte

QU 1 S. Timpanaro, La genesi del Metodo del Lachmann, ³1985, 49–62 (dt.: Die Entstehung der Lachmannschen Methode, ²1971, 42–54, 69–72) 2 Græsk, latin-og sidenhen. Tolv års forskning ved de klassiske institutter (1978–1989). Et flyveskrift og en bibliografi, 1989

LIT 3 Fl. G. Andersen, Danmark og Antikken 1980–1991. En bibliografi over 12 års dansksproget litteratur om den klassiske oldtid, 1994 4 K. Elkjær, P. Krarup, G. Mondrup, Danmark og Antiken ²1968 (Bibliogr. von 1836 bis 1968) 5 B.J. Kristensen, J.M. Kristensen, Danmark og Antikken 1968–1979, 1982 6 P.A. Hansen, A Bibliography of Danish Contributions to Classical Scholarship from the Sixteenth Century to 1970,1977 7 P.J. Jensen, I. Boserup, P.J. Riis, Københavns Universitet 1479–1979, 1979–1990 9 P.J. Jensen, J.N. Madvig. Avec une esquisse de l'histoire de la philologie classique au Danemark, 1981 10 J.N. Madvig. Et Mindeskrift, 2 Bde. 1955–1963. GIUSEPPE TORRESIN

DDR

I. Die klassischen Altertumswissenschaften
II. Literatur, Musik und Bildende Kunst

I. Die klassischen Altertumswissenschaften

A. Allgemeines B. Voraussetzungen
C. Universitäten und Hochschulen
D. Akademien E. Museen und Bibliotheken
F. Gesellschaften G. Forschungssituation

A. Allgemeines

Insgesamt ist die Entwicklung aller Disziplinen, die sich mit der Ant. beschäftigen, in der sowjetischen Besatzungszone (SBZ) und seit 1949 der DDR einerseits durch die Bemühungen gekennzeichnet, traditionelle Aufgabenstellungen und Arbeitsformen mit dem Blick auf die internationale Wiss. v. a. in der nichtsozialistischen Welt zu bewahren und darüberhinaus neue Wege zu beschreiten, andererseits durch die immer stärker werdenden ideologischen Indoktrinationen, die mit unterschiedlichem Erfolg auf ein vom Marxismus-Leninismus geprägtes Geschichtsverständnis abzielen. Eingebunden sind diese Veränderungen in übergreifende »Reformen« sowohl im Bereich der Schule, der Universitäten und der Forschungseinrichtungen (s.u. B., C., D.). Daß grundsätzliche Differenzen dieser Art sich in überdurchschnittlichem Maße auch im menschlichen Miteinander spiegelten, braucht nicht weiter zu verwundern, wenn man die Absicht der Anhänger des Marxismus-Leninismus in Rechnung stellt, den gesamten Menschen zu erfassen. In den Forschungseinrichtungen wie im universitären Bereich ist diese Spaltung der Altertumswissenschaftler im Laufe der Zeit dadurch organisatorisch verfestigt worden, daß sowohl für die Berufung in sog. Leitungsfunktionen als auch für die Erlangung der mehr oder minder permanenten Reiseberechtigung – hierfür wurde das auf die Person bezogene Unwort »Reisekader« benutzt – ideologisch bedingte Voraussetzungen zu erbringen waren. Ausnahmen bestätigen hier wie immer die Regel. Es paßt in dieses Bild, daß weder die Gesamtheit der Altertumswiss. in der DDR noch ihre Einzeldisziplinen auf die Dauer durch spezielle → Berufsverbände repräsentiert waren. Eine Mitgliedschaft in der gesamtdeutschen *Mommsen-Gesellschaft*, wie sie nach deren 1950 in Jena (also auf dem Boden der DDR) erfolgten Gründung noch erwartet werden konnte – gegen einen entsprechenden offiziellen Beitritt zum *Deutschen Altphilologenverband* erhoben sich von vornherein Widerstände –, war nach dem Bau der Mauer 1961 nicht mehr möglich oder wenn sie, wie im ersten Falle, noch eine Weile von den Mitgliedern aufrecht erhalten werden konnte, ohne jede Wirkung. Versuche, einen entsprechenden Verband allein für den Bereich der DDR zu gründen, führten zu keinen sichtbaren Ergebnissen, wobei durchaus auch persönliche Rivalitäten unter den führenden Fachvertretern dafür verantwortlich gewesen sein dürften. Das Fehlen eines solchen Verbandes hatte zur Folge, daß die Altertumswiss. nicht in der *Fédération Internationale des Associations pour les Études classiques* vertreten sein konnte – eine Ausnahmerolle, in der ihr allein die UdSSR Konkurrenz machte. Diese Entwicklung hat durchaus zu einer relativen Isolierung der ost-dt. Altertumswiss. im internationalen Rahmen beigetragen, die durch die Mitgliedschaft der DDR im 1957 gegründeten *Eirene-Komitee*, das die Altertumswiss. der sozialistischen Länder lose (u. a. durch eine in Prag erscheinende Zeitschrift und durch regelmäßige Kongresse) verband, natürlich nicht aufgewogen werden konnte. Der Grad der Isolierung der Altertumswiss. gegenüber den Entwicklungen in der westl. Welt insgesamt ist schwer zu bestimmen. Die verweigerte oder restriktiv geregelte Mitwirkung in internationalen Einrichtungen und die schon genannte »Reisekader«-Regelung hat durchaus ihre negativen Folgen nicht nur für den einzelnen gehabt. Daß andererseits die Corpus-Unternehmen der Berliner Akademie (siehe unter D.)

weiterhin, wenn auch unter erschwerten Bedingungen, einen Platz in der internationalen Wiss. behaupten konnten, resultiert, von mehr oder minder sub secreto bestehenden Kontakten einmal abgesehen, daraus, daß die entsprechende Zusammenarbeit mit Gelehrten und Einrichtungen anderer Staaten eine condicio sine qua non darstellte. Damit ist aber zugleich die Ausnahmestellung der Akademie-Unternehmen und in entsprechender Weise auch der großen Mus. in der Altertumswiss. der DDR bezeichnet.

B. Voraussetzungen

Von der Ausbildung in den altertumswiss. Disziplinen kann nicht gesprochen werden, ohne den sich immer mehr verringernden → Altsprachlichen Unterricht in den Oberschulen der DDR in Betracht zu ziehen. Gab es zunächst in der SBZ und der frühen DDR noch ein relativ dichtes Netz von Klassen mit Griechisch- und Lateinunterricht, deren → Lehrplan weitgehend noch an dem der traditionellen Gymnasien orientiert war, so sind in der Folgezeit – endgültig seit dem »Gesetz über das einheitliche sozialistische Bildungswesen« von 1965 – ›die Alten Sprachen ... in skandalöser Weise heruntergehungert worden‹ (H.-J. Meyer als Minister für Bildung und Wiss. der letzten DDR-Regierung). Griech. wurde 1989 bei einem vierjährigen Lateinunterricht nur noch an neun Oberschulen (Berlin, Dresden, Eisenach, Halle, Leipzig, Magdeburg, Potsdam, Rostock und Zwickau) unterrichtet und das lediglich mit je drei Stunden pro Woche in den drei letzten J. vor dem Abitur. An den übrigen Oberschulen gab es gegebenenfalls noch einen zweijährigen fakultativen Lateinkurs (genaue Zahlen für 1989/90: [13]). Lediglich für das Theologiestudium war mit Griechisch- und Lateinunterricht in den Vorstudienanstalten der beiden großen Konfessionen gesorgt [14]. Allerdings war damit nur ein Teil der heutigen Theologiestudenten erfaßt, so daß die evangelischen Theologischen Fakultäten der Univ. bzw. das katholische Philosophisch-Theologische Studium in Erfurt gegebenenfalls mit speziellen Lehrplänen Abhilfe schaffen mußten. Entsprechendes gilt für den Lateinunterricht an den philos. und medizinischen Fakultäten. Grundsätzlich war es so, daß der in den Oberschulen nicht geleistete altsprachliche Unterricht an den Studieneinrichtungen (unökonomisch) nachgeholt werden mußte.

C. Universitäten und Hochschulen

Die auf dem Gebiet der SBZ gelegenen traditionellen Univ. (Berlin, Greifswald, Halle, Jena, Leipzig, Rostock) konnten nach dem Zusammenbruch, wenn auch nicht zeitgleich, so doch alle nach einer relativ kurzen Pause ihre Pforten wieder öffnen. Sie begannen jeweils, unbeschadet der jeweiligen Organisationsform, mit vollständigen altertumswiss. Lehrangeboten. So sehr der von vornherein programmierte ideologische Druck auf die Univ. im ganzen sich zunehmend verschärfte (symptomatisch für die Zustände war die 1948 u. a. von vormaligen Studenten und Professoren der Berliner Humboldt-Univ. als Reaktion darauf erfolgte Grün-

dung der Freien Univ. Berlin), konnten sich ihm die altertumswiss. Einrichtungen zunächst noch entziehen. Sie wurden aber im Verband ihrer Univ. je länger desto mehr in die Folgen der Hochschulpolitik der DDR hineingezogen, die im ganzen durch drei »Hochschulreformen« markiert ist (1: 1945–50, 2: 1951, 3: 1967; letztere von ihren Urhebern offensichtlich verleugnet). Die Verwüstungen, die auf dem Gebiet der klass. Altertumswiss. angerichtet wurden, lassen sich am besten durch den Status im November 1989 dokumentieren (wobei Alte Geschichte mit Ausnahme von Jena im Rahmen der Allg. Geschichte betrieben wurde): Berlin (Lehrstuhl Latinistik aufgehoben, Gräzistik nach langer Vakanz 1988 wiederbesetzt), Greifswald (Klass. Philol. und Klass. Arch. aufgehoben), Leipzig (Lehrstühle besetzt, für Gräzistik mit Spezialisierung Neugriech.), Rostock (Lehrstühle für Klass. Philol. unbesetzt bzw. an Sektion Geschichte abgegeben) – unabhängig vom vorhandenen Lehrpersonal wurde für alle kein Studentenkontingent genehmigt (für Neogräzistik allerdings in Berlin und Leipzig). Lediglich die Univ. Halle durfte bei voller Besetzung mit einem begrenzten Kontingent Lehrer für die alten Sprachen ausbilden, während es in Jena gelang, Philol., Arch. und Alte Geschichte ebenfalls bei voller Besetzung in einer Sektion Altertumswiss. zusammenzufassen. Hier war im Unterschied zu Halle die Ausbildung zu Diplom-Philologen (entsprach ungefähr dem Ausbildungsweg zum Magister artium) möglich. Mit ebenfalls in der Anzahl begrenzten und nicht jährlich zugelassenen Bewerbern erfolgte die arch. Ausbildung an allen Univ. mit Ausnahme der Greifswalder. Für die Altertumswiss. weniger profilierend war die mit Professuren vertretene Alte Geschichte an den Pädagogischen Hochschulen.

D. Akademien

Auf dem Boden der SBZ befanden sich 1945 drei Akademien der Wissenschaften: in Berlin, Leipzig und Erfurt. Letztere, die 1745 gegr. *Akademie gemeinnütziger Wissenschaften zu Erfurt*, durfte, obleich sie nicht aufgelöst war, ihre Arbeit bis 1989 nicht fortsetzen. Die 1846 ins Leben getretene *Sächsische Akademie der Wissenschaften* konnte ihre Arbeit 1948 fortsetzen. Auf altertumswiss. Gebiet hat sie eigene Projekte nicht eingerichtet, sich aber nominell und materiell durch finanzielle Zuschüsse an akademieübergreifenden Unternehmungen beteiligt. Die 1700 gegr. *Preußische Akademie der Wissenschaften* nahm bereits 1946 – nunmehr unter dem Namen »Deutsche Akademie der Wissenschaften«, womit zugleich ein bes. Anspruch ausgedrückt war – ihre Arbeit wieder auf. Dabei folgte sie auf dem Gebiet der Altertumswiss. weitgehend ihren traditionellen Aufgabenstellungen und den entsprechenden Strukturen, d. h. sie führte, soweit möglich, die großen Corpora und die damit verbundenen Aufgaben weiter: a) *Inscriptiones Graecae, Corpus Inscriptionum Latinarum, Prosopographia Imperii Romani, Polybios-Lexikon, Corpus Medicorum Graecorum* bzw. *Latinorum, Die Griechischen Christlichen Schriftsteller* (einschließlich der dazugehörigen *Texte und*

Untersuchungen zur Geschichte der altchristlichen Literatur), *Mittellateinisches Wörterbuch*. Hinzu kam b) ein von Johannes Stroux neubegründetes *Institut für Hellenistisch-römische Philosophie*, eine Arbeitsgruppe für Papyruskunde, die später an die Papyrussammlung der Staatlichen Mus. (Ost) transferiert wurde, eine Arbeitsgruppe für das *Corpus Vasorum Antiquorum*, deren Arbeiten de facto vom Pergamon-Mus. betrieben wurden und der Akademie eher nominell angegliedert waren. Neugegr. wurde eine Arbeitsstelle für → Byzantinistik, die zunächst weitgehend auf eine international ausgerichtete Publikationstätigkeit orientiert war, aber in den 80er J. ein respektables Forschungsprofil erreichte. Ein in diesem Rahmen durch lange J. unter großem Engagement vieler Beteiligter vorbereitetes Neugriech. Wörterbuch ist 1990 wohl weniger durch inner- bzw. außerakademische Vorgänge nach der polit. Wende als durch die Indolenz der Verantwortlichen auf der Strecke geblieben. Neben diesen Aufgaben initiierte die Akademie ein umfangreiches Publikationswesen, wobei sie einerseits auf Traditionelles, allerdings urspr. anderswo Beheimatetes zurückgriff (so wurden die Zeitschriften *Philologus* und *Klio* wiederbelebt; für die *Bibliotheca Teubneriana*, soweit sie von der in Leipzig ins Leben getretenen »Verlagsgesellschaft B. G. Teubner« verlegt wurde, erfolgte die Einrichtung einer wiss. Redaktion in der Akademie), aber auch zu Neugründungen schritt man (zu nennen sind als Publikationsreihe, die die Supplementbände des *Philologus* ersetzen sollte, die *Schriften der Sektion für Altertumswissenschaften*, sodann die populärwiss. Zeitschrift *Das Altertum* – mutatis mutandis an der Jaegerschen *Antike* orientiert und von einer später wieder eingestellten Schriftenreihe *Lebendiges Altertum* flankiert – und als Referateorgan für Arbeiten aus den sozialistischen Ländern die *Bibliotheca Classica Orientalis*, über deren Sinn durchaus gestritten wurde, die aber für manchen Gelehrten hinter dem Eisernen Vorhang die einzige Möglichkeit war, auf seine Arbeiten international aufmerksam zu machen). Nachdem bereits vor 1945 die unter a) genannten Unternehmungen – so wie einige weitere, die nach dem Kriege nicht weitergeführt wurden – in einer »Kommission für griechisch-römische Altertumskunde« zusammengefaßt waren, kam es 1955 zu einer Vereinigung aller oben genannten Arbeitsstellen im »Institut für griechisch-römische Altertumskunde«. Ihm wurden später auch das wieder aufgenommene »Griechische Münzwerk«, eine Arbeitsstelle für Mykenologie sowie eine für die Ausgabe des Ammianus Marcellinus eingegliedert, während die Wiederaufnahme des *Corpus Inscriptionum Etruscorum* mißlang. Dem Bestreben geschuldet, v. a. mit den Altertumswiss. der sozialistischen Länder zu kooperieren, war eine mit der Bulgarischen Akademie der Wissenschaften zusammen unternommene Ausgrabung in Kriwina (Bulgarien), die zunächst als Lehrgrabung, dann aber erweitert über viele J. durchgeführt wurde. Lag die Leitung zumindest der traditionellen Unternehmungen bis zur Gründung des Instituts in der Hand von Kom-

missionen aus Akademiemitgliedern bzw. auch außerakademischen Experten, so blieben diese nunmehr zumeist als »beratende« Kommissionen bestehen. Das E. dieses eingespielten und unter den bestehenden Verhältnissen durchaus produktiven Apparates, der in vielem sicherlich verbesserungsfähig war, ergab sich 1967 mit der Akademiereform, die nach sowjetischem Vorbild die Unternehmen der Akademie zumeist in sog. Zentralinstituten zusammenfaßte, wobei das Muster der industriellen Großkombinate der DDR sicher mitgespielt hat und gelegentlich auch zu unrealistischen Träumen verführte. Folgerichtig erhielt das Gesamtunternehmen dann auch die Bezeichnung »Akademie der Wissenschaften der DDR«. Das altertumswiss. Inst. wurde in zwei Bereiche (Griech. Geschichte bzw. Griech. Kulturgeschichte) geteilt und diese zusammen mit der Ur- und Frühgeschichte und der Altorientalistik in ein »Zentralinstitut für Alte Geschichte und Archäologie« eingebunden, wobei »Alte Geschichte« nach sowjetischen Sprachgebrauch auch »Klass. Philol.« meinte. Die traditionellen Unternehmen wurden, wenn z. T. auch reduziert, weitergeführt; lediglich die *Griechischen Christlichen Schriftsteller* wurden aus dem Verband gelöst und schließlich vom Akademie-Verlag Berlin aufgefangen, und merkwürdigerweise wurde auch die *Bibliotheca Classica Orientalis* ein Opfer der Reform. Als »Hauptaufgaben« galten nunmehr Großprojekte wie die *Kulturgeschichte der Antike*, Gemeinschaftsarbeiten zur ant. Trag., zum ant. Roman, zu Spezialproblemen der Alten Geschichte und anderes mehr, wobei letztes Ziel »theoretische Verallgemeinerungen«, genaugenommen die Einfügung der Fakten in ein ideologisches Prokrustesbett waren. Daß die vorgegebenen Vorstellungen oft nicht realisiert wurden, war der Standhaftigkeit einzelner Mitarbeiter zu danken, wobei andererseits nicht zu übersehen ist, daß die Folgen der Reform der klass. Altertumswiss. an der Akademie in erheblichem Maße substantiell geschadet haben.

E. MUSEEN UND BIBLIOTHEKEN

Auch für die Forsch. besaßen die Mus. in der DDR eine erhebliche Bed. An erster Stelle sind hier das Pergamon-Mus. und die Antikensammlung auf der (Ost-) Berliner Museumsinsel zu nennen, die trotz des Umstandes, daß ein großer Teil der Bestände sich in Berlin-West (Charlottenburg) befand, zu den im internationalen Maßstab sehr respektablen Einrichtungen gehörten. Auf die reiche Publikationstätigkeit der Mitarbeiter, die sich u. a. in den *Forschungen und Berichten der Staatlichen Museen zu Berlin* niederschlug (verzeichnet u. a. in [10; 11; 12]), kann hier nur generell hingewiesen werden. Entsprechendes gilt neben den universitären Einrichtungen (Berlin, Humboldt-Univ., Leipzig und Jena) für die Antikensammlungen in einzelnen Städten, so für das Schloß-Mus. in Gotha (Schloß Friedenstein), das Lindenau-Mus. in Altenburg und das Mus. in Schwerin. An diesen vier Mus. v. a. wurde intensiv an der Katalogisierung des Vasenbestandes für das *Corpus Vasorum Antiquorum* gearbeitet (Erschienenes verzeichnet [15], wobei zu beachten ist, daß auf Druck der DDR-Organe für die Sammlungen in der DDR und der Bundesrepublik unterschiedliche Nationalitäten angegeben werden mußten, was im Falle der Berliner West- und Ostbestandes zur Groteske geriet). Für die Beschäftigung mit der Ant. (speziell unter dem Vorzeichen der Rezeption) erwies sich in zunehmendem Maße wichtig das Winckelmann-Mus. in Stendal, das sich von einer kleinen Memorialeinrichtung zu einem Funktionskörper von internationaler Bed. entwickeln konnte. Nicht der Kuriosität halber, sondern des Umstandes wegen, daß es auch unvermutet Antikes zu entdecken gab, sei etwa auf die Sammlung ant. Spielzeugs im Deutschen Spielzeug-Mus. Sonneberg hingewiesen [16]. Daß es auch im Museumsbereich Einschränkungen der Aktivitäten – unterschiedlich in den einzelnen Einrichtungen – gegeben hat, ist nicht von der Hand zu weisen, nur dürften hier bisweilen ökonomische Gründe ideologisch bestimmte überwogen haben (bzw. sind beide gepaart gewesen), wie sich z. B. an der Unmöglichkeit erweist, Ausgrabungen an den klass. Stätten zu unternehmen. Der externe Beobachter hatte oft den Eindruck, daß das Ministerium für Kultur, dem die Mus. unterstanden, »entgegenkommender« handelte als etwa das Ministerium für das Hoch- und Fachschulwesen. In diesem Zusammenhang sind natürlich auch die → Bibliotheken mit größeren Beständen ma. Hss. (Berlin, Dresden, Gotha, Jena) sowie die Papyrussammlungen der Staatlichen Mus. und der Univ. Jena als Forschungseinrichtungen zu nennen.

F. Gesellschaften

Daß es in der DDR, aus welchen Gründen auch immer, nicht gelang, einen Berufsverband der Vertreter der klass. Altertumswiss. zu gründen, wurde einleitend gesagt. Sog. Fachgruppen in der *Historiker-Gesellschaft* der DDR (urspr. auch hier *Deutsche Historiker-Gesellschaft* geheißen) für die Alte Geschichte und – weitaus aktiver – für die Byzantinistik konnten dafür kein Ersatz sein. Einen solchen konnte – schon weil sie den Status einer internationalen Vereinigung hatte – und wollte auch die bereits 1941 gegr. *Winckelmann-Gesellschaft* mit Sitz in Stendal nicht bieten, aber sie bildete mit ihren regelmäßigen, gesamt-dt. und international besetzten Tagungen und ihrem für DDR-Verhältnisse erstaunlich breiten Publikationswesen einen Bezugspunkt sowohl für die Fachvertreter als auch für weitere Kreise der Bevölkerung, die an der speziellen Winckelmann-Forsch. und an Fragen des Alt. überhaupt sowie der Antikerezeption interessiert waren. Die Arbeit der Gesellschaft ging sicher weit über das hinaus, was mit dem Begriff der Popularisierung von Forschungsergebnissen gemeinhin umschrieben ist. Dafür war eher der Kulturbund der DDR (kurz nach dem Krieg als Kulturbund zur demokratischen Erneuerung Deutschlands gegr.) zuständig, der beispielsweise in Berlin über 25 J. hinweg eine florierende »Interessengemeinschaft Antike Kultur« unterhielt, die sich hier auf weite Strecken als ein weitgehend ideologiefreier Ort erwies. Entsprechendes war in vielen Städten der DDR zu finden. Auch die »Urania« (Ost) bot der Altertumswiss. ein Forum, bis dieses in den letzten J. vor der Wende in Berlin nahezu vollständig unterbunden wurde, weil die Vortragenden sich den ideologischen Maximen der Leitung jener Gesellschaft nicht verpflichtet fühlten.

G. Forschungssituation

Die kritische Aufarbeitung der Entwicklung der klass. Altertumswiss. – Alte Geschichte, Klass. Philol., Klass. Arch. – in der DDR befindet sich immer noch in den Anfängen. Am weitesten ist sie für die Alte Geschichte gediehen, deren Methoden und Ergebnisse bereits vor 1989 in Einzelpunkten von Autoren der Bundesrepublik charakterisiert [3. 311–330; 4. 325–346, 503] und auch in einem kurzen, aber richtungsweisenden Überblick dargestellt wurden. Der Versuch einer materialreichen Gesamtdarstellung, urspr. eine Marburger philol. Diss. ([5]; Zusammenfassung: [6]), muß wegen der verkürzenden Definition der Disziplin und wegen der unkritischen Haltung gegenüber den Versuchen, sie ideologisch zu indoktrinieren, als gescheitert gelten. Für die Klass. Philol. ist es bei kurzen kritischen Überblicken von Beobachtern aus dem östl. [8] wie dem westl. [9] Deutschland aus der Zeit unmittelbar nach der polit. Wende in der DDR geblieben. Bis 1965 liegen genaue Bibliographien vor [10; 11], wobei zu beachten ist, daß sämtliche in der DDR veröffentlichten Arbeiten ohne Rücksicht auf Wohnort bzw. Nationalität der Autoren notiert sind. Für die Zeit von 1973 an finden sich relativ vollständige bibliographische Ausgaben in den die gesamte DDR berücksichtigenden Berichtsheften [12], die im Auftrag des »Problemrates für Alte Geschichte und Archäologie« durch das »Zentralinstitut für Alte Geschichte und Archäologie« der Berliner Akademie erarbeitet wurden. Für die Zwischenzeit helfen nur die Verzeichnisse der einzelnen Institutionen bzw. Personalbibliographien (Aufstellung: [5. 288 f.]). Die Akademie gemeinnütziger Wiss. zu Erfurt wird sich in den nächsten J. mit einer speziellen Projektgruppe der Geschichte der Altertumswiss. in der DDR widmen.

→ Akademie; Berlin

1 B. Steinwachs (Hrsg.), Geisteswiss. in der ehemaligen DDR, 1: Berichte; 2: Projekte, 1993 2 W. Schuller, Alte Gesch. in der DDR. Vorläufige Skizze, in: A. Fischer, G. Heidemann (Hrsg.), Geschichtswiss. in der DDR, Bd. 2, 1990, 37–58 (= in [1], Bd. 1, 272–297 (mit »Nachwende-Nachwort«) 3 Christ, RGG 4 Demandt 5 M. Willing, Althistor. Forsch. in der DDR, 1991 6 Ders., Die DDR – Althistorie im Rückblick, in: Gesch. in Wiss. und Unterricht 42, 1991, 489–497 7 K. J. Reinschke, Bolschewisierung der ost-dt. Univ., dargestellt am Beispiel der Univ. Leipzig und der TU Dresden, in: K. Strobel (Hrsg.), Die dt. Univ. im 20. Jh., 1994, 116–163 8 J. Dummer, G. Perl, Die Klass. Philol. in der ehemaligen DDR, in: [1], Bd. 1, 256–265 9 M. Fuhrmann, Das Rinnsal war ein unterirdischer Strom, in: Frankfurter Allg. Zeitung vom 17.05.1991 (= [1]: Bd. 1, 266–271) 10 H. Köpstein, Altertumskundliche Publikationen, erschienen in der DDR 1945–1955, 1957 11 Ders., Altertumskundliche

Publikationen in der DDR 1956–1965, in: Bibliotheca Classica Orientalis 10, 1965, Heft 6 **12** Mitteilungen zur Alten Gesch. und Arch. 1, 1973 ff. **13** W. KIRSCH, in: Fremdsprachenunterricht 34, 1990 **14** J. DUMMER, De linguae Graecae et Latinae studiis, quae in institutis praetheologicis Rei publicae Democraticae Germanicae exercentur, in: Latinitas 23, 1975, 181–188 **15** M. G. KANOWSKI, Containers of Classical Greece, 1984, 155–200 **16** E. SCHMIDT, Spielzeug und Spiele der Kinder im klass. Alt., 1971.

JÜRGEN DUMMER

II. LITERATUR, MUSIK UND BILDENDE KUNST
A. GRÜNDE DER ANTIKEREZEPTION
B. MATERIALBEREICHE　C. KÜNSTLER UND WERKE

A. GRÜNDE DER ANTIKEREZEPTION

Umfang, Vielfalt und Qualität der künstlerischen Ant.-Rezeption in der DDR sind beträchtlich. Das gilt in bes. Maße für die Lit., aber auch für die bildende Kunst, während die Arbeit mit ant. Texten und Stoffen in der Musik eine vergleichsweise geringe Rolle spielt. Angesichts der fast vollständigen Abschaffung des → Humanistischen Gymnasiums und der drastischen Beschränkung des Studiums der Klass. Philol. auf die beiden Univ. Halle und Jena muß diese Tatsache auf den ersten Blick als paradox erscheinen. Eine Reihe von Gründen kann das erstaunliche Phänomen jedoch erklären:

Das Fundament jeder sozialistischen Ant.-Rezeption bildet gewiß die Tatsache, daß die Klassiker des Sozialismus, Marx und Engels, sich intensiv mit Geschichte, Mythos und Lit. der Ant. beschäftigt und dabei die Bed. v. a. der Griechen für die abendländische Geistesgeschichte und die Entwicklung des sozialistischen Human. immer wieder betont haben. Das gilt in modifizierter Form auch für Lenin, dessen vierte These *Über proletarische Kultur* für die Stellung der Ant. in der sozialistischen Kulturpolitik des 20. Jh. von zentraler Bed. ist: ›Der Marxismus hat seine weltgeschichtliche Bed. dadurch erlangt, daß er die wertvollsten Errungenschaften des bürgerlichen Zeitalters keineswegs ablehnte, sondern sich umgekehrt alles, was in der zweitausendjährigen Entwicklung des menschlichen Denkens und der menschlichen Kultur wertvoll war, aneignete und es verarbeitete‹ [21]. Diese programmatische Äußerung Lenins wurde von den Gründungsvätern der DDR übernommen und zu der fortan für die Kulturpolitik des jungen Staates konstitutiven These des »Kulturellen Erbes« weiterentwickelt. ›Angesichts der Dekadenz des Spätkapitalismus ist es für uns umso notwendiger, daß wir mit der Entwicklung unserer sozialistischen Nationalkultur die großen Trad. des human. Erbes sorgsam bewahren und für den heutigen Menschen richtig interpretieren und erschließen. Das human. Erbe ist für uns weder museales Bildungsgut noch Tummelplatz subjektivistischer Auslegungen. Es ist vielmehr unabdingbarer Bestandteil des human. Menschenbildes unserer sozialistischen Gesellschaft‹. (Walter Ulbricht auf der 9. Sitzung des Zentralkomitees der SED). Die DDR-

Literaturwiss. hat diese Appelle der Kulturpolitik in eine breite wiss. Arbeit an klass. Lit. umgesetzt und dabei unter dem Leitgedanken des »Erbes« (bzw. der »Erworbenen Trad.«) auch die Ant. nicht vergessen [7; 43].

Daß in der Praxis die Ant.-Rezeption ›der nachdrücklichste und folgenreichste Vorgang der Erbeaneignung‹ (Mittenzwei) in der DDR war, lag aber nicht etwa nur an der offiziellen Kulturpolitik und ihrer wiss. Untermauerung. Es lag gewiß auch an dem Einfluß der übermächtigen Vaterfigur Bertolt Brecht [22] und an der Tatsache, daß sich neben Brecht eine ganze Reihe weiterer einflußreicher Autoren wie Johannes R. Becher [27. 213–25] und Georg Maurer, Anna Seghers [35] und Erich Arendt [27. 226–44; 11], aber auch bildende Künstler der ersten Generation wie Wilhelm Höpfner und Günter Horlbeck immer wieder der Ant. zugewandt haben. Diese traditionsbildende Kontinuität der Ant.-Rezeption bei sozialistischen Autoren und Künstlern seit der Weimarer Republik dürfte einen nicht unwesentlichen Einfluß auf die nachfolgenden Generationen ausgeübt haben.

Erbe-Theorie und Trad. hätten aber kaum so mächtig wirken können, wenn die Ant.-Rezeption nicht aus drei weiteren Gründen für Autoren wie bildende Künstler attraktiv gewesen wäre. Erstens ermöglichte die kreative Arbeit mit der Ant. die Vermeidung oder doch erhebliche Modifikation des lange Zeit von Partei und offizieller Kritik (»Bitterfelder Weg«) geforderten und geförderten sozialistischen Realismus mit seinen ästhetischen und thematischen Verengungen [15. 50–158]. Zweitens lieferte der Mythos nicht selten Bilder für eine intensive geschichtsphilos. und zivilisationskritische Analyse von Vergangenheit und Gegenwart [8]. Drittens konnten mit Hilfe der von der Erbe-Diskussion gedeckten Ant.-Rezeption heikle Fragen aufgegriffen, Hoffnungen geäußert und Utopien entworfen, gesellschaftliche und polit. Schwierigkeiten und Widersprüche angesprochen werden, die sich unverhüllt wohl kaum hätten äußern bzw. darstellen lassen. ›In den frühen 60er J. konnte man kein Stück über den Stalinismus schreiben, man brauchte diese Art von Modell (sc. den Philoktet-Mythos), wenn man die richtigen Fragen stellen wollte. Die Leute hier verstehen das sehr schnell‹ [25]. Hatte Brecht die Ant. immer wieder zur Kritik am Kapitalismus und am → Faschismus instrumentalisiert, so nutzten viele Autoren und Künstler in der DDR die ›Sklavensprache Äsops‹ (Lenin) zur Kritik am real existierenden → Sozialismus. Die heftige Debatte um Heiner Müllers *Philoktet* zeigt ebenso wie die Tatsache, daß Christa Wolfs *Kassandra* in der DDR nur mit gewichtigen Kürzungen erscheinen konnte, daß die kritischen Töne auch so nicht immer unbemerkt blieben; sie wurden aber letztlich toleriert.

B. MATERIALBEREICHE

Seit der → Klassik hat sich die dt. Ant.-Rezeption vorwiegend der griech. Ant. zugewandt. Das gilt auch für die Ant.-Rezeption der DDR.

a) Von zentraler Bed. ist der → Mythos. Es sind die großen Sinnbilder menschlicher Grundsituationen, Herakles und Prometheus, Sisyphos und Ikaros, Orpheus und Kassandra, Medea, Antigone, Ödipus und Odysseus, die auch den Autoren der DDR dazu dienten, Probleme des Individuums und der Gesellschaft auf dem Hintergrund mythischer Modelle zu gestalten. Dabei läßt sich eine signifikante Veränderung der Leitbilder konstatieren. Standen nach dem Krieg zunächst der Heimkehrer Odysseus und dann die »Arbeiter« Herakles und Prometheus im Mittelpunkt, so traten daneben zunehmend Gestalten in den Vordergrund, die eine kritische Reflexion und Kommentierung der Gegenwart ermöglichten, ambivalente Sinnbilder wie Ikaros und Sisyphos oder die großen Seher und Warner Teiresias, Laokoon und Kassandra. In der bildenden Kunst finden sich daneben Gestalten, in denen sich Sinnlichkeit und Lebensfreude spiegeln lassen: Pan und die Nymphen, Apollon und die Musen, Aphrodite und das Parisurteil [1]. Die wachsende kritische Distanz der Künstler zu den gesellschaftlichen und polit. Entwicklungen und ihre schwindenden Hoffnungen auf die Verwirklichung eines humanen Sozialismus spiegeln sich aber nicht nur in dieser Veränderung der ant. Modelle. Sie lassen sich noch deutlicher daran ablesen, daß von den 60er J. an auch die ant. Gestalten, die zunächst als positive Leitbilder präsentiert worden waren, wie Odysseus, Herakles und Prometheus, immer kritischer dargestellt werden. Insgesamt läßt sich eine zunehmende Verdunkelung und Problematisierung des Ant.-Bildes erkennen.

b) Eng verbunden mit der Rezeption mythischer Archetypen ist die vielfältige Adaptation ant. Lit. Sie reicht von der Anspielung auf einen berühmten ant. Text durch ein Zitat oder ein poetisches Motiv bis zur Nach- und Neugestaltung ganzer Werke. Bevorzugte Objekte der Rezeption waren Homer (Arendt, Fühmann, Wolf) und das griech. Drama (Müller, Hacks), sowie – mit deutlichem Abstand – Sappho, Plautus, Catull und Horaz [27. 295–310]. Es ist in diesem Zusammenhang von Bed., daß die Kenntnis der ant. Lit. durch gut lesbare und preiswerte Übers. (Schottlaender, Ebener, U. und K. Treu) gefördert wurde und daß die Theater der DDR regelmäßig ant. Stücke aufführten. Höhepunkte sind Benno Bessons Inszenierungen des sophokleischen König Ödipus (in der Bearbeitung von Heiner Müller) oder des aristophaneischen Friedens (in der freien Adaptation von Peter Hacks), das Schweriner Theaterprojekt (1985) und die lange Reihe der Stendaler Theaterfeste (ab 1981). Daß auch die bildende Kunst von der ant. Lit. und ihrer lit. Rezeption inspiriert worden ist, beweisen nicht nur die Illustrationen von Günter Horlbeck zu Hacks' Frieden und Lukians Urteil des Paris oder von Wieland Förster zu Fühmanns Odysseus und Kirke, sondern auch die vielfältigen Reaktionen von Künstlern auf Christa Wolfs Kassandra.

c) In dem dritten bedeutenden Materialbereich der Rezeption, der ant. Geschichte, überwiegt deutlich

Römisches [37]. In der Nachfolge Brechts, dessen Ant.-Rezeption sich in erster Linie aus röm. Quellen speist, haben Heiner Müller und v. a. Peter Hacks wiederholt röm. Stoffe dramatisiert; dazu kommen eine ganze Reihe von geschichtlichen und kulturgeschichtlichen Romanen, deren Stoffwahl und Gestaltung mehr oder minder stark ideologisch geprägt sind, und eine große Zahl von Gedichten (Braun, Hacks, Huchel u. a.). Die ant. Kunst und Architektur und die mediterrane Landschaft mit den in ihr gegenwärtigen Zeugen der ant. Vergangenheit spielen aus naheliegenden Gründen ebenso eine untergeordnete Rolle wie die ant. Philos. und Wiss.

C. Künstler und Werke

1. Literatur

a) Drama: Brecht, der seine Theaterarbeit nach der Rückkehr aus dem Exil mit der Churer Antigone (1946) begann, hat in der Folge seine lit. und dramaturgische Arbeit mit ant. Stücken und Stoffen auch in der DDR fortgeführt. Er setzte das Hörspiel Das Verhör des Lukullus (1939) in ein Libretto für Paul Dessaus Oper Die Verurteilung des Lukullus um (1951) und bearbeitete Shakespeares Coriolan. Seine beiden wichtigsten Schüler haben sich auch von der Ant.-Rezeption des Meisters anregen lassen. Bei Peter Hacks [34; 42; 28] ist dabei, wie bei Brecht, der Anteil röm. Stoffe groß. Neben der Omphale (1971) und der freien Bearbeitung der aristophaneischen Komödien Frieden (1962), Vögel (1975) und Plutos (Der Geldgott, 1993) stehen nicht weniger als vier Stücke, die mit röm. Geschichte und lat. Lit. arbeiten: In Numa (1971) erscheint der Protagonist, der führende Kopf einer zukünftigen sozialistischen Republik It., namens Numa Pompili als Reinkarnation des legendären röm. Königs Numa Pompilius. Senecas Tod (1978) zeigt den berühmten Selbstmord des Philosophen. Rosie träumt (1974) ist Hacks' Hommage an Hrotsvit von Gandersheim. Szenen und Motive ihrer Stücke sind zu einem heiter-geistreichen Spiel verarbeitet, das Hacks in die Zeit Diokletians vorverlegt hat. Zu diesen drei »eigenen« Stücken kommt schließlich Hacks' Amphitryon (1967), der wie die zahlreichen anderen Bearbeitungen dieses Stoffs auf Plautus' Amphitruo zurückgeht, zugleich aber von der gedankenreichen und amüsanten Auseinandersetzung mit Molière, Dryden, Kleist und Giraudoux lebt.

Auch Heiner Müller [4; 10; 20; 13; 29; 40] knüpft mit dem Lehrstück Der Horatier (1968) an den Röm. Brecht (H. Mayer) an; sieht man aber von der freien Shakespeare-Adaptation Anatomie Titus Fall of Rome (1987) und von einer Reihe kleiner ant. Bausteine ab, die er in sein Stück Germania Tod in Berlin (1971) integriert hat, so steht der kleine Text im dramatischen Gesamtwerk Müllers eher isoliert neben einer reichen Rezeption griech. Stücke und Stoffe. Den Auftakt bildet das bedeutendste »ant.« Stücke der dt. Lit. seit 1945, der Philoktet (1958/64), und der Einakter Herakles 5 (1964). Ebenfalls noch in die 60er J. fallen die Bearbeitungen des sophokleischen König Ödipus (1967, nach Hölderlin) und des Aischylos zugeschriebenen *Prometheus* (1969, nach einer Interlinearversion von P. Witzmann). In der Folge hat Müller zwar kein weiteres Drama nach einem ant. Text oder Stoff mehr geschrieben, aber bis zu seinem Tod auf immer neue Weise ant. Material in seine Stücke und Inszenierungen integriert: *Lanzelot* (1969); *Germania Tod in Berlin* (1971); *Zement* (nach einem Roman von Gladkow, 1972), mit Intermedien zu Prometheus, Herakles, Ödipus und Medea; *Leben Gundlings Friedrich von Preußen Lessings Schlaf Traum Schrei* (1972); *Traktor* (1955/61; 1974); *Verkommenes Ufer Medeamaterial Landschaft mit Argonauten* (1982). Dazu kommen noch eine Reihe von Tragödien-Szenarien wie *Elektratext* (1969), *Medeaspiel* (1974) oder *Bildbeschreibung* (Alkestis, 1989). Am Ende seines Lebens hat Müller dann, neben einer Reihe von Gedichten und dem autobiographischen Text *Mommsens Block*, eine freie Bearbeitung des Botenberichts aus dem euripideischen *Herakles* (*Herakles 13*) und eine freie Übersetzung der aischyleischen *Perser* (nach einer Interlinearversion von P. Witzmann) geschaffen.

Hacks' und Müllers dramatische Ant.-Rezeption hat eine ganze Reihe jüngerer Autoren inspiriert: Karl Mikkel, *Nausikaa* (1963/64), *Halsgericht, 2. Teil: Der Angeklagte* (Komödie nach der *Apologie* des Apuleius, 1987); Stefan Schütz, *Odysseus' Heimkehr* (1979), *Antiope und Theseus* (1979), *Laokoon* (1980); Jochen Bergs Tetralogie, *Niobe, Klytaimestra, Iphigeneia, Niobe am Sipylos* (1983); Hans Köhler, *Der verwunschene Berg* (1983), Klaus Schönberg, *Minotauros oder Die glückseligen Inseln der Erfindungen* (1985) und Hartmut Lange, dessen ant. Stücke *Herakles* (1968), *Die Ermordung des Aias oder Ein Exkurs über das Holzhacken* (1971) und *Staschek oder Das Leben des Ovid* (1973) zwar erst nach seiner Übersiedelung in den Westen (1965) erschienen sind, ihre Entstehung aber dem Einfluß von Hacks und Müller verdanken und in erster Linie für ein DDR-Publikum gedacht sind. Vergißt man auch die Hörspiele von Peter Gosse (*Tadmor, Ostern 30, Orpheus*, alle 1986) und Franz Fühmann (*Die Schatten*, 1986) sowie dessen Libretti nicht und nimmt Hans Pfeiffers *Begegnung mit Herakles* (1966) und die mehr oder minder freien Aristophanes- und Plautus-Bearbeitungen von Joachim Knauth, *Die Weibervolksversammlung* (nach Aristophanes' *Ekklesiazusen*, 1969), *Lysistrata* (nach Aristophanes, 1975), *Der Maulheld* (nach Plautus, *Miles Gloriosus*, 1973), Erika Wilde, *Der Weiberheld* (nach demselben Stück, 1973), Egon Günther, *Das gekaufte Mädchen* (nach Plautus, *Mercator*, 1965) und Arnim Stolper, *Amphitryon* (1974) hinzu, so wird das Bild der Ant.-Rezeption im Drama der DDR noch reicher.

b) In der Prosa sind es v.a. histor. und kulturgeschichtliche Romane und Erzählungen, die mehr oder minder deutlich in der Trad. Brechts und Feuchtwangers stehen, ohne die Qualität der großen Vorbilder zu erreichen. Stoffwahl und Art der Behandlung sind mehr oder minder ideologisch geprägt; im Mittelpunkt stehen nicht die klass. Phasen der ant. Geschichte, sondern Kri-

sen- und Umbruchzeiten; erzählt wird gerne »von unten«, aus der Perspektive der Unterdrückten. Erwähnung verdienen v.a. die Romane von Klaus Hermann, *Babylonischer Sommer* (1948, Alexander in Babylon), *Die ägypt. Hochzeit* (1953, Antonius und Kleopatra), *Der Brand von Byzanz* (1955, aus der Zeit Justinians), *Die Zauberin von Ravenna* (1957, die Goten in Italien) und Volker Ebersbach, *Der Schatten eines Satyrs* (1985) und *Tiberius*, (1991) sowie die Romantrilogie von Waldtraut Lewin, *Herr Lucius und sein Schwan* (1973), *Die Ärztin von Lakros* (1977) und *Die stillen Römer* (1979), die ein farbiges Bild der augusteischen und frühkaiserzeitlichen Gesellschaft entwirft. Ein zweiter Bereich, der ebenfalls der Unterhaltung und der Belehrung dient, sind die Nacherzählungen ant. Myth. und Lit. für Kinder und Erwachsene. Dieser Aufgabe haben sich auch bedeutende Autoren der DDR angenommen: Franz Fühmann, *Das hölzerne Pferd* (1968), Stefan Hermlin, *Argonauten* (1974), Rolf Schneider, *Die Abenteuer des Herakles* (1978), Hans Hüttner, *Herakles, Die zwölf Abenteuer* (1979) und *Herakles, Der Dank der Götter* (1987), Gerhard Holtz-Baumert, *Daidalos & Ikaros* (1984), Werner Heiduczek, *Orpheus und Eurydike* (1989). Zu nennen sind ferner Peter Hacks' Kinderbuch über Herakles *Der Mann mit dem schwärzlichen Hintern* (1980) und *Die Kinder, Ein Theaterstück für Kinder über den Sturz des Kronos durch Zeus* (1983), sowie J. Bobrowskis Bearbeitung von Schwabs *Sagen des klass. Alt.* (1954).

Lit. Anspruchsvolles findet sich v.a. in der Form des Prosagedichts und der kurzen Erzählung in der Trad. Brechts (z.B. *Berichtigung alter Mythen*): Volker Braun, *Höhlengleichnis*, die kurzen Prosatexte Heiner Müllers, z.B. *Herakles 2*, Volker Brasch, *Marsyas*, viele Kurzgeschichten von Günter Kunert, z.B. *Der Traum des Sisyphos*, und natürlich Franz Fühmanns polit. (*König Ödipus*) und myth. Erzählungen (*Der Geliebte der Morgenröte* und *Das Ohr des Dionysios*). Unter den »myth.« Romanen nimmt Fühmanns *Prometheus* eine bes. Stellung ein (die geplanten Fortsetzungen hat der Autor leider nicht realisiert) [27. 254–72]. Von gleichem Rang sind nur Christa Wolfs [30; 12] große Erzählungen *Kassandra* (1983, der größte Publikumserfolg der lit. Ant.-Rezeption nach 1945) und *Medea, Stimmen* (1996, erst nach der Wiedervereinigung entstanden, aber in mancher Hinsicht ein Stück DDR-Lit.) [19]. Christa Wolfs Frankfurter Poetik-Vorlesungen zur *Kassandra* sind die bekannteste, aber keineswegs die einzige essayistische Beschäftigung mit der Ant. Einschlägige Essays haben auch Arendt und Maurer, Hacks, Kunert, Ebersbach und Fühmann geschrieben.

c) Die reiche Ant.-Rezeption in der → Lyrik der DDR kann nicht wie Drama und Prosa im Einzelnen dokumentiert werden. Am Anf. stehen Johannes R. Becher mit seiner oft schwer zu ertragenden Mythisierung des Sozialismus und seiner Helden, sowie Bertolt Brecht, die beide schon in der Weimarer Zeit und im Exil mit Material aus dem »Steinbruch« Ant. gebaut haben. Von den 50er J. an haben dann alle bedeutenden (und viele der weniger bedeutenden) Lyriker zumindest hin und wieder mit Gestalten und Motiven aus ant. Myth., Lit. und Geschichte gearbeitet [39]. Das gilt in der ersten Generation für Erich Arendt, dessen großer Griechenland-Zyklus *Ägäis* bedeutsame Gedanken zu Geschichte, Myth. und Dichtung der Ant. verarbeitet, und Georg Maurer, aber auch für Peter Huchel [14], dessen meisterhafte lyr. Reisen in die Ant. zwar erst nach seiner Übersiedelung in den Westen entstanden sind, der aber bereits vorher die Ant. ironisch-kritisch gegen seine Gegner instrumentalisiert hat (*Der Garten des Theophrast*), und für Johannes Bobrowski, der nicht nur eindrückliche Porträtgedichte auf Sappho und Pindar, sondern auch mythische Beschwörungen der Natur (z.B. *Dryade*) geschaffen hat und der die wunderbar musikalische Form seiner Lyr. nicht zuletzt seiner kreativen Arbeit mit den metrischen Bauformen der äolischen Lyr. verdankt [32; 36]. Von den Lyrikern der nächsten Generation seien Sarah Kirsch, Heinz Czechowski, Hans Cibulka, Karl Mickel, Volker Braun und Peter Gosse genannt, v.a. aber Günter Kunert, dessen reiches lyr. Oeuvre sich in erstaunlichem Maße aus der Ant. speist, und schließlich haben auch P. Hacks und (v.a. am Anf. und am Ende seiner lit. Produktion) H. Müller die Ant. nicht nur dramatisch, sondern auch lyr. rezipiert. Auch für die dritte und letzte Lyrikergeneration der DDR (Uwe Kolbe, Jochen Berg, Wilhelm Bartsch, Uwe Grüning und Durs Grünbein) spielte die Ant.-Rezeption eine bedeutende Rolle. Angesichts dessen kann es nicht verwundern, daß unter den »dt.-dt.« Parodien von Kurt Bartsch (*Die Hölderlinie*) gleich vier Parodien sind, die dieses Phänomen aufs Korn nehmen.

2. MUSIK

Wie in der Bundesrepublik bleibt auch in der DDR die musikalische Ant.-Rezeption ohne große Bed. Immerhin können für den Bereich der → Oper neben Paul Dessaus *Die Verurteilung des Lukullus* (Libretto B. Brecht, 1953) noch S. Matthus, *Die Heimkehr des Odysseus* (eine musikalische Bearbeitung von Cl. Monteverdis *dramma per musica*, 1965) und *Omphale* (Libretto P. Hacks, 1971) sowie zwei Opern von G. Katzer genannt werden: *Gastmahl oder Über die Liebe* (1987) und *Antigone oder Die Stadt* (1990), beide nach Libretti von G. Müller. Neben P. Hacks (*Vögel* und *Omphale*) hat sich auch F. Fühmann an der Form des Libretto versucht: *Alkestis, Stück mit Musik* (1989) und *Kirke und Odysseus. Ein Ballett* (1984). Erwähnung verdient ferner, daß S. Matthus neben den beiden Opern, einer Theatermusik zu *König Ödipus* und *Ödipus auf Kolonos* (Wien 1979) und einem Werk für dreistimmigen Kinderchor und Kammerorchester mit dem Titel *Ikarus* (Text H. Baierl, 1978) auch Catull vertont hat, zunächst *Fünf Liebeslieder des Catull für zwölfstimmigen gemischten Chor* (1973), dann *Liebesqualen des Catull. Ein musikalisches Drama für Sopran, Baß (oder Bariton), gemischten Chor und Instrumente* (1986).

3. KUNST

Wesentlich reicher als in der Musik ist die Ant.-Rezeption in der bildenden Kunst der DDR. Drei der 16 monumentalen Wandgemälde, die das Hauptfoyer des Palasts der Republik in Ostberlin schmückten, arbeiten mit ant. Gestalten und Motiven: Werner Tübkes Pentaptychon *Mensch – Maß aller Dinge* (Kampf der Lapithen und Kentauren als Sieg des Guten über das Böse, Torso einer griech. Frauenplastik), Walter Womacka, *Wenn Kommunisten träumen* (Kapitell einer ionischen Säule, Ikaros, Laokoon) und Bernhard Heisig, *Ikaros*. Die erstaunliche Präsenz ant. Motive und Themen an propagandistisch so prominenter Stelle ist ein eindrucksvoller Hinweis auf die umfangreiche und vielfältige Ant.-Rezeption in der bildenden Kunst der DDR, die in der zweiten Hälfte der 70er J. ihren Höhepunkt erreicht. Eine detaillierte Unt. der Ant.-Rezeption in der bildenden Kunst der DDR hat nicht weniger als 351 Künstler mit insgesamt etwa 1700 »mythosbezogenen« Werken zusammengetragen [2]. Hinzu kommen einzelne Arbeiten, die in der Begegnung mit der it. und griech. Landschaft entstanden sind, und nicht selten Reflexe ant. Kunst sowie eine größere Zahl von Illustrationen zu Übers. ant. und mod. Texte (wie z.B. die schwungvollen Zeichnungen von Günter Horlbeck zu Peter Hacks' Bearbeitung des aristophaneischen *Friedens* oder zu Lukians *Urteil des Paris*). Überhaupt hat die reiche lit. Ant.-Rezeption der DDR wiederholt befruchtend auf die bildende Kunst gewirkt. Das gilt in bes. Maße für Christa Wolfs *Kassandra* (z.B. N. Quevedo, 12 Radierungen, 1982/83; Kassandra-Zyklen von A. Hampel, 1984, und K. Süß, 1984), aber auch für Heiner Müllers Bearbeitung des sophokleischen *Oidipus Tyrannos* nach Hölderlin (der 1967 aufgeführte Text erschien 1969 mit neunzehn Graphiken von neun Künstlern) oder für Franz Fühmanns theoretische und praktische Arbeit mit Mythos und Lit. der Ant. (z.B. Binders Illustrationen zu *Das hölzerne Pferd* oder R. Paris' Tafelbild *Marsyas und Apollon*, 1981). Kaum vertreten ist hingegen ein ant. Bereich, der in der lit. Rezeption dank Bertolt Brecht eine beträchtliche Rolle spielt: die Geschichte. Die so erstaunlich umfangreiche und vielfältige Ant.-Rezeption in der bildenden Kunst verteilt sich nicht gleichmäßig über die vier Jahrzehnte der DDR-Geschichte. In den ersten 15 J. tritt sie völlig hinter dem von der Partei geforderten sozialistischen Realismus zurück. Sicher gab es auch in diesen J. nicht wenige Künstler, die neben der offiziell verordneten Linie auch mit ant. Stoffen und Motiven arbeiteten (z.B. W. Höpfner, G. Horlbeck und der später auch als Funktionär sehr einflußreiche W. Sitte); auf den zentralen Kunstausstellungen der Bezirke und des Staates waren diese Arbeiten aber nicht präsent. Eine Wende brachten erst die Parteitage der 60er Jahre, die den Sieg der sozialistischen Produktionsverhältnisse verkündeten und zur gemeinsamen Gestaltung einer entwickelten sozialistischen Gesellschaft aufriefen. Jetzt wurde der enge Realismusbegriff allmählich überwunden; Kulturpolitik und offizielle Kunstkritik akzeptierten in zunehmendem Maße auch symbolische Formen der Darstellung gesellschaftlicher Themen und Probleme. Von der Mitte der 60er J. an nimmt so die künstlerische Ant.-Rezeption stetig zu; zugleich wird die bisher weitgehend affirmative Behandlung ant. Mythen zunehmend ambivalent und kritisch. Mit einer gewissen zeitlichen Verzögerung wird diese Entwicklung, die ihre Parallelen in der Lit. und im Theater hat, auch in den offiziellen Kunstausstellungen der DDR sichtbar und von der Öffentlichkeit intensiv rezipiert und diskutiert (bes. Mattheuers Sisyphosbilder). Um 1980, etwa gleichzeitig mit Franz Fühmanns und Christa Wolfs großen lit. Erfolgen, und sicher nicht unabhängig davon, ist der Höhepunkt erreicht: Einzelausstellungen wichtiger Künstler wie Mattheuer und Sonderausstellungen zum Thema »Ikarus« in Magdeburg (1981) und Erfurt (1983) dokumentieren die Bed. des Phänomens ebenso wie die IX. Kunstausstellung der DDR 1982/83 in Berlin, auf der die Ant.-Rezeption zum ersten Mal breiten Raum einnimmt; in der Mitte der 80er J. folgen eine ganze Reihe von z. T. recht umfangreichen Ausstellungen zu einzelnen ant. Themen: »Parisurteil« (Gotha 1986 und Stendal 1987), »Kassandra« (Halle 1987) und »Ikaros« (Mühlhausen 1987) [6; 3; 44; 45; 16; 47; 17; 18]. Unter den zahlreichen Künstlern, die in der Blütezeit der Ant.-Rezeption in der bildenden Kunst der DDR mehr oder minder intensiv mit ant. Gestalten und Stoffen gearbeitet haben, sei neben W. Sitte und W. Tübke v. a. Bernhard Heisig genannt, der ab 1970 immer neue, zunächst eher optimistische, dann zunehmend düster warnende Ikaros-Variationen geschaffen hat. Intensiv mit ant. Material gearbeitet haben bzw. arbeiten auch U. Mattheuer-Neustädt, M. Morgner, H. Lange, H. Metzkes, K. Süß, Ph. Oeser, A. T. Mörstedt, M. Pietsch, W. Herzog, J. John, R. Paris und der Dichter-Maler H. Zander. Das Winkelmann-Mus. in Stendal besitzt eine reiche Sammlung von mehr als 600 Graphiken. Bes. Bed. kommt Wolfgang Mattheuer zu, der sich seit Anf. der 70er J. in immer neuen »Denkbildern« zunächst erst mit dem Thema Sisyphos und dann mit Ikaros auseinandergesetzt hat. Seine in der Dresdner Gemäldegalerie vereinten drei großen Sisyphosbilder (*Die Flucht des Sisyphos*, 1972; *Sisyphos behaut den Stein*, 1974; *Der übermütige Sisyphos und die Seinen*, 1976) sind gewiß die bekanntesten Beispiele für die umfangreiche und komplexe Ant.-Rezeption in der bildenden Kunst der DDR.

→ Marxismus; Sozialismus

1 P. ARLT, Der Hirt und die schönen Göttinnen, 1982 2 Ders., Ant.-Rezeption in der bildenden Kunst der DDR, 1984 3 Das Urteil des Paris in der bildenden Kunst der DDR, Schloß-Mus. Gotha (Ausstellungskat.), 1986 4 R. BERNHARDT, Ant.-Rezeption im Werk H. Müllers, (Diss. Berlin) 1979 (vgl. auch Weimarer Beitr. 1976, H. 3, 83–122) 5 Ders., Odysseus' Tod – Prometheus' Leben, Ant. Mythen in der Lit. der DDR, 1983 6 J.-H. BRUNS (Hrsg.), »Ikarus«, Kunstgalerie Magdeburg (Ausstellungskat.), 1981 7 D.-D. DAHNKE, Erbe und Trad. in der Lit., ²1981 8 W. EMMERICH, Das Erbe des Odysseus. Der zivilisationskritische Rekurs auf den Mythos in der neueren DDR-Lit., in: Stud. in DDR Culture and Society 5, 1985, 173–88 9 Ders., Ant. Mythen auf dem Theater der DDR, in: Dramatik der DDR, hrsg. v. U. PROFITLICH, 1987, 223–65 10 Ders., Der vernünftige, der schreckliche Mythos, in: Heiner Müller Material, 1988 11 D. GELBRICH, Ant.-Rezeption in der sozialistischen dt. Lyr. des 20. Jh., (Diss.) 1984 12 CHR. GLAU, Christa Wolfs Kassandra und Aischylos' Orestie. Zur Rezeption der griech. Trag. in der dt. Lit. der Gegenwart, 1996 13 B. GRUBER, Mythen in den Dramen Heiner Müllers, 1989 14 P. HABERMEHL, Das Verstummen des Mythologen. Ein Versuch zu den drei Odysseus Gedichten Peter Huchels, A&A 42, 1996, 155–73 15 P. HACKS, Die Maßgaben der Kunst, 1977, 50–158 16 M. HEBECKER, Antikewandel. Mythos und Ant. in der DDR-Karikatur, Schloßmus. Gotha, 1989 17 Ikarus – Mythos als Realismus in Beispielen der Gegenwartskunst, Realismusstudio 33, 1986 18 Karikatur – Bildende Kunst. Antike(n) – auf die Schippe genommen. Bilder und Motive aus der ant. Welt in der Karikatur, Ausstellung (mit Kat.), 1998 19 Das klass. Alt. in der sozialistischen Kultur, Wiss. Zschr. der Fr. Schiller-Univ. Jena, Reihe 18, Heft 4, 1969 20 H. KRAUS, Heiner Müller und die griech. Trag., in: Poetica 17, 1985, 299–339 21 LENIN, Werke Bd. 31, 1970, 308 22 H. MAYER, Bertolt Brecht und die Trad., 1961 23 W. MITTENZWEI, Brechts Verhältnis zur Trad., 1972 24 Ders., Die Ant.-Rezeption des DDR-Theaters, in: Ders., Kampf der Richtungen, 1978 25 H. MÜLLER, Rotwelsch, 1982, 308 26 V. RIEDEL, Ant.-Rezeption in der Lit. der DDR, 1984 27 Ders., Lit. Ant.-Rezeption, Aufsätze und Vorträge, 1996 28 Ders., Facetten des Komischen in den Antikestücken von Peter Hacks, in: S. JÄKEL (Hrsg.), Laughter down the Centuries III, 1997, 213–32 29 Ders., Ant.-Rezeption in den Dramen Heiner Müllers, in: G. BINDER, B. EFFE (Hrsg.), Das ant. Theater, 1997, 345–84 30 W. RIES, Bewundert viel und viel gescholten Aischylos, in: Wirkendes Wort 35, 1985, 5–17 31 E. G. SCHMIDT, Die Ant. in Lyr. und Erzähl-Lit. der DDR, Wiss. Zschr. der Fr. Schiller-Univ. Jena, Reihe 18, 1969, H. 4, 123–41 und 20, 1971, H. 5, 5–62 32 Ders., Die Sapphogedichte Johannes Bobrowskis, in: Das Altertum 28, 1972, 49–61 33 Ders., Die Ant. in Lyr. und Erzähl-Lit. Die letzten zehn J. (1969–78), in: H. GERICKE (Hrsg.), Rezeption des Alt. in mod. lit. Werken, 1980, 7–31 34 P. SCHÜTZE, Peter Hacks, 1976 35 A. SEGHERS, Ges. Werke in Einzelausgaben, 1961 ff. (= Sagen vom klass. Alt., 1940, Bd. 9, 231–58; Der Baum des Odysseus, 1940, Bd. 9, 275 f.; Das Argonautenschiff, 1948, Bd. 10, 126–43) 36 B. SEIDENSTICKER, Ant.-Rezeption in der dt. Lit. nach 1945, in: Gymnasium 98, 1991, 420–53 37 Ders., Römisches in der lit. Ant.-Rezeption nach 1945, in: Gymnasium 101, 1994, 7–42 38 Ders., P. HABERMEHL, Ant.-Rezeption in der dt.-sprachigen Lit. der Gegenwart, in: AU 36, 1994, H. 2 39 Diess., Unterm Sternbild des Hercules, 1996 40 F. SUÁREZ SÁNCHEZ, Individuum und Ges., Die Ant. in Heiner Müllers Werk, 1998 41 CH. TRILSE, Ant. und Theater h., ²1979 42 Ders., Peter Hacks, 1980 43 R. WEIMANN et al., Zur Trad. des Realismus und Human., in: Weimarer Beitr. 16, 1970 H. 10, 31–119 44 C. WIEG (Hrsg.), Kassandra, Staatliche Galerie Moritzburg (Ausstellungskat.) 1987 45 J. WINTER (Hrsg.), Ikarus, Grafik von DDR-Künstlern zu einem ant. Mythos, Galerie am Entenbühl, Mühlhausen, (Ausstellungskat.) 1987 46 P. WITZMANN, Ant. Trad. im Werk Bertolt

Brechts, 1964 **47** G.-H. Zuchold, Das Erbe der Ant., Griech. und röm. Mythos in der bildenden Kunst der DDR, Altes Mus. Berlin, 1980 **48** Ders., Kassandra, Janus, Ikarus. Ant. Myth. in der bildenden Kunst der DDR, in: Deutschland Archiv 1985, 490–97

BERND SEIDENSTICKER

Décadence. D. ist ein aus dem Vergleich mit dem »Verfall« des kaiserzeitlichen und spät-ant. Rom und den stilistischen Eigenheiten seiner lit. Paradigmen heraus konturierter Begriff (v. a. der Literaturkritik und -wiss.). Durch Ch. Montesquieus *Considérations sur les causes de la grandeur des Romains et de leur décadence* (1734) ausschließlich mit dem Verfall der Stadt Rom verbunden und von J.-J. Rousseau 1750 auf ihre Lit. übertragen (die ihm gleichermaßen als Ursache und Symptom des Verfalls galt), wird D. in D. Nisards *Études de mœurs et de critique sur les poètes latins de la décadence* (1834) zum pejorativen Begriff der akad.-konservativen Kritik an der frz. Romantik (V. Hugo, A. de Vigny, Th. Gautier). Seit Ch. Baudelaires *Notes nouvelles sur Edgar Poe* (1857) wird D. dann aber zum zentralen und positiv intendierten Begriff im Selbstverständnis der lit. Avantgarde und für Modernität überhaupt (St. Mallarmé, Th. Gautier, P. Bourget, Fr. Nietzsche, A. Symons; → Fin de siècle).

Schon bei Nisard traten neben dem Proprium einer inhaltlichen Dominanz der Verfallsthematik stilistische und verfahrenstechnische Merkmale zum Begriffsinhalt der D. hinzu und sind später auch für Baudelaire und seine Nachfolger bestimmend geblieben: Sprachartistik in Syntax und Semantik, Ausufern der Beschreibung, Hang zur Nuance und Verselbständigung des Details, Maßlosigkeit in Wort- und Bildwahl, das Gestaltungsprinzip der Dekomposition.

Trotz ihrer zahlreichen – begriffsgeschichtlich verbürgten – stilistischen Implikationen wird D. heute aufgrund der Abgrenzung von den Begriffen Ästhetizismus, Symbolismus, Impressionismus und Jugendstil verstärkt inhaltlich definiert: bestimmend sind die abgekapselten, naturfernen und -feindlichen, künstlichen Welten des Kristallinen (*paradis artificiels*), des Kostbaren und des Veredelten sowie die reizüberfluteten Großstädte; die lit. Protagonisten sind ge(kenn)zeichnet durch biologische und genetische Depravation bei gleichzeitig nervöser, überfeinerter und krankhaft gesteigerter Reizempfänglichkeit, Reflexionssucht und daraus resultierender Velleität; ihr Schönheitskult und ästhetischer Aristokratismus ist oft mit moralischer Verworfenheit und Todessehnsucht verbunden; als Typus dominieren die *femme fatale, fragile* und *enfant*, die Prostituierte (Kokotte und Kurtisane), der Androgyn, der Homoerot, der Dilettant und der Dandy.

Herausragende Beispiele dekadenter Lit. finden sich sowohl im Dramatischen (M. Maeterlinck, O. Wilde) als auch im Lyrischen (P. Verlaine), es dominiert indes die Prosaform: H. Bangs *Hoffnungslose Geschlechter* (1880), J.-K. Huysmans *À Rebours* (1884), G. d'Annunzios *La città morta* (1898), *Il piacere* (1899) und *Il fuoco* (1900) und Th. Manns *Buddenbrocks* (1901).

1 A. E. Carter, The Idea of Decadence in French Literature 1830–1900, 1958 **2** E. Koppen, Dekadenter Wagnerismus. Stud. zur europ. Lit. des Fin de siècle, 1973 **3** G. Wunberg, Historismus, Lexemautonomie und Fin de siècle. Zum D.-Begriff in der Lit. der Jh.-Wende, in: arcadia 30, 1995, 31–61.

KLAUS MÜLLER-RICHTER

Delikt A. Einleitung
B. Verschuldenshaftung
C. Gefährdungshaftung

A. Einleitung

Das röm. (private) D.-Recht lebt, wie das röm. Privatrecht generell, in der frühen Neuzeit als gemeines Recht (*ius commune*) fort und wird erst von den mitteleurop. Kodifikationen des 18. und 19. Jh. abgelöst. Es hat das mod. Haftungsrecht v. a. im Bereich der schuldhaften Schadenszufügung stark beeinflußt.

B. Verschuldenshaftung

Die röm.-rechtlichen Klagen wegen schuldhafter Beschädigung oder Beeinträchtigung von Personen oder Sachen, insbes. die *actio legis Aquiliae* und die *actio iniuriarum*, bilden bis zu den → Kodifikationen die Grundlage des privaten D.-Rechts im *ius commune*. Im südafrikan. Recht (→ Roman Dutch Law) gelten sie zum Teil noch h. Die gemeinrechtliche Wiss. formt jedoch diese Klagen, soweit möglich, zu streng privatrechtlichen Schadensersatzansprüchen um, denn für ihre pönalen Elemente war angesichts einer schon in der frühen Neuzeit voll etablierten Strafrechtspflege nur noch wenig Raum.

1. Actio legis Aquiliae. Voraussetzungen

Die größte Bed. hat die *actio legis Aquiliae*. Ihre Voraussetzungen waren schon im ant. Recht nach und nach großzügiger gefaßt worden, so daß nicht mehr nur die unmittelbare, sondern auch die mittelbare Beschädigung von Sachen und auch die körperliche Verletzung von Personen schadensersatzpflichtig machte. Die gemeinrechtliche Doktrin des → Deutschen Usus modernus geht noch einen Schritt weiter, indem sie auch bei der schuldhaften Verursachung eines bloßen (primären) Vermögensschadens einen Schadensersatzanspruch gewährt. Damit wird die *actio legis Aquiliae* zur schadensersatzrechtlichen Generalklausel, wie sie sich dann auch in den Naturrechtskodifikationen (preußisches Allg. Landrecht, österreichisches Allg. Bürgerliches Gesetzbuch, frz. *code civil*) um 1800 findet. Die dt. → Pandektistik des 19. Jh. hat diese generalklauselartige Ausweitung der *lex Aquilia* allerdings nicht mitgemacht und ist zu dem (Enumerativ-)Prinzip zurückgekehrt, daß nur die rechtswidrige und schuldhafte Verletzung bestimmter Rechte wie Leben, Körper, Gesundheit, Freiheit, Eigentum (nicht die Vermögensbeschädigung als solche) eine Ersatzpflicht begründet. Dieses Prinzip legt dann auch das dt. Bürgerliche Gesetzbuch (BGB) von 1896 zu Grunde. Um dadurch entstehende Haftungslücken zu schließen, schafft es aber noch weitere Tatbestände der Verschuldenshaftung und greift dabei u. a.

auf die *actio doli* (›sittenwidrige Vermögensbeschädigung‹) und die *actio ex syndicatu* (›pflichtwidrige Schadenszufügung durch Richter bzw. Beamte‹) zurück.

An dem Erfordernis der Rechtswidrigkeit und des Verschuldens in Form von Vorsatz oder Fahrlässigkeit wird festgehalten. Dabei findet sich eine klare Unterscheidung zw. Rechtswidrigkeit und Schuld im Dt. *usus modernus* noch nicht, sondern erst im 19. Jh. bei Rudolph von Jhering (1867). In der Sache stimmten Dt. *usus modernus* und Pandektistik aber darin überein, daß nicht jede schuldhafte Vermögensbeschädigung, wohl aber in der Regel die Verletzung von Rechten rechtswidrig ist. So nähern sich die Generalklausel- und die Enumerationslösung im Ergebnis einander an.

2. Folgen

Die Reinigung der *actio legis Aquiliae* von ihren pönalen Elementen zeigt sich v. a. bei den Folgen der schuldhaften Beschädigung. Das ant. Recht legte für den Schadensersatz den maximalen Wert der Sache im J. bzw. 30 Tage vor der Schädigung zu Grunde. Die gemeinrechtliche Lehre akzeptiert von Anfang an diese ›Schadensberechnungsstrafe‹ nicht mehr und setzt als Schaden nur noch den Wert der Sache z. Z. der Beschädigung bzw. der Schadensersatzleistung an. Auch die weitere Konsequenz des röm. Rechts, daß die Verpflichtung aus der *lex Aquilia* – als höchstpersönliche Strafe – nicht auf den Erben übergehen könne, wird seit dem 18. Jh. nicht mehr gezogen. Darüber hinaus entfernt sich die gemeinrechtliche Praxis auch dadurch vom röm. Recht, daß sie entgegen den Digesten (Dig. 9,3,7) bei Körperverletzungen ein Schmerzensgeld gewährt. Die Doktrin folgt dieser Auffassung seit dem späten 17. Jh.

3. Actio iniuriarum

Neben der *actio legis Aquiliae*, aus der heraus der zentrale Haftungstatbestand des mod. privaten D.-Rechts entwickelt worden ist, hat sich lange Zeit auch die *actio iniuriarum* im gemeinen Recht behauptet. Ihre Voraussetzung war im ant. Recht ein Angriff auf die Person, der jedoch von der Beleidigung und Körperverletzung bis zum Hausfriedensbruch und zur Verprügelung eines fremden Sklaven reichen konnte. Ob dieser Injurienbegriff im gemeinen Recht beibehalten oder auf ehrverletzende Handlungen beschränkt wurde, ist umstritten, aber jedenfalls setzen sich noch im 19. Jh. Rudolph von Jhering und Ernst Landsberg für einen weiten Injurienbegriff ein. Infolge der Injurie hatte der Verletzte (neben dem Ersatz etwaiger Vermögensschäden nach der *lex Aquilia*) einen Anspruch auf immateriellen Schadensersatz in Form einer Geldbuße, deren Höhe der Richter bestimmte. Diese *actio iniuriarum aestimatoria*, die überwiegend als Privatstrafe und damit als letztes pönales Element im System des privatrechtlichen Haftungsrechts betrachtet wurde, erhält sich in Deutschland vereinzelt bis zum Bürgerlichen Gesetzbuch von 1896. Allerdings wird sie – möglicherweise aufgrund pietistischer Einflüsse – in Preußen und Sachsen schon am Anf. des 18. Jh. und in den meisten anderen dt. Staaten im Verlauf des 19. Jh. abgeschafft. Das BGB kennt keinen entsprechenden Anspruch mehr; der von der dt. Rechtssprechung nach 1950 entwickelte Anspruch auf Schmerzensgeld bei Persönlichkeitsverletzung stellt aber eine Art Wiedergeburt der *actio in iniuriarum aestimatoria* dar. In Südafrika existiert die *actio iniuriarum* bis heute.

4. Actio furti

Geringere Bed. hat im gemeinen Recht die *actio furti* erlangt, die bei einem *furtum* (›gewinnsüchtige Entwendung einer Sache‹, Dig. 47,2,1,3) Privatstrafen in Höhe des doppelten bzw. vierfachen Sachwerts vorsah. In Deutschland ordnet schon die *Constitutio Criminalis Carolina* von 1532 solche Sanktionen dem Strafrecht zu; gleichzeitig beginnt sich auch der Begriff des *furtum* auf den mod. Diebstahlsbegriff hin zu verengen. Obwohl hin und wieder die Weitergeltung der privaten Diebstahlsstrafen behauptet wurde, waren sie in Deutschland jedenfalls am Ende des 18. Jh. beseitigt.

C. Gefährdungshaftung

Im Gegensatz zur Verschuldenshaftung haben die röm.-rechtlichen Klagen auf Haftung für unverschuldete Schäden in der Neuzeit nur eine unbedeutende Rolle gespielt.

1. Actio de pauperie

Als Vorläufer der mod. Tierhalterhaftung kann man immerhin die *actio de pauperie* betrachten. Ihr zufolge hatte der Eigentümer eines zahmen Tiers für Schäden aufzukommen, die es *contra naturam* verursachte; er konnte die Ersatzpflicht jedoch durch Preisgabe des Tieres (*noxae deditio*) abwenden. Die *actio de pauperie* galt im gemeinen Recht weiter und wird noch im 19. Jh. von der dt. Pandektistik anerkannt. In den Naturrechtskodifikationen und im dt. BGB von 1896 verlieren sich allerdings die archa. *noxae deditio*, die schwer zu handhabende *contra-naturam*-Voraussetzung und die Beschränkung auf zahme Tiere, dafür tritt aber zuweilen ein Verschuldenserfordernis hinzu. Das südafrikan. Recht, in dem die *actio de pauperie* weiter gilt, hat sie in ähnlicher Weise modifiziert.

2. Noxalhaftung

Von den römischrechtlichen Vorschriften, die eine Haftung für andere Personen anordnen, ist die Noxalhaftung des Hausvaters für Kinder schon im justinianischen Recht, die für Sklaven im Dt. *usus modernus* beseitigt worden. Das gemeine Recht übernimmt jedoch die Einstandspflicht des Geschäftsherrn für Hilfspersonen im Rahmen von Verträgen, wie sie das röm. Recht etwa für *nautae, caupones* und *stabularii* und bei der *locatio conductio* (Dig. 19,2,25,7) vorsieht. Während dann das dt. BGB daran festhält, daß eine strikte Haftung für andere Personen nur bei Verträgen in Betracht kommt, gehen andere Rechtsordnungen (Südafrika unter Berufung auf Dig. 19,2,25,7; Frankeich, England) weiter und lassen den Geschäftsherrn generell ohne eigenes Verschulden für seine Gehilfen einstehen.

3. Actio de deiectis vel effusis

Im übrigen hatte von den sog. »Quasi-D.« des röm. Rechts wohl nur noch die *actio de deiectis vel effusis* größere Bed. in der Neuzeit. Der Anspruch richtete sich gegen den Bewohner eines Hauses, aus dem etwas herausgeworfen oder -gegossen wurde, und ging auf Ersatz von Körper- oder Sachschäden. Dieser Anspruch lebt im gemeinen Recht (und h. noch in Südafrika und im österreichischen Allg. Bürgerlichem Gesetzbuch) weiter und wurde sogar noch in den ersten Entwurf des dt. BGB aufgenommen, dann jedoch fallen gelassen.

Insgesamt ist also der zweite große Bereich des mod. privaten D.-Rechts, die Haftung für unverschuldete Schäden (Gefährdungshaftung, *strict liability*), deutlich weniger vom röm. Recht beeinflußt als die Verschuldenshaftung. Die h. maßgeblichen Grundsätze der Gefährdungshaftung haben sich weitgehend unabhängig vom röm. Recht – und eben auch für eine ganz andere Gesellschafts- und Wirtschaftsordnung als die ant. – entwickelt.

1 H. Lange, Schadensersatz und Privatstrafe in der ma. Rechtstheorie, 1955 2 H. Kaufmann, Rezeption und Usus modernus der actio legis Aquiliae, 1958 3 H.J. Wieling, Interesse und Privatstrafe vom MA bis zum Bürgerlichen Gesetzbuch, 1970 4 R. Ogorek, Unt. zur Entwicklung der Gefährdungshaftung im 19. Jh., 1975 5 H. Coing, Europ. Privatrecht, I, 1985, 503–518; II, 1989, 512–530 6 R. Zimmermann, The Law of Obligations. Roman Foundations of the Civilian Trad., 1990, 902–1142 7 W. Ogris, s. v. Unerlaubte Handlung, HWB zur dt. Rechtsgesch. V, 1992, 456–464 8 L. Vacca (Hrsg.), La responsabilità civile da atto illecito nella prospettiva storico-comparatistica, 1995 9 T. Moosheimer, Die actio injuriarum aestimatoria im 18. und 19. Jh., 1997.

JAN SCHRÖDER

Delos (Δῆλος) A. Einleitung B. Grabungen 1873–1894 C. Grabungen von 1902 bis zu den Zwanziger Jahren D. Organisation der Grabung E. Verbreitung der Ergebnisse F. Forschung auf Delos nach den Zwanziger Jahren

A. Einleitung

Über die Lage des im 7. Jh. verlassenen, aber nie vergessenen D. im Zentrum der Kykladen und darüber, daß sich auf ihm das ant. Apollonheiligtum befand, bestanden nie Zweifel. Nachdem die Insel seit der Mitte des 12. Jh. von Kartographen gezeichnet und wiederholt von verschiedenen Besuchern in der Nachfolge Kyriakos' von Ancona, der sich 1445 auf D. aufhielt, beschrieben worden war, führte man zu Beginn des 19. Jh. erste Grabungen durch, deren Ergebnisse allerdings enttäuschend waren. Die Regierung Graf Kapodistrias' untersagte sie 1830, um den Plünderungen ein Ende zu setzen. Zwischen 1851 und 1864 beauftragte die → École française d'Athènes mehrere ihrer Mitglieder mit Forschungsreisen auf der Insel. Obwohl ihre Berichte weitere Unt. wenig vielversprechend erscheinen ließen, begann die École 1873 mit Grabungen.

B. Grabungen 1873–1894

A. Lebègue legte den Gipfel des Kynthos in wesentlichen Teilen frei und untersuchte die Grotte an seiner Westflanke, die er fälschlicherweise als das urspr. Apollonheiligtum ansah. Nach seiner Abreise nahm P. Stamatakis, der im Auftrag der griech. Regierung die Grabungen überwachte, die Arbeit im Sarapieion C auf. 1877 nahm Th. Homolle die Ausgrabung des tatsächlichen Apollonheiligtums in Angriff. Seine Hoffnungen wurden nicht enttäuscht. Binnen einiger J. förderte er nicht nur eine bemerkenswerte rel. Architektur aus archa., klass. und hell. Zeit, sondern auch einen außergewöhnlichen Komplex von Skulpturen und Inschr. zutage. Mit einem Teil dieses Komplexes befaßte er sich in zwei Werken. Das erste (1885) behandelte die archa. Frauenstatuen und brachte damals um so mehr Neues, als die Koren der Akropolis in Athen erst ein J. später entdeckt wurden; das zweite (1887) behandelte die von den Verwaltern des Heiligtums verfaßten Inschr., die erstmals eine genaue Kenntnis der Verwaltung eines Heiligtums ermöglichten. Gleichzeitig gruben andere Mitglieder der École française in verschiedenen Teilen der Stadt. So wurde 1881 die Terrasse der fremden Götter, 1882 das Theater, 1883 das Theaterviertel, 1886 das Gymnasion, 1894 das Hafenviertel freigelegt. Nachdem E. Ardaillon und H. Convert eine arch. Karte der gesamten Insel im Maßstab 1:2000 erstellt hatten, wurden 1894 die Arbeiten eingestellt, da die École française beschlossen hatte, ihre gesamten Anstrengungen auf das Heiligtum von → Delphi zu konzentrieren.

C. Grabungen von 1902 bis zu den Zwanziger Jahren

1902 wurden die Grabungen wiederaufgenommen. Dafür konnte ein großer Teil der für die Erforschung des Heiligtums von Delphi verwendeten Ausrüstung wiederverwendet werden. Zudem stand ab 1903 eine jährliche Schenkung von 50000 Francs des Amerikaners Joseph Florimond Duc de Loubat (1831–1927) zur Verfügung. Dieser Mäzen hatte sich bislang v. a. durch Stiftungen zur Förderung der Erforschung des amerikanischen Kontinents und durch großzügige Geschenke zugunsten des Vatikans hervorgetan; seinen Titel hatte er 1893 von Papst Leo XIII. als Ehrentitel mit dem Motto ›orphano tu eris adiutor‹ (›Du wirst der Vater der Waisen sein‹) erhalten. Obwohl er also kein spezielles Interesse für D. hegte (das er im übrigen nie besuchte), hatte er auf den Rat G. Perrots, des Ständigen Sekretärs der *Académie*, beschlossen, die Grabungen zu finanzieren; als einzige Auflage verlangte er eine genaue und detaillierte Aufstellung der jährlichen Ausgaben. Zu dieser Unterstützung der Geländearbeiten kam 1920 ein zugunsten des Inst. eingerichteter *Fonds d'épigraphie grecque*, dessen Einkünfte für die Publikation eines *Choix d'inscriptions grecques de Délos* (F. Durrbach 1921) und des *Corpus des inscriptions de Délos* bestimmt waren.

Diese neuen technischen und finanziellen Mittel ermöglichten systematische Grabungen, wobei man mit einer »Säuberung« des Heiligtums begann, die darin be-

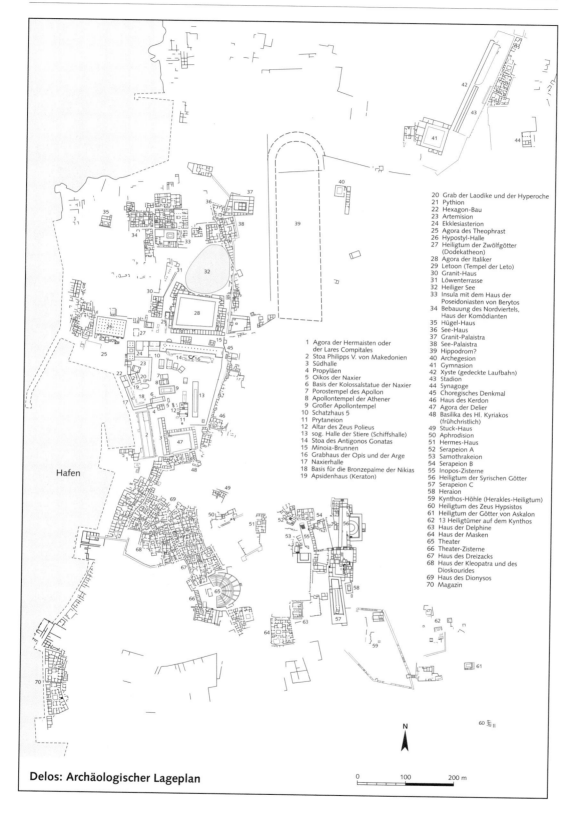

Delos: Archäologischer Lageplan

Hafen

1 Agora der Hermaisten oder
   der Lares Compitales
2 Stoa Philipps V. von Makedonien
3 Südhalle
4 Propyläen
5 Oikos der Naxier
6 Basis der Kolossalstatue der Naxier
7 Porostempel des Apollon
8 Apollontempel der Athener
9 Großer Apollontempel
10 Schatzhaus 5
11 Prytaneion
12 Altar des Zeus Polieus
13 sog. Halle der Stiere (Schiffshalle)
14 Stoa des Antigonos Gonatas
15 Minoia-Brunnen
16 Grabhaus der Opis und der Arge
17 Naxierhalle
18 Basis für die Bronzepalme der Nikias
19 Apsidenhaus (Keraton)

20 Grab der Laodike und der Hyperoche
21 Pythion
22 Hexagon-Bau
23 Artemision
24 Ekklesiasterion
25 Agora des Theophrast
26 Hypostyl-Halle
27 Heiligtum der Zwölfgötter
   (Dodekatheon)
28 Agora der Italiker
29 Letoon (Tempel der Leto)
30 Granit-Haus
31 Löwenterrasse
32 Heiliger See
33 Insula mit dem Haus der
   Poseidoniasten von Berytos
34 Bebauung des Nordviertels,
   Haus der Komödianten
35 Hügel-Haus
36 See-Haus
37 Granit-Palaistra
38 See-Palaistra
39 Hippodrom?
40 Archegesion
41 Gymnasion
42 Xyste (gedeckte Laufbahn)
43 Stadion
44 Synagoge
45 Choregisches Denkmal
46 Haus des Kerdon
47 Agora der Delier
48 Basilika des Hl. Kyriakos
   (frühchristlich)
49 Stuck-Haus
50 Aphrodision
51 Hermes-Haus
52 Serapeion A
53 Samothrakeion
54 Serapeion B
55 Inopos-Zisterne
56 Heiligtum der Syrischen Götter
57 Serapeion C
58 Heraion
59 Kynthos-Höhle (Herakles-Heiligtum)
60 Heiligtum des Zeus Hypsistos
61 Heiligtum der Götter von Askalon
62 13 Heiligtümer auf dem Kynthos
63 Haus der Delphine
64 Haus der Masken
65 Theater
66 Theater-Zisterne
67 Haus des Dreizacks
68 Haus der Kleopatra und des
   Dioskourides
69 Haus des Dionysos
70 Magazin

N

0   100   200 m

Der Duc de Loubat

Die Diadumenosstatue, gehalten von zwei Arbeitern, bei ihrer Entdeckung im Jahr 1894

Archäologen der École française d'Athènes im Hypostylos zu Beginn des Jahrhunderts

stand, die bei den bisherigen Grabungen abgetragene Erde ins Meer zu schütten. Die Ausgrabung des Heiligtums, des Theaterviertels und der Terrasse der fremden Götter wurde fortgesetzt, und noch vor dem I. Weltkrieg konnten das Dodekatheon, das Granitmonument, die Löwenterrasse, die Hypostylen-Halle, der Minoebrunnen, das erste Heraion, die Palaistra am See, die Granitpalaistra, das Stadion mit den umgebenden Häusern und die Synagoge freigelegt werden. In dieser Zeit holte M. Holleaux, der die École française von 1904 bis 1912 leitete, auch verschiedene Spezialisten für Geogr., Geologie und Hydrographie auf die Insel, die eine neue Gesamtkarte erstellten und sich mit der physischen Geogr. der Insel beschäftigten. Der I. Weltkrieg, während dem vier auf D. tätige Archäologen der École française ums Leben kamen, schränkte die Grabungsarbeiten erheblich ein. Dennoch wurde die Erforschung des Kynthos wiederaufgenommen und bis 1922 fortgesetzt; das Gebiet zw. der Palaistra am See und dem Heiligtum dagegen war freigelegt.

D. Organisation der Grabung

Zw. März 1873, als A. Lebègue, vom Bildungsministerium mit 1000 Francs ausgestattet, allein eine kleine, mit Hilfe des Bürgermeisters von Mykonos zusammengestellte Arbeitergruppe leitete, und der Zeit, in der die Schenkung des Duc de Loubat sechs Monate lang die gleichzeitige Arbeit von etwa zehn Spezialisten an vier oder fünf verschiedenen Orten mit mehr als 200 Arbeitern erlaubte, entwickelten sich Ausrüstung, Arbeitsweise und technische Verfahren beträchtlich.

Zu Beginn wurden die Arbeiten von einem einzigen Archäologen geleitet, wobei man Suchschnitte anlegte, um die Mauern ausfindig machen bzw. ihnen folgen zu können. Dem Grabungsleiter unterstanden mehrere Dutzend Arbeiter aus Mykonos, die mit Ausnahme der Feiertage an sechs Tagen in der Woche arbeiteten. Die Lebensbedingungen waren hart. Abends mußte man auf Rheneia Zuflucht suchen oder im Boot schlafen. Ab 1879 gab es einen Verantwortlichen für die Verzeichnung der ausgegrabenen ant. Überreste. Anfangs war dies ein Ingenieur des Tiefbauamts, der Bruder Th. Homolles, ab 1880 ein Architekt, der den Großen Preis von Rom gewonnen hatte, P. Nénot. Dieser erstellte eine Karte des gesamten Heiligtums und untersuchte dessen sämtliche Denkmäler, denen er die Ber. seines dritten und vierten J. widmete. Nach 1902 arbeiteten die Archäologen, Mitglieder oder ehemalige Mitglieder der École française, zu mehreren auf der Insel, was eine Konzentration auf die Ausgrabung und Unt. je eines bestimmten Denkmals, Gebiets oder Materialtyps ermöglichte. Zwei wichtige Persönlichkeiten übernahmen die Organisation der Grabungen. H. Convert, der Leiter des Tiefbauamts, der im Departement Seine für die Flußschiffahrt zuständig war, wurde zur École française abgeordnet, um wie zuvor in Delphi die technische Leitung der Grabungen zu übernehmen. Diese Aufgabe teilte er mit dem Geometer J. Replat, der außerdem Verzeichnisse der Top. und Architektur erstell-

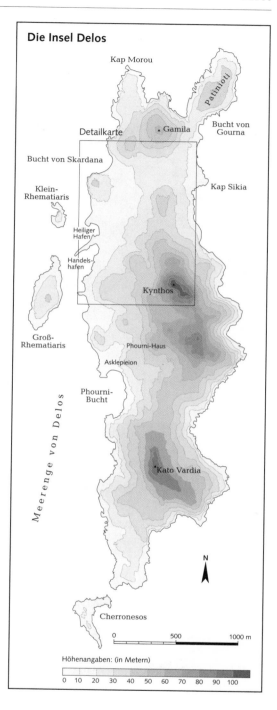

Die Insel Delos

Kap Morou

Patinioti

Gamila

Bucht von Gourna

Detailkarte

Bucht von Skardana

Kap Sikia

Klein-Rhematiaris

Heiliger Hafen

Handels-hafen

Kynthos

Groß-Rhematiaris

Phourni-Haus

Asklepieion

Phourni-Bucht

Meerenge von Delos

Kato Vardia

N

Cherronesos

0   500   1000 m

Höhenangaben: (in Metern)

0 10 20 30 40 50 60 70 80 90 100

te, allein oder in Zusammenarbeit mit anderen mehrere Gebäude untersuchte sowie selbst Grabungen durchführte. Diese beiden Männer hatten die Grabungsleitung inne, als im Juni 1906 auf Betreiben eines Arztes namens Andronikos aus Mykonos ein Arbeiterstreik ausbrach. Bei den Forderungen der Streikenden, die

Das Museum von Delos im Jahr 1909

Die Ausgrabung des unteren Inoposbeckens

Die Restaurierung des Peristylos
des Hauses des Dionysos

von der griech. nationalen Presse aufgegriffen wurden, ging es um das Mißverhältnis zwischen den bescheidenen Löhnen auf der einen und den langen Arbeitstagen und harten Lebensbedingungen auf der anderen Seite. Damals wurden auf dem Grabungsgelände von Maultieren und Pferden gezogene Feldbahnen angelegt, mit deren Hilfe der bei den Grabungen entstandene Abraum, von dem ein großer Teil für den Bau der heutigen Anlegestelle verwendet wurde, weggeschafft werden konnte. Man arbeitete nicht mehr nur mit Suchschnitten, sondern legte einen großen Teil der Stadt und v. a. der Heiligtümer und der öffentl. Gebäude vollständig frei. Die Lebens- und Arbeitsbedingungen verbesserten sich. Auf der Insel wurden mehrere Häuser sowie ab 1904 nach Plänen H. Converts ein von Griechenland finanziertes Mus. gebaut. Dieses ermöglichte es nach seiner Fertigstellung, die bis dahin auf Mykonos gelagerten beweglichen Fundstücke auf der Insel selbst aufzubewahren.

Obwohl D. zur Zeit der ersten Grabungen kaum Besuche erhielt, hatten sich die Archäologen über die Aufbewahrung der Fundstücke vor Ort und über den Schutz der ausgegrabenen Denkmäler Gedanken zu machen. Mehr als Antiquitätenhändler oder Touristen fürchteten sie – zu Recht – die Aneignung der schönsten Stücke durch das Nationalmus. in Athen und die Beschädigung von Mauern, Stukkaturen und Mosaiken durch die Hirten und ihre Schafe. Um das Schadensrisiko zu begrenzen, baute man 1903 eine Mauer, die auf der Insel Kulturland und arch. Gelände trennte. Der Direktor der École française ersuchte im folgenden Jahr den Generalephorus für griech. Altertümer, M. Stavropoulos, die Zahl der mit der Bewachung der Insel beauftragten Personen, bislang nur zwei, zu verdoppeln. Die ab 1902 eingesetzten technischen Mittel erlaubten auch Restaurierungen sowie die Aufstellung erratischer Blöcke in der Nähe der Gebäude, zu denen sie gehörten.

E. Verbreitung der Ergebnisse

A. Lebègue widmete den Ergebnissen seiner Forsch. eine vollständige Monographie. Seine Nachfolger berichteten in der Regel jährlich im *Bulletin de Correspondance hellénique* sowie in den *Comptes rendus de l'Académie des inscriptions et belles-lettres* von ihren Entdeckungen. Diese ersten Ber. lassen ebenso wie die bei den Grabungen angelegten Notizbücher auf ein bevorzugtes Interesse für Skulpturen und Inschr. schließen. Für die endgültige Publikation der Denkmäler und der beweglichen Fundstücke wurde die Buchreihe *Exploration archéologique de Délos* geschaffen, deren erste beiden Hefte 1909 erschienen. Die zunächst von der Berliner Akademie in den *Inscriptiones graecae* veröffentl. Inschr. wurden nach dem I. Weltkrieg im frz. Corpus der *Inscriptions de Délos* erneut publiziert. Doch auch eine breite Öffentlichkeit erhielt auf mitunter überraschende Weise von den Entdeckungen Kenntnis: Bei der Weltausstellung von 1889 gab es einen D. gewidmeten Stand, und der Gräzist Th. Reinach beauftragte E. Pontremoli,

der 1890 den Großen Preis von Rom für Architektur gewonnen hatte, mit der Nachbildung eines delischen Hauses mit ant. Gegenständen, die als Villa Kerylos ein Vorgebirge bei Beaulieu-sur-mer (bei Nizza, Südfrankreich) schmückt.

F. Forschung auf Delos nach den Zwanziger Jahren

Auch nach den 20er J. wurden auf D. Grabungen durchgeführt; allerdings veränderten sich Mittel und Perspektiven der Forsch. Seit dieser Zeit und bis h. konzentrieren sich die Forsch. eher auf einzelne Gebäude als auf ganze Komplexe. So wurden das Archegesion, das Furni-Haus, das Haus des Hermes, mehrere Häuser des nördl. Viertels, ein Bauernhof in der ländlichen Umgebung und Begräbnisstätten auf Rheneia freigelegt. Vermehrt wurden ergänzende Grabungen an bereits seit geraumer Zeit freigelegten Denkmälern vorgenommen, um die Publikation abschließen zu können. Dabei wurden zum Teil spektakuläre Ergebnisse erzielt, wie beispielsweise 1946, als eine Sondage im Artemision zur Entdeckung einer mit Votivgegenständen gefüllten Grube führte. Obwohl mehr als die H. der Stätte noch nicht freigelegt ist, befaßt man sich h. mit der Unt. und der Einordnung von Denkmälern, Fundstücken und Inschr., die, obwohl sie teilweise vor mehr als 100 J. ausgegraben wurden, noch nicht erschöpfend behandelt sind. Die bereits geleistete Arbeit ist beachtlich: 36 Hefte der *Exploration archéologique de Délos* und neun Inschriftenbände sind erschienen; hinzu kommen etwa 20 Monographien und Hunderte von Aufsätzen zu speziell delischen Themen. Von den bereits entdeckten Denkmälern ist ein beträchtlicher Teil noch unerforscht, doch dieser scheinbare Mangel erklärt sich durch den Umfang der Aufgabe. Eher als auf eine Entwicklung der Forschungsinteressen im Lauf der Zeit ist er auf die Fülle der auf D. gemachten Entdeckungen zurückzuführen; mit Ausnahme der Geschichte der fremden Siedlungen auf D. setzen alle Hauptthemen der aktuellen Forsch. die Programme Th. Homolles und M. Holleaux' fort.

Die Arbeiten auf D. betreffen nicht nur die Unt. des bei früheren Grabungen freigelegten Materials. Aufgrund des langsamen, aber unaufhaltsamen Verfalls der Denkmäler und der Zunahme des Tourismus auf der arch. Stätte, die seit 1990 zum Weltkulturerbe der UNESCO zählt, sind Bemühungen um die Konservierung, Restaurierung und Präsentation der Denkmäler in den Vordergrund getreten. In den 50er J. hatte N. Kontoléon umfangreiche Rekonstruktionen im Theaterviertel vorgenommen. In jüngster Zeit wurden einige Hinweistafeln an den Ruinen angebracht, und die Zahl der öffentlich zugänglichen Räume des Mus. wurde beträchtlich vergrößert. Der größte Teil der früher im Freien ausgestellten Statuen befindet sich bereits im Mus., und man erwägt, dorthin auch die archa. Löwenstatuen vom Ufer des Sees zu verbringen. Auf dem arch. Gelände werden die Originale durch Kopien ersetzt. Dennoch stürzen jeden Winter Mauern ein, Wandmalereien lösen sich von ihrem Untergrund, Mosaiken zerfallen. Restauratorenteams versuchen, Abhilfe zu schaffen, doch die zur Verfügung stehenden Mittel reichen nicht aus.

→ Athen – Nationales Archäologisches Museum

1 A. PLASSART, Un siècle de fouilles à Délos, BCH Suppl. I, 1973, 5–16 2 PH. BRUNEAU, M. BRUNET, AL. FARNOUX, J.-CH. MORETTI (Hrsg), Délos. Ile sacrée et ville cosmopolite, 1996.

MICHÈLE BRUNET UND JEAN-CHARLES MORETTI/
Ü: SYBILLE PAULUS

Delphi A. EINLEITUNG
B. FORSCHUNGSGESCHICHTE C. WICHTIGE FORSCHUNGSGEBIETE D. PRÄSENTATION E. AUSSENWIRKUNG DER GRABUNGEN

A. EINLEITUNG

Der Ruhm des delphischen Orakels im Alt. und die Erwartungen, die man u. a. aufgrund der Reisebeschreibung des Pausanias von den Monumenten hegte [5. 200], machten die Stätte zu einem begehrten Grabungsplatz und führten zu Auseinandersetzungen um Grabungsleitung und Grabungstechnik [5. 194–8]. Die Funde lösten teils durch ihre Außergewöhnlichkeit, teils als mögliche chronologische Fixpunkte lange Diskussionen in der wiss. Forsch. aus, stießen aber auch beim breiten Publikum auf großes Interesse. Der Bed. des

Ortes wurde in jüngster Zeit dadurch Rechnung getragen, daß D. 1972 zum »Arch. Gelände« erklärt und Landschaftsschutz angeordnet wurde; 1988 wurde D. in die UNESCO-Liste der ›Kulturgüter von universalem Rang‹ aufgenommen [2. 236].

B. FORSCHUNGSGESCHICHTE

Der Ruhm des ant. D. weckte früh das Interesse der Reisenden (schon 1436 Besuch durch Cyriacus von Ancona). Die spärlichen sichtbaren Reste des Heiligtums (Kastalische Quelle, Stadion) unmittelbar bei der neuzeitlichen Siedlung zogen sie jedoch nur in geringer Anzahl an [5]. Ausgrabungen wurden erst im 19. Jh., nach Gründung des mod. griech. Staates, durchgeführt. Dabei handelte es sich zunächst um einzelne, kleinere Projekte von Seiten der griech. Regierung (1837 Grabung in der Marmaria), der Berliner Akad. d. Wiss. (1840 Unt. eines Teils der Polygonalmauer, Substruktion Apollontempel) und → Ecole Française d'Athènes (EFA) (1860–62 Polygonalmauer, Tempel; 1880 Athenerhalle); eine Grabung in eigener Regie unternahm H. Pomtow (1887 Heiligtumseingang) [5]. Die weiträumige Freilegung des Apollon- und des Athenaheiligtums sowie seiner Umgebung (Siedlung, Nekropolen) war erst nach Verlegung des mod. Ortes Kastri (1858 in »D.« umbenannt) möglich und erfolgte 1892–1903 während der »Grande Fouille« der EFA unter der Leitung ihres Direktors Th. Homolle. Das Interesse der Ausgräber richtete sich zunächst v. a. auf das archa. und

Ansicht von Kastri zu Beginn der »Grande Fouille«

klass. Heiligtum; man hoffte, die bei Pausanias beschriebenen Bau- und Kunstwerke wiederzufinden und
grub daher nur um die Monumente herum, nicht
unter ihnen [2. 235]. Auf die Bearbeitung und Restaurierung
der Funde folgte unter dem Direktorat Ch. Picards
(1919–1925) der Anstoß zu neuen Forsch. [5. 224]. Die
systematische Ergrabung des geom. und myk. Niveaus
sollte die Ursprünge des Heiligtums in der Bronzezeit
aufdecken (1920–22 Kampagnen unter der Leitung R.
Demangels in der Marmaria; 1934–37 unter der Leitung
L. Lerats im Nordosten, zw. 1936 und 1949 unter der
Leitung P. Amandrys und J. Bousquets an weiteren
Punkten des Apollonheiligtums). Dementsprechend
führten die in der Marmaria gefundenen myk. Tonidole
zu dem Streit, ob im Athenaheiligtum von einem myk.
Vorläufer auszugehen sei [5. 225]. Erst in jüngster Zeit
wurden die myk. Funde losgelöst von dieser Frage im
regionalen Kontext betrachtet [4]. Andere Forsch. beschäftigten sich mit der weiteren Umgebung: 1936–38
wurde in Kirrha (h. Itea) der Hafen von D. untersucht
(H. van Effenterre/J. Roger). Nach dem Krieg standen
nicht mehr weiträumige Grabungen, sondern Sondagen
zur besseren Erforsch. einzelner Monumente (z. B.
1956/57 Architektur des Siphnierschatzhauses, seit 1985
völlige Freilegung des Gymnasion) oder Punkte des
Heiligtums an (z. B. 1991 Monument der Rhodier abgebaut und darunter Stück der alten Heiligtumsmauer
freigelegt, in den 1960er J. weitere Ausgrabung der
Nekropolen durch das griech. Denkmalamt). Die Behandlung top. Fragen und Unt. zur Entwicklung des
Heiligtums (z. B. durch P. de La Coste-Messelière) er-
forderten neue Forsch. Während zu Beginn die »späten«
Mauern häufig abgebaut wurden, teils um das klass.
Heiligtum besser sichtbar zu machen, teils um wieder-
verwendete ältere Steine zu finden [5. 265], erfolgte
nun eine gründlichere Beschäftigung mit der röm.
[6. 201; 1. 722 ff.], seit den 1980er J. auch mit der frühchristl. Zeit (v. a. Siedlung) [5. 259]. Zudem wurde in
den 1970er J. unter P. Amandry die Erforsch. der Umgebung wieder aufgenommen (Korykische Grotte,
Steinbrüche St. Elias) [5. 258].

C. WICHTIGE FORSCHUNGSGEBIETE

1. ARCHITEKTUR

Ein nicht unbeträchtlicher Anteil der Architektur-
teile war zu Beginn der Ausgrabungen in anderen ant.
Bauten wiederverwendet (z. B. [5.265]) oder in den
mod. Häusern verbaut (z. B. [3. 19]). Aufgabe der ersten
Forschergeneration war daher die (zunächst z. T. feh-
lerhafte) Zuweisung der einzelnen Blöcke an ihre jeweiligen Bauten (fehlerhaft z. B. wurden Blöcke vom
Schatzhaus der Knidier bei der Rekonstruktion desjenigen der Siphnier verwendet [3. 51]). Bereits zu Beginn des 20. Jh. wurden als Rekonstruktionshilfe auch
die auf den Blöcken angebrachten Inschr. herangezogen
(z. B. beim Siphnierschatzhaus durch E. Bourguet und
A. Martinaud [3. 52]), und in jüngster Zeit noch einmal
eine Neuaufnahme einer Reihe von Gebäuden vorgenommen (z. T. unter Mitarbeit des dänischen Architek-

ten E. Hansen). Die Versammlung verschiedener archa.
und klass. Stile ermöglichte u. a. die Unterscheidung
einer Reihe von Bauhütten (G. Gruben, 1972).

2. EPIGRAPHIK

Unter den wiss. Arbeiten zu D. sind Publikationen
zur Epigraphik zahlreicher als die zu jeder anderen Disziplin. Auf die Mauern vieler Monumente wurde im
Laufe der Zeit eine große Menge an Inschr. (v. a. Verträge, Bauabrechnungen, Freilassungsurkunden) eingemeißelt, die nach den athenischen die wichtigste mut-
terländische Quelle u. a. für die griech. Chronologie
darstellen. Bereits eine der ersten Grabungen (K. O.
Müller im Auftrag der Berliner Akad. d. Wiss.) konzentrierte sich auf die Inschr. Nach Vergabe der Grabungs-
rechte an die EFA einigten sich dann die Pariser und
Berliner Akad. d. Wiss. darauf, die dt. und frz. Forsch.
durch eine gemeinsame Inschriftenherausgabe zusammenzufassen. Die heftigen Auseinandersetzungen zw.
H. Pomtow (Beauftragter der Berliner Akad. d. Wiss.)
und der EFA [5. 199] führten jedoch dazu, daß ersterer
seine Rechte 1904 an die EFA abgab (Nachfolger: E.
Bourguet) [2. 234]. Die Funde vor 1892 finden sich nun
bei H. Collitz (Dialektinschr. II); während der Grande
Fouille oder später gemachte Funde wurden (nach einer
vorläufigen Publikation im BCH) seit 1908 in top. Ordnung im 3. Teil der Fouilles de Delphes publiziert. Eine
systematische Darbietung nach Gattungen wird seit
1977 im Corpus des inscriptions de Delphes vorgelegt
[5. 266 ff.].

3. PLASTIK

Aufgrund zahlreicher Inschr. und Erwähnungen in
der ant. Lit. liefern D. Plastiken und Skulpturen eine
Reihe von chronologischen Fixpunkten, auch wenn die
Gültigkeit mancher Angaben ant. Schriftsteller in der
Forsch. umstritten ist (wie bei der Bauskulptur des
Schatzhauses der Athener). Bes. Bed. erlangte der Wa-
genlenker, der als erste Bronze-Großplastik einer Ausgrabung und gut konserviertes Werk gefeiert und an
Wichtigkeit dem Hermes aus der (als Konkurrenz betrachteten) dt. Grabung in Olympia zur Seite gestellt
wurde [5. 200]. Der fragmentierte Zustand eines Großteils der Bauskulptur erforderte zunächst aufwendige
Zusammenfügungen (z. B. bei den Skulptur-Fragmen-
ten des Athenerschatzhauses durch P. de La Coste-
Messelière), denen nach der insgesamt recht schnellen
Vorlage durch die Ausgräber dann Unt. zu ikonographischen und histor. Problemen der Werke nachfolgten
[5. 273].

D. PRÄSENTATION

Um dem lebhaften Interesse von Publikum und
Wissenschaftlern entgegenzukommen, bemühten sich
die Ausgräber, die Funde möglichst früh zugänglich zu
machen. Hierzu dienten neben Fotografien [5. 197] –
die laufende photographische Dokumentation der Grabung war damals noch neu [3.33] – in größerem Umfang auch Gipsabgüsse (seit 1894 in Paris ausgestellt)
[3. 46]. Bereits 1899 begann die Organisation D. als re-
gulärer arch. Ausgrabungsort, wozu nicht nur Aufräu-

Westfassade des Siphnierschatzhauses
(Gipsrekonstruktion, 1905)

mungsarbeiten, sondern auch die gänzliche oder partielle Aufrichtung wichtiger Gebäude gehörte (u. a.: 1903–06 Athenerschatzhaus, 1938 Tholos, 1939–41 Apollontempel, 1975/76 und 1983/84 Monumente nördl. des 1. Abschnittes der »Hl. Straße«), z. T. unter Verwendung zahlreicher neu angefertigter Teile (z. B. Athenerschatzhaus zu ca. 2/3 aus den originalen Teilen zusammengesetzt [3. 58]). Die schutzbedürftigen Funde waren (arrangiert durch Th. Homolle) zu einem beträchtlichen Teil in einem Mus. ausgestellt, dessen erster Bau – teils durch den griech. Staat, teils aus dem Vermächtnis A. Syngros' finanziert – 1903 eingeweiht wurde. Dem Wunsch nach Veranschaulichung entsprachen die umfangreichen Rekonstruktionen in Gips, die notwendigerweise vielfach ungenau ausfielen (z. B. Westfassade des Siphnierschatzhauses, bei deren Rekonstruktion zunächst auch Teile des Knidierschatzhauses verwendet, andere Teile frei ergänzt wurden [3. 46]). Wasserschäden, Raummangel und neue Ausstellungskonzepte führten 1935–38 zum Bau eines neuen Mus., das durch das Denkmalamt eingerichtet wurde (heutige Ausstellung: v. a. durch I. Konstantinou, V. Petrakos [7] – die von de La Coste-Messelière betreute Neuaufstellung von 1938 wurde aufgrund des Kriegsausbruchs und der Evakuierung vieler Werke aufgelöst); die weitgehenden Ergänzungen wurden nun entfernt und eine nach Möglichkeit chronologische Aufstellung angestrebt [5. 254].

Das Athenerschatzhaus während des Wiederaufbaus

E. AUSSENWIRKUNG DER GRABUNGEN

Die spektakulären Funde der *Grande Fouille* führten zu einem deutlichen Anstieg der Besucherzahlen [5. 200]. Einzelne Architekten ließen sich erneut zur Verwendung klass. Bauformen anregen (K. Gottlieb, Kirche St. Lukas in Århus [3. 59]); der (auf dem Athenerschatzhaus eingemeißelte) Apollonhymnus wurde in zahlreichen Ländern bei verschiedenen Veranstaltungen vorgetragen [5. 196]. Das Prestige, das die Ausgrabung für die beteiligten Nationen brachte [5. 141] – für die Franzosen als Ausgräber, für die Griechen als Einwohner – zeigt sich exemplarisch an der Behandlung einzelner Monumente: Von den Franzosen wurde ein Abguß der Westfassade des Siphnierschatzhauses 1900 bei der Weltausstellung in Paris gezeigt [3. 46], die Athener finanzierten den Wiederaufbau des Athenerschatzhauses ausdrücklich unter Hinweis auf die geschichtliche Verbindung [5. 201] (vgl. auch die Restaurierung des großen Chioten-Altars durch Chios-Stadt [5. 278]).

1 P. AMANDRY, Chronique Delphique (1971–1980), in: BCH 105, 1981, 673–769 2 M. MAASS, Das ant. D., 1993, 232–236 3 Ders. (Hrsg.), D. Orakel am Nabel der Welt, 1996 4 S. MÜLLER, Delphes et sa région à l'époque mycénienne, in: BCH 116/2, 1992, 445 ff. 5 O. PICARD (Hrsg.), La redécouverte de Delphes, 1992 6 J. POUILLOUX, Delphes et les Romains, in: ΣΤΗΑΗ 1980, 201–207 7 P. THEMELIS, Kurze Gesch. des Mus., in: Hellenika Jb. 1979, 142 f. 8 Centcinquantenaire, BCH 120, 1996.

HEIDE FRIELINGHAUS

Demokratie A. EINLEITUNG B. ENGLAND UND AMERIKA IM 17./18. JAHRHUNDERT C. FRANZÖSISCHE REVOLUTION D. DIE AUSEINANDERSETZUNG MIT DER FRANZÖSISCHEN REVOLUTION E. ENGLAND, FRANKREICH UND USA IM 19. JAHRHUNDERT F. DEMOKRATIE UND SOZIALE DIMENSION – DISKUSSIONEN 19./ANFANG 20. JAHRHUNDERT G. AUSBLICK: 20. JAHRHUNDERT

A. EINLEITUNG

Die Rezeption des ant. Demokratiebegriffs erfolgte unter dem Einfluß unterschiedlicher Antikenbilder, die für die Bewertung der zeitgenössischen polit. Verhältnisse und als Paradigmen einer demokratischen polit. Ordnung ideengeschichtlich immer wieder wirksam waren. Wie haben die D.-Vorstellungen der klass. Ant. den mod. Begriff der D. geprägt? Systematisch steht die Rezeption in einem Wechselverhältnis zu benachbarten oder konkurrierenden Begriffen wie → Mischverfassung und → Republik. D. indiziert gegenüber der Republik nicht die Gesetzesherrschaft oder das gute Regiment gegenüber dem Despotismus, sondern die polit. Selbstbestimmung unter Einbeziehung der breiten Bevölkerung samt den damit verbundenen Risiken despotischer Herrschaft. D. und Republik können daher sowohl im Hinblick auf den Begriff der Freiheit wie auf den Begriff der guten Ordnung in Konkurrenz zueinander stehen bzw. gestellt werden. In Konkurrenz zum Begriff der Republik wurde die polit. Ordnung → Athens gerne als idealtypische Alternative zu derjenigen → Spartas verstanden [64]. Wo D. eine polit. Ordnung als ganze bezeichnete, verwies dies in der Regel nicht auf einzelne Aspekte der Regierungslehre, und der Begriff wurde dann auch nicht im Kontext der Mischverfassungstheorie gesehen. Außerhalb der Mischverfassungslehre erhielt der D.-Begriff erst im Zusammenhang mit den großen revolutionären Epochen eigenständige Relevanz.

Die Rezeptionsvorgänge beginnen in der Ant. selbst; ein bekanntes Beispiel ist Demosthenes, der die Vorbildlichkeit der D. der Väter herausstellte. Typisch für die nachant. Zeit ist eine intensive Rezeption der athenischen D. in Perioden der Neu- oder Wiederbegründung einer polit. Ordnung. Die Italienische Renaissance, die Englische Revolution, der Niederländische Unabhängigkeitskampf, die Amerikanische und schließlich die Französische Revolution sind die klass. Felder der Rezeption ant. D.-Vorstellungen. Im 19. Jh. trennen sich die zunächst gleichzeitig verlaufenden Rezeptionsstränge, bis in Reaktion auf Bolschewismus und Nationalsozialismus und die dort beobachtete polit. Totalbeanspruchung des Individuums erneut eine scharfe Ablehnung der »reinen« D. im Kontext einer bestimmten Lesart der athenischen D. stattfindet.

Für die gesamte polit. Ideengeschichte gilt, daß der D.-Begriff außerhalb der Mischverfassungstheorie auf sich immer wieder tradierende Ressentiments stößt [58; 66]. Dabei wurden, um die Verwerflichkeit der D. insgesamt zu beweisen, oftmals stereotype Vorwürfe gegen einzelne athenische Institutionen erhoben, wie die Volksgerichtshöfe, die rasch abfolgenden Gesetzesbeschlüsse und die demagogische Beeinflußbarkeit der Volksversammlung. Im folgenden sollen stärker die Abweichungen und Ausnahmen von dieser dominierenden Rezeptionstechnik hervorgehoben werden.

B. ENGLAND UND AMERIKA IM 17./18. JAHRHUNDERT

[63; 66; 72; 73] Das Argument der Nichtübertragbarkeit ant. Theorien und Begriffe auf neuzeitliche Verhältnisse diente in der Regel den Kritikern einer selbstgesetzgebenden polit. Ordnung als Waffe im Kampf gegen die Legitimität demokratischer Ansprüche. Für Thomas Hobbes war Aristoteles (er bezieht sich auf pol. 6,2) sowohl für die Mischverfassungslehre als auch für die weit verbreitete Vorstellung verantwortlich, wonach wahre Freiheit nur in der D. gewährleistet sei. Dadurch habe Aristoteles die anmaßende Vorstellung in der Bürgerschaft befördert, es könnten gegenüber der durch den Souverän gewährleisteten Herrschaftsordnung Forderungen nach persönlicher Freiheit vorgebracht werden. Nach Hobbes' Theorie hingegen wurde Freiheit überhaupt erst durch diese Ordnung gewährleistet. In Hobbes' Auffassung hatte die Rezeption der ant. polit. Lit. seit der Gründung der Univ. in Westeuropa nichts als Aufstände und Bürgerkriege nach sich gezogen ([1]; sowie *Behemoth* oder *Das Lange Parlament*, 1682, ed. H. MÜNKLER, 1991, 47 ff., 62). Der von Hobbes selbst verwendete analytische Begriff der D. zielt daher nicht auf die polit. Partizipation der Menschen, sondern auf die Souveränität einer Versammlung als zulässige Alternative zur Souveränität eines einzigen Individuums.

Doch mit dem gewachsenen Bewußtsein, polit. Ordnungen selbstverantwortlich gestalten und gegen die Interessen weitaus größerer Mächte durchsetzen zu können, wurde die athenische D. nicht mehr ausschließlich als histor. abschreckendes Beispiel, sondern auch als Exempel dafür angesehen, daß es bei der Neubegründung polit. Ordnungen nicht nur auf institutionelle Finessen, sondern v. a. auf die entsprechende innere Einstellung der Bürger ankam. Für die Niederlande demonstrierte dies Hugo Grotius, der die Sitten der Athener, Römer und Niederländer miteinander verglich und bei allen institutionellen Differenzen und aller Skepsis bezüglich der demokratischen Regierung doch die Fähigkeit der ant. D. als vorbildlich hervorhob, die Bürger in die Politik einzubeziehen ([2]; zur Thematisierung soziomoralischer Dispositionen im Hinblick auf polit.-institutionelle Fragen vgl. [57. 210 ff.]).

Schon in der Zeit der Englischen Revolution galt die D. als Wurzel von Chaos und Anarchie. Die radikalen Vorstellungen der auf Gleichheit besonnenen Levellers wurden pejorativ mit D. gleichgesetzt [47. 295 f.]. David Hume setzte diese Trad. der Gleichsetzung von Tumulten und Chaos mit der D. wirkmächtig fort [3]. Die Behandlung ant. polit. Verhältnisse diente trotz aller athenkritischen Stereotype immer wieder auch der Kritik an gegenwärtigen nicht-demokratischen Verhältnissen. Jonathan Swift etwa sammelte zwar alle Vorbehalte gegenüber der athenischen D.; gleichzeitig lobte er die athenische Volksversammlung aber, sie sei nicht eitel gewesen und habe einmal gefällte Beschlüsse, wenn sie sich als falsch erwiesen hätten, nicht aufgrund der Angst vor Ansehensverlust bestehen lassen, was Swift als ausdrückliche Spitze gegen das engl. Unterhaus formulierte [4]. Dies zielte freilich weniger auf das Prinzip der Repräsentation als selbst vielmehr auf die Weise seiner Ausübung. David Hume befürwortete mit Blick auf die ant. Verhältnisse eine repräsentative D. und verlieh damit einer in der anglo-amerikanischen Trad. bis weit in das 19. Jh. und darüber hinaus anhaltenden Grundüberzeugung Ausdruck [5]. Für Thomas Paine etwa, der die Amerikanische wie die Französische Revolution publizistisch erfolgreich unterstützte, galt Athen zwar nicht als ein Beispiel anarchischen Schreckens, doch auch Paine stand ganz in der Trad. repräsentativer D.-Vorstellungen. D. hieß für ihn mit Blick auf Athen jene polit. Ordnung, welche die Talente und Fähigkeiten einer Bevölkerung am ehesten zum Vorschein kommen ließ; als Regierungsform sei die D. jedoch für große Länder mit zahlreichen Einwohnern ungeeignet, was freilich nicht heiße, daß sie dort überhaupt keinen Platz habe.

Paine sprach davon, man müsse die D. mittels der Repräsentation veredeln, um sie auch in der Gegenwart praktizierbar zu machen; er sah keinen grundsätzlichen Widerspruch zw. beiden Begriffen und wollte Repräsentation aus dem Geiste der D. verstanden wissen [6].

Generell wurde die Ant. von den Gründervätern der USA als die entscheidende Bildungsstätte republikanischer Freiheit begriffen und gab in den pamphletistischen Auseinandersetzungen über das Erfordernis einer starken und einheitlichen Exekutivgewalt das Vorbild ab, auf dessen Grundlage man sich lit. verständigte. Statt auf Athen berief man sich lieber auf Sparta ([72. 97]; vgl. auch [63; 65]). Die athenische D. war hingegen das Schreckensbild einer zur Anarchie neigenden polit. Ordnung, nur die Republik galt als Inbegriff der Ausbalancierung von Gesetzlichkeit und Freiheit, Stabilität und Partizipation und damit als entsprechendes polit. Ziel [7]. Eine ähnliche Auffassung findet sich auch in einigen der von Madison verfaßten Artikel der *Federalist Papers* [8]. Die ideengeschichtliche Überlieferung von der Rezeption der Florentiner Republik im England des 16. und 17. Jh. in die Neue Welt hatte das Bewußtsein dafür geschärft, daß mit der Gründung einer selbstverantwortlichen polit. Ordnung das Problem der soziomoralischen Verfaßtheit der Bürger ausschlaggebend wurde und die institutionelle Einrichtung das Problem der nachlassenden und zur Korruption neigenden Tugend der Bürger antizipieren mußte [61. 506 ff.]. Dieses reflektierte Problembewußtsein brachten die Revolutionäre in Frankreich nicht in gleichem Maße mit in die Gründungsphase der Republik. Sie mußten im Zuge der gemachten Erfahrungen theoretisch reagieren und taten dies häufig zu spät. Auch hierbei spielte das Vorbild der Ant. und ihre Rezeption eine bedeutende Rolle.

C. FRANZÖSISCHE REVOLUTION

[49; 56; 60; 74] Mit der Französischen Revolution bekam die griech. D. eine erneuerte und schließlich gewandelte Bed., wobei die der Revolution im Rahmen der frz. Aufklärung bei den Enzyklopädisten [9] sowie bei Montesquieu und Rousseau vorangegangenen Thematisierungen die revolutionäre Debatte strukturierten. Montesquieu hat seine Leitidee, wonach das Prinzip der D. die Tugend sei, am griech. Beispiel entwickelt: Die Griechen hätten nur die Herrschaft der Tugend ertragen und nicht, wie Montesquieus Zeitgenossen, den gesellschaftlichen Rang dem Reichtum entsprechend bestimmt (Montesquieu, De l'esprit des lois, Genf ²1749, 3,3). Das war als Zeitkritik intendiert und lief keineswegs auf eine Prätention für die demokratische Regierungsweise hinaus. Die Aufklärer waren nicht für die D. zu gewinnen gewesen; wenn sie nicht ohnehin der aufgeklärten Monarchie anhingen, so war die Republik das Äußerste; sie als partizipatorischen Politikvorstellungen verteidigten; auch für sie blieb die D. das Schreckbild polit. Unordnung oder gar der Parteidiktatur des Pöbels. Voltaire stellte sie als ›gouvernement de la canaille‹ dar: ›Quand je vous suppliais d'être le restaurateur des beaux-artes de la Grèce, ma prière n'allait pas jusqu' á vous conjurer de rétablir la démocratie athènienne: je n'aime point le gouvernement de la canaille‹ [10]. Rousseau entwirklichte sie trotz aller Sympathie, indem er sie als Regierungsform für Götter, aber nicht für Menschen bezeichnete [11]. Gleichzeitig brach er sowohl mit der Trad. des Republik-Begriffs wie desjenigen der D., wenn er die Republik nicht mit dem Gesetzesgehorsam gleichsetzte, sondern die allg. Gesetzgebung und ihren Primat gegenüber den Ansprüchen der Einzelwillen postulierte und er andererseits die D. nur im Sinne einer echten direkten D. verstanden wissen wollte, die er in der Ant. gerade nicht verwirklicht sah: ›Qu'on ne m'oppose donc point la démocratie d'Athenes, parce qu'Athenes n'étoit point en effet une démocratie, mais une aristocratie trés-tyrannique, gouvernée par des savans et des orateurs‹ [12]. Hingegen war er der Auffassung, die Schweiz könnte hierfür ein Vorbild sein, und er erwog in seinen Verfassungsplänen für Korsika Möglichkeiten und Grenzen einer solchen unmittelbaren und nicht-repräsentierten Volksregierung.

Am umfänglichsten und häufigsten hat Camille Desmoulins das Vorbild der ant. D. unmittelbar auf die Ereignisse der Französischen Revolution anzuwenden versucht. Polit. Selbstbestimmung nach dem Vorbild Athens war für ihn die der Menschheit angemessene Regierungsform und sollte darum auch das Vorbild für Frankreich darstellen [13]. Sein *Vieux Cordelier* war übervoll an ant. Analogien und Parabeln; es ermangelte ihm aber die systematische Arbeitsweise. Desmoulins war vornehmlich Publizist, nicht Theoretiker oder Politiker.

Wenn Sieyès dagegen davon ausging, daß Frankreich keine D. werden könne, so dachte er, hierin wohl auch durch Rousseau beeinflußt, an die Größe des Landes im Vergleich zu derjenigen der ant. Stadtstaaten. Zugleich erachtete er es als unverzichtbar, der Nation einen Gemeinwillen zu unterstellen, und deswegen sah er im repräsentativen System die einzige Möglichkeit, zu einer einheitlichen Willensbildung der Nation zu gelangen. Dabei sollte aber durch permanente Wahlen der »demokratische Geist« aufrecht erhalten werden, um die Entwicklung zu einer Aristokratie der in der Sache frei und unabhängig abstimmenden Repräsentanten zu verhindern [14]. Insgesamt findet sich bei Sieyès eine Tendenz, das »föderalistische« Athen gegenüber dem »zentralistischen« Rom aufzuwerten – eine Tendenz, die jedoch aufgrund der Revolutionskriege verfassungspolit. nicht zum Zuge kam [50. 268 f.].

Erst in der zweiten Phase der Französischen Revolution verband sich diese Form der selbstbestimmten und nicht wesentlich an Schranken personaler Rechte gebundenen Selbstbestimmung mit dem Begriff der D., und zwar bei Saint-Just [15]. Für Saint-Just bestand der Vorzug der D. darin, daß sie den Eingriff in Eigentum und Freiheit legitimierte, um dem Willen des Volkes gegen seine Feinde Geltung zu verschaffen. Daher kön-

ne auch der Terror als Regierungsform der D. postuliert werden. Freilich dürfe er nicht mit einem Willkürregime der Tyrannis gleichgesetzt werden. Als Instrument der D. diene der Terror sowohl dem legitimen Kampf des Volkes gegen eine Minderheit als auch der Erneuerung und Erhaltung der Tugend als einer für die D. notwendigen Eigenschaft des Volkes. Ersteres ist der aristotelischen Darstellung der D. entlehnt, letzteres eine Weiterentwicklung des klass. Tugendbegriffs, der in der polit. Theorie der Ant. aber mit dem Konzept der Republik verbunden ist.

Die polit. Kämpfe zw. den Revolutionären beeinflußten auch die Verwendung des D.-Begriffs als eines polit. Vorbilds. Ihm gelte es nachzueifern. Aber ebenso wurde gesagt, es dürfe in seiner Vorbildlichkeit nicht überschätzt werden. Robespierre ist ein gutes Beispiel: Er vertrat beide Auffassungen je nachdem, wem gegenüber er argumentierte. In seiner Konventsrede vom 10. Mai 1793 sprach er gegen eine girondistische Mehrheit und versuchte, ihrem parlamentarischen Alleinvertretungsanspruch ein D.-Verständnis entgegenzuhalten, das den Volksversammlungen unterhalb der parlamentarischen Schwelle – gemeint war insbes. die Pariser Commune – eine eigenständige Legitimität zusprach; darüberhinaus forderte er, orientiert am athenischen Vorbild, Diäten für die einfache Bevölkerung, die sich in diesen Versammlungen um das Wohl aller kümmerte [16]. Als er aber selber die polit. Verantwortung trug, erklärte er die röm. Republik und die athenische D. zum gemeinsamen Vorbild, insofern sie beide die Tugend als wesentliche Voraussetzung einer sich selbst Gesetze gebenden polit. Ordnung bestimmt hätten. Freilich hieß Tugend für Robespierre hier zunächst, daß das Volk alles das tat, was es tun konnte, und was es nicht tun konnte, seinen Abgeordneten überließ [17. 586]. Hintergrund dieser Argumentation war der beginnende Kampf Robespierres gegen die extremen Flügel der revolutionären Partei, in diesem Fall die Hébertisten. Mit Blick auf sie hatte Robespierre kurz zuvor erklärt, die revolutionäre Politik begründe sich auf einer neuen Theorie und könne nicht umstandslos ant. Vorbilder adaptieren; insbes. lehnte Robespierre eine bruchlose Übertragung der unmittelbaren D. auf die frz. Verhältnisse ab und zählte die Extremisten genauso zu Feinden der Revolution wie die reaktionären Kräfte. ›Die Theorie der revolutionären Regierung ist ebenso neu wie die Revolution, aus der diese Regierung entstanden ist. Man darf sie weder in den Büchern der polit. Schriftsteller suchen, die diese Revolution nicht vorausgesehen haben, noch in den Gesetzbüchern der Tyrannen, die sich damit zufriedengeben, ihre Macht zu mißbrauchen‹ [17. 563 f.].

D. DIE AUSEINANDERSETZUNG MIT DER FRANZÖSISCHEN REVOLUTION
Während in Frankreich selber zu beobachten ist, daß mit der Durchsetzung des bürgerlichen Eigentumsbegriffes das demokratische Athen als prosperierender Handelsstaat im Gegensatz zum immobilen Sparta neue

Reputation erhielt [74], konzentrierte sich die Kritik an der Französischen Revolution außerhalb Frankreichs weiterhin am Schreckbild Athen. Edmund Burke hat die D. nicht prinzipiell abgelehnt, aber er hat darauf bestanden, daß es nie eine nachahmenswerte demokratische Regierung in der Geschichte gegeben habe, weder in der Ant. noch in der Gegenwart. Mit Aristoteles lehnte Burke die reine D. als entartete Regierungsform ab, betonte ihre Nähe zur Despotie und hob bes. die Gefahr einer Willkürherrschaft der Mehrheit gegenüber Minderheiten hervor, die von allen denkbaren Formen die schlimmste Tyrannis darstelle. Insbes. die Eigenart der athenischen D., mittels ›occasional decrees‹, den Psephismata, zu regieren, habe die griech. D. in den Ruin getrieben. Eine entsprechende Prophezeiung wagte Burke auch für Frankreich [18].

Nicht zuletzt unter dem Eindruck der frz. Ereignisse und unter Zuhilfenahme der Ant. als Lehrerin der polit. Geschichte hat Kant den Primat der Republik gegenüber der Selbstbestimmung des Volkes in der D. betont, zumal er im D.-Begriff nicht die Quelle der Herrschaft, sondern die Form der Beherrschung in den Vordergrund stellt, wobei die D., wie auch das griech. Beispiel zeige, eine Form des Despotismus sei. Die Republik dürfe nicht mit der D. verwechselt werden; die D. müsse vielmehr unter dem weitaus grundlegenderen Gegensatz zw. Republikanismus und Despotismus betrachtet werden. Despotismus ist das Zusammenfallen des privaten mit dem öffentlichen Willen kraft der Eigenmächtigkeit des Gesetzesvollzugs, der dort möglich wird, wo exekutive und legislative Gewalten zusammenfallen. In diesem Sinne erklärte Kant die D. für eine despotische Regierungsform [19].

Der Kantschüler Johann Benjamin Erhard hat die Vorgaben seines Meisters verfeinert, aber zugleich auch politisiert. Zwar ist auch für ihn die D. eine Form des Despotismus, und gerade das athenische Vorbild dient ihm als Beispiel für eine polit. Ordnung, die den Leidenschaften des unmündigen Volkes zu Diensten ist und damit ein Regime ermöglicht, das ihn noch ärger dünkt als der Respekt gegenüber einer Vorherrschaft der Aristokratie [20]. Aber damit hatte es für Erhard nicht sein Bewenden. Denn die Beschränkung auf die bloße Forderung nach polit. Freiheit bei fortbestehender geistiger Unmündigkeit ist für ihn ein Frevel, weshalb die Aufklärung bei ihm das entscheidende Vehikel darstellt, eine unmündige Bevölkerung in den Stand polit. Selbstbestimmung zu versetzen; gerade der Kampf für die Aufklärung gegen ein die Aufklärung unterdrückendes Regime verleiht bei ihm ausdrücklich einen Rechtstitel auf Revolution.

Betrachtete man die Französische Revolution unter dem Blickwinkel der Regierungslehre, und zwar in überwiegend institutioneller Perspektive, und verstand man die Regierungstechnik als Verwirklichung eines bestimmten Zweckes, der übereinstimmend als Freiheitsverwirklichung formuliert wurde, so diente die athenische D. als negatives Beispiel, weil sie die personale Freiheit gerade nicht zu schätzen oder zu verwirklichen vermocht habe. Von Kant bis Constant sehen wir daher in Auseinandersetzung mit der Französischen Revolution das mod. personale Freiheitsverständnis in den Mittelpunkt der polit. Theorie treten, und darin liegt eine deutliche Distanzierung vom ant. Vorbild. Was bei Kant noch implizit als Antikenkritik angelegt war, wurde von Constant dann zum Kern der Reflexion erhoben.

Gegen die Analogien zw. Gegenwart und Ant., wie sie während der Französischen Revolution hergestellt worden waren, bezog Benjamin Constant nach der Restauration klare Position. Dabei kritisierte er nicht nur den gescheiterten Versuch der Revolution zur Wiedererrichtung einer am Vorbild der athenischen D. oder der röm. Republik orientierten polit. Ordnung, indem er diesen Vorbildern Sparta als alternatives Politikparadigma gegenüberstellte, sondern er bekämpfte generell die Zulässigkeit solcher Analogien. Gegen sie betonte er die Eigenständigkeit der Moderne, deren Gegensatz zur Ant. er am Begriff der Freiheit demonstrierte, womit er insbes. die athenische D. als ein veraltetes Vorbild zurückwies. Seine Begründung war freilich insofern problematisch, als er die mod. Freiheit anhand der entwikkelten Personalität und ihres Glücksstrebens verdeutlichte und im Handel die entscheidende Differenz zur Ant. sah: Im Handel nämlich zeige sich die Nähe der europ. Länder zueinander, die nicht mehr intim verfeindet seien; hier eröffne sich auch ein neues Betätigungsfeld des Individuums, das zu seiner Selbstverwirklichung nicht mehr ausschließlich auf die Politik verwiesen sei. Aber gerade diese Charakteristika ließen sich auch in der athenischen D., zumindest teilweise, wiederfinden. Constant hat deshalb für die klass. D. wie die Ant. überhaupt die vollständige Abhängigkeit des Individuums von der polit. Gemeinschaft und deren ungehinderte Zugriffsmöglichkeit auf alle Aspekte des individuellen Lebens behauptet; v. a. am Beispiel des Ostrakismus hat er dies zu verdeutlichen versucht [21]. Die von Constant ausformulierte These von den fundamental verschiedenen polit. Grundvorstellungen der Ant. und der Moderne und die damit erfolgte Zurückweisung der Ant. als eines verbindlichen Bezugs polit. Theorie hat eine das ganze 19. Jh. anhaltende Kontroverse ausgelöst. Numa Denis Fustel de Coulanges schloß sich der Grundthese Constants an und wandte sich ausdrücklich gegen George Grote, der Mitte des 19. Jh. noch einmal den Gedanken der Vorbildlichkeit der athenischen D. vertreten hatte. Friedrich Julius Stahl, Robert von Mohl und Johann Caspar Bluntschli schlossen sich Fustel an, Jacob Burckhardt formulierte die These noch grundsätzlicher, Georg von Jellinek dagegen kritisierte sie [67. 274 ff.].

In dieser Trad. stand die Verurteilung der D. als jener polit. Ordnung, die eines der größten Individuen der Weltgeschichte zum Tode verurteilt hatte. Wilhelm Gottlieb Tennemann hatte über das Todesurteil gegen Sokrates geschrieben: ›Es ist empörend für die Menschheit, daß dieser vortreffliche Mann als ein Opfer von Kabalen, die in D. so häufig sind, den Giftbecher trinken mußte‹ [22]. Gegen eine solche Interpretation verwahrte sich Hegel ausdrücklich, auf Tennemann Bezug nehmend. Unterlegte man nämlich der klass. D. nicht das mod. Freiheitsverständnis und reduzierte man das Problem der Vermittlung personaler Freiheit nicht auf die Mechanik eines institutionellen Regelungssystems, sondern thematisierte man die Frage der polit. Ordnung auf einer Ebene, wie sie in der substantiellen Sittlichkeit Hegels oder der Tugend Robespierres angesprochen war, so konnte man in der griech. D. weiterhin ein großes polit. Vorbild sehen oder ihrer Epoche eine zentrale Bed. für die Entwicklung der menschlichen Freiheitsverständnisses beimessen. So verwahrte sich Hegel gegen die moralisierende Kritik an der Verurteilung des Sokrates durch die athenische D., der er vielmehr das Recht zuerkannte, in dem Augenblick über das Individuum zu verfügen, als sich mit ihr unversöhnbar die personal verstandene, auf eigenem Recht fußende Freiheit zu entwickeln begann. Dahinter stehen Hegels frühere Reflexionen zur substantiellen Sittlichkeit der Griechen, der Versuch ihrer Revitalisierung durch die christl. Religion sowie Hegels Vorstellung vom Staat als dem Träger seines neuen Sittlichkeitsverständnisses, dessen histor. Aufgabe nicht am Eigenrecht des Individuums und dem Constantschen Freiheitsverständnis scheitern dürfe [23].

E. ENGLAND, FRANKREICH UND USA
IM 19. JAHRHUNDERT

Die Rezeption der griech. D. in England war zwiespältig. Wie überall war auch hier ausschlaggebend, welcher Aspekt bes. hervorgehoben und für die D. als charakteristisch behauptet wurde. Unter seinen Zeitgenossen war George Grote der stärkste Anhänger fortbestehender Vorbildlichkeit der athenischen D. Grote hatte gegen Burkes Verdikt anzukämpfen und stellte dabei zwei wesentliche Aspekte heraus: Zwar sah auch er die Gefährdung persönlicher Freiheit durch polit. Entscheidungen, die in Volksversammlungen getroffen wurden, doch hob er zugleich die erzieherische Wirkung polit. Beratens und Entscheidens für die Bevölkerung hervor und betonte einen von Burke außer acht gelassenen Punkt: die Nähe der Geschworen- und Jury-Gerichte im angelsächsischen Raum zu den Gerichten Athens und die damit verbundene Vermeidung einer professionellen Oligarchie; auch hier stellte Grote wieder die erzieherische Wirkung einer breiten Partizipation an der Rechtsprechung heraus [24]. Lord Acton sprach dagegen für eine ganze Generation von Skeptikern, die die Hoffnung auf eine selbsterzieherische Wirkung demokratischer Institutionen aufgegeben hatte und mit der wachsenden Bed. des Britischen Empire und seiner polit. und administrativen Aufgaben eine demokratische Lösung für unpraktikabel ansahen. Sie hoben weniger auf die normative Legitimität als vielmehr auf die inhaltliche Qualität polit. Entscheidungen ab. Daher konnte Lord Acton betonen, daß die Athener

unter der D. zwar zu einer ungeahnten Größe herangewachsen seien, dies aber auch nur ihnen unter dieser Regierungsform gelungen sei. Aber selbst die starken rel. Bindungen hätten zuletzt die Korruption der D. nicht aufhalten können: ›But the possession of unlimited power, which corrodes the conscience, hardens the heart, and confounds the understanding of monarchs, exercised its demoralising influence on the illustrious democracy of Athens‹. Wie die Französische Republik der Revolutionszeit hätten die Athener die Reichen solange ausgeplündert, bis diese mit dem Feind kollaborierten [25]. Der von Acton in der Regierungslehre vollzogene Perspektivwechsel ist dem Wandel in der Diskussion über die D. in allen imperialen Mächten vergleichbar, wo der Verweis auf die ant. D. mehr und mehr nur noch in den Kreisen von Wiss. und Kultur, nicht mehr aber in der polit. Diskussion gemacht wurde.

Diese ihrerseits klass. zu nennenden Vorbehalte gegen die athenische D. aus der Perspektive eines liberalen Freiheitsverständnisses sowie der wachsende Bedarf an polit. Entscheidungskompetenz infolge imperialer Ausdehnung konnte nur durch andere Vorstellungen von Freiheit unterlaufen werden. In den USA, deren polit. Theoretiker in der revolutionären Gründungs- und Konsoldierungsphase energisch gegen die klass. D. und für die klass. Republik eingetreten waren, entwickelte sich ein solch verändertes Freiheitsverständnis und damit auch ein sich wandelnder Blick auf die D. Hier können wir eine allmähliche Emanzipation des mod. D.-Begriffs von seinen ant. Vorbildern beobachten, die jedoch mit klarem Blick auf die Ant. und nicht durch ein schlichtes Verleugnen oder Vergessen erfolgte. Während Constant über die Behauptung eines gewandelten Freiheitsbegriffes der liberalen Genügsamkeit das Wort redete und dazu aufforderte, sich mit der Königsherrschaft, die ›nicht regiert‹ (Guizot), zu arrangieren, begannen Kritiker dieses Systems nach dem Land der mod. D., nach den USA in der Ära der Jacksonian Democracy zu schauen. Tocqueville eröffnete sich hier ein Beobachtungsfeld, das ihm eine gänzlich neuartige Freiheit des selbstbewußten Kleinbürgertums vor Augen führte. Die daran anknüpfenden Analysen begründeten einen neuen Strang der D.-Analyse, der mit dem ant. oder athenischen Vorbild nichts mehr zu tun hatte. Dabei schätzte Tocqueville den Nutzen der ant. Lit. für die Ausbildung einer demokratisch inspirierten und theoretisch anspruchsvollen polit. Lit. aufgrund ihres hohen polit. Lehrgehaltes, stellte dem aber als Nachteil die Wirkung dieser Lit. auf die ungebildete Bevölkerung gegenüber, die Unruhe und Unzufriedenheit hervorbringe [26]. Hierin folgte Tocqueville den Spuren des Thomas Hobbes. In diesem Punkt wurde Tocqueville von seinem bedeutendsten englischsprachigen Interpreten, von John Stuart Mill, unterstützt. Mills Ziel bestand darin, polit. Eliten hervorzubringen, die sich nicht aristokratisch oder repressiv absicherten und gegen die demokratischen Tendenzen der Zeit verschlossen [45. 7–42], die er als unaufhaltsam ansah und deren Formung und Gestaltung er zur tragenden Aufgabe der pol. Theorie erklärte. Gerade in dieser Hinsicht anerkannte Mill zunächst die Überlegenheit der ant. D., die er stets als athenische vor Augen hatte, denn dort hatte sich das Talent ohne institutionelle Hinderungen entfalten können, während repräsentative Regierungen und auch die repräsentative D. gerade hierin Defizite aufwiesen: Themistokles oder Demosthenes hätten unter zeitgenössischen Bedingungen schwerlich einen Sitz im Parlament errungen. Demgegenüber sah er die Vorteile des Repräsentativsystems darin, daß sich der Aufstieg talentierter Politiker, auch wenn sie in der Minderzahl waren, in Parlamenten schneller und sicherer vollziehe und ihr Einfluß auf die polit. Willensbildung größer sei, während die athenische D. ihre großen Talente häufig genug ausschloß, dafür aber Politiker förderte, die erklärte Gegner der D. oder jedenfalls nicht deren Anhänger waren, wie Nikias, Theramenes und Alkibiades [27].

F. Demokratie und soziale Dimension – Diskussionen 19./Anfang 20. Jahrhundert

Es war schließlich ein dritter Strang des Freiheitsverständnisses, der die mod. D.-Debatte vollständig aus den Vorgaben des ant. Paradigmas herauslöste: Das Problem der sozialen Freiheit und damit das der sozialen D. drängte rein institutionelle Fragen der polit. Verfaßtheit in den Hintergrund. Verantwortlich hierfür war insbes. die Abnabelung des mod. D.-Verständnisses vom ant. Vorbild und die Durchbrechung der ant. Staatsformenlehre in Gestalt entweder des demokratischen Königs- oder Kaisertums oder der Diktatur des Proletariats als der polit. Verwirklichung der revolutionären D. Dieser Strang der Freiheitsthematisierung begriff polit.-institutionelle Probleme maßgeblich unter dem Gesichtspunkt der sozialen Frage. Diese war zwar auch zuvor präsent gewesen, wurde aber nie in einem ähnlichen Ausmaß in den Mittelpunkt gerückt, wie bei Lorenz von Stein oder Karl Marx.

In einer ›kritischen Schlacht gegen die Französische Revolution‹ wollten Karl Marx und Friedrich Engels einen Schlußstrich ziehen unter die Nachahmung der ant. Staatsformen: Diese sei aufgrund der grundlegend anderen Strukturen der mod. Welt eine Ursache für die Selbstüberschätzung der Jakobiner gewesen und stellte deswegen eine ›kolossale Täuschung‹ dar, der weitere Revolutionen nicht mehr unterliegen dürften: ›Robespierre, Saint-Just und ihre Partei gingen unter, weil sie das ant., realistisch-demokratische Gemeinwesen, welches auf der Grundlage des wirklichen Sklaventums ruhte, mit dem mod. spiritualistisch-demokratischen Repräsentativstaat, welcher auf dem emanzipierten Sklaventum, der bürgerlichen Gesellschaft, beruht, verwechselten‹ [28]. Wie für Marx war auch für Lorenz von Stein das die Ant. kennzeichnende Charakteristikum die als Wirtschaftsform verstandene Sklaverei. Zu diesem die übrige Gestalt der Gesellschaft bestimmenden Merkmal standen die Unterschiede der Verfassungsinstitutionen und der Regierungsformen Athens, Spartas oder Roms in einer nachrangigen und insofern unerheblichen Beziehung, denn der dortige Kampf um die angemessene Einrichtung der Freiheit konnte erst durch die Anerkennung des Wertes der Erwerbsarbeit in der christl.-german. Anschauung zu einer angemessenen Lösung gelangen [29. Bd. 3, 147 ff.]. So sah Stein in der Französischen Revolution zwei voneinander getrennte Rezeptionsstränge ant. polit. Denkens aufeinanderprallen: einmal die ant. Regierungslehre sowie doktrinäre Vorstellungen von Republik und D. und sodann die zunehmende Einsicht in die maßgebliche Bed. der ökonomischen Verhältnisse für polit. Strukturen und Entwicklungen. Der erste Rezeptionsstrang mußte ohne Berücksichtigung der gesellschaftlichen Verhältnisse notwendig doktrinär und ideologisch bleiben [29. Bd. 1, 290 f.]. Die Thematisierung der sozialen Frage erlaubte für Stein eine andere Wahrnehmung der Regierungslehre: Die Auffassung von der Vorrangigkeit der gesellschaftlichen gegenüber den polit. Verhältnissen eröffnete neue Kombinationen, die Stein allg. in der Vorstellung einer ›sozialen D.‹ und konkret in den Institutionen eines ›sozialen Königtums‹ sah. Die Vorgaben des Alt. waren mit Blick auf diese mod. Problematik nicht mehr zureichend [29. Bd. 1, 120 ff.].

Trotz seiner starken Akzentsetzung auf der sozialen Frage waren von Steins eigene polit. Vorstellungen eher konservativ, und dies verbindet ihn mit Jacob Burckhardt, der, ähnlich wie Grote, in der D. die wirksamste Form zur Entfaltung des Individuums gesehen hat. Im Unterschied zu Grote jedoch akzentuierte er sie eher negativ. In Burckhardts Sicht war nämlich gerade die Wirkung der D. nur eine Reaktion auf die vollständige Unterwerfung des Individuums unter die Polis: Da sich das Talent als Individuum der Polis nicht entziehen konnte, mußte es sich die Polis zum Mittel seiner Herrschaft machen und an ihre Spitze rücken, um nicht selber unterzugehen [30. 80 ff.]. Die vollendete D. war für Burckhardt dagegen ›Revolutionslust in Permanenz‹ [30. 80], eine Sicht der griech. D., die vor dem Hintergrund der anhaltenden revolutionären Wirkung der Französischen Revolution im 19. Jh. und dem Niedergang des Bildungsbürgertums erfolgte.

In der *Geburt der Tragödie* versuchte Nietzsche, weit über Burckhardt hinaus, den Begriff der Kultur von der klassizistischen Verengung auf sein apollinisches Erbteil zu befreien und den dionysischen Aspekt zu betonen. Daher lehnte er eine Interpretation des Chores in der att. Tragödie als Versinnbildlichung des Demos bzw. als Stimme des demokratischen Gewissens oder als Urbild einer konstitutionellen Volksvertretung ab [31] und machte die D. für die Vereinseitigung und damit die Dekadenz des Kulturbegriffs bis in seine Gegenwart hin verantwortlich. Zwar folgte dieser fundamentalen Kritik der Frühphase in der mittleren Phase seines Schaffens eine differenziertere Betrachtungsweise der D., doch wirksam wurde Nietzsche mit der These eines immanenten Zusammenhanges von Demokratisierung und Kulturverfall, die sich rasch von der Auseinandersetzung um das ant. Vorbild löste und sich insbes. in der soziologischen Diskussion der »Massen-D.« verselbständigte.

Für die *Action directe* in Frankreich diente der Vergleich der Dritten Republik mit der athenischen D. als Nachweis für die Unzeitgemäßheit der Republik, die nur übersehe, wer die Grundlagen der klass. D. verkenne. Insofern die athenische D. nämlich die polit. Ordnung einer Sklavenhaltergesellschaft gewesen sei, habe es sich bei ihr auch um die polit. Ordnung einer Elite gehandelt und nicht um die Ordnung der Gleichheit. Man müsse also – der Einfluß Nietzsches und seiner Urteile über die athenische D. ist hier unüberhörbar – die Unhintergehbarkeit einer elitären polit. Ordnung akzeptieren, und vor diesem Hintergrund sei der Bewertungsmaßstab im Vergleich der Aristokratie mit der D. nicht die Gleichheit, sondern der Nutzen: Hier habe die athenische D. wie alle späteren Gestalten dieser Regierungsform gezeigt, daß eine Aristokratie produziere und erhalte, die D. dagegen konsumiere und zerstöre [32]. Die Wendung vom *morbus democraticus*, der die Nation befallen habe, war hier wie auch in Maurras' späterer polit. Schriften der Leitbegriff seiner Grundlagenkritik an der parlamentarischen D.

Mit der Herausforderung durch den → Sozialismus als einer Theorie der Gesellschaft, die sich selbst mit der D. als der ihr komplementären Form der Politik verbunden sah, wurde E. des 19. Jh. die Betrachtung der athenischen D. zur Folie für die Kritik und Auseinandersetzung mit der eigenen Gegenwart. Nirgendwo aber war diese Verbindung so explizit wie bei Robert von Pöhlmann. Der Demokratismus des hellenischen Stadtstaates habe als notwendiges Gegenstück den Sozialismus entwickelt, heißt es bei ihm [33. 126]. In ständiger Spiegelung ant. und mod. Diskussionen führt Pöhlmann eine parallele Auseinandersetzung mit der Politik der Sozialdemokratie und der bürgerlichen Parteien sowie den Ansätzen zu einer Bündnisstrategie zw. Bürgertum und Arbeiterbewegung. Dabei dient ihm die Geschichte der Ant. im allg. und der athenischen D. im bes. als Hinweis auf die Gefahren und Risiken eines solchen Unternehmens. Wenn Pöhlmann etwa gegen die Vorstellungen Friedrich von Payers bezüglich eines an die Massen adressierten polit. Entgegenkommens einwendet, dieses als ›Präservativ gegen die Sozialdemokratie‹ gezielte Mittel führe, wie gerade das ant. Beispiel des Zusammenhanges von D. und Sozialismus zeige, polit. in die Irre, dann stützt er diese Behauptung auf eine umfangreiche Theorie, wonach die athenische D. die polit. Regierung der Masse gewesen, weswegen D. auch nur durch Massenpsychologie erklärlich und jede Bündnispolitik von seiten des Bürgertums abzulehnen sei. Hierin bekämpfte Pöhlmann v. a. Grote und seine Schule [33. 272 ff.]. ›Demokratische Massenhandlungen (haben) etwas von einer Naturerscheinung an sich‹ [33. 274], die Masse sei das große Tier, wie es bei Platon heiße, und die Theorie zur Erklärung dieser Naturerscheinung sei die Massenpsychologie, deren wiss.

Aufstieg zu dieser Zeit etwa begann. Aus dieser Perspektive wird dann die athenische D. und damit jede D. aus einer liberalen Perspektive als unbelehrbar begriffen; Beleg dafür ist bei Pöhlmann einmal mehr der Prozeß gegen Sokrates. In *Sokrates und sein Volk* (München 1899) erklärt Pöhlmann Sokrates zum Opfer der im Volksgericht zum Ausdruck kommenden Massenseele, die die herausragende Persönlichkeit des Philosophen nicht neben sich dulden wollte und ihn deshalb aus einem Gefühl der Inferiorität heraus verurteilte. Die D. könne nämlich keine nicht-konforme Meinung dulden, und so sei die Verurteilung des Sokrates auch die Widerlegung der Behauptung, in der D. sei die Lehr- und Meinungsfreiheit am besten geschützt. Dagegen erhoben sich rasch Gegenstimmen, von denen hier nur Adolf Menzels *Unt. zum Sokrates-Processe* erwähnt werden sollen (1903). Menzel nimmt die D. gegen den Vorwurf, sie sei für die Verurteilung des Sokrates verantwortlich, ausdrücklich in Schutz. Gegen Hegel, der den Volksgeist mit der Abstimmung im Gericht gleichsetzte, wandte Menzel ein, die Mehrheit gegen Sokrates sei zu knapp gewesen, als daß sie für den Volksgeist der athenischen D. repräsentativ sein könne; v. a. aber betonte er, es sei die rel. Frömmigkeit der Athener gewesen, die sie unabhängig von der D. den Asebieprozeß gegen Sokrates habe betreiben lassen. Gerade die Meinungsvielfalt in der athenischen wie auch in der mod. D. zeige, daß die D. eher als nichtdemokratische Ordnungen, wie Kirche oder Ständestaat, ein Hort der Lehr- und Meinungsfreiheit seien – eine Feststellung, die ausdrücklich gegen Pöhlmann gerichtet war [34].

G. AUSBLICK: 20. JAHRHUNDERT

Diese Betrachtungsweise konnte sich jedoch innerhalb der deutschsprachigen Altertumswiss. nicht durchsetzen. So diente nach dem I. Weltkrieg Eduard Meyer die Beschäftigung mit der athenischen D. sowohl zur Analyse des Wesens westl. D. als auch zu ihrer gleichzeitigen Verurteilung. Man erkennt den polit. Wunsch als Vater des wiss. Gedankens, wenn Meyer der athenischen D. anarchische Wirren und machtpolit. Niedergang als Resultat ihrer Staatsform vorhält und zugleich Lloyd George und Woodrow Wilson als den athenischen Kriegstreibern vergleichbare Demagogen brandmarkt, nur daß diese den Krieg gewonnen hätten [35].

Mit dem → Nationalsozialismus setzte innerhalb der Wiss. dann ein Perspektivenwandel ein, der, vermittelt durch die Probleme der Zeit, neue Fragen an die ant. D. herantrug und von deren Bearbeitung Aufschluß für die Gegenwart erhoffte. Nun stand der mögliche innere Zusammenhang von D. und Totalitarismus im Vordergrund, und es machte sich gerade bei denen, die der D. gegenüber aufgeschlossen waren, eine tiefe Skepsis hinsichtlich ihrer Konsequenzen breit, wie das Beispiel Carl Joachim Friedrichs und Kurt von Fritz' zeigt [36; 37]. Diese Sicht kulminierte schließlich in dem Theorem der totalitären D., wie es von Jacob L. Talmon, freilich bei ihm ohne Rückgriff auf die klass. D., entwickelt worden ist [38].

Es gab in der Politikwiss. und polit. Philos. der Zeit nach dem II. Weltkrieg aber auch produktivere Diskussionen des ant. Vorbilds der D. Leo Strauss war um die überzeitliche Geltung der *classical political philosophy* von Platon und Aristoteles bemüht. Gegen den Vorwurf, ihr anti-demokratisches Ressentiment erlaube deren Rezeption in der mod. D. nicht mehr, wendet Strauss ein, daß sich die grundsätzlichen Probleme der D. seit der Ant. nicht geändert hätten, wonach die Ungebildeten zur Herrschaft legitimiert seien. Die Kritik an der D. bei Platon und Aristoteles ist demzufolge weiterhin aktuell und ihre demokratiekritische Haltung relevant [39]. Hannah Arendt dagegen verwendet die griech. Polis zur Klärung zentraler polit. Institutionen wie der Handlungslehre und der Lehre von der Öffentlichkeit, die als Ganzes aber aufgrund der neuartigen Erscheinung der »Gesellschaft« nicht mehr auf die Neuzeit adaptiert werden kann. Gleichwohl gibt es Argumentationsstränge zumal der D.-Kritik, die sich bis in die Gegenwart verfolgen lassen. Hier hebt Arendt bes. die Versuche einer Ersetzung der polit. Praxis durch Mechanismen der Herstellung polit. Ordnung hervor. Die Pluralität und Offenheit der ant. Polis und D., damit aber auch des Riskos ihrer Zerbrechlichkeit und Unvorhersehbarkeit und die prekäre Stellung des Einzelnen gegenüber der Machtkonzentration der schrankenlosen D. weichen ihrer Analyse zufolge immer mehr den Versuchen technischer, sachverständiger Herstellung von Sicherheit und Ordnung und untergraben damit den polit. Bürgercharakter des Menschen, dessen normatives Vorbild weiterhin in der Ant. gefunden werden kann [40].

→ Athen; Mischverfassung; Republik; Revolution; Sparta; Tyrannis

QU 1 TH. HOBBES, Leviathan oder Stoff, Form und Gewalt eines kirchlichen und bürgerlichen Staates, 1651, hrsg. und eingeleitet von I. FETSCHER, 1966, Kap. 21 2 H. GROTIUS, Batavi – Parallelon rerumpublicarum liber tertius: de moribus ingenioque populorum Athenensium, Romanorum, Batavorum, hrsg. von J. Meerman, 4 Bde., Haarlem 1801 3 D. HUME, On Some Remarkable Customs, 1752, in: Ders., Essays Moral, Political and Literary, ed. E. F. MILLER 1987, 14–31 (dt. in: Ders., Polit. und ökonomische Essays, hrsg. von U. BERMBACH, 1988, Bd. 2, 291–300) 4 J. SWIFT, Discourse of the Contests and Dissensions between the Noble and Commons in Athens and Rome, 1701 (dt. in: Polit. Werke, hrsg. von A. SCHLÖSSER, 1967, Bd. 2, 59–106, hier: 72) 5 D. HUME, That Politics may be reduced to a Science, 1741, in: Ders., Essays Moral, Political and Literary, ed. E. F. MILLER 1987, 14–31 (dt. in: Ders., Polit. und ökonomische Essays, hrsg. von U. BERMBACH, 1988, Bd. 1, 7–24) 6 TH. PAINE, Die Rechte des Menschen 1791/1792, in der zeitgenössischen Übertragung von D. M. FORKEL bearb. und eingeleitet von TH. STEMMLER, 1973, 203 ff. 7 J. ADAMS, Defence of the Constitutions of Government of the United States of America, 3 Bde., 1, 1787 (in: Works, 10 vols., Boston 1850–1856, vol. 4, 287) 8 A. HAMILTON, J. MADISON, J. JAY, Federalist Papers, 1787/1788, with an introduction by C. ROSSITER, 1961, bes. Nr. 1, 9, 10, 37 und 70 9 CH. DE JAUCOURT, s. v. Démocratie, in: Encyclopédie ou

Dictionnaire raisonné des sciences, des arts et des métiers, Bd. 4, Paris 1754, 816–818 10 VOLTAIRE, Brief an den Preußenkönig v. 28.10. 1773, in: Œuvres complètes de VOLTAIRE, hrsg. von der Voltaire Foundation, 1975, vol. 124: Correspondance June 1773–May 1774, 159 f. 11 J.-J. ROUSSEAU, Du Contrat Social ou principes de droit politique, Amsterdam 1762, 3, 4 12 Ders., Discours sur l'économie politique, 1755, in: Ders., Contrat social. Écrits politiques, ed. Pléiade 1966, 246 13 C. DESMOULINS, La france libre, in: Ders., Œuvres, 3 Bde., 1866, Bd. 1, 123–188, 176 14 E. J. SIEYÈS, Rede v. 7.9. 1789, in: Polit. Schriften, hrsg. von E. SCHMITT und R. REICHARDT, ²1981, 269 15 L.-A.-L. SAINT-JUST, Rapport sur la nécessité de déclarer le gouvernement révolutionaire, 10. Okt. 1793, in: Ders., Œuvres complètes, ed. M. DUVAL, 1984, 520–530 16 M. ROBESPIERRE, Über die repräsentative Regierung, in: Ders., Ausgewählte Texte, dt. von M. UNRUH, eingeleitet von C. SCHMID, ²1989, 429 ff. 17 Ders., Über die Grundsätze der revolutionären Regierung, in: Ders., Ausgewählte Texte, dt. von M. UNRUH, eingeleitet von C. SCHMID, ²1989 18 E. BURKE, Reflections on the Revolution in France, 1790, in: Ders., Works in 12 vols., vol. 3, 1899, 508 19 I. KANT, Zum ewigen Frieden. Ein philos. Entwurf, 1795, in: Ders., Werke in 10 Bde., hrsg. von W. WEISCHEDEL, Bd. 9, 1970, 191–251, 206 f. 20 J. B. ERHARD, Über das Recht des Volks zu einer Revolution, Jena und Leipzig 1795, 90 21 B. CONSTANT, Von der Freiheit des Alt., verglichen mit der Freiheit der Gegenwart, 1819, in: Ders., Cours de politique constitutionelle, Paris und Rouen 1820, Bd. 4, 238 ff. (dt.: Ders., Werke, hrsg. von L. GALL, 4 Bde., 1970–1972, Bd. 4, 363–396) 22 W. G. TENNEMANN, Gesch. der Philos. in 11 Teilen, Leipzig 1798–1819, 2, 39 ff. 23 G. W. F. HEGEL, Vorlesungen über die Gesch. der Philos. I, in: Ders., Werke, redigiert von E. MOLDENHAUER und K. M. MICHEL, Bd. 18, 1971, 497 24 G. GROTE, A History of Greece, 12 vols., London 1846–1856 25 J. E. E. DALBERG-ACTON, The History of Freedom in Antiquity (1877), in: Ders., Essays in the History of Liberty. Selected Writings of Lord Acton, 1985, vol. 1, 5–29, 13 f. 26 A. DE TOCQUEVILLE, Über die D. in Amerika, 1835/1840, aus dem Frz. neu übertragen von H. ZBINDEN, 1987, II, 1, 15 (= S. 92 ff.) 27 J. ST. MILL, Considerations on Representative Government, 1861, ed. R. B. MCCALLUM, 1948, 199 ff. 28 K. MARX, Die Hl. Familie 1844/45, in: MARX/ENGELS-Werke, Bd. 2, 1960, 125 ff., 129 29 L. VON STEIN, Gesch. der sozialen Bewegung in Frankreich von 1789 bis auf unsere Tage, 1842/ 1850, hrsg. von G. SALOMON, 3 Bde., 1921 30 J. BURCKHARDT, Griech. Kulturgesch., 4 Bde., 1898 ff., Ndr. 1956 ff., Bd. 1 31 F. NIETZSCHE, Die Geburt der Tragödie aus dem Geiste der Musik, 1872, Stück 7, hrsg. und erläutert von M. LANDFESTER, 1994 32 CH. MAURRAS, Vorwort zu: P. LASSERRE, La science officielle. M. Alfred Croiset historien de la démocratie athénienne, 1909 (neuabgedr. von B. HEMMERDINGER, in: Quaderni di Storia 4, 1976, 13–18) 33 R. VON PÖHLMANN, Gesch. der sozialen Frage und des Sozialismus in der ant. Welt, 2 Bde., ²1912, Bd. 1 34 A. MENZEL, Unt. zum Sokrates-Processe, SB der Kaiserlichen Akad. der Wiss., Philos.-histor. Classe, Bd. 145, 1903, 58 ff. 35 ED. MEYER, Caesars Monarchie und das Principat des Pompejus. Zur inneren Gesch. Roms von 66–44 n. Chr., ³1922, 185 f. 36 C. J. FRIEDRICH, Greek Political Heritage and Totalitarianism, in: Review of Politics 2, 1940, 218–225 37 K. VON FRITZ, Totalitarismus

und D. im alten Griechenland, in: A&A 3, 1948, 47–74
38 J. L. TALMON, Die Ursprünge der totalitären D., 1961
39 L. STRAUSS, What is Political Philosophy?, in: Ders.,
What is Political Philosophy and other Stud., 1959, 9–55,
36–38 **40** H. ARENDT, Vita activa oder vom tätigen Leben,
1958, 214f.

LIT **41** H. VON BOSE, Republik und Mischverfassung. Zur
Staatsformenlehre der Federalist Papers, 1989 **42** W. BREIL,
Republik ohne Demagogie. Ein Vergleich der soziopolit.
Anschauungen von Polybios, Cicero und Alexander
Hamilton, 1983 **43** R. BREITLING, Zur Ren. des D.-Begriffs
im 18. Jh., in: P. HAUNGS, Hrsg., Res publica – FS
D. Sternberger, 1977, 37–52 **44** G. DIETZE, Das Problem
der D. bei den amerikanischen Verfassungsvätern, in: Zschr.
für die gesamte Staatswiss. 113, 1957, 301–313 **45** M. I.
FINLEY, Ant. und mod. D., 1980 **46** E. GOTHEIN, Platos
Staatslehre in der Ren., 1912. SB der Heidelberger Akad. der
Wiss., philos.-histor. Kl., 5. Abh. **47** M. GRALHER, D. und
Repräsentation in der Engl. Revolution, 1973
48 L. GUERCI, L'Immagine di Sparta e Athene in Mably e
nei fisiocratici, in: Quaderni di Storia 9, 1979, 71–108
49 Ders., Libertà degli antichi e libertà dei moderni, 1979
50 TH. HAFEN, Staat, Gesellschaft und Bürger im Denken
von Sieyès, 1994 **51** B. HEMMERDINGER, La démocratie
athénienne vue par le comte de Montlosier et Maurras, in:
Quaderni di Storia 14, 1981, 227–229 **52** P. JOACHIMSEN,
Die Bed. des ant. Elements für die Staatsauffassung
der Ren., in: Ders., Gesammelte Aufsätze, hrsg. von
N. HAMMERSTEIN, 1970 **53** K. H. KINZL (Hrsg.),
Demokratia. Wege zur D. bei den Griechen, 1995
54 E. KÜCHENHOFF, Möglichkeiten und Grenzen
begrifflicher Klarheit in der Staatsformenlehre, Bd. 2, 1967
55 J. S. McCLELLAND, The Crowd and the Mob – from
Plato to Canetti, 1989 **56** C. MOSSÉ, L'Antiquité dans
la révolution française, 1989 **57** H. MÜNKLER,
H. GRÜNBERGER, K. MAYER, Nationenbildung.
Die Nationalisierung Europas im Diskurs human.
Intellektueller, 1998 **58** B. NÄF, Von Perikles zu Hitler?
Die athenische D. und die dt. Althistorie bis 1945, 1986
59 C. NICOLET, L'Idee républicaine en France (1789–1924).
Essai d'histoire critique, 1982 **60** H. T. PARKER, The
Culture of Antiquity and the French Revolutionaries, 1937
61 J. G. A. POCOCK, The Machiavellian Moment. Florentine
Political Thought and the Atlantic Republican Trad., 1975
62 E. RADNITZKY, Der mod. Freiheitsbegriff und die att. D.,
in: Zschr. für Öffentliches Recht 3, 1922, 287–351
63 P. A. RAHE, Republics Ancient and Modern. Classical
Republicanism and the American Revolution, 1992
64 E. RAWSON, The Spartan Trad. in European Thought,
1966, Ndr. 1991 **65** C. J. RICHARD, The Founders and the
Classics. Greece, Rome, and the American Enlightenment,
1994 **66** J. T. ROBERTS, Athens on Trial. The
Antidemocratic Trad. in Western Thought, 1994
67 G. SARTORI, D.-Theorie, 1992 (engl. 1987)
68 U. SCHINDEL, Demosthenes im 18. Jh. 10 Kapitel zum
Nachleben des Demosthenes in Deutschland, Frankreich,
England, 1963 **69** V. VON SCHOEFFER, s. v. Demokratia, RE
Suppl.-Bd. 1, 346–374 **70** G. SPRIGATH, Themen aus der
Gesch. der röm. Republik in der frz. Malerei des 18. Jh.,
1968 **71** O. STAMMER, D. und Diktatur, 1955
72 M. REINHOLD, Classica Americana. The Greek and
Roman Heritage in the U. S., 1984 **73** J. URZIDIL, Amerika
und die Ant., 1964 **74** P. VIDAL-NAQUET, Die Entstehung
des bürgerlichen Athens, in: Ders., Athen-Sparta-Atlantis.

Die griech. D. von außen gesehen, Bd. 1, 1993, 95–169
75 V. WEMBER, Verfassungsmischung und Verfassungsmitte
– mod. Formen gemischter Verfassung in der polit. Theorie
des beginnenden Zeitalters der Gleichheit, 1977.
HERFRIED MÜNKLER UND MARCUS LLANQUE

Den Haag, Münzkabinett s. Niederlande und Belgien/Museen

Denkmal A. DEFINITION B. KONTINUITÄTEN
C. RENAISSANCEN D. KOPIE UND ADAPTION
E. MASSSTAB UND VORBILD
F. »ANTIKISCHE« NACKTHEIT G. KOSTÜMSTREIT
H. VERFÜGBARKEIT UND MODERNE

A. DEFINITION
D. bezeichnet im engeren Sinne ein Memorialmonument, das die Erinnerung an Menschen, Taten oder
Ereignisse bewahren soll und damit meist einen Appell
oder eine Botschaft verbindet.

B. KONTINUITÄTEN
Eine begrenzte Anzahl ant. D. war auch in nachant.
Zeit stets sichtbar präsent, brauchte also nicht erst wieder ausgegraben zu werden, um eine rezeptive Wirkung
entwickeln zu können. Das betrifft alle wichtigen formalen Typen, insbes. aber die prominenten Memorialmonumente in → Rom: Säulen-D. wie die für Kaiser
Trajan und für Marc Aurel, die Dioskurengruppen,
Triumphbögen wie die des Titus und Konstantins,
Grabmonumente wie die Pyramide des Cestius und die
Bauten an der Via Appia. Figürliche Monumente wie
das Reiter-D. des Marc Aurel blieben dagegen nur erh.,
weil sie eine christianisierende Umdeutung erfuhren.
Wie die Beispiele des im Auftrag des Biographen und
Ratgebers Karls des Gr., Einhard, zw. 823 und 830 für
St. Servatius in Maastricht geschaffenen *arcus Einhardi*,
eine nur in einer Zeichnung des 17. Jh. überlieferte
Reduktionsform, und die Bernwardssäule (Hildesheim,
um 1020) zeigen, wirkten ant. D.-Formen im MA weiter. Ma. Quellen belegen Interesse und Verständnis für
diese Monumente; Bernward kannte sie von seiner
Romreise 1001. Charakteristischerweise erfährt in den
genannten Beispielen die Trad. ant. Triumphmonumente eine *interpretatio christiana* zu Kreuzträgern. – Beispiele für figürliche Monumente, geprägt durch bewußte Rückgriffe auf ant. Skulpturen, finden sich u. a.
im Umkreis Friedrichs II.; die denkmalhafte Sitzstatue
des Königs vom Brückentor in Capua (1234–39) war
eine polit. Manifestation.

C. RENAISSANCEN
Mit der wachsenden Zahl der seit der → Renaissance
ausgegrabenen ant. Bildwerke gewann ihr Vorbildcharakter auch für Memorialmonumente gesteigerte Bed.
Das gilt v. a. für Grab-D. Darüber hinaus kennt die it.
Ren. bereits seit dem Trecento vereinzelte Rückgriffe
auf den ant. Typus des öffentlichen Verdienst-D. Demgegenüber scheint das Grundschema des D.-Typus des
aufgesockelten Standbildes erst im Cinquecento wieder

aufgegriffen worden zu sein und zwar, da im MA offenbar nur selten tradiert, im direkten Rückgriff auf ant. Vorbilder. Eine Ausnahme bildete ein Virgil-D., das bereits aus dem 13. Jh. in Mantua überliefert ist. Im 15. Jh. schließt sich das Dante-Standbild in dessem Geburtsort Sulmona an. Erst seit dem 16. Jh. wächst die Zahl der öffentlichen Individual-D. für Regenten, Heerführer und »Geistesheroen«, seit der 2. H. des 18. Jh. auch die der bürgerlichen Verdienst-D. Sie alle folgen in zahllosen Varianten bei der Wahl des Typus, bei Figuren, Kleidung, Attributen und Inschr. häufig ant. Vorbildern.

D. KOPIE UND ADAPTION

Blütezeit der Antikenrezeption im Medium des öffentlichen D. ist der → Klassizismus in Europa und Amerika. Er hat eine Fülle von Werken hervorgebracht, die an der Schnittstelle zw. arch. Forsch. und bildhauerischer Praxis entstanden. Das Spektrum derartiger Monumente reicht von der exakten Antikenkopie bis zur freien Paraphrase. Als Musterbeispiel des fruchtbaren Austauschs können Antonio Canova und Quatremère de Quincy gelten. Die monumentale Publikation des Franzosen über den olympischen Zeus des Phidias (Paris 1815) prägte u. a. sowohl Giovanni Ceccarinis Marmormonument zu Ehren Canovas (Frascati, 1820) als auch Horatio Greenoughs Monumentalstatue George Washingtons (1832–41, Washington, D. C.) wie auch noch das Lincoln Memorial (ebd., 1912–22) von Henry Bacon und Daniel Chester French. Dabei besaß die Affinität von Arch., Bildhauerei und Antikenhandel speziell in Rom ihre eigene Tradition, die sich in vielfältigen Einflüssen auch auf die dort geschaffene D.-Skulptur dokumentiert. – Bertel Thorvaldsen, 1816 vom bayerischen Kronprinzen mit der Restaurierung, d. h. der Ergänzung der Aegineten beauftragt, schuf aus diesem Kontext wenig später die Figur einer *Hoffnung* in der Gestalt einer archa. Kore. Eine von Friedrich Tieck 1831 geschaffene Kopie schmückt als Säulenstatue die Grabstätte der Familie Humboldt in Berlin-Tegel. Thorvaldsen stellte sich selber 1839 anspielungsreich gestützt auf ebendiese Statue als *Phidias des Nordens* dar. Als D. für Thorvaldsen wurde die Gruppe ihrerseit 1871 von Emil Wolff an der Stelle seines Wirkens nahe dem Palazzo Barberini in Rom wiederholt. Der Einfluß prominenter Skulpturengruppen wie der Aegineten, der Elgin Marbles und des Pergamon Altars auf die D.-Skulptur (und -Architektur) des 19. und 20. Jh. darf als sicher gelten, ist jedoch noch ungenügend untersucht. Die weit ins 18. Jh. zurückreichende Planungsgeschichte des Berliner D. für Friedrich den Gr. (1851) ist – sowohl hinsichtlich der architektonischen als auch der figürlichen Entwürfe – ein Modellfall der Antikenrezeption in der Geschichte des neueren D. Es gibt nämlich kaum eine Monumentform der Ant., die nicht als Modell für dieses D. in Erwägung gezogen wurde: Pyramide, Tempel, Monopteros, (Trajans-)Säule, Halicarnass-Mausoleum, Pantheon, Quadriga, phidiasischer Zeus, Septizonium, Reiterstandbild u. a. m.

Abb. 1: »Der Koloß von Rhodos« von J. Fischer von Erlach: Historische Architektur, 1721

Abb. 2: Entwurf der Freiheitsstatue, Bartholdi, c. 1875

Abb. 3: Die Freiheitsstatue in New York

E. Massstab und Vorbild

Neben der Form ist häufig auch die Größe ant. Vorbilder für architektonische und figürliche D. ein Modell, das es zu erreichen oder zu übertreffen gilt: Die Walhalla bei Regensburg wurde ab 1830 als dorischer Tempel ›im reinsten ant. Geschmack nach den schönsten Mustern altgriech. Tempel‹ durch Leo von Klenze errichtet. Eng verwandt damit ist die Ruhmeshalle (ein ›Porticus im dorischen Styl‹) in München mit der Bavaria, urspr. in der Art einer athenischen Stadtgöttin geplant und dann 1837–50 nach den Entwürfen Ludwigs (von) Schwanthaler als ›die erste gegossene Kolossalstatue seit dem Koloß des Nero‹ ausgeführt. In beiden Fällen verband sich die antikisierende D.-Idee Ludwig I. mit »german.« Komponenten. Auch der von Canovas für Possagno gestiftete Tempel, der als Grabstätte des Künstlers in programmatischer Weise Elemente des des griech. → Parthenon und röm. → Pantheon verbindet, muß zusammengesehen werden mit seinem Geburtshaus und Mus. Er ist gleichfalls verbunden mit Canovas Projekt einer Kolossalstatue, die wiederum auf die *Athena Parthenos* des Phidias rekurriert. Überhaupt dürften die meisten Kolossal-D. des 19. und 20. Jh. nicht ohne das direkte oder indirekte Vorbild ant. Kolossalstatuen entstanden sein. Das gilt auch für populäre Werke wie z. B. die 1865 in New York enthüllte *Statue of Liberty* von Frédéric Auguste Bartholdi (Abb. 1, 2 und 3) und noch für die Präsidentenköpfe von Mount Rushmore. Mit ihnen realisierte Gutzon Borglum zw. 1927–41, was Alexander der Gr. bzw. Dinocrates nur erwogen hatten: einen ganzen Berg als Kolossal-D. zu formen.

F. »Antikische« Nacktheit

In »antikischer« Nacktheit zeigen sich Standbilder gelegentlich seit dem 16. Jh. (z. B. Leone Leoni, Karl V., 1549–53, Madrid, PR). Die »Mode« verstärkte sich im Klassizismus, konnte sich aber nicht recht durchsetzen. Der sog. *Achilles* in London wurde 1822 ›as a tribute from the ladies of England to the Duke of Wellington‹ enthüllt. Bei der aus frz. Beutekanonen gegossenen Monumentalbronze von Richard Westmacott handelt es sich tatsächlich um das modifizierende Zitat eines der Rossebändiger vom Monte Cavallo in Rom (→ Dioskuren vom Montecavallo), der um Schwert und Schild ergänzt wurde. Es soll die erste nackte Statue in der engl. Öffentlichkeit gewesen sein. Früher schon hatten das D. für General Desaix (1805–07) von Claude Dejoux, ehemals auf der Place Victoires in Paris, und verschiedene Napoleon-Monumente wegen der heroischen Nacktheit des Helden spöttische bis aggressive Reaktionen provoziert. Auch bei den Skulpturengruppen auf der Berliner Schloßbrücke, die nach Entwürfen Karl Friedrich Schinkels zw. 1842 und 1857 von Schülern Christian Daniel Rauchs als D. der Befreiungskriege ausgeführt wurden und eine Vielzahl ant. Figurenmotive aufgreifen, war die »antikische« Nacktheit der Marmorstatuen Gegenstand moralisierender D.-Kritik, kollidierte doch das heroische Ideal des öffentlichen Monumentes mit der ganz anderen histor. Realität – und dem Klima – seiner Umgebung.

G. Kostümstreit

Der Konflikt zw. überzeitlicher Idealität bzw. heroischer Nacktheit und Gegenwartsbezug bzw. zeitgemäßer Kleidung im Medium des öffentlichen D. verdichtete sich in der 1. H. des 19. Jh. zum sog. Kostümstreit, zu dem es auch zahlreiche theoretische Beiträge gibt. Gottfried Schadow umging in seinem Blücher-D. (Rostock, 1819) diese Entscheidung. In Zusammenarbeit mit Goethe schuf er eine Lösung, die alle Charakteristika eines Kompromisses besitzt, doch gerade dadurch die Problematik verdeutlicht: der Feldmarschall in »heroisch-dichterischer« Tracht, in der zeitgenössische Requisiten wie die Stiefel mit dem Löwenfell des Herkules kontrastieren – ein Widerstreit, der sich auch in den Darstellungen der Sockelreliefs fortsetzt. Diesen Konflikt zw. ›Wahrheit und Dichtung‹ (G. Schadow) illustriert auch die Vorgeschichte des Goethe-Schiller-D. in Weimar: Christan Daniel Rauch wollte das Standbild einer »idealen Beziehung« schaffen und gedachte deshalb die beiden Dichterfürsten in antischer Kleidung darzustellen, konnte sich jedoch dafür nicht auf ein entsprechendes Vorbild berufen. Nachdem König Ludwig von Bayern auf einer Ausführung in ›teutschem Costüm‹ bestand, wurde 1856 der Gegenentwurf von Ernst Rietschel realisiert, der die problematische Verbindung von Idealität und Individuum überwandt.

H. Verfügbarkeit und Moderne

Die wachsende Verfügbarkeit ant. Vorbilder zeigt sich bes. deutlich bei Künstler-D.: Das D. für Antoine Barye (Paris, 1892) von Louis Bernier kombinierte im Zentrum Baryes Gruppe *Theseus erschlägt den Centauren Bienor* (Bronze eingeschmolzen), flankiert von Kopien zweier antikisierenden Steinskulpturen aus der Fassade des Louvre.

Aimé Morot ergänzte die Gruppe *Röm. Gladiatoren* (1878) des Malers und Bildhauers Jean-Léon Gérôme, die seinem Gemälde *Police Verso* folgt, nach dessen Tod um die Ganzfigur des an dieser Plastik arbeitenden Bildhauers. Stil und Material verschmelzen die beiden Komponenten dieser Montage zu einem Künstler-D. ganz eigener Qualität (Paris, Musée d'Orsay). Persönlichkeiten wie der Dresdener Archäologe Georg Treu (*Sollen wir unsere Statuen bemalen?*, 1883/84) verklammern die Diskussion über die Polychromie ant. Skulpturen mit der mod. Bildhauerei bzw. mit der aktuellen D.-Praxis, z. B. auch mit Max Klingers *Beethoven* (1885–1902). Das aufwendige Innenraum-D., das den Helden als zeusgleich thronenden Künstlergott zeigt, in dessen Schaffen sich hellenische und christl. Weltanschauung vereinen, fordert den inszenierenden Kontext eines Gesamtkunstwerks.

Als Legitimations- oder Nobilitierungsrequisit einschließlich ihrer polit. Instrumentalisierung ist die Rezeption ant. D.-Formen bis h. aktuell: Kaiser Wilhelm II. errichtete in seiner Sommerresidenz auf Korfu 1910 das überlebensgroße Bronzemonument *Achill* von Johannes Götz. Wie aus der griech. (!) Widmungsinschr.

(›Dem Größten der Griechen der Größte der Deutschen‹) hervorgeht, handelt es sich bei dieser Allegorie geborgter Größe tatsächlich um ein selbstgesetztes Kaiser-D. Damit verwandt, zeigt sich seit dem E. des 19. Jh. vielfach eine Umkehr der Gewichtungen von Held und erzählendem Attribut zu Gunsten mythologisierender Abstraktionen: Das Virchow-D. von Fritz Klimsch (Berlin, 1910) reduziert z. B. die monumentale Präsenz des Geehrten auf sein Bildnisrelief am Sockel, während seine Leistung in Form einer über dorische Ecksäulen hoch empor gehobene Gruppe *Herakles erwürgt die Pythia* das D. dominierten.

Henry Moore variierte seit den 50er J. seine leitmotivische Liegefigur unter Anlehnung an ant. Vorbilder wie den gefallenen Krieger vom Aphaia-Tempel aus Aigina (München, GL) zum *Falling Soldier*. Wie 1959 in Zollikon zur Erinnerung an dort 1920 abgestürzte Flieger, so sind Moores Plastiken dieses Typs wiederholt als D. verwendet worden.

Der frz. Bildhauer César wählte für sein 1988 in Paris enthülltes Picasso-D. das Motiv eines Centauren, angeblich weil dieser Picassos *alter ego* gewesen sei.

→ Aigina

1 W. AHRENHÖVEL, CH. SCHREIBER (Hrsg.), Berlin und die Ant., Ausstellungs-Kat. und Aufsätze-Bd., Berlin, Schloß Charlottenburg – Große Orangerie, 1979 2 Ausstellungs-Kat. La Statue de la Liberté, l'exposition du centenaire, Paris, Musée des Arts Décoratifs, 1986 3 Ausstellungs-Kat. Das Albertinum vor 100 J. Die Skulpturen-Slg. Georg Treu, Staatliche Kunst-Slgg. Dresden, Albertinum, 1994 4 A. BYRON, London Statues. A guide to London's outdoor statues and sculpture, 1981 5 J. HARGROVE, The Statues of Paris, an open-air Pantheon. The History of Statues of great men, 1989 6 A. HOFFMANN, Denkmäler I und II: Hdb. der Architektur, Bd. 4/8/2a und b, 1906 7 H. KEUTNER, A. HOFFMANN, Über die Entstehung und die Formen des Standbildes im Cinquecento, in: Münchner Jb. der bildenden Kunst, 3. Folge, Bd. VII, 1956, 138–168 8 H.-E. MITTIG, V. PLAGEMANN (Hrsg.), D. im 19. Jh. Deutung und Kritik (Stud. zur Kunst des 19. Jh., Bd. 20), 1972 9 A. REINLE, Das stellvertretende Bildnis. Plastiken und Gemälde von der Ant. bis ins 19. Jh., 1984 10 J. v. SIMSON, Das Berliner D. für Friedrich den Gr. Die Entwürfe als Spiegelung des preußischen Selbstverständnisses, 1976 11 H. SCHARF, Kleine Gesch. des dt. D., 1984 12 P. SPRINGER, Schinkels Schloßbrücke in Berlin. Zweckbau und Monument, 1981 13 J. TRAEGER, Der Weg nach Walhalla. D.-Landschaft und Bildungsreise im 19. Jh., 1987. PETER SPRINGER

Deutsche Orient-Gesellschaft. Am 24.1.1898 gegr. wiss. Gesellschaft mit der Aufgabe, ›das Studium des Orientalischen Alt. ... zu fördern, ... die auf die Erwerbung oriental. Altertümer, Denkmäler der Kunst und allg. Kultur gerichteten Bestrebungen der Königlichen Mus. zu Berlin ... zu unterstützen‹ und ›die Kenntnis von den Ergebnissen der Forsch. über das oriental. Alt. ... zu verbreiten‹ (Satzung von 1902). Hauptinitiator war der Textilgroßhändler, Mäzen und Philanthrop James Simon (1851–1932). Der rasche Erfolg der DOG beruhte auf dem Zusammenwirken von Wissenschaftlern und Angehörigen des Großbürgertums, des Adels, der Politik und Verwaltung, der Förderung durch Kaiser Wilhelm II. (1901 »Protektor« der DOG) und dem großen Publikumsinteresse an den neuentdeckten Verbindungen zw. dem AT und dem alten Mesopot. (seit 1902 sog. »Babel-Bibel-Streit«, nach öffentlichen DOG-Vorträgen von F. Delitzsch, siehe → Babylon). Der erste Vorsitzende war Prinz H. zu Schoenaich-Carolath (1852–1920), sein Stellvertreter und Nachfolger Admiral F. von Hollmann (1842–1913), der zum engeren Kreis um den Kaiser gehörte und diesen Einfluß für die DOG nutzte. 1901 wurde B. Güterbock (1858–1940) Schriftführer und nahm in diesem Amt bis 1936 entscheidenden Anteil an der Tätigkeit der DOG. 1913 erreichte die DOG mit 1510 die höchste Mitgliederzahl.

Die erste Ausgrabung der DOG fand von 1899–1917 unter der Leitung von R. Koldewey (1855–1925) in Babylon statt. 1903 begann unter der Leitung von W. Andrae (1875–1956) die Ausgrabung von Assur, die 1914 abgeschlossen wurde. In Babylon und Assur wurden neue Techniken der Grabung (Baugeschichte, Stadtanlage, Präparieren von Lehmziegeln) und der Dokumentation entwickelt, die für die weitere Entwicklung der → Vorderasiatischen Archäologie grundlegend waren. In Babylon wurden v. a. die öffentlichen Bauten der Zeit Nebukadnezars II. (6. Jh. v. Chr.) untersucht (u. a. Ištar-Tor mit der Prozessionsstraße, Rekonstruktion mit originalen Glasurreliefs im Vorderasiatischen Mus., Berlin; Paläste, v. a. »Südburg«, Haupttempel Esagil mit dem Tempelturm Etemenanki). In Assur stand die Frage nach der seinerzeit noch wenig bekannten älteren Geschichte Assyriens im Mittelpunkt; ausgegraben wurde v. a. das Tempel- und Palastareal (u. a. Aššur-Tempel, der archa. und jüngere Ištar-Tempel, Anu-Adad-Tempel, Sin-Šamaš-Tempel), doch wurden in mächtigen Suchgräben auch Wohnviertel angeschnitten.

Am Rande der beiden Langzeitprojekte Babylon und Assur wurden kürzere Unt. in nahegelegenen Ruinen durchgeführt (Borsippa, Kisurra: Abū Hatab, Šuruppak: Farā, Hatra, Kar-Tukulti-Ninurta). Seit 1902 weitete die DOG ihre Tätigkeit auf Gebiete außerhalb Mesopot. aus (Ägypten: Abusir, Abusir el-Meleq, Amarna: Fund der Büste der Nofretete; Palästina: Beteiligung an der Grabung in Megiddo, Bauaufnahme von galiläischen Synagogen, Jericho; Türkei: Hattuša/Boğazköy). 1913 nahm die DOG mit Uruk (Warka) eine weitere große mesopot. Stadtruine in ihr Grabungsprogramm auf. Die Funde aus den mesopot. Grabungen der DOG prägen bis h. das Vorderasiatische Mus. zu Berlin.

Der I. Weltkrieg beendete die große Blütezeit der DOG. Die Mitgliederzahl sank auf etwa 900, die staatlichen Zuschüsse verminderten sich erheblich. Da Ausgrabungen im Nahen Osten zunächst aus polit. und finanziellen Gründen nicht möglich waren, konzentrierte sich die DOG auf die Publikation der Grabungsergebnisse. Ende der 20er J. setzte sie wieder – in allerdings bescheidenem Umfang – Ausgrabungen in Gang. Am wichtigsten wurde die Grabung in Hattuša, die als Ehrung für James Simon anläßlich seines 80. Geburtstags 1931 wieder aufgenommen wurde.

Die Zeit des Nationalsozialismus bewirkte für die DOG, die sehr stark von dem kulturellen Interesse und dem persönlichen und finanziellen Engagement gerade auch ihrer zahlreichen Mitglieder jüd. Herkunft getragen wurde, einen Abstieg in die Bedeutungslosigkeit. Das hohe Ansehen des Vorsitzenden F. Schmitt-Ott (1860–1956), der in der Weimarer Republik preußischer Kultusminister und Mitbegründer der nachmaligen Deutschen Forschungsgemeinschaft (DFG) gewesen war, ermöglichte schon 1947 die Wiederbegründung der DOG. Vorsitzender wurde 1949 der Ausgräber von Assur und Direktor des Vorderasiatischen Mus., Walter Andrae.

Die Grabungen in Hattuša (1952) und Uruk (1954) wurden in Kooperation zw. dem → Deutschen Archäologischen Institut und der DOG mit Finanzierung durch die DFG wieder aufgenommen. Auf Initiative des Vorsitzenden Ernst Heinrich (1899–1984) eröffnete die DOG 1969 in Syrien, im Gebiet des späteren Assad-Sees am mittleren Euphrat, zwei Ausgrabungen (1969–1975: Habūaba Kabīra, Leitung E. Strommenger; 1969–1995: Ekalte/Tall Munbāqa, Leitung seit 1979 D. Machule). Eine weitere Grabung in Syrien galt dem Tall Bīʿa bei Raqqa, wo unter der Leitung von E. Strommenger von 1980–1995 Teile der altorientalischen Stadt Tuttul freigelegt wurden. Seit 1995 unterstützt die DOG die Ausgrabungen in der hethitischen Stadt Šarišša (Kušakli) bei Sivas (Leitung A. Müller-Karpe), und seit 1996 fördert sie eine systematische Oberflächen-Unt. der Umgebung von Hattuša (Leitung R. Czichon). Sofort nach der dt. Wiedervereinigung setzte die DOG in Zusammenarbeit mit dem Vorderasiatischen Mus. ein längerfristiges Projekt zur Aufarbeitung und Publikation der zahlreichen noch nicht veröffentlichten Funde aus den Grabungen in Assur in Gang. Die DOG zählt derzeit (1998) 838 Mitglieder, davon 155 korporative. Die Publikationsorgane der DOG sind seit ihrer Gründung die *Mitteilungen* (MDOG; 1998: Heft 130), die *Wiss. Veröffentlichungen* (WVDOG; 1998: 97 Bände) und die *Sendschriften der DOG*, dazu traten seit 1953 die *Abhandlungen* (ADOG, 1998: 23 Bde.) und seit 1997 die *Colloquien* (CDOG) und die *Stud. zu den Assur-Texten* (StAT).

→ Berlin, Vorderasiatisches Museum

→ AWI Amarna; Assur; Babylon; Esagil; Hattusa; Jericho; Uruk

E. V. SCHULER, 70 J. DOG, in: MDOG 100, 1968, 6–21 · G. WILHELM (Hrsg.), Zw. Tigris und Nil, 1998.

GERNOT WILHELM

Deutscher Usus modernus

A. ZEITLICHE ABGRENZUNG
B. SACHLICHE ABGRENZUNG
C. CHARAKTERISTIKA

A. ZEITLICHE ABGRENZUNG

Unter »Deutschem Usus modernus« (D. U.) versteht die neuere Forsch. eine rechtswiss. Periode zw. dem Abschluß der Rezeption des → Römischen Rechts um 1500 und den Anfängen der histor. Schule (→ Historische Rechtsschule) um 1800. Die Bezeichnung geht auf den Titel des Hauptwerks von Samuel Stryk (1640–1710), *Specimen Usus moderni Pandectarum* (1690–1712), zurück. Die genauere zeitliche Abgrenzung ist zweifelhaft. Nennt man *Usus modernus*, was neuerdings häufiger geschieht, die gesamte Periode zw. 1500 und 1800, dann überschneidet er sich einerseits mit dem juristischen Human. im 16. und andererseits mit der rechtswiss. Aufklärung im 18. Jh., die demzufolge als eine Art »Unter-Epochen« des D. U. erscheinen. Es dürfte dann auch zweckmäßig sein, zw. älterem und jüngerem D. U. etwa seit der Mitte des 17. Jh. zu unterscheiden (K. LUIG). Als »Kernzeit« des D. U. erscheinen aber doch seit jeher die Zeit zw. 1600 und 1750, in denen die dt. Rechtswiss. vom Human. nicht mehr und von der Hochaufklärung noch kaum berührt war. Bedeutende Juristen dieser Zeit sind außer Samuel Stryk etwa Benedikt Carpzov (1595–1666), Johann Brunnemann (1608–1672), David Mevius (1609–1670), Wolfgang Adam Lauterbach (1618–1678), Georg Adam Struve (1619–1692), Johann Schilter (1632–1705) sowie die schon stärker von der Aufklärung geprägten Christian Thomasius (1655–1728), Justus Henning Böhmer (1674–1749), Augustin Leyser (1683–1752) und Wiguläus Aloys Xaver v. Kreittmayr (1705–1790). Was im folgenden zum D. U. gesagt wird, betrifft grundsätzlich den gesamten Zeitraum zw. 1500 und 1800.

B. SACHLICHE ABGRENZUNG

In der Sache ist der D. U. eine Richtung der dt. (Privat-)Rechtswiss., die die rezipierten röm. Rechtsquellen nicht mehr unverändert bzw. in der durch die spätma. Jurisprudenz überlieferten Form anwendet, sondern sie den geistigen, wirtschaftlichen und politischen Tendenzen der frühen Neuzeit und den bes. Verhältnissen in Deutschland anzupassen versucht. »Rechtswiss.« ist dabei v. a. die Privatrechtswiss., deren Grundlage das gemeine röm. Recht bis zu den großen → Kodifikationen des 18. und 19. Jh. geblieben ist. Demgegenüber stellen sich das → Strafrecht und das Staatsrecht schon in der frühen Neuzeit mehr und mehr auf eine eigene vom röm. Recht unabhängige Quellenbasis, so daß hier von einem *Usus* des röm. Rechts kaum noch die Rede sein kann. Sie werden deshalb im folgenden ebenso ausgespart wie die Privatrechtsgesetzgebung des 16. bis 18. Jh., die allerdings die Entwicklung der Privatrechtswiss. des D. U. widerspiegelt.

C. Charakteristika

Die Charakteristika des D. U. lassen sich nicht nur in der Rechtsdogmatik selbst (1.), sondern auch in der Rechtsquellentheorie (2.) und in der Methodenlehre (3.) beobachten.

1. Rechtsdogmatik

In der Rechtsdogmatik übernehmen schon die Juristen des 16. Jh. die Vorschriften des röm. Rechts und die ma. Doktrin nicht mehr immer ungeprüft, sondern beginnen nach ihrer Anwendbarkeit auf die dt. Verhältnisse zu fragen. So spricht man frühzeitig ganzen Abschnitten des röm. Rechts ihre Verbindlichkeit für Deutschland ab, wie etwa dem Staatsrecht und wohl auch dem Sklavenrecht. Modernisiert werden schon seit dem 16. Jh. die röm. Begriffe von Recht und Gesetz: Den engen röm. Naturrechtsbegriff (›quod natura omnia animalia docuit‹, Dig. 1,1,1,3) verlassen bereits viele Juristen des 16. Jh. Die wertbezogenen röm. Begriffe von Gesetz und Gewohnheitsrecht (etwa Dig. 1,3,1; 1,3,32 und 35) werden seit der Mitte des 17. Jh. unter dem Einfluß des beginnenden Absolutismus durch positivistische Begriffe ersetzt, bei denen der Wille des Gesetzgebers im Mittelpunkt steht.

Im Kernbereich des Privatrechts ist v. a. das → Schuldrecht Gegenstand von Neuerungen. Entgegen dem röm. Recht setzt sich um 1600 das Prinzip durch, daß alle Verträge (→ Vertrag) klagbar sind. Auf dieser Basis mußten dann etwa auch die umstrittenen Erbverträge zulässig sein, und näherte sich die gemeinrechtliche Doktrin den im röm. Recht nicht anerkannten Verträgen zugunsten Dritter und der Abtretbarkeit von Forderungen usw. Andererseits wurde lange Zeit, v. a. mittels der Figur der *laesio enormis*, der im röm. Recht nicht bes. entwickelte (Cod. Iust. 4,44,2) Gedanke der Vertragsgerechtigkeit betont, bis ihn die Frühaufklärung zugunsten des Gedankens der inhaltlichen Vertragsfreiheit wieder zurückdrängte. Der weitergehenden Anerkennung vertraglicher Bindungen entspricht im D. U. auch eine weitergehende Haftung für unerlaubte Handlungen (→ Delikt, → Haftung), als sie das röm. Recht kannte. So wird aus der kasuistischen *Lex Aquilia* eine Art Generalklausel, aufgrund deren jeder schuldhaft verursachte Vermögensschaden zu ersetzen ist, und anders als das röm. Recht (Dig. 9,3,7) erkennt der D. U. auch einen Anspruch auf Schmerzensgeld an. Im Sachenrecht spiegelt die unröm., schon im MA vorbereitete Unterscheidung zw. direktem und nutzbarem → Eigentum die bes. ständischen und sozialen Verhältnisse der frühen Neuzeit wider (→ Lehnsrecht). Aber auch etwa im Familienrecht (→ Ehe) zeigen sich Veränderungen, wie z. B. die Abmilderung der röm. Hausvatergewalt.

2. Rechtsquellentheorie

Ebenso wie der D. U. in der Dogmatik einzelne Regeln des röm. Rechts ausschließt, abschwächt oder umformt, reduziert er in der Rechtsquellentheorie nach und nach generell die Autorität des röm. Rechts. Oft ist das eine vom anderen auch gar nicht genau zu unterscheiden, da die Nichtanwendung eines röm.-rechtlichen Satzes oft nur die Kehrseite der Anwendung eines dt.- oder naturrechtlichen Satzes ist.

Bei der Konkurrenz mehrerer eventuell anwendbarer Rechtsquellen galt zunächst das Prinzip, daß das Recht des engeren Rechtskreises vorgeht, jedoch für das gemeine röm. Recht eine begründete Vermutung (*fundata intentio*) spricht. Konnte also der behauptete spezielle Rechtssatz nicht nachgewiesen werden, dann war röm. Recht anzuwenden. Allerdings galt unterhalb der Reichsgerichte eine *fundata intentio* auch für das Recht des jeweiligen Gerichtsbezirks, so daß schon insofern das röm. Recht nicht generell bevorzugt war. Sein faktischer Vorrang geriet im »jüngeren« D. U. noch mehr ins Wanken, nachdem Hermann Conring 1643 gezeigt hatte [1], daß das röm. Recht in Deutschland nicht aufgrund eines kaiserlichen Gesetzes, sondern nach und nach durch die Praxis rezipiert worden ist. Zwar führte diese Einsicht nicht dazu, die *fundata intentio* zugunsten des röm. Rechts aufzugeben. Johann Schilter behauptete nun aber, für das ›gemeine dt. Privatrecht‹, das sich um 1700 als selbständige wiss. Disziplin etablierte, spreche eine ebensolche Vermutung [2], und ähnliche Gedankengänge finden sich bei Samuel Stryk [3] und anderen Juristen des 18. Jh. Obwohl die Einzelheiten noch genauerer Klärung bedürfen, wird man insgesamt sagen können, daß das röm. Recht im 18. Jh. stärker als früher hinter dem dt. und dem Naturrecht zurücktritt.

3. Methodenlehre

Eine Abkehr von der ant. oder doch jedenfalls der ma. Trad. der röm. Rechtswiss. läßt sich auch in der Methodenlehre beobachten. Als Argumentationstheorie behauptet sich zwar im 16. und 17. Jh. noch die Topik. Im jüngeren D. U. setzt sich aber die Einsicht durch, daß die topischen Schlüsse entweder inhaltlich leer sind, so daß die materiell entscheidenden Beweisgründe histor. oder philos. ermittelt werden müssen, oder sich auf Autoritäten stützen und damit der aufklärerischen Denkweise widersprechen. Demgemäß verliert die Topik im 18. Jh., im Anschluß an die naturwiss. Methodenrevolution, auch in der Rechtswiss. ihr bisheriges Ansehen. Abgesehen von dem Ähnlichkeits- und Gleichheitsargument (Analogie, *argumentum a maiore* und *a minore*) und dem Gegenschluß (*argumentum e contrario*) geraten die Topoi in Vergessenheit; bes. energisch wird der Topos *ab auctoritate* und mit ihm die Lehre von der *communis opinio* bekämpft. Parallel mit dem Niedergang der Topik steigt die Hermeneutik allmählich zur zentralen Methodendisziplin der Geisteswiss. auf; für die Jurisprudenz wirkt in dieser Beziehung Christian Thomasius bahnbrechend.

Schon im 16. Jh. wandeln sich die Vorstellungen von wiss. Ordnung und Systembildung. Während man im MA, von einigen Ausnahmen abgesehen, kein von den Quellen (etwa den → Digesten: Buch, Titel, Lex, Paragraph) abweichendes System kannte, beginnt man in der Mitte des 16. Jh. damit, das röm. Recht nach der

»dihairetischen« Methode (Aufspaltung einer Materie in Gattungen und Arten) von der Quellenordnung unabhängig darzustellen. Allerdings können sich die ganz radikalen freisystematischen Versuche nicht durchsetzen. Im 17. Jh. herrscht eine Darstellungsweise vor, die zwar die röm. »Legalordnung« verläßt, aber doch die Bücher- und Titelfolge weitgehend beibehält. Im 18. Jh. experimentieren dann unter dem Einfluß des rationalen → Naturrechts verschiedene Juristen auch im gemeinen röm. Recht mit der sog. »synthetischen« Methode, also axiomatischen Systemen. Es bleibt aber dabei, daß diese Systeme nur Darstellungs- und keine Erkenntnismethoden sein sollen; von dem Gedanken an eine systematische Methode, die neues Recht produziert, sind die Juristen des D. U., im Unterschied zu denen des 19. Jh. (→ Pandektistik), noch weit entfernt.

→ Erbrecht

QU **1** H. CONRING, De origine iuris Germanici, Helmstedt 1643 **2** J. SCHILTER, Praxis Juris Romani in foro Germanico, Jena 1698, Additamentum zu § 12, Exerc. 2, 39–41 **3** S. STRYK, Specimen usus moderni Pandectarum, 4. Ausgabe, Halle 1713, Discursus Praeliminaris, §§ 33 ff.

LIT **4** H. COING, Europ. Privatrecht I, 1985. **5** D. SIMON (Hrsg.), Akten des 26. Dt. Rechtshistorikertages, 1987 (Beiträge von W. WIEGAND, 237–252, J. SCHRÖDER, 253–278, G. WESENER, 279–297) **6** K. LUIG, s. v. Usus modernus, in: HWB zur dt. Rechtsgesch., hrsg. von A. ERLER, E. KAUFMANN, Bd. V, 1993, 628–636 **7** J. SCHRÖDER, Christian Thomasius und die Reform der juristischen Methodenlehre, 1997.   JAN SCHRÖDER

Deutsches Archäologisches Institut

A. ALLGEMEINES   B. AUFBAU UND ORGANISATION C. GESCHICHTE   D. AUFGABEN UND ZIELE

A. ALLGEMEINES

Das Deutsche Archäologische Institut (DAI), dessen Anfänge auf das Jahr 1829 zurückgehen, ist eine der ältesten dt. Forschungsinstitutionen. Auf dem Gebiet der internationalen arch. Forsch. ist es h. die bedeutendste Einrichtung in Deutschland. Das DAI ist eine wiss. Korporation mit eigener Satzung; seine vorgesetzte Behörde ist das Auswärtige Amt. Es hat seinen Sitz in Berlin. Der Schwerpunkt seiner Tätigkeit liegt in den Ländern des Mittelmeerraumes und des Vorderen Orients.

B. AUFBAU UND ORGANISATION

Die Zentrale des DAI (Präsident, Wiss. Abteilung mit Bibl., Verwaltung) befindet sich in Berlin. Auslandsabteilungen bestehen in Rom, Athen, Kairo, Istanbul, Madrid. In Deutschland ansässig sind die → Römisch-Germanische Kommission in Frankfurt, die Kommission für Alte Geschichte und Epigraphik in München, die Kommission für Allg. und Vergleichende Arch. in Bonn, die Orient-Abteilung in Berlin mit Außenstellen in Baghdad, Sanaa und Damaskus sowie die Eurasien-Abteilung in Berlin mit Außenstelle in Teheran. Oberstes Aufsichts- und Beschlußgremium ist die Zentraldirektion, die den Haushalt, das wiss. Programm und

die Annahme von Publikationen beschließt sowie den Präsident und die Direktoren der Abteilungen und Kommissionen wählt. Sie besteht aus dem Präsidenten, einem Vertreter des Auwärtigen Amts, den Direktoren der Abteilungen und Kommissionen, dem Generaldirektor des Röm.-German. Zentralms. Mainz, einem Vertreter der Antikenmus., zehn Universitätsprofessoren der Klass. Arch. aus verschiedenen Bundesländern sowie je einem Vertreter der Fächer → Ägyptologie, Alte Geschichte, → Archäologische Bauforschung, → Christliche Archäologie, → Klassische Philologie, → Vorderasiatische Altertumskunde, Vor- und Frühgeschichte. Die Kommissionen des DAI haben eigene Satzungen und Beschlußgremien. Beratende Aufgaben haben die Fachausschüsse der Abteilungen Kairo, Istanbul, Madrid sowie der Orient- und der Eurasien-Abteilung, die aus Wissenschaftlern der verschiedenen Fachrichtungen aus den Arbeitsgebieten dieser Abteilungen bestehen.

C. GESCHICHTE

Der Charakter des DAI als international orientierte Forschungseinrichtung spiegelt sich in seiner Geschichte wider. Seine Gründung fällt in die Anfänge der Arch. als Wiss. und hat die Entwicklung der Arch. maßgeblich mitbestimmt.

Der Gedanke zur Gründung einer arch. Institution entstand im Kreis der »röm. Hyperboreer«, einem privaten Freundeskreis europ. Gelehrter, Künstler und Diplomaten in Rom, die sich der Förderung der arch. Forsch. verschrieben hatten. Die Absichten und Ziele, die sich mit der Gründung des Inst. verbanden, finden sich schon in den Entwürfen zu Statuten einer Hyperboreisch-Röm. Gesellschaft ausgedrückt. Man hatte erkannt, daß die wiss. Durchdringung des rasch anwachsenden arch. Fundstoffes der organisierten internationalen Zusammenarbeit sowie der systematischen Veröffentlichung der Denkmäler bedurfte. Einen organisatorischen Rahmen hierfür sollte das *Ist. di Corrispondenza Archeologica* bilden, zu dessen Gründung der Archäologe Eduard Gerhard, der preußische Gesandte Christian Carl Josias von Bunsen, der hannoversche Geschäftsträger in Rom, August Kestner, der Commissario della antichità di Roma, Carlo Fea, und der große dänische Bildhauer Bertel Thorvaldsen am 2. Januar 1829 aufriefen. Die konstituierende Sitzung fand 1829 am 21. April, dem mythischen Gründungstage Roms, im Palazzo Caffarelli, dem Sitz der preußischen Gesandtschaft auf dem Capitol, statt. Das Protektorat hatte der preußische Kronprinz, der spätere König Friedrich Wilhelm IV., übernommen. Als Präsident konnte der einflußreiche frz. Gesandte am Hof von Neapel, der Duc de Blacas d'Aulps, gewonnen werden. Dieses der polit. und gesellschaftlichen Repräsentation dienende Amt hatte danach ab 1841 der österreichische Staatskanzler Clemens Fürst von Metternich inne, mit dessen Tod 1859 das Amt erlosch. Die Führung der Geschäfte oblag Sekretaren (h. Direktoren), die Leitung hatte der Generalsekretar (h. Präsident).

Ziel des neugegr. Inst. war es, alle arch. Entdeckungen und Materialien auf dem Gebiet des klass. Alt. zu sammeln und bekanntzugeben, wobei neben den Schwerpunkten It. und Griechenland auch Ägypt. und Vorderasien nicht ausgeschlossen sein sollten. Das Sammeln der Informationen und Zeichnungen sollte über ein auf ganz Europa verteiltes System von korrespondierenden Mitgliedern (*socii ordinarii*) erfolgen, während die ordentlichen Mitglieder (*membri*) zur Lieferung wiss. Beiträge und zur Abnahme der Publikationen verpflichtet waren. Der europ. Organisation der arch. Korrespondenz dienten Sektionen des Inst. in It., Frankreich, Deutschland und England, von denen namentlich die Pariser Sektion unter ihrem mäzenatischen Sekretar, dem Duc de Luynes, zeitweilig energische Aktivität entfaltete. Der Publikation dienten die Zeitschriften *Bulletino* und *Annali dell' Instituto di Corrispondenza Archeologica* sowie die *Serie Monumenti Inediti*.

Idee und Konzept des Inst. gehen im wesentlichen auf Gerhard zurück. Mit seiner Berufung 1833 nach Berlin begann eine Entwicklung, in deren Verlauf sich das Schwergewicht der Leitung zunehmend dorthin verlagerte, während zugleich durch die auseinanderstrebenden nationalstaatlichen Tendenzen der beteiligten Länder der gesamteurop. Zuschnitt des Inst. zurückging: 1836 Errichtung des ersten, noch bescheidenen Institutsgebäudes auf dem Areal der preußischen Gesandtschaft auf dem Capitol; seit 1842 Bezahlung der Sektretare, 1859 Übernahme der Gesamtkosten durch das preußische Kultusministerium; die Zentraldirektion, der urspr. Gelehrte verschiedener europ. Länder angehörten, bestand nach dem Revolutionsjahr 1848 nur noch aus dt. Mitgliedern. 1871 erfolgte die förmliche Umwandlung des Inst. in eine preußische Staatsanstalt und 1874 die Ernennung zum Kaiserlich-Deutschen Archäologischen Institut. Die Entwicklung ›vom internationalen Privatverein zur preußischen Staatsanstalt‹ (Deichmann) ist nicht das Ergebnis einer gezielten »Usurpation« des Inst. durch Preußen, sondern spiegelt die polit. Entwicklung der Zeit, in der der frühe Versuch zur Einrichtung einer internationalen Institution auf Dauer noch zum Scheitern verurteilt war.

Die Gründung des Inst. in Rom ist in mancher Hinsicht wegweisend für die Organisation der wiss. Arch. geworden. Hier wurde zuerst mit der Verwirklichung des Gedankens begonnen, daß nur durch systematische Sammlung und Publikation aller, auch der bescheideneren Denkmäler, die Quellengrundlage arch. Geschichtsforsch. entstehen kann. Die aktuelle Berichterstattung über Entdeckungen und Forschungsergebnisse hat in den ersten arch. Fachzeitschriften, dem *Bulletino* und den *Annali dell'Ist.*, erstmals eine kontinuierliche, international ausgerichtete Form gefunden.

Entscheidend und richtungsweisend war die Schaffung einer dauerhaften weltoffenen Forschungsstätte im Zentrum der ant. Welt. Ein Novum in der Altertumswiss. war die Einrichtung einer allen Forschern offenstehenden arch. Präsenzbibl. Diese sowie regelmäßige öffentliche Vorträge und Diskussionen (sog. Adunanzen) machten das Inst. in Rom schnell zum Mittelpunkt der in ganz Europa aufblühenden wiss. Arch. Neben einer bedeutenden Forsch.- und Publikationstätigkeit bot das Inst., insbes. nachdem 1874 ein wesentlich größeres Gebäude auf dem Capitol bezogen werden konnte, den Gelehrten und dem wiss. Nachwuchs aus Deutschland die Möglichkeit zu längeren Forschungsaufenthalten in Rom und zur Begegnung sowohl mit den originalen Denkmälern der Ant. als auch mit Menschen und Kultur It. und mit Kollegen aus vielen Ländern Europas.

Wie zukunftsweisend das Konzept des Inst. war, wird auch daran deutlich, daß es zum Vorbild für andere Nationen geworden ist, die in der Folgezeit in Athen (seit 1846 → École française d'Athènes) und Rom, später auch in anderen Ländern des Mittelmeerraumes und des Nahen Ostens ähnliche Inst. gründeten, welche h. als Stützpunkte der Forsch. und des Austauschs mit den Gastländern unentbehrlicher Bestandteil weltweiter arch. Zusammenarbeit sind. Die wiss. Arbeit des röm. Inst. galt, ganz im Sinne der anfänglichen Zielsetzung, der Erschließung und Veröffentlichung der Denkmäler durch die Herausgabe von grundlegenden Museumskat. und Sammelwerken sowie landeskundlichen Forsch. An arch. und baugeschichtlichen Feldarbeiten hat sich das DAI erst nach dem II. Weltkrieg beteiligt. Waren dies zunächst kleinere Unternehmungen mit begrenzten Zielen wie die Grabungen in Policoro, Rusellae, → Pompeji und Santa Maria d'Anglona bei Policoro oder baugeschichtliche Unt. an der Stadtmauer von Pompeji und an Gebäudekomplexen in der Villa Hadriana bei Tivoli, so haben sich diese Forschungsaktivitäten seit den 60er J. erheblich ausgeweitet und zu längerfristigen Forschungsunternehmen in Großgriechenland (Metapont, Sybaris, Syrakus, Segesta, Selinunt) und Tunesien (Chemtou, Karthago) geführt. Auf dem Gebiet der → Christl. Arch. beteiligte sich das Inst. u. a. an der Aufnahme der Katakomben und der Veröffentlichung ihrer Malereien in Rom.

Gleichzeitig mit der Umwandlung des *Inst. für arch. Korrespondenz* in ein *Deutsches Archäologisches Institut* erfolgte 1874 die Gründung einer Zweiganstalt in Athen. In Griechenland hatte schon seit dem Befreiungskrieg lebhafte Forschungstätigkeit eingesetzt, die v. a. von der 1837 gegr. *Griechischen Archäologischen Gesellschaft* getragen wurde und an der neben anderen europ. Gelehrten auch dt. Archäologen und Architekten beteiligt waren. Seit 1846 existierte in Athen ein Französisches Archäologisches Institut und 1882 und 1895 folgten die Gründungen ähnlicher Inst. durch Amerika und England. Anders als in Rom lag der Schwerpunkt der Arbeit des Inst. in Athen von Anfang an auf arch. Landeskunde, top. Forsch. und Ausgrabungen. Neben zahlreichen kleineren Grabungsunternehmungen, die das Athener Inst. in vielen Teilen Griechenlands durchgeführt hat, haben sich v. a. vier große, langfristig angelegte Forschungsvorhaben bis h. gehalten: Die 1875 begonnenen Ausgrabungen in → Olympia wurden zwar als »Reichsgrabungen« von Berlin aus geleitet und gingen erst 1937 in die Verantwortung des DAI über, waren aber von Anfang an auf das engste mit der Abteilung Athen des DAI verbunden. Von dieser ersten systematischen Großgrabung der klass. Arch., die nicht nur einzelnen Denkmälern galt, sondern die Gesamtheit der Bauten und Funde im histor. Kontext erforschte, sind entscheidende methodische Impulse auf die arch. Ausgrabungstätigkeit ausgegangen. Die von Schliemann begonnenen Ausgrabungen in Tiryns wurden seit 1905 durch das DAI weitergeführt; die im Auftrag der Berliner Museen begonnenen Ausgrabungen auf Samos gingen seit 1925 an das DAI über, und die von der Griechischen Archäologischen Gesellschaft begonnenen Ausgrabungen im Kerameikos von Athen werden seit 1913 durch das DAI fortgesetzt. Das DAI Athen unterstützt außerdem Forschungsunternehmen dt. Univ. und Wissenschaftler in Griechenland und führt baugeschichtliche und landeskundliche Forsch. durch.

Um die Jahrhundertwende hatten sich unter dem wachsenden Einfluß des → Historismus Interessen und Ziele der arch. Forsch. von dem klassizistischen Antikenbild und einer überwiegend philol. und kunsthistor. geprägten Methodik ihrer Anfänge hinweg immer stärker in Richtung einer an den Ergebnissen von Feldforsch. orientierten empirischen Sachkunde verlagert. In diesem Zusammenhang bedeutete die 1902 vollzogene Gründung der Röm.-German. Kommission (RGK) in Frankfurt eine entscheidende und zeitgemäße Ausweitung des Tätigkeitsfeldes des DAI. Durch diese neue Zweiganstalt sollte der Vorgeschichtsforsch. und der provinzialröm. Arch. (→ Provinzialarchäologie), die bis dahin v. a. durch regionale Denkmalpflegeeinrichtungen und Altertumsvereine sowie die Reichslimeskommission getragen worden waren, ein institutioneller Mittelpunkt in Deutschland gegeben werden.

Eigene Ausgrabungen führte die RGK zunächst nicht durch, sondern beteiligte sich an bestehenden Unternehmungen, wie z.B. in Haltern oder in Trier. Das Schwergewicht der Tätigkeit lag auf der Förderung systematischer Stud. und der zusammenfassenden Veröffentlichung von Forschungsergebnissen in Zeitschriften, Publikationsreihen und Monographien. Hierdurch sowie durch die stetig angewachsene umfassende Fachbibl. hat sich die RGK zu einem bedeutenden Forschungszentrum für die vor- und frühgeschichtliche Arch. Europas und die Arch. der röm. Prov. entwickelt, dessen Wirkungskreis weit über die Nationalgrenzen hinausgreift. So wurde die RGK in den Jahrzehnten der polit. Teilung Europas nach dem II. Weltkrieg zur wichtigsten Verbindungsstelle der »westl.« Arch. mit Wissenschaftlern und Institutionen der Länder Ost- und Südosteuropas. Erst in neuerer Zeit führt die RGK auch selbst Ausgrabungen durch. Die umfangreichste Unt. dieser Art gilt seit 1955 dem kelt. Oppidum von Manching. Hinzu kommen problemorientierte Unt. in röm. Kastellen und Siedlungen sowie neuerdings, teilweise in

Zusammenarbeit mit einheimischen Wissenschaftlern, Ausgrabungen an den weitläufigen Angriffs- und Verteidigungsanlagen von Alesia (Burgund) aus der Zeit der Belagerung durch Cäsar, in der eisenzeitlichen Höhensiedlung von Soto de Bureba in Spanien und in prähistor. Siedlungsplätzen bei Kirklareli in Türk.-Thrakien. Nach der dt. Wiedervereinigung, in deren Folge die RGK Personal und Unternehmungen vom *Zentralinstitut für Alte Geschichte und Archäologie der Akademie der Wissenschaften der DDR* (ZIAGA) übernehmen konnte, ist auch die dt.-bulgarische Ausgrabung des spätröm. Militärstützpunktes von Iatrus/Krivina hinzugekommen und das dt.-polnische Forschungsprojekt *Mensch und Umwelt im Odergebiet in ur- und frühgeschichtlicher Zeit* begonnen worden. Charakteristisch für die Ziele und die internationale Ausrichtung der RGK ist z.B. die Koordination und Herausgabe der arch. Quellensammlung *Corpus der röm. Funde im europ. Barbaricum*, an der Wissenschaftler aus ganz Nord-, Mittel- und Osteuropa beteiligt sind.

Die stürmische Entwicklung, die die Arch. seit dem späten 19. Jh. auf dem Gebiet der Ausgrabungen und Neuentdeckungen weit über It. und Griechenland hinaus genommen hatte, gab auch dem weiteren Wachstum des DAI die Richtung. Sichtbaren Ausdruck fand diese Entwicklung durch die Eröffnung von Abteilungen des Inst. in Kairo und Istanbul zum 100-jährigen Jubiläum des DAI 1929. In beiden Fällen handelt es sich um die Fortsetzung bzw. Übernahme bereits bestehender dt. Forschungseinrichtungen.

Vorgänger des DAI Kairo war das 1907 gegr. *Deutsche Institut für ägyptische Altertumskunde*. Dieses hatte, in Verbindung mit der → Deutschen Orient-Gesellschaft, den Berliner Mus. und der Berliner Akad. bereits eine umfangreiche Forsch.- und Ausgrabungstätigkeit in Ägypten entfaltet (Abusir, Amarna etc.), die in der Folge vom DAI fortgeführt und erweitert wurde. Das Aufgabengebiet des Inst. umfaßte alle Kulturen Ägyptens von der Steinzeit bis zum islamischen MA, mit bes. Betonung der altägypt. Hochkultur. Feldforsch. und deren Veröffentlichung bildeten von Anfang an den Schwerpunkt der wiss. Tätigkeit der Abteilung. Insbes. seit der Wiedereröffnung nach dem II. Weltkrieg im Jahre 1955 haben sich die Ausgrabungstätigkeiten auf vielfältige Bereiche ausgeweitet: z.B. planmäßige Freilegung und Erforsch. der südl. Grenzstadt Elephantine und ihrer über 3000-jährigen Geschichte; langjährige Unt. der Nekropolen und des Totentempels Sethos' I. im Westen von Theben, der Pyramiden und Nekropolen von Dashur sowie in Buto, der vorgeschichtlichen Hauptstadt Unterägyptens; Nachgrabungen in der Königsnekropole von Abydos mit bedeutenden Ergebnissen zur Frühzeit Ägyptens; Stadtgrabung und Erforsch. des Orakeltempels in der Oase Siwa; großflächige Erforsch. der frühchristl. Stadt und Wallfahrtsstätte des Hl. Menas (Abu Mina) sowie baugeschichtliche Forsch. und Restaurierungen an islamischen Bauten der Altstadt von Kairo.

In Istanbul knüpfte die Gründung einer Abteilung des DAI 1929 an eine Forschungsstation an, die die Königlich-Preußischen Mus. zu Berlin dort seit dem ausgehenden 19. Jh. für die Ausgrabungen in Pergamon, Magnesia, Priene, Milet und Didyma unterhalten hatten. Schon vor der eigentlichen Niederlassung am Bosporus hatte sich das DAI, teils durch die Abteilung Athen (Troja, Gordion, Pergamon), teils auch von Berlin aus (Boğazköy) zunehmend in die arch. Feldforsch. in Anatolien und ganz Kleinasien eingeschaltet. Das Aufgabengebiet des DAI Istanbul umfaßte außer der Vorgeschichte Anatoliens und der klass. Ant. auch christl. Arch., → Byzantinistik und Orientalistik. Entsprechend vielfältig entwickelte sich das Arbeitsprogramm der Abteilung, das neben der Fortführung bzw. Wiederaufnahme der älteren Großgrabungen in der Westtürkei auch Ausgrabungen und baugeschichtlichtop. Forsch. zu spät-ant., byz. und islamischen Bauten in Istanbul und Iznik zum Schwerpunkt hatte. Die langjährigen systematischen Ausgrabungen in Boğazköy führten zur Entdeckung der bis dahin fast unbekannten hethitischen Kultur und Geschichte. Zu diesen älteren Forschungsunternehmen, die auch h. noch andauern, traten nach dem II. Weltkrieg erneut Ausgrabungen in → Aizanoi sowie neuerdings Ausgrabungen jungsteinzeitlicher Siedlungen in Südostanatolien.

Die ebenfalls schon seit 1929 ins Auge gefaßte Einrichtung einer Zweigstelle in Madrid konnte 1943 verwirklicht werden, kam aber bis Kriegsende nicht über bescheidene Anfänge hinaus. Erst seit der Wiedereröffnung 1957 hat sie eine intensive Forschungsaktivität auf vielen Gebieten der vor- und frühgeschichtlichen, röm., westgotischen und islamischen Kulturepochen der Iberischen Halbinsel und teilweise auch Marokkos entfaltet. An bedeutenden Grabungs- und Forschungsunternehmen sind hier hervorzuheben: Die frühbronzezeitlichen Siedlungen von Zambujal (Portugal) und Fuente Alamo, phönizische Handelsniederlassungen bei Torre del Mar (Malaga), Terrassenheiligtum und städtische Anlagen des röm. Munigua und das monumentale spät-ant. Mausoleum (des Kaisers Constans?) in Centcelles bei Tarragona. 1971 wurde eine Außenstelle der Abteilung Madrid in Lissabon eröffnet, die kleinere Forsch. zur Vorgeschichte und Römerzeit Portugals durchführte.

Eine wichtige Erweiterung des altertumswiss. Fächerspektrums des DAI bedeutete die 1967 erfolgte Eingliederung der 1951 gegr. → Kommission für Alte Geschichte und Epigraphik in München. Der Schwerpunkt ihres Arbeitsgebietes liegt auf den mit der Arch. bes. eng verbundenen Fachgebieten Epigraphik und Numismatik: u.a. Bearbeitung und Publikation von Inschr. und Münzen aus Grabungen des DAI, Herausgabe lat. Inschr. der Iberischen Halbinsel im Rahmen des CIL, Herausgabe der *Sylloge nummorum graecorum Deutschland* und althistor. Monographiereihen.

Im Nahen Osten, wo schon seit dem späteren 19. Jh., v.a. durch die Deutsche Orient-Gesellschaft, bahnbrechende Ausgrabungen und Entdeckungen deutscher Archäologen eingesetzt hatten (Babylon, Assur), hat das DAI erst nach dem II. Weltkrieg festen Fuß gefaßt, als mit der Entstehung unabhängiger Staaten die Voraussetzungen entstanden waren, dauerhafte Zweigstellen des Inst. einzurichten, die im gegenseitigen Interesse der dt. und einheimischen Forsch. lagen. Die 1955 eröffnete Abteilung Baghdad widmete sich neben einer begrenzten Fortführung der Ausgrabungen in Babylon insbes. der intensiven und großflächigen Ausgrabung von Uruk, durch die die Geschichte und Gestalt dieser Stadt von der frühsumerischen Zeit bis in die hell.-parthische Zeit erhellt wurden. Durch die 1980 einsetzenden Kriegsereignisse in Irak wurde die Abteilung Baghdad in ihren Arbeitsmöglichkeiten so sehr eingeschränkt, daß die Bibl. und das Personal zunächst nach Berlin zurückgezogen werden mußten. 1996 wurde die Abteilung in die neugegr. Orient-Abteilung des DAI in Berlin als Außenstelle integriert.

Mit der 1961 erfolgten Gründung einer Abteilung in Teheran knüpfte das DAI an bedeutende dt. Forsch. und Publikationen zur Arch. und islamischen Kunstgeschichte des Iran an und entwickelte rasch eine ausgedehnte Forschungstätigkeit im Lande. Ausgrabungen wurden v.a. in dem sasanidischen Hauptheiligtum Takht-i Suleiman sowie bei Bisutun und in der urartäischen Burgstadt von Bastam (Aserbaidschan) durchgeführt. Hinzu kamen bau- und kunstgeschichtliche Unt. an achämenidischen und sasanidischen Denkmälern (Persepolis, Firuzabad, Qaleh Dukhtar) sowie ausgedehnte Feldforsch. zu islamischen Karavanserails. Die islamische Revolution im Iran zwang 1979 zum Rückzug der Wissenschaftler aus Teheran nach Berlin. Seitdem waren nur noch Forschungsreisen zu landeskundlichen und baugeschichtlichen Unt. möglich. Seit 1995 ist die Abteilung Außenstelle der Eurasien-Abteilung des DAI.

Wesentlich verstärkt und bereichert wurden die Forsch. des DAI im Nahen Osten durch die Einrichtung kleinerer Außenstellen im Jemen und in Syrien. Arbeitsschwerpunkt der 1978 eröffneten Außenstelle in Sanaa ist die altsüdarab. Kultur: z.B. Ausgrabungen und Forsch. in der Hauptstadt des Sabäerreiches Marib, in Sirwah sowie in der bronzezeitlichen Siedlung von Sabir bei Aden. Eine 1980 eröffnete Außenstelle in Damaskus richtet ihre Forschungstätigkeit v.a. auf die röm., frühchristl. und islamischen Monumente Syriens: Ausgrabungen in der Kalifenstadt Raqqa und in der frühchristl. Pilgerstadt Resafa, architektur- und städtebauliche Forsch. in ant. Städten des Hauran und anderen kaiserzeitlichen Monumenten des Landes, islamische Baugeschichte. Seit 1996 ist die arch. Orientforsch. des DAI in der Orient-Abteilung zusammengefaßt, die ihren Sitz in Berlin hat und Außenstellen in Baghdad, Sanaa und Damaskus unterhält.

1979 wurde anläßlich der 150-Jahrfeier des DAI die *Kommission für Allgemeine und Vergleichende Archäologie* (KAVA) mit Sitz in Bonn gegr. Damit trug das DAI der

Entwicklung der Arch. Rechnung, die längst die Grenzen der Alten Welt überschritten hatte und zur Grundlagenforsch. aller histor. Kulturen der Welt geworden ist. Mit der Bonner Zweigstelle wird das Ziel verfolgt, durch genau definierte Feldforschungsprojekte Beiträge zur Kultur- und Geschichtswiss. anderer Erdteile zu leisten und durch übergreifende Stud., Tagungen und Publikationen charakteristische interkulturelle Phänomene wiss. zu erarbeiten. Die Forschungsschwerpunkte der KAVA liegen gegenwärtig in Guatemala, Sri Lanka, Nepal, Marokko und Vietnam.

Die jüngste Erweiterung des Inst. ist eine Folge der dt. Einigung. 1992 übernahm das DAI eine Anzahl von Mitarbeitern und arch. Einrichtungen des ehemaligen *Zentralinstituts für Alte Geschichte und Archäologie der Akademie der Wissenschaften der DDR* und gliederte diese zunächst als *Arbeitsbereich für Ur- und Frühgeschichte* der Röm.-German. Kommission als Berliner Außenstelle an. Mit diesem Zuwachs haben auch die arch. Naturwiss. ihren Einzug in das DAI gehalten (Paläobotanik, Archäozoologie, Dendrochronologie und Radiokarbondatierung). 1995 wurde aus dieser Erweiterung die Eurasien-Abteilung gebildet, deren Arbeitsgebiet das östl. Europa und Mittelasien umfaßt. Damit wird es möglich, auf die nach Auflösung der Sowjetunion völlig veränderte polit. Situation angemessen zu reagieren und die seit Jahrzehnten weitgehend brachliegenden Beziehungen zu den Ländern dieser Region wieder aufzunehmen. In wenigen Jahren seit ihrer Gründung hat die Eurasien-Abteilung bereits ein umfangreiches Grabungs-, Forsch.- und Publikationsprogramm entwickelt: Ausgrabungen der griech. Kolonie Tanais am Don, in der spätbronzezeitlichen Stadtanlage Dzarkutan in Usbekistan, in verschiedenen Gräberfeldern und Kurganen in Südsibirien und Kazachstan, weitere Forschungsprojekte in Georgien und Tadjikistan.

D. AUFGABEN UND ZIELE

Der Forschungsauftrag des DAI umfaßt alle Gebiete der Arch. und ihrer Nachbarwiss. mit bes. Betonung von Grundlagenforsch. und Quellenerschließung. Diesem Zweck dienen vornehmlich Ausgrabungen und arch.-landeskundliche Unt., ferner baugeschichtliche Forsch., die systematische Photodokumentation von Denkmälern und Sammlungen sowie die Herausgabe von Publikationen. Ausgrabungen werden in enger Zusammenarbeit mit den arch. Behörden und Institutionen der Gastländer durchgeführt. Charakteristisch für die Arbeit des DAI sind langfristige Unternehmen und eine interdisziplinäre Arbeitsweise, durch die geschichtlich bes. bedeutsame Ruinenstätten über längere Zeit hinweg systematisch und in ihrer Gesamtheit erforscht werden können. Einen traditionellen Schwerpunkt der Institutsarbeit, der eng mit der Grabungstätigkeit zusammenhängt, bildet die Baugeschichtsforsch., d. h. die Aufnahme und wiss. Erschließung von Baudenkmälern der griech.-röm. Ant., Vorderasiens und Ägyptens, des frühen Christentums und des Islam. Die Verbindungen innerhalb der Baugeschichte, insbes. auch zu den Tech-

nischen Univ., betreut das Architekturreferat bei der Zentrale. Ein Spezialgebiet der archäologischen Bauforschung, das zunehmend an Bed. gewinnt, ist die Konservierung und Restaurierung ant. Architektur. Anders als im 19. Jh. gehört es h. zur Verantwortung gegenüber den histor. Monumenten und Grabungsplätzen, sie nach der Freilegung nicht sich selbst zu überlassen, sondern den originalen Bestand gegen weiteren Verfall zu sichern und, soweit sinnvoll, durch zurückhaltende Ergänzungen für Besucher anschaulich zu machen. Das DAI kommt dieser Verpflichtung im Rahmen der von ihm betreuten Projekte nach und übernimmt zusätzlich die wiss. Planung und Leitung von Restaurierungsvorhaben, die von anderen Institutionen finanziert und durchgeführt werden.

Zu den wichtigsten Aufgaben des DAI zählt die Vermittlung von Forschungsergebnissen durch Publikationen. Jede Zweigstelle gibt eine jährlich erscheinende Zeitschrift und mindestens eine Monographienserie heraus, die Zentrale das *Jahrbuch des DAI* und den vierteljährlich erscheinenden *Archäologischen Anzeiger* sowie einen großen Teil der Buchveröffentlichungen. In diesen Periodika und Monographien werden nicht nur die wiss. Arbeiten der Mitarbeiter, sondern zu einem erheblichen Anteil auch Schriften anderer Altertumswiss. des In- und Auslandes veröffentlicht. Ein großer Teil der dt. Forschungsliteratur auf dem Gebiet der Arch. und Baugeschichte ist in den Publikationen des DAI erschienen. Die Endergebnisse der großen und langfristigen Ausgrabungen werden in Monographienreihen veröffentlicht. Eine andere Art fortlaufender Veröffentlichungen stellen systematische Material- oder Denkmälereditionen dar, die das DAI, teilweise in Kooperation mit Institutionen des In- und Auslandes, herausgibt. Die in der Satzung festgelegte Aufgabe der Förderung des Gelehrtennachwuchses geschieht durch die Vergabe von Reise- und Forschungsstipendien sowie durch die Mitarbeit von Studenten und jüngeren Archäologen in den Forsch.- und Publikationsprojekten des DAI.

Internationale Zusammenarbeit ist eine notwendige Bedingung der Arch. als histor. Grundlagenforsch. Aufbau und Arbeitsweise des DAI sind auf die Pflege der internationalen Beziehungen als charakteristische Aufgabe angelegt. Der Einrichtung von Auslandsabteilungen liegt nicht nur das dt. Interesse an Arch. zugrunde, sondern der Wunsch der Wissenschaftler und Institutionen anderer Nationen nach einer dauerhaften und verantwortlichen Präsenz des DAI in ihren Ländern. Die Auslandsabteilungen sind deshalb, wie entsprechende Institutionen anderer Länder, in das wiss. und kulturelle Leben der Gastländer integriert. Ihre Bibl. zählen zu den wichtigsten Fachbibl. dieser Länder und bieten einheimischen Wissenschaftlern den Zugang zur internationalen Forschungslit. Die Photoarchive bilden einen wertvollen Bestandteil der arch. Landesdokumentation und erfüllen weit über die Belange des DAI hinaus den Bedarf der einheimischen und internationalen Forsch. an hochwertigem wiss. Bildmaterial.

Für Altertumswissenschaftler aus Deutschland und anderen Ländern sind die Abteilungen des DAI Stützpunkte und Vermittler zu Behörden und Institutionen des Gastlandes. Auch die in Deutschland ansässigen Kommissionen und Abteilungen sind entsprechend dem fach- und länderübergreifenden Forschungsspektrum ihrer Aufgaben international orientiert. In ihrer Arbeit spielen gemeinsame Forschungsprojekte mit ausländischen Partnern, die Beteiligung an internationalen Publikationsprojekten und die Veröffentlichung von Forschungsergebnissen der Wissenschaftler anderer Länder eine bedeutende Rolle. Wesentlich gefördert werden die auswärtigen Beziehungen des DAI durch ein Stipendienprogramm zur Einladung ausländischer Wissenschaftler sowie das Lepsius-Kolleg in Berlin, das als Gästehaus des DAI eine lebendige, in dieser Form einzigartige Stätte der Begegnung für Archäologen aus aller Welt darstellt.

→ Deutschland (19. Jh.; 20. Jh.)

1 F. W. DEICHMANN, Vom internationalen Privatverein zur preußischen Staatsanstalt. Zur Gesch. des Ist. di Corrispondenza Archeologica = Das DAI, Gesch. und Dokumente 9, 1986 2 K. JUNKER, Das Arch. Inst. des Dt. Reiches zw. Forsch. und Politik. Die Jahre 1929 bis 1945, 1997 3 A. RIECHE (Hrsg.), Die Satzungen des DAI 1828 bis 1972 = Das DAI, Gesch. und Dokumente 1, 1979 4 G. RODENWALDT, Arch. Inst. des Dt. Reiches 1829–1929, 1929 5 V. M. STROCKA, H.-G. KOLBE, 150 Jahre DAI, in: W. ARENHÖVEL (Hrsg.), Berlin und die Ant., Kat.-Bd., Ausstellungskat. Berlin, 1979, 419–429 6 C. WEICKERT, Das DAI: Gesch., Verfassung, Aufgaben, ²1950 7 L. WICKERT, Beiträge zur Gesch. des DAI 1879 bis 1929 = Das DAI, Gesch. und Dokumente 2, 1979

ABTEILUNGEN:

8 F. W. DEICHMANN, TH. KRAUS, Abteilung Rom, in: K. BITTEL et al., Beitr. zur Gesch. des DAI 1929 bis 1979, Teil 1 = Das DAI, Gesch. und Dokumente 3, 1979, 1–39 9 A. RIECHE, 150 Jahre DAI Rom. Ausstellungskat. Bonn, 1979 10 L. WICKERT, Beitr. zur Gesch. des DAI 1878 bis 1929 = Das DAI, Gesch. und Dokumente 2, 1979, 27–82 11 U. JANTZEN, 100 J. Athener Inst. 1874–1974 = Das DAI, Gesch. und Dokumente 10, 1986 12 H. KYRIELEIS, Abteilung Athen, in: K. BITTEL et al., Beitr. zur Gesch. des DAI 1929 bis 1979, Teil 1 = Das DAI, Gesch. und Dokumente 3, 1979, 41–64 13 L. WICKERT, Beitr. zur Gesch. des DAI 1879 bis 1929 = Das DAI, Gesch. und Dokumente 2, 1979, 83–99 14 K. BITTEL, Beitr. zur Gesch. des DAI 1929 bis 1979, Teil 1. Das DAI, Gesch. und Dokumente 3, 1979, 65–91 (Istanbul) 15 W. GRÜNHAGEN, Abteilung Madrid, in: K. BITTEL u. a., Beitr. zur Gesch. des DAI 1929 bis 1979, Teil 1 = Das DAI, Gesch. und Dokumente 3, 1979, 117–165 16 W. KAISER, Abteilung Kairo, in: K. BITTEL et al., Beitr. zur Gesch. des DAI 1929 bis 1979, Teil 1 = Das DAI, Gesch. und Dokumente 3, 1979, 93–116 17 Ders., 75 Jahre DAI Kairo 1907–1982 (DAI / Abteilung Kairo, Sonderschrift 12, 1982) 18 FS zum 75jährigen Bestehen der RGK. Beiheft zum 58. Bericht der RGK, 1977 (1979) 19 25 Jahre RGK. Zur Erinnerung an die Feier des 9.–11. Dezember 1927, 1930 20 W. WURSTER, Was macht die KAVA in Bonn?, in: Ant. Welt 25/3, 1994, 226–236 21 H. PARZINGER, H. KYRIELEIS, G. KOSSACK, Gründungsveranstaltung der Eurasien-Abteilung des DAI

am 8. Februar 1995, in: Eurasia Antiqua 1, 1995, 1–43 22 H. PARZINGER, Arch. am Rande der Steppe. Die Eurasien-Abteilung des DAI, in: Ant. Welt 29/2, 1998, 97–108.   HELMUT KYRIELEIS

Deutschland

I. BIS 1600   II. BAROCK   III. BIS 1806
IV. 19. JAHRHUNDERT BIS 1918
V. 20. JAHRHUNDERT (AB 1918)

I. BIS 1600

A. GESCHICHTE UND SOZIALE ENTWICKLUNG UNTER DEN KAROLINGERN BIS 918
B. GESCHICHTE UND SOZIALE ENTWICKLUNG VON 919–1250
C. GESCHICHTE UND SOZIALE ENTWICKLUNG VOM INTERREGNUM BIS ZUR REFORMATION (1250–1519)
D. GESCHICHTE UND SOZIALE ENTWICKLUNG IM ZEITALTER DER REFORMATION UND DER BEGINNENDEN GEGENREFORMATION (1500–CA. 1600)

A. GESCHICHTE UND SOZIALE ENTWICKLUNG UNTER DEN KAROLINGERN BIS 918

Mit der Kaiserkrönung Karls des Gr. (800) war der Grundstein für das ma. dt. Reich gelegt. Die während der großen Völkerwanderung seßhaft gebliebenen Germanenstämme bildeten mit einigen *foederati*, Roms einstigen Verbündeten, in einem längeren Prozeß das dt. Volk. Um viele *villae* entstanden, wie schon am Namen bes. im Rheinland ersichtlich, größere Gemeinden, aber auch unabhängig davon neue Ortschaften. Lat. blieb die Bildungssprache. Das → Mittellatein hatte Elemente des Vulgärlat. mit den sich herausbildenden Nationalsprachen verschmolzen. Die Kontinuität blieb weitgehend bewahrt in der Verwaltung und im Sozialwesen, während das spät-ant. Schulwesen durch kirchliche Einrichtungen wie Klöster und → Domschulen übernommen wurde. Der überwiegend germanischstämmige Adel begnügte sich mit Hauslehrern und war mehr an der kriegerischen Ausbildung interessiert. Dies führte – von Ausnahmen abgesehen – zu zunehmendem Bildungsmangel in der Aristokratie, der erst mit dem beginnenden Human. behoben wurde. Unter Karls Nachfolger Ludwig dem Frommen wurde das Reich geschwächt (Reichsteilung im Vertrag von Verdun, 843). Ludwig der Deutsche erhielt das Land östl. vom Rhein als Ostfränkisches Reich. Nach vorübergehender Wiederherstellung des fränkischen Gesamtreiches wurde 911 der bisherige Frankenherzog Konrad zum König des Ostfränkischen Reiches gewählt, das nun endgültig neben den anderen Teilreichen, → Frankreich, Burgund und → Italien, als »Dt. Reich« anzusprechen ist.

Erstmals wird der Begriff »dt.« (*theodisce*) als urspr. ›dem Volk zugehörig‹ (*thiuda* = gotisch ›Volk‹), bezogen auf die Sprache, die nicht lat. war, um 786/788 beim Erbschwur bezeugt. *Theutiscus*, latinisiert *t(h)eutonicus*, als Substantiv ist im 9. Jh. aus It. überliefert [1]. Seit Anf. des 11. Jh. wird vom *Regnum Theutonicum* gesprochen, die Umschreibung »Röm. Reich Dt. Nation« setzte sich erst mit der Zeit Kaiser Maximilians am E. des 15. Jh. durch.

1. BILDUNG, KUNST UND LITERATUR

Unter Karl dem Gr. wurde eine Erneuerung der Bildung bewußt angestrebt, die eine Blüte an der Hofschule in Aachen erlebte. Angesehene Gelehrte wie Alkuin und Paulus Diaconus begannen, die gesamte Überlieferung zu sammeln und die Werke der Kirchenväter wie der paganen Autoren zu emendieren. Die Erhaltung eines Großteils der lat. Lit. der Ant. und Spät-Ant. ist ihrer Tätigkeit zu verdanken. Große Verdienste haben sich bei der Vermittlung der ant. Kultur und Lit. Klöster wie das auf der Reichenau und in St. Gallen erworben. Die Sprache wurde weiterentwickelt, die Heldenlieder aufgezeichnet und die → Historiographie erneuert. Der neue Schrifttyp der karolingischen (Buch-)Minuskel, auf spätröm. Vorbild beruhend, wurde an den Schreibschulen entwickelt, ebenso eine eigene Kunst, die sich neben der Architektur auch auf die Wand- und Buchmalerei, auf die Goldschmiedekunst u. a. erstreckte.

Die herausragende Persönlichkeit der Karolingerzeit ist der Geschichtsschreiber und Leiter der Bauten am Hofe Karls des Gr., Einhard (um 770– † wohl 14.3.840). Im sog., nur als Nachzeichnung erhaltenen Einhardsbogen ist das neue ikonographische Programm der *Renovatio* feststellbar. Der kostbare Untersatz für ein Reliquienkreuz, als ein röm. → Triumphbogen gestaltet, vereinigt in sich die irdische Sphäre des Herrschers mit der heilsgeschichtlichen. Der Triumphbogen der röm. Kaiser wird in die christl. Thematik »übersetzt«: anstelle der Statue des Kaisers steht der Gekreuzigte als ewiger Sieger, der Stifter (Einhard) nennt sich selbst *peccator* (Sünder). In seiner Biographie Karls des Gr. (*Vita Karoli Magni*) orientierte sich Einhard zwar an Suetons *Augustus-Vita*, schuf aber dennoch ein eigenständiges Werk. Der fränkische Gelehrte Hrabanus Maurus (um 780–856) ist als wesentlicher Vermittler ant. Bildung, bes. durch seine Schrift *De institutione clericorum* (*Unterweisung der Geistlichen*), für das ostfränkische Gebiet bedeutsam geworden.

Die mittellat. Lit. erreichte nach der Verfalls- und Übergangszeit unter den Karolingern eine erste Blüte (sog. → Karolingische Renaissance), die noch wesentlich mit den Darstellungsmitteln der Ant. verknüpft war. Ant. Trad. verbanden sich mit ma. Elementen in zahlreichen Gattungen zu einem neuen Ganzen, bes. in der → Biographie (Einhard, Notker) und Historiographie (Gregor von Tours, Paulus Diaconus). Der christl. Aspekt wurde als ebenbürtig gegenüber dem ant. empfunden.

2. BAUSTIL DER ROMANIK

Die neue Auffassung kommt bes. deutlich in der Architektur zum Ausdruck, die sich im bewußten Rückgriff auf die röm. Vorbilder und teilweise in der Abgrenzung zu byz. Palästen entwickelte. Die Verwendung von Bronzeportalen, Rundbogen, Pfeilern, Säulen, Tonnengewölben und Kuppeln verweist auf Röm., die achteckigen Zentralbauten und die Krypta sind hingegen eher Eigenschöpfungen. Der Begriff Romanik (*romanesque*) wurde um 1820 von frz. Gelehrten für den steinernen Rundbogenstil unter Hinweis auf die Verwandtschaft zur röm. Architektur gewählt. In D. entstanden diese Formen ein paar Jahrzehnte später als in Frankreich. Das »Münster« der von Karl dem Gr. gegr. Pfalz in Aachen greift als 796–805 errichteter Zentralbau auf spät-ant. Vorbilder wie San Vitale zu Ravenna zurück. In ihm manifestierte sich die Aufnahme der röm. Reichsidee durch den Frankenkönig, der auch in ihm beigesetzt ist. Von 813–1531 war er folgerichtig die Krönungsstätte der fränkischen und dt. Könige. Gernrode, St. Michael in Hildesheim und der Dom zu Speyer – dieser als größtes Bauwerk (um 1030) seit dem E. der Ant. – sind als herausragende Bauten der → Romanik in D. zu nennen. St. Pantaleon in Köln ahmt die Aachener Pfalzkapelle nach. Der romanische Kirchenbau wird durch die Einführung der Überwölbung großer Räume bestimmt, zunächst in den Seitenschiffen, dann auch im Mittel- und Querschiff.

B. GESCHICHTE UND SOZIALE ENTWICKLUNG VON 919–1250

Mit Heinrich I. (919–936), dem ersten Herrscher aus dem sächsischen Hause der Ottonen, wird das Königtum wieder gefestigt. Er unterwarf Böhmen und die Slawen östl. der Elbe und drängte die Einfälle der Ungarn zurück. Sein Sohn Otto I. baute das Königtum (936–973) aus. Er stützte sich auf die Bischöfe und entmachtete die Stammesherzöge. Im slawischen Osten errichtete er Marken und Bistümer. Er gewann die Oberhoheit über It. 962 ließ er sich vom Papst zum röm. Kaiser krönen. Damit begründete er das röm.-dt. Kaisertum der Folgezeit. Mit der Kaiserwürde war die ant. Trad. der universalen Ansprüche übernommen worden. Der Reichstitel war seit Anfang des 11. Jh. – in Anlehnung an das ant. Vorbild *Imperium Romanum-Sacrum Imperium* (seit der Mitte des 13. Jh.). Der Titel »Hl. Röm. Reich Dt. Nation« bezeichnet nur den von Deutschen bewohnten Reichsteil. Er kam erst unter Kaiser Friedrich III. auf (1440–1493). Otto II. (973–983) hatte in Kämpfen mit Sarazenen und Byzantinern in Unter-It. sein Reich zu verteidigen. Ein großer Aufstand der Elbslawen führte 983 zum Verlust dt. Eroberungen im Osten. In It. nannte sich Otto wie die oström. Kaiser *Romanorum Imperator Augustus*. In Verona ließ er von den Fürsten seinen jungen Sohn zum König wählen, der als Otto III. (983–1002), von seiner Mutter, der einstigen byz. Prinzessin Theophanu, unterstützt, den universalen Gedanken des Kaisertums übernahm. Mit Konrad II. (1024–1039), dem Nachkommen einer Tochter Ottos I., bestieg das fränkische oder salische Haus den Thron. 1034 vereinigte er das Königreich Burgund in Personalunion mit Deutschland. Heinrich III. (1039–1056) festigte mit der Einsetzung dt. Bischöfe seine Macht in It. Papst Gregor VII. erstrebte dagegen – mit der Folge des Investiturstreits – die Befreiung der Kirche von jeder weltlichen Herrschaft. Mit Heinrich V. (1106–1125) starb das fränkische Kaiserhaus aus. Unter dem Staufer Friedrich I. Barbarossa (1152–1190) gelangte das Reich nochmals zu großer Machtfülle. Sein Enkel Friedrich II. verlagerte seine Interessen nach It. Mit seinem Tod im J. 1250 endet die große Zeit des ma. dt. Kaisertums.

1. BILDUNG, KUNST UND LITERATUR

Mit Mittellat. wird die lat. Sprache vom 6. Jh. bis zum Ren.-Human. bezeichnet. Lit. Neuschöpfungen waren Sequenz, Tropus, rhythmische Dichtung und der Reim, das geistliche Drama und das Tierepos. Der quantitative Umfang dieser Schriften ist weit größer als der der erhaltenen ant. Lit. Das ist zum einen auf die direkte Überlieferung in recht zahlreichen Hss. zurückzuführen, zum anderen aber auf die größere räumliche Ausdehnung über fast ganz Europa. Die röm. Kirche war mit ihren Autoren und ihrem Publikum die Hauptträgerin des Mittellat., das im 12./13. Jh. seine Hochblüte erreichte.

Ant. Trad. und ma. Wesenszüge verschmolzen in zahlreichen Gattungen zu einem neuen Ganzen, insbes. in der Geschichtsschreibung (zu nennen sind bes. die Reichsgeschichte Thietmars von Merseburg um 1000, die zeitgeschichtlichen Annalen Lamberts von Hersfeld, 11. Jh., und die geschichtsphilos. Weltchronik Ottos von Freising, 12. Jh., die auf Augustinus' Lehre von den zwei Reichen fußt). Für die Überlieferungsgeschichte der röm. Historiker spielten die Klöster Fulda, Hersfeld und Corvey eine herausragende Rolle. Aus den Anekdoten und sagenhaften Stoffen um Karl den Gr. entstand die Erzähllit. Dazu gehört eine um 1170 im Auftrag Heinrichs des Löwen verfaßte Übertragung der *Chansons de Roland*, die um 1233 modernisiert wurde. Weit verbreitet war die Sammlung unhistor. weltlicher Geschichten in den *Gesta Romanorum* (Anfang 14. Jh.), in denen über 300 Erzählungen, Novellen, Märchen und Legenden ant., christl. und oriental. Ursprungs vereint sind, die oft willkürlich auf die röm. Geschichte bezogen wurden. Verf., Sammler und Entstehungsort sind unbekannt. Einen starken Einfluß auf die Legendlit. und bildende Kunst hatte die *Legenda aurea*, Lebensbeschreibungen der Kalenderheiligen des Dominikaners Jacobus de Voragine (1226–1298).

Theologische und philos. Traktate erreichten ihren Höhepunkt mit der → Scholastik. Der Dominikaner Albertus Magnus (gest. 1280) stellte die Lehren des Aristoteles in einem Gesamtsystem unter Einbeziehung der inzwischen bekannt gewordenen arab. Kommentatoren zusammen. In der Ethik kombinierte er die ant. mit den christl. Tugenden. Er vertrat das Prinzip der Willensfreiheit, das später in der Auseinandersetzung zw. dem Human. und der Reformation eine große Rolle spielen sollte. Meister Eckart (gest. 1328) steht als Mystiker und Theologe in der (neu)platonischen Trad.

Die mittellat. dramatische Dichtung ist neben den Weihnachts- und Passionsspielen bes. durch Hrotsvith von Gandersheim (935–975) repräsentiert. Neben Heiligenlegenden und zeitgeschichtlichen Epen in Hexametern oder Distichen schrieb sie sechs Dramen in Reimprosa, um Terenz als Klerikerlektüre durch christl. Stoffe zu verdrängen. Hrotsviths Sprache ist durch ant. Dichter wie Terenz, Vergil, Prudentius und Boethius geformt. Ihre Lesedramen waren die bedeutendste Nachwirkung ant. → Komödien im MA. Sie wurden von dem Humanisten Conrad Celtis 1493 wiederentdeckt (*Editio princeps* 1501).

Das weltliche Epos wurde als Heldendichtung gepflegt. Das *Waltharilied* (9. Jh.) ist ein lat. Heldenepos in Hexametern über die Flucht Walthers von Aquitanien vom Hofe des Hunnenkönigs Etzel und den Kampf mit dem Burgunderkönig Gundahar. Die Verfasserschaft des St. Galler Mönches und Dichters Ekkehard I. wird h. bestritten. Die german. Heldensagen wurden in Anlehnung an ant. Muster wie Vergil und Prudentius mit christl. Zügen neu gestaltet.

Die Tierdichtung erreichte als Satire auf die höfische und mönchische Welt einen Höhepunkt im dt. Bereich. Der *Ysengrimus*, der Wolf als Sinnbild des unwissenden, lüsternen Klerikers, ist das bedeutendste mittellat. Tierepos, das von 1146–1148 in Gent von dem dt. Magister Nivardus in 6574 Distichen verfaßt wurde; stilistisches Vorbild ist Ovid. Ein bemerkenswerter Vertreter des Vers-Romans ist der *Ruodlieb*, der älteste Roman des dt. MA, um 1050 vermutlich in Tegernsee von einem Geistlichen in lat. Hexametern verfaßt.

Die Lyrik fand im weltlichen wie geistlichen Gewand als Vagantendichtung der fahrenden Scholaren weite Verbreitung. Bis auf Ausnahmen wie den Archipoeta, Pseudonym eines wohl dt. Ritters am Hofe Friedrich Barbarossas, blieb die Sammlung anon. Es werden Natur, Liebe, Wein und Würfelspiel voller Diesseitsfreude besungen. Daneben gibt es moralisch-satirische und polit. Gedichte gegen den Sittenverfall der Geistlichkeit. Reminiszenzen an ant. Autoren – hier bes. an Horaz und Ovid – sind häufig. Neben den *Cambridger Liedern*, in D. und Frankreich im 11. Jh. entstanden, sind die *Carmina Burana* die umfangreichste Sammlung von Vagantenliedern. Um die Mitte des 13. Jh. im bayerischen Kloster Benediktbeuren zusammengestellt, enthält sie etwa 250 mittellat., aber auch gemischtsprachige und dt. Gedichte. Der Ant. sind die *Carmina Burana* inhaltlich und formal stark verpflichtet; vielfach finden sich Anlehnungen an die augusteischen Dichter.

Variantenreich zeigte sich das geistliche wie das moralische-didaktische Lehrgedicht, ebenso die Chronik und Spruchsammlungen wie die *Disticha Catonis*, die, um 300 zusammengestellt, im MA wie bei den Humanisten als Lese- und Versübungen gebraucht wurden. Scherz- und Rätselgedicht sowie → Epigramme nach ant. Muster zu unterschiedlichsten Anlässen wirkten nachhaltig auf die volkssprachige Literaten Europas.

2. BAUSTIL DER GOTIK

Die Stilbezeichnung »gotisch« für die europ. Baukunst von 1140 bis 1520 geht auf L. B. Albertis Begriff von 1435 *mani . . . gotiche*, in lat. Übers. *rusticanae* = ›rauh‹ zurück. In der gleichen Weise unterscheidet L. Valla 1440 zw. gotischen (= schlechten) und röm. (= guten) Buchstaben, oder G. Vasari spricht 1550 in seiner Verachtung von der Kunst des Nordens von der *maniera tedesca* oder *maniera dei Goti*. Gemeint ist im Gegensatz zur Romanik das Vertikale und Illusionistische der Gotik. Die frz. Anregungen seit etwa 1140 in St. Denis wurden im dt. Raum modifiziert in Trier, Marburg, Freiburg im Br., Halberstadt, Magdeburg und Breslau, nur im Kölner Dom ab 1248 und dem Straßburger Münster wurde direkt rezipiert. Die Hallenkirche wurde bevorzugt, wobei die in den Backsteinbau umgesetzten gotischen Formen der Lübecker Marienkirche stilbildend für den Sakralbau der Ostseegebiete wurde. Die Vereinheitlichung des Raumes und die Fensterfront bewirken ein die ganze Kirche erfüllendes Licht, das auf das himmlische → Jerusalem und den Kosmos hinweisen soll. Damit sind wieder ant. Reminiszenzen faßbar. Gotische Gliederungsformen und Wölbungen finden sich ebenso in Profanbauten des 14. und 15. Jh., in Burgen, Rats- und Bürgerhäusern sowie in Stadttoren, bes. Norddeutschlands.

3. GRABPLASTIK UND GRABINSCHRIFTEN

Das Christusbild ist in der Spät-Ant. nach dem ant. Ideal jugendlicher Männlichkeit entwickelt worden. Es waren die Götter Apollon und Dionysos, die hier Pate standen. Die erhobene Hand des Herrschers als Ausdruck der Würde und Macht ist bei dem Pantokrator-Bild wiederzufinden. Der im jugendlichen Alter verstorbene König Alexander der Gr. und Kaiser Augustus mit seinem imperialen Denken und seinen Friedensvisionen waren neben kosmisch-messianischen Vorstellungen Prototypen [2; 3]. Der 25. Dezember als Geburtstag des Sol Invictus war sicher nicht ohne Einfluß auf das liturgische Geschehen.

In Verbindung mit dem *memoria*-Gedanken nach ant. Vorstellung, der Bewahrung des Gedenkens an einen Menschen, und dem Memento-mori-Begriff des Christentums ist die Entwicklung der Grabplastik als ›strukturelles Gedächtnis‹ einzuordnen. Nach dem Vorbild von Christus werden die Grabskulpturen im Alter von etwa 30 J. abgebildet, also in der Blüte der J., nicht durch Alterszüge oder physischen Verfall entstellt, häufig mit geöffneten Augen und zum Gebet gefalteten Händen in der Hoffnung auf das ewige Leben. Zunächst wird der Tote nur namentlich genannt mit den Sterbedaten und als Ritzzeichnung mit wenigen Symbolen und abstrakter Ornamentik wiedergegeben. Eine Klassifikation nach bestimmten Typen hatte sich im Laufe der Zeit herausgebildet. Stehende und liegende Platten gab es durch alle Jh. Eine Sonderform der Romanik war die Kreuzscheibe, daneben nach ant. Vorbild der Sarkophag, oft als eine leere Tumba über dem eigentlichen Grab, in der Frühzeit in der Krypta. Häufig liegen die Grabplatten nebeneinander, isolierte Gräber wurden in portalartigen Nischen aufgestellt. Erst im 14. und 15. Jh. kam das sog. Epitaph auf, ein an der Wand oder einem Pfeiler angebrachtes tafelförmiges Grabmal aus Stein, Marmor oder Holz. Ehemals liegende Platten wurden nun aufgerichtet. Die voll entwickelte Grabfigur tritt verstärkt im 13. Jh. auf, obwohl das Grabbild als *effigies* des Toten schon seit dem Ende des 11. Jh. eine der wichtigsten Erscheinungsformen der ma. Plastik wird [4; 5]. Wichtig wurden standes- bzw. amtsgemäße Kleidung: Geistliche in liturgischen Gewändern, Bürger im Festkleid, Gelehrte im Talar, Ritter in ihrer Waffentracht, Stifter mit Baumodell, meist mit dazugehörigem Familienwappen und der Ahnenreihe. Verbreitet sind auch Tiere unter den Grabfiguren. Die *vita activa* der ant. Vorstellung findet ihren Ausdruck im Rittergrabstein, die *vita contemplativa* im Grabstein des Gelehrten oder Geistlichen. Die Epitaphe des 14. und 15. Jh. entwickeln sich im Gegensatz zu den oft drastischen Darstellungen der Spätgotik nach ant. Vorbild zu realistischen Bildnissen.

Seit der Ant. sind einfache Inschr. in Prosa und Vers belegt. Es entstanden lit. anspruchsvolle Epitaphien, die zu der Gattung des Epigramms gehörten. Ein fester Motiv- und Formelbestand wurde für die Prosa- und Versinschriften herausgebildet, den die Christen allmählich übernahmen. Das *obiit*-Kürzel (Ø = ›er starb‹), in der Spät-Ant. entwickelt, wirkte nicht nur in lat., sondern in dt. Texten bis zur Frühen Neuzeit fort. Im MA existierten früh Sammlungen röm. Inschr., die einen nachweisbaren Einfluß ausübten. Die Epitaphien sind äußerst vielgestaltig. Es überwiegt als Versmaß das elegische Distichon und der Gebrauch der 3. Person, aber auch die Anrede an den Leser – wie in der Ant. – oder die Rede des Toten selbst sind verbreitet. Die *laudatio funebris* wurde wieder üblich. Die lit. Form des Epitaphs konnte aber auch als poetisch-rhet. Übung der Totenklage in der Schule dienen, ebenso zur Parodie. Im Ren.-Human. muß das eigentliche Epitaphium, die Grabinschr., vom lit. unterschieden werden. Die klass.-ant. Strukturen und Formen treten wieder an die Stelle der ma. Charakteristika. Die epigraphischen Veränderungen [6] fallen bei Grabinschr. im Human. sofort ins Auge: die gotischen Majuskeln und Minuskeln werden durch die frühhuman. oder sogar als bewußte Imitation durch die röm. Kapitalis ersetzt. Die human. Minuskel, im Druck als Antiqua bezeichnet, entstand im 16. Jh. im Rückgriff auf die Karolingerzeit.

C. GESCHICHTE UND SOZIALE ENTWICKLUNG VOM INTERREGNUM BIS ZUR REFORMATION (1250–1519)

Auf die Staufer folgte ab 1250 das sog. Interregnum, in dem die starken Landesfürsten ihre Macht erweiterten. Gegen ein starkes Königtum versuchten die sieben Kurfürsten, denen allein seit der Mitte des 13. Jh. das Recht der Königswahl zustand, ein Gegengewicht zu finden. Ab 1347 wurde der Luxemburger Karl IV., der bis 1378 regierte, allg. anerkannt. Er verzichtete auf die

Wiederherstellung des dt. Kaisertums in It. Mit dem Schwiegersohn des letzten Luxemburgers, Albrecht II. von Österreich, kam die Krone in den erblichen Besitz der Habsburger. Friedrich III. (1440–1493) war v. a. auf die Erweiterung der Hausmacht bedacht. Sein Sohn, der spätere Kaiser Maximilian I.(1493–1519), kam durch Heirat mit Maria von Burgund (1477) in den Besitz der burgundischen Erblande. Maximilian nahm 1508 als erster ohne Krönung, aber mit päpstlicher Genehmigung, den Kaisertitel an. Nach dem Vorbild der röm. Kaiser nannte er sich *Imperator Caesar Maximilianus Pius Felix Augustus*. Seit der Stauferzeit waren die Städte wirtschaftlich erstarkt, was zunehmend das Aufblühen der Bildung begünstigte.

1. DEUTSCHER RENAISSANCE-HUMANISMUS: ZENTREN UND BEDEUTENDE VERTRETER

Der Begriff Ren.-Human. (auch nur → Humanismus) als Epochenbezeichnung bezieht sich im engeren Sinne auf die erste gesamteurop. Bildungsbewegung zw. MA und Neuzeit (14.–16. Jh.). Erwachsen ist er aus der Wiederentdeckung, Bewunderung und Imitation der Ant. Ideal und Leitfigur ist der *vir humanus et doctissimus* (it. *umanista*), der Vertreter einer am klass. Alt. geschulten Geist- und Weltsicht, der sich vorrangig den *studia humanitatis* widmet. Bewußt wird jetzt der Gegensatz zu den ma. Gelehrten aufgebaut, die sich nur mit den *studia divina* befaßten. Die Übergangszeit vom 14. bis 16. Jh. mit ihrer Ambivalenz zw. noch Altem und schon Neuem erschwert die Überschaubarkeit vieler Zusammenhänge. Der Human. kann als Teil der weiter gespannten, v. a. der künstlerischen, insgesamt aber alle kulturellen Bereiche umfassenden → Renaissance angesehen werden, aber eigentlich gehören Bildung und Kultur so eng zusammen, daß sich der Terminus Ren.-Human. immer mehr durchsetzt. Durch den Bezug auf die ant. Lit. und Philos. – hier bes. auf Platon und Aristoteles – und die prinzipielle Infragestellung der bisherigen Trad. wurde der Ren.-Human. Fundament und Wegweiser für neuzeitliche Denk- und Lebensformen. Der Ruf *ad fontes* wurde entscheidend für die andersgeartete Quellenorientierung. Zu Zentren des Ren.-Human. wurden die wirtschaftlich und polit. erstarkten Städte, daneben auch weltliche und geistliche Höfe, weniger die konservativen Univ. Das ändert sich in D. erst mit den protestantischen Universitätsgründungen und der katholischen Gegenreformation. Das vorrangige Ziel der Humanisten war die Ausbildung eines klass. lat. Stils, der das unelegante ma. Lat. ablösen sollte. Die Erfindung des Buchdrucks durch Johann Gutenberg in Mainz kam der Verbreitung sehr entgegen. Die griech. Ant. rückt seit etwa 1400 und bes. nach der Eroberung Konstantinopels durch die Türken (1453) ins Blickfeld, als Byzantiner wie Gemistos Plethon und Bessarion nach It. kamen.

Gelegenheits- und Liebesgedichte, sich inhaltlich und formal an ant. Vorbildern orientierend, aber mit Gegenwartsbezug und unter Einbeziehung des persönlichen Erlebnisses, wurden neben der Epik und Dramatik – beliebt als Schuldrama oder Festspiel – gepflegt. Daneben blühte die Satire, die Brieflit. und die kunstvolle Rede. Entwickelt wurde die Historiographie, die Biographie und die Fachlit. Der Astronom und Arzt Nicolaus Copernicus entwarf sein revolutionierendes heliozentrisches Weltbild in der Auseinandersetzung mit Ptolemaios. Nach D. wurde der Human. durch Petrarca und Cola di Rienzi gebracht, mit denen der Kanzler am Hofe Karls IV. in Prag, Johannes von Neumarkt, in Beziehung stand. Im Ambiente der Prager Kanzlei wurde ein neues Stilideal der Elegantia entwickelt. Das Streitgespräch *Der Ackermann aus Böhmen* des Magisters Johann von Tepl, eines Schülers Neumarkts, ist nach den neuen Regeln in ausgefeilter, dt. Kunstprosa 1410 erschienen. Die Form ist die ma. Disputation, das neue Selbstwertgefühl drückt sich in den Berufungen auf Platon, Aristoteles, Seneca und Boethius aus. Ein zweites Humanistenzentrum war Wien unter Kaiser Friedrich III. Richtungsweisend wurde die Rede des Sekretärs der kaiserlichen Kanzlei, Enea Silvio Piccolomini, des späteren Papstes Pius II., an der Wiener Univ. 1445. Wien blieb bedeutungsvoll auch in späterer Zeit, bes. durch den »dt. Erzhumanisten« Konrad Celtis (1459–1508). 1487 wurde er als erster Deutscher als *poeta laureatus* gekrönt, eine Auszeichnung, die im Anschluß an ant. Trad. zunächst in It. wiederbelebt worden war [7].

Die traditionell und konservativ eingestellten Hochschullehrer leisteten erbitterten Widerstand, wie es die *Dunkelmännerbriefe* (*Epistulae obscurorum virorum*) belegen. Die Sammlung fiktiver lat. Briefe, die an Ortwin Gratius, den Wortführer der Kölner Theologen im Streit mit dem Humanisten Johannes Reuchlin (gest. 1522), gerichtet waren, karikieren durch barbarisches → Küchenlatein die Verf. in ihrer dogmatisch-scholastischen Haltung. Der Streit drehte sich um das jüd. Schrifttum, das nach der Vorstellung des getauften Juden Pfefferkorn vernichtet werden sollte, um die biblischen Bücher »rein« zu erhalten. Gegen ihn hatte sich der Hebraist Reuchlin gewandt, und viele seiner human. Freunde waren ihm gefolgt. Aus diesem Freundeskreis – unter ihnen Ulrich von Hutten – war die Satire in Briefform hervorgegangen.

Anfangs waren es nur die sog. Wanderlehrer, wie Peter Luder (gest. um 1470), die human. Gedankengut verbreiteten. → Universitäten im deutschsprachigen Raum waren erst spät gegr. worden: 1348 in Prag, 1365 in Wien, 1386 in Heidelberg, 1389 in Köln, 1392 in Erfurt. Es folgten im 15. Jh. Würzburg, Leipzig, Rostock sowie Wittenberg und nach der Mitte des 15. Jh. Greifswald, Freiburg, Besançon, Basel, Mainz, Ingolstadt, Trier und Tübingen. Ab 1527 gab es einige protestantische Gründungen.

Der Kanon der Septem → Artes Liberales, nach dem an den Univ. gelehrt wurde, geht auf die ant. Vorstellungen von den Wiss. zurück, die einem freigeborenen Mann anstehen. In der Regel werden seit dem 9. Jh. die Wortfächer Gramm., Rhet. und Dialektik als Trivium, die Zahlenfächer Arithmetik, Geom., Astronomie und Musik schon seit der Spät-Ant. als Quadrivium zusammengefaßt [8; 9]. Durch die systematische Darstellung in spätröm. Enzyklopädien wurden die Artes mit ihren vorgeblichen, teilweise variablen Erfindern zur Grundlage der ma. und in variierter Form der frühneuzeitlichen Artistenfakultät und damit das Fundament für das Fachstudium der Theologie, Philos., Jurisprudenz und Medizin. In der rel. Erneuerungsbewegung der *devotio moderna*, in der Nachfolge der hochma. Mystik, fand der Human. einen wichtigen Mitstreiter in der Auseinandersetzung mit der ma. → Scholastik. Lat. und griech. Fachtermini fanden Eingang in die dt. Sprache. Nach dem Vorbild der it. Akad. wurden *Sodalitates litterariae*, bes. in den oberdt. Reichsstädten, gegr. Nürnberg wurde in der frühen Phase des Human. bekannt durch Historiographen wie Hartmann Schedel (gest. 1514). Ulm und Straßburg bildeten weitere frühe Zentren. In der Hochphase des Ren.-Human. wurden die Reichsstädte Augsburg durch den Patrizier Konrad Peutinger (gest. 1547) und Nürnburg durch die Patrizierfamilie der Pirckheimer bedeutsam. Eine große Rolle spielten Tübingen mit Johannes Reuchlin und Heidelberg mit Rudolf Agricola (gest. 1485). Um den aus der *devotio moderna* kommenden Religionskritiker Mutianus Rufus scharten sich in Erfurt die kritischen neu-lat. Dichter. Der oberrheinische Human. wurde repräsentiert v. a. von Sebastian Brant und Beatus Rhenanus. Erasmus von Rotterdam wurde als heimliches Haupt aller Humanisten, als Meister der *bonae litterae*, schon zu seinen Lebzeiten (1466–1536) anerkannt. Lange Studien- und Wanderjahre führten ihn durch Holland, Frankreich, England, It., die Schweiz und Deutschland. Länger verblieb er in Basel und Freiburg. Er versuchte die Ant. mit dem Christentum zu vereinen. Die ästhetisch-philol. Pflege der ant. Lit. zeitigte die Beherrschung der klass. Formensprache, beispielsweise in der *Laus stultitiae* (*Lob der Torheit*) von 1511. Die Rückkehr zu den Ursprüngen des Christentums kommt in dem programmatischen *Enchiridion militis christiani* (1504) und der Ed. des gereinigten Urtextes des NT (1516) zum Ausdruck, das Martin Luther als Grundlage seiner dt. Übers. dienen sollte.

Einen gewichtigen Endpunkt des dt. Human. markierte der Ritter Ulrich von Hutten (1488–1523), der in lat. wie dt. Streitschriften die human. Ideale mit nationalen und tagespolit. Zielen zu vereinbaren suchte. Das Positive des Human. war die Entwicklungsmöglichkeit zur neuzeitlichen Persönlichkeit. Der Begriff der Willensfreiheit und der Selbstbestimmung wurde bes. von Erasmus, auf ant. Vorstellungen beruhend, gegen den Reformator Luther verfochten, der in dieser Beziehung doch der ma. Weltsicht verhaftet blieb [10].

2. WILLIBALD PIRCKHEIMER UND DIE ANTIKE
Als Vertreter des Nürnberger Patriziats, als Ratsherr, kaiserlicher Rat, Mäzen und Freund Albrecht Dürers und als gelehrter Korrespondent mit fast allen Persönlichkeiten seiner Zeit ist Willibald Pirckheimer ein

Zeitzeuge von unschätzbarem Wert. Wie seine Vorfahren studierte er in It. die human. Wiss. und Jura von 1489–1495. In Padua erlernte er bei einem Byzantiner die Anfangsgründe des Griech., das auf ihn zeitlebens eine große Faszination ausübte. Die Beschäftigung mit dem Griech. in D. war noch eine Seltenheit. So warnte z. B. 1521 ein Kleriker in Freiburg in einer Predigt ›vor der neu erfundenen Sprache, welche die griech. heiße‹; ›denn diese sei die Mutter aller Ketzereien. Zugleich befinde sich jetzt ein Buch dieser Sprache, welches das NT heiße, in vielen Händen‹. Mit dem *Neuen Buch* ist markanterweise das *Novum Testamentum Graece* des Erasmus gemeint, das 1516 als erster griech. Druck in D. erschienen war. Die Byzantiner waren für die Altgläubigen Abtrünnige und Schismatiker – ein Verdikt, das auch ihre Sprache traf. Deshalb wurde die philol. Erschließung der griech. Lit. als ein Angriff auf die bisher unbestrittene Autorität des Klerus betrachtet. So ist es verständlich, daß sich Griech. schwer durchsetzte, zunächst nur an wenigen Univ. und → Lateinschulen. Der erste Lehrstuhl wurde 1515 in Leipzig für den *professor publicus* Richard Crocus eingerichtet; andere Hochschulen folgten in Wittenberg, Erfurt, Ingolstadt, Freiburg, Tübingen, Heidelberg, Wien und Rostock.

Es ist ein bes. Verdienst von Pirckheimer, daß er zu den wenigen dt. Humanisten gehörte, die einen namhaften Beitrag zur Verbreitung der Griechischkenntnisse geleistet haben. Als Übersetzungsprinzip postuliert er im Widmungsbrief zur dt. Plutarch-Übertragung [11], daß jeder Übersetzer ›allein den Sinn, unangesehen der Wort, in die Sprach, clar, lauter und der maß verendere‹. In der Befürwortung der sinngemäßen Übertragung weiß sich Pirckheimer übrigens mit Luthers Darlegungen im *Sendbrief vom Dolmetschen* weitgehend einig. Übers. wurden von Pirckheimer v. a. Schriften Plutarchs und Lukians, daneben auch Homer, Aristophanes, Platon, Ptolemaios, Theophrast, Xenophon, Isokrates und griech.-röm. christl. Autoren wie Gregor von Nazianz, Fulgentius, Nilus. Aus der Werkstatt Pirckheimers ist eine lat. Wort-für-Wort-Übers. der Ilias (B. 1–3) nach der *Editio princeps* des Homer (Florenz, 1488) erhalten [12]. Der Nürnberger konnte geschickt im ant. Gewand verborgen zeitgenössische Probleme aufgreifen, z. B. im sog. Reuchlin-Streit mit der Lukian-Übers. des *Piscator* (1517) und der berühmt gewordenen *Epistola apologetica* mit der Nennung der fortschrittlich gesinnten Humanisten. Der neue Theologe sollte im Idealfall die gesamte lat., griech. und hebräische Lit. beherrschen, daneben Dialektik und Rhet. und eine genaue Kenntnis des kanonischen und zivilen Rechts und bes. der platonischen Philos. sowie der mathematischen Disziplinen besitzen.

Einen bes. Stellenwert nahm Platon bei Pirckheimer ein; es kann sogar von einer »Platonischen Periode« (1500–1523) bei ihm gesprochen werden. In It. hatte er die Neubewertung und Erneuerung des *divus Plato* kennengelernt. Um nicht in den Geruch des Ketzerischen zu kommen, hatte der Florentiner Marsilio Ficino Platon in Einklang mit der christl. Trad. zu bringen versucht (›Qui te ad Platonem vocat, ad ecclesiam vocat‹, ›Wer dich zu Platon ruft, ruft dich zur Kirche‹). Pirckheimer hatte durch seine zunehmende Übersetzer- und Editorentätigkeit zu einem objektiveren Standpunkt gefunden und sich von der Florentiner Auffassung des christl. gedeuteten Philosophen distanziert. In eigenen Werken und in Widmungsschreiben verwendet er gern platonische Gedanken, in der (teilweise ersten) lat. Übers. der acht Pseudoplatonica, 1523 als *Dialogi Platonis* in Nürnberg erschienen, trennt er Echtes von Unechtem und empfiehlt Platon, um ihn gegen das Denken des MA beherrschenden Aristoteles herauszustellen (→ Aristotelismus). Am bedeutsamsten ist der Dialog *Axiochos*, der mit seinem Thema der Überwindung der Todesfurcht zur Trostlit. gehört. Nach einem zunächst pessimistischen Ton, den Pirckheimer mit einem metrischen Zusatz aus 21 Distichen unterstützt, wird zum Schluß ein Hohelied auf die Möglichkeiten des Menschen angestimmt. Damit ist der Anknüpfungspunkt zum human. Credo der Selbstverwirklichung gegeben [13]. Diese optimistische Ergänzung findet sich auch im Widmungsbrief des Sammelbandes.

3. Renaissance-Humanismus und Reformation: Martin Luther und Philipp Melanchthon

Schon die Zeitgenossen empfanden, daß die Reformation aus dem Schoße des Ren.-Human. erwachsen war. Im erwachenden Nationalgefühl und Selbstbewußtsein versuchten die Humanisten die Trad. der Ant. zu erneuern, da sie im klass. Menschenideal das Urbild des wahren Menschen erblickten. Der Rückgriff auf die urspr. christl. Quellen ließ die teilweise Fehlentwicklung der Kirche in den vergangenen Jh. deutlich werden und trug zur Aufdeckung von Mißständen bei. Der Kampf gegen die Kirche bedeutete für die Humanisten gleichzeitig Kampf gegen die Erniedrigung der Philos. zur »Magd der Theologie«. Zunächst hatte es den Anschein gehabt, als ob es mit Martin Luther zu einer Fortsetzung oder Wiederaufnahme des alten Streites käme, zumal sich der Wittenberger als ›Brüderchen in Christo‹ bei Erasmus empfohlen und Ulrich von Hutten mit ihm die Lostrennung D. vom ›papistischen Joch‹ erhofft hatte. Der Thesenanschlag Luthers vom 31.10.1517 leitete die in rel. Form gekleidete Wende ein. Der Bruch mit der röm. Kirche war der Anfang der Entstehung von lutherischen und reformierten Landeskirchen und die Auflösung der europ. Kircheneinheit. Von 1517 bis 1521 fand der Reformator die Sympathien des Städtebürgertums, des niederen Adels und der Bauern, nach 1521 mehr die der Landesfürsten. So traf der päpstliche Bannstrahl nicht nur Luther, sondern auch human. Gesinnungsgenossen wie Pirckheimer. Allerdings meinten die Humanisten mit dem Ruf ›Redite ad fontes!‹ trotz vieler Berührungspunkte etwas anderes als die Reformatoren. Die einen verstanden darunter die ant. Schriften und die Trad., Luther allein die Hl. Schrift. So finden sich nur wenige Humanisten auf Dauer unter Lu-

thers Anhängern, da sie bes. durch die Erschütterungen des Bauernkrieges einen Bildungsrückschritt befürchteten. Die Gegensätze traten in dem Streit zw. Erasmus (*De libero arbitrio*, 1524) und Luther (*De servo arbitrio*, 1525) über den freien Willen offen zutage. Luthers durch und durch rel. Auffassung mit der Betonung auf stetem Gehorsam paßte schwer zu dem Grundanliegen des Humanisten, der eine weltoffene Persönlichkeit erstrebte. Mit dem fortschreitenden Konfesssionsstreit muß im wesentlichen das E. des Human. angesetzt werden, jedoch zeigt sich an Philipp Melanchthon die Möglichkeit einer gegenseitigen, fruchtbaren Durchdringung.

In Wittenberg, dem Sitz der Kurfürsten von Sachsen, war 1502 eine Univ. gegr. und bald durch Luther und Melanchthon zum Zentrum der Reformation geworden. Luther hatte, in Lat. bestens geschult, erst durch Melanchthon den richtigen Zugang zur griech. Sprache gefunden. Sie blieb ihm aber bei seiner Vorliebe für die *Disticha Catonis*, Terenz, den lat. Äsop und Vergil zu wenig ›reich an Sentenzen‹. Die ganze human. Bewegung erschien ihm als ein Akt göttl. Vorsehung, um auf die neue Offenbarung im Evangelium vorzubereiten, um ›des Endechrists Regiment‹ (sc. der Papst) ›aufzudecken und zu zerstören‹. Die Bed. der Sprachen schätzte er hoch ein, denn ›sie sind die Scheide, darinnen das Messer des Geistes stecket‹. Harte Worte fand der Reformator über Aristoteles, ›den toten Heiden ohne Kunst‹, ›den Schauspieler, der die Kirche zum besten gehabt‹. Es war der scholastisch gefärbte Aristoteles, gegen den sich Luther wandte. Platon und seine Lehre, die erst allmählich bekannt wurde, war zu einer Quelle neuer und besserer Einsicht geworden. Dazu trug auch die Schönheit der platonischen Sprache und die interessante Form des Dialogs gegenüber den nüchternen Lehrschriften des Aristoteles bei. Luthers reformatorisches Grundprinzip blieb die Trennung von Heidentum und Offenbarung, von Glauben und Wissen.

Von seinem Großonkel Johannes Reuchlin war der junge Philipp Melanchthon für den griech. Lehrstuhl an der Artistenfakultät zu Wittenberg empfohlen worden. Am 29.8.1518 hielt er mit 21 J. seine berühmte Antrittsrede *De corrigendis adolescentiae studiis* (*Über die Neugestaltung des Universitätsstudiums*). Melanchthon propagierte ein echt human. Programm: zurück zum urspr., griech. Aristoteles, jedoch auch zum NT in seiner Ursprache. Die Überwindung des entarteten Bildungssystems schien ihm nur durch das Studium der alten Sprachen, v. a. des Griech., möglich. Erstmals sollte auch das Studium der Geschichte sowie eine stärkere Ausbildung in der Philos. und den mathematischen Fächern eine wichtige Rolle spielen. Wegen ihrer stilistischen und rhet. Qualität wurde die mit vielen griech. und hebräischen Originalzitaten durchsetzte Antrittsvorlesung eine bedeutende Programmschrift des Human. und noch im gleichen J. gedruckt. Als Humanist, der sich in Wittenberg für reformatorische Belange eingesetzt hatte, stand er innerlich Erasmus näher als Luther. In seinem neuen Menschenbild konnte die Verantwortung des Menschen durch den freien Willen nicht fehlen. Er war unermüdlich als Wissenschaftsorganisator und Reformer des Protestantismus tätig. Als *praeceptor Germaniae* schrieb er zahlreiche einflußreiche Lehrbücher und Abhandlungen über fast alle Fachgebiete, hielt zahlreiche akad. Reden und führte eine enorme Korrespondenz (ca. 10 000 Briefe sind erhalten). Mit seinen Textausgaben, lat. Übers. griech. Autoren und Komm. zu den ant. Hauptautoren, die er für Lehrzwecke verfaßte, reichte sein Einfluß weit über die dt. Grenzen hinaus.

4. Renaissance-Humanismus und Kunst

Im Gegensatz zum ma. Weltverständnis, in dem der Mensch in einem gottgewollten, ständisch gegliedertem Ganzen seinen festen Platz hatte und als eigentliches Ziel aller seiner Bestrebungen das in verlockenden Farben ausgemalte Jenseits galt, eröffneten sich mit dem Ren.-Human. in der beginnenden Neuzeit ganz andere Möglichkeiten für persönliche Initiativen und Eigenverantwortlichkeit. Der Sinn für die menschliche Individualität erwachte in zunehmendem Maße. In D. hatten sich in der Übergangszeit zw. 1470 und 1530 alle gesellschaftspolit. Widersprüche konzentriert und eine gesamtnationale Krise heraufbeschworen. Damit war das Feudalsystem als Ganzes, auch beeinflußt durch die Entdeckung der neuen Welt mit ihren Goldreserven, erschüttert, durch die reformatorischen Bewegungen war die Kircheneinheit zerschlagen, durch den Human. das Denken säkularisiert worden. Die Wiss. hatten neuen Auftrieb erhalten. All diese Entwicklungen blieben nicht ohne Einfluß auf die Kunst. Mit der Befreiung der Persönlichkeit von der ma. Gebundenheit werden selbstbewußte, namentlich faßbare Künstlerpersönlichkeiten wie in der Ant. bekannt. Der Künstler selbst empfand sich nicht mehr als anonymer Schöpfer der Kunstwerke zu Ehren Gottes, sondern selbstbewußt signierte er seine Werke. Der Einfluß der ant. Kunst auf die Ren. darf freilich nicht überschätzt werden. Für D. begann die Wandlung zur Ren. erst nach 1500. Nicht *imitatio*, sondern Neuschöpfung war das Prinzip, wenn ant. Bauglieder wie Säulen und Pilaster, Gesimse und Profile z. B. in der Weserrenaissance verwendet wurden. Zwar blieb die Kirche der große Auftraggeber, aber säkulare Themen nahmen für private Käufer zu. Die Statue wurde nach dem Vorbild des Reiterdenkmals Mark Aurels frei aufgestellt. Das Denkmal und damit auch das Grabmal wurden weit prächtiger als im MA und diente dem Ruhme des Verstorbenen. Unvollendet, aber eindrucksvoll blieb das bronzene Maximiliansgrabmal in Innsbruck, von dem Humanisten Konrad Peutinger entworfen. Die ant. Form der Bildnisbüste wurde wieder aufgegriffen. Am meisten hat sich die Malerei, die sich von der Vorherrschaft der Architektur emanzipierte, erweitert. Die Landschaftsmalerei kam auf, erste Stilleben als Tier- und Pflanzenstücke entstanden. Neue Zweige der graphischen Künste wie der Holzschnitt und der Kupferstich drückten christl. wie myth. Inhalte aus. Das Vertrauen auf die eigene Kraft und Fähigkeit

dokumentierte sich jetzt im Porträt, dem Abbild einer bestimmten Persönlichkeit mit individuellen Zügen. Der Raum öffnete sich nach den entdeckten Gesetzen der Perspektive und der geometrischen Konstruktion nach hinten und zeigte ausschnittweise eine identifizierbare Landschaft.

5. Albrecht Dürer als Repräsentant seiner Zeit

Albrecht Dürer hat in seinen vielseitigen Werken genial die künstlerische Ausdruckskraft gefunden, die den Tendenzen seines eigenen Zeitalters entsprach. Ulrich von Hutten nennt ihn den ›Apelles unserer Zeit‹. Dürers Selbstbewußtsein wird deutlich erkennbar aus seinen in. Briefen, aus seinem berühmten Monogramm und in bes. Maße aus seinen Selbstbildnissen. Von keinem anderen Künstler seiner Zeit liegen so viele Eigenporträts vor: von der Silberstiftzeichnung des erst Dreizehnjährigen zur Frontalansicht als schöner Mann im Pelzrock um 1500 und bis zur Zeichnung seines kranken, nackten Körpers im Alter.

Weit mehr als andere Künstler der Zeit ist Dürer durch die Ant. geprägt. Während seiner Lehrzeit in Nürnberg dienten ihm die Darstellungen ant. myth. Szenen zur Vervollkommnung seiner Technik und zur Präzisierung seines eigenen Stils. Mit dem *Tod des Orpheus* (1494) bis zum sog. *Traum des Doktors mit Venus*, einer Vorstudie zum Eva-Akt von 1504 – auch als Thema der »Versuchung« gedeutet –, beginnt der Reigen. In den *Vier Hexen* wird das anmutige Vorbild der drei Grazien in eine Allegorie der Vergänglichkeit umgewandelt. Das Herkules-Motiv gestaltete Dürer mehrmals, u. a. mit der Burg von Nürnberg als Naturlandschaft. Die Proportionsstudien ›aus der mass‹ finden ihren Höhepunkt im Kupferstich *Adam und Eva* (1504). Die Adam-Figur ist eindeutig nach ant. Vorbildern entstanden, nach einer Zeichnung des → *Apolls von Belvedere*, des Äskulaps und Sol. Selbst in den Tieren sind die Vier Temperamente wiederzuerkennen. In dem Tafelbild von 1507 wird der sinnliche Reiz der Körper noch augenscheinlicher. Der menschliche Körper wird nach neuer human. wie künstlerischer Auffassung im anatomischen Aufbau als Teil des Gesamtkosmos begriffen. Der Mensch ist der Herr der Weltordnung. Der Sündenfall wird im Rückgriff auf die ant. Schönheit des Körpers umgedeutet als Bejahung des Lebens. Die Meisterstiche *Ritter, Tod und Teufel* (1513), *Melancholie* (1514) und *Hieronymus im Gehäus* (1514) sind aus der Bekanntschaft mit ant. und human. Thematik erwachsen: der Lehre von den vier Temperamenten, die auch in Dürers kunsttheoretischen Schriften im *Großen ästhetischen Exkurs* eine Rolle spielt. In dem Holzschnitt *Das Männerbad* (um 1496) will man in dem Flötenspieler Dürer selbst als Melancholiker erkennen. Die »I« bei dem Kupferstich der *Melancholia* läßt an die Darstellung der vier Temperamente denken. Der Melancholiker wurde nach der neuen Auffassung des Marsilio Ficino, die Pirckheimer Dürer vermittelte, zum Wahrzeichen des Künstlers. Bis 1526 hat sich der Maler mit diesem Thema beschäftigt. Dürer, der die Lateinschule besucht hatte, konnte wahrscheinlich Vitruv und Plinius den Älteren im Original lesen. Fruchtbar hat sich auch die Freundschaft mit Pirckheimer ausgewirkt, dessen Bücher er illustrierte, den er mehrmals porträtierte und mit dem er in Arbeiten für Kaiser Maximilian verbunden war. Von ihm wurde er auch zur theoretischen Beschäftigung mit Kunst angeregt, so daß er als erster Deutscher eine Ren.-Ästhetik schuf. Dürers Ziel war es, ›wie auch die Alten getan haben, mein Meinung und Erfindung schriftlich ausgehen lassen ..., damit die Kunst der Malerei ... wieder zu ihrer Vollkommenheit ... kommen möge‹, wie es in der Widmung des Drucks von 1528 an Pirckheimer heißt [14].

D. Geschichte und soziale Entwicklung im Zeitalter der Reformation und der beginnenden Gegenreformation (1500–ca. 1600)

Maximilian I. hatte 1516 für seinen ältesten Enkel Karl, den späteren Kaiser Karl V. (1519–1556), die Vereinigung Aragons, Kastiliens und Neapel-Siziliens mit den habsburgischen und burgundischen Ländern erreicht. Dem zweiten Enkel Ferdinand, dem späteren Kaiser Ferdinand I.(1556–1564), hatte er 1515 die Anwartschaft auf Böhmen und Ungarn gesichert. Karl V. ließ sich 1530 in Bologna vom Papst krönen, aber die folgenden Herrscher nannten sich gleich nach der Wahl ohne päpstliche Krönung »erwählter röm. Kaiser«. Die Thronerben führten zukünftig den Titel eines »röm. Königs«. Der Ruf nach »Reform an Haupt und Gliedern« war nicht verstummt. Mit dem Auftreten Martin Luthers gegen den Ablaßhandel am 31.10.1517 begann die große kirchliche und rel. Bewegung der Reformation, die auch auf Ideen des tschechischen Reformers Jan Hus beruhte. In D. kulminierten die Spannungen zw. den nach mehr Unabhängigkeit strebenden Deutschen und dem päpstlichen Anspruch. Die Reichsacht, die Karl V. auf dem Wormser Reichstag von 1521 über den Reformator und seine engsten Vertrauten verhängte, blieb letztendlich wirkungslos. Die »neue Lehre« breitete sich unaufhaltsam aus. Das päpstliche Eingreifen und das kaiserliche Verbot verhinderten ein allg. Konzil. Die konfessionelle Spaltung D. begann. Die Landesfürsten gebrauchten ihre Macht zu ihrem Vorteil, während der Ritteraufstand von 1523 und v. a. der Große Bauernkrieg von 1525 mit dem Versuch der Einmündung der rel. in eine soziale Reform scheiterte. Karl V., der durch seine Kriege mit Frankreich bis 1529 gebunden war, mußte auf die »Protestation« von Speyer durch die Anhänger der »neuen Lehre« Rücksicht nehmen und zunächst die *Confessio Augustana* von 1530 anerkennen. Die türk. wie die frz. Gefahr zwang den Kaiser zum Einlenken und zum vorläufigen Religionsfrieden. Die Reformation breitete sich von den Kernländern weiter aus. Nach den Friedensschlüssen mit Frankreich und der Türkei konnte Karl V. im Schmalkaldischen Krieg einen Sieg erringen, ohne sich allerdings auf Dauer durchzusetzen. Sein Bruder Ferdinand,

der von 1556–1564 in D. sein Nachfolger wurde, konnte den Protestanten die Duldung nicht verweigern. Im Augsburger Religionsfrieden von 1555 wurde die Gleichberechtigung der Protestanten festgeschrieben. Den Landesfürsten wurde die uneingeschränkte Kirchenhoheit in ihren Territorien zugestanden, nämlich das *ius reformandi* nach dem Grundsatz *cuius regio, eius religio*. Der zunächst äußerst siegreiche Protestantismus rieb sich in dogmatischen Streitigkeiten auf. In den katholischen Ländern setzte die Gegenreformation ein. Die habsburgischen Kaiser Ferdinand I. und sein reformatorisch gesinnter Sohn, Maximilian II. (1564–1576), versuchten zu vermitteln. Mit dem Jesuitenzögling Rudolf II. (1576–1612) begann die Begünstigung des Katholizismus. Der dt. Protestantismus war in zwei Lager gespalten, in das lutherische Kursachsen und die reformierte Kurpfalz. 1608 kam die sog. Union zustande, der 1609 die katholische Liga unter bayerischer Leitung entgegentrat. Die wirtschaftliche Blüte D. war im 16. Jh. weitgehend erhalten geblieben, aber der konfessionelle Gegensatz brachte die innere Entwicklung zum Stokken, die schließlich zum Dreißigjährigen Krieg führte.

1. Renaissance-Humanismus, Kunst und Reformation

Die Reformation eröffnete den Künstlern neue Möglichkeiten. Sie machten sich den Christozentrismus Luthers zu eigen. Mit Christus steht der Menschensohn, der zu göttl. Ehren aufsteigt, im Vordergrund – eben der Mensch selbst mit seinen Fähigkeiten und Möglichkeiten, aber auch Begrenztheiten. Das einzige Selbstporträt Dürers um 1500 in strenger Frontalansicht strahlt Schönheit, Ruhe und Majestät aus. Es scheint das Proportionsschema vom sakralen Christus-Bild zugrunde zu liegen. Wie in der Ant. Apollon der Gott der Künste war, so ist nach neuplatonischer und human. Ansicht der Künstler göttl. Die eindeutige Hinwendung Dürers zur Reformation beweisen die beiden 1526 geschaffenen ganzfigurigen Bildtafeln der *Vier Apostel*. Den Tafeln von Johannes, Petrus, Markus und Paulus sind auf je einem Sockelstreifen Texte aus der Luther-Übers. von 1522 beigegeben. In Johannes wird ein Kryptoporträt Philipp Melanchthons vermutet. Umstritten bleibt, ob das zum Ausdruck gebrachte reformatorische Gedankengut polemisch gegen die Papstkirche allg. oder gegen das in Nürnberg aktuelle Täufer- und Schwärmertum gerichtet ist.

Das reformatorische Bildprogramm griff Lucas Cranach der Ältere als Freund Martin Luthers bewußt auf. Sein Altar von 1547 in der Stadtkirche Wittenbergs, die die eigentliche Predigtkirche Luthers war, ist das letzte Werk in Wittenberg. In der *Predella* verweist Luther auf der Kanzel auf Christus am Kreuz, damit nochmals den Hauptgedanken seiner Lehre aufgreifend. Links sind Bürger, u. a. Cranach selbst, auch Luthers Frau mit Sohn Hans, dargestellt. Die Mitteltafel mit den Seitenflügeln verkörpert die drei Sakramente der lutherischen Kirche, links die Taufe mit Philipp Melanchthon, rechts die Beichte mit dem Theologen Johannes Bugenhagen, der

Luther die Trau- und Grabrede gehalten hat, und in der Mitte das Abendmahl mit dt. Landschaft im Hintergrund. Der junge Mann mit dem Becher ist Cranach der Jüngere, und Luther als Junker Jörg nimmt den Becher. Das gewachsene Selbstbewußtsein des Künstlers und Bürgers, an ant. Vorbild geschult, drückt sich in dem Auftreten der histor. Persönlichkeiten seiner eigenen Zeit aus. Er selbst und seine Landsleute sind gleichberechtigt in das biblische Geschehen einbezogen. Auf den Gemälden wird oft der Jude durch den Türken ersetzt. Ebenso waren bereits in Cranachs Frühzeit die Heiligen als Menschen der Gegenwart integriert, aber die Betonung des ›Hier und Jetzt!‹ hielt nur wenige Jahrzehnte in der Kunst vor. Wohl zum letzten Mal ist dieses Phänomen im Dessauer Altarbild des jüngeren Lukas Cranach 1565 zu beobachten. Da sind die Reformatoren – außer dem Verräter Judas – die Jünger Jesu selbst. Der Stifter Joachim von Anhalt kniet vor der Tafel, sein Bruder, Kurfürst Georg von Anhalt, sitzt neben Jesus als Johannes. Der Künstler schenkt den Wein ein.

In der Architektur wurden ant. Formen als → Spolien weiterverwendet bei Profanbauten wie Rathäusern (u.a. in Görlitz) und Schloßbauten wie in Dresden, Wismar, Heidelberg. Erste Schloßkapellen protestantischer Prägung entstanden in Torgau und in Augustusburg bei Chemnitz. Ren.-Formen verbreiteten sich auf Gerätschaften, bes. auf Kacheln.

2. WILLIBALD PIRCKHEIMER UND DIE ANTIKE

Der Nürnberger Humanist hatte als Ratsherr seiner Vaterstadt und später als kaiserlicher Rat versucht, die *vita activa* mit der *vita contemplativa* zu vereinen. In den Auseinandersetzungen zw. dem alten und dem neuen human. System zu Beginn der Reformation sind es v.a. zwei Schriften, in denen er ant. Gedankengut verarbeitete. Der *Eccius dedolatus*, der *Enteckte Eck*, gehört als gezielter lit. Angriff gegen namhafte Luthergegner in die Reihe der Dialoge, die anonym erschienen. Ein Johannesfranciscus Cottalembergius wird als Autor genannt, erschienen ist das Werk 1520 ›in Utopia‹. Karikiert wird der durch die Leipziger Theologen-Disputation vom Juli 1519 weithin bekannt gewordene Theologe Johannes Eck aus Ingolstadt, der sich als Sieger über die Wittenberger Luther und Karlstadt allzusehr rühmte. In der Humanisten-Satire, deren Inhalt sich gut wie eine Komödie in 5 Akte einteilen läßt, wird Eck als Anti-Held vorgeführt und lächerlich gemacht. Selbst eine Operation, eben die ›Enteckung‹ (*dedolatio*), kann ihm nicht helfen.

Lukian, bes. aber Aristophanes wurden in vielen Zitaten und sprichwortartigen Wendungen benutzt. Die Kenntnis des att. Komödiendichters war ungewöhnlich für einen dt. Humanisten. An entscheidender Stelle des satirischen Dialoges gibt sich der Autor, doch wohl Pirckheimer, dessen Hauptsorge den *bonae litterae* gilt, versteckt zu erkennen: ›nec Lutheranus neque Eckianus, sed Christianus sum‹. In der Mischung zw. Prosa und Poesie konnten die ant. Paten ein gewichtiges Fundament für die Verzeichnung Ecks sein, wie einst Aristo-

phanes in den *Wolken* Sokrates als Erzsophisten auf die Bühne gebracht hatte. Eck erreichte beim Papst, Pirckheimer und sechs andere Freunde aus dem Nürnberger Kreis in die Bannbulle von 1521 zu setzen. Auf seinen guten Ruf als Nürnberger Ratsherr bedacht, gab Pirckheimer weder mündlich noch schriftlich seine Verfasserschaft zu [15; 16].

Pirckheimer griff in einer anderen lat. Satire ein damals allg. interessierendes Thema auf. In der *Apologia seu Laus Podagrae* (*Verteidigungsrede oder Selbstlob der Gicht*, Nürnberg 1522) stattete er mit viel Humor und in teilweiser Anlehnung an das *Lob der Torheit* des Eramus dem Fräulein Podagra seinen Dank dafür ab, daß sie ihren Anhängern *nolens volens* genügend Muße zum Studieren verschaffe. Seit 1512 hatte er über seine Gichtanfälle und die verschiedenen Heilmittel ein Tagebuch geführt. Nun läßt er, der juristisch Geschulte, Podagra vor einem imaginären Gerichtshof hart anklagen. Jedoch ist die Apologie so glänzend, daß ein Freispruch erkämpft wird. Durch die erzwungenermaßen sitzende Tätigkeit werden nämlich Kunst und Wiss. gefördert und damit der bessere Teil der Menschen, die Seele, zum Höheren und damit zum eigentlichen Sinn des Lebens geführt. Hier wird eindeutig auf Platons Gleichnis von der Seele als Wagenlenker im *Phaidros* angespielt, aber auch sonst steht Pirckheimer in der Trad. der griech. Redner. Apollonios von Tyana, Philostrat und Lukian behandelten die Gicht parodistisch, ebenso Petrarca 1360, aber Pirckheimer hat etwas Eigenständiges mit der fiktiven Gerichtsrede geschaffen: Wie einst Sokrates seine Sache führte, so auch *Frl. Podagra*, die aus dem reichen Zitenschatz der Ant. schöpfte. Bis 1700 ist die Dichtung zehnmal aufgelegt, bald ins Dt., Engl., Frz. und Tschechische übers. worden. In freier Bearbeitung wurde es in satirischen Werken, z.B. von Hans Sachs, benutzt.

Pirckheimer hatte eine → Autobiographie geschrieben, die wohl nicht zur Veröffentlichung gedacht, aber doch wie die Eigenporträts Dürers ein markantes Zeugnis für das gewachsene Selbstbewußtsein und den Selbstwert der Persönlichkeit darstellt. Er hat auch nicht wie die meisten Humanisten seinen Namen latinisiert oder gräzisiert. Seine Vorliebe für die *studia humanitatis* hat er aber stets betont. In der lat. Übers. der ersten 15 Charaktere Theophrasts mit dem griech. Text als *Editio princeps* (1527) verglich er in der Widmungsrede an seinen Malerfreund Dürer die entfesselten Leidenschaften, die der ant. Psychologe schildert, mit der Zügellosigkeit seiner Zeit, mit den radikalen Schwärmern unter den Anhängern der Reformation.

In den letzten Lebensjahren übersetzte er weitere Reden – insgesamt 38 von 45 – des Gregor von Nazianz, der erst wiederentdeckt worden war, zerrieb sich aber sonst in tagespolit. Auseinandersetzungen mit Nürnberger protestantischen Geistlichen. Er war pessimistisch in seinem cholerischen Temperament geworden. Der Tod der Frau und des einzigen Sohnes, getroffen auch vom Tod Dürers, gezeichnet von der Krankheit, die ihn aus dem Amt scheiden ließ, und der zunehmende, verbitterte Streit der Konfessionen, führte zur Resignation. Wie die meisten Humanisten hatte Pirckheimer aktiv durch seine Schriften und Briefe zunächst für Luther votiert. Mit der zunehmenden Radikalisierung der Reformation zog er sich ins Private zurück, zumal ihn auch die starre Haltung seiner katholischen Freunde Enttäuschungen bereiteten. Nur mit Erasmus blieb er verbunden. ›Vivitur ingenio, caetera mortis erunt‹ (›Er wird durch den Geist weiterleben, das Übrige wird sterblich sein‹) lautet der Wahlspruch auf dem von Dürer geschaffenen Porträt von 1524. Pirckheimers *ingenium* hat v. a. für die Antikerezeption und das Nachleben der Ant. einen wertvollen Beitrag geleistet [17].

→ Apollon; Aristophanes; Aristoteles; Augustinus; Augustus; Dionysos; Epitaphium; Homer; Horaz; Komödie; Lukian; Mittellat.; Ovid; Platon; Plinius; Plutarch; Satire; Septem Artes Liberales; Sokrates, Sueton; Terenz; Theophrast; Vergil; Vitruv

1 C. VOSSEN, Mutter Lat. und ihre Töchter. Europas Sprachen und ihre Herkunft, 1992 2 R. REISER, Götter und Kaiser. Ant. Vorbilder Jesu, 1995 3 J. SEZNEC, Das Fortleben der ant. Götter. Die myth. Trad. im Human. und in der Kunst der Ren., 1990 4 H. KÖRNER, Grabmonumente des MA, 1997 5 A. ANGENEDT, Gesch. der Religiosität im MA, 1997 6 R. M. KLOOS, Einführung in die Epigraphik des MA und der frühen Neuzeit, 1980, 70–80 7 H. GÜNTHER, Die Ren. der Ant., 1998 8 J. KOCH (Hrsg.), Artes Liberales. Von ant. Bildung zur Wiss. des MA, 1959 9 M. PICONE (Hrsg.), L'enciclopedismo medievale, 1994 10 W. TRILLITZSCH, Der dt. Ren.-Human., 1981 11 W. PIRCKHEIMER, Plutarch, Moralia 5 (dt. Übertragung), Nürnberg 1519 12 N. HOLZBERG, Griech. Human. in D., 1981 13 R. JOHNE, Willibald Pirckheimer und das Platonbild des dt. Ren.-Human., (maschr. Diss. Berlin) 1981 14 Dies., Dürers Studium nach der Ant., in: Das Alt. 17, 1971, 229–237 15 Dies., Aristophanes-Stud. im dt. Ren.-Human. Zum *Eccius dedolatus* Willibald Pirckheimers, in: B. ZIMMERMANN (Hrsg.), Ant. Dramentheorie und ihre Rezeption, 1992, 159–168 16 Dies., Albrecht Dürer und Willibald Pirckheimer auf den Spuren der Ant., in: Antikerezeption, Antikeverhältnis, Antikebegegnung in Vergangenheit und Gegenwart, 1983 (erschienen 1988), 169–186 17 W. P. ECKERT, CH. VON IMHOFF, Willibald Pirckheimer, Dürers Freund im Spiegel seines Lebens, seiner Werke und seiner Umwelt, 1971. RENATE JOHNE

II. BAROCK

A. EINLEITUNG B. PÄDAGOGIK
C. GELTUNGSVERLUST DER ANTIKEN
WISSENSCHAFTEN D. DICHTUNG
E. MYTHOLOGIE IN LITERATUR UND BILDENDER
KUNST F. HISTORIOGRAPHIE
G. ANTIKENSAMMLUNGEN H. HOFKUNST
I. ARCHITEKTUR

A. EINLEITUNG

Zu Anf. des 17. Jh. kam es in D. zu einer epochalen Änderung des Geschmacks, für die sich der Begriff Barock eingebürgert hat. Betonte die ältere Forsch. die antiklass. Aspekte der Epoche zw. 1600 und 1730, so erklärt man neuerdings den Barock wesentlich aus Aufnahme und Verarbeitung der ant. Trad. Stilgeschichtliche Rezeptionsstud. weisen nach, daß die Wendung von der klassizistischen Ren. zum manieristischen Barock mit einer gewandelten *decorum*-Auffassung und einem veränderten → *imitatio*-Begriff einhergeht: die Wirkungsmittel verselbständigen sich, und die klass. Muster sucht man weniger nachzuahmen als zu übertreffen (*aemulatio*).

Obwohl sich in D. nach 1600 Schule, Univ. und Buchmarkt von den »toten« Sprachen ab- und der Nationalsprache zuwandten, prägten die neu-lat. Rhet. und die Gattungspoetik des Späthuman. nachhaltig den langwierigen Aufstieg des Deutschen zu einer konkurrenzfähigen Literatursprache. So ist der dt. Barock immer noch eine Epoche dt.-lat. Bilinguität. Freilich nahm der Anteil lat. Bücher im 17. Jh. kontinuierlich ab. Dieser Prozeß beschleunigt sich in den 1670er J., doch erst seit dem letzten Jahrzehnt des 17. Jh. überwiegt die dt.-sprachige Buchproduktion endgültig. Diese sukzessive Verdrängung des Lat. differiert in den verschiedenen Disziplinen. Während in der protestantischen Theologie und in den Geschichtswiss. das Deutsche bereits im 17. Jh. dominiert, hält sich in Medizin, Philos. und v. a. in der Jurisprudenz das Lat. bis weit ins 18. Jh. [20. 626 f.]. Die Dichtung liegt zw. diesen Polen: erst am Ausgang des 17. Jh. ist das poetische D. kein lat. Land mehr. Wenn noch Mitte des 18. Jh. immerhin ein Viertel der dt. Buchproduktion in lat. Sprache erschien, so ändert dies nichts an der Tatsache, daß die klass. Sprachen zw. 1600 und 1750 sukzessive an Geltung verloren.

B. PÄDAGOGIK

Dieser Tendenz entsprechen die kulturpatriotischen pädagogischen Reformen, die darauf zielten, das Deutsche zu Lasten der klass. Sprachen zu stärken. Zwar setzte sich die Sprachenfolge Deutsch, Hebräisch, Griech. und Lat. nicht durch, wie sie der Reformpädagoge Wolfgang Ratke 1617 (1571–1635) vorschlug, doch drängten E. des 17. Jh. die mod. Fremdsprachen Frz. und It. die klass. Sprachen zurück, da sie der Zweckrationalität mod. Ausbildung besser entsprachen. Auf die Krise des → Altsprachlichen Unterrichts reagierte etwa der Straßburger Philologe Johann Heinrich Böckler mit der *Kurtzen Anweisung/Wie man die Authores Classicos bey und mit der Jugend tractiren soll* (1679). Während die lat. Sprache sich von einer Literatursprache zu einem akad. Gebrauchsmedium wandelte [20. 487], büßte das Griech. seine vormalige Bed. ein. Bezeichnenderweise hörte die Herausgabe griech. Autoren fast ganz auf: so erschienen zw. 1615 und 1750 keine Ausgaben von Demosthenes, Isokrates, Sophokles, Euripides, Pindar und Plato [20. 488].

C. GELTUNGSVERLUST DER ANTIKEN WISSENSCHAFTEN

Der Dreißigjährige Krieg (1618–1648) lähmte die Bildung und das kulturelle Leben in D. Außerdem verlagerte sich das akad. Interesse von der Dichtung auf Theologie, Philos. und die praktischen Wiss. Die Errungenschaften der Ant. traten so hinter den Leistungen der Mod. zurück [20. 489]. Die experimentellen Naturwiss., deren Beginn exemplarisch William Harveys Entdeckung des Blutkreislaufs (*De motu cordis*, Frankfurt/M. 1628) markiert, schwächten die Koryphäen der klass. Ant. entscheidend. An die Stelle der Wahrheit verbürgenden Autorität eines Hippokrates (→ Hippokratismus) oder Galen (→ Galenismus) traten in der Medizin Experiment und Autopsie. Dieser Geltungsverlust betraf nicht nur die Medizin und die technisch-praktischen Wiss., sondern die gesamte Wissenskultur der Ant. Denn im Zuge der reformerischen Bemühungen um eine zeitgemäße Realienpädagogik fand die Ansicht, daß die Gegenwart der Ant. überlegen sei, viele prominente Fürsprecher (Caspar der Ä. von Dornau, 1577–1632, Johann Balthasar Schupp, 1610–1661, Christian Thomasius, 1655–1728). Der selbstbewußte Umgang mit der ant. Trad. zeigt sich exemplarisch in der Rechtswiss., in der eine ›zeitgemäße Praxis des röm. Rechts‹ dessen ›theoretische Rezeption‹ ablöste. Der sog. → Deutsche Usus modernus, wie ihn v.a. Hermann Conring (1606–1681) vertrat, ermöglichte Rechtsinstitutionen ohne Anlehnung an röm. Texte [29. 204–215].

D. DICHTUNG

1. POETIK

Die späthuman. Anfangsphase der dt. Barocklit. war zweisprachig, und die Poetik stand unter ant. Auspizien. V.a. für das Dichterverständnis der Frühen Neuzeit spielte die Ant. eine maßgebliche Rolle. Um das Dichten in dt. Sprache aufzuwerten, berief man sich auf die platonische Vorstellung vom enthusiasmierten Dichter und vom Dichter, der der Vergänglichkeit trotzen könne (vgl. Opitzens Nachdichtung von Hor. carm. 3,30). Mit ant. Beispielen suchte man auch den Adel in mäzenatische Pflicht zu nehmen und auf ein »Bündnis von Feder und Schwert« festzulegen.

Bezeichnenderweise auf Lat. verfaßte Martin Opitz (1597–1639) seine Programmschrift *Aristarchus sive de contemptu linguae Teutonicae* (1617), in der er für das Dichten in dt. Sprache plädiert. Seine Versreform im *Buch von der Dt. Poeterey* (1624), die aus dem Deutschen eine konkurrenzfähige Literatursprache machte, besteht darin, die Taxonomie der ant. Metrik beizubehalten, deren quantitierende Prosodie aber in ein akzentuierendes Verfahren umzuwidmen: statt langen und kurzen Silben unterscheidet Opitz betonte und unbetonte Silben. Den Alexandriner, einen gereimten jambischen Sechsheber, etablierte er als dt. Äquivalent zum Hexameter.

2. ANTIKE STROPHENFORMEN

2.1 HORAZISCHE ODEN

Parallel zur Opitzischen Versreform suchte man auch ant. Strophenformen zu imitieren, und zwar sowohl in lat. wie dt. Sprache. Unter den neu-lat. Lyrikern des 17. Jh., die die horazischen Muster aufgriffen, ragt Jacob

Balde (1604–1668) heraus. Seine Marienoden (*Odae partheniae*, Lyricorum libri IV, 1643) lehnen sich in Metrik und Diktion so vollkommen an sein röm. Vorbild an, daß ihn die Zeitgenossen als »dt. Horaz« priesen. Baldes Synthese christl. und ant. Poesie beschränkt sich nicht auf die Form: er integriert die klass. Myth. in seine poetische Marienverehrung, indem er die Gottesmutter als »Nympha« oder »Diana« preist [27. 40]. Dem Jesuiten Balde sind viele neu-lat. Horazparaphrasen von Dichtern seines Ordens verpflichtet (Johannes Bisselius, 1601–1682, Adam Widl, 1639–1710, Nicolaus von Avancini, 1612–1686).

Die protestantische und dt.-sprachige Dichtung orientierte sich aber weniger an Baldes Erneuerung der horazischen Ode als an den Mustern der Pleiade und nationalisierte die ant. Odenformen nach ihrer frz. Ren.-Version als gereimte dt. Strophenlieder. Für die flache Breite der barocken Gesellschaftsdichtung bleibt Horaz allenfalls ein gehaltlicher Maßstab: das dt.-lat. Qualitätsgefälle in der frühen Odendichtung spiegelt Paul Fleming (1609–1640) wider, dessen einzige dt. horazische Ode (*Teütsche Poemata*, 1646, Ode 1,2) gegen seine lat. Oden und Epoden abfällt. Die Nachahmung der ant. Odenformen blieb rein äußerlich, solange man neben dem Reim das Prinzip der Alternation befolgte und auf die Kombination zwei- und dreisilbiger Metra verzichtete, wie sie für die klass. Odendichtung charakteristisch ist. Doch findet sie bereits in den 1630er J. in manchen Odenstrophen von Ernst Christoph Homburg (1605–1681) und dem Kirchenlieddichter Johann Heermann (1585–1647) der Adonius als Schlußvers (*Trost-Gesang*, 1638). Schon 1630 hatte Johann Plavius in Danzig die erste wirkliche sapphische Ode gedichtet. Sein *Deutsches Sapphicum*, ein Hochzeitsgedicht, hat den Daktylus an erster Stelle, die Zäsur nach der fünften Silbe und den Adonius als Schlußvers [15. 34]. Überwunden hat aber das metrische Prinzip der Alternation erst die Nürnberger Dichterschule unter Berufung auf Augustus Buchner (1591–1661). Durch den Gebrauch dreisilbiger Versmaße wie Daktylus und Anapäst ließen sich die ant. Odenformen besser in die dt. Sprache übertragen. So erprobten Johann Klaj (1610–1656) und Sigmund von Birken (1626–1681), bedeutende Repräsentanten der Pegnitzschäfer, Sapphische Oden (Johann Klaj, *Dem Aufferstandenen Siegsfürsten Christo*, 1644; vgl. dazu Georg Greflinger, 1620(?)–1677(?), *Zwey Sapphische Oden von Geburt und Leiden Jesu Christi*, 1644) und anakreontische Oden (Birken, Klaj), freilich alle mit Reimbindung. Georg Philipp Harsdörffer (1607–1658; *Alcaische Ode*) gelang 1644 eine vollkommene alkäische Ode, ihm folgten Matthäus Apelles von Löwenstern (1594–1648, 1644) und Andreas Gryphius (1616–1664; *Manet unica virtus*, 1646).

2.2 PINDARISCHE ODE

Der Pindarischen Ode hatte Martin Opitz lediglich den dreiteiligen Aufbau (Strophe, Antistrophe, Epode) mit verschiedenen Kombinationen zweisilbiger Versfüße vorgeschrieben: Strophe und Antistrophe sollten sich, wie zuvor schon bei Georg Rodolf Weckherlin (1584–1653; 1618), in Metrum, Anzahl der Verse und Reim entsprechen. Opitz' »Pindarisieren« fand viele Nachahmer. Doch während man am hohen Stil und ernsten Gehalt der Pindarischen Ode festhielt, erweiterte man auch hier sukzessive die Vorgaben der Versmischung und Reimverknüpfung. Hatte Justus Georg Schottelius (1612–1676) 1645 in den Epoden erstmals Daktylen und Anapäste mit Trochäen gemischt, so variierte Andreas Gryphius die Strophenformen der Pindarischen Ode zum Zwecke einer forcierten Dialektik. Infolgedessen zählte die Pindarische Ode zur beliebten Ausdrucksform der »Reyen«, der dem ant. Chor nachgebildeten Interludien im barocken Trauerspiel.

3. Gattungen

3.1 Versepos

In der Hierarchie des 17. Jh. galt das Heldengedicht als vornehmste Gattung. Als zeitgemäßes und mustergültiges Vorbild war der röm. Epiker Vergil beliebter als Homer. So übers. Michael Schirmer der J. (1606–1673) Vergils *Aeneis* (1668, ²1672) als → Fürstenspiegel. Um den epischen Nachholbedarf der dt. Lit. zu kompensieren, orientierte man sich freilich mehr an den it. Ritterepen der Ren. Doch kamen die ant. Epiker am Ausgang des 17. Jh. zu neuen Ehren, als man mit ihrer Autorität die neue Gattung des Prosaromans beglaubigte (Daniel Georg Morhof, 1639–1691). Noch bevor Veit Ludwig von Seckendorff (1626–1692) die *Pharsalia* (1695) übers. [10. 69–78], gehörte auch Lucan zu den geschätzten Vorbildern. Die macchiavellistische *Pothinus-Rede* hat Johann Michael Moscherosch (1601–1669) im siebten der *Gesichte Philanders von Sittewalt* (1640) bearbeitet, und in ihren Römerdramen wetteifern Andreas Gryphius (*Papinianus*, 1659) und Daniel Casper von Lohenstein (1635–1683; *Epicharis* und *Agrippina*, beide 1665) mit dem Pathos Lucans [10. 61–68].

3.2 Tragödie

Neben dem Versepos erkannten Opitz und die Poetiken des 17. Jh. der Trag. den höchten Rang zu. Die Trag. des dt. B. entstand aus dem Geist der Ant. Dabei glich man die Katharsis dem christl.-stoischen Tugendideal der *Constantia* an: So konstatiert Martin Opitz in der Vorrede zu seiner Übers. von Senecas *Trojanerinnen* (1625): ›Solche Beständigkeit aber wird uns durch beschawung der Mißligkeit deß Menschlichen Lebens in den Tragedien zu förderst eingepflantzet‹. In seiner Seneca-Version wie in seiner Übertragung der *Antigone* des Sophokles (1636) christianisiert Opitz die ant. Vorlagen und dämpft die Affekte. Doch nicht nur im »vorbarocken Klassizismus« [1], auch in der Affektdarstellung des Hoch-B. und dem schwülstigen Exotismus der Zweiten Schlesischen Schule (Daniel Casper von Lohenstein, Johann Christian Hallmann, 1640?–1704?), mit überraschenden Handlungsumschwüngen und forcierten Greuelszenen, dominiert der stoizistische Gedanke der *Constantia* und *Tranquillitas animi*. Dabei assimilierte man Senecas Stoizismus – was auch für die sonstige Rezeption der ant. Philos. im B.-Klassizismus

gilt – häufig nur mittelbar: über den niederländischen Neustoizismus des Justus Lispius (1547–1606; *De constantia*, 1584), Neulateiner wie Caspar Schoppe (1576–1649) und durch Übers. (vgl. Johann Peter Titz, 1619–1689, *Des Diogenes Rede an Alexander den Gr., aus Dan. Heinsii Oration von der Stoischen Philosophie, in Dt. Versen abgesetzt*, 1640). Dabei versuchte man, den Paganstoizismus christl. zu überformen wie Jacob Balde, der seinen *Jephtias* (1637) als *parodia christiana* von Senecas *Hercules Oetaes* gestaltete.

3.3 Pastorale

Das Pastorale des B. gewann sein Konzept des Elegischen aus der überbietenden Nachahmung Vergils. Ihm ist das Lob des Landlebens von Opitz ebenso verpflichtet, wie Horaz, dessen epod. 2 häufig nachgeahmt wurde [19]. Die Wirkung des bukolischen Vergil reicht bis in die Idyllen-Dichtung des Rokoko.

3.4 Epigramm

Die Epigrammatik des B. schöpfte ebenfalls in reichem Maße aus dem ant. Reservoir. Immer wieder, sei es unmittelbar (*Anthologia Graeca*, Martial) oder mittelbar (Neulateiner wie John Owen, 1560(?)–1622, Maciej Kazimierz Sarbiewski, 1595–1640), griffen die Epigrammatiker und Emblemdichter auf Typus und Thematik der Ant. zurück und eiferten dem Stilideal der satirischen Kürze nach [25]. Die Muster hatte Opitz in seinem *Florilegium Variorum Epigrammatum* (1639) propagiert.

3.5 Heroide

Eine zeitgemäße Anverwandlung ant. Muster stellen die *Heldenbrieffe* (1680) des Hoffmann von Hoffmannswaldau dar. Sie transponieren Ovids *Heroiden*, später von Caspar Abel (1704) übers., in die Ständegesellschaft des Frühabsolutismus. Vorrangig kommen unstandesgemäße Liebschaften aus dem 9. bis 16. Jh. zur Sprache, und die Rhet. der galanten Liebesrhet. konkurriert mit frz. Mustern.

4. Oper

Selbst neue epochenspezifische Gattungen wurden auf ant. Vorbilder bezogen: so galt die → Oper als Erneuerung der griech. Trag., und tatsächlich bildete die ant. Myth., später zunehmend auch die ant. Geschichte, die vorrangige Stoffquelle der Barocklibretti: der ersten dt.-sprachigen Oper von Martin Opitz (Libretto) und Heinrich Schütz (1585–1672; Musik, verschollen) liegt der Daphne-Mythos zugrunde (Uraufführung Torgau 1627).

5. Moralsatire

Auf ant. Traditionen beruft sich auch die frühneuzeitliche Moralsatire. Deren Programm, dichterische Freiheit zum Zwecke moralischer Besserung, illustriert der monströse Satyr auf dem Titelkupfer von Hans Jakob Christoffel von Grimmelshausens *Der Abentheurliche Simplicissimus Teutsch* (1668): als Personifikation der Satire verbildlicht er das *Mixtum compositum*, das Horaz zu Beginn seiner *Ars poetica* entwirft.

E. Mythologie in Literatur und bildender Kunst

1. Literatur

Um die Mitte des 17. Jh. entzündete sich ein Streit über die Vereinbarkeit von ant. Myth. und Christentum. Gegen die lit. Mythosrezeption polemisierten v. a. protestantische Theologen. In seiner *Heidnischen Poeterey/Christl. corrigiert und verbessert* (1647) verwirft etwa Balthasar Gockel jegliche Nachahmung ›heydnischer Abgötterey‹, und auch Paul Gerhardt (1607–1676) betont den Primat der Bibel vor der Ant. angesichts der Vergänglichkeit menschlichen Lebens (›Aber wenn der Tod uns trifft | Was hilft da Homerus' Schrift‹?). Die Kritik an der paganen Dichtung und Myth. zeitigte Wirkung: Johann Rist (1607–1667), zuvor durchaus von der ant. Myth. angesteckt, stellt im *Poetischen Schauplatz* (1646) kategorisch fest: ›Ein rechtschaffener Poet darff sich solcher Heydnischen Lumpen-Gedichte gar nicht bedienen‹ (zit. nach [5. 298]). Und auch Philipp von Zesen (1619–1689) stimmte schließlich in den Chor derjenigen ein, die die ›heidnischen abgöttischen nahmen‹ in der Dichtung verwarfen. Indem er die ant. Myth. relativierte (*Der erdichteten Heidnischen Gottheiten/(. . .) Herkunft und Begäbnisse*, 1688) und die ant. Götternamen konsequent eindeutschte (»Libinne« statt »Venus«), vermittelte er zw. den streitenden Parteien [3. 159–163].

2. Bildende Kunst

Die Myth.-Kontroverse beschränkte sich fast ganz auf die Lit. und auf das städtische Kulturleben. Für die → Emblematik und die bildenden Künste, insbes. für die höfische Kultur, blieb die ant. Myth. eine vorrangige Stoffquelle. Neben Cesare Ripas *Iconologia* (dt. Übers. 1659) wirkte auf die Barockkunst noch das myth. Handbuch des Joachim von Sandrart (1606–1688; *Iconologia deorum, oder, Abbildung der Götter, welche von den Alten verehret worden*, 1680). Auch Samuel Bottschild, seit 1677 Oberhofmaler am sächsischen Hof, wandte sich mit dem Überblick (*Opera varia Historica, Poetica et Iconologica*, 1693) über seine myth. Deckenbilder im Hauptsaal des Großen Gartenpalais in Dresden an bildende Künstler.

Zu den häufigsten myth. Bildthemen der dt. Barockkunst zählen *Narcissus an der Quelle, Leda mit dem Schwan, Raub der Europa, Herkules und Omphale, Diana und Kallisto im Bade, Diana und Aktäon* und die *Befreiung der Andromeda* [21]. Die galanten Sujets gehen sämtlich auf Ovids *Metamorphosen* zurück, die auch das Motivarsenal des Kunsthandwerks bestimmen. Überhaupt ist Ovid der wirkungsmächtigste Klassiker im Barock [18]; man suchte seine Dichtung zu moralisieren und die mythischen Erzählungen durch Allegorese pädagogisch einzusetzen. So wurden den eleganten Metamorphosen-Illustrationen des kaiserlichen Hofmalers Johann Wilhelm Baur (zuerst 1640) noch in späten Auflagen (1709) die moralisierenden Tetrasticha des Johannes Posthius (1537–1597) aus dem Jahre 1563 beigegeben (Horn in [28]). Der drohende Atheismus-Vorwurf nötigte auch spätere Mythographen wie Magnus Daniel Omeis (1646–1708) zu Allegorisierungen und Moralisierungen, die zur rationalen Mythosdeutung und vergleichenden Mythoskritik der → Aufklärung überleiten.

F. Historiographie

Auch die Rezeption der ant. Historiographie stand lange unter moralpädagogischen Auspizien. So prägen Moralisierung und christl. Allegorese Peter Laurembergs *Acerra philologica* (zuerst 1637), eine populäre Sammlung histor.-sagenhafter Erzählungen aus der klass. Ant. Mit dem Frühabsolutismus verlagerte sich das histor.-polit. Interesse von der röm. Republik auf die Kaiserzeit. Leitete Henning Arnisaeus (ca. 1575–1636) den souveränen Fürstenstaat und die Staatsräson von Aristoteles (→ Aristotelismus) ab [6], so orientierten sich die nachfolgenden Historiker zunehmend an Sueton und mehr noch Tacitus, die eine wiss. und vorurteilslose Sicht der praktischen Politik vermittelten. Für den Absolutismus bildeten die *Arcana* der röm. Kaiserzeit einen Spiegel, und deren Historiker Tacitus kam in seiner empirischen, aber auch als macchiavellistisch verschrienen Methode der mod. Politikwiss. nahe. Dieser → Tacitismus charakterisiert auch die dichterischen Bearbeitungen der röm. Geschichte, eine bevorzugte Stoffquelle von Trauerspiel (Andreas Gryphius, *Papinian*, 1659, Daniel Casper von Lohenstein, *Agrippina*, nach den *Annalen* des Tacitus, *Cleopatra*), Singspiel (Johann Christian Hallmann, *Heraclius*, 1684) und höfisch-histor. Roman (Anton Ulrich von Braunschweig-Wolfenbüttel, *Octavia. Römische Geschichte*, 1677–1707, ²1712–1714, 1762, Lohenstein, *Großmüthiger Feldherr Arminius*, 1689/90). Auch im städtischen Kunstleben des Barock finden sich repräsentative Bezugnahmen auf die röm. Geschichte, da sich kommunale Ideale wohl eher durch histor. Stoffe vermitteln ließen. So sind die Rathäuser von Nürnberg und Augsburg mit bildkünstlerischen Darstellungen der Enthaltsamkeit des Scipio (Liv. 26,50) geschmückt [21 Bd. 2. 429].

G. Antikensammlungen

Auf den fürstlichen Kunst- und Literaturgeschmack wirkte sich die Debatte um die ant. Myth. nicht aus: Landesherrscher des Barock ließen sich in ihren Residenzen, in sog. Fürsten- und Kaiserzimmern, im Medium der röm. Geschichte und klass. Myth. verherrlichen. Solche Kaisergalerien wie das Münchener Antiquarium sind freilich meist human. Ursprungs; im Barock wurden sie zu Kunstkammern umgestaltet, die weniger antikisch ausgerichtet sind. So hielt man sich weniger an die durch Sueton motivierte Zwölfzahl, sondern kombinierte freier und reduzierte die aufdringliche Parallelisierung. Standen im Alabastersaal (1681/85) des Berliner Schlosses die Statuen brandenburgischer Kurfürsten neben denen röm. Kaiser, verwies man 1733 Raymond Leplat die Gegenüberstellung von August dem Starken und Kaiser Augustus [24. 11]: ein Beispiel für den Frühklassizismus um 1730, der die barocke Vielfalt reduzierte und regulierte. Auch im Material zeigt sich eine Änderung des Geschmacks: Die hellen Marmorköpfe der Ren. wichen dunklen Porphyr- und Bronzeköpfen auf farbigen Marmorbüsten. Dem neuen Geschmack der dekorativen Einbindung entsprachen neugefertigte Kopien eher als ant. Originale [24. 11]. Die schöpferische Leistung des Barock in der überbietenden Nachahmung ant. Skulpturen wurde erst von der jüngeren kunstgeschichtlichen Forsch. als ›verlebendigende Formsteigerung‹ angemessen gewürdigt [17. 44 f.] (→ Antikensammlung).

Das histor. Bewußtsein der Fürsten zeigt sich in gezielter Ausgrabungs- und Sammlungstätigkeit, wie etwa in Berlin und Dresden. Bodenfunde und Münzsammlungen aus dem Herrschaftsgebiet untermauerten die Kontinuität und kulturelle Trad. der Herrschaft ebenso wie antikisierende Genealogien. So setzte Friedrich Wilhelm von Preußen, der Große Kurfürst, die lokale Sammeltradition des Herzoghauses Jülich-Kleve-Berg fort: er erwarb eine Sammlung ant. Münzen und legte eine arch. Kollektion an, die größtenteils aus röm. Bodenfunden von Xanten stammte. Er kaufte gezielt weitere Kollektionen auf, insbes. Marmorskulpturen, an deren Betrachtung der Fürst sein ›heroisches Gemüte (...) erfreuen konnte‹ (J. Sandrart, *Teutsche Academie* II, Nürnberg 1679, 2,74). Als 1686 mit der pfälzischen Erbschaft eine umfangreiche Münzsammlung nach Berlin gelangte, sorgte Lorenz Beger für eine systematische Inventarisierung des Bestandes und baute ihn ›zum ersten komplexen Antikenmus. des Nordens‹ aus [11. 69]. Ge-

Abb. 1: Gottfried Christian Leygebe, Reiterstatue Friedrich Wilhelms d. Gr. von Brandenburg

rade das Sammeln röm. Münzen stand im Einklang mit der Prinzenerziehung der Frühen Neuzeit. Die überschaubare Galerie von Herrscherbildnissen und Historiendarstellungen sollte den Sinn des Prinzen für Herrschertugenden exemplarisch schärfen (→ Frieden). Zu den bedeutendsten Münzkabinetten des 17. Jh. zählen die Sammlung des Kurfürsten Karl Ludwig von der Pfalz und seiner Tochter Elisabeth Charlotte, der *Thesaurus Palatinus* (1685), und die Sammlung des Großen Kurfüsten, der *Thesaurus Brandenburgicus* (1696–1701) [11].

H. HOFKUNST

Der Frühabsolutismus nutzte die ant. Myth. und die Trad. der röm. Kaiser zur Erhöhung der eigenen Herrschaft. In sog. myth. Porträts stilisierten sich Fürstinnen etwa als Diana, Fürsten ließen ihre mil. Siege von Hofkünstlern und Hofdichtern myth. überhöhen. So ließ sich im Jahre 1680 der Große Kurfürst von Brandenburg von dem Bildhauer Gottfried Christian Leygebe als Drachentöter Bellerophon plastisch darstellen [2. Nr. 88] (Abb. 1). Wie Gerard van Hoet (1648–1738) E. des 17. Jh. Kaiser Leopold I. (Abb. 2) nach dessen erfolgreichen Türkenkriegen als siegreichen Herkules über der erlegten Hydra malte [14. 156], so faßte auch Balthasar Permoser (1651–1732) in seiner → Apotheose des Prinzen Eugen (1718/21) den Türkensieger als Herkules auf. Im Ahnensaal des Rastatter Schlosses zeigt das Deckenfresko die Aufnahme des Herkules in den Olymp, unschwer als Apotheose des Markgrafen Ludwig Wilhelm von Baden-Baden zu verstehen.

Enkomiastische Allegorien, Apotheosen, Medaillen verherrlichen die Fürsten in myth. Gewand ebenso wie ephemere Denkmäler (Feuerwerke, Triumphpforten, *Castra doloris*). So stilisierte Kurfürst Johann Georg II. von Sachsen seine absolute Herrschaft im Dresdner Herkulesfeuerwerk von 1678, das die Taten des Herkules zum Gegenstand hatte [9. 121–124]. Auch warnende myth. Exempla veranschaulichten die Souveränität des Herrschers. So lieferte Giovanni Antonio Pellegrini für das Schloß Bensberg Johann Wilhelms von Pfalz-Neuburg 1713/14 ein Deckenfresko, das den Sturz des Phaëton darstellt, und Johann Zick (1702–1762) illustrierte den Marmorsaal von Schloß Bruchsal mit dem Gigantensturz [21, Bd. 1. 97]. Die myth. Bildprogramme der barocken Residenzen feiern den Fürsten aber auch als Mäzen, als Förderer von Wiss. und Kunst, vorzugsweise als Apoll. So glorifizierte Georg Philipp Harsdörffer in einer bildlich-lit. Ehrenpforte (Porticus, 1646; Abb. 3) Herzog August den J. zu Braunschweig-Lüneburg zum Musenfürsten auf dem Pegasus und Herrscher des Parnaß, und Balthasar Permoser stattete den Eckpavillon des Dresdner Zwingers programmatisch mit den Statuen des Apoll und der Minerva aus (1715/16). Apollo und die Musen illustrieren die Bibliotheksräume vieler barocker Residenzen und Klöster (Luca Antonio Colomba in Ludwigsburg, 1711/13; Jacopo Amigoni, 1682–1752: Deckenfresko Schleißheim; Antoine Pesne, 1683–1757: Deckengemälde Schloß

Abb. 2: Gerard van Hoet, Allegorie auf Kaiser Leopold I.
als siegreicher Herkules (um 1670/75)

Abb. 3: Georg Philipp Harsdörffer, Porticus ...,
Nürnberg 1646. Herzog August d. J. zu
Braunschweig-Lüneburg als Apollo mit Caduceus
in der rechten Hand auf dem Niedersachsenpferd
als Pegasus, inmitten einer Säulenhalle, deren
Dekoration Stationen seines Lebens zeigt.

Abb. 4: Salomon de Caus, Narcissus.
Entwurf einer Grotte für
den Heidelberger Schloßgarten

Charlottenburg; Daniel Gran, 1694–1757: Lünetten-fresko Hofbibliothek Wien; Bartolomeo Altomonte, 1694–1783: Deckengemälde in den Stiftsbibliotheken in Admont und St. Florian).

I. Architektur

Die Architekten und Architekturtheoretiker des 17. Jh. hielten über die Vermittlung Palladios (erste dt. Ausgabe von Georg Andreas Böckler, 1693) an Vitruvs Regeln fest. Bestärkt durch das Antikenstudium in It., imitierte man wie Joseph Furttenbach (1591–1667) auch Bauten des alten Rom. Der Einfluß der Ant. zeigt sich bes. in den zahlreichen Säulenbüchern des 17. und 18. Jh., die die ant. Säulenordnungen klassifizieren. Zu den Kuriosa architektonischer Antikerezeption zählt ein Entwurf des Fürsten Karl Eusebius von Liechtenstein (1684) für eine Kirche, an deren Fassade alle fünf Säulenordnungen übereinander angebracht sind.

Auch die Gartenarchitektur orientierte sich an der ant. Myth. So bildete die Orpheus-Grotte, die 1615 der Architekt Salomon de Caus mit plastischen Automaten ausgestattet hatte, einen Glanzpunkt des Heidelberger Schloßgartens (Abb. 4). Der Lustgarten am Berliner Schloß war ant. Gärten nachempfunden und mit 47 antikisierenden Skulpturen geschmückt. Die Säule im Zentrum des Gartens, den Fürst Johann Moritz von Nassau-Siegen (1604–1679) als Statthalter des Großen Kurfürsten in Kleve anlegen ließ, trug einen Cupido, der auf umgestülpte Bombenkessel herabschaute: Allegorie der friedlichen Herrschaft Amors [23]. Wie mit der ant. Myth. die eigene Herrschaft aber auch offensiv verherrlicht wurde, zeigt die riesige Herkules-Statue in Kassel, die von Johann Jacob Anthoni (gest. 1688) dem Farnesischen Herkules nachgebildet wurde und seit 1717 den Garten von Schloß Wilhelmshöhe am Karlsberg krönt. Sie überblickt den gesamten Garten und beherrscht die Gruppe der gestürzten Giganten, von dener einer, Enkelados, als Brunnenfigur Wasser nach dem Heros speit – ein Musterbeispiel für die Formsteigerung und repräsentative Indienstnahme des ant. Erbes im dt. Barock.

→ Barock/Deutschland

1 R. Alewyn, Vorbarocker Klassizismus und griech. Trag., 1926 2 E. Berckenhagen, Barock in D., 1966 3 Th. Bleicher, Homer in der dt. Lit., 1972 4 R. Bolgar (Hrsg.), Classical Influences on European Culture, 1976 5 K. O. Conrady, Lat. Dichtungstradition und dt. Lyrik des 17. Jh., 1962 6 H. Dreitzel, Protestantischer Aristotelismus und absoluter Staat, 1970 7 J. Dummer et al. (Hrsg.), Antikerezeption, Antikeverhältnis, Antikebegegnung in Vergangenheit und Gegenwart, 1983 8 E.-L. Etter, Tacitus in der Geistesgesch. des 16. und 17. Jh., 1966 9 E. Fähler, Feuerwerke des Barock, 1976 10 W. Fischli, Stud. zum Fortleben des Pharsalia, um 1945 11 H.-J. Giersberg et al., Der große Kurfürst, Kat. 1988 12 V. C. Habicht, s. v. Architekturtheorie, Reallex. zur dt. Kunstgesch. I, 1937, 959–992 13 N. Hammerstein (Hrsg.), Hdb. der dt. Bildungsgesch. I, 1996 14 G. Heinz, K. Schütz, Porträtgalerie zur Gesch. Österreichs von 1400 bis 1800, 1976 15 R. Hossfeld, Die dt. horazische Ode von Opitz bis Klopstock, 1961 16 E. R. Keppeler, Die Pindarische Ode in der dt. Poesie, 1911 17 H. Ladendorf, Antikenstudium und Antikenkopie, in: Abh. der Sächs. Akad. der Wiss. Phil.-histor. Kl., 46, 2, ²1958 18 H.-J. Lange, Aemulatio Veterum, sive de optimo genere dicendi, 1974 19 A. M. Lohmeier, Beatus ille, 1981 20 F. Paulsen, Gesch. des gelehrten Unterrichts auf den dt. Schulen und Univ., I, ³1919 21 A. Pigler, Barockthemen, 3 Bde., ²1974 22 H. Rademann, Versuch eines Gesamtbildes über das Verhältnis von Martin Opitz zur Ant., 1926 23 P. O. Rave, Gärten der Barockzeit, 1951 24 D. Rössler (Hrsg.), Ant. und Barock, 1989 25 M. Rubensohn, Griech. Epigramme und andere kleinere Dichtungen in dt. Übers. des 16. und 17. Jh., 1897 26 P. Stachel, Seneca und das dt. Renaissancedrama, 1907 27 K. Viëtor, Gesch. der dt. Ode, 1923 28 H. Walter et al. (Hrsg.), Die Rezeption der Metamorphosen des Ovid in der Neuzeit, 1995 29 F. Wieacker, Privatrechtsgesch. der Neuzeit, ²1967 30 Th. Zielinski, Cicero im Wandel der Jh., ³1912.

ACHIM AURNHAMMER

III. Bis 1806

A. Zwischen Humanismus und Aufklärung

B. Schule und Bildung

C. Die Griechenverehrung

D. Homer und Herodot

E. Winckelmann und Heyne

F. Das Studium der Antike

G. Utopie und literarische Gattungen

A. Zwischen Humanismus und Aufklärung

Das human. Modell der Philol. behielt bis ins 18. Jh. seine Geltung: die Philologen publizierten textkritische Ausgaben und Komm. ant. Autoren, ohne sie histor. auszuwerten. Zw. → Humanismus und → Aufklärung entstehen jedoch immer mehr Ausgaben, Sammlungen und Hilfsmittel. Der Höhepunkt dieser Tätigkeit kann in der *Bibliotheca Graeca* von Johann Albert Fabricius (1696–1769) gesehen werden: ein Werk, das 14 Bde. umfaßt (1705–1728 erschienen) und als die erste griech. Literaturgeschichte angesehen werden kann; es wurde von Gottlieb Christoph Harles neubearbeitet (1790–1809) und in 12 Bde. veröffentlicht, 1827–1828 von Chr. D. Beck erweitert (*Accessionum ad Fabricii bibl. Graec. specimina duo*). Fabricius spielte auch eine nicht unbedeutende Rolle als Organisator an der Jenenser Univ. und war dort maßgeblich an den gelehrten Gesellschaften beteiligt [37]: v. a. an der *Societas Latina Jenensis* (1733–um 1848), die ihre Blütezeit 1752–1778 unter der Leitung von Johann Ernst Immanuel Walch (1734–1799) hatte; er war Herausgeber der fünf Bände der *Acta* (1752–1756), die alle Gebiete der Altertumswiss. umfassen.

Die Kulturpolitik der sächsischen Fürsten förderte insbes. die → Universitäten Anf. des 18. Jh. sind Leipzig (»das sächsische Athen«), Jena und Wittenberg die besten Univ. in D. Aus Hannover und Sachsen kommen die bedeutendsten Persönlichkeiten des → Neuhuman.: nicht nur Johann August Ernesti (1707–1781) und Johann Matthias Gesner (1691–1761), sondern auch Johann Friedrich Christ (1701–1756), der in Leipzig als erster arch. Denkmäler und ant. Münzen in den Universitätsunterricht einbezog und damit die »Kunstarch.« begründete; zu nennen sind auch Gottfried Ephraim Müller, Herausgeber des unvollendeten Werkes *Histor. Einleitung zu nöthiger Kenntnis und nützlichen Gebrauch der alten lat. Schrifsteller* (Dresden 1747–1751) und Johann Christian Wernsdorf (1723–1793), ein Schüler aus Pforta, Student in Wittenberg und Professor in Heldstedt, der eine Trennung und Differenzierung von Philol. und Theologie versuchte (vgl. [12]). Die mod., sprachliche und sachliche Erläuterung der ant. Texte beginnt mit Johann Matthias Gesner (1691–1761) [51. 18–24], Professor der Poesie und Beredsamkeit in Göttingen (1734–1761). Für Gesner war die Hauptsache, der Altertumswiss. Eigenständigkeit zu verschaffen. Er verwirklichte seine Ideen an der Univ. Göttingen, wo er die Philol. aus ihrer engen Verbindung mit der Theologie löste. Er gründete 1737 das *Seminarium philologicum*. Es wurde damit ein erster Versuch gemacht, die bis dahin über verschiedene Fächer (lat. und griech. Gramm., Rhet., Poetik, Altertümer usw.) zerstreuten philol. Stud. in einem Inst. zusammenzufassen [42. 66]. Die Gründung des Seminars beweist auch die Modernität der Univ. Göttingen: zum ersten Mal sollte Zweck des Studiums der Ant. die Bildung des Geschmacks, Urteils und der Vernunft sein und nicht die Aneignung rhet. Fähigkeiten. Dadurch setzte allmählich eine eigenständige Philologenausbildung ein, die bis E. des 18. Jh. durch die Theologie bestimmt war [20. 91]. Gesners Reformbemühungen fanden ihren Niederschlag auch in der braunschweigisch-lüneburgischen Schulordnung von 1737.

Als Manifest des Neuhuman. kann die am 24.3.1742 in Leipzig gehaltene Antrittsvorlesung Ernestis *De humanitatis disciplina* angesehen werden. Ernesti trat für eine enzyklopädische Idee des Wissens ein: jede Wiss. sei eng mit den anderen verbunden, benötige die Hilfe der anderen und habe in sich selbst einen eigenen Wert. Das Ideal des Wissens aber brauche – wie bei Quintilian und Cicero – die Kenntnisse verschiedener Disziplinen. Die *studia humanitatis* seien nützlich für Medizin, Jura und Theologie. Die Philol. insbes. sei die Wiss. ›der Worte und der Sachen‹ (*scientia et verborum et rerum*): der »Sachen«, weil, wie es Cicero formuliert habe, die schöne Form der Rede ohne gute Gedanken nicht zähle. Um gute Ideen zu haben, müsse man die ant. Autoren inhaltlich verstehen und nicht nur ihre Sprache beherrschen. Andererseits sollte die »Wahrheit«, um wirkungsvoll zu sein, in eine schöne Form gekleidet sein. Ernesti richtete sich gegen die *nova philosophia* des Pietismus. In der pietistischen Schule, deren Zentrum das von August Hermann Francke (1663–1727) gegr. hallensische Pädagogium war, wurden lat. Autoren studiert, um einen flüssigen und erhabenen schriftlichen Stil zu erlernen; zu diesem Zweck wurden nun auch lat. Gramm. verfaßt (z.B. Joachim Lange, 1707). Die Pietisten wandten sich auch gegen das Studium der griech. Autoren: sie warfen Humanisten wie

Melanchton vor, »unmoralische« Autoren wie Homer, Euripides und Aristoteles in den Schulunterricht eingeführt zu haben; die Schüler sollten sich statt dessen nur der Lektüre der hl. Texte widmen [12]. Ernesti wollte beweisen, daß gerade das Studium der ant. Autoren es Luther erlaubt habe, den röm. Katholizismus zu überwinden. Um der »barbarischen Philos.« der Scholastik widersprechen zu können, benötige man die Philos. der Ant. Ähnliche Gedanken wurden von dem Theologen Gottlieb Wernsdorf (1717–1774) in Wittenberg verteidigt. Ernesti strich v. a. die Rolle heraus, die die Leipziger Univ. bei der Verbreitung des Human. innehatte, und erinnerte an Mosellanus und Camerarius, die an dieser Univ. gelehrt hatten. Nachfolger von Ernesti in der polemischen Auseinandersetzung mit den hallensischen Theologen wurde Johann Benedict Carpzow (*De damno, quod parit philosophia absque litteris humanioribus et arte critica*, Leipzig 1748).

B. SCHULE UND BILDUNG

Bis ins 18. Jh. hinein blieb Lat. neben der christl. Lehre das Kernstück des Schulunterrichts: die Schüler sollten schwierige Texte aus dem Dt. ins Lat. übersetzen können und solche wie die *Vitae* von Cornelius Nepos oder die *Disticha Catonis* auswendig lernen, um rhet. und dichterische Fähigkeiten in Lat. zu üben. Lesen und Schreiben lernte man anhand des Lat. Ein beeindruckendes Zeugnis darüber gibt der Roman *Anton Reiser* (1785–1790) von Karl Philip Moritz ab: ›Denn innen einem Jahr kam Reiser dadurch so weit, daß er ohne einen einzigen grammatikalischen Fehler Lat. schrieb und sich also in dieser Sprache richtiger als in der dt. ausdrückte. Denn im Lat. wußte er, wo er den Akkusativ und den Dativ setzen mußte. Im Dt. aber hatte er nie daran gedacht, daß z.B. mich der Akkusativ und mir der Dativ sei und daß man seine Muttersprache ebenso wie das Lat. auch deklinieren und conjugieren müsse‹. In der Schule berücksichtigte man die Inhalte lat. Autoren nicht, es sei denn, sie waren von der ma.-christl. Trad. anerkannt. Denn die → Lateinschulen orientierten sich vor allem am Klerus; da sie aber auch Stadtschulen waren, war ihre Zielrichtung widersprüchlich: sie bildeten zukünftige Gelehrte neben zukünftigen Handwerkern aus [34. 16]. Die Lateinschulen trafen v. a. auf seiten der Philanthropinen auf Widerstand, die jedoch keineswegs die Abschaffung des Lateinunterrichts forderten, sondern Lat. als Weltkultursprache verstanden. In der Tat war Lat. zu dieser Zeit die Wissenschaftssprache. In lat. Sprache wurden die Vorlesungen in allen Fakultäten gehalten, obwohl die Ablösung dieser Trad. wahrscheinlich 1688 in Halle anfing, wo Thomasius als erster auf Dt. vorgetragen haben soll. Lat. sicherte so bis ins 19. Jh. hinein die Einheit der Wiss. in nationaler wie disziplinärer Hinsicht; sie bedeutete aber auch eine deutliche Absonderung der Gelehrten von der übrigen, des Lat. nicht kundigen Bevölkerung (vgl. [39. 419]), eine Absonderung, die auch für die Philanthropinen wichtig bleibt. Nach der Bildungskonzeption des Philanthropinen Johann Bernard Basedow (1723–

1790) sind zwei Arten von Schule notwendig: eine ›für den gemeinen Haufen‹, für Kinder die weniger Erkenntis bedürfen als andere, und eine kleinere Schule ›für die Kinder gesitteter Bürger‹, für die das Gymnasium bestimmt ist (hier sollen die Schüler auf Lat. reden und diskutieren und nicht reine geistlose Grammatikübungen betreiben). Dieser Unterschied sollte die zukünftigen Bildungsreformen prägen. Staat und Erziehung seien sehr eng miteinander zu verbinden, weil die Durchführung dieser Reformideen dem Staat überantwortet werde [34. 36].

Gegen die Lateinschule wandte sich auch Johann Gottfried Herder: ›Seufzen muß der Menschenfreund, wenn er sieht, wie in den Schulen, die mit dem Namen: »Lat. Schule« prangen, die erste junge Lust ermüdet, die erste frische Kraft zurückgehalten, das Talent in Staub vergraben, das Genie aufgehalten wird, bis es, wie eine gar zu lange zurückgehaltene Feder seine Kraft verliert. ... Unterdrückte Genies! Märtyrer einer bloß lat. Erziehung! O, könnet ihr alle laut klagen!‹ (*Über die neuere Dt. Lit.*, in: *Sämtliche Werke* Bd. IV, 380, zit. bei [34. 20]). Für Herder war das Studium der griech. Sprache und Kultur Mittel, um den Menschen zu einer höheren Humanität zu führen. Auch das Glaubensbekenntnis der dt. Griechenverehrung, die Johann Joachim Winckelmann (1717–1768) in die Mitte seiner Programmschrift *Gedanken über die Nachahmung der griech. Werke in der Malerei und Bildhauerkunst* (1755) stellte, prägte eine neue Richtung der Bildungsidee, die später als → Neuhumanismus bezeichnet wird. Seine erste konkrete Realisierung wurde das Friedrichs-Werdersche Gymnasium in Berlin, dessen Lehrplan von Friedrich Gedike (1754–1803) entscheidend beeinflußt war [36. 40]. Der Streit zw. Philantropinismus und Neuhuman. über das Bildungswesen führte nicht nur zu einer gelehrten Diskussion, wie sie z. B. in den theoretischen Äußerungen von Karl Friedrich v. Zedlitz zum Vorschein kommt (*Vorschläge zur Verbesserung des Schulwesens in den Königlichen Landen*, in der *Berliner Monatsschrift*, 1787), sondern auch zu einer konkreten Reform, zunächst in Preußen unter Friedrich Wilhelm II. durch die Einrichtung eines »Oberschulkollegium« (1787), das auch eine Prüfungsfunktion für Lehrer hatte [34. 22–29], später auch in Bayern. Allerdings erst seit 1797, unter Minister Julius von Massow, setzten in Preußen systematische Reformversuche des Hochschulsystems ein. Aber um den Plan einer Hochschulgründung in Berlin ernsthaft in Erwägung zu ziehen, mußte erst der Verlust von Halle, der ersten Univ. der Monarchie, nach der Katastrophe von 1806/1807 [41. 314–15], eintreten.

C. DIE GRIECHENVEREHRUNG

Der Neuhuman. und die »Verehrung« der Griechen haben verschiedene polit.-histor. und kulturelle Wurzeln: Die Deutschen sahen sich als das Volk der Mod. an, das die größte Geistesverwandtschaft mit den Griechen aufweise. Sie sahen ihren Auftrag darin, in der Mod. griech. Geist und die griech. Sprache wiedereinzuführen; nur das Dt., so etwa Klopstock, sei unter den mod. Sprachen in der Lage, das Griech. angemessen wiederzugeben. Darin sahen sich die Deutschen den anderen Nationen, insbes. den Franzosen, weit überlegen [24. 122]. Winckelmann und Goethe wurden als »Griechen« bezeichnet. So wurde die Identifikation der Deutschen mit den Griechen das wichtigste Medium, sich der eigenen nationalen Identität zu versichern. Bei Wilhelm von Humboldt wurde die Affinität zw. dem griech. und dt. Nationalcharakter geradezu zu einer Grundwahrheit (Brief an Goethe vom 30.5.1800): ›Deutschland (zeigt) in Sprache, Vielseitigkeit der Bestrebung, Einfachheit des Sinnes, in der föderalistischen Verfassung und seinen neuesten Schicksalen eine unleugbare Ähnlichkeit mit Griechenland.‹ ›Mit den neuesten Schicksalen ist offensichtlich die napoleonische Besetzung gemeint; der Anspruch auf Ähnlichkeit mit den Griechen sucht also die polit.-mil. Niederlage auf kulturellem Gebiet zu kompensieren‹ [24. 125]. Da die röm. Autoren die Muster des frz. → Klassizismus sind, entstand in D. das Interesse an den Griechen in bewußter Auseinandersetzung mit den Franzosen. Dieser Gegensatz kommt auch im Klischee vom frz. Nationalcharakter, von der Konventionalität und Oberflächlichkeit der frz. Intellektuellen zum Ausdruck, die einen enormen Einfluß an den dt. Fürstenhöfen ausübten – einen verderblichen Einfluß, durch den – so Herder – die Deutschen sich selbst entfremdet worden seien [24. 121]. Das romanozentrische Antikebild und die frz. lit. Modelle herrschten bis zum Auftreten Winckelmanns, Lessings und Herders auch in D. vor: Der frz. Klassizismus fand in Johann Christoph Gottsched seinen dt. Hauptvertreter, der in seinem *Versuch einer critischen Dichtkunst* (1729) Vergil über Homer stellte [15; 50. 160–161]. Gotthold Ephraim Lessings (1729–1781) Entdeckung der Welt der Griechen führte zu einem wirklichen Bruch mit der Trad., mit der devoten Orientierung an der klassizistischen frz. Kultur, die ihrerseits einzig und allein durch die lat. Kultur geprägt war. Deshalb ist Lessings Kampf gegen das frz. Theater und seine Theoretiker als ›la lutte de l'Hellenisme contre l'esprit latin‹ betrachtet worden (Ignàc Kont). Trotzdem sollte man Lessings lat. Stud. keineswegs als »Jugendwerke« betrachten, die nicht das Niveau der späteren, der griech. Kultur gewidmeten Schriften erreicht hätten [13; 48]. Man kann allerdings nicht bestreiten, daß die von Winckelmann initiierte Griechenbegeisterung das Studium der lat. Lit. und Kultur zweitrangig werden ließ. Mit dem ersten Befreiungskampf der Griechen gegen die Türken entstand im Jahr 1770 der eigentliche polit. → Philhellenismus. Das erste dt. Werk, das direkt davon inspiriert wurde, ist der Roman *Ardinghello oder die glückselige Insel* (1787) von Wilhelm Heinse (1746–1803); in Friedrich Hölderlins *Hyperion oder der Eremit in Griechenland* (1797–1799) nimmt der Held, ein zeitgenösssicher Grieche, am Freiheitskampf seines Landes gegen die Türken teil, ebenso der Held eines späteren Romans, *Phaethon*, von Wilhelm Waiblinger (1804–1830) [19]. Einen weiteren wichtigen Anstoß der Antikerezeption in der dt. Kultur, v. a. in der Kunst und Architektur (insbes. Friedrich Schinkel, 1781–1841), lösten die arch. Grabungen aus. Großen Eindruck machte im ganzen gebildeten Europa die Veröffentlichung der herakleischen Tafeln, die zu der Wiederentdeckung der *Magna Graecia* führen. Der Beginn der Grabungen in → Herculaneum (1738) und → Pompeji (1748) erweckte das allg. Interesse an der Ant. Mit der Entdeckung von → Paestum (1734–1740) wurde in der europ. Kultur und Kunst als wirkungsvolles Vorbild der dorische Tempel eingeführt [60; 16; 45].

D. Homer und Herodot

Eine zentrale Rolle spielte die »Wiederentdeckung« Homers, die v. a. von Johann Gottfried Herder ausgelöst wurde. Die *Prolegomena ad Homerum* von Friedrich August Wolf (1795), die allein mit den Mitteln der lit. Kritik die Historizität und die Einheit der *Ilias* zur Diskussion stellen, enden mit einem nachdrücklichen Hinweis auf die Einzigartigkeit des Werks, die auch von denen anerkannt wurde, die als Verteidiger von Wolfs Thesen wie die Brüder Schlegel auftraten. Das Bedürfnis, einen »dt. Homer« zu haben, der in der Übers. von Johann Heinrich Voß eingelöst wurde (*Odyssee* 1781, *Ilias* 1793), ist allerdings auch Ausdruck einer intensiven Übersetzungstätigkeit, die prägenden Einfluß auf die theoretische und poetische Entwicklung ausübte; man denke nur an die Aischylos-Übers. Wilhelm von Humboldts (1816).

Neben Homer war es Herodot, der der vorromantischen Generation das Modell des Universalhistorikers abgab. Der Göttinger Historiker Johann Christoph Gatterer gibt in der *Allg. Histor. Bibliothek* (1767) einen detaillierten Überblick über das Werk Herodots und stellte ihn den Zeitgenossen als Modell der Geschichtsschreibung vor Augen. Tatsächlich ist der Blick Herodots »philos.« in dem Sinne, als es ihm gelingt, bei der Betrachtung der einzelnen Elemente der Welt den substanziellen, tieferen Zusammenhang zw. ihnen aufzudecken. Für Gatterer wie für Friedrich Creuzer (*Herodot und Thukydides*, 1797; [17]) entsprach der ästhetischen Einheit des Werkes Herodots eine einheitliche und bewußte historiographische Konzeption. ›Mit Herodotos‹ – schreibt Creuzer – ›(erhob) sich die Geschichtsschreibung erst zum Universellen‹ [17. 123 f.]. Genau das war es, was Gatterer und August Ludwig Schlötzer, das heißt die Göttingische histor. Schule, von der Geschichtsschreibung forderten: sie sollte eine *historia universalis* aller Völker sein und in systematischer Darstellung den übergreifenden, allg. Zusammenhang (*nexus universalis*) offenlegen. Arnold K. L. Heeren (1760–1842), Schüler, Schwiegersohn und Biograph Heynes, versuchte dieses historiographische Ideal zu realisieren. In den *Ideen über die Politik, den Verkehr und den Handel der vornehmsten Völker der alten Welt* (1793–1796) wird als historiographisches Projekt ausgeführt, was Heyne in seinen Arbeiten zur Myth. oder zur ant. Kunstgeschichte vorbereitet hatte. ›Die Altertümerlit. wandelt sich damit endgültig zur Geschichtsschreibung

über das Alt.‹ [42. 72–74]. Auf der anderen Seite gab es das thukydideische Modell der Geschichtsschreibung, die sich mit einzelnen Staaten und Völkern beschäftigte. Im Gegensatz, der zw. den zwei Modellen besteht, erkannte man den Zwiespalt, in dem sich die damalige dt. Kultur zw. dem Faszinosum der »Welthistorie«, der »Universalsynthese«, und dem beschränkten, aber sicheren Feld der »histor. Kritik« befand.

E. Winckelmann und Heyne

Trotz Persönlichkeiten wie Ernesti und Gesner stand die dt. Philol. bis ins 18. Jh. hinein hinter der frz., niederländischen und engl. zurück. Aus dieser untergeordneten Rolle trat sie erst durch Johann Heinrich Winkkelmann (1717–1768) und Christoph Gottlob Heyne (1729–1812). Ohne Winckelmann ›wäre die klass.-dt. Humanitätslehre undenkbar‹ (E. Bergmann, zit. in [53. 122]). Für Winckelmann ›war die gesamte griech. Kunst ein »Individuum«, deutlich abgehoben von allem, was es vor- und nachher gab‹ [53. 85]. Die neue, auf die Griechen projizierte Kunstauffassung Winckelmanns ›erreicht durch ihre unerhörte dogmatische Geschlossenheit ein Höchstmaß an Normativität und ist damit so unhistor. wie nur irgend möglich‹ [42. 56]. Es muß allerdings darauf hingewiesen werden, daß ein derartiger ahistor. Klassizismus nicht ganz mit Winckelmanns Intentionen zusammenfällt, der vielmehr eine Wiederbelebung der ant. Kunst nicht nur nach dem ›Wesen der Kunst‹, sondern auch nach den ›äußeren Umständen‹ geben will. Diese Zweiteilung, die in dem Prooemium der *Geschichte der Kunst* geäußert ist, hat eine entscheidende Wirkung auf die spätere Geschichtsschreibung ausgeübt und weist starke Ähnlichkeiten mit historiographischen Modellen der Naturgeschichte auf, die systematisch-allg. und empirische Forsch. zu vereinigen versuchen. Man könnte hierin eine Auswirkung von Winckelmanns Versuch sehen, die zwei Grundtypen der Geschichtsschreibung, Herodot und Thukydides, zusammenzuführen. Einerseits steht die universelle Geschichte näher an Herodot, Theopomp und Diodor; andererseits steht die ›beschränkte‹ Geschichte der ›äußeren Umstände‹ und der Grundsatz, sich ›allein unter Griechen und Römern‹ zu bewegen, dem Prinzip des Thukydides, nur von einem Krieg zu erzählen, näher.

Von den Gedanken über die Nachahmung der griech. Werke (1755) bis zur *Geschichte der Kunst der Alt.* (1764) war Winckelmann bestrebt, der mod. Kunst den Weg aufzuzeigen, sich aus der Dekadenz durch eine »Nachahmung« zu befreien, die es versteht, die wahre »Schönheit«, die von der griech. Kunst ausstrahlt, zu erreichen – ein Gedanke, der den platonischen Ursprung nicht leugnen kann. Das Ideal der griech. Kunst und die Wesensmerkmale ihrer Meisterwerke seien ›edle Einfalt und stille Größe‹. In der »Ruhe« und Gelassenheit, die auch im größten Schmerz nicht abgelegt werden (vgl. → Laokoon), in einer stoischen Beherrschung der Leidenschaften liegt die didaktische Funktion von Winkkelmanns ästhetischem Ideal. So ist es v. a. eine große ethische Erhabenheit, die Winckelmann in den Kunstwerken der griech. Ant. entdeckte. Die klassizistische Architektur dagegen wird das Erhabene in den Formen suchen. Zum Modell wurde der Tempel des olympischen Zeus in Agrigent selbst für Künstler und Architekten, die Sizilien nie betreten haben. Der Traum des dt. Klassizismus war das niemals verwirklichte, Friedrich II. gewidmete Denkmal, das eine Generation von Architekten beschäftigte und den Klassizismus mit der gotischen Trad., zu verbinden suchte und damit eine Synthese anstrebte, die das Wesensmerkmal der romantischen Ästhetik ausmacht. Der Hauptvertreter dieser neoklassizistischen Richtung war Friedrich Gilly [16; 49; 60].

Auf die Bed. von Heyne, über den bis h. keine zusammenfassende Würdigung vorliegt, muß mit größtem Nachdruck hingewiesen werden: Er begründete die *studia antiquitatis* als eigenständige Wiss. und stellte der Philol. die Aufgabe, zur ästhetischen und ethischen Bildung des Menschen beizutragen. In seinem Vortrag *De genio saeculi Ptolemaerum*, als Festrede anläßlich des 25. Jahrestages der Georgia Augusta gehalten, hob Heyne die Bed. der Forsch. und des sie ermöglichenden Mäzenatentums hervor. Göttingen soll zum »neuen Alexandria« werden. Auch das mod. Studium des Mythos setzt mit Christian Gottlob Heyne ein. In der *Temporum mythicorum memoria a corruptelis nonnullis vindicta*, in der Königlichen Göttingischen Gesellschaft der Wiss. am 10.12.1763 vorgetragen, wandte sich Heyne gegen *corruptelae*, d. h. die Fehler und Mißverständnisse der Mod. in der Auslegung der ant. Mythen. Seine Polemik richtete sich gegen Versuche, in der Myth. eine Art von Geheimwissen (*res arcanas ac sacras*) oder nur alberne Fabeln (*fabulae, fables*), zu erkennen. Um sich auch terminologisch von diesen Auffassungen abzusetzen, prägte er in der Einleitung zu *Apollodors Bibliothek* (1782/3) den Begriff »Mythos«. Heynes Mythoskonzeption weist einen dezidiert histor. Charakter auf. Er prangert den seiner Meinung nach fundamentalen Irrtum an, das Mythenverständnis an der Gegenwart zu orientieren; vielmehr sollte man an die Ursprünge der Menschheit zurückgehen. Die Myth. sei nicht Frucht eines einzigen Volkes, sondern das Produkt der allg. menschlichen Einbildungskraft, da die Berührungspunkte der einzelnen nationalen Mythen nicht nur eine einzige Quelle nahelegten. Urspr. seien »Symbol« und »Mythos« ein und dasselbe. Sie seien die urspr. Ausdrucksform der Menschheit, die sich aus der Beschränktheit der menschlichen Intelligenz und der Armut der Sprache entwickelten (›ab ingenii humani imbecillitate et a dictionis egestate: Sermonis mythici seu symbolici interpretatio ad caussas et rationes ductasque inde regulas revocata‹, 1807). Dieses Verständnis von Symbol hat einen entscheidenden Einfluß auf die symbolische Interpretation der griech. Myth., die eine systematische Anwendung in Friedrich Creuzers *Symbolik und Myth. der alten Völker, insbes. der Griechen* findet (4 Bde., 1810–1812, ²1819, ³1836). Heyne wendet auf den Mythos Theorien an, die bezüglich des Sprachursprungs in Umlauf waren

(Condorcet; v. a. *De causis fabularum seu mythorum veterum physicis*, 1764). Um die Existenz einer urspr., pantomimischen Sprache zu beweisen, stützt er sich auf den Vergleich mit ihm bekannten unzivilisierten Völkern wie den Indianern Amerikas. Diese Gedanken entwickelte er in seinen späten Abhandlungen, die gerade auch die Lit. über Reisen nach Nordamerika und Indien verarbeiten, die Heyne für die *Göttingischen Gelehrten Anzeigen* rezensierte (*De vita antiquissimorum hominum, Graeciae maxime, ex ferociorum et barbarorum populorum comparatione illustrata*). Heynes Verdienst ist schießlich auch der Versuch, die Myth. anhand von künstlerischen Darstellungen zu studieren. 1767 begann er, erfolgreiche Vorlesungen über »Kunstmyth.« zu halten; in diesem Zusammenhang gründete er die erste dt. Gipssammlung (→ Abgußsammlung). Es war v. a. Heyne, der den Anstoß zu einer umfassenden Sicht der Ant. gab. In seiner wichtigen *Lobschrift auf Winckelmann* (1778), einer klaren, unrhet. Würdigung von Winckelmanns Bed. für die klass. Stud. und gleichzeitig ein Vademecum für die Zukunft des Faches, bekräftigt er die Notwendigkeit umfassender Kenntnisse im Bereich der allg. Geschichte bis hin zur Geistes- und Mentalitätsgeschichte, in der Myth. genauso wie in jedem Zweig der Lit. und Kunst [23. 115f.]. Heynes Idee der Altertumswiss. ist das Resultat seiner intensiven philol. Bearbeitung ant. Texte [28]; v. a. seine Vergil-Ausgabe zeigt deutlich seine Vorstellung, wie ein wiss. Komm. aussehen sollte: im Anhang finden sich verschiedene Exkurse über die wichtigsten myth. und anthropologischen Probleme des Vergiltextes [15]. ›Ein Beispiel für seine methodische Einstellung ist seine Abhandlung über *Irrtümer in Erklärung alter Kunstwerke aus einer fehlerhaften Ergänzung*, die der Arch. vor aller weiteren Ausdeutung eines Kunstwerks die Aufgabe der Echtheitskritik, in Analogie zur Textkritik, auferlegt: ›man will wissen, ob der alte Künstler wirklich das gesagt hat, was er gesagt haben soll‹. Ein elementares Bedürfnis histor.-kritischer Philol. erscheint hier aufs strengste reflektiert und ausformuliert‹ [45. 60–61]. In Heynes Seminar saßen W. v. Humboldt, die Brüder Schlegel, die Brüder von Stolberg, J. H. Voss, F. A. Wolf, der später gegen den Lehrer die Originalität seiner *Prolegomena* verteidigen mußte, aber auch der dänische Archäologe Georg Zoega (1775–1806), Verfasser des Werks *De origine et usu obeliscorum* und Begründer einer »symbolischen« Philol., die an den mystischen und okkulten Aspekten der Ant. und des Vorderen Orients interessiert war. Mit unterschiedlichen Ergebnissen folgten dieser Richtung später F. G. Welcker, F. Creuzer, K. W. Solger, O. M. von Stackelberg und K. Ottfried Müller. Heynes Lehrtätigkeit beeinflußte demnach entscheidend den ›Wandel von einer rationalistischen Mythenauffassung – wie Ramler, Moritz, Voss u. a. sie vertreten hatten – zu einer romantischen Mythenforsch., die sich von olympischer Klarheit ab- und den chtonischen, vorolympischen und »oriental.« Aspekten der griech. Mythenwelt zuwandte. Als deren neue Zeitgrößen traten bald nach der Jahrhundertwende Creuzer, Görres, Kanne (später auch Schelling und der altwerdende Friedrich Schlegel) auf‹ (J. Wohlleben, in: [62. 21 f.]). Dionysische Elemente und Gedanken, die das romatische Mythenverständnis vorwegnehmen, könnte man allerdings auch schon in Winckelmanns Schriften nachweisen.

F. Das Studium der Antike

Mit Heyne setzt die histor. Betrachtung der Ant. ein, eine dezidierte Beurteilung nach ant., nicht mod. Kategorien: F.A. Wolf machte dieses hermeneutische Prinzip zu einer pädagogischen Regel, nicht ohne Polemik gegen die Naivität bei der Lektüre ant. Autoren, die nach J.J. Rousseaus Meinung zur ›wahren Weisheit‹ führte. Statt dessen, schreibt Wolf, muß man ›aus der Gegenwart heraufsteigen‹ und die Ant. histor. mit Hilfe interdisziplinärer Studien lesen [29. 426 f.]. Aber neben, ja schon vor Wolf findet die klass. Altertumswiss. ihren Ursprung in W. v. Humboldts Skizze *Über das Studium des Alt. und des griech. inbes.* (1793): In dieser Schrift wird zum ersten Mal betont, daß das Studium der Ant. einen Wert in sich selbst aufweise, weil das Griechentum das histor. Wirklichkeit gewordene Modell einer absoluten Humanität darstelle und nicht nur eine nationalspezifische Etappe in dieser Entwicklung sei, wie dies noch für Herder der Fall war. Am E. der Unt. spricht Humboldt von der Nützlichkeit der Ant. und widerspricht damit implizit dem Nützlichkeitsanspruch, den die anderen Wiss. mit Erfolg für sich beanspruchen, und hebt gleichzeitig diesen Nutzen auf eine höhere Stufe, da er praktisch und ideal zugleich sei. Er trieb damit die Diskussion über Wert und Bed. der human. Stud. zu einer Extremposition und überwand gleichzeitig die Überzeugung der Aufklärung, daß die *humaniora*, die geisteswiss. Stud., lediglich Hilfswiss. seien. Allerdings mußte noch nachgewiesen werden, in welchem Maße sie selbständige Wiss. sein sollten.

Dies war die Aufgabe, die sich Wolf in seiner *Darstellung der Altertumswiss.* (1807) stellte [23], in der er einen entscheidenden Unterschied zu den Naturwiss. herausstellt: Da das Studium der Ant. nicht nur eine intellektuelle Bereicherung darstelle, sondern zugleich auch nützlich sei, genüge nicht eine bloße Kenntnis der alten Sprachen oder der Hilfswiss. wie z.B. der Paläographie und Epigraphik; vielmehr müsse man sich in die Ant. hineinversetzen. Kenntnis der Ant. ist demnach größtenteils »Apperzeption«, Intuition. Schon Winckelmann, der Begründer der mod. Arch., hatte in seiner Beschreibung und Bewertung von Meisterwerken der Ant. ein Beispiel dafür gegeben, wie Enthusiamus eine notwendige Ergänzung zur Wiss. ist. In dieser Richtung wird später der Plotin-Herausgeber Friedrich Creuzer in seiner Schrift *Über das Studium des Alt. als Vorbereitung zur Philos.* (1805) weitergehen, in der er – in neuplatonischer Diktion und geprägt von Schelling – betont, daß die Hauptaufgabe des Studiums der Ant. die Kenntnis der idealen Schönheit sei. Dieselbe Auffasung bekräftigt er in seiner Abhandlung *Das akad. Studium des Alt.* (1807), die die theoretische Vorüberlegung zur Einrichtung eines philol. Seminars in Heidelberg enthält. Um das Ideal zu erreichen, genüge nicht die Kenntnis der Sprachen, ebensowenig die trockene akad. Ausübung der histor. »Kritik«, vielmehr benötige man Enthusiasmus und Intuition. Die Begeisterung als ein Weg, sich der Ant. anzunähern, findet sich sogar bei W. v. Humboldt: ›Die Begeisterung wird nur durch Begeisterung angezündet, und die Griechen üben nur dadurch eine so wunderbare Wirkung auf uns aus, dass jene sie durchglühende himmlische Sehnsucht sich lebendig in ihnen ausspricht‹ (*Geschichte des Verfalls und Unterganges der griech. Freistaaten*, 1807, in: *Werke in 5 Bde.*, Bd. 2, 1969, 120). Eine derartige Begeisterung war allerdings nur wenigen Auserwählten vorbehalten: jener Gemeinschaft, die sich auf die Idee der *symphilosophia* (des gemeinsamen Philosophierens) stützte und gleichzeitig in unterschiedlichen Formen und mit verschiedenen Ergebnissen von den Brüdern Schlegel und von Novalis ersehnt wurde. In diesen Jahren bildet sich einerseits eine Trennung, andererseits jedoch auch eine gegenseitige Beeinflussung zw. der rein formalen Philol. und einer Sichtweise der Ant. heraus, die mehr auf Intuition basiert. Diese beiden Arten, die Ant. zu verstehen, sind noch h. gültig. Sie haben nicht nur die Geschichte der Klass. Philol. beeinflußt, sondern auch jedes polit.-pädagogische Vorhaben, die Jugend nach Modellen der Ant. zu erziehen. Der Altertumswiss. eine pädagogische Aufgabe anzuvertrauen, bedeutete andererseits, ihr einen möglichst großen Nutzen zu übertragen. So wurde also am Anf. des 19. Jh. die Doppelgesichtigkeit des Faches vorgegeben, die seine künftige Geschichte bestimmen sollte: eine Fachwiss. beansprucht für sich eine universale Rolle und Bed. in der Gesellschaft.

G. Utopie und literarische Gattungen

Ein das Antikebild im 18. und frühen 19. Jh. in entscheidendem Maße prägendes Element war der mit der Idee des Ant. verbundene utopische Charakter, die »Metaphysik des Griech.« Die Ant. bildete den lit. Bezugspunkt, der eine Flucht aus der schwierigen polit. Situation ermöglichte – ein Einheit stiftendes Element angesichts der polit. Zersplitterung D. Schon für den Aufklärer Christoph Martin Wieland, der sich insbes. mit seiner Zeitschrift *Att. Mus.* (1796–1801, fortgeführt als das *Neue att. Mus.* (1802–1812), zum Vorreiter in der Verbreitung der klass. Autoren gemacht hatte, verkörperte die Ant. – wie auch für Shaftesbury – das platonische Ideal des Schönen. So konnte denn auch Goethe Wielands *Musarion oder die Philos. der Grazie* folgendermaßen charakterisieren: ›Hier war es, wo ich das Ant. lebendig und neu wieder zu sehen glaubte‹. Winckelmann wie Goethe, Schiller ebenso wie Humboldt ignorierten die sozialen und polit. Grundlagen der ant. Kultur, da diese das idealisierte Bild der Ant. gestört, ja zerstört hätten. Goethes *Iphigenie auf Tauris* sucht die fernen Griechen mit der Seele, und für Winckelmann ist im Schlußabschnitt seiner *Geschichte der Kunst* die Ant. gleichbedeutend mit der Erinnerung eines Liebhabers, der die Geliebte über das Meer entschwinden sieht und nach der er größte Sehnsucht im Herzen trägt. In Schillers poetologischen Schriften besitzen nur die Autoren der Ant. die »Naivität«, d. h. nur sie sind eins mit der Natur. Häufig, wie dies bei Goethe der Fall war, begnügten sich auch die Bildungsreisenden mit den Abbildern griech. Kultur in Sizilien, ohne an die Ursprünge selbst, nach Griechenland, zu gelangen. So hat man auch – wohl zu Recht – vom »Glauben« der Deutschen an die die Welt der Griechen gesprochen [47]. Der Gegensatz zw. Ant. und Mod. diente jedoch nicht allein dazu, die Gegenwart zu kritisieren und um sich einer Sehnsucht nach dem Vergangenem hingeben zu können, sondern vielmehr auch dazu, diese Sehnsucht für eine neue Epoche nutzbar zu machen, die die Ant. in einer neuen, alles umfassenden Einheit überwindet. Die Idee, die Sehnsucht nach der Ant. produktiv zu überwinden, findet sich bei Schiller (vgl. [24. 117]), v. a. jedoch bei F. Schlegel [59]: Er studierte die poetischen Texte der Ant., wobei bei ihm »Studium« mit Nachdruck der »Nachahmung« Winckelmanns entgegengestellt wird, um vor dieser Folie die Spezifika der mod. Lit. Gestalt werden zu lassen: So wird bei ihm die romantische Dichtung zu dem dichterischen Ausdruck, der alle anderen Gattungen, Formen und Epochen einschließt und überwindet. Schlegel schlägt damit, was das Verständnis lit. Gattungen angeht, einen der Auffassung Goethes und Schillers, wie sie ihr Briefwechsel zum Ausdruck bringt, konträr zuwiderlaufenden Weg ein [27]. Goethe und Schiller entwickeln eine aus nachhomerischen Epen gewonnene Poetik der Gattung, die Idee einer »reinen« Epik, die durchaus gegen den Publikumsgeschmack gerichtet war, sich gleichsam aristokratisch in die Welt des Mythos zurückzog und sich als Gegenentwurf zur der wirren mod. Dichtung verstand. So wollte sich die intellektuelle Elite über die Interessen der Masse erheben, und die an ant. Modellen sich orientierende Poesie stellte gleichsam einen nur wenigen vorbehaltenen Weg in eine aus dem geschichtlichen Prozeß ausgegliederte – im eigentlichen Sinne utopische – Sphäre dar. Goethe versuchte diese Utopie in der unvollendeten *Achilleis* zu realisieren. Das Werk mußte unvollendet bleiben, da die »Objektivität« des homerischen Epos und die in ihm fehlenden Leidenschaften in einer Welt, in der tragische und pathetische Situationen überwiegen, nicht in die Tat umgesetzt werden konnte, aber wohl auch deshalb, weil das für den homerischen Erzählstil typische Element der Retardation in einer Welt und Gesellschaft, in der der Fortschritt seinen ungehemmten Weg nahm, keinen Platz mehr hatte [27]. Die Epik hatte ihren Platz, ihre sinnvolle Funktion nur in der Welt von gestern. Nach der Französischen Revolution, nach dem Kanonendonner, der bei Valmy eine neue Epoche eingeleitet hatte, mußte auch aus dem homerischen Achill ein Heros der Mod. werden.

1 C. AMPOLO, Storie greche. La formazione della moderna storiografia sugli antichi Greci, 1997 **2** O. BATLER, Wieland und die griech. Ant., 1952 **3** A. BECK, Griech.-dt. Begegnung. Das dt. Griechenerlebnis im Sturm und Drang, 1947 **4** R. BENZ, Wandel des Bildes der Ant. in D. Ein geistesgeschicht. Überblick, 1948 **5** W. BINDER, Die Dt. Klassik und die Ant. – Goethe, Schiller, Hölderlin, in: Ant. und europ. Welt. Aspekte der Auseinandersetzung mit der Ant., Hrsg. v. M. SVILAR, S. KUNZE, 1984, 121–143 **6** R. R. BOLGAR (Hrsg.), Classical Influences on European Culture A. D. 1500–1700, 1976 **7** BOLGAR **8** F. BORNMANN, s. v. Germania. Fortuna letteraria, EV 2, 706–711 **9** H. BUCHOLZ, Ursprungwelt. Die Gestalt des Mythos bei Christian Gottlob Heyne, in: Perspektiven der Neuen Myth. Mythos, Religion und Poesie im Schnittpunkt von Idealismus und Romantik um 1800, 1990, 33–40 **10** E. M. BUTLER, The Tyranny of Greece over Germany, 1935 (dt. Übers.: Deutsche im Banne Griechenlands, 1948) **11** U. CARPI, Introduzione. La »Antike« di Wilhelm von Humboldt, in: W. VON HUMBOLDT, Scritti sull' antichitá classica, 1994 **12** G. CHIARINI, La nascita dell' *Altertumswiss.* 2. Germania, in: Lo spazio letterario della Grecia antica, II: La ricezione e l' attualizzazione del testo, 1995, 679–712 **13** Ders., Lessing e Plauto, 1983 **14** Ders., s. v. Germania. Studi filologici, EV 2, 701–706 **15** Ders., s. v. Heyne, Christian Gottlob, EV 2, 701–706 **16** M. COMETA, Duplicità del classico. Il mito del Tempio di Giove olimpico da Winckelmann a Leo von Klenze, 1993 **17** F. CREUZER, Erodoto e Tucidide – Herodot und Thukydides (zweisprach. Ausg.), hrsg. v. S. FORNARO, 1994 **18** W. DAHLHEIM, Die Ant., ⁴1995, 699–734 **19** L. DROULIA, Philhellenisme. Ouvrages inspirés par la guerre de l'indipendence grecque 1821–1833, 1974 **20** TH. ELLWEIN, Die dt. Univ. Vom MA bis zur Gegenwart, 1985 **21** C. EPHRAIM, Wandel des Griechenbildes im 18. Jh. (Winckelmann, Lessing, Herder), 1961 **22** H. FLASHAR, Die methodisch-hermeneutischen Ansätze von Friedrich August Wolf und Friedrich Ast – Traditionelle und neue Begründungen, in: Philol. und Hermeneutik im 19. Jh., 1979, 21–31 **23** S. FORNARO, Lo »studio degli antichi« 1793–1807, in: Quaderni di storia 43, 1996, 109–155 **24** M. FUHRMANN, »Die Querelle des Anciens et des Modernes«, der Nationalismus und die dt. Klassik, in: BOLGAR, 107–129 **25** Ders., Von Wieland bis Voss: Wie verdeutscht man ant. Autoren?, in: Jb. des Freien Dt. Hochstifts, 1987, 1–22 **26** J. W. GOETHE, Nausicaa, hrsg. v. S. FORNARO, 1994 **27** Ders., Achilleide, hrsg. v. S. FORNARO, 1998 **28** F. GRAF, Die Entstehung des Mythosbegriffs bei Christian Gottlob Heyne, in: Ders. (Hrsg.), Mythos in mythenloser Ges. Das Paradigma Roms, 1993, 284–294 **29** A. GRAFTON, Man muß aus der Gegenwart heraufsteigen: History, Trad. und Traditions of Historical Thought in F. A. Wolf, in: Aufklärung und Gesch. Stud. zur dt. Geschichtswiss. im 18. Jh., hrsg. v. H. E. BÖDEKER, G. G. IGGERS, J. B. KNUDSEN, P. H. REILL, 1986, 416–429 **30** N. HAMMERSTEIN, Zur Gesch. der dt. Univ. im Zeitalter der Aufklärung, in: H. RÖSSLER, G. FRANZ (Hrsg.), Univ. und Gelehrtenstand 1400–1800, 1970, 145–182 **31** Ders., Die Universitätsgründungen im Zeichen der Aufklärung, in: Beiträge zu Problemen dt. Universitätsgründungen der frühen Neuzeit, hrsg. v. P. BAUMGART, N. HAMMERSTEIN, 1978, 263–298 **32** A. HORSTMANN, Die Forsch. in der Klass. Philol. des 19. Jh., in: Konzeption und Begriff der Forsch. in den Wiss.

des 19. Jh., hrsg. v. A. DIEMER, 1978, 27–57 **33** A. E. A. HORSTMANN, Myth. und Altertumswiss. Der Mythosbegriff bei Christian Gottlob Heyne, in: Archiv für Begriffsgesch. 16, 1972, 60–85 **34** M. KRAUL, Das dt. Gymnasium. 1780–1980, 1984 **35** M. KUNZE (Hrsg.), Christoph Martin Wieland und die Ant. Eine Aufsatzsammlung, 1986 **36** M. LANDFESTER, Human. und Ges. im 19. Jh., 1989 **37** F. MARWINSKI, Johann Andreas Fabricius und die Jenaer gelehrten Ges. des 18. Jh., 1989 **38** C. MENZE, Wilhelm von Humboldts Lehre und Bild vom Menschen, 1965 **39** J. MITTELSTRASS, Neuzeit und Aufklärung. Stud. zur Entstehung der neuzeitlichen Wiss. und Philos., 1970 **40** G. W. MOST, From Logos to Mythos, in: From Myth to Reason? Stud. in the Development of Greek Thought, 1999 **41** U. MUHLACK, Die Univ. im Zeichen von Neuhuman. und Idealismus: Berlin, in: Beiträge zu Problemen dt. Universitätsgründungen der frühen Neuzeit, hrsg. v. P. BAUMGART, N. HAMMERSTEIN, 1978, 299–339 **42** Ders., Historie und Philol., in: Aufklärung und Gesch. Stud. zur dt. Geschichtswiss. im 18. Jh., hrsg. v. H. E. BÖDEKER, G. G. IGGERS, J. B. KNUDSEN, P. H. REILL, 1986, 49–81 **43** Ders., Klass. Philol. zw. Human. und Neuhuman., in: Wiss. im Zeitalter der Aufklärung, 1985, 93–119 **44** A. PELLEGRINI, Wieland e la classicità tedesca, 1968 **45** M. PRAZ, Gusto neoclassico, 1974 **46** G. PUCCI, Il passato prossimo. La scienza dell' antichità alle origini della cultura moderna, 1993 **47** W. REHM, Griechentum und Goethezeit. Gesch. eines Glaubens, 1936 **48** V. RIEDL, Lessing und die röm. Lit., 1976 **49** A. RIETDORF, Friedrich Gilly. Wiedergeburt der Architektur, 1943 **50** H. RÜDIGER, Wesen und Wandlung des Human., 1966 **51** U. SCHINDEL, Johann Matthias Gesner, Professor der Poesie und Beredsamkeit 1734–1761, in: Die Klass. Altertumswiss. an der Georg-August-Univ. Göttingen. Eine Ringvorlesung zu ihrer Gesch., hrsg. von C. J. CLASSEN, 1989, 9–26 **52** W. SEIDL, Das Land der Griechen mit der Seele suchend . . . Über das Griechenlandbild der dt. Klassik, in: Europ. Philhellenismus. Ursachen und Wirkungen, hrsg. v. E. KONSTANTINOU, U. WIEDENMANN, 1989, 15–36 **53** H. SICHTERMANN, Kulturgesch. der klass. Arch., 1996 **54** E. SPRANGER, Wilhelm v. Humboldt und die Humanitätsidee, 1909 (Ndr. 1928) **55** Ders., Wilhelm von Humboldt und die Reform des Bildungswesens, 1910 **56** H. TREVELYAN, Goethe and the Greeks, 1941 (dt. Übers.: Goethe und die Griechen, 1949) **57** F. TURATO, Prometeo in Germania, 1988 **58** L. UHLIG (Hrsg.), Griechenland als Ideal. Winckelmann und seine Rezeption in D., 1988 **59** F. VERCELLONE, Identità dell' antico. L'idea del classico nella cultura tedesca del primo Ottocento, 1988 **60** D. WATKIN, T. MELLINGHOFF, German Architecture and the classical ideal. 1740–1840, 1987 (dt. Übers. 1989) **61** F. G. WELCKER. Werk und Wirkung, hrsg. v. W. M. CALDER III, A. KÖHNKEN, W. KULLMANN, G. PFLUG, 1986.

SOTERA FORNARO/Ü: SYLVIA ZIMMERMANN

IV. 19. JAHRHUNDERT, BIS 1918

A. INSTITUTIONALISIERUNG DER ANTIKE-REZEPTION
B. SOZIALE FOLGEN UND DISKURSE
C. SPANNUNGSFELDER UND LÖSUNGSSTRATEGIEN
D. RECHTSWISSENSCHAFT, NATIONALÖKONOMIE
E. PHILHELLENISMUS UND GRIECHENLAND-REISEN
F. LITERATUR, THEATER UND PHILOSOPHIE
G. KUNST UND ARCHITEKTUR H. ARCHÄOLOGIE

A. INSTITUTIONALISIERUNG DER ANTIKE-REZEPTION

Der große Aufschwung der Ant.-Rezeption in D. im 19. Jh. beginnt mit den Reformen des Bildungswesens in → Preußen. W. v. Humboldt gibt den Anstoß dazu, die Theorien des → Neuhumanismus in staatliche Institutionen zu überführen. Das Ziel dabei ist, eine allg. und umfassende Individualbildung zu ermöglichen, die zugleich als neue Nationalbildung die dt. Identität auf kulturellem und wiss. Gebiet zu bekräftigen vermag. Deren Grundlage soll das Studium der ant. Kultur sein, v. a. der Griechen, da bei ihnen die Wege des Individuums hin zum vollkommenen Menschendasein mustergültig vorgeprägt seien. Ein ganz ähnliches neuhuman. Reformkonzept vertritt schon früher Fr. Niethammer in → Bayern, jedoch (zunächst) ohne den Erfolg, der mit dem Namen Humboldts verbunden ist. Trotz mancher Widerstände setzt sich die human. Bildung in allen dt. Staaten durch: Die Rezeption der Ant., einer alten, längst vergangenen Kultur, wird zur staatlich verordneten, mod. Standardbildung für die männlichen Funktionseliten; die neu entstehende Universitätsdisziplin der → Klassischen Philologie spielt dabei eine zentrale Rolle in der dt. Kulturlandschaft.

Der Erfolg der neuen Bildungskonzeption gründet darauf, daß sie auf verschiedenste Bedürfnisse der Zeit eine Antwort bereitstellt. Indem das Hauptziel des humboldtschen Human., die Entfaltung des Individuums, gerade in einem staatlichen Rahmen gefördert und garantiert wird, klärt sich das durch die → Aufklärung und zuletzt in den Befreiungskriegen problematisch gewordene Verhältnis von Staat und Individuum: Durch die transparente Gliederung des Bildungswesens sind dem Einzelnen eindeutige, prinzipiell von jedem erfüllbare Kriterien für den Aufstieg in die Führungsschicht des Staates gegeben (Entfeudalisierung; Emanzipation des Bürgertums durch Bildung). Das Interesse des Staates liegt im Zugriff auf das bisher weitgehend von der Kirche kontrollierte Schulwesen, für das mit der ant. Lit. durch keine konfessionellen Streitigkeiten bedrohte Lehrinhalte bereitgestellt werden. Die Begeisterung der Deutschen gerade für die Griechen ist zum Teil eine Reaktion gegen die romorientierte Kultur der dominanten frz. Nation. Ihre Kraft gewinnt sie aber v. a. daraus, ›daß sie die Entfremdung der Einzelpersönlichkeit in der mod. Lebenswelt durch Anknüpfung an die Griechen rückgängig machen wollte‹ [9. 98]. Anhand der Griechen, die als ideales Beispiel einer Synthese von

Kgr. Württemberg	(1811), 1854	1853	o. g. R.	1838 Tübingen	Stuttgart: Slg. Dannecker 1811
Ghzt. Baden	1823, 1837	1837	1837	1807 Heidelberg 1836 Freiburg	Karlsruhe: Kunsthalle 1838
Kfst. Hessen	1820, 1832	1832	1832	1811 Marburg	Kassel: Mus. Fridericianum 1778
Ghzt. Hessen-Darmstadt	?	?	?	1812 Gießen	
Ghzt. Mecklenburg-Schwerin	1820, 1833	-/-	o. g. R.	1828 Rostock	
Ghzt. Mecklenburg-Strelitz	1837	-/-	o. g. R.	-/-	
(Schleswig) Hzt. Holstein	(1814) 1858	1857	1814, 1848	1777 Kiel	
Hzt. Nassau	(1817), 1830	1845	1817, 1846, 1855	-/-	

o. g. R. = ohne gesetzliche Regelung, -/-: nicht vorhanden, ? = nicht zu ermitteln

Tabelle: Die Institutionalisierung der Klassischen Bildung
in deutschen Flächenstaaten

Natur und Kultur gelten, wahrhaft Mensch zu werden, lautet die optimistische Hoffnung der Deutschen seit Winckelmann; in der Bekräftigung durch Humboldt erweist sie sich als – letztlich utopischer – Trost für die Krise des mod. Menschen [11. 44–46].

Die ant. Bildung wird auf vielfältige Weise institutionalisiert: Als Konkretisierung des humboldtschen Bildungsideals gründet man die Univ. Berlin (und weitere); große Wirkungen zeitigt die Etablierung des → Philologischen Seminars, der führenden Einrichtung in den Philos. Fakultäten. Theoretisch soll es die pädagogische Ausbildung des benötigten neuen Lehrerstandes leisten, faktisch konzentriert man sich jedoch auf die Anleitung zu wiss. Methodik und sprachlich-histor. Textauslegung. Durch zunehmende Spezialisierung entwickeln sich spezifische Arbeitsgebiete wie Epigraphik (→ Inschriftenkunde), → Papyrologie und → Alte Geschichte [8], doch nur die → Klassische Archäologie emanzipiert sich durch Gründung eigener Seminare. Als Ergänzung zu den Univ. werden die → Akademien der Wiss. (Berlin, München, Göttingen) zu Zentren der Altertumswiss. umgestaltet und neue Forschungseinrichtungen gegr. (→ Deutsches Archäologisches Institut, → Römisch-Germanische Kommission). Der Vorbereitung auf das wiss. Universitätsstudium dient das neu entstehende → Humanistische Gymnasium. Die → Lehrpläne schreiben hohe Stundenzahlen für den → Altsprachlichen Unterricht vor (in den Abgangsklassen des preußischen Gymnasiums von 1812 z. B. acht Wochenstunden Lat., sieben Wochenstunden Griech.), die Abiturprüfung wird verpflichtend und erstreckt sich fast ausschließlich auf die ant. Sprachen. Für die Lehramtskandidaten wird das *examen pro facultate docendi* als obligatorische Prüfung mit Schwergewicht auf philol. Kenntnissen eingeführt. Diese Institutionalisierung greift von Preußen bald auf die anderen Länder über (einige ausgewählte Daten bietet die Tabelle), jedoch mit starken regionalen Unterschieden: So sind etwa in Württemberg die → Klosterschulen, in Sachsen die → Fürstenschulen noch lange die Regel, und in Baden wird mehr als doppelt so viel Lat. unterrichtet wie Griech. Nach der Gründung des Nord-dt. Bundes und durch die Reichsgründung 1871 wird die Vereinheitlichung des höheren Bildungswesens nach dem Vorbild Preußens noch beschleunigt. Neben der Institutionalisierung im Bildungswesen spielt die Ant. in Form von allg. zugänglichen Sammlungen ant. Kunstwerke, neu gegr. Ant.-Mus. sowie v. a. → Abgußsammlungen (in D. 109 nach einer Zählung von 1909) eine wichtige Rolle im öffentlichen Diskurs (s. Tabelle).

B. SOZIALE FOLGEN UND DISKURSE
Durch diese Institutionalisierung entsteht einerseits eine hoch angesehene Professorenschicht, die sich durch ihr Ideal der Wissenschaftlichkeit (»Kritik«) und eindeutige Zugangskriterien (Dissertation) bestimmt und ihren Freiraum, auch in polit. Hinsicht, durch den Staat garantiert sieht; die Professionalisierung der Altertumswiss. und ihre Karrieremuster werden dabei zum Vorbild für andere Disziplinen [7]. Andererseits bildet sich eine durch das Lehramtsexamen formal und die human. → Bildung inhaltlich definierte Lehrer- bzw. Philologenschicht heraus (1837: Gründung des *Vereins dt. Philologen und Schulmänner*) [5], die im Dienste des Staates, nicht mehr im Dienste der Kirche steht. Die Zugangsberechtigung zur Univ. und damit zu Führungspositionen im Staat erteilt nur das human. Gymnasium,

dessen Monopol erst 1900 endgültig fällt. Die Akad. und Inst. erweitern nicht nur den Freiraum für wiss. Forsch. ohne Zwang zur Lehre, sondern ermöglichen erst die Großprojekte, die so typisch für die dt. Altertumswiss. des 19. Jh. sind (Sammlungen griech. und lat. Inschr., Corpora, Fragmentsammlungen, *Thesaurus linguae latinae*, Grabungen). Abgußsammlungen, zunächst als wiss. Lehrsammlungen gedacht, und Ant.-Mus. gestatten die visuelle Rezeption ant. Kunstwerke einem breiten Publikum. Damit lassen sich zum ersten Mal Beispiele für Winckelmanns Kunstideale direkt betrachten, hauptsächlich in Form von weißen, nackten Männerstatuen.

Innerhalb genauso wie zw. den einzelnen Rezipientenschichten bilden sich verschiedene Diskurse der Ant.-Rezeption heraus: Die Professoren preisen ihren Primat der reinen Wissenschaftlichkeit und verachten nicht selten ungelehrte Rezeptionen der Ant., müssen ihre Disziplinen aber vor der allg. Öffentlichkeit rechtfertigen. Zeichen für die zunehmende Verwissenschaftlichung sind das rasche Entstehen altertumswiss. Publikationsorgane (vier Zeitschriften bis 1846), ein reges Besprechungswesen, eine jährliche Fachbibliogr. (*Bibliotheca classica* ab 1848), Verlagsreihen wiss. Textausgaben (*Bibliotheca Teubneriana*) und große Nachschlagewerke (*Pauly-Wissowas Realencykolpädie der classischen Altertumswissenschaften*). Die Philologen auf der Schule verfolgen eine doppelte Legitimation ihres Standes, bes. auch in dem typischen Medium der → Schulprogramme: einmal durch Anschluß an die wiss. Forsch., andererseits durch Vermittlung der human. Bildung an Schüler und Eltern; sie sind die entscheidenden Vermittler zw. gelehrter und nicht-gelehrter Rezeption. In späterer Zeit wird der Philologe sogar Gegenstand lit. Gestaltung (Th. Mann, *Buddenbrooks*, Kap. XI.2, 1901; H. Mann, *Professor Unrat*, 1905). Das Bildungsbürgertum als Produkt des human. Gymnasiums entwickelt ein beträchtliches Interesse am Alt. (Ant.-Rezeption als Mode); es entsteht ein regelrechter Markt für Übers. (mit Auflagen bis zu 20000 Exemplaren), populäre Geschichtswerke (Th. Mommsen, *Röm. Geschichte*, ab 1854, 1901 mit dem Nobelpreis prämiert), myth. Sammelwerke, auch in Aufbereitung für ein nicht human. gebildetes Publikum (G. Schwab, *Sagen des klassischen Altertums*, 1838–40), antiquarische und histor. Romane (F. Dahn, *Ein Kampf um Rom*, von 1876 bis 1900 in 30 Auflagen) sowie populärwiss. Reden und Vorträge [9. 53]. Selbst in nicht-spezialisierten Zeitschriften und Zeitungen finden sich Rezensionen zu Ausgaben, Komm., Übers. und philol. Interpretationen klass. Texte nebst Aufsätzen über die Ant. und die Stellung der human. Bildung. Zugleich mehren sich die Stimmen gegen die Einseitigkeit der Schulbildung und gegen den altphilol. Wissenschaftsbetrieb (satirisch gestaltet von L. Hatvany, *Die Wiss. des Nichtwissenswerten*, 1908).

C. SPANNUNGSFELDER UND LÖSUNGSSTRATEGIEN
Die Umsetzung der human. Bildungsreformen in Anpassung an die sozialen, kulturellen und polit. Gegebenheiten führt zu zahlreichen Spannungsfeldern, die

für die Ant.-Rezeption im D. des 19. Jh. prägend sind. So legen die Neuhumanisten und ihre Nachfolger das Schwergewicht eindeutig auf das Griech. als die authentischere, harmonischere und deshalb vorbildhaftere Kultur, das Röm. steht zurück (→ Griechen-Römer-Antithese). Doch auf der Schule greift die neue Theorie unter dem Etikett der »formalen Bildung« auf die alte Praxis der lat. Gelehrtenschulen zurück: Der Stundenanteil des Lat. ist merklich höher als der des Griech., nimmt durch spätere Lehrplanrevisionen eher noch zu, und im altsprachlichen Unterricht begrenzt gramm.-stilistischer Formalismus die inhaltliche Auseinandersetzung. Damit bieten sich den Gegnern des human. Gymnasiums entscheidende Angriffsflächen, bes. der Zwang zur aktiven Lateinbeherrschung, der nach dem Absterben von Lat. als Gelehrtensprache anachronistisch geworden war. Ferner verschärft sich die durch die problematische Beurteilung Homers ausgelöste Historisierung der Ant. (F. A. Wolf: [6]) zum Gegensatz von → Klassizismus und → Historismus [3. 21–33]. Das Ideal einer alle Kulturphänomene erfassenden »Altertumswiss.« erzwingt gerade die Einzel- und Spezialforsch., v. a. auch zu weniger bekannten Autoren, außerlit. Quellen (Inschr., Papyri) und anderen materiellen Hinterlassenschaften. Damit wird aber die einheitliche Auffassung der Ant. erschwert, die normative Geltung der schönen Kunst und Lit. der Griechen untergraben und die möglichst allg. Bildung des Individuums in der Praxis unmöglich. Von diesem Gegensatz ist auch noch die → Nietzsche-Wilamowitz-Auseinandersetzung geprägt: Fr. Nietzsche, selbst Philologe, predigt eine dezidiert unhistor., nicht-wiss. Ant.-Rezeption (die aber nichtsdestotrotz anti-klassizistisch ist); ihm entgegnet in scharfer Form U. v. Wilamowitz-Moellendorff mit einer Verteidigung des historischen Positivismus. Die Verwissenschaftlichung der Altertumswiss. fördert zudem den Konkurrenzkampf gegensätzlicher methodischer Ansätze, z. B. der Sach- gegenüber den Sprachphilologen   (→ Boeckh-Hermann-Auseinandersetzung), ihre Konzentration in räumlichen Zentren und die Herausbildung von »Schulen« (z. B. der → Religionsgeschichtlichen Schule H. Useners). Der latente Widerspruch zw. der von den Neuhumanisten propagierten allg. Menschenbildung des Individuums hin zu Autonomie, Freiheit und Emanzipation und der vom Staat geforderten Erziehung zum gehorsamen Staatsbürger in der Monarchie führt eine Politisierung der Ant. in Aktion wie Reaktion herbei [3. 31–36]. Zu zentralen polit. Themen wie → Demokratie, → Monarchie und → Sozialismus nehmen Altertumswissenschaftler mit Rekurs auf die Ant. Stellung. In der gesellschaftlichen Diskussion um den Wert der ant. Bildung wird auch der Gegensatz zw. paganer Kultur und christl. Trad. thematisiert: Äußerlich zeigt sich der Konflikt als Widerstand theologischer Kreise gegen die Wegnahme des Bildungsmonopols, inhaltlich als Kontroverse um den Inhalt und die Sittlichkeit der klass. Bildung (v. a. in den 30er und 40er J.). Nicht gering zu veranschlagen ist, daß sich durch die Emanzipation von der Theologie und die programmatische Ablehnung des Christentums die Auffassung der Philologen von Juden und Christen in der Ant. ändert: Bestenfalls fühlt man sich nicht mehr zuständig. Und schließlich sieht sich die human. Bildung angesichts der zunehmenden Industrialisierung immer wieder Zweifeln an ihrer Nützlichkeit für eine mod. technisierte Lebenswelt ausgesetzt. Den Höhepunkt dieser Auseinandersetzung stellt am Ende des Jh. der sog. »Schulkrieg« zw. den Anhängern des human. Gymnasiums und den Befürwortern der → Realschule dar.

Häufig begegnende Strategien zur Bewältigung dieser Konflikte sind in der Ant.-Rezeption in D. im 19. Jh. das Aufzeigen von Verwandtschaften (etwa der griech. mit der dt. Sprache) oder Analogien (z. B. zw. den »Flickenteppichen« der griech. und dt. Staatenwelt, zw. der maked. und der preußischen Monarchie), die Aufhebung der Gegensätze zu einem neuen, höheren Dritten [9. 91–93] (so propagiert E. Curtius die Vereinigung ant.-griech. und christl. Kultur in der dt.), der Verweis auf den Vorrang einer allg. und formalen Schulung vor einem konkreten Praxisbezug (bestimmt in der Auseinandersetzung mit dem Realismus den Schuldiskurs der zweiten H. des 19. Jh.) oder die Instrumentalisierung, Domestizierung und Verkürzung der Ant., etwa in der nicht selten zu polit. Propaganda eingesetzten Ant.-Rezeption in der Architektur und Ausstattung öffentlicher Repräsentationsgebäude; bes. deutlich auch im Schulunterricht des späten Kaiserreiches [1. 76–106], nachdem Wilhelm II. 1889/90 die Erziehung zum Patriotismus und den Kampf gegen den Sozialismus zur Aufgabe der Schule erklärt hatte: ›Wir sollen junge Deutsche erziehen, und nicht junge Griechen und Römer‹; die Konzeption der humboldtschen Individualbildung muß einer nationalistischen Vereinnahmung der Ant. weichen.

D. RECHTSWISSENSCHAFT,
NATIONALÖKONOMIE

Während in den anderen europ. Staaten durch die Gesetzeskodifikationen der Zeit um 1800 das röm. Recht allg. aufhört, ein lebendiges Element in der Rechtspraxis und -theorie zu sein, wird es als *ius commune* im Privatrecht fast aller Länder des Dt. Bundes weiterhin angewendet. Das ändert sich, als 1900 mit dem Bürgerlichen Gesetzbuch ein einheitliches Zivilrecht für das Dt. Reich verabschiedet wird. Doch auch dessen allg. Rechtssätze und -begriffe sind eindeutig röm. Herkunft, was auf den Einfluß der von F. C. v. Savigny begründeten → Historischen Rechtsschule zurückzuführen ist. Sie dominiert seit ca. 1815 unangefochten die Rechtswiss. an den dt. Fakultäten, wirkt weit über die Grenzen D. hinaus und löst ein eindrucksvolles Wiederaufleben der Beschäftigung mit dem röm. Recht aus; im Vordergrund steht nicht so sehr dessen zweckfreie histor. Rekonstruktion wie bei Th. Mommsen (*Röm. Staatsrecht*, 1871–1888, *Röm. Strafrecht*, 1899), sondern die Absicht, aus dem Recht der

Römer auf wiss. Weise juristische Begriffe für die eigene Rechtswirklichkeit zu entwickeln (→ Pandektistik).

Umfangreich, aber wenig erforscht ist die Ant.-Rezeption in der Histor. Schule der dt. Nationalökonomie. W. Roscher, B. Hildebrand und K. Bücher, ihrer Ausbildung nach zumeist Klass. Philologen und Historiker, verleihen zum einen durch ihre althistor. Unt. den ant. Kulturen eine wirtschaftliche Dimension; die Beurteilung der ant. Wirtschaftsformen ist dabei v. a. in der → Bücher-Meyer-Kontroverse heftig umstritten. Zum anderen wird durch das Aufzeigen von Analogien zw. Ant. und Gegenwart auch Lehren für die zeitgenössische volkswirtschaftliche Theorie und Praxis ziehen. Auf ähnliche Weise wird die ant. polit. Theorie für die Gegenwart nutzbar gemacht: W. Roscher erörtert in seiner *Politik, geschichtliche Naturlehre der Monarchie, Aristokratie und Demokratie* (1892) nicht nur diese Staatsformen, sondern auch mod. Phänomene wie → Cäsarismus und Sozialismus vor dem Hintergrund der Ant., und R. v. Pöhlmann setzt seine *Geschichte des ant. Kommunismus und Sozialismus* (1893–1901) zum Kampf gegen eben diese polit. Strömungen seiner Zeit ein.

E. PHILHELLENISMUS UND
GRIECHENLAND-REISEN

Durch die Beteiligung der europ. Staaten an den griech. Befreiungskriegen eröffnet sich im Zuge des polit. → Philhellenismus ein neuer, direkter Kontakt zum vorher nur geistig zugänglichen → Griechenland. Der Unabhängigkeitskampf der mod. Griechen wird gerade auch für die dt. Freiwilligen zum Ersatz für die eigenen unterdrückten Reformbestrebungen, verläuft aber polit. und mil. enttäuschend. Begleitet wird er von zahlreichen publizistischen und dichterischen Sympathiebekundungen und Solidaritätsaufrufen, unter denen die Lyrik von Wilhelm Müller, dem »Griechen-Müller«, herausragt (*Lieder der Griechen*, 1821–24): ›Ohne die Freiheit, was wärest du, Hellas? / Ohne dich, Hellas, was wäre die Welt?‹ Durch die anschließende bayrische Herrschaft über Griechenland (1832–1863) begünstigt, werden Reisen nach Griechenland zur Mode. Doch das klassizistische Griechenlandbild der deutschen Gelehrten, Schriftsteller und Maler wird durch diese Reisen zunehmend in Frage gestellt [2]: Die Landschaft wird nicht selten als öd empfunden, die Bewohner interessieren sich im Gegensatz zu den griechenbegeisterten Deutschen wenig für ihr hellenisches Kulturerbe, und die Physiognomie der neuzeitlichen Griechen widerstreitet dem aus ant. Statuen gewonnenen Ideal vom griech. Profil. Das durch den Kontrast entstehende Bewußtsein des Abstandes der eigenen Gegenwart vom Alt. konnte Empfindungen vom Ende der human. Epoche hervorrufen und bis hin zur Erfahrung einer existentiellen Grenzsituation in der dt. → Reiseliteratur des späteren 19. Jh. führen.

F. Literatur, Theater und Philosophie

Aufgrund ihrer zentralen Stellung in der dt. Geisteswelt stellt die griech. und röm. Kultur ein breites Stoffreservoir für lit. Transformationen bereit und sichert zugleich den gemeinsamen Bildungs- und Erwartungshorizont von Dichtern und Lesern. So kommt es zu einer kaum jemals abreißenden Reihe von Ant.-Rezeptionen in den unterschiedlichsten Gattungen. Das Spektrum reicht dabei von einem auf formale Gestaltung fixierten elitären Klassizismus (A. v. Platen, E. Geibel) über Popularisierungen, v. a. im Antike-Roman, bis hin zu Einkleidungen von Gegenwartskritik in ein ant.-histor. Gewand, um so die Zensurbestimmungen zu unterlaufen. Doch der weiten Verbreitung lit. Ant.-Rezeptionen steht ein unleugbares Innovationsdefizit gegenüber: Die Hoffnungen Goethes und Schillers, die dt. Lit. möge sich durch Anknüpfung an die griech.-röm. neu bestimmen, erfüllt sich nicht, die Ansätze eines Hölderlin oder Kleist bleiben ohne wirkliche Fortführer. Daß der Philologe Th. Kock 1861 Goethes *Iphigenie* ins Griech. »rückübers.« und mit lat. Anmerkungen versieht, ist trotz seiner Skurrilität vielleicht symptomatisch. Der Möglichkeit einer produktiven Wiederbelebung der ant. Lit. stehen wichtige lit. Strömungen zum Teil ablehnend gegenüber, etwa die → Romantik in ihrer Vorliebe für das MA, der Realismus und der Naturalismus. Aber gerade auch die Standardisierung und Reglementierung der ant. Bildung im einseitig sprachlich-gramm. Unterricht an den Gymnasien mag unkonventionellen Dichtern die Beschäftigung mit der Ant. verleidet haben.

Diese gewissermaßen paradoxe Situation läßt sich bes. an der Entwicklung des Dramas ablesen, das seit Lessing und v. a. nach der einflußreichen Theorie Hegels als höchste lit. Gattung gilt. Dabei werden die Rezeptionsmöglichkeiten bes. der griech. Trag. durch eine entscheidende Neuerung des 19. Jh. erweitert: 1841 wird in Potsdam mit der *Antigone* des Sophokles zum ersten Mal überhaupt in der Neuzeit ein ant. Drama in einer dezidiert histor. Inszenierung, d. h. weitgehend ohne Zusätze und Bearbeitungen, aufgeführt. Hegels philos. Interpretation hatte dieser Trag. eine herausragende Dignität und eine aktualisierbare polit. Dimension verliehen. Die Aufführung hatte durchschlagenden Erfolg [4. 60–76]. Griech. Trag., zumeist die *Antigone*, inszeniert man seitdem in den öffentlichen Theatern vieler dt. Städte (darin unterscheidet sich D. von anderen Staaten) [4. 91]. Und selbst wenn ›sich der Anteil des ant. Dramas auf den dt. Bühnen des 19. Jh. doch sehr bescheiden ausnimmt‹ [4. 97] – erst ab 1900 setzt eine regelrechte Blütezeit ein [4. 110–135] –, so wird hier doch zum ersten Mal das direkte visuelle Erlebnis ant. Dramen einem breiten Publikum ermöglicht. Demgegenüber hört die dt. Trag. spätestens seit dem Anfang des 19. Jh. auf, eine lebendige Gattung zu sein, trotz oder vielleicht gerade wegen der mannigfaltigen Versuche, sie durch die Wahl eines ant. Stoffes am Leben zu erhalten. In gewisser Weise wird die griech.

Trag. nur in der → Oper produktiv rezipiert, bes. in der Konzeption des »Gesamtkunstwerkes«, die R. Wagner in intensiver Auseinandersetzung mit dem ant. Drama entwickelt.

Im dt. Geistesleben des 19. Jh. wird die Trag. von den vielen philos. Theorien des Tragischen quasi ersetzt [12]. Die griech. Trag. ist der Ausgangspunkt, doch gesucht wird nach einer offensichtlich typisch mod., metaphysischen Kategorie zur Beschreibung des Menschen in der Welt, so daß sich von Schiller über Schelling, Hegel und Schopenhauer bis hin zu Nietzsche die Tragik-Konzepte immer weiter von der Trag. entfernen. Ort des Tragischen ist das Leben, nicht mehr eine lit. Gattung. Dadurch wird aber zugleich die Frage aufgeworfen, inwiefern die griech. Tragödien »tragisch« in dem neuen Sinne sind, eine Frage, die die Trag.-Interpretation noch h. beschäftigt.

Auch sonst ist die ant. Kunst und Lit. Grundlage von kunsttheoretischen Reflexionen. Während man als Philologe eine Literaturgeschichte schreibt, hat man als zünftiger Philosoph jener Zeit eine Ästhetik zu verfassen, in der es v. a. um die Analyse ant. Gattungen geht. Hegels wegweisende Kombination von histor. Betrachtungsweise und philos. Systematik hat hier zu einer gegenseitigen Befruchtung, aber auch zu manchem Schematismus geführt. In der akad. Philos. nimmt die Beschäftigung mit der ant. Philos. einen breiten Raum ein, jedoch meist in der für die dt. Universitätsphilos. typischen Weise der Philosophiegeschichte. Rezeptionen philos. Positionen der Ant., in denen Sachprobleme aufgegriffen, eigenständig weiterentwickelt oder überstiegen werden, finden sich v. a. bei philos. Außenseitern wie Schopenhauer (Platons Ideenlehre), Marx (ant. → Atomistik) und Nietzsche (→ Apollinisch-Dionysisch).

G. Kunst und Architektur

In der Malerei sind Tendenzen der Ant.-Rezeption zu beobachten, die denen in der Lit. ähneln. Auch hier setzt sich in den ersten Jahrzehnten der (Neo-)Klassizismus des 18. Jh. noch fort, doch mit der Zeit läßt das Interesse an der Ant. (außer im Umkreis der Kunstakad.) merklich nach. Dazu könnte nicht nur eine dt. Abneigung gegen den frz. Klassizismus geführt haben, sondern bes. auch das zunehmende Bestreben der Maler, sich von (höfischen) Auftraggebern und deren Drängen zu propagandistischer Ant.-Instrumentalisierung zu emanzipieren. So werden in der Romantik, im Realismus und im Impressionismus mod. Themen der klass. Trad. vorgezogen. Symptomatisch ist, daß sich mit den Nazarenern wieder eine dt. Künstlerkolonie in Rom gründet, die sich aber von der Ant. ab- und dem MA zuwendet. Im Gegensatz dazu lebt die ant. Skulptur in der dt. Bildhauerei rege weiter, möglicherweise aufgrund größerer Öffentlichkeitswirkung dieser Gattung. Zu den wichtigsten Vertretern am Anfang des Jh. gehört H. Dannecker, Freund Schillers und Goethes und Bildhauer am Hofe Württembergs. Dannecker, der in Stuttgart auch eine bedeutende Ant.-Sammlung begründet, ist bei seinen Zeitgenossen v. a. durch seine antikisierenden Porträtbüsten und Standbilder aus der griech. Myth. berühmt. Das Werk des bedeutendsten Bildhauers in → Preußen, J. G. Schadow, führt sein Schüler Chr. D. Rauch fort. Haben alle diese drei ihre Wurzeln noch im Neoklassizismus, so steht R. Begas für das Kunstverständnis einer neuen Epoche: Die Gebundenheit an das winckelmannsche klassizistische Form- und Harmonieideal ist aufgegeben, das ant. Erbe wird freier verwendet, aber auch häufig vergröbert. Begas vermittelt die Integration ant. Motive dem Neobarock und wird durch seine monumentalen Denkmäler zum wichtigsten Bildhauer des neuen dt. Kaiserreiches. Eine gewisse Gegentendenz vertritt der Münchner A. Hildebrand in seiner Rückkehr zum nackten, männlichen Standbild.

Die für ein breites Publikum sichtbarste Nachwirkung entfaltet die ant. Kunst in der Architektur. Die großen klassizistischen Architekten Deutschlands erlangen überregionale und internationale Bedeutung. K. F. Schinkel prägt die Gestalt der Hauptstadt Preußens in ähnlich klassizistischer Manier wie L. v. Klenze das Stadtbild des philhellenischen München; von letzterem stammt auch die Walhalla bei Regensburg, die Ruhmeshalle dt. Geistesgrößen in Nachahmung des → Parthenon. Auf ganz D. erstreckt sich die Wirkung des architektonischen Klassizismus. Ant. → Architekturzitate (Säulen, → Tempel, → Triumphbogen) prägen noch lange den Hauptstil für öffentliche Repräsentationsbauten, werden aber auch für Wohnhäuser des Bürgertums verwendet. Bes. reichlich und mit unverhohlener polit. Aussage wird die Ant. in der Ausstattungsmalerei vieler Gebäude rezipiert (v. a. in Form von Allegorien und histor. Darstellungen).

H. ARCHÄOLOGIE

Neben der Klass. Philol., die von Anbeginn des Jh. eine dominierende Stellung in der dt. Kultur innehat, tritt im letzten Drittel des 19. Jh. auch die Klass. Arch. in das Bewußtsein einer breiteren Öffentlichkeit. H. Schliemann hatte seit 1871 mit seinen von der Fachwelt scharf kritisierten Grabungen in → Mykene, Tiryns und → Troja eine große Begeisterung für das sagenumwobene Alt. erweckt. Die Fach-Arch., die Schliemann als Außenseiter ablehnt, verdankt hingegen ihren Aufschwung zur »Großwiss.« den Bemühungen von E. Curtius [10. 75–115], der seit 1852 Beziehungen zum preußischen Hof und seine Publikumswirksamkeit dazu nutzt, für eine staatliche Unterstützung arch. Projekte im Ausland zu werben. Curtius koppelt dazu das Ideal einer interessenlosen Wiss. mit dem Argument des zu erwartenden Prestigegewinnes für die Nation. In der Tat ermöglicht Curtius so die Finanzierung der ab 1875 einsetzenden Grabungen, öffnet aber auch die Arch. dem Einfluß des Staates. Das Dt. Reich nutzt die Kulturdiplomatie, um seine Position im griech.-türk. Raum zu stärken, die Arch. wird so zur »Eroberungs-Wiss.« Daneben dient die offensive Grabungs- und Museumspolitik der Selbstdarstellung und -bestätigung der Nation: Der Welt soll die Überlegenheit dt. Wiss. und

Kultur vor Augen geführt werden, und die Berliner Mus. sollen nach dem Auffüllen mit spektakulären Grabungsfunden denen in → Rom, → Paris und → London in nichts mehr nachstehen.

Aber die Ergebnisse der Grabungen in → Olympia (ab 1875), → Pergamon (ab 1878), → Priene (ab 1895) und → Milet (ab 1899) erfüllen die hochgesteckten Erwartungen nur bedingt. Statt monumentaler Standbilder der klass. Periode kommen zumeist als minderwertig erachtete Artefakte aus wenig bekannten und gering geschätzten Epochen wie der Archaik und dem Hell. zum Vorschein. Die Wiss. sieht sich dadurch gezwungen, letzte Ambitionen auf eine primär ästhetische Kunstbetrachtung aufzugeben, um statt dessen durch Verfeinerung technischer Methoden und Entwicklung einer adäquaten → Stilanalyse den Fundmassen beizukommen. Dies führt zu einer immer stärker werdenden Verwissenschaftlichung, Technisierung und Bürokratisierung der Arch. Obwohl die Archäologen Schwierigkeiten sehen, ihre Ergebnisse einem breiten Publikum zu vermitteln, ist dessen Reaktion etwa über den → Pergamonaltar sehr positiv. Sogar auf die von den Schulreformen bedrohte human. Bildung wirkt die im großen Stil präsentierte visuelle Dimension der Ant. belebend; immer öfter wird jetzt ›Anschauungsunterricht‹ im Alt. gefordert [10. 142–151].

Die Begeisterung erfaßt selbst höchste Kreise. Kaiser Wilhelm II., der auf der Schulkonferenz von 1890 der klass. Bildung noch jede Berechtigung radikal abgesprochen hatte, ließ es sich nicht nehmen, 1911 einer Ausgrabung des Artemis-Tempels auf Korfu beizuwohnen, während derer die große Gorgo des Giebels entdeckt wurde. Der Kaiser hatte sich die griech. Insel schon vorher zu seiner regelmäßigen Ferienresidenz erkoren, nachdem er 1908 das Achilleion, den Sommerpalast der österreichischen Kaiserin Elisabeth, erworben hatte. Dort gab er sich, umgeben von unzähligen klassizistischen Statuen und Fresken, der Verehrung Achills, des größten aller griech. Helden, hin, bis der Ausbruch des I. Weltkrieges auch diesen Traum zunichte machte.

→ Deutsches Archäologisches Institut

1 H.-J. APEL, ST. BITTNER, Human. Schulbildung 1890–1945, 1994 2 R. BECHTLE, Wege nach Hellas. Stud. zum Griechenlandbild dt. Reisender, 1959 3 K. CHRIST, Aspekte der Ant.-Rezeption in der dt. Altertumswiss. des 19. Jh., in: Ders., A. MOMIGLIANO (Hrsg.), L'Antichità nell'Ottocento in Italia e Germania, 1988, 21–37 4 FLASHAR 5 CH. FÜHR, Gelehrter Schulmann – Oberlehrer – Studienrat. Zum sozialen Aufstieg der Philologen, in: W. CONZE, J. KOCKA (Hrsg.), Bildungsbürgertum im 19. Jh. I, 1985, 417–457 6 M. FUHRMANN, Friedrich August Wolf, in: DVjS 33, 1959, 187–236 7 A. GRAFTON, Polyhistor into Philolog. Notes on the Transformation of German Classical Scholarship 1780–1850, in: History of Univ. 3, 1983, 159–192 8 A. HEUSS, Institutionalisierung der Alten Gesch. (1989), in: GS Bd. 3, 1938–1970 9 M. LANDFESTER, Human. und Ges. im 19. Jh., 1988 10 S. MARCHAND, Down from Olympus. Archaeology and Philhellenism in Germany 1750–1970, 1996 11 G. W. MOST, Vom Nutzen und

Nachteil der Ant. für das Leben. Zur mod. dt. Selbstfindung anhand der alten Griechen, in: Human. Bildung 19, 1996, 35–52 **12** Ders., Il Tragico (in Vorbereitung) **13** F. Paulsen, Gesch. des gelehrten Unterrichts II, ³1925 **14** W. Rüegg, Die Ant. als Leitbild der dt. Ges. des 19. Jh., in: Ders., Bedrohte Lebensordnung, 1978, 93–105.

MARTIN HOLTERMANN

V. 20. Jahrhundert (ab 1918)
A. 1918–1933   B. 1933–1945
C. Die Bundesrepublik

A. 1918–1933

Der verlorene Krieg, die Revolutionen von 1917 und 1918/19 und die polit. Wirren der 20er J. wurden als universale Krise erlebt, die auch die Wiss. erfaßte. Von dieser Krise fühlten sich bes. die Vertreter der Altertumswiss. bedroht, die sich von Spenglers Kulturpessimismus ebenso in Frage gestellt sahen wie von dem Primat der dt. Kultur, den völkisch-national gesinnte Kreise mit ihrer Betonung der german. Ursprünge und die kulturkundlichen Richtlinien der Schulpolitik (Richert) verkündeten. Für die bereits ins Wanken geratene Stellung des klass. Gymnasiums ließen auch der neue Einfluß der Arbeiterparteien und deren Rufe nach einer Einheitsschule wenig Gutes erwarten.

Vor diesem Hintergrund versuchte eine neue Generation von Philologen, den → Historismus zu überwinden und ein neues Verständnis der Ant. zu entwickeln. Als privates Manifest des neuen Denkens kann P. Friedländers Brief aus dem J. 1921 an seinen Lehrer Wilamowitz gelten, in dem sich die Absage an das histor. Wissenschaftsideal mit der Nennung der neuen Idole wie Nietzsche, Wölfflin, Burckhardt und George verbindet [6]. Protagonist dieser Bewegung war der Wilamowitz-Schüler und (seit 1921) -Nachfolger W. Jaeger [5]. Von Nietzsche inspiriert, rückt Jaeger die Bed. der Ant. für die Gegenwart in den Mittelpunkt, betont jedoch im Gegensatz zu Nietzsche zunehmend ihre staatspolit. und ethischen Kräfte (»Paideia«). Das klassizistische Programm des sog. → Dritten Humanismus, das deutlich an den Bildungsgedanken der dt. Klassik (Herder, Schiller, W. v. Humboldt) anknüpft, sucht das idealisierende Antikebild der Neuhuman. mit dem wiss. Positivismus des 19. Jh. zu versöhnen und die klass. Altertumswiss. ihre innerhalb der Geisteswiss. führende Stellung als prägende kulturelle und gesellschaftliche Kraft zurückzugewinnen. Zugleich möchte es einen Beitrag leisten zur Erneuerung der Gegenwart »gegen« eine als krank verstandene Mod., die an den hellenischen Idealen genesen soll. Dem elitären Traum einer solchen existentiellen Begegnung mit der Ant. hängen auch Literaten wie Hofmannsthal nach (z.B. *Vermächtnis der Ant.*, in: Die Antike 4, 1928, 99–102).

Jaeger förderte seine Ideen mit Hilfe von ihm gegr. Gesellschaften und Publikationsorgane, namentlich der 1924 ins Leben gerufenen *Gesellschaft für ant. Kultur* und der von ihr herausgegebenen Zeitschrift *Die Antike* (1925–44), sowie den *Neuen Philol. Unt.* (1926–37).

1925 initiierte er die *Fachtagung der Klass. Altertumswiss.*, eine Vereinigung der deutschsprachigen Altertumswissenschaftler. Die berühmte 4. Fachtagung in Naumburg 1930 zum Thema »Das Problem des Klass. und die Ant.« stand ganz im Zeichen von Jaegers Programm und trug entscheidend zu dessen Erfolg v. a. unter den jüngeren Gräzisten Deutschlands bei. Der gleichfalls 1925 gegr. *Deutsche Altphilologen-Verband*, bei dem Jaeger als 2. Vorsitzender fungierte, verbreitete diese Ideen in der Lehrerschaft.

Wenig Gehör fanden neben Jaeger andere Stimmen wie B. Snell oder K. von Fritz, die für ein histor. Verständnis der ant. Kultur plädierten, das neben ihrer zeitlos gültigen Bed. ebenso ihre geschichtliche Bedingtheit, ihre Ferne und Fremdheit sah. Unter dem Einfluß von R. Heinze, später E. Fraenkel und F. Klingner, fand auch die Latinistik zu einem neuen Bild ihres Gegenstands [28]. Sie betrachtete die röm. nicht länger als eine Vermittlerin griech. Kultur, sondern richtete ihr Augenmerk auf Eigenart und Originalität des röm. Volkes, auf das »Römertum«. Für die »Erneuerung« Roms und der altröm. Werte unter Augustus begeisterten sich Literaten wie R. Borchardt und R. A. Schröder und Wissenschaftler wie E. R. Curtius und L. Curtius. Mussolinis Bemühungen, sich als der polit. »Erbe« des Augustus darzustellen, fand bei ihnen mitunter ein freundliches Echo. Entsprechende publizistische Begleitmusik untermalte die dt.-it. Feierlichkeiten zum 2000. Geburtstag Vergils 1930.

Die prägende Kraft jener J. bleibt jedoch Jaeger. In ihrer »konservativ-revolutionären« Analyse der zeitgenössischen polit. und kulturellen Krise und in einer fast blinden Hoffnung auf die Heilkräfte der Ant. und eine neue autoritäre Ordnung arbeiteten er und seine Anhänger wider besseres Wollen nationalsozialistischer Ideologie in die Hände [15]. Ähnliches gilt von Theodor Haeckers einflußreichem Essay *Vergil, Vater des Abendlandes* (1931), einer katholisch-konservativen Deutung des augusteischen Dichters, die in seiner Imperiums- und Augustus-Theologie den Boden der konstantinisch-christl. polit. Theologie entdeckt. Bei aller inneren Distanz zum → Nationalsozialismus verstärkte Haeckers Deutung die apokalyptische Stimmung jener J. Eine fatale Nähe zur Ideologie des Dritten Reichs zeigen v. a. sein Plädoyer für einen autoritären Ständestaat und seine ›kleriko-faschistische‹ Reichsvision [10].

Der George-Kreis, der trotz seines elitären Auftretens auch an der Univ. Einfluß gewann (v. a. in Frankfurt), suchte nach der aus geschichtlichen Bedingungen nicht zu erklärenden geistigen Form des Griech., seiner Gestalt. Die Sehnsucht nach einer geistig-polit. Führerfigur schlug sich in der Verehrung nieder, die der Kreis neben Alexander und Caesar v. a. Platon bezeigte [18; 35]. Auf Nietzsches Spuren beschworen die Georgianer die rauschhafte Macht des Dionysischen (etwa R. Borchardt, *Bacchische Epiphanie*; Th. Däubler, *Päan und Dithyrambos*, beide 1924; R. Pannwitz, *Meinungen des Gottes Dionysos*, 1929) oder verkündeten einen griech. Christus, der im Tiefsten eins ist mit Dionysos. Ein wiss. Fundament für den dionysischen Geist suchte W. F. Otto zu legen, zuerst in *Die Götter Griechenlands* (1929), dann v. a. im *Dionysos* (1933), einer missionarischen Kampfschrift gegen die christl. Welt und für den Gott Nietzsches [7].

Eine gewisse Bed. für die Altertumswiss. erlangte auch die Volkskunde, der sich Forscher wie K. Meuli oder O. Weinreich verschrieben und die v. a. in dem in den 20er und 30er J. einflußreichen *Archiv für Religionswissenschaft* (1898–1941/42) zur Wirkung kam [8], ebenso die → Psychoanalyse, die in der Zeitschrift *Imago* (1912–37) eine Brücke zu den Geisteswiss. schlug.

Die von Aby Warburg 1919 in Hamburg gegr. kulturhistor. Bibliothek Warburg leistete wie keine andere Inst. international einen Beitrag zur Rezeptionsgeschichte der Ant. Aus der Warburg-Schule gingen Forscher wie E. Panofsky und E. Wind hervor; die *Vorträge der Bibliothek Warburg* (1921–31) und *Studien der Bibliothek Warburg* (1922–32) schrieben Kulturgeschichte. 1933 übersiedelte das Inst. nach London, wo es noch heute ansässig ist (*Warburg Inst.*) [22].

In der »musikalischen« Antikerezeption der Zeit gehören die wichtigsten Werke zum Musiktheater, das sich in den 20er J. nach rund 100–jähriger Pause wieder intensiv mit ant. Mythologie und griech. Tragödie auseinanderzusetzen begann. Richard Strauß setzte die mit *Elektra* (Uraufführung 1909) und *Ariadne auf Naxos* (Uraufführung 1912) begonnene Zusammenarbeit mit Hofmannsthal fort: 1928 wurde die *Ägypt. Helena* uraufgeführt. Opern schrieben auch seine Wiener Zeitgenossen E. Wellesz (*Alkestis*, nach Euripides/Hofmannsthal, 1924; *Die Bakchantinnen*, nach Euripides, 1931) und E. Krenek (*Orpheus und Eurydike*, nach Kokoschka, 1926; *Leben des Orest*, 1930). W. Braunfels hatte 1924 mit der Vertonung der *Vögel* des Aristophanes einen beachtlichen Erfolg. Die Rezeption ant. Stoffe und Texte war, wie ein Blick auf Strawinsky, Milhaud, Honegger, Satie u. a. zeigt, wesentlicher Bestandteil des Programms der musikalischen Avantgarde [23].

In der bildenden Kunst benannten die Bildhauer F. Klimsch, G. Kolbe, R. Scheibe und R. Sintenis viele ihrer weiblichen Skulpturen und Torsi nach Frauengestalten der ant. Myth. (wie Demeter und Aphrodite, Daphne und Mänade) oder Allegorie (wie Flora, Aurora oder Nike). G. Marcks begann seine lebenslange fruchtbare Auseinandersetzung mit ant. Mythen und Gestalten [37]. In der Malerei finden sich vereinzelt mythische, lit. und histor. ant. Sujets bei M. Slevogt und L. Corinth, aber auch bei C. Rohlfs, P. Klee und M. Ernst. Die »klassizistische Mod.«, die nach dem I. Weltkrieg v. a. in Frankreich, Spanien und It. große Bed. gewann, zeigte in Deutschland nur geringe Wirkung [3].

In der Architektur wirkte der v. a. mit dem Namen P. Behrens verbundene → Klassizismus, der den Anfang des Jh. stark geprägt hat, auch nach dem Krieg fort und kehrte dann, schon Ende der 20er J., als konservative Reaktion gegen die mod. Avantgarde zurück, um sich alsbald vom monumentalen Neoklassizismus der totalitären Regime Deutschlands, It. und der Sowjetunion vereinnahmen zu lassen [36].

Das Weimarer Theater erlebte epochale Inszenierungen ant. Dramen wie die *Orestie* von M. Reinhardt (1919), die *Orestie* von J. Tralow (1920/23) und den *Ödipus* von L. Jessner (1929). Theaterhistor. bedeutsamer war die Wiederentdeckung der Hölderlinschen Sophokles-Übertragungen für die Bühne.

Die Lit. der Weimarer J. ließ sich in vielfältiger Weise von der Ant. inspirieren. Kaum einer der großen Autoren der Zeit, der nicht entweder seine kreative Beschäftigung mit der Ant. fortsetzte (Rilke und George, Hofmannsthal und Hauptmann) oder mit ant. Stoffen und Gedanken, Motiven und Gestalten zu arbeiten begann (Benn, Brecht). Das zeigt sich im Drama, das wiederholt ant. Mythen bzw. ihre lit. Gestaltung in der griech. Lit. aufgriff (etwa O. Kokoschka, *Orpheus und Eurydike*, 1919; F. Werfel, *Bocksgesang*, 1921; K. Kraus, *Wolkenkuckucksheim*, 1923; Hofmannsthal, *Achilles auf Skyros*, 1925, und *Die ägyptische Helena*, 1928; H. H. Jahnn, *Medea*, 1926); das gilt aber auch von der → Lyrik, in der überall thematische und formale Einflüsse der Ant. greifbar sind (Brecht, George, Hofmannsthal, Rilke, R. A. Schröder, C. Spitteler, v. a. Benn). Erratisch in der lit. Landschaft jener J. stehen drei Erzählungen Kafkas, *Das Schweigen der Sirenen* (1917; auf sie antwortet Brechts *Odysseus und die Sirenen*, um 1933), *Prometheus* (1918) und *Poseidon* (1920), die den Mythos ironisch, mitunter fast grotesk verfremden und aufheben.

Ein Kind des 19. Jh., der die »histor. Roman«, der die Bedürfnisse des wilhelminischen und nachwilhelminischen Bildungsbürgertums nach Unterhaltung befriedigt, erlebt in den Weimarer J. eine Blüte. Die histor. Treue, der sich Victor Hugo oder Walter Scott verschrieben hatten, machte jedoch zusehends einer polit. Aktualisierung Platz, in der eine anachronistische Ant. zum parteiischen Spiegelbild der Gegenwart geriet, mitunter aus sozialistischer Sicht (etwa Klaus Mann, *Alexander*, 1930), oft jedoch aus konservativ-nationaler (etwa M. Jelusich, *Caesar*, 1929; H. Heyck, *Sulla*, 1931).

B. 1933–1945

Bald nach der Machtergreifung werden auch das Gymnasium und die altertumswiss. Disziplinen an den Univ. gleichgeschaltet. Nationalsozialistisch geprägte Unterrichts- und Forschungsprogramme beeinflussen bes. die Alte Geschichte, aber auch Arch. und Klass. Philol. Neben die wiss. fundierten »Dritten Human.« Jaegers tritt ein Antikebild, das sich v. a. auf die pseudowiss. Rassetheorien A. Rosenbergs (*Der Mythus des 20. Jh.*) und H. F. K. Günthers (*Rassenkunde des hellenischen und röm. Volkes*) stützt, die daran gehen, die von Hitler wiederholt betonte arische »Rassengemeinschaft« von Griechen und Germanen detailliert zu entwickeln und zu begründen [1].

Wiss. folgenreicher als diese Entwicklung und die drastische Einschränkung des traditionellen Gymnasiums, das 1938 endgültig zur »Sonderschulform« wird, ist die personelle »Säuberung« der Univ. Viele der bedeutendsten Altertumswissenschaftler emigrieren v.a. nach England und in die USA, z.B. die Archäologin M. Bieber, Althistoriker wie E. Bickermann, V. Ehrenberg und E. Stein (F. Münzer stirbt 1942 in Theresienstadt), unter den Klass. Philol. v.a. E. Fraenkel, H. Fränkel, P. Friedländer, K. von Fritz, F. Jacoby, P. Maas, E. Norden, R. Pfeiffer und F. Solmsen. W. Jaeger nahm 1936 einen Ruf an die Univ. of Chicago an [26]. Die große Ära der dt. Altertumswiss. gelangte damit unwiderruflich an ihr Ende.

Hitlers Bewunderung für Griechenland (bes. Sparta) und Rom ist vielfach dokumentiert. Sie läßt sich in seinen Schriften belegen, aber auch in Form und Gehalt vieler seiner öffentlichen Ansprachen. Er schätzte die griech. Baukunst; im Programm des Perikles, des Bauherrn des → Parthenon, sah er ein Vorbild für die Umgestaltung der Reichshauptstadt Berlin. In Architektur (z.B. A. Speer) [33] und Plastik (z.B. A. Breker; auch bedeutende Bildhauer der Weimarer Zeit wie Klimsch, Kolbe oder Scheibe ließen sich von den neuen Herren vereinnahmen) knüpften die Nationalsozialisten auf vielfältige Weise ebenso an ant. Formensprache an wie bei der Organisation der Reichsparteitage oder der Olympischen Spiele 1936. Als Festaufführung inszenierte L. Müthel am von G. Gründgens geleiteten Staatlichen Schauspielhaus Berlin die *Orestie* in Wilamowitz' Übers. Das hellenische Gymnasion erlebte eine Auferstehung im athletischen Körperkult (z.B. L. Riefenstahl).

Unter den bildenden Künstlern verdient neben G. Marcks, der sich ins »innere Exil« zurückzog, v.a. Max Beckmann Erwähnung, der im Exil eine Reihe bedeutsamer Bilder mit mythischem Sujet schuf: *Mars und Venus* (1939), *Prometheus* (1942), *Odysseus und Kalypso* (1943) und das große Triptychon *Perseus* (1940/41).

Richard Strauß arbeitete weiter mit ant. Stoffen; nach Hofmannsthals Tod schrieb ihm J. Gregor die Libretti zu den beiden Opern *Daphne* (Uraufführung 1938) und *Die Liebe der Danae* (Uraufführung 1944). Das folgenreichste Ereignis der zeitgenössischen musikalischen Antikerezeption war jedoch die Uraufführung von Carl Orffs *Carmina Burana* (1937), die v.a. nach 1945 einen unaufhaltsamen Siegeszug erleben. Ihr Erfolg kam auch Orffs sechs J. später vertonten *Catulli Carmina* (1943) zugute.

In der lit. Antikerezeption zeigt sich der Einfluß nationalsozialistischen Gedankenguts v.a. in der weiterhin populären Gattung des histor. Romans (z.B. M. Jelusich, *Hannibal*; G. Birkenfeld, *Leben und Taten des Caesar Augustus*, beide 1934; H.F. Blunck, *König Geiserich*; 1936; H. Benrath, *Die Kaiserin Galla Placidia*, 1937; R. Kassner, *Der Gottmensch*, 1938), aber auch im Drama (z.B. C. Langenbeck, *Alexander*, 1934; E. Bacmeister, *Kaiser Konstantins Taufe*, 1937; E.W. Müller, *Der Untergang Karthagos*, 1938; B. von Heiseler, *Caesar*, 1941; H. Baumann, *Alexander*, 1941). Benns Essay *Dorische Welt* (1934) evoziert ein verzerrtes Spartabild, das Apollon

zum präfaschistischen Gott und Sparta zum Prototyp des neuen Staats der Nationalsozialisten erhebt.

Ein neues Gesicht zeigte während des 2. Weltkriegs die Reiselit. aus Griechenland (bes. E. Jünger, *Gärten und Straßen*, 1942; Erhart Kästner, *Griechenland*, 1942; überarbeitet *Ölberge, Weinberge*, 1953; F.G. Jünger, *Wanderungen auf Rhodos*, 1943). Ein dezidiert klassizistischer Blick verdrängte die Wirklichkeit des Krieges und glorifizierte zugleich das dt. Soldatentum auf der Folie homerischer Heroik.

Die demokratisch oder sozialistisch engagierten Gegenentwürfe entstehen meist im Exil; zu ihnen rechnen Feuchtwangers Hitlerroman *Der falsche Nero* (1936) und die Josephus-Trilogie (*Der jüd. Krieg, Die Söhne, Der Tag wird kommen*, 1932–45) oder Brechts Lehrstück *Die Horatier und die Kuriatier* (1936), das Romanfragment *Die Geschäfte des Herrn Julius Cäsar* (1937/39), seine Lukullus-Texte (*Die Trophäen des Lukullus* und *Das Verhör des Lukullus*, 1939), die geplante *Pluto-Revue* (nach Aristophanes) und etliche Gedichte. H. Broch versuchte, der männlich-heroischen »Blut und Boden«-Ideologie der Nationalsozialisten in einer Demeter-Trilogie einen ant. inspirierten weiblich-humanen Mythos gegenüberzustellen (*Die Verzauberung*, 1935/36). *Der Tod des Vergil* (1945) stellt eine Meditation über die Rolle des Künstlers im totalitären System und über das Sterben dar. Seine humane Psychologie verbindet den Roman mit Th. Manns Tetralogie *Joseph und seine Brüder* (1933–43), einer erlösenden »Höllenfahrt« in den »Brunnen der Vergangenheit«. Mit dem ant. Mythos setzen sich auch zwei große philos. Entwürfe des Exils auseinander, Blochs *Prinzip Hoffnung* (1936–47) und Horkheimers und Adornos *Dialektik der Aufklärung* (1944/47).

Für in Deutschland schreibende Autoren (und für bildende Künstler) wird die mythische Ant. zum keineswegs unverbindlichen Rückzugsgebiet. Neben die ernste Rückbesinnung (z.B. Th. von Scheffer, *Kyprien*, 1934) tritt die Reflexion über die Rolle der Kunst (z.B. G. Kaiser, *Pygmalion*, 1943/44); christl. Jenseitshoffnung (z.B. Ö. v. Horváth, *Pompeji*, 1937) gesellt sich zur pazifistischen Sehnsucht (z.B. G. Kaiser, *Bellerophon*, 1944). Eine späte Absage an das Dritte Reich findet sich in manchen während des Krieges entstandenen Schriften Benns (bes. *Kunst und Drittes Reich*, 1941) oder R. Borchardts (*Jamben*). Auch Hauptmanns Atriden-Tetralogie (*Iphigenie in Aulis, Agamemnons Tod, Elektra, Iphigenie in Delphi*, 1941–48) ist so verstanden worden.

C. DIE BUNDESREPUBLIK

In dem von 1948 an geteilten Deutschland führen die fundamentalen Unterschiede der beiden Gesellschaftssysteme und ihrer geistigen Grundlagen in allen Bereichen der Kultur bald zu höchst unterschiedlichen Entwicklungen, von denen die bildungspolit. und wiss. Bed. der Ant. ebenso geprägt wird wie ihre künstlerische Rezeption (→ DDR).

Trotz des wiss. Aderlasses der Altertumswiss. und der bitteren Erkenntnis der ideologischen Korrumpierbarkeit nicht weniger ihrer schulischen und universitären

Vertreter während des Dritten Reichs stellen die ersten beiden Nachkriegsjahrzehnte für die Ant. eine Blütezeit dar. Die in Reaktion auf den Nationalsozialismus einsetzende Rückbesinnung auf die ant. und christl. Grundlagen der europ. Kultur führt zu einer Ren. des human. Bildungsideals (in diesem Zeichen stehen z. B. die von B. Snell 1945 gegr. Zeitschrift *Ant. und Abendland* oder die 1948 in der Schweiz ins Leben gerufene *Bibliothek der Alten Welt*), dessen einflußreichste Vertreter noch vom Dritten Human. geprägt sind (W. Schadewaldt). Die schnell wachsenden Studentenzahlen führten zu einer erheblichen Erweiterung der Seminare für Klass. Philol.; an den Gymnasien lernten mehr Schüler Griech. und Lat. als in jeder früheren Epoche. Mit der Gründung der *Mommsen-Gesellschaft*, der Vereinigung der Forscher auf dem Gebiet der klass. Altertumswiss. (1950), und der Wiedergründung des *Deutschen Altphilologen-Verbandes* (1952) schaffen sich Wiss. und Schule wichtige Instrumente zur Vertretung ihrer Interessen.

Die gesellschaftlichen und kulturpolit. Entwicklungen der 60er J. stellen die lange unangefochtene Bed. der Ant. für die Bewältigung der Gegenwart in Frage. Die starke Expansion des Bildungswesens und die allen Trad. kritisch gesonnene Studentenbewegung drohten die altertumswiss. Fächer an Schule und Univ. zusehends zu marginalisieren; von dieser Entwicklung war (und ist bis h.) bes. das Griech. betroffen.

Es kam zu einer Grundsatzdiskussion über die Rolle der Klass. Philol. h., für die v. a. die Freiburger Tagung der Mommsen-Gesellschaft 1970 steht (M. Fuhrmann, H. Tränkle) [16; 21]. In den 80er und 90er J. beruhigt sich der Streit; der Einfluß des angloamerikanischen Wissenschaftsbetriebs, aber auch der Niedergang des Griech. an Gymnasium und Univ. sorgen jedoch weiterhin für Unruhe. Das in den letzten J. merklich gewachsene Interesse an der Geschichte der klass. Fächer im 20. Jh. mag als Indiz dafür gelten, wie ernst gerade h. die Frage genommen wird, wie und »zu welchem Ende« wir die Ant. studieren.

Im Vergleich mit vergangenen Epochen spielen die Ant. und ihre kreative Aneignung in Musik, Kunst und Lit. in der bundesrepublikanischen Kultur nicht mehr die einstige Rolle. Einzelne Ereignisse wie Peter Steins Inszenierung der aischyleischen *Orestie* (Berlin 1980) oder die Ausstellung über Kaiser Augustus (Berlin 1988) erregen für den Moment Aufsehen und erobern das Feuilleton der überregionalen Presse oder die Kulturprogramme von Funk und öffentlichem Fernsehen; von einer nachhaltigen öffentlichen Wirkung der griech. und röm. Welt kann h. jedoch nicht mehr die Rede sein. Wie sehr sich die geistige Landschaft seit den frühen J. des Jh. gewandelt hat, zeigt schon der Umstand, daß eine so bedeutsame Auseinandersetzung mit der Ant. wie H. Blumenbergs *Arbeit am Mythos* (1979) fast singulär in der philos. Diskussion der Gegenwart steht. Daß Sachbücher zu ant. Themen oder Reiseführer zu den Ruinen Roms und Griechenlands auch h. noch auf ein interessiertes Publikum rechnen können, tut diesem Befund keinen Abbruch.

In der Musik schließen R. Strauß' Oper *Des Esels Schatten* (1947/48, Uraufführung 1964) und E. Kreneks Opern *Pallas Athene weint* (1955) und *Der goldene Bock* (1964) an die frühere Antikerezeption der beiden Komponisten an. Rolf Liebermann komponiert 1954 mit *Penelope* eine → Oper zum aktuellen Thema Heimkehr; 40 J. später folgt *Freispruch für Medea*. Neuen musikalischen Entwicklungen verpflichtet sind die freien Vertonungen ant. Tragödien durch H. W. Henze (*Die Bassariden*, nach Euripides, 1966), A. Reimann (*Troades*, nach Euripides/Werfel, 1986) und v. a. W. Rihm (*Ödipus*, frei nach Sophokles mit Texten von Nietzsche und Heiner Müller, 1987; sein Cellokonzert *Styx und Lethe* wird 1998 uraufgeführt). Carl Orffs Versuche, die ant. → Tragödie aus dem Geist seiner Musik wiedererstehen zu lassen, *Antigonä* (Sophokles/Hölderlin, 1949), *Oedipus der Tyrann* (Sophokles/Hölderlin, 1959) und *Prometheus* (Aischylos, griech. Text, 1968), sind eher theatergeschichtlich als musikalisch bedeutsam [27]. Erwähnung verdienen die *Lysistrata*- bzw. *Orpheus*-Ballette von B. Blacher (1960) bzw. H. W. Henze (1976) und die Sappho- bzw. Horaz-Vertonungen von W. Killmayer (1960) bzw. H. Vogt (1970). Bereits 1951 hatte Orff mit *Trionfo di Afrodite* sein drittes und letztes Chorwerk mit ant. Texten (Sappho, Euripides, Catull) geschrieben [9].

In der bildenden Kunst tritt die Bindung an ant. Formen und Stoffe, wie angesichts der Entwicklung der mod. Kunst nicht anders zu erwarten, weiter zurück. Immerhin finden sich bei Bildhauern wie G. Marcks (zuletzt *Prometheus mit Adler*, 1981), H. Arp (z. B. *Demeter*, 1960; *Die drei Grazien*, 1961), B. Heiliger (z. B. *Niobe*, 1959; *Auge der Nemesis*, 1981) oder G. Seitz, der 1958 als Nachfolger von G. Marcks von Halle an die Kunsthochschule in Hamburg wechselte (z. B. *Der Wählerische*, 1956; *Paris*, 1965; *Entwurf zur Großen Danae*, 1967) und bei so bekannten Malern wie O. Kokoschka, HAP Grieshaber, J. Grützke, P. Wunderlich, M. Lüpertz, J. Beuys [38] und A. Kiefer nicht selten (mitunter vermittelte) thematische Bezüge zur Ant. Die mod. Architektur der neuen Sachlichkeit zeigt kaum noch Verbindungen zur griech.-röm. Baukunst; erst Architekten der Postmod. jonglieren wieder mit Zitaten ant. Formensprache [20].

Die griech. Tragödie, aber auch die Klassiker der europ. Antikerezeption gehören nach wie vor zum Repertoire des dt. Theaters; Inszenierungen wie H. Heymes *König Ödipus* und *Ödipus auf Kolonos* (Köln 1968), K. Grubers *Bakchen* (Berlin 1974) oder P. Steins *Orestie* (Berlin 1980) haben Theatergeschichte geschrieben [13]. Happening in antikisierender Pose ist die auf Wagner, Nietzsche, Freud und der ant. Religionsgeschichte begründete Re-Inszenierung griech. Opferrituale, die seit den 60er J. der Wiener Aktionskünstler Hermann Nitsch in seinem *orgien mysterien theater* unternimmt [34].

Am nachhaltigsten zeigt sich die mod. Antikerezeption in der Lit. Im Nachkriegsdeutschland war den Schriftstellern offenkundig daran gelegen, nach der Barbarei des Nationalsozialismus wieder Anschluß an die internationale Mod. zu finden; sie registrierten vielleicht aber auch sensibler als Bildungspolitik und Wiss. die Verführbarkeit des Human. Die lit. Diskussion prägen lange Zeit »ant.« Werke ausländischer Autoren wie Anouilhs *Antigone* (dt. 1946), O'Neills *Trauer muß Elektra tragen* (dt. 1947), Sartres *Die Fliegen* (dt. 1948) und Camus' *Der Mythos von Sisyphos* (dt. 1950). In der dt. Lit. erscheinen ant. Stoffe und Motive zunächst nur dort in größerem Umfang, wo es gilt, die traumatischen Erfahrungen von Krieg und Heimkehr, von persönlicher Schuld und kollektivem Verbrechen aufzuarbeiten. Die Zeitereignisse brechen sich v. a. in Texten um den trojanischen Krieg (z. B. B. von Heiseler, *Der Bogen des Philoktet*; R. Bayr, *Agamemnon*; H. E. Nossack, *Kassandra*; alle 1948) und den (in) seiner Heimat fremd gewordenen Heimkehrer Odysseus (z. B. H. W. Geißler, *Odysseus und die Frauen*, 1947; L. Feuchtwanger, *Odysseus und die Schweine*, 1948; F. Mayröcker, *Die Sirenen des Odysseus* und *Nausikaa*, 1956; E. Schnabel, *Der sechste Gesang*, 1956; W. Jens, *Das Testament des Odysseus*, 1957).

Von Hades und Höllenfahrt handeln H. Kasacks *Die Stadt hinter dem Strom*, H. E. Nossacks *Nekyia* und Th. Manns *Doktor Faustus* (alle 1947). Wie das → Humanistische Gymnasium der nachwilhelminischen und nationalsozialistischen Ära mit seiner »klass. Erziehung« die Jugend geistig verformte, zeigen H. Böll (*Wanderer kommst du nach Spa . . .*, 1950) und später A. Andersch (*Der Vater eines Mörders*, 1980). In den Kreis dieser Texte gehören auch I. Bachmanns Satire *Das Lächeln der Sphinx* (1949) oder die hellenistischen Erzählungen Arno Schmidts (*Gadir oder Erkenne dich selbst* und *Enthymesis oder W. I. E. H.*, beide 1949; *Alexander oder Was ist Wahrheit*, 1959). Vom Los des Künstlers in den Adenauerjahren handelt Schmidts Orpheus-Erzählung *Caliban über Setebos* (1964).

Bei den meisten namhaften Prosaautoren (wie Böll und Lenz, Grass und Walser) und Dramatikern (wie Frisch und Dürrenmatt, Bernhardt und Krötz, Kipphardt und Walser) spielt die Ant. in den frühen Jahrzehnten allenfalls am Rande eine Rolle. Gleichwohl entsteht eine ganze Reihe gelungener Texte, die sich mitunter thematisch bündeln. Die Sprengkraft der Tragödie zeigt Sophokles' *Antigone*, mit der sich nicht nur Brecht auseinandersetzt. Das berühmte erste Stasimon parodieren Dürrenmatt (*Der Besuch der alten Dame*, 1957) und Frisch (*Biedermann und die Brandstifter*, 1958); R. Hochhuth schreibt eine *Berliner Antigone* (1966/75); von der plötzlichen Aktualität des sophokleischen Stücks in den J. der RAF handelt R. W. Fassbinders Film *Deutschland im Herbst* (1977). In ihrem autobiographischen Roman *Meine Schwester Antigone* (1980) setzt Grete Weil sich mit Antigone auseinander. Einer Identifikation mit der Figur folgt die Absage an deren human. Credo:

›Nicht mitzulieben, mitzuhassen bin ich da‹ – auf das Leid der Shoah weiß das mythische Vorbild keine Antwort. Die Geschichte eines mod. Ödipus erzählt Frischs *Homo faber* (1957). In den pazifistisch bewegten 70er und 80er J. steht Aristophanes' Friedensstifterin Lysistrate hoch im Kurs (R. Hochhuth, *Lysistrate und die Nato*, 1973; Ch. Brückner, *Du irrst, Lysistrate!*, 1983; E. Fried, *Lysistrate*, 1985; W. Jens, *Die Friedensfrau*, 1986).

Rom steht in der lit. Rezeption meist im Schatten Griechenlands; doch mitunter wird seine Geschichte zum Spiegel mod. Entwicklungen. Die Rolle der polit. Intellektuellen in unwirtlicher Zeit beleuchtet M. Brod (*Armer Cicero*, 1955); Grass bringt Shakespeares Coriolanus auf die Bühne (*Die Plebejer proben den Aufstand*, 1966); über Caesars Tod spekuliert W. Jens (*Die Verschwörung*, 1969); eine Satire auf den Kapitalismus schreibt P. Rühmkorf (*Was heißt hier Volsinii?*, 1969). Spätere Beispiele sind R. Schneiders *Octavius und Kleopatra* (1972) und M. Walsers *Nero läßt grüßen* (1989). Als Zeit des Nieder- und Untergangs weckt die Spät-Ant. die histor. Neugier, wie z. B. Döblins *Pilgerin Aetheria* (1947), Dürrenmatts *Romulus der Große* (1950/57), Arno Schmidts *Kosmas* (1959), H. E. Nossacks *Das Testament des Lucius Eurinus* (1964) oder St. Andres' *Die Versuchung des Synesios* (1971) belegen.

In der Lyrik ist Antikes stets präsent, auch und gerade im Werk großer Dichterinnen und Dichter wie C. Atabay, R. Ausländer, I. Bachmann, P. Celan, H. Domin, G. Eich, E. Fried, E. Jandl, M. L. Kaschnitz, K. Krolow, E. Meister oder P. Rühmkorf [29]. In den 80er und 90er J. gewinnt die lit. Antikerezeption aber auch in Prosa und Drama merklich an Gewicht: In Peter Weiss' Hauptwerk *Die Ästhetik des Widerstands* (1975–81) steht der mythische Arbeiter und Held Herakles für das geschichtliche Subjekt, die arbeitende Klasse, und ihre Aufgabe, die Geschichte trotz ihres vorläufigen Scheiterns im antifaschistischen Widerstand zu vollenden. Botho Strauß integriert auf immer neue Weise ant. Stoffe und Motive in seine Dramen. Einen mod. Dionysos, der seines rauschhaften Zaubers auf die Menschen verlustig geht, führt *Kalldewey, Farce* (1981) vor; von der Faszination Trojas und der Atriden zeugen *Der Park* (1983) und *Die Fremdenführerin* (1986); Medea erscheint in *Die Zeit und das Zimmer* (1989); von Odysseus' Rache handelt *Ithaka* (1996).

Einen weiblichen Blick auf die Verhältnisse werfen verschiedene Sappho-Texte (z. B. Ch. Brückner, *Vergeßt den Namen des Eisvogels nicht*, 1983; oder H. Hegewisch, *Ich aber schlafe allein*, 1992). In ihrer Demeter-Trilogie (*Herrin der Tiere*, *Über die Verhältnisse*, *Einander Kind*, 1986–90) transponiert B. Frischmuth den Mythos der Muttergöttin in die österreichische Gegenwart und beleuchtet ihn in seinen psychologischen, histor. und mystischen Momenten. Mehrere Autoren und v. a. Autorinnen suchen Medea zu begreifen und zu entlasten; die Kindsmörderin wird zur Chiffre des Aufbegehrens der Frauen und ihres Kampfes um Selbstbestimmung (z. B. G. Tabori, *M*, 1985; W. Hilbig, *medium medea*,

1986; U. Haas, *Freispruch für Medea*, 1987, E. Jelinek, *Krankheit oder Mod. Frauen*, 1987; D. Nick, *Medea*, 1988; O. Rinne, *Medea*, 1988; Ch. Wolf, *Medea. Stimmen*, 1996) [11].

Als vorzüglichen Kenner der Ant. weisen mehrere erst postum edierte Texte Hubert Fichte aus, eine Reihe von Essays, die sich mit ant. Geschichte und Lit. befassen, und die beiden dramatischen Texte *Ödipus auf Håknäss*, eine Auseinandersetzung mit Sophokles' tragischer Figur (um 1960/61; publ. 1992), und *Ich bin ein Löwe. Und meine Eltern sind Eichen und Steine*, eine kryptische Hommage an Empedokles (1985). Eine für sein Schreiben essentielle Rezeption ant. Autoren und Themen läßt sich bei Peter Handke studieren, so die Beschäftigung mit Lukrez (*Langsame Heimkehr*, 1979), Pindar und Thukydides (*Kindergeschichte*, 1981; *Noch einmal für Thukydides*, 1990), mit Vergils *Georgica* (*Der Chinese des Schmerzes*, 1983) oder der griech. Tragödie (*Aischylos, Prometheus, gefesselt*, 1986).

In den 90er J. erlebt der histor. Roman eine Ren.; als sein anspruchsvollster Vertreter darf G. Haefs gelten (*Hannibal*, 1989; *Alexander*, 1992/93; *Troja*, 1997). Zu ihm gesellen sich »postmod. Spielereien« mit dem Mythos, deren aufwendiger Apparat oft nur Fassade bleibt (W. Wenger, *Die Manhattan Maschine*, 1992; S. Nadolny, *Ein Gott der Frechheit*; W. Schwab, *Troiluswahn und Cressidatheater*, beide 1994). Bestand dürfte Ch. Ransmayrs geschichtspessimistische Etüde über Ovids *Metamorphosen* haben, *Die letzte Welt* (1988). Auch der wirkungsmächtigste ant. Heros, Odysseus, lädt zu solchen Interpretationen ein, wie v. a. M. Köhlmeier in der geplanten Odysseus-Tetralogie vorführt (*Telemach*, 1995; *Kalypso*, 1997; *Odyssee*-Texte mehrerer Autoren versammelt W. Grond 1995 in *Absolut Homer*). Die begeisterte Aufnahme, die Ransmayr, Köhlmeier oder Christa Wolf gefunden haben, zeugt von der ungebrochenen Faszination des Mythos.

1 H.J. APEL, S. BITTNER, Human. Schulbildung 1890–1945, 1994 2 G. BINDER, Altertumswiss. und altsprachlicher Unterricht in Deutschland 1933–1945, in: Ders. (Hrsg.), Saeculum Augustum I, 1987, 44–58 3 G. BOEHM et al. (Hrsg.), Canto d'Amore. Klassizistische Mod. in Musik und bildender Kunst 1914–1935, 1996 4 E. BÖHRINGER, Der Caesar von Acireale, 1933 5 W. M. CALDER (Hrsg.), Werner Jaeger reconsidered: Illinois Class. Stud., Suppl. 3, 1992 6 Ders., The Credo of a new generation, in: A&A 26, 1980, 90–102 7 H. CANCIK, Dionysos 1933, in: R. FABER, R. SCHLESIER (Hrsg.), Die Restauration der Götter, 1986, 105–123 8 Ders., Ant. Volkskunde 1936, in: AU 25/3, 1982, 80–99 9 J. DRAHEIM, Vertonungen ant. Texte vom Barock bis zur Gegenwart, 1981 10 R. FABER, Roma aeterna, 1981 11 B. FEICHTINGER, Medea. Rehabilitation einer Kindsmörderin?, in: Grazer Beiträge 18, 1992, 205–234 12 La filologia greca e latina nel secolo XX. Atti del Congresso Internazionale, 3 Bde., 1989 13 FLASHAR 14 Ders., (Hrsg.), Altertumswiss. in den 20er J., 1995 (Lit.) 15 A. FRITSCH, Dritter Human. und Drittes Reich, in: R. DITHMAR (Hrsg.), Schule und Unterricht in der Endphase der Weimarer Republik, 1993, 152–175 16 M. FUHRMANN, H. TRÄNKLE, Wie klass. ist die klass.

Ant.?, 1970 17 E. H. GOMBRICH, Aby Warburg, 1981 18 F. GUNDOLF, Caesar. Gesch. seines Ruhms, 1924 19 R. HERZOG, Ant.-Usurpationen in der dt. Belletristik seit 1866, in: A&A 23, 1977, 10–27 20 C. JENKS, Die Postmod. Der neue Klassizismus in Kunst und Architektur, 1987 21 W. JENS, Antiquierte Ant., 1971 22 R. KANY, Mnemosyne als Programm, 1987 23 S. KUNZE, Die Ant. in der Musik des 20. Jh. (Thyssen-Vorträge 6), 1987 24 G. LOHSE, H. OHDE, Zum Verhältnis von Ant. und dt. Nachkriegslit. (...), in: Hephaistos 4, 1982, 139–170; 5/6, 1983/84, 163–226 25 V. LOSEMANN, Nationalsozialismus und Ant., 1977 26 W. LUDWIG, Amtsenthebung und Emigration klass. Philologen: Würzburger Jbb. N. F. 12, 1986, 217–239 27 W. SCHADEWALDT, Carl Orff und die griech. Tragödie, in: Ders., Hellas und Hesperien ²1970, 423–435 28 P. L. SCHMIDT, Die dt. Latinistik vom Beginn bis in die 20er J., in: H. FLASHAR (Hrsg.), Altertumswiss. in den 20er J., 1995, 115–182 29 B. SEIDENSTICKER, P. HABERMEHL (Hrsg.), Unterm Sternbild des Hercules. Antikes in der Lyrik der Gegenwart, 1996 30 Diess. (Hrsg.), Antikerezeption in der deutschsprachigen Lit. der Gegenwart, in: AU 36/2, 1994 31 B. SEIDENSTICKER, Zur Antikerezeption in der dt. Lit. nach 1945, in: Gymnasium 98, 1991, 420–453 (Lit.) 32 Ders., Exempla. Röm. in der lit. Antikerezeption nach 1945, in: Gymnasium 101, 1994, 7–42 33 A. SPEER, Architektur. Arbeiten 1933–42, 1978 34 E. STÄRK, Hermann Nitschs »Orgien Mysterien Theater« und die »Hysterie der Griechen«, 1987 35 E. E. STARKE, Das Platonbild des George-Kreises, 1959 36 W. TEGETHOFF, Vom mod. Klassizismus zur klass. Mod., in: G. BOEHM et al. (Hrsg.), Canto d'Amore. Klassizistische Mod. in Musik und bildender Kunst 1914–1935, 1996, 442–451 37 G. Marcks und die Ant. (Kat.) Bremen 1993 38 Beuys und die Ant., (Kat.) Glyptothek München, 1993.

PETER HABERMEHL UND BERND SEIDENSTICKER

Diätetik. Klass., auf den hippokratisch-galenischen Theoremen eines Säftegleichgewichts beruhende diätetische Vorstellungen spielten bis ins 20. Jh. hinein in der Medizin eine bedeutende Rolle (→ Säftelehre). In der → Arabischen Medizin gilt, daß alle Nahrungsmittel Kräfte enthalten, die, einmal über die Nahrung aufgenommen, die Gesundheit des Körpers zum Guten wie zum Schlechten beeinflussen können. Daher gehörte es zu den Aufgaben des Arztes, Lebensordnungen für den Gesundheits- wie für den Krankheitsfall zu empfehlen. Die Pflicht des Patienten bestand darin, die Regeln für eine gesunde Lebensweise zu verstehen und zu befolgen. Daher verwundert es nicht, wenn in einer von al-Muradi (gest. 1095) für einen Emir geschriebenen Abh. zur Regierungskunst ein umfängliches Kapitel zur D. enthalten war. Die wichtigste arab. Schrift zur Diätetik stellt ein umfangreiches Kompendium zu Nahrungsmitteln dar, dessen lat. Übers. unter dem Titel *Tacuinum Sanitatis* noch bis weit ins 16. Jh. in Gebrauch blieb. Das lat. hohe MA folgte der arab. Synthese des → Galenismus. Die medizinischen Humanisten, wie z. B. der Autor einer 1544 erschienenen Abh. zur hippokratischen Diätetik, Manuel Brudus, der die Identifizierung einzelner Pflanzen korrigierte und den Gebrauch einiger Heilpflanzen modifizierte, hielten sich an das allg. Schema. Diät als Teil der *sex res non naturales* wurde allenthalben als entscheidender Faktor zur Erhaltung der Gesundheit angesehen und in medizinischen Traktaten wie auch in populären Handbüchern für den Laien, z. B. in Sir Thomas Elyots *Castell of Helth* (1541) auf breiter Front diskutiert. Wandlungen der herrschenden medizinischen Theorien, angefangen mit dem Paracelsismus im 16. Jh. bis hin zum Brownianismus im 19. Jh., konnten der D. ihre zentrale Bed. für die medizinische Praxis nicht streitig machen, auch wenn in der ärztlichen Rede ein Bedeutungswandel des Begriffs D. vom ant. Konzept der Lebensführung zu einer bloßen Eß- und Trinkkultur einsetzte, den die Patienten freilich nicht mitvollzogen. Sie blieben bei dem ant. D.-Konzept, wie soziologische Unt. in den 1970er und 80er J. belegen. Gleichzeitig gingen zahlreiche Nahrungsmittel, die urspr. von Alternativmedizinern im Rahmen einer diätetisch orientierten Heilkunst empfohlen worden waren, wie z. B. Cornflakes und Müsli, auf den alltäglichen Speiseplan der westl. Welt über, so daß im letzten Drittel des 20. Jh. auch in der orthodoxen Medizin auf gesunde Ernährung und eine gesunde Lebensführung Wert gelegt wurde und solche diätetischen Maßnahmen abermals als Prophylaxe befürwortet wurden.

→ AWI Diätetik

→ Hippokratismus; medizinischer Humanismus; Medizin VIVIAN NUTTON/
    Ü: LEONIE V. REPPERT-BISMARCK

Dialektik s. Philosophie

Dialog A. EINLEITUNG B. MITTELALTER
C. RENAISSANCE D. MODERNE

A. EINLEITUNG

Die ant. Gattung des D. bildet im Medium der schriftlichen Kunstprosa das mündliche Gespräch zw. mindestens zwei Sprechern nach, die vorzugsweise philos., rhet. oder rel. Themen miteinander erörtern. Im Gegensatz zum Drama ist der D. nicht für die szenische Aufführung, sondern für die individuelle Lektüre bestimmt. Die Einheit des D. machen die Gesprächssituation und die jeweilige thematische Vorgabe aus, nicht aber die Darstellung einer Handlung wie im Dramen-D. Ferner ist der D. als eigenständige Gattung gegen den D. als Form abzugrenzen, welche in erzählende Texte ganz unterschiedlicher Gattungen eingefügt werden kann, ohne diese jedoch als ganze zu prägen. Entscheidend bleibt, daß ein Gegenstand (die Seele, die Liebe, der vollkommene Redner) in Rede und Gegenrede von den unterschiedlichen Standpunkten der beteiligten Sprecher aus kontrovers erörtert wird. Dabei werden die einzelnen Repliken entweder unvermittelt gegeneinandergesetzt (z. B. Plat. Phaid.) oder vom Autor eingeleitet und durch Überleitungen miteinander verbunden, so daß die Erzählerfigur eine vermittelnde Rolle übernimmt (z. B. Cic. orat.). Bei Cicero wachsen sich die Redebeiträge häufig zu längeren Vorträgen aus. Der

ant. Begriff des D. findet seit dem MA Eingang in die neueren Sprachen; daneben bürgern sich seit der Ren. auch Syn. wie *conversazione, ragionamenti, entretien, colloquio* oder »Gespräch« ein, welche zugleich die lit. Gattung und die Alltagskonversation bezeichnen. Der russ. Literaturtheoretiker Michail Bachtin leitet vom D. den Begriff des Dialogischen ab, um damit das stilistische Spannungsverhältnis zw. eigener und fremder Rede, Erzählerrede und direkt oder indirekt zitierter Personenrede v. a. im Roman seit der Ren. (Rabelais, Sterne, Dostojevskij) zu charakterisieren [22. 95–115]. Ein in dieser Hinsicht dialogisches Werk muß der Gattung nach kein D. sein; umgekehrt ist ein D. wie Cic. Lael. wegen der in den Beiträgen aller Gesprächsteilnehmern weitgehend einheitlichen ciceronianischen Kunstprosa in Bachtins Sinn höchstens dann dialogisch, wenn Verse älterer Autoren wie Ennius oder Terenz zitiert werden. Die ant. Dichtungstheorie behandelt den D. nicht als eigenständige Gattung, sondern nur im Rahmen der jeder genaueren Gattungsbestimmung vorausliegenden platonischen Unterscheidung zw. Erzählen und Darstellen (Plat. rep. 392), die dann im 4. Jh. n. Chr. von dem Grammatiker Diomedes wieder aufgegriffen wird (Grammatici latini 1,482 KEIL). Ebenso wie das Drama fällt der D. dabei unter die Kategorie der darstellenden Personenrede. Die maieutischen D. des im Kreise seiner Schüler um die Wahrheit ringenden platonischen Sokrates, die Symposiensdarstellung Xenophons, die eleganten Lehrgespräche Ciceros, welche die röm. Oberschicht in ihren Mußestunden zeigen, und Lukians satirisch-parodistische, mit myth. und komödienhaften Elementen durchsetzte D. haben die weitere Entwicklung der Gattung im Lat. wie in den neueren Sprachen entscheidend beeinflußt, seit diese ant. Vorbilder in der Ren. wiederentdeckt und verbreitet wurden. Bereits im MA rezipierte man die Schrift *De consolatione philosophiae* des Boethius, der Zwiesprache mit der personifizierten Philos. hält, sowie die nach innerer Einkehr und Gotteserkenntnis strebenden *Soliloquia* des Augustinus, der mit der Vernunft als seinem höheren Selbst debattiert.

B. MITTELALTER

Im westeurop. MA sind die meisten Hauptwerke der klass.-ant. D.-Trad. weitgehend unbekannt. Von Platon liest man bis ins 12. Jh. nur den *Timaios* in der lat. Teilübers. des Chalcidius unter kosmologischen Gesichtspunkten, ohne dabei die D.-Form zu beachten. Großer Beliebtheit erfreuen sich dagegen Lehr-D. Sie spielen sich zw. einem typisierten Schüler und einem die Person des Autors vertretenden Lehrer ab und greifen das vom Grammatiker Donatus in seiner *Ars minor* (4. Jh.) verwendete Schema von Frage und Antwort auf. Die D.-Form wird hierbei zur Organisation und Präsentation gegebener Wissensbestände benützt, was sich als schriftlicher Reflex der vorherrschenden mündlichen Wissensvermittlung verstehen läßt, sie bildet aber im Gespräch keinen Erkenntnisprozeß ab. Im Zuge der karolingischen Bildungsreform (→ Karolingische Ren.)

verfaßt Alkuin gegen Ende des 8. Jh. solche D. über Gramm., Rhet. und Dialektik; in den beiden letzteren übernimmt Karl der Gr. die Rolle des Schülers, wird jedoch nicht eindringlich charakterisiert. Mit seinem *Elucidarium* bringt Honorius Augustodunensis gegen 1100 die Grundaussagen des christl. Glaubens in die Form eines Katechismus, den bald zahlreiche volkssprachliche Übers. und Bearbeitungen auch beim Laienpublikum verbreiten. Dagegen stärken Theologen, die sich wie Anselm v. Canterbury und Petrus Abaelardus um eine rationale Begründung der geoffenbarten Wahrheit bemühten, die Position des Fragenden und machten den philos.-theologischen D. zu einem anspruchsvollen dialektischen Medium der intellektuellen Auseinandersetzung und der Überzeugung. In der auf 1125/26 datierbaren Traumvision der *Collationes* greift Petrus Abaelardus den spät-ant.-christl. Kontrovers-D. auf und läßt einen heidnischen Philosophen, einen Christen und einen Juden miteinander über die Frage nach dem höchsten Gut streiten. Allerdings ist der Umgang der nicht weiter individualisierten Gesprächspartner höchst respektvoll, und ihre Kontroverse wird am E. gerade nicht durch ein eindeutiges Urteil zugunsten des Christen entschieden. Als ›Zeugnis einer neuen Kultur des problematisierenden D.‹ [17. 199] kann auch der nach 1190 entstandene *Dialogus Ratii* des Eberhard von Ypern gelten; der Autor behandelt den Konflikt zw. seinem Lehrer Gilbert von Poitiers und Bernhard von Clairvaux über den Status von Universalbegriffen wie »Göttlichkeit«, wobei das Auftreten der Knechte, die der Komödien-Trad. entstammen, den sprachphilos. Disput scherzend auflockert. In *De secreto conflictu curarum mearum* (1347–1353) von Francesco Petrarca entspinnt sich zw. dessen *alter ego* Franciscus und dem bewunderten Vorbild Augustinus, der als Verf. der *Confessiones* die höchsten an ein Ich gerichteten moralischen Ansprüche vertritt, über drei Tage und ebensoviele Bücher hin ein ganz der Selbstprüfung und Selbstinszenierung gewidmetes Gespräch. Franciscus sucht eher bei dem Autobiographen Augustinus als bei dem Kirchenlehrer Rat. Während Petrarca in einer schweren Krise sein Leben bilanziert, schwankt er zw. Schwermut, demütiger Zerknirschung über die eigene Sündhaftigkeit und dem Stolz auf seine poetischen Leistungen, von denen er sich Ruhm erhofft. Die an die Allegorie der Philos. bei Boethius erinnernde strahlende Verkörperung der Wahrheit bleibt nach der Vorrede stumm, ist damit gleichermaßen Voraussetzung und Ziel des Selbstgesprächs. 1366 vollendet Petrarca mit dem D. *De remediis utriusque fortunae* sein im Spät-MA und der frühen Neuzeit meistgelesenes lat. Werk, worin allein allegorische Personifikationen auftreten. *Ratio* (»Vernunft«) befindet sich im Widerstreit mit *Gaudium* (»Vergnügen«), *Spes* (»Hoffnung«), *Dolor* (»Schmerz«) und *Metus* (»Furcht«); der aus einer Vielzahl kurzer Wortgefechte zusammengesetzte D. stellt eine in sich zerrissene, vom Kampf bestimmte Welt dar und empfiehlt stoische, aus der Cicero- und Senecalektüre ge-

wonnene Grundsätze als Heilmittel gegen die Leidenschaften und das Treiben Fortunas (→ Stoizismus).

C. RENAISSANCE

Seit dem Beginn des 15. Jh. werden zunächst in It. die ant. D. Ciceros, Platons, Plutarchs und Lukians nach und nach wieder in ihrem vollen Umfang zugänglich. Die Auseinandersetzung mit den neuentdeckten alten Vorbildern trägt zu einer ungeahnten Blüte des D. erst im Lat., dann auch in den Volkssprachen bei. Im D. setzt sich die human. Gesprächskultur von den Disputationsritualen der ma. Univ. und der augustinischen Introspektion ab, um ihr eigenes Idealbild der Kommunikation zu schaffen; im D. inszeniert sie die höfische Geselligkeit und bezieht auch die Frauen in die Konversation mit ein. Der D. konfrontiert und versöhnt die neu erfahrene Vielfalt unterschiedlicher Meinungen, Standpunkte und Sichtweisen [2. 126]; der D. wird durch den Buchdruck verbreitet und kompensiert dabei gleichzeitig den Verlust der mündlichen Nähe durch das neue Medium in diesem selbst. Mit Leonardo Brunis *Dialogi ad Petrum Paulum Histrum* (1406) schlägt der human. D. den Weg der Cicero-Imitation ein und nimmt sich *De orat.* zum Vorbild, so daß im Gegensatz zu den ma. D. die Darstellung der Gesprächspartner, also des Autors selbst und anderer histor. bezeugter Protagonisten des Florentiner Frühhuman., das *decorum* beachtet und die Gestaltung des Rahmens mit seinem Bezug auf das städtische Gemeinwesen größeres Gewicht erhält. Die Debatte über den Wert der Werke Dantes, Petrarcas und Boccaccios wird ausdrücklich als spielerisch-elegante *disputatio in utramque partem* gekennzeichnet, die sich von der scholastischen Disputation durch klass. Sprachform, säkularen Inhalt und den kritischen Umgang mit Autoritäten unterscheidet [16. 35]. In *De avaritia* (1428) überträgt Poggio Bracciolini diese Vorgehensweise auf die moralphilos. Behandlung des Erwerbsstrebens. Um der rhet. Übung willen verteidigen die Vortragenden Positionen, die sich mit ihren eigentlichen, histor. belegten Ansichten nicht decken, ein Verfahren, das Lorenzo Valla für *De vero falsoque bono* (1431–1441) übernimmt. Die Figur des bei Poggio wie Valla auftretenden konsensstiftenden Schlichters geht auf Augustin (*Contra Academicos*) zurück. Mit dem *Cortegiano* (1528) bürgert Baldesar Castiglione den ciceronischen D. in der Volkssprache ein und zeichnet ein perspektivisch gebrochenes »Porträt« des Hofes von Urbino im Jahre 1506, wobei wie in *De orat.* die urbanen Umgangsformen unlängst Verstorbener zum Vorbild stilisiert werden [4]. In dem von der Herzogin Elisabetta Gonzaga geleiteten Gesprächsspiel entstehen allmählich die Ideale des Hofmannes und der Palastdame. Die kunstvoll zwanglose Unterhaltung veranschaulicht nicht nur selber die vom Hofmann geforderten Eigenschaften der Anmut und Lässigkeit (*sprezzatura*), sondern würdigt auch die Meinungsvielfalt als eigenen Wert und subjektiviert damit den Zugang zur Wahrheit [12. 108 f.]. Dem entspricht die im Vergleich zu *De orat.* größere stilistische und thematische Variation bei Castiglione, welche von den derben Streichen der it. Novellistik (in Erweiterung von Cic. orat. 22,216–290) bis zur neuplatonischen, die kosmische Harmonie beschwörenden Liebestheorie (in Anlehnung an Plat., symp. 201d–212c, Marsilio Ficinos Komm. dazu und Pietro Bembos *Asolani*) reicht. Der *Cortegiano* prägt die Interaktionsnormen der europ. Oberschichten bis tief ins 17. Jh. hinein und beeinflußt insbes. die frz. Konversationskultur [3]. Torquato Tassos in der Gesprächsführung eher am platonischen Modell ausgerichtete D. (z. B. *La Molza overo De l'Amore* von 1586) konfrontieren ihr höfisches Publikum dagegen stärker mit philos. Begriffsunterscheidungen und Zitaten aus ant. Autoren.

Carlo Sigonio legt mit *De dialogo liber* (1562) die erste umfassende theoretische Schrift zum D. überhaupt vor [21. 39–86; 18; 10]; seine Überlegungen kreisen um die Anwendungsmöglichkeiten des aristotelischen → Mimesis-Begriffes (Nachahmung gesprochener Rede und kanonischer ant. Beispieltexte zugleich) und die *decorum*-Lehre der ciceronianischen Rhet. Die it. Humanisten des 15. Jh. sehen in Lukian v. a. einen Moralphilosophen [20. 84]; etwa die knappen *Intercoenales* (ab 1436) von Leon Battista Alberti prangern menschliche Schwächen und Laster in allg. Hinsicht an. Mit den Lukian-Übers. (1506) und den teilweise daraus entwickelten *Colloquia familiaria* (1522–1533) des Erasmus v. Rotterdam gewinnt die → Satire gleichzeitig an Popularität und Schärfe, da nunmehr die Kritik an den philos. Sekten auf die zeitgenössischen Geistlichen übertragen wird. Damit tritt der lukianische D. in den Dienst der polit. und rel. Auseinandersetzungen der Reformationszeit [15], etwa bei Ulrich v. Hutten, der sich für dt. Unabhängigkeit von der röm. Kurie und für Luther einsetzt (z. B. *Bulla vel Bullicida*, 1521, mit sprachlichen Anleihen bei Plautus) oder Alfonso de Valdés, der im *Diálogo de Mercurio y Carón* (1528) die Politik von Kaiser Karl V. verteidigt. Die Form des Götter- und Totengesprächs stellt den irdischen Alltag aus ironisch überlegener Distanz dar. Bei den gelehrten Anwälten des Schicklichen erregten die D. Lukians und seiner Imitatoren Anstoß (vgl. Iulius Caesar Scaliger, Poetices libri septem 1,3). Einer hochkomplexen Verarbeitung lukianischer Vorlagen begegnet man in dem Cristóbal de Villalón zugeschriebenen *El Crótalon* (ca. 1552), der in Nachahmung von Lukians *Gallus* einen philosophierenden Hahn mit einem armen Schuster ins Gespräch bringt. In diesen Rahmen sind weitgehend selbständige, z. T. nach anderen D. Lukians und Plutarchs gestaltete Episoden eingefügt, welche durch das Motiv der Seelenwanderung verschiedene soziale Typen nach Art eines Schelmenromans Revue passieren lassen und der satirischen Kritik unterwerfen [19. 100–128].

D. MODERNE

Gegen E. des 16. Jh. scheint sich insofern eine Krise des D. abzuzeichnen, als die lukianische Satire zunehmend der gegenreformatorischen Zensur und die ciceronianische Rhet. der Erkenntniskritik (etwa bei Montaigne und Descartes) ausgesetzt sind. Die sich all-

mählich herausbildenden mathematisch-experimentellen Naturwiss. geben eher diskursiven Darlegungsformen den Vorzug, verwenden allerdings den D. zur Verbreitung ihrer Entdeckungen. So nutzt etwa Galileo Galilei die D.-Form listig, um die aristotelische Naturphilos. zu widerlegen und doch seine Zustimmung zum kopernikanischen Weltbild im Angesicht der kirchlichen Zensur nicht zu offen zu äußern. Da die Argumente pro und contra an die D.-Figuren delegiert sind, bleibt das Urteil dem Leser überlassen (*Dialogo sopra i due massimi sistemi del mondo*, 1632). In seinem postumen D. *La Recherche de la verité par la lumière naturelle* popularisiert Descartes Motive aus seinen *Meditationes metaphysicae*. Wenn der unmittelbar aus der Platonlektüre erwachsene *Dialogus de arte computandi* (ca. 1676) von Gottfried Wilhelm Leibniz die Grundlagen von Arithmetik und Algebra vermittelt, dann veranschaulicht er durch seine Form zugleich die platonische Wiedererinnerungslehre, da ein unwissendes Kind durch maieutisches Fragen zu mathematischen Einsichten geführt werden kann. In seinen an die spät-ant. Kontrovers-D. und das Vorbild Augustins erinnernden *Conversations chrétiennes* (1677) legt Nicolas Malebranche die Grundlagen des christl. Glaubens für ein rationalistisch beeinflußtes Publikum dar, wobei die thematische Abfolge der einzelnen D. eine übergreifende Systematik entwirft, Traktat und D. miteinander vermittelt. Auch der rein philos. D. macht die Gesprächspartner häufig zu entindividualisierten Trägern bestimmter Positionen, worauf schon sprechende Namen hinweisen. So läßt George Berkeley in den *Three Dialogues between Hylas and Philonous* (1713) einen Materialisten gegen den Idealisten antreten, der schließlich der Auffassung des Autors zum Sieg verhilft. Die Imitation der Totengespräche Lukians bringt spätestens mit Bernard de Fontenelles *Nouveaux dialogues des morts* (1683) eine eigene Untergattung des D. hervor. Mit paradoxer Virtuosität zieht Fontenelle in der ant. Form gerade die Überlegenheit der Ant. über die Mod. in Zweifel. Einerseits läßt sich die europ. → Aufklärung ähnlich wie die Ren. als eine Epoche des D. charakterisieren, in der sich die Gattung schon rein quantitativ bes. Beliebtheit erfreut [1] und auch durch die Salonkultur gefördert wird. Andererseits wird der D. wie schon in der Reformation häufig als monologisches Vehikel der Lehre oder der Satire genützt, ohne daß wirklich zwei Standpunkte miteinander in Wettstreit träten. So geben Voltaires ironisch zugespitzte *Dialogues chrétiens ou préservatif contre l'Encyclopédie* (1760) den Klerus nur noch der Lächerlichkeit preis. Eine eigene epistemologische Funktion kommt dem D. dagegen bei Christoph Martin Wieland [14. 201–226] und Denis Diderot [8] zu. Als kongenialer Übersetzer und Kommentator von Xenophon, Lukian, Cicero und Horaz vermittelt Wieland seiner Zeit die ant. Gesprächskultur, wobei er ausdrücklich den *sermo urbanus* der als aufdringlich empfundenen platonischen Maieutik vorzieht. Die Wahrheit ist nicht ein für allemal gegeben, sondern kristallisiert sich allmählich im freundschaftlich-geselligen

Streit heraus, wie ihn etwa die nur auf den ersten Blick lukianischen *Göttergespräche* (1796) vorführen. In ihnen tritt die Satire hinter der perspektivischen Erörterung verschiedener Regierungsformen zurück. Diderots dialogisches Schreiben indes hat sich völlig von der Imitation ant. Modelle gelöst und gehorcht einer Poetik der Abschweifung, welche jegliche Hierarchisierung von Haupt- und Nebenthemen unterläuft, dabei die Bewegung des Denkens veranschaulicht und in der Spaltung zw. den beiden Personen »Ich« und »Er« die ›Zerrissenheit‹ (Hegel) eines mod. Bewußtseins erfahrbar macht (*Le neveu de Rameau*, 1761–1773). Gegen 1800 sind damit die Möglichkeiten des D. erschöpft; das souveräne reflektierende Ich scheint dem geselligen Gespräch die eigene lit. Gattung zu entziehen [23. 201; 11. 240]. Die »Nachgeschichte« des D. im 19. und 20. Jh. vermag diese These gerade an jenen herausragenden Werken zu bestätigen, die man dagegen anzuführen geneigt wäre: In den lukianisch geprägten *Operette morali* (1824) artikuliert Giacomo Leopardi seinen abgrundtiefen Pessimismus, wobei die ant. Götter und Heroen die jenseitige Distanz des Ichs zur Welt figurieren, während Oscar Wilde (*The Decay of Lying*, 1889), Rudolf Borchardt (*Das Gespräch über Formen*, 1905) und Paul Valéry (*Eupalinos ou l'architecte*, 1923) ihren D. eine ästhetizistische Wendung geben. Damit ist der platonische D. ganz unplatonisch neben dem Essay und dem Cahier zu einem Medium künstlerischer Selbstreflexion geworden.

→ AWI Dialog

→ Gattungstheorie; Imitatio; Platonismus

1 D.J. ADAMS, Bibliogr. d'ouvrages français en forme de dialogue 1700–1750, 1992 2 M.L. BATKIN, Gli umanisti italiani. Stile di vita e di pensiero, 1990, 123–176 3 P. BURKE, The Fortunes of the »Courtier«. The European Reception of Castiglione's Cortegiano, 1995 4 A. CARELLA, Il libro del Cortegiano di Baldassare Castiglione, in: A. ASOR ROSA (Hrsg.), Letteratura italiana. Le opere, vol. I, 1992, 1089–1126 5 V. COX, The Ren. Dialogue. Literary Dialogue in its Social and Political Contexts, Castiglione to Galileo, 1992 6 C. FORNO, Il »Libro animato«: Teoria e scrittura del dialogo nel Cinquecento, 1992 7 TH. FRIES, D. der Aufklärung. Shaftesbury, Rousseau, Solger, 1993 8 R. GALLE, Diderot oder die Dialogisierung der Aufklärung, in: J. v. STACKELBERG (Hrsg.), Europ. Aufklärung III, 1980, 209–247 9 J. GÓMEZ, El diálogo en el Renacimiento español 1988 10 M. GROSSE, Kanon ohne Theorie? – Der D. als Problem der Ren.-Poetik, in: M. MOOG-GRÜNEWALD (Hrsg.), Kanon und Theorie, 1997, 153–179 11 S. GUELLOUZ, Le Dialogue, 1992 12 K.W. HEMPFER, Rhet. als Gesellschaftstheorie: Castigliones Il libro del Cortegiano, in: FS B. König, 1993, 103–121 13 R. HIRZEL, Der D. Ein literaturhistor. Versuch, 2 Bde., Leipzig 1895 14 G. KALMBACH, Der D. im Spannungsfeld von Schriftlichkeit und Mündlichkeit, 1996 15 J. KAMPE, Problem »Reformations-D.« Unt. zu einer Gattung im reformatorischen Medienwettstreit, 1997 16 D. MARSH, The Quattrocento Dialogue. Classical Trad. and Humanist Innovation, 1980 17 P. v. MOOS, Lit.- und bildungsgesch. Aspekte der D.-Form im lat. MA. Der *Dialogus Ratii* des Eberhard von Ypern zw. theologischer disputatio und Scholaren-Komödie, in: FS Brunhölzl, 1989, 165–209 18 Ders., Gespräch. D.-Form und D. nach älterer Theorie, in: B. FRANK, T. HAYE, D. TOPHINKE (Hrsg.), Gattungen ma. Schriftlichkeit, 1997, 235–259 19 A. RALLO GRUSS, La escritura dialéctica: Estudios sobre el diálogo renacentista, 1996 20 CHR. ROBINSON, Lucian and his Influence in Europe, 1979 21 J.R. SNYDER, Writing the Scene of Speaking. Theories of Dialogue in the Late Italian Renaissance, 1989 22 T. TODOROV, Mikhaïl Bakhtine. Le principe dialogique, suivi de Écrits du cercle de Bakhtine, 1981 23 J. WERTHEIMER, »Der Güter Gefährlichstes, die Sprache«: Zur Krise des D. zw. Aufklärung und Romantik, 1990 24 C.H. WINN, (Hrsg.), The Dialogue in Early Modern France, 1547–1630. Art and Argument, 1993

MAX GROSSE

Diana von Ephesus
A. EINLEITUNG B. DIANA VON EPHESUS ALS DEKORATIVES ELEMENT C. NATURA UND DER MENSCH D. DIANA VON EPHESUS ALS ISIS E. NATURA UND ARS F. NATURA ALS POLITISCHE ALLEGORIE G. NATURA – OBJEKT WISSENSCHAFTLICHER STUDIEN

A. EINLEITUNG

Obwohl dem MA die kleinasiatische Fruchtbarkeitsgöttin D.v.E. (griech. eigentlich »Artemis«) über die Apostelgeschichte des Paulus (19/27) bekannt war, lassen sich weder künstlerische Darstellungen noch Beschreibungen nachweisen. Erst im 16. Jh., vor dem Hintergrund arch. Ausgrabungen in It., bei denen mehrere Ephesia-Statuen zutage gefördert wurden, entdeckten Humanisten, Künstler und Antikensammler ihr Interesse an der Göttin [4]. Unter Berufung auf ant. Autoren (S. Eusebii Hieronymi, Comm. in Epist. ad Ephesios, PL 26, 540 f.; Macr. Sat. 1,20,18) wird sie von Vincenzo Cartari (*Imagini de i dei degli antichi*, Venedig 1548 bzw. Padua 1647) allegorisch als Erde und Natur gedeutet und mit der ägypt. Göttin Isis gleichgesetzt (Abb. 1). Mythographen und Emblematiker wie Pierio Valeriano (*Les Hieroglyphiques*, Lyon 1615), Sambucus (*Emblemata*, 1564), Joh. Mercerius (*Emblemata*, Avarici Biturigum 1592), Claudio Menetreius (*Symbolica Dianae Ephesiae Statua*, Rom 1657 bzw. 1688), Laurentius Beger (*Thesaurus Brandenburgicus*, 1696), Bernard de Montfaucon (*Antiquité expliquée*, London 1719 ff.), Comte de Caylus (*Recueil d'Antiquités*, Paris 1752–68,), Romeyn de Hooghe (*Hieroglyphica*, Amsterdam 1744), Jean Baptiste Boudard (*Iconologie*, Vienne 1766), H.F. Gravelot/ Ch.N. Cochin (*Iconologie*, 1791) u.a. verbreiten das Wissen um die Göttin als universelle Nährmutter in ganz Europa. Bedingt durch das breite Wirkungsfeld der *Natura*, das Aspekte der Biologie, Philos. und Kunst gleichermaßen berührt, wird D.v.E. bis ins 19. Jh. in unterschiedliche allegorische Bildkontexte integriert. Hierbei taucht sie häufig in der ikonographischen Variante der vielbrüstigen Frau auf. Um den Aspekt der Fruchtbarkeit zu unterstreichen, werden die Brüste der

Abb. 1: Diana von Ephesus als »Isis« in den *Imagini* Vincenzo Cartaris, Venedig 1647

Abb. 2: Gillis van den Vliete, Fontana della Dea Natura in der Villa d'Este in Tivoli, 1568

Figur zuweilen zu Wasserspendern umfunktioniert, beispielsweise in der Villa d'Este in Tivoli, bei Gillis van den Vlietes *Fontana della Dea Natura* (um 1568, Abb. 2), oder Athanasius Kirchers *Oedipus Aegyptiacus* (Rom 1652, *In ara magnae deorum multimammae*).

B. DIANA VON EPHESUS
ALS DEKORATIVES ELEMENT

Die erste künstlerische Darstellung der Neuzeit findet sich in Raffaels *Stanza della Segnatura* im Vatikan, wo D.v.E. im Deckenmedaillon der Philos. (ca. 1509, Abb. 3) Thronherme fungiert. In den vatikanischen Loggien wird die Figur ca. 1516 erstmals als Groteskenmotiv verwandt. V. a. in der zweiten H. des 16. Jh. trifft man sie häufig in den Dekorationsprogrammen an. Palazzi an, etwa im Palazzo de Tè in Mantua, der Villa Madama in Rom, der Engelsburg, im Palazzo Farnese in Caprarola, oder der Villa des Andrea Doria in Genua. In der Zeit des → Klassizismus flammt das Interesse am dekorativen Aspekt der Statue wieder auf, beispielsweise bei Piranesi (*Diverse maniere d'adornare i camini*, 1769), Tischbein (*Dekorationsentwürfe im Pompeianischen Stil*, 1787/99) und Semper (Japanisches Palais, Dresden, 1834–36).

C. NATURA UND DER MENSCH

In ihrer Funktion als Mutter Natur wird D.v.E. seit dem 16. Jh. in Bildkontexte integriert, die den Eintritt des Menschen ins Leben thematisieren. Als Geburtsvor-

steherin und göttl. Amme präsentierten sie Giulio Romano in der *Loggia del Giardino segreto* im Palazzo del Tè in Mantua (Loggia del Giardino segreto, nach 1524), Sodoma auf seinem Ölgemälde *Die drei Parzen* (Galeria d'Arte Antica, Rom, um 1530), Philips Galle innerhalb der Stichserie *De allende van het menselijk bestaan* (1563) und Marten van Heemskerck auf seinem Stich *Natura* (1572). In den Rang einer schicksalsbestimmenden Kraft und moralischen Instanz heben sie Cornelis Ketel (Deught-spiegel, Rijkskabinet, Rijksmuseum Amsterdam, inv. A 1423, ca. 1590), Otho van Veen (Emblemata Horatiana, 1607) [13] und Jacob Jordaens auf seiner Zeichnung *Diliget* (ca. 1640) [5]. Die niederländischen Darstellungen im 17. Jh. stehen unter dem Einfluß der neostoizistischen Morallehre, laut deren Motto *sequere naturam* die Natur als innere Richtschnur und Anleitung zum tugendhaften Leben verstanden wird. Bis ins 18. Jh. erscheint D.v.E. in der ersten Lebensphase des Menschen, so auf William Hogarths Entwurf für ein Wappenschild des Londoner Findelkinderhauses (1747) oder Heinrich Meyers Fries im runden Zimmer der Königin Luise im Weimarer Schloß (1799).

D. DIANA VON EPHESUS ALS ISIS

Vor dem Hintergrund einer im Quattrocento in It. einsetzenden Ägypten-Rezeption kommt der synkretistischen Verschmelzung von D.v.E. mit Isis bes. Bed.

Abb. 3: Raffael, Deckenmedaillon
der »Philosophie«
in der »Stanza della Segnatura«
im Vatikan, ca. 1509

Ifis cūncta religione celebrātur , quæ natura eſt vel terra, vel natura rerum ſubjacens Soli , hinc eſt quod continuatis uberibus· corpus deæ omne dē̄fatur ; quia vel terræ vel rerum naturæ altu nutritur univerſitas. Macrob. Saturnal. L. I, cap. XX.

Abb. 4: Diana von Ephesus als Isis in der »L'Histoire
de l'origine et des progrez de la Monarchie francaise«
von Guillaume Marcel

zu. Auf dem Titelkupfer zu seinem Missale für Pompeo Colonna (1532, John Rylands Library, Manchester, Latin ms, I, fol. 79) stellt Giulio Clovio eine dunkelhäutige Isis-Diana inmitten ägyptisierender, der Tabula Bembi entnommener Motive dar. Unter den zeitgenössischen Autoren, die das Land am Nil als Wiege der Kultur, der Weisheit und der *Prisca Theologia* verklären, nimmt der Dominikaner Annio da Viterbo eine exponierte Stellung ein. Mit Hilfe manipulierter Quellen erklärt er in seinen *Commentaria super opera diversorum auctorum ab antiquatibus loquentium* (Rom 1498) Isis zur Ahnherrin It. und läßt sie zusammen mit ihrem Gemahl Osiris eine europaweite Zivilisierungskampagne durchführen. In Frankreich, wo die *Commentaria* 1512 und 1515 erscheinen, ranken sich bald Legenden um vermeintliche Isis-Heiligtümer [1]. Wie hierbei sonderbare Typologien zw. paganer und christl. Religion entstehen, zeigt das Beispiel der *Virgo Paritura* von Chartres. Urspr. stellte sie eine Muttergottes mit Jesusknaben dar. Der frz. Chronist Guillaume Marcel präsentiert sie allerdings in *L'Histoire de l'origine et des progrez de la Monarchie francaise* (Paris 1686, I.37ff.) in der Gestalt der D.v.E. (Abb. 4) und spielt somit auf eine alte Legende an, nach der die Figur einst als Isis-Idol von den → Druiden verehrt worden sei. Olaf Rudeck läßt in seinem mythographischen Werk *Atlantica sine Manheim* (Upsala, 1675) die Zivilisierungskampagne der ägypt. Göttin gar in Skandinavien beginnen und bildet sie mehrfach als vielbrüstige Diana ab (Bd. 2, 350, Illustrations-Bd. Taf. X, Bd. 2, 519, Bd. 2, Taf. XIV, Abb. 50, Taf. XI, Abb. 35, Bd. 3, 102, Taf. XV, Abb. 63.)

E. NATURA UND ARS

Das Wechselspiel von Kunst und Natur, das sich in den Kunst- und Wunderkammern widerspiegelt, inspirierte Künstler des 16. bis 18. Jh., D.v.E. in diesen Themenbereich einzubeziehen, etwa auf dem Deckengemälde des Studiolos von Francesco I. de' Medici im Palazzo Vecchio in Florenz (1570–75) oder den Titelkupfern zu Abraham Gorlaeus' *Dactyliotheca* (Delft, 1601–04) und Michele Mercatis *Metallotheca* (Rom 1717). In die Alchemie hält die Göttin Einzug in Athanasius Kirchers *Mundus subterraneus* (Amsterdam 1664, Bd. 2, Frontispiz) und Hierne Urbanis *Actorum chymicorum holmiensium* (Stockholm 1712). Um 1800 nimmt Friedrich Gilly den Gedanken der Transformation von Natur in Kunst auf seinem Relieffries für die Alte Münze in Berlin im Bild der D.v.E. wieder auf. Sie wohnt hier der Verarbeitung von Metallbrocken in Geldstücke bei.

Vor dem Hintergrund der Diskussion um den Begriff der Naturnachahmung (*Imitazione della natura*) kommt D.v.E. in der Kunsttheorie eine zentrale Bed. zu. In Giorgio Vasaris Wohnhäusern in Arezzo (Sala del camino, 1548) und Florenz (Sala delle Arti, zw. 1569 und 1573) nimmt die Göttin direkten Bezug auf die Szenen aus dem Leben berühmter ant. Künstler, in deren Mittelpunkt die Bed. des empirischen Naturstudiums für das kreative Schaffen steht. Daß die Natur des Künstlers wichtigste Lehrmeisterin sei, bringen 1564 Benvenuto Cellinis Entwürfe für ein Siegel der Florentiner Accademia del Disegno (Staatliche Graphische Sammlungen München, Inv. 2264 und 1147; Archivio Calamadrei, Florenz; London, BM; Paris, LV: Cabinet des Dessins, Inv. 2752) im Bild der D.v.E. zum Ausdruck, ebenso Joachim Sandrarts Titelkupfer zur *Teutschen Akademie der edlen Bau-, Bild- und Mahrerey-Künste* (Nürnberg 1675). Auf Carlo Marattas Kupferstich *Die trauernden Künste am Grabe Raffaels* (1675) blickt die Malerei auf das Bild der D.v.E. Zitiert wird hier Pietro Bembos Distichon (*Ille hic est Raphael timuit qui sospite vinci / Rerum magna parens et moriente moris*) für das Grab des Urbinaten im → Pantheon, das ihn als Überwinder seiner Lehrmeisterin, der Natur, rühmt. In einer Traditionslinie mit diesen Anfängen des Geniekults um Raffael stehen zwei Zeichnungen Federico Zuccaris, die eine mit dem Porträt Raffaels (Florenz, UF: Gab. Disegni e stampe, Inv. 1341 F), die andere mit dem seines Bruders Taddeo (Florenz, UF: Gab. Disegni e stampe, Inv. 11025 F). Beide Maler, in der Pose des von Raffael geschaffenen Propheten Jesaia in Sant'Agostino in Rom, halten dem Betrachter eine Zeichnung der D.v.E. entgegen. Als Raffael-Apotheose ist ebenfalls Pelagio Palagis Zeichnung *Le bell'arti alla tomba die Rafaelle* (1802) [10] zu verstehen. Inmitten eines pantheonähnlichen Rundtempels wird die Porträtbüste des Ren.-Meisters auf einem Altar gezeigt, in dessen Sockel das Relief der Naturgöttin eingemeißelt ist. Der Canova-Schüler Tommaso Minardi nimmt in seiner Zeichnung *Canova L'Arti belle incoronano divotamente* [2] das Kompositionsschema Palagis wieder auf, stellt das Standbild der D.v.E. jedoch in den Mittelpunkt. Auf einer Zeichnung von Francesco Bosa von 1824 (Gab. Disegni e Stampe, Museo Correr, Venedig, A XIII. f. 16) schreitet Canova als Meister des Antiken- und Naturstudiums im Geleit von Malerei, Architektur und Skulptur zu einem Tempel und einer Ephesia-Statue. Als Ausdruck ihrer persönlichen Verpflichtung zum Naturstudium zeigen Daniel Chodowiecki (Exlibris, 1777), Felice Giani (Selbstporträt, 1789, Turin, Museo Civico) oder Heinrich Keller (Skizzenbuch, Züricher Kunsthalle, Inv. 1924/23, fol. 2r.) den Künstler im Dialog mit dem Bild der D.v.E.

Von der Mitte des 18. Jh. bis ins 19. Jh. wird D.v.E. als *Mater Artium* dargestellt, beispielsweise auf einer Zeichnung Tommaso Minardis von 1808 (Gall. d'Arte Mod., Rom, Inv. 5331/100/24). Ein Skizzenblatt Johann Gottlieb Schadows (Kupferstich-Kabinett, Berlin, Schadow-Album, fol. 24/2), entstanden in den 1830er J., zeigt die Göttin zw. Vertretern verschiedener künstlerischer und wiss. Berufsgruppen. Als Attribut der *Pictura* erscheint sie in Johann Georg Hertels *Iconologia* von 1758/60 unter dem Stichwort *Ars*, auf dem Titelblatt der Monats-Schrift der Akademie der Künste und mechanischen Wiss. zu Berlin (1788, Bd. 1, 245) oder als Giebelfigur des ehemaligen Akademiegebäudes *Unter den Linden* in Berlin. William Hogarths Vignette *Boys peeping at nature* (1730/31, Windsor Castle, Royal Library) parodiert diesen ikonographischen Typus. Gezeigt werden ein Putto und ein Satyr, die den Rock der Na-

turgöttin emporheben, während ein weiterer Putto ihr Bild auf einer Leinwand festhält.

F. NATURA ALS POLITISCHE ALLEGORIE

Während der Frz. Revolution wird D.v.E. in den Dienst einer Bildpropaganda gestellt, die sich v. a. in der Druckgraphik manifestiert. Als Grundlage der Gesetzgebung und gesellschaftliche Schutzmacht taucht sie häufig in Begleitung von *Égalité*, *Liberté* und *Raison* oder als deren Attribut auf, etwa auf Ruottes Radierung *La liberté et l'Égalité unies par la Nature* (1795/96, Paris, BN, Cab. des Est., Hennin T. 139) (Abb. 5), Armand-Charles Caraffes *Thermomètre du Sans culotte* (Paris, BN, Cab. des Est., de Vinck T 25) oder den *Égalité*-Darstellungen von Alexandre Evariste Fragonard/Allais (1794, Paris, BN, Cab. des Est., De Vinck T. 44) und Quéverdo/Guyot (Paris, BN, Cab. des Est., Qb 1 1793. Als gewaltsame Unterdrückung der Natur präsentieren Pézant in *L'espoir du bonheur dédié à la Nation* (1789, Paris, BN, Cab. des Est., de Vinck 1390) und Villeneuve in *Les Crimes des Rois* (1792, Paris, BN, Cab. des Est., de Vinck, T. 19) die Zeit vor der Revolution.

Das Phänomen der ps.-rel. Verehrung der Vernunft und Natur führt zur Errichtung neuer Kultstätten. Als »Tempel der Natur« mit dem Standbild der D.v.E. im Chor präsentiert sich das Straßburger Münster auf einem anon. Stich von 1793 (Abb. 6). Etienne-Louis Boullées Entwürfe für ein Grabmal Isaac Newtons (Florenz, UF: Gab. delle stampe e dei disegni, 6593 A und 6594 A) erscheinen ebenfalls als Heiligtümer der Naturgöttin.

Abb. 5: »La Liberté et l'Égalité unies par la Nature«, Radierung von Ruotte

Das Ziel einer geistigen Erneuerung des Volkes verfolgen zahlreiche allegorische Titelkupfer und Illustrationen zu pädagogischen Traktaten und Erziehungsdekreten, die das Bild der D.v.E. zeigen. Hierzu gehört beispielsweise ein anon. Kupferstich von 1793 mit der Herme der Göttin am Thron der *Publique Instruction* (Bibliothèque Municipale, Rouen, Inv. Leber 6076/6). Als moralische Instanz wird *Natura* auch in Pierre-Platon Blanchards *Catéchisme de la Nature* (Paris 1794), L.M. Henriquez' *Histoires et morales choisies* (Paris 1795), Francois Jean Dusausoirs *Livre indispensable aux enfants de la liberté* (1793) oder Chemin-Dupontès *Alphabet républicain* (Paris 1794) beschrieben und abgebildet. In direktem Zusammenhang mit den genannten Erziehungsschriften steht die Verehrung Jean Jacques Rousseaus als *Homme de la nature*. Für den Sarkophag des Philosophen in Ermenonville schuf Hubert Robert 1781 ein allegorisches Relief, auf dem junge Mütter das Kultbild der D.v.E. anbeten [7].

Monument elevé à la Nature dans le Temple de la Raison a Strasbourg la 3me décade

Abb. 6: Allegorische Darstellung des Straßburger Münsters nach einem anonymen Stich
im Straßburger Frauenhausmuseum, 1793

G. NATURA –
OBJEKT WISSENSCHAFTLICHER STUDIEN

Als Sinnbild philos. und wiss. Strebens nach Erkenntnis taucht D.v.E. von der zweiten H. des 17. Jh. bis ins 19. Jh. auf, so etwa auf Charles Monnets Titelkupfer zu Francois Peyrards *De la Nature et ses lois* (Paris 1793) oder Prudhons *Le Séjour de l'Immortalité* (Anf. 19. Jh., Legs Winthrop, Fogg Mus., Univ. Harvard). Das in diesem Zusammenhang häufig auftauchende Motiv der Entschleierung der Göttin als symbolische Offenbarung der Naturgeheimnisse hat seinen Ursprung in Plutarchs Bericht vom verhüllten Bildnis der Isis im Tempel zu Sais (Is. 9). D.v.E. erscheint häufig als Attribut des Naturforschers, beispielsweise bei Gravelot/Cochin, *Iconologie* (1791, s. v. *Medicine*), oder Ernst Herter, Denkmal für den Physiker Hermann von Helmholtz in Berlin (1899). Zahlreiche naturwiss. Werke tragen ihr Bild auf den Titelkupfern, darunter Gerardus Blasius' *Anatome Animalium* (1681), Erasmus Darwins *Temple of Nature* (1808), Carl von Linnés *Fauna Svecica* (1746), F.H.W. Martinis *Geschichte der Natur* (1771) sowie Büffons *Naturgeschichte* (1774).

Für die ikonographische Entwicklung der D.v.E. setzt das späte 19. Jh. einen Schlußpunkt. In den wenigen Fällen, wo die Göttin in nachklassizistischer Zeit erscheint, ist sie bereits zu einer festen Bildformel erstarrt und wird nur noch marginal zitiert.

→ AWI Artemis; Diana; Isis
→ Ephesos; Stoizismus

1 J. BALTRUSAITIS, La quete d'Isis, 1967, Kap. 3–4 2 Disegni di Tommaso Minardi, Ausstellungs-Kat. Galleria Nazionale d'Arte mod. di Roma, 1982, Cat. 31–32 3 R. FLEISCHER, Artemis von Ephesos, 1973 4 A. GOESCH, Diana Ephesia, Ikonographische Stud. zur Allegorie der Natur in der Kunst vom 16. bis 19. Jh., 1995 5 J. S. HELD, Tekeningen von Jacob Jordaens, in: Kunstchronik 1967, H. 4, 94–110 6 K. HERDING, R. REICHARD, Die Bildpublizistik der frz. Revolution, 1989 7 C. C. L. HIRSCHFELD, Théorie de l'art des jardins, Leipzig 1785, Bd. V, Abb. auf S. 305 8 Images de la Révolution française, Catalogue du vidéodisque coproduit par la Bibliothèque National et Pergamon Press, 3 Bde., 1990 9 W. KEMP, Natura. Ikonographische Stud. zur Gesch. und Verbreitung einer Allegorie, 1973 10 L'ombra di Core, Ausstellungs-Kat. Galleria Com. d'arte mod. Giorgio Morandi, 1988, 83 11 H. THIERSCH, Artemis Ephesia, 1935 12 M. VOVELLE, La Révolution française. Images et récit. 1789–1799, 5 Bde., 1986 13 PH. VAN ZESEN, Moralia Horatiana, Ndr. 1963, Bd, I, Nr. 1, Nr. 11, Nr. 16, Bd. 2, Nr. 31. ANDREA GOESCH

Diatribe s. Satire

Didaktische Literatur s. Lehrgedicht

Diffusionismus s. Komparativismus

Digesten/Überlieferungsgeschichte

A. Spätantike   B. Frühmittelalter
C. Hochmittelalter   D. Humanismus
E. Vom 17. zum 20. Jahrhundert

A. Spätantike

1. Codex Florentinus

Den maßgeblichen Textzeugen der D.-Überlieferung stellt die spät-ant. Pergament-Hs. in Florenz, Biblioteca Medicea Laurenziana (Codex Florentinus; Codices latini antiquiores III 295) dar [1; 4; 5; 6; 7]. Sie enthält die begleitenden Konstitutionen Justinians, *index auctorum* und *index titulorum* (mit griech. Epigramm) sowie den D.-Text. Heute teilt sich die Hs. (366 x 320 mm) in zwei Bände (mit beigebundenen Übers. griech. Texte durch Leonzio Pilato); mit Ausnahme der lat. Einleitungskonstitutionen steht der Text in zwei Kolumnen. Als Textschrift dient die BR-Unziale, für die lat. Konstitutionen und den *index auctorum* ältere Halbunziale [8]. Mehr als zehn Schreiber arbeiteten an ihr, mindestens zwei Korrektoren revidierten sie. Rubriken und (zumeist) die Juristennamen der Inskriptionen sind gerötet, ebenso überwiegend die Explicit/Incipit. Der justinianischen Einteilung der D. in sieben *partes* gedenken letztere nur ausnahmsweise (so z. B. Dig. 5 expl.). Inskriptionen und Graeca sind vollständig; wörtliche Zitate kennzeichnen häufig Anführungszeichen (Diple). Erst die Korrektoren numerierten die Rubriken teils griech., teils lateinisch. Sie berichtigten nicht nur Schreiberversehen, sondern trugen auch Juristenfragmente oder einzelne Paragraphen nach. Daher verfügten sie über eine weitere, von der Vorlage des Codex Florentinus (Cod. Flor.) verschiedene D.-Hs. Bei Dig. 37,8.9 stellten sie die von erster Hand vertauschte Titelfolge (Dig. 37,9.8) durch eine griech. Bemerkung richtig. Die Ergänzung von Dig. 35,2,50–52 pr. durch die Korrektoren spiegelt ein Scholion zu Basiliken 41,1,51 wieder, welches hier auf unterschiedlichen Textumfang in den Hss. hinweist. Die spät-ant. D.-Hss. waren demnach nicht völlig einheitlich [9]. Auch Korrekturlücken kommen im Cod. Flor. vor, so in Dig. 17 und Dig. 36 (z. B. fehlen bei Dig. 17,1,33–36 die Juristennamen). Textverluste beruhen teils auf Blattausfall in der Hs. (Anf. der Const. Dedoken, Ende von Dig. 19,5 und Dig. 46,8), in Dig. 48 auf einer Lücke bereits in der Vorlage. In dieser waren der Schluß von Dig. 48,20,7,5 und vier Fragmente sowie nach Dig. 48,22,9 neun bis zehn Fragmente ausgefallen. Eine Blattversetzung in Dig. 50,17 führte zu einer größeren Textstörung (Dig. 50,17,117; 158–199; 118–157; 200). Die Hs. weist noch Spuren des Kompilationsvorganges auf [10]. Sie ist weder datiert noch lokalisiert. Ihre Entstehung im Osten belegen griech. Korrekturhinweise, die teilweise griech. Rubrikenzählung, das griech. Explicit eines Schreibers nach Dig. 11 sowie Besonderheiten der Lagenzählung und der Schrift [8]. Die Datierung der Hs. leidet unter der unzulänglichen anderweitigen Bezeugung der BR-Unziale. Der Cod. Flor. besitzt in Text-

anlage und -gestaltung Gemeinsamkeiten mit dem Veroneser Codexpalimpsest (Ms. Verona, Bibl. cap. LXII pp. 481; CLA IV 511), das wegen der Novellenverweise im beigegebenen griech. Scholienapparat noch unter Justinian entstanden ist. Der Cod. Flor. dürfte bei der justinianischen Rückeroberung im 6. Jh. nach It. gelangt sein (nach [11] noch im 9. Jh. in Byzanz; dagegen [12]). Für das beginnende 10. Jh. bezeugen Randnotizen in Beneventana Süd-It. als Aufenthaltsort [12]. Mitte des 12. Jh. befand sich der Cod. Flor. in Pisa, wo er hohe Wertschätzung genoß und zur Feststellung richtiger Lesarten konsultiert wurde (die auf diese Weise wieder in die ma. Hss. gelangten). 1406 erbeuteten die Florentiner bei der Eroberung Pisas die Hs.

2. Weitere spätantike Textzeugnisse

Die übrigen spät-ant. Textzeugen beschränken sich auf Fragmente einzelner D.-Titel, so P. Pomm. lat. 1–6 (Dig. 45,1,35–49. 72–73; CLA IX 1351), P. Ryl. 479 (Dig. 30,11–26; CLA Suppl. 1723), P. Heid. lat. 4 (Dig. 5,2,17–19; CLA VIII 1221), jeweils in BR-Unziale, sowie P. Sorb. Reinach 2173 (Dig. 19,2,54; CLA Add. 1858) in einer schrägen Unziale. Bei den allesamt einkolumnigen Bruchstücken ohne Farbwechsel handelt es sich (anders als beim Cod. Flor.) um schmucklose Gebrauchsexemplare. Die Fragmente sind in P. Pomm. lat. 1–6 und P. Ryl. 479 griech. gezählt. Paragraphenzeichen (ohne Nummern) kommen in P. Pomm. lat. 1–6 vor. Die Bruchstücke werden allg. in den Osten und in das 6. Jh. datiert, doch bleiben die beim Cod. Flor. genannten Unsicherheiten. Sie weisen verschiedentlich Marginalien auf, so etwa den Hinweis *regula* bei P. Pomm. lat. 5 zu Dig. 45,1,41,1 sowie griech. Scholien in P. Heid. 4 und P. Sorb. Reinach 2173. Zur Textkonstitution tragen sie wenig bei. In einer westl. Unziale sind die *fragmenta Neapolitana*, Ms. Neapel, Biblioteca nazionale IV A 8, fol. 36–39 (CLA III 402), geschrieben (s. VI²), die zu den palimpsestierten Stücken einer in Bobbio s. VIII ineunte entstandenen Grammatiker-Hs. gehören. Der einkolumnige Text ohne Farbwechsel umfaßt Dig. 10,2,3–10,4,19 und zählt Rubriken wie Fragmente lat. Er weist mehrfach Besserlesungen gegenüber dem Cod. Flor. auf. Manche Fragmente begleiten kurze marginale Inhaltsangaben.

3. Basiliken

Indirekt überliefern die D. auch die Basiliken, eine in den Anfangsjahren der Regierung Leons VI. (886–912) vollendete, 60 B. umfassende Zusammenstellung von D., Codex und Novellen (nicht vollständig). Sie schöpfen im Text wie in vielen an den manchen Hss. beigegebenen Scholien aus griech. Unterrichtswerken justinianischer Juristen, deren Treue zur lat. Vorlage zw. Verkürzung auf die Kernaussage und nahezu wörtlicher Wiedergabe schwankt. Die Scholien zitieren die D. numerisch nach Buch, Titel, Fragment (*digestum*) und Paragraph (*thema*). Im Westen fand der Titel Dig. 10,1 *finium regundorum* noch in der Spät-Ant. in manche Hss. der Agrimensoren Eingang [13], was verschiedene Textverbesserungen ermöglichte. Dig. 48,4,7,3 zitiert neben anderen Rechtsquellen Gregor d.Gr. Reg. XIII 49 (a. 603). Die Hs. der *epitome Juliani* Wien, NB 2180 (s. IX¹), enthält an ihrem Ende u. a. Dig. 22,5,12 [14].

B. Frühmittelalter

Dem Früh-MA entstammt das Berliner Institutionen- und D.-Fragment, Ms. Berlin, Staatsbibl. fol. lat. 269 ff. 183–190 [15; 14], ein in eine Hs. der *epitome Juliani* eingebundener Quaternio mit dem Ende der Institutionen (Inst. 4,18,5 [vel] eos qui – fin.) sowie dem Beginn der D. ohne einleitende Teile (Dig. 1,1–1,7,3). Die vollständige Hs. dürfte mit den *Institutionen* begonnen haben; wie weit die D. reichten, ist offen. Als unmittelbare Vorlage diente eine spät-ant. Hs. östl. Provenienz; die Verbindung von Institutionen und D. bereits dort ist umstritten (dagegen [15], dafür [14]). Die Qualität der Abschrift ist schlecht; griech. Textteile sowie die griech. Fragmentenzählung sind lediglich abgemalt. Das Fragment weist mehrfach Besserlesungen gegenüber dem Cod. Flor. auf (z. B. Dig. 1,2,2,43). Der Quaternio (und die Epitome-Hs.) dürften zu Beginn des 9. Jh. in Burgund entstanden sein; P. Pithou (Pithoeus; 1539–1596) entdeckte sie vor 1570 wohl im Kloster Flavigny [14]. Anlaß und Zweck der Abschrift sind bislang unbekannt. Eindeutige Testimonia existieren aus dieser Zeit nicht. Die Wendung *vi vim repellere* in Akten der röm. Synode von 679 kann auf Dig. 4,2,12,1 oder Dig. 43,16,1,27 zurückgehen [16].

C. Hochmittelalter

[2; 17]. Die derzeit frühest datierten D.-Hss. stellen Vat. lat. 1406 (ca. 1050–1075) und Paris BN lat. 4450 (ca. 1075–1100) dar [18]. Sie enthalten die D. nur bis Dig. 24,3,2 *inscr.: Paulus libro trigensimo*. Weitere frühe Hss. wie Padua, BU 941 (s. XII), Leipzig, UB 873 (s. XII) enden mit Dig. 24,3,1. Hss. mit dem Folgetext (ab s. XII¹) beginnen bereits mit Dig. 24,3 rubr. und brechen abrupt bei Dig. 35,2,82 mit *in quattuor partes dividantur* ab. Auf die urspr. Fortsetzung in einem dritten Band mit *tres partes ferant legatarii* lassen der verstümmelte Beginn mancher Hss. bereits in Dig. 38,17 sowie lit. Quellen schließen [19]. Die drei Bände sind ab ca. s. XII medio als *Digestum(-a) vetus(-era)*, *Infortiatum(-a)*, *Digestum(-a) novum(-a)* bezeugt [19]. Der Textbestand veränderte sich, so daß schließlich das *D. vetus* Dig. 1–24,2, das *Infortiatum* Dig. 24,3–38 und das *D. novum* Dig. 39–50 umfaßten. Die Namen *D. vetus* und *D. novum* erklärten die → Glossatoren mit einer sukzessiven Auffindung der einzelnen Teile, *Infortiatum* war ihnen bereits unverständlich. Bis heute scheint keine befriedigende Erklärung gefunden [4]. In den Hss. des *D. vetus* fehlen die einleitenden Teile, lediglich in Ms. Paris, BN lat. 4450 ist hinter Dig. 9 ein Titelverzeichnis eingebunden. Die Const. Omnem gelangt später in die Hss. und wird als *prooemium* der D. glossiert. Die ma. Hss. gehen in ihrem gesamten Umfang auf eine Abschrift des Cod. Flor. zurück, für den Ort und Zeitpunkt allerdings umstritten sind [18]. Die Lücken bei Dig. 19,5 a.E. und in Dig. 48,20. 22 kehren wieder, Dig. 37,8. 9 erscheinen in der inversen Reihenfolge, die Fragmente in Dig. 50,17 sind

wie im Cod. Flor. versetzt. Daneben bestehen viele weitere *errores coniunctivi*. Jedoch sind verschiedene Textverderbnisse des Cod. Flor. beseitigt, z. B. die Juristennamen in Dig. 17,1,33–36 vorhanden. Dies bedeutet, daß die Abschrift des Cod. Flor. anhand einer zweiten Hs. verbessert wurde. Umfang und Intensität der Nachbesserung sind streitig [7]. Die Abschrift wies eine Textstörung im Bereich von Dig. 23,3–23,4 auf, die von einer Lagenversetzung herrühren dürfte [20]. Die frühen Hss. des *D. vetus* zeichnen oft auch in längeren Passagen die Graeca mehr oder minder vollständig nach. Im Laufe der Entwicklung ersetzen sie lat. Übers. (teils im Text, teils am Rand), die auf Burgundio von Pisa († 1193) zurückgehen (für die Graeca in Dig. 26,3.5.6 und 27,1 umstritten [4]). Die Inskriptionen verkümmern auf den bloßen Juristennamen. Sporadisch gelangten auch Lesungen des Cod. Flor. aufgrund von Nachvergleichungen in den Text. Seit den Humanisten bezeichnet man die (niemals abgeschlossene) ma. Textfassung als Vulgata, im Hinblick auf den Rekurs auf den Cod. Flor. spricht man von älterer und jüngerer Vulgata. Das früheste urkundliche Zeugnis der D. bildet ein Placitum aus Marturi (a. 1076), das Dig. 4,6,26,4 unter Angabe des Rechtsbuches zitiert [27]. Eine gemeinsame Vorlage besitzen die bei Ivo von Chartres und den beiden Hss. kirchenrechtlichen Inhalts, Mss. London, British Mus. add. 8873 (Collectio Britannica) und Paris, Bibl. Arsenal 713, verwerteten D.-Exzerpte. Die D. sind als *liber pandectarum* zitiert, die Texte stammen aus dem *D. vetus*, nur jeweils eine aus dem *Infortiatum* (Dig. 30,39,6) und dem *D. novum* (Dig. 41,3,15,1) [21].

D. Humanismus

Der → Humanismus [22] sah den Cod. Flor. als maßgeblich für die Wiedergewinnung des richtigen (justinianischen) Textes an. Häufig hielt man ihn für den Stammvater der ma. Überlieferung. A. Poliziano (1454–1494) kollationierte 1492 die Hs., indem er in eine Druckausgabe Varianten, die Graeca sowie bis Dig. 4 die Inskriptionen eintrug (eine durchgehende Liste der vollständigen Inskriptionen fertigte er gesondert an). Seine Aufzeichnungen konnte L. Bolognini (1446–1508) benutzen. Die Drucke [3], die zunächst die Einteilung in drei Bände nebst deren Titel beibehielten, setzen im Jahre 1475 ein. Druckzentren bildeten Venedig sowie später Lyon und Paris. Wörtliche Zitate sind noch nicht kenntlich gemacht. Der Text entspricht den ma. Hss., die *Glossa ordinaria* ist beigegeben. Rubrikenübersichten, Initienverzeichnisse und Sachregister (letztere auch für die Glosse) etc. erleichtern die Benutzung. Von den einleitenden Teilen stehen zunächst nur die Const. Omnem und das Epigramm (seit 1486 durch Ch. Landino und M. Ficino bekannt) voran. Rubriken und Fragmente zählen gegen 1510 erstmalig die Editionen von N. de Benedictis, Lyon ³1509 (2°) und von F. Fradin, Lyon 1510–1511 (2°). Fortschritte in der Rückgewinnung des Textes beginnen mit der erwähnten Ausgabe F. Fradins, die Verbesserungen Bologninis verwertet. L. Blaublom, dem über eine Zwischenquelle die

Vergleichungen Politians zum *D. vetus* zugänglich waren, ergänzte in der Edition C. Chevallon, Paris 1523 (2°) teilweise die Graeca. Für das *D. vetus* sind die Inskriptionen mit wenigen Ausnahmen vollständig; Blaublom schöpfte sie aus einer alten Hs. Die Edition R. Etienne (Stephanus), Paris 1527–1528 in fünf Bänden (8°) verläßt in Titel und Bändezahl (*Digestorum seu Pandectarum iuris civilis volumen primum* etc.) erstmals die traditionelle Dreiteilung, ohne daß die Bandeinschnitte bereits den justinianischen *partes* entsprächen (die auch der Text nicht erwähnt); auf die Glosse ist verzichtet worden. Diese Ausgabe hebt wörtliche Zitate (außer bei Urkunden) mit Anführungszeichen hervor. Am Ende (nach Dig. 50) befinden sich die *Constt. Deo auct.* und *Tanta* (jeweils aus dem Codex Justinianus geschöpft) sowie der *index auctorum* (bearbeitet). Die Hinwendung zur Zählung nach *partes* als der von Justinian gewollten Texteinteilung vollzog G. Meltzer (Haloander; 1501–1531) in seiner Edition Nürnberg 1529 (4°, 2°). Beginn und Ende der *partes* gibt er im Text an; Explicit/Incipit bei Buchübergängen fallen hingegen weg. Rubriken und Fragmente sind gezählt; wörtliche Zitate druckt er erstmals in Majuskeln. Haloander konnte für seine Ausgabe die Arbeiten Politians (so er selbst in der Vorrede) oder nur Bologninis (so der Vorwurf A. Agustins) benutzen (dazu [23]), außerdem zog er weitere ma. Hss. heran. Die lat. Konstitutionen Justinians stehen voran (die *Constt. Deo auct.* und *Tanta* entsprechen Cod. Iust. 1,17,1.2), ebenso der *index auctorum* (bearbeitet) sowie ein Gesamttitelverzeichnis zu den D. (nicht der *Ind. titulorum* des Cod. Flor.). Die im *D. vetus* vollständigen Inskriptionen reduzieren sich ab Dig. 24,3 zunehmend auf die Juristennamen. Die Graeca sind mit Ausnahme von Dig. 26,3.5.6 und Dig. 27,1 vorhanden. Bei der Titelversetzung Dig. 37,8.9 gibt Haloander zumindest den Hinweis des spät-ant. Korrektors an, ansonsten setzen sich die ma. Lücken und Textstörungen fort. Haloander hielt den Cod. Flor. nicht für den Stammvater der ma. Hss.; daher unterwarf er dessen Lesungen eigenem textkritischem Urteil. Sein Text wurde trotz baldiger Kritik seitens A. Agustin (1517–1586) oft übernommen. Eine Neuausgabe von J. Hervagen, Basel 1541 enthielt dank der Mithilfe von A. Alciat (1492–1550) die Graeca in Dig. 27,1 (mit vollständigen Inskriptionen), die Edition Hugo a Porta, Lyon ⁵1547 (2°) auch diejenigen in Dig. 26,3.5.6. Die Const. Dedoken erschien erstmalig in der Edition Hugo a Porta, Lyon ⁷1551 (4°). Diese Ausgabe besitzt einen mit dem Cod. Flor. verglichenen *index titulorum* sowie durchgehend vollständige Inskriptionen. Zahlreiche Varianten des Cod. Flor. sind im Text am Rande angemerkt; auf den Textausfall bei Dig. 48,20,7,5 und nach Dig. 48,22,9 wird ebenso hingewiesen wie auf die Titelversetzung bei Dig. 37,8.9 und die Transposition in Dig. 50,17. Diese Textfülle verdankte Hugo a Porta dem Vertrauensbruch eines Freundes von L. Torelli (J. Matal? [24]), der ihm Material zukommen ließ. Die ersehnte Druckausgabe des Cod. Flor. erschien, von L. Torelli (1489–

1569) besorgt, nach größeren Schwierigkeiten 1553 dreibändig in Florenz (2°). Torelli nennt die justinianischen *partes* und zählt erstmalig auch die Paragraphen. Majuskeln heben wörtliche Zitate hervor, nur kaiserliche Reskripte stehen in Anführungszeichen. Torelli berichtigte sowohl die Titelversetzung bei Dig. 37,8.9 als auch die Texttransposition in Dig. 50,17. Er gab den Cod. Flor. weitgehend *ad litteram* wieder (einschließlich manifester Textverderbnisse), jedoch emendierte er ihn an manchen Stellen anhand der Vulgaten (meist unter Verwendung runder Klammern, z. B. bei Dig. 9,2,36, teils aber auch ohne Angabe, z. B. die Juristennamen bei Dig. 17,1,33–36). Andernorts ließ er es beim Text des Cod. Flor. bewenden (so etwa Dig. 1,2,2,43). Die Lücken in Dig. 48,20 und Dig. 48,22 blieben. Sie ergänzte A. Le Conte (Contius; 1517–1586) in seiner Ausgabe Lyon 1571 lat. aus den Basiliken. D. Godefroy (Gothofredus, 1549–1622) führte für seine Ausgabe der justinianischen Rechtsquellen Lyon-Genf 1583 (4°) erstmals den Titel *Corpus iuris civilis* ein (als Ausdruck bereits den Glossatoren bekannt). Er verbindet Institutionen und D. in einem Band. Im Text suchte er einen Ausgleich zw. den Lesungen des Cod. Flor. und den ma. Hss. Die Graeca in Dig. 26,3.5.6 und Dig. 27,1 erscheinen aber nur auf lateinisch. Gothofredus versah seine Edition mit eigenen Noten, später erschienen auch von ihm besorgte Ausgaben mit der Glosse (zuletzt 1627) oder ohne alle Noten. Die Ausgaben des Gothofredus hatten schon zu seinen Lebzeiten großen Erfolg.

E. Vom 17. zum 20. Jahrhundert

Im ausgehenden 17. und beginnenden 18. Jh. bemühten sich L. Gronovius (1648–1724) [25] und H. Brenkman (1681–1736) [26] um eine Verbesserung des D.-Textes. Gronovius kollationierte dazu von E. 1679 bis Anf. April 1680 den Cod. Flor. Beobachtungen zu den *Constt. Deo auctore, Omnem, Tanta* und dem *index auctorum* veröffentlichte er in den *Emendationes pandectarum*, Leiden 1685. Da seine im übrigen unpublizierte Kollation anderer Gelehrten nicht zugänglich wurde, blieb sie ohne Wirkung auf die weitere Textkritik. Brenkman verglich 1711–2 die Hs. zweimal und legte seine Resultate in verschiedenen Notizbüchern nieder. Seine *Historia Pandectarum seu fatum exemplaris Florentini*, Utrecht 1722, gibt bereits eine Beschreibung des Cod. Flor.; zu einer eigenen Ausgabe kam er nicht mehr. Da die Papiere Brenkmans 1745 in die Göttinger Univ.-Bibl. gelangten, konnte sie G. C. Gebauer (1690–1773) für eine neue D.-Edition auswerten, die nach seinem Tod, von G. A. Spangenberg (1738–1806) vollendet, in Göttingen 1776 erschien. Die Göttinger Ausgabe basiert auf der Edition Torelli, sie verfügt aber über einen umfangreichen textkritischen Apparat, der abweichende Lesungen der ma. Hss. und früherer Editionen sowie Konjekturen enthält (vielfach aus dem Nachlaß Brenkmans). Auch die Basiliken werden herangezogen, allerdings nicht durchgehend. Die Angaben zur Vulgata beruhen überwiegend auf Brenkman. In den Jahren

1825 ff., erneut 1829 ff., erschien eine Ausgabe von J. L. Beck (1786–1869) [23], der vornehmlich die Edition von Gebauer zugrunde legte. Der Plan von H. E. Schrader (1779–1860) [23], eine kritische Ausgabe mit umfangreichem Variantenapparat herzustellen, scheiterte am überbordenden Material, zu dessen Selektierung keine Kriterien vorhanden waren. Nur die Institutionen wurden vollendet (Leipzig 1832). 1833 erschien in Leipzig die Edition der Gebrüder K. A. und K. M. Kriegel (bis 1887 17 Aufl.), die im Text auf Torelli, im Apparat auf der Ausgabe von Gebauer beruht. Zu jedem Fragment sind die Basiliken sowie die Massezugehörigkeit nach F. Bluhme vermerkt (nebst Massenübersicht am Ende der Ausgabe). Th. Mommsen (1817–1903) besorgte schließlich die bis h. maßgebliche D.-Edition (Berlin 1870, sog. *ed. maior*). Zwei Mitarbeiter verglichen für ihn den Cod. Flor. erneut. Mommsen bediente sich bei der Textkonstitution der fortgeschrittenen philol. Methoden seiner Zeit (Lachmannsche Methode). Er ging von der Abhängigkeit der ma. Hss. vom Cod. Flor. aus, erkannte aber die Besserlesungen als von einer zweiten Hs. herrührend. Stimmten Vulgattext und Basilikenüberlieferung überein, so edierte er den Text gegen den Cod. Flor. Ansonsten maß er lediglich den ältesten Hss. des *D. vetus* bes. Bed. zu. Auf die Zählung nach *partes* wie auf Explicit/Incipit ist verzichtet; Basiliken sowie die Bluhmeschen Massen sind bei allen Fragmenten angegeben. Bereits 1872 erschien hiervon eine *ed. minor* mit beschränktem textkritischem Apparat, verbunden mit einer kritischen Institutionenausgabe P. Krügers (1840–1926). Ab der 11. Aufl. (1908) gab Krüger die *ed. minor* heraus. Er arbeitete die Ergebnisse der palingenetischen Forsch. O. Lenels ein und erweiterte den Anmerkungsapparat. Im Jahre 1908 erschien in Mailand der erste Band einer von P. Bonfante, C. Fadda, C. Ferrini, S. Riccobono, V. Scialoja besorgten neuen Ausgabe, Bd. 2 (hrsg. von P. Bonfante, V. Scialoja) folgte 1931. Die Editoren legten die *ed. maior* Mommsens zugrunde, berücksichtigten aber unter dem Einfluß Ferrinis bis Dig. 20,3 die Basiliken umfassender zur Textkonstitution als Mommsen (s. z. B. Bas. 20,1,44 als Dig. 19,2,56). Eine Konkordanz der drei letztgenannten Ausgaben existiert nicht. Neuere Kritik wandte sich v. a. gegen die zurückhaltende Berücksichtigung der Vulgat-Hss. durch Mommsen. In ihnen sollen noch mehr Varianten oder genuine Lesarten vorhanden sein, als dies Mommsen annahm (Lit. bei [17]).

→ Römisches Recht

→ AWI Digesta; Iustinianus

1 Iustiniani Augusti Digestorum seu Pandectarum codex Florentinus ..., 1902–10; Iustiniani Augusti pandectarum codex Florentinus, curavv. A. CORBINO, B. SANTALUCIA, 1988 (Faksimile) 2 G. DOLEZALEK u. a., Verzeichnis der Hss. zum röm. Recht bis 1600, 1972 3 E. SPANGENBERG, Einleitung in das Röm.-Justinianeische Rechtsbuch, Hannover 1817, 650–929 4 H. LANGE, Röm. Recht im MA 1, 1997 5 WIEACKER, RRG 6 F. SCHULZ, Einführung in das Studium der D., 1916 7 H. KANTOROWICZ, Über die Entstehung der D.-Vulgata, 1910 8 E. A. LOWE, Greek symptoms in a Sixth Century Manuscript of St. Augustine ... Paleographical papers II, 1972, 466–474 9 J. MIQUEL, Mechanische Fehler in der Überlieferung der D., in: ZRG 80, 1963, 233–286 10 W. KAISER, D.-Entstehung und D.-Überlieferung, in: ZRG 108, 1991, 330–350 11 N. WILSON, A greek paleographer looks at the Florentine Pandects, in: Subseciva Groningana 5, 1992, 1–6 12 W. KAISER, Zum Aufenthaltsort des Codex Florentinus ..., in: W. E. VOSS (Hrsg.), Glosse, Summe, Komm., 1996 13 B. STOLTE, Finium regundorum und die Agrimensores, in: Subseciva Groningana 5, 1992, 61–76 14 W. KAISER, Stud. zur Epitome Iuliani ... (im Druck) 15 R. RÖHLE, Das Berliner Institutionen- und D.-Frg ...., in: Bullettino dell'Istituto di diritto romano 71, 1968, 128–173 16 S. KUTTNER, An implied reference to the Digest ..., in: ZRG (Kan.) 107, 1990, 382–384 17 E. RICART, La tradicion manuscrita del Digesto en el occidente medieval, in: Annuario de historia del derecho español 57, 1987, 5–206 18 C. RADDING, Vatican latin 1406, Mommsen's S ..., in: ZRG 110, 1993, 501–551 19 H. V. DER WOUW, Zur Textgesch. des Infortiatum ..., in: Ius commune 11, 1984, 231–280 20 TH. MOMMSEN, Schriften II, 107–140 21 C. G. MOR, Il digesto nell'età preirneriana, in: Scritti di storia giuridica altomedievale, 1977, 832–34 22 H. TROJE in: H. COING (Hrsg.) Hdb. der Quellen und Lit. der neueren europ. Privatrechtsgesch., 1977, 615–795 23 R. STINTZING, E. LANDSBERG, Gesch. der Dt. Rechtswiss., 1880–1910 24 G. GUALANDI, Per la storia della editio princeps delle pandette fiorentine ..., in: Le pandette di Giustiniano, 1986, 143–198 25 T. WALLINGA, Laurentius Theodorus Gronovius, in: Tijdschrift voor Rechtsgeschiedenis 65, 1997, 459–495 26 B. STOLTE, Henrik Brenkman, 1981 27 B. PARADISI, Il giudizio di Márturi, in: Rendiconti della accademia nazionale dei lincei, classe di scienze morali, storiche e filologiche, 9. ser., 5, 1994, 3–21.   WOLFGANG KAISER

Diktatur   A. EINLEITUNG
B. FRÜHNEUZEITLICHE DISKUSSION
C. AUFKLÄRUNG UND FRANZÖSISCHE REVOLUTION
D. 19. JAHRHUNDERT
E. WEGE INS 20. JAHRHUNDERT

A. EINLEITUNG

Die Rezeption der D. als eines polit. Vorbilds der Antike orientierte sich fast ausschließlich am röm. Beispiel. Bis weit in das 20. Jh. wurde die D. als lobens-, zumindest als erwägenswerte republikanische Einrichtung verstanden. D. und → Demokratie waren keineswegs begriffliche Gegensätze, sondern die D. konnte vor dem Hintergrund bestimmter Umstände als Ermöglichungsbedingung der Demokratie begriffen werden. Zur Bezeichnung einer illegitimen Regierungsform wurde auf Tyrannis oder Despotismus zurückgegriffen. Erst im Verlauf des 20. Jh. sammelten sich unter dem Eindruck von → Nationalsozialismus, → Faschismus und Stalinismus im Begriff der D. die negativen Konnotationen einer illegitimen Schreckensherrschaft, und vor diesem Hintergrund wandelte sich auch der Blick auf die Ant., deren D.-Begriff nun als Vorbild oder Vorstufe zur mod. Tyrannis untersucht wurde.

B. FRÜHNEUZEITLICHE DISKUSSION

Mit der theoretischen Reflexion des mod. Staates bekam die röm. Institution der D. eine paradigmatische Bed.; sie wurde sehr bald in idealtypischer Form und nicht nach Maßgabe des klass. Vorbildes diskutiert. Zwei Fragenkomplexe standen dabei im Vordergrund: Zum einen kam der mod. Staat in seiner spezifischen Regierungstätigkeit, v. a. im Hinblick auf Kontinuität und Stabilität, in den Blick. Hier wurde die D. als ein Unterbegriff der *Arcana imperii* gefaßt. Arnold Clapmarius unterschied die D. als *Arcanum dominationis* [I. lib. 3, 19] von der Tyrannis [I. lib. 5, 1] und verstand das Problem der Beherrschung und Befriedung der untertänigen Bevölkerung selbst unter dem Anschein legitimer Gewalt keineswegs als tyrannische Herrschaftsausübung, sondern als ein technisches Problem der Staatsräson. Mit dieser Variante des D.-Begriffs und der Übertragung der D. auf Probleme der innerpolit. Stabilität hatte die mod. staatsrechtliche Lit. freilich bereits das röm., v. a. durch Livius geprägte Vorbild der D. verlassen. Zum anderen war die D. ein Prüfstein für das nun aufkeimende theoretische Interesse am Problem der Dauer der Staatsgewalt: Nachdem die polit. Ordnung nicht mehr ausschließlich unter Rekurs auf die sie bildenden Personen gedacht wurde und der Staat als Institutionenordnung in den Blick geriet, stellte sich auch die Frage nach seiner Kontinuität neu, zumal der Staat nun von der Frage nach der Souveränität her gedacht wurde. Die Behandlung der D. eröffnete hierbei die Möglichkeit, eine nur zeitweilige Souveränität als solche bezeichnen zu können. Von Jean Bodin [2] bis Hugo Grotius [3], von Thomas Hobbes [4] bis Samuel Pufendorf [5] wurde die D. zur Lösung für das Problem einer zeitlichen Befristung von Souveränität. Diese Debatte hatte aber auch für den republikanischen Strang des polit. Denkens Bed., etwa wenn Algernon Sidney [6] in diese Kontroverse intervenierte und die Souveränität des röm. Diktators nur im Verhältnis zum übrigen Magistrat, nicht aber zum röm. Volk gelten ließ. Dieser republikanische Strang beruhte wesentlich auf den theoretischen Debatten der it. Ren.

Die eigentliche Innovation in der D.-Rezeption der Neuzeit – und damit die Eröffnung eines ganz anders gearteten Diskussionsstranges – erfolgte nicht in der staatsrechtlichen, sondern in der republikanischen Lit. und dort wesentlich durch Niccolò Machiavelli, der das röm. Institut der D. für die polit. Ideengeschichte der Neuzeit wiederentdeckt und durch seine Auslegung dessen Diskussion entscheidend beeinflußt hat [7. lib. 1, 33 f.]. Zentral war dabei seine Unterscheidung zw. der D. zum Schutze der Freiheit (Republik) von der D. im Sinne der Tyrannenherrschaft [7. lib. 1, 34]. Veranlaßt wurde diese Unterscheidung durch konkurrierende Auslegungen, in denen die D. prinzipiell als Vorhof der Tyrannis angesehen wurde. Hiergegen wandte Machiavelli in der für ihn typischen machtanalytischen Betrachtungsweise ein, daß die D. als verfassungsmäßige Institution zur Abwendung einer Gefahr von innen wie außen für die freiheitliche Ordnung von Nutzen sei, denn ohne eine vorab festgelegte Form der Gefahrenabwehr sei die polit. Ordnung in Gefahrensituationen zum Verfassungsbruch genötigt, wenn sie sich nicht von vornherein selbst aufgeben wolle. Eine sich hieraus womöglich entwickelnde Gewohnheit könne schließlich zum Hebel für verfassungswidrige Absichten werden.

Die Reglementierung der Ausnahmegewalt hingegen, insbes. durch ihre zeitliche Beschränkung, bedrohe den verfassungsmäßigen Magistrat nicht, sondern könne im Notfall dessen Fortexistenz ermöglichen. Die Gefahr einer die republikanische Ordnung gefährdenden D. ergebe sich erst, wenn sich ihrer eine Person bemächtige, die ohnehin übermächtig sei. Da der Diktator aber gewählt werde, werde man sich schwerlich für denjenigen entscheiden, der aus der diktatorischen Gewalt eine Gefahr für die Republik mache. Die Lebensfähigkeit einer Republik erweise sich ja gerade darin, daß in ihr das Aufkommen übermächtiger einzelner unterbunden werde. Damit verknüpfte Machiavelli die Debatte über die D. mit dem ihn zentral beschäftigenden Problem der Selbsterhaltung einer polit. Ordnung, die er stärker durch die innere Einstellung der Bürger als durch ihre verfassungsmäßigen Institutionen gewährleistet sah. Hier keimte bereits das Problem, das schließlich in der späteren Revolutionszeit zum Abrücken vom klass. Vorbild führte. Nicht die Erhaltung einer bereits etablierten Republik, sondern vielmehr deren Gründung stand dabei im Vordergrund. Die Nähe Machiavellis zum ant. Vorbild zeigt sich auch darin, daß er im Gegensatz zu den meisten späteren Autoren den charakteristischen Zug der röm. D. als republikanisches Verfassungsinstitut in der Suspendierung des Beratungszwanges vor der verbindlichen Entscheidung ansah. Kaum jemand diskutierte nach Machiavelli die für Rom so bedeutsame und prägende Grundkonstante seiner polit. Ordnung, wonach es einen Zusammenhang von Dezision und Deliberation bzw. Consilium gab, der im Falle der D. ausnahmsweise und befristet aufgehoben wurde. Insbes. in der für die mod. Ideengeschichte so prägenden Darstellung der D. bei Carl Schmitt, über die noch zu sprechen sein wird, wird die D. fast ausschließlich als exekutive Einrichtung angesehen und damit die Aufmerksamkeit auf die Dezision und ihre in der Regel selbstbezügliche Legitimität konzentriert. Machiavelli begriff die D. unter ständigem Verweis auf das röm. Vorbild als ein Institut zur inneren Reformierung der Republik, das seine Legitimation aus der mitunter nur so möglichen Zurückführung auf die Anfänge bezog: Die D. beseitigte die gefährlichen Veränderungen, die mit der Zeit eingetreten waren und suchte die Konstellationen in den Anfängen der Republiken wiederherzustellen.

Baruch de Spinoza diskutierte die D. ebenfalls als letztes Mittel zur Erhaltung einer freiheitlichen Ordnung und der dabei für diese entstehenden Gefährdungen. Dabei schlug er einen anderen Lösungsweg als Machiavelli ein: Er empfahl, die D. statt auf eine Einzelperson auf ein Kollegium zu übertragen, dessen Mitglieder zu zahlreich seien, als daß sie den Staat unter sich aufteilen könnten [8. 210]. James Harrington dagegen formte seinen *Dictator Oceanae* ganz nach dem Vorbild des Diktators, wie er Livius entnommen werden konnte, und verstand die D. auschließlich als ein Amt in Kriegszeiten ([9. 177 ff.], 19. Ordnung). Aber was der Form nach röm. Ursprungs war, wurde von Harrington ganz im Sinne Machiavellis als Mittel bei der Gründung oder Reformierung von Republiken gesehen. Grundsätzlich begriff Harrington die D. weniger als ein Instrument zur Errichtung einer Monarchie, sondern vielmehr als ein Mittel zu ihrer Verhinderung: In Notzeiten, in denen man rasch zu einem Ausweg wie der faktischen Monarchie greifen wolle, deren Gefahren aber nicht bändigen könne, sei es klüger, in Kenntnis der ant. Vorbilder beizeiten eine Institution wie die D. zu schaffen und so die unkontrollierbare Entfaltung der Macht eines Einzelnen zu hemmen. Im Unterschied zu Machiavelli hat sich Harrington aber auch am venezianischen Beispiel der Einsetzung einer D. orientiert ([9. 180 ff.], 23. Ordnung). Insbes. dürfe der Diktator nicht das Recht auf Anrufung des Volkes haben, solle das zur Erhaltung der Republik geschaffene und unverzichtbare Amt nicht zum Sprungbrett einer Autokratie auf der Basis einer Volksregierung ausarten ([9. 238], 23. Ordnung). In Kenntnis der engl. Diskussionen erörterte Thomas Jefferson die D. im Gegensatz zur machiavellistischen Interpretation der D. als eines republikanischen Prinzips und sah in ihr die Gefahr einer Tyrannis. Selbst wohlmeinende Befürworter eines Antrages vor der Abgeordnetenkammer von Virginia 1781, die angesichts der britischen mil. Bedrohung die Einführung einer D. anregten, seien durch das scheinbare Vorbild der röm. Republik verführt worden, wo die D. immer zur Bändigung einer zu Tumulten und zur Unruhe neigenden Bevölkerung eingeführt worden sei, also ihre Wirksamkeit nach innen entfaltet hatte. Dagegen sei das amerikanische Volk zur Milde disponiert und das histor. Vorbild nicht übertragbar [10].

C. AUFKLÄRUNG UND FRANZÖSISCHE REVOLUTION

Auch Jean-Jacques Rousseau hat in seinem *Contrat Social* (1762) – ausdrücklich unter dem Einfluß Machiavellis – die D. als ein Amt zur Erhaltung der polit. Ordnung vorgeschlagen. Darüber hinaus sah er sich vor ein völlig neues Problem gestellt, nämlich überhaupt erst jene republikanische Verfassung zu schaffen, die dann die D. als ihre Bestandssicherung berücksichtigen solle. Mit diesem allmählichen Perspektivenwechsel verlor das klass. Vorbild an Bed., bis es schließlich ganz verblaßte. Rousseau orientierte sich zwar an der Institution der D. im klass. Sinne, wies aber über diese Trad. hinaus, indem er den Gedanken des Législateur einführte. Während der Diktator die Sicherung der Republik zur Aufgabe hat und nur durch zeitliche Befristung an der Tyrannis gehindert wird – weshalb auch die länger andauernde D. des Sulla nicht einmal erörtert wird –, muß

der Législateur die Gesetze geben und die Ordnung schaffen, die aus einem Volk überhaupt erst eine Republik machen. Um aber das Prinzip der Republik nicht zu verletzen, muß das Volk der vom Législateur vorgeschlagenen Verfassung zustimmen; der Législateur hat also keine Gesetzgebungskompetenz, sondern nur Vorschlagsrecht. Damit erörtert Rousseau ganz im Sinne Machiavellis das schwierige Problem, wonach für eine republikanische Verfassung ein Maß an Gemeinsinn in der Bevölkerung vorausgesetzt werden muß, das eigentlich erst das Ergebnis der Verfassung selber sein kann. Rousseau ist noch vor einer Lösung zurückgescheut, wonach die exekutive Gewalt sich durch die Schaffung einer solchen Verfassung legitimieren sollte.

Obwohl die Aufklärung die differenzierte Betrachtungsweise des freiheitsverbürgenden Diktators und des freiheitsgefährdenden Tyrannen tradierte [11], eine Betrachtungsweise, in der die klass. republikanische D. von der D. eines Sulla, Caesar und Augustus, die als *dictator perpetuus* zur Tyrannei wechselten, abgehoben wird, stießen Revolutionäre, die sich dieses Begriffes bedienten, rasch auf heftigen Widerstand, z. B. Robespierre, der sich in der Rede vom 13. Messidor gegen den Vorwurf zur Wehr setzen mußte, er strebe eine D. an.

Aber gerade die Zuspitzung der D. zu einem Mittel der Exekutive sollte angesichts der Umsetzungsprobleme der Verfassung von 1791 für die Revolutionäre zum Problem werden. Die in der polit. Verantwortung stehenden Jakobiner, wie Robespierre oder Saint-Just, scheuten die Verwendung des Begriffs »D.« [12].

Diese Scheu vor dem Begriff »D.« beruhte nicht zuletzt auf dessen offensiver Verwendung durch Marat, der sich des Begriffs unter ausdrücklichem Rückbezug auf das ant. Vorbild bediente. Für Marat als Sprecher der Pariser Sektionen stand das Problem der Gewalt der Bevölkerung und ihre Legitimation, wie es sich am deutlichsten in den September-Morden von 1792 stellte, wesentlich klarer im Vordergrund. Schon im Vorfeld hatte er in seinem Organ *Ami du Peuple* die steckengebliebene Revolution angeprangert und der passiv gewordenen Bevölkerung eine Institution wie das Volkstribunat oder die D. ans Herz legen wollen, um aus der Sackgasse zw. dem revolutionären Ziel und der Fessel der Verfassung von 1791 herauszukommen. Im *Ami du peuple* Nr. 177 vom 30. Juli 1790 schlug er die Einsetzung eines auf drei Tage gewählten Diktators vor [13. 113], der die möglichen Tyrannen innerhalb der Bevölkerung ausmerzen sollte, um die Revolution zu sichern. Marat trat damit der Auffassung entgegen, wonach die Feinde der Revolution infolge der revolutionär ermöglichten, institutionell gesicherten Freiheit nur auf gesetzmäßigem Wege bekämpft werden könnten. Dabei erinnerte er daran, daß schon die röm. Republik eine Institution gekannt habe, die in gesetzmäßigen Bahnen erfolgende grundlegende Handlungen zur Sicherung der Freiheit ermöglichen sollte. Kurz darauf konkretisierte Marat seine Forderung auf eine Weise, als sei die Verfassung veränderbar und doch gleichzeitig fix:

Er forderte statt eines Diktators der Verfassung einen Tribunen der Armen. Nun ging es ihm nicht mehr um die Verteidigung der Revolution, sondern um den Schutz der Armen, die durch die Nichtverwirklichung der Gleichheit betrogen, aber durch die verfassungsmäßig geschützten Eigentumsrechte an der Linderung ihrer Armut gehindert würden (Ami du Peuple Nr. 223, 17.9.1790, 117). Immer deutlicher stellte sich die Aufgabe, nicht bloß eine bestehende Verfassung durch ihre außergewöhnliche Suspension zu retten, sondern eine bestehende Verfassung außer Kraft zu setzen, um die dieser Verfassung zugrundeliegenden Ziele und Prinzipien – freilich in eigener Auslegung – überhaupt erst zu erreichen. Daher sprach Marat zur Rechtfertigung der Septembermorde von der D. des Volkes, die sich in diesen Ausnahmetagen gezeigt habe, vom Beil des Volkes, das habe zuschlagen müssen, weil das Schwert des Gesetzes nicht zugeschlagen habe, und behauptete, daß ein rechtzeitiger Blutzoll bei den Feinden der Revolution die jetzt vergossenen Ströme an Blut vermieden hätte. Weiterhin schlug er die Errichtung einer D. vor, solange der Konvent nicht von den Girondisten gesäubert war, d.h. nicht von wirklich revolutionären Kräften angeführt wurde [13. 183 ff.].

Für diese Sichtweise konnte Rousseau nicht mehr als Vorbild dienen, vielleicht aber Gabriel Bonnot de Mably, der in seinen Studien zur röm. Geschichte [14. 296, 338] die D. nicht als Teil einer gewöhnlichen Magistratur verstand, deren Kompetenz nur zeitweise außer Kraft gesetzt werde, sondern sie an die Stelle der gewöhnlichen Magistratur treten sah, und zwar zum Zwecke der Erhaltung des Staates, was durch das Institut des *videant consules* nicht erreicht werden könne. Das habe sich im Falle Ciceros gezeigt, der für seine Amtsführung zur Rechenschaft gezogen wurde, weil er die Hinrichtung der Verschwörer anordnete – was ihm im Falle der D. erspart geblieben wäre, weswegen durch sie die Republik auch sicherer und zuverlässiger hätte erhalten werden können. Hier wird die D. also bereits nicht mehr nach Maßgabe der zu erhaltenden Verfassung verstanden, sondern sie wird unter die verfassungstechnisch unreglementierbaren Forderungen polit. Überlegungen gestellt.

D. 19. JAHRHUNDERT

Von diesen polit.-konstitutionellen Problemen war auch Fichte beeinflußt, als er in dem Gedanken des Zwingherrn die Lösung für die Herstellung eines polit. Zustands suchte, der diesen Zwingherrn wieder überflüssig machte [15. 564]. Fichte bediente sich dabei bewußt nicht des Begriffes der D., weil er das ant. Vorbild nicht mehr für vorbildhaft hielt, sondern es infolge der wesentlich german. und christl. Prägung der Moderne für überwunden ansah. Deswegen machte er keine Anleihen mehr, obwohl er in der Sache das Programm der Autarkie und der D. in ihrer machiavellistischen Rezeption behandelte. Friedrich Schlegel behandelte dagegen die D. als republikanisches Notrechtsinstitut, als transitorische Ausnahme von der Gewaltenteilung,

weswegen *dictatura perpetua* eine widersinnige Bezeichnung für D. sei [16]. Dieses Werk der stärker republikanischen Periode Schlegels kontrastiert aber scharf mit seinen späteren Auffassungen, etwa wenn er 1828 äußerte: ›Der gewöhnliche und natürliche … Übergang aus der Volks-Anarchie, wenn sie … sich in sich selbst erschöpft hat, ist der zur absoluten Herrschaft, oder der immerwährenden D., unter was immer für einer Form, aber ohne … göttliche Sanction‹ [17. 408].

Theodor Mommsens Darstellung Caesars als *dictator perpetuus* und dessen Bemühungen um die Einbeziehung dieser Funktion in die angestrebte polit. Neuordnung Roms gipfelte in der These, Caesar habe der Sache nach das alte Königtum wieder einführen wollen. Freilich habe dieser nicht die Freiheit der Bürger beseitigen, sondern vielmehr überhaupt erst verwirklichen wollen, und zwar gegen das ›unerträgliche Joch der Aristokratie‹ [18. 149]. Hier spiegelt sich bereits die bes. Situation des dt. polit. Bildungsbürgertums, das die nationale Einheit als Durchbrechung der Duodezfürstentümer (mochten sie sich gelegentlich auch selber Könige nennen) verstand und hierfür die preußische Monarchie als Sachwalterin des geschichtlichen Auftrages der Einigung und Schaffung einer zeitgemäßen polit. Ordnung ansah.

Wesentlich deutlicher wurden aber die polit. Publizisten der borussischen Historiographie, allen voran Heinrich von Treitschke. Nachdem Bismarck während des preußischen Verfassungskonfliktes den König dazu aufgefordert hatte, im Kampf gegen die Parlamentsmehrheit auch eine ›Periode der D.‹ durchzustehen [19. 247], hatte sich Treitschke für die preußische Politik der klein-dt. Lösung stark gemacht und publizistisch für sie Partei ergriffen [20]. Dabei versuchte er den gegen Preußen erhobenen Vorwurf des Cäsarismus zurückzuweisen, indem er nur die frz. Variante des Cäsarismus unter Napoleon III. anhand ihrer röm. Wurzeln als freiheitsgefährdend und despotisch charakterisierte. Im Gegensatz dazu reklamierte Treitschke für die dt. Variante einen ganz eigenständigen Hintergrund, der somit auch nicht mit den Begriffen und Vorstellungen des romanischen Politikkreises kritisiert werden konnte. Zum Wesensmerkmal der romanischen Trad. der Alleinherrschaft zählte Treitschke die bes. Bed. von Paris, die ›D. dieser Stadt‹ [20. 50], die die Nachfolge Roms angetreten habe. Vor allen Dingen Napoleon I. habe es verstanden, an diese Trad. anzuknüpfen und auf ihrer Grundlage eine demokratisch legitimierte Alleinherrschaft zu installieren: ›Wie meisterhaft wußte er aus der röm. Geschichte gerade jene Bilder neu zu beleben, welche der »bewaffneten Demokratie« des neuen Frankreich zum Herzen sprach. Seinen Regimentern schenkte er jene Adler, die einst der Demokratenfeldherr Marius den röm. Legionen gab und die demokratische Monarchie Cäsars durch den Erdkreis trug. Mit unseligem Eifer lebte die Nation sich ein in die Unsitten der röm. Kaiserzeit‹ [20. 79].

Die Französische Revolution hatte allmählich die Aufmerksamkeit von der klass. Problematik einer Wiederherstellung der republikanischen Verfassung durch die D. zugunsten der erstmaligen Errichtung einer republikanischen Verfassung verschoben. Damit verlor auch das ant. Vorbild seinen paradigmatischen Charakter, und an seine Stelle trat die Französische Revolution selbst. Allerdings blieb die Ant. insofern im Hintergrund der Argumentation, solange man zw. zeitgemäßen und antiquarisch argumentierenden Revolutionären unterschied. Dies gilt insbes. für die Auseinandersetzung zw. Marx und Engels auf der einen und Ferdinand Lassalle auf der anderen Seite um den Einfluß auf die polit. Strategie der dt. Sozialdemokratie.

Lassalle hatte in seiner Rhonsdorfer Rede zw. einem liberalen Freiheitsbegriff und demjenigen des Arbeiterstandes unterschieden; jenem hatte er das individuelle Meinen und Nörgeln zugeordnet und diesem die Fähigkeit, aus Freiheit in die D. der Einsicht einzuwilligen, um die nötige polit. Schlagkraft zu erhalten, die während eines Übergangsstadiums notwendig sei [21. 420]. Lassalle zielte auf ein republikanisches, im Gegensatz zu einem liberal-bourgeoisen Freiheitsverständnis und argumentierte vor dem Hintergrund einer polit. Strategie der Eroberung des Staates, freilich nicht, um diesen als solchen zu überwinden, sondern um ihn seiner eigentlichen Kulturaufgabe zuzuführen, an welcher ihn bislang die Macht des Bürgertums und der Aristokratie hinderten. Gegen dieses Festhalten am klass. Staatsbegriff und dem damit verbundenen republikanischen Freiheitsverständnis sowie die Befürwortung des allg. Wahlrechts um seiner selbst willen polemisierten Marx und Engels fortwährend. Diese Lehre vom ›uralten Vestafeuer der Zivilisation, dem Staate‹ wurde von ihnen genauso verworfen wie die Orientierung der frz. Jakobiner an der ant. → Demokratie oder die Rede vom freien Staat [22]. Der D. der Einsicht, wie sie Lasalle propagiert hatte, stellte Marx die D. des Proletariats entgegen. An die Stelle der institutionellen Zuspitzung der exekutiven Gewalt auf eine Person setzte er die D. eines Kollektivs, an dem ihn nicht deren institutionelle Ausgestaltung oder Rechtfertigung interessierte, sondern nur der Charakter des Übergangsstadiums, welcher verfassungsmäßig oder normativ nicht reglementiert werden kann.

Während Marx unter D. eine entpersönlichte Klassenherrschaft verstand und aller ant. Orientierung abhold war, konnte Karl Kautsky unter Rückbezug auf die klass. Vorstellung von D. daran erinnern, daß die Entwicklungen im bolschewistischen Rußland, wenn sie als D. des Proletariats bezeichnet wurden, gerade mit Blick auf Inhalt und Möglichkeit einer polit. D. weder die D. einer Klasse noch einer Partei seien, sondern letztlich die D. von Personen, nämlich der Anführer [23. 136 f.]. Der sozialistische Diskurs entfernte sich immer mehr von dem ant. Paradigma, das als Bildungsfundus des Bürgertums in der Arbeiterbewegung ohnehin auf Mißtrauen stieß.

Auf die Vereinnahmung des D.-Begriffs in revolutionären Sinnbezügen antworteten die Gegner der Revolution mit der Umdeutung der D. in eine gegenrevolutionäre Strategie. Hatte man nur die Wahl zw. der D. von unten oder der von oben, einer D. des Dolches oder des Säbels (Donoso Cortés), so stand die Erhaltung einer nur als gewachsen zu legitimierenden Ordnung nicht mehr zur Disposition und die klass. konservative Option lief leer. Daher wählte Donoso die aktive Gegenrevolution und verlangte eine D. der Regierung: D. war danach weder das institutionelle Mittel zur Bewahrung einer Ordnung oder zur Schaffung einer neuen, sondern das Mittel der aktiven Wiederherstellung einer bereits untergegangen Ordnung, insbes. der katholischen Autorität [24. 48 f.]).

E. WEGE INS 20. JAHRHUNDERT

Die D. hatte sich mithin sowohl in der revolutionären als auch in der gegenrevolutionären polit. Argumentation vom ant. Vorbild abgelöst und war in eine sich mod. und daher unvergleichbar dünkende Problematik überführt worden. Das ant. Vorbild tauchte in diesem Kontext erst wieder im Phänomen des Bonapartismus bzw. → Cäsarismus auf. Es wurde anfänglich nach Maßgabe des Vorbildes der klass. D. eingeordnet, wie etwa bei Constantin Frantz [25]. Hier wurde die D. als wesentliche Form des napoleonischen Staatswesens begriffen, und zwar gerade wegen dessen sachlich republikanischer Ausrichtung. Die D. war zwingend nur in einer Republik denkbar, nicht in einer Monarchie; aber im Gegensatz zur klass. Form der republikanischen D. war sie hier nicht ›exceptionell‹, sondern ›prinzipiell‹, und insofern, so Frantz, sei die mod. Form der frz. Republik ihrerseits eine exzeptionelle Staatsform [25. 77]. Die D. wurde definiert als die Herrschaft eines Mannes, der sich nicht kraft Legitimität oder einer moralischen Idee durchsetzte, sondern im Namen physischer Notwendigkeit und mit gewaltsamen Mitteln.

Für die weitere Analyse dieses demokratisch legitimierten und doch anti-republikanischen Phänomens exekutiver Gewalt setzte sich das andere ant. Vorbild durch, welches für einige Zeit den Begriff der D. aus dem Diskurs verdrängte: der Cäsarismus [26]. Cäsarismus wurde zum Inbegriff einer durch und durch machtpolit. Wahrnehmung, die sich nicht mehr durch den Schein der Legitimität, der einer klass. republikanischen Vokabel wie der D. anhaften mochte, stören ließ. Für diesen Vorgang kann Oswald Spengler als repräsentativ herangezogen werden. Für Spengler [27. 1004 ff., 1101 ff.] ist das Zeitalter des Cäsarismus angebrochen; ständig Analogien zu histor. Ereignissen und strukturellen Veränderungen der Ant. als Beleg seiner Thesen herstellend, hat Spengler die staatsrechtlichen Formen polit. Ordnung nur noch als Fassade für den dahinter stattfindenden physisch-polit. Machtkampf begriffen, so daß klass. Begriffe, wie die D., zum Spielball polit. Selbstlegitimation wurden. Als Beleg hierfür verweist Spengler auf die von Diod. 19,6 ff. beschriebenen Vorgänge der Pöbelherrschaft in Syrakus und der feierlichen Übertragung der D. an Agathokles als Dank für sein ›Gemetzel‹ an der Oberschicht [27. 1066 Anm. 1].

Um so erstaunlicher ist der verfassungsrechtliche Versuch, die Grundfragen der Weimarer Verfassung unter Zuhilfenahme des klass. D.-Begriffs zu erörtern: Schon früh und geradezu konventionell wurde bezüglich der von der Verfassung eingeräumten Ausnahmegewalt des Reichspräsidenten von der verfassungsmäßigen D. gesprochen. Dies geht nicht nur auf den vielleicht wichtigsten Theoretiker der D., auf Carl Schmitt, zurück, der während des I. Weltkrieges in einer umfangreichen ideengeschichtlichen Studie die verschlungenen Wege des D.-Begriffs in der Rezeption des klass. und des revolutionären Vorbildes zu einer systematischen Differenz zw. kommissarischer und souveräner D. gelangte. Auch ist die später eindeutig anti-demokratische Verwendungsweise nicht von vorneherein sichtbar gewesen, da Schmitt anfänglich insbes. den frz. Konvent von 1793 und seinen Wohlfahrtsausschuß als souveränen Diktator bezeichnete, also eine ausdrücklich nicht-exekutive, sondern legislative Gewalt als D. bezeichnet hat. Im Anschluß daran verstand Schmitt zunächst den Reichstag als souveränen Diktator, und zwar aufgrund seiner legislativen Kompetenz zur gesetzesförmigen Reglementierung der (insofern nur kommissarisch, also nachrangig aufzufassenden) D. des Reichspräsidenten. Erst als diese Reglementierung unterlassen wurde, schwenkte Schmitt zum Reichspräsidenten über und suchte erfolgreich nach nicht-legislativen Legitimationsfundamenten der Exekutive, insbes. in der Unterscheidung zw. Verfassungsgesetz und Verfassung (als der nicht legislativ verfügbaren, eigentlichen normativen Grundlage der polit. Ordnung). Das ant. Vorbild trat in dieser verfassungsrechtlichen Auseinandersetzung aber als pauschale Folie der begrifflichen Vorverständigung ganz in den Hintergrund [28]. So erwähnte Hermann Heller zwar die Varianten einer republikanischen verfassungserhaltenden D. gegenüber der D. mit einer Legitimation *sui generis* und ihren anti-republikanischen Konnotationen [29], aber der Begriff hatte sich bereits verselbständigt, und selbst polit. engagierte Althistoriker wie Arthur Rosenberg unterließen es, durch den Rückgriff auf das ant. Vorbild Aufschluß über die gegenwärtige Bed. der D. zu gewinnen. Das gilt auch für Arkadij Gurlands Unterscheidung zw. einem juristischen und einem soziologischen D.-Begriff [30. 101 ff.], die nahezu gänzlich ohne Bezug auf die Ant. auskam, im Unterschied zu Franz Neumanns postum veröffentlichten *Notizen zur Theorie der D.*, in der es von der röm. D. vor Sulla heißt, sie sei ›strenggenommen ... keine D., sondern eine Form der Krisenregierung‹ gewesen [31. 147]. Auch Leo Strauss dürfte den klass. D.-Begriff vor Augen gehabt haben, als er gegen die nach 1945 in Mode gekommene Wendung vom »Zeitalter der D.en« festhielt, ›eine Reihe h. bestehender Regime (seien) Tyranneien, die in der Verkleidung der D. erscheinen‹ [32. 197].

→ Tyrannis

QU 1 A. CLAPMAR, De Arcanis rerumpublicarum libri VI, Bremen 1605, Bd. III 2 J. BODIN, Les six livres de la République, 1583, Ndr. 1961 (dt. Übers. von B. WIMMER, hrsg. von P. C. MAYER-TASCH, 1981/86, I, 8) 3 H. GROTIUS, De jure belli ac pacis libri III, 1625, I,3,8,12 und I,3,11,1 und 2 (dt. hrsg. von W. Schätzel, 1950, 94 und 97 f.) 4 TH. HOBBES, De Cive, hrsg. von G. GAWLICK, 1994, Kap. 7, 155 f. 5 S. PUFENDORF, De jure naturae et gentium libri VIII, ed. J. K. HERTIUS, Frankfurt 1704, Buch VII, 6 § 15; VIII, 6 § 14 6 A. SIDNEY, Discourses concerning government 1698, hrsg. von TH. G. WEST, 1996, chap. II, sect. 13 7 N. MACHIAVELLI, Discorsi sopra la prima deca di Tito Livio (dt.: Gedanken über Politik und Staatsführung, hrsg. von R. ZORN, ²1977) 8 B. DE SPINOZA, Polit. Traktat, lat.-dt., hrsg. und übers. von W. BARTUSCHAT, 1994 9 J. HARRINGTON, Oceana (1656), hrsg. von H. KLENNER und K. U. SZUDRA, 1991 10 TH. JEFFERSON, Betrachtungen über den Staat Virginia (1787/88), hrsg. von H. WASSER, 1989, 269–275 11 CH. DE JAUCOURT, s. v. Dictateur, in: Encyclopédie ou Dictionnaire raisonné des sciences, des arts et des métiers, IV, Paris 1754, 956–958 12 M. ROBESPIERRE, Rapport sur les principes du Gouvernement révolutionnaire vom 25.12.1793, in: Ders., Oeuvres, 10, 1967, 273 ff. (dt.: Rede über die Grundsätze der revolutionären Regierung, in: Ders., Ausgewählte Texte, hrsg. von C. SCHMID, ²1982, 562–581) 13 J.-P. MARAT, Ausgewählte Schriften, hrsg. von C. MOSSÉ, 1954 14 G. B. DE MABLY, Observations sur les Romains, in: Collection complète des Oeuvres, hrsg. von G. ARNOUX, 1794–1795, Ndr. 1977, Bd. 4 15 G. FICHTE, Aus dem Entwurf zu einer polit. Schrift 1813, in: Sämmtliche Werke, 7, Berlin/Bonn 1846, 546–573 16 F. SCHLEGEL, Versuch über den Begriff des Republikanismus, 1796, in: Kritische Friedrich-Schlegel-Ausgabe, 7, hrsg. von E. BEHLER, 1966, 11–25 17 Ders., Philos. des Lebens, Wien 1828 18 TH. MOMMSEN, Röm. Gesch., 1854–1885, ⁹1902, Bd. 5 19 O. VON BISMARCK, Gedanken und Erinnerungen, 1928 20 H. VON TREITSCHKE, Frankreichs Staatsleben und der Bonapartismus, 1865/69, in: Ders., Histor. und polit. Aufsätze, Leipzig 1886, Bd. 3, 44–426 21 F. LASSALLE, Die Agitation des Allg. Dt. Arbeiter-Vereins und das Versprechen des Königs von Preußen. Rede am Stiftungsfest des ADAV, Rhonsdorfer Rede, vom 22. Mai 1864, in: Ders., Rede und Schriften, hrsg. von F. JENACZEK, 1970, 392–421 22 A. BEBEL, Aus meinem Leben, 1911, 221 f. (F. Engels an A. Bebel) 23 K. KAUTSKY, Die proletarische Revolution und ihr Programm, 1922 24 J. DONOSO CORTÉZ, Drei Reden: Über die D. Über Europa. Über die Lage Spaniens, übertragen von J. LANGENEGGER, 1948 25 C. FRANTZ, Louis Napoleon, ²1852, Ndr. 1960 26 A. ROMIEU, L'ère des Césars, 1850 (dt.: Der Cäsarismus oder die Notwendigkeit der Säbelherrschaft, dargetan durch geschichtliche Beispiele von den Zeiten der Caesaren bis auf die Gegenwart, Leipzig 1851) 27 O. SPENGLER, Der Untergang des Abendlandes. Umrisse einer Morphologie der Weltgesch., ²1922 28 C. SCHMITT, Die D. – von den Anfängen des mod. Souveränitätsgedankens bis zum proletarischen Klassenkampf, ²1928, Ndr. 1989 29 H. HELLER, Rechtsstaat oder D.?, 1930, in: Ders., GS 1971, Bd. 2, 443–462 30 A. GURLAND, Marxismus und D., 1928, hrsg. von D. EMIG, 1981 31 F. L. NEUMANN, Notizen zur Theorie der D., 1957, in: Ders., Demokratischer und autoritärer Staat. Beiträge zur Soziologie der Politik, 1967, 147–170 32 L. STRAUSS, Über Tyrannis, 1963

LIT 33 D. GROH, s. v. Cäsarismus, Gesch. Grundbegriffe 1, 726–71 34 F. HINARD (Hrsg.), Dictatures, 1988 35 H. HOFMANN, D. – eine begriffsgesch. Miniatur, in: Ders., Recht-Politik-Verfassung – Stud. zur Gesch. der polit. Philos., 1986, 122–126 36 P. JOACHIMSEN, Die Bed. des ant. Elements für die Staatsauffassung der Ren., in: Ders., Gesammelte Aufsätze, hrsg. von N. HAMMERSTEIN, 1970 37 E. E. KELLETT, The Story of Dictatorship – from the Earliest Times till To-Day, 1937 38 H. KOHN, Revolutions and Dictatorship, ²1941 39 J. A. R. MARRIOTT, Dictatorship and Democracy, 1935 40 F. MEHMEL, Machiavelli und die Ant., in: A&A 3, 1948, 152–186 41 E. NOLTE, s. v. D., Gesch. Grundbegriffe 1, 900–25 42 C. L. ROSSITER, Constitutional Dictatorship. Crisis Government in the Modern Democracies, 1941 (Ndr. 1963) 43 G. SPRIGATH, Themen aus der Gesch. der röm. Republik in der frz. Malerei des 18. Jh., 1968 44 O. STAMMER, Demokratie und D., 1955

HERFRIED MÜNKLER UND MARCUS LLANQUE

Dioskuren vom Monte Cavallo

A. NAMENSGEBUNG UND DEUTUNG
IM MITTELALTER
B. NAMENSGEBUNG UND DEUTUNG
SEIT DER RENAISSANCE
C. AUFSTELLUNG DER DIOSKUREN
D. REZEPTION

A. NAMENSGEBUNG UND DEUTUNG IM MITTELALTER

Die beiden Marmorkolosse der D. werden in keiner ant. Quelle erwähnt. Erst der Einsiedeln Itinerar (ca. 800 n. Chr.) beschreibt sie als *cavalli marmorei* [5]. Nach ihnen erhielt der Quirinal, auf dessen westl. Vorsprung sie standen, auch die Bezeichnung *Monte Cavallo*. Die Inschr. ihrer Basen, *Opus Praxitelis* unterhalb des D. zur Linken und *Opus Fidiae* unterhalb des D. zur Rechten, wurden von den Mirabilien als Namen von Wahrsagern gedeutet, denen zu Ehren Tiberius die Monumentalgruppe errichtet habe. Dem ma. Bedeutungsverständnis entsprechend erfuhren die ant. Kolosse eine christologische Deutung. Der populäre Pilgerführer *Mirabilia Urbis Romae* (um 1143) faßte die D. aufgrund ihrer erhobenen Arme und gespreizten Finger als Propheten auf, ihre Nacktheit verweise auf die von ihnen verkündete Wahrheit, die besage, daß die Fürsten dieser Welt ungezügelten, ungesattelten Pferden glichen, die noch nicht vom wahren Herrscher beritten seien. In der Folge wurde die schlangenumwundene Frau an einer Brunnenschale vor den D. als *Ecclesia* (im Sinne des künftigen Heils der röm. Kirche) gedeutet [3].

B. NAMENSGEBUNG UND DEUTUNG SEIT DER RENAISSANCE

Erst im 14. Jh. (Fazio degli Uberti) bemerkte man, daß sich die Inschr. auf die gleichnamigen ant. Bildhauer bezogen. Andrea Fulvio (1527) und andere Antiquare des 16. Jh. schlossen sich selbst ein Jh. später noch der Auffassung Flavio Biondos (um 1446) an, daß die Kolosse von Tridates nach Rom gebracht worden seien, als dieser die Krone Armeniens von Nero empfangen sollte

[1]. Hingegen schlug Onofrio Panvinio 1558 vor, die Rossebändiger als Bildnisse Philipps von Makedonien und Alexanders mit dem Hengst Bukephalos zu interpretieren, da erst Kaiser Konstantin die beiden Gruppen zu seinen Thermen aus Alexandrien hätte bringen lassen. Als diese Deutung sich durchsetzte und nach vollständiger Restaurierung auch von den Inschr. der Sokkel bei der Neuaufstellung 1589 durch Sixtus V. proklamiert wurde, nahmen Antiquare bald daran Anstoß, insofern Alexander erst nach der Blütezeit der beiden ant. Bildhauer gelebt hätte. Deshalb tilgte man (1634) die Inschr. unter dem Pontifikat Urbans VIII. und setzte die noch h. sichtbaren Signaturen auf die Postamente *Opus Phidiae* und *Opus Praxitelis* . . . . Damals, 1638, begründete Donati die richtige Deutung der beiden Jünglinge als D. Die in den 1690er J. aufgestellte These, daß es sich bei der Gruppe auch um die von Herkules gezähmten menschenfressenden Pferde des Diomedes handeln könnte, fand offenbar keine Nachfolge [4].

C. AUFSTELLUNG DER DIOSKUREN

Als urspr. Aufstellungsorte der D. in Rom wurden bis in die Neuzeit das *Templum solis* des Aurelian, aber auch der *Torre di Mecenate* und der *Frontispizio di Nerone* angenommen. Soweit sich die Kolosse auf alten Zeichnungen und Stichen zurückverfolgen lassen, standen sie vor den ehemaligen Konstantins-Thermen etwas östlicher von ihrer heutigen Aufstellung. Ihre Postamente waren roh zusammengesetzt mit einem Kymation als Abschluß, dazwischen zwängte sich allerdings ein Haus, das entsprechend der Ansicht eines Stichs (*Speculum Romanae Magnificentiae*, ca. 1573–77) von Antoine Lafréry (Antonio Lafreri, 1512–77) die Rückseite beider Basen verdeckte. Die Pferdeleiber waren zur Sicherheit mit Stützmauern unterfangen. Als 1589 Sixtus V. seine großen Straßenachsen durch Rom legte, ließ er durch Domenico Fontana die Kolosse ergänzen, von ihren Basen nehmen und auf neuen parallelen Postamenten axial zur Via del Quirinale (Via XX Settembre) ausrichten. Die Aufstellung (zw. 1783 und 1786) eines ant., 1782 ausgegrabenen Obelisken zw. den D. durch den Architekten Giovanni Antinori hatte zur Folge, daß die Gruppen mit ihren Sockeln schräg gerückt wurden, also die ehemals parallelen Sockel nun hochbarock diagonal divergierten. Diese Neuaufstellung der D. erregte die Künstler in Rom. Canova griff 1802 in die Debatte ein mit einem Traktat *Conghiettura sopra l'aggruppamento de' Colossi di Monte Cavallo ad un intelligente erudito amatore di belle arti*. Neun Jahre später lag die kleine Schrift in dt. Übers. vor. Zutage trat ein neues klassizistisches Gespür für den Wert des Reliefs, das eine Anordung der Pferde vor einer geraden Wandfläche, die Köpfe einander zugewendet, favorisierte. Diesem neuen Leitbild entsprechen z. B. die von Karl Friedrich Schinkel entworfenen und von Christian Friedrich Tieck (1827/28) ausgeführten monumentalen Rossebändiger auf dem Alten Mus. in Berlin.

Die Dioskuren von Monte Cavallo; Stich von Antoine Lafréry (um 1573/77)

D. REZEPTION

Nachzeichnungen der Figurengruppe lassen sich seit Pisanello (vor 1395–1455) nachweisen, die häufig als Musterblätter gesammelt und weiterverwendet wurden [1; 2]. Im Medium Skulptur fanden die Kolosse zunächst als Kleinplastiken [6] Verbreitung, doch bereits nach 1640 waren Bronzeabgüsse der D. für den Eingang des → Louvre vorgesehen [4]. Gips(teil)abgüsse der Originale lassen sich für die zweiten H. des 18. Jh. mehrfach belegen. Eine bes. Wertschätzung wurde den D. als Kolosse im Zuge einer Ästhetik des Sublimen (Erhabenen) zuteil. Erst die neuere Arch. erklärte die Statuengruppe zu klassizistischen Werken der Hadrianischen Zeit oder als Kopien aus Konstantinischer Zeit und verneinte jegliche Beziehung zu den großen Bildhauernamen Phidias und Praxiteles.

→ AWI Dioskuren; Herkules

1 P.P. BOBER, R. RUBINSTEIN, Ren. Artists & Antique Sculture. A Handbook of Sources, 1986, Nr. 125 2 Census of Antique Works of Art and Architecture Known to the Ren.: Projekt Dyabola, hrsg. v. A. NESSELRATH, 1998 (8 CD–ROM; z.Z. 88 Dokumente zu den Dioskuren vom Monte Cavallo) 3 N. GRAMACCINI, Mirabilia. Das Nachleben ant. Statuen vor der Ren., 1996 4 F. HASKELL, N. PENNY, Taste and the Antique. The lure of classical sculpture 1500–1900, 1981, Nr. 3 5 C. HÜLSEN, La pianta dell'Anonimo Einsiedlense, 1907 6 A. NESSELRATH, Antico and Monte Cavallo, in: The Burlington Magazine CXXIV, 1982, 353–7 7 E. POGÁNY-BALÁS, The Influence of Rome's Antique Monumental Sculptures on the Great Masters of the Ren., 1980 8 PH. A. SHERMAN, The Dioscuri of Monte Cavallo (= M. A. thesis, Columbia University 1967).   KRISTINE PATZ

Dithyrambus s. Lyrik

Domschule   A. DEFINITION B. CHRONOLOGIE   C. SYSTEM

A. DEFINITION

An den polit.-rel. Macht- und Organisationszentren der Bischofssitze eingerichtete Schulen, die primär der Schulung des Diözesanklerus dienen sollten, darüber hinaus jedoch auch durch die sog. *schola exterior* eine bedeutende Ausbildungsfunktion für die Aufrechterhaltung der polit. Organisation erfüllten.

B. CHRONOLOGIE

Die Funktion der Institution D. hat sich im Spannungsfeld röm.-ant. Erbes einerseits und der → Klosterschule andererseits seit der Mitte des 8. Jh. programmatisch und organisatorisch etabliert. Die Schulen im Röm. Reich hatten vornehmlich die Reproduktion des gesellschaftlichen Systems und die Aufrechterhaltung der Kulturtradierung gewährleistet, während in den v. a. durch die irofränkische und angelsächsische Mission im Merowinger- und Frankenreich entstandenen Klosterschulen primär um das Modell eines dem christl. Glauben gemäßen Lebens gerungen wurde.

Schulen an Bischofssitzen waren schon in der christl. Spät-Ant. (Augustinus) vorhanden und seit dem Konzil von Toledo (527) auf westgotischen Kirchenversammlungen eingefordert worden, ohne jedoch bereits die spätere zentrale Stellung in der gesellschaftlichen Struktur einzunehmen. Unter Bischof Chrodegang von Metz († 766) wurde die Forderung erhoben, im Rahmen der Kathedralschule nach dem als Vorbild fungierenden Lebensideal des (benediktinischen) Mönchtums (*vita communis*) auch die Lebensweise des Diözesanklerus zu reformieren. Damit sollte zugleich das Bedürfnis nach gebildeten Weltpriestern befriedigt werden, denen angesichts der organisatorisch etablierten Verflechtung von polit. und rel. Autorität in der ma. Gesellschaft strukturell die Repräsentation der Herrschaftslegitimation zukam.

Im Kontext der schulorganisatorischen Reformbemühungen Karls des Gr. (→ Karolingische Renaissance) wurde – auf dem Hintergrund einer Stilisierung der D. von Metz zur Musterschule – im Rahmen der Aachener Synode von 798 die Forderung formuliert, an allen Domstiften Schulen einzurichten. Damit verbunden war als Reformintention, insbes. die Sprachkompetenz des Klerus zu verbessern, um die rel. legitimierte Herrschaftsstruktur auf verbindliche Aussagegehalte des Christentums zu stützen. Es lag (auch) im polit. Interesse, daß das Christentum als Buchreligion gepflegt wurde. Gleichzeitig war die an rel. Gehalten zu schulende Sprachkompetenz für die Lektüre, Tradierung und Abfassung von Rechtstexten grundlegend. Lat. als europ. Leit- bzw. Integrationssprache mußte aufgrund der Verflechtung von geistlicher und »weltlicher« Bildung die Kommunikation nicht zuletzt auf polit. Ebene sichern. Dem allen sollten der Unterricht in Schriftzeichen, Gramm., Psalmen, Gesang und Berechnung der kirchlichen Festtage (Komputistik), die Pflege der Liturgie und die Ausgestaltung des Schreibdienstes (Skriptorium) dienen. Mit dieser Reform ging faktisch der Anspruch einer reichseinheitlichen Klerikerausbildung einher, die bereits 789 in der *Admonitio generalis*, des pädagogisch richtungweisenden Erlaß Karls des Gr. formuliert worden war. Mit dieser universalisierenden Tendenz sollte in der schulischen Ausbildung die Willkür einzelner Schulvorsteher durch die herrschaftliche Proklamation verbindlicher Elementarstandards relativiert werden (→ Lehrplan).

Die Praxis und Programmatik der D. stand – ebenso wie die der Klosterschule – in der Spannung von Weltabgewandtheit und Weltoffenheit. Dieser Konflikt äußerte sich v. a. in der Zeit der Herrschaft Ludwigs des Frommen, in der das Profil eines dem christl. Glauben gemäßen Lebens umstritten war. Problematisiert wurde zum einen die Beschäftigung mit außer-christl. Lit., zum anderen jedoch der Nutzen von (wiss.) Reflexion an sich. Dies äußerte sich in curricularer Hinsicht in der Abwertung bzw. grundsätzlichen Ablehnung der gelehrten Stud., in personaler Hinsicht zeitweise in der Aufnahme nur von solchen Schülern, die für den geistlichen Beruf bestimmt waren (*scholares canonici*), und schließlich in struktureller Hinsicht – als mittelfristige Reaktion auf diese Spannung – in der Ausdifferenzierung des schulischen Unterrichts in eine innere Schule (*schola interior*) für die jungen Kanoniker und eine äußere Schule (*schola exterior*), in der der Weltklerus und andere Heranwachsende ausgebildet werden konnten.

Ihre Blütezeit erlebte die Institution der D. im 10. bis 12. Jh. in Deutschland, England und Frankreich. Zu den bedeutendsten D. dieser Zeit gehören die Schulen in Mainz, Münster, Hildesheim, Salzburg, Canterbury, Laon, Chartres und Reims. Einen Bedeutungsverlust erlitt die Institution der D. im Hoch-MA durch zwei gegenläufige Tendenzen inmitten des umfassenden Strukturwandels im schulischen Bereich. Auf der einen Seite ersetzten die entstehenden → Universitäten von »oben« die Funktion der Tradierung der gelehrten Stud. in den *septem* → *artes liberales* und v. a. in den Bereichen Recht, Medizin und (scholastischer) Theologie. Auf der anderen Seite entstanden von »unten« Schreibschulen von zunächst zumeist frei unterrichtenden Magistern, die dem weltlich gelagerten Ausbildungsinteresse v. a. des Handwerks und Handels Rechnung zu tragen suchten. Das umfassende Lehrmonopol der D. entweder für die gesamte Diözese, die Bischofsstadt oder bestimmte Teile von beiden wurde so schrittweise zersetzt, so daß zwar Schulen an Domstiften vorhanden blieben, deren zentrale strukturelle Bed. für die gesellschaftliche Organisation jedoch verlorenging.

C. SYSTEM

Die Lehrinhalte des schulischen Unterrichts waren grundsätzlich in den rel. Deutungsrahmen des Christentums eingefügt – auch in der Beschäftigung mit ant. Klassikern, die entweder technisch der Sprachausbildung oder inhaltlich der Hinführung auf die Lehre der Bibel dienen sollten. Grundlage waren die *septem artes liberales*, an die sich an einzelnen D. weitergehende Studien v. a. zur theologischen Problemanalyse (*quaestio* und *disputatio* der scholastischen Methodik) und zu Rechtsfragen anschlossen. Die Spannung zw. den Erziehungszielen weltabgewandter Kontemplation einerseits und weltoffener Gelehrtheit andererseits begleitete die curriculare Diskussion in den D. über die Jahre. Die Ausstattung der Bibl. mit ant. Autoren machte die entsprechenden Kontroversen sichtbar. Die Lehrtechniken orientierten sich am Aufbau einer Sprachkompetenz in Sprechen, Lesen und Schreiben. Ausgangspunkt hierfür war das Nachsprechen, wobei eine bes. Bed. der richtig akzentuierten → Aussprache beigemessen wurde. Unterschieden werden müssen verschiedene Kompetenzstufen, die zw. dem Auswendiglernen elementarer kirchlicher Formeln und einer differenzierteren Lese- und Schreibfähigkeit einzuordnen sind. Das elementare

Schreiben-Lernen auf Wachstafeln bereitete auf die wichtige Funktion eines Schreibers vor. Eine bes. Rolle spielte daneben der Kirchengesang, dessen Organisation entweder bei dem Schulleiter (*magister scholarum*) oder aber in der Verantwortung eines eigenständigen Kantorenamtes lag. Der Schulleiter war, meist als Mitglied des Domkapitels, für die Gesamtstruktur der D. verantwortlich, die sich in Tagesablauf und dem Ideal des gemeinsamen Lebens für die *scholares canonici* weitgehend am Vorbild der Klosterschulen orientierten. Die Persönlichkeit des Schulleiters prägte in der Regel den Ruf der jeweiligen Institution.

→ AWI artes liberales; Augustinus

→ Augustinismus; Kirche; Mittelalter; Scholastik; Schulwesen

1 J. EHLERS, s. v. D., LMA 3, 1226–1229 2 M. M. HILDEBRANDT, The external school in Carolingian Society, 1992 3 M. KINTZINGER, S. LORENZ, M. WALTER (Hrsg.), Schule und Schüler im MA, 1996 4 L. MAITRE, Les écoles épiscopales et monastiques en Occident avant les universités (768–1180), 1924 5 F. A. SPECHT, Gesch. des Unterrichtswesens in Deutschland von den ältesten Zeiten bis zur Mitte des 13. Jh., Stuttgart 1885. RALF KOERRENZ

Doric revival s. Greek revival

Drama s. Tragödie; Komödie

Drei Einheiten s. Tragödientheorie

Drei Grazien A. BENENNUNG B. ALLEGORISCHE BEDEUTUNG

A. BENENNUNG

Erst Hesiod, der um 700 v. Chr. in seiner *Theogonie* die Anfänge der griech. Götter in einem genealogischen System zusammenstellte, nennt die Dreizahl der G. und versieht sie mit den Eigenschaftsnamen *Aglaia* (›Glanz, Schönheit‹), *Euphrosyne* (›Heiterkeit, Freude‹) und *Thalia* (›Blüte, Fülle‹). Diese Bezeichnungen wurden in der Folgezeit als Eigennamen der D. G. verstanden. Auf sie griffen fast alle späteren Mythographen mit Ausnahme einiger ma. und frühhuman. Autoren zurück [2].

B. ALLEGORISCHE BEDEUTUNG

Die allegorische Auslegung des G.-Bildes – ethisch-moralisch, naturphilos. oder kunstphilos.-ästhetisch – hat ihre Wurzeln in der Ant.

1. ETHISCH-MORALISCHE BEDEUTUNG

Die G. als Allegorie der Freundschaft und der Wohltaten zu verstehen, ging v. a. aus der stoischen Auslegung der D. G. hervor, wie sie Seneca (ca. 4 v. Chr.–65 n. Chr.) in benef. 1,3,3–5 unter Berufung auf Chrysippos (281/78–208/05 v. Chr.) überliefert hat. Ebenso erfolgreich und in ähnlicher Trad. stehend war eine spätant. Deutung der D. G., die sich bei Serv. Aen. 1,720 findet (um 400 n. Chr.). Doch während Seneca noch von durchscheinenden, ungegürteten Gewändern der D. G. spricht, hatte Servius offenbar eine jüngere Dar-

stellung vor Augen gehabt: die unbekleideten G. vom weit verbreiteten Typ der in Siena aufbewahrten oder aus pompejanischen Wandmalereien überlieferten Gruppen, wie sie sich auch auf Gemmen, Lampen und Münzen finden lassen. Vorbereitet war diese Allegorisierung in den Scholien des Ps.-Acron (ca. 2. Jh. n. Chr.) und Pomponius Porphyrius (2./3. Jh. n. Chr.) zu den Oden des Horaz (1,30,5 ff.), denn hier werden die horazischen G. im entgürteten Gewande mit Gürtellosigkeit und Nacktheit gleichgesetzt als Zeichen dafür, daß Freunde zueinander gelöst und unverhüllten Herzens sein sollen. In der einschlägigen ant. Darstellungsweise waren die D. G. so wiedergegeben, daß zwei frontal standen, die dritte und zugleich mittlere a tergo; sie halten einander an den Armen. Dies begründete Servius damit, daß eine Wohltat, die wir geben, doppelt zurückkehre. Wie schon bei Seneca und Horaz versinnbildlichen die miteinander verbundenen Hände der D. G. die Freundschaft. Auf die servianische Allegorie der Freundschaft (*amicitia*) stützen sich die ma. Mythographen wie Fulgentius (5. Jh.), der *Mythographicus Vaticanus* II (um 900) und der *Mythographicus Vaticanus* III (= Albricus, um 1200), der *Ovidius moralizatus* (1340) des Petrus Berchorius u. a. [2]

Die neuzeitliche Rezeption dieses zunächst nur lit. überlieferten G.-Typus ging aus von der Entdeckung einer röm. Kopie der hell. G.-Gruppe in der Mitte des 15. Jh. in Rom, die sich seit 1502 in der Dombibl. in Siena befindet. Frühe Zeugnisse der künstlerischen Rezeption sind die Monatsfresken (April-Fresko, um 1470) im Palazzo Schifanoia in Ferrara von Francesco Cossa, sowie Raffaels G.-Bild (um 1500) im Musée Condé, Chantilly. Die Sieneser G. besaßen aufgrund ihres Erhaltungszustandes keinerlei Attribute mehr. In der Mitte der zweiten H. des 16. Jh. stand den Künstlern bereits ein Fundus an Bild- und Textvorlagen zur Verfügung, die zur Gestaltung der drei Göttinnen als Bild der Wohltätigkeit der fruchtbaren Natur im Wechsel der Jahreszeiten anregen konnten. Piero Valeriano veränderte in seiner *Hieroglyphica* (1556) die hell. Gruppe, indem er eine der G. ins Profil wendete und ihren Sinn erweiterte: so steht die Rückenansicht für das unauffällige, der Öffentlichkeit entzogene Geben, die Vorderansicht für empfangene Wohltaten, die öffentlich zu bekunden sind, die ins Profil gekehrte Darstellung für vergeltende Dankbarkeit [4]. Correggio hat ihnen Gestalt gegeben in der *Camera di San Paolo* in Parma (1519).

Erst im 15. Jh. bezog man sich wieder auf Senecas detailreiche Allegorie der *beneficia* (›Wohltaten‹). Ihr lag der Gedanke des Reigens der G. zugrunde, die den Tanz als Bild für das Kreisen der Wohltaten und die einzelnen G. als Gebende, Empfangende und Erwidernde deutete. Als einer der ersten griff L. B. Alberti in seinem Malereitraktat *De pictura* (1435/36) auf diese Textquelle zurück; für ihn ging es um die Wiederherstellung verlorener ant. Kunstwerke aufgrund ihrer Beschreibung [3]. Auf eine Kenntnis dieser Textquelle(n) lassen die durchsichtigen Gewänder und die zum Rei-

Die drei Grazien, Ausschnitt aus: Botticelli, Primavera
(um 1482–89), Florenz Uffizien

gen gefaßten Hände der G. in Botticellis *Primavera* (um
1482–89) schließen (s. Abb.). Mitunter konnten sich
beide Traditionen mischen: so nehmen die D. G. (um
1560) von Vasari, was die Stellung zueinander betrifft,
die Anordnung der hell. G.-Gruppe auf, im Gegensatz
dazu jedoch mit zum Reigen gefaßten Händen. Das
Kreisen der Wohltaten, der Hauptgedanke der traditionellen Beneficia-Allegorie, wurde von Philosophen wie Marsilio Ficino durch die Verbindung mit der
neuplatonischen Emanationslehre in die Schönheits-
philos. des 15. Jh. integriert.

2. Naturphilosophische Bedeutung

Auf der Grundlage neuentdeckter ant. Schrift- und
Bildquellen haben die neuzeitlichen Autoren die Allegorie der Wohltätigkeit und der Freundschaft um eine
naturphilos. Dimension erweitert, indem sie die G. auch
als Bild für die Wohltätigkeiten der Natur im jahreszeit-
lichen Wechsel deuteten. So sind die D. G. in der Erklärung des delphischen Apoll (Macr. Sat. 1,17,13, um
400 n. Chr.) im kosmologisch-physikalischen Sinn ein
Zeichen für die wohltätigen Eigenschaften der Sonne.
Die großen myth. Werke Giraldis, Contis und Cartaris
im 16. Jh., die für die nächsten 300 Jh. verbindlich bleiben sollten, haben die Beneficia-Allegorie um das Bild
der D. G. von Elis mit ihren Attributen Rose, Würfel
und Myrthe sowie um das des Merkur als Führer der
D. G. (von Elis) erweitert. Beide Motive sind in Tinto-
rettos *Merkur und Grazien von Elis* (1578) im Dogenpa-
last, Venedig (urspr. für das Atrio Quadrato bestimmt)
miteinander verbunden [2].

3. Grazien im Gefolge der Venus

Ein weit verbreitetes Motiv in der neuzeitlichen Ikonographie bilden die G. im Gefolge der Venus. In dieser
Konstellation unterlagen die D. G. mitunter auch der
negativen Auslegung der Venus als Allegorie der *Voluptas* (»Wollust«). Im positiven Sinn waren sie als zur Liebe
hinführende Mächte an der frieden- und harmoniestif-
tenden Herrschaft der Venus beteiligt. In der ma. Verbindung der G.-Gruppe mit dem Bild der Venus (*My-
thographus Vaticanus* III, um 1200, u. a.) wurde ein in der
Ant. rein lit. Topos erstmals künstlerisch gestaltet (zunächst in der Miniaturmalerei und in Holzschnittillu-
strationen) und behielt in der Kunst bis über das 18. Jh.
hinaus seine Bed. Ein eigenes Bildmotiv, das seine Ursprünge im 16. Jh. hat, im 17. und 18. Jh. jedoch zu
einem der erfolgreichsten Bildthemen der Venus-Ikono-
graphie wird, bildet Venus, die von G. geschmückt
oder bei der Toilette bedient wird. Grundlage für die
Entstehung dieses Bildthemas waren philos. Reflexionen über Wesen und Wirken der Schönheit [2].

4. Kunstphilosophisch-ästhetische Bedeutung

In dem Maße wie die G. mit dem Begriff »Grazie«
(im Sinne von »Anmut«) identifiziert wurden, entwikkelten sich die G. zu Mittlerinnen zw. *ingenium* (Natur-
anlage, Talent) und *ars* (Kunst), bzw. *ars* und *natura* [1].
Unter ihrer Wirkung wandelte sich Kunst zur zweiten
Natur, sie allein erweckte die Illusion einer kunstlosen
Natürlichkeit, die Kunstfertigkeit nicht sichtbar werden
ließ. In diesem Sinne verwendete eine kunsttheoretisch
motivierte Ikonographie, wie sie seit Gründung der
Accademia del Disegno (1563) greifbar ist, die G. als Bild
der Disegno-Künste in Malerei, Skulptur und Architektur. Im Zuge der Ausbildung eines Systems der »Schönen Künste« wurden die G. zur Kunstallegorie schlechthin.

Mit der Trennung des Konzeptes des Schönen von
dem des Erhaben (ca. Mitte des 18. Jh.) bemühte Winkkelmann in seinen Schriften (*Geschichte der Kunst*,
1757/1764, und *Geschichte des Alt.*, 1764) das Bild der
verhüllten und nackten G., um an ihnen die Ablösung
des »hohen« durch den »schönen« Stil in seinem Perio-
denschema der Kunstgeschichte sinnfällig zu machen.
Als anschauliche Metapher für »Grazie« konnten die
D. G. nun zu einer Kategorie des geschichtlichen Wandels werden.

→ AWI Charites; Mercurius; Stoizismus; Venus

1 P. Emison, Grazia, in: Ren. Stud. 5, 1991, 427–460
2 V. Mertens, Die D. G. Stud. zu einem Bildmotiv in der
Kunst der Neuzeit, 1994 3 U. Müller-Hofstede, K. Patz,
Bildkonzepte der Verleumdung des Apelles, in:
W. Reinink, J. Stumpel (Hrsg.), Memory and Oblivion,
Actes of the XXIXth International Congress of the History
of Art (Amsterdam 1996), 1998 4 E. Wind, Heidnische
Mysterien in der Ren. (engl. Original: Pagan Mysteries in
the Ren., 1958), 1981. KRISTINE PATZ

Dresden, Staatliche Kunstsammlungen, Skulpturensammlung
A. Einleitung
B. Die Sammlung im 18. Jahrhundert
C. Das Japanische Palais als Museum
D. Das Albertinum

A. Einleitung

Aus Initiativen des sächsischen Hofes hervorgegangen und insofern ursächlich absolutistischem Repräsentationswillen zuzurechnen, verbindet sich mit den Dresdner Kunstsammlungen insgesamt und der Antikensammlung im speziellen eine Vorreiterrolle für die Einrichtung öffentlicher Mus. in Deutschland. Obwohl die Planungen erst gegen Ende des 18. Jh. in eine angemessene Präsentation einmündeten und, was den baulichen Rahmen betrifft, nur mit eingeschränktem Anspruch realisiert wurden, haben schon die vorausgegangenen Dresdner Projekte an anderen Orten die Entwicklung der Museumsidee befördert, z. B. in Gestalt des Antikentempels in Potsdam-Sanssouci (→ Berlin, Staatliche Museen). Wiederum richtungsweisend für die Zweckbestimmung eines Skulpturenmus. wurde im späten 19. Jh. das Albertinum.

B. Die Sammlung im 18. Jahrhundert

In der seit dem 16. Jh. bestehenden kurfürstlichen Kunstkammer der sächsischen Residenz spielten Antiken noch keine nennenswerte Rolle. Der Aufbau einer Skulpturensammlung, die in kurzer Zeit beachtlichen Umfang erreichte, wird dagegen August dem Starken (Regierungszeit 1694–1733; seit 1697 König von Polen) verdankt. Den Grundstock bildeten rund 50 Terrakotten und Marmorbildwerke, die zw. 1723 und 1726 als »Schenkung« aus königlichem Berliner Besitz nach Dresden gelangten. Unmittelbar darauf erfolgten umfängliche Ankäufe in Rom (Sammlungen Chigi und Albani). Bereits 1733 wurden die Dresdner Skulpturen von Leplat ausführlich in Stichen publiziert (*Recueil des marbres antiques qui se trouvent dans la Galerie du Roy de Pologne à Dresden*). Unter August III. (Regierungszeit 1733–63), dem mehr an einer Erweiterung des Gemäldebestandes gelegen war, brach die Förderung der Antikensammlung weitgehend ab. Immerhin waren 1736 noch als bedeutende Neuzugänge drei in → Herculaneum ausgegrabene Frauenstatuen zu verzeichnen. Für 1742 ist dokumentiert, daß sich der Bestand an ant. Skulpturen auf rund 400 Werke belief; es fehlte jedoch an einer adäquaten Präsentation. Anspruchsvolle Museumsprojekte von Longuelune und Algarotti wurden nicht ausgeführt; stattdessen begnügte man sich mit einer provisorischen Unterbringung der Objekte in Gebäuden des Großen Gartens außerhalb der Residenzstadt.

Während des Siebenjährigen Krieges entgingen die Antiken der Beschießung durch preußische Truppen, indem sie vorübergehend im Keller des Zeughauses geborgen wurden. In den Bereich des Großen Gartens zurückgebracht, sorgte Johann Friedrich Wacker für deren Neuordnung.

C. Das Japanische Palais als Museum

1785/86 fanden die Skulpturen im 1715–17 errichteten, 1730 erweiterten Japanischen Palais auf der Neustadtseite eine Aufstellung, die über ausreichenden Platz verfügte und zeitgemäßen Vorstellungen gerecht wurde. Ihre Systematik wiederholte Johann Friedrich Wackers herkömmliche Gliederung nach Themen, nicht nach Perioden der griech. und röm. Kunst. In insgesamt 10 Sälen waren die Statuen und Büsten gleichmäßig an den Wänden aufgereiht, Hauptwerke durch eine in die Räume vorgezogene Positionierung betont. Bis zur Einrichtung der Antikenmus. in → München und Berlin galt dieses »Museum usui publico patens« (Museum, zur öffentlichen Nutzung offen), dem auch weitere Abteilungen und die Königliche Bibliothek angehörten, als die bedeutendste öffentliche → Antikensammlung Deutschlands, wenngleich die Präsentation der Stücke gelegentlich auf Kritik stieß (Carl August Böttiger). Einen betont klassizistischen Charakter bewirkte 1835 eine Neugestaltung der Räume durch Gottfried Semper mit Wanddekorationen in »pompejanischem Stil«.

Schon 1798 publizierte Johann Gottfried Lipsius den ersten beschreibenden Kat., an den sich ab 1804 das in drei Bänden und einem Supplementband vorgelegte *Augusteum* von Wilhelm Gottlieb Becker anschloß. Gegenüber der letzteren, grundlegenden Veröffentlichung nehmen sich weitere Verzeichnisse des 19. Jh., verfaßt von Heinrich Hase und Hermann Hettner, bescheidener aus.

Das Japanische Palais blieb für mehr als 100 J. die Heimstätte der ant. (und einer Reihe neuzeitlicher) Skulpturen. Zeitgleich ergänzten zahlreiche Abgüsse die Anschauung ant. Plastik. Ihr Grundstock stammte aus dem 1783/84 erworbenen Nachlaß des Malers Anton Raphael Mengs und zählte zunächst 833 Stücke. Seit 1794 auf der anderen Seite der Elbe zuerst in der Brühlschen Galerie und kurz darauf im Stallgebäude untergebracht, wechselte die rasch wachsende, zunehmend auch Abformungen neuzeitlicher Werke einschließende Kollektion 1857 in das Sempersche Galeriegebäude und in die anschließenden Flügel des Zwingers. Die → Abgußsammlung wurde bis in das 20. Jh. hinein konstant erweitert.

D. Das Albertinum

1879 zeichnete sich die Notwendigkeit ab, die für die Steinbildwerke genutzten Räume des Japanischen Palais an die Bibliothek abzugeben. Auch die Gipssammlung hatte inzwischen einen so großen Umfang erlangt (z. B. durch Abformungen der soeben ausgegrabenen Funde in → Olympia), daß an einen neuen Standort gedacht werden mußte. Von 1884 bis 1889 wurde deshalb das im späten 16. Jh. errichtete Zeughaus umgebaut, um beide Bestände aufzunehmen. In dem 1894 eröffneten und nach seinem königlichen Bauherrn als Albertinum benannten Mus. diente das zweite Obergeschoß der Aufstellung der Abgüsse, während die Marmorskulpturen das Hauptgeschoß beanspruchen durften. Georg Treu,

Abb. 1: Dresden, Albertinum,
Mosaiksaal (Aufnahme von
K. Klemm 1905)

Direktor von 1882 bis 1915, setzte deutliche Akzente: Im Kontext arch. Forsch. ließ er die barocken Ergänzungen des älteren Skulpturenbestandes entfernen und führte an den Abgüssen Rekonstruktionsversuche durch. Seine Erwerbungspolitik verfolgte das Ziel, ein umfassendes Skulpturenmus. zu gestalten. Entsprechend kaufte er, hierin an seine Vorgänger Heinrich Hase und Hermann Hettner verstärkt anknüpfend, Zeugnisse ägypt. und altorientional. Kunst und originale griech. Denkmäler ab archa. Zeit. Zugleich richtete er das Augenmerk auf zeitgenössische Arbeiten (Rodin, Meunier, Klinger). Schließlich suchte er ab etwa 1910 auch ma. Werke in das Albertinum zu integrieren, scheiterte aber mit diesem Vorhaben. Von den unter Treu erworbenen Antiken sei eine Kopfreplik der Athena des Myron (Abb. 2) und die Skopas zugeschriebene Statuette einer rasenden Mänade (Abb. 3) hervorgehoben. Waren den Ankäufen gleichwohl durch Mittelknappheit Grenzen gesetzt, so gilt das noch mehr für die Jahrzehnte nach dem I. Weltkrieg. Immerhin konnte der Bestand v. a. im Bereich der Kleinkunst noch bis in die 30er J. ergänzt werden.

Die von Treu veranlaßte Präsentation der Objekte blieb aber konventionell (Abb. 1). Das Arrangement mit Reihenbildungen entlang den Raumseiten und in die Mitte gerückten »Meisterwerken« verrät die Herkunft aus älterer Konzeption. Neu war die Hinzufügung von kleinformatigen Objekten auf abgestuften Wandvor-

Abb. 2: Dresden, Albertinum,
Skulpturensammlung ZV 1761.
Kopfreplik der Athena aus Myron

Abb. 3: Dresden, Albertinum,
Skulpturensammlung ZV 1941.
Statuette der »Rasenden Mänade«

sprüngen. Einzelne Statuen waren sowohl in der Abguß- als auch in der Originalsammlung durch Postierung auf Wandkonsolen über die Blickhöhe des Betrachters hinausgehoben.

Während die Abgußausstellung 1945 Schäden erlitt, überstand die Originalsammlung den II. Weltkrieg ohne größere Verluste. Sie wurde in die Sowjetunion verbracht und 1958/59 zurückgegeben. Nach mehrjähriger Aufbauphase fand 1969 die Neueröffnung der Antikensammlung im Erdgeschoß, im Bereich des einstigen Depots des Albertinums statt. Die begrenzte Ausstellungsfläche machte eine Auswahl aus den Beständen erforderlich. Die schlicht restaurierte, zweischiffige Halle der Spät-Ren. nimmt h. die Objekte in einer unaufdringlichen Anordnung mit vorwiegend chronologischer Verteilung auf. Der Eigenwert der einzelnen Werke kommt gut zur Geltung. Den Skulpturen sind in Vitrinen Gegenstände der Kleinkunst zugeordnet, wobei die Vitrinen zugleich die Aufteilung des Raums in Abschnitte unterstreichen, ohne aber zäsierend zu wirken.

Neuwerbungen waren unter den Bedingungen der → DDR weitgehend ausgeschlossen. Erwähnenswert ist aber eine mehrere hundert Kleinkunstwerke umfassende Schenkung des in Westberlin wohnhaften Curt Luckow (1976). Ein Ort für die Abgußsammlung fehlt.

1 Das Albertinum vor 100 J. – die Skulpturenslg. Georg Treus, Kat. Staatliche Kunstslgg. Dresden, 1994 2 H. HASE, Verzeichnis der alten und neuen Bildwerke und übrigen Alterthümer in den Sälen der Königlichen Antiken-Slg. zu Dresden, Dresden 1826, ⁵1839 3 G. HERES, Die Dresdner Kunstslgg. im 18. Jh., 1991 4 P. HERRMANN, Verzeichnis der Originalbildwerke der Staatlichen Skulpturenslg. Dresden, 1915, ²1925 5 H. HETTNER, Die Bildwerke der Königlichen Antikenslg. zu Dresden, Dresden 1856, ⁴1881 6 Ders., Das Königliche Mus. der Gypsabgüsse zu Dresden, Dresden 1857, ⁴1881 7 K. KNOLL, Die Gesch. der Dresdner Antiken- und Abgußslg. von 1785–1915 und ihre Erweiterung zur Skulpturenslg. unter Georg Treu, Diss. 1993 8 Dies. et al., Die Antiken im Albertinum. Staatliche Kunstslgg. Dresden, Skulpturenslg., 1993 9 H. PROTZMANN, Griech. Skulpturen und Fragmente. Staatliche Kunstslgg. Dresden, Skulpturenslg., 1989 10 M. RAUMSCHÜSSEL, Die Antikenslg. August des Starken, in: H. BECK et al. (Hrsg.), Antikenslgg. im 18. Jh. (Frankfurter Forschungen zur Kunst, 9), 1981 11 K. ZIMMERMANN, Vorgesch. und Anf. der Dresdner Skulpturenslg., in: Ders. (Hrsg.), Die Dresdner Antiken und Winckelmann (Schriften der Winckelmann-Gesellschaft, 4), 1977, 9–32. DETLEV KREIKENBOM

Dritter Humanismus A. BEZEICHNUNG B. ENTSTEHUNG C. KONZEPT D. GESCHICHTE

A. BEZEICHNUNG

[6] Der Ausdruck D. H. wird h. im allg. zur Bezeichnung eines an der Ant. orientierten dt. Human.-Konzeptes verwendet, das der Klass. Philologe W. Jaeger in den 20er J. des 20. Jh. entwickelt hat; durch die Ordinalzahl wird dieser H. unterschieden von dem dt. Zwei-

ten Human. oder → Neuhumanismus Humboldtscher Prägung (ca. 1790–1830) und dem internationalen Ren.-Human. des 15. und 16. Jh. Während W. Jaeger selbst zunächst sein Bildungskonzept als »erneuerten« oder »neuen« H. bezeichnete und erst 1933 den Terminus benutzte, hat der Klass. Philologe O. Immisch auf der gemeinsamen Tagung des Dt. Gymnasialvereins und des Dt. Altphilologenverbandes 1927 in Göttingen zum erstenmal von dem neuen Human. W. Jaegers als dem D. H. gesprochen. Er griff dabei offensichtlich auf einen Ausdruck zurück, den der Pädagoge E. Spranger im J. 1921 zur Charakterisierung der Erneuerung der Gegenwart durch die Rezeption der Griechen nach dem Vorbild Stefan Georges eingeführt hatte. Allerdings setzte sich der Ausdruck noch nicht unangefochten zur Bezeichnung des Konzeptes W. Jaegers durch, sondern wurde von konkurrierenden, wenn auch verwandten Human.-Konzepten usurpiert, so vom »heroischen« Human. L. Helbings [7] und vom »praktischen« Human. C.-H. Beckers [2]. Erst nach 1945 wurde die neue Bezeichnung für die Benennung des Jaegerschen Konzeptes uneingeschränkt üblich, da die anderen D. H. der Weimarer Republik nach dem Ende der nationalsozialistischen Herrschaft nicht mehr reaktiviert wurden (→ Nationalsozialismus).

Der Ausdruck D. H. ist nicht in Korrespondenz zur Redeweise vom Dritten Reich entstanden, obwohl die Bezeichnungsanalogie die Zusammengehörigkeit suggeriert und die weitverbreitete, also nicht auf den Nationalsozialismus beschränkte Vorstellung von einem Dritten Reich als polit. Erneuerung Deutschlands älter ist. Gegen Ende der Weimarer Republik wurden zwar gelegentlich beide Bezeichnungen aufeinander bezogen, ohne daß damit notwendig auf die nationalsozialistische Vorstellung verwiesen wurde, aber bald nach dem Beginn der nationalsozialistischen Herrschaft im J. 1933 bemühten sich die Vertreter des D. H. darum, beide Bezeichnungen begrifflich miteinander zu verbinden, allerdings nicht immer ohne auf den energischen und polemischen Widerspruch strenger Nazi-Ideologen und ihrer altertumswiss. Mitstreiter wie H. Drexler [5] zu stoßen, die den D. H. W. Jaegers und das nationalsozialistische Dritte Reich für unvereinbar hielten.

B. ENTSTEHUNG

Der D. H. ist die Antwort auf die komplexe Krisensituation der 20er J. des 20. Jh. Diese ist primär durch die polit.-gesellschaftliche Krise (Kriegsniederlage; Revolution mit der Entstehung der Demokratie) bestimmt, dann aber auch durch die Bildungskrise (Versagen des Gymnasiums mit seinem neuhuman. Bildungskonzept; → Humanistischen Gymnasium) und durch die Wissenschaftskrise (Zweifel am Sinn des traditionellen wiss. Tuns, der histor. Rekonstruktion der griech.-röm. Ant. um ihrer selbst willen) [13]. Zwar haben Bildungs- und Wissenschaftskrise eine Vorgeschichte, die bis ins letzte Jahrzehnt des 19. Jh. zurückreicht, aber der Zustand in Bildung und Wiss. wurde als Krise erst unter dem Eindruck der polit.-gesellschaftlichen Veränderung wahrgenommen. Zur Verschärfung des Krisenbewußtseins trug in bes. Weise die geschichtsphilos. Spekulation vom *Untergang des Abendlandes* durch O. Spengler [19] bei: Dieser prophezeite nach dem biologischen Gesetz des Werdens und Vergehens das unabwendbare Ende der ›westeurop.-amerikanischen‹ Kultur. Nur wenige Zeitgenossen konnten sich der Auffassung von der Auflösung oder von der radikalen Gefährdung alles bisher Geltenden entziehen [12]. Wenn auch die Antworten der Einzelnen und gesellschaftlichen Gruppen zur Krisenbewältigung ganz unterschiedlich ausfielen, so sahen die meisten doch in der Krise eine Chance, entweder – wie die Konservativen und Antimodernen – die Chance der Erneuerung aus dem Geist des Alten oder – wie die Neuerer – die günstige Gelegenheit zur Realisierung utopischer Zukunftsentwürfe. Diese Aufbruchstimmung wirkte sich in außerordentlichem Maße auf Bildung und Erziehung aus. Typisch für diese Zeit ist die emphatische Forderung des Pädagogen H. Nohl [17]: ›Es gibt kein anderes Heilmittel für das Unglück unseres Volkes als die neue Erziehung seiner Jugend zu froher, tapferer, schöpferischer Leistung.‹ Auch die Geisteswiss. beteiligten sich an diesem Prozeß, indem sie die von F. Nietzsche verhöhnte Trennung von Leben und histor. Erkenntnis aufheben und dem ›Leben dienen‹ wollten. Die Lebensphilos. von W. Dilthey bot eine gute Hilfestellung. Dabei bedeutete die nicht selten angestrengte Praxisorientierung vielfach eine Politisierung der Wiss., die aber häufig nicht dem neuen polit. System zugute kam, sondern durch Parlamentarismus-, Demokratie- und Liberalismuskritik eher zur inneren Distanzierung führte. Allerdings konzentrierte sich die intellektuelle und pseudointellektuelle Unruhe nicht auf die Diskussion weniger Entwürfe, sondern führte zu einer Vielfalt konkurrierender Sinnstiftungsangebote, die zwar öffentlich leidenschaftlich diskutiert wurden, aber meist von eher geringer Reichweite blieben, da sie auf Abgrenzung und Ausgrenzung setzten (nationalistische Programme, wie etwa die Hoffnungen auf ein »Drittes Reich« [14] und Aktivierung nationaler Traditionen; sozialistische Konzepte unterschiedlicher Art vom polit. Marxismus über den rel. Sozialismus [20] bis hin zum positivistischen Sozialismus [16]; antiaufklärerische Entwürfe wie Anthroposophie und Theosophie; Psychoanalyse; rassistische Gedanken; Lebensphilos. durch Rezeption W. Diltheys). In die Reihe der Programme zur Krisenbewältigung gehört auch der später so genannte D. H., den der klass. Philologe W. Jaeger, 1914/15 Professor in Basel, von 1915–21 Professor in Kiel, danach – als Nachfolger von U. von Wilamowitz-Moellendorff – in Berlin tätig [3; 4], seit 1919 zur Erneuerung der Gegenwart zu entwickeln begann, ohne allerdings bereits zu Anfang ein festes theoretisches Konzept zu haben. Allein schon die Tatsache, daß sich die Wiss. für die Bildung verantwortlich fühlte, war neu, denn Altertumswiss. und human. Bildung, zur Zeit des Neuhuman. noch untrennbar verbunden, hatten den Kontakt miteinander verloren. Adressaten des neuen Human.-Konzeptes waren die Träger und Garanten der human. Bildung (Vermittler und Erforscher der Ant. in Schule und Univ.; Freunde des human. Gymnasiums und der Ant., die sich häufig in Vereinigungen zur Rettung des Gymnasiums organisiert hatten). Für sie gründete W. Jaeger die Zeitschrift *Die Antike* mit dem Untertitel *Zeitschrift für Kunst und Kultur des Klass. Alt.*, die in ihrem ersten Jg. 1925 erschien und getragen wurde von der *Gesellschaft für ant. Kultur*. Diese Zeitschrift wurde zur lit. Kanzel des neuen Human.; sie sollte, bestimmt für ›die gesamte deutschsprechende gebildete Welt‹, durch die ›Erkenntnis des »Klassischen« … im Vergangenen, Ererbten‹ ›die wiss. Erkenntnis der ant. Kultur für das Geistesleben der Gegenwart fruchtbar machen [1]. Eine ausgedehnte Vortragstätigkeit wurde zur weiteren Stütze der Verbreitung des neuen Human.

C. Konzept

Zentrum des Konzeptes ist die Vermittlung der Ansprüche von Individuum und Staat/Gesellschaft [15; 11]. Dabei erhalten Staat und Gesellschaft einen höheren Wert als das Individuum: ›Der einzelne Mensch empfängt sein Gepräge und das Ethos seiner Existenz durch den Geist des Staates, in den er durch seine Erziehung hineingeformt wird‹ [10. 150f.]. Ein solcher Staat ist Ausdruck von Sittlichkeit, die durch Wiss. und Philos. begründet wird. Herrschaft wird daher legitimiert durch Sittlichkeit und Wissen. Das ist ein elitärer und idealistischer Herrschaftsbegriff. Diese Denkfigur ist die inhaltliche Antwort auf das neuhuman. Bildungskonzept mit dem Prinzip der Bildung des Individuums als des höchsten Wertes und letzten Zweckes, das – allerdings in Überschätzung der Wirkung von Bildung – wesentlich verantwortlich gemacht wurde für die Krise der Gegenwart. Human. legitimiert ist das neue Konzept durch seine Herkunft aus der griech. Ant.; es ist aber keine beliebige Konstruktion, sondern es ist Ziel und Höhepunkt griech. Kultur und Bildung und hat in der Platonischen Philos., die ihrem Wesen nach Staatsphilosophie ist, ihren hervorragendsten Ausdruck gefunden; sie begründet die Klassizität der Griechen. Ihre Gegenwärtigkeit und Geltung sind durch ihre kontinuierliche Wirksamkeit in der abendländischen Geschichte bis in die Gegenwart gegeben. Kontinuität ist das Strukturprinzip der Geschichte (gegen O. Spengler): ›Wie ein großes Stromsystem ergießt sich aus dieser Quelle (= der griech. Ant.) durch die Völker, deren geistiges Leben ihr befruchtendes Wasser getränkt hat, das Bewußtsein der Kultur und Bildung als höchster Erdengüter der menschlichen Existenz, und es ist ein Leichtes zu verfolgen, wie diese Idee der Reihe nach die europ. Nationen ergriff und ihrem geistigen Aufschwung voranleuchtete.‹ [10. 119]. Daher droht nicht der Untergang des Abendlandes, sondern seine Rettung ist möglich. ›Ein künftiger Human. muß wesentlich an der Grundtatsache alles griech. Erziehertums orientiert sein, daß die Humanität, das »Menschsein«, von den Griechen stets wesenhaft an die Eigenschaft des Menschen als polit. Wesen geknüpft worden ist.‹ [8].

Im Rahmen dieser Konzeption wird die lat. Lit. zur ersten Stufe der bis in die Gegenwart wirkenden Entwicklung. Die Römer wurden die »ersten Humanisten«, die durch ihr Wirken die griech. Paideia-Idee universell verwendbar gemacht hatten.

Der an Platons Philos. orientierte Staats- und Herrschaftsbegriff war als idealistisch-elitärer Begriff eine Provokation gegen den bestehenden Staat der Zeit und verhinderte jede Identifikation mit diesem Staat, so daß der D. H. daran beteiligt war, das verbreitete Unbehagen dem bestehenden demokratischen Staat gegenüber zu verstärken [18]. Er gehörte damit zu den antimod. und den – zumindest indirekten – antidemokratischen Strömungen der Weimarer Republik.

D. Geschichte

W. Jaeger hat für sein Konzept schnell Anhänger gefunden. Durch die Gründung der *Gesellschaft für ant. Kultur* (1924) konnte er Angehörige der konservativen Eliten in Politik, Wirtschaft und Kultur gewinnen. Wiss.-publizistisches Organ wurde die Zeitschrift *Die Antike* (1925–1944). Während die ältere Generation der Klass. Philologen, der Gräzisten wie der Latinisten (z. B. U. v. Wilamowitz; E. Schwartz), das neue Konzept ignorierten, ließ sich die junge Generation v. a. der Gräzisten (z. B. R. Harder, geb. 1896; O. Regenbogen, geb. 1891; W. Schadewaldt, geb. 1900) durch W. Jaeger in ihrem wiss. und human. Tun nachhaltig mobilisieren, wenn auch einige wie K. Reinhardt (geb. 1886) und B. Snell (geb. 1896) skeptisch blieben, weil ihnen die Fixierung auf die Kategorie des Polit. als des Zentrums griech. Denkens zu eng und zu problematisch war. Bes. Platon profitierte von dem neuen Konzept, denn es wurde ein neues Platonbild, das Bild des polit. Platon, entwickelt (J. Stenzel, geb. 1883; P. Friedländer, geb. 1882).

Die lat. Philologie ließ sich dagegen im allg. wenig beeindrucken, da sie unter dem Einfluß R. Heinzes gerade dabei war, die Mitte der röm. Kultur aus den Fängen der griech. Kultur zu lösen, indem sie für deren Eigenart den »Geist« des röm. Volkes verantwortlich machte (→ Griechen-Römer-Antithese). Paradoxerweise handelt es sich dabei um das Polit., das allerdings dem »Römertum« zugerechnet wurde.

Attraktiv wurde das Konzept W. Jaegers in bes. Weise für die Vermittler der Ant. in der Schule. Hatte bereits W. Jaeger selbst zu Beginn der 20er J. die Bed. des erneuerten Human. für die Sicherung der human. Bildung im Gymnasium erkannt, so wurde seit Mitte der 20er J. die Diskussion über die Bildungsziele des Gymnasiums ganz vom Konzept W. Jaegers bestimmt. Als Ergebnis langjähriger Diskussion legte 1930 der Dt. Altphilologenverband, die Interessenvertretung der Gymnasiallehrer, einen altsprachlichen Lehrplan für das dt. human. Gymnasium im Geiste des D. H. vor: ›Da den Griechen und Römern der klass. Zeit der Mensch ein Gemeinschaftswesen war, wird die Beschäftigung mit ihren Werken dazu beitragen, den einzelnen zur Einordnung in die Gemeinschaft, vor allem in die Staats-

und Volksgemeinschaft zu erziehen. Diese Wirkung ist heute wichtiger als je zuvor.‹

Während der nationalsozialistischen Diktatur hat der D. H. eine ambivalente Stellung erhalten. Einige seiner führenden Anhänger sahen seinen Staats- und Herrschaftsbegriff bald nach 1933 im Nationalsozialismus realisiert. W. Jaeger selbst hat nicht unerheblichen Anteil daran, daß D. H. und Drittes Reich programmatisch aufeinander bezogen wurden [9]. Solange der neue Staat noch nicht als Unrechtsstaat erkannt werden konnte, war es moralisch nicht verwerflich, im Dritten Reich die Überwindung der Krise in Platonischem Geist zu sehen. Allerdings gehörte bereits im Jahre 1933 eine gehörige Portion Naivität und polit. Blindheit dazu, den Ungeist des neuen Staates zu verkennen. Wenn R. Harder daher in der Einleitung seines Komm. zum Platonischen *Kriton* (1934) aus dem ›Miterleben‹ des Jahres zu der Erkenntnis kommt, daß es keinen ›Zweckvertrag zw. Individuen‹ geben könne, ›weil es Individuen in diesem Sinne, weil es vom Staat losgelöste Einzelne gar nicht gibt; oder näher an der platonischen Formulierung, weil der Mensch von vornherein in den Staat hineinwächst, weil er seine Zeugung und Erziehung, seine leibliche und geistige Existenz vorab schon dem Staat verdankt‹, so ist eine solche indirekte Vergötterung des nationalsozialistischen Staates doch auch moralisch riskant. Die Bildungsideologen des Nationalsozialismus haben das Angebot der Humanisten abgelehnt, weil sie zu Recht erkannten, daß für den D. H. die zentralen nationalsozialistischen Begriffe »Volk« und »Rasse« kein Thema waren. Daher wurden einige Anhänger des D. H. zu Häretikern der Jaegerschen Konzeption, indem sie durch die Vorstellung von der rassischen Verwandtschaft von Griechen und Deutschen das »klass. Alt.« zu einer »nordischen Schöpfung« machten. Damit wurde sie zumindest äußerlich mit der nationalsozialistischen Ideologie vereinbar. Mit dem spontanen Kooperationsangebot an den nationalsozialistischen Staat hat der D. H. für die Zukunft seine moralische Überzeugungskraft eingebüßt. Im Konzept selbst war diese Affirmation nicht angelegt; im Gegenteil: der Staatsbegriff des D. H. hätte ein Instrument der Kritik werden können, die allerdings öffentlich nicht hätte geäußert werden können. Möglicherweise ist dieser Staatsbegriff als kritischer Begriff im Untergrund eingesetzt worden.

Nach dem II. Weltkrieg ist der D. H. als polit. Human. nicht erneuert worden, da der Human. seit 1945 programmatisch entpolitisiert war. Das geschichtsphilos. Konzept (Griechentum als ›Entelechie Europas‹, W. Schadewaldt) hat allerdings den Vermittlern der Ant. in der Univ. und v. a. in der Schule noch einmal bis etwa 1970 Zuversicht für eine umfassende Erneuerung der Gegenwart durch die Ant. jenseits des Polit. gegeben. Außerhalb Deutschlands ist dieser Human. als polit. Human. kaum wahrgenommen worden. Jedoch hat es W. Jaeger nach seiner Emigration in die Vereinigten Staaten von Amerika (1936) erreicht, daß sich jüngere Wissenschaftler (bes. John Houston Finley Jr. und Gil-

bert Highet) energisch und mit großer Wirkung für eine
human. Revitalisierung der Ant. einsetzten. Mit seinem
Werk *The Classical Tradition* von 1949 hat G. Highet eine
umfassende Wirkungsgeschichte der Ant. von 700 bis in
seine Gegenwart verfaßt.

→ Altsprachlicher Unterricht; Bildung; Humanismus;
Nationalsozialistisches Antikenbild; Pädagogik
→ AWI Paideia; Platon

1 Die Antike 1, 1925 2 C.-H. BECKER, Der D.H., in:
Vossische Zeitung, Weihnachten 1932 3 W.M. CALDER III
(Hrsg.), Werner Jaeger Reconsidered, 1992 4 Ders.,
Werner Jaeger, in: M. ERBE (Hrsg.), Berlinische
Lebensbilder: Geisteswissenschaftler, 1989, 343–363
5 H. DREXLER, Der D. H. Ein kritischer Epilog, 1940, ²1942
6 A. FRITSCH, »D. H.« und »Drittes Reich«, in: R. DITHMAR
(Hrsg.), Schule und Unterricht in der Endphase der
Weimarer Republik, 1993, 152–175 7 L. HELBING, Der
D.H., 1932, ³1935 8 W. JAEGER, Paideia, 1933, 16 9 Ders.,
Die Erziehung des polit. Menschen und die Ant., in: Volk
im Werden 1, 1933, 43–49 10 Ders., Human. Reden und
Vorträge 1937, ²1960 11 M. LANDFESTER, Die Naumburger
Tagung »Das Problem des Klass. und die Ant.« (1930). Der
Klassikbegriff Werner Jaegers: Seine Voraussetzung und
seine Wirkung, in: H. FLASHAR (Hrsg.), Altertumswiss. in
den 20er J. Neue Fragen und Impulse, 1995, 11–40
12 D. LANGEWIESCHE, H.-E. TENORTH (Hrsg.), Die
Weimarer Republik und die nationalsozialistische Diktatur,
in: Hdb. der dt. Bildungsgesch., Bd. 5: 1918–1945, 1989,
bes. 2–25; 111–153 13 S. L. MARCHAND, Down from
Olympus. Archaeology and Philhellenism in Germany,
1750–1970, 1996 14 M. MOELLER VAN DEN BRUCK, Das
dritte Reich, 1923 15 B. NÄF, Werner Jaegers Paideia:
Entstehung, kulturpolit. Absichten und Rezeption, in:
W. M. CALDER III (Hrsg.), Werner Jaeger Reconsidered,
1992, 125–146 16 O. NEURATH, Lebensgestaltung und
Klassenkampf, 1928 17 H. NOHL, Pädagogische Aufsätze,
²1919, Vorwort 18 U. PREUSSE, Human. und Ges. Zur
Gesch. des altsprachlichen Unterrichts in Deutschland von
1890 bis 1933, 1988, bes. 162–173 19 O. SPENGLER,
Untergang des Abendlandes. Umrisse einer Morphologie
der Weltgesch., Bd. 1, 1918 20 P. TILLICH, Christentum
und soziale Gestaltung. Frühe Schriften zum rel.
Sozialismus, in: R. ALBRECHT (Hrsg.), P. Tillich.
Gesammelte Werke, Bd. 2, 1962.

MANFRED LANDFESTER

Druckwerke A. DEFINITION
B. EINFÜHRUNG   C. GATTUNGSGRUPPEN

A. DEFINITION
Als D. sollen hier ausschließlich Bücher mit Illustrationen zu ant. Monumenten im Zeitraum vom 16. bis
zum 19. Jh. vorgestellt werden, wobei durch die stetig
anschwellende Literaturflut nur maßgebliche Beispiele
stellvertretend genannt werden können.
B. EINFÜHRUNG
Im 16. Jh. entstanden die D. fast ausschließlich in
Rom, zum einen im human. geprägten Umfeld der
vitruvianischen Akad. [2], zum anderen durch die kom-
merziell bestimmte Nachfrage der Romreisenden. Im
17. Jh. war Pietro Santi Bartoli (Abb. 1, 10 und 11), der

Abb. 1: Gemme mit Olympia und Alexander in: P. S.
Bartoli, Museum odescalchum …, Rom 1751–1752

Antiquar des Papstes und Königin Christines, die pro-
duktivste Gestalt in Rom bei der Erforsch. und Publikation der Ant. Gleichzeitig traten nordeurop. Produktionen in Konkurrenz zum röm. Monopol. Im 18. Jh.
hatte sich die Herstellung der D. fast ganz nach Nordeuropa verlagert, wobei in Frankreich und England die
königlichen Akad. das geistige Umfeld darstellten. In
England kam noch die Gesellschaft der rombegeisterten
Dilettanti hinzu, deren Mitglieder als Sponsoren für die
Finanzierung der teuren Bücher sorgten. Trotz des Fehlens solcher Institutionen in Deutschland gab es hier
dennoch eine reiche Produktion von D., häufig durch
die Widmung an Landesfürsten finanziert, deren obligatorische Kavalierstour nach Ita. sowohl die Produktion als auch den Absatz der Bücher förderte.
   Das antiquarisch orientierte wiss. Interesse zu Beginn
des 16. Jh. konzentrierte sich auf → Numismatik (Abb.
2) und Epigraphik (→ Inschriftenkunde, Abb. 3), da bei
der bevorzugt histor. Fragestellung der Erkenntnisgewinn zu Beginn der arch. Forsch. in diesen Gattungen
am größten war. Eine eigene weniger wiss. als kommerzielle Gattung entstand mit den Rom-Illustrationen
(Abb. 4, 5 und 6), die bis h. einen wesentlichen Wirt-
schaftsfaktor in der Druckerbranche darstellen. Eigenständige Werke zur Skulptur finden sich erstmals
1561/62 bei Cavallerijs. Diese Gattung wurde bis im
18. Jh. in Bildbänden quasi ohne arch. Bearbeitung herausgegeben. Das Interesse an der ant. Malerei setzte
massiv erst nach der Entdeckung der Vesuvstädte seit
1748 ein (Abb. 11). Das ant. Kunstgewerbe verdankt seine illustrierte Veröffentlichung seit dem 17. Jh. dem
fürstlichen Bedürfnis nach öffentlicher Präsentation

Abb. 2: Darstellungen von Münzen in: Antonio Agostin, Discorsi ..., Rom 1592

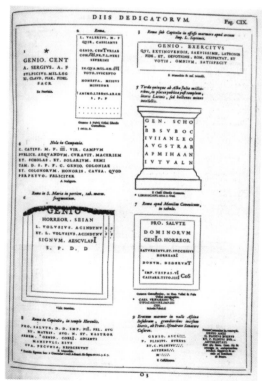

Abb. 3: Darstellungen von Inschriftensteinen in: Jan Gruter, Inscriptiones ..., Amsterdam 1707

der Sammlungen in Katalogform, so in P. S. Bartolis *Mus. odescalchum* (Rom 1751–52, Abb. 1).

Die Gliederung der D. folgte bis in das 19. Jh. ikonographischen Ordnungsprinzipien, stilistische Überlegungen spielten keine Rolle. Prinzipiell galt die Reihenfolge: Götter – myth. Figuren – histor. Personen – Kult und Feste – Profanes. Dieses Raster wurde oft mit einer dem heutigen ikonographischen Forschungsniveau entsprechenden Feingliederung ausgefüllt, so bei den Inschriftensammlungen von Martin Smet (Lugduni Batavorum= Leyden 1588) oder Jan Gruter (Heidelberg 1603, Abb. 3).

Der Quellenwert der D. wurde von der Arch. bisher unterschätzt, doch bieten sie reiches Material zum Studium des damaligen Zustandes – sei es Plastik oder Architektur- sowie über verlorene und zerstörte Werke und auch über den Wandel des Zeitgeschmacks.

C. GATTUNGSGRUPPEN

1. NUMISMATICA

Münzen waren der reichste Vorbilderschatz, den die Ant. hinterlassen hat, zudem das beliebteste Sammel- und Studienobjekt sowohl der Fürsten als auch der Forscher. So erstaunt es nicht, daß Münzen als erste ant. Kunstgattung entsprechend publiziert wurden. Andrea Fulvios *Illustrium imagines* (Rom 1517) zeigt die Münzbilder ant. Persönlichkeiten als biographisches Kompendium. Pro Seite werden je ein Münzbild mit Text von einem reichen Dekor gerahmt. Enea Vicos *Le imagini delle donne auguste* (Venedig 1557) stellen den dekorativen Höhepunkt dieser Präsentationsform dar. Die Münzen vor neutralem Hintergrund abzubilden, erschien entweder als ästhetisch unbefriedigend oder als dem Objekt unangemessen. Die Gattung der biographischen Kompendien wird für die folgenden Jahrzehnte den Aufbau der Münzbücher bestimmen (Johann Huttich, Moguntiae= Mainz 1525; Guillaume Rouille, Lione= Lyon 1553; Enea Vico 1548, Venedig 1557 und 1558; Diethelm Keller, Zürich 1558; Rudolf Wyssenbach, Zürich 1559; Hubertus Goltzius, Brugis Flandorum= Brügge 1562, 1566, 1574, 1576, Antwerpen 1557, 1617, 1645). Münzen galten als Garant der histor. Wahrheit, weil sie das Abbild der jeweiligen Person authentisch zu verbürgen schienen.

Angeregt durch die Forderung der vitruvianischen Akad. nach einer systematischen Bearbeitung der Münzen, befaßte sich als erster Enea Vico in *Le imagini ... de gli Imperatori* (o. O. 1548) und in den *Discorsi ... sopra le medaglie* (Venedig 1558) über die Porträts hinaus mit Materialien, Verfälschungen, Aufschriften und Reversen. Sebastiano Erizzio löste das Münzbuch aus seiner biographischen Bindung und verwandelte es in seinem *Discorso* (Venedig 1559) zu einer reich illustrierten Realienkunde über das ant. Leben. Hubertus Goltzius zeigt sich in seinen zahlreichen D. zur Numismatik als der beste Münzkenner seiner Zeit, ein Ergebnis mehrerer Reisen zu den wichtigsten Sammlungen Europas. In *C. Iulius Caesar* (Brugis Flandorum 1562) demonstriert Goltzius die wechselseitige Abhängigkeit von Ge-

Abb. 4: Forum Boarium in Rom
in: Etienne Duperac, I vestigi …,
Rom 1575

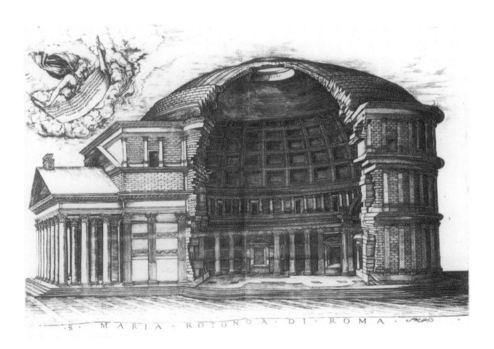

Abb. 5: Schnitt durch das Pantheon in Rom
in: Antoine Lafréry, Speculum
Romanae magnificentiae …,
um 1575

Abb. 6: Darstellung der Engelsburg in Rom
in: Jean Jaques Boissard,
Romanae urbis topographiae … ,
Frankfurt 1597–1602

Abb. 7: »Sterbender Gallier«
in: François Perrier,
Icones et segmenta … ,
Rom 1683

schichtswiss. und Numismatik, indem er die Epoche dieses Herrschers mit den Münzbildern illustriert. Im gleichen Muster folgte 1574 *Caesar Augustus* (Brugis Flandorum). Aufgrund der *Fastos magistratum* (Brugis Flandorum 1566) wurde Goltzius gar das röm. Bürgerrecht verliehen, was die Hochachtung vor diesen wiss. Leistungen verdeutlicht.

In der Mitte des 16. Jh. setzte sich ein am Trompe l'Oeil orientiertes Layout durch. Es suggeriert dem Betrachter den Blick in die Schubladen eines Münzkabinetts, so als habe er diese gerade zum Studium aus dem Schrank gezogen. Zum Ende des 16. Jh. erscheinen die Münzen einfach vor weißem Hintergrund, so in Antonio Agostins *Discorsi* (Rom 1592, Abb. 2) oder in Antoine Le Pois' *Discours sur les medalles et graveures antiques* (Paris 1579).

Die bisherigen Ergebnisse wurden in Baron de Spanheims *Dissertatio* (Rom 1664) in 13 Abhandlungen systematisiert. Das mehrfach wiederaufgelegte Werk bringt die Abbildungen nicht mehr auf Tafeln, sondern im fortlaufenden Text. Spanheim gelingt ein kulturhistor. Kompendium, das über biographische und polit. Aspekte der Geschichte hinausgeht. Vom gleichen Autor stammt als Gattungskuriosum eine einzigartige Mischung aus ant. Komödie und numismatischem Fachbuch *Iulianus* (Amsterdam 1728). Spanheim übers. das griech. Stück und erläuterte dessen zeitgenössische Anspielungen in einem reichen Anmerkungsapparat und über 300 Münzabbildungen – ein Beleg für den Quellenwert, den man den Münzen auch interdisziplinär zumaß.

2. INSCHRIFTEN

An D. von Inschr. waren zum einen die Geschichts-, zum anderen die Sprachforscher interessiert. Der Wunsch nach einer exakten und vollständigen Quellenedition ging stets einher mit dem Interesse am Bildträger; dennoch zeichnen sich die Illustrationen der Inschriftenbücher durch bes. Ungenauigkeit aus.

1520 erschien nördl. der Alpen in Mainz erstmals mit *Collectanea antiquitatum in urbe atque agro Moguntino repertarum* von Johann Huttich ein D., das jede Inschr. auf ihrem Träger abbildet. Im folgenden Jahr erschienen Jacopo Mazzocchis *Epigrammata* (Rom), worin die Inschr. zum Teil auf ihren Trägern abgebildet sind, zum Teil erscheinen Architekturen illustrativ neben den dazugehörigen Inschr.

Das wiss. überzeugende *Inscriptionum antiquarum* von Martin Smet wurde postum 1588 (Lugduni Batavorum= Leyden) von Justus Lipsius herausgegeben. Die Inschr. sind teils nach ihrer Herkunft sortiert (von privaten/öffentlichen Gebäuden und Monumenten), teils inhaltlich (Götter, Religion, berühmte Männer), teils als histor. Quellematererial (Mil., Ämter, Berufe, Diener, Volk). Diese Gliederung wurde später von Jan Gruters *Inscriptiones antiquae* (Heidelberg 1603, Abb. 3) übernommen und auf ca. 1200 Seiten erheblich erweitert. Die Bed. Gruters läßt sich aus der Neuauflage seines Buchs 1707 erschließen. Durch Thomas Reinesius er-

folgte in *Syntagma inscriptionum antiquarum* (Lipsiae & Francofurti 1682) nochmals eine Feingliederung. In den genannten Werken bildete man die Inschr. meist auf ihren Trägern unter Berücksichtigung von deren Erhaltungszustand ab.

Neue Maßstäbe setzen im 19. Jh. Theodor Mommsen mit den *Inscriptiones regni Neapolitani latinae* (Lipsiae 1852) und Friedrich Ritschl mit *Priscae Latinitatis monumenta epigraphica* (Berolini 1862). Die exakte Faksimilierung der Buchstaben bot den Forschern die Möglichkeit, über den Inhalt der Texte hinaus nun auch genaue Stud. zur Schriftform anzustellen.

3. TOPOGRAPHIE ROMS

Rom als Forschungszentrum zur Ant., aber auch als wichtigstes Reise- wie auch Pilgerziel, brachte seit dem 15. Jh. eine Fülle top. D. hervor, von bescheiden bebilderten Reiseführern über Bildbände mit malerischen Veduten bis hin zu korrekten Bauaufnahmen.

Sebastiano Serlios drittes B. seiner fünf Abhandlungen zur Architektur *Le antichità di Roma* (Venedig 1540), Jacopo Barozzi da Vignolas *Regole delli cinque ordini d'architettura* (Venedig 1570) und Andrea Palladios *Quattro libri d'architettura* (Venedig 1570) sind ohne Zweifel die am häufigsten rezipierten Werke zur ant. röm. Architektur, besitzen allerdings keinen ausgeprägt top. Charakter, sondern eine eher lehrbuchhafte Funktion.

D. mit röm. Veduten verknüpfen häufig arch. Exaktheit mit stimmungsvoller Atmosphäre und fanden somit ihr Publikum sowohl im Fachmann als auch im Laien. Andrea Fulvio kam es in *L'antichità di Roma* (Venedig 1588) v. a. auf eine exakte Wiedergabe der Architektur in Holzschnitten an, während Etienne Duperac mit *I vestigi dell'antichità di Roma* (Rom 1575, Abb. 4) den Kupferstich nutzte, um eine romantisch anmutende Stimmung in seine Veduten zu bringen. D. wie die von Hieronymus Cock publizierten *Praecipua* (Antwerpen 1551) oder Vincenzo Scamozzis *Discorsi* (Venedig 1582) bereiteten den Weg für Giovanni Battista Piranesis Stichfolgen im 18. Jh., die als Höhepunkt der röm. Veduten anzusehen sind.

Antoine Lafrèry präsentiert in seinem *Speculum Romanae magnificentiae* (Rom, um 1575, Abb. 5) die röm. Architektur – mod. und ant. – sowohl als Bauaufnahme, Rekonstruktion wie auch als Vedute. Jean Jaques Boissard widmet sich in *Romanae urbis topographiae & antiquitatum* (Frankfurt 1597–1602, Abb. 6) der Architektur, der Skulptur wie auch den Inschr. Auch im 17. Jh. bleibt Rom die am häufigsten publizierte Stadt. Eines der einflußreichsten Werke dieser Zeit ist *Les édifices antiques de Rome* (Paris 1682) von Antoine Desgodetz. Die maßstabgerecht vermessene Architektur wird zuerst in Gesamtansicht, dann in fokussierten Details wiedergegeben. Herausragend ist auch Alessandro Donatus' *Roma vectus ac recens utriusque aedificiis illustrata* (Rom 1648). Das Buch wurde in Amsterdam 1695 mit einem erheblich erweiterten Abbildungsteil neu aufgelegt, wobei man authentische Ansichten der ant. Gebäude mit Rekonstruktionen konfrontierte.

Die Verlegerfamilie Franzini trat 1588 in Rom erstmals mit einem durch einfache Holzschnitte bebilderten Reiseführer hervor (*Fra Santi da Sant Agostino, Le cose maravigliose dell'alma città di Roma*) und legte ihn über Jahrzehnte immer wieder neu auf. Die Abbildungen wurden gelegentlich aktualisiert und bezeugen so den sich wandelnden Zustand der ant. Architektur (z. B. in F. Pietro Martire Felini, *Trattato nuovo delle cose maravigliose dell' alma città di Roma*, Rom 1610) [5].

4. TOPOGRAPHIE AUSSER ROM

Vereinzelte D. zur Ant. in europ. Städten außer Rom finden sich schon im 16. Jh., so M. Zuane Carotos *De le antiqità de Verona* (Verona 1560) und Johann Huttichs *Collectanea antiquitatum* (Moguntiae = Mainz 1520). Doch das eigentliche Interesse richtete sich auf die reichen Zeugnisse der Ant. im Osten, die durch die Islamisierung quasi unzugänglich waren. → Reiseberichte kündeten von den dortigen Monumenten, bes. Jacob Spons *Voyage d'Italie, de Dalmatie, de Grece et du Levant* (Lyon 1678), die schon bald ins Engl., Holländische und Dt. übers. wurde. Doch illustrierte D. finden sich erst im 18. Jh., wobei die Engländer mit größtem Enthusiasmus daran arbeiteten. Robert Woods und James Dawkins *The Ruins of Palmyra* (London 1753) und *The Ruins of Balbek* (London 1757) folgen bald Robert Adams *Ruins of the Palace of the Emporer Diocletian at Spalatro* (London 1764). Das aufwendige Werk wurde durch eine Reihe von Subskribenten finanziert, darunter Künstler wie Allan Ramsay und Joshua Reynolds. Von James Stuart und Nicolas Revett erschienen in London seit 1762 *The Antiquities of Athens*. Auch im 19. Jh. waren die engl. Forscher in Kleinasien am produktivsten, immer noch durch die *Dilettanti* unterstützt. J. A. Stewarts *A Description of some ancient Monuments with Inscriptions still existing in Lydia and Phrygia* (London 1842) ist hierfür ein typisches Beispiel.

Einer der produktivsten Illustratoren war der weitgereiste Louis François Cassas, der 1787 mit dem unvollendet gebliebenen Projekt *Voyage pittoresques de la Syrie, de la Phénicie, de la Palestine et de la Basse Egypte* begann. Seine präzisen Bauaufnahmen geraten oft zu visionären Schaubildern, die Forschern, Architekten, Innenausstattern und Bühnenbildnern gleichermaßen als Vorbild dienten [12].

5. SKULPTUR

D. zur ant. Skulptur entstanden später als solche zur Numismatik und Epigraphik. Die Autoren der D. – Humanisten und Antiquare – räumten Münzen und Inschr. die Priorität ein. Wenn die ant. Skulpturen für Künstler von größtem Interesse waren, so besaßen sie für die Wissenschaftler vorerst nur einen eingeschränkten Quellenwert. Dabei boten die erzählfreudigen Reliefs bessere Studienmöglichkeiten als die Statuen. V. a. die Trajanssäule rückte in den Mittelpunkt antiquarischen Interesses; so wurde sie im 16. und 17. Jh. gleich mehrfach monographisch publiziert (Alfonsus Chacun, *Historia utriusque belli Dacici . . .*, Rom 1576 und 1616; P. S. Bartoli, *Colonna Traiana*, Rom 1670; Raffaello

Fabretti, *De columna Traiani syntagma*, Rom 1683). Die ersten Stud. zur Skulptur widmeten sich ausschließlich dem Porträt und folgten somit dem Konzept der ihnen vorausgegangenen numismatischen D. Ihre gemeinsame Zielsetzung ist eine biographisch ausgerichtete Inhaltsdeutung der ant. Kunst, so bei Achilles Statius mit *Inlustrium viror* (Rom 1569) und Fulvio Orsini mit *Imagines et elogia virorum illustrium* (Rom/Venedig 1570). Der Erfolg dieser D. läßt sich an der Neuauflage von Orsinis *Imagines* 1606 in Antwerpen sowie in der frz. Variante von André Thevets *Les vrais pourtraits et vies des hommes illustres* (Paris 1584) nachvollziehen [2. 121 f.; 7].

Um 1575 erschien Antoine Lafrèrys *Speculum Romanae magnificentiae*, in dem erstmals die Skulpturen als ein Bestandteil der Ant. Roms erfaßt und illustriert wurden [4]. Lafrèry arbeitete über Jahrzehnte an einer Bilddokumentation von röm. Antiken aller Gattungen, die er in seiner röm. Offizin als Einzelblätter zum Verkauf anbot, aber schließlich auch gebunden – in verschiedenen Zusammenstellungen – herausgab. Die Skulptur stellt in diesem D. zwar nur einen Aspekt dar, doch die Breitenwirkung von Lafrèry war enorm, da seine reich bestückte und bestens organisierte Druckerei als der wichtigste Anlaufort sowohl für Touristen als auch für Künstler angesehen werden muß.

Giovanni Battista de Cavallerijs ist der erste, der in *Antiquarum statuarum urbis Romae* (Rom 1561–62) ausschließlich Skulpturen aufnahm. Der Erfolg dieses Werks führte zu einer erweiterten Neuausgabe (Rom 1584–85: B. I–II; 1594: B. III–IV). Die Gliederung der Bücher I–II ist an den Sammlungen orientiert, die Bücher III–IV hingegen folgen einem ikonographischen Prinzip. Das *Antiquarum* blieb im 16. Jh. an Umfang und Zuverlässigkeit unübertroffen. Die Stiche geben die Statuen zuverlässig, oft auch in ihrer fragmentarischen Form wieder, was auf ihren zeitgenössischen Zustand rückschließen läßt. Neutral vor einheitlich hellem Hintergrund stehend, erfüllen die Abbildungen den wiss. Anspruch besser als in manchem Nachfolgewerk, wo mit diversen Effekten wie Landschaftshintergrund oder Unteransicht eine Verlebendigung der Gattung gesucht wird [10].

Lafrèry und Cavallerijs D. dienten Nachfolgern oft als Stichvorlagen, so für Lorenzo Vaccario (Rom 1584, 1621) [10] und Giacomo Marcucci (Rom 1623). Doch gerade Vaccario lieferte einige gute Neuaufnahmen (Abb. 8). Die Werke des 16. Jh. wandten sich v. a. an das wiss. Fachpublikum, doch im 17. Jh. wurden mit Francois Perriers *Icones et segmenta nobilium* (Rom 1638, Abb. 7) weitere Kreise angesprochen. Perrier versammelte die wichtigsten damals bekanntesten ant. Skulpturen unter Verzicht auf eine ikonographische Ordnung. Skulpturen erscheinen hier verlebendigt in Architektur- und Landschaftsstaffage. Diese Erweiterung der Skulptur zu malerischen Szenen wie auch die Wiedergabe mehrerer Ansichten läßt die Funktion der Stiche als Vorlagen für Künstler vermuten. Vergleichbar in Aufbau und Absicht sind Jan de Bisshops *Paradigmata* (Amsterdam 1671) und Domenico de Rossis *Raccolta di statue antiche e moderne* (Rom 1704) mit Illustrationen von Paulo Alessandro Maffei. De Rossis Skulpturenkatalog gibt ausschließlich berühmte Werke wieder, die offenbar nach Wertschätzung geordnet sind, so steht an erster Stelle *Laokoon*, gefolgt vom → *Apoll von Belvedere* und *Antinoos*. Die von ihm mitaufgenommenen »mod.« Skulpturen entsprachen diesem Rang: so finden sich Michelangelos *David* und *Bacchus*, Berninis *Raub der Proserpina* sowie *Apoll und Daphne*. Schließlich war es Joachim Sandrart, dessen *Teutsche Academie* (Nürnberg 1675–80) sich mit einer Fülle an Vorlagen gezielt an den Künstler wandte.

Winckelmann gelang es, die Auswahlkriterien vom künstlerischen Bedarfsdenken zu befreien und zur wiss. Objektivität zurückzuführen. In seinen zweibändigen *Monumenti antichi inediti* (Rom 1767, Abb. 9) zeigt er auf 206 Kupferstichen Werke aller ant. Stilepochen, worin sich seine stilkritische Methode auch bei der graphischen Umsetzung abzeichnet: archa. Stücke erscheinen lediglich in harten Umrißlinien, hell. oder kaiserzeitliche hingegen weich abschattiert.

6. MALEREI

Die ant. Malerei wurde erst nach der Entdeckung → Pompejis und → Herculaneums zu einem Thema der D. [8], dann jedoch mit einer direkten, den Zeitgeschmack dominierenden Rezeption im Bereich der zeitgenössischen dekorativen Kunst. Röm. Wandmalerei als Element des ant. Alltags wurde zur Zeit der Aufklärung und des Klassizismus Medium der Verbreitung antikischen Lebensgefühls. Zwar wurde die Malerei seit der Entdeckung von Neros *Domus Aurea* durch Raffael studiert und erfuhr in Form der Groteske eine Ren. in der ornamentalen Dekoration, doch wurde sie nicht wiss. publiziert. Lediglich die frühchristl. Malerei fand seit der Erforsch. der Katakomben in der zweiten H. des 16. Jh. eine gewisse Beachtung (Antonio Bosio, *Roma sotteranea*, Rom 1632–34; Paolo Aringhi, *Roma subterranea novissima*, Rom 1651). Erst im späten 17. Jh. erscheinen von Bartoli mit *Gli antichi sepolcri ...* (Rom 1697) und *Le pitture antiche de sepolcro de Nasonii nella via Flaminia* (Rom 1680, Abb. 11) monographische Werke zur ant. Malerei [1. 88–130], in denen der Autor seine Absicht betont, diese bes. vom Verfall bedrohte Gattung der Nachwelt zu überliefern.

Das erste große D. der Ausgrabungen in Herculaneum und Pompeji ist *Le antichitá di Ercolano esposte* (Napoli= Neapel 1757–92), herausgegeben von der 15–köpfigen Akad. der *Ercolanesi* unter dem Vorsitz von Ottavio A. Bajardi. Die Abbildungsqualität des Werks setzte Maßstäbe für alle Nachfolger, so für Vincenzo Brenna und Sumuglievicz' *Vestigia delle Terme di Tito e loro pitture* (Rom 1780). Im 19. Jh. verlagerte sich die Forsch. nach Norden. Hier sind z.B. *Die schönsten Ornamente und merkwürdigsten Gemälde von Pompeji, Herkulaneum und Stabiae* von Wilhelm Zahn (Berlin 1828–1859) zu nennen, der erstmals die Technik der Farblithographie nutzen konnte. Erst in der Folge der Wür-

Abb. 8: »Dornauszieher« in: Lorenzo Vaccario, Antiqueram statuarum urbis Romae ..., 1607

Abb. 9: Ein Relief des Antinoos in: Johann Joachim Winckelmann, Monumenti antichi inediti ..., Rom 1767

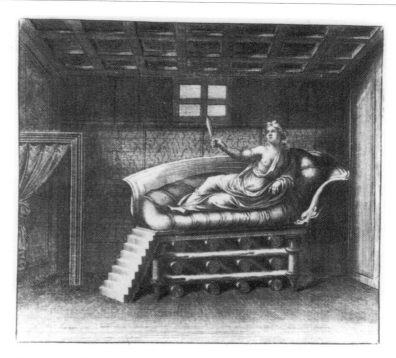

Abb. 10: »Der Selbstmord der Dido«
in: Pietro Santi Bartoli,
Picturae antiquissimi Virgiliani codicis ...,
Rom 1782

TABULA·III·
Latera Sepulcri quibus decoretur ornamentis.

Abb. 11: Das Wandgrab der Nasonier in Rom
in: Pietro Santi Bartoli,
Picturae antiquae ..., Rom 1750

digung griech. Kunst durch Winckelmann erfuhr die ant. Vasenmalerei die ihr gebührende Aufmerksamkeit, maßgeblich durch Baron d'Hancarvilles prächtige und colorierte Ausgabe der *Antiquités Etrusques, Grecques et Romaines du Cabinet de Mr. Hamilton* (Neapel 1766–1767) in vier Bänden [13].

Die ant. Buchmalerei wurde hingegen kaum wahrgenommen. Eine Ausnahme bildet P. S. Bartoli, der in *Picturae antiquissimi Virgiliani codicis Bibliothecae Vaticanae* (Rom 1782, Abb. 10) eine gattungsübergreifende, ikonographische Stud. zu Vergil lieferte, die im Schwerpunkt auf dem Cod. Vat. Lat. 3325 beruht.

7. Überblickswerke

Die *Inscriptiones sacrosanctae vetustatis* (Ingolstadt 1534) von Petrus Apianus und Bartolomaeus Amantius künden im Titel eine Inschriftensammlung an, doch ist das D. tatsächlich ein Überblick zur ant. Kunst. Neben Kleinkunst und Skulptur erscheinen wenige Architekturen wie die Trajanssäule und die Cestiuspyramide, aber auch aufsehenerregende Neufunde wie der Jüngling vom Magdalenenberg (Abb. 12). Das Buch ist top. nach Funden aus Spanien, Frankreich, It., Deutschland, Griechenland, Asien und Afrika geordnet, integriert aber auch Objekte aus der Sammlung des Förderers, Raymund Fugger.

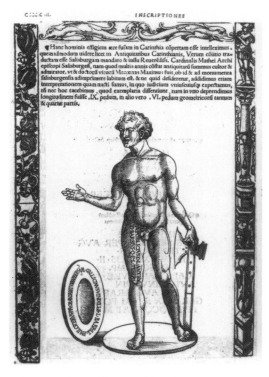

Abb. 12: Jüngling auf dem Magdalenenberg
in: Petrus Apianus und Bartholomäus Amantius,
Inscriptiones ..., Ingolstadt 1534

Ein solches Projekt wagte man erst wieder im zeitlichen Umfeld der großen → Enzyklopädien des 18. Jh. Der Benediktiner Bernard de Montfaucon publizierte *L'antiquité expliquée et representée en figures* (Paris 1719) in zehn Foliobänden mit rund 1200 Kupferstichtafeln mit ca. 40 000 Figuren, herausgegeben im Verein von sieben Pariser Buchhändlern. Nach nur zwei Monaten waren die 1800 Exemplare des epochemachenden Werkes vergriffen. Fünf Supplementbände folgten 1724, eine dt. verkürzte Ausgabe 1757, eine Neuauflage des Originals 1772. Bis tief ins 19. Jh. hinein blieb dieses Werk eine unersetzliche Quelle. Große Beachtung fand auch der Privatgelehrte Comte de Caylus mit *Recueil d'antiquités egyptiennes, etrusques, greques et romaines* (sechs Bde., Paris 1752–1764, Suppl. 1767). Die illustrierten D. finden einen fulminanten Schlußpunkt in Salomon Reinachs zahlreichen Bänden mit zehntausenden von Umrißzeichnungen ant. Skulpturen, Reliefs, geschnittener Steine, Fresken und Vasenbildern, die er sukzessiv vom Ende des 19. Jh. an herausgab.

→ Akademie; Society of Dilettanti

1 B. Andreae, Stud. zur röm. Grabkunst, in: MDAI(R), Ergänzungsheft 9, 1963 **2** M. Daly Davis, Arch. der Ant. 1500–1700, Ausstellungs-Kat. Herzog August Bibl. Wolfenbüttel, 1994 **3** G. Egger, Das Bild der Ant. in Lit. und Druckgraphik der Ren. und des Barock, in: Schriften der Bibl. des Österreichischen Mus. für angewandte Kunst 12, 1976 **4** C. Huelsen, Das Speculum Romanae Magnificentiae des Antonio Lafreri, in: Collectanea variae doctrinae Leoni S. Olschki, 1921, 121–170 **5** L. Schudt, Giulio Mancini. Viaggio per Roma (= Röm. Forsch. der Bibl. Hertziana IV), 1923 **6** C. B. Stark, Systematik und Gesch. der Arch. der Kunst, Leipzig 1880 (Ndr. 1969) **7** B. Palma Venetucci, Pirro Ligorio e le erme tiburtine, 1992 **8** Pompei: Pitture e Mosaici, hrsg. vom Istituto della Enciclopedia Italiana, Bd. 9: La Documentazione nell' Opera di Disegnatori e Pittori dei Secoli XVIII e XIX, 1995 **9** M. Wegner, Altertumskunde, 1951 **10** W. Weeke, Ein röm. Antikenstichwerk von 1584, 1997 **11** R. Weiss, The Ren. Discovery of Classical Antiquity, 1969 **12** Louis-François Cassas 1756–1827. Im Banne der Sphinx. Ausstellungs-Kat. Köln, Wallraf-Richartz Mus., 1994 **13** Vases & Volcanoes. Sir William Hamilton and his Collection. Ausstellungs-Kat. London, British Mus. 1996, bearbeitet von I. Jenkins, K. Sloan.   KERSTIN MERKEL

Druiden A. Druiden in der Geschichte
B. Druiden in der Literatur und Musik
C. Druiden in der Kunst

A. Druiden in der Geschichte

Die z.Z. bekannteste D.-Figur, Miraculix, zeichnet sich dadurch aus, daß sie nichts von ihren geheimen Lehren preisgibt. Und nicht nur das, außer dem bei Plinius (nat. 16,95) überlieferten traditionellen Schneiden von Misteln mit einer goldenen Sichel wird Miraculix mittelbar oder unmittelbar niemals bei einer kult. Handlung beobachtet und fungiert auch nicht als Richter in seinem Dorf. Weißgewandet und mit einem langen weißen Bart versehen, verkörpert er das auf Plinius gegr. Klischee des altersweisen und distanzierten Magiers, dessen vornehmste Aufgabe das Brauen von Zaubertränken und manchmal die medizinische Versorgung der Dorfbewohner ist. Ähnlich stellen die Autoren der berühmten Asterix-Geschichten René Goscinny und Albert Uderzo die Kollegen des Miraculix dar: Der Band *Asterix bei den Goten* schildert das bei Caesar (Gall. 6,13) bezeugte Treffen der D. im Carnutenwald; dort geht es allerdings nicht um Rechtsstreitigkeiten, sondern um den besten Zauber. In dieser Hinsicht überzeichnet, wird in der → Comic-Figur des Miraculix – wie ja bei den meisten der anderen Figuren auch – auf eine zu große Nähe zum histor. Original verzichtet. Miraculix gleicht eher einem frz. Landpfarrer.

Die den D. zugeschriebenen Geheimlehren und Fähigkeiten haben schon in der Ant. die Phantasie der Menschen beflügelt, zumal nichts davon schriftlich überliefert ist. Selbst nach ihrem nahezu völligen Verschwinden auf dem Festland spätestens gegen E. des 1. Jh. n. Chr. blieben sie in Erinnerung. Ausonius redet von ihnen als etwas Vergangenem (Auson. profess. 4,7; Phoeb. 10,27), doch die SHA erwähnen weise Frauen (Alex. 60; Car. 14,14; Aurelian. 44), die als D. bezeichnet werden, wobei dieser Titel aber nur auf ihre seherischen Funktionen anspielt. In Britannien und auch in Altirland scheinen die D. ihre priesterliche Funktion in einer gewandelten Form gerettet zu haben. Altirische Texte aus dem 6. und 7. Jh. n. Chr. beziehen sich v. a. auf die magischen Fähigkeiten der D., *magi* und *filid*, die von den christl. Autoren als heidnischer Kontrast zu den christl. Heiligen stilisiert werden. Über ihre konkrete Bed. in den Stämmen fehlen jedoch die Quellen. Möglicherweise behielten sie ihre Funktion als Seher oder Propheten bei. Bis zum E. der gälischen Kultur tradierte die irische Sagen- und Literaturtrad. v. a. archa. Vorstellungen bezüglich der Verbindung der D. mit den sakralen Königskulten und den von den altirischen Volkstämmen verehrten hl. Bäumen. Zu nennen sind hier v. a. die im 12. Jh. entstandenen myth. Texte des *Ulster Cycle* und des *Mythological Cycle*. Vor 1500 scheinen dann die *filid* die Funktionen der D. und Barden übernommen zu haben, bis auch diese unter engl. Einfluß im 17. Jh. verschwanden.

Mit der Wiederentdeckung der klass. Texte in Ren. und Human. wuchs auch das Interesse an den Lehren der D. 1532 schrieb Jean le Fèvre *Les Fleurs et Antiquitez des Gaules, où il est traité des anciens Philosophes appelez Druides*, und in Deutschland verfaßte Esaias Puffendorf 1650 seine *Dissertatio de Druidibus*. Folgenreicher waren um 1690 die *Monumenta Britannica* des engl. Antiquars John Aubrey, der die D. mit dem Megalithdenkmal Stonehenge verband. Dies hatte eine unmittelbare Wirkung auf John Stukeley, der sich selbst als neuen Archi-D. ansah und versuchte, eine Verbindung zw. Christentum und D.-Religion herzustellen, indem er die D. auf den biblischen Noah zurückführte. Seine Werke *Itinerarium curiosum* (1724) und *The History of the Religion and Temples of the Druids* (1733) stellen Stonehenge in

den Mittelpunkt des Kultes und beeinflußten maßgeblich die Gründungen der neopaganen D.-Vereinigungen des 18. Jh. Die erste größere Gruppe geht auf den irischen Katholiken John Tolland zurück, der seinen *Druid Order* 1717 als nichtchristl. Protestbewegung gründete. Diese Gruppe wurde v. a. von dem Maler und Dichter William Blake (1757–1827) in esoterischem Sinne beeinflußt. In Wales verband Edward Wilkins im 18. Jh. unter dem Pseudonym des Barden Iolo Morgannwg die D. mit der Zeremonie des Gorsedd zur feierlichen Inthronisierung des Königs und der National Eisteddfod, dem Wettbewerb der Barden und Musiker seit dem 12. Jh. Bis h. versuchen britische D. eine National Eisteddfod in Stonehenge abzuhalten, was aber stets aus konservatorischen Gründen abgelehnt wird. 1781 gründete Henry Hurle in London den *Ancient Order of the Druids*, der sich, beeinflußt durch kelt. Vorbilder, bis h. als weltanschaulich und logenartige Männergemeinschaft polit. und rel. engagieren will. Hiervon gab es im Laufe der Zeit zahlreiche unabhängig voneinander operierende Abspaltungen. Der Orden verbreitete sich in Nordamerika (1824), Australien (1850), Frankreich (1869) und Neuseeland (1879). 1908 wurde sogar Winston Churchill in die Albion-Loge des *Ancient Order of the Druids* aufgenommen. Nach Deutschland gelangte der Orden 1872, eine Großloge mit mehreren Distriktgroßlogen und Einzellogen existiert seit 1874, h. sind diese gegliedert in Reichsloge (Präsidium, Bundesebene), Großloge (Länderebene) und Loge (lokale Ebene). Während des Nationalsozialismus und in der DDR war der D.-Orden verboten. Nach der Wiedervereinigung gab es auch dort Neugründungen (z. B. Großloge Saxonia 1991).

In neuerer Zeit lassen sich eine neopagane bzw. esoterische und eine an die Freimaurerlogen angelehnte ethisch-humanitäre Richtung der Rezeption der D.-Vereinigungen erkennen. Zur erstgenannten Richtung gehören weltweit zahlreiche Bünde, Bruderschaften, Gruppen und Sekten, die sich voneinander abgrenzen. Gemeinsam ist allen der Bezug auf die Geheimlehren der D., die dann oft mit anderen esoterischen und/oder fernöstl. Elementen vermischt werden. Ähnliche Vorstellungen beeinflussen auch mod. Gruppen, die über »Phantasy«-Rollenspiele die Identität von D. annehmen, deren Funktionen im wesentlichen auf die von Zauberern beschränkt sind.

Zur ethisch-humanitären Richtung gehören v. a. die D.-Orden. Man unterscheidet drei Einweihungsgrade (1. Ovate, 2. Barde, 3. D.), die Erkenntnis und Wissen, Kunstverständnis und Wollen, Beschließen und Handeln lehren. Außerdem gibt es die Ehrengrade des Ehren- und Alt-Edel-Erz-Grad. Hauptorgan des Ordens in Deutschland ist die *D.-Zeitung*, ferner existieren aktuelle Veröffentlichungen im Internet. Der weltweit in der *International Grand Loge of Druids* zusammengeschlossene Orden versteht sich als einzig legitimer Vertreter des Druidentums und distanziert sich von anderen D.-Gruppen. Ähnlich wie der D.-Orden strebt auch die

Keltisch Reformierte Kirche eine Synthese zw. orthodoxem Christentum und den D.-Lehren an.

B. DRUIDEN IN DER LITERATUR UND MUSIK

Um 1148 verfaßt Geoffrey of Monmouth die *Vita Merlini* des Zauberers und Sehers Merlin, wobei er ältere Trad. aufgreift. Robert de Bordon verband schon Anf. des 12. Jh. den Merlinmythos mit dem des Heiligen Grals, also auch mit dem Artussagenkreis. Merlin steht damit zw. Christentum und D.-Religion. In Deutschland ist insbes. die Version von Bordon in der Folge mehrfach bearbeitet worden, so zuerst von Albrecht von Scharfenberg (12. Jh.). Für die neuere Zeit ist das Drama *Merlin* (1832) von Karl Leberecht Immermann zu nennen, das am Anfang der neuzeitlichen Rezeptionen dieser Figur in Lit., Theater und später auch im Film steht. Grundthema der irischen und walisischen Erzählungen und auch der Artusromane ist »die Andere Welt«, das Anderswo, ein zeit- und raumloser Ort, wo die Welt der Imagination nach dem göttl. Plan Wirklichkeit geworden ist. Das Anderswo bestimmt das Sein nach dem Tode. Diese Vorstellungen erzeugten auch die paradiesischen Bilder von der Insel Avalon oder Emain Ablach. Die gälische Trad. und das Keltentum hatten während ihres Wiedererstarkens im 18. Jh. über die lit. Fälschung der Gesänge des myth. irischen Sängers Ossian durch James MacPherson (1736–1796) über Herder und Goethe auch großen Einfluß auf den nordeurop. lit. Sturm und Drang. Sie flossen schließlich in die melancholisch-schwärmerische Ouvertüre *Nachklänge aus Ossian* (1840) von Niels Wilhelm Gade ein. Eine Besonderheit ist die zur selben Zeit erschienene romantisch gefärbte Erzählung *Der D.* (1842) des schweizerischen Erzählers Jeremias Gotthelf. Eigentlich dem erzählerischen Realismus verbunden, versucht der Dichter an der Figur des helvetischen D. Schwito die schon in vorchristl. Zeit seinem Volke innewohnende Religiosität und seine Freiheitsliebe darzustellen. Die altirischen Vorstellung von der Kraft der D. finden sich noch in dem Drama *The Shadowy Waters* (1900) des bekannten irischen Dichters William Butler Yeats. Aktuell sind in diesem Zusammenhang neben der rein esoterischen Lit. auch die zahlreichen Veröffentlichungen der »New Age«-Welle zu nennen, die sich des D.-Themas im Rahmen von Krimis, histor. Romanen etc. immer wieder gerne annehmen (z. B. Wolfgang Hohlbein, bes. 1995–1998 und Marion Zimmer Bradley, bes. 1990–1998).

C. DRUIDEN IN DER KUNST

Neben zahlreichen Buchillustrationen – die erste dt. Darstellung eines D. erschien 1648 auf dem Titelblatt von Elias Schedius *De Dis Germanis* – finden sich v. a. romantisch beeinflußte Werke des 18. und 19. Jh. Zu nennen ist bes. das Ölgemälde *The Bard* von Thomas Jones (1774) nach dem gleichnamigen romantischen Gedicht von Thomas Grey, das von dem letzten walisischen Barden erzählt, der sich während der Verfolgungen durch Edward I. von einer Klippe in den River Convey stürzt (ferner: William Holman Hunt (1850)

Converted British Family Sheltering a Christian Missionary from the Druids; George Henry, Edward Atkinson Hornel (1890) *The Druids: Bringing the misteltoe*; Sir Hubert von Herkomer (1896): *The Druid*).

→ Frankreich; Keltisch-germanische Archäologie; Mysterien

→ AWI Druidae

1 G. ASHE, Kelten, D. und König Arthur, 1993 2 M. GREEN, Exploring the World of the Druids, 1997 3 J. MARKALE, Die D. ²1988 4 H. E. MIERS, Lex. des Geheimwissens, 1993, 173 5 H. WIESE/H. FRICKE, Hdb. des D.-Ordens ³1931.

WOLFGANG SPICKERMANN

Dumbarton Oaks
A. EINLEITUNG
B. GESCHICHTE DES INSTITUTS C. WISSENSCHAFT
D. DIE BYZANTINISCHE SAMMLUNG

A. EINLEITUNG

Dumbarton Oaks in Georgetown (Washington, D. C.) ist eines der bedeutendsten Forschungsinst. für den Bereich der byz. Kultur von der Spät-Ant. bis zum MA (auch außerhalb des Byz. Reiches auf dem Balkan im MA, im lat. Westen und islamischen Osten). Es verfügt darüber hinaus, neben einer Reihe von histor. Funden aus früheren Perioden bzw. aus den Nachbarregionen, über eine große Sammlung byz. Kunstwerke.

B. GESCHICHTE DES INSTITUTS

D. O. verdankt seine Existenz dem Botschafter Robert Woods Bliss und seiner Frau, die im J. 1920 ein Haus im *federal style* (Baustil aus den Anf. des Bundesstaates, ca. 1790–1830), mit dem Grundstück erwarben. 20 J. später unterstrichen die Blisses formell ihr ungebrochenes Interesse für die Wiss., indem sie das Haus, die Ziergartenanlagen, ihre byz. Kunstsammlung und eine Handbibl. von 14000 Bänden Blisses ehemaliger Alma Mater, der Harvard Univ., überließen. Der Erhalt der Bibl. und der Kunstsammlung waren zwar schon seit langem das erklärte Ziel des Ehepaares gewesen, doch wurde die Übergabe an Harvard jetzt vorangetrieben, da die USA bald in den II. Weltkrieg verwickelt zu werden drohten [14. 78]. Die ersten Senior Research Fellows (Forschungsstipendiaten), Henri Foçillon und Charles Rufus Morey, wurden kurz nach der Stiftung berufen [14. 81–82]. Auf Drängen des wiss. Direktors, Albert M. Friend (1944–56), erhielten die Senior Fellows einen akad. Status als Mitglieder der geistes- und naturwiss. Fakultät; es gab D. O.-Lehrstühle in byz. Kunst, Architektur, Geschichte, Lit. und Theologie [1. 7–8]. In den 70er J., bes. unter Direktor Giles Constable (1977–84), kam es zu signifikanten Veränderungen. Die Fakultät war nach und nach aufgrund nichtbesetzter Stellen aufgelöst worden; statt dessen richtete Constable ein Forschungsinst. ein, das auf internationale Zusammenarbeit ausgerichtet war [1. 9; 7].

C. WISSENSCHAFT

D. O. publiziert verschiedene bedeutende Reihen; es fördert auch großangelegte Forschungsunternehmen wie das Oxford Dictionary of Byzantium oder die ha-

Der »Riha«
Hostienteller,
dargestellt ist
das Abendmahl
der Apostel
(ca. 565–78)

Moggio-Pyxis mit der
Darstellung: Moses erhält
die Gesetzestafeln

Wandteppich mit zwei Nereiden (5.–6. Jh.)

Kettenanhänger mit der Aphrodite ἀναδυομένη
(spätes 5.–6. Jh.)

giographische Datenbank von D.O. Durch Stipendien unterstützt D.O. Wissenschaftler aus der ganzen Welt unmittelbar vor Ort. Die Forsch. der Stipendiaten profitieren nicht nur von dem Zugang zu der byz. Bibl., die derzeit über mehr als 123 000 Bände verfügt und über 900 Zeitschriften bezieht, sondern auch von Forschungsmaterialien wie den byz. Photo- und Feldforschungsarchiven. Feldforsch. wurde durch D.O. 1950 nach dem Tod des Gründers des Byz. Instituts, Thomas Whittemore, betrieben. Zunächst leiteten Wissenschaftler von D.O. die Arbeiten des Byz. Inst. in Istanbul, dann aber, im J. 1963, begann D.O. mit seiner eigenen Feldforsch. In den 60er und 70er J. förderte D.O. (ganz oder teilweise) zahlreiche Projekte in der Türkei, in Griechenland, auf Zypern, in Syrien, im ehemaligen Jugoslawien, in It. und in Tunesien, doch verlagerte sich unter Direktor Constable das Gewicht auf weniger aufwendige und eher kooperativ-übergreifende Unternehmungen, einschließlich Surveys und Konservierungsarbeiten [6].

D. Die byzantinische Sammlung

Frau Bliss, seit jeher am MA interessiert, begann bereits als junge Frau mit der Sammlung von Kunstgegenständen, zunächst (seit 1912) von Objekten präkolumbianischer Kunst [14. 59f.]. Obwohl das Ehepaar auch schon in den 20er J. bedeutende frühchristl. und byz. Kunstgegenstände erwarb, begannen sie erst in den 30er J. mit dem systematischen Sammeln dieser Gegenstände. Royall Tyler, ein alter Freund, unterstützte sie dabei und stand ihnen auch bei ihrer epochalen Louvre-Ausstellung im J. 1931 (L'exposition internationale d'art byzantin) hilfreich zur Seite [5. vii; 14. 61, 68–70]. In den späten 70er J. hatte sich die Sammlung, seit ihrer Übergabe an Harvard im J. 1940, mehr als verdoppelt, bes. dank der Großzügigkeit der früheren Besitzer und der Neuerwerbungen durch Direktor John S. Thatcher (1940–69). Ihre Bed. liegt in der Kleinkunst, also in Gold-, Silber- und Elfenbeinobjekten sowie Juwelen, Cloisonné-Email, illuminierten Hss. und Textilien – Gegenstände, die größtenteils im Besitz der höchsten Gesellschaftsschicht waren. Die Sammlung enthält aber auch einige monumentale Stücke (z. B. Bodenmosaiken aus Antiochia) und verschiedene Studiensammlungen (z. B. Keramikscherben, die von David Talbot Rice zusammengetragen worden waren, sowie u. a. Tesserae, Nägel, Glas und Ziegel). Der größte Teil der Sammlung wurde in einer Reihe von ausführlich kommentierten Kat. veröffentlicht [11; 12; 13]. D. O. ist ebenfalls im Besitz einer der größten Sammlungen spät-ant. und byz. Münzen [2; 3; 4; 8] sowie der größten und umfassendsten Bleisiegelsammlung der Welt [10].

→ Byzanz; Byzantinistik
→ AWI Antiocheia; Byzantion

1 M. V. ANASTOS, D. O. and Byzantine Stud. A Personal Account, in: Byzantium. A World Civilization, 1992, 5–18 2 A. R. BELLINGER, Roman and Byzantine Medallions in the D. O. Collection, in: Dumbarton Oaks Papers 12, 1958, 127–56 3 Ders. et al., Late Roman Gold and Silver Coins at D. O., in: Dumbarton Oaks Papers 18, 1964, 161–236 4 Ders., P. GRIERSON, Catalogue of the Byzantine Coins in the D. O. Collection and in the Whittemore Collection, 3 Bde., 1968–73 5 S. A. BOYD, Byzantine Art, 1979 6 G. CONSTABLE, D. O. and Byzantine Field Work, in: Dumbarton Oaks Papers 37, 1983, 171–76 7 Ders., D. O. and the Future of Byzantine Stud., 1979 8 P. GRIERSON, M. MAYS, Catalogue of Late Roman Coins in the D. O. Collection and in the Whittemore Collection, 1992 9 Handbook of the Byzantine Collection, 1967 10 J. NESBITT, N. OIKONOMIDES, Catalogue of Byzantine Seals at D. O. and in the Fogg Museum of Art, 3 Bde., 1991 11 G. M. A. RICHTER, Catalogue of Greek and Roman Antiquities in the D. O. Collection, 1956 12 M. C. ROSS, K. WEITZMANN, Catalogue of the Byzantine and Early Mediaeval Antiquities in the D. O. Collection, 3 Bde., 1962–72 13 G. VIKAN, Catalogue of the Sculptures in the D. O. Collection from the Ptolemaic Period to the Ren., 1995 14 W. M. WHITEHALL, D. O.: The History of a Georgetown House and garden, 1967 15 http://www.doaks.org.

TODD M. HICKEY/
Ü: SYLVIA ZIMMERMANN

Dynamik s. Physik

E

École française d'Athènes
A. GESCHICHTE
B. PERSONELLE ZUSAMMENSETZUNG
C. WISSENSCHAFTLICHE TÄTIGKEITEN
D. DOKUMENTATION E. PUBLIKATIONEN

A. GESCHICHTE

Älteste wiss. Einrichtung Frankreichs im Ausland (seit 1846). Die EFA entstand vor dem doppelten Hintergrund der griech. und der romantischen Revolution. An der griech. Revolution hatte → Frankreich mit der Entsendung eines Expeditionskorps zur Befreiung der Peloponnesos 1825 aktiv teilgenommen. Die romantische Strömung gründete in der großen kulturellen Bed., die man → Griechenland zumaß; seine Besetzung wurde in Frankreich als Bedrohung dieses kulturellen Erbes empfunden.

Um die Stellung Frankreichs in Griechenland (insbes. im Hinblick auf die Konkurrenz Großbritanniens) zu wahren, beschloß die Regierung König Louis-Philippes (1830–1848) die Gründung einer kulturellen Einrichtung nach dem Vorbild der Villa Medici in Rom, wo seit Ludwig XIV. Künstler ausgebildet wurden. Dem Gründungsdekret zufolge hatte die EFA sehr unterschiedliche Aufgaben: Zum einen sollte sie als Fortbildungszentrum für das Studium der griech. Sprache und

Geschichte und der Denkmäler der ant. Kultur Griechenlands in Athen dienen; zum anderen waren ihre Mitglieder verpflichtet, Französisch zu unterrichten und in den frz. Schulen des Ostens Examina abzunehmen. Die Lehrverpflichtung wurde jedoch nach zwei J. aufgehoben.

In den ersten 30 J. des Bestehens der EFA folgten viele ihrer Mitglieder dem Rat des frz. Schriftstellers Sainte-Beuve (1804–1869), ›in Kolonos die Chöre des Oidipus und in Delphoi die des Ion zu lesen‹. Diesen ersten Generationen von Griechenlandbesuchern genügte der physische Kontakt mit der Heimat Homers, Sophokles' und Euripides'. Allmählich wurden dann aber weitergehende Aktivitäten entfaltet: Ernest Beulé grub unterhalb der Akropolis, Paul Foucart legte einen Teil der Stützmauer des Tempels von → Delphi frei, Léon Heuzet leitete eine von Napoléon III. (1852–1870) finanzierte Expedition in Makedonien. Der → Louvre erweiterte, wie damals noch üblich, seine Sammlungen mit den Fundstücken der Unternehmung.

Nach der Niederlage gegen Deutschland im Jahr 1871 beschlossen die frz. Intellektuellen, den Vorsprung Deutschlands, das auch auf griech. Boden mit Frankreich rivalisierte (1873 Gründung des → Deutschen Archäologischen Instituts in Athen, 1875 Beginn der Gra-

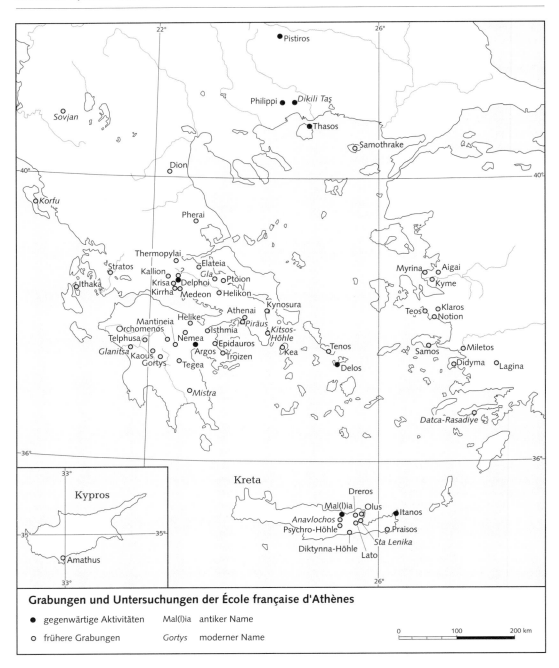

Grabungen und Untersuchungen der École française d'Athènes

● gegenwärtige Aktivitäten   Mal(l)ia   antiker Name

○ frühere Grabungen   *Gortys*   moderner Name

0   100   200 km

bungen von → Olympia), aufzuholen. 1871–1874 wurden am Lykabettos die Gebäude errichtet, in denen die EFA noch h. untergebracht ist, und mit den neuen Statuten von 1874 wurde sie in ein Forschungszentrum umgewandelt.

Die Reform von 1874 machte klare Vorgaben. Die Rolle der *Académie des Inscriptions et Belles-Lettres* als wiss. Betreuerin wurde gestärkt; die Mitglieder der EFA hatten ihr über ihre Forschungstätigkeit zu berichten. Der neue Direktor, Albert Dumont (1875–1878), gründete die Zeitschrift *Bulletin de Correspondance hellénique* für die Verbreitung der Informationen und eine Buchreihe für die Publikation der Monographien (beide Organe existieren bis h.). Er regte die »Athéniens« zu Forsch. in allen Bereichen der griech. Kultur an: Byzantinistik, Studium der griech. Sprachen, Erstellung von Objektkat. Während seiner Amtszeit wurden die Grabungen auf → Delos entscheidend vorangetrieben.

Die Zeit der großen Grabungen, die systematisch ant. Heiligtümer und Städte freilegten, hatte begonnen. An den E. des 19. und Anf. des 20. Jh. angelegten Grabungsstätten Delos, Delphoi, Argos, Thasos, Philippoi und Malia (an den drei erstgenannten Orten wurden vor dem I. Weltkrieg umfangreiche Arbeiten durchgeführt) arbeitet die EFA noch h., wenn auch mit neuen Methoden und Interessenschwerpunkten. Die Wahl dieser Stätten ist bes. sinnvoll, weil sie von der Vorgeschichte (Malia) bis zur frühchristl. Zeit (Philippoi) die gesamte ant. Geschichte abdecken. Die bei diesen großen Grabungen gewonnenen Erkenntnisse waren in jeder Hinsicht grundlegend. Die Fülle der Denkmäler (zahlreiche Originalgebäude, mehrere hundert Kunstwerke, mehrere tausend Inschr.) verbietet eine Zusammenfassung von Ergebnissen; es sei nur darauf hingewiesen, daß die Funde von Delphi (Grabungen 1893–1902) das mod. Verständnis der griech. Kunst grundlegend verändert haben und daß ihre Wirkung weit über wiss. Kreise hinausging: Matisse etwa wurde durch die bei der umfangreichen Grabung entdeckten archa. Skulpturen, die in einfachen Formen gestalteten großen Darstellungen nackter junger Männer (kouroi) zu Reflexionen angeregt. Wie schon früher bewirkte die griech. Kunst eine Veränderung der Kanons der zeitgenössischen Kunst.

Die Tätigkeit der EFA bestand und besteht im wesentlichen in der Anlage und Erschließung der großen Grabungsstätten. Daneben wurden und werden innerhalb und außerhalb Griechenlands stets auch zahlreiche kleinere Kampagnen durchgeführt.

Ab 1923 verschlechterten sich die Bedingungen für eine Ausweitung der Tätigkeit. Mit dem griech.-türk. Krieg von 1922 fiel Kleinasien als Grabungsgebiet weg, 1924 beschränkte eine restriktivere Politik der griech. Regierung die Zahl der Grabungen, und schließlich setzten finanzielle Schwierigkeiten im Zusammenhang mit den Krisen der Zwischenkriegszeit den Aktivitäten der EFA Grenzen. Während des zweiten Weltkriegs und des bis 1949 andauernden griech. Bürgerkriegs konnten weniger Geländearbeiten durchgeführt werden.

In den 50er J. wurde eine Modernisierung der mittlerweile veralteten Infrastrukturen und der seit Beginn der Grabungen weitgehend unveränderten Arbeitsmethoden notwendig. Die EFA richtete durch Fachkräfte verwaltete wiss. Dienste (Archiv hss. Quellen, Bibl., Abteilung für Zeichnungen, Phototek, Planotek) ein und paßte sich damit den an ein mod. Forschungszentrum gestellten Anforderungen an. Mit der Übernahme und der Verbreitung von britischen Forschern entwickelter Methoden ab 1956 wurden die Grabungen zu wiss. Unternehmungen. Auch die Forschungsgebiete erweiterten sich, in räumlicher ebenso wie in zeitlicher Hinsicht. Die prähistor. Grabungsstätten – die traditionellen Stätten der EFA (Argos, Malia) ebenso wie neue Stätten (Dikili Tash, wo nach einer ersten Kampagne 1920–1922 1961 erneut mit Grabungen begonnen wurde) – haben in den letzten 30 J. wohl die meisten wichtigen Entdeckungen erbracht. Der Beginn der Grabungen in Amathus auf Kypros 1975 dokumentiert ein neues Interesse der EFA für die griech. Kultur außerhalb Griechenlands.

Die EFA hat auch die jüngsten Veränderungen der Arch. mitvollzogen: Es wird weniger gegraben und mehr prospektiert, um arch. Karten erstellen zu können (Thasos, Malia). Die Zusammenarbeit mit Geographen und Naturwissenschaftlern (Studium der Tier- und Pflanzenwelt) und die Anwendung von den exakten Wiss. übernommenen Methoden zur genauen Feststellung des Alters, der Herkunft oder der Herstellung der Objekte haben die Forsch. inhaltlich tiefgreifend verändert. Dieser Entwicklung der wiss. Tätigkeit entspricht eine Erneuerung der Strukturen. Bis 1985 war die Arbeit der EFA durch über 100 J. alte Bestimmungen geregelt, die nur unwesentlich verändert worden waren. Die Statuten von 1985 lassen die Hauptaufgabe der »Forsch. und Ausbildung zur Forsch.« in allen das ant. und byz. Griechenland betreffenden Disziplinen unangetastet, erweitern das Arbeitsfeld jedoch im Sinne einer Öffnung gegenüber den verschiedenen Aspekten der ant., ma., mod. und zeitgenössischen griech. Welt. Die EFA, die 1996 auf ihr 150-jähriges Bestehen zurückblicken konnte, ist h. ein alle Bereiche der griech. Kultur abdeckendes internationales Forschungszentrum.

B. Personelle Zusammensetzung

Das wiss. Personal, das ebenfalls den Rang der EFA als internationales Forschungsinst. dokumentiert, besteht aus den frz. Mitgliedern, den ausländischen Mitgliedern und den Stipendiaten. Die frz. Mitglieder wurden stets mittels eines Aufnahmewettbewerbs ausgewählt. Die aufgenommenen Mitglieder waren häufig, aber nicht immer, ehemalige Schüler der Elitehochschule École Normale Supérieure; sie besaßen im allg. die (in etwa dem dt. Staatsexamen entsprechende) agrégation (frz. Staatsprüfung) in einem philol. Fach, bisweilen auch in Geschichte. Die Dauer ihres Aufenthalts an der EFA konnte variieren, betrug aber meist drei J. Die Mitglieder waren bis zum Beginn des 20. Jh. zum Zölibat verpflichtet; die erste Französin wurde erst 1956 aufgenommen.

Gemäß den Statuten von 1985 müssen Bewerber die agrégation sowie ein D. E. A. (Diplôme d'Études Approfondies, erworben nach Studienabschluß in einem weiteren, der Hinführung auf die Dissertation dienenden Jahr) oder einen von der jährlich vom Bildungsministerium gebildeten Auswahlkommission als gleichwertig erachteten Abschluß besitzen. Die Ernennung der Mitglieder, deren Zahl h. neun beträgt, erfolgt zunächst für ein J. und kann dreimal erneuert werden. Die Mitglieder sind verpflichtet, sowohl an den gemeinschaftlichen Arbeiten der EFA teilzunehmen als auch ihren eigenen Forsch. nachzugehen. Bislang besaßen alle Mitglieder die frz. Staatsbürgerschaft, obwohl die Statuten die Aufnahme von Ausländern vorsehen (beim Aufnahmewettbewerb vom Juli 1996 wurde ein Mitglied griech. Nationalität aufgenommen). Daß dies nicht als notwendig erachtet wurde, liegt daran, daß die EFA seit 1900 auch eine ausländische Abteilung hat. Die bereits

1846 zunächst für Belgier vorgesehene ausländische Abteilung soll Stipendiaten befreundeter Länder, die in Griechenland nicht über ständige Einrichtungen verfügen, aufnehmen. Diese Stipendiaten werden durch ihr Herkunftsland bezahlt und haben dieselben Rechte und Pflichten wie die frz. Mitglieder. Der ausländischen Abteilung gehören regelmäßig Belgier und Schweizer an; in den letzten J. wurden auch drei Brasilianer und ein Kanadier aufgenommen. Die ausländische Abteilung spielt im wiss. Leben der EFA eine wichtige Rolle.

Die Aufnahme von Doktoranden als Stipendiaten ist seit 1985 in den Statuten verankert. Daneben nimmt die EFA auch Gastwissenschaftler beliebiger Nationalität für Forschungsaufenthalte unterschiedlicher Länge auf. Stipendiaten und Gastwissenschaftler führen ihre eigenen Forschungsvorhaben durch oder nehmen an den verschiedenen Programmen der EFA teil. Zw. 1991 und 1994 kamen die Gäste der EFA aus 33 verschiedenen Ländern, was ihre Anziehungskraft und Bed. auf internationaler Ebene anzeigt.

C. WISSENSCHAFTLICHE TÄTIGKEITEN

Die Geschichte der EFA ist eng mit der Entstehung und der Entwicklung der griech. Arch. verbunden. Doch sah die EFA in dieser schon in der Vergangenheit nicht ihren einzigen Aufgabenbereich, und die Statuten von 1985 haben ihre Forschungsgebiete um die mod. und zeitgenössische griech. Kultur erweitert. Seit 1990 ist einer der Mitgliedsposten für mod. Stud. und seit 1995 eine Stelle für einen assoziierten Professor für neugriech. Stud. vorgesehen; neben jungen Antikeforschern werden auch Stipendiaten aufgenommen, die sich speziell mit dem mod. und zeitgenössischen Griechenland befassen. Dennoch ist und bleibt die Arch. das Hauptforschungsgebiet der EFA.

Wie bereits erwähnt, werden die arch. Arbeiten nicht nur an den traditionellen Grabungsstätten durchgeführt. Obwohl diese zum Teil bereits E. des 19. oder Anf. des 20. Jh. angelegt wurden (Argos, Delos, Delphi, Malia, Thasos), sind sie immer noch von großem wiss. Interesse und nach wie vor reiche Quelle für Entdeckungen von größter Bed. Derzeit arbeiten etwa 100 Wissenschaftler an den Grabungsstätten und im Rahmen der wiss. Programme der EFA; sie sind an einer Univ. oder am CNRS (*Centre national de la recherche scientifique*), die mit der EFA Verträge geschlossen haben, beschäftigt. Im Zusammenhang mit dieser Erweiterung der vertraglich geregelten Beziehungen ist darauf hinzuweisen, daß das Außenministerium finanziell zu den Grabungen in Amathus, Dikili Tash und Sovjan beiträgt und daß die Zahl der mit anderen ausländischen oder frz. Inst. gemeinschaftlich geführten Programmen (Dikili Tash, Itanos, Sovjan) wächst. Damit steht die EFA im Zentrum eines internationalen Netzes der Erforschung der griech. Kultur.

Die EFA hat sich stets auch für die griech. Kultur außerhalb Griechenlands interessiert. Während bis 1923 die Türkei eines ihrer bevorzugten Betätigungsfelder war, wendet sie sich h. den Balkanländern (Grabungen in Albanien) sowie dem Schwarzen Meer zu und unterstützt die Grabungen in → Alexandria.

D. DOKUMENTATION

Die EFA verfügt über ein außergewöhnlich reiches Dokumentationszentrum. Die über einen Zeitraum von 150 J. hinweg aufgebaute Bibl. hat im Bereich der griech. Arch. erschöpfende Bestände und deckt alle Aspekte der griech. Kultur von der Vorgeschichte bis → Byzanz sehr weitgehend ab. Sie umfaßt h. 60000 Bände und bezieht 750 Periodika. Es handelt sich um eine Präsenzbibl., zu der die Forscher und Doktoranden freien Zugang haben; sie ist ganzjährig ohne Unterbrechung geöffnet und den Mitgliedern sowie allen, die als Gastwissenschaftler oder Stipendiaten an der EFA tätig sind, Tag und Nacht zugänglich.

Das wiss. Archiv dokumentiert im wesentlichen die Grabungen der EFA in Griechenland, auf Kypros und in der Türkei sowie von der EFA veröffentlichte Museumssammlungen. Es umfaßt Photographien, Pläne und hss. Quellen (insbes. die bei den Grabungen angelegten Notizbücher). Die Photothek enthält 400000 Aufnahmen auf verschiedenen photographischen Materialien, die Planothek 20000 Pläne und Zeichnungen sowie eine Sammlung von 6000 Drucken.

E. PUBLIKATIONEN

Die zahlreichen Publikationen der EFA dienen der Verbreitung ihrer Forschungsergebnisse. Sechs der derzeit zehn Reihen (*Fouilles de Delphes*, *Exploration archéologique de Délos*, *Études crétoises*, *Études thasiennes*, *Études péloponnésiennes* und *Études chypriotes*, in der Reihenfolge ihrer Gründung) sind den traditionellen Grabungsstätten gewidmet. Das 1876 gegr. *Bulletin de Correspondance héllénique* (BCH) umfaßt zwei in Halbjahresabstand erscheinende Hefte. Die darin erscheinenden Rubriken *Chronique des fouilles en Grèce* und *Chronique des fouilles de Chypre* sind unersetzliche Arbeitsinstrumente, die die weite Verbreitung der Zeitschrift garantieren. In den Supplementbänden des BCH werden sowohl Monographien zu nicht von der EFA erforschten Stätten als auch Tagungsakten veröffentlicht. Mit der Gründung der Supplementbände stellten die *Travaux et Mémoires des anciens membres étrangers de l'École et de divers savants* (21 Bde. zw. 1929 und 1978) ihr Erscheinen ein. Die *Bibliothèque des Écoles françaises d'Athènes et de Rome* publiziert nach wie vor die Dissertationen bzw. Habilitationsschriften der Mitglieder. Die Reihe *Sites et monuments* umfaßt die Führer zu den Grabungen und ihre Übers. in andere Sprachen. Die 1990 begründeten *Recherches franco-helléniques* publizieren auf griech. und frz. in Zusammenarbeit mit der griech. Antikenabteilung entstandene Arbeiten. Eine neue Sammlung, die *Études Épigraphiques*, die das Corpus der nicht in direktem Zusammenhang mit den traditionellen Grabungsstätten der EFA stehenden Inschr. aufnehmen sollen, wurde 1992 gegr.

Mit ihrer 150-jährigen Geschichte, ihrer Präsenz in allen Bereichen der zeitgenössischen Arch. und ihrer Öffnung gegenüber der mod. Welt nimmt die EFA in der nationalen und internationalen Forsch. im Dienst der griech. Kultur einen wichtigen Platz ein.

1 BCH 120 (1), 1996, Numéro spécial, Cent cinquantenaire de l'École française d'Athènes 2 G. RADET, L'histoire et l'oeuvre de l'École française d'Athènes, 1901 3 La redécouverte de Delphes, (o. Hrsg.) 1992.

ROLAND ÉTIENNE/
Ü: SYBILLE PAULUS

École française de Rome A. GRÜNDUNG
B. SITZ C. AUFGABEN UND FORSCHUNG
D. PUBLIKATIONEN

A. GRÜNDUNG

Die Gründung der EFR im J. 1875 steht im Zusammenhang mit der kurz zuvor erlittenen Niederlage Frankreichs gegen Deutschland. Das *Istituto di corrispondenza archeologica*, in dem seit 1829 über das ant. Rom forschende Intellektuelle aus allen Ländern zusammenkamen, bestand nämlich nach dem Deutsch-Französischen Krieg (1870/1871) nicht weiter. Frz. Forscher hatten darin eine wichtige Rolle gespielt, doch waren dt. Wissenschaftler die treibende Kraft gewesen und führten das Inst. weiter. So stand am Beginn der EFR der deutliche Wunsch nach Vergeltung. Einer der Leitgedanken der ersten Mitglieder der *École* war das Ziel, durch ein Engagement auf einem Gebiet, auf dem die dt. Wiss. eine herausragende Stellung einnahm, das im Bereich der Politik verletzte Selbstbewußtsein im Bereich der Wiss. wieder zu stärken. Ein gutes Beispiel für diese ambivalente Haltung, in der sich Bewunderung und das Bedürfnis, sich mit den dt. Gelehrten zu messen, mischen, ist der Historiker Camille Jullian. Anstatt ein drittes Jahr in Rom zu verbringen, beantragte er 1882 einen einjährigen Aufenthalt in Berlin, wo er bei Th. Mommsen und anderen großen dt. Gelehrten studieren wollte. ›Es geht nicht nur darum, als Bewunderer oder als Student nach Deutschland zu gehen, sondern, verzeihen Sie den Ausdruck, auch als Spion‹ schrieb er dem Historiker N. D. Fustel de Coulanges. So wäre die EFR beinahe nur ein arch. Inst., ein frz. Pendant des → Deutschen Archäologischen Instituts geworden. Urspr. war nämlich vorgesehen, die jungen Mitglieder der → *École française d'Athènes* vor ihrem Griechenlandaufenthalt jeweils für ein Jahr aufzunehmen. Seit der Gründung der *École française d'Athènes* im J. 1846 war es bei zahlreichen ihrer Mitglieder üblich geworden, dem Studium des ant. Griechenlands, das damals als »die« kulturelle Referenz galt, eine Zeit in der röm. *Villa Medici* zu verbringen. 1873 ernannte ein Dekret des Staatspräsidenten das ehemalige Mitglied der *École française d'Athènes*, Albert Dumont, der den Zwischenaufenthalt in der röm. Villa Medici selbst wahrgenommen und das Projekt unterstützt hatte, zum ›für den Arch.-Unterricht in Rom verantwortlichen stellvertretenden Direktor der *École d'Athènes*‹, und im folgenden Jahr wurde er mit einem weiteren Dekret zum Direktor der *École archéologique de Rome* ernannt.

Doch ›Rom vor Athen besuchen heißt das Pferd beim Schwanz aufzäumen‹, wie sich der damalige Staatspräsident Thiers ausdrückte. Ob H. Wallon, ab 1875 Bildungsminister und Spezialist für Sklaverei in der Ant., sich von dieser Feststellung leiten ließ oder nicht, jedenfalls brachte er im selben Jahr ein Dekret durch, das die EFR ins Leben rief und ihre – bis h. gleich gebliebene – Aufgabe festlegte: die Aufnahme von sechs (h. 18) Mitgliedern, die sich mit der gesamten Geschichte Roms und It. befassen sollten. Die Präambel der derzeit gültigen Statuten weist der *École* dasselbe Forschungsgebiet zu: ›Aufgabe der EFR ist es, die Forsch. und die Ausbildung zur Forsch. über alle in It. beheimateten oder von Rom ausgehenden Kulturen von der Vorgeschichte bis h. zu fördern‹. In dieser von Anfang an bekräftigten histor. Ambition liegt die Besonderheit und Vielfalt der Tätigkeit der EFR.

B. SITZ

1875 bezog die EFR die Räume im zweiten Geschoß des Palazzo Farnese, in denen sie sich noch h. befindet. Die frz. Botschaft hatte diesen angesehenen Sitz kurz zuvor von dem noch jungen it. Staat angeboten bekommen und suchte eine Einrichtung, die die Räume mit ihr teilen könnte. Die *École* benötigte Raum für eine Bibl., die angesichts der Aufgaben, die sie sich selbst gestellt hatte, unabdingbar war, und richtete sich in den großzügigen Räumen, in denen früher die Bibl. des Herzogs von Parma untergebracht gewesen war, ein. Heute, fast 125 J. später, umfaßt die Bibl. 180000 Monographien und 1600 Zeitschriften. Sie mußte zunächst auf das Dachgeschoß, das dritte Geschoß des Palazzo, dann auch auf das Kellergeschoß, wohin 1996 ein komprimiertes Magazin verbracht worden war, ausgedehnt werden. Die Bibl. stand von Anfang an nicht nur den Mitgliedern, sondern auch ausgewiesenen Forschern aller Nationalitäten, die sie in immer größerer Zahl nutzen, offen. Diese zweifache Zielgruppe erklärt die Vielseitigkeit der Bibl., deren Bestände den Ansprüchen sowohl der Mitglieder und der frz. Forscher, die über die Geschichte It. von der Ant. bis h. arbeiten, als auch der it. Forscher und Forscher anderer Nationalitäten, von denen viele hier die großen Sammlungen frz. histor. Texte aufsuchen, genügen muß. Da die Bibl. diesen vielfältigen Ansprüchen nicht vollständig entsprechen kann, konzentriert sie sich schwerpunktmäßig auf alte und ma. Geschichte und klass. und ma. Arch. sowie auf die Gebiete, die in den übrigen röm. Bibl. wenig vertreten sind, wie im Bereich der Ant. beispielsweise Afrika und Gallien. Seit 1989 gehört der Bibl. mit der bedeutenden Sammlung Eduardo Volterras ein einzigartiger Bestand an Material zum röm. und ma. Recht, um dessen Erhaltung und Erweiterung die Bibl. bemüht ist, an.

C. AUFGABEN UND FORSCHUNG
I. BIS 1945

Die Kontinuität der Aufgaben der *École* seit fast 125 J. bedeutet keinen Stillstand. Die Entwicklung der *École* läßt sich in mehrere Abschnitte unterteilen, deren erster von der Gründung bis zum II. Weltkrieg reicht. In diesem Zeitraum arbeitete die *École* in erster Linie auf dem Gebiet der alten Geschichte und klass. Arch. Da der it. Staat ausländischen Inst. damals keine Grabungskonzessionen erteilte, konzentrierten sich die Mitglieder der *École* auf die bereits bekannten ant. Stätten und Denkmäler. Aus diesen Stud. gingen zahlreiche Monographien hervor, die h. noch als Standardwerke gelten: z. B. über die Tiberinsel, den Aventin und den Apollotempel unter Augustus in Rom, Praeneste, Terracina und die Pontinischen Sümpfe in Latium, Pozzuoli in Kampanien usw. In Nordafrika dagegen hatten die Mitglieder der EFR die Möglichkeit, Geländegrabungen durchzuführen. Die in dieser Zeit entstandenen bevorzugten wiss. Beziehungen zw. der *École* und den Maghreb-Ländern bestehen h. noch. An Grabungsstätten sind Mactaris in Tunesien, Cherchell und Tipasa in Algerien und Volubilis in Marokko zu nennen. Auch auf dem Gebiet der Geschichte im engeren Sinn leisteten die Ant.-Forscher der *École* bedeutende Arbeit. Hier sind – um nur die Arbeiten von Direktoren zu erwähnen – beispielsweise die Edition des *Liber pontificalis* durch Louis Duchesne, die die Wiederaufnahme der Erforschung der Geschichte des ant. Christentums markiert, und die Forsch. Jérôme Carcopinos über Vergil und die Ursprünge Ostias und die *lex Hieronica* anzuführen.

Darüber hinaus betraf die Forsch. der *École* vor dem II. Weltkrieg auch das MA. Bereits 1877 hatte Élie Berger, ein jüngeres und zudem protestantisches Mitglied, die Erlaubnis erhalten, in den damals noch privaten vatikanischen Archiven zu arbeiten. Seine Forsch. leiteten die endgültige Öffnung der vatikanischen Archive (1880/1881) ein und ebneten dem Großprojekt der Publikation der Papstbriefe, an dem Generationen von Mitgliedern der *École* – meist Absolventen der in den histor. Fächern ausbildenden *École Nationale des Chartes* – arbeiteten, den Weg. Die Reihe der Papstregister des 13. Jh. ist seit 1959 abgeschlossen, die Publikation der Papstregister des 14. Jh. dauert noch an, und derzeit arbeitet man an einer CD-ROM, die alle 78 bisher erschienenen Bände enthalten soll. Neben diesem Unternehmen wird nicht nur über Kirchengeschichte und die Geschichte des Kirchenstaats, sondern auch über Venedig, Süd-It. und die Beziehungen zw. It. und dem frz. Königreich geforscht. Der größte Teil der Forsch. betrifft das Spät-MA (13.–15. Jh.). Auch die ma. Kunstgeschichte ist gut vertreten, wobei hier nur die herausragende Gestalt Émile Mâles, der 1922 in der Leitung der *École* auf Louis Duchesne folgte, genannt werden soll.

Während die Neuzeitforscher unter den Mitgliedern der *École* bis zum Beginn der 20er J. relativ gut vertreten waren, ging ihre Zahl anschließend stark zurück (von 1922 bis 1945 nur sieben), und ihre Forsch. betraf v. a. das 16. Jh., und zwar ausschließlich auf den Gebieten der Kunstgeschichte und polit. Geschichte, während sie sich zuvor bis zum Beginn des 19. Jh. erstreckt hatte.

2. Entwicklungen nach 1945

Der Zeitraum vom E. des II. Weltkriegs bis h. gliedert sich in zwei Abschnitte: Von 1945 bis 1970 erfuhr die *École* unter der Leitung von Albert Grenier, Jean Bayet und Pierre Boyancé einige Veränderungen, und seit 1972 nahm sie unter der Leitung von Georges Vallet, Charles Pietri, Claude Nicolet und André Vauchez allmählich ihre heutige Gestalt an.

Die genannten Veränderungen betreffen zunächst die Verwaltung. Der Direktor wird in seiner Arbeit nach und nach durch einige enge Mitarbeiter unterstützt: ab 1953 durch einen Generalsekretär, dessen Amt 1972 zugunsten dreier Studiendirektoren, deren Zuständigkeiten den drei neugeschaffenen Abteilungen der *École* (Arch. und Alte Geschichte, Ma. Geschichte, Neue und Neueste Geschichte) entsprachen, wieder abgeschafft wurde; ab 1959 durch einen Bibliothekar sowie einen stellvertretenden Bibliothekar; ab 1966, als das Inst. finanziell selbständig wurde, durch einen Rechnungsführer; ab 1981 schließlich durch einen für die Publikationen verantwortlichen Sekretär (später Direktor), dessen Amt notwendig wurde, als die *École* die Veröffentlichung ihrer Forsch. selbst übernahm (seit 1972).

Die *École* dehnte sich auch räumlich aus: 1966 erwarb sie ein Gebäude an der Piazza Navona 62, wo seit 1975 die Buchhaltung und die Publikationsabteilung untergebracht sowie ein arch. Labor, ein Architekturbüro, ein Ausstellungsraum, ein Konferenzsaal und 14 Zimmer für Gastwissenschaftler und Stipendiaten eingerichtet wurden.

Die Zahl der Mitglieder verdoppelte sich zw. 1945 und 1975 von acht auf 16, wobei acht Mitglieder auf die Abteilung Ant., vier auf die Abteilung MA und vier auf die Abteilung Neuzeit und neueste Zeit entfielen. Die größte Neuerung bestand ab 1978 in der systematischen Aufnahme von Nachwuchswissenschaftlern, die über das It. des 19. und 20. Jh. arbeiteten. Man hatte gesehen, daß zuvor die Arbeiten der Neuzeitforscher kaum über das Zeitalter Napoleons hinausgekommen waren. Mit der Gründung einer Abteilung für Sozialgeschichte unter der Leitung des Studiendirektors für neue und neueste Geschichte im J. 1991 wurde die neueste Geschichte weiter aufgewertet. Diese Abteilung zählt h. zwei Mitglieder, bei denen es sich meist um Absolventen der polit. Wiss., Geographen oder Juristen handelt und deren Forsch. meist das heutige It. betrifft. Neben Mitgliedern werden seit den 70er J. für kürzere Aufenthalte auch Stipendiaten aufgenommen. Die *École* verfügt h. über 130 monatliche Stipendienzahlungen, die es ihr ermöglichen, eine größere Zahl von frz. und nicht-frz. Forschern, die wiederum für die *École* eine Bereicherung darstellen, in ihrer Arbeit zu unterstützen.

Nach dem II. Weltkrieg erhielten die ausländischen Inst. von It. Grabungskonzessionen, so daß die klass. Arch. auf der Apenninenhalbinsel weitere Forsch. durchführen konnten. Dabei arbeitete man stets eng mit den it. Soprintendenzen und Univ. zusammen. Bolsena im ehemaligen Etrurien (Grabungen ab 1946) und Megara Hyblaia auf Sizilien (Grabungen ab 1948) wurden zu »klass.« Grabungsstätten der *École*, deren Ergebnisse bereits mehrere Bände füllen und noch nicht vollständig publiziert sind. 1971 trat Marzabotto bei Bologna die Nachfolge an, und nach einer Unterbrechung wird dort h. im Rahmen einer Vereinbarung mit der Soprintendenza und der Univ. von Bologna wieder geforscht. Eine weitere Vereinbarung mit frz. und it. Partnern regelt die bereits fast 25 J. während städtebauliche Erforsch. Paestums. Seit E. der 70er und dem Beginn der 80er J. führt die *École* an einigen wichtigen Stätten in Rom und seinen Vororten Grabungen durch: im Vorort Magliana, auf dem Pincio (Gelände des Klosters *Trinità dei Monti* und der *Villa Medici*) und auf dem Palatin (*Vigna Barberini*). Außerhalb Roms wird derzeit u. a. in Musarna/Etruria (seit 1983) und im Bezirk des Flußhafens von Aquileia in Friaul (seit 1990) gegraben.

Außerhalb It. sind beispielsweise die Forsch. in Sirmium in Zusammenarbeit mit dem arch. Inst. in Belgrad und v. a. die Fortsetzung der Zusammenarbeit mit den Maghreb-Ländern, insbes. mit dem tunesischen staatlichen Inst. für Kulturerbe und an den Grabungsstätten Sbeitla, Haïdra, Bulla Regia und Jedidi, zu nennen. Darüber hinaus ist seit den 70er J. an der *École* auch die ma. Arch. vertreten, wobei man in der Nachfolge der innovativen Arbeiten der Historiker über Befestigungsanlagen v. a. Dörfer und Alltagskultur untersucht. Die beiden ersten Grabungsstätten der MA-Abteilung waren Brucato auf Sizilien und Scribla in Kalabrien. Es folgten Tabarka in Tunesien und Caricin Grad in Jugoslawien, und h. arbeiten die ma. Archäologen der *École* an zwei Stätten in Süd-It., Squillace in Kalabrien und Vaccarizza in Apulien, sowie zwei in Latium, Valle del Turano und Cencelle.

Die Verstärkung der arch. Tätigkeit im jüngsten Abschnitt der Geschichte der *École* ging nicht zu Lasten der im engeren Sinn historischen Forschung. Die Althistoriker der *École* arbeiteten wie ihre Vorgänger auf sehr verschiedenen Gebieten: Lit.- und Geistesgeschichte, Religions- und Mentalitätsgeschichte und Geschichte des Frühchristentums, aber auch Rechts- und Institutionengeschichte und Wirtschafts- und Sozialgeschichte. Das Interesse der Mediävisten gilt wie bei den früheren Generationen der Philol., der Diplomatik und der Geschichte des Papsttums, hat sich aber, begünstigt vom starken Aufschwung mediävistischer Forsch. in Frankreich, auch auf die Religions- und Kulturgeschichte sowie auf die polit., gesellschaftlichen und wirtschaftlichen Strukturen des ma. It. ausgedehnt. Die Geschichte des Papsttums und Religionsgeschichte allg. sind auch bei den Historikern der Abteilung Neuzeit und neueste Zeit traditionell wichtige Forschungsgebiete, doch leistet diese Abteilung darüber hinaus auch im Bereich der polit. und der Geistesgeschichte sowie der Bevölkerungs-, Wirtschafts- und Sozialgeschichte wichtige Forschungsarbeit. Sie initiierte in den letzten 20 J. eine Reihe gemeinschaftlicher Unt., von denen zahlreiche Impulse ausgingen und die sich bisweilen auch mit den Fächern Anthropologie oder Religions- und polit. Geschichte berührten. Hier sind beispielsweise die Studien über Verwandtschaftsbeziehungen im Königreich Neapel, die qualitative Unt. über Pilgerreisen in der frühen Neuzeit und die Unt. über die Denkmäler für die Gefallenen des I. Weltkriegs in Latium oder das die Hauptstädte vom 16. bis zum 20. Jh. betreffende Forschungsprogramm zu nennen.

Anläßlich zahlreicher dieser histor. wie arch. Forsch. wurden im Konferenzsaal an der Piazza Navona internationale wiss. Treffen über die Themen der verschiedenen Abteilungen und Kolloquien über thematische »Längsschnitte« durch alle an der *École* vertretenen histor. Epochen abgehalten. Zu letzteren zählen beispielsweise die von Claude Nicolet initiierte Unt. über die Großstädte im Mittelmeerraum und die gegenwärtig von André Vauchez geleitete Studie »Über den Raum, den Menschen und das Sakrale«. So zeichnet sich die *École* h. durch dieselbe Offenheit gegenüber dem gesamten Bereich der Geschichte aus, die bereits seit der Gründung ihre Originalität ausmacht.

D. PUBLIKATIONEN

Die genannten Tätigkeiten der École wie Grabungen, Programme zur Erschließung von Archiven oder wiss. Tagungen haben eine Reihe von Publikationen, an denen sich zukünftige Forsch. orientieren kann, hervorgebracht. Bereits 1876 verfügte die *École*, gemeinsam mit der *École française d'Athènes*, über die *Bibliothèque des Écoles françaises d'Athènes et de Rome* (BEFAR) mit verschiedenen Reihen, insbes. der der Dissertationen der Mitglieder und ehemaligen Mitglieder. Ab 1881 gab die *École* eine Zeitschrift, die *Mélanges d'archéologie et d'histoire*, heraus. Diese war zunächst nur für die Arbeiten der Mitglieder der *École* vorgesehen, öffnete sich dann allmählich aber auch externen Autoren. Der entscheidende Schritt erfolgte 1971, als die nun in zwei Reihen aufgeteilte und in *Mélanges de l'École française de Rome* umbenannte Zeitschrift der gesamten internationalen, v. a. der frankophonen und it., *scientific community* zur Verfügung gestellt wurde. H. umfassen die *Mélanges* drei Reihen (Ant.: MEFRA, MA: MEFRM, It. und Mittelmeerraum: MEFRIM), von denen jährlich jeweils zwei Hefte erscheinen. 1964 kam zur BEFAR eine weitere Reihe, die *Suppléments aux Mélanges d'archéologie et d'histoire*, die 1972 in *Collection de l'École française de Rome* umbenannt wurde, hinzu. In dieser Reihe, die h. mehr als 300 Bände umfaßt, werden die meisten Ergebnisse der Forschungstätigkeit der *École* (Grabungen, Konferenzen, Kolloquien, gemeinschaftliche Forsch.) sowie Monographien, zu deren Entstehung häufig Aufenthalte an der EFR beigetragen haben, veröffentlicht. In weiteren Reihen werden die in Zusammenarbeit mit Partnerinstituten durchgeführten Forsch. publ.: *Acta nuntiaturae gallicae* (seit 1961) mit der *Università Gregoriana* (Rom), *Images à l'appui* (seit 1986) mit dem *Centre Louis Gernet* (Paris), *Roma antica* (seit 1987) mit der arch. Soprintendenza von Rom. Mit jährlich etwa 30 Bänden und fast 3000 Zeitschriftenseiten spielt die EFR im frz. wiss. Verlagswesen eine bedeutende Rolle.

→ Frankreich; Italien

1 L'histoire et L'oeuvre de l'EFR, 1931 2 L'EFR 1875–1975, catalogue de l'exposition organisée à l'occasion de son centenaire, 1975 3 L. CARCOPINO, Souvenirs romains, 1968 4 M. R. DE LA BLANCHÈRE, Lettere dalle terre pontine, (Briefe der J. 1879–1881 von Marie-René de La Blanchère, Mitglied der EFR an den Direktor Auguste Geffroy, hrsg. und it. übers. von G. R. ROCCI), 1998 5 O. MOTTE, Camille Jullian, élève de Mommsen à l'Univ. de Berlin, in: Ius Commune 9, 1980, 315–453 6 Ders., Camille Jullian. Les années de formation, 1990 7 C. NICOLET, Avant-propos, in: F. BÉRARD, G. DI VITA-EVRARD (Hrsg.), L'épigraphie dans les Mélanges d'Archéologie et d'Histoire (1881–1970), 1997 8 CH. PIETRI, PH. BOUTRY, unter Mitarbeit von F.-CH. UGINET, La Scuola francese di Roma, in: Speculum Mundi. Roma centro internazionale degli istituti di archeologia, storia e storia dell'arte in Roma (o.J.) 9 C. VIRLOUVET, J. DALARUN, La scuola francese di Roma, in: Forma Urbis I/11, 1996, 31–35 10 B. WACHÉ, Monseigneur Louis Duchesne (1843–1922). Historien de l'Eglise et directeur de l'EFR, 1992.

CATHERINE VIRLOUVET/Ü: PAULUS, SYBILLE

Ehe A. SPÄT- UND NACHANTIKE ANFÄNGE
B. SCHOLASTIK, SPÄTSCHOLASTIK, REFORMATION
C. NEUZEIT

A. SPÄT- UND NACHANTIKE ANFÄNGE

Die Neuformung von E.-Doktrinen und E.-Rechtssätzen ist in der Spät- und Nachant. untrennbar mit dem Aufstieg der Kirche verbunden. Gegen gnostische Verwerfungen und frühchristl. Keuschheitsideale zeigten sich in der umfangreichen patristischen Lit. Ansätze einer positiven Einschätzung der sittlichen und sozialen Werte der E. Von Augustin wurden die Güter der E. – *proles, fides, sacramentum* – hervorgehoben, obschon die Vorstellung bestimmend blieb, daß die E. im Vergleich mit der Unzucht lediglich das geringere Übel darstelle (de bono conjugali 3, PL XL, 375). Typisch für die vorwiegend asketische Haltung ist die Stellungnahme Tertullians, der den Dienern Gottes die E. versagen will und jegliche fleischliche Vereinigung als Akt des Unterliegens gegenüber der Sinnlichkeit versteht (ad uxorem 1,5, PL I, 1394f.). Eine eminente Aufwertung der E. bedeutete es hingegen, daß sich mit Blick auf das in Eph 5 vorgegebene *mysterium unionis Christi cum Ecclesia* (›Mysterium der Vereinigung Christi mit der Kirche‹) der sakramentale Charakter der E. durchzusetzen begann, und zwar schon seit Augustin. Der Scheidungsfreiheit des mosaischen und röm. Rechts wurde das Unauflöslichkeitsdogma entgegengesetzt. Aber die Vorstellung, daß die vollzogene und sakramental erhöhte E. schlechthin unauflöslich sei, hat sich in der Patristik und den frühen Synodalbeschlüssen nur sehr zögerlich gegen andersartige Trad. und Gewohnheiten behaupten können. Erst in der Theologie des 12. und 13. Jh. sollte sich die sakramentalrechtliche Ausformung der E. dergestalt durchsetzen, daß die Unauflöslichkeit als Grund-

satz des *ius divinum* und der kirchlichen Rechtsaufzeichnungen unangefochten blieb.

Der Schwerpunkt kirchlicher Interessen lag zunächst jedoch nicht in der Auseinandersetzung mit dem freizügigen röm. E.-Scheidungsrecht. Seit Beginn des 6. Jh. prägte die Inzestproblematik die Beschlußpraxis der Konzilien und die theologischen Traktate der Kirchenväter. Den Hintergrund bildete die Gewohnheit des fränkischen und burgundischen Adels, zur Sicherung des Familienbesitzes innerhalb eines möglichst engen Verwandtenkreises zu heiraten – ehegüterrechtliche Vermögensabflüsse wurden vermieden, wenn der Fürst oder Herrscher etwa die Witwe seines Bruders ehelichte. Solchen Verwandten-E. hatte die Kirche durch die Erweiterung des Inzestbegriffs – noch über die levitischen E.-Verbote hinaus – den Kampf angesagt. Der Ausdehnung und Durchsetzung der auf Blutsverwandtschaft und Schwägerschaft beruhenden E.-Hindernisse wandten sich zw. 511 und 627 insgesamt 14 fränkische und burgundische Konzilien (Orléans 511, Epaon 517, Tours 567 u. a.) zu. Die Einführung weiterer *impedimenta* durch das kanonische Recht, wie das E.-Hindernis der geistlichen Verwandtschaft und des Keuschheitsgelübdes, setzte sich bis ins Hoch-MA fort.

B. SCHOLASTIK, SPÄTSCHOLASTIK, REFORMATION

Im Hoch-MA festigte sich der kirchliche Anspruch auf das *vinculum matrimonii* (›Eheband‹) in Theorie und forensischer Praxis – dieses Verständnis spiegelt sich in der klass. Formulierung Gratians: *matrimonia hodie reguntur iure poli, non iure fori* (Decretum Gratiani c. 7 C. 2 qu. 3). Das Recht der Welt, also das röm. E.-Recht, tritt gegenüber den kirchlichen Canones zurück; die päpstliche Gesetzgebung des 12. und 13. Jh. verwirklichte das Geltungsmonopol des kanonischen E.-Rechts in einer üppig wachsenden Rechtskasuistik. Eingebunden war dieser Rechtssetzungsprozeß in die Systembildung der scholastischen Wiss., für die Thomas von Aquin in seiner *Summa theologica* wegbereitend wurde. Die Entwicklung eines schriftkonformen E.-Rechts stieß auf Grundsätze höchst unterschiedlicher Qualität, auf ethische Disparitäten und soziokulturelle Umbrüche, für die das institutionelle Monogamiegebot in Gn 2,24, das mosaische Verstoßungsrecht (Dt 24,1–4), die at. Polygamie und das nt. Scheidungsverbot (Mt 19,3–9) stehen mögen. Solche Textwidersprüche aufzulösen war Aufgabe der scholastischen Naturrechtslehre, die das komplexe Verhältnis von *lex divina* und *lex naturalis* zu ordnen und darüber zu befinden hatte, welche Moralsätze eine apriorische Existenz aufweisen und welche Offenbarungssätze einem verfügbaren, dispensablen *ius divinum positivum* angehören sollten. Die Brüche eines nur positiven – auf keiner naturrechtlichen Sachgesetzlichkeit beruhenden – Offenbarungsrechts zeigten sich etwa im Scheidungsverbot, das zum Strukturprinzip eines sakramentalen E.-Rechts geworden war: das *praeceptum morale* des ›Quod ergo Deus coniunxit, homo non separet‹ (›Was also Gott verbunden hat, soll der

Mensch nicht scheiden‹, Mt 19,6) wurde von Gott selbst eingeschränkt, und zwar als göttl. Konzession *ad duritiam cordis vestri* (›an die Herzenshärtigkeit‹). Wenn auch viel dafür sprach, der sakramentalrechtlichen *indissolubilitas* (›Unauflösbarkeit‹) den Rang eines zweckrational begründbaren Naturrechtsprinzips zuzuweisen, war angesichts des positiven biblischen Befunds die Suche nach einer widerspruchsfreien Problemlösung vergeblich – diese Einbruchstelle blieb und hat neuzeitliche Vertragskonzeptionen und die Infragestellung des Unauflöslichkeitsdogmas begünstigt.

Der scholastische Rechtsdiskurs wandte sich einer bes. intrikaten Frage zu, der Bed. des Konsenses für den E.-Schließungsakt. Dem reinen Konsensgedanken – *solus consensus facit nuptias* (›nur der Konsens begründet die Ehe‹) – folgt die Pariser Schule (Hugo von St. Viktor, Petrus Lombardus): nur der Konsens war Wesenserfordernis für die unauflösliche sakramentale E. Die Gegenposition vertraten Gratian und die Kanonisten von Bologna: erst der Vollzug begründet die vollgültige E. (*consensu initiatur, copula perficitur matrimonium*). Hinzu kam die unterschiedliche Einschätzung aller weltlichen und kirchlichen Verheiratungsriten. Aus diesen Kontroversen ist eine kanonistische Sponsalienlehre hervorgegangen, die mit ihrem verschlungenen Begriffsapparat von *matrimonium initiatum, matrimonium consummatum, sponsalia de futuro, sponsalia de praesenti* etc. zu den bekanntesten Arabesken juristisch-theologischer Dogmengeschichte gehört. Nur eine teilweise Beruhigung trat ein, als das Konzil von Trient gegen das Konsensprinzip der Pariser Schule entschied und in cap. 1 des Dekrets *Tametsi* von 1563 ein kirchliches Gültigkeitserfordernis für die E.-Schließung (priesterliche Trauung) errichtete. Noch im Kulturkampf des späten 19. Jh. wurde über die Bed. von Konsensprinzip und Verlöbnis-E. gestritten.

Während das Reformkonzil von Trient in seinen Beschlüssen die kirchlichen Dogmen zur E. festschrieb, wurde zur Rechtfertigung des Tridentinums in der span. und it. Spätscholastik des 16. und 17. Jh. das weit ausgreifende Problemspektrum des kanonischen E.-Rechts entfaltet: es handelt sich um die letzte und bedeutendste wiss. Auseinandersetzung mit der E.-Thematik im katholischen Europa – bezeichnend für diese Lit. sind umfangreiche Traktate wie Thomas Sanchez' *De sancto matrimonii sacramento* (1607). Das E.-Schrifttum an der Wende zur Neuzeit folgte der Methode des scholatischen Naturrechts – aber bereits mit der Tendenz zur Relativierung naturrechtlicher Grundsatzpositionen. Verdeutlicht sei dies am Problem der Polygamie: In der ma. Theologie wurde die »Vielweiberei« als Verstoß gegen die schöpfungsgeschichtlich vorgegebene Monogamie verstanden. Allerdings war dem AT zu entnehmen, daß Gott den Patriarchen des Alten Bundes die Vielweiberei gestattet hatte. Da Gott nicht naturrechtswidrig handeln kann, mußte der naturrechtliche Charakter der Monogamie selbst relativiert werden. Die Lösung lag in der thomistischen Unterscheidung zw. den

principia prima und den *praecepta secunda* des → Naturrechts: das Polygamieverbot gehört zu den zweitrangigen, dispensablen Naturrechtssätzen. Die Spätscholastik hat bei der Erörterung des Kernbestandes des herkömmlichen Naturrechts – wie Ein-E., Unauflöslichkeit – zugleich die denkbaren Gegenannahmen mitformuliert. Die Gewichtung des Für und Wider brauchte nur leicht verändert zu werden, um einer säkularen E.-Rechtskonzeption Raum zu geben. Die Aufklärer des 17. und 18. Jh. konnten von dem Argumentationsstil und dem Problemstoff der Spätscholastik profitieren.

Bedroht wurde das Gebäude des katholisch-kanonischen E.-Rechts auch von den regalistischen Theorien, die dem staatskirchlichen System des Gallikanismus angehörten. Nach der klass.-kanonistischen Lehre bildete der E.-Konsens die Grundlage des Sakraments – beides gehörte untrennbar zusammen, und dieser Zusammenhang rechtfertigte die kirchliche Gesetzgebungsgewalt über das E.-Band. Daher setzten die Regalisten des 17. Jh. an den Unterschieden von Konsens und Sakrament an, um die Eigenständigkeit des bürgerlichen E.-Vertrages gegenüber der spirituellen Natur der sakramentalen E. nachzuweisen. Die Ordnung der E. als Zivilvertrag gehörte dem zeitlichen Gemeinwohl an und fiel in den Kompetenzbereich des weltlichen Gesetzgebers. Jean Launoy legte in seiner vielbeachteten Schrift über die *Regia in matrimonium potestas* (1674) sehr minutiös die Wesensverschiedenheiten von Zivilvertrag und Sakrament dar und lieferte die berühmteste Apologie der fürstlichen Gewalt in E.-Sachen. Von hier war es nur noch ein Schritt zum absolutistischen *ius circa sacra*, wie es sich im protestantischen Obrigkeitsstaat herausbildete.

Wenn die Reformatoren die Sakramentsnatur der E. leugneten, so bedeutete dies zunächst keine inhaltliche Profanierung der E. Für Luther war die E. ein ›hl. Orden und Stand‹. Auch stellte das *Ius Ecclesiasticum Protestantium* bis ins 18. Jh. nichts anderes als rezipiertes kanonisches Recht dar. Obschon die E. eine *res spiritualis* blieb, setzte eine grundlegender Zuständigkeitswechsel ein. Im System des Episkopalismus übernahm der *princeps Evangelicus* als *summus episcopus* das Kirchenregiment und damit die Gesetzgebungskompetenz und die Gerichtsbarkeit in E.-Sachen. Daraus folgten die weiteren Schritte: Wie sich in der staatskirchenrechtlichen Doktrin der *summus episcopus* zum Inhaber umfassender *potestas territorialis* wandelte, so ließ die E. ihre geistlichen Bezüge hinter sich und wurde zur *causa mere civilis*. Ein bürgerliches E.-Recht entstand, zunächst auf den Gebieten des E.-Hindernis- und E.-Scheidungsrechts, im 19. Jh. dann auch im E.-Schließungsrecht (sog. Zivil-E.).

C. NEUZEIT
Mit der Aufklärung setzte ein Verinnerlichungsprozeß ein, der den Blick auf das Internum der E. lenkte – allerdings prägten noch die tradierten Vorstellungen vom Geschlechtsvorrang des Mannes das E.-Schrifttum des 17. und 18. Jh. Die schöpfungsgeschichtliche Ver-

fluchung in Gn 3,16 (*sub viri potestate eris*) bewies als Begründungsansatz eine bes. Bestandskraft – die Nachwirkungen des alttestamentlichen *ius divinum* reichten bis in die Aufklärungsepoche hinein. Unterstützt wurde diese innereheliche Herrschaftsordnung durch eine naturrechtliche Sichtweise, die von einer biologischen und sozialen Überlegenheit des Mannes ausging – nur das Männliche sei zur Herrschaft geeignet. Hinzu kam, daß auch in der vernunftrechtlichen Lit. der Familienbegriff der aristotelisch-scholastischen Hauslehre überlebt hatte: Die Familie bestehe aus drei einfachen Gesellschaften – der *pater familias* herrscht aristokratisch über seine Frau, königlich über seine Kinder, despotisch über seine Knechte. Allen urspr. Gemeinschaftsformen seien Ungleichheit und Herrschaft wesenseigen.

Christian Thomasius stellte erstmals die Inferioritätsthese in Frage. 1688 führte er in seinen *Institutiones Iurisprudentiae Divinae* aus, daß der Geschlechtsvorrang des Mannes nur eine Angelegenheit der Erziehung sei und nichts mit der *natura sexus* zu tun habe; das Naturrecht kenne jedenfalls keine Herrschaftsprärogative des Mannes. Schon Samuel von Pufendorf hatte 1672 in seinem Natur- und Völkerrecht die *aequalitas* als naturrechtliche Grundlage der ehelichen Gemeinschaft bezeichnet. Aber dieser Gleichheitsgedanke war kaum mehr als eine naturrechtliche Reflexion über vorgesellschaftliche Idealzustände. Der *status civilis* ließ sich hingegen ohne Herrschaftsstrukturen nicht denken – und das galt auch für die E. Medium naturrechtlicher Herrschaftsbegründung war der Vertrag: Im E.-Vertrag räumte die Frau dem Mann das *imperium maritale* ein (*foedus inaequale*), da nur diese Rollenverteilung der Bed. der bürgerlichen E. gerecht werden sollte.

Die Vertragsnatur hatte Folgewirkungen: War die E. nur noch ein bürgerlicher Vertrag wie andere auch, dann entfiel mit den rel.-sakramentalen Bindungen gleichermaßen die Unauflöslichkeit des *vinculum matrimonii*. So kam es zunächst in der Theorie und dann auch in der Gesetzgebung des späten 18. Jh. zu einer schrittweisen Annäherung an die Konventionalscheidung: Scheidungsgründe wie ›gegenseitige Abneigung‹ und ›Unvereinbarkeit der Charaktere‹ finden sich im frz. Scheidungsgesetz von 1792 und im preußischen Scheidungsedikt von 1782. Das war nicht Ausdruck überzogener Liberalität, sondern Ergebnis eines bevölkerungspolit. Kalküls. So heißt es etwa in der Kabinettsordre Friedrichs d.Gr. von 1783: man soll mit der Scheidung ›nicht zu difficil sein, sonsten hindert das die Population‹. Erst im 19. Jh. werden E. und Familie – im Gefolge von polit. Restauration und konservativer Gesellschaftsphilos. – zu sozialen Institutionen, die dem freien Zugriff von Staat und Gesellschaft entzogen sind.
→ AWI Ehe

1 D. BLASIUS, E.-Scheidung in Deutschland 1794–1945, 1987 2 ST. BUCHHOLZ, E.-Recht zw. Staat und Kirche, 1981 3 Ders., Recht, Religion und E., 1988 4 Ders., Sub viri potestate eris et ipse dominabitur tibi (Gn 3,16) in: ZRG, Kanonistische Abteilung, 111, 1994, 355–404

5 H. CONRAD, Das tridentinische Konzil und die Entwicklung des kirchlichen und weltlichen E.-Rechts, in: G. SCHREIBER (Hrsg.), Das Weltkonzil von Trient I, 1951, 297–324 6 H. DIETERICH, Das protestantische E.-Recht in Deutschland bis zur Mitte des 17. Jh., 1970 7 H. DÖRNER, Industrialisierung und Familienrecht, 1974 8 M. ERLE, Die E. im Naturrecht des 17. Jh., 1952 9 M. E. FEINE, Kirchliche Rechtsgesch., ⁴1964 10 J. FREISEN, Gesch. des Kanonischen E.-Rechts, Paderborn ²1893 11 E. FRIEDBERG, Das Recht der E.-Schließung in seiner gesch. Entwicklung, Leipzig 1865 12 H. GEFFCKEN, Zur Gesch. der E.-Schließung vor Gratian, Leipzig 1894 13 G. H. JOYCE, Die christl. E., 1934 14 R. KIRSTEIN, Die Entwicklung der Sponsalienlehre und der Lehre vom E.-Schluß, 1966 15 E. KOCH, Die causa matrimonialis im Hause Amerbach/Fuchs, 1981 16 Dies., Maior dignitas est in sexu virili, 1991 17 P. MIKAT, s. v. E., HWB zur dt. Rechtsgesch. I, 809–833 18 Ders., Religionsrechtliche Schriften I/II, 1974 19 Ders., Dotierte E. – rechte E., 1978 20 Ders., Die Polygamiefrage in der frühen Neuzeit, 1988 21 Ders., Zu den konziliaren Anf. der fränkisch-merowingischen Inzestgesetzgebung, in: FS E. Kaufmann, 1993, 213–228 22 Ders., Zu den merowingisch-fränkischen Bedingungen der Inzestgesetzgebung, in: FS W. Trusen, 1994, 3–30 23 Ders., Die Inzestgesetzgebung der merowingisch-fränkischen Konzilien (511–626/27), 1994 24 W. MÜLLER-FREIENFELS, Zur Diskussion um die systematische Einordnung des Familienrechts I/II, in: Rabels Zschr. für ausländisches und internationales Privatrecht 37, 1973, 609–659; 38, 1974, 533–570 25 W. PLOECHL, Gesch. des Kirchenrechts 1–5, 1960–1969 26 Ders, Das E.-Recht des Magister Gratianus, 1935 27 L. R. v. SALIS, Die Publikation des tridentinischen Rechts der E.-Schließung, 1888 28 CH. G. A. v. SCHEURL, Die Entwicklung des kirchlichen E.-Schließungsrechts, München 1877 29 D. SCHWAB, Grundlagen und Gestalt der staatlichen E.-Gesetzgebung in der Neuzeit, 1967 30 Ders., s. v. Familie, in: Gesch. Grundbegriffe, hg. von O. BRUNNER, W. CONZE, R. KOSELLECK, II, 1979, 253–301 31 Ders., E. und Familie nach den Lehren der Spätscholastik, in: SCHWAB, Gesch. Recht und mod. Zeiten, 1995, 141–177 32 Ders., Die Familie als Vertragsgesellschaft im Naturrecht der Aufklärung, wie 31, 179–195 33 Ders., E.- und Familienrecht, in: Staatslex. der Görres-Ges. II, 1986, 118–141 34 A. SPENGLER-RUPPENTHAL, Zur Rezeption des Röm. Rechts im E.-Recht der Reformatoren, in: ZRG, Kanonistische Abteilung, 99, 1982, 363–418 35 R. SOHM, Das Recht der E.-Schließung aus dem dt. und canonischen Recht gesch. entwickelt, 1875 36 R. WEIGAND, Die bedingte E.-Schließung im kanonischen Recht I/II, 1963/1980.
STEPHAN BUCHHOLZ

Eigentum. Zentral für die privatrechtliche Ausgestaltung der Zugehörigkeit einer Sache zu einer Person wurde in der europ. Rechtsentwicklung der im klass. röm. Recht entwickelte E.-Begriff. Die seit dem 1. Jh. v. Chr. in der röm. Rechtssprache üblichen und nebeneinander verwandten Begriffe *dominium* und *proprietas* kennzeichneten eine rechtlich umfassende, Verfügungs- und Nutzungsrechte beinhaltende Herrschaftsbeziehung einer Person über eine Sache. Abgegrenzt wurde das *dominium* von der *possessio*, der bloß tatsächlichen Sachherrschaft und von den Rechten, die nur zum Gebrauch oder zur Nutzung einer Sache berechtigten. Diese verstand man als vom Eigentümer überlassene Teilbefugnisse und qualifizierte sie dogmatisch als aus dem E. abgeleitete Rechte an einer fremden Sache, *iura in re aliena*.

Die Ausübung des E.-Rechts unterlag im privaten wie gesellschaftlichen Interesse Beschränkungen. Auf privatrechtlicher Ebene gab es einzelne Veräußerungsverbote und beim Grundeigentum v. a. die nachbarrechtlichen Beschränkungen in Form von Bauverboten, Notwegrechten, Duldungspflichten bei Überbau, Überfall, Überhang und bei Immissionen. Im öffentlichen Interesse lagen die den Grundeigentümern obliegenden Pflichten zur Vornahme von Straßenbauarbeiten, zur Unterhaltung von Wasserleitungen oder des Post- und Nachrichtensystems durch Bereitstellung von Wagen und Pferden. Die wesentlichen Aspekte des röm.-rechtlichen E. faßte Bartolus im 14. Jh. in der Definition zusammen, ›dominium est ius de re corporali perfecte disponendi, nisi lege prohibeatur‹ (›das E. ist das Recht, über eine Sache zu verfügen‹, ad Dig. 41,2,17 n. 4).

Mit dieser Formel, die grundlegend für die E.-Lehren im *ius commune* wurde, folgte die Legistik dem röm. Recht zunächst darin, daß E.-Rechte nur an Sachen, nicht aber an unkörperlichen Gegenständen bestehen konnten; zudem wurden mit dieser Definition die gegenstandsbezogenen Unterschiede der Sachherrschaftsbeziehungen aus den ma. Rechten aufgegeben zugunsten der einheitlich für alle Sachen geltenden Herrschaftsbeziehung »E.«, deren Inhalt die umfassende Verfügungsgewalt war. Seit dem 16. Jh. wurden hierfür die Begriffe *proprietas* und *dominium* syn. verwandt, die röm.-rechtliche Akzentsetzung – das Wort *dominium* betonte den Herrschaftsaspekt der Beziehung, der Begriff *proprietas* die Zuordnung der Sache zum Vermögensbereich des Eigentümers im Sinne des *meum esse* der Vindikationsformel des Gaius (inst. 4,16) – verschwand.

Im Widerspruch zur röm.-rechtlichen E.-Konzeption stand die Rechtsfigur des »geteilten« E., die die → Glossatoren gleichwohl aus den röm. Quellen entwickelten. Den herrschenden Feudalverhältnissen Rechnung tragend, unterschieden sie in den Fällen langfristiger Grundstücksüberlassungen zw. dem die Verfügungsgewalt beinhaltenden *dominium directum*, das beim Grundeigentümer verblieb, und dem das Besitz- und Nutzungsrecht beinhaltenden *dominium utile*, das auf den Lehnsnehmer, Bauern oder sonstigen Nutzer überging. Dogmatischer Ansatz für die funktionelle Aufspaltung des E. in ein Obereigentum und ein Untereigentum war der dingliche Rechtsschutz, den das röm. Recht dem *emphyteuta*, dem Erbpächter, gewährte mit der *rei vindicatio utilis*, einer der *rei vindicatio* (*directa*) des Eigentümers nachgebildeten Herausgabeklage (Dig. 6,3,1,1). Die Glossatoren nahmen an, daß dieser *actio utilis* ein entsprechendes Recht, nämlich ein *dominium*

utilis zugrunde liege und wandten den neuen Begriff zunächst auf das Lehnsverhältnis an, übertrugen ihn dann auch auf das Erbbaurecht, die kirchliche Prekarie (*precaria*) und die verschiedenartigen bäuerlichen Leiheverhältnisse. In all diesen Konstellationen nahm man ein nebeneinander bestehendes E. an derselben Sache, ein *dominium directum* des Bodeneigentümers und ein *dominium utile* des Inhabers des Besitz- und Nutzungsrechts an. Die Rechtsfigur des *dominium duplex* erfaßte die gesellschaftliche Realität mit ihren auf Dauer angelegten Besitzüberlassungen treffender als das Nutzung und Verfügung einem allein zuweisende *dominium plenum* des röm. Rechts und setzte sich als zweite E.-Form in der gemeinrechtlichen Lehre alsbald durch. Die Definition von Bartolus bezog sich bereits auf beide Arten des E.; im Fall des *dominium duplex* war die Verfügungsmacht der beiden *domini* lediglich beschränkt auf den Umfang der jeweils als E. zustehenden Befugnis. Mit der Auflösung der feudalistischen Bodenstrukturen und unter dem Einfluß des polit. und wirtschaftlichen Liberalismus kehrte man im 19. Jh. zu dem einheitlichen, umfassenden E.-Begriff des röm. Rechts zurück und begriff die nur auf Besitz und Nutzung eines Grundstücks gerichteten Rechte nicht länger als eine spezielle Form von E., sondern wieder im röm. Sinn als von diesem abgeleitete, eigenständige Rechte an fremdem Grundeigentum.

Aus der Ausschließlichkeit der Herrschaftsbeziehung des Eigentümers zur Sache ergab sich für das röm. Recht nicht nur die Unzulässigkeit eines geteilten E., sondern auch eine bestimmte Form der Berechtigung mehrerer Eigentümer an der gleichen Sache, nämlich das Miteigentum nach ideellen Bruchteilen (*communio pro indiviso*). Nach dieser Konstruktion stand jedem Einzelnen an der gesamten Sache ein ideeller, rechnerischer Anteil zu, über den er als Eigentümer die volle Herrschaft hatte. Während Verfügungen über die Sache selbst der Mitwirkung aller an ihr berechtigten Eigentümer bedurften, konnte über seine ideelle Quote jeder eigenständig verfügen, sie belasten oder auch veräußern. Gemeinschaftliches E. in der Form, daß mehrere nebeneinander E. an der gesamten Sache hatten, ohne daß dem Einzelnen eine selbständige Quote zustand, kannte das röm. Recht nicht, ›duorum in solidum dominum esse non posse‹ (›Solidar-E. ist nicht möglich‹, Dig. 13,6,5,15). Von daher war das gesamthänderische E., das nach einheimischen ma. Rechten insbes. im Fall der ehelichen Gütergemeinschaft, der Gesamtbelehnung und der Ganerbschaft bestand, in röm.-rechtlichen Kategorien nicht zu fassen. Der zur Anerkennung dieser Miteigentumsform erforderliche Bruch mit der romanistischen Trad. erfolgte im *usus modernus* mit der bewußten Charakterisierung des Miteigentums der herkömmlich gesamthänderisch strukturierten Gemeinschaftsverhältnisse als *dominium plurium in solidum*. Allg. setzte sich diese Miteigentumskonstruktion gegenüber dem röm. Bruchteils-E. aber nicht durch. In Deutschland wurde das gesamthänderische E. im 19. Jh. durch die Gesamthandelslehre dogmatisch neu erfaßt, ihr entsprechend geregelt jedoch nur die E.-Verhältnisse der ehelichen Gütergemeinschaft, der Personengesellschaften und der Erbengemeinschaft; für alle übrigen Miteigentumskonstellationen galten die Grundsätze der röm.-rechtlichen Bruchteilsgemeinschaft.

Die Regeln für die Übertragung des E. folgten im *ius commune* den Regeln der *traditio*, der im klass. röm. Recht üblich gewordenen Form der E.-Übertragung. Diese verlangte zunächst die Übergabe der Sache durch Verschaffung des → Besitzes, der nach röm. Recht eine *corpore et animo* begründete Sachherrschaft voraussetzte. Eingang in das gemeine Recht fand nicht nur diese Regel, sondern auch die für bestimmte Konstellationen der Besitzverschaffung vorgesehenen speziellen Bestimmungen wie die Übertragung *brevi* (Dig. 23,3,43,1) und *longa manu* (Dig. 46,3,79) oder die Übergabe *per constitutum possessorium* (Dig. 41,2,18). Neben der Besitzübertragung erforderte der Übergang des E. nach röm. Recht eine Erwerbsgrundlage, eine *iusta causa*, die die Rechtsänderung rechtfertigte (Dig. 41,1,31 pr.); eine solche konnte ein Kauf-, Schenkungs- oder Darlehensvertrag sein, nicht aber ein − auf Rückgabe der Sache gerichteter − Leihvertrag. Die gemeinrechtliche Lehre übernahm die röm.-rechtliche Konstruktion der kausalen E.-Übertragung, die auf der Trennung zw. Erwerbsgrundlage und Übertragungsakt beruhte, und weitete sie auf alle Arten des Rechtserwerbs aus. An die Stelle der allein auf die Sachübertragung bezogenen röm. Begriffe *causa* und *traditio* traten die allgemeineren Begriffe *titulus* für den Erwerbsgrund und *modus* für den Erwerbsakt. Änderungen erfuhr die dogmatische Konstruktion des E.-Übergangs seit dem Ende des 18. Jh. In Frankreich entwickelte sich das Vertragsprinzip, das auf die *traditio* verzichtete und das E. bereits mit Abschluß des obligatorischen Vertrages übergehen ließ. In Deutschland nahm die Rechtsentwicklung die entgegengesetzte Richtung. Hier setzte sich die Theorie vom dinglichen Vertrag durch, nach der für den Übergang des E. nicht das obligatorische Geschäft relevant war, sondern ein selbständiger, die *traditio* begleitender, auf den E.-Übergang gerichteter Vertrag. Mit der Konstruktion eines solchen dinglichen Vertrages wurde die sachenrechtliche Verfügung von dem schuldrechtlichen Verpflichtungsgeschäft rechtlich unabhängig. Während dieses Abstraktionsprinzip Aufnahme ins Bürgerliche Gesetzbuch (1900) fand, hielt man in Österreich und der Schweiz am kausalen E.-Übergang im röm.-rechtlichen Sinn fest; der frz. *Code civil* (1804) und it. *Codice civile* (1942) hinwiederum folgten dem Vertragsprinzip.

Bei der Entscheidung der Frage, ob ein E.-Erwerb von einem Nicht-Eigentümer möglich sei, übernahm die gemeinrechtliche Lehre den Grundsatz des klass. röm. Rechts, ›nemo plus iuris ad alium transferre potest, quam ipse haberet‹ (›man kann nicht eine Rechtsposition verschaffen, die man selber nicht hat‹, Dig. 50,17,54). Der Gedanke eines E.-Erwerbs kraft guten Glaubens tauchte erst im 18. Jh. auf und wurde im

19. Jh. entsprechend den Bedürfnissen der Wirtschaft nach − die Umlauffähigkeit der Waren steigernder − Verkehrssicherheit legislativ umgesetzt. Die dogmatische Grundlage für seine Ausgestaltung bildeten die Ersitzungsregeln des röm. Rechts, die einen E.-Erwerb von einem Nicht-Eigentümer ermöglichten. Voraussetzung waren Besitz der Sache über eine bestimmte Zeitdauer − ein Jahr bei Mobilien, zwei Jahre bei Immobilien −, *bona fides* des Erwerbers an das E. oder die Verfügungsmacht des Vormannes und eine der Übergabe zugrunde liegende *iusta causa*. Mit diesen Elementen nahm die Ersitzung des röm. Rechts eine Mittelstellung ein zw. originärem und derivativem Erwerb und konnte die Vorlage bilden für die in der Verkehrswirtschaft des 19. Jh. notwendig gewordene sofortige Festlegung der E.-Verhältnisse beim Umschlag von Waren.

Im gemeinen Recht grundsätzlich beibehalten wurden die röm.-rechtlichen Regeln für den originären, nicht von einem Vormann abgeleiteten E.-Erwerb. Hierzu zählten die Aneignung herrenloser Sachen (*occupatio*), die untrennbare oder ununterscheidbare Vermischung und Vermengung von Gegenständen (*confusio, commixtio*), die Verarbeitung eines Stoffes zu einer neuen Sache (*specificatio*), die Verbindung von Sachen miteinander (*accessio*) sowie der Fruchterwerb. Einschränkungen erfuhr das Recht der Okkupation durch die bes. Aneignungsrechte, die aus weiter geltenden ma. Regalien resultierten, etwa dem Jagd-, Fischerei- oder Schatzregal. Die Bestimmung der E.-Lage im Fall der *specificatio* erfolgte unter abwägender Gegenüberstellung der in Dig. 41,1,7,7 genannten, von Proculus und Sabinus in der Bed. kontrovers eingeschätzten Aspekte »Arbeitsleistung« und »Material«. Die Entscheidungen variierten je nach weltanschaulicher und ökonomischer Bewertung des Vorgangs. In Österreich folgte das Allg. Bürgerliche Gesetzbuch (ABGB, 1811) der *media sententia* Justinians und knüpfte mit dem Kriterium der Rückführbarkeit des Stoffes an die Vindizierbarkeit an; das BGB hinwiederum folgte Proculus und ließ den die Wertsteigerung produzierenden Hersteller Eigentümer werden.

Rechtsschutz gewährten dem Eigentümer im röm. Recht die *rei vindicatio*, die Klage auf Herausgabe der bei einem anderen befindlichen Sache (Dig. 6,1) und die *actio negatoria*, die Klage auf Abwehr störender Beeinträchtigungen durch Inanspruchnahme einer Servitut oder eines *usus fructus* (Dig. 8,5,2 pr.). Die *actio Publiciana* schützte den angehenden Eigentümer, nämlich den Ersitzungsbesitzer, dem zum Erwerb der Sache durch *usucapio* lediglich noch der Ablauf der Frist fehlte. Außer vom Eigentümer selbst konnte er mit dieser Klage die Sache von jedem, der sie ihm vorenthielt, herausverlangen.

Die gemeinrechtliche Lehre übernahm die einzelnen Klagearten des röm. E.-Schutzes. Zurückgedrängt wurde die *rei vindicatio* durch die nach einheimischen Rechten bestehenden Einschränkungen der klageweisen

Sachverfolgung. Nach dem verbreitet geltenden Prinzip »Hand wahre Hand« etwa war es einem Eigentümer verwehrt, eine Sache, die er einem anderen überlassen hatte, herauszuverlangen, wenn sie an einen Dritten gelangt war. Die Juristen des *ius commune* suchten den Anwendungsbereich solcher Regeln, die dem röm. Grundsatz der freien Vindizierbarkeit des E. widersprachen, durch restriktive Auslegung klein zu halten. Gelöst wurde der diesen Fällen zugrunde liegende Konflikt zw. Eigentümer und dem auf den Erwerb vertrauenden Dritten schließlich mit der Anerkennung des gutgläubigen E.-Erwerbs – mithin auf der Grundlage der *usucapio* und nicht unter Rückgriff auf die Klagebeschränkungen der ma. Rechte. Der Schutz des Eigentümers vor störenden Beeinträchtigungen wurde im gemeinen Recht entsprechend der röm. *actio negatoria* entwickelt und ausgebaut. Übernommen wurden insbes. auch die in diesem Zusammenhang relevanten nachbarrechtlichen Duldungspflichten; als im 19. Jh. der Schutz vor Industrieimmissionen zum drängenden sozialen Problem wurde, dienten in Deutschland zum Beispiel Digestenstellen wie Dig. 8,5,8,5 unmittelbar als Vorlage gesetzlicher Regelungen (vgl. § 906 BGB). Die *actio publiciana* fand wegen der leichten Nachweisbarkeit ihrer Voraussetzung, Recht zum Besitz, als Herausgabeklage im *ius commune* neben der *rei vindicatio* verbreitet Anwendung und auch Eingang in die nationalen Kodifikationen, in Deutschland etwa liegt sie der Regelung des § 1007 BGB zugrunde.

→ Deutscher usus modernus; Römisches Recht
→ AWI Bona; Dominium; Possessio

1 G. Buchda, Gesch. und Kritik der dt. Gesamthandlehre, 1936 2 H. Coing, Europ. Privatrecht, Bd. 1 und 2, 1985 und 1989 3 Ders, Zur E.-Lehre des Bartolus, in: ZRG 70, 1953, 348 4 E. Cortese (Hrsg.), La proprietà e le proprietà, 1988 5 R. Feenstra, Dominium and jus in re aliena: The Origins of a civil law distinction, in: P. Birks (Hrsg.), New Perspectives in the Roman Law of Property, 1989, 111–121 6 P. Grossi, Il dominio e le cose. Percezioni medievali e moderne nei diritti reali, 1991 7 H.-R. Hagemann, s. v. E., in: HWB zur Dt. Rechtsgesch. hrsg. von A. Erler et al., 1971 ff. 8 D. Hecker, E. als Sachherrschaft. Zur Genese und Kritik eines bes. Herrschaftsanspruchs, 1991 9 H. Hübner, Der Rechtsverlust im Mobiliarsachenrecht, 1955 10 P. Jörs, W. Kunkel, L. Wenger, Röm. Recht, ⁴1987 neubearb. von H. Honsell, T. Mayer-Maly, W. Selb, 1987 11 Kaser, RPR 12 P. C. Klemm, E. und E.-Beschränkungen in der Doktrin des usus modernus pandectarum, 1984 13 P. Koch, § 1007 BGB. Neues Verständnis auf der Grundlage alten Rechts, 1986 14 M. Kriechbaum, Actio jus und dominium, 1996, cap. VI–VII, 328–407 15 Th. Mayer-Maly, Das E.-Verständnis der Gegenwart und die Rechtsgesch., in: FS für Heinz Hübner, hrsg. von G. Baumgärtel et al., 1984, 145 16 U. Nicolini, La proprietà, il principe e l'espropriazione per pubblica utilità, 1952 17 R. Ogorek, Actio negatoria und industrielle Beeinträchtigung des Grundeigentums, in: H. Coing, W. Wilhelm, Wiss. und Kodifikation des Privatrechts im 19. Jh., Bd. 4, 1979, 40 18 W. Ogris, s. v. Hand wahre Hand, in: HWB zur Dt. Rechtsgesch. hrsg. von A. Erler u. a., 1971 ff. 19 D. Olzen, Die gesch. Entwicklung des zivilrechtlichen E.-Begriffs, in: Juristische Schulung 1984, 328 ff. 20 J. W. Pichler, Das geteilte E. im ABGB, in: Zschr. für neuere Rechtsgesch. 8, 1986, 23 ff. 21 F. Ranieri, Die Lehre der abstrakten Übereignung in der dt. Zivilrechtswiss. des 19. Jh., in: H. Coing, W. Wilhelm, Wiss. und Kodifikation des Privatrechts im 19. Jh., Bd. 2, 1977, 90 22 W. Simshäuser, Sozialbindungen des spätrepublikanisch-klass. röm. Privateigentums, in: Europ. Rechtsdenken in Gesch. und Gegenwart, FS für Helmut Coing, hrsg. von N. Horn et al., Bd. 1, 1982, 329 23 D. Strauch, Das geteilte E. in Gesch. und Gegenwart, in: FS für H. Hübner, 1984, 273 ff. 24 A. Fr. J. Thibaut, Über dominium directum und utile, in: Ders., Versuche über einzelne Theile der Theorie des Rechts, Bd. 2, Jena ²1817 25 H. Wagner, Das geteilte E. im Naturrecht und Positivismus, 1938 26 D. Willoweit, Dominium und Proprietas, in: Histor. Jb. 94, 1974, 130 27 W. J. Zwalwe, Hoofdstukken uit de Geschiedenis van het Europese Privaatrecht. I. Inleiding en zakenrecht, 1993.

ELISABETH KOCH

Einbildungskraft A. Einleitung B. Mittelalter C. Renaissance D. 18., 19. und 20. Jahrhundert

A. Einleitung

E. ist die dt. Übers. von griech. *phantasía* (›Vorstellung, Bild‹. Der Begriff *phantasía* erhält in der griech. Philos. erste Kontur, Wertschätzung und Kritik. In der Philos. des MA wird neben dem griech. der lat. Begriff *imaginatio* verwendet. Durch Comenius ist im Dt. der Begriff E. bekannt. E. wird im Sinne von *phantasía* zunächst im erkenntnistheoretischen Zusammenhang diskutiert, gerät aber dann – v. a. durch die Philos. der → Renaissance – in den Kontext ästhetischer und kunst- und dichtungstheoretischer Argumentation. In der Philos. des 18. und 19. Jh. ist E. ein Schlüsselbegriff für schöpferisches Erfinden und Handeln, im 20. Jh. auch für das Entwerfen neuer gesellschaftlicher Zustände.

B. Mittelalter

Wirklichkeit im Sinne des MA war das von Gott garantierte Ensemble von Möglichkeit, Faktizität und Notwendigkeit. Erst als der Wandel zum neuzeitlichen Denken einsetzte, das sich von der Vorstellung der Getragenheit des Menschen durch »Gott« löste, das Wirkliche auf das Faktische reduzierte und die Möglichkeit als von der Wirklichkeit losgelöst vorstellte, konnte die E. als »welterzeugende Kraft« entdeckt werden. Bereits Augustinus (354–430) kennt drei Typen von Visionen: die Vision der Sinne, die Vision der Phantasie und die Vision des *intellectus*. Zw. der spirituellen Vision der Phantasie und der intellektuellen der Vernunft sieht er einen Abgrund. Unter vernünftigen Bedingungen liefert die Phantasie der Vernunft wichtige Bedingungen für die Erkenntnis, unter unvernünftigen Bedingungen birgt sie die Gefahr der Maßlosigkeit (Brief an Nebridius = epist. 3, Nr. 7, p. 12 ed. Hoffmann). Ps.-Dionysius Areopagita (ca. 500) sieht die Bed. der Phantasie im Zusammenhang der Gotteserkenntnis. Die Bilder

der Phantasie, die das Göttl. in Dichtung und Kunst vorstellen, sind Zeichen, Verhüllungen und mystische Offenbarungen des Göttl. (De Coel. Hierarch. 2,3 = PG 3,12 Spalte 140). Während Thomas v. Aquin (1225‒1274) die Phantasie nach aristotelischer Weise im Erkenntnisprozeß schätzt [2. 299], ist Bonaventura (1221‒1274) platonisch-neuplatonisch reserviert. Die imaginativen Kräfte gehören eher der Sinnlichkeit als dem Geist an. Die Phantasie kann die Freiheit des Willens stören und sogar zu einer Kontaktstelle für den Einfluß von Dämonen werden [4].

C. RENAISSANCE

Im Zuge der Reduktion des Wirklichkeitsbegriffs auf das Faktische war der E. Gelegenheit gegeben, eigenmächtig Möglichkeiten zu ersinnen (vgl. [23]). Nikolaus von Cues (1401‒1461) konzipiert den schöpferischen Menschen der Neuzeit in seinen Idiota-Dialogen. Der Laie, ein Handwerker, idiota gegenüber den Gelehrten der Zeit, betont, daß z.B. ein Löffel ›außer der Idee in unserem Geiste kein anderes Urbild‹ habe [8. 213]. Der Mensch wird mit dem Titel eines »zweiten Gottes« oder eines »Mikrokosmos« bedacht – nicht im absoluten Sinn, sondern nur »analog« (De conjecturis 2,14). Mit solchen Überlegungen ist das Stichwort für die Interpretation der E. als einer schöpferischen, gottähnlichen Instanz gegeben. Es ist kein Zufall, daß sich im Rahmen der Reflexion auf die Kunst in dieser Epoche die Reflexion auf die Kreativität der Phantasie findet. Hier ist die Ahnung vom Spielraum der artistischen Freiheit, von der Unendlichkeit des Möglichen gegenüber der Endlichkeit des Faktischen greifbar. Lorenzo Valla (1415‒1457), der Verf. der Elegantiae linguae Latinae (ca. 1435‒44), betont im Vorwort die Selbständigkeit der Ren. als Epoche und die Originalität der Schriftsteller. Marsilio Ficino (1433‒1499) spricht – im Sinne Platons – von der Inspiration der Dichter, die ihn gottähnlich macht (Commentarium in Convivium 7,13). Leonardo da Vinci (1452‒1519) schreibt: ›Will der Maler Schönheiten erblicken, die ihn zur Liebe bewegen, so ist er Herr darüber, sie ins Dasein zu rufen, und will er Dinge sehen, ungeheuerlich, zum Erschrecken oder drollig und zum Lachen, oder aber zum Erbarmen, so ist er darüber Herr und Gott‹ [21. 14]. Leonardo bleibt allerdings der Natur, dem Gegebenen als der Offenbarung des Göttl. zugewandt. Die Phantasie antizipiert das, was der Möglichkeit nach in der Natur selbst liegt. Giulio Caesar Scaliger (1484‒1558) gilt als einer der Theoretiker neuzeitlichen Kunstschaffens. In der Konfrontation mit dem imitatio-Begriff artikuliert er das schöpferische künstlerische Vermögen: ›Die Dichtkunst aber stellt die existierenden Dinge schöner dar, und den nichtexistierenden verleiht sie Gestalt‹ (Poetices libri septem 1,1). In diesem Falle ist sie schöpferisch wie ein zweiter Gott (alter deus). Im 16. Jh. reflektieren auch die Dichter selbst über das schöpferische Vermögen: Torquato Tasso (1544‒1595) erklärt, daß ›die Kraft der Kunst der Natur des Stoffs (materia) bis zu einem gewissen Grad Gewalt antun kann, so daß Dinge wahrschein-

lich erscheinen, die es, für sich genommen, gar nicht sind (...)‹ [20]. Giovan Pietro Bellori (1615‒1696) betont, daß die Kunst nicht Nachahmung sei, sondern von der »Idee« ihren Ausgang nehme. Der Schöpfer habe ›jede Art‹ (specie) durch eine ›erste Idee‹ ausgedrückt. Die Künstler, so führt er im Anschluß an Platon aus, ahmen ›jenen ersten Handwerker‹ nach, entwerfen in ihrem Geist ein ›Vorbild‹ von höchster Schönheit und verbessern die Natur. Diese Idee wird, ›gemessen mit dem Zirkel des Intellekts‹, zum ›Maß der Hand‹, und ›belebt durch die E., verleiht sie ihrerseits den Bildern Leben‹ [3. 3‒11].

D. 18., 19. UND 20. JAHRHUNDERT

Die Überlegungen der Ren. deuteten die Richtung der Interpretation der schöpferischen Fähigkeit der E. an: Sie wird nun v.a. im Zusammenhang der künstlerischen, allerdings nicht der technischen Produktion diskutiert. In der Kunst (v.a. in Dichtung und bildenden Künsten) zeigt sich exemplarisch menschliches Schaffen. Die E. tritt eigenständig neben die göttl. Schöpfermacht. Shaftesbury (1671‒1713) vergleicht den Künstler mit dem »schaffenden Gott«: ›Such a poet is indeed a second Maker: a just Prometheus under Iove‹ [7. 207]. Joseph Addison (1672‒1719) betont die Bed. der E. für das Kunstschaffen und reklamiert das Recht des Genies, gegen die etablierten Regeln zu verstoßen [1. Nr. 291]. Das »Phantasievolle« (imaginative) gewinnt an Bed. [1. Nr. 339]. Dubos (1679‒1742) schätzt die Erfindungskraft der Dichter und Maler. Sie ist in der Lage, die Gefühle der Betrachter und Leser zu erregen, und auf diese Erregung allein kommt es in der Kunst an [10]. Die Schweizer Theoretiker Bodmer (1701‒1776) und Breitinger (1701‒1776) erklären, daß die schöpferische E. in der Lage sei, dem »Wunderbaren« die Farbe der Wahrscheinlichkeit zu verleihen [5; 6]. Für David Hume (1711‒1776) ist die E. die Fähigkeit, über den Bereich vertrauter Erfahrung weit hinauszugehen, ›sogar über das Universum hinaus in das grenzenlose Chaos, wo sich die Natur, wie man annimmt, in totaler Unordnung befindet‹ [13. 14].

Kant (1724‒1804) systematisiert die Wandlungen in der Betrachtung und Wertschätzung der E. seit Beginn der Neuzeit und gibt ihnen ein »transzendentales« Fundament. Die E. wird diskutiert im Rahmen der Erkenntnistheorie und Kunstphilos. Die »transzendentale E.« synthetisiert die apriorischen Anschauungen und die apriorischen Verstandesbegriffe und konstituiert die Bedingungen der »wirklichen« im Unterschied zur bloß »möglichen« Erfahrung. In ästhetischer Hinsicht ist die E. die Bedingung der Möglichkeit, Schönheit zu sehen und zu schaffen. Während die Vernunft die »Ideen« unsinnlich denken kann, ist Schönheit auf die Darstellung im Sinnlichen verwiesen. ›Das Vermögen der Darstellung aber ist die E.‹ [15. 204]. »Genie« ist die herausgehobene Fähigkeit dieser E. ›zu einem gegebenen Begriffe Ideen aufzufinden und andererseits zu diesen den Ausdruck zu treffen (...)‹. Bei Schelling (1775‒1854) steht die »produktive« E. im Zeichen der Einheit bewußtloser Tätigkeit und freier, bewußter Erfindung und Gestaltung. In der Kunst erscheinen Natur und Geist versöhnt [19. 628]. Jean Paul (1763–1825) sieht die ›Phantasie oder Bildungskraft‹ als Vermittlerin zw. der Endlichkeit und Unendlichkeit. Sie vermag als einziges Vermögen des Bewußtseins das ›Unendliche‹ in immer neuen Visionen zu erfassen und im Kunstwerk sichtbar zu machen [17. 18]. Für Hegel (1770–1831) ist die Phantasie die ›innere Werkstätte der Kunst‹ [12. 268]. Sie gibt den allg. Vorstellungen der »Intelligenz« in der Besonderheit des konkreten Bildes ein »sinnliches Dasein«. ›Indem die Intelligenz (...) produktive E. ist‹, bildet sie ›das Formelle der Kunst; denn die Kunst stellt das wahrhaft Allg. oder die Idee in der Form des sinnlichen Daseins, des Bildes dar‹. Bei Nietzsche läßt sich die E. als der ›gute Wille zum Scheine‹ sehen: Das Leben gelingt nur dadurch, daß das Bewußtsein das Furchtbare des Daseins mit Bildern überspielt und darin überwindet. Selbst die Begriffe der Wiss. entstammen ausnahmslos der E. bzw. der urspr. Fähigkeit des Lebens zu Täuschung und Lüge [16. 316]. Baudelaire (1821–1867) sieht die Natur als das »lebende Buch«, aus dem der Künstler seinen Stoff nimmt und nach seinem schöpferischen Vermögen verwandelt. Er erschafft eine neue Welt in den Metaphern der Dichtung, den Farben der Malerei und den Tönen der Musik. Er ist gleichsam eine »zweite Natur«. In den Möglichkeiten des Häßlichen, Widerwärtigen und des Bösen sieht Baudelaire neue Dimensionen für die E. Das Böse erschließt – z.B. dem Maler Delacroix – einen ›Alptraum voll unbekannter Dinge‹ [9. 760].

Im 20. Jh. gerät die E. wieder mehr in das Interesse der Erkenntnistheorie, die große Zeit der Kunstphilos. ist vorüber. E. Husserl (1859–1938) faßt die Vorstellungen der Phantasie als ›intentionale Akte‹, als sinnlich anschauliche Bilder, welche individuelle Gegenstände zur Erscheinung bringen. Die Phantasie hat die Möglichkeit, sich eine ›quasi-Welt‹ zu erschaffen [14. 535 f.]. M. Scheler (1874–1928) erklärt die Phantasie im menschlichen Bewußtsein als das prinzipiell Erste, aus dem sich Wahrnehmung und Vorstellen allererst herausdifferenzieren: E. ist eine ›urspr. Energie der Vitalseele‹. Das Leben entscheidet, welche Bilder der E. Verwendung finden und welche nicht. Die Phantasie im ›Wachleben‹ des hochzivilisierten Menschen ist nur noch der kümmerliche Rest von spontaner Phantasie [18. 349]. E. wird von Bloch (1885–1977), H. Marcuse (1898–1979) und Adorno (1903–1969) gesellschaftstheoretisch im Sinne des Marxismus interpretiert als diejenige Instanz, die eine ungenügende Wirklichkeit zu überholen vermag. Nietzsches Gedanke, daß schöpferisches Denken auch in den Wiss. ästhetischen Charakter hat, kehrt wieder bei Paul Feyerabend (1924–1994): Er betont die Bed. der quasi-künstlerischen E. in der Theoriebildung der Naturwiss. [11].

→ AWI Creatio; Dämonologie;
→ Imitatio; Mimesis

QU 1 J. ADDISON, Essays from the Spectator, hrsg. von J. SHARPE, London 1830/1894 2 THOMAS VON AQUIN, Summa theologica 1,78,4, in: Opera omnia, hrsg. von R. BUSA S.J., Bd. 2, 1980, 299 3 G. P. BELLORI, L'idea del pittore, dello scultore e dell'architeto, 1672 (dt. Übers. von K. GERSTENBERG, 1939) 4 BONAVENTURA, Librum Sententiarum 2,25,1,6, in: Opera Omnia, 10 Bde., hrsg. von PP. Colegii AS., Florenz 1882–1892 5 J.J. BODMER, Die Discourse der Mahlern I–IV, Zürich 1721–23 6 J.J. BREITINGER, Critische Dichtkunst…, Faksimile-Ndr. 1966 7 LORD ANTHONY ASHLEY COOPER, Characteristicks of Men, Manners, Opinions, Times, London ³1723 8 NICOLAUS CUSANUS, Liber de mente, in: E. CASSIRER, Individuum und Kosmos in der Philos. der Ren., 1927 9 L'œuvre et la vie de Delacroix. Œuvres complètes, Bd. 2, 1976 10 JEAN BAPTISTE ABBÉ DUBOS, Réflexions critiques sur la poésie et sur la peinture, Bde. 1–2, Paris 1719/1770, Ndr. 1967 11 P. FEYERABEND, Wiss. als Kunst, 1984 12 G. W. F. HEGEL, Enzyklopädie 3 § 455, Theorie-Werkausgabe, 1970 13 D. HUME, An Essay Concerning Human Understanding, in: The Philosophical Work, hrsg. von TH. H. GREEN, TH. H. GROSE, London 1882, Part I, Vol. 4 14 E. HUSSERL, Phantasie, Bildbewußtsein, Erinnerung. Texte aus dem Nachlaß (1898–1925), hrsg. von E. MARBACH, 1980 15 I. KANT, Kritik der Urtheilskraft, Akademie-Ausgabe, 1968 16 F. NIETZSCHE, Über Wahrheit und Lüge im außermoralischen Sinne, in: Werke Bd. 3, hrsg. von K. SCHLECHTA 17 JEAN PAUL, Vorschule der Ästhetik, § 4, in: Werke Bd. 5, hrsg. von N. MILLER, ³1973 18 M. SCHELER, Erkenntnis und Arbeit, in: Werke Bd. 8, 1960 19 F. W. J. SCHELLING, System des transzendentalen Idealismus, in: Werke Bd. 2, hrsg. von M. SCHRÖTER, 1965 20 TORQUATO TASSO, Discorsi dell'arte poetica 4, ed. SOLERTI, 1901 21 LEONARDO DA VINCI, Traktat von der Malerei, übers. von H. LUDWIG, hrsg. von M. HERZFELD, 1925, 14, Fasz. 3, Nr. 19

LIT 22 G. BLAMBERGER, Das Geheimnis des Schöpferischen oder Ingenium est ineffabile?, 1991 23 H. BLUMENBERG, Legitimität der Neuzeit, 1966, 489, 503, 535 24 G. und G. BÖHME, Das Andere der Vernunft, 1983 25 M. W. BUNDY, The Theory of Imagination in Classical and Mediaeval Thought, in: Univ. of Illinois Stud. in Language and Literature, 1927 26 D. KAMPER, Zur Gesch. der E., 1981 27 G. POCHAT, Gesch. der Ästhetik und Kunsttheorie, 1986 28 B. RÄNSCH-TRILL, Phantasie. Welterkenntnis und Welterschaffung. Zur philos. Theorie der E., 1996 29 W. SZILASI, Phantasie und Erkenntnis, 1969 30 W. TATARKIEWICZ, Gesch. der Ästhetik, 3 Bde., 1979–1987 31 W. WAETZOLD, Schöpferische Phantasie, 1972. BARBARA RÄNSCH-TRILL

Eklektik. Der h. weitgehend negativ gebrauchte Begriff E. für unselbständiges, epigonal vermengendes Philosophieren steht seit der Ant. für ein Modell philos. Reflektierens, das sich des Anschlusses an eine bestimmte Schule (bzw. Sekte) enthält, um statt dessen das Beste aus allen Lehren auszuwählen. Gianfrancesco Pico della Mirandola erinnerte an der Wende zum 16. Jh. als erster an die »auswählenden Philosophen« (Diog. Laert. 1,21), die wie die Bienen überall das auswählten, was ihnen gefiel, um daraus ihren Honig herzustellen; eine Vorge-

hensweise, die auch durch den Apostel Paulus empfohlen werde: ›Prüft alles, das Gute behaltet!‹ (1 Thess 5,21).
Dieses Verfahren der »Electores« hielt Gianfrancesco –
neben der Skepsis – der Vereinigungsphilos. seines On-
kels Giovanni kritisch entgegen; Synkretismus und E.
werden also von Anf. an voneinander unterschieden
(Leibniz z.B. wurde von Jakob Thomasius zu Recht als
Synkretist aufgefaßt und eben nicht als Eklektiker). E.
bedeutete aber mehr als die bloße Auswahl aus den Lehren der verschiedenen Sekten der Philosophen, denn
diese auswählende Haltung versprach die Freiheit von
der Bindung an eine bestimmte Sekte und damit die
Freiheit für das selbständige, nur der Wahrheitsliebe und
-suche verpflichtete Urteil. So fand die Parole der »Freiheit des Philosophierens« in der Idee der E. ihre konkrete Gestalt.

Daß Galen wegen seines freien Urteils ein Eklektiker
gewesen sei, meinte Petrus Ramus um 1550. In der Folgezeit wurden immer mehr Philosophen (außer dem bei
Diog. Laert. genannten Potamon z.B. noch Cicero,
Giovanni Pico della Mirandola (!), Ramus, Lipsius, aber
auch Clemens von Alexandria, Origenes und die Neu-
platoniker) als Eklektiker benannt, bis schließlich Johann Christoph Sturm gegen Ende des 17. Jh. sämtliche
philos. Sektengründer (z.B. Platon, Aristoteles, Descartes) zu Eklektikern erklärte, waren sie doch per defini-
tionem keiner Sekte hörig, also keine »Sektierer«. Für
sie trifft zu, daß sie ›auf keines Meisters Worte schworen‹ (Hor. epist. 1,14) – ein über die E. hinaus beliebtes
Zitat. Die dichotomische Einteilung der Philosophen in
Eklektiker und Sektierer geht auf Francesco Redi zurück (1664); er war es auch, der seinen bahnbrechenden
biologischen Experimenten das auswählende Verfahren
(immer aufgrund von Diog. Laert. 1,21) als eine Art
Wissenschaftstheorie zugrundelegte. Dieser Ansatz
wurde von Sturm nicht nur theoretisch ausgearbeitet,
sondern auch im Rahmen der Physik (im weiteren Sinne) am Material durchgeführt, nämlich als Auswahl der
jeweils wahrscheinlichsten Hypothesen, von wem sie
auch immer stammen mögen. Daß dieser Prozeß des
allseitigen schrittweisen Zugewinns an Erkenntnis, so
erfolgreich er von den Naturwiss. (und der Medizin)
vollzogen werden kann und vollzogen wird, in der Philos. (im engeren Sinn, z.B. in der Metaphysik oder in
der Ethik) undurchführbar ist, konnte nicht durch-
schaut werden, weil die Physik als eine zentrale Disziplin der Philos. aufgefaßt wurde.

Wer sich als freiheitlich und fortschrittlich Denker-
der zu erkennen geben wollte, wählte seit etwa 1650
gern den Anspruch, ein Eklektiker zu sein, wobei zunächst einige niederländische Professoren hervortraten.
Die Erfolge des Cartesianismus brachten aber ebenfalls
in den Niederlanden einen mächtigen Gegner der E.
hervor. Die Cartesianer bekannten sich (wieder) als
Sekte, schworen auf die Worte ihres Meisters und bean-
spruchten die Freiheit des Philosophierens ausschließlich für die Einsicht in die (cartesianische) Wahrheit. In
Deutschland gelang es Christian Wolff, das systemati-

sche Denken gegen die E. auszuspielen. Zwar verstanden sich viele Philosophen der dt. Frühaufklärung, beginnend mit Christian Thomasius, als Eklektiker. Aber
der Begriff der E. wurde bei ihnen zu einem modischen
Etikett, das eine vage Selbständigkeit meinte, wobei
aber der Aspekt des (anstrengenden) Auswählens verlorenging. Daher wandelte sich der Begriff im Laufe des
18. Jh. unter dem Druck des Systemdenkens zur Bezeichnung unsystematischer und unselbständiger Vermischung um ihrer selbst willen, so daß schließlich E.
und Synkretismus als Syn. verstanden wurden.
→ AWI Eklektizismus; Hairesis

1 M. ALBRECHT, E. Eine Begriffsgesch., 1994
2 H. DREITZEL, Zur Entwicklung und Eigenart der
»eklektischen Philos.«, in: Zschr. für Histor. Forsch. 18,
1991, 281–343 3 H. HOLZHEY, Philos. als E., in:
Studia Leibnitiana 15, 1983, 19–29.
                                        MICHAEL ALBRECHT

Ekphrasis   A. BEGRIFF   B. SACHE

A. BEGRIFF
E. bezeichnet in der ant. (griech.) Rhet. (Dionysius
v. Halicarnassus, rhet. 10,17) einen Modus epideikti-
scher Rede, und zwar eine Form der Beschreibung, die
darauf abzielt, den beschriebenen Gegenstand so deutlich (d.h. detailliert) darzustellen, daß der Zuhörer bzw.
Leser den Eindruck bekommt, er sehe diesen Gegenstand mit eigenen Augen. *Descriptio*, der dem Griech. E.
entsprechende Terminus der lat. Rhet., behält diese re-
debezogene Bed. bei, etwa bei Quintilian, der die von
der gelungenen *descriptio* hervorgerufene Anschaulichkeit im Zusammenhang der *figurae in mente* als *sub
oculos subiectio* (Vor-Augen-Stellen, Veranschaulichung)
darstellt (Quint. inst. 9,2,40–44; 9,1,27 und 45). Der griech.
Terminus E. hingegen bezeichnet in der rhet. Trad. der
griech. Kaiserzeit schon bald auch die rhet. Schulübung,
mit der der angehende Redner den ekphrastischen Modus des Redens und dessen beabsichtigte Wirkung erlernen sollte (Theon, 1./2. Jh. n.Chr.). E. wird so sekundär zum Gattungsnamen für eine Untergruppe der
rhet. Schulübungen.

Während als mögliche Gegenstände der rhet. E. zunächst allg. Lebewesen, Ereignisse, Orte und Zeiten gelten, zeigt sich bei Nicolaus Sophistes (*Progymnasmata*,
5. Jh. n.Chr.) erstmals die für die Geschichte des Begriffs E. folgenreiche Tendenz, den Gattungsnamen E.
auf Beschreibungen von Werken der bildenden Kunst
einzuschränken [7]. Damit hätte sich prinzipiell die
Möglichkeit geboten, die als E. bezeichnete Bildbeschreibung begrifflich von der Beschreibung *descriptio*
im Sinne der Rhet. zu unterscheiden und erstere in Verbindung zu bringen mit aus unterschiedlichen Trad.
stammenden Überlegungen zum Verhältnis von Wort
und Bild, wie beispielsweise der dem Simonides (spätes
6. Jh. v.Chr.) zugeschriebene Ausspruch, ein Bild sei
eine schweigende Dichtung, oder das der Horazischen
Poetik entnommene Diktum ›ut pictura poesis‹ (ars 361)

[12]. Dies geschah jedoch nicht. Der Begriff E. wurde vielmehr von nun an äquivok zur Bezeichnung für Beschreibungen von Werken der bildenden Kunst und – als rhet. Terminus ohne diesen spezifischen Gegenstandsbezug – als griech. Entsprechung zu lat. *descriptio* verwendet. In der Ren. entsteht aus diesen heterogenen Trad. des Bezugs von Sprachlichem auf Visuelles bzw. Bildliches (E. als Bildbeschreibung, E. als *sub oculos subiectio*, Bild als schweigende Dichtung – Dichtung als sprechendes Bild, *ut pictura poesis*) ein Begriffskonglomerat, das bis zu seiner Infragestellung in Lessings *Laokoon* (1766) die Ähnlichkeit und damit Vergleichbarkeit von Dichtung und bildender Kunst nicht nur zu bestätigen, sondern geradezu zu fordern schien [13]. Diesem Begriffskonglomerat neu hinzugefügt wurde in der Ren. der Gedanke eines Wettstreits der Künste (*paragone*; Leonardo da Vinci, *Libro di Pittura*, ca. 1490), bei dem es über die Frage nach dem Verhältnis von bildender Kunst und Dichtung auch um die Frage des Ranges von Dichter und bildendem Künstler ging [5]. Sofern mit Hilfe von Elementen dieses Konglomerats ausdrücklich der Bezug von Wort und Bild thematisiert wurde, richtete sich bis ins 18. Jh. die Aufmerksamkeit der an den »Schwesterkünsten« [8] interessierten Kunst- und Literaturtheoretiker aber ausschließlich auf die beiden Künsten gemeinsame *historia*, d. h. auf Gemeinsamkeiten auf der Ebene des Dargestellten, nicht aber derjenigen der Darstellung. Auch hier markiert Lessings *Laokoon* mit der Unterscheidung des sukzessiven Verfahrens der Sprache vom simultanen Verfahren des Bildes den begriffsgeschichtlichen Wendepunkt: Von nun an richtete sich die Begriffsbildung zu E. wie auch zu anderen Elementen des Theoriekomplexes zum Thema Wort-Bild auch auf Ähnlichkeiten und Unterschiede der sprachlichen und bildlichen Mittel der Darstellung [6]. Soweit von der mod. Lit.- und Kunstwiss. zeichentheoretische Überlegungen aufgenommen werden, kommt es zur Betonung des Unterschieds von Bild und Text [1. 15] und des Spannungsverhältnisses beider in der ekphrastischen Darstellung von Bildern [3].

B. SACHE

Als *loci classici* der E. im Sinne einer (lit.) Beschreibung eines Werks der bildenden Kunst gelten Homers Beschreibung des Schildes des Achilles (Il. 18,483–608) und, in deren Nachfolge, Vergils Beschreibung des Schildes des Aeneas (Aen. 8,626–731), weiterhin die Beschreibungen eines Bechers durch Theokrit (Idyllen 1,27–56) und Europas Korb durch Moschus (Europa 43–62) und schließlich die sog. *Bilder* des Philostratos. Auch bestimmte Epigramme der *Anthologia Graeca*, urspr. als Aufschriften auf Statuen und Grabmälern gedacht, gelten seit der Ren. als klass. Vorbilder der E. und liefern, wie die *loci classici*, die formalen und inhaltlichen Vorbilder für kleinere ekphrastische Gattungen der Ren. und des Barock wie Devise, → Emblematik und Blason. An die Trad. der Bildbeschreibung der ant. Progymnasmata, allerdings ohne Bezug auf den rhet. Unterricht, schließen die Bildbeschreibungen in Vasaris

Vitenwerk an (*Le Vite de' più eccellenti Pittori Scultori ed Architettori*, 1550/1568). Die Mode der ›poetischen Malerey‹ bzw. der Gemäldepoesie des 18. Jh. [4] orientiert sich dagegen vorwiegend an der Trad. des horazischen *ut pictura poesis*: Sie versteht ihre Forderung, poetische Darstellung solle bildlicher Darstellung ähneln, metaphorisch und legt dabei keinen Wert auf die Beschreibung bestimmter Werke der bildenden Kunst. Mit der Ästhetisierung der Künste und der Betonung der Autonomie des Schönen um die Mitte des 18. Jh. verschiebt sich der Schwerpunkt der ekphrastischen Darstellung von der Bild und Text gemeinsamen *historia* auf die sprachliche, oft als problematisch gesehene Wiedergabe der ästhetischen Wahrnehmung bzw. Erfahrung des Kunstwerks (z. B. J. J. Winkelmann, *Beschreibung des Torso im Belvedere zu Rom*, 1759). Das mod. Bildgedicht (→ Figurengedicht, z. B. R. M. Rilke, *Früher Apollo*, 1907; *Archa. Torso Apollos*, 1908) steht weitgehend in dieser, bisweilen als »paragonal« [9] bezeichneten Trad. ekphrastischer Darstellung von Werken der bildenden Kunst [10; 14].

→ AWI Ekphrasis
→ Ut pictura poesis

1 O. BÄTSCHMANN, Bild-Diskurs. Die Schwierigkeit des Parler Peinture, 1977 2 G. BOEHM, H. PFOTENHAUER (Hrsg.), Beschreibungskunst – Kunstbeschreibung. E. von der Ant. bis zur Gegenwart (mit Bibliogr.), 1995 3 G. BOEHM, Bildbeschreibung. Über die Grenzen von Bild und Sprache, in: Beschreibungskunst – Kunstbeschreibung (wie 2), 23–40 4 H. C. BUCH, Ut pictura poesis. Die Beschreibungslit. und ihre Kritiker von Lessing bis Lukács, 1972 5 C. J. FARAGO, Leonardo da Vinci's Paragone. A Critical Interpretation with a New Edition of the Text in the Codex Urbinas, 1992 6 G. GEBAUER (Hrsg.), Das Laokoon-Projekt: Pläne einer semiotischen Ästhetik, 1984 7 F. GRAF, E.: Die Entstehung der Gattung in der Ant., in: Beschreibungskunst – Kunstbeschreibung (wie 2), 143–155 8 J. H. HAGSTRUM, The Sister Arts: The Trad. of Literary Pictorialism and English Poetry from Dryden to Gray, ²1965 9 J. H. HEFFERNAN, Mus. of Words. The Poetics of E. from Homer to Ashberry, 1993 10 G. KRANZ, Das Bildgedicht, 3 Bde., 1981–1987 11 G. M. KRIEGER, E. The Illusion of the Natural Sign, 1992 12 R. W. LEE, Ut pictura poesis. The Humanistic Theory of Painting, 1967 13 M. PRAZ, Mnemosyne: The Parallel between Literature and the Visual Arts, 1970 14 H. ROSENFELD, Das dt. Bildgedicht. Seine ant. Vorbilder und seine Entwicklung bis zur Gegenwart, 1935 (Ndr. 1967) 15 B. F. SCHOLZ, Sub oculos subiectio: Quintilian on Ekphrasis and Energeia, in: V. ROBILLARD et al. (Hrsg.), Pictures into Words, 1998, 71–97 16 L. SPITZER, The »Ode on a Grecian Urn«, or Content vs. Metagrammar, in: Comparative Literature 7, 1955, 203–225 17 P. WAGNER (Hrsg.), Icon – Texts – Iconotexts: Essays on E. and Intermediality, 1996 18 C.-P. WARNCKE, Sprechende Bilder – Sichtbare Worte: Das Bildverständnis in der frühen Neuzeit, 1987 19 U. WEISSTEIN (Hrsg.), Lit. und bildende Kunst. Ein Hdb. zur Theorie und Praxis eines komparatistischen Grenzgebietes (mit Bibliogr.), 1992

BERNHARD F. SCHOLZ

Eleatismus s. Vorsokratiker

Elegie A. Einleitung B. Mittellateinische
Elegie C. Neulateinische Elegie (Italien)
D. Französische Elegie E. Englische Elegie
F. Deutsche Elegie

A. Einleitung

Die zw. Trauer und Lust changierende Vielgestaltigkeit der ant. E., die sympotische, threnetische, paränetische und erotische Inhalte umfaßt und durch das Distichon ihre Grenzen auf → Epigramm, Epistel (→ Brief)
und Didaxe (→ Lehrgedicht) ausdehnt, setzt sich in der
neuzeitlichen Wiederbelebung der Gattung fort, die fast
ausnahmslos auf die röm. E. rekurriert. Diese Diffusität
wächst, da nicht mehr das Metrum, sondern der elegische Inhalt, das Wesen der E. bestimmt auch dadurch,
daß Definitionen der Ant. (Horaz leugnet in ars 75 ff.
die erotische E.; Ovid sieht in ars 3,9,3 f., etym. irrege-
führt, das Wesen der E. in der Klage erfüllt) oft an der
Praxis vorbei weiterwirken. Das Fortleben der ant. Texte gestaltet sich als Übers. oder Integration von Zitaten
und Motiven − z. B. *recusatio* der Epik zugunsten der E.
bei P. de Ronsard (*Elégie à Cassandre*, 1554) − und als
Auseinandersetzung mit ganzen E.(-Büchern). Augenfällig ist der zeitlich divergente Einfluß einzelner Ele-
giker: Da vom MA bis ins 14. Jh. die Werke von Tibull
und Properz nur in raren Hss. überlebten, ist die E. dieser Zeit formal wie inhaltlich eine ovidische. Ovids *Erotik* wirkt in der Liebeslyrik Marbods v. Rennes wie in
der Derbheit der *Carmina Burana* des Archipoeta Co-
loniensis. Petrarcas *Trionfi* wie Boccaccios *Fiammetta* bezeugen gute Ovidkenntnis. Die elegische Exildichtung
strahlt über Boethius, der *De consolatione philosophiae* in
Distichen anstimmt, weiter auf Hildeberts von Lavardin
De exilio. Die Heroinen-Epistel als produktiver Sei-
tenstrang, wenn nicht Grundlage der mod. E. findet bei
Venantius Fortunatus im Schreiben einer Nonne an
Gott, aber auch in Baudri de Bourgueils platonischem
Liebesgefühl früh-ma. Ausdruck, der bis zum Barock
(Zweite Schlesische Schule) mit pagan-christl. Motivik
fortwirkt. Dagegen wird Tibull im 18. Jh. geschätzt, wie
der ant. E.-Passagen enthaltende Tibull-Roman J. de La
Chapelles, aber auch die E. des Duc de Mancini-Niver-
nais oder P. Le Bruns zeigen. Properzens moderate Präsenz erfährt nach Höhepunkten bei Joh. Secundus (*Pro-
pertii Manes invocat*) und Goethe erst in E. Pounds *Ho-
mage to Propertius* eine provokante Neubewertung.

B. Mittellateinische Elegie

Der Verdienst des MA besteht darin, das Bewußtsein
für das Distichon in unelegischen Zeiten bewahrt zu
haben. Formgefühl und ovidische Selbstironie zeigt der
an Podagra leidende Giraldus de Barris: Seine *Musa mor-
bida* antwortet auf ein Gedicht in Distichen im end-
gereimten Hexameter! Christl. verbrämte Trauer- und
Trostmotive finden sich bei Bischof Eugenius III. (Toledo) und Alkuin. Am Ende des MA droht das Genos in
der Hochflut elegischer Disticha, die auch Epik und

Komödie erfaßt, zu versinken. Die in der *Ars versificatoria* des Mattheus von Vendôme und bei Eberhard dem
Deutschen personifizierte E. bleibt freilich weltlich und
erotisch.

C. Neulateinische Elegie (Italien)

Imitation der röm. E. kennzeichnet die Werke der
Humanisten, deren Einfluß auf die volkssprachlichen
Dichter demzufolge kaum von dem der ant. Vorbilder
zu trennen ist. Die erotische E. gewinnt nach ihrem
spät-ant. Ausklang mit Maximus an Boden. Neben G.
Pontanus' Preis ehelicher Liebe und dem lasziven Ton
A. Panormitas finden sich Liebes-E. bei B. Mantuano,
Poliziano, Beroaldo, K. Celtes, P. Lotichius Secundus
und Sannazaro. Secundus schrieb neben *Basia* auch drei
Bücher »E.« F. Andrelini stellt eine Brücke zw. It. und
Frankreich dar, wo die E. moralisierenden Themen
dient (z. B. R. Gaguin). R. d'Ardennes' *Amores* sind eine
Ausnahme, die nach 1540, der Etablierung der frz. E.
Nachfolger findet (J. de Boyssonné, G. Buchanan).

D. Französische Elegie

Für das 16. Jh. (C. Marot, J. Bouchet, F. Sagon) waren weniger die röm. E. als höfische Minne- und Trou-
badourlyrik, der *Roman de la Rose*, F. Villon und Formen
der an Ovids *Heroides* orientierten *Epîtres Amoureuses*
maßgebend, so daß allein die Wahl des Titels das Genos
wahrt: ›Pren donc l'elegie pour epistre amoureuse‹ [17].
Die *élegie déplorative* gesellt sich, unterstützt von der Kla-
gelyrik der *Rhétoriqueurs*, den Totenklagen der röm. E.
und Horazens *Poetik*, zum Liebesthema. Bei Ch. de
Sainte-Marthe begegnet der Typus der reflexiv-philos.
E. Bei Ch. Fontaine wird der Einfluß der röm. E. konkreter, wie das Beispiel der an Catull und Ovid orientierten Apologie lasziver Dichtung belegt [18. 7f.]. Die
von ant. Subjektivität entfernte *élegie marotique* lebt weiter bei P. de Guillet und V. Brodeau und G. d'Aurigny,
die als Form den Zehnsilbler in *rimes plates* etablieren.
Die Dichter der → *Pléiade* (J. Du Bellay, Ronsard, J. A.
de Baïf, R. Belleau), die in ihren Poetiken (z. B. *Déffense
et Illustration de la Langue Françoyse*), aber auch in den lat.
E. im Distichon bewußt auf die Ant. rekurrieren, bleiben anfangs trotz intensiver Rezeption der röm. E. (in-
klusive Catulls) der Praxis Marotscher Liebesepisteln
verhaftet. Die verallgemeinerten »Rollen-E.« wurden
ebenso autobiographisch (fehl)rezipiert wie die ant.
Vorbilder. Louise Labé befreit um 1550 mit einer pro-
perzischen Liebeskonzeption physischen Verlangens die
E. von ma. Trad. und bereitet den Boden für Ronsards
»eigentliche« Liebes-E., die sich durch Subjektivität und
Integration klass. Motive auszeichnen. Ein Beispiel pa-
raphrasierender Rezeption gibt J. Doublet. Rel. Kämpfe lassen für kurze Zeit (anon.) Pamphlete als bizarre
Abart der E. entstehen. Im 18. Jh. verselbständigt sich
das Motiv der Trauer und Totenklage. E., Ekloge und
anakreontische Ode nähern sich an. Inhalt und Form
verlieren die gattungskonstitutive Funktion an Stim-
mungsqualität und Ton. Neben der E. als galanter Dichtung rückt die Betonung der Gefühlsauthentizität, *passion*, ins Zentrum, der unmittelbare Ton der Selbstdar-

stellung des Ich wird Genosmerkmal, stilistisch *beau désordre* Ausdruck sinnlicher Leidenschaft. Melancholie, *tristesse*, findet sich bei den neoklassizistischen Tibull-verehrern E. de Parny, A. de Bertin und A. Chénier. Ch. Millevoye präludiert den Herbst der frz. E., der in A. Lamartine, V. Hugo und Ch. Baudelaire Höhepunkte hat.

E. Englische Elegie

Die engl. E. prägen die Loslösung elegischer Stimmungselemente, Verengung auf Totenklage – wie auch in der span. (romantischen) E. – und Gattungsverschmelzung mit der Bukolik (Theokrits *Idyllen*, Vergils *Eklogen*). Ovids Totenklage um Tibull (am. 3,9) erfährt Ende des 16. Jh. enorme Nachwirkung: E. Spensers *Astrophel* und J. Miltons *Lycidas* verknüpfen Klage und *consolatio* unter Einbezug pastoraler Elemente mit dem Motiv selbstreflexiver und -bewußter poetischer Erbfolge. Die Kette elegischer Trauer und Nachfolge (J. Dryden, W. Wordsworth, P. B. Shelley, J. Keats, A. Tennyson, A. Swinburne) belebt die ant. Ausformung des elegischen Kanons neu. Neben Genre-Parodien (J. Gay, J. Swift) bleibt die neoklassizistische romantische *pastoral (funeral) elegy* bis ins 20. Jh. produktiv (vgl. Th. Grays *Elegie Written in a Country Churchyard*). Ein Aufbrechen des Genos erfolgt durch Erfahrungen des I. Weltkrieges, der klass. Trostmotive obsolet werden ließ (W. Yeats, *In Memory of Major Robert Gregory*). Die scheinbar formlose Lyr. der (amerikanischen) Mod. zeigt sich als bewußtes, radikales, auch von feministischen, homosexuellen und antirassistischen Intentionen getragenes Anschreiben gegen die elegische Norm, die sich in konfliktreichen, aggressiv-destruktiven Bruchstücken als *antielegy*, *mockelegy*, *selfelegy* und *blues* wiederfindet (E. Pound, T. S. Eliot, Th. Hardy, W. Owen, W. Stevens, L. Hughes, W. H. Auden). R. Lowell, J. Berryman, A. Ginsberg, M. Harper, aber auch S. Plath (*Daddy, I Have Had To Kill You*) oder A. Sexton zertrümmern Mitte des 20. Jh. die (enkomiastische) Trad. der *family elegy*, die seit Properzens *Cornelia*-E. (verstorbenen) Verwandten huldigte.

F. Deutsche Elegie

Der inhaltlich verengende Begriff des »Elegischen« umfaßt die ant. Vielschichtigkeit des Genos. M. Opitz führt mit *buhlergeschäfften trawige sachen* den Themen-Kanon an und versucht, durch Alexandriner mit gekreuztem Reim das Distichon nachzuahmen. Die paränetische E. wird bei J. Rist neu belebt, gemischte (scherzhafte) Inhalte finden sich bei P. Fleming, D. Heinsius, C. Ziegler und Ch. Hofmann von Hofmannswaldau. Im 18. Jh. bringen die *Anakreontiker* in Anlehnung an Catull das (Tier-)Epicedium als neuen Typus auf, der in Verbindung mit dem Göttinger Hain eine Vertiefung des elegischen Fühlens bewirkt. Die Dichter der Empfindsamkeit (Th. Abbt, J. G. Jacobi, L. Ch. Hölty) verleihen dem Gegensatz zw. nüchterner Realität und Sehnsucht nach Idylle (→ Bukolik) Ausdruck. F. Klopstock verbindet diesen Gehalt mit der ant. Form des Distichon und bereitet so die klass. Ausge-

wogenheit von Inhalt und Form vor. Goethes *Röm. Elegien* (*Erotica Romana*, 1788–90, publiziert 1795) erweitern durch ihren expliziten Rekurs auf Properz den Gehalt des Genos, wobei die – bei Properz und Ovid vorformulierte – reflexive selbstironische Distanzierung dem unmittelbaren Erlebnis die Schärfe nimmt, wenn das elegische Ich der Geliebten den Takt des Hexameters auf den Rücken zählt (5,15–17). Mit der zweiten E.-Sammlung legt Goethe, beeinflußt durch Schillers theoretische Erörterungen und E., die Gattung wieder stärker auf »vermischte Empfindungen« einer verlorenen Idylle fest (vgl. Gebrüder Schlegel; W. v. Humboldt). Die Formerfüllung im Distichon wird von Goethe selbst in den Stanzen der *Marienbader E.* (1823) aufgelöst. Bei F. Hölderlin findet sich in der Folge der Hexameter, F. Grillparzer tritt die Ovidnachfolge im Kreuzreim an, R. M. Rilkes *Achte Duineser E.* steht im Blankvers, H. v. Hofmannsthal und W. Borchardt wählen die Terzine, G. Benn findet zur Liedstrophe. Die festen Versmaße werden bei E. Mörike, St. George, G. Trakl, F. Werfel, G. Benn, I. Bachmann, N. Sachs und P. Celan durch freie Rhythmen abgelöst. Das durch die epigrammatische Struktur des Distichon geförderte Prinzip der Antithetik bleibt jedoch präsent, wie B. Brechts *Hollywood-Elegien* und *Buckower Elegien*, aber auch die »Klassikersuche« von Autoren der ehemaligen DDR (P. Hacks, Christa Wolf) belegen, die den Kreis zur Ant. schließen, wo E. und Epigramm als zwei Äste demselben Stamm entsprossen sind.

→ Anakreontik

→ AWI Elegie

1 L. Alfonsi, W. Schmid, s. v. E., RAC 4, 1026–1061
2 M. Baier, Tibull in der frz. Versdichtung, 1955
3 F. Beissner, Gesch. der dt. E., 1965 4 D. Frey, Bissige Tränen. Eine Unt. über E. und Epigramm von den Anf. bis Bertolt Brecht und Peter Huchel, 1995 5 R. Hallowell, Ronsard and the Conventional Roman Elegy, 1954
6 G. Hanisch, Love Elegy of the Ren. Marot, Louise Labé and Ronsard, 1979 7 D. Kay, Melodious Tears. The English Funeral Elegy from Spenser to Milton, 1990
8 K. Kirchmeir, Romantische Lyr. und neoklassizistische E., 1976 9 B. Kroneberg, Stud. zur Gesch. der russ. klassizistischen E., 1972 10 M. Paz Diez Taboada, La elegía romantica española, 1977 11 H. Potez, L'élégie en France avant le romantisme, Paris 1898 12 J. Ramazani, Poetry of Mourning. The Modern Elegy from Hardy to Heaney, 1994
13 P. Sacks, The English Elegy. Studies in the Genre from Spencer to Yeats, 1985 14 J. Scodel, The English Poetic Epitaph: Commemoration and Conflict from Jonson to Wordsworth, 1991 15 Ch. Scollen, The Birth of the Elegy in France (1500–1550), 1967 16 J. P. Sullivan, Ezra Pound and S. Propertius. A Study in Creative Translation, 1964
17 Th. Sébillet, Art Poétique françois (1549), hrsg. von F. Gaiffe, 1932 18 Ch. Fontaine, La Fontaine d'Amour, Lyon 1545 19 K. Weissenberger, Formen der E. von Goethe bis Celan, 1969.   BARBARA FEICHTINGER

Elementenlehre s. Naturwissenschaften

Eleusis. Erste Kenntnis vom Demeterheiligtum in E. lieferten die Vermessungsarbeiten, die R. Chandler, N. Revett und W. Pars 1766 im Auftrag der → Society of Dilettanti in den Ruinen durchführten, die damals noch von den Hütten eines Dorfes bedeckt waren, dessen Name Lefsina (oder ähnlich) den ant. Namen bewahrt hatte (publiziert 1797 [2]). Sehr viel genauer und detaillierter waren die ebenfalls von den Dilettanti geförderten Unt. von W. Gell, J. P. Gandy und F. Bedford in den Jahren 1812/13, die 1817 vorgelegt wurden (Abb. 1 [23]). Die damals erkennbaren Reste des Telesteriengebäudes wurden auf Grund der unkannelierten Säulen und des gegenüber der Vorhalle vertieften Niveaus als Krypta gedeutet, eine Ansicht, die u. a. von K. O. Müller in seinem umfangreichen Artikel über die eleusinischen Mysterien von 1840 übernommen wurde [10].

Mit der Ausgrabung des Heiligtums wurde im Auftrag der Griech. Arch. Gesellschaft durch D. Philios unter Mitarbeit von W. Dörpfeld 1882 begonnen, nachdem die Dorfbewohner umgesiedelt worden waren (leider, wie sich später zeigte, nicht weit genug vom

Kern der ant. Siedlung entfernt; dieser Fehler wurde bei der zehn Jahre später begonnenen Ausgrabung von Delphi vermieden). In nur fünf Jahren wurde das ganze Heiligtum freigelegt, so daß seine bauliche Entwicklung vom 6. Jh. v. Chr. bis in röm. Zeit klar ablesbar wurde [11; 15; 22]. In den J. 1906 und 1921 führte F. Noack Bauunt. durch, die wegen des bisher genauesten Plans des Telesteriongebäudes und zahlreicher sorgfältig dokumentierter Detailbeobachtungen eine noch nicht ersetzte Grundlage des Studiums der Ruinen darstellen [13]. In den 30er J. wurden die Grabungen durch K. Kourouniotis unter Mitarbeit von G. Mylonas und J. Travlos wieder aufgenommen [8; 9]. Sie führten zur Entdeckung der prähistor. Anfänge des Heiligtums, erbrachten aber auch Befunde, die zur Korrektur bisheriger Ansichten über die Bauentwicklung in histor. Zeit zwangen. Eine in den 60er J. begonnene Anastylosis einzelner, guterhaltener Bauten ist in den Anfängen steckengeblieben [25].

Die sukzessive Vergrößerung des zentralen Kultgebäudes, mit der eine Erweiterung der jeweils zugehöri-

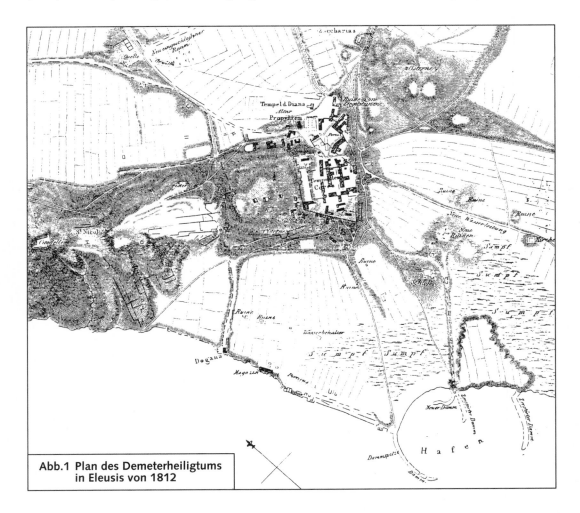

Abb.1 Plan des Demeterheiligtums in Eleusis von 1812

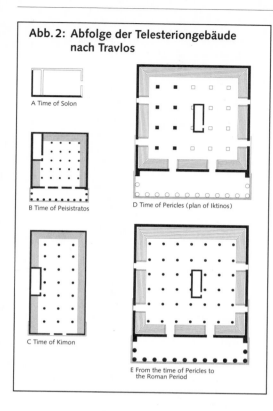

Abb. 2: Abfolge der Telesteriongebäude nach Travlos

A Time of Solon

B Time of Peisistratos

C Time of Kimon

D Time of Pericles (plan of Iktinos)

E From the time of Pericles to the Roman Period

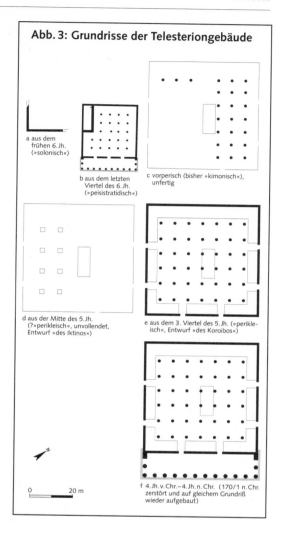

Abb. 3: Grundrisse der Telesteriongebäude

a aus dem frühen 6. Jh. (»solonisch«)

b aus dem letzten Viertel des 6. Jh. (»peisistratidisch«)

c vorperisch (bisher »kimonisch«), unfertig

d aus der Mitte des 5. Jh. (?»perikleisch«, unvollendet, Entwurf »des Iktinos«)

e aus dem 3. Viertel des 5. Jh. (»perikleisch«, Entwurf »des Koroibos«)

f 4. Jh. v. Chr.–4. Jh. n. Chr. (170/1 n. Chr. zerstört und auf gleichem Grundriß wieder aufgebaut)

0　　　20 m

gen Umfassungsmauern des Heiligtums korrespondiert, ist in E. in exemplarischer Weise ablesbar. Am Anfang steht das spätmyk. Megaron, das bis in geom. Zeit in Benutzung blieb und damit eines der wichtigsten Beispiele für eine Kontinuität zw. Bronze- und Eisenzeit in Griechenland darstellt [8; 9]. Die Datierung der folgenden Bauphasen ist umstritten, ihre Verbindung mit histor. Namen täuscht eine Sicherheit vor, die sich nur selten auf (leider unzureichend beobachtete) arch. Befunde stützen kann [6; 19]. Im frühen 6. Jh. v. Chr. entsteht der »solonische« Rechteckbau, der im späteren 6. Jh. v. Chr. durch einen doppelt so großen Säulensaal mit Vorhalle ersetzt wird (»peisistratisch«, neuerdings wohl richtiger als »peisistratidisch« angesehen [1; 5]). Nach der bis h. verbreiteten Ansicht wäre es dieser Bau gewesen, den die Perser 480 v. Chr. verbrannt hätten (Hdt. 9,65,2). Darauf sei ein neuer Telesterionbau errichtet worden, der durch Abarbeitung der Felsen nach Westen auf die doppelte Größe gebracht worden sei. Dieser »kimonische« Bau ist mit Sicherheit nicht vollendet worden, wie allein schon die fehlende Bettung für den westl. Teil der Südwand beweist. Nachdem L. Shear [17] an Hand der Inschriften IG I² 81 und 313/4 zeigen konnte, daß das spätarcha. Kultgebäude nicht abgebrannt sondern abgetragen worden ist und daß die Baumaterialien, u. a. Dachbalken und Ziegel, für eine spätere Wiederverwendung deponiert worden sind und daß die Perser nur das stehengelassene Allerheiligste (das

Anaktoron [19]) hätten anzünden können, ergibt sich, daß das »kimonische« Telesterion bereits in vorpersischer Zeit begonnen worden sein muß [1]. Da, wie bes. Noack gezeigt hat [4; 7; 13. 93], das System der »kimonischen« Säulenbettung auch außerhalb des bisher für kimonisch gehaltenen Baues nachweisbar ist, ergibt sich darüberhinaus zwingend, daß der vorpersische Bau schon die Größe des späteren »perikleischen« haben sollte. Nachdem die vorpersische Entstehung des Vorparthenon in Athen inzwischen nicht mehr angezweifelt werden kann, ist die Parallele zu den Baumaßnahmen auf der Akropolis, die immer gesehen wurde [7; 17], bes. evident. Für den folgenden »perikleischen« Bau lassen sich zwei unterschiedliche Planungen nachweisen: eine nicht zu Ende geführte mit weiter Stellung der Innenstützen (gewöhnlich mit dem Architekten Iktinos verbunden) und eine mit engerer Säulenstellung (darin dem »kimonischen« Plan entsprechend, auf die Architekten Koroibos und Metagenes zurückgeführt [11; 19; 22]). Dieser Bau hat, um die im 4. Jh. v. Chr. errichtete und nach dem Architekten Philon benannte riesige Vorhalle erweitert [6; 19], bis zur Zerstörung durch die Kostoboken im Jahre 170/1 n. Chr. [14] bestanden. Er wurde danach originalgetreu mit nur geringfügigen Modifikationen unter Kaiser Mark Aurel von den Fundamenten [20] völlig neu errichtet und vermutlich im Jahre 176 n. Chr. fertiggestellt (eines der gerade in E. zahlreich anzutreffenden Beispiele für Architekturkopien [3]). Wie die Abhaltung der jährlichen Mysterienfeiern während der langen Bauunterbrechungen im 5. Jh. v. Chr. und im 2. Jh. n. Chr. bewerkstelligt wurde, ist ein ungelöstes Problem.

Ungeklärt ist auch die Bed. der beiden pfeilförmigen Fundamente an der Südost- und Nordostecke des Telesteriengebäudes. Während sie die ältere Forsch. als Beweis dafür genommen hat, daß dieses mit einer gewaltigen Peristase versehen werden sollte, und diese Idee natürlich mit Iktinos verbunden hat [4; 13; 16], haben die Grabungen der 30er J. gezeigt, daß diese Fundamente nachperikleisch sein müssen [9]. Da die Publikation dieser Grabungen erst zu Anfang des II. Weltkrieges erschienen ist und deswegen Deutschland nicht mehr erreicht hat, hielt die dt. Forsch. an der widerlegten Auffassung bes. lange fest [4; 16] und hat die neuen Befunde erst in jüngster Zeit, offenkundig widerstrebend, akzeptiert [4].

Das Areal, auf dem die Prozessionsstraße von Athen auf das festumschlossene Mysterienheiligtum trifft, ist im 2. Jh. n. Chr. zu einem monumentalen Platz ausgestaltet worden [25; 26]: in seiner Mitte wurde der Tempel der Artemis Propylaia als dorischer Amphiprostylos (nach einem noch nicht identifizierten klass. Vorbild) errichtet; Säulenhallen, ein Nymphäum und zwei Ehrenbögen (Kopien nach dem Hadrianstor in Athen) schließen den Platz ein; die Großen Propyläen, eine maßgleich, leicht veränderte Kopie der Propyläen der Athener Akropolis [26], bilden den Eingang in den äußeren Bereich des Heiligtums. Auch in seinem Inneren wurden zwei (schlecht erhaltene) Tempel, vielleicht für deifizierte Frauen des Kaiserhauses, errichtet; der Giebel des einen wurde mit Kopien nach dem Westgiebel des Parthenon geschmückt [24]. Das Bauprogramm ist spätestens unter Marc Aurel, wohl im Jahre 176 n. Chr., abgeschlossen worden. In der Forsch. ist umstritten, ob die Neugestaltung des Vorplatzes bereits unter Hadrian [26] oder erst unter seinen Nachfolgern begonnen worden ist [25].

Während von der ant. Wohnsiedlung wenig bekannt ist, haben die Nekropolen wichtige Funde geliefert (sog. Isisgrab aus dem 8. Jh. v. Chr. [18]; protoatt. Gorgonen-Amphora [12]). Für die in der histor. Forsch. lebhaft diskutierte Frage, wann das Gebiet von E. dem att. Staat angeschlossen worden ist, haben sich dagegen keine eindeutigen Indizien ergeben.

→ AWI Athenai; Eleusis

1 S. Angiolillo, Arte e cultura nell' Atene di Peisistrato e dei Pisistratidi, 1997, 87–90 2 Antiquities of Ionia, Published by the Society of Dilettanti II, London 1797 3 F. Felten, Ant. Architekturkopien, in: Komos. FS für Th. Lorenz, 1997, 61–69 4 G. Gruben, Die Tempel der Griechen, 1966 (²1976, ⁴1986) 5 T. Hayashi, Bed. und Wandel der Triptolemosbilder vom 6.–4. Jh. v. Chr., 1992, 20–29 6 K. Jeppesen, Paradeigmata, 1958, 103–149 (engl.) 7 Th. Kalpaxis, Hemiteles, 1986, 97–102 8 K. Kourouniotis, G. Mylonas, Escavations at Eleusis, in: AJA 37, 1933, 271–286 9 Ders., J. Travlos, Συμβολὴ εἰς τὴν οἰκοδομικὴν ἱστορίαν τοῦ ἐλευσινιακοῦ τελεστηρίου, in: AD 1935–1936, 1–42 10 K. O. Müller, Eleusinien, in: Kleine dt. Schriften II, Breslau 1848, 242–311, bes. 284–287 11 G. Mylonas, E. and the Eleusinian Mysteries, 1961 12 Ders., Τὸ δυτικὸν νεκροταφεῖον τῆς Ἐλευσῖνος I–II, 1975 13 F. Noack, E. Die baugesch. Entwicklung des Heiligtums I–II, 1927 14 D. Philios, Τὸ ἐν Ἐλευσῖνι Τελεστήριον καὶ Ἀριστείδης ὁ Σοφιστής, in: MDAI(A) 21, 1896, 242–245 15 O. Rubensohn, Die Mysterienheiligtümer in E. und Samothrake, 1892, 13 ff. 16 Ders., Das Weihehaus von E. und sein Allerheiligstes, in: JDAI 70, 1955, 1–49 17 T. L. Shear jr., The Demolished Temple at E., in: FS H. Thompson (Hesperia Suppl. XX, 1982), 128–140 18 A. Skias, Παναρχαία ἐλευσινιακὴ νεκρόπολις, in: ArchE 1898, 29–122 19 H. Svenson-Evers, Die griech. Architekten archa. und klass. Zeit, 1996, 157–196; 237–251; 284–315 20 R. Townsend, The Roman Rebuilding of Philon's Porch and the Telesterion at E., in: Boreas 10, 1987, 97–106 21 J. N. Travlos, Τὸ ἀνάκτορον τὲς Ἐλευσῖνος, in: ArchE 1951, 1–16 22 Ders., Attika, 91–169 (mit vollständiger Bibliogr. bis 1985) 23 The Unedited Antiquities of Attica, Comprising the Architectural Remains of E., Rhamnus, Sunium and Thoricus. Published by the Society of Dilettanti, London 1817 24 L. Weidauer, I. Krauskopf, Urkönige in Athen und E., in: JDAI 107, 1992, 1–16 25 D. Willers, Der Vorplatz des Heiligtums von E. – Überlegungen zur Neugestaltung im 2. Jh. n. Chr., in: M. Flashar, H. J. Gehrke, E. Heinrich (Hrsg.), Retrospektive. Konzepte von Vergangenheit in der griech. Antike, 1996, 179–191 26 D. Ziro, Ἡ κύρια εἴσοδος τοῦ ἱεροῦ τῆς Ἐλευσῖνος, 1991. KLAUS FITTSCHEN

Emblematik A. Definition
B. Begriffsgeschichte C. Quellen D. Poetik E. Angewandte Emblematik

A. Definition

Bezeichnung für eine der didaktischen Lit. zuzurechnende, vom 16. bis ins 18. Jh. produktive lit. Gattung. In der Regel besteht das Emblem aus drei textuell wie auch typographisch unterschiedenen Teilen: Auf das auch nach dem Übergang vom Lat. der Humanisten zu den Volkssprachen oft noch lat. Motto (auch *inscriptio* bzw. Lemma genannt) folgt ein visuell ausgeführtes Bild (*pictura, icon, symbolon*) mit einer sinnbildlichen und damit auf eine allegorische Bed. (*sensus spiritualis*) hin auslegbaren Darstellung eines Gegenstands oder Sachverhalts (*res picta*), das in der anfangs lat., später immer häufiger volkssprachlichen Subscriptio (traditionell versifiziert als → Epigramm) beschrieben und ausgelegt wird. Auf diese drei Teile des eigentlichen Emblems folgt bes. im 17. Jh. häufig noch ein Komm., dessen Aufgabe es ist, die Herkunft der Teile des Emblems unter Verweisung auf Textstellen aus den *auctores* zu belegen und so die im Emblem vorgelegten Verhaltensnormen, Lebensweisheiten und allg. Wahrheiten einsichtig zu machen. Der als Gattungsmerkmal allenfalls fakultative, nie aber obligatorische Komm. zu den einzelnen Emblemen eines Emblemen-Buches durch den Autor selbst läßt sich als Fortsetzung der Komm. auffassen, die Claudius Minos seinen Ausgaben der *Emblemata* hinzufügte (Paris 1571, 1583, Antwerpen 1574, 1577, 1581).

B. Begriffsgeschichte

Griech. und lat. *emblema* bezeichnet urspr. ein handwerkliches Artefakt, und zwar eine Einlegearbeit oder Intarsienarbeit bzw. ein Mosaik [8]. Daneben bezeichnet es schon im Zusammenhang der Theoremata-Lit. des 12. Jh. eine bestimmte, von u. a. Paradoxon und Aenigma unterschiedene Form der theologischen Rede (Alain de Lille, *Regulae celestis iuris*, gedruckt Basel 1492, Straßburg 1497), und zwar eine Form der Rede, die sich durch den ihr ›innewohnenden Glanz des Verständnisses‹ (*interna intelligentiae splendor*) auszeichnet [6]. Aus dem Widmungsgedicht an den Humanisten Conrad Peutinger geht hervor, daß der Mailänder Jurist Andrea Alciato (1492–1555) den Titel *Emblemata* für seine Epigramme (*Emblematum liber*, geschrieben um 1520, Erstdruck Augsburg 1531) wählte, weil diese als Vorlagen und Anregungen für Kunsthandwerker dienen sollten. Möglicherweise spielte bei dieser Titelwahl jedoch auch die Verwendung von *emblema* zur Bezeichnung einer Redeform eine Rolle: Die Epigramme des *Emblematum liber* wollen die Bed. der beschriebenen Gegenstände darstellen. Im 16. Jh. wird, ausgehend von Frankreich, Emblem als Gattungsname zur Bezeichnung für eine von der Devise bzw. der Imprese durch die Allgemeinheit des pragmatischen Bezugs (statt durch Bezug auf den individuellen Träger) und von der Fabel durch die obligatorische Pictura unterschiedene Wort-Bild-Gattung verwandt. In Deutschland war zeitweilig als Lehn-Übers. »Sinnbild«, wohl als Nachbildung zur niederländischen Bezeichnung *zinnebeeld* in Gebrauch.

C. Quellen

Obwohl Andrea Alciato mit seinem *Emblematum liber* (Augsburg 1531) zu Recht als Begründer der Gattung (*emblematum pater et princeps*) gilt und das Emblem somit als Schöpfung der → Renaissance zu sehen ist, stellt es dennoch keinen völligen Neuanfang dar. Zu unterscheiden sind gattungsspezifische Quellen, d. h. Quellen, die bei der textuellen Gestaltung des Emblems, und bezeichnungsspezifische Quellen, d. h. Quellen, die bei der semantischen bzw. pragmatischen Charakterisierung des Emblems eine Rolle zu spielen bestimmt waren. Die wichtigste Quelle der ersten Gruppe ist die ant. Epigrammatik, insbes. die *Anthologia Graeca*. Alciato selbst sah seine unter dem Titel *Emblemata* veröffentlichten Gedichte als Epigramme in der Trad. der *Anthologia Graeca*, d. h. als Bei- und Aufschriften zu Werken der bildenden Kunst. Teils handelte es sich bei die-

sen *Emblemata* des Alciato um Übers. ins Lat., teils um Imitationen eigener Hand von Epigrammen dieser Sammlung [5]. Die Ergänzung – auf Betreiben des Augsburger Druckers Heinrich Steiner – jedes der Epigramme des *Emblematum liber* durch einen dieses illustrierenden, d. h. die im Epigramm beschriebene *res* darstellenden Holzschnitt Jörg Breus fand zunächst nicht Alciatos Billigung. Dieser bekannte sich erst zur Pariser Ausgabe von 1534 (*Emblematum libellus*) durch Christian Wechel. Der für diese Ausgabe charakteristische Blattspiegel, d. h. vertikale Anordnung der drei Teile des Emblems und Abdruck eines einzigen Emblems pro Seite – in der Ausgabe von 1531 dagegen noch durchlaufender Text – wurden für die Oberflächengestalt des Emblems in der Folge zu gattungsbildenden Merkmalen [13]. Als zweite gattungsspezifische Quelle hat die »Impresa« bzw. »Devise« des Spät-MA und der Ren. zu gelten, d. h. die sich seit dem letzten Drittel des 14. Jh. von den burgundischen Höfen ausgehend, zunächst in Frankreich und im 15. Jh. auch in It. ausbreitende Mode, Helme, Schilder und andere Kleidungs- und Waffenteile mit Sinnsprüchen zu versehen, denen eine bildliche Komponente hinzugefügt wurde. Erste Versuche, die sich in der Nachfolge von Alciatos *Emblematum libellus* herausbildende neue Wort-Bild-Gattung begrifflich, d. h. gattungstheoretisch zu erfassen, orientierten sich denn auch an der von Paolo Giovio im *Dialogo dell'imprese* (Rom 1555) vorgelegten normativen Beschreibung der Devise [3; 7; 14]. Als Quellen für die Wort- bzw. Bildbestandteile des Emblems dienten weiterhin Sprichwörtersammlungen wie die *Adagia* des Erasmus von Rotterdam (Venedig 1508), Medaillen und Gemmen, myth. Kompilationen, ebenfalls Bestiarien, Herbarien und Kräuterbücher, *Physiologus*. Zu den bezeichnungsspezifischen Quellen zählt ebenfalls das Epigramm in der Trad. der *Anthologia Graeca*, insofern in den von Alciato übers. bzw. zur Nachahmung herangezogenen Epigrammen auf einen ein bestimmtes Kunstwerk beschreibenden, d. h. einen deskriptiven Teil, ein dieses Kunstwerk auslegender Teil folgte. Hiermit war also die später für das Emblem gattungstypische Verbindung von Beschreibung und Auslegung vorgegeben. Prägend für die emblemspezifische Form des Bezeichnens waren weiterhin die ma. → Allegorese (ma. Dingauffassung, vierfacher Schriftsinn), die Lehre von der Natur als einem zweiten Buch der Offenbarung (*liber naturae*) bzw. von der Welt als einem *mundus symbolicus*, die illustrierte → Fabel, die Armenbibel (*Biblia pauperum*) und schließlich die Ren.-Hieroglyphik (Horapollo, *Hieroglyphica*, 4. Jh. (?), 1419 wiederentdeckt, gedruckt Basel 1518; Valerianus, *Hieroglyphica*, Erstausgabe 1556; Fra Francesco Colonna, *Hypnerotomachia Poliphili*, Erstdruck Venedig 1499) mit ihren Versuchen, die altägypt. Hieroglyphik als Form eines ursprungsnahen Geheimwissens (*sapientia veterum*) wiederzubeleben. Durch diese Bezüge und Quellen wurde einerseits die emblemtypische Wort-Bild-Verbindung vorgeprägt; andererseits bot der in der zeitgenössischen Emblem-Theorie häufige Hinweis (erstmals in Alciatos *De verborum significatione*, Lyon 1530) auf die altägypt. Hieroglyphik, wie auch der Bezug auf das lesbare Buch der Natur und damit auf Gott als ersten Emblematiker die Möglichkeit, den im emblematischen Bezeichnen und Auslegen dargestellten *sensus spiritualis* einer *res picta* als dieser inhärent und nicht nur zugeschrieben zu begreifen. Diese Möglichkeit wurde bes. für die rel. bzw. didaktische E. des 17. Jh. wichtig. Für die human. E. des 16. Jh. hingegen bestand ein derartiger Legitimationsbedarf weniger; hier überwog das concettistische Spiel mit geistreich erfundenen Bed.

D. POETIK

Die in der zeitgenössischen Poetik ungeklärte Frage nach dem Verhältnis von Bild und Epigramm im Emblem – Emblem als Illustration eines Epigramms und damit Priorität des Wortes oder Emblem als Auslegung einer Sache und damit Priorität des Bildes – fand ihren Niederschlag in einander widersprechenden Versuchen zur gattungsmäßigen Einordnung des Emblems. Galt das Epigramm als Auslegung des Bildes und kam letzterem somit die Priorität unter den drei Teilen des Emblems zu, so lag eine gattungssystematische Erfassung des Emblems nahe, die dieses gegen andere Wort-Bild-Gattungen wie Hieroglyphe, Imprese, Medaille oder Rebus absetzte. Galt dagegen das emblematische Bild als Illustration des Epigramms, so bot sich bei Definitionsversuchen die Merkmalgruppe *brevitas, suavitas* und *argutia* an: das Emblem wurde dann – vielleicht ganz im Sinne Alciatos – als illustrierte Variante des Epigramms gesehen [12].

E. ANGEWANDTE EMBLEMATIK

Neben der durch die Entwicklung des Buchdrucks und der Buchillustration im 16. Jh. bes. geförderten Buch-E. entstand im 16. Jh., in erhöhtem Maße dann im 17. und 18. Jh., die h. so genannte »angewandte E.« in Form von Dekorationsprogrammen für sakrale und profane Gebäude und Verzierungen auf Produkten verschiedener Kunsthandwerke wie Goldschmiedekunst, Möbelschreinerei, Glasbläserei, Seidenstickerei, Weberei, bes. solchen, die aus einem bestimmten, oft zeremoniellem Anlaß geschaffen wurden, aber auch der Kanonengießerei und des Schiffbaus, d. h. Artefakten mit deutlicher Repräsentationsfunktion [1; 2. 193–221]. Die angewandte E. kann jedoch im Verhältnis zur Buch-E. nur bedingt als sekundär gelten, da schon Alciatos *Emblematum liber* (Augsburg 1531) ausdrücklich als Vorlagenbuch für Kunsthandwerker gedacht war [4. 39–66]. Ebenfalls zur angewandten E. zu rechnen ist wohl die im 17. Jh. weitverbreitete Tendenz, kulturellen Phänomenen wie Drama und Theater, Oper, kirchlichen wie auch weltlichen Zeremonien, Aufzügen und Prozessionen mit Hilfe von Emblemen Möglichkeiten des Auslegens hinsichtlich einer spirituellen Bedeutungsebene zuzuordnen [10; 11]. Das benötigte Wort-Bild-Material entnimmt man entweder direkt der Buch-E. (Emblem-Buch als Kunstbuch [4]) oder systematisierenden Erfassungen des inzwischen angesammelten Bestands in enzyklopädisch angelegten Sammlungen emblematischer Wort-Bild-Kombinationen in der Nachfolge von C. Ripas *Iconologia* (Rom 1593, in der ersten Ausgabe noch ohne Illustrationen).

→ AWI Anthologia Graeca
→ Epigramm; Kommentar; Lehrgedicht

1 H. FREYTAG, W. HARMS (Hrsg.), Außerlit. Wirkungen barocker Emblem-Bücher, 1975 2 W. S. HECKSCHER, K.-A. WIRTH, s. v. Emblem, Emblem-Buch, Reallex. zur dt. Kunstgesch., Bd. 5, 85–228 3 A. HENKEL, A. SCHÖNE (Hrsg.), Emblemata. Hdb. zur Sinnbildkunst des XVI. und XVII. Jh., 1967 4 I. HÖPEL, Emblem und Sinnbild. Vom Kunstbuch zum Erbauungsbuch, 1987 5 J. HUTTON, The Greek Anthology in Italy to the Year 1800, 1935 6 J. KÖHLER, »Theophanie celestis emblema«. Zu einem Theorematabegriff bei Alain de Lille, in: Miscellanea Mediaevalia 22, 1994, 158–170 7 R. KLEIN, La Théorie de l'expression figurée dans les traités italiens sur les imprese, 1555–1612, in: Bibliothèque d'Humanisme et Ren. 19, 1957, 320–342 8 H. MIEDEMA, The term Emblema in Alciati, in: Journal of the Warburg and Courtauld Institutes 31, 1968, 234–259 9 M. PRAZ, Stud. in Seventeenth-Century Imagery, 1939 10 D. RUSSELL, Emblematic Structures in Ren. French Culture, 1995 11 A. SCHÖNE, E. und Drama im Zeitalter des Barock, 1964 12 B. F. SCHOLZ, E.: Entstehung und Erscheinungsweisen, in: U. WEISSTEIN (Hrsg.), Lit. und Bildende Kunst, 1992, 113–137 13 Ders., From Illustrated Epigram to Emblem, in: W. SPEED HILL (Hrsg.), New Ways of Looking at Old Texts, 1993, 149–57 14 D. SULZER, Traktate zur E., 1992.

BERNHARD F. SCHOLZ

Entzifferungen

I. ALTER ORIENT UND ÄGYPTEN
II. SONSTIGE SPRACHEN

I. ALTER ORIENT UND ÄGYPTEN

A. EINLEITUNG
B. SEMITISCHE ALPHABETSCHRIFTEN
C. NICHTALPHABETISCHE KEILSCHRIFTEN
D. ÄGYPTISCHE SCHRIFTEN
E. SONSTIGE SCHRIFTEN

A. EINLEITUNG

Eine E. im engeren Sinne ist der erfolgreiche Versuch, die einer unbekannten Schrift zugrundeliegende Systematik so weit zu erfassen, daß es möglich wird, sowohl die lautliche Realisierung als auch den semantischen Gehalt der in der fraglichen Schrift verfaßten Texte widerspruchsfrei zu rekonstruieren. Grundlage jeder E. ist eine statistische Auswertung des zur Verfügung stehenden inschr. Materials, deren erstes Ziel sein muß, die Gesamtzahl der verwendeten unterschiedlichen Schriftzeichen zu ermitteln, um so bestimmen zu können, ob eine Schrift logographischen, syllabischen, alphabetischen oder »gemischten« Typs vorliegt. Hiervon hängt ab, welche Strategie im Zuge des weiteren Entzifferungsprozesses den größten Erfolg verspricht. So spielt etwa die Analyse der Distribution von Zeichen eher bei der E. relativ einfacher Schriften eine Rolle, die eine Sprache bekannten Typs repräsentieren (z.B. die ugaritische Alphabetschrift), während die Unt. von Schreibvarianten v.a. für die E. von komplexen gemischten Schriftsystemen (wie etwa der assyrisch-babylonischen Keilschrift) von Bed. ist. In einer fortgeschritteneren Phase geht E. über in die Beschäftigung mit Gramm. und Lexikon der durch die untersuchte Schrift wiedergegebenen Sprache, wobei es natürlich hilfreich ist, wenn diese mit einer bereits bekannten Sprache verwandt ist. Faßt man den Begriff der E. weiter, so wird man auch die Deutung einer unbekannten Sprache in bekannter Schrift als E. auffassen (z.B. Etruskisch; ital. Alphabetschriften). Viele E. sind durch die Auffindung von Bi- oder Trilinguen gefördert worden. Durch die E. der altvorderasiatischen und ägypt. Schriften, die wir oftmals genialen Außenseitern verdanken, ist die lange Zeit verschüttete »erste Hälfte der Geschichte« wieder freigelegt worden, was bes. im 19. und zu Beginn des 20. Jh. zu erheblichen weltanschaulichen Erschütterungen und ideologischen Kontroversen geführt hat [1. 139–159] (→ Babylon).

B. SEMITISCHE ALPHABETSCHRIFTEN

Der erste erfolgreich abgeschlossene Versuch der E. einer unbekannten Schrift geht auf den frz. Abbé J.-J. Barthélemy zurück, dem es 1754 gelang, einige von engl. Reisenden kopierte palmyrenische Inschr. zu entschlüsseln. Die Grundlage hierfür bildeten die griech. Parallelversionen, die diesen Inschr. beigegeben waren. Mit ihrer Hilfe bestimmte Barthélemy zunächst die Position von Eigennamen im palmyrenischen Text, um anschließend durch einen Vergleich mit der griech. Wiedergabe der Namen die Lautwerte der bis dahin unbekannten Schrift zu identifizieren. Dadurch in die Lage versetzt, auch die übrigen Worte des Textes zu lesen, erfaßte er sogleich den syrischen Charakter der palmyrenischen Sprache. Außerdem erkannte er die Verwandtschaft zw. der palmyrenischen Schrift und den nie der Vergessenheit anheimgefallenen hebräischen und syrischen Alphabeten. 1764 entzifferte Barthélemy auch die phönizische, 1768 die aramäische Schrift [5]. Die zw. 1837 und 1841 vorgenommene E. der himyaritischen Schrift, Voraussetzung für die Wiederentdeckung der altsüdarab. Kultur, verdankt sich W. Gesenius und E. Rödiger und wurde wesentlich durch Darstellungen der Schrift in islamisch-arab. Mss. gefördert [1. 149]. Nicht unumstritten ist bis h. die Deutung der sog. protosinaitischen Schrift durch A.H. Gardiner, dessen 1916 erschienener Entzifferungsversuch auf der Idee basiert, daß der offenbar alphabetische Zeichenbestand der Schrift nach dem Prinzip der Akrophonie aus ägypt. Hieroglyphen abgeleitet worden sei [1. 29; 12. 3–50]. Dagegen ist die zw. 1929 und 1933 betriebene E. der keilförmigen Alphabetschrift von Ugarit über jeden Zweifel erhaben. Die Entzifferer, C. Virolleaud, H. Bauer, E. Dhorme und J. Friedrich, gingen von der Arbeitshypothese aus, daß die Sprache der Ugarit-Texte westsemitisch sei. Da Bilinguen nicht zur Verfügung standen, bedurfte es komplexer Unt. zur Distribution der Zeichen, um zunächst Präpositionen und Affixe isolieren und schließlich sämtliche Lautwerte bestimmen zu können [1. 153].

C. NICHTALPHABETISCHE KEILSCHRIFTEN

Obwohl die babylonische Keilschrift noch bis mindestens ins 1. Jh. n.Chr. hinein in Gebrauch war (die letzte datierbare Tafel stammt von 74/75 n.Chr.), entspann sich – anders als über die ägypt. Hieroglyphen – in der Ant. über die verschiedenen altorient. Keilschriften kein gelehrter Diskurs. (Die vermutlich zu Unrecht dem Demokrit zugeschriebene verlorengegangene Abhandlung περὶ τῶν ἐν Βαβυλῶνι ἱερῶν γραμμάτων, DK 2,207, dürfte wohl eher die rel. Lit. der Babylonier als ihre Schrift behandelt haben.) Die Existenz der Keilschriften geriet so fast vollständig in Vergessenheit. Erst als europ. Orientreisende (P. della Valle, P. Chardin, E. Kämpfer, C. de Bruin) im 17. und 18. Jh. Kopien von Keilschriftmonumenten veröffentlichten, änderte sich diese Situation.

Den entscheidenden Anstoß zur E. bildeten die von C. Niebuhr zw. 1774 und 1778 publ. Kopien persepolitanischer Keilinschr. Bereits Niebuhr erkannte, daß diese Inschr. in drei verschiedenen Keilschriftvarietäten abgefaßt waren und erstellte eine erste, 42 Einträge umfassende Zeichenliste der offenbar einfachsten dieser Varietäten, die zunächst im Mittelpunkt der Entzifferungsbemühungen stand. Niebuhr, O.G. Tychsen und F. Münter konnten bis 1800 die Schriftrichtung eruieren, einen Worttrenner identifizieren und die Schrift in die altpersische Zeit datieren. Der entscheidende Durchbruch gelang 1802 dem Göttinger Gymnasiallehrer F. Grotefend, der sich schon in Kindertagen mit Bilderrätseln, Rebussen u.ä. beschäftigt hatte. Aufbauend auf der Arbeitshypothese, daß die von ihm untersuchten Inschr. mit einer königlichen Genealogie begännen, die strukturell den Genealogien der von S. de Sacy entzifferten mittelpersischen Königsinschr. von Naqsch-i-Rustam ähneln würden, und in der Überzeugung, daß diese Genealogien die Namen der aus klass. Quellen (bes. Herodot) bekannten Achämenidenherrscher enthalten müßten, vermochte Grotefend etwa ein Drittel der altpersischen Zeichen richtig zu lesen und die genealogischen Teile der Inschr. korrekt zu interpretieren. Bis 1846 gelang es R.C. Rask, E. Burnouf, C. Lassen und E. Hincks, die E. der altpersischen Keilschrift im wesentlichen abzuschließen [3; 6. 101–143; 7. 102–146]. Inwieweit der im Irak tätige H.C. Rawlinson die E. des Altpersischen unabhängig von den Arbeiten der vorgenannten Wissenschaftler zu wiederholen vermochte, ist umstritten. Rawlinson machte sich v.a. durch seine 1846 erschienene Edition der altpersischen Version der von ihm selbst kopierten, sehr umfangreichen Trilingue von Bisutun um die Keilschriftstud. verdient.

Der durch Rawlinson zugänglich gewordene Bisutun-Text diente E. Norris als Grundlage für die E. der (zuvor bereits von N.L. Westergaard untersuchten) elamischen Schrift, der zweiten Keilschriftvarietät der altpersischen Trilinguen. In einem 1852 erschienenen Aufsatz identifizierte Norris in der elamischen Fassung des Bisutun-Textes etwa 90 aus der altpersischen Version bekannte Eigennamen, was ihn in die Lage versetzte, einen Großteil der elamischen Silbenwerte zu bestimmen [6. 146–150; 7. 147–166]. Als sehr schwieriges Unterfangen erwies sich die E. der dritten aus den altpersischen Texten bekannten Schriftart, der komplexen babylonischen Keilschrift. Hatten im Falle der beiden anderen Schriftarten die Eigennamen einen Schlüssel für die erfolgreiche Deutung geboten, so erwiesen sie sich hier aufgrund ihrer oftmals stark logographischen Schreibung eher als ein Hindernis. Die E. der babylonischen Keilschrift wurde durch die in den 40er Jahren beginnenden Ausgrabungen in Assyrien gefördert und verdankt sich den Bemühungen mehrerer Gelehrter, unter denen der irische Landpfarrer E. Hincks bes. hervorragt. Durch Rekurs auf Schreibvarianten in ansonsten gleichlautenden Texten (auch solchen, die in urartäischer Sprache verfaßt waren) und vermittels geschickter Verwertung der achämenidischen Trilinguen erkannte Hincks zw. 1846 und 1852 eine Reihe entscheidender Punkte: 1) Die babylonische Schrift der achämenidischen und der südmesopotamischen Inschr. ist strukturell mit der auf assyrischen Denkmälern angebrachten Schrift identisch. 2) Es handelt sich um eine Schrift logosyllabischen Charakters. 3) Die einzelnen Zeichen können, je nach Kontext, unterschiedliche syllabische oder logographische Werte haben (sog. Polyphonie). 4) Die durch die Schrift wiedergegebene Sprache ist semitisch. Neben Hincks leisteten auch Rawlinson und J. Oppert wichtige Beiträge zur E., letzterer unter Benutzung von assyrischen Syllabaren und Vokabularen. Die E. der babylonisch-assyrischen Keilschrift fand ihren Abschluß im J. 1857, als Hincks, Rawlinson, Oppert und W. H. Fox Talbot unabhängig voneinander eine assyrische Königsinschr. mit weitgehend übereinstimmenden Ergebnissen transkribierten und übers. [7. 167–220; 11. 177–227, 293–305, 333–337]. Es ergab sich bald, daß die für das Babylonische und Assyrische verwendete Keilschriftvarietät auch zur Wiedergabe anderer bis dahin unbekannter Sprachen genutzt worden war. An der Frage nach der korrekten Deutung der wohl ältesten dieser Sprachen, des Sumerischen (erstmals erschlossen von Hincks, Oppert und P. Haupt, Grammatiken nicht vor dem 20. Jh.), entzündete sich in der zweiten H. des 19. Jh. zw. Anti- und Philosemiten ein heftiger Streit [4]. Ob die allerfrühesten Keilschriftdokumente wirklich sumerisch sind, gilt noch h. als nicht völlig gesichert [8. 17 f.]. Die Wiederentdeckung der hethitischen Hauptstadt Ḫattuša mit ihren umfangreichen Archiven im J. 1906 führte zur E. mehrerer weiterer in babylonischer Keilschrift verfaßter Sprachen, deren wichtigste, noch vor dem Hurritischen, das Hethitische ist. Der indogerman. Charakter dieser Sprache wurde 1915 von B. Hrozný erkannt, der sich bei seinen etym. Erwägungen auf die in ihrer Bed. bekannten Logogramme der Schrift stützen konn-

te [6. 203–215]. Umstritten ist noch, wie sich das Idiom der aus dem 3. Jt. stammenden, zw. 1974 und 1976 gefundenen und zunächst v. a. von G. Pettinato erschlossenen Keilschrifttexte aus Ebla in den Kreis der semitischen Sprachen einfügt [10].

D. ÄGYPTISCHE SCHRIFTEN

Die altägypt. Hieroglyphenschrift (samt den aus ihr abgeleiteten Schriftformen des Hieratischen und des Demotischen) blieb bis in die Spät-Ant. hinein in Gebrauch und war Gegenstand zahlreicher griech. und lat. Abhandlungen. Die vielfach (neu)platonisch orientierten ant. Autoren interessierten sich jedoch fast nur für die erst spät in Ägypten aufgekommene »symbolische« Verwendung von Schriftzeichen, für die Verbindung des konkreten Bildes mit dem abstrakten Gedanken, während die phonetischen Aspekte der ägypt. Schrift kaum reflektiert wurden (Ansätze bei Clemens von Alexandrien). So vermittelten v. a. Chairemon und Horapollo (*Hieroglyphika*), daneben auch Ammianus Marcellinus, Diodor, Plotin, Plutarch, Porphyrios u. a. ein stark verzerrtes und einseitiges, wenn auch nicht völlig falsches Bild des altägypt. Schriftsystems ([9. 38–56; 13. 89–100] mit Stellenangaben). Als die genannten Autoren im 15. und 16. Jh. von den Humanisten wiederentdeckt wurden (und man ihre Ausführungen für den »semiotischen Diskurs« der frühen Neuzeit fruchtbar zu machen begann), war die altägypt. Kultur längst untergegangen, und mangels inschr. Materials konnte eine kritische Revision der ant. Beschreibungen zunächst nicht geleistet werden [9. 57–87]. Der Jesuit A. Kircher, der sich im 17. Jh. erfolglos um die Deutung ägypt. Originalinschr. bemühte, stellte immerhin die zutreffende These auf, daß es sich bei der hieroglyphisch verschrifteten Sprache um eine Vorform des von ihm gramm. und lexikalisch erschlossenen Koptischen, der mit griech. Buchstaben und einigen Sonderzeichen geschriebenen ägypt. Kirchensprache, handeln müsse [6. 49–52; 9. 89–102]. Im 17. und 18. Jh. entwickelten R. Cudworth und bes. W. Warburton auf der Grundlage der damals greifbaren Informationen über die altägypt. Schriften eindrucksvolle spekulative »Grammatologien« [2. 80–90, 102–115]. Kleinere Fortschritte im Verständnis der Hieroglyphenschrift erzielten C. Niebuhr, der 1762 die Existenz von Phonogrammen postulierte, und J.-J. Barthélemy, der im selben Jahr erkannte, daß die ringförmigen sog. Kartuschen die Namen von Herrschern enthalten [6. 52f.; 9. 107–111].

Aber erst die Auffindung des *Steines von Rosette*, einer hieroglyphisch-demotisch-griech. Trilingue, die 1799 bei Schanzarbeiten von Soldaten des napoleonischen Expeditionskorps im ägypt. Delta zutage kam, ermöglichte den entscheidenden Durchbruch. Nachdem der Schwede D. Åkerblad 1802, ausgehend von den griech. Namen, im demotischen Text mehrere Wörter identifiziert und durch Rekurs auf das Koptische die lautliche Gestalt des Suffixes der dritten Person Singular maskulin ermittelt hatte und nachdem der engl. Universalgelehrte Th. Young 1818 auch in der hieroglyphischen Version eine Reihe von Wörtern zutreffend bestimmt, wenn auch größtenteils nicht korrekt gelesen hatte, war es der von Kindheit an für Ägypten entflammte frz. Orientalist J. F. Champollion, dem es dank seiner Kenntnisse des Koptischen und neuen Inschriftenmaterials gelang, zw. 1822 (*Lettre à M. Dacier*) und 1824 die ägypt. Schriften im wesentlichen zu entziffern. Den Ausgangspunkt bildeten dabei – wie im Falle der persischen Keilschrift – einige aus klass. Quellen bekannte Königsnamen, aus denen sich auf kombinatorischem Wege die Lautung von Phono- wie von Semogrammen gewinnen ließ. Abgeschlossen wurde die E. der ägypt. Schrift durch die Arbeiten von R. Lepsius (Entdeckung der Mehrkonsonantenzeichen, 1837) und E. Hincks (Entdeckung der Vokallosigkeit der Schrift, 1846) [1. 148 f.; 6. 53–90; 9. 124–145]. Die seit dem 3. Jh. v. Chr. im Sudan verwendete, in einer monumentalen und einer einfachen Variante bezeugte und im Prinzip alphabetische meroitische Schrift wurde zw. 1909 und 1911 von F. L. Griffith entziffert, der sich dabei v. a. auf ägypt. und griech. Quellen belegte nubische Ortsnamen und Titel stützte. Aufgrund des Fehlens von Bilinguen ist das Verständnis der durch die Schrift wiedergegebenen Sprache(n) bislang noch unzureichend [1. 152; 6. 94–97].

E. Sonstige Schriften

Bereits 1880 vermutete A. H. Sayce, daß die auf nordsyrischen und kleinasiatischen Denkmälern angebrachte Bilderschrift, die wir heute Hieroglyphenluwisch nennen, das Produkt der hethitischen Zivilisation sei; gleichzeitig ermittelte er die Bed. einiger Determinative und Logogramme. Aber erst nach Bekanntwerden des Hethitischen gelang es I. Gelb, zw. 1931 und 1942 den hethitisch-luwischen Charakter der durch die Schrift wiedergegebenen Sprache nachzuweisen. Weitere Fortschritte bei der E. gelangen (auf der Grundlage sehr unterschiedlicher Methoden) in den 30er J. P. Meriggi und E. Forrer. Die Auffindung der hieroglyphenluwisch-phönizischen Bilingue von Karatepe durch H. Th. Bossert im J. 1947 hat die vorangegangene E. im wesentlichen bestätigt, zugleich aber weitere Verbesserungen ermöglicht [6. 184–250]. Als noch weitgehend unentziffert müssen die zuletzt von G. E. Mendenhall behandelten »Pseudohieroglyphen« von Byblos und die bes. von A. Parpola untersuchte Industalschrift gelten [1. 29 f., 165–171].

→ AWI Achämeniden; Alphabet; Bilingue; Bisutun; Etruskisch; Hieroglyphen; Horapollo; Italien: Alphabetschriften; Keilschrift; Trilingue

QU 1 P. T. DANIELS, W. BRIGHT (Hrsg.), The World's Writing Systems, 1996 (bes. 144)

LIT 2 J. ASSMANN, Moses the Egyptian, 1997 3 R. BORGER et al., Die Welt des Alten Orients, 1975 4 J. S. COOPER, Posing the Sumerian Question, in: Aula Orientalis 9, 1991, 47–66 5 P. T. DANIELS, »Shewing of Hard Sentences and Dissolving of Doubts«: The First Decipherment, in: Journ. of the American Oriental Society 108, 1988, 419–436 6 E. DOBLHOFER, Die E. alter Schriften und Sprachen, 1993 7 C. FOSSEY, Manuel d'Assyriologie I, 1904 8 M. W. GREEN, H. J. NISSEN, Zeichenliste der archa. Texte aus Uruk, 1987 9 E. IVERSEN, The Myth of Egypt and its Hieroglyphs in European Trad., 1961 10 M. KREBERNIK, The Linguistic Classification of Eblaite, in: J. S. COOPER, G. M. SCHWARTZ (Hrsg.), The Study of the Ancient Near East in the Twenty-First Century, 1996, 233–249 11 M. T. LARSEN, The Conquest of Assyria, 1996 12 B. SASS, The Genesis of the Alphabet, 1988 13 E. WINTER, s. v. Hieroglyphen, RAC XV, 83–103.   ECKART FRAHM

II. Sonstige Sprachen
A. Kyprisch   B. Linear B   C. Iberisch
D. Nicht Entziffertes

A. Kyprisch

Die E. der kyprischen Silbenschrift [1. 48–51] gelang mit Hilfe der phönizisch-kyprischen Bilingue von Idalion [1. 246–48, Nr. 220]. Der britische Assyriologe George Smith (1840–76) plädierte am 7.11.1871 für den Syllabarcharakter der Schrift, las ein griech. Wort (Gen. *pa-si-le-wo-se/basilēwos/*»des Königs« ˜ phönizisch *mlk*) und postulierte, die Sprache sei überhaupt griech. Letzteres bestätigte 1872 der britische Ägyptologe Samuel Birch, und 1873 verbesserte der dt. Numismatiker Johannes Brandis das Syllabar weiter. Die detaillierte Erschließung leisteten dann die Philologen, speziell Moriz W. C. Schmidt (1874) und parallel zu ihm Wilhelm Deecke und Justus Siegismund sowie der Dialektologe Heinrich Ludolf Ahrens (1876), der die E. im wesentlichen abschloß. Mit dem Syllabar können auch die sog. eteokyprischen Inschriften gelesen werden; ihre Sprache ist aber unverständlich [1. 51, 61].

B. Linear B

Bes. eindrücklich ist die E. der Linear B-Schrift. Der Vorgang ist dank *work notes*, die der Entzifferer, der britische Architekt Michael Ventris (1922–56), im Vorfeld des Durchbruchs regelmäßig an Freunde versandte, praktisch lückenlos dokumentiert [2] und später hervorragend nacherzählt worden (z. B. [3]). Die ab 1900 in Knossos gefundenen Inschriften wurden sofort als – meist syntaktisch einfach strukturierte – Inventarlisten u. ä. erkannt und die Schrift als Mischung aus (den kyprischen vergleichbaren) Silbenzeichen und Logogrammen. Die Publikation des Corpus verzögerte sich dann aber um Jahrzehnte. Zuerst erschien 1951 aus der Feder des Amerikaners Emmett L. Bennett Jr. eine vorbildliche Edition des seit 1939 in Pylos gefundenen Materials mit zuverlässiger Zeichenliste. Dies war die eine Voraussetzung für die E.

Die zweite, wichtigere, war die hervorragende Vorarbeit der Amerikanerin Alice Kober († 1950), die bei der Bearbeitung des knosischen Materials während der 40er J. »Wörter« mit gleichem »Stamm«, aber verschiedener »Endung« zusammenstellte und dank der Formelhaftigkeit der Listen funktionell gleiche Formen eruiert hatte, z. B. (Kasus I) 26–67–37–57, 3–28–37–57, 69–53–41–57, 70–52–41–57; (Kasus II) 26–67–37–36, 3–28–37–36, 69–53–41–36, 70–52–41–36; (Kasus III)

26–67–5, 3–28–5, 69–53–12, 70–52–12. Daraus las sie ab, daß die Zeichenpaare 37 und 5 sowie 41 und 12 je denselben Konsonanten, aber verschiedenen Vokal haben und zudem 37 und 41 sowie 5 und 12 je denselben Vokal, und endlich auch 57 und 36 je denselben Konsonanten, aber verschiedenen Vokal haben. Dies erlaubte, den Anfang eines *grid* (d. h. Rost, Tabelle) zu erstellen, mit Vokalkolonnen und Konsonantenzeilen. Hier übernahm Ventris 1950. Durch die Erarbeitung weiterer solcher gramm. »Paradigmen« vervollständigte er den *grid* immer mehr. In *work note 20* vom 1.6.1952 war dieser reif für phonetische Versuche. Dafür zog Ventris auch die wenigen kyprischen Zeichen heran, die im Linear B plausible Entsprechungen haben (v. a. *ta, ti, to, pa, lo, na, se*), was sich umso mehr empfahl, als die Pendants zu kyprisch *ti* und *to* in seinem »grid« in derselben Zeile saßen. Der Versuch lieferte die fünf Vokalqualitäten (*u* indirekt) und immerhin einige Konsonantenqualitäten. Dies löste dann eine Kettenreaktion aus, führte sogleich zur Identifikation mehrerer Ortsnamen, u. a. der oben genannten *ru-ki-to* (/Luktos/), *pa-i-to* (/Phaistos/), *tu-ri-so* (/Tulissos/) und *ko-no-so* (/Knōsos/) (Kasus III), sowie angesichts der zugehörigen Ethnika auf *-ti-jo* bzw. *-si-jo* (/-tios, -sios/) (Kasus II) und *-ti-ja* bzw. *-si-ja* (/-tiā, -siā/) (Kasus I) und einiger Wörter zur Identifikation der Sprache als Griech. (was zweifellos die größte Überraschung darstellte). Es ist h. (fast) unnötig zu betonen, daß die Ventris'sche E. richtig ist. Die Leistung besticht v. a. durch die methodische Stringenz und den fast fehlerfreien Ablauf.

C. Iberisch

Auf der iberischen Halbinsel wurden im Alt. verschiedene Schriften benutzt [4. I 132–49], für das Iberische v. a. die recht einheitliche, rechtsläufige nordostiberische (auch verwendet für das Keltiberische) und die vielfältigere, linksläufige südiberische Schrift. Sie sind zweifellos miteinander verwandt, zudem mit der südiberischen Schrift bes. nahe die tartessische (oder südwestiberische). Die E. gelang 1922 Manuel Gómez-Moreno [4. I 105–10], und zwar auf rein analytische Weise, insbes. ohne »Hilfe« einer Sprachverwandtschaft (etwa der schon von W. v. Humboldt postulierten, aber bis h. nicht bestätigten mit dem Baskischen); eine entscheidende Hilfe war allerdings die 1921 gefundene, in griech. Alphabet geschriebene iberische Inschr. von Alcoy [4. II Nr. G.1.1].

Alle drei Schriften zeigen das gleiche Mischsystem: Für die fünf Vokale und die konsonantischen Dauerlaute (v. a. /l/, /n/, /r/, /s/,/ś/) existieren Phonemzeichen, für die Verschlußlaute dagegen je fünf Silbenzeichen (ohne Unterscheidung der aus griech. geschriebenen Texten erschließbaren zwei Artikulationsarten). Dank einem (tartessischen) Alphabetar mit 27 Zeichen, zweimal in einen Stein geritzt [5], können wir h. auch den Ursprung dieser Schriften abschätzen. (Das folgende gilt für den Nordosten mit seinen z. T. stark abweichenden Buchstabenformen und der damit möglichen abweichenden Zeichenreihenfolge nur bedingt): 1) Die Schrift hat als Grundlage ein Alphabetar in seiner normalen Reihenfolge (Nr. 1–13), an das ungewöhnlich viele Zusatzzeichen angehängt wurden (Nr. 14–27); die Grundreihe lautet etwa: *a-b(a?)-k(a)-t(u)-i-k(e)-l-m-n-s-p(e)?-ś-t(a)*. 2) Ein griech. Alphabet liegt entweder zugrunde oder war mindestens in einer frühen Phase mitbeteiligt, denn der erste Zusatzbuchstabe (Nr. 14) nach der Grundreihe ist das Wau mit Lautwert /u/ (das griech. Alphabet war damit zweifellos auch das für die phonemischen Lautwerte, insbes. die Vokale, verantwortliche Vorbild). 3) Die Buchstabenformen stehen teils den phönizischen (v. a. Iota und Tau), teils den griech. näher (v. a. Gamma, Lambda, San), was aber keine genealogischen Schlüsse erlaubt. 4) Drei Buchstabenblöcke sind durch Reduktionsreform(en) aus der Grundreihe eliminiert (Epsilon bis Theta, Omikron (?), Qoppa bis Sigma); für einige der betroffenen Laute (/e/,/o/,/r/) sind dann aber (später) wieder Zusatzbuchstaben angefügt worden. 5) *m* ist offenbar ein weitgehend »totes« Zeichen (deshalb auch in den beiden Alphabetaren unsicher geschrieben; zu *m* im Nordosten [4. I 153 f.]). Das Alphabetar kann für die weitere Entzifferungsarbeit deshalb wichtig werden, weil die Erkenntnis einer allfälligen *ratio* in der Reihenfolge der Zusatzbuchstaben den unsicheren unter ihnen zu einem plausiblen Lautwert verhelfen kann. Dies erfordert aber weitere Forsch. durch die Spezialisten.

D. Nicht Entziffertes

Weiterhin der E. harren insbes. die Schriften (und Sprachen) des Diskos von Phaistos, des Kyprominoischen und des Linear A.

→ AWI Alphabet (II. B); Diskos von Phaistos; Eteokyprisch; Hispania; Italien/Alphabetschriften; Kyprische Schrift; Kyprominoische Schriften; Linear A; Linear B

QU 1 O. MASSON, Les inscriptions chypriotes syllabiques, 1961, ²1983 2 M. VENTRIS, Work notes on Minoan language research and other unedited papers, hrsg. von A. SACCONI, (= Incunabula Graeca 90), 1988 3 J. CHADWICK, The decipherment of Linear B, ²1970 4 J. UNTERMANN, Monumenta Linguarum Hispanicarum, III.1 und 2, 1990 5 J. A. CORREA, El signario de Espanca (Castro Verde) y la escritura tartesia, in: J. UNTERMANN, F. VILLAR (Hrsg.), Lengua y cultura en la Hispania prerromana, 1993, 521–62 (mit Photos).

LIT 6 D. KAHN, The Codebreakers, 1968 7 P. HORSTER, Kryptologie, 1985 8 Y. DUHOUX, TH. G. PALAIMA, J. BENNET (Hrsg.), Problems in decipherment, 1989 9 E. DOBLHOFER, Die Entzifferung alter Schriften und Sprachen, 1993.   RUDOLF WACHTER

Enzyklopädie   A. EINLEITUNG
B. MITTELALTER UND HUMANISMUS
C. AUFKLÄRUNG   D. 19. UND 20. JAHRHUNDERT
E. FACHENZYKLOPÄDIEN

A. EINLEITUNG

1. DEFINITION

E. meint hier ein Sammelwerk, das in systematischer oder alphabetischer Ordnung versucht, in umfassender Weise das gesamte Wissen (Allgemein-E., Universal-E.) oder das Wissen eines bestimmten Sachbereichs (Fach-E.) zusammenzufassen. Gegenstand dieses Artikels sind Allgemein-E. und alt.-wiss. Fach-E. Die Grenzen zum Lex. (= alphabetisch) oder Handbuch (= systematisch) sind fließend und vom Umfang und Anspruch grob bestimmt (etwa: praktisches Nachschlagewerk gegenüber umfassender Gesamtschau), hier aus praktischen Gesichtspunkten nicht zu eng gesetzt oder überhaupt zu setzen, wie z. B. bei mod. Groß-Lex. oder dem *Handbuch der Alt.-Wiss.*. Nicht Gegenstand dieses Artikels sind Wiss.-Systematiken (z. B. Hegels *Enzyklopädie*).

2. WORTGESCHICHTE

Das Wort E. (mlat. und nlat. *encyclopaedia*; z. T. *cyclopaedia*) stellt einen Rückgriff des → Humanismus auf den wohl unter dem Einfluß von *orbis doctrinarum* (Quintilian 1,10,1; etwa Kreis der Wiss.; sich zu einem Kreis von Wissensgegenständen schließende Bildung) schon in der Ant. falsch verstandenen griech. Begriff *enkýklios paideía* dar. Es wird in der Ant. und im MA für Werke im Sinne dieses Artikels nicht verwendet (erste Belege E. des 15. Jh.).

3. BEGRIFFSGESCHICHTE

Die ant. Bemühungen um umfassende Wissenssammlungen haben im Gegensatz zu umfassenden Bildungskonzepten (vgl. *enkýklios paideía* und *artes liberales*) trotz gattungsmäßiger Zusammenhänge und Trad. keine einheitliche Begrifflichkeit herausgebildet, ebenso nicht das MA (*summa* auf Werke theologischen Zwecks begrenzt). Auch in der Neuzeit hat sich der Begriff E. erst langsam gegen zahlreiche Konkurrenten durchgesetzt, v. a. seit J. H. Alsteds noch systematischer *Encyclopaedia septem tomis distincta* (1630), E. Chambers *Cyclopaedia* (1728) und der frz. *Encyclopédie* (1751–1780). Die inhaltliche Füllung des Begriffs E. ist seitdem stark von wissenschaftstheoretischen, pädagogischen und benutzerorientierten Überlegungen geprägt. Auch spielen verlagswirtschaftliche Gesichtspunkte eine Rolle (vgl. *Kleine E. ant. Autoren*).

B. MITTELALTER UND HUMANISMUS

1. SPÄTANTIKE

Gattungsgeschichtlich gesehen ist ein wesentlicher Einschnitt mit den spät ant. Versuchen der E. gegeben, da diese sowohl in ihrer Form als auch in ihrer propädeutisch-pädagogischen Absicht im Rahmen der *artes liberales* dem MA näher stehen als den ant. Vorläufern. Dabei sind drei Werke im MA bes. stark rezipiert worden: Die allegorisierende, im beliebten Wechsel von Prosa und Versen gehaltene E. des Martianus Capella (*De nuptiis Philologiae et Mercurii*; 4./5. Jh.?), der u. a. die Bildungskonzeption der sieben freien Künste auf das MA übertrug und dessen Wertschätzung durch viele Hss., Komm. und auch eine ahd. Übers. von Notker III. von St. Gallen (10. Jh.) belegt wird. Zweitens die *Institutiones divinarum et saecularium litterarum* (551–56 n. Chr.) des Cassiodorus, deren enzyklopädischer Teil bes. durch die Verknüpfung mit der Theologie, deren Propädeutik er sein soll, v. a. auf das mönchische Bildungsideal gewirkt hat. Drittens die von der ebenfalls beliebten Suche nach der »wahren Bed.« der Wörter ausgehenden und ebenfalls auf die Religion bezogenen *Etymologiae* des Isidor von Sevilla (um 560–636 n. Chr.), früh (7. Jh. in → Irland) und sehr breit rezipiert (ca. 1000 Hss.; u. a. Vorlage des größten dt. Glossenwerks, des *Summarium Heinrici*, ca. 11. Jh.). Daneben spielte auch der große unvollendete enzyklopädische Entwurf des Boethius eine Rolle.

2. FRÜHES MITTELALTER

Auf diesen Werken aufbauend, sucht auch das frühe MA in Verbindung von Glauben und Wissen die Einzelheiten der Welt (= Schöpfung) auf einen universellen, ideellen christlichen theologischen Kern hin anzuordnen. Dazu reichte eine unkritisch-kompilatorische Aufnahme von Sachinformationen aus, während der Umgang mit den *Methoden* der enzyklopädischen Verarbeitung des Materials wie Allegorese und → Etymologie als Bindeglieder zw. der Einzelsache und ihrem Sinngeber, der göttl. Weltordnung, durchaus origineller sein konnte, wie z. B. das nach seelsorgerischen Gesichtspunkten angeordnete *De rerum naturis* des Hrabanus Maurus zeigt (9. Jh.). Beides, (eher dürftige) Sachinformation und Methode der Deutung, fand man in den genannten Werken der Spät-Ant. vor, von denen man entsprechend oft die systematische Ordnung übernahm. Alphabetische Vorbilder aus der Ant. waren nicht selten und dem MA kaum zugänglich, sondern für seine Zwecke ungeeignet. Der eher in Wörterbuch-Trad. stehende alphabetisch-sachliche Lex.-Stil der stark auf die Ant. ausgerichteten byz. *Suda* (um 1000; ca. 31 000 Stichwörter) blieb auch in ihrem Kulturkreis eine Ausnahme.

3. HOCHMITTELALTER/SCHOLASTIK

Das Hoch-MA führte bei stärkerer Trennung enzyklopädisch-propädeutischer Werke (u. a. *Specula*) und theologischer Gesamtentwürfe eine enorme Ausweitung des Wissensstoffs wie auch des theologisch-philos. Handwerkszeugs herbei und für beides boten Aristoteles und seine Schule als Vorbild ideale Voraussetzungen, gerade auch in Hinsicht auf die stärkere Anerkennung des Sachwissens, das durch neue Übers. und arab.-jüd. Vermittlung gerade des Aristoteles ebenfalls im 12./13. Jh. eine Vermehrung erfuhr (→ Aristotelismus). Der theologische Kontext blieb natürlich bestimmend, wie die gegenüber der enzyklopädischen Lit. höheres intellektuelles Niveau erreichende Summen-Lit., insbes. bei Albertus Magnus und Thomas von Aquin, zeigt.

Aber es entstanden nun auch davon stärker losgelöste Kompilationen: Die um 1240 entstandene *Compilatio de libris naturalibus* schöpfte aus Aristoteles und arab. Schriftstellern, wie das eigentümliche ›Secretum secretorum‹ ein stark rezipierter griech.-oriental. Ps.-Aristoteles ist. Entsprechend ausgeweitet erscheint der Materialhorizont in der bis ins 16. Jh. erfolgreichen E. *De proprietatibus rerum* des Bartholomäus Anglicus (gest. nach 1250), der nun auch, wie Albertus Magnus, wieder direkt über die üblichen christl.-spät ant. Autoren hinaus auf eine von deren Hauptquellen, die *Naturalis historia* des älteren Plinius (gest. 79 n. Chr.), zurückgriff. Gipfelpunkt dieser Entwicklung war das *Speculum maius* des Vinzenz von Beauvais (vor 1200–1264) durch die Zahl der Quellen (ca. 2000) und seinen Umfang. Das in ein *speculum naturale, speculum doctrinale* und *speculum historiale* eingeteilte Werk (das *speculum morale* unecht) wurde bis weit in die frühe Neuzeit benutzt. Neu war an dieser E. u. a., daß sie ›nicht mehr nur dem Erkennen‹ diente, sondern ›ihre pragmatische Nutzung ... zum Gegenstand des Werkes‹ wurde [11].

Auch hier wurde, wie weitgehend im MA überhaupt, weniger Ant. als vielmehr Antikes rezipiert. Eine echte Auseinandersetzung fand im MA v. a. mit biblischen Texten und in durch die theologisch-systematische Zweckbestimmung gegebenen Maßen auch mit patristischen und zum Teil auch heidnisch-philos. Texten und Inhalten statt. Ansonsten ersetzte die Aneignung ant. Wissens im Grunde die kaum entwickelte Empirie. Weitgehend auf die Natur beschränkt, brach sich diese Empirie aber in dem großen enzyklopädischen und wiss.-methodologischen Werk (*Opus maius, Opus minus, Opus tertium*) des Roger Bacon (ca. 1219 bis ca. 1292) eine erste Bahn.

4. HUMANISMUS

Daß der Human., der nun die (auch heidnische) Ant. nicht mehr nur als Wissenssteinbruch und Sachautorität, sondern u. a. als Leitbild individuellen Denkens und Handelns betrachtete, keinen enzyklopädischen Gesamtentwurf wagte, mag den immer anachronistischer werdenden langen Erfolg des *Saeculum maius* erklären. Freilich mußte zunächst ein Neuanfang in der Kritik an den althergebrachten Lehrgebäuden gefunden werden. Die Zeit für neue große Wissenssammlungen unter neuen Vorzeichen sollte erst im → Barock und der → Aufklärung kommen. Vorerst scheute man sich eher vor dem im MA aufgehäuften lebensfernen Wissensballast und suchte das Wesentliche und Methodische, z. B. in der systematisch-unmittelbaren Behandlung der ant. Texte in den großen Sprachthesauren (z. B. dem → *Thesaurus linguae latinae* von Robertus (1536) und dem *Thesaurus linguae graecae* von H. Stephanus (1575)), wichtige Vorgänger der späteren alphabetischen E. [12]. Schon im 14./15. Jh. hatten einige ansonsten konservative enzyklopädische Werke in It. durch eine stärkere, kritische Behandlung von ant. Geschichte und Myth. in eine neue Richtung gewiesen, z. B. der Petrarca nahestehende Guglielmo da Pastrengo (um 1290–1362), oder Domenico Bandini (zw. 1374 und 1418) [15].

C. AUFKLÄRUNG

Die alte E. entsprach den theologischen Zielen der → Scholastik, war meist systematisch, lat. und von biblischen und ant. Inhalten geprägt. Die E. der Aufklärung solle nun im Sinne Francis Bacons (1561–1626) praktischen und emanzipatorisch-säkularen Zielen entsprechen, war meist alphabetisch und volkssprachlich und von mod. Inhalten geprägt. Dies galt sowohl im eher geistes-wiss. Bereich (z. B. als Vorläufer L. Moréri, *Grand dictionnaire historique* ..., 2 Bde., 1674, viele Neuauflagen; Bayle; Zedler) als auch im naturwiss.-technischen Bereich, an dem sich schon im 17. Jh. im Zuge von Empirismus und Rationalismus ein verstärktes Interesse herausgebildet hatte. Dieses zeigte sich in urspr. Anlehnung an E. Chambers *Cyclopaedia or an universal dictionary of arts and sciences* (2 Bde., 1728) v. a. im Grundwerk der frz. Aufklärung, Diderots und d'Alemberts *Encyclopédie ou dictionnaire raisonné des arts et des métiers* (17 Bde., 11 Tafel-Bde. 5 Ergänzungs-Bde., 1751–1777). Die neue Ausrichtung ist hier insbes. an den sehr sorgfältig bearbeiteten Tafelbänden sofort erkennbar.

Mit diesem Wandel war ein erheblich niedrigerer Anteil an Wissen aus der und über die Ant., aber auch eine andere Funktion ant. Inhalte gegeben. Wichtiger Vorreiter der E. der Aufklärung wurde neben dem die ma. Hierarchie der Wiss. auflösenden Alsted (s. o.) [8] P. Bayles *Dictionnaire historique et critique* (2 Bde., 1695–97, mehrere Neuauflagen und Übers.), das in dem Konzept der unkritischen Stoffsammlung zugunsten knapper und kritischer Artikel mit zum Teil programmatisch-aufklärerischer Tendenz brach. Dabei sah Bayle nicht, wie dies für die Humanisten galt, die ant. Autoren als Vorbilder an, sondern wandte sich der mod. Welt mit Hilfe ihres v. a. skeptischen Denkens zu, in außerordentlicher Vertrautheit mit ihnen [13. 280ff.]. Diese skeptisch-kritische Weltsicht fanden das 18 Jh. und insbes. Diderot und d'Alembert z. B. bei Tacitus. So wird in Bayles Lex. wie auch in der *Encyclopédie* die »düstere« Analyse der v. a. polit. Gegenwart auch im Sinne ant. Autoren betrieben (vgl. [13. 362ff.]), wobei die *Encyclopédie* allerdings erheblich mehr als Tacitus und Bayle positiv nach vorne schaute, dem aufklärerischen Fortschrittsgedanken gemäß. So waren die ant. Gestalten aus Wissenssteinbrüchen und human. Vorbildern zu Katalysatoren des Denkens geworden, was sich später eher in pädagogischen Konzepten als in E. wiederfinden sollte. Dadurch ist die Ant. in diesen Werken noch sehr präsent, z. B. als Beispielreservoir oder als Denkschule, aber in der aufklärerischen Kombination praktischer und pädagogischer Elemente zum Zwecke fortschrittlicher Weiterentwicklung der Menschheit mußte, auch unter wirtschaftlichen und polit. Aspekten, die engl. Philos., Gesellschaftsauffassung und Gesellschaftsorganisation zum eigentlichen Vorbild werden. Die direkte Beschäftigung mit ant. Gegenständen tritt demgegenüber stärker zurück; in der *Encyclopédie* sind Stichwörter dazu nur in Auswahl aufgenommen und eher knapp und Perso-

> Warum sollten auch die Regenten und Helden dieses historisch-critische Werk verächtlich halten, da es ja von den größesten Beyspielen der Staatskunst und Tapferkeit, in alten und neuern Zeiten, wohlgegründete Nachrichten in sich hält? Der einzige Buchstab A, der in diesem ersten Bande desselben enthalten ist, beschreibt uns ja schon den unüberwindlichen Heldenmuth Achills, die kluge Staatskunst des Agesilaus, den patriotischen Eifer des Agis, den trotzigen Uebermuth des Ajax, die Gastfreyheit und Freygebigkeit des Alcinous, die strenge Redlichkeit des Amphiaraus, den großen Verstand und die Glückseligkeit Antipaters, das unselige Ende des Unterdrückers der römischen Freyheit Antonius, die Gnade gegen die Gelehrten bey dem Archelaus, das vollkommenste Muster der Gerechtigkeit an dem Aristides, und die abscheuliche Grausamkeit des hunnischen Wüterichs, Attila; unzähliger andern, die minder berühmt geworden, zu geschweigen.

nenartikel fehlen in der Regel (Ausnahme: z.B. Alexander der Gr., Augustus).

In Deutschland markierte schon vor der *Encyclopédie* Zedlers *Großes vollständiges Universal-Lex. aller Wiss. und Künste* (64 Bde., 1732–54) die neue Zeit, freilich weniger durch didaktische Absichten als vielmehr durch seine exakte, knappe und sachliche Präsentation der gewaltigen in erster Linie gegenwartsbezogenen Information. Durch den eher inventarisierenden Charakter des Werkes, der es im Gegensatz zur *Encyclopédie* auch h. noch als Nachschlagewerk brauchbar macht [9], reduziert sich hier im Vergleich mit den frz. Werken neben der sowieso schon niedrigen Rate der direkten Behandlung der Ant. auch ihre Bed. als Denk- und Argumentationsfolie. In der Widmung der von J.Chr. Gottsched 1741 herausgegebenen dt. Fassung der 5. Auflage des Bayleschen Lex. wird das Werk dem Kurfürsten von Sachsen allerdings v.a. wegen seiner Ant.-Artikel empfohlen, in der Einleitung als erstes Bayles Kenntnisse der ant. Schriftsteller gelobt (s. Abb.). Der Schwerpunkt seiner Hochachtung liegt aber im oben skizzierten Rahmen: Die führenden Gelehrten scheinen sich mehr von der Ant. abgewandt zu haben als die gebildeten Schichten allg., wenn Gottsched die Ant. auch noch positiv von der »Barbarei der mittleren Jh.« abhebt.

D. 19. UND 20 JAHRHUNDERT

1. ALLGEMEIN

Die E. des 19. Jh. ist durch zwei Entwicklungen geprägt. Erstens durch den Aufstieg der Wiss. und die damit verbundene Wissensexplosion, die aber letztlich den Gedanken einer großen wiss. Universal-E. als Gesamtschau scheitern ließ. Zweitens durch die praktischen Bildungsbedürfnisse des aufstrebenden Bürgertums, die zum Konversations-Lex. als Vorläufer der meisten mod. enzyklopädischen Groß-Lex. führten. In beiden wird die Beschäftigung mit der Ant. wieder stärker eine Präsentation sozusagen selbstverständlichen Wissens, wenn auch in unterschiedlichem Maße.

2. WISSENSCHAFTLICHE ENZYKLOPÄDIEN

Dadurch, daß die Alt.-Wiss. eine wichtige Rolle bei der Entwicklung der kritischen Geistes-Wiss. spielten und sicher nicht zuletzt auch aufgrund neuhuman. Geistes in der Nachfolge Wilhelm von Humboldts (→ Neuhumanismus) nahm die Ant. im anspruchsvollsten Vorhaben der wiss. Enzyklopädik des 19. Jh. einen großen Raum ein, der *Allgemeinen E. der Wiss. und Künste*, hrsg. von J.S. Ersch und J.G. Gruber (167 Bde., 1818–1889, unvollendet), an der führende Forscher der Zeit mitarbeiteten. Auch bei den der Ant. gewidmeten, meist sehr qualitätvollen Artikeln dieses Werkes läßt sich Einblick in die Wiss.-Entwicklung der Zeit gewinnen: So ist ein zunehmender Trend von zunächst fast erzählend-belehrenden Artikeln hin zu wiss. Großartikeln monographischer Art zu bemerken, zu einer eher positivistischen Wissensanhäufung großen Stils, wenn auch nicht konsequent. Dem acht Bände umfassenden Griechenland-Artikel, dem größten des Werkes, stehen noch große Artikel zu Einzelphänomenen der griech. Ant. zur Seite, z.B. neben einem umfangreichen Homer-Artikel (wieder eher emphatischen Charakters) noch ein großer Odyssee-Artikel; dies alles ein Zeichen schlecht kontrollierter Maßlosigkeit. Die Tatsache, daß der Anspruch des *Ersch und Gruber* in Anbetracht von Wissensexplosion und zunehmendem Positivismus scheitern mußte, wird das Erscheinen der neuen großen Fachenzyklopädien auch in der Alt.-Wiss. im Format von Paulys Real-E. (s.u.) gefördert haben, dessen erste Auflage den Ant.-Anteil des *Ersch und Gruber* nicht einmal erreichen dürfte. Auffällig ist, daß auch das ma. und neuzeitliche Griechenland größtes Interesse findet, weit mehr als England und Frankreich. Hier dürfte die zeitgenössische Griechenlandbegeisterung auch im Zusammenhang mit dem griech. Befreiungskampf nachgewirkt haben. Obwohl das Werk nach dem Erscheinen von 167 Bänden beim Buchstaben L bzw. P abbrach, so daß Rom nicht mehr behandelt wurde, ist es bis h. ein beeindruckender und nutzbarer Torso geblieben ist.

Mehr Erfolg war solchen wiss. E. beschieden, die ihre Wissenschaftlichkeit eher in der Haltung und Darstellungsweise als in erschöpfender Gründlichkeit suchten. Für das 19. Jh. gilt dies für verschiedene Auflagen der *Encyclopaedia Britannica* (zuerst 1768–71; wiss. Charakter v. a. bis zur 11. Auflage von 1911) und die nicht kommerzielle *La grande ecyclopédie* (31 Bde., 1886–1902), bei der die im Vergleich zu dt. Werken deutlich stärkere Berücksichtigung der röm. Ant. auffällt (wie auch bei dem ähnlich umfangreichen, aber weniger wiss. *Grand dictionnaire universel du XIXe siècle* von P. Larousse (15 Bde., 1866–88)). Im 20. Jh. konnte dieser Anspruch von der *Enciclopedia italiana* (s.u.) nochmals erfüllt werden.

3. KONVERSATIONSLEXIKA

So wie die den Stoff breit präsentierende Wiss.-E. fortan nur noch im fach-wiss. Rahmen entstehen konnte, so führte das bürgerliche Konversationslex. Brockhausscher Prägung zum praktischen Nachschlagewerk des 20. Jh. (Brockhaus: 1. Auflage unter dem Titel *Conservationslex. mit vorzüglicher Rücksicht auf die gegenwärtigen Zeiten*, 6 Bde., 1796–1811, bis E. des 19. Jh. 14 Auflagen, sechs weitere im 20. Jh., wechselnde Titel, darin ab 4. Aufl. 1918/19 z. T. als E. bezeichnet). Dabei mußte der anfangs noch erhebliche Ant.-Anteil noch während der Mitte des 19. Jh. zunehmend anderen Bereichen des Publikumsinteresses weichen, wie die Entwicklung der Auflagen des *Brockhaus* zeigt: Die Lexika wuchsen im Umfang erheblich an, die ant. Anteile wuchsen nicht mit oder werden sogar reduziert. Die starke Zunahme des Interesses insbes. an England (s. schon die Supplemente zu den ersten Auflagen, Bd. 1–4, 1819/20) zeigt, daß trotz des Neuhumanismus nun auch andere Leitbilder galten, aus verständlichen polit. und wirtschaftlichen Gründen. Der Rückgang des Anteils ant. Gegenstände verlangsamt sich in der 2. H. des 19. Jh. Das nun als Konkurrent hinzutretende Meyersche Konversationslex. (1. Auflage von dem Titel *Das große Conversationslex.*, 46 Bde., 1840–55, ab der 2. Auflage um etwa die H. reduziert) berücksichtigt die Ant. zunächst v. a. in den Bereichen Geschichte und Myth. etwas mehr als der *Brockhaus*, pendelt sich am E. des 19. Jh. mit diesem aber, vielleicht auch unter dem Einfluß des weniger ant.-freundlichen wilhelminischen Klimas, auf einem quantitativen Niveau ein, das mit den Auflagen E. des 20. Jh. durchaus vergleichbar ist, eine erstaunliche Tatsache, wenn man die Entwicklung der Schule in den letzten 100 J. vergleicht. Damit geht eine ebenfalls auf h. vorverweisende Versachlichung des Lexikonstils einher: Klare Sachinformationen über alles,

u. a. auch über die Ant. Langfristige Verlierer dieser Entwicklung der letzten ca. 130 J. sind u. a. Perikles, Alexander der Gr., Aeneas, Cicero und Tacitus, während sich der erst nach 1850 selbständig und nicht unter »Jupiter« auftretende Zeus, Apoll, Achill, Sophokles, Cäsar, Augustus, Vergil und Justinian gut halten und Augustinus eher zunimmt. Das mod. dt. Großlex. (z. B. Meyers enzyklopädisches Lex., 25 Bde., 1971–1979; Brockhaus-Enzyklopädie, 24 Bde., 1986–1994) behandelt die Ant. also nicht stiefmütterlicher als die Vorläufer vor 100 J., was allerdings für entsprechende DDR-Lexika nicht gilt.

4. IDEOLOGISCH BESTIMMTE ENZYKLOPÄDIEN DES 20. JAHRHUNDERT

Das Zeitalter totalitärer Ideologien brachte in der 1. H. des 20. Jh. teilweise recht bedeutende enzyklopädische Werke hervor, unter denen neben der *Großen Sowjet-E.* (65 Bde., 1926–1947) insbes. die staatlich und von dem Industriellen Treccani geförderte *Enciclopedia Italiana di Scienze, Lettere ed Arti* (35 Bde., 1929–49) als letzter gelungener Versuch einer wiss. Allgemein-E. herausragt. Die Tendenz, die Überlegenheit It. hervorzuheben, wird weniger durch eindeutig ideologische Einordnung des Wissens als vielmehr durch den hohen wiss. Anspruch des Werks angesteuert. Dies gilt auch für die teilweise außerordentlich umfangreichen Artikel zur Ant., an deren »Größe« sich naturgemäß der faschistische Staat im Sinne des *Impero* identifizierend anzuschließen suchte. Erstaunlicherweise gilt dies neben dem röm. auch für das griech. Alt. (siehe z. B. den großen Artikel *Omero*).

Werke ähnlichen Ranges brachte das nationalsozialistische Deutschland nicht hervor. Während sich die 15. Auflage des *Großen Brockhaus* (20 Bde., 1928–1937) weitgehend dem Einfluß des → Nationalsozialismus versagte, betrieb die 8. Auflage von *Meyers Lex.* (8 Bde., 1936–1942, unvollendet) die Umwertung des Wissens unter rasseideologischen Gesichtspunkten, die sich insbes. in den großen enzyklopädischen Überblicksartikeln durchsetzten. Hier wird z. B. auf der einen Seite der negative Einfluß der röm-christl. Kultur auf die german. betont (Bd. 2, 991 f.), auf der anderen aber der exemplarische (Bd. 5, 627) Charakter vom kulturellen Aufstieg einer geschlossenen »arischen« Gesellschaft insbes. an der griech. Entwicklung hervorgehoben, deren Niedergang mit rassischer Vermischung erklärt (Bd. 5, 227 und 331). Allerdings ist hier das Griechentum kein inhaltliches Vorbild mehr, schon gar nicht in seinen einzelnen kulturellen Leistungen. Dies wird auch in den stark reduzierten Detailartikeln deutlich, bezeichnenderweise mit der Ausnahme des Artikels *Alexander der Große*. Die Behandlung der Ant. in der 8. Auflage des *Meyer* erlaubt einen klaren Blick auf das Menschen-, Gesellschafts- und Geschichtsbild des Nationalsozialismus.

E. Fachenzyklopädien

Das Bedürfnis nach Dokumentierung und Nutzbarmachung des schnell anwachsenden Wissens der Alt.-Wiss. führte seit der Mitte des 19. Jh. in Deutschland zur Erstellung großer Fachlexika. Diese waren Produkte des expandierenden, histor.-kulturwiss. Forsch.-Betriebs. Als Vorläufer können in gewisser Hinsicht die großen Sprachthesauri der Renaissance angesehen werden (s. o.), die, mit Erklärungen versehen, zwar immer wieder verändert aufgelegt wurden, den neueren Bedürfnissen nach erschöpfender Sachinformation aber nicht mehr entsprachen. Ein umfangreicher Versuch einer Fach-E. war Ende des 18 Jh. gescheitert: J. A. B. Bergsträsser, *Gesammeltes, vermischtes und berichtigtes Realwörterbuch . . .* (7 Bde., 1772–1781; nur A-equus). In Frankreich kam ein 37–bändiges Werk von F. Sabbathier (1766–1815) zum Abschluß, wenn auch in sehr unausgewogener Behandlung: *Dictionnaire pour l'intelligence des auteurs classique, grecs et latins.* Folgenreich sollte nun die 1839–1852 erschienene, als Herausgeber von August Pauly begründete und von W. S. Teuffel beendete *Real-E. der class. Alterthumswiss. in alphabetischer Ordnung* sein (6 Bde., in 9 Teilen). Pauly stellte das Lex. in die Trad. der großen Schul-Lexika (z. B. B. Hederichs *Reales Schul-Lex.*, 1717; C. Ph. Funkee *Neues Real-Schullex.*, 5 Bde., 1800–1805), betonte aber in seinem Vorwort von 1837 auch den Nutzen des geplanten Werkes für die Wiss. Aufgrund dieses Anspruchs und der Fortschritte in der Alt.-Wiss. stieg der Umfang des Werkes so sehr an, daß es sehr ungleichmäßig wurde und schon 1862 die Bände A und B durch eine 2. Auflage ersetzt wurden. Angeregt wurde Pauly zu seinem Unternehmen wohl von seinem Freund August Memminger, der am *Ersch und Gruber* mitgearbeitet hatte [1].

Deutlich übertroffen wurde der erste *Pauly* durch das *Dictionnaire des Antiquités Grecques et Romaines* von Ch. Daremberg und E. Saglio (5 Bde., in 10 Teilen 1873–1919) mit einer in den behandelten Bereichen noch h. nutzbaren Informationsfülle. Gerade aber die in diesem Werk fehlenden top., lit. und biographischen Artikel sind eine Stärke der von Georg Wissowa begonnenen, von Wilhelm Kroll und Karl Mittelhaus fortgeführten und von Konrat Ziegler beendeten Neubearbeitung des *Pauly* unter dem Titel *Paulys Realenzyklopädie der class. Alterthums-Wiss.* (RE), die in 84 Bänden 1893–1980 erschien. Wissowa sprach im Vorwort von einem ›reproduktiven, zusammenfassenden Charakter‹ [S. III] des Werkes, der allerdings durch die ›Zusammenfassung etwas neues schafft‹. Die Artikel sollten ›das ganze für den Gegenstand vorliegende Quellenmaterial unter gewissenhafter Berücksichtigung der neueren Lit. vorführen und verwerten‹ [S. IV] und so die gesamten Kenntnisse aus allen Bereichen der klass. Alt.-Wiss. festhalten. Die Entscheidung, daß er ›lieber die Gleichmäßigkeit der Ausführung als ihre Güte preisgegeben habe‹, wurde letztlich im Negativen, v. a. aber im Positiven bestätigt, wenn sie auch den Rahmen der versprochenen 20 Halbbände um das Vierfache und den zeitlichen Rahmen um das Achtfache überschreiten ließ. Als Ergebnis bildet dieses Lex. einen auch im Vergleich zu Fach-E. anderer Wiss. einzigartigen Wissensspeicher und ein bis h. unentbehrliches Hilfsmittel, ein wohl unwiederholbares Erbe der Blüte der dt. Alt.-Wiss. um die Jahrhundertwende. Andererseits bildet es eine Art »Kathedrale des Positivismus«, hat in ihrer von vornherein geplanten Atomisierung des Wissens und dem weitgehenden Fehlen von – urspr. daneben auch geplanten – Rahmenartikeln eine geradezu anti-enzyklopädische Haltung. (Eine teilweise modernisierte Kurzfassung erschien 1964–1975 in fünf Bänden als *Der kleine Pauly*) Einer ähnlichen Vorstellung von ›encyclopädischem Charakter‹ nach der Aussage des Herausgebers I. v. Müller im Vorwort des 1. Bandes, entsprang das systematische *Handbuch der Altertumswiss.*, seit 1886 erscheinend. Dieses urspr. als umfassende Handbuchsammlung geplante und so auch weitgehend realisierte Korpus konnte sich, u. a. durch Neubearbeitungen einzelner Teile, seinen Rang als wiss. Standardwerk bis h. bewahren.

Einen zum Teil anderen Weg geht das von F. J. Dölger begründete, ab 1941 von Th. Klauser herausgegebene *Reallex. für Ant. und Christentum* (bisher 18 Bde.). Es ist nicht nur ein Ausfluß des gesteigerten Interesses an der christl. Spät ant.: Obwohl es sich selbst bescheiden als nicht wertende Materialsammlung und Hilfsmittel der Forsch. bezeichnet, schlägt es durch häufig übergreifende Fragestellungen und die Aufnahme mod. Begriffe als Lemmata sowie durch einen weit gesteckten Frage- und Materialhorizont deutliche Schneisen durch den umfangreich präsentierten Wissensstoff.

Die Durchdringung des Materials durch mod. Begriffe (in Übersichtsartikeln) neben der traditionellen Sachinformation beabsichtigt auch *Der Neue Pauly. Enzyklopädie der Ant.*, 15 Bde., 1996 ff. Bände 13–15 versuchen dazu erstmals die Rezeptions- und Wiss.-Geschichte der Ant. in Folge des in den letzten J. ständig gestiegenen Interesses an diesen Aspekten lexikalisch zu erfassen. Beides steht im Zeichen einer sich in Richtung Interdisziplinarität und Breitenwirkung neu orientierenden, in früheren Blütezeiten oft selbstgenügsamen Alt.-Wiss.

→ AWI Allegorese; artes liberales; enkyklios paideia; Enzyklopädie; Etymologie; Suda; Boethius; Cassiodorus; Isidorus [9]; Martianus Capella; Plinius der Ältere; Quintilianus; Tacitus

→ Bildung; Faschismus; Lexikographie

1 M. Balzert, August von Pauly – Professor am Gymnasium illustre, in: Das Jb. Ebelu, 1996, 123–125 2 H. Cancik, Alt. und Ant.-Rezeption im Spiegel der Gesch. der Real-E. (1839–1993), in: Ders., Ant. mod., 1998, 7–22 3 R. Collison, Encyclopaedias: Their History throughout the ages, 1964 4 V. Dierse, E. Zur Gesch. eines philos. und wiss.-theoretischen Begriffs, 1977 5 F. M. Eybl et al. (Hrsg.), E. der frühen Neuzeit, 1995 6 J. Fontaine, s. v. Isidor v. Sevilla, LMA 5, 677–680 7 J. Henningsen, s. v. E., in: Archiv für Begriffsgesch. 10, 1996, 271–362 8 G. Hummel, s. v. E., TRE 9, 716–742 9 B. Kossmann, Dt.

Universallexika des 18. Jh., in: Archiv für Gesch. des Buchwesens 9, 1969, 1553–1596 **10** CHR. MEIER, Grundzüge der ma. Enzyklopädik, in: Lit. und Laienbildung im Spät-MA und in der Reformationszeit, hrsg. v. L. GRENZMANN, K. STACKMANN, 1984, 467–500 **11** Diess., Vom *homo caelestis* zum *homo faber*, in: Pragmatische Schriftlichkeit im MA, hrsg. v. H. KELLER et al., 157–175 **12** F. SCHALK, Einleitung in die E. der frz. Aufklärung, 1936 **13** Ders., Stud. zur frz. Aufklärung, ²1977 **14** W. SCHMIDT-BIGGEMANN, *Topica universalis.* Eine Modell-Gesch. human. und barocker Wiss., 1983 **15** J. VERGER et al., s. v. E., Enzyklopädik, LMA 3, 2031–2039 **16** G. A. ZISCHKA, Index Lexicorum, 1959

JÜRGEN JÄGER

Ephesos A. 19. JAHRHUNDERT BIS 1918
B. ZWISCHENKRIEGSZEIT BIS ENDE DER
FÜNFZIGER JAHRE C. 1960 BIS 1986
D. 1987 BIS 1997 E. JÜNGSTE AKTIVITÄT

A. 19. JAHRHUNDERT BIS 1918
1893 erhielt O. Benndorf vom K.u.K. Ministerium für Cultus und Unterricht den Auftrag, ein Projekt zu einer Ausgrabung im Ausland vorzuschlagen, wodurch Österreich-Ungarn erst spät in die Reihe der europ. Großmächte eintrat, die in der arch. Erforsch. des Mittelmeerraumes konkurrierten. Benndorfs Wahl fiel auf E. im Territorium des benachbarten Osmanischen Reiches, das als Hauptstadt der röm. Prov. Asia nie in Vergessenheit geraten war. E. war v. a. durch die Forsch. E. Falkeners um die Mitte des 19. Jh. und durch die Grabungen J. T. Woods, der auf der siebenjährigen Suche nach dem Weltwundertempel der Artemis (→ Diana von Ephesus) bis 1869 eine Reihe von Gebäuden freilegt hatte, in den Mittelpunkt der Forschungsinteressen gerückt.

Als erstes Projekt wurde 1895 eine Nachunt. im Artemision durchgeführt. Bis 1913 wurde unter der Leitung von Otto Benndorf und Rudolf Heberdey an einer Reihe von Projekten v. a. im angekauften Gebiet zw. Hafen und Agora gegraben und geforscht (Abb. 1 und 2). G. Niemann, aber auch W. Wilberg fertigten eine große Zahl von künstlerisch sehr wertvollen Rekonstruktionszeichnungen fast aller freigelegter Bauten an. A. Schindler erstellte eine Karte von E. und Umgebung, J. Keil und F. Knoll versuchten die Bauperioden der Marienkirche zu klären, P. Forchheimer beschäftigte sich mit dem antiken Wasserleitungssystem. Weitere Beispiele sind die drei Hafentore, das Hafengymnasium, die Agora mit der im Süden liegenden Celsus-Bibliothek und das Theater.

B. ZWISCHENKRIEGSZEIT BIS
ENDE DER FÜNFZIGER JAHRE
Zusammenbruch der Monarchie, Staatsbankrott und Weltwirtschaftskrise waren denkbar schlechte Voraussetzungen für die Fortsetzung der Forschungstätigkeit in der Zwischenkriegszeit unter der Leitung von Josef Keil (1926–35). Dabei wurde auch mit der Ausgrabung von Großobjekten wie den großen Gymnasien begonnen.

Bedingt durch die Geldgeber wurden die christl. Anlagen des Siebenschläfer-Coemeteriums und die Johannesbasilika untersucht. Die Suche nach der altionischen Stadt und nach dem Partherdenkmal hatte ungewollt die Freilegung einiger Gebäude, wie z. B. des Domitianstempels zur Folge. M. Theuer und F. Miltner leiteten eine Reihe von Grabungsprojekten, H. Hörmann war in der Johannesbasilika im Einsatz, und mit der Unt. des Mausoleums von Belevi wurde auch ein Denkmal in der weiteren Umgebung von E. miteinbezogen.

Nach einer Unterbrechung von 19 J. wurde für den Neubeginn der Arbeiten nach dem II. Weltkrieg die aufwärts führende Kuretenstraße gewählt. Unter der Leitung von Franz Miltner (1954–58) wurden auch bereits erste Anastylosen – v. a. der Hadrianstempel (Abb. 3) und die Johannesbasilika – energisch in Angriff genommen. Mit diesen beispielgebenden Wiederaufbauten und durch die Kuretenstraße, die den städtebaulichen Zusammenhang zw. Agora und Staatsmarkt klärte, konnten dem Tourismus neue, dreidimensionale Eindrücke von Gebäuden und eine wichtige Verkehrsader erschlossen werden. Ein Schwerpunkt der Arbeiten war die Erforsch. der byz. Stadt. Der große Komplex der Scholastikiatherme (Variusbad) war bis in byz. Zeit in Betrieb gewesen und durch die Christin Scholastikia wahrscheinlich nach einem Erdbeben im 4. Jh. restauriert worden. Seit 1956 wurde auch eine am Nordabhang des Bülbül Dağ gelegene *insula*, das sog. Hanghaus 1, freigelegt. An der Nordseite dieses oft umgebauten, mehrstöckigen Hauses erstreckt sich entlang der Kuretenstraße eine breite Säulenhalle, an deren Rückseite tonnengewölbte Tabernen liegen. In einer weiteren Grabung am oberen Staatsmarkt wurde mit dem Prytaneion das rel. Zentrum der Stadt freigelegt, in dem drei Artemisstatuen gefunden wurden.

C. 1960 BIS 1986
Grabungsleiter Fritz Eichler (1960–68) war selbst nicht Ausgräber, installierte aber mehrere langfristige Grabungsprojekte. Die bereits begonnenen Grabungen am Domitiansplatz und in der -gasse wurden beendet. A. Bammer schuf Architekturcollagen des Memmiusbaues, des Polliobaues und -nymphäums, die stark geprägt sind vom persönlichen Gestaltungswillen im Stil der Zeit. Bammer gelang auch, nachdem die Arbeiten im Artemision nach 70-jähriger Unterbrechung wieder aufgenommen wurden, die Entdeckung des vielgesuchten Altares. W. Alzinger konzentrierte seine Forsch. auf den Staatsmarkt und das Prytaneion. An der Südwestseite des Platzes wurde von G. Langmann das Wasserschloß des Laekanius Bassus ausgegraben. H. Vetters setzte die Ausgrabung des Hanghauses 1 fort und legte die ganze *insula* mit einem großen, prunkvoll ausgestatteten Bankhaus und weiteren kleinen Wohnungen mit Peristylhof oder auch mit nur einfachen Lichthöfen frei.

Unter der Leitung von Hermann Vetters (1969–86) wurde die Grabung zu einem Großunternehmen. Dazu kam mit zwei denkmalpflegerischen Großprojekten ein

Abb. 1: Gelände in der Hafenebene 1906
nach Freilegung der Celsus-Bibliothek (1903)
und noch vor Ausgrabung der Agora

Abb. 2: Heroon und Oktogon nach der Freilegung 1904

Abb. 3: Freilegung
des Hadrians-
tempels an der
Kuretenstraße 1956

weiterer Schwerpunkt, der auch Schauobjekte für die
Öffentlichkeit herstellen sollte: V. M. Strocka leitete die
arch. Forsch. bei der Anastylose der Celsus-Bibliothek,
deren Wiederaufbau von F. Hueber durchgeführt wurde und G. Wiplinger errichtete im Hanghaus 2 einen
Schutzbau über den Wohneinheiten 1 und 2. Alzinger
setzte die Unt. am Staatsmarkt fort und betreute mit
dem Mausoleum von Belevi ein weiteres Projekt. Bammer legte im Artemision zw. Altar und Tempel einen
Hekatompedos frei. Im Hanghaus 2 wurden 1983 der
Anschluß an die Kuretenstraße erreicht und auf drei
Terrassen insgesamt sieben verschieden große Wohneinheiten ausgegraben, deren größter Bereich die reich
ausgestattete Repräsentationswohnung des Dionysos-
priesters G. Fl. Furius Aptus ist. K. Herold leitet seit
1978 die Restaurierungen an den Wandmalereien und
Mosaiken, die von Strocka und W. Jobst publ. wurden.

S. Karwiese leitete eine ganze Reihe von Unt. im
Felsspalttempel, auf der Akropolis und im Olympieion.
Jobst untersuchte die byz. Kirche im Ostgymnasium
und das sog. Auditorium am Bibliotheksplatz. G. Langmann begann Tiefgrabungen auf der Agora und legte
die archa. Prozessionsstraße mit Gräbern frei. G. Seiterle
führte Ausgrabungen am Magnesischen Tor durch, D.
Knibbe bearbeitete wie schon früher sämtliche Inschr.,
H. Thür arbeitete an der baugeschichtlichen Unt. des
Hadrianstores. Außerdem entstanden mehrere Projekte
zur Bearbeitung einzelner Materialgruppen.

D. 1987 BIS 1997

Das umfangreiche Team unter den Grabungsleitern
Gerhard Langmann (1987–92) und Stefan Karwiese
(1993–97) konnte mit mod. Methoden forschen und
alte Fragen neu formulieren. In verstärktem Ausmaß
setzten interdisziplinäre Forsch. ein. Bammer setzte seine Forsch. im Artemision fort, wobei er v. a. die Zen-

tralbasis im Zentrum des Tempels untersuchte, U. Muss
beschäftigte sich mit dem Altar. Karwiese leitete die
Grabungen in der Marienkirche und im Episkopium. Er
führte auch die Arbeiten an zwei neuen Großprojekten
durch: Im Stadion wurden zwei Stiegenaufgänge im
Norden sowie eine byz. Kirche im großen Tonnengewölbe der Nordseite freigelegt und im Theater gelang
der Nachweis der urspr., überwölbten Stiegenaufgänge.
Langmann erforschte in Tiefgrabungen das ant. Smyrna
unter der Agora und führte Nachunt. in der Temenos-
halle des Serapeions durch. Beide Projekte wurden von
P. Scherrer weitergeführt. Ein kleineres Projekt galt der
Unt. der Kaimauer im Hafen. C. Lang leitete Nachunt.
im Hanghaus 1, R. Meriç legte einen Brunnen am
Staatsmarkt frei. Knibbe führte die Erforsch. der Da-
mianusstoa durch, W. Oberleitner beschäftigte sich
wieder mit dem Parthermonument. Hueber nahm nach
Abschluß des Mazäus-Mithridates Tores mit der Nero-
nischen Halle und dem Hadrianstor weitere Anastylosen
in Angriff. Thür nahm die baugeschichtliche Unt. des
Heroons und des Oktogons vor. Die systematische Bearbeitung der Funde der einzelnen Grabungsplätze wurde intensiviert.

E. JÜNGSTE AKTIVITÄTEN

Unter dem derzeitigen Direktor des Inst., Fritz Krin-
zinger, der seit 1998 auch Grabungsleiter ist, wird seit
1995 der Schwerpunkt auf die wiss. Aufarbeitung des
Fundmaterials der Grabungen in E. gelegt. Derzeit sind
mit Unterstützung des Fonds zur Förderung der Wiss.
Forsch. sieben Projekte in Arbeit. Ziel dieser Unt. ist,
die Publikation von Material älterer Grabungen zu vollenden. Dabei konnten v. a. in den bearbeiteten Wohneinheiten des Hanghauses 2 durch intensive Auseinandersetzung mit dem Baubefund und durch Sondagen
die Bauabfolge in einzelnen Perioden geklärt und neue

Datierungen vorgenommen werden. Einen weiteren Schwerpunkt bildet die Überdachung von Hanghaus 2, dessen Detailplanung kurz vor dem Abschluß steht. Leitgedanke der Planung des Schutzbaues war die Entwicklung einer leichten Konstruktion im Sinne der Baukultur unserer Zeit. Die Konstruktion des Projektes von O. Häuselmayer und W. Ziesel besteht aus nur drei Materialien: Einer vorgefertigten Stützkonstruktion aus rostfreiem Nirosta-Stahl, einer transluzenten, sehr leichten Dachhaut und Außenfassaden aus Lexan-Lamellen. Wesentliche Grundüberlegungen galten dem Raumklima des überdachten Bereiches.

→ Österreich

1 G. WIPLINGER, G. WLACH, 100 J. Österreichische Forschungen in E., 1995 2 T. WOHLERS-SCHARF, Die Forschungsgesch. von E., 1995 3 Fortlaufende jährliche Grabungsberichte in: JÖAI 1 (1898)–66 (1997) und AAWW 34 (1897)–125 (1989) 4 Grabungspublikationen und -monographien in: FiE 1–12, 1906–1996.

GILBERT WIPLINGER

Epigrammatik   A. DEFINITION
B. GRIECHISCHE UND LATEINISCHE EPIGRAMMATIK
C. DAS EPIGRAMM IN DEN NATIONALLITERATUREN

A. DEFINITION

Das Epigramm gilt h. als ein ausschließlich schriftliches, eigenständiges Kurzgedicht, das auf kleinstem Raum Höhepunkt und Abschluß sucht und über einen singulären Gegenstand oder Gedanken apodiktische Aussagen macht, wobei der Aufschriftcharakter oft fiktionalisiert wird. Begriffliche Unbestimmtheit und komplexe histor. Entwicklung der Gattung erlauben keine genaue Gattungsbestimmung sowie eine allg. Typologie. Die Ant. kennt keine zusammenhängende Epigramm-Theorie; vielmehr ist eine begriffliche Polyvalenz festzustellen. Griech. *epigramma* bedeutet Inschr., Aufschrift, zuallererst in Prosa, dann in Versform. Der Begriff wird auch für elegische Formen oder allg. für kurzes Gedicht verwendet. Lat. *epigramma* ist seit Varro und Cicero verbürgt und bezeichnet nicht nur Aufschriften, sondern kleine Gedichte aller Art. Auch das lat. MA kennt keine genaue Epigramm-Definition. Erst die human. Poetiken bekunden ein Interesse an Gattungslehren der Epigramme; das Epigramm wird allg. als kurzes, pointiertes und zumeist satirisches Gedicht gesehen. Seit dieser Zeit ist das Epigramm fester Bestandteil des Gattungskanons als Kurzgedicht satirischer, elegischer, gnomischer oder panegyrischer Prägung.

B. GRIECHISCHE UND LATEINISCHE EPIGRAMMATIK

1. ANTIKE

Archa. Urformen und die Epigramme der klass. Zeit in Griechenland spielen für die post-ant. Rezeption kaum eine Rolle. Unter den vielen ant. Epigramm-Dichtern bleiben v. a. Martial und Catull sowie die Dichter der *Anthologia Graeca* für die weitere Geschichte des Epigramms einflußreich, zu einem geringeren Maße

Dichter wie Asklepiades, Meleager, Lukillios, Nikarchos, Ausonius und Ennius. Martial, die herausragende Figur des röm. Epigramms, ist für die europ. Rezeption des Epigramms bis in die Aufklärung von einzigartiger Bed. Trotz lyr. und elegischer Elemente in seinem Schaffen gilt Martial als Altmeister des satirischen Epigramms.

2. MITTELALTERLICHE UND NEULATEINISCHE EPIGRAMMATIK

Das lat. Epigramm wird durch das gesamte MA hindurch ohne Auszeichnung gepflegt, wobei eine Tendenz zur Spruchdichtung deutlich wird [2. 312–317]. Das ma. Epigramm wird nicht als satirisch betrachtet, jedoch taucht ab dem 11. Jh. das Spott-Epigramm wieder auf [12. 103]. Martial ist zwar bekannt und wird auch kopiert, wird jedoch meist als unmoralisch oder nicht-christl. abgelehnt [16. 557f.]. Dies ändert sich mit der Wiederentdeckung Martials durch Giovanni Boccaccio und dem Erscheinen der *editio princeps* im J. 1471 [16. 561]. Durch die erneute Rezeption Martials und der Ant. ganz allg. wird das Epigramm, und ganz spezifisch das satirische Epigramm, zu einer weitverbreiteten Gattung in der Ren. Es entpuppt sich als ideales Vehikel für die Positionen des → Humanismus gegenüber der Scholastik [16. 562]. Der Human. eröffnet das Epigramm auch der rel. Thematik. Eine Epigramm-Theorie wird erst im Human. formuliert [7. 27–47], zuerst ansatzweise bei Celtis (1486) und dann systematischer in den Poetiken von Robortello (1548), Sebillet (1548) und Minturno (1559). Bis ins 18. Jh. bleibt die an Martial und an den human. Vorläufern orientierte Epigramm-Definition in J. C. Scaligers *Poetices libri septem* (1561) verbindlich, so für die erste separate Schrift über das Epigramm von Tommaso Correa (1569). Für Scaliger sind Kürze (*brevitas*) und Scharfsinnigkeit (*argutia*) gattungskonstitutiv. Mit der 1494 in Florenz erstmals gedruckten, als *Anthologia Planudea* bekannten Version beginnt die Rezeption der *Anthologia Graeca*, einer Sammlung von 3700 griech. Epigrammen, die aus dem Zeitraum vom 6. vorchristl. bis zum 10. nachchristl. Jh. stammen. Die Anthologie vertritt mehrheitlich einen an Catull orientierten, lyr.-elegischen, von Scaliger als *epigramma simplex* anerkannten Epigramm-Typ (*brevitas* und *lepos*), der aber in der europ. Rezeption bis zu Herder mit Ausnahme des frz. Klassizismus nur eine sekundäre Rolle spielt. Die neu-lat. Epigramm-Dichtung ist in It. schon im 15. Jh. weit verbreitet (Beccadelli, Landino, Campano) und nimmt bis zum 16. Jh. in ganz Europa einen unübersehbaren Umfang an. Beinahe alle bedeutenden Humanisten wie Erasmus, More oder Celtis haben sich im Epigramm versucht. Epigramme finden sich verstreut als Gelegenheitstexte oder als Teil von größeren Textausgaben, jedoch selten als Sammlungen. Die herausragende Figur der neu-lat. E. ist der Engländer Owen. Neben Martial wird er im 17. Jh. einer der Fixpunkte der europ. Epigramm-Rezeption [18].

C. Das Epigramm
in den Nationalliteraturen

Eine nationalsprachliche E. gibt es bis ins 16. Jh. nur ansatzweise. Sie entsteht aus dem Umgang mit dem neu-lat. Epigramm, obwohl es auch Ansätze gibt, diese aus ma. volkssprachlichen Spruchformen (z. B. Freidank im frühen 13. Jh.) zu erklären. Nationalsprachliches und neu-lat. Epigramm koexistieren noch bis ins späte 17. Jh.

1. 16. und 17. Jahrhundert

Die *Épigrammes* (1538) von Marot gelten als die erste nationalsprachliche Epigramm-Sammlung, deren Epigramme von der neu-lat. E., Martial, aber auch vom it. Strambotto angeregt sind [8. 58 f.; 9. 301]. Marot führt den Stil der *causerie* in die frz. Dichtung ein, was dem Epigramm den Eingang in die frz. Hoftradition ermöglicht. Im Anschluß werden E. gepflegt von Dichtern der → Pléiade wie Ronsard und Du Bellay. Noch vor 1546 veröffentlichte Alamanni seine it. Epigramme [8. 58 f.], und die sechs englischsprachigen Epigramm-Bücher von Heywood erschienen 1562. Dt. Epigramme aus dieser Zeit, zumeist Übers., sind u. a. bekannt von Hunger und Rittershausen. Die erste deutschsprachige Sammlung stammt von Lobwasser (postum 1611). Die manieristischen *argutia-, agudeza-* und *argutezza*-Theorien von Gracián, Tesauro, Pellegrini und Masen entwickeln die Scharfsinnigkeit zum poetischen Ideal schlechthin [13. 146–155], wodurch das martialische Epigramm im 17. Jh. eine zentrale Stellung im Gattungsgefüge der Zeit erhält und eine verbreitete, gesamteurop. Rezeption erfährt. Wesentliche Stilmittel sind das *concetto* und das *acumen*; spielerischer Wortwitz wird gegenüber dem Sachwitz aufgewertet. Im 17. Jh. erreicht das Epigramm in ganz Europa seine Blüte und den Höhepunkt seiner Popularität. In England ist das Epigramm schon im frühen 17. Jh. die am weitesten verbreitete lit. Gattung; praktisch alle bedeutenden Dichter verwenden es (Harington, Jonson, Donne, Crashaw, Benlowes, Herrick). Scaliger bleibt für die nationalsprachlichen Poetiken v. a. in Deutschland (Opitz 1624, Birken 1679, Morhof 1682, Meister 1698, Gottsched 1740) wie auch für die deutschsprachige Epigramm-Praxis (Opitz, Weckherlin, Logau, Grob, Wernicke) verbindlich, wenn auch eine große Anzahl von gnomischen und panegyrischen E. zu finden ist [20. 80–127].

Das mystische Epigramm mit seiner asketischen Sprachauffassung (Czepko, Scheffler) schöpft die Möglichkeiten der *argutia*-Ästhetik für die Zwecke der mystischen Gottesschau aus und zeichnet sich durch formale Experimentierfreudigkeit aus; gerade die geistliche E. vervollkommnet einen hochrangigen lit. Stil und die epigrammatische Form. Im späteren 17. Jh. wird die *argutia* immer mehr im Dienste des deutlichen Ausdrucks gesehen (*perspicuitas*), wie z. B. bei Wernicke praktiziert. Eine differenzierte Praxis und Diskussion des Epigramms findet im 17. Jh. aber v. a. in Frankreich statt. Dichter wie Maynard nehmen das Epigramm nach 1600 wieder auf, und es wird u. a. von den Dichtern des Salon Rambouillet als Ausdruck der *préciosité* gepflegt. Colletet geht im *Traitté de l'epigramme* (1658) über die übliche Diskussion von Kürze, Pointiertheit und Wirkungsästhetik hinaus und bringt das Epigramm durch seine Qualitäten von *subtilité* und *argutie* in Bezug zum *esprit*-Ideal. Kürze wird als Ökonomie der sprachlichen Mittel verstanden, und Gegenstand ist eine einzelne Sache oder Person. Die nachfolgende Epigramm-Theorie, z. B. von Vavasseur (1669) und Boileau (1674), stützt sich direkt auf ihn. Die Vertreter des frz. → Klassizismus demgegenüber (Rapin, Montaigne, Nicole) werten die Pointe ab und das Catullsche Vorbild auf, wodurch das Epigramm beinahe aus dem frz. Gattungskanon verschwindet.

2. 18. Jahrhundert

Bis ins spätere 18. Jh. bleiben Theorie und Rezeption des Epigramms in ganz Europa den alten Vorbildern Martial und Catull verhaftet, wobei das pointierte und zuweilen satirische Epigramm nach Martial dominantes Vorbild bleibt. Für das im 18. Jh. neu aufblühende frz. Epigramm bleibt die Verbindung von Pointe mit *esprit* entscheidend. Vertreter des leichten Spottepigramms des 18. Jh. sind Lebrun, J.-B. Rousseau, Piron, Destouches und Voltaire. Du Bos und Saint-Mard gehören zu den vereinzelten Anhängern Catulls. Nach 1760 nimmt das Epigramm die Trad. der Griech. Anthologie neu auf, was selbst von Voltaire nachvollzogen wird [6. 17]. Auch in England verliert das von Dichtern wie Prior, Pope und Swift gepflegte satirische Epigramm ab 1750 seinen Rang.

Lessing (1771) bildet den Höhepunkt und Abschluß der an Martial orientierten Theorie des zweigeteilten Epigramms. Die »Erwartung« stellt den Gegenstand dar und baut die Pointe auf, die im knapp gestalteten »Aufschluß« erfüllt wird. Die meisten Dichter des 18. Jh. (z. B. Lessing, Kästner, Goeckingk, Haug, Weisser) pflegten das Epigramm in diesem Sinne, wenn auch in der Zeit nach Wernickes Tod (1704) bis 1740 nur wenige Epigramme entstanden. Nach 1740 zeigt sich das Epigramm gefühlsbetonter und zuweilen auch frivoler, dramatischer und mit verfeinerter Pointe (Hagedorn, Gleim, Klopstock). Erst bei Herder (1786), der sich auf die urspr. elegische und hymnische Trad. der griech. Ant. berief, verliert die Pointe in Deutschland, sehr spät im europ. Vergleich, ihre dominierende Rolle. Goethe suchte in seinen venezianischen Epigrammen (1796), wie andere Dichter des späten 18. Jh., einen Ausgleich zw. Satirischem, Erotischem und Elegischem. Eine Sonderstellung nehmen die *Xenien* (1797) von Goethe und Schiller ein, wo das traditionelle satirische Distichon einem lit. Strafgericht dient. Der dadurch initiierte Xenienkampf wirkt auf das Epigramm des 19. Jh. ein.

3. 19. und 20. Jahrhundert

Durch die Subjektivierung und Autonomisierung der Lit. im späten 18. Jh. wird das Epigramm zur marginalen Gattung, zumal ihm als objektbezogener Gattung Persönliches, Subjektives und Erlebnishaftes verschlossen bleiben. Nach 1800 verlieren sich die traditionellen Rezeptionslinien; das Epigramm wird – zumeist eher stimmungsmäßig-gefühlhaft als pointiert, scharfsinnig und doppeldeutig – nur noch von Einzelfiguren wie Grillparzer, Mörike, Hebbel, George und Kraus verwendet, in England von Dichtern wie Blake, Coleridge, Byron, Landor, später von Kipling, Pound und Graves. Bei einigen Dichtern des 20. Jh. dient es v. a. der Gesellschaftskritik (Brecht, Braun).

→ AWI Anthologie; Catullus; Epigramm; Martial
→ Barock; Elegie; Lyrik; Poetik

1 T. ALTHAUS, Epigrammatisches Barock, 1996
2 G. BERNT, Das lat. Epigramm im Übergang von der Spät-Ant. zum frühen MA, 1968 **3** W. DIETZE, Abriß einer Gesch. des dt. Epigramms, in: Erbe und Gegenwart, 1972, 247–391 **4** P. ERLEBACH, Formgesch. des engl. Epigramms von der Ren. bis zur Romantik, 1979 **5** D. FREY, Bissige Tränen. Eine Unt. über Elegie und Epigramm seit den Anfängen bis Bertolt Brecht und Peter Huchel, 1995 **6** K. HECKER, Die satirische E. im Frankreich des 18. Jh., 1979 **7** P. HESS, Epigramm, 1989 **8** J. HUTTON, The Greek Anthology in Italy to the Year 1800, 1935 **9** Ders., The Greek Anthology in France and the Latin Writers of the Netherlands to the Year 1800, 1946 **10** P. LAURENS, L'abeille dans l'ambre. Célébration de l'épigramme de l'époque alexandrine à la fin de la Ren., 1989 **11** M. LAUSBERG, Das Einzeldistichon. Stud. zum ant. Epigramm, 1982 **12** W. MAAZ, Lat. E. im hohen MA, 1992 **13** K.-H. MEHNERT, Sal Romanus und Esprit Français. Stud. zur Martialrezeption im Frankreich des 16. und 17. Jh., 1970 **14** J. NOWICKI, Die Epigramm-Theorie in Spanien vom 16. bis 18. Jh., 1974 **15** G. PFOHL (Hrsg.), Das Epigramm. Zur Gesch. einer inschr. Gattung, 1969 **16** H. C. SCHNUR, The Humanist Epigram and its Influence on the German Epigram, in: J. IJSEWIJN (Hrsg.), Acta Conventus Neo-Latini Lovaniensis, 1973, 557–576 **17** Z. SKREB, Das Epigramm in den dt. Musenalmanachen und Taschenbüchern um 1800, 1977 **18** E. URBAN, Owenus und die dt. Epigrammatiker des XVII. Jh., 1900 **19** TH. VERWEYEN, G. WITTING, Das Epigramm. Beschreibungsprobleme einer Gattung, in: Simpliciana 11, 1989, 161–180 **20** J. WEISZ, Das Epigramm in der dt. Lit. des 17. Jh., 1979.   PETER HESS

Epigraphik s. Inschriftenkunde

Epikureismus   A. EINLEITUNG
B. ANTIKE   C. MITTELALTER UND RENAISSANCE
D. DAS 17. JAHRHUNDERT
E. DAS 18. JAHRHUNDERT
F. DAS 19. JAHRHUNDERT
G. DAS 20. JAHRHUNDERT

A. EINLEITUNG

Die Rezeptionsgeschichte des E. weist im Vergleich mit der anderer ant. Philos. einige Besonderheiten auf. Epikureische Thesen und Theorieelemente finden sich nicht nur in philos. Texten, sondern v. a. auch in Lit. und Dichtung. Gedichte, Traktate, Zeitschriftenartikel, Romane, Dramen und Essays machen einen Großteil der Rezeptionsdokumente aus. Der E. wird selten als geschlossenes System rezipiert. Naturphilos., Ethik und Weisheitslehre können unabhängig voneinander auftauchen. Schon in der Ant., aber insbes. seit der Patristik (→ Patristische Theologie) und dem christl. MA sieht sich der E. polemischer Kritik ausgesetzt. Darum sind epikureische Philosopheme nicht selten nur indirekt oder an versteckter Stelle erwähnt. Die Trad. des E. erweist sich aus diesen Gründen als außergewöhnlich disparat. Dies bedeutet allerdings nicht, daß die Wirkung weniger nachhaltig war als die anderer ant. Philosophien. Im Gegenteil ist dieser Form der Rezeption eine gewisse Popularität epikureischer Philosopheme zu verdanken.

B. ANTIKE

1. ALLGEMEINES

Vom 3. bis zum 1. Jh. v. Chr. zeigen sich weder inhaltlich noch formal große Veränderungen in der epikureischen Lehre [23]. Erst im 1. Jh. v. Chr. setzt mit der röm. Rezeption eine neue Phase ein. Philodem, Piso, Caesar, Lukrez, Vergil und Horaz waren alle – zumindest partiell und zeitweise – Anhänger des E. Auch Cicero hat sich, allerdings als Gegner, ausführlich mit dem E. beschäftigt und wurde so zu einem wichtigen Gewährsmann. Seneca, eigentlich als Anhänger der Stoa bekannt, vertrat teilweise epikureische Thesen und verhalf diesen v. a. in der ma. und neuzeitlichen Rezeption zu Autorität und Popularität.

Vor dem Hintergrund der röm. Expansion im Mittelmeerraum und dem stärker werdenden Einfluß hell. Kultur auf Rom konnte der E. im 1. Jh. v. Chr. neue Bed. gewinnen. Ein wichtiger Vertreter epikureischer Ideen war Philodem von Gadara [27]. Sein Epikureer-Kreis in Herkulaneum wandte sich anders als die übrigen Epikur-Schulen, z. B. die auf Rhodos und Kos, auch theoretisch der Kunst und Ästhetik zu.

2. DIE RÖMISCHEN DICHTER

In der röm. Zeit sind es dann auch gerade die Dichter, die die Rezeption des E. bestimmen: Vergil, Horaz und Lukrez. Die Beziehungen Vergils zum E. sind umstritten [24. 370 f.]; immerhin studierte er in seiner Jugend bei dem Epikureer Siron in Neapel. Der Einfluß von Lukrez' *De rerum natura* ist offensichtlich, allerdings eher was formale Aspekte und eine allg. Naturverehrung und weniger was die → Naturphilosophie selbst angeht. Bei Horaz ist der Einfluß des E. deutlicher [24. 372 f.]. Obwohl er die theologischen und naturphilos. Grundsätze Epikurs nicht teilt, hat er doch einige wichtige Aspekte seiner Glücksphilos. übernommen. Sein ›carpe diem‹ und das ›frui paratis‹ sind Teile einer epikureisch inspirierten Lebensphilos., die darauf angelegt ist, mit dem menschlichen Ausgeliefertsein an ein ungewisses Schicksal umzugehen. Hedonismus und Ästhetik liegen in der Lebensführung und Kunst dieses Dichters sehr nahe beieinander (carm. 1,11; epist. 1,4). Für die Trad. des E. sind gerade die Dichtungen des Horaz bes. wichtig geworden. Ähnliches gilt auch für Lukrez, dessen Wirkung nicht zuletzt darauf beruht, daß das Lehrgedicht *De rerum natura* als Poesie und vom

Inhalt getrennt rezipiert werden konnte [24. 383 ff.]. Trotz aller Versuche, später die Poesie von der Philos. zu trennen, ist es gerade diese Randständigkeit zu beiden Bereichen, welche die Besonderheit von *De rerum natura* ausmacht: Der ästhetische Genuß beim Lesen ist ein erster Schritt dazu, das epikureische Programm einzulösen und die *voluptas* zum *dux vitae* zu machen.

3. Seneca

Bei Seneca ist es nicht das systematische Lehrgebäude, sondern eine eklektizistische Manier, die Epikureisches transportiert. Obwohl in Senecas Augen Epikurs Philos. fundamentale Fehler aufweist, sympathisiert er mit den Spruchweisheiten, die den Menschen als Ganzes, als Körper und Seele zugleich, in den Blick kommen lassen. Die epikureische Form der Selbstsorge, die eine allseitige, sinn- und planvolle Beobachtung und Entwicklung aller Bedürfnisse und Fähigkeiten gegenüber der rigorosen Askese stoischer Provenienz vorzieht, kommt der Ethik des Humanisten Seneca sehr nahe. Auch in der römischen Rezeption epikureischer Philosopheme [24. 363 ff.] zeigen sich ihre charakteristischen Züge deutlich: polemische Ablehnung überkommener Tradition, Kritik an allen Formen rel. und metaphysischer Vorurteile, die menschliche Autonomie einschränken könnten und in positivem Sinn die an einer kultivierten, sinnlich-geistigen Glückserfahrung orientierte Selbstsorge. Polit. und soziale Aspekte von Moralphilos. fehlen dagegen fast ganz.

C. Mittelalter und Renaissance

1. Christliche Polemik

Während in der → Renaissance eine Reihe wichtiger Autoren die Wiederentdeckung und Rehabilitation des E. betreiben, finden sich in der patristischen und ma. Rezeption fast ausschließlich negative Meinungen zum E. [25]. Die christl. Ablehnung des E. richtete sich gegen den Atomismus (→ Atomistik), den sog. Atheismus (→ Religionskritik) und die Lehre von der Sterblichkeit der Seele, gegen die Leugnung der Vorsehung und gegen eine falsch verstandene epikureische Wollust. Das Schwein war nun endgültig zum Markenzeichen Epikurs geworden. Interessanter als die oberflächliche Polemik bei den Kirchenvätern Arnobius, Laktanz und Hieronymus ist die Auseinandersetzung mit der epikureischen Lehre, von der Augustinus in seinen *Confessiones* (6,16) berichtet. Nur die Angst vor dem Tode habe ihn davon abgehalten, Epikur als seinen Seelenretter zu wählen. Die explizite und polemische Ablehnung epikureischer Theoreme durch christl. Schriftsteller schließt allerdings nicht aus, daß die christl. Psychagogik und Seelsorge hell. Weisheitslehren mehr verdankt, als zunächst ersichtlich ist. Möglicherweise müssen hier auch verschiedene Rezeptionswege angenommen werden. Während Lukrez' *De rerum natura* seit dem 9. Jh. nicht mehr erwähnt wird, ist die bei Diogenes Laertius (*Vitae philosophorum*, B. 10) enthaltene Biographie Epikurs kontinuierlich tradiert worden. Es ist so durchaus wahrscheinlich, daß sich neben dem von frühchristl. Polemik geprägten vulgären Epikurbild eine wohlwollendere Trad. erhalten hat. Epikur als guter Mensch und der E. als gefährliche Philos. haben offenbar gleichzeitig das ma. Bild der epikureischen Trad. geprägt [36]. Die widersprüchlichen Beurteilungen des E., wie sie sich bei Petrarca, Dante und Boccaccio finden lassen, ist offensichtlich auf diese divergierenden Traditionslinien zurückzuführen. Typisch ist die Gegenüberstellung des Menschen, des ›molto morale e venerabile uomo‹ und seiner ›perverse e detestabili opinioni‹ bei Boccaccio (Il commento alla Divina Commedia, ed. D. Guerri, 1981, Bd. 3, 45). Solche Äußerungen zeugen von einer eher oberflächlichen Kenntnis der epikureischen Philos. Eine umfassende theoretische Auseinandersetzung mit dem Hedonismus und der radikalen moralischen Autonomie der epikureischen Lehre setzt erst in der Ren. mit den Werken von Cosma Raimondi, Lorenzo Valla, Marsilio Ficino, Erasmus von Rotterdam, Thomas Morus, Rabelais und Montaigne ein [15].

2. Wiederentdeckung in der Renaissance

In Lorenzo Vallas Dialog *De voluptate* (1428–1431) [8] kommt der epikureische Hedonismus zum erstenmal seit der Ant. ausführlich und im Zusammenhang zu Wort [37]. Seine Darstellung fällt ausgesprochen wohlwollend aus. Der Konflikt zw. Christentum und ant. Hedonismus scheint lösbar. Ein ähnlicher Versuch der Versöhnung von Christentum und Hedonismus findet sich in den *Colloquia familiaria* des Erasmus von Rotterdam und in Thomas Morus' *Utopia* (1516). Vom ant. E. werden v. a. die Vorstellungen eines innerweltlichen Eudaimonismus übernommen. Die Verwirklichung des größtmöglichen Glücks auf Erden bedeutet für die christl. Epikureer der Ren. allerdings keinen Gegensatz zur christl. Lehre, sondern gerade die Erfüllung göttl. Gebote. Die Aufwertung von Materie, Welt, Natur, Mensch, Sinnlichkeit und Ästhetik bleibt hier immer im Rahmen des christl. Glaubens. Nur aus der Retrospektive sind solche Überlegungen und Umwertungen der Humanisten als der Beginn der allg. Säkularisierung des europ. Denkens zu erkennen. Auch in Rabelais groteskem Roman *Gargantua und Pantagruel* (1532–1564) findet sich Epikureisches. Lachen, Vergnügen, Essen, Lebenslust und Genuß sind hier mit einem spezifischen Weltwissen verbunden, das die Gesamtheit menschlicher Befindlichkeit umfaßt und eine Trennung von Körper und Geist, Leib und Seele der Lächerlichkeit preisgibt. In der Abtei Thélème, einer Art »Anti-Kloster«, führt die Elite der Lebenskünstler ein freies, selbstbestimmtes und genußreiches Leben, wo Eigennutz und Gemeinwohl problemlos konvergieren. Glück und Moralität widersprechen sich hier ebensowenig wie Sinnlichkeit und Rationalität; auch Dichtung und Wahrheit schließen sich nicht mehr aus.

Ähnlich wie bei Rabelais ist auch für Montaignes Anthropologie die Leiblichkeit und Sinnlichkeit des Menschen, seine *condicio humana* ein zentrales Thema; allerdings mehr unter dem Aspekt von Schmerz und Leiden als unter dem von Lust und Genuß [32]. Askesis im Sinne hell. Selbstsorge ist auch für Montaigne das geeignete Mittel, eine möglichst schmerzfreie – und damit glückliche – Existenz zu haben. Montaignes eigentliches Anliegen ist aber der Umgang mit dem Tod, worin er mit Epikur den entscheidenden Aspekt glücklicher und gelungener Lebensführung sieht. Allerdings erkennt er, daß es darum geht, im Leben mit der Todesangst umzugehen und nicht, wie Epikur es vorschlägt, Tod aus dem Leben zu verbannen. Um der *volupté* willen muß die Todesangst gebändigt werden: Montaigne gelingt es, die epikureische Lehre in dieser Frage mit ihren eigenen Mitteln zu verbessern und sie mit einer differenzierten Psychologie auszustatten (Essais 1,20). Vergleichbares gilt für die Verbindung von Sensualismus und Ästhetik. Im sinnlichen Genuß ästhetischer Erfahrung übersteigt der Mensch mit Hilfe der Imagination die Realität und gewinnt so ein kreatives und freies Verhältnis zu seiner Welt. Moral und Ästhetik sind bei Montaigne in einer für epikureisches Denken typischen Weise aufeinander bezogen. Für die Wirkungsgeschichte des E. in den darauffolgenden Jh. ist die Zeit der Ren. von zentraler Bed. Weniger eine etablierte philos. Diskussion als die häufig undeutlichen Spuren epikureischer Motive sind charakteristisch für eine Trad., die v. a. in den Übergangsbereichen zw. Lit. und Philos. zu finden ist und dort ein weitverzweigtes und wirkungsvolles Diskursgeflecht etabliert. Hier zeigt sich schon jenes Modell produktiver Epikurrezeption, dem die »Epikureer« in Form und Inhalt bis ins 20. Jh. verpflichtet bleiben.

D. DAS 17. JAHRHUNDERT

1. DIE GELEHRTEN »LIBERTINS« UND HOBBES

Im 17. Jh. kann man beinahe von einer epikureischen »Mode« sprechen; v. a. in Frankreich haben sowohl die Naturlehre – d. h. v. a. atomistische Thesen – als auch die Weisheitslehre großen Erfolg [19]. Bes. in den Kreisen der sog. »Libertins« wurde der E. intensiv rezipiert. Die Beschäftigung mit der Natur hat gegen E. der Ren. eine enorme Aufwertung erfahren. Allerdings kann weder die aristotelische Physik noch die christl. Theologie als Grundlage dieser neuen Forsch. dienen. Gegen den scholastischen Aristotelismus und die christl. Theologie gehen → Skeptizismus und E. im 17. Jh. ein Bündnis ein und bilden die Grundlage für das Ideal eines innerweltlichen, glücklichen Lebens, das nun – anders als in der Ren. – von rel. Vorgaben weitgehend abgelöst ist, ja sogar polemisch antirel. Züge bekommen kann. Als wichtigste Vertreter des gelehrten Libertinismus (*libertinage érudit*) gelten Elie Diodati, Gabriel Naudé, François de la Mothe le Vayer und Pierre Gassendi. Bei Gassendi steht die Rehabilitierung der epikureischen Philos. im Mittelpunkt seines philos. Schaffens [40], von seinen antiaristotelischen *Exercitationes paradoxicae adversus Aristoteleos* über *De vita et moribus Epicuri* (1647), wo er Epikur in den Büchern drei bis acht gegenüber Beschuldigungen und Verleumdungen verteidigt [2. Bd. 5, 192–236], bis zu dem postum veröffentlichten *Syntagma Philosophicum* ([2] Bd. 1 und 2). Er spricht von ›ma philosophie d'Épicure‹, die er im einzelnen abändern wolle

und ›y interposer encore quelques nouveaux raisonnemens avec des responses et adoucissements convenables aux points qui touchent nostre foi‹ (Lettres de Peiresc 4, 1893, 249). Die *adoucissements* beziehen sich auf die Unsterblichkeit der Seele und die christl. Schöpfungslehre, die er ausdrücklich anerkennt. Auch wenn Gassendi sich damit von Kernstücken der epikureischen Physik distanzierte und deren Materialismus grundsätzlich verwarf, trug er wesentlich zur Ausbreitung des E. in Frankreich, aber auch – vermittelt durch Walter Charleton [3] – in England bei [19. 227].

In den Pariser Kreisen um Marin Mersenne, die auch Hobbes auf seinen Reisen frequentierte, wurde die Auseinandersetzung mit der cartesianischen Philos. gepflegt [35]. Das Kernproblem war die Frage, ob und inwieweit es den Menschen möglich sei, zu sicherer Erkenntnis zu gelangen. In diesem Zusammenhang griff auch Hobbes wieder auf die Eidola-Konzeption und damit auf die Wahrnehmungstheorie Epikurs zurück. [31] Die epikureische Moralphilos. war von untergeordneter Bed.

2. MORALISTIK

Gerade der individualethische Aspekt des E. interessierte dagegen die Moralisten im 17. und 18. Jh. [16]. Die Salonkultur war die Grundlage der Moralistik der zweiten H. des 17. Jh. Dort wurde das Ideal des *honnête homme* geprägt und die Entlarvung der verpönten Eigenliebe, des *amour-propre* betrieben. Auch die Moralisten sind Skeptiker, weniger was menschliche Erkenntnismöglichkeit als was seine moralische Handlungsfähigkeit angeht. Bei La Rochefoucauld ist es die kritische und selbstkritische Funktion der epikureischen Weisheitslehre, bei Saint-Evremont der kultivierte Hedonismus, der rezipiert wird. Auch La Fontaine schätzt die kritischen und erzieherischen Potentiale der epikureischen Moral. Bedingungsloser Glaube an die Macht der Vernunft ist diesen Denkern ebenso fremd wie die theologische Geringschätzung menschlicher Autonomie.

E. DAS 18. JAHRHUNDERT

1. ALLGEMEINES

Im 18. Jh. erfährt die Rezeption epikureischer Philosopheme einen starken Aufschwung. Die europ. Aufklärung macht sich eine ganze Reihe epikureischer Argumente zu eigen. Dazu gehören die Betonung menschlicher Autonomie, was die innerweltliche Lebensgestaltung angeht, atomistische und mechanistische Positionen in der Naturphilos., die Aufwertung von Sinnlichkeit und Ästhetik und v. a. Eudaimonismus und Glücksphilos. Privates Glück wird allenthalben zum öffentlich diskutierten Thema, weil dessen Verwirklichung für den Gesamtentwurf eines – im Sinne des allmählich sich ausdifferenzierenden Bürgertums – glücklichen Lebens als fundamental angesehen wird. Familie, Ehe und Freundschaften sind keine vorfindlichen Strukturen, sondern müssen gestaltet werden. Sie sind Herausforderung, Aufgabe und Prüfstein für ein gelungenes Leben. Der eudaimonistische Grundzug aller diesbezüglicher Reflexion signalisiert die Allgemeingültigkeit der Prämissen, verweist die Aufgabe aber zugleich an die individuelle Gestaltung des Einzelnen. Im Rahmen dieses Konzepts wurden die affektiven Seiten des Menschen allmählich aufgewertet. Psychologie, Pädagogik und Ästhetik als neue Disziplinen zeigen dies ebenso wie die lit. Moden der »Empfindsamkeit« und des »Sturm und Drang«. Vernunft ohne das Korrektiv von Erfahrung und Sinnlichkeit wird in zunehmendem Maße als unzureichend und inkompetent angesehen. Die Bedingung der Möglichkeit von Erfahrung und Wissen im Bereich der Natur ist das Anliegen des engl. Empirismus; die Bed. und Funktion von histor. Erfahrungswissen suchten die frühaufklärerischen Eklektiker um Thomasius, die Verf. von Lex. und Philosophiegeschichten, für das praxisorientierte Denken der Aufklärung fruchtbar zu machen.

2. EMPIRISMUS UND FRÜHAUFKLÄRERISCHER EKLEKTIZISMUS

Locke schloß sich den Kritikern des Cartesianismus an. Er hatte Gassendis Werke gelesen und dessen erfolgreichen Schüler François Bernier in Paris kennengelernt [34]. Seine atomistische Physik und seine hedonistische »Fundamentalethik« stehen in epikureischer Trad. Die Analogien zw. der Philos. Lockes und dem Denken der dt. Frühaufklärung sind nicht zu übersehen. Christian Thomasius, der als ›Retter Epikurs‹ (Ernst Bloch) in Deutschland gilt, ist zudem von der entsprechenden frz. Trad. beeinflußt: neben Pierre Bayles *Dictionnaire historique et critique* (1697), das einen auf Gassendis Vermittlung zw. Christentum und Hedonismus aufbauenden Epikurartikel enthält [1 Bd. 1. 364–376], empfiehlt er seinen Lesern die Lektüre der frz. Libertins. Die Klugheitsregeln, die Thomasius in seiner Lehre praktischer Weltweisheit vertritt, orientieren sich an epikureischen Konzeptionen der Eudaimonie. Als höchste Form der Glückseligkeit gilt ihm darum die ›Gemüths-Ruhe‹ (Einleitung zur Sittenlehre, 1692, Ndr. 1968, Abschnitte 63, 85). Thomasius nützt alle Gelegenheiten, Epikur gegenüber polemischen Angriffen zu verteidigen. Seine Schüler und Anhänger, wie Johann Franz Budde, Gottlieb Stolle und Christoph Heumann (Herausgeber der *Acta philosophorum*, dem ersten philosophiegeschichtlichen Periodikum in Deutschland) und v.a. Nikolaus Hieronymus Gundling, setzten diese Bemühungen fort. Einflußreiche Lex. und Philosophiegeschichten, wie die von Johann Georg Walch und Jakob Brucker, widmeten Epikur ausführliche und meist ausgewogene, z.T. sogar wohlwollende Artikel. Verstreut und doch überaus wirksam, bildet diese eklektizistische Evolution des Epikurbildes jenen Fundus, der auch die Lit. und Poesie der Zeit nahezu zwangsläufig mit zahlreichen Motiven eines aufgeklärten E. versehen konnte.

3. MORALISCHE WOCHENSCHRIFTEN UND DAS ROKOKO

Nach engl. und frz. Vorbildern entstanden auch in Deutschland um die Jahrhundertmitte sog. *Moralische Wochenschriften*, die sich eine ansprechende und unterhaltende Erziehung zur guten Lebensführung ihrer Leser zum Ziel gesetzt hatten [33]. Vernunft und Gefühl in der richtigen Balance sollen ein glückliches und tugendhaftes Leben garantieren. Neben anderen Weisen der Kulturgeschichte, z.B. Seneca, Marc Aurel, Luther und Paulus wird auch Epikur in die Reihe der nachahmenswerten Vorbilder aufgenommen. Aus dem Ketzer und Wollüstling ist ein »Biedermann« geworden, dessen Lebensregeln vorbehaltlos empfohlen werden. Der muntere Plauderton, der in manchen Wochenschriften angeschlagen wird, entspricht bereits den stilistischen Merkmalen des lit. Rokoko. Auch hier findet sich viel Epikureisches, wobei eher Horaz als Gewährsmann erwähnt wird, oder Anspielungen genügen müssen, um jeden Anflug einer verpönten Gelehrsamkeit zu vermeiden. Ruhiges Landleben und ein fröhliches, ausgeglichenes Gemüt zum Genuß einfacher und unschuldiger Freuden, die man mit Freunden oder der Geliebten teilt: so begegnet das Ideal der Rokoko-Dichter. Die harmlose Tändelei hat auch ihre ernsthaften Seiten: Distanz zum trügerischen (höfischen) Stadtleben und Freiheit, was Lebensgestaltung und ihre Dichtungen angeht, sind die Forderungen, wie sie z.B. bei Johann Wilhelm Ludwig Gleim, bei Johann Peter Uz oder auch bei Johann Arnold Ebert, bei Friedrich v. Hagedorn oder Johann Nikolaus Götz gestellt werden. Auch in einem frühen Gedicht Albrecht von Hallers wird Epikur als ›Schooskind des Geschicks‹ und Garant eines geglückten Lebens apostrophiert (Albrecht von Haller, Gedichte, hrsg. von L. Hirzel, o.O. 1882, 315). Die Suche nach dem Glück, das Bemühen um ein gelingendes Leben, der Versuch, sich vor Bedrohung und Angst zu schützen und die Sorge um körperliches Wohlergehen beziehen im Rokoko zwar auch die Sinnlichkeit des Menschen in das »Glückskalkül« mit ein, thematisieren aber die Schwierigkeiten, die der Mensch mit seiner Sinnlichkeit zu haben pflegt, höchstens als leicht behebbaren Mangel [30]. Die »Psychologisierung« des Problems gelingt erst Christoph Martin Wieland in seinen großen Romanen.

4. CHRISTOPH MARTIN WIELAND

Wielands Beschäftigung mit dem E. beginnt mit dem Lehrgedicht *Die Natur der Dinge* (1751), womit er einen dt. *Anti-Lukrez* vorlegen wollte, wie ihn in Frankreich der Kardinal Polignac 1747 mit viel Erfolg verfaßt hatte. Erst 15 J. später, 1766, hat er sich von den dort vertretenen Ansichten gelöst und bietet in *Musarion* bereits eine neue Weltsicht. Eine umfangreiche Auseinandersetzung mit dem E. findet in seinen Romanen *Agathon* (die drei Fassungen stammen von 1766/67; 1773; 1794) [9] und *Aristipp* (1800/1802) [10] statt. Die *Horaz-Komm.* und die Totengespräche *Euthanasia* enthalten Weiteres. Die philos. Gespräche zw. Agathon und Aristipp gelten als Kernstücke des Romans *Agathon*. Hippias als Vertreter des epikureischen Materialismus, der epikureischen Theologie und Selbstsorge tritt an, Agathon seine schwärmerischen Ideen auszutreiben. Beide Figuren scheitern mit ihren Vorhaben. Im komplexen Spiel der verschiedenen Lebensentwürfe scheint die

Nebenfigur Aristipp am ehesten eine exemplarische Lebensführung darzustellen. Er hält sich an einen gemäßigten, hoch kultivierten E. Auch im gleichnamigen Roman verkörpert Aristipp das Ideal eines kultivierten, nach epikureischen Regeln glücklich lebenden Mannes [9. 355]. Die Phantastereien der idealistischen Volksaufklärer und schwärmerischen Weltverbesserer sind längst verabschiedet. Auch die eigennützigen Zwecke eines Hippias kennt Aristipp nicht. In den *Horaz-Komm.* und in *Euthanasia* werden unter ästhetischen und ethischen Aspekten noch einmal verschiedene Seiten der epikureischen Lehre ausgeführt und diskutiert. Wieland bietet in außergewöhnlicher Vielfalt die gesamte Trad. epikureischer Argumente und Theorien auf, um ihre mögliche Bed., aber auch ihre Defizite und Gefahren für die Philos. der europ. Aufklärung lit. darzustellen.

5. RADIKALISMUS UND POPULARPHILOSOPHIE

Wieland war ein aufmerksamer Beobachter der polit. und intellektuellen Entwicklungen in Frankreich. Wie wichtig der Einfluß von Diderot, La Mettrie und v. a. Helvétius für ihn war, hat er mehrfach betont. Alle waren Vertreter des epikureischen Materialismus. Auch in Deutschland gab es einige Publikationen im Umfeld des radikalen Materialismus. Viele der entsprechenden Schriften erschienen anon. Häufiger als eine solche radikale Tendenz findet sich in der popularphilos. Diskussion des ausgehenden 18. Jh. ein gemäßigter E., wie ihn z. B. Karl Ludwig von Knebel, Übersetzer des *De rerum natura*, Christoph Meiners oder auch Georg Friedrich Meier in seiner *Sittenlehre* (1758 ff.) vertreten; auch Friedrich II. äußerte sich ausgesprochen wohlwollend, v. a. was die Religionskritik betraf. Kritisch wurde immer wieder vermerkt, daß der E. sich nicht als Grundlage einer polit. Philos. eigne und sämtliche Probleme leugne, die die Organisation gesellschaftlichen Zusammenlebens betreffen. Die aufklärerische Geste der Befreiung aus allen Formen von Unmündigkeit, die Befreiung zu einem (unlust)freien Leben, war eine der wichtigsten Attraktionen epikureischer Philos. für das 18. Jh.

F. DAS 19. JAHRHUNDERT

Im 19. Jh. sind es die polemischen und radikalen Momente der epikureischen Lehre von der Autonomie des Menschen und mehr denn je die materialistischen Grundlagen dieser Philos., die die Rezeption leiten. Auch hier gilt allerdings, daß E. wenig systematisch und häufig in Grenzbereichen von Lit. und Philos. auftritt. In Schopenhauers Philos. werden atomistische und eudaimonistische Konzepte nur noch kritisch referiert. Der ant. Materialismus wird ebenso wie der zeitgenössische Materialismus als verkappter Idealismus entlarvt (Die Welt als Wille und Vorstellung 2.1, Kap. 24, *Von der Materie*). Als eine umfassende Adaptation epikureischer Philosopheme läßt sich dagegen Ludwig Feuerbachs Werk lesen. Sowohl die Religionskritik als auch die Forderung, den Menschen als eine Ganzheit aus Geist und Körper zu sehen, seine sensualistische Erkenntnistheorie und die Ansätze zu einer eudaimonistischen

Moral, verweisen auf die epikureische Trad., die allerdings explizit keine Rolle spielt.

Im gleichen Jahr wie Ludwig Feuerbachs *Wesen des Christentums* erschien die Dissertation des 23jährigen Karl Marx über *Die Differenz der demokritischen und epikureischen Naturphilos.* (1841). Ausgiebig exzerpierte Marx aus den Schriften Epikurs und verglich die Darstellungen bei Plutarch, Lukrez und Diogenes Laertius [6]. Es ging ihm darum, die materialistischen Positionen Epikurs und Demokrits deutlich zu unterscheiden, z. B. im Hinblick auf die Freiheitslehre. Die eigentliche Leistung Epikurs war für Marx die Erkenntnis des fiktionalen Charakters aller Spekulation, was die Möglichkeit eröffnete, den Anspruch auf die wahre Erkenntnis als Mythos zu entlarven. Marx' Neubewertung der epikureischen Philos. gegenüber der zeitgenössischen philosophiehistor. Einordnung betrifft insbes. die Diagnose einer radikalen Differenz zw. Idee und Welt; damit demonstriert sie ihren dezidiert anti-hegelianischen Charakter. Nach Drucklegung der Marxschen Schrift und der Hefte mit seinen Epikur-Exzerpten in den 20er J. dieses Jh. wurden sie in zahlreiche Sprachen übers. und haben wesentlich zur Verbreitung der Philos. Epikurs als frühe Form des → Materialismus beigetragen.

Für F. Nietzsche war die epikureische Glücksphilos. nach anfänglicher Sympathie nur noch Ausdruck von Schwäche. Die Verzweiflung an der Machbarkeit menschlichen Glücks führt bei ihm nicht in melancholische Resignation, sondern provoziert im Gegenteil die ›Lust am Leidenmachen‹ und einen ›dionysischen Pessimismus‹ [7. Bd. IV.2. 342; Bd. V.2. 304].

G. DAS 20. JAHRHUNDERT

S. Freud entwickelte eine Kulturtheorie, die im wesentlichen auf einer hedonistisch fundierten Anthropologie basiert. Es sei, so Freud, das ›Programm des Lustprinzips, das den Lebenszweck‹ setze [5. 207 f.]. Unter die verschiedenen Formen einer notwendigen »Ökonomie« der Frustrationen zählt er neben den Einsatz von Rauschmitteln und die Sublimierung durch intellektuelle oder künstlerische Tätigkeit auch die ant. → Diätetik. Die neuere → Praktische Philosophie greift als Ergänzung oder auch in Abkehr von der Kantischen Pflichtethik wieder vermehrt auf ant. Ansätze, insbes. Entwürfe des glücklichen Lebens, und damit auch auf Epikur zurück, wie u. a. Hans Krämer mit seiner *Individualethik* (1992). Auch Michel Foucault hat in seinem Spätwerk [4] die ant. Praxis der »Selbstsorge« als Form der Individualethik bzw. als eine nichtidealistische Form der Subjektkonstitution wieder aufgegriffen.

→ AWI Epikur; Epikureische Schule; Lukrez

QU 1 P. BAYLE, Dictionnaire historique et critique, Amsterdam ⁵1740 2 P. GASSENDI, Opera Omnia, Lyon 1658 (Ndr. 1964, eingeleitet von T. GREGORY) 3 W. CHARLTON, Physiologia Epicuro-Gassendo-Charltoniana: or a fabrick of science natural upon the hypothesis of atoms, founded by Epicurus, repaired by Petrus Gassendus, augmented by Walter Charlton, London 1654 (Ndr. hrsg. von R. H. KARGON,

1966) **4** M. Foucault, Histoire de la sexualité, 1976 ff., (dt.: Sexualität und Wahrheit, 3 Bde., 1976 ff.) **5** S. Freud, Das Unbehagen in der Kultur, in: Ders., Studienausgabe, hrsg. von A. Mitscherlich et al., 11 Bde., 1967 ff., Bd. 9 **6** K. Marx, Über die Differenz der epikureischen und demokritischen Philos., in: Ders., F. Engels, Werke (MEW), Berlin 1967 ff., Ergänzungsbd. 40, 1973, 257–374 (auch in: Karl Marx, Friedrich Engels, Gesamtausgabe (MEGA), 1975 ff, Bd. 1.1, 5–91) **7** F. Nietzsche, Kritische Gesamtausgabe (KGW), hrsg. von G. Colli, M. Montinari, 1967 ff. **8** L. Valla, De voluptate, umgearbeitet unter dem Titel: *De falsoque bono*, hrsg. von M. de Panizza Lorch, 1970 **9** Ch. M. Wieland, Gesch. des Agathon, in: Ders., Sämmtliche Werke, 39 Bde., Leipzig 1794–1811, Ndr. 1984, Bd. 1.1 **10** Ders., Aristipp und einige seiner Zeitgenossen, Sämmtliche Werke, Bd. XI

LIT **11** M. Osler (Hrsg.), Atoms, pneuma, and tranquillity. Epicurean and stoic themes in European thought, 1991 **12** Actes du VIIIe congrès de l'Association Guillaume Budé, Paris 1968, 639–727: épicurisme au XVIe siècle **13** Spinoza, Épicure, Gassendi, Actes d'un Colloque de la Sorbonne, 1993, Archives de Philosophie 57, 1994, 457–604 (v. a. P.-F. Moreau, Epicure et Spinoza; L. Bove, Epicurisme et Spinozisme; P. Lurbe, J. Toland et épicurisme) **14** A. Alberti, Sensazione e realtà: Epicuro e Gassendi, 1988 **15** D. C. Allen, The Rehabilitation of Epicurus and his theory of Pleasure in the Early Ren., in: Stud. in Philology 41, 1944, 1–15 **16** H. P. Balmer, Philos. der menschlichen Dinge. Die europ. Moralistik, 1981 **17** E. Bielowski, Lukrez in der frz. Lit. der Ren., 1967 **18** O. Bloch, La philosophie de Gassendi, 1971 **19** Ders., Pierre Gassendi, in: GGPh². Die Philos. des 17. Jh., Bd. 2: Frankreich und Niederlande, hrsg. von J.-P. Schobinger, 1993, § 8; Bd. 2.1, 202–27 **20** P. Boyancé, Lucrèce et l'épicurisme, 1963 **21** B. Brundell, Pierre Gassendi. From Aristotelianism to a New Natural Philosophy, 1987 **22** W. Detel, Scientia rerum natura occultarum. Methodologische Stud. zur Physik Pierre Gassendis, 1978 **23** J.- F. Duvernoy, L'épicurisme et sa tradition antique, 1990 **24** M. Erler, Epikur – Die Schule Epikurs – Lukrez, bes. § 8 und § 32 Nachwirkung, in: GGPh² Bd. 4.1, 188–202; 477–490 (mit Lit.) **25** W. B. Fleischmann, Christ and Epicurus, in: S. G. Nichols, R. B. Vowles (Hrsg.), Comparatists at Work, 1968, 235–246 **26** M. Forschner, Über das Glück des Menschen: Aristoteles, Epikur, Stoa, Thomas von Aquin, Kant, 1993 **27** M. Gigante, La bibliothèque de Philodème et l'épicurisme romain, 1987 **28** J.-M. Guyau, La morale d'Épicure et ses rapports avec des doctrines contemporaines, 1927 **29** H. Jones, The Epicurean Trad., 1989 **30** D. Kimmich, Epikureische Aufklärungen, 1991 (mit Lit.) **31** H. Krämer, Epikur und die hedonistische Trad., in: Gymnasium 87, 1989, 294–326 **32** B. Mächler, Montaignes Essais und das philos. System von Epikur und Lukrez, 1985 **33** W. Martens, Die Botschaft der Tugend. Die Aufklärung im Spiegel der dt. Moralischen Wochenschriften, 1971 **34** T. F. Mayo, Epicurus in England, 1650–1725, 1934 **35** S. Murr (Hrsg.), Gassendi et l'Europe (1592–1792), 1997 **36** M. R. Pagnoni, Prime note sulla tradizione medievale ed umanistica di Epicuro, in: Annali della scuola Normale Superiore di Pisa, classe di letteratura 4, 1974, 1443–1477 **37** M. De Panizza Lorch, A defense of Life. L. Valla's theory of Pleasure, 1985 **38** M. Planic, Marx on Epicurus. Much ado about nothing, in: Dionysius 11, 1987, 111–145 **39** P. Preuss, Epicurean Ethics: Katastematic Hedonism, 1994 **40** B. Rochot, Les travaux de Gassendi sur Epicure et l'atomisme, 1619–1658, 1944.

DOROTHEE KIMMICH

Epistel, Epistolographie s. Brief, Briefliteratur

Epochenbegriffe

I. Alte Geschichte   II. Archäologie
III. Klassische Philologie
IV. Kunstgeschichte / Architektur

I. Alte Geschichte
A. Definitionen und Abgrenzungen
B. Charakterisierungen der Epoche
C. Binnengliederung

A. Definitionen und Abgrenzungen

Paulys Realencyclopädie der classischen Altertumswissenschaft, neu bearbeitet seit 1890 von Georg Wissowa, versteht unter »Altertum« die Kultur der »klass.« Völker der Griechen und Römer, ergänzt um den Alten Orient einschließlich Ägyptens, soweit er mit jenen in Verbindung steht, um die ant. Randkulturen (Araber, Germanen, Juden, Karthager, Kelten, Numidier, Skythen) und das frühe Christentum bis in die Zeit Justinians. Es handelt sich um die Geschichte des Mittelmeeraumes im weiteren Sinne von etwa 1200 vor bis etwa 600 nach Christus. Ausgeblendet bleiben die vorangegangene schriftlose Urgeschichte und das nachfolgende byz.-lat.-arab. MA.

Die Wörter »Alt.« und »Ant.« wurden im 18. Jh. überwiegend in der Bed. »Antiquität« verwendet, wie die Pluralbildungen »röm. Altertümer« und »Antikensammlung« zeigen. Bei Winckelmann (1755), Fr. Schlegel (1798) und Novalis (1798) bezeichnet »Ant.« den Geist des Alt., »Alt.« die Zeit der Ant. »Ant.« als Epoche begegnet wertneutral gleichbedeutend mit Alt. um 1900, bis dahin dominiert die human. Idealisierung der »klass.« Völker und ihrer Werke (W. Rüegg, 1959 in: [10. 322–35]). Der kognitiven Rede vom »Alt.« geht eine normative Sicht der »Ant.« voraus, die im Renaissance-Human. bestimmend geworden ist.

Dem MA fehlte ein Begriff für das Alt., denn ihm fehlte ein eigenes Selbstverständnis als Epoche. Man sah sich in einer mit Christus und Augustus beginnenden Kontinuität, mit der sich Papst und Kaiser legitimierten, gewissermaßen in einer verlängerten Spät-Ant., an deren Ende man das Jüngste Gericht erwartete. Otto von Freising hat in seiner Weltchronik die Kaiser durchgezählt: Augustus war der erste, Barbarossa der 94. Kaiser. Als Periodisierungsschemata verwendete man die Weltenwoche von Augustinus, den Schöpfungstagen nachgebildet, so noch Schedels Weltchronik, die 1492 im sechsten Weltalter schließt; oder die Abfolge der vier Weltreiche nach dem im Makkabäer-Krieg entstandenen Buch Daniel, als dessen letztes urspr. das Reich Alexanders und seiner Nachfolger galt, später – so in den Evangelien – das Imperium Romanum, so noch Bossuet

(1681), bei dem Ludwig XIV. die mit Augustus eröffnete Herrscherfolge fortsetzt.

Eine Konzeption der Ant. als Epoche beginnt mit der Bewunderung für ihre Kultur. Der byz. Humanist Michael Psellos beklagte im 11. Jh. die tiefe Nacht, die sich über das klass. Hellas gesenkt habe. Dies führte zur Vorstellung von dem dazwischenliegenden »finsteren MA« bei Petrarca, Boccaccio, Hutten, Melanchthon und anderen. Man sah sich am Morgen einer wieder erwachten Kultur und gewann damit zugleich eine Idee vom MA, das man überwunden glaubte. Papsttum und Kaisertum traten zurück zugunsten des gebildeten städtischen Bürgertums, das sich in → Athen und → Rom wiederfand. Die Aufbruchstimmung unter Intellektuellen seit dem 15. Jh. weckte mit dem Willen zur Erneuerung in Lit., Kunst und Religion ein Bewußtsein zweier Kulturschwellen: den »Morgen« der Neuzeit und den »Abend« des Alt., dazwischen lag die »Nacht« des MA. Der Gedanke einer Wiedergeburt setzt die Vorstellung von einem vorausgegangenen Erlöschen voraus und ermöglicht die Konzeption der Ant., das Dreiperiodenschema der Alten, Mittleren und Neueren Geschichte.

Diese Gliederung verdrängte seit dem 17. Jh. die älteren Einteilungen. Wichtig wurden die Lehrbücher des Hallenser Historikers Christoph Cellarius (1638–1707). Seine *Historia Antiqua* von 1685 beginnt mit dem sagenhaften Assyrerkönig Nimrod und endet mit der Abdankung Diocletians; Constantin eröffnet 306 die *Historia medii aevi*. Cellarius verwendete für das Ende des Alt. jedoch auch spätere Daten, so 330 (Gründung Konstantinopels), 454 (Tod des »letzten Römers« Aëtius) und 476 (Absetzung des Romulus Augustulus). In der Folgezeit sind diese Eckdaten von anderen Autoren um weitere bereichert worden, so um das J. 375, das Auftauchen der Hunnen (irrig erschlossen aus dem Erscheinen der von ihnen verdrängten Westgoten an der unteren Donau 376 n. Chr.), die Schlacht bei Adrianopel 378, die Ansiedlung der nach eigenem Recht lebenden Westgoten 382, die Herrschaftsteilung nach dem Tode des Theodosius 395 unter seine Söhne Arcadius im Osten und Honorius im Westen, die Einnahme Roms durch den Gotenkönig Alarich 410. Am weitesten verbreitet ist die Zäsur 476, schon von Marcellinus Comes (Monumenta Germaniae, Auctores Antiquissimi 11, p. 91) im 6. Jh. als Ende des *Hesperium Romanae gentis imperium* apostrophiert und als solches von Prokop, Jordanes, Beda, Paulus Diaconus und anderen übernommen. Seit dem 16. Jh. ist sie dominant (Machiavelli, Melanchthon, Sigonius, Conring, Montesquieu, Gatterer, Gibbon, Heeren, Luden, Niebuhr, Seeck, Momigliano).

Als spätere Enddaten des Alt. erscheinen in der Lit.: Theoderichs Einmarsch in It. 488 (Demougeot 1978), die Schließung der platonischen Akademie in Athen 529 (De Sanctis 1932), der Tod Justinians 565 (Demandt 1989), das Auftauchen der Langobarden in It. 568 (Gutschmid 1863), die Stiftung des Islam 622 (Pirenne 1922), der Tod des Herakleios 641 (Ernst Stein 1949) und die

Krönung Karls des Gr. 800 (Ed. Meyer 1884). Die unterschiedlichen Ansätze beruhen auf differierenden Akzentsetzungen. Weitgehende Einigkeit besteht darüber, daß wir für den Übergang von der Ant. zum MA ›breite Streifen allmählicher Veränderungen‹ (Aubin 1948: [9. 204]) annehmen müssen. Dasselbe gilt für den Beginn der Ant. Er ist nach herrschender Auffassung identisch mit dem Anfang der Geschichte überhaupt, genauer dem der schriftlichen Überlieferung. ›Das erste Blatt im Thukydides (sagt Hume) ist der einzige Anfang aller wahren Geschichte‹, so Kant 1784 (Fußnote zu Satz 9 seiner *Idee zu einer allg. Geschichte in weltbürgerlicher Absicht*), jenseits sei alles *terra incognita*. Hegel identifizierte in seinen *Vorlesungen über die Philos. der Geschichte* 1831 [7. 115] den Beginn der Geschichtsschreibung mit dem erwachenden Bewußtsein, ermöglichte somit eine Rückverlängerung der Geschichte bis in den Alten Orient. Mit seinem universalhistor. Ansatz und einer umfassenden Sprachkompetenz hat Eduard Meyer (1855–1930) seine *Geschichte des Altertums* (1884 ff.) mit dem ältesten Orient begonnen, zw. der altoriental. und der griech.-röm. Zeit aber einen Einschnitt gemacht.

B. CHARAKTERISIERUNGEN DER EPOCHE

Mehrfach ist versucht worden, die Ant. durch Wesensmerkmale zu kennzeichnen. Im Vordergrund stand dabei zunächst im Gefolge des Renaissance-Human. die Kulturleistung. Sie wurde in Frage gestellt durch Charles Perrault, der in seinem vierbändigen Werk *Le parallèle des Anciens et des Modernes* (1688 bis 1698) erklärte, die Künstler und Dichter unter Ludwig XIV. hätten die der Ant. in den Schatten gestellt. Die Entgegnung durch Nicolas Boileau-Despraux, *Réflexions sur Longin* (1693) löste die → Querelle des Anciens et des Modernes aus, die wesentlich zur Historisierung des Altertumsbegriffs beitrug. Die Begrifflichkeit stellte Bernard de Fontenelle in seiner *Digression sur les anciens et les modernes* (1688) in Frage, indem er, wie schon Giordano Bruno 1584 und Francis Bacon 1620, erklärte, die »Alten« seien, weil früher in der Geschichte lebend, eigentlich die »Jungen«, die Modernen als die Späteren eigentlich die Alten. Ant. und Moderne – das MA kam hier nicht in Betracht – wurden nicht mehr als zwei Kulturen nebeneinander, sondern als zwei Phasen eines einzigen Prozesses angesehen. Die zugrundeliegende Lebensaltermetaphorik, für die Röm. Geschichte aus Ammianus Marcellinus (14,6,3–6) bekannt, wurde in der Aufklärung für die Menschheitsgeschichte als ganze gebraucht, so bei Herder 1774 und Lessing 1780. Ihnen ging es um die Bed. der Ant. für die moralische Entwicklung der Menschheit. Sie habe damals in ihrer Jugend durch griech. Philanthropie, röm. Humanität und christl. Nächstenliebe »Bürgersitten« gelernt.

Dasselbe Bild, nun aber ins Polit. gewendet, bietet Hegel in seiner Geschichtsphilos.-Vorlesung aus dem J. 1831. Hegel erklärte, im Orient sei nur einer frei, der Despot; bei den klass. Völkern seien es die Bürger, in der christl.-german. Welt aber alle. Er gliedert die Weltgeschichte auch nach den vier Lebensaltern der Menschheit, indem er die Kindheit dem Alten Orient zuweist, endend mit dem Knabenalter, welches sich ›raufend und herumschlagend verhält‹, gefolgt vom Jünglingsalter der griech. Welt von Achill bis Alexander. Den Römern weist er die ›saure Arbeit des Mannesalters der Geschichte‹ zu, während das »German. Reich« dem Greisenalter entspricht, das aber nicht Schwäche, sondern ›vollkommene Reife‹ zeige [7. 171 ff.].

In Anlehnung an Hegel sprach die marxistische Lit. von der ant. »Sklavenhaltergesellschaft« oder »Sklavenhalterformation«. Max Weber betonte in seiner Freiburger Antrittsvorlesung 1896 den urbanen Charakter der antiken »Küstenkultur«, die durch das Mittelmeer bestimmt werde. Oswald Spengler erkannte 1918 in seinem *Untergang des Abendlandes* die innere Einheit der Ant. in der ›apollinischen Kulturseele‹, die ihr zugrunde liege. Kurt Breysig trennte 1926 durch das Ende des Weström. Kaisertums ›alt- und neueurop. Geschichte‹. Karl Jaspers erblickte 1949 in Anlehnung an Ernst von Lasaulx 1856 und Jacob Burckhardt 1868 die welthistor. Bed. der Ant. in der »Achsenzeit« zw. 800 und 200 v.Chr., in der sich Vernunft und Persönlichkeit herausgebildet hätten. Karl Jaspers fand dort den ›geistigen Gipfel der bisherigen Geschichte‹.

Griechen und Römer sind nicht immer zusammenfassend charakterisiert worden. In der dt. Geistesgeschichte ist seit den Humanisten im 16. Jh. eine bes. Nähe zum Griechentum empfunden worden. Soweit sie dem Protestantismus zugehörten, erklärt sich dies aus der Aversion gegen das päpstliche Rom, das als Fortführung des kaiserzeitlichen (samt seiner Sittenlosigkeit) empfunden wurde; und sofern ein Gegensatz zu Frankreich mitschwang, mußte man diesem die engere Bindung an Rom zugestehen, beruhend auf der romanischen Sprache, der provinzialen Vergangenheit und dem katholischen Bekenntnis. Die Rombegeisterung bei den frz. Revolutionären und Napoleon erklärt die Nachahmung des Titus-Bogens auf dem Forum im Arc de Triomphe du Carrousel (1805) als Gegensatz zum Zitat der Propyläen der Akropolis im Brandenburger Tor (1792). Die Romnähe der Franzosen bestätigte und verstärkte die Hinwendung zum Griechentum rechts des Rheines. Winckelmann suchte in den Antiken Roms den hellenischen Genius. Herder fand bittere Worte gegen den röm. Imperialismus, der die Nationen und ihre Kulturen zertreten habe. Und Wilhelm von Humboldt identifizierte Kultur und Hellenentum schlechthin. Deutsche und Griechen galten als Kulturnationen. Erst in der Bismarckzeit gewann Rom wieder an Sympathie in Deutschland. Mommsens *Römische Geschichte* (1854 ff.) verherrlichte die Einigung It. durch Rom, wie man diejenige Deutschlands durch Preußen erhoffte und erfuhr.

C. Binnengliederung

Anfang, Ende und Wesenszüge des Alt. sind umstrittener als die Binnengliederung. Über sie besteht weitgehende Einigkeit. Auf die minoisch-mykenische Phase der griech. Geschichte folgt nach den dunklen Jh. vor Homer (um 700) die archa. Zeit, in der die Schrift entsteht, die Polis sich herausbildet und die große Kolonisation an den Mittelmeer- und Pontosküsten stattfindet. Die klass. Phase reicht üblicherweise von den Perserkriegen bis zu Alexander, d.h. von 500 bis 300 v.Chr. Hier steht Athen als Demokratie- und Kulturstadt im Mittelpunkt. Es folgt der von Droysen als Epoche definierte Hell., der polit. mit der Einbeziehung Ägyptens im Römerreich durch Augustus 30 n.Chr. endet, kulturell jedoch andauert. Er ist gekennzeichnet durch die Ausbreitung der griech. Kultur auf nichtgriech. Völker, durch zivilisatorisch-technische Fortschritte und die Entstehung von monarchischen Flächenstaaten nach dem Muster des Achämenidenreiches.

Der röm. Geschichte geht die der Etrusker voraus: eine unter oriental. und griech. Einfluß entstandene Städtelandschaft in der Toscana. Die Königszeit Roms ist dunkel, erst mit dem Zwölftafelgesetz 450, den Ständekämpfen zw. Plebejern und Patriziern und der Einigung It. im 4. Jh. wird es heller. Im 3. Jh. wird Karthago niedergerungen, Rom ist Herrin im westl. Mittelmeer. Im 2. Jh. wird der hell. Osten gewonnen. Rom selbst gerät zunehmend unter griech. Kultureinfluß. Die Bürgerkriege des 1. Jh., bedingt durch die Machtfülle der Proconsuln in den Prov., enden im Prinzipat. Caesar und Augustus legen die Reichsgrenzen am Rhein, Donau und Euphrat fest. Der Hohen Kaiserzeit und der *Pax Romana* (nach Gibbon die glücklichste Zeit der Menschheit), in der sich das Röm. Recht herausbildet, folgt im 3. Jh. die Reichskrise unter den Soldatenkaisern. Allenthalben werden die Grenzen unsicher. Diocletian und Constantin eröffnen um 300 die Spät-Ant., gekennzeichnet durch Bürokratisierung, Christianisierung und Germanisierung. Mit der Übernahme des Wehrdienstes für das Reich gewannen die Germanen auch polit. die Oberhand und lösten in der Völkerwanderungszeit das Imperium in mehrere Nachfolgestaaten und das Restreich um Byzanz auf.

1 K. BREYSIG, Der Stufenbau und die Gesetze der Weltgesch., 1927 2 J. BURCKHARDT, Weltgesch. Betrachtungen, 1868/1905 3 W. DAHLHEIM, Die Ant. Griechenland und Rom von den Anfängen bis zur Expansion des Islam, 1994 4 A. DEMANDT, Der Fall Roms. Die Auflösung des röm. Reiches im Urteil der Nachwelt, 1984 5 Ders., Die Spät-Ant. Röm. Gesch. von Diocletian bis Justinian (284–565 n.Chr.), 1989 6 Ders., Ant. Staatsformen, 1995 7 G. W. F. HEGEL, Vorlesungen über die Philos. der Gesch., 1831 (Ndr. 1961) 8 J. G. HERDER, Auch eine Philos. der Gesch. zur Bildung der Menschheit, 1774 (Ndr. hrsg. von H.D. IRMSCHER, 1990) 9 P. E. HÜBINGER (Hrsg.), Kulturbruch oder Kulturkontinuität im Übergang von der Ant. zum MA (= Wege der Forsch. 201), 1968 10 Ders., Zur Frage der Periodengrenze zw. Alt. und MA (= Wege der Forsch. 51), 1969 11 K. JASPERS, Vom Ursprung und Ziel der Gesch., 1949 12 G. E. LESSING, Die Erziehung des Menschengeschlechts, Berlin 1777/1790 (Zürich 1840) 13 E. v. LASAULX, Neuer Versuch einer alten auf die Wahrheit der Thatsachen gegründeten Philos. der Gesch., München 1856 14 W. MÜRI, Die Ant. Unt. über

den Ursprung und die Entwicklung der Bezeichnung einer
geschichtlichen Epoche, in: A&A 7, 1958, 7–45
15 J. H. J. van der Pot, De periodisering der geschiedenis.
Een overzicht der theorien, 1951 **16** M. Weber, Die
sozialen Gründe des Untergangs der ant. Kultur (1896) in:
Ders., Soziologie. Weltgeschichtliche Analysen. Politik
(1968), 1 ff.   Alexander Demandt

II. Archäologie
A. Allgemeiner Überblick über die
Entwicklung der Epochenteilung seit der
Antike B. Die einzelnen Epochenbegriffe

A. Allgemeiner Überblick über die
Entwicklung der Epocheneinteilung
seit der Antike

Ein Bewußtsein für die Entwicklung der Kunst und
eine Vorstellung einzelner Epochen beginnt früh:
Schon Demokrit verband offenbar zum ersten Mal
Kunstbetrachtung mit dem Entwicklungsgedanken; die
Methode des Vergleichens und das Schema einer allmählichen Zunahme von Kunstfertigkeit und Darstellungsmitteln waren auch im Kreis der Akad. bekannt
[26. 24 f.]. Die att. Philos. des 4. Jh. v. Chr. erkannte die
Kunst zwar als eigene, vom Geist und nicht von der
Technik her bestimmte Disziplin an, beurteilte sie aber
mehr nach ethischen Maßstäben. Erst die durch Varro
bzw. Plinius den Ä. überlieferte [15. 118–126; 21. 73–
80], vielleicht mit Xenokrates von Athen zu verbindende Kunsttheorie lenkte den Blick wieder auf formale
Probleme des Kunstwerks und konstruierte ein Entwicklungsschema der griech. Kunst, das von rohen und
mangelhaften Lösungsversuchen künstlerischer Probleme (*rudis antiquitas*) bis zu deren meisterhaften Bewältigung durch Lysipp und Apelles reichte.

Eine andere Periodisierung, deren Wirkung ebenfalls bis in die Neuzeit anhielt und der eine klassizistische
Theorie der zweiten H. des 2. Jh. v. Chr. zugrunde liegt,
ist bei Cic. Brut. 70, Quint. inst. 12,10,7–9 und Plin. nat.
34, 51 f. überliefert. Nach dieser Ansicht wurde nach
schwierigen Anfängen rasch Vorbildlichkeit bei Polyklet und v. a. Phidias erreicht, danach begann bereits der
Abstieg; formale Kriterien spielen kaum eine Rolle,
wohl aber abstrakte Wertungen wie *decor, auctoritas, pul-
chritudo*. Das vertikale Schema wird hier durch die Ka-
nonisierung von verpflichtenden Exempla für einzelne
Gattungen überlagert (dazu [11. 21 f.; 15. 126–140;
21. 81–84; 22. 273–277; 23; 26. 32–46]).

In der neuzeitlichen Beschäftigung mit der Ant.
bildete sich vor allem ein »biologisches« Schema (Ju-
gend-Reife-Alter-Verfall) heraus, das J. J. Scaliger in ge-
wisser Modifikation für die ant. Lit. formulierte (vgl.
Art. Kuhlmann). Auf Scaliger bezieht sich explizit dann
Winckelmann (1717–1768) in seiner 1764 publizierten
Geschichte der Kunst des Altertums [5. 166 mit Anm. 32];
(vgl. Art. Kuhlmann): Entsprechend Scaligers vier
»Hauptzeiten« unterteilte er – als erster – die griech.
Kunst in die Epochen 1. gerader und harter Stil, 2. hoher
Stil (460–400), 3. »schöner Stil« (400–320), 4. »Fall der

Kunst« nach Alexander d. Gr. Die Stilperiodisierung
blieb in allen Werken Winckelmanns methodisches
Prinzip; die Charakterisierung der Stilepochen erfolgte
nach Plinius, Quintilian und Cicero. Das Problem der
Unterscheidung von griech. Original und röm. Kopie
war Winckelmann schon bewußt, ebenso die fehlende
Materialbasis für die frühe Epoche [5. 17 f.]. Entscheidend für Winckelmanns System ist sein absoluter
Schönheitsbegriff, dessen Verwirklichung in der klass.
griech. Kunst das immanente Telos der Entwicklung ist
[12. 18 f.]. Ein Modell von Wachstum-Blüte-Verfall
hatte auch schon der von Winckelmann sehr geschätzte
J. F. Christ (1701–1756) vertreten, der als erster Kunst in
Vorlesungen behandelte, aber noch keine Trennung der
griech. und röm. Epoche vornahm. Christs Schüler
Chr. G. Heyne (1729–1812), Begründer der Disziplin
wiss. Altertumsforsch. an der Univ., unternahm – in
steter Auseinandersetzung mit Winckelmanns Werk –
eine systematische Behandlung der ant. Kunst, blieb
aber v. a. gegenüber Winckelmanns Stilperiodisierun-
gen sehr kritisch und warf ihm eine zu naive Übernahme von Plinius' Epocheneinteilung vor. Heyne selbst
bot allerdings kaum eine alternative Epochengliederung; er sah das Alt. eher als geschlossene Einheit, dessen
Kunst er nach Gattungen einteilte [5. 26 ff.]. Großen
Einfluß auf die arch. Forsch. v. a. in It. und Frankreich
übte E. Q. Visconti (1751–1818) aus, der Winckelmanns
Methode aufmerksam studierte, aber ebenfalls in Ablehnung des Modells von Blüte und Verfall die Meinung
vertrat, die Kunst habe sich von Perikles bis zu den
Adoptivkaisern auf gleichem Niveau befunden. Damit
beeinflußte er auch wesentlich Heynes Schüler F.
Thiersch (1784–1860), der ebenfalls den Verfall der
Kunst erst in die Zeit nach Hadrian setzte und sich als
erster dt. Altertumswissenschaftler explizit gegen Winkkelmanns Stilperiodisierung wandte; sein eigenes Modell (*Über die Epochen der bildenden Kunst bei den Griechen*,
1829) sah zwei je 500 J. umfassende Epochen der griech.
Kunst (»symbolisch-hl.« und »vollendet-idealer Styl«),
dazwischen eine 100 J. dauernde Epoche der Entwicklung von der Archaik zur Hochklassik. Hier wurde der
Einfluß der → Romantik sichtbar, die das Interesse auf
symbolische und rel. Deutung ant. Mythen verlagerte
(»Urreligion«) und die Kunst immer mehr von ihren
histor. Voraussetzungen abstrahierte (was bei Winckelmann noch eine Einheit gewesen war); diese Auffassung
kommt stark bei G. F. Creuzer (1771–1858) zum Tragen, der 1830 Thierschs Buch rezensierte und für den
die monumentale Überlieferung nur Quelle zur My-
theninterpretation war [5. 34 ff.].

Die Forsch. des 19. Jh. war stark durch die von
Boeckhs Historismus bestimmte Betrachtungsweise ant.
Kunst geprägt; K. O. Müller (1797–1849) und O. Jahn
(1813–1869) werteten aber auch die Einzelpersönlichkeit des Künstlers so hoch, daß eine echte Stilperiodisierung unmöglich wurde. E. Gerhard (1795–1844, wie
Jahn ein Schüler Boeckhs) unternahm eine höhere Bewertung der hell. Epoche (an der seit Droysen das In-

teresse gestiegen war, s.u.); wie für Visconti begann auch für Gerhard der Verfall der Kunst erst in nach-hadrianischer Zeit [5. 101 ff.]. Der Positivismus des 19. Jh. machte die genaue Erfassung der »Wirklichkeit« zum absoluten Maßstab, ein Ziel, das Wickhoff erst im röm. Impressionismus erfüllt sah [12. 16]. Erst die Forsch. des 20. Jh. billigte jeder Epoche ihren Eigen-wert zu und gab die Denkfigur der Entelechie eines Entwicklungsschemas auf [12. 15 ff.]; ungelöst sind die Probleme von Anfang und E. der einzelnen Epochen geblieben [12. 20].

B. DIE EINZELNEN EPOCHENBEGRIFFE:

1. ANTIKE

Der Begriff Ant. als übergreifende Bezeichnung für die Epoche des griech.-röm. Alt. ist erst relativ spät auf-gekommen und seit den 20er J. des 20. Jh. im allg. Sprachgebrauch. Noch für Winckelmann war die griech.-röm. Welt »Das Alt.«, »Die Alten«; Denkmäler wurden unter dem Einfluß frz. Vorbilder wie de Piles und Caylus auch »die Antiquen« (für Statuen, nur Pl.) genannt, seit 1760 Skulpturen auch »das Ant.« (von frz. *l'antique*), Gleichzeitig und ebenfalls vom frz. angeregt verwandte Chr. L. v. Hagedorn »die Ant.« sowohl als Bezeichnung für die Einzelstatue wie auch als Inbegriff der bildenden Kunst des Alt. Es ist nicht ganz klar, war-um sich gerade dieses Wort als Epochenbezeichnung durchsetzte, jedenfalls scheint der von Fr. Schlegel ge-schaffene konkurrierende Ausdruck »Klass. Alt.« seit der 2. H. des 19. Jh. durch den ihm inhärenten erzieherisch-vorbildlichen Anspruch keinen Anklang mehr gefun-den zu haben. Auch die neutralere Bezeichnung »Ant.« wurde bisweilen mehr normativ denn als histor. Perio-denbegrenzung gebraucht; weiterentwickelt wurde sie durch die Arbeiten von Burckhardt, Grimm und Wölf-flin. Nach dem I. Weltkrieg hatte sich das Wort end-gültig zum geistesgeschichtlichen E. gewandelt, der nun auch die »nichtklass., nichtvorbildlichen« Seiten des Alt. einschloß.

2. ARCHAIK

Der Begriff der Archaik wurde in der Arch. geprägt; ob es eine echte geschichtliche Epoche gibt, die mit der Phase der bildenden Kunst parallel läuft, bleibt proble-matisch [10. 26]. Winckelmann selbst kannte kaum Kunstwerke dieser Zeit; sein Bild des archa. Stils beruh-te v. a. auf vermeintlichen ägypt. und »etrurischen« Pa-rallelen. In der ersten H. des 19. Jh. prägten die 1811 entdeckten und 1828 in den eigens dafür eingerichteten Äginetensaal der Münchener Glyptothek gebrachten Giebelskulpturen des Aphaiatempels von → Ägina – die h. als Beispiel für den Übergang zum Strengen Stil gel-ten – das Bild von den Anfängen der griech. Kunst. Als erstes wirklich archa. Werk wurde der *Apoll von Tenea* (seit 1854 ebenfalls in der Glyptothek) in Deutschland bekannt; in J. Overbecks 1853 erschienenen *Kunstarch. Vorlesungen* erscheint bei der Beschreibung der Statue zum ersten Mal der Terminus »archa.«, aber Overbecks abwertendes Urteil [19. 6] blieb bis in die 70er J. des 19. Jh. verbindlich. Dies änderte sich durch die Arbeiten

H. Brunns (seit 1865 Prof. in München und Kurator von Münzkabinett und Antikensammlung), der zum ersten Mal eine Reihe vergleichbarer Denkmäler auf-stellte, die Betrachtungen über die Stilentwicklung er-möglichten (wogegen noch seine Vorläufer Hirt und Müller z. T. nicht zw. archa. und archaistischen Werken unterschieden hatten). Seit 1867 begegnet der Terminus »archa.« häufiger bei Brunn, und zwar nicht nur als Stil-, sondern auch als E.; 1872/3 verfaßte er eine Gesamt-darstellung der archa. Plastik und Baukunst (1897 aus dem Nachlaß herausgegeben [27. 8]) – ein erster Ver-such, die archa. Zeit als Epoche eigenen Rechts zu be-greifen und nicht nur als Vorläufer der klass. Epoche. Die Übertragung des Begriffs von einem Stil auf die Zeit, in der dieser entstand, setzte eine Parallelisierung der verschiedenen gleichzeitigen damaligen Erschei-nungen (Kunst, Lit., Politik, Wirtschaft) voraus, wie sie wohl zuerst J. Burckhardt in seiner Vorlesung über griech. Kulturgeschichte von 1872 versuchte (hrsg. 1902 aus dem Nachlaß nach dem Ms. und Nachschriften [19. 11]). Der Kulturpessimismus des ausgehenden 19. und beginnenden 20. Jh. (Nietzsche, Spengler) bewirk-te eine Neubewertung des Begriffs der Archaik; in den 20er J. erreichte die Begeisterung für die Epoche, die nun als urspr., vital, kraftvoll empfunden wurde, ihren Höhepunkt. Ein erneuter Wandel erfolgte seit den 70er J., seit die materielle Überlieferung ins Zentrum der In-terpretation der Epoche gestellt und die lit. Überliefe-rung mit größerer Skepsis betrachtet wird [7. 200 ff.; 27]; dies führte auch zu einer Infragestellung der Tren-nung von archa. und klass. [27]. Dieses Problem der Periodisierung und der Epochengrenzen [13. 159 ff.] ist nach wie vor aktuell und äußert sich auch in der unein-heitlichen Terminologie: die im gesamten archa. ge-nannte Epoche gliedert sich in die geom. (1050–700 v. Chr., ihrerseits wieder unterteilt) und die archa. (700–480 v. Chr.) Epoche, deren Stilabfolgen aber nicht ein-heitlich sind; dazu und zum besseren Verständnis des Stilpluralismus [17. 586].

3. KLASSIK

Chronologisch wird die Epoche als der Höhepunkt und Übergang zw. archa. Polis und bürgerlicher Gesell-schaft der hell. Monarchien verstanden [4. 609]. Als »Blüte« wurde diese Zeit auch schon von Winckelmann angesehen, der seine Theorien an den Meisterwerken im Belvedere exemplifizierte und die These von der Vorbildlichkeit der klass. griech. Kunst vertrat (wie vor ihm schon Caylus, 1692–1765). In Winckelmanns Kunstanschauung spielten Freiheit und Demokratie des perikleischen Zeitalters eine zentrale Rolle bei der Ent-wicklung dieser Blüte, doch die Entstellung seiner Theorie durch den → Klassizismus des 19. Jh. bewirkte die zunehmende Loslösung von histor. Voraussetzun-gen; die griech. Klassik wurde in bewußter Abkehr vom höfischen Barock rezipiert und ausschließlich als Ideal, nicht als histor. Phänomen empfunden. Gab es auch Kritik an Winckelmanns Schema, so war doch am E. des 19. Jh. seine Konzeption von der Blüte der Kunst im

5./4. Jh. v. Chr. ›institutionalisiert‹ [5. 9ff.]. Eine intensive Diskussion der Klassik erfolgte in den ersten 30 J. des 20. Jh. ([3]; zu den Versuchen, Wesen und Inhalt der Klassik zu definieren [11. 16f.]), später erst wieder in jüngster Zeit (v. a. im Zusammenhang mit dem Fragenkomplex Klassik-Klassizismus, vgl. [11. 14ff., 56ff.]). Die Formanalysen von Wickhoff, Riegl und von Salis führten zu einer Neubewertung der röm. Kunst und ersten Versuchen, die Eigenart des hell. Stils im Unterschied zum klass. zu erfassen [3. 207–211]. In einer Stellungnahme zu Wölfflins Forsch. (1916) vertrat Rodenwaldt die Ansicht, daß Klassiken zyklisch auftreten, wobei aber die griech. Klassik die Grundlage aller Klassiken sei [3. 212–217]; Rodenwaldts Gedanken wurden von der Strukturforsch. der → Klassischen Archäologie aufgenommen, die zwar Klassik als Wertbegriff einsetzte, aber Winckelmanns Schema vermied und keine Werturteile mehr über die künstlerische Qualität von einzelnen Werken fällte. In den ersten Jahrzehnten des 20. Jh. erfolgte auch die Neubewertung und zunehmende Hochschätzung der Archaik, die dazu führte, das 4. Jh. v. Chr. als Epoche des Niedergangs zu sehen.

Über die Epochengrenzen der Klassik gibt es bis h. keinen Konsens, außer über die ungefähr die Bauzeit des → Parthenon umfassenden Jahre 450–430 v. Chr. [3. 219]; das 5. Jh. wird ganz oder teilweise dazugerechnet, teilweise auch noch das 4. Jh. ([3. 219]: Schefold). Letzteres ist aber wohl nicht haltbar, da schon die griech. Künstler des 4. Jh. die des 5. als vorbildlich, »klass.« empfanden und dementsprechend bewußt und selektiv rezipierten ([2]; zu Klassik bzw. Klassizismus der augusteischen Zeit [2. 305ff.]).

4. Hellenismus

Im Sinne einer Verschmelzung griech. und oriental. Kultur durch die Politik Alexanders des Gr. wird der Begriff zuerst von Droysen 1833 verwendet, von wo aus er in die Arch. übernommen wurde. Allerdings fehlte der Arch. lange Zeit die Materialbasis, die eine Kenntnis des Kunstschaffens dieser Epoche ermöglicht hätte, die von Plinius dem Ä. kurzerhand aus der Kunstgeschichte gestrichen worden war; nach nat. 34,51f. hatte die Kunst um 295 v. Chr. aufgehört und war erst 156 v. Chr. wiedererstanden (das sogenannte *cessavit-revixit*-Urteil). Zwar waren in Rom seit langer Zeit u. a. der → Laokoon und der Farnesische Stier bekannt, doch ordnete man diese und andere Werke seit Winckelmann der Epoche des »Verfalls« zu. Noch um 1860 bestand ›eine weit klaffende Lücke unserer Erkenntnis‹ (d. h. der hell. Epoche) [18. 109], wozu auch die spärliche lit. Überlieferung beitrug. Dies änderte sich zum ersten Mal mit W. Helbigs Forsch. zu den Wandgemälden von → Pompeji und → Herculaneum [9; 16. 154, 164f.]. Helbig wies den hell. Ursprung dieser Gemälde nach und verfaßte in der zweiten H. seines Buches [9] mit den Kapiteln zu den äußeren Bedingungen der hell. Kunst, Gesellschaft, Naturgefühl etc. die erste Kulturgeschichte des hell. Zeitalters [18. 110; 9. 140ff.]. Aus diesem Werk übernahm Burckhardt ganze Partien, teilweise wörtlich, in

seine *Griech. Kulturgeschichte* [16. 169f. mit Anm. 39]. Weiter mit Inhalt gefüllt wurde der Epochenbegriff des Hell. dann schlagartig durch den sensationellen Fund des → Pergamonaltars 1878–80, von dem der Ausgräber C. Humann zu Recht urteilte, daß er den Fund einer ganzen Kunstepoche darstelle [30. 5ff.]. Die ersten Reaktionen der noch klassizistisch geprägten Forsch. des 19. Jh. waren eher negativ. Brunn (›Materialismus‹, ›Formalismus des rein Stofflichen‹), Conze (›aufdringliches Haschen nach Effekt‹) und Furtwängler (›wüste Ausschreitungen der hell. Kunst‹) äußerten sich abwertend über das Werk [30. 6f.]; erst Kekulé vermochte die Skulpturen angemessen zu erfassen und in ihrer Eigenart zu würdigen und plädierte dafür (1908), Kunstwerke aus sich selbst und ihren Entstehungsbedingungen zu erklären. Eine wirkliche Erforschung hell. Kunst begann erst in den 20er J. des 20. Jh., nachdem in mehreren Bänden *Altertümer von Pergamon* (1890–1910), Inschr., Skulpturen und Altar vorgelegt worden waren [30. 7]. Ungelöst sind aber auch hier bis h. die Probleme der Epochenbegrenzung [1. 182–188]. In der arch. Lit. divergieren sowohl die Ansätze des Anfangs (Tod Alexanders; um 300 v. Chr.; Beginn des 3. Jh. v. Chr.) wie auch des Endes (Schlacht von Actium; vor bzw. nach dem 1. Jh. v. Chr.). Ein durch histor. Ereignisse geschaffener chronologischer Rahmen ist mit dessen kulturellem, wesensmäßigem Inhalt nicht genau in Übereinstimmung zu bringen. Oft wird dann das eine durch das andere definiert. So wird in der arch. Lit. zwar oft Alexander bzw. dessen Tod als »Zeitmarke« bezeichnet, in den gleichen Arbeiten aber nach kunstgeschichtlichen Kriterien stilistische Epochengrenzen mit anderer Datierung gezogen, so z. B. bei Schuchhardt [1. 186]. Es gibt keine scharfen Begrenzungen, die sich in allen Bereichen (Kunst, Politik etc.) und an allen Orten gleichzeitig manifestieren; zu letzterem (frühe vergleichbare Phänomene im Umkreis griech. Kolonien, »Vor-Hell.« in Phönikien) vgl. [8. 635].

5. Kaiserzeit und Spätantike

Das Problem des Beginns der röm. Kaiserzeit ist untrennbar mit dem des Endes der hell. Epoche verknüpft. Meist setzt man den Beginn mit der Schlacht von Actium fest, die das letzte hell. Großreich auflöste. Seit Augustus kann von »Reichskunst« gesprochen werden [28. 659].

Der Begriff Spät-Ant. ist urspr. arch.-kunsthistor. und wurde später von der Geschichte übernommen [29. 678]. Sah man im Gefolge Winckelmanns in der Zeit Konstantins des Gr. und des Früh-MA nur den Verfall der Ant., so relativierte Ende des 19. Jh. als erster Riegl diese Wertung mit seinem Begriff des »Kunstwollens«. Er verwendete allerdings den Ausdruck »spätröm.«, der erst allmählich durch »spät-ant.« ersetzt wurde. Der Inhalt dieses E. ist bis h. kontrovers: ein Zeitpunkt des Wandels von der Kaiserzeit zur Spät-Ant. kann nicht sicher definiert werden [24. 85]; sehen einige eine Kontinuität des ant. Habitus bis zum byz. Bildersturm im 8. Jh., so beginnt für andere die Spät-Ant. in

severischer Zeit und endet die Ant. überhaupt am Beginn des 4. Jh. mit der Konversion Konstantins. Die Mehrheit der Forscher setzt h. den Beginn der Epoche in die Zeit der diocletianischen Tetrarchie, der als Vorstufe die Reichskrise unter den Soldatenkaisern voranging [6.1. 23; 24. 88; 29. 678 f.]. Der Übergang von der Spät-Ant. zum MA ist immer noch Gegenstand von Diskussionen (vgl. allg. [14]). Für Rodenwaldt gab es einen jähen Kulturbruch im Westen mit dem Einbruch der Langobarden (568), im Osten mit dem fast gleichzeitigen Tod Justinians (565) [24. 86]; andere Forscher sehen das Ende der Spät-Ant. mit der Auflösung des Reichsverbands in die Nachfolgestaaten [6. 24], mit dem Eindringen der Araber in den Mittelmeerraum (Mitte 7. Jh.), oder aber, wie erwähnt, mit dem Bildersturm (Ikonoklasmus) des 8. Jh. ([29. 678 f.] allg. [14]).
→ Wilamowitz-Nietzsche Auseinandersetzung; Klassische Archäologie

1 R. BICHLER, Hell. Gesch. und Problematik eines E., 1983 2 A. H. BORBEIN, Die klass. Kunst der Ant., in: W. VOSSKAMP (Hrsg.), Klassik im Vergleich. Normativität und Historizität europ. Klassiken. DFG-Symposium 1990, 1993, 281–316 3 Ders., Die Klassik-Diskussion in der klass. Arch., in: H. FLASHAR (Hrsg.), Altertumswiss. in den 20er J. Neue Fragen und Impulse, 1996, 205–245 4 Ders., Griech. Kunst. Klassik, in: H.-G. NESSELRATH (Hrsg.), Einleitung in die griech. Philol., 1997, 609–634 5 ST.-G. BRUER, Die Wirkung Winckelmanns in der dt. Klass. Arch. des 19. Jh. (AAWM 3) 1994 6 A. DEMANDT, Die Spät-Ant. als Epoche, in: L. J. ENGELS, H. HOFMANN (Hrsg.), Spät-Ant. Mit einem Panorama der byz. Lit., 1997, 1–28 7 N. FISHER, H. VAN WEES (Hrsg.), Archaic Greece: New Approaches and New Evidence, 1998 8 R. FLEISCHER, Griech. Kunst. Hell., in: H.-G. NESSELRATH, Einleitung in die griech. Philol., 1997, 635–658 9 W. HELBIG, Unt. über die campanische Wandmalerei, Leipzig, 1873 10 A. HEUSS, Die archa. Zeit Griechenlands als geschichtliche Epoche, in: A&A 2, 1946, 26–62 11 TH. HIDBER, Das klassizistische Manifest des Dionys von Halikarnass, 1996 12 N. HIMMELMANN, Der Entwicklungsbegriff der mod. Arch., in: MarbWPr 1960, 13–40 13 W. HORNBOSTEL, Rez. J. Kleine, Unt. zur Chronologie der att. Kunst von Peisistratos bis Themistokles (= MDAI(Ist) Beih. 8, 1973) in: GGA 230, 1978, 153–166 14 P. E. HÜBINGER (Hrsg.), Zur Frage der Periodengrenze zw. Alt. und MA, 1969 15 H. JUCKER, Vom Verhältnis der Römer zum bildenden Kunst der Griechen, 1950 16 R. KASSEL, Die Abgrenzung des Hell. in der griech. Literaturgesch., KS 1991, 154–173 17 W. MARTINI, Griech. Kunst. Archa. Zeit, in: H.-G. NESSELRATH (Hrsg.), Einleitung in die Griech. Philol., 1997, 585–608 18 A. MICHAELIS, Ein Jh. kunstarch. Entdeckungen, 1908 19 G. W. MOST, Zur Arch. der Archaik, in: A&A 35, 1989, 1–23 20 W. MÜRI, Unt. über den Ursprung und die Entwicklung der Bezeichnung geschichtlicher Epoche, Beil. zum Jahresber. über das städtische Gymnasium in Bern 1957 = A&A 7, 1958, 7–45 21 J. J. POLLITT, The Ancient View of Greek Art: Criticism, History and Terminology, 1974 22 F. PREISSHOFEN, Kunsttheorie und Kunstbetrachtung, in: Le classicisme à Rome aux 1ers siècles avant et après J.-C., Entretiens 25, 1978, 261–282 23 Ders., P. ZANKER, Reflex einer eklektischen Kunstanschauung beim Auctor ad Herennium,

in: Dialoghi di Archeologia 4, 1970/1, 100–119 24 G. RODENWALDT, Zur Begrenzung und Gliederung der Spät-Ant., in: JDAI 59/60, 1944/45, 81–87 (wiederabgedr. in: 14, 83–92) 25 W. RÜEGG, Ant. als E., in: MH 16, 1959, 309–318 (wiederabgedr. in: 14. 322–335) 26 B. SCHWEITZER, Xenokrates von Athen, 1932 27 A. SNODGRASS, Archaic Greece. The Age of Experiment, 1980 28 D. WILLERS, Griech. Kunst. Kaiserzeit, in: H.-G. NESSELRATH, Einleitung in die griech. Philol., 1997, 659–677 29 Ders., Spät-Ant., in: H.-G. NESSELRATH, Einleitung in die griech. Philol., 1997, 678–693. 30 ›Wir haben eine ganze Kunstepoche gefunden!‹ Ein Jh. Forsch. zum Pergamonaltar, Kat. Berlin 1986/7.

BALBINA BÄBLER

III. KLASSISCHE PHILOLOGIE
A. BEGRIFFSSYSTEME
B. GESCHICHTE DER EPOCHENBEZEICHNUNGEN
C. PROBLEMATIK DER EPOCHENGLIEDERUNG

A. BEGRIFFSSYSTEME

Ant. und MA besaßen noch kein deutlich ausgeprägtes Bewußtsein von lit. Epochen [27]. Ein solches trat erst langsam in der Zeit des → Humanismus seit dem 16. Jh. und da zunächst nur für die lat. Lit. auf. Weder Sicco Polentones (1437) noch Lorenzo Vallas (1471) Literaturgeschichten teilten die lat. Lit. nach Epochen [4]. Die Humanisten der folgenden Zeit griffen im wesentlichen auf zwei konkurrierende, schon bei ant. Autoren bekannte Einteilungsschemata zurück, die jetzt auf die lat. Stilentwicklung übertragen wurden: 1) das biologische Auf- und Abstiegsmodell mit den Epochen »Kindheit«, »Jugend«, »Reife«, »Greisenalter« mit einem Gipfel in der Mitte und 2) die Weltalterlehre mit den Epochen »goldenes«, »silbernes«, »bronzenes« und »eisernes« (teilweise noch »bleiernes« und »tönernes«) Zeitalter als reines Dekadenzmodell. Ausgangspunkt dieser wertenden Schemata war v. a. die normative Stilkritik (z. B. Antibarbarus-Lit.) [4]. Die Humanisten gingen von einer als mustergültig empfundenen Epoche als Zentrum aus, um die herum sich eine Art unfertige »Vorklassik« und dekadente »Nachklassik« herumgruppieren. Die erste nachweisbare Epocheneinteilung stammt von Adriano Castello, der in seinem *Antibarbarus* (1505) vier Epochen unterschied: 1. von der Stadtgründung bis Livius Andronicus als *tempus antiquissimum*, 2. von Livius bis Cicero als *tempus antiquum*, 3. Ciceros Zeit selbst und die augusteische Epoche als *tempus perfectum* und 4. der restliche Zeitraum der Ant. als *tempus imperfectum*. Die Kombination von Weltalterlehre und → Ciceronianismus findet sich zuerst bei Erasmus von Rotterdam in der *Praefatio* seiner Seneca-Ausgabe (²1529): Dort definierte Erasmus die Epoche Ciceros als das »goldene Zeitalter« des mustergültigen lat. Sprachgebrauchs. Diesem folge die Zeit Senecas, vor dessen Sprachgebrauch Erasmus warnte, als das »silberne Zeitalter«. Eine Wertung der offenbar in jener Zeit diskutierten Lebenszeit- und Weltaltermodelle nahm Julius Cäsar Scaliger 1561 in seiner *Poetik* [2. Buch 6, 294 ff.] vor. Dabei entschied er sich für ein modifiziertes fünfstufiges Lebenszeitmodell, das die Ant. und die eigene Gegenwart umfaßte: 1. Frühzeit (*rudimenta*) mit den altlat. Dichtern; 2. die makellose Blütezeit (*florens robur*) von Terenz bis Ovid und Vergil, dem absoluten Höhepunkt von Lit. überhaupt; 3. Dahinwelken (*ad ... devergens ... efflorescit*) mit den Dichtern der frühen Kaiserzeit von Seneca, Lukan bis Juvenal; 4. Greisenalter (*senium*) mit den übrigen Autoren bis zur Spät-Ant.; 5. Neuzeit des 15./16. Jh. als Wiedergeburt der Lit. (*nova pueritia*) nach dem nicht weiter behandelten MA. Die Aufgliederung der lat. Sprach- und Stilgeschichte nach der Metallskala setzte sich seit dem 17. Jh. weitgehend in Philol. und Lexikographie durch: Scioppius' *Consultationes* (1616), Vossius' *Rhetorik* (1630), Cellarius' *Antibarbarus* (1668), Borrichius' *Cogitationes de variis linguae Latinae aetatibus* (1675), Walchius *Historia critica Latinae linguae* (1716). Das goldene Lat. wurde immer genauer definiert und seit Borrichius auf die Sprache Ciceros und Vergils eingeengt. Für die Abgrenzung der folgenden Epochen herrschte keine Einigkeit. Teilweise setzte man 68 n. Chr. (Scioppius), teilweise 117 n. Chr. (Borrichius) oder sogar 161 n. Chr. (Cellarius) als Ende der silbernen Latinität an. Als das Ende der ant. Lit. galt meist die Zeit Justinians, bei Cellarius die Zeit Karls des Gr. Mit dem 17. Jh. beginnt auch die Periodisierung der griech. Literaturgeschichte. 1607 unterteilte J. J. Scaliger in einem Brief an C. Salmasius (publiziert Leiden 1627, Nr. 247) die griech. Dichtung analog zu den Jahreszeiten in: 1. Frühling bzw. Jugend (frühgriech. Epos), 2. Sommer (Lyrik), 3. Herbst (hell. Zeit) und 4. Winter (Kaiserzeit). Gerade das »klass.« Drama blieb unerwähnt.

Im → Neuhuman. traten an die Stelle normativer Stilkritik an → Klassizismus und Ästhetizismus orientierte Einteilungskriterien. Entscheidenden Einfluß übte Winckelmanns *Geschichte der Kunst des Altertums* (u. a. Wien 1776) aus, der durch die Anregung von J. J. Scaligers Brief an Salmasius eine Gliederung der griech. Kunst in vier Epochen vornahm: 1. »gerader und harter Stil« (archa. Zeit), 2. »hoher Stil« (460–400 v. Chr.), 3. »schöner Stil« (400–320 v. Chr.) und 4. »Fall der Kunst« nach dem Umbruch durch Alexander den Gr. Die zweite und dritte Periode bilden die *akmé* entsprechend der später so genannten Klassik. Herder und F. A. Wolf forderten auch für die ant. Lit. die Übertragung einer solchen Epochengliederung, die F. Schlegel 1795–97 und 1812 vornahm [25]. Die griech. Lit. gliederte Schlegel in eine vorlit. »Heldenzeit«, eine »epische Zeit« (Homer), die »eigentliche Epoche« von Solon (594 v. Chr.) bis Alexander dem Gr., innerhalb deren er wiederum eine »lyrische Zeit« bis zu den Perserkriegen und die »goldene Zeit« unter Perikles bis zum Peloponnesischen Krieg unterschied. Ohne feste Abgrenzung folgte das »alexandrinische Zeitalter«; den Schluß bildete die »Nachblüte« von Hadrian bis Julian (117–363 n. Chr.).

Die röm. Lit. wurde untergliedert in die (vorlit.) »Heldenzeit«, die »republikanische Zeit« seit ca. 250 v. Chr., eine »klass. Zeit« von Cicero bis 117 n. Chr. mit den vier Unterabteilungen: 1. Zeit Cäsars, Ciceros und

Sallusts, 2. »Zeitalter des Augustus«, 3. frühe Kaiserzeit als erste Verfallszeit (Seneca, Lukan) und 4. Zeit Trajans (Tacitus, Plinius). Seit Hadrian begann nach einer kurzen Blüte der Verfall der röm. Lit.

Schlegels Epochenmodell wurde in der seit dem 19. Jh. als eigenständiger Spezialdisziplin entstehenden Klass. Philol. differenziert und ausgebaut. G. Bernhardy nannte in seinem Grundriß der griech. Lit. [1] die Zeit von den Perserkriegen 490–480 bis 336 v. Chr. das »klass. Zeitalter«, ließ die alexandrinische Epoche mit Augustus (30 v. Chr.) enden und sah erst mit Justinian (529 n. Chr.) das Ende der ant. griech. Lit. Diese Einteilung setzte sich in der Folgezeit durch.

Im Bereich der lat. Lit. festigte sich die Abgrenzung einer altlat.-archa. Epoche von ca. 250 v. Chr. bis zum 1. Jh. v. Chr., einer zunächst noch »goldene Latinität« oder »Klassizismus« (d. h. Klassik; A. Draeger, *Histor. Syntax der lat. Sprache*, Leipzig 1874–78 und E. Norden, *Ant. Kunstprosa*, Berlin 1898) genannten Blütezeit, die mit Cicero und Cäsar beginnt und das sog. »augusteische Zeitalter« in der Regel mit einschließt. Die sich anschließende Epoche erstreckte sich schon nach J. J. Eschenburgs *Handbuch der klass. Lit.* (1783 ff.) als »silberne Latinität« bis zu Trajans Tod 117 n. Chr., was die meisten Literaturgeschichten als Periodengrenze übernehmen (z. B. W. S. Teuffels *Geschichte der röm. Lit.*, Leipzig 1870, Nordens *Kunstprosa*, 1898). Der nach dem Einschnitt mit Hadrian einsetzende Zeitraum wurde entweder als Einheit und letzte ant. Epoche angesehen oder, wie etwa bei Teuffel, ohne bes. Epochenbezeichnungen weiter nach Jh. untergliedert (z. B. »Lit. des zweiten, etc. Jh.«).

Im 20. Jh. erfolgt als wichtigste Veränderung in der Periodisierung die von der Kunstgeschichte (A. Riegl, *Spätröm. Kunstindustrie*, 1901) ausgehende Entdeckung der »Spät-Ant.« als eigener, nicht mehr negativ als Verfallszeit verurteilter Literaturepoche und Brücke zw. Ant. und MA, v. a. im Bereich der Latinistik. Der Beginn der »Spät-Ant.« liegt nach breiter Übereinkunft um 284 n. Chr. (Beginn der Tetrarchie) und bezeichnet das Wiederaufleben der (lat.) Lit. nach ihrem fast vollständigen Erlöschen im 3. Jh. Die griech. Lit. weist dagegen vom 2. zum 3. Jh. eine reiche Produktion auf. Weiter wurde das im 19. Jh. vorherrschende negative Bild der christl. Lit. überwunden.

Für die Gräzistik ergibt sich durch die → Entzifferung der Linear-B Schrift durch M. Ventris und J. Chadwick 1952 die myk. Zeit vom 15.–13. Jh. v. Chr. als neu erschlossene Epoche. Für die sich daran anschließende schriftlose, vorhomerische Zeit wurde der Begriff *dark ages* bzw. »Dunkle Jahrhunderte« geprägt. Insgesamt weist die Philol. im 20. Jh. deutliche terminologische Veränderungen auf, ohne daß damit neue Epochengrenzen definiert würden: Für die Zeit von Homer bis etwa 500 v. Chr. werden die Begriffe »frühgriech.« und »archa.« (aus der Arch.), für die »klass.« oder »goldene Zeit« das Substantiv »Klassik« (analog zu Germanistik und Arch.) üblich. Neben »alexandrinische

Zeit« tritt in Anlehnung an Droysen erst seit Wilamowitz und Körte »Hellenismus« als Epochenbegriff.

Für die lat. Literaturgeschichte wird immer mehr die wertende Metallskala zugunsten wertneutraler, aber uneinheitlicher Begriffe vermieden: »Lit. der Republik«, »augusteische Zeit«, »Lit. der Kaiserzeit« z.B. bei M. v. Albrecht (*Gesch. der röm. Lit.*, 1992) neben »archa. Zeit«, »Klassik«, »Nachklassik« und »Spät-Ant.« bei F. Graf (*Einleitung in die lat. Philol.*, 1997).

B. Geschichte der Epochenbezeichnungen

1. Archaisch

Das Adjektiv wurde im Deutschen Ende des 19. Jh. unter dem Einfluß von frz. *archaïque*, »altertümlich« aus griech. *archaîos*, »alt« gebildet. Schon seit dem 18. Jh. war das Substantiv »Archaismus«, seit dem 19. Jh. das Adjektiv »archa(ist)isch« für altertümliche Sprache in Gebrauch. In der Kunstgeschichte wurde mit negativer Wertung »archa.« zu Ende des 19. Jh. für vorklass., noch unfertige Kunststile verwendet, dann im engeren Sinne für die vorklass. Kunst Griechenlands. Bis zum Ende des 19. Jh. wurde diese arch. Epoche »ältere griech. Kunst«, ab etwa 1900 »frühgriech.« oder »archa.« Kunst genannt [20. 6]. In der Folgezeit wurden diese beiden Epochenbegriffe in der griech. Philol. übernommen. Für das vorklass. Lat. waren im 19. Jh. die Bezeichnungen »Altlat.« und »archaistische Sprache« in Gebrauch. F. Leo verwendete in seiner *Geschichte der röm. Lit.* (1913) hierfür den Begriff »archa. Lit.« Die übliche Periodenbezeichnung ist allerdings »Alt-Lat.« geworden.

2. Klassisch

Die Bezeichnung ist letztlich von lat. *classicus*, ›einer (Steuer-)Klasse (*classis*) zugehörig‹ abzuleiten. Mit Bedeutungsverengung bezeichnet es bei Aulus Gellius (2. Jh. n. Chr.) an einer Stelle (*noctes Atticae* 19,8,15: *classicus assiduusque scriptor, non proletarius*, ›ein Autor ersten Ranges und kein untergeordneter‹) den ›zur ersten Klasse zugehörigen (Schriftsteller)‹, d.h. ›erstklassig; von erstem Rang‹ im Gegensatz zu ›der untersten Klasse zugehörig‹, d.h. ›gewöhnlich‹. Abgesehen von diesem isolierten Beleg taucht das Adjektiv in dieser Bed. erst wieder 1548 im Frz. auf: Sébillet spricht in seiner *Art poétique* von *les bons et classiques poètes françois* und meint damit einige »mustergültige« Autoren des MA [28. 157]. Da man im Schulbetrieb des Human. nur ant. Autoren für mustergültig hielt und als einzige weltliche Schriftsteller für die Lektüre zuließ, vollzog sich bis zum 18. Jh. eine Bedeutungserweiterung des Adjektivs von »mustergültig« zu »ant.« Speziell meinte es die paganen Autoren. Ebenso bezeichnete »Klassiker« (seit ca. 1770) zunächst die ant., paganen Schriftsteller. Relikte dieser Bed. sind Bildungen wie »Klass. (d.h. griech.-röm.) Alt.« oder »Klass. Philol.« (beide aus der Wende 18./19. Jh.). Von der Bed. »ant.« ausgehend wird das seit 1748 im Dt. bezeugte Adjektiv »klass.« im 18. Jh. auch für neuzeitliche Autoren mit der Bed. »antikisierend« (und dadurch »mustergültig«) verwendet (Lessing, Herder, Schiller). Ende des 18. Jh. wird »klass.« bzw. frz. *classique* zunehmend auf solche mod. und ant. Schrift-

steller bzw. Kunstwerke eingeschränkt, ›bey denen die Vernunft einen besonders hohen Grad entwickelt hat‹ [3. 475ff.]. Zu dieser Bed. entstehen die Substantivierungen »das Classische« und »Classicität«. Der Verwendung des Adjektivs als Epochenbegriff nähert sich Voltaire an, der verschiedenen goldenen Zeitaltern (augusteische Zeit, Zeit Alexanders des Gr., Zeit Ludwigs XIV.; später auch perikleische Zeit) jeweils »klass.« Autoren zuordnet. Im 19. Jh. wird in der Klass. Philol. die Verwendung als Epochenbegriff für Autoren der »goldenen Zeitalter« der griech. und röm. Lit. allmählich geläufig, ebenso wie die Ausdrücke »klass. Prosa«, »klass. Lat.« und ähnliche für den att. Sprachgebrauch im 5.–4. Jh. v. Chr. bzw. das Lat. Caesars und Ciceros (z.B. [1. 173f.]). Als Substantiv für die jeweils »klass.« Periode bzw. »Blüteperiode« der Lit. erscheint zunächst »Klassizismus« (z.B. A. Draeger, *Histor. Syntax der lat. Sprache*; E. Norden, *Ant. Kunstprosa*) in der zweiten H. des 19. Jh., das in der Germanistik seit 1887, in der Klass. Philol. im 20. Jh. von der Neubildung »Klassik« (vereinzelte Belege schon bei Schlegel, 1797: [28. 163] und Laube, 1839: [5. 360]) abgelöst wird.

3. Hellenismus

Der Begriff ist abgeleitet von griech. *hellēnízein*, a) griech. sprechen, b) »hellenisieren« bzw. dem wohl in alexandrinischer Zeit davon gebildeten *hellēnismós* mit den Bed.: 1. »griech. Kultur« (LXX 2 Makk 4,13; Iul. epist. 39); 2. »(korrekter) griech. Sprachgebrauch« (Diog. Laert. 7,59); 3. seit christl. Zeit mit semantischer Verschiebung »Heidentum« (Cod. Iust. 1,11,9,1). Daneben ist im Bibelgriech. die deverbale Substantivbildung *hellenist-ḗs* »hellenisierter Jude« belegt. Das hiervon gebildete lat. Adjektiv *hellenisticus* diente seit dem 17. Jh. in philol. Fachlit. (Salmasius, *De lingua Hellenistica commentarius*, Lugduni Batavorum 1643) zur Bezeichnung des durch hebräische Elemente beeinflußten Bibelgriech. (*lingua* bzw. *dialectus hellenistica*). Seit dem 18. Jh. begegnet das Substantiv »Hell.« im Dt. (bei Hamann, Herder) in den Bed. a) »griech. Kultur- und Geisteswelt« (wie *hellēnismós*) und b) »Gräzismus, griech. Spracheigentümlichkeit« (Bildung wie »Latin-ismus«). Diese beiden Bed. behielten bis zum E. des 19. Jh. in Konversationslex., Fremdwörterbüchern und Fachlit. allg. Gültigkeit. Seit 1833 verwendete J. G. Droysen in seiner *Geschichte Alexanders des Gr.* (Berlin) und in der *Geschichte des Hell.* (Hamburg 1836) »Hell.« im Sinne einer produktiven Verschmelzung von griech. und oriental. Kultur durch das Hellenisierungsprogramm Alexanders des Gr. Der Hell. bezog sich lokal auf den hellenisierten Osten, nicht auf Griechenland und den röm. Bereich. Die Schlacht von Aktium 31 v. Chr. bedeutete noch nicht das Ende des Hell. Ziel Droysens war die Aufwertung dieser bisher negativ bewerteten Verschmelzungskultur. Zeitgenossen kritisierten diese ungewohnte Begriffsverwendung und leugneten z. T. die kulturelle Verschmelzung als Faktum. In der Fachlit. wurde Hell. daher weiterhin ausschließlich in den alten Bed. verwendet. Zum Epochenbegriff entwickelt sich

Hell. erst seit J. Kaersts *Geschichte des hell. Zeitalters* (1901–09), obgleich auch hier noch die Bed. als Kulturbegriff vorherrscht. Als fest definierter Begriff für die Zeit von Alexander dem Gr. bis 31/30 v. Chr. erscheint Hell. seit ca. 1910 bei E. Meyer und Wilamowitz und 1926 in Geffckens *Griech. Literaturgeschichte.* Der Aspekt der kulturellen Verschmelzung verschwindet dabei fast ganz. Damit tritt in der Literaturwiss. Hell. als nicht mehr negative Literaturepoche neben den bereits existierenden Begriff »alexandrinisches Zeitalter« (bis ins 19. Jh. als Verfallszeit gewertet) bzw. löst diesen ab.

4. GOLDENE UND SILBERNE LATINITÄT

Das zur Abgrenzung des mustergültigen Lat. der klass. Zeit von dem der Nachklassik dienende Begriffspaar ist zuerst 1529 bei Erasmus von Rotterdam in der Praefatio seiner Seneca-Ausgabe (zweite Auflage) belegt. Dort nennt Erasmus die Zeit Ciceros *aureum saeculum* und warnt vor dem Sprachgebrauch Senecas als *argenteum saeculum.* Einzubetten sind die Begriffe in den Kontext der auf die lat. Stilgeschichte übertragenen Weltalterlehre, die in der Ant. v. a. bei Hes. erg. 109–201 und Ov. met. 1,89–150, daneben auch im AT (Dan 2,32–35: Weltalter metaphorisch als Standbild) überliefert ist. Danach folgen aufeinander ein goldenes, silbernes, bronzenes, eisernes (und Dan: tönernes) Zeitalter, was entsprechend die lat. Stilgeschichte als fortschreitenden Verfall kennzeichnet. Unbekannt ist, wer vor Erasmus diese Art der Periodisierung in die Literaturgeschichte eingeführt hat. Die schon 1086 bei Aimericus vorhandene Einteilung von lat. Autoren nach den vier Metallen Gold, Silber, Zinn (*stagnum*), Blei bezieht sich nicht auf Epochen, sondern wertet nach gattungsspezifischen und inhaltlichen Gesichtspunkten. Vom 17. bis an die Schwelle des 18. Jh. gehört die Metallskala mit meist vier Metallen in Literaturgeschichten und Lex. zu den beliebtesten Methoden der Periodisierung, wobei jeweils verschiedentlich die aus Ovids *Metamorphosen* oder die aus Daniel bekannte Skala als Grundlage dient. Die Zuordnung bestimmter Epochen zu den Metallen ist nicht konstant. Nur die ciceronische und augusteische Zeit werden meist als goldenes Zeitalter bezeichnet. In der Literaturgeschichte wurde die schon 1775 von Herder kritisierte Metallskala seit dem 19. Jh. durch neue Begriffe wie z. B. »Kaiserzeit« für die silberne und bronzene Latinität abgelöst. Als stilistische Begriffe halten sich im philol. Fachbetrieb nur noch die Begriffe silberne und v. a. goldene Latinität.

5. SPÄTANTIKE

Die Bezeichnung Spät-Ant. ist zuerst bei Jacob Burckhardt belegt [8; 15. 39 f.], allerdings noch nicht als fest definierter Epochenbegriff. Als solcher wurde er für die Zeit von 313 (Toleranzedikt von Mailand) bis 768 (Regierungsantritt Karls des Gr.) erst nach 1900 von Riegl [23] in die Kunstgeschichte eingeführt. Das Konzept einer zunächst negativ als Verfall beurteilten »Übergangszeit« zw. Ant. und MA bestand schon mindestens seit dem 16. Jh. (Carolus Sigonius, *Historia de occidentali imperio a Diocletiano ad Iustiniani mortem,* 1579;

das »Bas-Empire« in Ch. Lebeaus *Histoire du Bas-Empire,* 1752) und wurde von E. Meyer in seiner *Geschichte des Alt.* in den Auflagen seit 1884 für die Zeit von Diokletian bis zu Karl dem Gr. als solche bezeichnet [15. 39 f.]. Ins Interesse der Klass. Philol. rückte die Spät-Ant. als eigenständige und vorurteilsfrei zu behandelnde Epoche v. a. M. Fuhrmann, der auf das Fehlen einer lit. Produktion in lat. Sprache zw. ca. 240 und 280 n. Chr. verwies und hierin eine deutliche literaturimmanente Epochengrenze sah [13; 14]. Die Wende von der Spät-Ant. zum MA wird verschieden angesetzt: Für den Althistoriker Demandt liegt sie im 6. Jh. (Justinian) [9], für die Latinisten Fuhrmann [10; 29. 17] und Herzog [15. 1] im 8. Jh. (735: Tod von Beda Venerabilis).

C. PROBLEMATIK DER EPOCHENGLIEDERUNG

Die angewandten Kriterien für die Bestimmung literaturgeschichtlicher Epochen sind heterogen. Neben literaturimmanenten Faktoren wie gemeinsame stilistische Tendenzen, Dialekt, Vorlieben für bestimmte Inhalte oder Gattungen treten äußerlich-histor. Faktoren wie Entstehungszeit, polit. Entstehungsbedingungen (»Zeit der Polis«, »röm.« für lat., »Kaiserzeit«) oder Entstehungsort (Athen, Alexandria). Aus der teilweise fehlenden Koinzidenz der Faktoren dieses Diasystems ergeben sich Überschneidungen, die in literaturgeschichtlichen Darstellungen nur selten reflektiert werden. So sind zwar durch die Überlieferungsgeschichte bedingt in der griech. Lit. nach Zeit, Gattung und Entstehungsort regelrechte Literaturgruppen erkennbar, die wiederum durch histor. einschneidende Ereignisse abgegrenzt werden: Epos und Lyrik vor den Perserkriegen, die att. Lit. bis zu Alexander dem Gr., die alexandrinische Lit. bis ins 1. Jh. v. Chr., das Kontinuum der kaiserzeitlichen Lit. unter röm. Herrschaft. Der Lyriker Pindar fällt jedoch ins 5. Jh. v. Chr., der Zeitgenosse der »Klassiker«, Herodot, weist archa. Züge auf, die Gattung der att. Komödie erstreckt sich von der archa. bis zur hell. Zeit. Auch im röm. Bereich lassen sich nicht immer klare Gruppen definieren. So liegt z. B. mitten in der bruchlosen Literaturproduktion des 1. Jh. v. Chr., der sog. »Klassik«, mit dem Ende der Republik ein deutlicher polit. Umbruch, der genau in die Schaffenszeit von Horaz, Vergil und Tibull fällt; in der Spät-Ant. existieren die christl. und pagane Lit. nebeneinander. Auf der anderen Seite wurde lange Zeit der durch das Erlöschen der lit. Produktion faktisch gegebene Umbruch im 3. Jh. n. Chr. nicht hinreichend in Periodisierungen berücksichtigt. Insgesamt orientieren sich lat. Literaturgeschichten auch neueren Datums mehr nach äußeren Eckpunkten der Ereignisgeschichte als nach literaturimmanenten Kriterien.

→ Antike; Mittelalter, Klassische Philologie
→ AWI Dunkle Jahrhunderte

QU 1 G. BERNHARDY, Grundriß der Griech. Litteratur, Halle ²1852 2 J. C. SCALIGER, Poetices libri septem, Faksimile-Ndr. der Ausgabe Lyon 1561, 1987 3 J. G. SULZER, Allg. Theorie der schönen Künste I, Leipzig ²1792

LIT **4** W. Ax, Quattuor Linguae Latinae Aetates, in: Hermes 124, 1996, 220–240 **5** E. D. BECKER, »Klassiker« in der dt. Literaturgeschichtsschreibung, in: J. HERMAND (Hrsg.), Zur Lit. der Restaurationsepoche 1815–1848, 1970, 349–370 **6** R. BICHLER, Hell. Geschichte und Problematik eines Epochenbegriffs, 1983 **7** H. BLUMENBERG, Aspekte der Epochenschwelle, 1976 **8** J. BURCKHARDT, Die Zeit Constantins des Gr., Ndr. 1982 (= Gesammelte Werke Bd. 1, 1978) **9** A. DEMANDT, Die Spät-Ant. Röm. Gesch. von Diocletian bis Justinian 284–565, 1989 **10** M. FUHRMANN, Die lat. Lit. in der Spät-Ant., in: A&A 13, 1967, 56–79 **11** Ders., Die Gesch. der Literaturgeschichtsschreibung von den Anfängen bis zum 19. Jh., in: Der Diskurs der Lit.- und Sprachhistorie, hrsg. von B. CERQUIGLINI, H. U. GUMBRECHT, 1983. 49–72 **12** Ders., Die Epochen der griech. und der röm. Lit., in: 11, 537–555 **13** Ders., Der neue Kanon lat. Autoren, in: Klassik im Vergleich, hrsg. von W. VOSSKAMP, 1993, 389–402 **14** Ders., Rom in der Spät-Ant., 1994 **15** R. HERZOG, Restauration und Erneuerung. Die lat. Lit. von 284 bis 374 n. Chr., 1989 **16** W. JAEGER (Hrsg.), Das Problem des Klass. und die Ant., 1933 (Ndr. 1961) **17** H. R. JAUSS, ›Il faut commencer par le commencement‹, in: Epochenschwelle und Epochenbewußtsein (Poetik und Hermeneutik 12), hrsg. v. R. HERZOG, R. KOSELLECK, 1987, 563–570 **18** R. KASSEL, Die Abgrenzung des Hell. in der griech. Literaturgesch., 1987 **19** U. KLEIN, »Gold«- und »Silber«-Lat., in: Arcadia 2, 1967, 248–256 **20** G. LIPPOLD, Die griech. Plastik, ⁷1950 **21** R. M. MEYER, Principien der wiss. Periodenbildung, in: Euphorion 8, 1901, 1–42 **22** R. PFEIFFER, Die Klass. Philol. von Petrarca bis Mommsen, 1982 **23** A. RIEGL, Spätröm. Kunstindustrie, 1901 **24** U. SCHINDEL, Archaismus als Epochenbegriff, in: Hermes 122, 1994, 327–341 **25** F. SCHLEGEL, Über das Studium der griech. Poesie, 1795–97 (Ndr. 1981) **26** Ders, Vorlesungen zur Gesch. der alten und neuen Lit., 1812 (kritische Neuausg. hrsg. v. E. BEHLER, 1989) **27** P. STEINMETZ, Gattungen und Epochen der griech. Lit., in: Hermes 92, 1964, 454–466 **28** R. WELLEK, Das Wort und der Begriff »Klassizismus«, in: Schweizer Monatshefte 45, 1965/66, 154–173 **29** M. WINDFUHR, Kritik des Klassikbegriffs, in: Études Germaniques 29, 1974, 302–318. PETER KUHLMANN

IV. KUNSTGESCHICHTE/ARCHITEKTUR
s. Barock; Gotik; Klassik; Klassizismus; Moderne; Renaissance; Romanik

Epos I. ITALIEN UND FRANKREICH
II. IBEROROMANIA III. DEUTSCHLAND
IV. ANGELSÄCHSISCHE LÄNDER

I. ITALIEN UND FRANKREICH
A. MITTELALTER B. RENAISSANCE
C. VOM BAROCK BIS ZUM NEOKLASSIZISMUS
D. VON DER ROMANTIK BIS ZUR
(POST-)MODERNE

A. MITTELALTER
Von den ant. Epikern kannte das MA Homer zwar dem Namen nach, sein Werk war jedoch unbekannt. Vergil hingegen war Schulautor genauso wie Statius und Lucan [17. 27 ff.]. Die *Metamorphosen* Ovids, die noch in der Ren. teilweise zum E. gerechnet wurden, erfuhren eine breite Rezeption.

Die ant. Gattungen stellten für die romanische Lit. des MA kein System gültiger Diskursnormen dar. Auch wenn der bzw. die Verfasser des alt-frz. *Rolandsliedes* Vergil »schulmäßig« gelesen haben, gehorcht dieser Text genauso wenig konstitutiven Regeln des ant. E. [16. 281 u. 272 f.] wie die Gattung der *chansons de geste* insgesamt. Dasselbe gilt vom höfischen Roman einschließlich des sog. Antikenromans, der hinsichtlich seiner Stoffe ausschließlich auf die ant. Lit. (und nicht nur die Epik) rekurriert. Und selbst in der *Divina Commedia*, in der Vergil als »maestro« Dantes fungiert und die Jenseitsreise einen expliziten intertextuellen Bezug auf das sechste Buch der *Aeneis* konstituiert, wird das ant. E. nicht als Systemreferenz aktualisiert. Formale Anschlüsse an die ant. Trad. finden sich jedoch in der Bibelepik seit Juvencus (4. Jh. n. Chr.).

B. RENAISSANCE
I. ITALIEN
In der lat. Übers. von Leonzio Pilato (gest. 1365) wurde Homer seit Boccaccio und Petrarca wieder gelesen. Teilübers. der *Ilias* ins Lat. lieferten im 15. Jh. Lorenzo Valla (in Prosa) und Angelo Poliziano (in Hexametern). 1488 erschien in Florenz die erste Druckausgabe des griechischen Textes (einschließlich der Homer zugeschriebenen *Batrachomyomachia*, den *Homerischen Hymnen* und den *Homer-Viten*). Die für die Ren. charakteristische Reetablierung des ant. Gattungssystems [21. 12 ff.] bestimmte zunächst den Latein-Human. des 14. und 15. Jh., beginnend mit Petrarcas Restitution des Vergilschen Modells in seiner fragmentarisch gebliebenen *Africa* (begonnen 1338/39). Bis zur gleichfalls fragmentarisch gebliebenen *Borsias* (begonnen 1460) des Tito Vespasiano Strozzi entstanden eine Mehrzahl neulat. E., die sich in der Regel an Vergil und nur im Einzelfall an Homer (wie die *Hesperis* des Basinio Basini) orientierten [12. 159 ff.].

Die Poetik des E. ist im ausgehenden 15. und beginnenden 16. Jh. noch wesentlich offener als nach der breiten Neurezeption der Aristotelischen *Poetik* seit Mitte des 16. Jh. So bestimmt Della Fonte in seiner *Poetik* (entstanden ca. 1490–1492) das E. im Anschluß an Diomedes einerseits als ›heroum et fortium virorum gesta‹ (›Taten von Helden und tapferen Männern‹) [29. 115], verlangt aber andererseits von jedem Dichter und damit auch und gerade vom Epiker die Beachtung der rhet. *varietas*, die ein Wechseln der *genera dicendi* (›Stilarten‹) und der Grundaffekte Pathos/Ernst und Ethos/Heiterkeit einschließt, was wohl auf Quintilians Charakterisierung Homers zurückgeht (inst. 10,1,46–48) [26. 72 ff.]. Andererseits gibt es auch Autoren wie Landino oder Daniello, die explizit ein Verbot der Stilmischung formulierten [30. 1,81; 250]. Wenn die Poetik also einerseits noch zu Beginn des 16. Jh. eher durch einen Mangel an explizit normativen Restriktionen charakterisiert war, so galt andererseits Vergil zwar seit Petrarca als angesehenster lat. Epiker, nicht aber als der alleinig nachahmenswerte, d. h. auch aus der – divergenten – Praxis konnte nicht ohne weiteres eine verbindliche Poetik des E. abgeleitet werden – und dies um so weniger, als Autoren wie Della Fonte auch Lukrez oder die *Metamorphosen* Ovids unter die Gattung des E. subsumierten [26. 75 f.].

Die Modi der Reetablierung des ant. E. im Laufe des 16. Jh. und die diese begleitende poetologische Diskussion sind auf dem Hintergrund der zunächst eher »offenen« Epen-Konzeption der Humanisten zu situieren. Während mit Pulcis *Morgante* (1478 in 23 Gesängen, 1483 in 28 Gesängen) und Boiardos *Orlando innamorato* (1483 in zwei B., 1495 in drei B.) sich der Kunstromanzo in unterschiedlicher Weise konstituierte [26. 76 ff.], bleibt der Rekurs auf das ant. E. auch noch bei Boiardo auf die → Adaptation einzelner Episoden und auf intertextuelle Bezüge ohne spezifische Systemaktualisierungsfunktion beschränkt. Erst mit Ariosts *Orlando furioso*, der in drei jeweils veränderten Fassungen 1516, 1521 und 1532 erschien, wird das ant. E. zu einer expliziten Systemreferenz, die sogleich mit der *canto*-Formel des zweiten Verses signalisiert (›Le donne, i cavallier, l'arme, gli amori,/ le cortesie, l'audaci imprese io canto‹ [1. 1,1 f.]) und am Schluß durch die Nachbildung des Zweikampfes zw. Aeneas und Turnus in dem Duell zw. Rodomonte und Ruggiero nochmals unterstrichen wird. Der Text als ganzer basiert auf einer Vielzahl von unterschiedlichen Bezügen auf die ant. Epik von Homer bis Lucan, die von der Metaphorik bis zur modifizierenden Übernahme ganzer Episoden reichen und die wiederholt mehrere ant. Texte in ein und demselben intertextuellen Bezug aufrufen (die Cloridano-Medoro-Episode bezieht sich etwa zugleich auf die Nisus-Euryalus-Episode der *Aeneis* und deren Nachahmung in der *Thebais* des Statius [13. 17 ff.]). Wenn der *Orlando furioso* das ant. E. eindeutig als Gattungsreferenz aufruft, so dekonstruiert er diese Referenz zugleich auch wieder. Dies geschieht zum einen durch eine partiell komisierende Bezugnahme und zum anderen und v. a. durch das Gegeneinandermontieren unterschiedlicher und nicht vermittelbarer Gattungsreferenzen: Aus dem *Arma virumque cano* (›Waffentaten besinge ich und den Mann‹) Vergils wird ein Besingen von Waffentaten und Liebe, wobei nun nicht mehr nur ant. E. und heimische *romanzi*-Trad., sondern auch die unterschiedlichen Normen und Konfigurationen von *chanson de geste* (»matière de France«) und höfischem Roman (»matière de Bretagne«) gegeneinander ausgespielt werden [19; 28]. Obgleich der *Orlando furioso* in It. wohl der meistgelesene Text des 16. Jh. war [20. 48 ff.], zahlreiche Nachahmungen und Fortsetzungen erfuhr [18] und auch außerhalb It. durch Übers. schnell verbreitet wurde [14; 15], war er schon vor der Neurezeption der Aristotelischen *Poetik* ein poetologisch umstrittener Text und Protagonist im Epenstreit des 16. Jh. [30. 954 ff.]. Umstritten war dabei genau das Verhältnis zur ant. Epik und den als Regelpoetik reinterpretierten Normen v. a. Horazisch-rhet. und Aristotelischer Provenienz. Mit

den unterschiedlichsten Argumenten wurde der *Orlando furioso* sowohl als genuines E. wie als genuiner, volkssprachlich-ma. Trad. kontinuierender *romanzo* wie als Mischung unterschiedlicher Genera verstanden [20]. Als Differenzierungskriterien für das E. wurden v. a. die Einheit der Handlung, deren inhaltliche und stilistische »Höhe«, die Wahrheit im Sinne einer histor.-lit. Verbürgtheit der grundlegenden Handlung und das Zurücktreten der Erzählerfigur genannt [20. 98 ff.].

Im Unterschied zum Riesenerfolg des umstrittenen *Orlando furioso* blieb das erste durchgängig antikisierende E. in der Volkssprache, Trissinos *L'Italia liberata dai Goti* (1547/48) erfolglos. Noch Tasso kritisiert in seinen *Discorsi dell'Arte poetica* (1587, entstanden in den 60er J.), daß Trissino zu sklavisch Homer nachahme und dem zeitgenössischen Dekorum nicht mehr entsprechende *costumi* darstelle [4. 384]. Mit seinem *Rinaldo* (1562, ²1570) veröffentlichte Tasso zunächst einen *romanzo*, dessen Heterogenität er freilich durch die Beschränkung auf die Taten eines Helden reduziert [27]. Mit der *Gerusalemme liberata* (1581), die er später zur *Gerusalemme conquistata* (1593) überarbeitete, legte Tasso das Muster-E. nicht nur für den Epenstreit des ausgehenden 16. Jh., sondern auch noch für die Epentheorie und -praxis der frz. Klassik vor [11. 336 f.], die neben Castelvetro, Scaliger und anderen auch auf Tassos Epentheorie in den frühen *Discorsi* und deren Erweiterung in den späteren *Discorsi del poema eroico* (1594) rekurriert [11. 34 ff.]. Die Distanz zu Ariost und der Anschluß an Vergil wird mit den beiden ersten Versen signalisiert (›Canto l'arme pietose e 'l capitano/ che 'l gran sepolcro liberò di Cristo‹ [7. 1,1 f.]). Obgleich Tasso in der Folge in der Armida-Rinaldo-Episode durchaus die Liebesthematik der *romanzi*-Trad. aufnimmt, signalisiert das proömiale Verschweigen deren intendiert episodische Funktion analog zu Vergil, wohingegen das explizit formulierte Thema in paradigmatischer Weise das Postulat der frühen wie der späten *Discorsi* umsetzt, wonach ein E. ein wahres Thema zum Gegenstand haben müsse, das jedoch zugleich histor. soweit von der Gegenwart entfernt sein sollte, daß es die ausschmückende Erfindung des Dichters zulasse.

2. FRANKREICH

Im Unterschied zu It. begann in Frankreich die Neurezeption Homers mit einer Teilübers. in die Volkssprache durch Hugues Salel. Er übersetzte die ersten 12 B. der *Ilias* (1545). Vollendet wurde die Übers. durch Amadis Jamyn. 1566 erschien bei Henri Estienne der für die späteren Ausgaben grundlegende griech. Text der Homer zugeschriebenen Werke. Für Du Bellay ist das E. die höchste Form der Dichtung (*Défense et illustration de la langue française* 2,5), doch empfiehlt er den neuen Dichtern im Unterschied zu seiner sonstigen Ablehnung der heimischen Trad. den Rückgriff auf die *romanzi*-Stoffe im Anschluß an Ariost, den er Homer und Vergil gleichsetzt. Während Du Bellay selbst kein E. verfaßte, publizierte Ronsard (157) die ersten vier B. seiner in Nachahmung Homers auf 24 B. angelegten

Franciade einschließlich einer Vorrede *Au lecteur*, die ab der zweiten Ausgabe von 1573 fehlt und erst in der postumen Ausgabe von 1587 wieder durch eine ausführliche *Préface sur la Franciade, touchant le Poème Heroïque*, die teilweise von Claude Binet stammt, ersetzt wurde. Ronsard folgt nicht Du Bellay, sondern benennt als Modellautoren explizit Homer und Vergil, wobei er mehr der ›naïve facilité d'Homere‹ als der ›curieuse diligence de Virgile‹ gefolgt sei (*Au lecteur* [3. 1,5]). Thematischer Vorwurf der in paarreimenden Zehnsilblern verfaßten *Franciade* ist die »Geschichte« Francions, des Sohns Hektors (der bei Boiardo und Ariost als Astyanax erscheint), der dem brennenden Troja entkommen ist und zum Begründer des frz. Königshauses wird. In die Geschichte Francions sollte über das bereits bei Vergil und in der volkstümlichen *romanzi*-Trad. vor Boiardo und Ariost verwendete Verfahren der Prophetien die Geschichte der folgenden 63 frz. Könige eingebaut werden (›j'ay le faix de soixante & trois Rois sur les bras‹ (*Au lecteur* [3. 1,5]), so daß die »Geschichte« von Francion nicht nur eine genealogisch-dynastische Komponente enthalten sollte, sondern diese als Grundlage eines veritablen National-E. konzipiert war.

Während Ronsard mit dem Tod Karls IX. (1574), der das Unternehmen bes. gefördert hatte, auf dessen Fortführung verzichtete, gab es im ausgehenden 16. und beginnenden 17. Jh. eine Reihe von Autoren, die Ronsards Projekt eines Nationalepos weiter verfolgten (Jacques Guillot, Pierre Delaudin, Nicolas Geuffrin). Daneben kam es aber auch zu einer aktualistischen Epenproduktion um die Figur Heinrichs IV. und dessen Rolle in den Religionskriegen bzw. als Neubegründer der nationalen Einheit (Sébastien Garnier, Jean Godard, Alexandre de Pontaymeri und andere [9]).

In bewußte Distanz zu den Normen antikisierender Epik stellen sich die Bibelepiken eines Du Bartas (*Judit*, 1574, *La Sepmaine*, 1578 und *La seconde Sepmaine*, 1584), die, wie die zahlreichen Ausgaben belegen, bis ins 17. Jh. hinein sehr erfolgreich waren, und Agrippa d'Aubignés *Les Tragiques* (entstanden 1577–89, Erstdruck 1616), die die Religionskriege mit ausgesprochen satirischer Tendenz behandeln. Das eigentliche Jh. des E. in Frankreich ist jedoch – entgegen geläufigen Vorstellungen – das 17. Jh.

C. VOM BAROCK BIS ZUM NEOKLASSIZISMUS
  1. ITALIEN

Während sich Marino mit seinem myth. E. *Adone* (entstanden 1593–1622, Erstausgabe 1623) explizit von der antikisierenden Epen-Trad. absetzt, indem er ein ›poema fantastico e fuor di regola‹ konzipiert, dessen neue Regel im ›rompere le regole‹ [2. 31f.] besteht, so existierte daneben eine klassizistische Epentheorie und -praxis, die allerdings in bes. Maße durch die Bezugnahme auf Tasso geprägt ist. Die Exemplarizität des Tassoschen E. auch und gerade gegenüber dem ant. Epik wird etwa in Paolo Benis *Comparazione di Omero, Virgilio e Torquato* (1607, ²1616) vertreten, und im *Tancredi* (1636) von Ascanio Grandi ist die *Gerusalemme liberata* das Modell, deren Handlung in derselben Weise fortgeführt wird wie diejenige der *Ilias* durch die *Odyssee*. Deutlich in der Tasso-Nachfolge situieren sich auch Autoren wie Francesco Bracciolini mit *La Croce racquistata* (die ersten 15 B. 1605, vollständige Ausgabe in 35 B. 1611), Marguerita Sarrocchi, eine Gegnerin Marinos, verfaßt eine *Scanderbeide* (1623), Gabriele Zinano eine *Eracleide* (1623), Giulio Strozzi eine *Venezia edificata* (1624) usw. Die Thematik der neuen Welt behandelt ein weiterer Marino-Gegner, Tommaso Stigliani in seinem E. *Il Mondo nuovo* (1617 in 20 Gesängen, vollständige Ausgabe in 34 Gesängen 1634), der als Neuheit in ein hohes E. die Personalsatire aufnimmt (gegen Marino in 14,34f.). Das erste E. über die neue Welt erschien auf Lat. aus der Feder von Lorenzo Gambara (*De navigatione Christophori Columbi*, 1581), gefolgt von einem *Mondo nuovo* (1596) von Giovanni Giorgini. Thematisch reichte die Spannbreite einer durchaus umfangreichen Produktion von der Völkerwanderungszeit (Gabriello Chiabrera, *Delle Guerre de' Goti*, 1582) über die Zeit der Kreuzzüge bis zur – entgegen der Empfehlung Tassos – zeitgenössischen Geschichte (Francesco Bracciolini, *Roccella espugnata*, 1630). Im übrigen ist es auch im 17. Jh. noch immer möglich, gegen das Tassosche E. für den Ariostschen *romanzo* zu optieren, wie dies Gabriello Chiabrera in seinem *Ruggero* (1653) tut [8].

Die für den Literaturbarock typische Tendenz zur Gattungsmischung manifestiert sich in der Schaffung eines genuinen *poema eroicomico* mit programmatischer Absetzung von Parodisierungstendenzen im Kontext des *romanzo*. Um die Erfindung des neuen Genus stritten Francesco Bracciolini, dessen *Scherno degli dei* (1618 in 14 Gesängen, 1626 in 20) eine Parodie des myth. E. darstellt, und Alessandro Tassoni, dessen *Secchia rapita* schon vor 1618 in Manuskriptform im Umlauf war (Erstausgabe 1622, Ausgabe letzter Hand 1630). Insistiert Tassoni gerade auf dem gemischten Charakter seines Textes, der nicht reduzierbar sei auf die stilistisch hohe Behandlung eines niederen Gegenstandes bzw. umgekehrt auf die niedere Behandlung eines hohen Gegenstandes (›A chi legge‹), so initiiert Giovan Battista Lalli genau diese beiden Formen der Epenparodie mit seiner *Moscheide* (1624) einerseits, die die Trad. der *Batrachomyomachia* aufnimmt, und der *Eneide travestita* (1633) andererseits. Beide Tendenzen hatten in It. zahlreiche Nachfolger (z.B. Giovan Francesco Loredano, *L'Iliade giocosa*, 1653, Loreto Vittori, *La troia rapita*, 1662, usw.) [8].

Im It. des 18. Jh. spielte die Trad. des ant. E. keine bedeutende Rolle mehr [10. 297], es kam jedoch gegen Ende des Jh. und zu Beginn des 19. Jh. zu bedeutenden Neu-Übers. der *Ilias* (durch Alessandro Verri, Melchiorre Cesarotti, Vincenzo Monti, Ugo Foscolo), der *Odyssee* (durch Ippolito Pindemonte) und der *Aeneis* (durch Clemente Bondi und Alfieri).

Unter der Vielzahl der sehr unterschiedlichen *poemi giocosi* finden sich neben Epenparodien wie dem *Bajamonte Tiepolo in Schiavonia, poema eroicomico* (1770) von

Zaccaria Valaresso auch noch immer Parodien des *romanzo* wie der *Ricciardetto* (postum 1738) von Niccolò Forteguerri [25. 362 ff.]. Die Mehrzahl der *poemi giocosi* ist dabei durch eine mehr oder minder deutliche satirische Tendenz geprägt, wie sie bereits in Tassonis *Secchia rapita* Eingang fand und in Carlo Gozzis *Marfisa bizzarra* (1772) zur dominanten Struktur wird. Entscheidend ist dabei, daß auch noch am Ende des 18. Jh. neben dem E. der *romanzo* als parodierbare Gattungsreferenz präsent war.

2. FRANKREICH

Das frz. Versepos des 17. Jh. in paarreimenden Alexandrinern ist weitgehend aus dem lit. Gedächtnis verbannt. Seit Mitte des Jh. lassen sich Reflexionen über die Unmöglichkeit eines frz. Versepos feststellen [23. 2]. Gleichwohl sind zumindest 115 E. bibliogr. bekannt, die in der Zeit selbst auch ihre Leser fanden: So erschienen innerhalb des ersten Publikationsjahres der ersten 12 Gesänge von Chapelains *Pucelle* (1656) nicht weniger als fünf Ausgaben. Der *Clovis* (1657) von Desmarets de Saint-Sorlin erschien binnen weniger J. sechsmal. Saint-Amants *Moyse sauvé* (1653) und Scudérys *Alaric* (1654) brachten es auf acht Ausgaben und Brébeufs Übers. der *Pharsalia* sogar auf 14 [23. 15]. Der kritische Diskurs über das E. ist dabei mindestens so lebendig wie die Epenproduktion selbst, und die weitaus überwiegende Mehrzahl der Theoretiker stellt das E. über die Trag. an die Spitze der Gattungshierarchie, auch wenn sich seit den 30er J. in der Praxis eine Dominanz der dramatischen Genera etabliert [23. 57 ff.]. Die Diskussion orientiert sich an den ant. Musterautoren der Theorie und Praxis, rekurriert zugleich aber auf die umfassende Diskussion der it. Ren. seit Vidas *Poetik* (1528) und auf Tassos *Gerusalemme liberata* als Paradigma eines christl. E. In einer Mehrzahl von Texten wie etwa dem *Clovis* bleibt dabei die genealogisch-dynastische Komponente der *Aeneis* von zentraler Bed. Neben mehr oder weniger verbindlichen Auffassungen wie der thematisch-stilistischen Höhe, der Dominanz der Waffentaten, der Einheit der Handlung, der histor.-lit. Verbürgtheit der grundlegenden Handlung, der gattungsspezifisch bes. Bed. des Wunderbaren u. ä., gibt es auch Divergenzen, die noch in Boileaus *Art poétique* (1674) eingehen, etwa der Streit um das christl. Wunderbare und dessen (Nicht-)Vermittelbarkeit mit dem paganen Wunderbaren, die Akzeptabilität der Liebesthematik u. a. Wenn eine Epenpoetik wie der *Traité du Poëme Epique* von René Le Bossu zw. 1675 und 1714 sechs Auflagen erfuhr und noch der Wortführer der *modernes*, Charles Perrault, ein christl. E. (*Saint Paulin*, 1686) sowie ein kosmologisches Gedicht (*La Création du monde*, 1692) veröffentlichte, erscheint es anachronistisch, das E. des 17. Jh. weiterhin als ›anachronistische Form‹ [23. 263 ff.] und Niederschlag der Krise der Renaissance-Poetik [23. 306] beschreiben zu wollen. Genauso wenig überzeugen Positionen, die die Texte undifferenziert für eine Barockästhetik vereinnahmen, da sie gattungsspezifische Elemente wie das Wunderbare oder eine ge-

steigerte Rhetorizität als Epochenkonstituenten auffassen [22. 225 ff.]. Sicherlich ist zu fragen, inwiefern einzelne Texte wie Saint-Amants *Moyse sauvé* eher auf Marino denn auf die Trad. ant. Epik verweisen. Dominant haben Theorie und Praxis des E. im Frankreich des 17. Jh. ihren Bezugspunkt freilich in Theorie und Praxis des ant. E. und deren modifizierender Rezeption in der it. Ren.

Wie in It. kommt es auch im Frankreich des 17. Jh. zur Konstitution eines komischen E. im Kontext der über die Gattung des E. hinausgehenden Burleskdichtung. Das »burleske« E. erscheint dabei entweder in Form der Epentravestie, das heißt der stilistisch niederen Behandlung eines hohen Themas (in Texten wie Scarrons *Virgile travesti en vers burlesques*, 1648–53) oder des Hochburlesken, der Realisation eines niedrigen Themas im hohen Stil, wie in Boileaus *Le Lutrin* (1674 in vier Gesängen, 1683 erweitert auf sechs Gesänge). In der Vorrede zur Erstausgabe macht Boileau die Unterscheidung zw. diesen beiden Typen des Burlesken deutlich, wobei er nur seinem *burlesque nouveau* ästhetische Dignität zuerkennt (zur Ablehnung des Niedrigburlesken siehe *Art poétique*, Gesang I, V. 79 ff.).

Wenngleich Voltaire als erster und für die Literaturgeschichte bis h. verbindlich das grundsätzliche Scheitern der epischen Ambitionen des 17. Jh. konstatiert (im *Essai de la poésie épique*, 1733, zuerst auf engl. 1727), so bedeutet dies keineswegs eine Absage an die Gattung des E. als solcher; im Gegenteil. Voltaires Ruhm im 18. Jh. beruht wesentlich auf seiner *Henriade* (1728) – zunächst unter dem Titel *La Ligue ou Henry le Grand* (1723) erschienen –, einem der großen Bucherfolge des 18. Jh. mit rund 60 Ausgaben zu Lebzeiten Voltaires. Der Text handelt vom Kampf Heinrichs IV. gegen die katholische Liga bis zum siegreichen Einzug des Königs in Paris (1594), wobei einerseits die Trad. des National-E. weitergeführt, aber zugleich grundlegend aufklärerisch refunktionalisiert wird: durch die antikatholische und antichristl. Stoßrichtung, das Eintreten für Toleranz oder das in Heinrich IV. inkarnierte Ideal eines »aufgeklärten« Herrschers. Darüber hinaus ist der Text auch polit. höchst aktuell, indem er implizit eine Parallelität zur Thronfolgeproblematik der Régence herstellt. Ästhetisch gelten demgegenüber uneingeschränkt das Prinzip der *imitatio auctorum* und die Grundnormen für das E., wie sie in der it. Ren. und der Poetologie des 17. Jh. entwickelt wurden. Unter den ant. Epikern zieht Voltaire traditionsgemäß Vergil Homer vor, was sich textuell durch eine Fülle von Bezügen auf die *Aeneis* manifestiert.

Der enorme Erfolg Voltaires entmutigte zunächst Nachahmer. Erst gegen Mitte des Jh. kam es zu einer gewissen Ren. der Gattung, in deren Verlauf sowohl christl.-nationale und »exotische« (N. L. Bourgeois, *Christophe Colomb, ou l'Amérique découverte*, 1773) wie genuin aufklärerische Texte entstanden. Insgesamt blieb die Produktion mit 35 E. für das gesamte Jh. unbedeutend.

Auffällig sind demgegenüber die zahlreichen (Neu-)Übers. Homers im Zusammenhang des von Anne Dacier ausgelösten Homer-Streits (13 *Ilias*-(Teil-)Übers., vier Übers. der *Odyssee*); von der *Aeneis* erschienen dagegen nur drei, von der *Pharsalia* zwei und von der *Thebais* eine Übers. [6. 214ff. und 682ff.].

Daß das E. bis zum ausgehenden 18. Jh. keineswegs als anachronistisches Genus verstanden wurde, zeigt noch Chéniers fragmentarisch gebliebenes Epen-Projekt *L'Amérique*, das idealtypisch dessen grundlegende Dichtungskonzeption realisieren sollte: ›Sur des pensers nouveaux faisons des vers antiques‹ (*L'Invention*, V. 184). Ein V. der paradigmatisch die für die Versdichtung des 18. Jh. insgesamt charakteristische Verbindung von aufklärerischen Ideen und neoklassizistischer Ästhetik formuliert.

Im Traditionszusammenhang des komischen E. ist Marivaux' *Homère travesti ou l'Iliade en vers burlesques* (1716) eines der letzten Beispiele einer Epen-Travestie, während Voltaire mit seiner *Pucelle d'Orléans* (Raubdrucke ab 1755, erste autorisierte Ausgabe 1762), von der uns 31 Hss. und über 100 Ausgaben bis zum ausgehenden 18. Jh. bekannt sind, ein komisches E. schreibt, das explizit an die komisierenden Tendenzen des it. Kunstromanzo anschließt, die Parodie des E. im allg. und der *Pucelle* Chapelains im bes. aber in typisch aufklärischer Weise satirisch funktionalisiert, insofern die durch die Parodie freigesetzte Komik vor allem die Institution der Kirche und die Grundlagen des christlichen Glaubens der Lächerlichkeit preiszugeben sucht [24]. Voltaire hat bis zum Jahrhundertende etliche weniger bedeutende Nachfolger gefunden [7. 221ff.], wobei das komische E. in dem Augenblick an sein Ende kommen mußte, in dem das ernste E. tatsächlich zu einer anachronistischen Gattung wurde.

D. VON DER ROMANTIK ZUR (POST-)MODERNE
Aufgrund des stärkeren Weiterwirkens neoklassizistischer Trad. kommt es in It. im Unterschied zu Frankreich in der ersten H. des 19. Jh. zu einer letzten »Blüte« des antikisierenden E. mit ca. 50 neuen Texten [10. 297ff.]. Mit der Aufhebung des *imitatio-auctorum*-Prinzips, wie es programmatisch von den Romantikern insbes. seit den 20er J. formuliert wird, verliert das ant. E. wie die anderen ant. Gattungen auch seine normative Gültigkeit, und es entstehen neue Formen christl. Epik wie Lamartines *La Chute d'un ange* (1838) oder Hugos *La Fin de Satan* (postum 1886). Wenn auf die ant. Epik rekurriert wird, dann nicht mehr, um ein bestimmtes System gattungskonstitutiver Regeln zu aktualisieren, sondern in Form ganz unterschiedlich funktionalisierter intertextueller Bezüge, die v.a. in der Lit. der Moderne recht häufig sind, von Giraudoux' *La Guerre de Troie n'aura pas lieu* (1935) bis zu Claude Simons *La Bataille de Pharsale* (1969). Für die Moderne ist das ant. E. ein Repertoire von Themen, Motiven und Stilemen, die in unterschiedlichster Weise Ingredienz oder Ausgangspunkt neuer Texte sein können, deren Struktur und Funktion jedoch eine grundlegend andere ist, so daß ihre Verwendung gerade Differenz und nicht Ähnlichkeit inszeniert.

→ Metapher; Neulateinische Literatur
→ AWI Diskursnormen; Genera dicendi

QU 1 L. ARIOSTO, Orlando furioso, hrsg. v. E. BIGI, 2. Bde., 1982 2 Marino e i Marinisti, hrsg. v. G. G. FERRERO, 1954 3 P. DE RONSARD, La Franciade, hrsg. v. P. LAUMONIER (Œuvres complètes, 16), 2 Bde., 1950/52 4 T. TASSO, Prose, hrsg. v. E. MAZZALI, 1959 5 Ders., Gerusalemme liberata, hrsg. v. F. CHIAPPELLI, 1982 6 VOLTAIRE, La Henriade, hrsg. v. O. R. TAYLOR (Les Œuvres compèltes de Voltaire, 2), 1970 7 Ders., La Pucelle d'Orléans, hrsg. v. J. VERCRUYSSE (Les Œuvres complètes de Voltaire, 7), 1970

LIT 8 G. ARBIZZONI, Poesia epica, eroicomica, satirica, burlesca. La poesia rusticale toscana. La »poesia figurata«, in: Storia della letteratura italiana, hrsg. v. E. MALATO, 14 Bde., 1997, Bd. 5, 727–770 9 A. BECHERER, Das Bild Heinrichs IV. (Henri Quatre) in der frz. Versepik (1593–1613), 1996 10 A. BELLONI, Il poema epico e mitologico, 1912 11 R. BRAY, Formation de la doctrine classique en France, 1978 (¹1927) 12 A. BUCK, Die Rezeption der Ant. in den romanischen Literaturen der Ren., 1976 13 M. C. CABANI, Gli amici amanti. Coppie eroiche e sortite notturne nell'epica italiana, 1995 14 M. CHEVALIER, L'Arioste en Espagne (1530–1650). Recherches sur l'influence du »Roland Furieux«, 1966 15 A. CIORANESCU, L'Arioste en France. Des Origines à la fin du 18e siècle, 2 Bde., 1939 16 E. R. CURTIUS, Über die altfrz. Epik, in: Zschr. für Romanische Philol. 64, 1944, 233–320 17 Ders., Europ. Lit. und lat. MA, ⁴1963 18 G. FUMAGALLI, La fortuna dell'»Orlando furioso« in Italia, 1910 19 K. W. HEMPFER, Textkonstitution und Rezeption: zum dominant komisch-parodistischen Charakter von Pulcis »Morgante«, Boiardos »Orlando Innamorato« und Ariosts »Orlando Furioso«, in: Romanistisches Jb. 27, 1976, 1–26 20 Ders., Diskrepante Lektüren: Die Orlando-Furioso-Rezeption im Cinquecento, 1987 21 Ders., Probleme traditioneller Bestimmungen des Renaissancebegriffs und die epistemologische »Wende«, in: Ders. (Hrsg.), Ren. Diskursstrukturen und epistemologische Voraussetzungen, 1993, 9–45 22 M. JARRETY (Hrsg.), La Poésie française du Moyen Age jusqu'à nos jours, 1997 23 R. KRÜGER, Zw. Wunder und Wahrscheinlichkeit. Die Krise der frz. Vers-E. im 17. Jh., 1986 24 M. LINDNER, Voltaire und die Poetik des E., 1980 25 G. NATALI, Il Settecento, 2 Bde. (Storia letteraria d'Italia, 8), ⁶1964, Bd. 2, Kap. 12 26 F. PENZENSTADLER, Der »Mambriano« von Francesco Cieco da Ferrara als Beispiel für Subjektivierungstendenzen im Romanzo vor Ariost, 1987 27 G. REGN, Restituierte Idealität. Einheitspoetik und Pragmatisierung der Geschichtsebene in Torquato Tassos »Rinaldo«, in: K. W. HEMPFER (Hrsg.), Ritterepik der Ren., 1987 28 K. STIERLE, Die Verwilderung des Romans als Ursprung seiner Möglichkeit, in: H. U. GUMBRECHT (Hrsg.), Lit. in der Gesellschaft des Spät-MA, 1980, 253–313 29 C. TRINKAUS, The Unknown »Quattrocento« Poetics of Bartolomeo della Fonte, in: Stud. in the Ren. 13, 1966, 40–122 30 B. WEINBERG, A History of Literary Criticism in the Italian Ren., 2 Bde., 1961 (Ndr. 1974).

KLAUS W. HEMPFER

II. Iberoromania
A. Mittelalter B. Rezeption des
italienischen Epos im 16. Jahrhundert
C. Eposkritik und -theorie
im 16. Jahrhundert D. Siglo de Oro
E. Blüte des portugiesischen Epos

A. Mittelalter
Ant. Stoffe erreichen Spanien gefiltert durch ein klerikales Bildungsmonopol (Weltchronistik) und stehen im Dienst der Reconquista. Unabhängig davon bildet sich im 12. Jh. eine volkssprachliche, von *juglares* vorgetragene Epik (*Cantar de Mío Cid*). Der tatsächliche Bestand der Epik ist schwer abzuschätzen, da fast alle span. und sämtliche portugiesischen E. aus spät-ma. Prosachroniken rekonstruiert wurden, die für die neuzeitliche Tradierung des E. bürgen.

B. Rezeption des italienischen Epos
im 16. Jahrhundert
Auf der Basis der Prosaauflösungen ma. E. erneuert sich die Gattung zunächst unter Rückgriff auf den it. *romanzo*, der in der Blütezeit der Prosaritterromane (*Amadís*, 1504 ff., *Palmerín*, 1511 ff.) rezipiert wird. Pulci (1533), Boiardo (1555), Ariost (1550) und Folengos *Baldus* (1542) werden in Prosa übertragen. Deren dominant ironischer Gestus geht unter dem Einfluß der Inquisition verloren, die die Werke einer rigiden, werkinternen Kommentierung gemäß den moralischen Normen der Zeit unterwirft. Spätere Versübertragungen Ariosts (1578) und Boiardos (1581), die noch Cervantes (Don Quijote, 1,6) verspottet, werden u. a. von Luis Barahona de Soto (*Angélica*, 1586) und Lope de Vega (*La hermosura de Angélica*, 1609) imitiert. In kastilischer Prosa gehen *romanzo*, frz. *chanson de geste* (*Renaldos de Montalván*, 1523), altspan. (*Fernán González*, 1516) und ant. E. (*Historia troyana*, 1502; *Pharsalia*, 1541) in einem kommerziellen lit. System auf, das ohne Gattungs- und Epochendifferenzen auf den Faszinationsbereich »Heldentaten und Liebe« eingestellt ist. Handelt es sich bei der E.-Rezeption des frühen 16. Jh. um die formale Schwundstufe des ant. E., so übt die Ant. indes v. a. als ein Fundus pittoresker und romanesker Situationen einen bedeutenden Einfluß auf die entstehende span. Erzähl-Lit. aus. Für den Ritterroman dienen die ant. E. als Arsenal bei der rhet. und Episodengestaltung.

C. Eposkritik und -theorie
im 16. Jahrhundert
Das ant. E. wird im span. Human. zögernd rezipiert. Antonio Nebrijas Vergil-Komm. erscheint 1550 mit 50–jähriger Verspätung, Juan de Arjonas Ende des 16. Jh. entstandene Thebais-Übers. erst 1855. Als einer Unterhaltungs-Lit. stehen die Theoretiker nicht nur dem zeitgenössischen E., sondern auch dessen ant. Vorbildern abweisend gegenüber. Die Inquisition und der span. Human. kritisieren die ant. und it. E. wegen vorgeblicher Unmoral und fehlender Historizität. Laut Juan Luis Vives (De causis corruptarum artium 4) handelt das ant. E. vom ›Sieg der Leidenschaften‹; ant. wie

neuzeitliches E. unterscheide nicht zw. histor. wahrhaftigen und erfundenen Gegenständen [1]. Alonso López »el Pinciano« (1547–1627), der mit seinem E. *El Pelayo* (1605) Tasso und Vergil imitiert, entwirft nach dem Vorbild von Aristoteles' *Poetik* seine *Philosophia antigua poética* (1596). Nicht nur die Mischung des Tragischen, Heroischen und Komischen in einem Werk ist (nach dem Muster Ariosts) möglich. Die ant. Vorbilder sollen die theoretische Forderung der Verbindung von histor. Wahrheit und Fiktion begründen. Tasso wird im gegenreformatorischen Spanien zum Vorbild einer den ästhetischen Regeln des Tridentinums gemäßen Epik, die in Lope de Vegas geistlichem E. *Jerusalén conquistada* (1609) Modell erhält [2]. Pincianos E.-Theorie wird zugleich richtungsweisend für die von Cervantes vertretene Fiktionsauffassung des neuzeitlichen Romans.

D. Siglo de Oro
Zum Modell eines neuzeitlichen, am ant. E. orientierten E. wird Alonso de Ercilla y Zuñigas (1533–1594) *La Araucana* (1569–1578), das den Kampf der Conquistadoren in Chile verherrlicht. Ercillas Vorbild ist Lukans *Pharsalia* [8], wenn er Ereignisse der jüngsten nationalen Vergangenheit episch gestaltet. Ant. Referenzen treten dabei am stärksten in den frei erfundenen Episoden des Werks hervor. Ercilla findet zahlreiche Nachahmer, die das E. von der mythischen Begründung nationalen Soseins zum tagespolit. Propagandamittel umwerten. Unter gegenreformatorischem Einfluß nähert sich das E. älteren rel. Diskursformen an: Wenn Cristóbal de Virués' (1550–1609) in *El Monserrate* (1587) einen Eremiten auf eine katholische Odyssee schickt, verkehrt er die ma. typologische Mythenauslegung; Lope de Vega wiederum usurpiert allegorische Muster, wenn in *La Dragontea* (1598) der protestantische »Staatsfeind« Francis Drake zum Drachen – und somit Ebenbild Satans – wird. Eine Sonderentwicklung stellt das heroisch-komische E. dar, das Spanien zunächst durch die Vermittlung von Teofilo Folengos *La Moschea* (1521) erreicht. José de Villaviciosas *La Mosquea* (1615) und Lope de Vegas *La Gatomaquía* (1634) greifen zugleich bewußt auf die ps.-homerische *Batrachomyomachia* zurück.

1. Spanische Koloniale
Mit *La Araucana* wird nicht nur die Conquista Amerikas Thema des E., sondern die ant. Gattung wird in der Neuen Welt etabliert. Im Barock der peruanischen *Academia antártica* sind anfangs bukolische Züge feststellbar (Pedro de Oñas *Arauco domada*, 1596). Die Durchsetzung der tridentinischen Reform bewirkte auch in Amerika die Wende zur rel. Dichtung (Diego de Hojeda, *Christiada*, 1611).

E. Blüte des portugiesischen Epos
Luís de Camões (1524?–1580) begründete die portugiesische Epik mit *Os Lusíadas* (1572) neu, in dem ant. Vorbilder (Homer, Vergil) mit nationaler Myth. und Geschichte kombiniert werden. Im Sinne der *translatio imperii* soll damit Portugals Weltmachtanspruch lit. legitimiert werden [3]. Daß sich die Handlung von der

röm. Antike bis zu Vasco da Gama spannt, wird von Zeitgenossen als *diversitas* (von der aristotelischen Norm abweichende Handlungsvielfalt) angefochten. Die Verschmelzung ant. Bildungswissens mit dem portugiesischen Human. und ma.-christl. Trad. wird von den Jesuiten als *contaminatio* (unzulässige Kulturvermischung) kritisiert. Dennoch beeinflußt Camões nicht nur die Folgegeneration barocker Epiker Portugals, sondern auch Brasiliens (Bento Texeiras, *Prosopopéia*, 1601), wo in der Aufklärung die E. als früher Ausdruck amerikanischer »Andersheit« (José Basílio da Gama, *Uruguay*, 1769) Bed. erlangt.

→ AWI Aristoteles [6]; Batrachomyomachie; Lukan
→ Sacrum Imperium Romanum

1 M. BATAILLON, Erasme et l'Espagne, 1937
2 M. CHEVALIER, L'Arioste en Espagne, 1966 3 A. DA COSTA RAMALHO, Estudios Camonianos, 1980, 2–26
5 G. HIGHET, La tradición clásica. Influencias griegas y romanas en la literatura occidental, 1954 6 M. R. LIDA DE MALKIEL, La tradición clásica en España, 1975 7 F. PIERCE, La poesía épica del Siglo de Oro, 1961 8 C. SCHLAYER, Spuren Lukans in der span. Dichtung, 1927.

GERHARD WILD

III. DEUTSCHLAND
A. EINLEITUNG
B. MITTEL- UND NEULATEINISCHE LITERATUR
C. DEUTSCHPRACHIGE LITERATUR

A. EINLEITUNG

Die Rezeption des ant. Versepos-Modells, das insbes. die Werke Homers und Vergils *Aeneis* vorgeben, vollzieht sich in der seit dem 9. Jh. entstehenden dt. Lit. unter jenen spezifischen Bedingungen, die für die dt. Ant.-Rezeption überhaupt gelten. Einserseits sorgte das vom Lat. geprägte höhere Bildungswesen bis ins 19. Jh. für eine kontinuierliche Vergil-Kenntnis, jeweils verstärkt in den verschiedenen Renaissancen (→ Karolingische Ren., → Ottonische Ren., Cluniazensische usw.); auch andere lat. Versepiker wie Lucan spielen eine bedeutende rezeptionsgeschichtliche Rolle (Überblick zum MA bei [5. 9–36]); Homer tritt ab dem 16. Jh. im Zusammenhang mit den neuen human. Griechischstudien hinzu. Andererseits stehen die ant. Modelle in Konkurrenz zu neueren europ. oder autochthonen epischen Form- und Stoff-Trad., v. a. beim Erzählen in dt. Sprache. So werden etwa im adlig-höfischen Rezeptionsraum die german.-dt., die keltischen oder neueren romanischen Erzähl-Trad. als Rezeptionsquellen regelmäßig für lit. gleichwertig oder gar interessanter gehalten. Generell gilt, daß die lat. Schulkenntisse im lit. Leben Deutschlands nicht automatisch zu einer reflektierten Auseinandersetzung mit den ant. Modellen oder zu notwendiger produktiver Aneignung der Ant. führen. Dazu bedarf es immer bes. Motivationen, z. B. einen polit. Impetus (Rückgriff auf ant. Trad. für Zwecke der Legitimation und Repräsentation des röm.-dt. Reichsgedankens; → Translatio imperii), die auf Ruhm bedachte genealogische Trad.-Idee (Erzählen als Rück-

bindung und Memorialisierung von Lebensgeschichten oder Entwicklungsgeschichten von Familien) sowie human. Diskursideale (Normativität ant. Modelle infolge Höherbewertung der klass. ästhetischen Standards). Die Kraft dieser Motive war aber in Deutschland nie so groß, daß sie eine kontinuierliche und lebendige Trad. antikisierender Vers-Epik hervorgebracht hätte. Immer waren die eigenen Trad. oder die Einflüsse der zeitgenössischen europ. Gegenwarts-Lit. mit ihren jeweiligen epischen Erzählmodellen stärker, rückten seit der frühen Neuzeit den neueren Prosaroman als Haupterzählgattung in den Vordergrund und trugen zum letztendlichen Absterben des E. in Deutschland bei.

B. MITTEL- UND NEULATEINISCHE LITERATUR

Die Dominanz der lat. Gelehrsamkeit wurde im MA als epistemologisches Faktum weitgehend akzeptiert. Das daran geknüpfte Wertigkeitsgefälle verhinderte normalerweise, daß Werke der niedriger bewerteten deutschsprachigen Lit. ins Lat. überführt wurden. Dennoch ist auf einige bes. Fälle hinzuweisen, bei denen die Rezeptionsrichtung umgekehrt wurde. Dies betrifft zum einen die im 9./10. Jh. als lat. E. verarbeitete german. Heldensage *Waltharius*, zum anderen die beiden mhd. epischen Werke aus der Zeit um 1200, die in lat. Verse übertragen wurden, also den Reiseroman *Herzog Ernst* und die urspr. aus frz. Quelle stammende Papstlegende *Gregorius* Hartmanns von Aue. Der in gewissem Sinn einzigartige Fall des *Waltharius* ist inhaltlich an den vom dt. *Nibelungenlied* her bekannten german. Stoffkreis angebunden. Der Protagonist Walther von Aquitanien lebt mit Hagen und anderen am Hof des Hunnenkönigs Attila; nachdem König Gunther den Vertrag mit den Hunnen aufgekündigt hat, kommt es zur Flucht Walthers. Er gerät in der Folgezeit in verschiedene Kämpfe, u. a. mit Gunther wegen eines Schatzes. Am Ende siegt Walther und kann nach der Hochzeit mit Hiltgunt die Herrschaft in seinem Reich antreten. Der geistliche Verf. mildert das heroische Modell zugunsten christl. Nachdenklichkeit des Helden ab, hält sich jedoch mit seinen 1456 Hexametern an das ant. Formmodell. Durch die Anwendung virgilischer Stilmittel erhält aber nicht nur die Sprache einen klass. Anstrich, sondern oft wird auch die innere Anschauung des Stoffes ant. gewendet [3. 392]. Bei den beiden genannten Übers. aus dem Mhd. ins Lat. wird im einen Fall die Geschichte des bayerischen Herzogs Ernst erzählt, der aus kämpferischen Verwicklungen mit Kaiser Otto in die Wunderwelt des Orients gerät, im anderen Fall steht der aus einer Inzestverbindung geborene Sünder Gregorius im Mittelpunkt, der sich seinerseits in einen Mutterinzest verstrickt und am E. als Büßer sogar zum Papst aufsteigt. Zwischen 1212 und 1218 arbeitete Odo von Magdeburg sein lat. Hexameter-E. *Ernestus* in 3600 teilweise gereimten Versen aus, stilisierte dabei die dt. Sage ins Ant. um, ohne ihren christl. Kern anzurühren, und gab ihr ein gelehrt prunkendes Äußeres. Den *Gregorius* übertrug Arnold von Lübeck um 1210 in 4210 meistens rhythmische Verse, in denen er Hartmanns Vierheber nachahmte, die er aber auch länger oder kürzer baute und mit leoninischen Hexametern untermischte [17. 186 f.].

In der mittel- und neu-lat. Großepik Deutschlands nehmen, wie nicht anders zu erwarten, die ant. Modelle immer einen mehr oder weniger starken Einfluß. Intertextuelle Verbindungen zur ant. Epik sind geradezu unvermeidlich. Doch muß man auch hier zw. Stoff- und Formaneignung unterscheiden. Schon in karolingischer Zeit beziehen die an Vergil orientierten Versepiker des späteren dt. Reichsgebiets ihre polit. motivierten Stoffe aus dem zeitgenössischen Herrscherleben und arbeiten nicht etwa die ant. Stoffe auf. In der versepischen Umsetzung allerdings suchen einige Erzähler bes. Nähe zu den ant. Modellen, speziell zu Vergil. Hier ist das urspr. vier Bücher umfassende *Paderborner Epos* zu nennen, das sich formal stark an Vergil anlehnt. Von ihm sind nur 536 Hexameter des dritten Buches erhalten. Der unbekannte Verf. führt aus, wie Karl bald nach seiner Kaiserkrönung in Aachen ein zweites → Athen baut, mit seinem Hof zur Jagd zieht und mit Papst Leo in Paderborn 799 zusammentrifft. Ebenfalls in karolingischer Zeit verfaßt der Poeta Saxo ca. 2700 Verse seiner *Gesta Caroli metrica*, die Karls des Gr. Leben versepisch nach Vorlagen des Karl-Biographen Einhard darstellen. In ottonischer Zeit schreibt Hrotsvitha von Gandersheim zwei histor. Hexameter-E., von denen sie ihre *Gesta Oddonis I. imperatoris* (vor 968) in die Reihe der Herrscher-E. einreihen. Jh. später sahen dt. Ren.-Humanisten wie Heinrich Bebel (1472–1518) und Konrad Celtis (1459–1508) in Hrotsvitha die erste große dt. Dichterin und ihre Vorgängerin. Celtis gab 1501 nicht nur ihre Werke heraus, sondern 1507 auch das im J. 1207/08 entstandene lat. Vers-E. *Ligurinus* des Elsässers Gunther von Pairis. Was den Ruhm dieses Werkes in der frühen Neuzeit begründete, war die Verbindung des »patriotischen« Gehaltes mit einer Sprache von nahezu klass. Reinheit, die in ihrer Einfachheit und Erhabenheit direkt an Vergil geschult scheint; und auch in der → Metrik erstrebte Gunther den unmittelbaren Anschluß an die ant. hexametrische Epik [15. V]. Dagegen ist der Stoff wiederum ganz zeitgenössisch und vom polit. Streben nach Akzentuierung der staufischen Kaiseridee geprägt. Gunther verarbeitet in 10 Büchern mit unverkennbar panegyrischem Duktus Ottos von Freising Herrscherbiographie *Gesta Friderici I. imperatoris*, konzentriert auf die ersten Regierungsjahre Barbarossas.

Der dt. »Erzhumanist« Celtis trug sich wohl auch selbst mit dem Gedanken, eine Art dt. National-E. zu schaffen, doch er kam nur wenig über Ansätze und die Pläne zu einer *Theodericeis* (über den Gotenkönig Theoderich) und einer *Maximilianeis* (über Kaiser Maximilian I.) hinaus. Diese Vorhaben stehen im Zusammenhang mit dem human. und dem polit. Interesse am E. als Gattung, das im Gelehrten-, Künstler- und Literatenkreis um Kaiser Maximilian I. (1459–1519) bestand. Maximilian selbst ließ E. aus mhd. Zeit aufzeichnen und verfaßte mit dem *Theuerdank* u. a. ein eigenes autobiographisches E. in dt. Versen, mit dem er sich ein lit.

Erinnerungsmonument setzen wollte. Es ist für das human. Denken des 16. Jh. kennzeichnend, daß Richardus Sbrulius den Versuch unternahm, den *Theuerdank* in ein neu-lat. E. zu transponieren. Doch auch dieser Plan ließ sich nicht verwirklichen, und so blieb es allein dem it. Hofdichter Maximilians, Richardo Bartolini, vorbehalten, das geforderte *summum opus* der höfischen → Panegyrik zu dichten und damit das einzige Renaissance-E. für einen bedeutenden Herrscher nördl. der Alpen zu schaffen [7. 144]. Im J. 1516 wurde das Werk unter dem Titel *Austrias* gedruckt. Stofflich arbeitete Bartolini im Verlauf von acht J. die mil. Erfolge des Kaisers im bayerisch-pfälzischen Erbfolgekrieg von 1504/05 aus. Bei der Gestaltung halten sich die 9546 Hexameter der 12 Bücher des E. nicht nur formal an das Modell Vergils, sondern auch in der Art human. inspirierter Verarbeitung ant. Stoffelemente (etwa im myth. Apparat).

Im dt. Renaissance-Human. und im → Barock entstand eine reiche neu-lat. Lit., doch an eingreifender Stärke kann sich das E. der Neulateiner mit der Lyr. nicht messen [4. 485]. Das einzige dt. neu-lat. Klein-E., das die Einheit von selbst gewähltem ant. Stoff und klass. Form zu wahren suchte, war der 1571 erstmals vorgetragene *Kampf der Horatier und Kuratier* des Peter Dorfheilige (Petrus Paganus: *Historia tergeminorum Romanorum et Albanorum*). Auch einige neue griech. E. entstanden in Deutschland. So schrieb der 1606 als Professor zu Wittenberg gestorbene Laurenz Rhodomannus eine kleine *Ilias*, *Argonautika* und *Thebaika*, die man für ant. Werke hielt und ins Lat. übersetzte. Beim neu-lat. E. hat man fünf Hauptgattungen unterschieden: 1. das rel., 2. das geschichtliche, 3. das biographische, 4. das allegorische und 5. das komische E. [4. 485–490; 8. 695–702; 20. 207–212]. Dabei setzte vor allem die rel. Epik der Nachreformationszeit neue Akzente. Nikodemus Frischlin dichtete 1590 eine biblische *Aeneis* unter dem Titel *Hebraeis* in 12 500 Versen, die die Geschichte der israelitischen Könige erzählt, und der oben genannte Laurenz Rhodomannus schrieb sogar ein E. über Leben und Taten Luthers. Auch die Messiade in Hexametern *Olivetum* (Ölberg), die Andreas Gryphius 1646 dem Senat von Venedig überreichte, gehört in diese Reihe.

C. Deutschsprachige Literatur

Die Rezeption der klass. E. bzw. die Auseinandersetzung mit dem ant. E.-Modell vollzieht sich auf dem Feld der dt.-sprachigen Lit. in Verschränkung mit den oben erörterten mittel- und neu-lat. Rezeptionsvorgängen sowie vor dem Hintergrund lat. Bildungserfahrung. In jedem Fall hatten sich die in dt. Sprache arbeitenden Autoren mit den Fragen auseinanderzusetzen, worin der Sinn einer Aneignung der ant. Epik bestehen soll, welche Bestandteile der ant. Vorbilder aufzugreifen sind und wie sich eine deutschsprachige Aneignung vollziehen läßt. Für die volkssprachigen Dichter des MA muß man in dieser Hinsicht die größte Zurückhaltung konstatieren. Schon die Frage nach Sinn und Nutzen der Aneignung ant. E. wurde von denjenigen, die ganz im deutschsprachigen Lit.-System ihrer Zeit verankert waren, offensichtlich negativ beantwortet. Es kam im MA nicht einmal zu einer dt. Übers. klass. E., etwa Homers oder Vergils.

Die deutschsprachige Großepik des MA, insbes. Helden-E. und höfischer Artus- und Minneroman, stand in eigenen Traditionszusammenhängen. Der Einfluß Frankreichs war für die mhd. Hoch-Lit. lange Zeit maßgeblich. Das bezieht sich ebenfalls auf jene dt. Vers-E. (gewöhnlich auch Romane genannt), deren Stoffe urspr. ant. Herkunft sind (Troja- oder Alexanderromane), und dies gilt für den einen Ausnahmefall deutschsprachiger Adaptation von Vergils *Aeneis*, der zw. 1184 und 1190 stattfand. Dabei handelt es sich um den *Eneasroman* Heinrichs von Veldeke. Die 13 528 mhd. Verse beruhen zwar auch auf Kenntnissen über die lat. *Aeneis* (Veldeke nennt sie »Eneide«), stellen aber im wesentlichen eine getreue Wiedergabe des um 1160 entstandenen anglo-normannischen *Roman d'Eneas* dar, der seinerseits direkt auf Vergils *Aeneis* zurückgeht. Veldekes Bearbeitung folgt dem charakteristischen ma. Assimilationsprinzip, demgemäß der ant. Stoff zeitgenössischen Erwartungen und Vorstellungen umstandslos angepaßt werden kann (z. B. Uminterpretation, Reduzierung oder Eliminierung des myth. Apparats; Kürzung und Poetisierung des gesamten Stoffes gemäß ma.-höfischer Ästhetik usw.). Der frz., ritterlich eingefärbte Ant.-Roman gehört mit dem Theben-, dem Troja- und dem Alexanderroman zur Gruppe der *romans d'antiquité*, die den Zeitgenossen im 12. Jh. als die modernsten frz. Werke galten. Formal sind sie gekennzeichnet durch paarweise gereimte Kurzverse und reinen Reim statt Assonanzen, inhaltlich akzentuieren sie ritterliches Ethos, höfisches Verhalten und die Minnethematik. Die h. westdt.-frz.-belgisch-niederländische Grenzregion war im MA ein bedeutendes Einfallstor für frz. Kultur. Mit dem *Alexanderroman* Lamprechts bzw. dem *Straßburger Alexander* sowie dem genannten *Eneasroman* Veldekes entstanden hier im 12. Jh. unter frz. Einfluß die ersten dt. Antiken-E. aus Klerikerfeder, mit denen gewiß zunächst einmal auch an frz. Literaturstandards angeknüpft werden sollte. Im Verlauf seiner Entstehungs- und Wirkungsgeschichte gerät der *Eneasroman* jedoch in einen Kontext, der ihn zu einem bes. Fall macht. Als Nebenergebnis der Heiratspolitik der Thüringer Landgrafen wird die Endredaktion von Veldekes *Eneasroman* zum Faktor der lit. Bestrebungen des Thüringer »Musenhofs« um Landgraf Hermann I. von Thüringen (er regierte 1190–1217). Schon der entstehende *Eneasroman* muß eine Sensation gewesen sein [10. 848]. Und in den folgenden Jahrzehnten verfolgte man am Landgrafenhof so etwas wie das Konzept eines Thüringer Ant.-Projekts. Unter anderem entstand hier um 1200 die erste und einzige mhd. Bearbeitung von Ovids *Metamorphosen* durch Albrecht von Halberstadt; v. a. aber kam es zu einer epischen dt. Ant.-Trilogie. Unter ausdrücklichem Bezug auf seinen Vorgänger Veldeke schrieb der mit dem Hof verbundene Kleriker Herbort

von Fritzlar ein Troja-E. und dann vermutlich auch ein Jerusalem-E. So wie wir von der *Metamorphosen*-Bearbeitung nur ein Fragment aus mhd. Zeit haben, so auch nur einige hundert mhd. Verse vom Anf. des Jerusalem-E. (h. unter dem Namen *Pilatus*-Dichtung geführt), dessen lat. und frz. Quellen bekannt sind. Den inhaltlich verbindenden Konzepthintergrund stellt bei den drei Werken die Verbindung der christl. Heilsidee mit der röm. Reichsidee dar, wie sie die mit den Thüringern versippten Staufer förderten [13]. Die drei Werke geben dem Entwicklungsschema einer im christl. Reich mündenden Herrschaftsübertragung Raum (*translatio imperii*): vom alten Troja (Herborts *Trojaroman*) wandert die Herrschaft zum alten Rom (Veldekes *Eneasroman*) und dann zum nt. Jerusalem, das aber seine Chance verspielt, durch die bekehrten Kaiser Roms zerstört wird und dann die imperiale Macht endgültig an das neue christl. Rom abgeben muß (*Jerusalemroman*). Veldekes *Eneasroman* war im MA berühmt, wurde oft abgeschrieben und weitergereicht, aber nie neu bearbeitet oder durch neuere Versionen ersetzt.

Im 15./16. Jh. begann sich die neue Lit. des dt. Prosaromans zu etablieren. Sie wurde langfristig zum entscheidenden Konkurrenten für die Gattung Vers-E. Viele alte dt. Vers-E. prosaisierte man, nicht aber den *Eneasroman* Veldekes. Inzwischen hatten die Humanisten neue Maßstäbe gesetzt und auch Vergil mit einer bes. Aura umgeben. Auf der Tagesordnung stand jetzt zunächst die philol. Aufarbeitung und Verbreitung des Originaltextes, bevor man daran gehen konnte, zum ersten Mal eine wirkliche Gesamt-Übers. herzustellen. In Deutschland tat dazu der Straßburger Stadtschreiber und *Narrenschiff*-Dichter Sebastian Brant (1457–1521) den wichtigsten Schritt. Er zählte ebenfalls zum Kreis um Maximilian I. und war schon am E. des 15. Jh. als Herausgeber lat. → Druckwerke hervorgetreten. Im J. 1502 veranstaltete er zusammen mit dem Straßburger Drucker Johann Grüninger eine Vergil-Ausgabe, die man zu Recht als epochemachend bezeichnet hat [27. 271]. Sie war die erste illustrierte Vergil-Ausgabe mit 214 Holzschnitten, die für lange Zeit ikonographisch maßgeblich blieben. Die *Aeneis* erfuhr durch diese Edition eine große Aufwertung und ganz neue Präsenz.

Von hier führt eine direkte Linie zur ersten früh-nhd. *Aeneis*-Übers. durch den Straßburger Thomas Murner (1475–1536). Murner griff auf Brants Ausgabe zurück und ließ seine rund 20 000 freien Knittelverse im J. 1515 ebenfalls bei Grüninger drucken. Seine Widmung an Kaiser Maximilian I. streicht in diesem Fall explizit den auch in früheren Jahrhunderten immer mitzudenkenden programmatischen Rekurs auf die ant. Verbindung von E. und Herrschaft sowie deren Übertragung auf dt. Verhältnisse heraus. Vergil soll, als Huldigung an Kaiser Maximilian im Sinne einer Verdeutschung augusteischen, lit. Herrscherkults, aus ›latynschem todt in tütsches leben‹ gebracht werden. Manifestiert sich in der »dt. Wiedergeburt« Vergils der neue Vorrang der Volkssprache, demonstriert die Maximilian zugeeignete Verdeutschung der augusteischen *Aeneis* zugleich die – auch von der kaiserlichen Publizistik propagierte – Beziehung Maximilians auf Augustus [27. 273]. Erst im J. 1610 erschien die zweite dt. Vergil-Übers. in Reimpaaren aus der Feder Johann Sprengs (1524–1601); bis dahin blieb Murners Übers. mit ihren sieben späteren Überarbeitungen die maßgebliche »deutsche Aeneis«. In der Mitte des 17. Jh. folgten dann die *Aeneis*-Übers. des Pommern Daniel Symonis (1637–1685) und die erste dt. Gesamt-Übers. Vergils in Prosa durch den langjährigen Rektor des Frankfurter Gymnasiums, Johann Valentin (1601–1684). Lucans *Pharsalia* fand dagegen vor 1695 keinen Übersetzer.

Homer wurde in Deutschland erst im Renaissance-Humanisimus des 16. Jh. wirklich entdeckt. Erste Druckausgaben der Originaltexte erschienen zu dieser Zeit (Straßburg 1525 und Basel 1535). Damals wagte es auch ein Münchner Stadtschreiber, Simon Schaidenreißer, den Deutschen die erste Übertragung Homers zu schenken, die *Odyssee* in Prosa (1537), allerdings wesentlich nach lat. Prosaisierungen. Von ant. Geist ist allerdings wenig zu spüren. Die Griechen werden in das dt. 16. Jh. hineinversetzt: das Gelage der Freier ähnelt dem Szenario eines Münchner Keller beim Märzenbieranstich, Odysseus schilt und kämpft wie ein Landsknecht. Die Götter werden symbolisch ausgedeutet oder mit christl. Firnis versehen: Circe ist die personifizierte Wollust, oder Minerva heißt die ›Nothelferin‹ des Telemach. Damit steht Schaidenreißer unter seinen Übersetzerkollegen als eigene Persönlichkeit da, die ihren Beinamen Minervus nicht unverdient empfangen hat [22. 374]. Die erste Prosa-Übers. der *Ilias* verfaßte 1584 der Österreicher Johann Baptist Rexius, ihr folgte 1610 die postume Ausgabe der Versbearbeitung des bereits als Vergil-Übersetzer genannten Johannes Spreng. Die bis h. maßgebliche Homer-Übers. im klassizistischen Gewand legte aber erst Johann Heinrich Voß (1751–1826) im Zuge der neuen E.-Begeisterung des 18. Jh. vor. Er bringt 1778/79 seine Übers. der *Ilias* und 1781 die der *Odyssee* heraus, in denen er sich um eine Angleichung der Silben und Zäsuren ans Original bemüht, um so eine Nachbildung und Nachtönung des homer. Klangbildes zu erreichen.

All diese frühneuzeitlichen Bemühungen um die ant. Trad. des Vers-E., die Versuche einer Wiederbelebung der Gattung durch die Neulateiner, die Anstrengungen um eine Integration der Klassiker in die dt. Lit. per Übers., das Vorbild it. Meister wie Dante und Ariost oder Tasso, auch die schulische Pflege von Vergil und Homer, konnten die Marginalisierung und schließliche Aufgabe der Gattung langfristig nicht aufhalten. Die neue, freiere und offenere Gattung des Prosaromans zog das Interesse der Erzähler in der Neuzeit magisch an und führte im 19. Jh. zum faktischen Ende versepischer Lit. in Deutschland. Carl Leo Cholevius stellt 1854 mit Verwunderung fest, daß nicht einmal die ant.-freundliche Barock-Lit. dem E. zugeneigt war und man in Deutsch-

land lange auf Klopstocks, in der Milton-Nachfolge entstandenen *Messias* als eine Art National-E. ohne nationales Thema warten mußte: ›Das eigentliche E. wird im 17. Jh. nur vorbereitet (...) Es ist merkwürdig, daß diese Zeit, welche sich in die mannichfachsten Dichtungszweige versuchte, vor dem E. eine unüberwindliche Scheu hatte. Opitz meinte, heroische Gedichte seien leichter zu wünschen als zu hoffen. Zwar mußte, seitdem man an der Herstellung der strengen Kunstform arbeitete, nothwendigerweise auch einmal das E. an die Reihe kommen. Indessen gehörte die nächste Zukunft noch dem Romane‹ [2. 337]. Im Lauf des Jh. entstanden aber doch neben den großen Romanen eine ganze Reihe bed. Vers-E., die eine Erwähnung verdienen: Das große satirisch-komische Tierepos *Froschmeuseler* von Georg Rollenhagen (1542–1609), das erste christl. E. in dt. Sprache mit dem Titel *Dt. Phönix* von Kaspar von Barth (1587–1658), der *Habsburgische Ottobert* (1664) des Freiherrn von Hohberg als einziges ausgesprochenes Groß-E. der Barockzeit, das die Verherrlichung eines Helden der Vorzeit zum Gegenstand hat, sodann Klopstocks im 18. Jh. unbestrittenes Kult-E. *Der Messias* (1748–73), Goethes Musterepos *Hermann und Dorothea* (1797) und schließlich der romantisch-ironische Abgesang der Gattung durch Heines *Atta Troll* (1843). Auf zahlreiche weitere, aber unbed. Versuche bis ins 20. Jh. hinein sei nur hingewiesen [18. 718–746].

Dem Niedergang der Gattung Vers-E. und dem faktischen Aufstieg des → Romans steht lange Zeit eine theoretische Hochschätzung des E. und eine Geringschätzung des Romans gegenüber. Hatte ein früher Romantheoretiker, wie Friedrich von Blankenburg in seinem *Versuch über den Roman* (1774), den Roman noch für die gewissermaßen natürliche Fortsetzung des ant. E. gehalten, von daher auch den Anspruch des Romans legitimiert und ihn als ranggleich mit dem E. erkannt, so änderte sich das in der dt. → Klassik wieder. ›Die Urteile Schillers über den Roman sind durchweg abfällig‹ [16. 16]. Eine ausdrückliche Orientierung am ant. E. wird zwar in der Neuzeit nicht mehr als poetologische Norm gefordert, und natürlich hat man immer akzeptiert, daß sich in beiden Gattungen gut erzählen läßt, doch geht man bis ins 20. Jh. von einem fundamentalen Gefälle aus. Paul Böckmann sieht 1949 in Klopstocks *Messias* den abschließenden Versuch, in Deutschland die Gattung E. zu verwirklichen. Schon an den subjektiven Elementen bei Klopstock lasse sich erkennen, ›daß fortan die Zeit für das E. vorbei ist, weil es sich auf eine vorgegebene Sagen- und Glaubensüberlieferung angewiesen sieht, während der Roman künftig gerade dadurch sein Leben gewinnt, daß er von einer persönlichen Erfahrungswelt erzählt‹ [1. 592]. Wolfgang Kayser wertete 1948 stärker, indem er feststellte, im Roman seien die Figuren ›nicht mehr so welthaltig wie Odysseus, der König, der Götterliebling, der griech. Heimkehrer, – es sind »persönliche« private Figuren: Tom Jones, Madame Bovary oder Wilhelm Meister‹ [11. 359]. Helmut Koopmann hat 1983 gegen solche

Vorurteile zu Recht mit der Bemerkung protestiert: ›Diese Unterscheidung ist so antiquiert wie willkürlich. Käme h. tatsächlich noch jemand auf die Idee, Thomas Manns *Zauberberg* als Erzählung von einer privaten Welt in privatem Ton zu kennzeichnen, die *Odyssee* aber als Bericht von einer »totalen« Welt? Haben sich die Verhältnisse nicht umgekehrt – zumindest in dem Sinne, daß in der *Odyssee* eine zwar charakteristische, aber letztlich doch auf einen einzelnen bezogene Weltfahrt dargestellt ist, im *Zauberberg* aber die Lebensstimmung und die Untergangsangst einer ganzen europäischen Generation, einbezogen in Versuche, den Untergang dennoch zu überwinden? Es geht hier weniger um das Verhältnis der erzählenden Dichtung zur Wirklichkeit und zum Leben als vielmehr um die Frage, in welchem Ausmaß das erzählte Geschehen repräsentativ ist‹ [16.12].

Bei der hier diskutierten Kategorie der Privatheit lohnt es sich, neben dem werkinterpretatorischen auch den rezeptionsästhetischen Aspekt zu bedenken. Das Vers-E. nahm als Großform des Erzählens seinen Ausgang im Zeitalter der Mündlichkeit. Selbst wenn ein E. wie die *Aeneis* in langjähriger schriftlicher Ausarbeitung entstand, so war es doch für die mündliche Aufführung gedacht. Der Umschlag in die Schriftlichkeit, der sich seit dem 14. Jh. weiträumig vollzog, v. a. aber die Möglichkeiten der »Gutenberggalaxis« forderten in der Neuzeit andere Rezeptionsbedingungen, insbes. die Privatheit des Leseakts heraus. Epische Großformen mußten früher tagelang rezitiert werden. Jetzt las man Stücke großer Erzählungen wann immer man wollte. Die ältere Ästhetik metrisierter Darbietung fürs Hören, die auf die urspr. *aisthēsis*, auf theatralischen Vortrag, auf Rhythmus und Klangerlebnisse setzte, wurde deshalb dysfunktional, konnte sich nur noch bei den rasch aufführbaren Kurzformen (Gedichten) als Norm bis ins 20. Jh. halten. Alle Arten von Vers-E., auch die autochthonen, waren nicht mehr en vogue. Im 15. Jh. prosaisierte man dementsprechend viele der alten E.; im 16. Jh. begann man auch originale dt. Prosaromane zu schreiben. Die lebendige Einbeziehung der ant. Groß-E. in den dt. Lit.-Kontext war, wenn es nicht um Einzelanleihen ging, schon immer aus inhaltlichen Gründen problematisch gewesen, weil sie stofflich für die eigenen Interessen meist zu wenig Identifikationspotential und lit. offenbar zu wenig Faszination boten. Als Bildungsgut waren sie dagegen geschätzt und als Ausgangspunkt für ästhetische Debatten unverzichtbar. Aber es ist bezeichnend, daß das späte nationale dt. Groß-E., Klopstocks *Messias*, eine Bibeldichtung ist, die niemand mehr wirklich zu überbieten suchte, die keine Richtung mehr vorgab und deren Lese-»Anreiz« so begrenzt war, daß schon viele Zeitgenossen umstandslos berichteten, sie nicht zu Ende gelesen zu haben.

→ Deutschland; Neulatein
→ AWI Alexanderroman

1 P. BÖCKMANN, Form-Gesch. der dt. Dichtung. Bd. 1, Von der Sinnbildsprache zur Ausdruckssprache, 1949 2 C. L. CHOLEVIUS, Gesch. der dt. Poesie nach ihren ant. Elementen, Erster Teil, Von der christl.-röm. Cultur des MA bis zu Wieland's frz. Gräcität, Leipzig 1854 (Ndr. 1968) 3 G. EHRISMANN, Gesch. der dt. Lit. bis zum Ausgang des MA, Teil 1, 1918 4 G. ELLINGER, s. v. Neu-lat. Dichtung Deutschlands im 16. Jh., in: Real-Lex. der dt. Lit.-Gesch., Bd. 2, hrsg. v. P. MERKER, W. STAMMLER, 1926/28, 469–495 5 W. FECHTER, Lat. Dichtkunst und dt. MA Forsch. über Ausdrucksmittel, poetische Technik und Stil mhd. Dichtungen, 1964 (= Philol. Stud. und Quellen 23) 6 H. FROMM, s. v. E., Narrative Großform in Versen, in: Real-Lex. der dt. Lit.-Wiss., Bd. 1, Neubearbeitung hrsg. v. K. WEIMAR, 1997, 480–484 7 S. FÜSSEL, Riccardus Bartolinus Perusinus, Human. Panegyrik am Hofe Kaiser Maximilians I., 1987 (= SAECVLA SPIRITALIA 16) 8 K. H. HALBACH, s. v. E. des MA, in: W. STAMMLER, Dt. Philol. im Aufriß, Bd. 2, ²1960, 397–684 9 G. FINSLER, Homer in der Neuzeit, 1912 10 D. KARTSCHOKE (Hrsg.), Heinrich von Veldeke, Eneasroman, mhd./nhd., 1986 11 W. KAYSER, Das sprachliche Kunstwerk, Eine Einführung in die Lit.-Wiss., 1948 12 J. KNAPE, Die mhd. Pilatus-Dichtung und die Lit. im Umfeld des Thüringerhofs 1190–1227, in: Jb. der Oswald von Wolkenstein Ges. 6, 1990/91, 45–57 13 Ders., Hoch-ma. Vergangenheitsdeutung in mhd. Ant.-Lit., in: H.-W. GOETZ (Hrsg.), Hoch-ma. Geschichtsbewußtsein im Spiegel nichthistoriographischer Quellen, 1998, 317–329 14 Ders., War Herbort von Fritzlar der Verf. des Vers-Pilatus?, in: Zschr. für dt. Alt. 115, 1986, 181–206 15 F. P. KNAPP (Hrsg.), Der Ligurinus des Gunther von Pairis in Abbildungen des Erstdrucks von 1507, 1982 (= Litterae 76) 16 H. KOOPMANN, s. v. Vom E. zum Roman, in: Ders. (Hrsg.), Hdb. des dt. Romans, 1983, 11–30 17 K. LANGOSCH, Die dt. Lit. des lat. MA, 1964 18 H. MAIWORM, E. der Neuzeit, in: W. STAMMLER, Dt. Philol. im Aufriß, Bd. 2, ²1960, 685–748 19 J.-D. MÜLLER, Gedechtnus. Lit. und Hofgesellschaft um Maximilian I., 1982 (= Forsch. zur Gesch. der älteren dt. Lit. 2) 20 H. RUPPRICH, Vom späten MA bis zum Barock, Teile 1 und 2, 1970–73 (= DE BOOR/NEWALD: Gesch. der dt. Lit. IV, 1 und 2) 21 W. J. SCHRÖDER, s. v. E. (Theorie), in: Real-Lex. der dt. Lit.-Gesch., Bd. 1, hrsg. von W. KOHLSCHMIDT, W. MOHR, ²1958, 381–388 22 W. STAMMLER, Von der Mystik zum Barock, 1927 23 H. STECKNER, s. v. E., Theorie, in: Real-Lex. der dt. Lit.-Gesch., Bd. 4, hrsg. von P. MERKER, W. STAMMLER, 1931, 28–39 24 Vergil 2000 Jahre. Rezeption in Lit., Musik und Kunst. Kat. zur Ausstellung der Univ.-Bibl., Bamberg und der Staats-Bibl. Bamberg 1982–1983, 1982 25 J. WIEGAND, s. v. E., in: Real-Lex. der dt. Lit.-Gesch., Bd. 1., hrsg. von P. MERKER, W. STAMMLER, 1925/26, 318–328 26 Ders., s. v. E., Neuhoch-dt., in: Real-Lex., ²1958, 388–393 27 F. J. WORSTBROCK, Zur Einbürgerung der Übers. ant. Autoren im dt. Human, in: Zeitr. für dt. Alt. 99, 1970, 45–81 28 Ders., s. v. Vergil, in: Verf.-Lex., hrsg. v. B. WACHINGER et al., 10, 1998, 247–284.

JOACHIM KNAPE

IV. ANGELSÄCHSISCHE LÄNDER
s. Klassik/Klassizismus

Erbrecht   A. Gesamtnachfolge
B. Erbenwahl durch Testament
C. Testamentsregeln
D. Gesetzliche Erbfolge
E. Nachlasserwerb   F. Pflichtteil

A. Gesamtnachfolge

Röm. E. ist Generalsukzession in das gesamte Vermögen (einschließlich der Schulden: *successio in omne ius defuncti*). Da gläubiger-freundlich (›Der Gläubiger ist erster Erbe, er rangiert noch vor den Erben‹), übernahmen dies alle neuzeitlichen Kodifikationen (§ 1922 BGB: ›Vermögen als Ganzes‹). Abweichend von der vulgarrechtlichen Regel *paterna paternis, materna maternis* ist auch nach Art. 732 frz. *Code civil* (1804) die Herkunft (*l'origine*) der Güter ebenso unerheblich wie ihre Funktion (*la nature*: Waffen vererbten die Germanen im Mannesstamm = Schwertmagen, Hausgerät in weiblicher Linie = Spindelmagen). Auch zw. Grundstücken und beweglicher Habe unterschieden die Römer ebensowenig wie wir h. (anders die Germanen; die Engländer noch bis 1925). Singularsukzession bildet die Ausnahme (z. B. im Höferecht). Einzelvergabe (Vermächtnis) wirkt nach § 2174 BGB nicht dinglich; anders das röm. Vindikationslegat, von It. rezipiert in Art. 649 *Codice civile* (1942). Unter den Berufungsgründen zur Erbfolge stammt die gewillkürte durch widerrufliches Testament aus der röm. Ant., durch bindenden Erbvertrag aus dem MA; die »gesetzliche« (testamentslose, in Rom auch nach prätorischem Recht) gab es stets.

B. Erbenwahl durch Testament

Gewillkürte Erbfolge war den Germanen fremd; sie kannten nur geborene, nicht gekorene Erben (*nullum testamentum*). Kinderlose Erblasser bedienten sich ersatzweise der Adoption (Affatomie). Das in Rom zumal in begüterten Schichten seit alters gebräuchliche Testament ermöglichte Kinderlosen die Erbenwahl, Kinderreichen die Auswahl eines Hoferben einschließlich der Abfindung der anderen Abkömmlinge durch Vermächtnisse zwecks Vermeidung existenzgefährdender Nachlaßzersplitterung. Durch Nebenbestimmungen (Bedingungen, Auflagen) ermöglicht das Testament überdies Gestaltungsspielraum für die postmortale Zukunftsplanung. Das geltende Testamentsrecht beruht auf gesundem Kompromiß zw. den allzu strengen Förmlichkeiten nach altem *ius civile* und der allzu liberalen Formfreiheit der seit Augustus anerkannten Fideikommisse sowie der seit Trajan zugelassenen Soldatentestamente. An dem zivilen Manzipations- oder Libraltestament wirkten außer fünf männlichen und mündigen Zeugen gleichzeitig ein Waagehalter und ein Treuhänder (*familiae emptor*) mit (letzterer gewissermaßen als Vorläufer eines Testamentsvollstreckers). Nachdem Waagehalter und Treuhänder ebenfalls zu Formzeugen verblaßten, genügte die von sieben Zeugen gesiegelte Urkunde als Basis für die prätorische Erbfolge (*bonorum possessio*). Das Siebensiegel-Testament rezipierte die Reichsnotariatsordnung von 1512. Die Zahl der Zeugen setzte man jedoch nach kanonischem Vorbild öfters auf zwei bis drei herab. Für die im ant. Kaiserrecht anerkannten (Einzel- oder Universal-) Fideikommisse genügte jede formlose zweifelsfreie Willensbekundung (nicht bloße Empfehlung) in beliebiger Sprache, sogar mündlich, auch gegenüber dem Bedachten, sogar durch bloße Gebärden. Als Vorformen notarieller Testamente kamen ab dem 4. Jh. n. Chr. die Errichtung des Testaments zu Protokoll vor Gerichten, Statthaltern oder Munizipalbehörden (*testatio apud acta conditum*) bzw. durch Überreichung an den Kaiser (*testatio principi oblatum*) hinzu. Obschon urspr. und begrifflich ein vor Zeugen bekundeter Akt des letzten Willens (*testatio mentis*), verlangt die Errichtung eines ordentlichen Testaments h. nur noch ausnahmsweise die Mitwirkung von Zeugen (z. B. bei Blinden oder Stummen; sonst falls der Testator dies wünscht). Das praktisch zeugenlose eigenhändige (holographische) Testament führte Valentinian III. 446 n. Chr. für die westl. Reichshälfte ein. Als justinianisches Reichsrecht nicht rezipiert, überlebte es unter Westgoten und Franken; im neuzeitlichen Mitteleuropa wurde es trotz ungesicherter Kontinuität wiederbelebt (§ 2247 BGB). Gemeinschaftliche Testamente von Ehegatten gestattete man seit 446 n. Chr. Zuwendungen eines Elternteils an zu Intestaterben berufenen Kindern bedurften nicht der Testamentsform. Bindende Erbverträge ließ die Ant. ebensowenig zu wie die meisten romanischen Staaten h. (›divieto di patti successori‹: Art. 458 it. *Codice civile*).

C. Testamentsregeln

Beginnen mußte das röm. Testament mit der Einsetzung eines oder mehrerer Erben als Universalsukzessoren (*heredis institutio est caput et fundamentum totius testamenti*). Vom BGB nicht rezipiert, unterscheidet § 2087 Gesamtzuwendung des Nachlasses (Erbeinsetzung) von der Einzelzuwendung bestimmter Gegenstände (Vermächtnis). Bloße Legatentestamente deutete man schon in der Ant. in Fideikommisse um, Erbeinsetzung auf bestimmte Gegenstände (*ex re certa*, z. B. Grundstücke) in Erbquoten. Gemäß dem beibehaltenen *favor testamenti* sind Testamente so auszulegen, daß der Testatorwille Erfolg haben kann (*ut magis valeat quam pereat*, § 2084 BGB). Zuwendungen unter aufschiebender Potestativbedingung werden umgedeutet in auflösend bedingte (§ 2075 BGB, entsprechend der alten *cautio Muciana*). Dem ambulatorischen Charakter des letzten Willens entsprechend sind Testamente jederzeit grundlos widerruflich. Ein neues Testament vernichtete ein früheres in Rom völlig (*nemo cum duobus testamentis decedere potest*), nach § 2258 BGB nur, soweit es dem alten widerspricht. Der reine Widerruf führt zur Wiederherstellung der mutmaßlich gerechten gesetzlichen Erbfolge, ist darum der Form nach erleichtert (Vernichtung in Aufhebungsabsicht oder Annullierungsvermerk, § 2255 BGB). Nach Lösung der Siegel in Aufhebungsabsicht gewährte schon der Prätor dem gesetzlichen Erben die *bonorum possessio contra tabulas* (*cum re*). Gesetzliche und testamentarische Erbfolge können h. nebeneinander bestehen (§ 2088 BGB), anders in Rom (*nemo pro parte testatus, pro parte intestatus decedere potest*). Bei Freilassung eines Bruchteils trat in Rom zwangsläufig Akkreszens zugunsten des oder der eingesetzten Erben ein, nach § 2089 BGB nur bei versehentlicher Freilassung, sonst für den Rest gesetzliche Erbfolge. Die Berufung zum Ersatzerben (§ 2096 BGB) entspricht dem röm. Recht, nicht hingegen die Nacherbschaft gemäß §§ 2100 ff. BGB wegen der Regel *semel heres semper heres* (in Rom gemildert durch Erbschaftsfideikommiß).

D. GESETZLICHE ERBFOLGE

Bei der gesetzlichen Erbfolge (röm. *ab intestato*) sind Unterschiede zw. männlicher und weiblicher Verwandtschaft seit Justinian beseitigt. Das geltende Parentelensystem (jeder *parens* bildet einen Stamm) entstammt dem Naturrecht (J. G. Darjes, 1740); der Verwandtschaftsgrad entscheidet erst in zweiter Linie bei Berufung der nächsten Parentel (Ordnung). Vom Fortbestand der Hausgewalt (*patria potestas*) hängt das Intestaterbrecht geradliniger Verwandter nicht mehr ab (keine Zurücksetzung Emanzipierter). Das Eintrittsrecht von Abkömmlingen vorverstorbener Kinder und Seitenverwandter entwickelte sich zögernd. Sie erben h. nach Stämmen (*pro stirpe*), um den Zufall des Vor- oder Nachversterbens auszuschalten, nicht nach Köpfen (*pro capite*: so allerdings ein von U. Zasius befürworteter Reichsabschied von 1529 ›Kindeskinder erben in die Häupter‹). Gezeugte, aber noch nicht geborene Kinder stellte aus demselben Grunde schon die Ant. bereits geborenen gleich (*nasciturus pro iam nato habetur*, § 1923 II BGB). Uneheliche Kinder galten bis 1969 als nicht verwandt mit ihrem Vater (§ 1589 II BGB aF); anstelle eines Erbrechts hatten sie nur einen vererblichen Unterhaltsanspruch. Seitdem erhalten sie neben ehelichen Abkömmlingen oder einer Ehefrau nur den doppelten Pflichtteil als Erbersatzanspruch. Erbrechtlich gleichgestellt sind sie seit 1975 in It., seit 1978 in Spanien, seit 1998 auch in Deutschland. Zw. Mutter und Kindern wurde ein Erbrecht im 2. Jh. n. Chr. durch zwei Senatsbeschlüsse anerkannt; heute steht es völlig gleich. Die Witwe wurde primär versorgt durch die Rückgewähr ihrer Mitgift; im Zuge der Kontraktion von der Groß- auf die Kleinfamilie wurde das Erbrecht des überlebenden Ehegatten auf Kosten der Kinder zunehmend verstärkt.

E. NACHLASSERWERB

In der Art des Nachlaßerwerbs übernahm § 1942 BGB das in Rom für hausabhängige Erben geltende Prinzip des Vonselbsterwerbs mit rückwirkender Ausschlagungsbefugnis (entsprechend dem prätorischen *beneficium abstinendi*). Österreich rezipierte hingegen den einst für hausfremde Erben geltenden Antrittserwerb (mit zwischenzeitlicher amtlicher Verwaltung der ruhenden Erbschaft, *hereditas iacens*). Der Verstorbene (*defunctus*) heißt im romanischen Rechtskreis auch *de cuius* nach lat. *is, de cuius hereditate queratur*. Mehrere Miterben haften für die Schulden im dt. Rechtskreis als Gesamtschuldner (§§ 1967, 2058 BGB), im romanischen nach

röm. Vorbild als Teilschuldner (*nomina sunt ipso iure divisa*) entsprechend ihrer Erbquote (für durch Pfand oder Hypothek gesicherte Schulden allerdings ungeteilt: *pignoris causa est indivisa*). Die Inventarerrichtung ist (abweichend vom justinianischen *beneficium inventarii*) nach BGB kein Mittel zur Haftungsbeschränkung (§§ 1993 ff.; vgl. stattdessen §§ 1970 ff., 1975 ff., aber auch § 2005). Vorwegempfänge unter Lebenden sind nach §§ 2050 ff. BGB auszugleichen entsprechend der röm. Kollation. Eine Klage auf gerichtliche Erbteilung (*actio familiae erciscundae*) übernahm das liberalistisch gesonnene BGB nicht. Der Anspruch auf Erbschaftsherausgabe nach §§ 2018 ff. BGB entspricht hingegen der röm. *hereditatis petitio*. Eine Erbschaftssteuer von fünf Prozent führte Augustus ein.

F. PFLICHTTEIL

Das nicht rezipierte formelle Noterbrecht gebot die ausdrückliche Enterbung nichtbedachter Deszendenten. Seine Steigerung zum materiellen Pflichtteilsrecht beruht auf einer Kontamination der Testamentsanfechtung wegen Lieblosigkeit (*querella inofficiosi testamenti*) mit der *quarta Falcidia*, welche den Testamentserben ein Viertel der Erbquote garantierte und überschießende Vermächtnisse anteilig kürzte. War Intestaterben weniger als die Quart hinterlassen, erhielten sie einen Pflichtteilsergänzungsanspruch (*actio ad supplendam legitimam*, ähnlich § 2305 BGB). Den Pflichtteil (auch des Ehegatten) erhöhte das BGB auf die Hälfte des Wertes des gesetzlichen Erbteils (§ 2303). Die Gründe für die Pflichtteilsentziehung entsprechen den für die Erbunwürdigkeit rezipierten (bes. ›Blutige Hand nimmt kein Erbe‹, *indigno aufertur hereditas*: §§ 2333, 2346 BGB). Wohlgemeinte Enterbung bzw. Pflichtteilsentziehung eines überschuldeten Abkömmlings ist gestattet (*exheredatio bona mente*, entspr. § 2338 BGB).

→ Ehe; Römisches Recht
→ AWI Erbrecht; Erbteilung; Fideicommis; Legatum; Testament

1 H. COING, Europ. Privatrecht I 1985, §§ 117 ff.; II 1989, §§ 122 ff. 2 HWB zur dt. Rechtsgesch., s. v. Erbengemeinschaft, Erbfolgeordnung, Erbrecht, Erbvertrag, Noterben, Parentelenordnung, Pflichtteilsrecht, Verzicht 3 A. SANGUINETTI, Dalla querela alla portio legitima, 1996 4 A. WACKE, Die Entwicklung der Testamente in Ant. und MA, in: Orbis Iuris Romani (OIR) 2, 1996, 113–120 5 Ders., Ungeteilte Pfandhaftung, in: Index 3, 1972, 454, 463 ff. 6 G. WESENER, Gesch. des Erbrechtes in Österreich seit der Rezeption, 1957 7 Ders., Einflüsse und Geltung des röm.-gemeinen Rechts in den altösterreichischen Ländern, 1989, 79 ff. 8 Ders., Sondervermögen und Sondererbfolge im nachklass. Recht (bona materna etc.), in: H.-P. BENÖHR, K. HACKL, R. KNÜTEL, A. WACKE (Hrsg.), Iuris professio: FS M. Kaser zum 80. Geburtstag, 1986, 331–346 9 G. WESENER, Remedia der Noterben bei Glossatoren etc., in: D. MEDICUS, H.-J. MERTENS, K. W. NÖRR, W. ZÖLLNER (Hrsg.), FS Hermann Lange, 1992, 285–300 10 G. WESENER, Beschränkung der Erbenhaftung im röm. Recht, in: M. J. SCHERMAIER, Z. VÉGH, Ars boni et aequi: FS W. Waldstein, 1993, 401–416 11 B. WINDSCHEID, TH. KIPP, Pandekten III, ⁹1906, §§ 527 ff. ANDREAS WACKE

Erechtheion s. Karyatiden

Erotica   A. Mittelalter   B. Neuzeit

A. Mittelalter

Sowohl die griech. wie die röm. Kunst ist reich an erotischen Themen und Gegenständen aller Art: Man findet sie in zahlreichen Gattungen und Techniken, von Großplastik, Malerei, Mosaik über kunsthandwerkliche Produkte bis hin zu Kleinkunst (z. B. Gemmen und Kameen). Als mit dem Sieg des Christentums das E. der ant. Kunst anbrach, verschwand auch die erotische Bildwelt vom Tageslicht. Geeignete Werke wurden offenbar von Kennern während des gesamten MA insgeheim gesammelt und goutiert [1]. Wichtiger aber war, daß eine kollektive Erinnerung an diese nun als Idole, Sitz von Dämonen, verdammten Bilder bestehen blieb, zunächst wachgehalten durch die ebenso sexual- wie bilderfeindlichen Verlautbarungen zahlreicher Kirchenväter. Diese pflegten vor den heidnischen Bildern zu warnen, indem sie diesen verführerisch-verderbliche Qualitäten nachsagten. Dabei wurde insbes. auf den Fall der Knidischen Aphrodite des Praxiteles verwiesen, die durch ihre Nacktheit und künstlerische Vollkommenheit einen Jüngling in ihren Bann geschlagen und zu einem Beischlafsversuch veranlaßt habe [6].

Die unterstellte erotische Macht (nackter) Statuen erhob sich in romanischer Zeit, gebrochen und negativ, auf zweifache Weise: 1. verbal-schriftlich – etwa in den Legenden von den durch den Teufel bewirkten Ringverlobungen mit Venusstatuen (William v. Malmesbury, 1125, Dt. Kaiserchronik, um 1150); 2. künstlerisch – in der um 1100 entstehenden Bauplastik südfrz. und nordspan. Pilgerkirchen, in der die bislang verpönte Skulptur oft in Form obszöner Gegenbilder wiedererstand. Die Abwehr der unterstellten Verführungsmacht äußerte sich in einer monströs pervertierten Bildwelt. So wurde z. B. das Motiv des Dornausziehers als Inkarnation der heidnisch-priapeischen Natur (Magister Gregorius) gedeutet und in ungezählten männlichen wie weiblichen bauplastischen und anderen Varianten kolportiert [3; 5] (Abb. 1). Das Bild der Venus verwandelte sich in das Bild der Luxuria, der schlangen- und krötenbehafteten Personifikation der Geilheit (Moissac).

B. Neuzeit

Seit der → Renaissance allmählich rehabilitiert, wurden ant. Sujets und Kunstwerke nun zu Katalysatoren gegenwärtiger erotischer Wünsche. So wurden etwa auf Florentiner Hochzeitstruhen (15. Jh.) zuerst erotische Themen der Ant. in animierender Absicht popularisiert: »Amor und Psyche«, »Urteil des Paris«, »Raub der Helena« etc. In der *Hypnerotomachia Poliphili* (Venedig 1499) ist in Wort und Bild der Traum von der Liebeserfüllung in ein antikisches Utopia verlegt.

Jetzt beginnt der bis h. nicht verebbte Strom von betreffenden ant. Sujets durch die Kunst und Bildwelt der Alten und Neuen Welt. Kein Stil, kaum ein Künstler, der dazu nichts beisteuerte [4]. Die verbreitetsten Personifikationen männlicher und weiblicher Erotik sind bis h. ant. Ursprungs: Aphrodite/Venus, Eros/Amor, Satyr, Pan/Faun, Mänade, Kentaur (Picasso!) u. a. Für die Darstellung von Liebespaaren und -paarungen standen die Götter-, insbes. die Venus- und Jupiter-Amouren zur Verfügung (vgl. Caraglios Kupferstichzyklus *Lascivie* oder *Götterliebschaften* nach Zeichnungen von P. del Vaga, um 1530); für Liebe empfangende Frauen bevorzugte man die Ikonographie der Danaë (Tizian, Rembrandt, Klimt) und Io (Correggio). Mehr noch als bei der »Standard-Erotik« standen ant. Vorbilder Pate bei der Kultivierung abweichender erotischer Optionen. Hyazinth (Cellini) und Ganymed (Correggio, Rubens), auch Antinous, waren z. B. homosexuell codiert, die Venus Kallipygos und der Liegende Hermaphrodit wurden gern für entsprechende fetischistische Einstellungen beansprucht (vgl. die Arrangierung des Louvre-Hermaphroditen durch Bernini). Bizarre Neigungen bediente z. B. das Motiv »Leda und der Schwan« (Michelangelo, Leonardo da Vinci, Correggio). Und Narziß (Caravaggio, Poussin, Dali) wurde zum Syn. pathologischer Autoerotik (Freud). Es dauerte bis an die Wende zum 20. Jh., bis neue »Ikonen« der Erotik (z. B. »Femme fatale«, »Pin Up Girl«) die Dominanz der ant. Leitbilder, nicht aber ihre Fortdauer, brachen (vgl. die Lysistrata-Illustrationen A. Beardsleys, 1896, Abb. 4).

Neben den Themen waren auch gewisse Motive ant. E. durch die Jh. beliebt, wie die Faunspaarung nach röm. Sarkophag (Marcanton Raimondi, Abb. 2). Einen Durchbruch des motivischen Interesses brachten die Ausgrabungen von → Pompeji (ab 1748) und → Herculaneum. Hier kam v. a. Klein- und Alltagskunst zu Tage, die oft derb-pornographischen Zuschnitts ist: Kopulierende Paare in vielen Stellungsvarianten auf Wandbildern, Graffiti, Terra Sigillata-Gefäßen, Spiegeln, Tonlampen sowie zahlreiche phallisch-priapische Motive, darunter geflügelte Penisse (Lampen, Tintinnabula, Amulette), die fortan ein beliebtes Motiv in der klassizistischen Graphik wurden (B. Genelli, *Wer kauft Liebesgötter?*, um 1830, Abb. 5). Die Fundstücke wurden zum *Gabinetto segreto* der königlichen Sammlung Neapel vereint (jetzt Museo Nazionale) und nur ausgewählten Besuchern zugänglich gemacht [8]. Die (bis h. andauernde) Geheimniskrämerei um die später *Raccolta Pornografica (RP)* genannte Sammlung provozierte allerlei erotische Publikationen (z. B. Baron d'Hancarville, *Monuments du culte secret des Dames Romaines*, Capri 1784) und unautorisierte Liebhabereditionen (z. B. Marie-César Famin, *Musée Royal de Naples. Peintures, Bronces et Statues Erotiques*, Paris 1832; Gaston Vorberg, *Mus. eroticum Neapolitanum*, 1910). Zahlreiche Privatsammlungen entstanden in diesem Kontext, darunter Goethes *Priapeia* und E. (v. a. Abdrücke ant. Gemmoglyptik). Eine »priapische« Nachblüte entstand in der Exlibris-Kunst des 19./20. Jh. (R. Balázsfy – nach den delischen Marmor-Phalloi, Abb. 3).

Abb. 1: »Dornauszieher« vom Grabmal
des Erzbischofs Friedrich von Wettin, 1152,
Dom Magdeburg

Abb. 2: Der lüsterne weibliche Faun. Anonymus nach
Marcanton Raimondi, Stich nach einem Motiv eines
dionysischen Sarkophags im Museo Nazionale, Neapel

Abb. 3: Rezsö Balászfy, Exlibris

Abb. 4: Aubrey Beardsley, Frontispiz der Lysistrata-
Illustrationen, 1896

Abb. 5: Bonaventura Genelli, »Wer kauft
Liebesgötter?«, Aquarell, um 1830

Die ant. E. spielten in Sammlungen und Veröffentlichungen sowie ihrer künstlerischen Rezeption noch
lange ihre Rolle als halbwegs sanktioniertes Reservat für
die Artikulation und Befriedigung erotischer (Bild-)
Bedürfnisse, die im übrigen verpönt waren. Selbst noch
neuere wiss. Publikationen, etwa H. Lichts *Sittengeschichte Griechenlands* [7], können diesen anhaltenden
Impetus nicht verleugnen.

→ AWI Aphrodite; Danae; Eros; Ganymedes;
Hermaphroditos; Hyakinthos; Narkissos; Pan; Satyros

1 H. G. BECK, Byz. Eroticon, 1986 2 A. DIERICHS, Erotik in
der röm. Kunst, 1997 3 R. HAMANN, Kunst und Askese,
1987, 45–64 4 E. FUCHS, Gesch. der erotischen Kunst, 3
Bde., 1908–26 5 W. S. HECKSCHER, Dornauszieher, in:
RDK 4, 1958, 289–299 6 B. HINZ, Aphrodite. Gesch. einer
abendländischen Passion, 1998 7 H. LICHT, Sittengesch.
Griechenlands, 3 Bde., 1925–28 8 G. L. MARINI, Il
Gabinetto Segreto del Mus. Nazionale di Napoli, 1971.

BERTHOLD HINZ

Estland I. LATEINISCHE SPRACHE II. KLASSISCHE SPRACHEN AN DER UNIVERSITÄT DORPAT III. ANTIKE MOTIVE IN DER LITERATUR UND ÜBERSETZUNGEN

I. LATEINISCHE SPRACHEN

Die Nachwirkung der Ant. in E., im MA durch das
Christentum vermittelt, läßt sich genauer erst seit Ende
des 11. Jh. verfolgen. Aus dieser Zeit stammen die ersten
Urkunden zur estnischen Geschichte. In den Chroniken (Adam von Bremen, Saxo Grammaticus) sind mit
»Aisti« und »Estones« die Bewohner des heutigen E. gemeint; die Enzyklopädie des Bartholomaeus Anglicus
De proprietatibus rerum enthält ziemlich genaue Beschreibungen der einzelnen Ortschaften (de Rivalia, de
Vironia). Unmittelbare Beziehungen und Kontakte E.
mit der ant. Welt sind nicht belegbar. Obwohl die Benennung *gentes Aistiorum* schon in der *Germania* (45) von
Tacitus vorkommt, hat er damit die idg. Vorfahren der
baltischen Völker (Altpreußen, Litauer und Letten) bezeichnet. Zu Beginn des 13. Jh. wurde E. Bestandteil
der Ordensstaaten und des europ. Kulturraums, in dem
Lat. bis 17. Jh. als allg. Sprache der Wiss. und Kultur galt.
Das älteste lateinischsprachige Werk und die wichtigste
Quelle über Liv- und Estland ist das *Chronicon Livoniae*
des Heinrich von Letten (geschrieben um 1225, Erstausgabe 1740). Die bedeutendsten anderen baltischen Ge-
schichtsbücher sind das *Chronicon Livoniae* des Hermann
von Wartberge (geschrieben im 14. Jh., Erstausgabe
1863), die *Livoniae historia* von Thomas Horner (Erstausgabe 1551), die *Belli Livonici historia* von Tillmann Bre-
denbach (Erstausgabe 1564) und die *Livonicae historiae
compendiosa series* von Dionysius Fabricius (geschrieben
um 1610, Erstausgabe 1795). Neben den speziellen baltischen Chroniken finden sich Angaben über E. in vielen
damaligen lateinischsprachigen Büchern wie z. B. in den
Werken von H. Schedel, S. Münster, S. von Herberstain
und in den berühmten Elzevierausgaben *Respublica sive*

*status regni Poloniae, Lituaniae, Prussiae, Livoniae diverso-
rum auctorum.*

Die ersten Angaben über → Dom- und → Klosterschulen, in denen die klass. Sprachen unterrichtet wurden, stammen in E. aus der Mitte des 13. Jh. Meistens
umfaßte die Ausbildung nur die Fächer des Triviums,
und die Schüler beschäftigten sich hauptsächlich mit
Donatus, Cassiodorus und Capella. Unter den Klosterschulen spielte die wichtigste Rolle die Schule am Do-
minikanerkloster in Tallinn. Nach der Reformation und
Melanchthons Schulreform wurden neue Schulen
gegr., in denen neben Lat. auch Griech. und Hebräisch
unterrichtet und die Werke von ant. Autoren (zumindest Äsop und Terenz sind belegbar) gelesen wurden
(→ Schulwesen). An der Wende vom 15. zum 16. Jh.
gab es in Tartu ein Jesuitengymnasium (→ Jesuitenschule), in denen das Lateinstudium alle Stufen (seit
1593 auch Rhet.) der *studia inferiora* umfaßte. Ein höheres Niveau erreichte das Studium der klass. Sprachen
im Revalschen Gymnasium (eröffnet 1631; → Humanistisches Gymnasium), an dem es Professuren für die
griech. Sprache, Poesie und Rhet. gab. Lat. als Hauptfach wurde vom Rektor und von den Professoren für
Poesie und Rhet. unterrichtet. Als eine akad. protestantische Lehranstalt war das Revalsche Gymnasium
eine wichtige Institution, an der zu Ende des 17. Jh. und
bes. im 18. Jh., als die Univ. in Tartu geschlossen war,
die klass. Sprachen gepflegt wurden, die Werke der meisten ant. Autoren vorhanden waren und die bedeutendsten von ihnen studiert wurden.

→ Artes liberales; Mittelalter

1 Eesti kooli ajalugu 1, 1989 2 G. V. RAUCH, Gesch. der
deutschbaltischen Geschichtsschreiber, 1986.

OLEV NAGEL

II. KLASSISCHE SPRACHEN AN DER UNIVERSITÄT DORPAT (TARTU)

In der 1632 eröffneten Univ. Dorpat haben sich mit
Lat. und Griech. sowie mit den ant. Autoren v. a. die
Professoren der griech. Sprache, Rhet. und Poetik beschäftigt. Die ant. Autoren wurden außerdem für die
Stud. der Mathematik (Euklid, Aristoteles, Archimedes,
Ptolemaios), Philos. (*methodus Socratica*) und Jurisprudenz zugrunde gelegt. Die Prinzipien des Unterrichts
gemäß dem Statut der Univ. verlangten, daß der Professor der Poesie seine *praecepta* neben den Autoritäten
der späteren Zeit dem Werk des Aristoteles entnahm
sowie Beispiele aus den Schriften Homers, Hesiods,
Theokrits, Pindars, Euripides', Sophokles', Vergils, Horaz', Ovids und Iuvenals heranzog. Professoren des
Griech. sollten nach Art des Sokrates unterrichten. Für
den Rhet.-Professor waren, zusammen mit den Grundsätzen der Ciceronischen Beredsamkeit, bes. aus *De oratore*, die Regeln von Ramus und Thaleus obligatorisch.
Reden und Epigramme waren nach dem Vorbild der
Werke von Demosthenes, Thukydides, Herodot, Plutarch, Livius sowie den Reden und Briefen Ciceros verfaßt. Viele Disputationen haben die Begründung der

›guten Rede in der Art Ciceros‹ als Gegenstand (z. B. *De oratore*, Dorpat 1641 und *De elocutione*, Dorpat 1645, von Laurentius Ludenius; → Rhetorik). Enkomiastische Reden (Lobreden) brachten zahlreiche Vergleiche mit der Ant. und gebrauchten ant. myth. Motive für die ornamentalen Figuren der Rede. Die meisten Zitate aus ant. Quellen hat der schwedische Professor der Rhet. und Poetik, Olaus Hermelin, benutzt, der über die ant. Kultur schrieb und häufig auf Cicero, Livius, Tacitus, Vergil und Sueton hinwies (z. B. in *De studio honoris, De varietate ingeniorum, De columnis Herculis* u. a.).

Arbeiten aus späterer Zeit und von lokaler Bed. stellten gelegentlich Parallelen zur Ant. her, wie z. B. die Rede *De civitate Dorpatensi* (Dorpat 1637), in der die Heimatstadt, die während des Krieges stark gelitten hatte, mit Troia und Karthago verglichen wird. In der Disputation *Templa non templa* wird die Ausrottung des Aberglaubens in E. mit den Heldentaten des Herakles, hier der Reinigung der Ställe des Augias, verglichen. Lat. Gelegenheitsgedichte waren ein Bestandteil der Disputationen, die z. T. in Alkaischen und Sapphischen Strophen geschrieben sind. Stilistischer Schmuck in Hochzeits- und Einweihungsgedichten geht vielfach auf die Ant. zurück. Die zweitälteste estnische Gramm., die in Lat. geschriebenen *Observationes criticae circa linguam Esthonicam* (Dorpat 1660) von Johann Gutslaff, war eine wichtige Stufe in der Entwicklung der lit. Sprache. Zur Beschreibung des gramm. Systems des Estnischen wurden v. a. die Prinzipien des Lat. und Dt. zugrunde gelegt (→ Sprachwissenschaft).

Für die Verbreitung ant. Einflüsse war bes. die Neueröffnung der Univ. Dorpat im J. 1802 von Bed. In diesem Sinn ist v. a. Karl Morgenstern, ein Schüler F. A. Wolfs, aktiv gewesen: Für ihn war das Studium der alten Sprachen die Basis aller Kenntnisse. Er verfaßte die Werke *De litteris humanioribus* (1798, gedruckt Leipzig und Danzig 1800), *Über den Einfluß des Studiums der griech. und röm. Klassiker* (1802, gedruckt Leipzig 1805) und *Vom Sprachenstudium* (1816, gedruckt Dorpat 1821). Er ließ sich von dem Gedanken leiten, daß man durch die ant. Lit. die Vernunft entwickeln und alle andere Wiss., wie z. B. Geschichte und Philos., lernen könne. Alle Gattungen der ant. Lit. sollten als »Lehrer« für die spätere Zeit dienen. In dem von ihm herausgegebenen Sammelband *Dörptische Beyträge für Freunde der Philos., Litteratur und Kunst* (3 Bde., Dorpat 1813, 1815, 1816) hat er die Bed. der Ant. mehrfach hervorgehoben. Durch Morgenstern wurde Lat. in den akad. Kreisen belebt (z. B. durch seine Briefwechsel und Reden in Lat.). Der Univ.-Unterricht und bes. das von Morgenstern 1821 gegründete Philol. Seminar haben die Grundlage für das klass. Studium in den Gymnasien geschaffen (→ Humanistisches Gymnasium). Obwohl der wichtigste äußere kulturelle Einfluß in E. durch Deutsche repräsentiert wurde, haben auch diese Gymnasien einen wesentlichen Teil der klass. Kultur vermittelt. Der klass. Unterricht wurde von Morgensterns Nachfolgern fortgesetzt. In Dorpat haben Ludwig Schwabe, Ludwig

Preller, Ludwig Mercklin u. a. gelehrt. Nach dem Ersten Weltkrieg unterrichtete für längere Zeit (1923–34) Wilhelm Süß. Dann wurden die ersten estnischen klass. Philologen ausgebildet (Pärtel Haliste, Ervin Roos u. a.). Nach dem Zweiten Weltkrieg, während der sowjetischen Zeit (1945–1990), verlor die Klass. Philol. ständig an Bed.; 1954 wurde der Lehrstuhl geschlossen. Die Wiedereröffnung im J. 1990 fiel mit dem Erreichen der polit. Selbständigkeit zusammen. Im J. 1992 wurde zum erstenmal in der Nachkriegszeit eine Professur eingerichtet und das Studium der klass. Sprachen unter Leitung von A. Lill fortgesetzt.

→ Lehrplan; Schulwesen; Universität

1 Acta et commentationes universitatis Tartuensis (Dorpatensis). Annales XIV. Quellen zur Gesch. der Univ. Tartu (Dorpat), I Academia Gustaviana, 1932. 2 W. Süss, Karl Morgenstern, 1928 3 Tartu Ülikooli ajalugu I, II, III, 1982.   ANNE LILL

III. ANTIKE MOTIVE IN DER LITERATUR UND ÜBERSETZUNGEN

In der Erzähl-Lit. des 18.–19. Jh. wurden im Rahmen der pietistischen, nach dt. Vorbild dargestellten Geschichten und in der meistens frommen Vortragsweise auch ant. Motive verwendet. Bes. bedeutend ist Friedrich Wilhelm Willmanns Buch *Juttud ja Teggud* (*Fabeln und Erzählungen*, Tallinn 1782, mit drei späteren Neuauflagen), in dem einige bekannte Themen der Prosa Petrons (die »Matrone von Ephesos«) und der Fabeln von Aesop und Phaedrus vorkamen. Im allg. aber blieb der Kontakt mit der Ant. bis ins 19. Jh. gering. Danach sind zahlreiche unterschiedliche klass. Einflüsse auf das kulturelle Leben E. konstatierbar, die sich in Übers. und. Autoren, in der Verwendung ant. Versmaße, in Nacherzählungen der griech. Myth. und in Darstellungen der ant. Gesch. und Lit. äußern. Einer der ersten estnischen Schriftsteller, der an und mit klass. Vorlagen arbeitete, war Kristjan Jaak Peterson. In seinen Oden finden sich freie Bearbeitungen von Pindars *Epinikia*: Er benutzte den strophischen Aufbau der Vorlage und gab den Oden estnische Bezeichnungen. Der *Finnischen Mythologie* von Ganander folgend, versuchte er, eine estnische Myth. nach dem Vorbild der griech. zu verfassen. Hiermit brachte er ps.-mythologisierende Tendenzen in die estnische Lit. ein. In seiner Ode *Innimenne* (›Der Mensch‹) bearbeitete er das Motiv der *Antigone* (V. 332–375); er hat auch bukolische und anakreontische Gedichte geschrieben.

In der Mitte des 19. Jh. wurden Versuche unternommen, Gedichte in ant. Versmaßen auf Estnisch zu verfassen, um die Flexibilität und Verwendbarkeit der Sprache unter Beweis zu stellen (u. a. die elegischen Distichen, alkaischen Strophen sowie Jamben von F. R. Faehlmann, sapphische Strophen und Hexameter von Jaan Bergmann). Motive der ant. Lit. wurden in mehreren Werken dieser Zeit wiedergegeben, so z. B. Arion als Bild des Lebens (Schiff im Meer) oder allegorische Tiergeschichten in → Fabeln (teils durch dt., teils durch russ. Vermittlung). Jakob Tamm hat die mythischen Motive des Tantalos, der Sirenen und des Antiochos bearbeitet. Gegen E. des 19. Jh. gewannen → Übersetzungen aus der ant. Poesie an Bedeutung.

Im Rahmen der Annäherung zw. E. und Westeuropa vergrößerte sich auch der Einfluß der Antike. Griech. Mythen waren zu Beginn des 20. Jh. dank der Übers. aus dem Dt. (Bücher von J. C. Andrae, R. Schneider und G. Schwab) in E. gut bekannt. Es erschienen Übers. der *Ilias* (erster Gesang, Eesti 1917) und der ersten 12 Gesänge der *Odyssee* (Kirjandus 1938). Das homer. Epos im Ganzen ist ins Estnische übers. von August Annist (*Ilias*, Tallinn 1960, *Odyssee*, Tallinn 1963). Die griech. → Tragödie ist in E. später als das Epos bekannt geworden (Prometheus-Trag. des Aischylos, Tartu 1908). 1924 ist in Tallinn die adaptierte Übers. des *König Ödipus* von Anna Haava erschienen, der neben dem Werk des Sophokles auch H. v. Hofmannsthals Version zugrunde liegt. Ein umfassenderes Bild der ant. Lit. ist erst nach dem Erscheinen der Anthologien der griech. und röm. Lit. (Tallinn 1964 bzw. 1971) möglich geworden, in denen Auszüge aus den Werken ant. Autoren übers. sind (Hesiod, Herodot, Thukydides, Xenophon, Demosthenes; Cicero, Caesar, Sallust, Livius, Lucrez, Ovid, Seneca); diese Anthologien enthalten auch vollständige Trag. und Komödien. Zum erstenmal erschienen darin im Estnischen Komödien von Aristophanes (*Ritter*, *Wolken*), Plautus (*Pseudolus*) und Terenz (*Adelphoe*). Im Theater wurden *König Ödipus*, *Antigone* und die *Bakchen* inszeniert.

Weitere Übersetzungen: a) Griech.: Herodot, *Historia* (Auszüge, Tallinn 1983); Longos, *Daphnis ja Chloe* (Tallinn 1972); Platon, *Pidusöök, Sokratese apoloogia* (›Gastmahl‹, ›Apologie‹, Tallinn 1985); Lukian, *Timon* (Tallinn 1970), Marc Aurel, *Iseendale* (›Selbstbetrachtungen‹, Tallinn 1983); Aristoteles, *Luulekunst* (›Poetik‹, Keelja 1982); *Nikomachose eetika* (›Nikomachische Ethik‹, Tartu 1996). b) Lat.: Vergil, *Bucolica, Aeneis* (Tallinn 1992); Petronius, *Trimalchio pidusöök* (›Das Gastmahl des Trimalchio‹, Tallinn 1974); Augustinus, *Pihtimused* (›Bekenntnisse‹, o.O 1993); Apuleius, *Metamorfoosid* (›Metamorphosen‹, Tallinn 1994); Seneca, *Moraalikirjad Luciliusele* (›Moralische Briefe an Lucilius‹, o.O. und J.). Unter den Werken estnischer Schriftsteller nach antiken Stoffen sind hervorzuheben: Mati Unt, *Phaeton, päikese poeg* (›Phaethon, der Sohn der Sonne‹, Tallinn 1966); Leo Metsar, *Keiser Julianus* (Tallinn 1978). Die Gedichte von Ain Kaalep sind ebenfalls eng mit ant. Motiven und der klass. Strophenstruktur verbunden, so z.B. *Paani surm* (›Der Tod des Pan‹, Tallinn 1976), *Kuldne Aphrodite* (›Goldene Aphrodite‹, Tallinn 1986). Auch zahlreiche andere estnische Dichter des 20. Jh. (G. Suits, B. Alver, V. Ridala, J. Kross u. a.) haben in ihre Poesie ant. Motive aufgenommen.　　　　　　　　ANNE LILL

Ethik s. Praktische Philosophie

Etruskerrezeption A. EINLEITUNG
B. RENAISSANCE BIS ZUM 17. JAHRHUNDERT
C. 18. BIS 20. JAHRHUNDERT

A. EINLEITUNG
Anders als die griech. und röm. ist die E. als peripher und großenteils indirekt einzustufen. Sie hatte indes, während der → Renaissance und als »Mißverständnis« im 18. Jh., v. a. in der Architektur, sowie in der Neuzeit eine gewisse Bed.

B. RENAISSANCE BIS ZUM 17. JAHRHUNDERT
Auch wenn vereinzelte Denkmäler und lit. Nachrichten über die Etrusker im MA bekannt waren und speziell die Dämonenikonographie wiederholt mit etr. Wandbildern in Zusammenhang gebracht wurde [3. 240 ff.], läßt sich die E. erst mit Beginn der Renaissance fassen und ist hier einerseits durch die bessere Kenntnis der Schriften ant. Autoren wie Vitruv, Plinius, Livius und Dionys von Halikarnass, andererseits durch das Bestreben nach human. Bildung und geistiger Neuorientierung geprägt. Aufgrund eines bes. Interesses für jene Kulturen, die wie die etr. oder das alte Ägypt. zeitlich vor den »genormten« klass. Perioden lagen, und gefördert durch spektakuläre Neufunde, die zu einer Mythenbildung über die zentrale Bed. der Etrusker für die Frühzeit It. führten, hatte die E. stark lokalen, d. h. toskanisch geprägten Charakter (→ Etruskologie). Im Mittelpunkt stand zunächst die etr. Architektur, deren rudimentäre Kenntnisse auf erh. Befestigungsanlagen, Stadttoren und Grabmonumenten beruhte sowie auf den Angaben ant. Autoren. Es gab zahlreiche Versuche, das von Plinius (nat. 36,91) beschriebene monumentale Grabmal des Königs Porsenna von Chiusi wiederzufinden und zeichnerisch zu rekonstruieren (bes. B. Peruzzi und A. Sangallo der J.) [1. 36 ff.], und Leonardo da Vinci wird der Entwurf eines Mausoleums zugeschrieben, dessen Innengliederung und Äußeres auf den damals entdeckten Tumulus in Castellina-in-Chianti zurückgehen (Abb.: [3. 276]). Im Mittelpunkt der gelehrten Diskussion (L. B. Alberti) stand zunächst allerdings der etr. Tempel aufgrund der Beschreibungen Vitruvs (4,7). Als Vorläufer des griech. und wegen seiner Urtümlichkeit wie auch baulichen Besonderheiten, v. a. der Holzkonstruktionen, bewundert, fand der etr. Tempel nicht nur in der Theoriediskussion ein reges Echo, sondern wurde auch, allerdings stark verfremdet, in die reale Architektur umgesetzt (Kirche Sant'Andrea in Mantua, 1470) [3. 292 ff.]. Von weitreichender Bed. für die E. wurde die tuskanische Säule(Abb. 1), die sich von der dorischen durch die Angabe eines Halsrings unterhalb des Echinus, durch den glatten, in der Mitte anschwellenden Säulenschaft und eine profilierte runde Basis unterschied. Bis in den → Klassizismus des frühen 19. Jh. wurde sie v. a. und in der Form der Lesene in einer eigenen toskanischen Bauordnung verwendet, wobei die Profilierung von Kapitell und Basis als durchlaufendes Gliederungselement bei Außenfassaden und Innenhöfen, häufig auch mehrgeschossig, verwendet wurde

Abb. 1: Tuskanische Säule, anthropomorphe tuskanische Säule und tuskanische Säule mit Bossen nach Architectura von Wendel Dietherlin (Ausgabe von 1598) Tafel VI; Paris, Ecole Nationale Supérieure des Beaux-Arts Kat. 432

Abb. 2: John Flaxman, Vase mit Darstellung der Apotheose des Homer aus der Manufaktur Etruria von Josiah Wedgwood, Ende 18. Jh.; Barlaston (Staffordshire), Wedgwood Museum

(→ Uffizien des Giorgio Vasari; Escorial bei Madrid u. a.) [1. 44 ff.; 3. 224 ff., 292 ff.]. Als weitere architektonische Einzelformen, wenn auch von nur regionaler Bed., lassen sich die »dorischen« Türformen mit Besitzerinschr. bei Wohnhäusern und Palästen im nördl. Latium und der Toskana sowie auch die Vorliebe für Mauerwerke mit Bossen anführen, die von den Eingängen etr. Gräber (Orvieto) bzw. von Stadttoren angeregt sein dürften. Sicher schon im MA bekannt und durch Ausgrabungen weiter verbreitet waren etr. Urnen und Sarkophage mit ihrer Besonderheit der auf dem Kasten vollplastisch wiedergegebenen, entweder flach liegenden oder sich aufstützenden Verstorbenen. Gegen E. des 15. Jh. wurde diese Art der Bestattungsform im westl. Mittel-It. vom einheimischen Adel und Klerus übernommen und breitete sich, mit röm. Sepulkralsymbolik bereichert, von hier aus nach Spanien sowie nach Zentral- und Nordeuropa aus [3. 232 ff.].

C. 18. BIS 20. JAHRHUNDERT

Ausgehend von der »falschen Erkenntnis«, daß die in etr. Kammergräbern gefundenen griech. Vasen einheimisch seien, entwickelte sich im Europa des 18. Jh. ein eigener Kunstgeschmack, der als »etr.« galt und als Indiz des Primates der etr. vor der griech. wie auch der röm. Kunst angesehen wurde. Auf diese Weise entstanden, auch unter dem Einfluß der neuentdeckten röm. Wandmalereien in → Pompeji und → Herkulaneum, bes. des sog. 3. Stils, spezifisch »etr.« Dekorationssysteme, indem, ausgehend von England und Frankreich, ganze Räume ausgemalt wurden, wie Derby House in London (1773/74), das Etr. Kabinett im Berliner Kronprinzenpalais (1830) oder das Gabinetto Etrusco in Racconigi (1834). Dabei waren nicht nur die Wände und Decken »all'etrusca« dekoriert, auch das gesamte Mobiliar wurde entsprechend abgestimmt, einschließlich der Keramik, die in der Manufaktur »Etruria« des Engländers J. Wedgwood seit 1769 internationale Wertschätzung erfuhr, indem die künstlerisch anspruchsvollen und durch die Erfindung des Steinguts auch qualitativ hervorragenden Vasen eine weite Verbreitung fanden und das Interesse an den Etruskern nachhaltig verstärkten [3. 300 ff.] (Abb. 2). Das Interesse an »Etruskischem« verdeutlichen auch die im 19. Jh. aufblühenden Fälscherwerkstätten mit ihren Produkten von bemerkenswerter Qualität und hoher Kunstfertigkeit [3. 432 ff.], v. a. auf dem Gebiet des Goldschmucks, indem die ant. Technik der Granulation wiederentdeckt und über die Nachahmung des etr. Schmucks hinaus auch allg. für das zeitgenössische Kunsthandwerk bedeutsam wurde [3. 440]. Hinzu kamen die zu dieser Zeit in großem Stil freigelegten Kammergräber von Tarquinia, deren nun tatsächlich etr. Bildmotive nicht nur die Bildungsreisenden der »Grand Tour« anzogen, sondern auch Künstler, Maler und Reiseschriftsteller, deren Sehnsucht nach Abenteuer und unverfälschter Natur sich in Etrurien zu einer fruchtbaren Synthese von Wiss. und Kunst verband, etwa in den anspruchsvollen »Reiseführern« von E. C. Hamilton Gray (*A Tour to the Sepulchres of Etruria*, 1839) und G. Dennis (*The Cities and Cemeteries of Etruria*, 1848). Vor dem Hintergrund der zunehmenden Industrialisierung war es die »unverfälschte« Mystik der etr. Gräberlandschaft, die zu Gemälden wie *Die Toteninsel* von A. Böcklin (1880) führte, die dem Lebensgefühl des Bürgertums im späten 19. Jh. entsprach. Ebenfalls nostalgisch, wenn auch euphorischer war die Wirkung der etr. Grabmalereien im frühen 20. Jh. auf die engl. Schriftsteller D. H. Lawrence (*Etruscan Places*, 1932) und A. Huxley (*Those Barren Leaves*, 1925, und *Pont Counter Point*, 1928): die Etrusker sind verklärt zum Mythos einer verlorenen Welt, in der der Einzelne frei zu leben wußte und noch nicht den Zwängen einer genormten und technisierten Umwelt unterworfen war [3. 450 ff.]. Im plastischen Schaffen des frühen 20. Jh. ist es ebenfalls das »Ungenormte« der

etr. Kunst, wie die extrem überlängten Statuetten des *Ombra della sera* genannten Bronzejünglings in Volterra oder die archaisierend strenge *Lupa Capitolina*, welche Künstler wie A. Giacometti, A. Martini oder M. Marini zu stilverwandten Plastiken und Bildmotiven anregten [1. 151 ff.]. Die gegenwärtige E. ist gekennzeichnet durch eine rege Produktion an → Filmen, → Comics, Werbepostern und »Kunstwerken« unterschiedlichster Gattungen und Qualität, die v. a. durch den mod. Tourismus gefördert werden (Abb. 3). Dabei spielen neben konkreten etr. Bildvorlagen weiterhin eine aus dem Sepulkralbereich stammende Mystik (Tod und Jenseits) sowie verschiedene populärwiss. »Mythen« eine Rolle, wie die angeblich oriental. Herkunft der Etrusker, das »Rätsel« der Sprache oder die Vernichtung des Etruskertums durch die Römer. Hinzu kommen polit. Implikationen, wobei die seit der Ren. faßbare antiröm. Stimmung in der Toskana wiederauflebt, z. T. mit ethnischen und linguistischen Argumenten untermauert, und Bezüge zu den separatistischen Strömungen in Nord-It. bestehen [1. 139 ff., 151 ff.].

→ Fälschungen

→ AWI Etrusci; Etruria

1 F. Borsi (Hrsg.), Fortuna degli Etruschi. Ausstellungs-Kat. (Florenz), 1985　2 M. Cristofani, La scoperta degli Etruschi. Archeologia e antiquaria nel '700, 1983　3 Die Etrusker und Europa, Ausstellungs-Kat. (Berlin), 1993, 273 ff.　　　　　FRIEDHELM PRAYON

Etruskologie　A. Einleitung
B. Mittelalter und Renaissance
C. Etruskomanie des 18. Jahrhunderts
D. Wissenschaft im 19. Jahrhundert
E. Zusammenfassung: Aufbau und Leistung

A. Einleitung

Die Erforschung der Etrusker als Volk und Kultur verlief nicht geradlinig und zunächst kaum unter wiss. Aspekten, sondern sie war voller Spekulationen (*Etruscheria*) und Kunsttheorien. Seit dem 19. Jh. hat die E. allerdings wesentlichen Anteil an der Entwicklung wiss. Methodik und mod. Fragestellungen in den Altertumswiss.

B. Mittelalter und Renaissance

Neben vereinzelten Erwähnungen in toskanischen Chroniken des Spät-MA und in der human. Lit. erwuchs das Interesse an den Etruskern in der → Renaissance, angeregt durch die Entdeckung von Grabanlagen, Schriftzeugnissen und Grabmalereien sowie bedeutenden Zufallsfunden wie der bronzenen *Chimäre von Arezzo* (1507) oder der lebensgroßen Bronzestatue des *Arringatore* vom Trasimenischen See (1566). Für die Entwicklung der E. von zentraler Bed. war der Dominikaner Annio von Viterbo (1432?–1502), Astrologe, Ausgräber und Antiquar, Verf. der 16–bändigen *Antiquitates*, darunter 3 Bde. über die Geschichte von Viterbo und die Etrusker. Seine meist phantastischen und auch vor Verfälschungen ant. lit. Quellen nicht zurück-

FAI IL BRAVO, I TURISTI CI GUARDANO...

.... PIÙ GUARDANO, MENO VEDONO !!...

Abb. 3: Renato Calligaro, I turisti ci guardano, 1984

schreckenden Ausführungen, wie die Abstammung der Etrusker von Noah und Vertumnus [1. 12; 6. 282], waren dennoch von weitreichender Wirkung nicht zuletzt auch auf den Hof der Medici, die sich, bes. Cosimo I., nicht nur der Förderung der Etruskerstud. annahmen und eigene Sammlungen mit etr. Denkmälern aufbauten, darunter die *Chimäre* und der *Arringatore*, sondern sich auch polit. und moralisch als Nachfolger der Etrusker (Cosimo I.: *Dux Magnus Hetruscus*) identifizierten. Diese wurden, mit Verweis auf ant. Autoren wie Livius und Plinius den Ä., als Modell einer gesellschaftlichen Erneuerung gesehen. Auf diese Weise setzten sich die Medici ideologisch von Rom ab [2. 18 ff.], und das Interesse an den Etruskern verlagerte sich im 16. Jh. zunehmend von Rom und Südetrurien (*Tuscia*) nach Florenz und in die Toskana. Künstler wie Leon Battista Alberti und Giorgio Vasari bemühten sich um die Rekonstruktionen etr. Monumente wie dem Grabmal des Königs Porsenna von Chiusi und um erste Theoriebildungen zur etr. Architektur [4. 7 ff.]. Krönender Abschluß dieser ersten Phase der Etruskerforsch. war das siebenbändige Werk *De Etruria regali* des Schotten Thomas Dempster (1579–1625) mit kompletter Sammlung der lit. und antiquarischen Überlieferung und dem Versuch einer Gesamtdarstellung von Geschichte und Kultur der Etrusker sowie der Top. der Städte.

C. Etruskomanie des 18. Jahrhunderts

Erst 1726 gedruckt, war die Wirkung von Dempsters *De Etruria regali* jedoch epochal und bildete den Auftakt jener als »Etruscheria« oder Etruskomanie bekannten Etruskerbegeisterung it. Historiker und Künstler der folgenden Jahrzehnte [2. 89 ff.]. Zu unterscheiden sind dabei zwei Richtungen, deren Gemeinsamkeit auf einer patriotischen und weitgehend unkritischen bzw. einseitigen Interpretation der ant. Überlieferung beruhte: Die eine Richtung, angeführt von Mario Guarnacci, Giovan Battista Passeri und Giovan Battista Piranesi, schrieb wesentliche Erfindungen der ant. Kunst und Architektur den Etruskern zu, darunter wesentliche Elemente der röm. Baukunst und Bautechnik sowie auch die Fülle der bemalten, aus den etr. Kammergräbern stammenden, aber in Korinth und Athen hergestellten griech. Vasen. Die zweite Richtung, vertreten durch Anton Francesco Gori und Scipione Maffei, initiierte eine kontroverse Diskussion über die Herkunft des etr. Alphabets und die »genealogische« Einordnung der etr. Sprachzeugnisse, die die Forsch. eher belastete als befruchtete. Auf der anderen Seite wirkte sich die Etruskomanie positiv aus im Hinblick auf das Sammeln aller verfügbaren Dokumente und Denkmäler, auf die Gründung von Privatsammlungen und öffentlichen Mus. (Cortona, Florenz, Siena, Volterra) sowie wiss. Vereinigungen wie der bis h. bestehenden *Accademia Etrusca* in Cortona (1726), dem Zentrum der seinerzeitigen Gelehrsamkeit. Das Ende der Etruskomanie zeichnete sich ab aufgrund der besseren Kenntnis griech. Originale durch die Publikationen der → *Society of Dilettanti* in London (bes. J. Stuart, N. Revett, R. Dalton

und A. Ramsay), durch Veröffentlichungen wie die *Geschichte der Kunst des Alt.* von Johann Joachim Winkelmann, in der die Priorität der griech. Kunst gegenüber der etr. begründet wurde (1766), sowie durch Luigi Lanzi (1732–1810), dessen *Saggio di Lingua etrusca e di altre d'Italia* (1789, in Druck 1824) nicht nur die wiss. Grundlagen für die etr. Sprachforsch. legte, sondern auch – unter dem Einfluß Winckelmanns – erste Ansätze für eine Epocheneinteilung der etr. Kunst zeigte und endgültig mit der Einstufung der griech. Vasen als etr. aufräumte [2. 167 ff.; 4, 9].

D. Wissenschaft im 19. Jahrhundert

Die Erkenntnisse Winckelmanns und Lanzis führten zur Erneuerung der E. unter Anwendung einer differenzierteren histor., philol., linguistischen und arch. Methode, verbunden mit Forschern wie E. Q. Visconti, C. Fea, W. Corssen, W. Deeke, K. O. Müller und E. Gerhard, auf dessen Initiative sich 1829 in Rom das *Ist. di Corrispondenza Archeologica*, eine Vereinigung vorwiegend dt. und nordeurop. Künstler und Gelehrter, Architekten und Bildungsreisender (die *Hyperboräer*), bildete, die für die Altertumskunde It. von grundlegender Bed. wurde [3; 4. 10; 6. 362 ff.]. So waren es vornehmlich Forscher und Gäste des *Ist. di Corrispondenza*, die, wie W. Helbig, C. Ruspi oder J. Byres, die nunmehr in großem Stile durchgeführten Grabungen etwa eines L. Bonaparte, Fürst von Canino, in Vulci, oder des Bankiers G. P. Campana in Cerveteri und Veji aufsuchten und dokumentierten und die Ergebnisse, darunter auch Faksimiles der Wandmalereien aus den Gräbern von Tarquinia, in den neugegr. Zeitschriften des Ist. (*Bollettino*, *Annali*, *Monumenti Inediti*) publizierten und somit einer breiten Öffentlichkeit zugänglich machten. Die neu entdeckten Monumente und Nekropolen erweckten das Interesse an der Top. Etruriens, die sich niederschlug in Monographien von W. Gell, L. Canina und A. Noel des Vergers, v. a. aber von G. Dennis, dessen *The Cities and Cemeteries of Etruria* (1848) Neuauflagen bis in die Gegenwart erfuhr. Es entstanden die ersten Corpora systematisch dokumentierter Denkmälergattungen wie *Auserlesene Vasenbilder* (1840–58) und *Etr. Spiegel* (1839–67) durch Gerhard bzw. Gerhard und G. Körte sowie *I rilievi delle urne etrusche* (1870–1916) durch H. Brunn und Körte. Die verstärkte Beschäftigung mit ikonographischen und myth. Bildthemen im Vergleich mit den Darstellungen der griech. Kunst führten gegen E. des 19. Jh. zu einer seitdem eher negativen Bewertung der etr. Kunst und Kultur, beginnend mit J. Martha, *L'art étrusque* (1889) [4. 11].

E. Ausblick: Aufbau und Leistung

Im 20. Jh., mit der Erweiterung zu einer die etr. Kultur im weitesten Sinne, auch polit. und gesellschaftliche Faktoren umfassenden interdisziplinären Forsch. (vgl. J. Heurgon, *La vie quotidienne chez les Étrusques*, 1961 und Pallottino [4]), hat sich die E. in It. zu einer eigenen Fachdisziplin entwickelt, mit einem zentralen Forschungsinst. (*Ist. Nazionale di Studi Etruschi ed Italici*, Florenz, seit 1927) und eigenen Publikationsreihen, wie der

Zeitschrift *Studi Etruschi*. Außerhalb It. ist die E. integrierter Bestandteil verschiedener Fachdisziplinen, v. a. der Klass. Arch. und der Vergleichenden Sprachwiss., aber auch der Alten Geschichte, der Klass. Philol. und der Vor- und Frühgeschichte [5]. Seit ihren Anfängen in der Renaissance hatte die E. nicht nur regen Anteil an der Entwicklung der Altertumswiss., sie hat diese vielmehr entscheidend mitgeprägt, so auf den Gebieten der Forschungsförderung (Medici) und der Forschungsorganisation (Akad., Inst.), der Feldarch. und Grabungstechnik, der Denkmälerpräsentation und systematischen Materialvorlage (Museen, Corpora), nicht zuletzt auch hinsichtlich der Theoriebildung in der Kunst und den methodischen Grundlagen für die Sprachforsch. [5. 11 ff.].

→ AWI Etrusci, Etruria

1 M. Cristofani (Hrsg.), Dizionario della civiltà etrusca, 1985 2 Ders., La scoperta degli Etruschi. Archeologia e antiquaria nel '700, 1983 3 J. Heurgon, La découverte des Étrusques au début du XIXe siècle, 1973 4 M. Pallottino, Die Etrusker, 1988, 6–27 5 A. J. Pfiffig, Einführung in die E., 1972 6 Die Etrusker und Europa. Ausstellungs-Kat. (Berlin) 1993.   FRIEDHELM PRAYON

Etymologie. Die neuzeitliche E. hat die Geschichte und den bezeugten oder erschlossenen Ursprung von Wörtern (und Wortbestandteilen) zum Gegenstand. Sie untersucht vornehmlich das Einzelwort, das aber auch im strukturellen Zusammenhang von Wortfeldern und Wortfamilien betrachtet wird. Die sprachgeschichtliche Perspektive der E. erfordert Beachtung der regelhaften Lautwandelprozesse (Lautgesetze) und der Wortbildungsmechanismen der jeweiligen Sprache: So ist z. B. griech. πέντε »fünf« lautgesetzlich aus idg. *$penk^welp$e herzuleiten, während lat. *quīnque* regelhafte Assimilation des anlautenden Konsonanten an den Labiovelar der zweiten Silbe und analogische Übernahme des ī aus dem Ordinalzahlwort *quīntus* (mit lautgesetzlichem ī) zeigt; auch das lat. Wort läßt sich so auf die idg. Grundform zurückführen. Stärkere Veränderungen der Wortgestalt ergeben sich aus der Tilgung von Vokalen (Apokope, Synkope); die Synkope vermindert häufig die etym. Durchsichtigkeit von Komposita, z. B. lat. *prīnceps* < *$prīmo$-*kap-s* »das Erste (von der Beute) nehmend« [1. 97] mit regelmäßigem Wandel *a > e in gedeckter Endsilbe und Synkope des *o, Assimilation des Nasals und gesetzmäßiger Kürzung des *$ī$ vor Nasal- und Verschlußlaut. Damit kann *prīnceps* zu *prīmus* und *capiō* gestellt werden. Zu einem beachtlichen Zuwachs an regelgerechten etym. Anschlüssen hat die Erkenntnis geführt, daß der idg. Grundsprache drei Laute (sog. Laryngale, Notation: *h_1, *h_2, *h_3) zuzuschreiben sind, deren Fortsetzer in silbischer Stellung als griech. ε, α, ο erscheinen, in nichtsilbischer Stellung teilweise die umgebenden Vokale »färben« oder (z. B. im Anlaut vor Konsonant in den meisten idg. Sprachen) ohne Spuren schwinden, vgl. griech. ἀμέλγω »melke« < *$h_2 melǵ$-, dt. *melken*, lat. *mulgeō* < *$h_2 molǵ$- (mit e/o-Ablaut).

Auch Ablautverhältnisse und die Betonungsmuster der Flexionsklassen sind von Bed. Zudem müssen semantischer Wandel und Sachbezug (Benennungsmotive) berücksichtigt werden: Die etym. Erklärung von lat. *augur* < *$av(i)$-gus* »Beurteiler der Vögel bzw. ihrer Zeichen« [2. 228] als verbales Rektionskompositum mit einem zu *avis* gehörenden Vorderglied und einem Hinterglied, das zu einem u. a. von *gustare* vorausgesetzten Grundverb zu stellen ist [2. 227 f.], basiert neben der formalen Herleitung auf einer genaueren Funktionsbestimmung der Auguren.

Die etym. Unt. des Wortschatzes führt auch zur Ermittlung lexikalischer Schichten (Erbwortschatz, Neuerungen des Sprachzweigs oder der Einzelsprache, Lehnwortschatz): lat. *lupus* und *bōs* können aus lautlichen Gründen nicht lat. Fortsetzer von idg. *$u̯lk^wos$ »Wolf« und *$g^weh_3 us$ Rind sein, sondern müssen aus benachbarten italischen Mundarten entlehnt sein, in denen die idg. Labiovelare als Labiale vertreten sind. Die Beurteilung der Plausibilität etym. Erklärungen fußt auf einem Verfahren, das über die genannten Aspekte hinaus eine Vielzahl von Gesichtspunkten zu berücksichtigen hat [3], u. a. die Umstände der Bezeugung, eine detaillierte philol. Bedeutungsbestimmung, gegebenenfalls die lautlich und funktional begründete Herleitung aus rekonstruierten (vorgeschichtlichen) Sprachzuständen. Der etym. Anschluß an herkunftsgleiche Wörter derselben Sprache oder verwandter Sprachen gestattet auf der Grundlage der Lautentsprechungs- und Wortbildungsregeln auch die Identifikation etym. verwandter Teile von Wörtern (Wurzeln, Stämme, Affixe); bei *augur* ergibt sich damit u. a. ein Anschluß an ahd. *kiosan* ›wählen; wahrnehmen, erkennen‹. Für die klass. Sprachen liegen mehrere etym. Wörterbücher vor [4; 5], die ständig durch neuere Arbeiten ergänzt werden (vgl. z. B. [6; 7]).

→ Sprachwissenschaft

1 Leumann 2 G. Neumann, Zur Etym. von lat. »augur«. Würzburger Jbb. für die Altertumswiss., N. F. Bd. 2, 1976, 219–230 3 K. Hoffmann, E. Tichy, Checkliste zur Aufstellung bzw. Beurteilung etym. Deutungen, Anhang II, in: M. Mayrhofer (Hrsg.), Zur Gestaltung des etym. WB einer Großkorpussprache, 1980, 47–52 4 Frisk 5 Walde/Hofmann 6 Rix, HGG 7 P. Schrijver, The reflexes of the Proto-Indo-European laryngeals in Latin, 1991.   MICHAEL JOB

Euhemerismus s. Mythendeutung

Europa A. Antike Zeugnisse und
Vorstellungen
B. Spätrömische Impulse und Entwicklungen
im Mittelalter
C. Aufschwung von Europagedanken und
-bewusstsein seit dem 15. Jahrhundert
D. Der Mythos in Musik, Literatur und
bildender Kunst

A. Antike Zeugnisse und Vorstellungen

Die Etym. des Wortes E. ist umstritten (vorgriech.,
idg., semitisch). Es gibt eine geogr. und eine mythische
Wurzel der Bezeichnung E., die beide ins 7. vorchristl.
Jh. reichen. Zuerst wird E. im Apollon-Hymnos genannt (Hom. h. Apollon 251, 291), bezeichnet jedoch
nur Mittelgriechenland. Herodot nennt E. häufig im
Zusammenhang mit dem Hellespont. Außerdem war E.
zugleich der Name für einen Teil Thrakiens, für einen
Fluß und mehrere Städte. Um 500 ist die Welt nach
Hekataios von Milet in E. und Asien geteilt (FGrH 1,
36ff.). Herodot nennt bereits einen dritten Erdteil, Libyen, das spätere Afrika. Im Laufe der griech. Entdek-
kungen wurde der Geltungsbereich des Namens »E.« bis
zum Atlantik im Westen ausgeweitet; im Norden bis
nach Skandinavien, das als Insel galt. Als Grenze zw. E.
und Asien nördl. des Schwarzen Meeres nennt Herodot
(4,42–45) den Rion oder den Don. Der geogr. E.-Be-
griff verschob sich als Folge der röm. Eroberungen stärker nach Westen. Nach dem Mythos war E. die Tochter
des Königs Agenor (ältere Version Hom. Il. 14,321:
Phoinix) aus Sidon. Zeus verwandelte sich in einen weißen Jungstier, ließ die blumenpflückende E. aufsitzen
und trug sie übers Meer nach Kreta. Dort nahm er
menschliche Gestalt an (Ov. met. 2,846ff.). Den Ort
des Beilagers zeigte man zur Zeit des Plinius (nat. 12,11)
bei Gortyn. E. gebar dem Zeus drei Söhne: Minos,
Rhadamantys und Sarpedon. Als Beiname erscheint E.
auch für Demeter und andere Erdgöttinnen in Kreta
und in Böotien (Paus. 9,39,4). Eine Liste von Meeres-
göttinnen bei Hesiod (theog. 357, 359) um 700 v. Chr.
enthält u. a. die Namen Asia und E. Woher der Erdteil
den Namen E. führe, war Herodot unklar. Nach Sextus
Pompeius Festus (2. Jh. n. Chr.) galt es als gesichert, daß
der Erdteil E. nach der Tochter des Agenor benannt sei.
Zu einer Verschmelzung von myth. Person und geogr.
Vorstellung kam es bei Claudius Claudianus (carm.
21,88) um 400 n. Chr.

Ob es im Alt. einen E.-Gedanken, d. h. eine polit.-
kulturelle Idee von E. gegeben hat, ist umstritten. Zwar
findet sich bei Herodot eine Operationalisierung des
E.-Begriffs. Allerdings handelt es sich dabei nicht um
eine europ. Konzeption, sondern um eine persische, eu-
ropa-fremde, die in E. lediglich ein Objekt der Herrschaftsausübung sieht [7. 11f.]. Auch die anderen Zeugnisse, die für ein E.-Bewußtsein herangezogen werden
wie die hippokratische Schrift über *Lüfte, Gewässer und
Örtlichkeiten*, Isokrates, Strabon, Manilius werden in Bezug auf einen E.-Gedanken unterschiedlich interpre-

Max Bittorf, 5 DM-Note,
hrsg. von der Bank Deutscher Länder am 9.12.1948,
gültig bis 31.7.1966

tiert (nach [5. 31, 41; 7. 12; 16. 19] kannte die Ant. keinen E.-Gedanken, während sich nach [13. 489ff.;
3. 407ff.; 11. 167] eine E.-Idee nachweisen läßt). Demandt [4. 148] kommt nach Heranziehung weiterer
E.-Nennungen zu dem Schluß, es habe in der Ant. Tendenzen zur Ideologisierung des E.-Begriffs gegeben, allerdings nur bei wenigen. In der Politik habe der E.-
Gedanke höchstens ausnahmsweise eine Rolle gespielt.

B. Spätrömische Impulse
und Entwicklungen
im Mittelalter

In der Spät-Ant. erhielt E. eine biblische Grundlage:
Die drei Söhne Noahs wurden auf das System der drei
Erdteile bezogen, somit wurden die Nachkommen Ja-
phets mit den Bewohnern E. gleichgesetzt (Historia
Brittonum, 7. Jh., MGH AAI 3,159). Erst in der Völkerwanderungszeit trat die E.-Idee als Ausdruck einer
Leidensgemeinschaft ans Licht (nach [6. 41f.; 7. 18;
16. 12] seit dem 6. Jh.). Es lassen sich Ansätze einer
kirchlichen E.-Idee erkennen (der Heilige als Repräsentant der früh-ma. Gesellschaft, der Bischof von Rom
als höchste Instanz der Christenheit), doch diese Ansätze
wurden von der karolingischen E.-Idee aufgehoben,
wonach Karl als *pater Europae* bezeichnet wurde. Es ist zu
betonen, daß das Reich Karls des Gr. nicht »E.« umfaßte. Vielmehr versuchten die Franken eine Identifizierung ihres Herrscherbereichs mit dem Okzident zu vermeiden, da dieser Begriff heilsgeogr. belastet war
[6. 76ff.]. Die Bezeichnung *oriens – occidens* geht auf die
röm. verwaltungstechnische Reichsteilung von 395
n. Chr. zurück, die dann in der *Notitia dignitatum* vom
Beginn des 5. Jh. festgeschrieben wird. Sie kann auch
die zwei Bereiche in der einen *ecclesia* meinen. Mit dem
Zerfall des Karolingerreiches erlosch der karolingische

Abb. 1: Mirko Szewczuk, Europa und der Stier, 1949,
Tusche auf Papier, veröffentlicht in DIE ZEIT,
3. Februar 1949

Abb. 2: Eres, Pseudonym für Rudolf J. Schummer,
»Oh, der ist ja viel temperamentvoller …!«,
1949/50 (?), Tusche auf Papier

Abb. 3: Max Beckmann,
Der Raub der Europa, 1933,
Privatbesitz

E.-Gedanke, der die Einheit betonte und zugleich gegen → Byzanz und → Rom gerichtet war [6. 78 ff.], aber nicht programmatische Forderungen enthielt oder auf die Zukunft projiziert war [7, 25]. *Christianitas*, nicht E., war im MA eine einheitsstiftende Idee, die sich auch polit. gebrauchen ließ.

Erst die äußere Bedrohung durch die Türken brachte die Bezeichnung E. wieder ins Spiel. Sie stand nicht mehr für ein einheitliches Gebilde, sondern für Pluralität. Ein Vorläufer dieses E.-Gedankens ist Alexander von Roes (gegen E. des 13. Jh.), der bereits den bedeutendsten Mächten bestimmte Rollen zuwies und den E.-Namen als polit. Kategorie verwendete [7. 25 ff.].

C. AUFSCHWUNG VON
EUROPAGEDANKEN UND –BEWUSSTSEIN
SEIT DEM 15. JAHRHUNDERT

Es dauerte bis zur Mitte des 15. Jh., bis der Name E. allg. Geltung erhielt. Enea Silvio Piccolomini, als Papst Pius II., bezeichnet angesichts der Eroberung Konstantinopels durch die Türken E. als Inbegriff vieler Völker, die alle an derselben Kultur teilhaben, und als Vaterland. Seit Beginn der europ. Expansion in die »neue Welt« gewann E. eine hegemoniale Stellung. Dafür, daß sich inmitten der zentrifugalen Tendenzen der europ. Staatenwelt ein E.-Bewußtsein erhalten, sich sogar ein ›europ. Patriotismus‹ neu gebildet habe, werden von Gollwitzer [9. 169] die Namen Erasmus, Bodin, Comenius, Grotius, Leibniz, Shaftesbury, Bolingbroke, Montesquieu, Locke, Hume, Voltaire und Rousseau genannt. Aus und neben der konfessionell gespaltenen westl. Christenheit entwickelte sich E. als ein mod., säkulares Gebilde. Das wichtigste Thema der regen Publizistik vom 16. bis zum 18. Jh. war wie auch später das europ. Gleichgewicht. Freilich gab es unterschiedliche Prägungen, die vom christl. Weckruf bis zur entschiedenen Kirchenfeindschaft und zum Dekadenzbewußtsein reichten. Im 18./19. Jh. brachten vor allem die drei Revolutionen 1789, 1830 und 1848 mit ihren Modernisierungsschüben Autoren dazu, mit Essays auf die Zeitbrüche zu reagieren; im 20. Jh. waren es v. a. die beiden Weltkriege und Ende der 80er J. die Umwälzungen in Mitteleuropa. Die E.-Idee gab in Deutschland und in Frankreich eine alternative Orientierung zum Nationalismus, sei es als Kulturbegriff, sei es als polit. Utopie [12. 29]. In neuester Zeit wird ein Mythendefizit E. beklagt [17. 76].

D. DER MYTHOS IN MUSIK, LITERATUR
UND BILDENDER KUNST

In der Musik, aber auch in der Lit. wurde der E.-Mythos auch vor der Aufklärung längst nicht so häufig bearbeitet wie in der bildenden Kunst. Immerhin ist im 20. Jh. auf die Oper *Die Entführung der E.* von D. Milhaud (1927) zu verweisen, weiter auf die dramatische Bearbeitung »E.« von G. Kaiser (1915), den Roman *Fahrt der E.* von M. Bontempelli (1956) und die Erzählung *Er kam als Bierfahrer* von H. Böll (1969).

Anders verhält es sich in der bildenden Kunst. Vom Alt. bis h. finden sich zu allen Zeiten Darstellungen der

E. Im Alt. wird sie seit der archa. Zeit häufig als Reiterin auf dem Stier dargestellt. Dieses Motiv findet sich auch auf zahlreichen Vasen im 5. Jh. v. Chr. Seit dem 4. Jh. v. Chr. wandelt sich die Darstellung. Das erotische Element dominiert. E. wird mit ihren Gespielinnen dargestellt, Randfiguren tauchen auf. Im Hell. geht die Zahl der E.-Darstellungen zurück, Typen des 4. Jh. werden weiterentwickelt. Neu ist das Motiv des sich über dem Kopf der E. wölbenden Schleiers. In der Kaiserzeit wird E. häufiger dargestellt. Gemälde und Mosaik dominieren [2]. Nur wenige bildliche Darstellungen des E.-Mythos sind aus dem MA erhalten. Sie stehen, abgesehen von einzelnen Beispielen, nicht in ant. Trad. Dem christologisch zentrierten Denken des MA entsprechend wurde der Mythos umgedeutet. So wird in Anlehnung an den 1342 entstandenen *Ovidius moralizatus* von Petrus Berchorius der Stier als Christus gedeutet, der die Seele, verkörpert durch E., retten will. An der Wende vom 16./17. Jh. erfahren diese Vorstellungen eine platonische Umdeutung [18. 61 ff.]. Zur selben Zeit deutet Boccacio den Mythos rationalistisch, was sich bereits bei Herodot findet. Bei der Verbindung zw. Iupiter und E. wird häufig die Standesgemäßheit betont, dann aber auch die Macht der Liebe. E. wird auch im Spannungsfeld der Affekte gezeigt (Tizian). Selten ist die auf Horaz (Oden 3,27 ff.) fußende Darstellung der zornigen E. (Andrea Riccio zugeschrieben, Anf. 16. Jh.). Weiter wird E. als Personifikation des Erdteils dargestellt, der allen anderen kulturell weit überlegen scheint, so im Treppenhaus der Würzburger Residenz von Tiepolo ausgemalt (1752). Die Figur der E. lagert auf einem Steinpodest und lehnt sich gegen den Stier. In ihrer Rechten hält sie ein Szepter, neben ihr liegt eine Weltkugel am Boden. Hier wird das europazentrierte Weltbild deutlich. Im 19. Jh. wurde E. seltener dargestellt, zu Beginn des 20. Jh. dagegen nehmen die Darstellungen wieder zu. Der Mythos wird im Zuge erotisierender Frauendarstellungen aktualisiert. Das traditionelle Rollenspiel der Geschlechter ist aufgelöst (Valloton 1908). Im Verlauf des 20. Jh. wird dann auch der unheilvolle Verlauf der Geschichte mit dem E.-Mythos thematisiert (Beckmann 1933: Abb. 3; Trökes 1947). Eine Sonderform ist die Karikatur, in der E. fast ausschließlich als Personifikation für den Erdteil oder die Europ. Gemeinschaft verwendet wird [15; 18] (Abb. 1 und 2).

1 J. ASSMANN, Das kulturelle Gedächtnis, ²1997
2 W. BÜHLER, E., 1968 3 J. COBET, E. und Asien – Griechen und Barbaren – Osten und Westen, in: Gesch. in Wiss. und Unterricht 47, 1996, 405–419 4 A. DEMANDT, E.: Begriff und Gedanke in der Ant., in: FS K. Christ, 1998, 137–157 5 J. B. DUROSELLE, L'Idée d'Europe dans l'histoire, 1965 6 J. FISCHER, Oriens-Occidens-E., 1957 7 M. FUHRMANN, Alexander von Roes, Sitzungs-Ber. der Heidelberger Akad. der Wiss., philos.-histor. Kl., 1994, 4 8 Ders, Der Name E. als kulturelle und polit. Idee, in: E. verstehen, 1997, 19–37 9 H. GOLLWITZER, Zur Wortgesch. und Sinndeutung von »E.«, in: Saeculum 2, 161–172 10 Ders, E.-Bild und E.-Gedanke, ²1964 11 K. KOCH, E., Rom und der Kaiser, 1997 12 P. M. LÜTZELER, Die Schriftsteller und E., 1992 13 A. MOMIGLIANO, L'E. come concetto politico (1933), in: Terzo contributo, Bd. 1, 1966, 489–487 14 P. NORA, Zw. Gesch. und Gedächtnis, 1990 15 S. SALZMANN (Hrsg.), Mythos E., 1988 16 J. A. SCHLUMBERGER, E. ant. Erbe, in: Ders., P. SEGL, E. – aber was ist es?, 1994, 1–19 17 W. SCHMALE, Scheitert E. an seinem Mythendefizit?, 1997 18 Staatliche Mus. Preußischer Kulturbesitz (Hrsg.), Die Verführung der E., 1988.   ELISABETH ERDMANN

F

Fabel A. BEGRIFF B. DEFINITION C. ABGRENZUNG D. URSPRUNG E. GESCHICHTE

A. BEGRIFF

Fabel (lat. *fabula*, ›das Erdichtete‹), mit dem Zusatz ›äsopisch‹ bereits von Phädrus als Gattungsbezeichnung für beispielhafte Tiergeschichten u. ä. verwendet und durch H. Steinhöwel (*Der Ulmer Aesop* von 1476/77 ed. O. SCHÄFER, 1992) ins Dt. eingeführt. Die ältesten F. erscheinen in der ionischen Poesie unter der Bezeichnung *ainos*, einem Begriff, der Gleichnis ebenso wie Sprichwort und Rätsel umfaßt. Am häufigsten gebraucht werden die Bezeichnungen *mythos* und *logos*, um jeweils das phantastisch Märchenhafte und das rationale Element der F. zu betonen. Seit dem 18. Jh. wird der Begriff auch für den Handlungsverlauf eines epischen und dramatischen Werkes gebraucht.

B. DEFINITION

Die kürzeste Definition stammt von Theon von Alexandria (1. Jh. n. Chr.): *lógos pseudés eikonízon alétheian* (›eine erfundene Geschichte, die die Wahrheit veranschaulicht‹). B. E. Perry, einer des besten Kenner der ant. F., zitiert sie [9. 22] mit dem Komm.: ›This is the best definition of Aesopic fable that can be given, provided we understand its implication. It applies to the Greek fable in all periods as well as to the ancient Oriental fable‹.

Ein Sachverhalt wird in einer bildhaften Geschichte eindringlich und überzeugend dargestellt. Mit Hilfe des Analogieschlusses überträgt der Hörer oder Leser das Dargestellte auf die gemeinte Sache (Transfer). Entscheidend für das Verständnis sind weniger die Einzelheiten als die zentrale Aussage, der eine Vergleichspunkt (*tertium comparationis*). Die didaktische Intention der F. prägt ihre Textstruktur und setzt der Erzählfreude Grenzen. Die wirkungsvolle F. ist vom Ende her konzipiert und zielt auf einen pointierten Schluß.

Im MA wird die Bezeichnung *bispel* oder *bischaft* gewählt. Beide Benennungen zeigen, daß es sich um eine belehrende Erzählung handelt. Das Wort *bispel* weist außerdem auf den Zusammenhang zw. F., Gleichnis und Sprichwort. Es meint eine Erzählung, die nicht für sich, sondern für etwas anderes steht, deren Sinn nicht im Erzählten selbst liegt. Bereits im 13. Jh. wird der Begriff *spel* (›Erzählung, Bericht‹) abgewertet zur nicht verbürgten, somit unwahren oder gar lügenhaften Erzählung, während *bispel* als die (von einer unterhaltsamen Hülle umgebene) Wahrheit erscheint. Auch das biblische Gleichnis wird *bispel* genannt (z. B. Hugo von Trimberg). Thomasin von Zerklaere übersetzt *fabula* mit *bispel*. In der ma. Spruchdichtung werden die äsopischen F. als *bispel* bezeichnet (z. B. *Der Marner, Bruder Wernher, Reinmar von Zweter*).

C. ABGRENZUNG

Adolf Jülicher (1888ff.) hat die nt. Gleichnisse mit den äsopischen F. vergleichend untersucht – mit dem Ergebnis, daß die meisten der erzählenden Gleichnisse Jesu ›F. (sind) wie die des Stesichoros und des Äsop‹ [8. 98]. Die drei Grundelemente sind: ein vollständiger Gedanke und eine Rede von vergleichendem Charakter mit einem tieferen Sinn. Jülicher definiert die F. im Anschluß an Aristoteles (rhet. 2,20) als ›die Redefigur, in welcher die Wirkung eines Satzes (Gedankens) gesichert werden soll durch Nebenstellung einer auf anderm Gebiet ablaufenden, ihrer Wirkung gewissen erdichteten Geschichte, deren Gedankengerippe dem jenes Satzes ähnlich ist‹ [8. 98]. Trotz des in der theologischen Forsch. umstrittenen aristotelischen Ansatzes ist Jülichers zweibändiges Werk grundlegend für die interdisziplinäre F.- und Parabelforsch. F. und *exemplum* als ›narrative Minimalformen‹ [10. 354] haben eine unterschiedliche Intention. Das Exemplum als ›die narrative Transposition eines moralischen Satzes‹ [10. 365] ist paradigmatisch, die F. dagegen parabolisch.

G. Couton, der die F. La Fontaines ediierte, hat auf die ›liens de cousinage‹ [3. 8] zw. F. und → Emblematik hingewiesen. Diese Verwandtschaft wird im 17. Jh. (etwa bei Jean Baudoin, 1659), v. a. aber bereits im Jh. vor La Fontaine deutlich. Von Gilles Corrozet erschien 1540 eine Emblemsammlung und zwei Jahre später eine F.-Sammlung, beide nach dem Centurio-Prinzip aufgebaut und gegenseitig beeinflußt (vgl. [6; 10]). Beim Emblem mit seinen drei Teilen *inscriptio, pictura, subscriptio* hat das Bild Priorität und ist untrennbarer Bestandteil. Bei der F. dagegen mit ihren zwei Teilen ist die Illustration eine bisweilen sehr beliebte, aber keineswegs notwendige Ergänzung des narrativen Bildteils. Insofern gehört die Emblematik zentral, die F.-Dichtung dagegen nur am Rande zur Pictura-Poesis-Lit. (→ *ut pictura poesis*).

Nicht durch das Inventar, sondern durch die Intention unterscheidet sich die F. vom → Märchen. Sie will belehren, indem sie unterhält. ›En ces sortes de feinte il faut instruire et plaire, / Et conter pour conter me semble peu d'affaire‹, schreibt der in Deutschland von Lessing bis Vossler seiner ›Schwatzhaftigkeit‹ wegen geschmähte La Fontaine in dem für seine F.-Theorie grundlegenden Gedicht *Le Pâtre et le Lion*. Während das Märchen ein ›Geschehen unter dem Prinzip des Wunderbaren‹ [7. 47] schildert, will die F. überzeugen und wendet sich an die Ratio. Ihrer ›Welt des zweckrationalen Handelns‹ steht im Märchen eine ›Welt traumhafter Wunscherfüllung‹ gegenüber (vgl. die tabellarische Übersicht bei [7. 47]). V. a. aber ist es der gleichnishafte Charakter, der die F. vom Märchen und von der ätiologischen Tiergeschichte trennt. Von den drei für die Tiervolkserzählung (vgl. [4; 5]) wesentlichen Merkmalen – Tierakteure, Anthropomorphisierung und eine auf Tierbeobachtung zurückgehende Erlebnisform – gilt für die F. allenfalls (d. h. für die spezielle Form der Tier-F.) das erste Merkmal. Denn die Tiere als Akteure der F. wurden vom Menschen zur Belehrung für Menschen erschaffen. Es sind ›Tierwänste‹ (Luther); ihre etwaige Übereinstimmung mit der Natur ist didaktisch bedingt.

D. URSPRUNG

Der bereits 1860 entbrannte Streit um das Ursprungsland der F. wurde nicht entschieden, und es bleibt weiterhin umstritten, ob die griech. oder die indische F. die urspr. ist. Nachdem die mesopotamische F. entdeckt worden war, glaubte man aufgrund der Parallelen zu den griech. und indischen F. in vielen Fällen den mesopotanischen Ursprung erweisen zu können und sah im ant. Mesopotamien die Quelle der Fabel. Obwohl die Lit. Ägyptens ihre Strahlkraft auf Babylonien, Griechenland und Indien ausübte, ist schwer nachweisbar, inwieweit griech. F. säkularisierte ägypt. Mythen sind, zumal es sich bei den ägypt. Funden um Bilder ohne Texte handelt (zu denen die zugehörigen Geschichten erschlossen werden müssen), oder aber nur bruchstückhafte Texte.

Versteht man die F. hingegen als eine Urform unserer Geistesbetätigung, so erscheint es wenig sinnvoll, nach der Heimat der F. zu forschen. Feststellbar ist allenfalls der Ursprung einzelner Motive. Eins der bekanntesten F.-Motive könnte (in seiner Vorform) aus Ägypten stammen: Der Streit zw. Kopf und Leib (um 1100 v. Chr.) als Gleichnis vom Magen und den Gliedern ist durch die *Römische Geschichte* des Titus Livius berühmt geworden. Der vielleicht älteste lit. Beleg ist nur bruchstückhaft überliefert und steht (bezeichnend für die Bed. der F. in der Schule) auf einer Schülertafel.

E. GESCHICHTE

Die beiden wichtigsten oriental. F.-Bücher, *Pancatantra* und *Kalila und Dimna*, beruhen auf einem indischen Grundwerk, das spätestens bereits um 500 n. Chr. existierte und von einem Verf. stammt, der sich zum Buddhismus bekennt. Das Werk ist als → Fürstenspiegel geschrieben und bedient sich um des Schutzes willen der Form von F.

Der *Romulus Nilatinus* (*RN*), eine lat. Romulus-Bearbeitung des 11. Jh., war die Vorlage für den *Esope* der Marie de France, der ersten volkssprachlichen F.-Sammlung des MA. Im Gegensatz zum *RN* schreibt Marie de France nicht in Prosa, sondern im gepaarten Achtsilber, dem klass. Versmaß der höfischen Dichtung. Der *RN* bildet auch die wichtigste Grundlage für die *Misle sualim* (Fuchs-F.) des Rabbi Berechja ha-Nakdan (E. des 12./Anf. des 13. Jh.). Er wendet sich mit seinen F. vorwiegend an jüdische Leser und vertritt trotz der gemeinsamen Quelle eine grundsätzlich andere Intention als Marie de France. Von Avianus u. a. übernahm der Predigermönch Ulrich Boner seine Fabeln. *Der Edelstein*, eine Sammlung von 100 f. in Versform (vierhebiger Jambus, paariger Reim), erschien 1461 als erstes dt. F.-Buch und eines der ersten Druckwerke in dt. Sprache. Im Auftrag von Graf Eberhard von Württemberg übersetzte Anton von Pforr 1480 die oriental. F. ins Dt. Der Übersetzer bezeichnet sein Werk als Buch der Beispiele der »alten heidnischen« – im Gegensatz zu den jüd. – Weisen. Bereits vier Jahre vorher erschien die Übers. der griech.-röm. F.: Der *Esopus* des Ulmer Arztes Heinrich Steinhöwel wurde als zweisprachige und mit Holzschnitten illustrierte Ausgabe 1476 bei J. Zainer in Ulm verlegt, erregte über Deutschlands Grenzen hinaus großes Aufsehen und wurde immer wieder nachgedruckt.

Martin Luther lernte die äsopischen F. bereits während seiner Schulzeit kennen und mußte sie ebenso wie die *Disticha moralia* des Cato auswendig lernen. Er beschäftigte sich zeitlebens mit den F. und flocht sie ebenso wie die Sprichwörter in seine Schriften und Predigten. Der von ihm als »dt. Äsop« geschätzte und zugleich seiner vermeintlichen Unzüchtigkeiten wegen kritisierte *Esopus* Steinhöwels regte ihn zur Neubearbeitung an. Seine während des Augsburger Reichstags 1530 auf der Coburg entstandene Äsopbearbeitung blieb ebenso wie die Sprichwörtersammlung Fragment. Die neu übers. 13 f. erschienen nicht zu Lebzeiten Luthers, sondern gelangten erstmalig durch Johannes Mathesius 1557 an die Öffentlichkeit. Ebenso wie Luther, der meint, daß es für die Schule außer der Bibel keine besseren Bücher gebe als die Schriften Catos und die F. Äsops, urteilt auch Philipp Melanchthon in seiner Schrift *De utilitate fabularum* (1526) und räumt ihr im *Unterricht der Visitatoren* (1528) eine bevorzugte Stellung ein. In den Schulordnungen für Eisleben und Herzberg (1525 und 1538) nennt der Praeceptor Germaniae drei Gründe für die Notwendigkeit einer Behandlung der F. im Unterricht: Sie fördert die Charaktererziehung, schärft das Urteilsvermögen des Schülers und dient dem Verständnis der Bibel. Zwei der berühmtesten F.-Bücher stammen aus der Zeit Luthers: Der *Esopus* (1548) von Burkard Waldis ist mit seinen 400 f. die umfangreichste F.-Sammlung des 16. Jh. Im *Buch von der Tugent und Weißheit* (1550) des Erasmus Alberus zeigt sich die Erzählfreude nicht nur im Umfang der F. (zw. 50 und 300, meist mehr als 100 Z.), sondern auch in den geogr. Details. Vielfach spielen

die F. in der Wetterau, der Heimat von Alberus. Bei Hans Sachs (1558) gerät die F. in die Nähe des Schwanks; die Formgrenzen zw. den beiden Textsorten werden fließend. Wie sich das auf Intention und Gehalt der F. auswirkt, kann man beispielhaft am Motiv von »Wolf und Lamm« sehen.

Trotz der Kritik an den ›Fabul-Hannsen‹ blühte die F. in der Predigt der Barockzeit. Sie hatte bereits in der Volkspredigt des MA einen festen Platz, eine Trad., an die auch die Gegenreformation anknüpfte, und sie kam der Erzählfreude, die in der zweiten H. des 17. Jh. wuchs, entgegen. Sie zog – wie es in zahlreichen Dokumenten heißt – die Leute in die Kirche und vertrieb den Kirchenschlaf. Ebenso wie bereits im Zeitalter der Reformation war auch in der Barockzeit die Berufung auf die Bibel sowie auf kirchliche Autoritäten eines der beliebtesten Argumente für die Verwendung der F. in den Predigten, insbes. den Osterpredigten. Auf die Kirchenväter berief sich Abraham a Sancta Clara, der beliebteste Kanzelredner der Barockzeit u. a. im Vorwort zu seinem vierbändigen Werk *Judas der Ertzschelm* (1688–95). Daß der ›Pater Fabel-Hanns‹ und Johann Balthasar Schupp, der berühmteste Prediger der Protestanten (der seiner F. wegen von der Orthodoxie heftig angegriffen wurde), jedoch keineswegs die einzigen Prediger der Barockzeit waren, die F. in ihre Predigten flochten, zeigen die ›Predigtmärlein‹ der weniger bekannt gewordenen Ignatius Ertl, Wolfgang Rauscher, Andreas Strobl u. a. Dem in der katholischen Homiletik zwar umstrittenen, aber dennoch häufigen F.-Gebrauch in der Predigt kommt insofern bes. Bed. zu, als hier – vielfach in rhet. hochstilisierter und höchst anschaulicher Wiedergabe – lit. Trad. in gesprochenes Wort übertragen und so der nicht lesenden Bevölkerung vermittelt wurde. Gelegentliche nur beiläufige Erwähnungen von F.-Motiven sprechen für den Bekanntheitsgrad der Gattung.

Die zwölf Bücher des F.-Dichters Jean de La Fontaine mit insgesamt 240 f. erschienen 1668 (1–6), 1678 (7–11) und 1694 (12). Diese F. zeichnen sich v. a. durch die vollendete Form und die humoristische Tonlage aus. La Fontaine wurde in Deutschland oft zu einem unpolit. Dichter verfälscht, obwohl sein F.-Werk ein kritisches Spiegelbild der Epoche Ludwigs XIV. ist. Viele seiner F. beziehen sich auf Kriege, die Außen- und Innenpolitik, auf soziale Fragen, Machtmißbrauch, Ausbeutung der Prov., das Verhältnis der Stände etc. Ein Jh. nach La Fontaine erschienen die von ihm beeinflußten ›liebenswürdigen F.‹ von Jean-Pierre Claris de Florian (1792). Ebenfalls unter dem Einfluß La Fontaines stehen die F. der Italiener Tommaso Crudeli (1798), Gian Carlo Passeroni (1779–88), Lorenzo Pignotti (1782), Aurelio Bertola de Giorgi (1788), Luigi Fiacchi (1795, 1802, 1807), während die Spanier Félix María de Samaniego (1781–84) und Tomás de Iriarte (1782) zugleich von dem engl. Dichter John Gay (1727–38) beeinflußt wurden.

Im Zeitalter der Aufklärung erreicht die F. ihren zweiten und eigentlichen Höhepunkt. Daß die ›besten Köpfe‹ dieser Zeit die äsopische F. für die ›erste und oberste Dichtungsart‹ erklärten, hat Goethe in *Dichtung und Wahrheit* mit Erstaunen notiert. In den drei Jahrzehnten zw. Gottscheds *Critischer Dichtkunst* (1730) und Lessings *Abhandlungen* (1759) erschienen u. a. die F.-Sammlungen und -theorien von Breitinger, Bodmer, Triller, Stoppe, Hagedorn, Gleim, Lichtwer, Pfeffel. Lessing versteht die F. als ein ›Exempel der praktischen Sittenlehre‹. Der Fabulist will von einer moralischen Wahrheit lebendig überzeugen, indem er einen allg. moralischen Satz auf einen einzelnen Fall zurückführt und in Form einer Handlung darstellt. Nicht die gleichnishafte Handlung, sondern erst ihre Erzählung kann eine F. sein. Die Reduktion auf das Bes. ist notwendig, weil das Allg. im Bes. anschaulich erkannt wird. Je größer die Lebhaftigkeit der anschauenden Erkenntnis ist, um so stärker ist auch die Überzeugungskraft, der Einfluß auf den Willen. Seine Auffassung, daß die F. knapp, gezielt und pointiert sein muß, hat Lessing an der Geschichte vom Besitzer des Bogens veranschaulicht. Die Kürze gilt ihm als ›Seele der F.‹ und die Schmucklosigkeit als ihr ›vornehmster Schmuck‹. Ausschmückungen als ›leere Verlängerungen‹ führen von der Intention der F. ab. – Zu diesen ›leeren Verlängerungen‹ gehören die Zeit- und Ortsangaben, die Jacob Grimm bes. schätzt und die man beispielsweise im 16. Jh. bei Erasmus Alberus und Hans Sachs findet. Durch diese Tendenz zur Episierung gerät die F. in die Nähe des Tierepos und des Schwanks. Wie die Erzählfreude, v. a. die liebevolle Ausschmückung der für die Intention der F. unwichtigen Details die F. zum Märchen umgestaltet, kann man beispielhaft bereits an vielen orientalischen Texten erkennen (z. B. Löwe und Maus). Daß im Zeitalter der Aufklärung trotz Lessing das narrative Element der F. überwiegt, zeigen die meisterhaften F. von Gellert, Gleim und Hagedorn.

Die meist verkürzt als *docere et delectare* (›belehren und unterhalten‹) wiedergegebene Maxime des Horaz *aut prodesse volunt aut delectare poetae / aut simul et iucunda et idonea dicere vitae* (ars 5,333 ff.), die bereits Phädrus in abgewandelter Form übernimmt, wird im Jh. der → Aufklärung zum bestimmenden Prinzip und somit zugleich zur Begründung der Wertschätzung der F. in dieser Zeit. Der Berufung auf die *Ars poetica* des Horaz folgt in Breitingers *Critischer Dichtkunst* übergangslos der Bezug auf Äsop. Der ›doppelte Endzweck‹, zu ergötzen und zu nutzen, erfordert nach Gellert, für den die F. die ›älteste Form des menschlichen Witzes‹ ist, daß sie etwas ›Seltenes, Neues und Wunderbares‹ zeigt. Daß das Erzählerische bei Hagedorn ebenso wie bei Gellert überwiegt, zeigen bereits die Titel der F.-Sammlungen. Das Interesse an ungewöhnlichen Dingen, an fremden Ländern etc. überwiegt. Die Erzählfreude ist gewichtiger als die parabolische Aussage.

In der Zeit des Sturm und Drang, der Klassik und Romantik, des Vormärz und Biedermeier ist die F. als eigenständige Gattung von geringer Bed. Die Texte erscheinen kaum noch gesammelt, sondern meist einzeln in ein Werk gefügt wie die berühmte F. von der Königs-

wahl der Tiere in Schillers *Fiesco*. Intention und Adressatenbezug wandeln sich. Die urspr. gesellschaftskritische Intention wird durch moralisierende Tendenzen ersetzt und der Adressatenkreis auf das Kind verengt (→ Kinderliteratur). Speziell für Kinder geschriebene F.-Bücher treten verstärkt hervor und gewinnen an Interesse wie die in der Trad. von Stoppe und Lichtwer stehenden F.-Bücher von Friedrich Haug und die anthropomorphen Tiergedichte von Wilhelm Hey.

Im 20. Jh. gewinnt die F. ihre existenz- und gesellschaftskritische Dimension zurück. Daß die griech.-röm. F. auch in der Gegenwart lebendig geblieben sind, zeigt u. a. die Rezeption ant. Motive in der mod. F.-Dichtung. Sie trägt vielfach satirische und karikaturhafte Züge, ist epigrammatisch knapp und pointiert und steht in der Nähe des → Aphorismus (z. B. Schnurre, Arntzen). Neben traditioneller Gestaltung (Kirsten) und gesellschaftspolit. Perspektive (Branstner) kommt jetzt eine Auseinandersetzung mit der F.-Tradition zum Ausdruck, die in die Texte selbst einbezogen wird, indem sich die F.-Tiere auf ihre Trad. berufen, die alten F.-Weisheiten prüfen, gegebenenfalls glossieren oder aber aus ihnen gelernt haben. In dem Epimythion – das auf diese Weise eine neue Bed. gewinnt – stellt der amerikanische Karikaturist James Thurber das ›früher‹ durch das ›heute‹ in Frage und versieht alte Sprichwortweisheiten mit dem ironischen Fragezeichen des mod. Lesers, der die F.-Tradition kennt und kritisch prüft.

→ Tierdichtung; Lehrgedicht

→ AWI Aisopos; Fabel; Mythos

QU **1** R. DITHMAR, Fabeln, Parabeln und Gleichnisse, 1995 (Texte und Komm.)

LIT **2** Ders., Die F., 1997 (mit ausführlicher Bibliogr.)
3 G. COUTON, La poétique de La Fontaine, 1957
4 F. HARKORT, Tiergesch. in der Volksüberlieferung, in: U. SCHWAB (Hrsg.), Das Tier in der Dichtung, 1970
5 Ders., Tiervolkserzählungen, in: Fabula 9, 1967, 87–99
6 M. HUECK, Textstruktur und Gattungssystem, Stud. zum Verhältnis von Emblem und F. im 16. und 17. Jh., 1975
7 H. R. JAUSS, Alterität und Modernität in der ma. Lit., 1977
8 A. JÜLICHER, Die Gleichnisreden Jesu, 1888 ff. (Ndr. 1963)
9 B. E. PERRY, Fable, in: Studium generale 12, 1959, 17–37
10 K. STIERLE, Gesch. als Exemplum – Exemplum als Gesch., in: R. KOSELLECK, W.-D. STEMPEL (Hrsg.), Gesch. – Ereignis und Erzählung, Bd. 3, 1973, 347–375 **11** Ders., Poesie des Unpoetischen. Über La Fontaines Umgang mit der F., in: Poetica 1, 1967, 508–533 **12** B. TIEMANN, F. und Emblem, Gilles Corrozet und die frz. Ren.-F., 1974

REINHARD DITHMAR

Fälschung
I. Kunstgeschichtlich   II. Literarisch

I. Kunstgeschichtlich
A. Problemfeld   B. Renaissance   C. Barock
und Klassizismus   D. 19. und 20. Jahrhundert

A. Problemfeld

F. bilden einen Teilbereich der manuellen Reproduktion von Kunstwerken, bei der F. als finale (betrügerische) Absicht indes nicht im Spiel sein muß. Die Diskrepanz zw. authentischen und nicht-authentischen Produkten ist weitgehend von der Einstellung des Besitzers oder Rezipienten abhängig [10. 416–418]. Indizien für die betrügerische Absicht des Produzenten sind nur ausnahmsweise, etwa durch manipulierte Veralterungen oder Fundsituationen, nachweisbar. Der Umstand, daß die übergroße Masse der ant. Kunst- (Bild-)werke nur als ant. Kopien (oder »F.«) überliefert sind, relativiert die Problematik und reduziert sie auf die Frage: ant. oder nicht-ant.

Die Revision zweifelhafter Stücke ist h. Sache der Stilkritik. In dieser Hinsicht haben die Kat. von Matz und Duhn zu röm. Privatsammlungen (1867–1881) eine Grundlage geschaffen. Unter ca. 4000 untersuchten Objekten ermittelten sie 123 nicht-authentische Statuen, Büsten und Reliefs sowie 44 Porträts [9]. Auch eine im Auftrag der Dt. Forschungsgemeinschaft 1978 veranstaltete Erhebung (2000 Objekte) hat eine Vorstellung vom enormen Umfang der F. vermittelt [3]. Die zw. dem 15. Jh. und der 1. H. des 20. Jh. gefertigten Objekte stammen zum allergrößten Teil aus It. Hinsichtlich der Typologisierung, der Attribution, der Provenienz sind hier noch viele Aufgaben zu bewältigen. Darüber hinaus problematisiert die jüngere Forsch. die Kunst- und kulturtheoretische Dimension des Begriffs F. [7. 235].

B. Renaissance

Ber. über F. sind seit dem 15. Jh. überliefert. Ihr Aufkommen ist eine Folgeerscheinung der Sammeltätigkeit und des, trotz zahlreicher Funde, zunehmenden Mißverhältnisses zw. Angebot und Nachfrage. So sprach bereits Poggio Bracciolini über jene »Graekalien«-Händler, die für ihre Ware jederzeit die Namen eines Phidias, Polyklet oder Praxiteles mißbrauchten [7. 238].

Vom prominentesten Fall einer F. der Ren. berichten Vasaris und Condivis Viten Michelangelos, der 1495 einen Schlafenden *Cupido all'antica* fertigte. Pierfrancesco de' Medicis Lob der Skulptur stiftete Baldassare Milanese dazu an, das Werk, ohne Mitwisserschaft Michelangelos, an Kardinal Riario in Rom als Antike zu verkaufen. Nach Enthüllung des Betrugs mußte Milanese den Kaufpreis zurückerstatten und den *Cupido* zurücknehmen. Dieser wurde ein gesuchtes Stück und gelangte nach Mantua in die Sammlung Isabella d'Estes; er ist h. verschollen [12]. Die Affäre wurde zum Ruhmesblatt des jungen Künstlers. Vergleichbare Fähigkeiten, die laut Vasari den Künstler nicht diskreditierten, sondern

zur Ehre gereichten, wurden auch dem Bildhauer Tommaso della Porta nachgesagt, der sich auf die »F.« ant. Marmorköpfe spezialisierte, die in großer Anzahl dann auch Absatz fanden [1. 550].

Im venezianischen bzw. oberit. Bereich dürfte der Großteil der ps.-ant. Porträts entstanden sein, die vermutlich erfolgreichste Gattung der F. (z.B. [10. 436]). Dabei ist die Intention der Fälscher bemerkbar, etwa bei den zahlreichen Cäsarbüsten den ant. Imperatortypus dem Geschmack, d.h. dem Herrscherbildnis der Ren. anzuverwandeln (vgl. Cristofero Romanos Stück im Arch. Mus., Venedig). Beispielhaft für die Ren. in Padua ist die Diskussion um die Porträtbüste des Titus Livius (Kunsthistor. Mus., Wien), die bis Beginn des 20. Jh. als authentisch galt (Abb. 1). Sie wurde offenbar für das 1547 dort errichtete Denkmal des röm. Historikers geschaffen. Die Zuschreibungen bewegen sich zw. der Donatello-Schule und Agostino Zoppo [10. 428]. Eine epochen- und typenspezifische Auswahl zeigen auch die mehrfach in der 1. H. des 16. Jh. nachweisbaren Antinous-Büsten in Bronze und Marmor (Arch. Mus., Venedig; Paris, LV), von denen möglicherweise die Skulptur im Louvre von Primaticcio stammt [6. 45].

Der ausgedehnte Handel mit ant. bzw. ps.-ant. Gegenständen (Gemmen, Münzen, Kleinbronzen) im Venedig des 15. und 16. Jh. spiegelt die antiquarische Neigung in der Lagunenstadt wider. Hierbei ist v.a. die Sammlung des Giovanni Grimani bedeutsam. Von den 22 Stücken, die aufgrund seines Testamentes 1586 an die Republik übergingen (h. im dortigen Arch. Mus.), haben sich erst im 20. Jh. 15 Objekte als Ps.-Antiken herausgestellt [11. 101–110]. Bei einigen Stücken, so der Kleinbronze des *Betenden Jünglings*, ist ein fragmentarischer Fundstatus simuliert. Alles in allem kann für die Ren. eine klare Trennungslinie ›zw. Kopien, Imitationen und eigenständigen Schöpfungen‹ nicht gezogen werden [7. 241]. Allerdings etablierte sich in Rom eine Vielzahl von Werkstätten, etwa diejenige der Della Porta, deren Falsifikationen auf kommerziellen Erfolg angelegt waren [7. 248]. Ein päpstlicher Erlaß von Pius IV. von 1562 suchte das ant. Patrimonium von Rom zu regulieren: Hiernach galt die F. von Antiken ebenso als Delikt wie der Kunstraub [7. 448].

C. Barock und Klassizismus

Im 17. Jh. kam es zu einer erheblichen Aufwertung der zeitgenössischen Kunst gegenüber der Ant. mit entsprechenden Konsequenzen für die fürstlichen Sammlungen. Symptomatisch sind hierfür die aus It. gelieferten Kopien und Originale, die im Auftrag Ludwigs XIV. im Park von Versailles aufgestellt wurden. Barocke Interpretationen ant. Vorbilder, wie die des vatikanischen *Meleager* von Skopas, wurden bevorzugt, womit den antiquarischen Imitationen z.T. der Boden entzogen wurde [10. 438]. Ab Mitte des 18. Jh. wurden mit Aufkommen der arch. Wiss. und des → Klassizismus F. wieder begünstigt. Dabei wirkte mit, daß die »Grand Tour« der engl. Aristokratie zur Nachfragebelebung beitrug, während die gleichzeitigen Ausfuhrverschärfungen der it. Staaten zur Verknappung des Angebots führten.

Abb. 1: Büste des Livius, Marmor;
Estensische Sammlung, Wien

Abb. 2: Anton Raffael Mengs,
Jupiter und Ganymed,
Fresko, 1758/59;
Galleria Nazionale dell'Arte Antica,
Rom

Mit der Entdeckung der Vesuvstädte trat erstmals die ant. Malerei ins Blickfeld der Fälscher. Giuseppe Guerra, ein Schüler von Solimena, erhoffte sich um 1750 eine einträgliche Erwerbsquelle durch den Verkauf angeblicher (abgenommener) Fresken aus → Herculaneum. Seine F., die in engl. Salons als Raritäten gezeigt wurden, aber auch in röm. Mus. gelangten, wiesen simulierte Ablösungsspuren (von der Wand) auf und suchten die damals stark diskutierte Technik der ant. Wachsmalerei (Enkaustik) zu imitieren [5. 84–88]. J.J. Winckelmann war in zwei Fälle involviert, bei denen die arch. Wiss. selbst Ursache, zugleich Prüfstand der F. war. Anläßlich der Erstausgabe der *Geschichte der Kunst des Alterthums* (1764) veranlaßte ihn Giovanni Battista Casanovas fingierter Bericht von der Auffindung ant. Malereien dazu, die für den Betrug des Gelehrten eigens angefertigten Zeichnungen stechen zu lassen. Ein weiteres von Winckelmann komm. ant. Kunstwerk war eine F. von A.R. Mengs: das Fresko Jupiters und Ganymeds (Galleria Corsini, Rom; Abb. 2). Mit dem Bild wollte der Künstler seine Befähigung zu klass. Größe unter Beweis stellen, wobei er sein Geheimnis, aus Respekt vor Winckelmann, erst nach dessen Tod auf dem Totenbette preisgab [7. 271]. In der 2. H. des 18. Jh. gingen F. und Restaurierung eine enge Beziehung ein. Orfeo Borelli integrierte in seinen Reliefs (Palazzo Cardelli, Rom) völlig unzusammenhängende, aber echte Fragmente dergestalt, daß diese als unversehrte Stücke für zeitgenössische Sammlungen tauglich wurden [7. 275]. Vergleichbar arbeitete auch Winckelmanns Künstlerfreund Bartolomeo Cavaceppi, der seinen Antikenrestaurationen gern den spätklass. Schliff der Hadrianszeit gab (Büste des Otho, Merseyside County Art Galleries, Liverpool). Dagegen hebt sich die verantwortungsvolle Haltung Antonio Canovas ab, der die Berarbeitung der sog. Elgin-Marbels (vom → Parthenon) aus Respekt vor dem Alt. ablehnte.

D. 19. UND 20. JAHRHUNDERT

Mit Aufkommen der → Etruskologie im Laufe des 18. Jh. kamen entsprechende F. auf. Sensationelle Grabungserfolge bei den Etruskerstädten Vulci und Cerveteri haben seit den 20er J. des 19. Jh. eine Fälschertätigkeit von geradezu kriminellen Ausmaßen angeregt (Kleinbronzen und Schmuck). Die führte zu Beginn des 20. Jh. zum Skandal um Alceo Dossena, der neben etr. und klass. Skulpturen auch Werke der Gotik und Ren. fälschte [7. 299]. Der 1916 bei Veji entdeckte Apoll des Portenaccio-Heiligtums (ca. 530 v. Chr., Rom, VG) – eine der erstaunlichsten bildhauerischen Leistungen des archa. Etrurien – verleitete das Metropolitan Mus. New York dazu, eine monumentale Kriegerfigur sowie einen Kriegerkopf gleichen Stils anzukaufen. Diese meisterhaften Imitationen des etr. Künstlers Vulco, die Alfredo Fioravanti kurz nach der Entdeckung des genannten Apolls angefertigt hatte, sind zugleich der zeitgenössischen Avantgarde verpflichtet [16. 97, 105]. Im 20. Jh. überwiegt jedoch ansonsten die billige Massenware kleineren Formats, wie die um die Jahrhundertwende so

bewunderten Tanagra-Figuren. Die Berliner Mus. mußten etwa 20% ihres Bestandes als falsch ausscheiden [14. 185–196]. Noch 1983 kaufte das Getty-Mus. in Malibu den (aus einer Schweizer Privatsammlung stammenden) spät-archa. Kouros, an dessen Echtheit kurz Zeit später berechtigte Zweifel hervorgebracht wurden [16]. Der auf polit. Ebene wohl spektakulärste Kunstbetrug des 20. Jh. waren die (ps.-röm.) Medaillonbilder von Centuripe (Neapel, NM), die Mussolini in einem feierlichen Akt des »Imperiums« zum Geschenk gemacht wurden, aufgedeckt 1942 von dem Archäologen Carlo Albizzati, der nur knapp einer Strafverfolgung entging [2; 7. 300].

1 G. VASARI, Le vite dei più eccelenti pittori, scultori et architetti, hrsg. v. G. MILANESI, Bd. VII, Florenz 1878 2 C. ALBIZZATI, Come si fabbrica una scoltura antica, in: Primato artistico italiano III, Nr. 12 3 P. BLOCH, Typologie der F. in der bildenden Kunst, in: Mitt. der Dt. Forschungsgemeinschaft, H. 3, 1978 4 M. CAGIANO DE AZEVEDO, La »Polimnia« di Cortona, in: Storia dell'Arte, 38–40, 1980 5 G. CONSOLI FIEGO, False pitture di Ercolano, in: Napoli Nobilissima II, 1921 6 H. DÜTSCHKE, Ant. Bildwerke, Leipzig 1882 7 M. FERETTI, F. und künstlerische Trad., in: G. PREVITALI, F. ZERI (Hrsg.), It. Kunst. Eine neue Sicht auf ihre Gesch., Bd. II, 1987 8 S. HOWARD, B. Cavaceppi and the Origin of neoclassic sculptures, in: The Art Quarterly 33, 1982 9 F. MATZ, F. VON DUHN, Ant. Bildwerke in Rom, Bd. I–III, Leipzig 1881–82 10 E. PAUL, Falsificazioni di antichità in Italia dal Rinascimento alla fine del XVIII secolo, in: S. SETTIS (Hrsg.), Memoria dell'antico nell'arte italiana, Bd. II, 1985, 413–439. 11 G. TRAVERSARI, Mus. Archeologico di Venezia. I ritratti, 1968 12 W. R. VALENTINER, Il Cupido Dormiente di Michelangelo, in: Commentari, VII, 1956, 236–48 13 F. und Forsch., Mus. Folkwang Essen, Skulpturengalerie Staatliche Mus. Berlin (Essen), Ausstelungs-Kat. 1977 14 Hauch des Prometheus. Meisterwerke in Ton, Staatliche Antikenslgg. und Glyptothek, München 1996 (Kat.) 15 K. TÜR, F. ant. Plastik, 1984 16 The Getty Kouros Colloquium, The Pauly Getty Mus. (Nicholas Gounadris Foundation, 25.–27. Mai 1993, Athen), 1993. FRIEDHELM SCHARF

II. LITERARISCH

A. EINLEITUNG UND DEFINITION
B. ENTWICKLUNG UND FUNKTIONSWANDEL ZWISCHEN MITTELALTER UND POSTMODERNE
C. GESCHICHTE DER FÄLSCHUNGEN UND PSEUDEPIGRAPHA D. ÜBERBLICK ÜBER DIE WIRKUNGSMÄCHTIGSTEN FALSCHZUSCHREIBUNGEN
E. GESCHICHTE DER ECHTHEITSKRITIK
F. SUPPLEMENTE ZU ANTIKEN AUTOREN

A. EINLEITUNG UND DEFINITION

F. sind Werke, die deren Urheber mit Täuschungsabsicht (nicht, wie z.B. bei Quellenfiktionen, aus künstlerischen Gründen) einem berühmteren oder erfundenen Autor bzw. einem fremden histor. Kontext unterschiebt – das Gegenteil des Plagiats. Dieser Antithese entsprechen die offenen Verfahren Nachahmung und Zitat. Zu differenzieren sind F. des Texts, ein stilanalytischer Vorgang, der intime Kenntnis des zu fälschenden Autors voraussetzt, bzw. des Datenträgers (Dokument, Textzeuge), ein Handwerk, das auf Wissen um Schreib- und Beschreibstoffe basiert. Diesen Fall entlarvt die Kriminalistik, jenen die Literaturgeschichte.

B. Entwicklung und Funktionswandel zwischen Mittelalter und Postmoderne

Die Beliebtheit der röm. Originalautoren spiegelt sich z. B. in ps.-ovidianischen Dichtungen. Überdies wurden wirkliche F. toleriert, zitiert und nicht selten durch ›Gegen-F.‹ erwidert [19. 120]. Komplexe Überlieferungslegenden wurden ersonnen wie bei der dem 8. Jh. entstammenden Kosmographie eines angeblichen Philosophen Aethicus [13]. Mittelalterliche, durch Autoritätspoetik erklärbare Imitationen oder Textergänzungen erschienen nur durch Überlieferung als F. Der Buchdruck ermöglichte es, gefälschte Briefe oder Urkunden nicht nur direkt, sondern auch als Strategie polit.-konfessioneller Unterstellung zu nutzen. Generell dienen F. als Waffe lit. Polemik (W. Hauff, der 1826 unter dem Namen H. Claurens publizierte). Merkantile Motive stehen in der Lit. im Hintergrund. Dagegen sind F. hermeneutische Akte, die, wie Parodien oder Pastiches, überscharf Autorenbilder im Rahmen eines Erwartungshorizontes konstruieren und zugleich die Wunschfixierung des gläubigen Publikums aufzeigen, liegt ihnen doch Sehnsucht nach verlorenen oder hypothetischen Texten zugrunde – auch bei der Fälscherpersönlichkeit, die ihre Entdeckung fürchtet und erhofft, die, analog dem Pseudonym, als Ich-Maske eine Kunstfigur, den Ps.-Verf. vorschiebt. F. attackieren das Konzept nachprüfbarer Autor-Individualität, des »ästhetischen Fingerabdrucks«. V. a. den it. Humanisten gelangen zahlreiche Entlarvungen von Pseudepigraphien oder F. wie der berühmten sog. Konstantinischen Schenkung [20; 21]. Während Kontroversen wie die zur Echtheit der *Phalaris-Briefe* in die → Querelle des Anciens et des Modernes führen, verbessern Debatten um die berühmtesten Mystifikationen, wie z. B. J. Mac-Phersons ab 1760 »entdeckte« Werke des gälischen Dichters Ossian und die vorgeblichen Texte eines spätma. Mönchs von Th. Chatterton, dessen Suizid 1770 ihn seit der Romantik selbst zum lit. Protagonisten (W. Wordsworth, A. de Musset, P. Ackroyd) macht, das philol. Instrumentarium. Doch erst h. nähert sich die einst divinatorische »höhere Kritik« mit computergestützter Stilanalyse einer zuverlässigen Verifizierung von F. Gerade die Entlarvung erfolgreicher F. in der Geniezeit aber gab den Blick auf originale Fälscher frei und darauf, daß die Gegenbegriffe »richtig«, »wahr«, »echt« nicht nur künstlerische, sondern auch metaphysische Dimensionen umreißen: Kann ein unechter Text wahre Kunst sein? F. akzentuieren also das Gemachte der Kunst und das Machbare, negieren das »Gewordene« und das Einzigartige.

Gegenüber der ant. und ma. Tendenz zum Ausfüllen histor., juristischer, diplomatischer Lücken, je komplexer, desto überzeugender (ein Prinzip, das im 20. Jh.

fiktive Biographien von M. Aub oder W. Hildesheimer zeigen), sind F. seit der frühen Neuzeit zunehmend säkular und ästhetisch motiviert, sie sind Früchte der Professionalisierung von Philol., historische Tests auf die inzwischen gelungene Aneignung ferner Epochen, Extreme ›schöpferische(r) Identifikation mit der Vergangenheit‹ [14. 85], und dennoch echte Zeugen ihrer Entstehungszeit. Die Sekundärlit. verzeichnet unzählige Literaturskandale um F., von falschen Fortsetzungen wie Avellanedas zweitem *Don Quixote*-Teil bis zu Scholochows Nobelpreis.

Spätestens seit A. Gides *Faux-monnayeurs* sind F. eine mod. ›Provokation von Authentizität‹ [1. 44]. Der materiale Aspekt von Texten, die literaturwiss. Ausbildung von Autoren, das Axiom eines intertextuellen Universums und der Perspektivwechsel vom Neuerfinden auf das Neukombinieren machen die Idee des Fälschens für die Postmod. symptomatisch. Zu unterscheiden sind lit. F. von lit. Texten, die – gleich, ob am Beispiel von lit., bildkünstlerischen oder F. von Dokumenten – das Phänomen selbstreferentiell thematisieren. Darüber hinaus liegt der Akzent solch allegorischer Standortbestimmung auf moralischen Parallelen im Sinne von Lebenslügen (H. Kasack), auf dem Verwobensein in den unendlichen Text (P. Ackroyd), auf dem spielerischen Umgang mit kulturellem Erbe, den die Einebnung der Differenz hervorkehrt (G. Perec, J. Banville), darauf, daß der Rezipient über Echtheit entscheidet (U. Eco).

Wie nach W. Benjamin das reproduzierbare Kunstwerk die Aura der Wahrheit verliert, die nur dem Unikat eignet, so verliert die Imitation das Odium der F. und diese die Aura der bösen Negation des Echten. Komplementär zur Zerstörung alles Auratischen tritt der Kultwert der Ware hervor. Digitale Medien begründen ein Zeitalter der universellen Fälschbarkeit (vgl. den Film von O. Welles, *F for Fake*, 1973/75), die das lit. vorgedachte Mißtrauen einlöst, aber zugleich unbefangen macht, denn durch den ›Tod des Autor-Subjekts‹ würden, wie es J. L. Borges antizipiert, F. sinnlos. Fälschen wird so zur Metapher für intertextuelles Schreiben, das verheißt, in Echtheit/Wahrheit 2. Grades umzuschlagen. Ästhetik als Luhmannsches Sozialsystem würde durch den Verlust der Leitdifferenz echt/falsch instabil; jedoch konserviert die steigende Relevanz von F./Plagiaten im Rechtssystem das Kriterienpaar, so daß F. nun weniger als moralisch beklagenswertes denn als juristisch beklagbares Phänomen ihre Provokation gegen den Warenwert von Kunst richten. Insofern das eine Original von beliebigen Versionen verdrängt wurde, produziert die Lit. an der Wende zum 21. Jh. offen ›Coversionen‹ (H. Krausser). Mangels Tabu werden F. vom Gegenteil wahrer Kunst zu einer Art von Kunst.

→ Imitatio; Mimesis

→ AWI Fälschungen; Pseudepigraphie

1 K. Ackermann, F. und Plagiat als Motiv in der zeitgenössischen Lit., 1992 2 G. Constable, Forgery and Plagiarism in the MA, in: Archiv für Diplomatik 29, 1983, 1–41 3 K. Corino (Hrsg.), Gefälscht! Betrug in Politik,

Lit., Wiss., Kunst und Musik, 1990 **4** D. DUTTON, Artistic Crimes. The Problem of Forgery in the Arts, in: British Journal of Aesthetics 19, 1979, 302–314 **5** H. EICH, G. MATTHIAS (Dr. Matthias Quercu), Falsch aus der Feder geflossen. Lug, Trug und Versteckspiel in der Weltlit., 1964 **6** F. im MA, Kongr. der MGH, 1986 **7** P. EUDEL, Le Truquage, 1880 **8** J. A. FARRER, Lit. Forgeries, 1907 **9** E. FRENZEL, s. v. F., lit., Reallex. der dt. Literaturgesch. 1, 444–450 **10** H. FUHRMANN, Die F. im MA, in: HZ 197, 1963, 529–601 **11** A. GRAFTON, Fälscher und Kritiker. Der Betrug in der Wiss., 1991 **12** I. HAYWOOD, Faking it. Art and the Politics of Forgery, 1987 **13** M. W. HERREN, Wozu diente die F. der Kosmographie des Aethicus?, in: A. LEHNER, W. BERSCHIN (Hrsg.), Lat. Kultur im VIII. Jh., Traube-Gedenkschrift, 1990, 145–159 **14** A. HÖFELE, Die Originalität der F. Zur Funktion des lit. Betrugs in England 1750–1780, in: Poetica 18, 1986, 75–95 **15** P. LEHMANN, Ps.-ant. Lit. F. der Neuzeit, Ausstellung in der Bayrischen Staatsbibl., 1986 **17** C. G. v. MAASSEN, Lit. F., in: Südd. Monatshefte 33, 1936, 649–660 **18** H. ROGGE, Fingierte Briefe als Mittel polit. Satire, 1964 **19** P. G. SCHMIDT, Kritische Philol. und ps.-ant. Lit., in: A. BUCK, K. HEITMANN (Hrsg.), Die Ant.-Rezeption in den Wiss. während der Ren., 1983, 117–128 **20** W. SPEYER, Lit. F., in: RAC 7, 1969, 236–277 **21** Ders., It. Humanisten als Kritiker der Echtheit ant. und christl. Lit., Akad. der Wiss. und der Lit. zu Mainz, Abh. der geistes- und sozialwiss. Kl., Jg. 1993, Nr. 3 **22** Ders., Die lit. F. im heidnischen und christl. Alt. Ein Versuch ihrer Deutung, 1971 **23** H. TIETZE, Zur Psychologie und Ästhetik der Kunst-F., in: Zschr. für Ästhetik und allg. Kunstwiss. 27, 1933, 209–240 **24** J. WHITEHEAD, This Solemn Mockery. The Art of Lit. Forgery, 1973. ACHIM HÖLTER

C. GESCHICHTE DER FÄLSCHUNGEN UND PSEUDEPIGRAPHA

Bei der Rezeption der ant. Lit. haben unter falschem Namen tradierte Werke von der Spät-Ant. bis in das 16. Jh., z. T. sogar weit darüber hinaus, eine auffällig überproportionale Rolle gespielt. Meistens handelt es sich hierbei um Schul- oder Gebrauchslit. Gemeinsam ist fast stets, daß unbekannte bzw. neue Werke mit einem groß ant. Namen verbunden werden. Der urspr. Anlaß der Falschzuschreibung, ob bewußte F., versehentliche Falschzuschreibung, Inanspruchnahme eines Philosophen für traditionelles Lehrgut oder unkritische Übernahme einer lit. Fiktion, spielt für die Rezeption im einzelnen keine Rolle. Die Beliebtheit solcher Pseudepigrapha ist meist ein Indiz für eine bestimmte geistesgeschichtliche Erwartungshaltung. Daher bedürfen diese Schriften, die nach ihrer endgültigen Ausgliederung aus dem Literaturkanon völlig vergessen wurden, einer neuen Aufarbeitung. – Die meisten F. oder Falschzuschreibungen haben ihren Ursprung bereits in der Spät-Ant. oder noch früher; wenige Schriften, v. a. die Ps.-Ovidiana und und einzelne Ps.-Aristotelica entstanden im Hoch-MA. Bereits im Spät-MA nahm die Menge der neu aufkommenden Pseudolit. deutlich ab, während die bereits kanonisch gewordenen Pseudoschriften weiterhin lebhaft rezipiert werden. Eine neue Situation ergibt sich seit der frühen Ren. Einige griech.

Pseudepigrapha, z. B. die *Phalarisbriefe*, das *Corpus Hermeticum* (s. u.) werden jetzt erst im Westen bekannt und berühmt. Vereinzelt werden F. als angebliche Wiederentdeckungen ant. Werke ausgegeben ([8 Bd. I. 172ff; II. 199ff; 14. 318ff.], z. B. Apuleius *De orthographia*). Die im 15. Jh. weitverbreitete Schrift Fiocchis *De magistratibus et sacerdotiis Romanorum* lief ohne Absicht des Autors unter dem ant. Namen Fenestella; ununtersucht sind die Hintergründe der von C. Sigonius verfaßten *Consolatio* Ciceros (1583). Ein später und prominenter Fall ist die F. des vollständigen Petrontextes durch Nodot [10]. Nach der Herausbildung eines kritisch gesicherten Corpus der ant. Lit. im 18. und 19. Jh. gibt es neue F. nur noch als lit. Fiktion oder als scherzhafte Mystifikation; in Einzelfällen wird die Echtheit neu aufgefundener Schriftzeugnisse, z. B. der seit dem 19. Jh. bekannten *Fibula Praenestina* oder des 1979 veröffentlichten (wohl echten) Gallus-Papyrus, bestritten. Eine eigene Betrachtung erfordert die christl. Lit., in der bis zur endgültigen Durchsetzung des Christentums Falschzuschreibungen meist bewußte F. in der Auseinandersetzung mit Nichtchristen oder innerhalb des Christentums sind [14. 176f.]. Das frühe Aufkommen falscher Schriften (bereits Paulus, 2 Thess 2,2, kennt falsche Briefe unter seinem Namen) fördert die kritische Herausbildung des nt. Kanons. Die Zahl der christl. F. ist bes. im griech. Osten unübersehbar. Nur wenige haben jedoch über ihren primären Rezeptionskreis hinaus lang andauernde Bed. erlangt. Die Märtyrerakten und Heiligenviten enthalten sowohl gewachsene Legenden wie in bestimmter Wirkungsabsicht hergestellte Texte, ohne daß eine genaue Trennung möglich wäre. Die Apokrypha unter den Schriften der Kirchenväter haben meist keine große Wirkung entfaltet.

D. ÜBERBLICK ÜBER DIE WIRKMÄCHTIGSTEN FALSCHZUSCHREIBUNGEN

Während die Mehrzahl der ant. lat. Briefcorpora echt sind, handelt es sich bei fast allen Briefsammlungen berühmter griech. Personen (u. a. des Themistokles, Sokrates, Anacharsis, der Sokratiker, des Tyrannen Phalaris) um z. T. als Briefroman angelegte Fiktionen des Hell. oder der Kaiserzeit (Bibliographie bei [4]); heute wird nur die Echtheit einiger 13 Briefe Platons und der Briefe des Brutus diskutiert. Die seit 1427 im Westen bekannten und auch in Byzanz viel gelesenen Phalarisbriefe waren in der lat. Übers. und Neuanordnung durch Francesco Griffelini vom frühen 15. Jh. bis weit ins 16. Jh. eine der wichtigsten Schullektüren. Die anderen Briefsammlungen wurden z. T. erst spät gedruckt und fanden bescheidene, aber keineswegs marginale Verbreitung. In der paganen lat. Lit. sind vergleichbar einige wenige Briefe Ciceros (v. a. der Brief an Octavian, der Petrarca beeindruckte), v. a. aber der fingierte Briefwechsel zw. Seneca und Paulus sowie einige Briefe über das Leben des Hieronymus [13]. In der Philos. waren die Schriften des Ps.-Dionysios Areopagita von kaum zu überschätzender Bed.; auf dem Umweg über Johannes Scotus Eriugena und andere Philosophen haben sie weit über das MA hinaus gewirkt. Zu dem aus der Ant. überlieferten *Corpus Aristotelicum* wurden im MA zahlreiche Pseudepigrapha hinzugefügt [9]. Am verbreitetsten war das *Secretum secretorum* (*de regimine sanitatis*), eine urspr. syr. Zusammenstellung von Lehren mit hermetischem Einschlag, die in verschiedenen Textversionen (z. T. auch unter verschiedenen Autornamen) in zahlreichen östl. und westl. Sprachen überliefert wurde und auch noch in der it. Ren. (z. B. bei Brunetto Latini) von großem Einfluß war [7]; philos. bedeutsamer sind der wohl im 9. Jh. im arab. Bereich auf der Grundlage von Proklos-Texte verfaßte *Liber de causis* und der *Liber de pomo*. Von den Einzelwerken des eigentlichen, ant. *Corpus Aristotelicum* haben gerade einige unechte Schriften, v. a. die bereits von Apuleius lat. bearbeitete Schrift *De mundo*, weiterhin die *Problemata physica*, *De coloribus* u. a. große Bed. erlangt. Auch in den Schriftencorpora des Apuleius und Boethius befanden sich einflußreiche Pseudepigrapha, v. a. Ps.-Apuleius *De virtutibus herbarum* und Ps.-Boethius, *De disciplina scholarium*. Das (seit dem 15. Jh. bekannte) *Corpus Hermeticum*, die *Orphica* und die *Tabula Cebetis* werden bis in die Neuzeit als philos. Originalschriften gelesen. Vergleichbar ist die Trad. des *Corpus Hippocraticum*, in dem echte und unechte Schriften gleichermaßen enthalten sind. Unter dem Namen Senecas lief bis ins 16. Jh. oft die aus Seneca schöpfende, in über 600 Hss. überlieferte Abhandlung des Martinus von Bracara *De quattuor virtutibus* (*Formula honestae vitae*). Noch wichtiger als Schulbuch der Moral waren in lat. Sprache und zahlreichen Übers. die im 3. Jh. entstandenen *Disticha Catonis*. In der Dichtung nimmt Ovid eine auffällige Sonderstellung ein. Die Pseudoovidiana (am verbreitetsten der *Ovidius puellarum* = *De nuntio sagaci*, wohl 11. Jh. und das Epos *De vetula*, 13. Jh) entstanden alle im MA und spiegeln thematisch die spezifischen Rezeptionsbedingungen des seit dem 11./12. Jh. vielgelesenen Autors wider. Auch echte Ovidgedichte oder Ausschnitte daraus erhielten unter eigenem Namen eine Sondertradition (z. B. am. 1,5 unter dem Titel *De meridie*). Neben Ovid wird fast nur der Name Martials für neue Dichtungen in Anspruch genommen, z. T. aufgrund der Verwechslung mit Godefrid v. Winchester (11. Jh.). Unter dem Namen des Vergil, Horaz, Terenz, Plautus und anderer Dichter wurden stets nur die auch h. ihnen zugeordneten Gedichte (einschließlich der z. T. unechten *Appendix Vergiliana*) tradiert. Einen Sonderfall bilden die erst 1554 zum ersten Mal gedruckten *Anacreontea*, die erst im 17.–19. Jh. unter dem Namen Anakreons großen Einfluß auf die europ. Dichtung ausgeübt haben.

Falsche Zuschreibungen histor. Werke an ant. Autoren hat es im MA nicht gegeben; das Werke verschiedener Autoren umfassende *Corpus Caesarianum* und die unter falschen Autorennamen verbreitete Sammlung der *Historia Augusta* sind bereits ant. Allerdings wurden die fiktionalen Erzählungen des Dares Phrygius (als dessen lat. Übersetzer Cornelius Nepos galt) und des Dictys Cretensis, der Alexanderroman und die mit ihm zusammenhängenden Schriften, v. a. der Brief Alexanders an Aristoteles über Indien, die *Historia Apollonii regis Tyri* und die *Gesta Romanorum* im MA als histor. Berichte aufgefaßt. In der Rhet. sind die wirkungsmächtigsten Falschzuschreibungen die wohl von Anaximenes verfaßte und Aristoteles zugeschriebene *Rhetorik*, und die als Werk Ciceros überlieferte *Rhetorica ad Herennium*. Die spät-ant. *Synonyma Ciceronis* und ein ebenfalls ihm zugeschriebenes Werk *De differentiis* haben in der frühen Ren. größere Bed. erlangt. Die wirkungsmächtigste jüd. Falschzuschreibung außerhalb des AT ist der Aristeasbrief; von den christl. F. haben die Konstantinische Schenkung (wohl 8. Jh.) und die ps.-isidoreischen Dekretalen, mit denen der Machtanspruch des Papstes gestärkt werden sollte, und die Ps.-clementinischen Homilien die meiste Wirkung entfaltet.

E. GESCHICHTE DER ECHTHEITSKRITIK

Echtheitskritik ist von Anfang an ein Hauptanliegen der Philologie, das in Alexandria methodisch betrieben wurde. Durch ihre Kanonbildungen (in Alexandria bei den Lyrikern, Tragikern, Rednern, in Rom bei den plautinischen Komödien durch Varro) ist die ant. Echtheitskritik für die Überlieferung für unser Bild der ant. Lit. bestimmend geworden. In der Spät-Ant. scheint es, wie die zahlreichen Pseudepigrapha und Falschzuweisungen zeigen, außerhalb der christl. Theologie keine wirksame Echtheitskritik bzw. kein Echtheitsbewußtsein gegeben zu haben. Die systematische, methodisch fundierte Echtheitskritik beginnt erst wieder bei den it. Humanisten, v. a. mit Petrarca, Salutati, Valla und Bruni. Bezeichnend für die Rezeption der im MA umlaufenden Pseudepigrapha ist jedoch, daß ihre Verbreitung nicht unbedingt an die Überzeugung von ihrer Echtheit geknüpft war. Bei fast allen oben aufgezählten Pseudepigrapha – einschließlich der Konstantinischen Schenkung – wurde bereits früh mehr oder weniger an der Echtheit gezweifelt; das Verdienst von Lorenzo Vallas berühmter Schrift *De falso credita et ementita Constantini donatione* liegt eher in ihrer philol. Methodik und ihrer endlich durchschlagenden Wirkung als in der Originalität der These. Bis etwa 1500 waren alle wichtigeren im Spät-MA umlaufenden Pseudepigrapha von den Humanisten erkannt und verworfen worden; ihre Eliminierung aus dem Lektürekanon geschah jedoch im wesentlichen in der ersten H. des 16. Jh., z. T. zog sich dieser Prozeß (wie bei Ps.-Dionysios) bis ins 19. Jh. hin. Bentleys in der Geschichte der Echtheitskritik berühmt gewordene Schrift [1] entsteht aus eher zufälligem Anlaß zu einer Zeit, als die von ihm verworfenen Phalarisbriefe längst nicht mehr beliebt waren. Neben unbestreitbaren Pseudepigrapha gibt es aber auch einige Fälle, bei denen die Echtheitsdiskussion bis in die Gegenwart dauert, so bei den Briefen Platons und Sallusts, der *Appendix Vergiliana*, der *Consolatio ad Liviam* oder dem unter den Tragödien Senecas überlieferte *Hercules Oetaeus*. Die h. im wesentlichen abgeschlossene Aufteilung des *Corpus Caesarianum* und des *Corpus Tibullianum* auf mehrere Autoren wurde v. a. vom 17. bis zum

19. Jh. diskutiert. Im 19. Jh. wurden z. T. auch echte ant. Schriften zu Unrecht als F. verdächtigt [14. 318].

F. Supplemente zu antiken Autoren

Supplemente unvollständig erhaltener Schriften entstanden seit dem 15. Jh. aus praktischen Gründen ohne F.-Absicht (zur Petron-F. und zu Ciceros *Consolatio* s.o.). Folgende Gruppen lassen sich unterscheiden: Ergänzung von Lücken in plautinischen Komödien wurden von den Humanisten des 15. und 16. Jh. verfaßt, um die Stücke aufführbar zu machen. Diese Texte wurden jahrhundertelang (z. T. in Anhängen) in den Plautusausgaben belassen und beeinflußten so noch die Gestaltung des Amphitruostoffes durch Molière und Kleist [2. 28 ff.]. Die Supplemente zu Vergils Aeneis (P. C. Decembrio 1419, M. Vegio 1427, Foreest 1650), zu Ovids *Fasten* (1649) und zu Lucan (May 1639) ergänzen, was der ant. Autor nach Ansicht der Ergänzer tatsächlich noch hatte schreiben wollen oder sollen. Die im 16.–18. Jh. entstandenen Supplemente zu histor. Schriften des Iulius Obsequens, Livius, Curtius Rufus, Tacitus und Velleius Paterculus ergänzen die Lücken der Überlieferung; unter ihnen sind bes. bemerkenswert die Tacitussupplemente von J. Lipsius, J. Freinsheim und Ch. Brotier, die sich in Stil und äußerer Form ganz dem Original anschließen. Die Historikerfragmente scheinen eine Lesesituation widerzuspiegeln, in der die Hoffnung auf Wiederentdeckung der verlorenen Originalpassagen aufgegeben war, während gleichzeitig für die Kenntnis der ant. Geschichte die Lektüre der Primärlit. (anstatt neu entstehender Sekundärlit.) noch im Zentrum stand.

→ AWI Alkiphron; Alexanderroman; Anacreontea; Apopudobalia; Appendix Vergiliana; Aristeasbrief; Consolatio ad Liviam; Cornelius [II. 18]; Corpus Caesarianum, Corpus Hermeticum; Dicta Catonis; Dictys Cretensis; Dionysios Areopagita [54]; Epistolographie; Hermetische Schriften; Historia Apollonii regis Tyri; Historia Augusta; Rhetorica ad Herennium

1 R. BENTLEY, Dissertations upon the epistles of Phalaris, Themistocles, Socrates, Euripides, and upon the fables of Aesop, 1699 (dt. Übers. von W. RIBBECK, Leipzig 1857) 2 L. BRAUN, Scenae suppositiciae, 1980 3 F. im MA (MGH, Schriften 33), 1988, I und V (lit. F., Briefe) 4 N. HOLZBERG (Hrsg.), Der griech. Briefroman. 1994 5 P. LEHMANN, Ps.-ant. Lit. des MA, 1927 (Ndr. 1964) 6 G. BERNT et al., s. v. Disticha Catonis, LMA 3, 1123–1127 7 W. F. RYAN, CH. B. SCHMITT, Ps.-Aristotle. The Secrets of Secrets. Sources and influences, 1982 8 R. SABBADINI, Le scoperte dei codici, 1905, Ndr. 1996 9 CH. B. SCHMITT, D. KNOX, Ps.-Aristoteles Latinus. A Guide to Latin Works falsely attributed to Aristotele before 1500, 1985 10 W. STOLZ, Petrons Satyricon und François Nodot. Ein Beitrag zur Gesch. lit. F., 1987 11 P. G. SCHMIDT, Kritische Philol. und ps.-ant. Lit., in: A. BUCH, K. HEITMANN (Hrsg.), Die Ant.-Rezeption in den Wiss. während der Ren., 1983 12 Ders., Supplemente lat. Prosa in der Neuzeit, 1964 13 Ders., Ps.-ant. Lit. als Philol. Problem in MA und Ren., in: N. MANN, B. MUNK OLSEN (Hrsg.), Medieval and Ren.

Scholarship, 1997, 186–195 14 W. SPEYER, Die lit. F. im heidnischen und christl. Alt., 1971 15 Ders., It. Humanisten als Kritiker der Echtheit ant. und christl. Lit.

JÜRGEN LEONHARDT

Familie s. Ehe; Verwandtschaft

Faschismus
I. Kunst und Architektur
II. Politik und Gesellschaft

I. Kunst und Architektur
A. Einleitung B. Archäologie im politischen Dienst C. Staatskunst

A. Einleitung

Das faschistische Antikebild im It. der Jahre zw. 1922 und 1943 war in erster Linie von seiner propagandistischen Instrumentalisierung geprägt. In das Blickfeld rückte nahezu ausschließlich das imperiale Rom der Kaiserzeit und insbes. des Augustus, dessen Person und Werk eine mit allen Mitteln hochgetriebene Idealisierung und Stilisierung erfuhr. Ein wesentlicher Grund lag in der scheinbaren Analogie der histor. Situation: So wie Augustus die republikanische Krisenzeit durch Gründung des Prinzipats besiegelte, setzte Mussolini den Krisenjahren nach dem I. Weltkrieg durch die faschistische »Revolution« (bzw. die Diktatur) ein Ende. Seit dem Marsch auf Rom vom 28. Oktober 1922 bildete die Romanità eine ideologische Konstante und einen plakativen Aufhänger faschistischer Propaganda [18]. Eine massive Anwendung der Rom-Ideologie erfolgte in der Konsolidierungs- und Ideologisierungsphase seit 1933 mit der Gründung des *Comitato d'Azione per l'Universalità di Roma* (CAUR). Das Zusammenfallen des 2000-jährigen Geburtstagsjubiläums des Augustus am 23. September 1937, dem *Bimillenario Augusteo*, mit der faschistischen Ära wurde für die vollkommene Parallelisierung von Mussolini und Augustus propagandistisch genutzt. Aufwendige Feierlichkeiten begleiteten das Jubiläum, in dessen Mittelpunkt eine umfassende Augustusausstellung, die *Mostra Augustea della Romanità*, stand. Das gesamte wiss. Begleitprogramm an Tagungen und Publikationen wurde unter ideologische Vorzeichen gestellt bzw. schuf eine akad. beglaubigte Legitimation der Parallelisierung [20. 12–15]. Der insistente Rekurs des Regimes auf die Ant. hatte ein seit der it. Kolonialpolitik von 1911–12 verankertes nationalistisches Grundmuster: It. tritt das röm. Erbe an, um erneut seinen imperialen Auftrag, die Gründung eines Mittelmeer-Imperiums, zu erfüllen [20. 7f.].

B. Archäologie im politischen Dienst
1. Allgemeines

Die Arch. nahm innerhalb der auf das ant. Rom vereidigten Herrschaftsideologie des Regimes einen erstrangigen Platz ein. Sie verwirklichte durch Freilegungen und Restaurierungen die Vergegenwärtigung der Ant. und damit die visuelle Umsetzung faschistischer Wertvorstellungen in das Stadtbild von Rom. Die umfassenden arch. Grabungs- und Restaurierungsarbeiten in Rom zw. 1924 und 1938 (am Largo Argentina, Marcellustheater, Kapitol, Circus Maximus, Pantheon, Augustusmausoleum, Kaiserforen) erfolgten unter kompromißloser Preisgabe histor. Stadtviertel. Die arch. Freiräume zeugen vom Despotismus des Regimes, da nur der F. so souverän über Enteignung, Abbruch und Boden verfügen konnte. Mit der Beseitigung des dicht bebauten Wohnviertels über den Kaiserforen 1930 waren 5500 Wohneinheiten zerstört, 1886 Personen in Vorstadtquartiere umgesiedelt und der Hügel der Velia zum Kolosseum hin durchschnitten worden. Die ausgegrabenen Überreste selbst wurden in eine auf große Breitenwirkung gerichtete Herrschaftsdramaturgie eingeschrieben. In Film und Foto wurden Reden Mussolinis, polit. Aufmärsche und Versammlungen so festgehalten, daß ein mit der Ant. ikonisch kombiniertes Bild von der Staatsmacht in die Öffentlichkeit getragen wurde. Folgenreich für Stadtplanung und Präsentation der ant. Baudenkmäler wurde schließlich ein Denkbild, das Mussolini 1925 in einer Festrede im Kapitolspalast vorstellte: ›Die tausendjährigen Denkmäler unserer Geschichte müssen in notwendiger Einsamkeit monumental erscheinen‹ [8. 49, 51].

2. Kaiserforen und Via dell'Impero

Die Ausgrabung der Kaiserforen und die Anlage der Via dell'Impero im Zentrum des alten wie neuen Rom besaßen für das damals junge faschistische It. eine starke symbolische Funktion. Mit demonstrativ hohem Aufwand und großer Schnelligkeit wurden sukzessive das Augustusforum (1924–28), die Trajanischen Märkte (1926–29) und das Caesarforum (1927–28) freigelegt [8. 58]. Die Via dell'Impero wurde im Zuge der Neudefinition des Generalbebauungsplanes von Rom 1930/31 als schnurgerade Pracht- und Paradestraße von 900 m Länge und 30 m Breite konzipiert [10. 53–56; 15. 50]. Sie verbindet die Piazza Venezia und das Kolosseum, das als Dominante und als monumentaler Solitärbau am Ende der Sichtachse erscheint. Der Straßenneubau machte das Kolosseum zum Pendant des kolossalen Vittoriano (1884–1910), des symbolischen Denkmals der Terza Roma, der Hauptstadt des seit 1870 vereinten It. Ant. und Gegenwart rückten durch die faschistische Magistrale in neue, symbolträchtige Zusammenhänge. Die offizielle Einweihung des neuen polit.-räumlichen Rückgrats von Rom wurde an den Decennalia des Marsches auf Rom am 28. Oktober 1932 von Mussolini vollzogen.

Nach einer Berechnung wurden durch den Bau der Via dell'Impero 84% des ausgegrabenen Terrains im Bereich der Kaiserforen wieder zugeschüttet [13. 136]. Im mittleren Abschnitt der Prachtstraße legte man seitlich begrünte Promenaden und Terrassen an, die erhöht einen Überblick über das Grabungsgelände gewähren. Dem entlang promenierenden Besucher wurden die Überreste der röm. Ant. als eine kontinuierliche Sequenz von baulichen Höchstleistungen präsentiert. Gemäß diesem Verständnis bereitete man die freiliegenden Überbleibsel von Trajans-, Augustus-, Nerva- und Caesarforum im Sinne von Ruinenstaffagen didaktisch auf. Am Mars-Ultor-Tempel des Augustusforums wurden das Treppenpodest weitgehend aus neuen Travertinstufen ergänzt und Portikussäulen aus nicht zusammengehörigen Teilen rekonstruiert. Die bis heute nur zu geringen Teilen publizierte Befunddokumentation der Grabungen hält wiss. Ansprüchen nicht stand. Die 1930 vom Augustusforum erstellten Pläne des Architekten Italo Gismondi sind schematisch und unvollständig. Wie seine Rekonstruktionszeichnungen dienten sie dem für die Augustusausstellung 1937 gebauten Modell [12. 157f.].

3. Die Piazza Augusto Imperatore

Im Hinblick auf das Bimillenario Augusteo wurde seit 1934 die Freilegung des Augustusmausoleums auf den Weg gebracht. Die Oberleitung des Projektes hatten der Archäologe Antonio Muñoz und der Architekt Vittorio Ballio Morpurgo. Zu einem wesentlichen Teil des Bauprogrammes gehörte die dreiseitige Platzrandbebauung mit Verwaltungsbauten für die Sozialfürsorge, der Erhalt der Kirchen St. Carlo, St. Rocco und St. Girolamo sowie die auf Wunsch Mussolinis seit Februar 1937 – an nicht urspr. Ort – zu rekonstruierende *Ara pacis* an der Tiberseite. Primär waren auch hier nicht städtebauliche Überlegungen, sondern die durch Gegenüberstellungen und Paarungen von Baudenkmälern des ant., päpstlichen und faschistischen Rom beabsichtigte Schaffung eines symbolträchtigen polit. Raumes, in dem Gedächtnisstätten und mod. soziale Einrichtungen in eine große identitätstiftende Synthese münden sollten. Deutlichstes Kennzeichen dieser Geschichtsklitterung ist die forcierte bauliche Kombination des Heterogenen. Das plastische und musivische Bildprogramm der Platzbauten, das faschistische Prosperität und soziale Sicherheit thematisiert, die Begrünung des Mausoleums mit Zypressen, die nach einer Angabe Strabons vorgenommen wurden, und die Anbringung der *Res gestae* als großer Buchstabenfries am Ausstellungsgebäude der *Ara pacis* dokumentieren anschaulich den konstruierten, collagehaften Charakter des faschistischen Antikebildes [2. 497, 502; 16. 303f., 309].

4. Die Augustusausstellung

Am 23. September 1937 wurde die Ausstellung zum 2000. Geburtstag des ersten röm. Kaisers von Mussolini feierlich eröffnet. Sie wurde ein Jahr lang im dafür umgebauten *Palazzo delle Esposizioni* in Rom dargeboten [1; 21]. Die Organisation und wiss. Betreuung der Ausstellung übernahm das 1925 von Carlo Galassi Paluzzi gegr. *Istituto di Studi Romani* [20. 10f.] unter bes. Federführung des Abgeordneten und Archäologen Giulio Quirino Giglioli, der Mussolini die Idee 1932 persönlich unterbreitet hatte [7. 160–167]. Die histor. Spannweite des Ausstellungsprogramms reichte von der Gründung Roms bis zum Fall des röm. Imperiums. Nach Einzelthemen geordnet wurden in 68 Sektionen Errungenschaften aus Militär-, Verwaltungs-, Ingenieur-, Erziehungswesen, Rechtsprechung, Handwerk u. a. als bild-

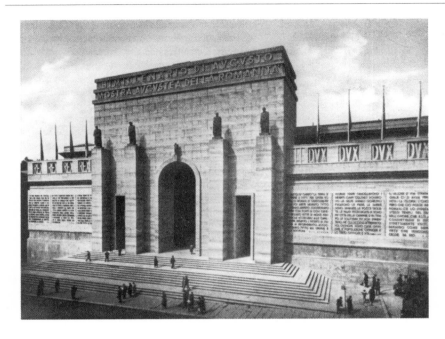

Abb. 1:
Alfredo Scalpelli; die
Fassade des Palazzo
delle Esposizioni in
Rom für die Mostra
Augustea della
Romanità 1937–38

Abb. 2:
Mario Paniconi und
Giulio Pediconi;
Sala dell'Impero
auf der Mostra
Augustea della
Romanità 1937–38

liches Panegyrikum auf das alte Imperium präsentiert. Die Ausstellung von über 200 Skulpturen und 2000 Gipsabgüssen aus it. und europ. Sammlungen sowie die Anfertigung der großen Zahl von Stadt-, Architektur- und Straßenmodellen verstand sich selbst als bes. organisatorische Glanzleistung des faschistischen Regimes, das publizistisch weitläufig gefeiert wurde. Höchst eingängig und prägnant war der Auftakt mit ant. Symbolen, Bezügen und Zitaten an der Fassade des Ausstellungsgebäudes nach Entwürfen von Alfredo Scalpelli (Abb. 1). Das Hauptmotiv der Straßenfront bildete einen auf die Grundform reduzierten Triumphbogen, de-

koriert mit Antikenkopien gefangener Barbaren und einer Viktoria. Auf den niedrigeren Seitenflügeln waren imposante Buchstabenfriese mit der italischen Heimat huldigenden Textauszügen ant. Autoren (Livius, Plinius, Cicero u. a.) montiert. Die lapidare Schlagkraft der Fassadengestaltung spiegelt die ideologisch abgeklärte Antikensicht des Regimes, die auch das gesamte Raum- und Ausstattungsprogramm durchzog. Die Blicke der Eintretenden wurden vom Atrium über die Sala dell'Impero, in der Opfer-, Kampf- und Triumphszenen mit Inschr. kombiniert ausgestellt waren, in die Sala di Augusto zu einem zentral aufgestelltem Augustusstandbild geleitet, in dem laut Giglioli ›der Imperator als schützender Genius des röm. Volkes in Erscheinung tritt‹ (Abb. 2) [1. 655]. Daß die höchst selektive Geschichtsschau und die bildhafte Deklamation des Augustus und des röm. Imperiums in unmittelbarem propagandistischem Dienst und zeitgeschichtlichem Bezug standen, führte schließlich der Saal *Die Unvergänglichkeit Roms*. Die Wiedergeburt des Imperiums im faschistischen It.« vor Augen. Die Ausstattung des Saales feierte den siegreichen Abessinienkrieg und die daran anschließende Proklamation des Imperiums am 9. Mai 1936, in der Mussolini die ›Rückkehr des Imperium nach 15 Jh. ... auf diesen schicksalhaften Hügeln von Rom‹ begrüßt hatte [18. 312]. Im Mittelpunkt der Raumausstattung stand eine Viktoria, deren hoher Sockel Auszüge der Proklamationsrede trug und von Büsten Viktor Emanuels III. und Mussolinis flankiert wurde. Während das untere Register der Seitenwände in fotografischen Montagen die Ant. und ihre Tradierung von der Ren. bis zum F. vorstellte, befanden sich darüber an antike Epigraphen anknüpfende Buchstabenkolonnen mit Zitaten, die von Dante zu Mussolini einen triumphalen Bogen spannten. Die Bildsprache bediente sich mit der Anwendung einprägsamer Symbole, Formeln und Konnotationen der visuellen Vermittlungsstrategien mod. Produktwerbung, um den formulierten Aussagen eine große Breitenwirkung zu sichern [11. 29].

C. STAATSKUNST

1. ALLGEMEIN

Innerhalb des facettenreichen Zusammenhangs von staatlich gelenkter Kunstpatronage und der Selbstdarstellung des Regimes nahm die Rückbesinnung auf die röm. Ant. eine vorrangige Stellung ein. Gleichwohl vollzog Mussolini keine der nationalsozialistischen Gleichschaltung ähnliche Kulturpolitik, im Gegenteil: Die Kunst des faschistischen It. ist von einer Pluralität der Strömungen geprägt, die sogar zueinander konträr stehende Positionen entwickelten, wie etwa den äußersten Traditionalismus (Gemälde- und Skulpturenwettbewerb *Premio Cremona*) und den zweiten Futurismus (Flugmalerei) [5. 133–135]. Die künstlerische Situation in It. war von dem Fehlen einer klaren staatlichen Direktive gekennzeichnet. Mussolinis Äußerungen zu einer faschistischen Kunst blieben unkonkret [11. 26]. Auf dem Gebiet der Staatsarchitektur kam es zu heftigen Kontroversen zw. Klassizisten und Rationalisten. 1941 prangerte Giuseppe Pagano in der von ihm geleiteten Architekturzeitschrift Casabella offen den architektonischen Rekurs von Marcello Piacentini auf die Ant. als Maskerade an und denunzierte Piacentini als einen »Ps.-Vitruv« [3. 4]. Die Zeitschrift wurde daraufhin sequestriert. Architekturkritik bedeutete hier zugleich Kritik des Regimes, die jedoch als Selbstkritik zu werten ist, da Pagano ein dezidierter Faschist war. Der Antikekult und sein Fiktionscharakter bestimmte schon die öffentliche Kritik in den 30er J., insbes. bei der Kunstkritikerin Margherita Sarfatti, der Wortführerin der avangardistischen Mailänder Bewegung *Novecento Italia-*

no, und dem Kulturminister Giuseppe Bottai [5. 178–181; 6. 349]. Beide machten deutlich, daß das plakativ vereinfachte faschistische Antikebild nicht dem Niveau und den Erwartungen der intellektuellen Oberschicht und der aktiven Künstler genügte und setzten sich bes. für die Etablierung der Mod. als faschistische Staatskunst ein.

2. DER ANTIKE FORUMGEDANKE

In zwei städtebaulichen Großprojekten wird dieser Gedanke weitgehend arbiträr reaktiviert – dem Foro Fascista und dem Foro Mussolini. Das Foro Fascista, das als Pendant des Forum Romanum gegenüber der Maxentiusbasilika 1932 im Kontext der Errichtung einer Parteizentrale, dem Palazzo Littorio, konzipiert wurde, aber Planung blieb, sollte in der gängigen reaktionären Ideologie röm. Klassik und staatspolit. Erneuerung ineins konfigurieren. Dem faschistischen Gedanken der Wiedergeburt eines neuen It. aus dem Geist der Ant. lag eine rein propagandistische Matrix zugrunde und ist damit deutlich von dem parallelen Gedanken des Ren.-Human. und seinem bewußt offenen, dynamischen und menschlichen Kulturbegriff zu differenzieren. Höchst aufschlußreich für den faschistischen Aneignungsvorgang des Gedankens ist das Foro Mussolini (h. Foro Italico, Abb. 3). Die als Sportforum im Auftrag der Opera Nazionale Balilla, der Organisation der faschistischen Staatsjugend, seit 1927 unter der Gesamtredaktion des Architekten Enrico Del Debbio entstandene Anlage im Norden von Rom wurde als Rekonstituierung des ant. Gymnasiums mit neuen Aufgaben deklariert [4. 65]. Im Rahmen sportlicher Übungen sollten Jugendliche Subordination, Glauben an den Duce, Achtung nationaler Werte sowie Verachtung der Demokratie erlernen. Die Schaffung eines neuen Menschentypus verstand sich als grundlegender Bestandteil der von Mussolini konzipierten Kulturrevolution. Das Foro Mussolini diente als Kaderschmiede für Sportlehrer und Athleten. Für diese Aufgabe wurde keine disziplindiktierende, sondern eine rhet., pathetische Architektur und Bildkunst gewählt. Zu den ersten und bezeichnendsten Bauten des Forums gehörte das an ant. Modelle (→ Delphi) anknüpfende Marmorstadion mit dem Kranz der 60 in antikischer → Nacktheit präsentierten Sportathleten (Abb. 4 und 6). Sie sind in ihrer übermenschlichen, asketischen Idealität der sprechendste Ausdruck der angestrebten Faschisierung der Gesellschaft im Zeichen einer umgedeuteten Antike.

3. LATINITÄT VERSUS MODERNITÄT

Die in erheblichem Maße durch das faschistische Antikebild konditionierte, staatlich gelenkte Kunstproduktion einerseits und die starke Orientierung it. Künstler an Tendenzen der Gegenwart andererseits führten eine brisante Konfliktsituation herbei. Dieses Spannungsfeld zw. Latinität und Modernität kennzeichnete die Entstehungsgeschichte des bedeutendsten faschistischen Bauprojektes, des E 42 (h. EUR) [17]. Die im Süden von Rom gegen Ostia hin konzipierte Stadtanlage sollte die Weltausstellung von 1942 aufnehmen,

Abb. 3:
Enrico Del Debbio,
Baumodell für das
Foro Mussolini in Rom

Abb. 4:
Ansicht des Stadio
dei Marmi im Foro
Mussolini, Rom

Abb. 5:
Giovanni Guerrini,
Ernesto La Padula und
Mario Romano,
Palazzo della Civiltà
Italiana des E 42

die zum 20. Jahrestag des Marsches auf Rom als eine »Olympiade der Kulturen« eröffnet werden sollte, was jedoch wegen des Kriegseintritts von It. unterblieb. Die Erarbeitung des Generalplans lag 1937 vornehmlich in den Händen von Marcello Piacentini. Das planerische Konzept war ideologisch eingefärbt, als es nach üblicher Weise die imperialen Ambitionen des Regimes thematisierte. Das bauliche Repräsentationsprogramm der Anlage, bestehend aus großzügiger Achsenplanung, triumphalen Platzensembeln – die an hell. Peristylhöfe und röm. Foren anknüpfen – sowie der inflationäre Gebrauch von Obelisken, gibt sich gebieterisch. Nach einer subtileren Visualisierung von faschistischer Staatsordnung mittels rational-konstruktiver Raumorganisation bestand ebensowenig wie im Foro Mussolini Bedarf. Mit der vorzugsweisen Vergabe der Entwürfe der Einzelgebäude 1938 an Architekten des *Razionalismo* übte Piacentini Anpassungszwang auf avantgardistische Baukünstler aus. Eine der architektonisch widersprüchlichsten Lösungen stellte Adalberto Liberas *Palazzo dei Ricevimenti e Congressi* dar, dessen Kernbau ein Produkt rationalistischen Entwerfens ist, vor dem aber ein antikischer Portikus gesetzt ist. Liberas Absicht, den Bau mit offen zur Schau gestellter Rationalität und Modernität als Ort der Versammlung zu charakterisieren, wurde durch die Hinzufügung eines Macht und Würde bezeichnenden Elements konterkariert. An exponierter Stelle des Geländes kam das symbolträchtigste und zugleich umstrittendste Projekt des E 42 zur Ausführung: der Palazzo della Civiltà Italiana (Abb. 5). Die Ausschreibung für den Bau gewann die Architektengruppe von Giovanni Guerrini, Ernesto La Padula und Mario Romano. Der gewählte Stil stellt einen auf bauliche Grundformen reduzierten → Klassizismus dar. Die archaisierenden Rossebändiger auf den Treppenwangen sowie der Beiname *Colosseo quadrato* wiesen unumwunden auf das nationalistische Credo des F. hin: Die it. Kunst spricht wieder lat. [9. 481 ff.].

4. BILDENDE KÜNSTE

Der an öffentlichen Gebäuden und auf öffentlichen Plätzen angebrachte Bilder- und Skulpturenschmuck folgt meist den stilistischen und thematischen Vorgaben der Architektur. Entsprechend ist auch die faschistische Bildkunst von statischer Monumentalität und zahlreichen Archaismen gekennzeichnet. Eine vollständige Inkarnation dieser beiden Elemente weist etwa die Monumentalplastik des Fußballathleten im Marmorstadion des Foro Mussolini von Carlo De Veroli (Abb. 6) auf, die in Schrittmotiv sowie in Körper- und Kopfbildung griech. Kouroi rezipiert. Allg. wird in der Monumentalplastik auf Vorbilder klass.-ant. Epochen rekuriert und – wie im Falle der Rossebändiger des Palazzo della Civiltà Italiana – archaisiert. Zur wiederbelebten ant. Ausstattungskunst gehörte neben der Monumentalplastik insbes. die Kunst des Wand- und Bodenmosaiks, v. a. die röm. Vorbilder rezipierende bichrome Schwarz-Weiß-Technik. Großflächig fand das Mosaik im Foro Mussolini (im Turnsaal Mussolinis, Hallenbad,

Abb. 6: Carlo De Veroli, Fußballathlet, Stadio dei Marmi, Rom

Piazzale dell'Impero) und im E 42 (Vorplatz des Palazzo dell'Ente autonomo) Verwendung. Auf dem Gebiet der offiziellen Malerei spielte Mario Sironi eine dominante Rolle. Mit seiner programmatischen Abkehr von der Staffeleimalerei zur Wandmalerei und zum Wandmosaik wandte er sich gleichzeitig dem monumentalen, archaisierenden Klassizismus zu. Unter bewußter Mißachtung von Maßstäblichkeit und Perspektive – den künstlerischen Errungenschaften der Ren.-Kunst – sowie der Blockhaftigkeit seines Figurenstils sollte an die Ursprünglichkeit und an das Wesen it. Kunst – und damit an die polit. beschworene *Italianità* – anknüpfen. Röm.-ant. Trad. wird ebenso durch die regressive Themenwahl der Wanddekorationen selbst suggeriert (Abb. 7; [6. 348, 353]). Zu den bezeichnenden Erscheinungen für das gespaltene künstlerische Bewußtsein im F. zählt Lucio Fontana. Während er bei offiziellen Staatsaufträgen – etwa der Statuengruppe *Heroisches It.* (h. Viktoriensaal der sechsten Triennale in Mailand 1936, anläßlich des Äthiopiensiegs angefertigt) – Anpassung an die geforderte Klassizität erfüllte, vollzog er im freien Schaffen eine Orientierung in die abstrakte Kunst [9. 487; 11. 28], mit der er in der Nachkriegszeit ab 1945 Ruhm und Ehre erwarb.

→ Forum; Rom

QU 1 G. Q. GIGLIOLI, La Mostra Augustea della Romanità, in: Architettura 17, 1938, 655–666 2 A. MUÑOZ, La sistemazione del Mausoleo di Augusto, in: Capitolium 13, 1938, 491–508 3 G. PAGANO, Potremo salvarci dalle false tradizioni e dalle ossessioni monumentali?, in: Costruzioni-Casabella 19, 157, 1941, 2–7 **4** M. PIACENTINI, Il Foro Mussolini in Roma, in: Architettura 12, 1933, 65–74

LIT **5** Aufsätze von T. BENTON, S. FRAQUELLI, L. BECKER, E. COEN, in: Kunst und Macht im Europa der Diktatoren 1930 bis 1945, 1996, 120–181 **6** E. BRAUN, Political Rhetoric and Poetic Irony. The Uses of Classicism in the Art of Fascist Italy, in: On Classic Ground. Picasso, Léger, de Chirico and the New Classicism 1910–1930, hrsg. von E. COWLING, J. MUNDY, 1990, 345–358 **7** M. CAGNETTA, Il mito di Augusto e la »rivoluzione« fascista, in: Matrici culturali del fascismo. Kongr.-Akten Bari 1977, 153–184 **8** A. CEDERNA, Mussolini Urbanista. Lo sventramento di Roma negli anni del consenso, 1980 **9** R. A. ETLIN, Modernism in Italian Architecture. 1890–1940, 1991 **10** M. ESTERMANN-JUCHLER, Faschistische Staatsbaukunst. Zur ideologischen Funktion der öffentlichen Architektur im faschistischen It., 1982 **11** S. VON FALKENHAUSEN, Die Mod. in It.: Avantgarde-F.-Rezeption, in: Giuseppe Terragni. Mod. und F. in It., hrsg. von S. GERMER, A. PREISS, 1991, 21–38 **12** J. GANZERT, V. KOCKEL, Augustusforum und Mars-Ultor-Tempel, in: Kaiser Augustus und die verlorene Republik (Ausstellungskat.), 1988, 149–163 **13** I. INSOLERA, Roma moderna. Un secolo di storia urbanistica, 1962 **14** Ders., F. PEREGO, Archeologia e città. Storia moderna dei Fori di Roma, 1983 **15** S. KOSTOF, The Third Rome. 1870–1950. Traffic and Glory, 1973 **16** Ders., The Emperor and the Duce: The Planning of Piazzale Augusto Imperatore in Rome, in: Art and Architecture in the Service of Politics, hrsg. von H. A. MILLON, L. NOCHLIN, 1978, 270–325 **17** R. MARIANI, E 42. Un progetto per l'Ordine Nuovo, 1987 **18** L. SCHUMACHER, Augusteische Propaganda und faschistische Rezeption, in: Zeitschrift für Religions- und Geistesgeschichte 40, 1988, 307–330 **19** W. VANNELLI, Economia dell'architettura in Roma fascista, 1981 **20** R. VISSER, Fascist Doctrine and the Cult of the Romanità, in: Journal of Contemporary History 27, 1992, 5–22 **21** F. SCRIBA, Augustus im Schwarzhemd? Die Mostra Augustea della Romanità in Rom 1937/38, 1995.

SALVATORE PISANI

II. POLITIK UND GESELLSCHAFT
A. EINLEITUNG   B. INHALTE DER ROMIDEE
C. NATIONALISIERUNG VON OBEN
D. DAS REAKTIONÄRE KULTURMODELL
E. DIE EXPANSION DES FASCHISTISCHEN MODELLS

A. EINLEITUNG

Der F., eine polit. Bewegung und Partei, welche die Macht in It. vom Oktober 1922 bis zum Juli 1943 innehatte, war kein einheitliches Phänomen und verfügte über keine kohärente Ideologie: Wir haben es vielmehr mit einer Mischung von Strömungen, Personen und Interessen zu tun, welche ihre Einheit indes in einer totalitären Dimension besaß. Der F. war ein ›reaktionäres Massenregime‹ (P. Togliatti), da er auf die Integration breiter Gesellschaftsschichten um ein Modell der Nation zielte, das auf den Prinzipien des Elitedenkens, der Hierarchie, antidemokratischer Einstellung und des Machtkults basierte. Die militarisierte und zentralistische Organisation des Staates gipfelte in der charismatischen Figur des Führers, Benito Mussolinis, und sie folgte dabei Mythen, wie sie in Europa zw. dem Ende des 18. und den ersten Jahrzehnten des 20. Jh. dominant waren. Neben dem Bruch mit der jüngsten Vergangenheit, versuchte das faschistische Regime, die Massen durch ihren Glauben an die Konstruktion einer mod.

Abb. 7: Mario Sironi, Die Justiz zwischen Gesetz und Stärke, 1936, Wandmosaik, Justizpalast Mailand

Nation zu integrieren: Zu diesem Zweck bediente man sich aller zur damaligen Zeit einsetzbaren Massenmedien.

Tonangebend in der Forsch. der letzten Jahrzehnte über den F. sind die Stud. von R. De Felice, der die Zustimmung der Massen gegenüber dem Regime hervorgehoben hat; die Historiographie der Linken (u.a. C. Pavone, N. Tranfaglia, G. Vacca, G. De Luna) hat die revisionistischen Aspekte dieser These bestritten, welche die Zwangsmaßnahmen gegen die polit. und kulturellen Widerstandskräfte im Dunkeln ließ. In der Tat, wenn sich noch im J. 1925 eine Gruppe von Intellektuellen (u.a. G. De Sanctis, G. Pasquali, P. Fraccaro, M. Valgimigli, N. Festa) mit B. Croce als Antwort auf das faschistische Manifest G. Gentiles vereinigen konnte, so wurde im J. 1931 allen Akademikern der Eid aufs Regime abverlangt. Nur wenige widersetzten sich (unter den Altertumswissenschaftlern G. De Sanctis und G. Levi Della Vida) und wurden deshalb von der Univ. entfernt. Die Faschisten sahen die Notwendigkeit der Massenintegration im Rahmen eines ideologischen kollektiven Projektes, das sich im Mythos einer ununterbrochenen it. Geschichte verkörperte, in welcher der F. die Vollendung bedeutete. Die Erinnerung an die Größe des imperialen Roms hatte folglich seine Funktion in dem Versuch, ein solches Imperium in der Gegenwart wieder aufzubauen.

B. Inhalte der Romidee

Die Forsch. der letzten 20 J. über das Regime und die Schicht der Intellektuellen hat eine gewisse Kontinuität zw. dem liberalen und faschistischen It. ans Licht gebracht, was den Einfluß des autoritären Denkens und den chauvinistischen Druck auf die Geschichtswiss. betrifft. V.a. im ersten Jahrzehnt des Regimes setzten sich alte Schulstreitigkeiten fort: Die Anhänger der positivistischen Methode, Erben der dt. Philol. zu E. des 19. Jh., widersetzten sich Vertretern der Aktualisierung der Klassik im Sinne des herrschenden nationalistischen Geistes. Die Krise von 1914, der Konflikt zw. den Neutralisten und Interventionisten, zog die Aufmerksamkeit auf das Problem der Einbeziehung Klass. Stud. in den Konstruktionsentwurf der Idee einer Nation. Symptomatisch ist die Position des Historikers des ant. Rom, Ettore Pais (1856–1939): Zwar selbst geformt durch die strenge Schule Th. Mommsens, nahm er, auch infolge der Niederlage der it. Wehrmacht bei Adua (1896), das Bedürfnis nach der Emanzipation vom Positivismus dt. Herkunft wahr und führte eine polemische Kontroverse v.a. mit Karl Julius Beloch, dem einflußreichen dt. Althistoriker in It. Nach Pais hatten die Klass. Stud. eine Aufgabe in der histor. und polit. Erziehung. Ebenso ablehnend gegenüber den Forderungen reiner Philol. war Ettore Romagnoli (1871–1938), der zuerst G. Vitelli dann Pasquali der »Germanophilie« beschuldigte. Er propagierte die it. Fähigkeit, materiell verschwundenes Leben erneuern zu können. Der Einfluß irrationaler Theorien ist deutlich, z.B. derjenige des damals populären O. Spengler. Seine Rhet. fand im

F. starken Anklang. Romagnoli und Pais mit ihren Schulen gehörten zu den eifrigsten Verfechtern der Ansprüche des faschistischen Nationalismus als natürliche Vollendung der Zweckbestimmung Roms.

Die Idee Roms mit ihrer polit. Funktion der Integration der verschiedenen Schichten in ein staatliches Projekt war bereits während der Zeit des Risorgimento wirksam und gewann dabei in der gleichen Zeit sowohl liberalistische als auch nationalistische Konnotationen. Der expansionistische Druck des liberalen It. mit dem Ziel der Eroberung Libyens und Eritreas hatte ebenfalls eine unmittelbare Wiedergeburt des Mythos des Röm. Imperiums zur Folge und zwar im Sinne einer Betonung der aggressiven Aspekte der Macht Roms. Überdies hatten der Krieg und die Krise der Ideologie des 19. Jh. (christl.-soziale, liberale, sozialistische Ideologie) die sozialen Bindungen aufgelöst und verlangten nach neuen Grundlagen der Legitimität. In dieser Situation war die Wiederaufnahme des röm. Modells die it. Antwort auf die »Krise des Abendlandes« und zugleich Auflehnung gegen die mod. Welt. Sie gab vor, eine Bed. für die polit. Gemeinschaft sowie für die zivile Welt zu haben, indem sie eine durch und durch neue Lösung für das Problem des menschlichen Zusammenlebens vorschlug (Rom als neue Lösung zw. den gegensätzlichen Modellen London und Moskau). Die Konstruktion einer Geschichtserzählung, um die herum ein neuer Nationalmythos begründet werden sollte, verlangte nach Werten, die durch Rom repräsentiert wurden. Eine Auswahl solcher Werte wurde wiederum durch die neuen Erfordernisse der Gegenwart bestimmt. Das ant. Rom wurde folglich als Vorläuferin einer staatlichen Organisation begriffen, in der die Ordnungsprinzipien Hierarchie, realistische Einstellung, Ausgewogenheit und Beständigkeit der Macht nicht nur das Überleben garantierten, sondern v.a. die Größe der Nation. Die Ideen des Vorranges der Politik, der Unterordnung der Individualinteressen unter die Bedürfnisse des organisierten Kollektivs – Ausdruck eines ethischen Staates – traten in unmittelbaren Einklang mit dem kulturellen Modell Rom. In diesem Sinne präsentierte sich die »Idee Rom«, auf eine metageschichtliche Ebene gehoben, als Mythos von antidemokratischem und antiparlamentarischem Charakter.

C. Nationalisierung von oben

Zu den theoretischen Begründern eines neuen autoritären Human. zählte Giuseppe Bottai (1895–1959). Er setzte sich gegen die Vernachlässigung der Kulturpolitik ein. Obgleich er mehr zu den modernistischen Strömungen und der Avantgarde neigte, unterschätzte er die Bed. des → Klassizismus für die ideologische Legitimierung einer it. Vormachtstellung in Europa durchaus nicht.

Die Mobilisierung der Kultur und damit einhergehend ihre Bürokratisierung waren bestimmt durch die Einrichtung wichtiger Inst.: Im J. 1925 wurden das *Ist. di Studi Romani* und das *Ist. Nazionale Fascista di Cultura* gegr. Über die Förderung von Propaganda und kulturellen Anlässen hinaus operierten sie als Machtzentren, nicht zuletzt dank bemerkenswerter Bereitstellung öffentlicher Gelder, durch welche die Organisation von Tagungen und Ausgrabungsprogrammen ermöglicht wurde. Sie waren jederzeit bereit, die polit. Direktiven des Regimes zu unterstützen. Nicht zu vergessen sind außerdem die groß angelegten arch. Kampagnen, sei dies auf it. Territorium oder auf afrikanischem Boden. In der Propaganda erscheinen sie als Verdienst des Regimes. Doch folgte ihnen auf Initiative der Regierung die »Reorganisation« (richtiger: das Niederreißen) der städtebaulichen Ordnung Roms.

Wegen seiner fortlaufenden Anpassung an die jeweilige polit. Atmosphäre war der Mythos Roms nicht frei von Widersprüchen. Wenn bis Mitte der 30er J. *Italianità* und *Romanità* als Alternativen zum nationalsozialistischen Rassismus und zum dt. auf Hellas ausgerichteten Klassizismus wahrgenommen wurden und dabei Reste antidt. Polemiken von 1914 wirkten, so mußten solche Positionen nach der Konstituierung der Achse Rom-Berlin im J. 1936 aufgegeben werden: Man versuchte nun vielmehr die ebenso schwierige Aussöhnung mit der nationalen dt. Myth. (Hermann-Mythos), die an sich antiröm. war. Grundlegende Bed. für die Propagandierung der Rom-Ideologie hatten die Feierlichkeiten des 2000. Geburtstages Vergils (1930–31), Horaz' (1935–36) und des Augustus (1937–38): Der F. fand einen geeigneten Bezugspunkt in der augusteischen Herrschaft, welche sich dank autoritärer und dirigistischer Merkmale gut für ideologische Anleihen eignete. Die *Georgica* und die *Aeneis* des Vergil beispielsweise schienen eine vollendete Darstellung der kulturellen und zivilen Werte zu bieten, die Augustus propagiert hatte – und die der F. wieder zu erlangen auf dem besten Wege war: Imperialismus als Mission, Oberherrschaft des Okzidents über den Orient, ein der Scholle verbundenes Leben. In jenen J. hatte das Regime gerade einen Erfolg in der »Kornschlacht« errungen, der als Gegenmittel zur schlimmen Krise des weltweiten Kapitalismus in den J. 1929–33 ausgegeben wurde. Der Antimodernismus, einer der Aspekte der faschistischen Ideologie, verband sich mit einer pazifistischen Rom-Ideologie mit dem Ziel der Wiederherstellung der *mores*. Die Dichtung Vergils, mit ihren prophetischen und mystischen Tönen, die bes. bei zahlreichen Führern des Regimes beliebt waren, wurde zum Instrument der Verherrlichung der Größe Roms, welches pädagogisch im schulischen Alltag nutz- und ausbeutbar war.

Unter einem ganz anderen Zeichen stand die *Zweitausendjahrfeier* des Augustus: Wenige J. zuvor hatte man Äthiopien erobert und daraufhin das *Imperium* proklamiert. Das Bild bäuerlicher und friedfertiger Macht wurde abgelegt. Das faschistische It. berief sich nun auf den röm. Mythos in seiner martialischen Ausprägung. Die *Zweitausendjahrfeier* bildete u. a. den Höhepunkt der Identifikation von Octavian und Mussolini, die sich schon seit längerer Zeit angebahnt hatte. Im September 1937 wurde die *Mostra Augustea della Romanità* eröffnet, in programmatischer Abstimmung mit der Wiedereröffnung der *Mostra della Rivoluzione Fascista*. Die Parallele zw. den beiden histor. Zeitpunkten sollte zeigen, wie der F. zu interpretieren war: Die Revolution Mussolinis, die als Befriedung betrachtet wurde, insoweit sie ohne Terror erfolgte, war in ein Regime gemündet, welches, obwohl es formal die vorhandenen Institutionen beachtete, sich tatsächlich deren Aufhebung zum Ziel gesetzt hatte. Außerdem lieferte das augusteische Modell einen ausbeutbaren histor. Vergleichsfall unter verschiedenen Gesichtspunkten: die Aufhebung der parlamentarischen Diskussion zu Gunsten der *auctoritas* des Führers, die Vereinheitlichung It. in einem nationalen, von oben geführten Prozeß, die Notwendigkeit demographischen Wachstums (»Macht der Zahl«) sowie die Entwicklung einer auf Landwirtschaft basierenden Ökonomie.

Von augenfälliger analoger Prägung waren die Worte von Bottai über die Opportunität der augusteischen Politik der »Reinigung« des Senats. Die zahlreichen Stud., die in jener Zeit entstanden, konzentrierten sich auf die Figur des Augustus und spiegelten ein entschlossen reaktionäres Bild wider, das von der faschistischen Demagogie inspiriert war: Das röm. Volk setzte das Vertrauen in seinen Duce, da dieser zugleich Friedensstifter und Eroberer war. Stillschweigend wurde das Faktum übergangen, daß Octavian in der Außenpolitik sehr vorsichtig war und sich von verhängnisvollen Abenteuern zurückhielt. Augustus wurde dargestellt als Synthese zw. Gegenwart und Vergangenheit, da sich dank seiner die röm. Revolution als Regime konsolidiert hatte, oder als »permanente Revolution«, welche das dem F. genuinste Streben verkörperte. Die Parallelisierung von Augustus und Mussolini wurde auch von einer Welle des Mystizismus begünstigt. Bes. deutlich ist diese in den Arbeiten der *Scuola di Mistica Fascista*. Auch die Rom-Ideologie kam hier kräftig zum Zuge.

Die Zweitausendjahrfeier für Horaz wurde mit entschieden gedämpfteren Tönen begangen; sicher wegen der Schwierigkeit, eine den offiziellen Rollen so widerstrebende Persönlichkeit in die kulturellen Direktiven des Regimes richtig einordnen zu können. Der Dichter wurde als Beispiel des Intellektuellen interpretiert, der anfänglich kritisch bezüglich des neuen Kurses war, sich dann aber mühelos einordnete. Es konnte jedoch nicht entgehen, daß die Idee des Individualismus und der Freiheit, Grundlage eines Großteils der horazischen Lyrik, mit den Werten des faschistischen ethischen Staates unvereinbar war. Deshalb wurden v. a. die Römeroden (3,1–6) und das *Carmen Saeculare* – als erste Nationalhymne It. – bevorzugt. Viele Motive, die sich nicht auf der Linie des neuen faschistischen Kurses befanden, wie jenes des weggeworfenen Schildes (carm. 2,7,10), mußten unterschlagen oder mühsam in eine einheitliche Interpretation gezwungen werden.

Die Poesie des Horaz war Gegenstand der Auseinandersetzung über die Originalität der lat. Lit.: Lange negiert, v. a. durch die dt., im Mythos Griechenlands verankerte Philol. des 19. Jh., fand diese bei F. Leo und später bei U. v. Wilamowitz-Moellendorff Anerkennung. Die Romverherrlichung in ihren extremen Formen hingegen legte eine gewisse Abwertung der Gräzistik fest, während die Latinistik auch in der Organisation des akad. Wissens immer größere Anerkennung erlangte. Autoren wie E. Bignone, A. Rostagni und L. Castiglioni versuchten, die lat. Kultur aus der Abhängigkeit von der griech. Kultur zu lösen. Wer dennoch, wie z. B. G. Pasquali, die griech. Quellen der Dichtung des Horaz analysierte, ohne die röm. Prägung zu leugnen, konnte von Vertretern des Regimes (E. Romagnoli u. a.) angegriffen werden: So wiederholte sich die Ablehnung einer rein auf technische Aspekte bezogene Philol. und Quellenforsch.

Ein wichtiger Faktor bei der Wende in der Beziehung zw. Regime und Intellektuellen war die Eroberung Äthiopiens und die Proklamation des Imperiums im J. 1936. Der koloniale Gedanke, enthalten im »Willen zur Macht«, wie ihn Faschisten von Beginn an direkt aussprachen und zum Zeitpunkt des Konflikts schnellstens in organischer Form ausarbeiteten, kam rechtzeitig in einer Phase der schwindenden Fähigkeit des faschistischen Staates zur sozialen Integration, um den Mangel an Legitimierung zu beheben. Das Imperium auf moralischer Ebene galt als Auftrag einer Zivilisation, die auf den Werten von Disziplin, Autorität und Pflicht beruhte; die Perzeption einer natürlichen Unterlegenheit anderer Völker lieferte die Rechtfertigung zur bewaffneten Eroberung. Der Konflikt zw. Rom und anderen Nationen war ein Kampf zw. Zivilisation und Barbarei. Eine solche Interpretation eines »röm.« Kolonialismus war polemisch gegen den britischen und frz. Kolonialismus gerichtet, die beide merkantilistisch seien, d. h. auf ökonomischer Ausbeutung der unterworfenen Völker gründen würden. Von der Presse wurde der so geartete Kolonialismus als »karthagischer Kolonialismus« definiert. Die punische Stadt wurde zum negativen Mythos. Der Konflikt mit Rom wurde zum Kampf zw. entgegengesetzten Kulturmodellen: Das eine auf Idealen gegründet, das andere auf Interessen. Als es vor dem Hintergrund des antijüd. Klimas und der zunehmenden Anerkennung des → Nationalsozialismus im J. 1938 zum Erlaß rassistischer Gesetze kam, nahm die antikarthagische Polemik eine antisemitische Färbung an: Die »Bestimmung der Karthager zur Niederlage« hing nicht mehr allein von der Deutung Roms als Macht des Fortschritts ab, sondern wurde durch den »rassischen Vorrang« eines arischen Rom gerechtfertigt. Übrigens beherrschte seit Jahren ein tendenziell antisemitisches Klima die Klass. Stud.: Die Situation der Juden wurde immer schwieriger seit dem Konkordat im J. 1929, dem Zeitpunkt, als der Katholizismus zur Staatsreligion wurde.

Der röm. Imperialismus bot ein beachtliches Maß an Ambivalenz: Wenn der Mythos Roms einerseits als Faktor der Nationbildung und kulturellen Vereinheitlichung It. und andererseits als Bindeglied verschiedener Völker, zusammengefaßt unter dem Namen Roms, gedacht war, so stellte er darin eine Bewegung zu einem Kosmopolitismus dar. Die Widersprüchlichkeit einer solchen Vision trat als Problem nur im Bewußtsein der scharfsichtigsten Historiker wie M. A. Levi und P. De Francisci klar zutage. Sie werteten die Politik jener röm. Kaiser ab, welche des Angriffs auf den Führungsanspruch der ital. Nation beschuldigt wurden, wie beispielsweise Caracalla wegen der Ausweitung des röm. Bürgerrechts. Außerdem betonten sie den hohen Stellenwert des Werkes des Augustus, der, obwohl er allen Völkern Frieden gebracht hatte, den Vorrang der Italer mittels einer Politik des demographischen Wachstums stärkte. Die Wahl des Augustus als bevorzugtes Modell des Regimes kennzeichnete in diesem Sinne auch die Lösung eines Problems, das sich unterschwellig stets bei der Interpretation der Rolle Cäsars stellte. Als Vorkämpfer von Roms Willen zur Macht paßte er zwar zum militaristischen Geiste des F. (1926 regte G. Polverelli, Presseattaché von Mussolini, eine Parallelisierung von Cäsar und dem Duce an), doch wurde die politisierende Darstellung des röm. Diktators bald durch oriental. Elemente charakterisiert: durch ein »Levantinertum«, das einer echt röm. Trad. fremd und empfänglich für ideologische Doppeldeutigkeiten war. Obwohl nie offiziell verleugnet, blieb die Figur Cäsars deshalb stets im Halbschatten.

D. DAS REAKTIONÄRE KULTURMODELL
Nach Unterzeichnung des Konkordates spielten die Katholiken eine zunehmend wichtige polit. und kulturelle Rolle – auch wegen Übereinstimmungen zw. einigen Aspekten der faschistischen Ideologie und der Kirchenlehre. Die Rom-Ideologie wurde integrierender Teil auch der Publizistik und der Wiss. im Bereich katholischer Beeinflussung. Die Kirche machte geltend, während des MA der einzige Garant für eine Kontinuität der Werte mit dem kaiserzeitlichen Rom gewesen zu sein; umgekehrt wurde das röm. Imperium in providenzieller Sicht als Instrument betrachtet, das die Ankunft Christi ermöglicht hatte. Dieser ideologische Aspekt wurde zum polit. Instrument während des F. Die mod. Zivilisation erschien so als Produkt zweier verschiedener, aber konvergenter Faktoren: der *Romanitas* und der *Christianitas*. Die erste garantierte dem Staat die polit., die zweite die ideelle und moralische Einheit. Diese Synthese fand den eigentlichen organischen Ausdruck in der *Scuola di Mistica Fascista*, im Gleichgewicht zw. Antirationalismus und katholisch gefärbtem Spiritualismus. Ein solch »militanter Mystizismus«, von hohen Prälaten wie vom Kardinal Mailands, Ildefonso Schuster praktiziert, war nicht Kontemplation, sondern handlungsbezogene Philos. Die Katholiken unterstützten z. B. die koloniale Expansionspolitik mit dem Argument der Notwendigkeit,

die spirituell »armen« Völker zu evangelisieren. Diese theologische Begründung entsprach jener der kulturellen Unterlegenheit der von Rom unterworfenen Völker. Die Kirche billigte auch die antisemitische Propaganda des Regimes, selbst wenn sie sich zum Zeitpunkt des Erlasses der Rassengesetze davon distanzierte. Wenn die Katholiken auch selten zu offener Polemik griffen, setzten sie indes bevorzugt auf den spirituellen Vorrang Roms, und nicht auf denjenigen der Rasse. Die Feindschaft gegen das (semitische) Karthago war gleichbedeutend mit der Feindschaft gegen den engl. und frz. Merkantilismus (semitisch auch dieser, da plutokratisch). Denn dieser war in sich materialistisch, der röm. Kolonialismus hingegen ideell und katholisch.

Nicht einmal ein Historiker mit einer an sich antifaschistischen Einstellung wie Gaetano De Sanctis (1870–1957) war vor solch philoarischem Rassismus gefeit. Er verstand es, die dt. Historiographie für eine Erneuerung der Althistorie in It. fruchtbar zu machen. Er verband Quellenkritik mit dem Interesse an polit.-institutionellen Themen der ant. Gesellschaften und der Aufmerksamkeit für die spirituellen Aspekte im Leben eines Volkes. Zusammen mit Pasquali besaß De Sanctis eine der weniger opportunistischen Stimmen des gebildeten It. unter dem F. Nichtsdestoweniger wertete der Historiker das Verschwinden der Karthager als histor. Notwendigkeit: Die afrikanische Stadt besaß dabei in der Geschichte der Zivilisation keinen eigenen Willen war nur gerade ›peso morto‹ (*Storia dei Romani* IV 3, 1964, 75). Es mag sein, daß bei einer solchen Stellungnahme auch der strenge Katholizismus De Sanctis' einen Einfluß hatte.

Die Beziehung zw. Katholizismus und Klass. Alt. war eines der beständigsten Elemente der Kontinuität zw. der faschistischen Zeit und dem republikanischen It., da nach dem Fall des Regimes viele kompromittierte Wissenschaftler durch die Betonung der eigenen katholischen Herkunft ihre neue intellektuelle Unschuld suchten, so im Falle des gesamten *Ist. di Studi Romani*. Der katholische Hang zur Bewahrung war eine Garantie der Kontinuität für diejenigen, welche sich zu den Ansprüchen einer autoritären Kultur bekannt hatten: So bestätigte man die Idee Roms, ihrer aggressiven und imperialistischen Formen beraubt, als Emblem eines auf Gerechtigkeit gegr. Friedens, eine Idee, welche deutlich von christl.-lat. Trad. geprägt war.

Innerhalb eines Programmes für die Verwendung der Klass. Stud. im Dienste der Konstruktion einer mod. nationalen Kultur nahm die Reform der Schule eine Rolle ersten Ranges ein. 1923 wurde sie vom Philosophen Giovanni Gentile (1875–1944) begonnen. Das Studium der Klass. Welt sollte nicht nur zur Beherrschung von Gramm. und Rhet. nützen. Mit der Schulreform wurde beabsichtigt, in der künftigen Führungsschicht den Sinn für Identität und nationalen Stolz zu festigen. Man verfolgte dieses Ziel über einen zugleich ästhetischen und historischen Annäherungsversuch sowie durch Selektion der Themen, unter denen sich

der Rom-Mythos durchsetzte. Die neue Orientierung der Schule zeigt eine bemerkenswerte Öffnung hinsichtlich der Ansprüche von Philol. und Historismus, was ihr den Beifall von Pasquali eintrug. Giorgio Pasquali (1885–1952) erneuerte die Philol. in It.: Als ein Erbe der Schule von Leo, Schwartz und Wilamowitz, vereinigte er in sich dt. Philol. und it. Kultur; er lehrte die disziplinären Grenzen zu überschreiten und jedes philol. Problem mit Begriffen der Überlieferungsgeschichte zu deuten. Begabt mit sozusagen griech. Esprit, von Natur aus fern vom damals blühenden Antirationalismus, gelang ihm das Lavieren unter dem Regime, wobei er freilich von anfänglicher Ablehnung zu erheblicher Annäherung gelangte. Sein Interesse an der Rom-Ideologie nahm Gestalt an in den Werken über das Bild, das die Griechen vom Imperium überliefert hatten (*La nascita dell'idea di Roma nel mondo greco*, Nuova Antologia, 1940, 149–155).

Eine der dauerhaftesten und weniger ideologisch ausgestalteten Errungenschaften war die umfangreiche Reihe des Klass. Alt. der *Enciclopedia Italiana*: Unter der wiss. Leitung von G. De Sanctis vereinigte sie die bedeutsamsten Namen der akad. Kultur, unabhängig von ihrer polit. Orientierung. Hervorgegangen aus einer Idee von Gentile, sollte die *Enciclopedia Italiana* eine kritische und gelehrte Abhandlung der dem breiten Publikum dargebotenen Mythen bieten. In Wirklichkeit war das Werk ein Kompendium all dessen, was die it. Kultur an besserer Qualität zu bieten hatte, denn sie garantierte auch denjenigen wiss. Autonomie, welche sich vom Regime verhältnismäßig stark distanziert hatten. Die neue Kultur- und Schulpolitik bewirkte ferner einen Aufschwung des Verlagswesens durch zahlreiche neue Serien von Schultexten und Übers.

E. Die Expansion des faschistischen Modells

Der Gebrauch des Mythos Roms, vermittelt durch den F., fand internationale Verbreitung; doch ist dieses Phänomen noch wenig untersucht. Abgesehen von der Rolle, welche die Rezeption des Altertums im Nationalsozialismus hatte, ist darauf hinzuweisen, daß von 1934–1939 einige Bände der *Studi Romani nel Mondo* mit Beiträgen von A. Alföldi, L. Constans, P. Faider, J. Gagé, E. Kornemann u. a. erschienen. Nach E. des span. Bürgerkrieges im J. 1939 beging das Regime Francos — verspätet — die Zweitausendjahrfeier des Augustus, wobei es Formen der it. faschistischen Propaganda verwendete. Der polit. Gebrauch des Klass. Alt. für eine autoritäre Ideologie ist für Frankreich bezeugt, u. a. im Mythos von Vercingetorix, dem frankophonen Gegenstück zu Hermann, dienstbar sowohl den Interessen der kollaborierenden Vichy-Regierung von Marschall Pétain wegen seiner nationalistischen Idee, wie auch für Interessen der Résistance, insofern der Mythos ein traditionelles Bild vom Widerstand gegen einen Tyrannen aufnimmt. Übrigens hatte schon die *Action Française* anfangs des 20. Jh. unter ihren Modellen die athenische Demokratie gewählt, an der sie die Sklaverei bes. interessierte. Auch h. noch sind Fragen zu faschistischen Neigungen von Wissenschaftlern wie J. Carcopino und G. Duémzil, bzw. auf welche Art diese ihre Forsch. beeinflußten, unbeantwortet.

1 G. BANDELLI, Le letture mirate, in: Lo spazio letterario di Roma antica, 4, 1991, 361–397 (Forschungsbericht) 2 M. CAGNETTA, Antichisti e impero fascista, 1979 3 Dies., Antichità classicha nell'Enciclopedia Italiana, 1990 4 Dies. s. v. Bimillenario della nascita, Enciclopedia oraziana, III, 1988 5 L. CANFORA, Ideologie del classicismo, 1980 6 Ders., s. v. Fascismo e bimillenario della nascita di Virgilio, EV 2, 469–472 7 Ders., Polit. Philol., Altertumswiss. und mod. Staatsideologien, 1995 (it. Le vie del classicismo, 1989) 8 PH. V. CANNISTRARO, La fabbrica del consenso, 1975 9 E. GABBA, K. CHRIST (Hrsg.), Röm. Gesch. und Zeitgesch. in der dt. und it. Altertumswiss. während des 19. und 20. Jhs., I–II, 1989–1991 10 E. GABBA, Cultura classica e storiografia moderna, 1995 11 F. GIORDANO, Filologi e fascismo. Gli studi di Letteratura latina nell'Enciclopedia Italiana, 1993 12 F. SCRIBA, Augustus im Schwarzhemd. Die Mostra Augustea della Romanità in Rom 1937/38, 1995.

MARIELLA CAGNETTA (†) UND CLAUDIO SCHIANO/
Ü: BRIGITTE LIENERT

Fatum s. Schicksal

Fernsehen s. Medien

Festkultur/Trionfi   A. EINLEITUNG
B. RENAISSANCE   C. BAROCK
D. UM 1800   E. 19./20. JAHRHUNDERT

A. EINLEITUNG

Als F./T. bezeichnet man Wagenaufzüge in Anlehnung an den ant. Triumph, die allegorische, histor., myth. oder rel. Sujets oder Persönlichkeiten, sei es in bildlicher, lit. oder inszenierter Form darstellen. Der in der Myth. überlieferte Triumph des Gottes Dionysos in Indien war Modell der Ehrung des siegreichen Feldherren, wie sie mit den Triumphen der röm. Imperatoren praktiziert wurde [7. 90–116]. Der zu Dionysosfesten mitgeführte *carrus navalis* kann als eine Wurzel der der späteren T. gelten, der dionysische Triumph lebt bis h. in Karnevals- und Winzerfesten fort. Das mil. Zeremoniell überdauerte im christl. MA fragmentarisch in Formen des Herrscherzeremoniells bzw. in Umorien-

tierung auf Christus [10]. Verstärktes Auftreten ist gebunden an die Phasen, in denen sich das Interesse der Ant. zuwandte bzw. eine polit. Machtinstanz an das röm. Imperium anzuknüpfen suchte. So hielt Friedrich II. anläßlich seiner Selbstkrönung 1229 in Jerusalem und nach seinem Sieg 1237 in Cremona mit expliziten Antikenbezug triumphalen Einzug [14. 322].

B. RENAISSANCE

Die sich ab dem 15. Jh. verbreitende, meist in der Pluralform gebrauchte it. Bezeichnung *trionfi*, impliziert eine Vervielfältigung in Kunst, Lit. und Festinszenierung und weist auf It. als Ausgangspunkt dieser Popularisierung [4; 14; 19].

Die Triumphidee verbreitete sich dort zunächst über die Dichtung. Dante beschreibt den Triumph der Kirche (Purgatorio, 29) und den Triumphzug Christi und Mariens (Paradiso, 23). Größere Wirkung hatte jedoch Francesco Petrarcas allegorische Vision *Triumphi* (1348–1356), in der zunächst Amor, in deutlicher Evokation der röm. Zeremonie, triumphiert. Er wird von *Castità* (›Reinheit‹) besiegt, diese wiederum von *Morte* (›Tod‹), diese ihrerseits von *Fama*, welche jedoch *Tempo* unterliegt, über alle triumphiert die christl. *Eternità*. Obwohl Petrarca nur Amor auf einem Wagen fahrend beschreibt, zeigen die zahlreichen Illustrationen des 15./16. Jh. (Buchmalerei, Druckgraphik, *cassoni*-Dekorationen, Tappisserien) meist alle Personifikationen auf fahrbaren Untersätzen, die teilweise eine reale Aufführungspraxis wiederzugeben scheinen [13]. Neben der lit. Verarbeitung stehen u. a. Flavio Biondos *Roma triumphans* (1457–59, Venedig 1511) [5. 90–112] und später Onofrio Panvinios *De triumpho commentarius* (Venedig 1571) für die antiquarische Auseinandersetzung mit dem ant. Erbe.

Mit dem Einzug Alfonso d'Aragonas in Neapel 1443 wurde in dieser Epoche der erste antikische Triumph eines Herrschers inszeniert. Der König fuhr auf einem vierspännigen Prachtwagen durch eine Mauerbresche in die Stadt ein, verzichtete aber auf die Mitführung von Gefangenen und den Lorbeerkranz. Die Mitglieder der florentinischen Kaufmannskolonie huldigten dem König mit einem Aufzug lebender Bilder, in dem u. a. Caesar und Fortuna-Occasio auftraten [9]. In idealisierter Form wurde das Ereignis am Triumphbogen des Castel Nuovo in Neapel verewigt. Ein florentinischer *cassone*

Abb. 1: Einzug Alfonso d'Aragonas 1443 in Neapel; florentinischer cassone, 1452

(1452), auf dem die lebenden Bilder den eigentlichen Triumphator an den Bildrand drängen, bietet uns eine andere Sicht der Dinge (Abb. 1).

Die Rezeption des ant. Triumphes verläuft auf zwei Ebenen: In der Übernahme von Elementen des Triumphzeremoniells und in der Inserierung ant. Personals in Form lebender Bilder bzw. Schauspieler, die meist ihrerseits auf Wagen oder Traggerüsten installiert sind. Beide Elemente bleiben auch für die folgenden T. verbindlich, wobei die Gewichtung variiert und gegen Ende des Quattrocento zunehmend die Errichtung ephemerer Triumphalarchitektur an Bed. gewinnt. Erfaßt werden alle Bereiche der F.: Herrschereinzüge, Hochzeitsfeierlichkeiten, Turniere, städtische Feste, rel. Prozessionen, der *Possesso* des Papstes in Rom und Karnevalsumzüge. Regional entwickeln sich Sonderformen, wie in Venedig die Wassertrionfi. Darüber hinaus zeigen die bei Trauerfeiern errichteten Katafalke Verwandschaft mit den T., wie auch die Feierlichkeiten selbst einen triumphalen Charakter annehmen konnten. Anläßlich der Exequien für Ferdinand den Katholischen 1516 wurde ein leerer Triumphwagen im Zug mitgeführt und Guido Villa wurde 1648 nach seinem Tod in der Schlacht in einem wie für einen Lebenden ausgerichteten Triumphzug nach Ferrara überbracht [15. 84–91]. Im Rahmen von höfischen Banketten finden als T. gestaltete Tischaufsätze Verwendung, die sowohl aus dauerhaften wie eßbaren (meist Zuckerwerk) oder ephemeren (Servietten) Materialien geschaffen sein können. Bedingt durch den jeweiligen Kontext thematisieren die T. Sujets oder Figuren der ant. Myth. und Geschichte, wie der Umzug für Paul II. 1466 in Rom [5. 126–131], Allegorien wie für den 1507 siegreich nach Rom zurückkehrenden Julius II. [5. 320–326] aber auch rel. Themen, wie die von Aposteln getragene Madonna mit Kind anläßlich einer Offerta-Prozession in Crema 1496 [9]. Zu den Gestaltern zählen teils bedeutende Künstler wie Pontormo, der Wagen für den Karneval 1513 in Florenz entwarf [11].

In der gleichen Themenvielfalt und in Wechselwirkung mit der Aufführungspraxis stehend sind T. in der Lit. und den bildenden Künsten anzutreffen. Gesänge, wie die *canzone Trionfo di Bacco e Arianna* Lorenzo de'Medicis, dienten als Begleitung der florentiner Karnevalsumzüge. In der mit Holzschnitten illustrierten *Hypnerotomachia Poliphili* (Venedig 1499) sind sechs Triumphzüge beschrieben, deren Gepränge ebenso von antiquarischem Wissen wie der kontemporären F. geprägt ist. Vier Triumphe stellen Liebschaften Jupiters dar, der fünfte ist der des Vertumnus und der Pomona. Höhepunkt ist der Triumph Amors, der – in einer Inversion Petrarcas – als der eigentliche Triumphator auftritt (Abb. 2). Das Thema des T. findet sich naturgemäß häufig in der panegyrischen Lit., so in Giovanni Santis *La vita e le gesta di Federico di Montefeltro* (1474–1488) [14. 329]. Der Dominikanermönch Savonarola hingegen entwarf einen *Triumphus Crucis*, in dem Christus mit den Zeichen seiner Passion auf einem Triumphwagen begleitet von Aposteln, Propheten, Märtyren etc. erscheint.

Für die bildenden Künste seien stellvertretend für die Adaption verschiedener Sujets genannt: Die »T.« von Piero della Francesca auf den Rückseiten der Porträts von Federico da Montefeltro und Battista Sforza (um 1474); die Planetengötter in den Monatsbildern der Fresken des Schifanoia-Palastes zu Ferrara (1469–1471); Mantegnas neunteiliger *Triumph Caesars* (ab 1486), der 1501 als Festdekoration verwendet wurde und der monumentale Holzschnitt Tizians *Trionfo della Fede* (1510), der wahrscheinlich in Anlehnung an Savonarolas Schrift entstand.

Die F. trug innerhalb It. einerseits zur Popularisierung ant. Götter und Persönlichkeiten, andererseits von architektonischen Elementen und Dekorationsformen bei. Diese Vermittlerrolle übernahm sie auch bei der Verbreitung der → Renaissance nördl. der Alpen mit Beginn des 16. Jh. Dort inspiriert sich A. Dürers monumentale Holzschnittserie *Der Triumphzug Kaiser Maximilians* (1515–1518), bes. der Triumphwagen Maximilians, an den it. T. (Abb. 3) [1. 292–331]. Auch in Frankreich, den Niederlanden und England orientierte man sich bei den Festen des 16. Jh. am Vorbild der it. T., wobei sich jeweils vorhandene Elemente mit dem Import verbanden: In den Niederlanden beispielsweise kombinierte man 1549 beim Einzug Philipps II. in Antwerpen die traditionellen *tableaux vivants* mit Triumphbögen, und der *ommegang* präsentiert sich in Heemskerks Stichen von 1561 ganz als T. all'antica [6 Bd. 2. 359–388].

C. BAROCK

Mit den absolutistischen Herrschern erreicht der Aufwand der Triumphzüge eine neue Dimension, bes. anläßlich der *entreé solennelle* Ludwig XIV. 1660 in Paris. Am Anfang einer Reihe aufwendiger Triumphalarchitekturen, die der Festbericht Troncons wiedergibt, stand ein Triumphbogen, der in Proportion und Dekoration den röm. Konstantinsbogen zitierte und an dessen Metaphorik eines staatlichen Sonnenkultes anknüpfte. In der Folge sollten unter Louis XIV. in Paris die ersten dauerhaften Triumphbögen entstehen [12].

Barocke Festinszenierungen bedienen sich der T. in allen bereits für die Ren. vorgestellten Variationen. Den gesteigerten Aufwand spiegeln die Entwürfe von Pierre Paul Sevin für Tischdekorationen (Abb. 4). Die T. gehen auch ein in meist mit Musik und Ballett verbundene Inszenierungen, wie die it. *intermezzi* [17. 126–152] oder in die engl. *masques*, mit denen sich, wie mit *Coelum Britannicum* von 1634, die Stuart-Monarchie feierte [17. 153–173]. In den Inszenierungen konnten im Unterschied zu jenen der Ren., die Herrschenden selbst Rollen übernehmen. So erschien auch bei dem Götteraufzug in Dresden 1695 August der Starke als Merkur auf einem Triumphwagen [18. 128].

Wie schon in der Ren. zog man bedeutende Künstler zur Gestaltung heran: Rubens, in dessen Bildern sich ebenfalls etliche T. finden, gestaltete 1635 den *Introitus Ferdinandi* [6 Bd. 3. 173–186].

Abb. 2: Hypnerotomacchia Poliphili: Triumph Amors, 1499

Abb. 3: Triumphwagen Maximilians von Albrecht Dürer

Abb. 4: Ein Tischaufsatz mit *trionfi*
von Pierre Paul Sevin, 1667

Abb. 5: »Triomphe de Voltaire le 11 Juillet 1791«;
Kupferstich von Berthault nach Prieur

Abb. 6: Trotzky auf dem Triumphwagen des Imperialismus, Leningrad 1930

D. UM 1800

Die Frz. Revolution maß den Festinszenierungen bes. Bed. bei, die in Berichten, Dekreten und graphischen Medien gezielt verbreitet wurden. Für die Gestaltung war Jacques Louis David verantwortlich, der sich durch die Beschreibung ant. Prunkfeste anregen ließ. Der *Triomphe de Voltaire* 1791 überführte die Asche des 1778 außerhalb von Paris bestatteten Dichters im Triumphzug zu seiner Pantheonisierung. (Abb. 5). Voltaire erschien sowohl als aufgebahrter Toter, über dem eine Victoria einen Siegeskranz hielt, wie auch als Sitzstatue, umgeben von Standarten mit den Titeln seiner Schriften, begleitet von Abordnungen aus allen Bildungs- und Bevölkerungsschichten [3. 35–44].

Bei späteren Festen scheint man sich explizit vom Herrscherzeremoniell zu lösen zu suchen, bestätigt die Struktur des Triumphes jedoch in der Inversion einzelner Bedeutungselemente. Bei dem von David choreographierten Verfassungsfest am 10. August 1793 lief der Festzug sechs Stationen an. Die zweite war ein Triumphbogen, geschmückt mit Reliefs guillotinierter Köpfe, zu Ehren jener Frauen, die den König zum Verlassen von Versailles und einer schmählichen *entreé* in Paris gezwungen hatten [3. 57–84]. Unter Napoleon gewinnt der Antikenbezug 1798 mit der Zurschaustellung der erbeuteten it. Kunstwerke im triumphalen Einzug eine neue Dimension [3. 126–128].

E. 19./20. JAHRHUNDERT

Im 19. und frühen 20. Jh. sind T. im Rahmen der histor. Festzüge anzutreffen, deren Gestaltung, im Gegensatz zu den höfischen Festen, vom Bürgertum getragen wird und von Nationalbewußtsein geprägt ist. Anlaß gaben Jubiläen (Stadt- und Universitätsgründung, Schützenfeste etc.), Karnevalsfeste und Künstler-festzüge. Thema waren meist dem Anlaß entsprechende histor. Sujets: polit. Ereignisse, die Huldigung von »Nationalhelden« wie Gutenberg und Dürer, oder die Selbstdarstellung von Vereinigungen und Berufsgruppen. Selten trifft man auf allegorisch-myth., wie bei einem von Hans Markat gestalteten Festwagen der »Eisenbahn« 1879 anläßlich der silbernen Hochzeit des Kaiserpaares in Wien, dargestellt als Vermählung von Feuergott und Wassernymphe [8. 34].

Im Zuge der Kolonialisierung und Christianisierung außereurop. Gebiete wurden Strukturen von Fest und Zeremoniell importiert. 1971 veranstaltete man in Persepolis zum 2500-jährigen Jubiläum des persischen Kaiserreiches einen histor. Festzug [8. 164]. Nachklänge der T. finden sich in südamerikanischen Karnevalsumzügen, aber auch im Empfang der Miss Universum 1998 in ihrem Heimatland Venezuela, bei dem sie, auf einem Triumphwagen von der Nationalgarde eskortiert, die Stadt durchquerte. Das Medium des T. trifft man im 20. Jh. in den unterschiedlichsten ideologischen und künstlerischen Kontexten: Im Rahmen der Propaganda der russ. Revolution 1930 in einem Triumphwagen des Imperialismus auf den Trotzky aufspringt [16. Abb. 186] (Abb. 6), ebenso im Dienste des dt. → Nationalsozialismus mit dem Tag der dt. Kunst und dem Amazonenfest in München [8. 50–56]; als Teil einer polit. Zeremonie bei der Inauguration des amerikanischen Präsidenten im Umzug von Vertretern aller Bundesstaaten mit ihren Festwagen, ebenso wie in der populären Unterhaltungskultur wie der Berliner Love-Parade, wo der Lautsprecher zum Triumphator avanciert ist.

→ AWI Dionysos; Triumph

1 »All the world's a Stage . . .«, Art and pageantry in the Ren. and Baroque, hrsg. von B. WISCH, S. SCOTT MUNSHOWER, Papers in Art History from The Pennsylvania State Univ. VI, 2 Bde., 1990 (Bd. 1, 359–385 Bibliogr. zum Triumph von der Ant. bis zur Frühen Neuzeit) 2 J. BERNS, Die Herkunft des Automobils aus Himmelstrionfo und Höllenmaschine, 1996 3 M.-L. BIVER, Fêtes révolutionaires à Paris, 1979 4 G. CARANDENTE, I trionfi del primo rinascimento, 1963 5 F. CRUCIANI, Teatro nel Rinascimento. Roma 1450–1550, 1983 6 Les fêtes de la Ren., hrsg. von J. JACQUOT, (Kongressakten) 3 Bde., 1956, 1960, 1975 7 M. GESING, Triumph des Bacchus. Triumphidee und bacchische Darstellungen in der it. Ren. im Spiegel der Antikenrezeption, 1988 8 W. HARTMANN, Der histor. Festzug. Seine Entstehung und Entwicklung im 19. und 20. Jh., 1976 9 PH. HELAS, Lebende Bilder in der it. F. des 15. Jh., 1999 10 M. MCCORMICK, Eternal Victory. Triumphal rulership in late antiquity, Byzantium, and the late medieval West, 1986 11 B. MITCHELL, Italian Civic Pageantry in the High Ren. A descriptive bibliography of triumphal entries and selected other festivals for state occasions, 1979 12 K. MÖSENEDER, Zeremoniell und monumentale Poesie. Die »Entreé solennelle« Ludwig XIV. 1660 in Paris, 1983 13 Petrarch's Triumphs. Allegory and Spectacle, hrsg. von K. EISENBICHLER, A. JANNUCI, 1990 14 A. PINELLI, Feste e T.: Continuità e metamorfosi di un tema, in: Memoria dell'antico nell'arte italiana, hrsg. von S. SETTIS, Bd. 2: I generi e i temi ritrovati, 1985, 281–352 15 L. POPELKA, Castrum doloris oder »trauriger Schauplatz«. Unt. zu Entstehung und Wesen ephemerer Architektur, 1994 16 Streetart of the Revolution. Festivals and celebrations in Russia 1918–1933, hrsg. von V. TOLSTOY, I. BIBIKOVA, C. COOKE, 1990 17 R. STRONG, Art and Power. Ren. Festivals 1450–1650, 1973, ²1984 18 H. WATANABE-O'KELLY, Triumphal Shews. Tournaments at German-speaking Courts in their European Context 1560–1730, 1992 19 W. WEISBACH, Trionfi, 1919.

PHILINE HELAS

Figurengedicht A. EINLEITUNG B. MITTELALTER
C. FRÜHE NEUZEIT D. KONKRETE POESIE

A. EINLEITUNG

In der Ant. sind drei Formen des F. entwickelt worden: 1. das mimetische Umrißgedicht, das Mitglieder des Koischen Dichterbunds um bzw. nach 300 v. Chr. geschaffen haben: Simias von Rhodos in Form von Flügeln, Ei und Beil, Theokrit in den Maßen einer Syrinx und Dosiadas von Kreta in den Konturen zweier Altäre [4]; Zusammenhänge mit figurativer Epigraphik, magischen Formeln, Griphosdichtung und Versexperimenten lassen sich ebenso nachweisen wie der Einfluß der Orphik; 2. das lesepermutative Kreuzwortlabyrinth (Cubus), das auf *tabulae iliacae* der röm. Kaiserzeit, auf der Stele des Moschion und in einem Fußbodenlabyrinth in der Reparatusbasilika in Orléansville begegnet; 3. das steganographische Gittergedicht, das Optatianus Porfyrius am Hof Konstantins des Gr. konstruiert hat und das sich durch einen quadratischen Basistext aus isogrammatischen Hexametern auszeichnet, dem *versus intexti* in Form geom. Figuren (z. B. Raute, Achsenkreuz), überdimensionierter Lettern (z. B. Monogramm Christi, Kaisernamen) und stilisierter Gegenstände (z. B. Palme, Schiff) eingeschrieben sind; daneben hat der Dichter Umrißgedichte in Form von Panflöte, Altar und Wasserorgel verfaßt [2].

B. MITTELALTER

Im MA werden die griech. Umrißgedichte in der *Anthologia Palatina* und in Hss. der Bukoliker tradiert; die byz. Ausgabe des Manuel Holobolos (ca. 1240–1284) ist mit Bildschmuck ausgestattet. Der Typus des Kreuzwortlabyrinths findet sich in Hss. der Merowingerzeit (z. B. Ms. 219, Bern, Burgarbibl., fol. 76v). Auch eine Tafel an der Kirche San Juan de Pravia in Oviedo präsentiert einen Cubus, dessen vielfältig lesbarer Text ›Silo Princeps fecit‹ König Silo von Asturien (774–783) als Stifter ausweist. Buchstabenlabyrinthe als Kopistensignatur und Exlibris sind häufig in Codices des span. Apokalypsenkomm. von Beatus von Liébana (z. B. Cod. 8878, Paris, BN, fol. 1r) anzutreffen. In Cubusform geschrieben und einer Kreuzgraphik angepaßt wurden bis in die Frühe Neuzeit hinein die *Versus sanctae crucis* des Grammatikers Calbulus (5. Jh.). Die porfyrianischen *carmina cancellata* mit geom. Figuren, darunter dem Kreuz, sind im Früh-MA häufig nachgeahmt worden, von Venantius Fortunatus (MGH AA 4,1,30; 32; 116), Ansbert von Rouen (Cod. CLXIV, inter Augienses, Karlsruhe, Univ.-Bibl. fol. 2v), Bonifatius (M.p. th. f. 29, Würzburg, Univ.-Bibl. fol. 44r) und den Autoren der Hofschule Karls des Gr. wie Alkuin (MGH PL 1,225 und 227), Josephus Scottus (MGH PL 1,153; 155; 157; 159) und Theodulf von Orléans (MGH PL 1,482), schließlich von Hrabanus Maurus, der in seinem das Kreuz als kosmische Heilssignatur verherrlichende *Liber de laudibus sanctae crucis* Porfyrius explizit erwähnt (MGH PL 107, 146). Im 9. Jh. konzipierten auch der Mönch Gosbert (MGH PL 1,622) und Milo von St. Amand (MGH PL 3,563; 565) Gittergedichte, und zu Beginn des 10. Jh. widmete Eugenius Vulgarius Papst Sergius III. (904–911) ein *carmen quadratum* mit kreuzförmigen Intexten, zudem ein Umrißgedicht in der Textgraphik eines Psalteriums, das dem Syrinxgedicht des Porfyrius (MGH PL 4,1, 436, 438) ähnelt. Abbo von Fleury (940–1004) schreibt zwei Gittergedichte auf E. Dunstan von Canterbury (gest. 988) und eines auf Otto III. (MGH PL 5,1,469–471). Weitere *carmina cancellata* aus dem 10. Jh. stammen von Vigilán von Albelda, der sie im Kontext der Reconquista den christl. Kleinkönigen Nordspaniens widmete [8].

C. FRÜHE NEUZEIT

Eine starke Wirkung des ant. Umrißgedichts setzt in der Ren. ein, ausgelöst durch die Verbreitung der *Anthologia Graeca* und durch Theokrit-Ausgaben. Frühe Imitationen der Technopägnien sind seit dem 16. Jh. belegt: so bei Mellin de Saint-Gelais (1506, Œuvres II, Paris 1873 ed. P. Blanchemain, 130: Flügel), Giovanni Battista Pigna (Carminum libri quattuor, Venetia 1553, 97 f.: Syrinx), Jean Grisel (Premières Œuvres poétiques, Rouen 1599, 96: Flügel, 76 f.: Ostereier) und Robert Angot de l'Eperonnière (Chef-d'Œuvre poétique,

R. WILLEII
Neapolioni Comitolo.
ALAE.

σύμμαικόη;

9.

Summa colentes iuga Parnaſsia Nymphæ teneræ, Caſtalides puellæ,
Si latices haurio ſuaues, Helicon vertice quos ab alto
Murmure agit dulciſono, ſi colui ſacratam
Aoniam paruulus, & repoſta
Munera ſi quid a me
valebunt,

Hyblæam
Candidula tyaram
Ferte manu, lilia ferte pulchra,
Neapoleonem decorate, O, violis roſiſquè
Neapoleonem Peruſinæ decus vrbis, cui nomen ævo
Par celebris fama dedit, perpeti agendum ſtudio cum pietate nomen.

Abb. 1: Figurengedicht in der Form eines Flügels.
Richard Willis: Poematum liber, 1573, 8

POEMATA.

σύμμαι αλῶς;

11

Triſte mari veliuolo, dum Notus atque Eurus, & horrens Aquilo ꝓcellis
Conſpicere praecipitatum in ſcopulos & breuia innatantem,
Plurimus illi ſit honos, plurima ſit beatitas,
Sit celebris perpetuo Bipennis
Per Vada feruida
Camoenae

C. v.

In reditu Moecenatis ſui e Gallia Securis.

Decus meae.
Qua vrbitur domum
Carmine, quæ prima ratim poſuit,
In patria, qui prior almam pelago ratim dedit.
Luctiferum diſperentis geminum remigis almæ condi,
Turbine verſant violento pelagus, littora dum fluctibus alma ſpumant,

13

Abb. 2: Figurengedicht in der Form eines Beils.
Richard Willis: Poematum liber, 1573, 11

Allgemeine Altars-Trauer.

Ach !
Der Noht/
Daß
Der Tod /
Seine Pfeile/
Mörders-Keule /
So wild-ergrimmt /
Auff heute nimmt /
Ach daß der Menschen-Hasser/
So manches Leibs Verprasser/
Auff unsre kurtze Freud' entrüst /
Deß Schonens also gar vergisst /
Ach daß der Hirt in Israel gefallen!
Der seine Stimm ließ frü unnd spat erschallen/
Für seine Schaf/ die Er als sich geliebt/
Mit den Er sich erfreuet und betrübt.
Ach! daß der Hirtn Israel gestorben!
Der / wann er sah das Einfaltsschaf verdorben/
Und irrend gehn/ mit Threnen es gesucht/
Daß es nicht werd zu Theil der Wölfe Zucht.
Ach! daß der Hirtin Israel verblichen!
Der/wann Er sah die Mord-Wölf eingeschlichen/
Sie mit dem Stab deß Wortes außgejagt.
Trutz jenem Feind'! ob dem Er wer verzagt.
Ach'daß der Hirtin Israel verschieden!
Der seiner Herd' hat Bun' und Weid' und Frieden/
Von GOTT erlangt/der sie auff grüner Heid/
Nechst frischer Qwellen/ geweidet alle Zeit.

Ach !
GOTT/
Zsebaoth/
Unsrer Güter/
Treuer Hüter/
Fürst der greisen Ewigkeit/
Herrscher dieser letzten Zeiten/
Suche deinen Weinstock heim/
Welchen du dir selbst gepflantzet/
Un mit starkē Zaun umschätzet/
Daß der gallen-grüne Schleim/
Den die Spinnen-arge Feind/
So für Gutes Böses günnen/
Anzukletten fertig seynd/
Seiner eblen Auge-Rinnen/
Kein vergälltes Heuchl-Gifft
Möge schmeichlend untermische.
Vielmehr wölle? ihn erfrischen/
Mit dē lautern Tau der schrifft/
Welcher Hünel-rein entspringet
Un uns in die Wolkē schwinger.

Ach !
GOTT/
Zsebaoth/
Sonder Alter/
Zeit-Verwalter/
Der du über Cherubinen
Jakobs fromer Herd' erschiene/
Warum läst du doch den Bau
Deines reiffe Stocks zerbrechē?
Wilt du den nicht widersprechen
Dieser wütend-wilden Sau?
Sihe doch/ Ach! sihe drein/
Wie sein edler Zaun zerrißen/
Der hätt sollen ewig seyn/
Ligt/Ach! itzund umgeschmissen
Sihe drein und machs ein End/
Schütze deine werthe Reben/
Die uns Most des Lebens geben/
um wie du dich selbst verpfändt/
Also bleibe bey uns Allen/
Biß diß Gantze soll hinfallen.

Ach! daß den Hirten/ der sich/ Nürnberg/ so befliſſen/
Um deiner Seelen Heil/ der Tod dir weggeriſſen/
So beweinen   folgt ihr andern
Wir Altär   Unserm Klang
Nach Begehr   Sonder Zwang
Die Gemeinen   Nachzuwandern.
Ach! weint/beweint den/den man nit gnug beweint/
So lang der blaſſe Mond am blaum Himmel scheint!
Aber/ Ach! du Güte selbst/ Güte-reicher Himmels-König /
Wie? Daß du heut' unter uns machst der Hirten also wenig/
Die uns doch zu dir gewiesen/in erpreſſtem Arbeit-Schweiß?
Wilt du denn in Ewigkeit deines Zornes grimme Flammen
Uber deine kleine Herd/ sonder alle Gnad/ zusammen
Laſſe schlage?steck das Schwert/dz auf unserm Teutschen Kreiß
Flinkert voller Grimmes-Loh'/ eins in seine Scheiden wieder ;
Mach deß Würgens doch ein End; schone/Haubt/Ach!deiner Glieder!

AVs Vnterthänigst-sChVLDIger GebVr/Wegen
ertheilLter GVt-VnD WoLthaten/WIeaVCh
zVr BezeVgVng seiner betrVbten
SeeLen/Verfertigte soLCbes

Quirinus Moscherosch.

Abb. 3: Figurengedicht, das einen Altar nachahmt.
Quirin Moscherosch, Allgemeine Altars-Trauer, 1647

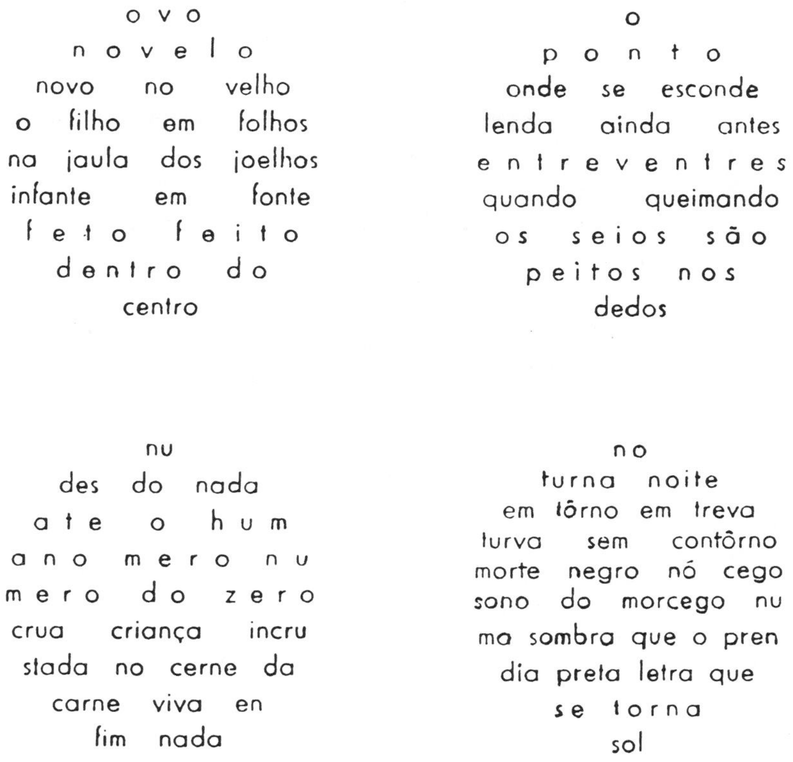

```
        o v o                              o
      n o v e l o                     p o n t o
    novo    no   velho             onde   se   esconde
    o   filho   em   folhos        lenda   ainda   antes
    na   jaula   dos   joelhos     e n t r e v e n t r e s
    infante    em    fonte         quando    queimando
      f e t o   f e i t o            o s   s e i o s   s ã o
      d e n t r o   d o              p e i t o s   n o s
        centro                           dedos


        nu                               no
     des   do   nada              turna    noite
   a t e    o   h u m           em  tôrno  em  treva
   a n o   m e r o   n u        turva    sem    contôrno
   m e r o   d o   z e r o      morte  negro  nó  cego
   crua    criança    incru     sono  do  morcego  nu
   stada  no  cerne  da         ma  sombra  que  o  pren
     carne   viva   en          dia  preta  letra  que
       fim   nada                 s e   t o r n a
                                      sol
```

Abb. 4: Augusto de Campos: ovo novelo.
Figurengedicht in der Form eines Eies

Caen 1634, 16: Ostereier). Nachbildungen in griech. und lat. Sprache begegnen 1592 in einer *Sylvae* betitelten Sammlung von Schülern des Jesuiten-Kollegs in Dôle (Altar, Beil, Flügel), in manieristischen Zyklen eines Richard Willis (Poematum liber, London 1573, 4: Altar, 6: Ei, 7: Hirtenflöte, 8: Flügel, vgl. Abb. 1, 11: Beil, vgl. Abb. 2) und Baldissare Bonifacio (Musarum libri XXV, Venetia 1628, Nr. VIII: Orgel, Nr. IX: Beil, Nr. XXI: Altar) sowie in Hirtendichtungen der Pegnitzschäfer, bei Johann Helwig (Die Nymphe Noris, Nürnberg 1650, 7: Orgel) und Johann Geuder (Der Fried-Seligen Irenen Lustgarten, in: Johannes Praetorius: Satyrus etymologicus, ohne Ort 1672, 225: Flügel, 248: Irenen-Altar, 249: Syrinx, 271: Friedensschiff). In den Poetiken eines Iulius Caesar Scaliger (Poetices libri septem, 1561, ed. L. Deitz, 1994, I., 558: Nachtigallen- und Schwanenei), Paschasius a. S. Iohanne Evangelista (Poesis artificiosa, Würzburg 1674; diverse Kreuzwortlabyrinthe) und Theodor Kornfeld (Selbst-lehrende alt-neue Poesie, Bremen 1685, 81 f.: zwei Ostereier) werden die ant. Paradigmata kanonisiert. Umrißgedichte erscheinen im Barock auch als Casualcarmina in Leichenpredigten, wie die *Alae* des Samuel Gloner von 1638 (Wolfenbüttel, Herzog-August-Bibl.: 48.7 Poet., 38) und ein Altar-Triptychon des Quirin Moscherosch

aus dem J. 1647 (Herzog-August-Bibl., Slg. Stolberg 19673; vgl. Abb. 3) belegen. Bes. beliebt sind bei den Engländern im 17. Jh. Altargedichte wie Robert Herricks *The pillar of fame* (Hesperides, London 1648, 398). Manche Gedichte, z. B. George Herberts *Easter Wings* (The temple, Cambridge 1641, 34 f.), nehmen bis h. einen wichtigen Platz im Literaturkanon ein. Fortunio Liceti verfaßt enzyklopädische Abhandlungen über die ant. Umrißgedichte mit Textvarianten, Übers., Nachbildungen, Komm. und Deutungen (z. B. *Encyclopaedia ad aram Pythiam Publilii Optatiani Porphirii*, 1630; *Ad alas Amoris divini Simmia Rhodio* ..., 1640). Die *carmina figurata* begegnen auch in Johann Heinrich Alsteds 1630 publizierter *Encyclopaedia* (Faksimile-Ndr., Bd. 1, 1989, 542, 549 f.), in dem Gesangbuch Georg Webers (*Sieben Theile Wohlriechender Lebens = Früchte eines recht Gottes = ergebenen Herzen*, Danzig 1649, 190 f., 242, 376) und in dem kryptographischen Handbuch von Herzog August von Braunschweig, in dem neben Letternlabyrinthen ein Gedicht des Porfyrius sowie die *Praefatio* von Hrabans Kreuzgedichten Aufnahme gefunden haben (*Cryptomenytices et Cryptographiae Libri IX*, Lüneburg 1624). Die griech. Umrißgedichte werden z. T. auch kritisch betrachtet, so von Michel de Montaigne, der sie als ›subtilitez frivoles et vaines‹ (Essais I, 54, Leyden

1602, 266 f.), und von John Addison, der sie im *Spectator* am 7. Mai 1711 (Nr. 58) als ›Species of false Wit‹ diskreditiert.

D. KONKRETE POESIE

Obwohl im 18. Jh. die Trad. des F. allmählich versiegte, ist die Rezeption der ant. Muster, die z. B. Guillaume Appollinaire, Schöpfer der *Calligrammes*, noch gekannt hat, nie abgerissen, wie das Weiterleben in der Konkreten Poesie zeigt. Schon der Schwede Öyvind Fahlström verweist in seinem Manifest von 1953 auf die Griechen, Ferdinand Kriwet konstruiert eine Evolution von den Technopägnien bis zu mod. Reklameposters (*Com. Mix., Die Welt der Bild- und Zeichensprache*, 1972), und auch Franz Mon ist sich der Historizität bewußt, wenn er darauf hinweist, ›daß seit dem Hell. eine Trad. besteht, Texte auf der Fläche bildlich-figurativ zu organisieren‹ [16. 116]. Der Brasilianer Augusto de Campos verfaßt unter dem Titel *ovo* (1955) ein Gedicht in Eiform, das Emmett Williams mit einem Komm. des Haroldo de Campos (›Greek technopaegnis revisited with a concrete sensibility for synthesis‹) in seine *Anthology of concrete poetry* (1967) aufgenommen hat (vgl. Abb. 4). Von den klass. F. nimmt auch Michel Butor in seinen Ausführungen über das Buch als Objekt Notiz [6. 47].

→ Überlieferungsgeschichte

→ AWI Anthologie; Orphik

QU **1** K. P. DENCKER, Text-Bilder, 1972 **2** G. POLARA (Hrsg.), Pvblilii Optatiani Porfyrii Carmina, I–II, 1972

LIT **3** J. ADLER, U. ERNST, Text als Figur, ³1990 **4** H. BECKBY, Anthologia Graeca, I–IV, ²1966, XV, 21–26 **5** B. BOWLER, The Word as Image, 1970 **6** M. BUTOR, Die Alchimie und ihre Sprache, 1990, 47 **7** M. CHURCH, The Pattern Poem (Diss. maschinenschriftl.) 1944 **8** M. C. DÍAZ Y DÍAZ, Vigilán y Sarracino, in: W. BERSCHIN, R. DÜCHTING (Hrsg.), Lat. Dichtungen des X. und XI. Jh., 1981, 60–92 **9** F. DORNSEIFF, Das Alphabet in Mystik und Magie, ²1925 **10** U. ERNST, Carmen figuratum, 1991 **11** A. HATHERLY, A Experiência do prodígio, 1983 **12** D. HIGGINS, Pattern Poetry, 1987 **13** D. KESSLER, Unt. zur Konkreten Dichtung, 1976 **14** A. LIEDE, Dichtung als Spiel, I–II, ²1992 **15** R. MASSIN, Letter and Image, 1970 **16** F. MON, Essays, in: Gesammelte Texte 1, 1994, 116 **17** J. PEIGNOT, Du Calligramme, 1967 **18** G. POZZI, La parola dipinta, 1981 **19** P. RYPSON, Obraz slowa historia poezji wizualnej, 1989 **20** J. SALLOIS (Hrsg.), Poésure et Peintrie, 1993 **21** D. W. SEAMAN, Concrete Poetry in France, 1981 **22** G. WOJACZEK, Daphnis, 1969.   ULRICH ERNST

Figurenlehre A. BEGRIFFSBESTIMMUNG B. ANTIKE RHETORIK C. WIRKUNGSGESCHICHTE

A. BEGRIFFSBESTIMMUNG

Gegenstand der rhet.-stilistischen F. sind Bestimmung von Form, Funktion und Entstehung sowie die Klassifizierung von Sprachfiguren, d. h. gemäß ant. (und bis h. allg. gültiger) Definition gewollter Abweichungen vom normalen Sprachgebrauch oder kunstvoller Ausformungen der »Normalsprache« mit unterschiedlicher stilistischer oder argumentativer Wirkungsabsicht. Die rhet. F. als Stilistik der Prosa ist von der poetischen F. eher funktional-intentional als inhaltlich-struktural zu unterscheiden, da das jeweilige Figureninventar weitflächige Überschneidungen aufweist. Ein verbindliches System der F. wird in der Geschichte der Rhet. oder Poetik nicht entwickelt, da ihre Anwendbarkeit stets von variablen histor.-kulturellen Bedingungen abhängt.

Als Bestandteil der Stiltheorie gehört die F. im System der ant. Rhet. zur *elocutio*, der sprachlichen Fassung (*verba*) der zuvor gefundenen und geordneten Gedanken (*res*). Diese Sukzessivitätsauffassung wird von der mod. Rhet. nicht mehr geteilt, verdeutlicht jedoch die »Bekleidungs«- bzw. Schmuckfunktion (*ornatus*), die in der Ant. den Figuren hauptsächlich zugeschrieben wird. Der Begriff Figur ist in der röm. Rhet. erst seit Quintilian (1. Jh. n. Chr.) fest etabliert (inst. 9,1,11: Definition von *figura* als ›beabsichtigte Veränderung im Sinn oder Ausdruck gegenüber der normalen und einfachen Erscheinung‹); die ältere Bezeichnung ist *exornatio*. Der griech. Terminus *schéma* ist nicht vor hell. Zeit gebräuchlich; in der röm.- lat. Ant. und im MA existieren beide Begriffe nebeneinander. Noch h. werden für die rhet. Figuren teils griech., teils lat. Bezeichnungen verwendet. Die lat. Terminologie, erstmals in der *Rhet. an Herennius* (ca. 84 v. Chr.) zu finden, die 65 Figuren (*verborum/sententiarum exornationes*) mit Textbeispielen auflistet, wurde von H. Lausberg für die Literaturwiss. neu erschlossen.

B. ANTIKE RHETORIK

Ist die F. schon seit den Anfängen im 5. Jh. v. Chr. Bestandteil der Rhet. (allg. berühmt sind die »Gorgianischen Figuren«; Dion. Hal., Demosthenes 5,25), so gibt es eine umfassende systematische Stilistik zuerst bei Theophrast (371–287 v. Chr.) in der verlorenen Schrift *Péri léxeos*. Das Interesse seines Lehrers Aristoteles gilt vorwiegend der Metapher, von ihm generell als Form des uneigentlichen Sprechens gesehen (rhet. 3,2,1404 b 31 ff.); er erörtert den Einsatz metaphorischer Ausdrucksweise unter stilkritischem Aspekt, ohne jedoch eine eigentliche F. zu entwickeln, in der *Rhetorik* und der *Poetik* (Kap. 22). Die hier schon zutage tretende enge Verbindung beider Bereiche (Cicero nennt als Gebiete des sprachlichen Schmucks *vel poesis vel oratio*: de orat. 3,100) bleibt bis in die Gegenwart hinein erhalten.

Die ant. F. wird funktional bestimmt durch die mit der *elocutio* verbundenen Vorschriften der Angemessenheit (*aptum*; griech. *prépon*) und der Ausdrucksklarheit (*perspicuitas*; griech. *saphéneia*) – dies ist schon bei Aristoteles formuliert (rhet. 3,2) – sowie durch die Stilebenen (niedriger, mittlerer, erhabener Stil) und die Wirkungsintention (*docere* »belehren«, *movere* »bewegen«, *delectare* »erfreuen«) einer Rede (Cic. orat. 21,69; de orat. 3,210 ff.). Haben die Figuren nach ant. Auffassung vorwiegend schmückende Funktion (Cic. orat. 39,134), sind also über die Sachinformation hinausgehende »Zugaben« (Quint. inst. 8,3,61) mit der Funktion, das Publikum zu beeindrucken oder zu erfreuen (Aristot. rhet. 3,11), so wird doch auch bereits ihre erkenntnisfördernde Leistung gesehen (Aristot. poet. 22,1458 b 4 f., 1459 a 5 ff.; Cic. orat. 39,134; Quint. inst. 8,2,11).

Eingehend befaßt sich die Ant. mit dem Problem der Figurenklassifizierung. Während bei Aristoteles noch keine Taxonomie vorliegt, wird in der Folgezeit die Einteilung in Wort- und Gedankenfiguren (*figurae/exornationes verborum* bzw. *sententiarum*; griech. *schḗmata léxeos* bzw. *diánoias*) entwickelt (Rhet. Her. 4,13; Cic. de orat. 3,200), d. h. in Figuren auf lexikalisch-gramm. Ebene (bestimmt z. B. durch Wortwahl oder Wortstellung) und Figuren auf semantischer Ebene (bestimmt durch inhaltliche Bed.). Als Erweiterung oder Modifizierung dieser Zweiteilung, die noch h. häufig Definitionsgrundlage ist, kann das dreiteilige Ordnungsmodell angesehen werden, das den Tropus (Ersatz des eigentlich Gemeinten durch einen anderen Begriff) als eigene Klasse behandelt. Tropen wurden bereits bei Theophrast als bes. Figurengruppe aufgeführt [31. 277], auch der Verf. der *Rhet. an Herennius* bespricht in seinem Figurenkatalog zu den Tropen zählende Figuren, ohne allerdings den Terminus zu verwenden (4,42–46). Maßgebend für die Definition wird Quintilian (inst. 8,6,1: *tropus est verbi vel sermonis a propria significatione in aliam cum virtute mutatio*, ›kunstvolle Übertragung eines Wortes oder Ausdrucks von der eigentlichen Bed. in eine andere‹: z. B. Metapher, Metonymie, Antonomasie, Allegorie). In seinem Sinn ist *tropus* als Begriffsaustausch zu verstehen, *figura* hingegen als bes. Ausdrucksgestaltung (*conformatio*; inst. 9,1,4). Wortfiguren (Wiederholungs-, Auslassungs-, Umstellungsfiguren) unterteilt Quintilian (inst. 9,3,1 f.) in gramm. (Abänderung der Normalgramm.) und rhet. (Änderung der Wortstellung). Gedankenfiguren dienen der semantischen Verstärkung einer Aussage (*ab simplici modo indicandi recedunt*; Quint. inst. 9,2,1) durch Steigerung, Betonung, rhet. Fragen u. ä. (Cic. de orat. 3,200 f.; orat. 39,136 ff.). Dieses Ordnungsmodell bestimmt in seinen Grundzügen die weitere Rezeptionsgeschichte, wenn es auch in der Folgezeit immer wieder variiert wird.

Quintilian schafft ebenfalls eine für die moderne Figurationstheorie, die die Entstehungsbedingungen und -mechanismen figürlicher Rede erforscht, wichtige Grundlage mit seiner Lehre von den »Änderungskategorien« (inst. 1,5,38 ff.): [35. § 462] Sprachliche Veränderungen entstehen auf vier mögliche Arten (*quadripertita ratio*), durch Hinzufügung (*adiectio*) bzw. Wegnahme (*detractio*) von Elementen oder durch ihre Umstellung (*transmutatio*) bzw. Ersetzung (*immutatio*). In der Spät-Ant. werden die Änderungskategorien noch einmal Ausgangsbasis für den in Auszügen überlieferten Traktat über Redefiguren des Phoibammon (5./6. Jh. n. Chr.), dort bezeichnet als *pleonasmós, éndeia, metáthesis, enallagḗ* (Phoibammon, ed. SPENGEL 3,41 ff.); ansonsten haben sie bis zur Moderne keine wesentliche Bed. in der F.

Als Unterrichtsstoff wird die F. bis in die Spät-Ant. nach dem Vorbild hell.-kaiserzeitlicher Lehrbücher und deren röm. Rezeption gelehrt. Sie entfällt teils auf den grundlegenden Gramm.-Unterricht (die F. erscheint seit dem 3. Jh. n. Chr. häufig als Anhang zu Gramm.-Lehrbüchern: Marius Plotius Sacerdos, Charisius, Diomedes, Donat; zur Verbindung von Rhet. und Gramm.: Isid. orig. 2,1), teils auf das »Aufbaustudium« anhand von Spezialtraktaten (Rutilius Lupus, Aquila Romanus, Iulius Rufinianus; auch als Lehrgedicht wie das anon. *Carmen de figuris*, 4./5. Jh. n. Chr.) [41. 12 f.]. Der Figurenbestand nimmt zu: Aquila Romanus (3. Jh. n. Chr.) behandelt in seinem Traktat *De figuris sententiarum et elocutionis* 200 Figuren. Mit Donats Figurenanhang zur *Ars grammatica maior* (unter dem Titel *Barbarismus* später auch separat verbreitet) beginnt im 4. Jh. n. Chr. eine für das MA bedeutsame eigene Trad. der gramm. F., nachdem schon früher die Zuständigkeitsabgrenzung zw. Gramm. und Rhet. für die F. diskutiert wurde (Quint. inst. 9,3,2). Daneben steht die v. a. auf die *Rhet. an Herennius* gegründete rhet. Trad.

C. WIRKUNGSGESCHICHTE

I. MITTELALTER

Maßgebend für die ma. und frühneuzeitliche Rezeption der röm. Rhet. sind v. a. Ciceros *De inventione* und die im MA Cicero zugeschriebene *Rhet. an Herennius*; für gramm.-stilistische Belange sind daneben Donat, Priscian und Horaz (*Ars poetica*) von großer Bed. Quintilian hingegen, dessen *Institutio oratoria* erst 1416 von Poggio Bracciolini vollständig wiederentdeckt wird, spielt eine nur untergeordnete Rolle. Erwähnt sei jedoch die *Epitome rhetoricae* Ulrichs v. Bamberg († 1127), der in seiner F. Quintilian benutzt, allerdings auch auf die *Rhet. an Herennius* verweist [36].

Die ma. F. ist nicht nur Teil der rhet.-gramm. Lehre, sondern v. a. wesentliches Element der Dichtungstheorie. Da die ma. Gramm. sich nicht nur als Wiss. der Sprachrichtigkeit versteht, sondern auch die Grundlagen für Sprach- und Literaturverständnis vermitteln will, wird die F. zu ihrem integralen Bestandteil, wodurch die Rhet. in ihrem umfassenden ant. Sinn an Bed. verliert. Die rhet. Argumentationslehre wird häufig zum Gegenstand der Dialektik gemacht, Stilistik und F. werden von der Gramm. mitbehandelt, auf die wiederum auch die Poetik zurückgreift. Zahlreiche Verf. von ma. *artes poetriae* sind Lehrer der Gramm. und nicht der Rhet. [37. 135 f.]. Thematisiert wird die F. sowohl als Bestandteil von *artes*-Traktaten als auch in Einzelabhandlungen (oft in Form von Lehrgedichten in Hexametern), deren präskriptiver Charakter ihre Funktion als Anleitung für Autoren verdeutlicht. Separate F. (mitunter eher als auflistende Figurenkataloge zu bezeichnen) entstehen vermehrt seit dem 5. Jh. n. Chr., wie etwa der die F. Donats repräsentierende *Liber de schematibus et tropis* Bedas (673–735); Vorbild für die ma. Trad. dieser Gattung, die die Wichtigkeit von F. als »Autorenhandbücher« belegt, wird der Traktat *De ornamentis verborum* des Marbod v. Rennes (1035–1123; PL 171, 1687–1692).

Grundlagenwerke, die die F. für den ma. Gramm.-Unterricht festschreiben, sind das *Doctrinale* Alexanders v. Villa Dei (1199) und der *Graecismus* Eberhards v. Béthune (1212), zwei Lehrgedichte, die beide auf Donat und Priscian zurückgehen [2; 3]. Das *Doctrinale* behandelt neben Syntax, Etym., Quantitäten und Akzenten am Schluß in ca. 300 V. die *figurae loquelae*, eingeteilt in 25 Tropen, 16 Schemata, 16 Metaplasmen und 23 Figuren ohne Oberbegriff; der *Graecismus* beginnt mit der F., die geordnet ist nach den insgesamt ca. 100 Figuren umfassenden Kategorien »erlaubt« (*permissiva*: Metaplasmen, Schemata, Tropen), »verboten« (*prohibitiva*: Barbarismen, Soloecismen) und »vorgeschrieben« (*preceptiva*: die sog. *colores rhetorici*). Deutlich ist das Problem von Terminologie und Taxonomie erkennbar, das auch im MA nicht verbindlich gelöst wird. Zuordnungen von Figuren zu bestimmten Kategorien variieren und erscheinen oft nicht zwingend.

Hinter den verschiedenen Begriffen stehen zwei Überlieferungsstränge: die gramm. Donat-Trad. mit Beibehaltung griech. Termini (*schéma = figura*; vgl. Isid. orig. 1,36) und die Trad. der *Rhet. an Herennius* mit lat. Terminologie. Auf die in der F. der röm. Rhet. betonte Schmuckfunktion bezieht sich der ma. Terminus *colores rhetorici*, etabliert durch Onulf v. Speyer (ca. 1050) [8], mit dem insbes. poetische Figuren bezeichnet werden, ohne daß er jedoch zu einer einheitlichen exakten Verwendung gelangt. Ebenfalls im Hinblick auf dichterische Sprachgestaltung erscheint als Figurenkategorie der Metaplasmus, von Isidor (570–636) definiert als Wortveränderung aus metrischen Gründen (orig. 1,35). Der Begriff *figura* selbst wird eher selten verwendet.

Unter den ma. Gattungen der Rhet.- und Literaturtheorie (*ars poetriae, ars dictaminis, ars praedicandi*) behandelt zwar vorrangig die Poetik die F., doch auch in der Brief- und Predigttheorie, in der Stilebenen (mit ihren Implikationen für die F.) verstärkt mit dem Sozialstatus des Adressaten in Verbindung gebracht werden, spielt sie eine wichtige Rolle. Die im 12. und 13. Jh. entstandenen *artes poetriae* befassen sich mit Funktion und Wirkung von Figuren und listen Figurenkataloge auf.

Matthias v. Vendôme verfaßt seine *Ars versificatoria* (ca. 1175) mit dem Ziel, Dichtkunst zu lehren [6]. Tropen, Schemata und *colores rhetorici* bestimmen den *modus dicendi*, sind nötig für das kunstvolle Arrangement (*appositio artificialis*) der Wörter, auf dem ihre poetische Wirkung beruht. Der Trad. entsprechend sind poetologische Überlegungen mit einer Aufzählung der einzelnen Figuren (nach Oberbegriffen geordnet) verbunden. Die Schmuckfunktion der Figuren wird bes. betont bei Galfrid v. Vinsauf, *Poetria nova* (1208–1213), dessen Werk die Schwierigkeit der Abgrenzung von ma. Gramm., Rhet. und Poetik dokumentiert, da Themen aller drei Bereiche behandelt werden [4]. Es enthält Vorschläge für Amplifikation, Verkürzung und andere Effekte, die sowohl auf das ästhetische Empfinden als auch auf den Intellekt des Publikums wirken sollen. Galfrid nennt die Figuren auch *flores verborum*, wie schon

Cicero, der die *ornatus*-Funktion mit Begriffen wie *flores verborum sententiarumque* (de orat. 3,96) oder *lumen orationis* (orat. 39,135; ebenso Quint. inst. 9,1,1) unterstrich. Johannes von Garlandia erklärt in seiner für die Geschichte der Stiltheorie (*rota Virgili*) bedeutenden dreiteiligen Poetik (*De arte prosayca, metrica et rithmica*, nach 1229) den Figurenschmuck gleichermaßen in Dichtung und Prosa für sinnvoll im Hinblick auf klangliche oder aussageverstärkende Effekte. Auf. ant. Vorbilder rekurrieren auch andere Autoren wie Gervasius v. Melkley (*Ars versificaria*, ca. 1215), der die Gattungen »Allg. Rede«, Dichtung und *dictamen prosaicum* behandelt und hilfesuchende Schriftsteller an Cicero, Horaz und Donat verweist, oder Evrardus Allemannus, dessen Lehrgedicht *Laborintus* (zw. 1213 und 1280) fast vollständig die Figuren der *Rhet. an Herennius* (mit Beispielen) auflistet.

In die ma. Brieftheorie, deren wichtigste Traktate im 12. und 13. Jh. etwa zeitgleich mit den Hauptwerken der Poetik entstehen, bringt Albericus v. Monte Cassino im 11. Jh. die rhet.-gramm. Hintergründe (und damit die F.) ein. In seinem Grundlagenwerk *Dictaminum radii* bzw. *Flores rhetorici* (so der Editionstitel) beansprucht die F. über die Hälfte der Kapitel; ihre Kenntnis entscheide darüber, ob man überhaupt Schriftsteller genannt werden könne (›... *utillimi dictandi colores, quos si quis notat, scriptores accedere praesumat, qui nescit, nomen non usurpet scriptoris*‹ ›Wer die überaus nützlichen Schmuckfiguren der Briefkunst kennt, mag sich zu den Schriftstellern gesellen, wer sie nicht kennt, soll den Namen Schriftsteller nicht für sich in Anspruch nehmen‹) [1. 59]. Unter den Verf. von ma. Predigtrhetoriken sind bes. Robert v. Basevorn zu nennen (*Forma praedicandi*, 1322), der den Figurenkatalog der *Rhet. an Herennius* als Inventar für Prediger empfiehlt (Kap. 50) [9], oder Thomas v. Todi, in dessen *Ars sermocinandi* der Figurengebrauch eine Argumentationsform (*probatio*) neben Autoritätstopos, sachlogischem Argument, Beispiel und histor. Zeugnis ist.

2. RENAISSANCE UND NEUZEIT

Die Ren. bringt vor dem Hintergrund des sprachlichen *elegantia*-Ideals der Humanisten eine Fülle von Traktaten über die F. hervor. Antonius Haneron verfaßt seine Schrift *De coloribus verborum et sententiarum* (ca. 1475) im Anschluß an Alexanders v. Villa Dei *Doctrinale* und die *Rhet. an Herennius*. Ihm folgen im 16. Jh. Autoren wie Erasmus v. Rotterdam (*De copia verborum ac rerum*, 1512), Johannes Susenbrotus (*Epitome Troporum ac Schematum*, um 1541), Petrus Ramus und Audomarus Talaeus (*Rhetorica*, 1548, eines der meist verbreiteten Rhet.-Lehrbücher) u.v.a. Auch volkssprachliche F. entstehen, wie Kaspar Goldtwurms für die Predigerausbildung bestimmte *Schemata Rhetorica. Teutsch* (1535).

Es zeigen sich die Tendenz zu einer Erweiterung des Figurenbestands (H. Peacham, *Garden of Eloquence*, 1593, nennt über 200 Figuren) und die Bemühung, durch Übersichtstafeln und Figurenstemmata die Lehrbarkeit des Stoffes zu erleichtern. Ein solches Figurenstemma ist z. B. der von C. Mignault edierten Ausgabe der *Rhetorik* von Ramus/Talaeus beigefügt. Es teilt Rhet. in *elocutio* und *pronuntiatio, elocutio* wiederum (nach dem Modell Quintilians) in *tropus* und *figura, tropus* in *metonymia, ironia, metaphora* und *synecdoche, figura* in *figurae dictionis* und *figurae sententiae* (mit jeweils weiteren Verzweigungen) [12. 1291 f.].

Die *Rhetorik* von Ramus/Talaeus ist wirkungsgeschichtlich bedeutsam als konsequente Stilrhet., die die → Argumentationslehre ausklammert, nachdem Ramus diesen Bereich der Rhet. ausschließlich der Dialektik zuwies. Diese auf Sprachgestaltung und Vortrag reduzierte Rhetorikauffassung, die der F. bes. Aufmerksamkeit widmet, begründet die Trad. der »Ramisten«, die sich bes. in England, Deutschland (v. a. in der Barockrhet.: Johann Matthäus Meyfarth, *Teutsche Rhetorica*, 1634) und Frankreich (C. C. Du Marsais, *Les Tropes*, 1730; P. Fontanier, *Manuel Classique pour l'étude des Tropes*, 1821; J. Dubois u. a., sog. »groupe μ«, *Rhétorique générale*, 1970) verbreitet und bis in die Gegenwart fortsetzt.

Ordnungssysteme der Ren.- und Barocktraktate sind weitgehend von ant. Modellen der Figureneinteilung geprägt, z. B. die Unterscheidung von rhet. und gramm. Figuren auf der *Tabula de elocutione et de figuris* von David Chytraeus (um 1570) [13. 1053 f.], erweitern und modifizieren diese aber auch, wie etwa durch die Herleitung von Figuren aus bestimmten Topoi bei Melanchthon (*Elementa rhetorices*, 1531) [7. 103 ff.].

Die für die (insbes. auch volkssprachliche) Dichtungstheorie der Folgezeit wegweisende »Rhetorik-Poetik« des Julius Caesar Scaliger (*Poetices libri septem*, 1561) behandelt in zwei Büchern Sach- und Sprachfiguren (*figurae rerum* bzw. *verborum*), die auf die ant. Unterscheidung von *figurae sententiarum* (sowie Tropen) und *figurae verborum* zurückgehen. Sachfiguren werden nach dem Verhältnis zu ihrem inhaltlichen Gegenstand bestimmt, Sprachfiguren nach den auf das Wortmaterial bezogenen Kategorien *natura/essentia, situs, quantitas, qualitas*, durch die sich z. B. Amplifikations-, Stellungs- oder Klangfiguren erklären lassen [10]. Scaliger ist Vorbild für die F. in den *Commentariorum rhetoricorum libri sex* des Gerhard Johannes Vossius (1609), der wiederum maßgebend die barocke Rhetorikauffassung prägt; Martin Opitz (*Buch der Deutschen Poeterey*, 1634) verweist bezüglich der F. auf Scaliger sowie die lat. Trad. und zeigt (wie Georg Philipp Harsdörffers *Poetischer Trichter*, 1647–1653) die enge Verbindung von Rhet. und Dichtkunst. In Frankreich wird im 17. Jh. die Dichtung als »Zweite Rhet.« gesehen [28].

Bes. Betonung erhalten in der Barockrhet. die Affektwirkung der Figuren und ihre Einsatzmöglichkeiten im Bereich virtuoser Wortartistik (›argutia-Bewegung‹), so etwa in Emanuele Tesauros *Cannocchiale Aristotelico* (1655), das eine Dreiteilung von *figure harmoniche, patetiche* und *ingeniose* aufweist.

Vor dem geistesgeschichtlichen Hintergrund der Aufklärung wandeln sich die Auffassung von Sprache und die damit verbundenen ästhetischen und poetolo-

gischen Konzepte, die auch die F. betreffen. Sprache gilt zunehmend als Ausdruck des Individuums; Individualstil und Natürlichkeitsideal (Ausdruck »echten« Gefühls) werden in der Wirkungstrad. von A. G. Baumgartens *Aesthetica* (1750/1758) anstelle einer normativen poetisch-rhet. Stilistik propagiert (J. G. Hamann, J. G. Herder, K. Ph. Moritz), was die F. im traditionell präskriptiven Sinn unbrauchbar erscheinen läßt. Ein verändertes Figurenverständnis zeigt sich in den neuen Impulsen, die die Figurationstheorie im 17. und 18. Jh. erhält. Die ant. und frühneuzeitliche *ornatus*-Theorie wird nicht mehr als befriedigende Erklärung figürlicher Ausdrucksweise empfunden. Du Marsais, der die weitere Entwicklung der F. in Frankreich wesentlich prägte, sieht Figuren nicht in ornamentaler, sondern zugehörigkeitsanzeigender Funktion (*Les Tropes*, 1730). In der dt. Rhetoriktheorie des 18. Jh. (J. A. Fabrizius, F. A. Hallbauer, K. Ph. Moritz, J. A. Adelung) war die Vorstellung vom emotional-affektischen Ursprung figürlichen Sprechens weit verbreitet. Auf diese Entwicklung deutet bereits Bernard Lamys (*L'art de parler*, 1675) psychologisches Figurenverständnis hin (Zuordnung bestimmter Emotionen zu entsprechenden Figuren) [5. 111 ff.]. So konnten schon J. J. Bodmer (*Critische Betrachtungen über die poetischen Gemählde der Dichter*, 1741) und J. J. Breitinger (*Critische Dichtkunst*, 1740) zu dem Umkehrschluß gelangen, daß nicht schematisierter Figurengebrauch Affekte hervorrufen könne (vielmehr bewirke er einen unnatürlichen Stil), sondern daß Affekte die Ausdrucksform bestimmen. J. G. Sulzer (*Allg. Theorie der schönen Künste*, 1792) befürchtet sogar, ›die verzweifelten Namen und Erklärungen aller Figuren‹ könnten ›Ekel für die Beredsamkeit‹ erzeugen [11. 232]. Selbst ein Befürworter der F. für den Unterricht wie J. C. Gottsched (*Versuch einer Critischen Dichtkunst* ⁴1751) kritisiert die Überforderung der Schüler durch die griech. Terminologie und den insgesamt überschätzten Rang der F. als Ausbildungsdisziplin. Erhalten bleibt die F., eher pragmatischen Zwecken als theoretischer Betrachtung unterworfen, seit dem allg. Niedergang der Rhet. ab der Mitte des 18. Jh. v. a. in einer auf den Schulgebrauch beschränkten Funktion oder wird Gegenstand der Stilistik als eigenständiger Disziplin; hier setzen sich am stärksten ant. Trad. fort.

3. MODERNE

Erst im 20. Jh., im Zuge der Neuentdeckung der Rhet. in den 30er J. (USA) und nach dem Krieg (Europa), zieht die F. wieder theoretisches Interesse auf sich und wird von verschiedenen mod. Wiss. aufgegriffen (v. a. Linguistik, aber auch Kognitions- und Kommunikationsforsch. oder Semiotik, die das Modell der sprachlichen Figuren auf andere Zeichensysteme zu übertragen sucht). In der mod. Rhet. und Literaturwiss. wird die F. als ein begrifflich variables Analysesystem verstanden, im Unterschied zum präskriptiven Anleitungscharakter der ma. und frühneuzeitlichen F. Ant. Figureninventar, Ordnungssystem und Terminologie werden häufig herangezogen, so in H. Lausbergs

Grundlagenwerk für die mod. Textanalyse *Handbuch der lit. Rhet.* (1960), das die ant. F. neu etabliert. Die argumentative Funktion von Figuren, die zwar schon in der Ant. und der Folgezeit erkannt, aber meistens hinter die *ornatus*-Funktion zurückgesetzt wurde, erhält in der mod. Theorie stärkere Bed. gemäß der Auffassung, daß Worte nicht nur einen Gedanken bekleiden, sondern kognitive und sprachliche Vorgänge eng miteinander verwoben sind. Demnach lassen sich Amplifikations- und Argumentationsfiguren unterscheiden und, im Anschluß an das ant. Trichotomiemodell, Substitutionsfiguren (= Tropen), die sowohl zu schmückenden als auch zu argumentativen Zwecken eingesetzt werden [38. 155 ff.]. Einen separaten Schwerpunkt bildet die Metaphernforsch., in der der aristotelische Ansatz metaphorischen Denkens und Sprechens (kreative Leistung, Analogiebildung, Erkenntnissteuerung; vgl. Aristot. poet. 22; rhet. 3,2) vertieft wird.

In mod. Ordnungsmodellen findet sich neben den ant. Kategorien ein breites Spektrum neuer Figurenklassen, in denen Gestalt und/oder Funktion stärker ausdifferenziert werden, was jedoch das seit der Ant. bestehende Taxonomieproblem eher verschärft als löst. Eine explizite Unterscheidung von Wort- und Gedankenfiguren findet z. B. oft nicht mehr statt, wird aber in neuer (linguistischer) Terminologie dennoch weitergeführt. Auch die Trennung von Tropen und Figuren, die zwar durch die rhet. Schultrad. normativ wurde, jedoch schon nicht von allen ant. Theoretikern vollzogen worden war (dazu Quint. inst. 9,1,2), bleibt umstritten. Angeregt durch das Problem der Klassifizierung und die Kritik an der aufzählenden F. (B. Croce, R. Barthes) [20. 446; 17. 218] entstehen in den 60er und 70er Jahren neue Theorien der Figuration, die v. a. linguistischen Ansätzen folgen. Beim Bestreben, Figuren nicht ihrer Form und Funktion nach zu katalogisieren, sondern Modellschemata für ihre Entstehung zu konstruieren, kommt Quintilians lange Zeit unbeachtete Lehre von den Änderungskategorien (inst. 1,5,38) wieder zur Geltung. Die Lütticher »groupe μ« (Hauptvertreter: J. Dubois, J.-M. Klinkenberg) geht von der Annahme einer sprachlichen Nullstufe (*degré zero*) aus, die durch die Operationen (bzw. Änderungskategorien) *suppression, adjonction, suppression-adjonction* und *permutation* figurisiert wird (*Rhétorique générale*, 1970). Figurenklassen werden nach Operationsebenen (Wort, Satz, Bedeutung) in Metaplasmen, Metataxen und Metaseme unterteilt.

Neu in der schematisch-graphischen Darstellung ist die Einbindung von Figuren in ein zweiachsiges Koordinatensystem (»Figurenmatrix«), das jede Figur durch zwei auf systematischer Ebene liegende verschiedene Kriterien zugleich definiert und damit die Ober- und Unterklassen der hierarchisch strukturierten Figurenstemmata ablöst. T. Todorovs *Essai de classification* (in: [43]) bestimmt Figuren auf der vertikalen Achse nach den Kriterien *anomalies* (Verstoß gegen gramm. Regeln) und *figures* (Abweichungen von der »Normalsprache«

ohne Regelverstöße), damit der ant. Unterscheidung von gramm. und rhet. Figuren folgend, und auf der horizontalen Achse durch linguistische Beschreibungskriterien (*son-sens, syntaxe, sémantique, signe-référent*). J. Durand (*Classement général des figures*) [21. 75] bestimmt Figuren auf der einen Achse durch die Art ihrer Beziehung (*relation*) zum Gemeinten (*identité, similarité de forme/contenu, différence, opposition de forme/contenu, fausse homologies/double sens/paradoxe*) und auf der anderen durch die Methode (*opération*) ihres Zustandekommens (*adjonction, suppression, substitution, échange*; vgl. Quintilian). H. F. Plett (*Die Rhet. der Figuren*, 1975, in: [39]) unterscheidet in ähnlicher Weise linguistische Operationen (Addition, Subtraktion, Substitution, Permutation als regelverletzend und Äquivalenz als regelverstärkend) und linguistische Ebenen (phonologisch, morphologisch, syntaktisch, semantisch, graphemisch) zur Bestimmung von Figuren.

Können diese Ansätze als Beispiele mod. Theoriebildung gelten, so bleiben doch auf dem Gebiet der »Gebrauchs« – F. (Schulunterricht, v. a. in den Alten Sprachen; populäre Stillehren) ant. Ordnungs- und Beschreibungskategorien vielfach erhalten.

→ AWl Figuren

→ Argumentationslehre; Barock; Ciceronianismus; Grammatik; Rhetoriklehrbücher; Rhetorikunterricht

QU **1** Albericus v. Monte Cassino, Flores rhetorici, ed. D. M. Inguanez, H. M. Willard, Miscellanea Cassinese 14, 1938 **2** Alexander v. Villa Dei, Doctrinale, ed. D. Reichling, Berlin 1893 (= Monumenta Germaniae paedagogica 12) **3** Eberhard v. Béthune, Graecismus, ed. I. Wrobel (= Corpus grammaticorum medii aevi Bd. 1), Breslau 1887 (Ndr. 1987) **4** Galfried v. Vinsauf, Poetria nova, ed. E. Gallo (mit engl. Übers.), 1971 **5** B. Lamy, l'art de parler, ed. E. Ruhe, 1980 **6** Matthias v. Vendôme, Ars versificatoria, ed. E. Faral, Les arts poétiques du XIIe et du XIIIe siècles, 1924 **7** Ph. Melanchton, Rhet., ed. J. Knape, 1993 **8** Onulf v. Speyer, Colores rhetorici, ed. W. Wattenbach, = SPrAW 1894, 361–386 **9** Robert v. Basevorn, Forma praedicandi, ed. Th.-M. Charland, 1936 **10** J. C. Scaliger, Poetices libri septem, Bd. 2 (mit Figurenindex), ed. L. Deitz, 1994 **11** J. G. Sulzer, Allg. Theorie der schönen Künste, Bd. 2, Ndr. 1967 Abbildungen: **12** s. v. Barock, HWdR 1 **13** s. v. elocutio, HWdR 2

LIT **14** L. Arbusov, Colores rhetorici. Eine Auswahl rhet. Figuren und Gemeinplätze als Hilfsmittel für akad. Übungen an ma. Texten, ³1963 **15** W. Ax, Quadripertita ratio. Bemerkungen zur Gesch. eines aktuellen Kategoriensystems, in: Historiographia Linguistica 13, 1986, 191–214 **16** W. Barner, Barockrhet., 1970 **17** R. Barthes, L'ancienne rhétorique. Aide-mémoire, in: Communications 16, 1970 172–229 **18** D. Breuer, Rhet. Figur, in: Ch. Wagenknecht (Hrsg.), Zur Terminologie der Literaturwiss., 1989 **19** A. Buck et al. (Hrsg.), Dichtungslehren der Romania aus der Zeit der Renaissance und des Barock, 1972 **20** B. Croce, Ästhetik als Wiss. vom Ausdruck und allg. Sprachwiss. (dt. Übers. v. H. Feist, R. Peters), 1930 **21** J. Durand, Rhétorique et image publicitaire, in: Communications 15, 1970, 70–95

22 J. DYCK, Ticht-Kunst. Dt. Barockpoetik und rhet. Trad., ³1991 23 D. FEHLING, Die Wiederholungsfiguren und ihr Gebrauch bei den Griechen vor Gorgias, 1969 24 G. FEY, Das Antike an der mod. Rhet., 1979 25 J. P. FRUIT, The Evolution of Figures of Speech, in: Mod. Language Notes 111, 1988, 501–505 26 M. FUHRMANN, Die ant. Rhet., 1984 27 G. GENETTE, Figures, 1966 28 F.-R. HAUSMANN, Frz. Renaissance-Rhet., in: H. PLETT (Hrsg.), Ren.-Rhet., 1993, 59–71 29 A. HAVERKAMP (Hrsg.), Theorie der Metapher, 1983 30 R. HILDEBRANDT-GÜNTHER, Ant. Rhet. und dt. lit. Theorie im 17. Jh., 1966 31 G. KENNEDY, The Art of Persuasion in Greece, 1963 32 J. KNAPE, s. v. Figurenlehre, HWdR 2, 289–342 33 J. KOZY, The Argumentative Use of Figures, in: Philosophy and Rhetoric 3, 1970, 141–151 34 U. KREWITT, Metapher und tropische Rede in der Auffassung des MA, 1971 35 LAUSBERG 36 P. LEHMANN, Die inst. des Quint. im MA, in: Ders., Erforsch. des MA 2, 1959, 1–28 37 J. J. MURPHY, Rhet. in the Middle Ages, 1974 38 C. OTTMERS, Rhet., 1996 (mit weiterer Lit.) 39 H. F. PLETT (Hrsg.), Rhet., 1977 40 Ders., Textwiss. und Textanalyse, 1975 41 U. SCHINDEL, Die lat. F. des 5. bis 7. Jh. und Donats Vergilkomm., 1975 42 W. TAYLOR, Tudor Figures of Rhetoric, 1972 43 T. TODOROV, Littérature et signification, 1967 44 W. WELTE (Hrsg.), Sprachtheorie und angewandte Linguistik, FS A. Wollmann, 1982 45 F. J. WORSTBROCK et al., Repertorium der artes dictandi im MA, Bd. 1, Von den Anfängen bis um 1200, 1992   SYLVIA USENER

Film   A. GESCHICHTE
B. TYPOLOGIE   C. WIRKUNG

A. GESCHICHTE

Mit Beginn der Stummfilmära am E. des 19. Jh. öffnete sich der Rezeption ant. Inhalte ein neues Feld. Das Medium F. nutzt die Ant. in zweifacher Weise, zum einen in der Form des Zitates [30; 36], d. h. in Anklängen an ant. Namen, Motive oder Ausstattungsgegenstände: So liefern die ant. Tragödie und ihr Chor die Rahmenhandlung für Woody Allens *Mighty Aphrodite* (USA 1995) oder enthält etwa die Komödie *9 to 5* (USA 1980), in der drei Sekretärinnen den Aufstand gegen ihren Chef proben, aristophanische Elemente [1]. Gerade im Genre des Science-Fiction-F. wird die Ant. als das nahe Fremde zu einem Modell für eine unbekannte Zukunft, in der z. B. die Bewohner und Bewohnerinnen im griech. Stil gekleidet sind und ihre Staatsformen an Amazonenstaat oder Gerontokratie erinnern [23]. Zum anderen spielen die F. in der Ant. selbst. Dabei kennzeichnet die filmische Adaption der Ant. eine bis dahin in der Rezeptionsgeschichte ungekannte Mehrdimensionalität: Mit den bildenden Künsten teilt sie nämlich die visuelle Präsenz, mit der Lit., bes. den mod. Romanen, die narrative Kontinuität und seit dem Ton-F. mit der Musik und dem Theaterstück die akustische Präsenz. Da unsere Kenntnisse für viele ant. Lebensbereiche aufgrund des fragmentarischen Überlieferungszustandes lückenhaft sind, müssen Leerstellen mit Vermutungen und Meinungen über die Ant. ausgefüllt werden, um einen Zusammenhang herzustellen [34. 73–74]. Das gilt für den Plot genauso wie für alle Bereiche der Kulisse und des schauspielerischen Handelns, wie z. B. der Gestik. Diese Ergänzungen entwickeln jedoch häufig eine Eigendynamik, die dazu führt, daß sich das filmische Bild der Ant. als neue Version der Ant. in das gesellschaftliche Gedächtnis einschreibt. So bestimmen berühmte Darsteller und Darstellerinnen (bes. der zahlreichen Filmversionen zu Nero und Kleopatra) Vorstellungen über histor. Gestalten und sind als Assoziationen jederzeit abrufbar [27. 35–36]. Die Kulisse des kaiserzeitlichen Rom für *The Fall of the Roman Empire* (USA 1963) galt als derart akkurat, daß sie als Abbildung Roms in eine Sachbuchserie Eingang fand [37. 147]. Daß das filmische Medium bereits im ersten Drittel des 20. Jh. zu einem Massenmedium avancierte, unterstützte diesen Rezeptionsprozeß, der im Fernsehzeitalter durch die Kombination von Wiederholungen berühmter Antik-F. und Fernsehproduktionen zu diesem Themenspektrum noch eine weitere Steigerung und Popularisierung erfahren hat [30].

Die Gattung der Antik-F. entstand bereits im Zeitalter des Stumm-F. ab 1903 in It. [17; 11. 14–16; 31. 403–404], das bald in diesem Genre von den USA eingeholt wurde. Zu den Pionieren gehörten als Regisseure und oft auch Produzenten Giovanni Pastrone, D. W. Griffith und Cecil B. de Mille [2. 916–917, 1020–1024, 1253]. Nach dem 1. Weltkrieg übernahm Hollywood mit Beginn der Tonfilmära die Führung auf diesem Sektor [7; 11]. Da Antik-F. nämlich oft zugleich Ausstattungs-F. waren, verfügten die amerikanischen Studios über eine größere ökonomische Potenz als die it. Filmindustrie. Der grundsätzlichen Beliebtheit dieses Genres in It. tat dies jedoch keinen Abbruch, auch wenn die Produktionen oft weniger aufwendig waren als die amerikanischen Konkurrenzprodukte. Die USA und It. blieben, gefolgt von England, lange Zeit marktführend in diesem Genre.

In den 50er und 60er J., im Zeitalter der Breitwand-F., erlebten die Antik-F. eine regelrechte Hausse [7; 11; 14; 31], die unter dem Eindruck des gesellschaftlichen Modernisierungsschubs der 70er J. zum Erliegen kam. Aufgrund der sich seit den 90er Jahren weiter ausbreitenden Zahl der Privatsender und der damit verbundenen Ausstrahlung alter Produktionen durch das Fernsehen und durch die gestiegenen Videoveröffentlichungen sind die Antik-F. jedoch nicht in Vergessenheit geraten, sondern erreichen im Gegenteil ein zahlenmäßig größeres Publikum. Am E. des 20. Jh. deutet sich gerade auf dem Sektor der Fernsehproduktionen wieder ein neues Interesse an der Verfilmung insbes. mythischer Stoffe griech. Herkunft an, wie die aufwendige Verfilmung des Odysseusmythos (*Homer's Odyssey*, 1996) als engl.-türk.-maltesische Produktion unter der Regie Andrei Konchalovskys mit hochkarätiger Besetzung belegt.

Die wiss. Auseinandersetzung mit dem Genre fand urspr. nur in den Filmwiss. statt [7; 11; 14; 31]. War lange Zeit der Blick auf die Ant. gekoppelt mit einer Vorstellung einer normativen → Klassik, der das als populär verstandene Filmgenre nicht genügte, so hat sich mittlerweile die Perspektive geändert. Gerade in den angloamerikanischen Altertumswiss. und hier bes. auf dem Gebiet der Philol. sind die F. als Medium der Rezeption ant. Inhalte in der neueren Forsch. in den Mittelpunkt des Interesses gerückt [19; 20; 21; 36; 38] und finden auch Verwendung im Rahmen der Fachdidaktik [5; 6]. Dabei ist die Fragestellung häufig eine zweigeteilte, nämlich welche Auskunft die filmische Adaption der Ant. über die jeweilige Gegenwart und ihre soziale, ökonomische und polit. Interessenslage gibt und was sie zum heutigen Bild der Ant. beiträgt [38].

B. TYPOLOGIE

Da es für die F., die ant. Inhalte abhandeln, keine einheitliche, alle Typen umfassende Notation gibt, wird in diesem Artikel der Oberbegriff Antik-F. [24] gewählt. Der Großteil der Antik-F. wird im angloamerikanischen Bereich der Gattung der *epics* zugerechnet [7; 11]. In Anlehnung an den ant. Eposbegriff sind damit monumentale Filmwerke gemeint, die heldenhaftes Handeln mythischer und histor., nicht nur ant., sondern auch späterer histor. Epochen sowie den Themenkreis der Bibel in epischer Breite abhandeln [7. 1–24; 11. 29–46]. Dabei zeigt sich der Anspruch des *genus grande* sowohl in der Ausstattung und Umsetzung der F. (Massenszenen, Kostümierung und Kulissen, pathosgeladene Musik und im angloamerikanischen Sprachbereich Anlehnung an den Shakespeareschen Sprachduktus) als auch bei deren Präsentation im Kino (Überlänge, Pausen, spezielle Premieren, hohe Eintrittspreise, opernartige Vor- und Zwischenmusik und Opernlänge [38. 120]), entsprechende Epitheta bei der Werbung für die F.: ›The Mightiest Story of Tyranny and Temptation Ever Written – Ever Lived – Ever Produced‹ für den F. *The Silver Chalice*, 1954 [27. 27; 14. 47–48]; auch die dt. Fernsehwerbung für *Homer's Odyssey* spricht von ›einer TV-Produktion der Superlative‹.

Der jeweilige Fortschritt in der Filmtechnik, wie die Entwicklung des Kamerawagens oder der Breitwand [11. 22], war die Grundlage für diese Monumentalität, die häufig noch die Produktionsphase begleitete. So wurde die Kleopatraverfilmung mit Richard Burton und Liz Taylor dem epischen Anspruch durch lange Drehzeiten, ruinöse Kosten für 20th Century-Fox und spektakuläre Skandale der beteiligten Crew mit bis dahin ungeahnter Popularität in Radio, Fernsehen und Printmedien gerecht: In der Affäre zw. Burton und Taylor schienen sich die Grenzen zw. neuzeitlichen Darstellern und histor. dargestellten Personen zu verwischen [3; 4; 33; 38. 100–105].

Neben der Klassifizierung der Antik-F. nach ihren Stilmerkmalen gibt es auch die Bezeichnung nach der Kostümierung. Umgangssprachlich wird daher im dt. Raum von Sandalenfilmen [24] gesprochen, während im angloamerikanischen Sprachgebrauch auch noch die Bezeichnung *Peplum*, als latinisierte Form des griech. Wortes für das Frauenobergewand (*péplos*), existiert [7. 21]. Gängige Klassifizierungen der *epics* nennen folgende Typen: moralisch-rel., bes. Bibelfilme, nationale – etwa amerikatypische F. wie *Birth of a Nation* (USA 1915) und *Gone with the Wind* (USA 1939) – und histor. *epics*, zu denen dann neben Antik-F. wie *Alexander the Great* (USA 1956), *Spartacus* (USA 1960) oder den verschiedenen Kleopatra-F. auch histor. F. neuerer Epochen wie *Lawrence of Arabia* (GB 1962) oder *El Cid* (USA/Spanien 1961) gehören [7; 11].

Grundlage für die Bibel-F. sind Motive und Erzählungen des AT und des NT (*The Ten Commandments* USA 1957; *Samson and Delilah* USA 1950; *The Prodigal* USA 1955; *King of the Kings* USA 1960) [16; 28. 80–126], während die histor. Antik-F. häufig Romane des 19. Jh., wie *Quo Vadis* von Henryk Sienkiewicz (1894–1896), Edward Bulwer-Lyttons *The last days of Pompeii* (1834) und Lewis Wallaces *Ben Hur* (1880) als Skriptvorlagen haben [38. 28, 112–140, 150–173]. Die histor. Epochen [28. 141–165] umfassen neben der Geschichte des vorderen Orients (*Io, Semiramide* It. 1962; *Land of the Pharaohs* USA 1955; *The Egyptian* USA 1954) vornehmlich Griechenland und Rom und in der röm. Geschichte schwerpunktmäßig den Konflikt zw. röm. Staat und frühen Christen (*The Sign of the Cross* USA 1932; *Ben Hur* USA 1959; *Quo vadis* USA 1951; *The Robe* USA 1953; *Silver Chalice* USA 1954) [28. 126–140].

Ferner gehören zur Gattung der Antik-F. die unter dem Sammelbegriff des Neomythologismus [24. 83–90; 31] gefaßten F., die ant. Mythen und Sagen Griechenlands und Roms oft in sehr freier Umgestaltung wiedergeben; so figurieren der griech. Heros Herakles, die Kunstfigur Maciste oder Samson in den it. Verfilmungen der 50er und 60er J. als Volkshelden im steten Kampf gegen das Böse, das irgendwo östl. von Griechenland auch in anderen Zeiten als der Ant. situiert ist (z. B. *Maciste alla Corte dello Zar* It. 1964) [7. 81–84; 17. 174–175; 28. 191–201]. In den 80er J. wird Herkules fast zu einer Fantasy Figur (*Hercules in New York* USA/It. 1982), um in den 90er J. als Zeichentrickfigur der Disney Studios (*Hercules* USA 1997) wiederzukehren.

Röm. Frühgeschichte aus der Zeit des Hannibalkrieges wird in *Jupiter's Darling* (USA 1955) mit Esther Williams in der Hauptrolle der Amytis, die sich als Verlobte des Fabius Maximus in Hannibal verliebt, zu einem Musical mit Schwimmszenen. Eine Karikierung erfährt das Genre der Antik-F. in der eigenwilligen Version der Jesus-Geschichte von der engl. Komiker-Truppe Monty Python (*The Life of Brian* GB 1979) und die Geschichte der Kleopatra in der ebenfalls britischen Reihe der Carry-On-Filme (*Carry on Cleo* GB 1965) [28. 180–190].

Von diesen Verfilmungen heben sich diejenigen Antik-F. ab, die als lit. Vorlagen ant. Lit. (Trag., Epos, Roman, Historie) [28. 166–179] oder neuere Verarbeitungen ant. Motive wie Theaterstücke Shakespeares oder Shaws haben [7. 89–93, 99–102]. Hier sind bes. die Verfilmung der Euripides-Trilogie (*Elektra/The Trojan Women/Iphigenia*) durch Michael Cacoyannis [19; 20; 21] und die Arbeiten Pier Paolo Pasolinis, *Medea* (1970) und *Edipo Re* (1967), und Federico Fellinis *Satyricon* (1969)

[32] zu nennen, in denen entgegen einem popularisierten, klassizistischen Antikebild die Ant. als fremd, bedrohlich, häßlich und oft obszön charakterisiert wird.

Diejenigen Antik-F., die nach mod. Vorlagen gestaltet sind, haben in der Regel unabhängig von der Historizität ein Plot, dessen wesentlicher Kern eine Liebesgeschichte mit Happy-End ist. Der Typos des epischen Heros und der Heroine ist dabei nach strengen geschlechtsspezifischen Konventionen gestaltet. Der Hauptakteur ist in der Regel mutig und schweren Proben und Aufgaben gewachsen, die gute Heldin eher schutzbedürftig und edel. Frauenfiguren wie etwa ant. Herrscherinnen, die mit diesen geschlechtsspezifischen Konventionen brechen, werden sehr ambivalent – oft als *femme fatale* – porträtiert und in der Regel am E. des F. wieder auf ihre Rolle als liebende Frau reduziert oder müssen heroischen Verzicht auf Liebe und oft sogar auch auf ihr Leben leisten [11. 103–112; 12; 34. 84–89].

Neben diesem Rollenverhalten entspricht auch die Darstellung der Körperlichkeit in diesen F. traditionellen Geschlechtsdefinitionen: Die Mehrzahl der Männer ist muskulös und schaut in den weniger anspruchsvollen Verfilmungen auf eine Karriere als Mister Universum zurück [12. 70], während die Darstellerinnen ant. Frauen, bes. im it. Kino, über Schönheitswettbewerbe zum F. kamen [2. 313]. Die Kostümierung und Frisuren der Frauen bieten häufig eine an den mod. Modegeschmack angepaßte Version der ant. Mode und zudem einen hohen Grad an Erotisierung [8. 235; 25; 26; 34. 83]. Zu den Standardmotiven jenes Genres gehört daher auch der Bauchtanz der weiblichen Haupt- oder Nebenfiguren, die in der Regel mit Bikinioberteilen und haremsartigen Hosen oder Schlitzröcken bekleidet sind (*The Prodigal* USA 1955; *Cleopatra* USA 1934; *The Serpent from the Nile* USA 1953; *Le Legioni di Cleopatra* It./Frankreich 1959; *Cleopatra* USA 1963; *Quo vadis* USA 1951; *Nel segno di Roma* It./Frankreich/BRD 1958; *La vendetta dei barbari* It. 1960; *Teodora, imperatrice di Bisanzio* It. 1954) [34. 80].

Diese Form der Erotisierung verweist auf ein anderes Charakteristikum der Antikerezeption im F.: die Orientalisierung. Dabei ist es unerheblich, ob die Handlung des jeweiligen F. im Vorderen Orient oder in der östl. Hemisphäre des Röm. Reiches angesiedelt ist oder nicht. Vielmehr fungiert hier ein bestimmtes neuzeitliches Orientbild türk.-arab. Prägung als Chiffre für Dekadenz, die in der ant. Geschichte jederzeit und an verschiedenen Orten angesiedelt werden kann [34. 77–83]. Gerade das bes. in der Malerei des 19. Jh. mit vielen Details üppig gestaltete Orientbild hat hier Pate für die Ausstattung und Kostümierung gestanden [13]. Der für den oriental. Stil bestimmter → Opern des 19. Jh. mit Themen wie »Aida« so typische Exotismus hat ebenfalls in die Filmbranche Eingang gefunden [9]. In Ermangelung ant. Themen und wegen vornehmlich nur bildlicher Kenntnis der Instrumente wird die mod. Version ant. Musik in der Art von Janitscharenmusik oder nach romantischen Themen bzw. als pompöse Marschmusik

gestaltet, eine Trad., mit der erst Versuche einer Ethnomusik bei Pasolini und Fellini brechen [29].

Mit der Körperlichkeit geht eine auffällige Brutalisierung der Filmhandlungen einher, die versteckt unter der Thematik des ant. F. das Verlangen des zeitgenössischen Publikums nach schlagkräftigen Szenen und Mißhandlungen – wie deutlich an den Gladiatorenszenen aus *Spartacus* (USA 1960) – befriedigt und zuweilen gerade bei der Zurschaustellung des männlichen Körpers verdeckte homoerotische Schaulust zufriedenstellt [12; 14. 49–50; 31. 407]. Zu den topischen Elementen des Antik-F. gehören des weiteren Wagenrennen (*Cleopatra* 1934; verschiedene Versionen des Ben Hur-Themas, *Teodora, imperatrice di Bisanzio* It. 1954; Karikatur in dem nach Stücken des Plautus gestalteten F. *A Funny Thing happened on the Way to the Forum* USA 1966) und die Voice-of-God, damit ist die männlich-sonore Stimme eines quasi überzeitlichen Kommentators aus dem sog. Off gemeint, der das Geschehen einleitet, abschließend kommentiert und damit dem Inhalt des F. Autorität verleiht [27. 25, 34–35].

C. WIRKUNG

Der Erfolg, den das Genre der Antik-F. in der Phase zw. den zwei Weltkriegen und nach dem II. Weltkrieg hatte, läßt sich mit zweien seiner Wirkungsweisen erklären: Eskapismus und Identifikation. Dadurch, daß die F. das Publikum in eine andere Zeit und an einen anderen Ort voller Farbenpracht entführten, boten sie Ablenkung von Alltagsproblemen. Die Erotisierung bes. der weiblichen Hauptrollen ermöglichte überdies eine geschickte Umgehung der Zensur, die in den beiden Hauptproduktionsländern der Antik-F., in It. und den USA, sehr streng war. In It. überwachte bes. die katholische Kirche Sexualmoral im F. jener Epoche, die gleichzeitig bes. in ländlichen Gegenden Sittenrichterin und Kinobesitzerin war [15. 13–14; 24. 84]. In Hollywood dagegen hatte man sich in den 30er J. auf den bis in die 60er J. gültigen sog. Production Code geeinigt, eine durch den Druck gesellschaftlicher Interessensverbände (katholische Kirche und andere rel. Kreise) initiierte Selbstzensur der Filmstudios [2. 775–776]. Diesem Code zufolge war u.a. die Darstellung eindeutig sexueller Handlungen verboten, ferner sollte das intakte Familien- und Eheleben propagiert werden. Auch war die Abbildung von Doppelbetten untersagt [22. 276–277]. Ant. Frauengestalten wie Kleopatra, die im Rezeptionsprozeß der Lit. und bildenden Künste seit der Ant. längst zu einer Chiffre für Verführung und Ehebruch geworden waren, eigneten sich somit vortrefflich als filmische Projektionsfläche für erotische Phantasien, die keine Gefahr für die zeitgenössische Moral darstellten, da sie schließlich einer fremden Epoche entstammten [10; 35]. Das gleiche gilt für das Motiv der Dekadenz (z.B. Tafelluxus und höfische Gelage) oder die großen Sünderinnen der Bibel (wie etwa die Tempelpriesterin Samarra in *The Prodigal* oder Delilah).

Für Südeuropa trugen die Antik-F. zur Stärkung der nationalen und kulturellen Identität bei, wie an der führenden Rolle It. auf diesem Filmsektor allg., aber auch im bes. bereits in der Stummfilmzeit am Erfolg von *Cabiria*, der Verfilmung der röm.-karthagischen Konfrontation, zu sehen ist [7. 81–84]. Aber auch die rumänischen Produktionen über die Daker als die Protorumänen (*Kampf der Titanen gegen Rom* 1966; *Der Tyrann* 1968) zeigen diese nationale Traditionslinie, mit der sich die Favorisierung ma. Sagenkreise in engl. und dt. Ritterfilmen im epischen Stil vergleichen läßt [7. 136–159; 24. 94–96]. Die Verfilmung der Euripides-Trilogie (*Elektra/The Trojan Women/Iphigenia*) lag – obwohl der zweite Teil eine internationale Co-Produktion war – in griech. Händen: Regie führte der Zypriot Michael Cacoyannis, die Besetzung war größtenteils griech., und die Filmmusik von *Elektra* stammte von Mikis Theodorakis [28. 168–170; 18. 844]. In den USA leisteten dagegen Bibel-F. und die *epics*, die Christen im Kampf gegen das röm. Imperium zeigen, ihren Beitrag zur Schaffung einer kulturellen Identität, die auf Christentum und Demokratie gründet [14. 49; 16; 24. 78–79; 37. 140]. Das bes. Interesse, das sowohl Amerika als auch England für die Thematik des Röm. Kaiserreiches aufbringen, ist die in der eigenen Geschichte wurzelnde Faszination für den Werdegang von Imperien und ihre mögliche Bedrohung [38]. Daneben enthalten die F. auch verdeckte Botschaften, wie die Darstellung der multikulturellen röm. Gesellschaft in der Rede des filmischen Marc Aurel in *The Fall of the Roman Empire*, die das amerikanische Konzept der *great society* im Rahmen der Bürgerrechtsbewegung während der Präsidentschaft Lyndon B. Johnsons widerspiegeln, oder Anspielungen auf den Kalten Krieg [37. 145 f.]. Die in der ungekürzten Fassung von *Cleopatra* 1963 propagierte Idee einer Welteinheit in Nachfolge Alexanders des Gr. deutet die amerikanische Hoffnung auf eine Lösung des Antagonismus zw. NATO und Warschauer Pakt an [38. 100], während sich die Vorstellung eines korrupten Ostblocks in vielen F. trefflich in dem Bild eines neuzeitlichen türk.-arab. überformten und uminterpretierten ant. Orients widerspiegelt. Gerade das weibliche Publikum lehrt der Antik-F. der Nachkriegszeit die Wichtigkeit der Lebensaufgabe »Frau« (seltener der »Mutter«) und wird so ein Mittel zur Sozialdisziplinierung der Frauen mit gleichzeitigem Identifikationsangebot (Typ der normenkonformen Frau) [34. 84–89].

Nicht gering veranschlagt werden darf das ökonomische Interesse, das hinter dem Geschäft mit der Ant. steht. Die Filmindustrie ist im Vergleich zur Rezeption und Vervielfältigung ant. Inhalte in verschiedenen Medien vorangegangener Epochen ein wirkmächtigerer Multiplikator. So zog *Cleopatra* 1934 einen regelrechten Werbefeldzug nach sich: Es gab in den Staaten Kaufhauskampagnen mit separaten Abteilungen und Schaufenstern, in denen für Kleidungsstücke und Toilettenartikel im Stil des F. geworben wurde. Zielgruppe einer solchen Werbung war der weibliche Teil der Bevölkerung als Initiativkraft für den Kinobesuch und gleichzeitig als Konsumentinnen. Eine Prozedur, die

sich bei *Cleopatra* 1963 wiederholte: Bes. die Printmedien, allen voran *Vogue* [10. 121–124; 38. 102], setzten Maßstäbe für eine durch Liz Taylor repräsentierte Mode à la Kleopatra, die Liz Taylor wiederum verstärkte, indem sie ihrer Kostümbildnerin den Auftrag erteilte, für ihre Hochzeit mit Richard Burton eine Kopie eines Filmkostüms anzufertigen [26. 44]. Im Gefolge des Kino-F. wird die Ant. von der → Werbung anderer Branchen für ihre Zwecke instrumentalisiert, und die weiblichen Figuren werden aus marktstrategischen Gründen erotisiert. Aber auch die it. low-budget-Filme spielten hohe Gewinne ein, nicht zuletzt durch ihre zahlreichen Aufführungen im In- und Ausland (vgl. die zeitgenössischen dt. Filmprogramme *Illustrierte Film-Bühne* oder *Das Neue Film-Programm*) [31. 403]. Die Tatsache, daß der neuzeitliche Filmheld in *The English patient* (USA 1996) eine Ausgabe der *Historien* Herodots mit sich führte, um aus ihnen zu zitieren und Briefe darin aufzubewahren, führte in den USA sogar zu einem Boom in der Nachfrage nach dem Werk dieses ant. Historikers.

1 J. BARON, 9 to 5 as Aristophanic Comedy, in: M. M. WINKLER (Hrsg.), Classics and Cinema, 1991, 232–250 2 L.-A. BAWDEN (Hrsg.), Rororo Filmlex., 6 Bde., dt. Ausg. hrsg. v. W. TICHY, 1978 = The Oxford Companion to Film, 1976 3 J. BEUSELINK, Mankiewicz's Cleopatra, in: Films in Review 39, 1989, 2–17 4 J. BRODSKY, N. WEISS, The Cleopatra-Paper. A Private Correspondence, 1963 5 J. CLAUSS, A Course on Classical Mythology in Film, in: CJ 91, 1996, 287–295 6 A. COLLOGNAT, L'antiquité au cinéma, in: Bulletin de l'Association Guillaume Budé 1994/1995, 332–351 7 D. ELLEY, The Epic Film. Myth and History, 1984 8 P. W. ENGELMEIER (Hrsg.), F. und Mode – Mode im F., 1990 9 R. GULRICH, Exotismus in der Oper und seine szenische Realisation (1850–1910) unter bes. Berücksichtigung der Münchener Oper, 1993 10 M. HAMER, Signs of Kleopatra. History, politics, representation, 1993 11 F. HIRSCH, The Hollywood Epic, 1978 12 L. HUNT, What Are Big Boys Made Of? Spartacus, El Cid and the Male Epic, in: You Tarzan. Masculinity, Movies and Man, hersg. von K. PAT, J. THUMIN, 1993, 65–83 13 R. KABBANI, Mythos Morgenland, 1993 14 H. P. KOCHENRATH, Von Quo Vadis bis Kleopatra, in: Filmstudio (März) 1964, 46–56 15 H. KOPPEL, f. in it. – it. im f., 1970 16 TH. KUCHENBUCH, Bibel und Gesch. – Zum rel. F.: Die Zehn Gebote (The Ten Commandments, 1957), in: Fischer Filmgesch. Bd. 3, hrsg. v. W. FAULSTICH, H. KORTE, Auf der Suche nach den Werten 1945–1960, 1990, 299–330 17 P. LEPROHON, The Italian Cinema (engl. Übers. v. R. GREAVES und O. STALLYBRASS), 1966 18 Lex. des Internationalen F. Das komplette Angebot in Kino und Fernsehen seit 1945, bearb. v. K. BRÜNE, 10 Bde., 1987 19 K. MACKINNON, Greek Tragedy into F., 1986 20 M. McDONALD, Cacoyannis vs. Euripides: From Tragedy to Melodrama, in: Drama, Beiträge zum ant. Drama und seiner Rezeption 2, 1993, 222–234 21 Dies., Euripides in Cinema: The Heart made Visible, 1983 22 J. MONACO, F. verstehen. Kunst, Technik, Sprache, Gesch. und Theorie des F. und der Medien. Mit einer Einführung in Multimedia (überarb. und erweiterte Neuausgabe), 1995 23 K. M. PASSMAN, The Classical Amazon in Contemporary Cinema, in: Classics and Cinema, hrsg. v. M. M. WINKLER, 1991, 81–105

24 Programm Roloff und Seeßlen: Der Abenteurer. Gesch. und Myth. des Abenteuer-F., hrsg. von CH. FRITZE, G. SEESSLEN, C. WEIL, 1983 (bes.: Sandalen und Muskeln: Der Antikfilm, 66–97) 25 H. SCHLÜPMANN, Politik als Schuld, Zur Funktion des histor. Kostüms in Weiblichkeitsbildern der F. Maria Ilona (1939) und Königin Luise (1956), in: Frauen und F. 38, 1985, 46–57 26 I. SHARAFF, Les costumes de Cléopâtre, in: Positif 193 (Mai-Ausg.), 1977, 42–47 27 V. SOBCHAK, Surge and Splendor: A Phenomenology of the Hollywood Historical Epic, in: Representations 29, 1990, 24–49 28 J. SOLOMON, The Ancient World in the Cinema, 1978 29 Ders., The Sounds of Cinematic Antiquity, in: Classics and Cinema, hrsg. v. M. M. WINKLER, 1991, 264–281 30 Ders., In the Wake of Cleopatra: The Ancient World in the Cinema since 1963, in: CJ 91, 1996, 113–140 31 V. SPINAZZOLA, Herkules erobert die Leinwand, in: Filmkritik 8, 1964, 402–408 32 J. P. SULLIVAN, The Social Ambience of Petronius' Satyricon and Fellini Satyricon, in: Classics and Cinema, hrsg. v. M. M. WINKLER, 1991, 264–281 33 W. WANGER, J. HYAMS, My life with Cleopatra, 1963 34 A. WIEBER-SCARIOT, Herrscherin und doch ganz Frau – Zur Darstellung ant. Herrscherinnen im F. der 50er und 60er J., in: metis 7, 1998, 73–89 35 D. WILDUNG, Mythos Kleopatra, in: Kleopatra. Ägypt. um die Zeitenwende, 1989, 13–18 36 M. M. WINKLER (Hrsg.), Classics and Cinema, 1991 37 Ders., Cinema and the Fall of Rome, in: TAPhA 125, 1995, 135–154 38 M. WYKE, Projecting The Past: Ancient Rome, Cinema and History, 1997 39 P. DREXLER, Zur Funktion des Chors und chorischer Elemente in den F. Woody Allens, in: P. RIEMER, B. ZIMMERMANN (Hrsg.), Der Chor im ant. und mod. Drama, 1998, 247–270.

ANJA WIEBER-SCARIOT

Fin de siècle   A. EINLEITUNG

B. FUNKTIONEN UND BILDER DER ANTIKE
C. PHILOSOPHIE UND PSYCHOLOGISCHE SCHULEN

A. EINLEITUNG

In der zweiten H. des 19. Jh., ausgehend von der ästhetischen Umorientierung in der frz. Décadence (→ Dekadenz), findet in der Literaturepoche des F. eine paradigmatische Umwertung jenes weitgehend einheitlichen (Vor-)Bildes der Ant. statt, das die frz. und dt. Klassik, insbes. Goethe und Winckelmann, befestigt hatten und das gleichwohl in weiten Teilen der (etablierten bzw. offiziellen) Kultur Europas fortbestand. Die allg. Rezeptionssituation war dabei grundlegend von der des ausgehenden 18. Jh. verschieden: die human. Gymnasialbildung (→ Humanistisches Gymnasium), das öffentliche Museumswesen (→ Museum), die arch. Berichte H. Schliemanns und W. Dörpfelds von Ausgrabungen in → Troja, Tiryns, → Orchomenos und → Knossos, die historistisch-positivistische Alt-Philol. (sowie ihre gymnasialprofessorale Vereinskultur) und Religions-Wiss., die ideelle Verknüpfung etwa des hohenzollerischen Kaiserhauses mit dem ant. Kaisertum (Wilhelminische Stadtplanung, Architektur und Denkmalkunst, histor. Inszenierung und Festzugskultur z. B. bei der Rekonstruktion der → Saalburg [9]), der histor. Roman (z. B. F. Dahns *Kampf um Rom*, L. Wallaces *Ben Hur*, 1880, H. Sienkiewiczs *Quo vadis?*, 1895/96) und das histor. Drama (z. B. H. Ibsens *Kaiser und Galiläer*, 1883, R. Spechts *Das Gastmahl des Plato*, 1893, L. Ebermanns *Die Athenerin*, 1896), die zahlreiche Gelehrten- und Professorenprosa, die ant.-myth. Szenen in den Schaubuden der Jahrmärkte und Volksfeste (vgl. [8]) – dies alles verschaffte sowohl dem ant.-myth. Themen- und Figurenfundus als auch dem histor. Detailwissen über die Ant. eine größere Präsenz im kulturellen Bewußtsein sehr viel breiterer Bevölkerungskreise und -schichten als jemals zuvor [11]. Die ant. Thematik kann demnach als Bezugs- und Hintergrundwissen vorausgesetzt werden.

B. FUNKTIONEN UND BILDER DER ANTIKE

Der Vielfalt an »Archiven« und Überlieferungsmedien des Ant. entspricht zwar durchaus eine enorme Vielfalt in der Weise, wie Ant. »vertextet« wird: als Bestand myth. Erzählungen und Stoffe, als myth. gestalteter Erzählraum, in dem lyrisches, dramatisches oder narratives Geschehen abläuft, als histor. Arsenal von realen oder halb-realen ant. Gestalten und Figuren, als histor. Raum, als Lit.-Archiv, schließlich als stilistische Kategorie und lit. Verfahren; aber der Omnipräsenz des Ant. entspricht keineswegs eine Homogenität dessen, was aus der Ant. und *als* Ant. aufgerufen wird: Für die etablierte Kunst und Kultur ist die Ant. exotischer Fluchtort für die beklemmende bürgerliche Zivilisation des zweiten frz. wie dt. Kaiserreiches, des Josefinismus oder des viktorianischen Zeitalters, d. h. die Ant. besitzt kompensatorische und identifikatorische Funktion; oder sie dient der Legitimation monarchischer Reichsformen und imperialistischer Machtansprüche; oder als Spiegelbild moralisierender Doktrin. In dieser Hinsicht erscheint die Mod. als Ant.

Dagegen entwerfen die Décadence- und die F.-Lit. im Verbund mit der (zumeist) nicht-akad. Philos. (J. J. Bachofen, J. Burckhardt, F. Nietzsche, E. Rohde, W. Pater) und Psychologie (P. Bourget, S. Freud, J. Breuer) ein neues, anderes Ant.-Bild; d. h., die radikale Mod. (den Naturalismus ausgenommen) setzt sich nicht in einer neuerlichen → Querelle des Anciens et des Modernes gegen die Ant. ab: hier erscheint vielmehr die Ant. als Mod., wobei die »Avantgarde« des F. weder ausschließlich noch homogen auf »die Ant.« zurückgreift.

Zwei Grundfiguren lassen sich erkennen: einerseits wird – dies gilt v. a. in Frankreich und England – im dekadenten Horizont einer »schwarzen« Ant. das röm. Imperium zum myth. Raum grausamer Verbrechen (Tiberius, Messalina, Caligula, Nero, Elagabal, die Mutter-Tochter-Dyade Herodias/Salomé, der Tetrarch Herodes Antipas), ästhetizistisch übersteigerter Sinnenhaftigkeit und Liebesmysterien und damit zur Allegorie einer selbst für dekadent befundenen Gegenwart sowie zur poetologischen Allegorese lit. Verfahren, die zunächst kritisch, dann mit Blick auf die Nobilitierung des eigenen lit. Standpunktes affirmativ an den nachrepublikanischen Autoren beobachtet werden (Petron, Juvenal, Apuleius, Lukian, Tacitus, Martial, Sueton).

Neben dieser (in der Forsch. rasch topisch gewordenen) Adaption der »dekadenten« Ant. darf nun keineswegs ein zweiter Zugang übersehen werden. Insofern man sich um die Freilegung (oder Stilisierung) der aus dem klass. Imaginationsmuster der Ant. verdrängten »wilden«, subversiven (G. Flaubert), rauschhaft-dionysischen (Nietzsche, Rohde), heraklitischen (W. Pater, A. Symons), »hysterischen« (H. Bahr, H. v. Hofmannsthal) und kult.-paganen Anteile (St. George und die Münchner Kosmiker) bemüht, aktiviert man die Ant. als das Andere der Mod., und dies mit dem Ziel, sich aus diesem Anderen zu erneuern.

Schon Flauberts Roman *Salammbô* (1862) über den pun. Söldnerkrieg emanzipiert sich von dem Mythenfundus der zeitgenössischen Leser, indem er mit Karthago eine aus dem histor. wie poetischen Gedächtnis getilgte Randzone der Ant. erschließt. Mit seinen Massenszenen entfesselter Dekadenz, der Darstellung grauenhafter Perversionen und Rituale schafft er den »künstlichen Paradiesen« Baudelaires ein episches Pendant; zugleich aber wird in der Figur der durch den Widerspruch zw. ihrer Sinnlichkeit und hohepriesterlicher Idealisierung neurotisierten Salammbô ein Frauentypus geschaffen, der, zahllos variiert (z. B. in St. Mallarmés *Hérodiade*, 1864, Flauberts *Hérodias*, 1877, J.-K. Huysmans' Beschreibung von Moreaus Bildkomposition *Salomé* und *Die Erscheinung*, 1878, in *À Rebour* 1884, P. Hilles *Herodias*, 1893, R. Schaukals *Herodes und Salome*, 1897), nach vielen Metamorphosen typologisch zu O. Wildes grausam-nymphomanischer Kindfrau *Salome* (1892) führt.

Nietzsches *Geburt der Tragödie* (1872) setzt das Bemühen um eine mehr archa. (Bevorzugung der sophokleischen vor der euripideischen Tragödie), rauschhafte und mithin subversive Ant. fort. Die bereits in der Romantik, dann von Bachofen hervorgehobene Opposition zw. Dionysos und Apollon reformuliert Nietzsche einerseits als ästhetischen Gegensatz zweier grundlegender Gestaltungsprinzipien, und zwar in der für das F. typischen Duplizität von Dekomposition und Rekomposition. Andererseits steht das Dionysische gegen die im Apollinischen angelegte moralische Tendenz der jüd.-christl. Trad. und die Überbewertung der Vernunft. Rohdes religionswiss. Werk *Psyche, Seelenkult und Unsterblichkeitsglaube bei den Griechen* (1890–1894) verteidigt Nietzsches Intuition gegen die harsche Kritik aus dem Lager der universitären Altphilol. (insbes. U. v. Wilamowitz-Moellendorf). Seine Darstellung der Mysterien von Eleusis und des Dionysos sind für die nachfolgende Generation von Schriftstellern maßgeblich geblieben (vgl. etwa Th. Manns *Tod in Venedig*, 1911/12).

C. Philosophie und psychologische Schulen

Ähnlich fundamental wie im Frühwerk Nietzsches sind im Pandynamismus der Paterschen Lebensphilos. die Bezüge auf die griech. und röm. Ant.: aus der vorsokratischen Physik des Empedokles und des Heraklit sowie den Lehren Epikurs und Lukrezens entwickelt Pater in seiner *Conclusion* (zu den *Stud. in the History of the Ren.*, 1873, zuerst als Schlußteil der Rezension zu W. Morris veröffentlicht [7]), die hedonistische Ästhetik und Ethik einer rein subjektiven Begründung von Wahrnehmen und Handeln ›for the moment's sake‹ (vgl. den Roman *Marius the Epicurean*, 1885, die ins MA verlegte und mit einem sprechenden Namen versehene Dionysos-Zagreus-Figur des Denys l'Auxerrois aus den *Imaginary Portraits*, 1887, *Plato and Platonism*, 1893, *Greek Studies*, 1895, darunter *A Study of Dionysos. The Spiritual Form of Fire and Dew*). Symons erprobte die einerseits an Paters Augenblicksphilos., andererseits an der frz. Dekadenz-Lit. (insbes. Huysmans) orientierte [12] impressionistische Stimmungsästhetik (*mood*) in dramatischer und lyrischer Form wiederum an bekannten ant. Stoffen (z. B. die lose Szenenfolge *Images of Good and Evil*, 1900, das Nero-Drama *The Death of Agrippina*, 1916); und Wilde zieht aus Paters Position seine Rechtfertigung des immoralistischen Ästhetizismus.

In der Wiener Mod. gerät die Ant. in den Kontext von Traumatologie und Traum, Psychoanalyse des Unbewußten und dem Nervös-Pathologischen (»Nervenkunst«) bzw. Hysterischen. Ein herausragendes Beispiel für die traumhafte Ant.-Adaption ist R. Beer-Hofmanns ausufernde Vision einer kult. Tempelprostitution (*Der Tod Georgs*, 1900). In Freud/Breuers *Stud. über Hysterie*, 1895, Freuds Entwicklung einer »kathartischen« Therapie im Begriffsfeld der ant. Myth. und A. von Bergers Kritik an der »moralischen« Katharsislehre des Aristoteles (1897) [2] ist der Zusammenhang von Dramentheorie und Psychopathologie vorbereitet. Bahrs *Dialog vom Tragischen* [1] sieht das mod. Drama als Möglichkeit, die aus dem Triebverzicht der zivilisierten Menschen resultierende Hysterie abzureagieren; Hofmannsthals Drama *Elektra* (1904), das sich v. a. von der sophokleischen Vorlage in der Ersetzung des Agons über Schuld oder Unschuld der Klytämnestra durch die Mordvision der rasenden Elektra unterscheidet, wird allg. als radikalste Probe dieser ›Hysterisierung der Griechen‹ (Fr. Gundolf) empfunden.

Gundolfs für die Münchner Mod. beispielhafte Kritik am Wiener Ant.-Bild geht zurück auf eine Adaption der Ant., die das Griechentum – darin der dt. Klassik nicht unähnlich – wieder als gültige histor. Manifestation und Vorbild für die eigene ästhetische Lebensweise interpretiert. Schon Georges *Algabal* (1892) sieht den röm. Kaiser eher als überfeinerten, sensiblen Dichter-Seher und Hohepriester der Kunst denn als zügellosen *décadent* (vgl. auch die Übersetzung ant. Autoren im George-Kreis, die poetologischen Programme und antikisierenden Dramen in den *Blättern für die Kunst*). Dem entsprechen Georges Parachristentum mit neopaganen Zügen, A. Schulers Verteidigung Neros als großen Ästheten, Künstler und Stadtplaner [6] und seine Idee einer neopaganen Restauration und Aktivierung »heidnischer Erbwerke«.

→ Adaptation; Paganismus

1 H. BAHR, Neue Rundschau 14, 1903, 716–736 2 A. v. BERGER, Wahrheit und Irrtum in der Katharsislehre des Aristoteles, in: TH. GOMPERZ (Hrsg), Aristoteles Poetik, Leipzig 1897, 71–98 3 M. BOSSE, A. STOLL, Die Agonie des archa. Orients. Eine verschlüsselte Vision des Revolutionszeitalters, in: Diess. (Hrsg.), G. Flaubert, Salammbô, 1979, 401–448 4 R. JENKYNS, The Victorians and Ancient Greece, 1980 5 N. KOHL, memento vivere: Walter Paters Philos. des Augenblicks in der Conclusion, in: A&A 20, 1974, 135–150 6 A. SCHULER, Nero-Vortrag (1889), in: B. MÜLLER (Hrsg.), A. Schuler, Cosmogonische Augen (GS), 1997, 198–213 7 W. PATER, Rezension der »Poems«, in: The Westminster Review 34, October 1868, 300–312 8 F. SALTEN, Wurstelprater, 1911 9 E. SCHALLMEYER (Hrsg.), Hundert Jahre Saalburg. Vom röm. Grenzposten zum europ. Mus., 1997 10 E. STÄRK, Hermann Nitschs »Orgien Mysterien Theater« und die »Hysterie der Griechen«. Quellen und Trad. im Wiener Ant.-Bild seit 1900, 1987, 67–108 11 A. SYMONS, The decadent Movement in Literature, in: Harpers New Monthly Magazine, September 1893, 858–867 12 G. WUNBERG, Chiffrierung und Selbstversicherung des Ich. Ant.-Figuren um 1900, in: M. PFISTER (Hrsg.), Die Modernisierung des Ich, 1989, 190–201.

KLAUS MÜLLER-RICHTER

Finnisch-ugrische Sprachen

I. OSTSEEFINNISCH   II. UNGARISCH

I. OSTSEEFINNISCH

Von den heutigen ostseefinnischen Sprachen verfügen nur Estnisch und Finnisch über entwickelte und normierte Schriftsprachen mit Staatssprachenstatus, während der Anwendungsbereich von Ingrisch, Karelisch, Livisch, Vepsisch und Votisch mit Sprecherzahlen von wenigen Dutzend (Livisch) bis deutlich über 100 000 (Karelisch) stark eingeschränkt ist. Estnisch und Finnisch sind in der Zeit ihrer Verschriftlichung und Normierung (15./16. Jh.) maßgeblich von german. Sprachen beeinflußt worden – das Finnische vom Schwedischen und das Estnische (noch stärker) vom Dt. bzw. Nieder-Dt. –, so daß die lat. und griech. Lexeme anfangs fast ausnahmslos über diese Vermittlersprachen entlehnt worden sind. Über das Russ. kamen finnisch *Raamattu* »Bibel«, estnisch *raamat* »Buch« < altruss. *gramata* < griech. γράμματα.

Erste Belege stammen aus dem 16. Jh. (z. B. finnisch *elementti*, gebucht 1544), der Großteil gelangte jedoch erst seit E. des 19. Jh. in die Sprachen, als ihre Verwendung nicht mehr auf die bäuerliche Schicht beschränkt war. Die Orthographie beider Sprachen (v. a. des Finnischen) ist sehr phonematisch, so daß Fremdphoneme und -grapheme vorzugsweise mit einheimischem Material wiedergegeben werden: *kv* statt *qu*, *ts* statt *c* oder *z*, *ks* statt *x* etc. (vgl. finnisch *kvaliteetti*, estnisch *kvaliteet* »Qualität«). Beide Sprachen verfügen über einen festen Akzent auf der ersten Silbe, der im Finnischen auch konsequent in den Fremdwörtern auftritt. Die Betonung der Gebersprache spiegelt sich im Finnischen oft in der Längung der entsprechenden Vokale wider: *póli-*

tiikka < schwedisch *politík* »Politik«, dagegen *póliitikko* < schwedisch *polítiker* »Politiker/in«, ebenso *póliittinen* < schwedisch *polítisk* »politisch«. Das Estnische paßt die Betonung meist der Gebersprache an, die Dehnung wird gemäß der estnischen Orthographie durch Verdoppelung gekennzeichnet: *situatsióon, süstéem*. Konsonantischer Auslaut ist im Finnischen unüblich und wird bei Fremdwörtern durch Vokalepithese behoben – normalerweise mit dem für die Vokalharmonie irrelevanten *i*, aber auch – wie im obigen Beispiel – in Analogie zu einem einheimischen Morphem (hier *-kka/-kkä*) mit anderen Vokalen. Ebenso werden im Finnischen Anlautcluster vermieden, die im Estnischen jedoch möglich sind: finnisch *selluloidi*, estnisch *tselluloid* »Zelluloid«. Von den zahlreichen produktiv verwendeten griech. und lat. Prä- und Suffixen [3. 76–80] können einige (*makro-, maksi-*) auch mit eigenem Wortmaterial Verbindungen eingehen [1. 484–489]. Adjektive erhalten das einheimische Suffix, finnisch *-inen*, estnisch *-(li)ne*, Verben jedoch eigens für Fremdwörter zur Verfügung stehendes *-eerima* (estnisch) bzw. *-oida* (finnisch), was auch intransitiviert werden kann: estnisch *-eeruma*, finnisch *-oitua*: estnisch *konkretiseeruma*, finnisch *konkretisoitua* »sich konkretisieren«. Von den drei großen finnisch-ugrischen Schriftsprachen ist das Estnische bei weitem die fremdwortfreundlichste [2].

1 M. ERELT, T. ERELT, K. ROSS, Eesti keele käsiraamat, 1997 2 J. KISS, P. KOKLA, W. SCHLACHTER, Kontrastive Unt. zur Übernahme internationaler Wörter im Estnischen, Finnischen und Ungarischen, in: Nyelvtudományi Közlemények 77, 1975, 5–30 3 P. SAJAVAARA, Vierassanat, in: J. VESIKANSA (Hrsg.), Nykysuomen sanavarat, 1989, 64–109.   CORNELIUS HASSELBLATT

II. UNGARISCH

A. GRIECHISCH   B. LATEIN

A. GRIECHISCH

Die Kontakte zw. Ungarn und den byz. Griechen (vor der ungarischen Landnahme 896; Höhepunkt in der 2. H. des 11. Jh. bis Ende des 12. Jh.) hinterließen keine eindeutigen sprachlichen Spuren im Ungarischen. Es läßt sich keine Lehnwortschicht ausmachen; bei »Lehnwörtern« handelt es sich zumeist um sog. Wanderwörter, wie z. B. ungarisch *fátyol* »Schleier« (vgl. ngriech. φακιόλι), ungarisch *iszák* »Quersack, Ranzen« (ngriech. βισάκκι).

B. LATEIN

Nach der allg. Bekehrung der Ungarn zum Christentum unter König Stephan dringt das Mittellat. durch Vermittlung von Geistlichen dt., it. bzw. slawischer Muttersprache in verschiedenen Ausprägungen zunächst in die Sprache des Klerus ein. Durch die geistige und wirtschaftliche Macht der Kirche und durch das hohe Prestige der lat. geschulten gebildeten Schicht übt das Lat. einen starken Einfluß auf die gesamte Gesellschaft aus.

Mit dem Human. findet das klass. Lat. ins weltliche Leben Eingang. Ab Mitte des 17. Jh. kann man aus lexikalischer Sicht von einer lat.-ungarischen »Mischsprache« (mit Kurzformen wie *judlium* < *judex nobilium* »Hauptstuhlrichter«) in den gehobenen Schichten sprechen. Bis zur Einführung des Ungarischen als Amtssprache im Jahre 1844 ist das Lat. die Sprache der Obrigkeiten (Recht, Politik, Religion, Erziehungswesen usw.) und prägt auch die ungarische Literatursprache.

1. Phonologie und Substitution

Lautliche Merkmale alter Lehnwörter sind: lat. *s* → ungarisch /ž/ /V_V, sonst /š/; lat. Dental → ungarisch palatalisierter Dental / {i; e}; lat. *g* → ungarisch /d'/ /—{i; e}: lat. *sacramentum* → ungarisch *sákrámentum* ('ša:kra:mɛntum/) »Sakrament« (stets mit Initialakzent); lat. *legenda* → ungarisch *legyenda* (/'lɛd'ɛndå/) »Legende«. Durch die klassizistische Aussprache ab dem 16. Jh. treten neue Vertretungen auf: lat. *s* → ungarisch /z/ / V_V, sonst /s/; lat. Dentale und *g* sind in allen Positionen unverändert erhalten. Dadurch entstehen Dubletten wie *szakramentum* (/'såkråmɛntum/) »Sakrament«; *legenda* (/'lɛgɛndå/) »Legende«. Z. T. findet je nach Konfession die eine oder andere Form Verwendung.

2. Morphologie

Substantive werden stets mit Nominativ-Singular-Endung übernommen: *kórus* ←*chorus* »Chor«; *tégla* ←*tegula* »Ziegel« usw. (Lehnwörter ohne Reflex der Endung gelten als indirekte Entlehnung: *kar* ←mhd. *kōr* ←*chorus* »Chor«). Adjektive werden zumeist in der Nominativ-Singular-Maskulin-Form übernommen, Verben unabhängig vom lat. Stammtyp stets mit *-ál*: *prédikál* ←*praedicare*, *konveniál* ←*convenire* usw.

Deutlich wird der Einfluß des Lat. auch durch entlehnte Ableitungssuffixe, deren Produktivität ab dem 17. Jh. bezeugt ist, wie z. B. *-ista*: *egyetemista* »Student« (zu *egyetem* »Universität«), *-tórium*: *pipatórium* »Rauchsalon« (zu *pipa* »Pfeife«), *-ikus*: *bolondikus* »närrisch« (zu *bolond* idg.), *-izál* (←lat. °*isare*) und *-fikál* (←lat. °*ficare*).

Im Bereich der Syntax ist v. a. im Tempusgebrauch lat. Einfluß zu konstatieren.

1 J. Balázs, A latin a Duna-tájon (= Das Lat. im Donauraum), in: Ders.(Hrsg.), Nyelvünk a Duna-tájon (= Unsere Sprache im Donauraum), 1989, 95–140 2 G. Bárczi, A magyar szókincs eredete (= Der Ursprung des ungarischen Wortschatzes), 1958 3 K. Bartha, A magyar szóképzés története (= Gesch. der ungarischen Wortbildung), 1958 4 L. Benkő, A latin jövevényszavak (= Die lat. Lehnwörter), in: G. Bárczi, L. Benkő, J. Berrár, A magyar nyelv története (Die Gesch. der ungarischen Sprache), 1987, 293–296 5 Ders. (Hrsg.), A magyar nyelv történeti-etimológiai szótára (= Histor.-etym. WB des Ungarischen), Bd. I 1967, Bd. II 1970, Bd. III 1976.

ANNA WIDMER

Finnland   A. Allgemeines
B. Rezeptionsgeschichte
C. Klassische Philologie

A. Allgemeines

F. war bis 1809 ein Teil des schwedischen Königreiches, danach wurde es als autonomer Staat dem zaristischen Rußland eingegliedert, bis es 1917 seine Unabhängigkeit erreichte.

B. Rezeptionsgeschichte
1. Literatur

Abgesehen von der Beschäftigung mit der Ant. an den Univ., ist die finnische Kultur im Vergleich mit vielen anderen europ. Ländern von der alten Welt weit weniger beeinflußt worden. Die dt. Romantik ist jedoch nicht spurlos an F. vorübergegangen. Die ältesten Texte, die sich in F. finden, waren rel. Art, und der Höhepunkt der lat. Lit. im MA ist in einer Reihe von Liedern, auch weltlichen, zu sehen, die in den *Piae Cantiones* gesammelt sind. J. L. Runeberg, der finnische Nationaldichter, steht dem ant. Denken in seinem Drama *Die Könige von Salamis* (1863) am nächsten, in dem er die Thematik »Macht und Recht« in den Mittelpunkt stellt. Auch in einigen Gedichten, die in Hexametern verfaßt sind, ist der homer. Stil und Tonfall erkennbar, der sich bes. in der Verwendung von Metaphern zeigt. Später hat ein anderer Vertreter der schwedischen Lit., R. Enckell, in einigen lyr. Dramen Themen aus der griech. Myth. aufgenommen, um seine eigenen Erlebnisse sich darin spiegeln zu lassen (u. a. *Orpheus und Eurydike* 1938, *Agamemnon* 1949, *Hecuba* 1952). Unter den größten finnischen Dichtern hat E. Leino (1878–1926) die dramatischen Handlungen einiger seiner Stücke in die Ant. verlegt, und auch V. A. Koskenniemi (1885–1962) ließ sich von der Ant. anregen: Er verfaßte Gedichte in elegischen Distichen, in denen er zeigt, daß der Mensch letztlich von der Gnade des Schicksals abhängt. Am deutlichsten kommen ant. Bilder in zwei seiner Sammlungen zum Ausdruck: *Elegien* (1917) und *Herz und Tod* (1920). P. Mustapää (1899–1973) kann ein *poeta doctus* genannt werden, weil er die ant. Myth. in lyr. Verse brachte. O. Manninen (1872–1950) ist v. a. als Übersetzer hervorgetreten; bes. die in Verse übers. *Ilias* und *Odyssee* sind hervorzuheben. Auch P. Saarikoski (1937–1983) hat u. a. Hipponax und Sappho in freie Verse übersetzt. Der spöttische Hipponax schimmert auch in seinen eigenen mod. Gedichten durch, in denen das Bild des ant. Ideals ironisiert wird. T. Vaaskivi und M. Waltari haben histor. Romane verfaßt, die in der Welt der Ant. spielen. Das Hauptwerk des ersten Autors, *Der Autokrat* (1942), ist ein Roman über den Kaiser Tiberius, eine anspruchsvolle Lektüre, aber auch ein Buch mit meisterhaften Charakterzeichnungen der einzelnen Personen. Waltari ist der bekannteste finnische Schriftsteller im Ausland; sein Roman *Sinuhe, der Ägypter* (1945) ist sogar in Hollywood verfilmt worden. Das Wesensmerkmal dieses Romans, die Synthese von Idealismus und Realismus, ist das Leitmotiv vieler seiner

Werke (u. a. *Turms der Unsterbliche* 1955, *Das Geheimnis des Reiches* 1959, *Die Feinde der Menschheit* 1964). Zur Zeit greifen zwei Essayisten, K. Simonsuuri und P. Suhonen, ant. Themen auf, und von den Übersetzern ist v. a. M. Itkonen-Kaila zu nennen.

2. Bildende Kunst

In der bildenden Kunst sind die Motive mehr der *Kalevala* entnommen als der ant. Welt, aber die Bildhauerei ist in einigen Fällen vom Neuklassizismus beeinflußt worden. C. E. Sjöstrand hat Figuren aus der *Kalevala* dargestellt, aber z. B. im Hintergrund der Skulptur *Kullervo bricht seine Windeln ab* (1858) kann man das Motiv »Der kleine Herakles würgt die Schlangen« sehen. Klass. Themen haben v. a. W. Runeberg (1838–1920) u. a. in drei *Psyche*-Gruppen, *Apollon und Marsyas*, *Amor im Schlaf* und *Bacchus und Amor als Kind*, J. Takanen (1849–1885) in *Venus und Amor* und *Andromeda* aufgegriffen. *Die Schiffbrüchigen* (1898) von R. Stigell erinnern in ihrer Komposition an die → Laokoon-Gruppe; auch in den Skulpturen von W. Aaltonen (1894–1966) kann man klass. Einflüsse entdecken. In der Architektur hat der Neuklassizismus im späten 18. Jh. F. erreicht: die Kirche in Hämeenlinna von L. J. Desprez (1792–1798 erbaut) war in ihrer urspr. Form eine gelungene Imitation des → Pantheons in Rom. Das wichtigste Beispiel ist jedoch das monumentale Zentrum der neuen Hauptstadt Helsinki, entworfen von C. L. Engel (1778–1840), und bes. der Senatsplatz mit den angrenzenden Gebäuden. Der Grundriß der Univ.-Bibl. spiegelt den der Thermen des Diocletian in Rom wider. G. Nyström (1856–1917) hat das Staatsarchiv und das Ständehaus diesem Zentrum einverleibt, und Anfang des 20. Jh. haben E. Bryggman und J. S. Sirén in ihrer Architektur klass. Themen dargestellt (letztgenannter im Entwurf des Parlamentsgebäudes). Auch bes. in den früheren Bauten von A. Aalto (1898–1976) können klass. Einflüsse entdeckt werden. Als Kuriositäten sollen noch die lat. → Oper *Laurentius* von H. Rechberger (1994) und die von T. Pekkanen und R. Pitkäranta herausgegebenen lat. Nachrichten, *Nuntii Latini*, genannt werden, die man wöchentlich im Rundfunk hören kann.

C. Klassische Philologie

Während der schwedischen Herrschaft wurde Lat. unter dem spürbaren Einfluß der westl. Kultur zur dominierenden Sprache in der Kirche und z. T. auch in der Verwaltung. Mit dem Protestantismus in der Zeit der Reformation (1523–1617) und der finnischen Bibel-Übers. durch Agricola verlor das Lat. dann allerdings zunehmend an Bed. im öffentlichen Leben, aber es blieb die Sprache der Wissenschaft. Die erste → Universität wurde 1640 in Turku gegr., die nach dem Brand von 1828 zerstört und in Helsinki wieder aufgebaut wurde. Bis zu diesem J. wurden die Vorlesungen an der Univ. auf Lat. gehalten und wiss. Arbeiten meistens auf Lat. verfaßt. Trotz des orthodoxen Protestantismus haben die wesentlichen Ideen des → Humanismus auch in F. Eingang gefunden, wenn auch erst gegen E. des 17. Jh. Die Ideale, die sich von Aristoteles, Cicero und

Seneca herleiteten, kamen bes. in öffentlichen Reden und in der Poesie zum Ausdruck. Noch mehr Bed. hatte der dt. → Neuhumanismus im späten 18. Jh., als das Schwedische allmählich das Lat. verdrängte. Es wurde darüber diskutiert, ob man Lat. noch weiter pflegen sollte. Der Neuhuman. bekannte sich erneut zum Lat., und der erste, der mit aller Deutlichkeit diese Ideen vertrat, war H. G. Porthan (*professor eloquentiae* 1777–1804); seine Bed. als Klass. Philologe ist nicht so sehr in seinen Forsch. zu sehen als vielmehr darin, daß er generell den wiss. Stil seiner Zeit geprägt hat. Der Neuhuman. hat auch das nationale Erwachen wesentlich gefördert, und nach dem Vorbild von Homer hat E. Lönnrot das finnische Nationalepos *Kalevala* geschaffen.

An der Univ. gab es zwei Professuren für Latein: *professor eloquentiae* und *professor poesis*; die letztgenannte wurde im J. 1747 als unzeitgemäß eingezogen. Das Griech. und das Hebräische wurden in einer Lehrkanzel zusammengefaßt (*professor linguarum*), wobei die Lektüre biblischer Texte im Mittelpunkt stand. Gegen E. des 18. Jh. wurden auch weltliche Autoren wie Homer in Vorlesungen behandelt, bis dann schließlich im J. 1812 eine eigene Professur für Griech. eingerichtet wurde. Seit 1852 war Lat. als Sprache der Doktorarbeiten nur noch in den Fächern der Klass. und Oriental. Philol. obligatorisch. Trotzdem mußten alle Studenten bis in die 60er J. des 20. Jh. hinein noch immer Grundkenntnisse des Lat. erwerben, und in den Fächern der Neu-Philol. ist diese Forderung noch länger aufrechterhalten worden. Heute kann man Lat. und röm. Lit. in F. an sechs Univ. studieren. Es gibt Professuren in Helsinki, Jyväskylä und Turku (Professur für ant. Sprachen und Kultur); an der schwedischen Univ. in Turku – der sog. Åbo Akademi – ist die Professur seit 1993 in Umgestaltung begriffen; in Tampere und Oulu gibt es ein Lektorat für Lat.; Griech. als Hauptfach kann man nur in Helsinki und Turku studieren. In der Oberschule wurde im 18. Jh. eine begrenzte Auswahl lat. Autoren behandelt (wie etwa Cicero, Livius, Vergil), und das Gymnasium bot auch Schriften einiger griech. Autoren an (u. a. Plutarch und Isokrates, gelegentlich Homer). Der Lehrplan ist dann radikal umgestaltet worden: Im 19. Jh. war Lat. noch die wichtigste Sprache in den Gymnasien, aber mit der Neuordnung des Schulsystems sind die alten klass. Gymnasien beinahe ganz ausgestorben; h. gibt es nur noch fünf. Während früher Lat. auch an den Realschulen angeboten wurde, was h. immer seltener geworden ist, kann man Griech. überhaupt nicht mehr in der Schule lernen.

In der Forsch. ist die Klass. Philol. in F. anfangs in den konventionellen Bahnen der Trad. verblieben. Der erste finnische Latinist, der sich internationalen Ruhm erwarb, ist E. J. W. af Brunér (Professor 1848–1871). Er hat v. a. auf drei Gebieten Richtungweisendes geleistet und damit für die kommenden Generationen die Schwerpunkte gesetzt: → Sprachwissenschaft, Textkritik und allg. Altertumswiss. Im Bereich der Textkritik haben auch drei Nachfolger von Brunér gearbeitet, während sie später etwas vernachlässigt worden ist; in jüngster Zeit wird sie wieder intensiver betrieben. Einer der Nachfolger von Brunér war I. A. Heikel (Professor für Griech. 1888–1926), der eine Edition von zwei Büchern des Eusebius herausgegeben hat. Ende des 18. Jh. hat J. Sundwall sich der Epigraphik, der Onomastik und der Arch. gewidmet; v. a. ist seine Leistung im Dechiffrieren der Linear-B-Hs. zu erwähnen (→ Entzifferung). H. Gummerus hat sich speziell mit der Sozial- und Wirtschaftsgeschichte des kaiserzeitlichen Roms beschäftigt. Die → Sprachwissenschaft, wie z. B. die lat. Syntax, ist immer das wichtigste Forschungsgebiet für die finnischen Gelehrten gewesen. A. H. Salonius hat diesen Forschungsaspekt über die Begrenzung des klass. Lat. hinaus weiter verfolgt in seinem Buch *Vitae patrum* (1920); dieser Aspekt ist auch von Y. M. Biese 1928 in seinem Buch über den absoluten Akkusativ untersucht worden. Dasselbe Thema hat E. Linkomies behandelt; und V. Väänänen, ein Romanist, ist aufgrund seiner epochemachenden vulgärlat. Forsch. international bekannt geworden. Salonius hatte sich der Papyrologie in Berlin gewidmet, und das Hauptinteresse seines Nachfolgers H. Zilliacus (Professor für Griech. 1944–1974) galt ebenfalls diesem Gebiet. Als Direktor des finn. Inst. in Rom hat er sich der Epigraphik gewidmet, die methodologisch der Papyrologie verwandt ist. Schon Sundvall und Väänänen hatten sich der Epigraphik zugewandt. Noch h. sind die Forsch. und die Publikationen von Inschr. eines der Hauptgebiete des Inst. in Rom. Die numismatischen Forsch., und zwar die röm., sind bes. von P. Bruun weitergeführt worden. Im Bereich der Philos. hat E. Mikkola in der Isokrates-Forsch. gearbeitet, und L. Routila hat in der Aristoteles-Forsch. international wegweisend gewirkt.

Weil die klass. Inst. an finnischen Univ. ziemlich klein sind – nur in Helsinki gab und gibt es mehrere Professuren –, hat sich die Forsch. zwangsläufig auf einige bestimmte Gebiete konzentriert. Einen Schwerpunkt an der Univ. Helsinki bildet die philol. Forsch. zur ant. Lit., bes. zum griech. Drama, unter M. Kaimio; eine wichtige epigraphische und onomastische Schule ist u. a. durch I. Kajanto, H. Solin und O. Salomies vertreten, die Papyrologie nach Zilliacus durch J. Frösén, die Spät-Ant. durch P. Castrén, das Neu-Lat. durch I. Kajanto und R. Pitkäranta, die Byzantinistik durch P. Hohti und die ant. Philos. durch H. Thesleff, der sich v. a. mit Platon beschäftigt hat. Die klass. Arch. ist unter L. Pietilä-Castrén im Aufbau begriffen; auf diesem Gebiet hat sich E. M. Steinby einen Namen gemacht. In Turku hat H. Koskenniemi sich papyrologischen Stud. gewidmet, die Forsch. von T. Viljamaa erstrecken sich von der griech. Lit. bis zur lat. Gramm., und S. Jäkel hat neben semantischen Unt. zur griech. Trag. die Menandersentenzen publiziert. An der Åbo Akademi hat R. Westman neben seiner textkritischen Arbeit zu Cicero und seinen syntaktischen Forsch. auch auf dem Gebiet der griech. Philos. gearbeitet. In Jyväskylä wird bes. das Neu-Lat. gepflegt; T. Pekkanen hat u. a. die *Kalevala* ins

Lat. übersetzt, und O. Merisalo, eine Romanistin, hat das Lat. der Ren. zum Gegenstand ihrer Forsch. gemacht. An der Univ. Tampere hat T. Oksala sich der ant. Literaturwiss. und dem Problemkreis des Human. zugewandt; auf diesem Gebiet hat sich auch H. Riikonen in Helsinki einen Namen gemacht. An der Univ. Oulu ist die polit. Geschichte Roms Forschungsgegenstand von U. Paananen, die klass. Arch. wird von E. Jarva vertreten. Eine eigene Professur für Alte Geschichte gibt es in F. nicht, aber im Bereich der allg. Geschichte hat es ab und zu Forscher gegeben, die sich für die Ant. interessiert haben: u. a. J. Suolahti, Prosopographiker und Begründer der finnischen Ziegelstempelforsch. und z. Z. P. Setälä, die sich v. a. der Frauen-Forsch. gewidmet hat. Es existieren in Rom (seit 1954) und in Athen (seit 1985) finnische Inst., auf deren Arbeitskreise viele Forsch. in der Weiterbildung zurückgehen, die auch aus interdisziplinärer Sicht wichtig sind.

→ Schulwesen

1 P. Aalto, Classical stud. in Finland 1828–1918, 1980 2 I. Kajanto, The classics in Finland, in: Arethusa 3, 1970, 205–226 3 Ders., s. v. Finland, in: M. Skafte Jensen (Hrsg.), A history of Nordic Neo-Latin literature, 1995, 159–200 4 Ders., Humanism in a Christian society III, 1989–1990 5 Ders., Porthan and classical scholarship: a study of classical influences in eighteenth century Finland, 1984 6 Ders., Studi di filologia classica in Finlandia, in: Settentrione, Rivista di studi italo-finlandesi, 1994, 153–161 7 N. Kent, The triumph of light and nature: Nordic art 1740–1940, 1987 8 K. Laitinen, Finnische Lit. im Überblick, 1989 9 Ders., Suomen kirjallisuuden historia, 1991 10 T. Oksala, Homeroksesta Alvar Aaltoon, 1985 11 A. Salokorpi, Finnische Architektur, 1970 12 S. Sarajas-Korte et al. (Hrsg.), Ars – Suomen taide 1–6, 1987–1990 13 G. Schildt, Alvar Aalto: a life's work – architecture, design and art, 1994 14 J. B. Smith, The golden age of Finnish art, 1985 15 R. Westman, History of classical scholarship in Finland: a bibliography, in: Arctos 30, 1996, 7–20 16 N. E. Wickberg, Der Senatsplatz Helsinki, 1981.   RAIJA VAINIO

Florenz, Archäologisches Museum s. Italien/Museen

Florenz, Uffizien/Palazzo degli Uffizi s. Uffizien

Forum/Platzanlage

A. Das Forum als idealisierte Platzanlage
B. Der Place-Royale-Typus
C. Forumentwürfe der Revolutionsarchitektur
D. Fora im modernen Städtebau

A. Das Forum als idealisierte Platzanlage

Von der baulichen Gestalt ant. röm. F. hatte man im MA keine realistischen Vorstellungen mehr. Die unterschiedlichen Editionen der *Mirabilia Romae* behandeln F. allein als top. Terminus, und das ma. *Städtelob* beruft sich allenfalls auf untergegangene F., um die ruhmreiche Vergangenheit einer Stadt zu betonen (u. a. Mailand, Verona).

Eine architektonische Rekonstruktion der röm. Kaiser-F. und des F. Romanum ist auch mit Hilfe von topischen, auf ant. Textquellen beruhenden Darstellungen des 15. Jh. noch nicht möglich (u. a. Poggio Bracciolini, *De varietate fortunae*, 1447/48 und Flavio Biondo, *Roma instaurata*, 1448). Auch wenn in einigen Städten It. eine top. und z. T. funktionale Kontinuität vom ant. F. zum Marktplatz besteht (Verona: Piazza Erbe, Fermo: Piazza del Popolo), ist die ant. bauliche Gestalt verlorengegangen. Allein die im 15. Jh. einsetzende Rezeption von Vitruvs Architekturtraktat, der die Beschreibung eines griech. und eines röm. F. enthält, veranschaulicht eine ant. Platzanlage [16]. Vitruv schildert das röm. F., ein Provinz-F., als von Portiken umstandenen rechteckigen Platz, eine Darstellung, der die meisten Architekturtraktate der Ren. folgen (v. a. von Alberti, F. di Giorgio, Filarete, Palladio). Das ant. F. wird darin als nach außen abgegrenzte Platzanlage verstanden, die funktional das administrative, ökonomische und rel. Stadtzentrum bildet. Als erstes Beispiel einer antikisierenden Platzgestaltung gilt die vermutlich von Bramante für Lodovico il Moro geplante Piazza Ducale in Vigevano nahe Mailand (Abb. 1). Die ab 1490 realisierte und sich inschr. als F. verstehende Anlage wird an drei Seiten von einheitlich gegliederten Fassaden umschlossen, die sich in Erdgeschoßportiken öffnen, ein Prinzip das auch weitere, den Vitruvschen F.-Typus aufgreifende Plätze prägt, u. a. in Ascoli Piceno (Piazza del Popolo), Florenz (Piazza SS. Annunziata) und Bologna (Piazza Maggiore) sowie Freudenstadt [7]. Von ma. Marktloggien unterscheiden sich die an F. orientierten Platzschöpfungen der Ren. durch vereinheitlichte Fassaden und einen weitgehend symmetrischen Grundriß. Bes. die Portiken kennzeichnen das F. als öffentliche Architektur, da sie als architektonisches Syn. einer zeitgemäßen *res publica* galten [11].

Auf der Basis arch. Befunde rekonstruierten Architekten und Antikenkenner der ersten H. des 16. Jh. wie A. da Sangallo, B. Peruzzi und A. Palladio die Kaiser-F. Ihre Darstellung der F. als säulenumstandene Tempelvorplätze sollte noch Berninis Petersplatzgestaltung bestimmen. Mit der Piazza S. Marco verwirklichte die venezianische Republik ein Staats-F., das baulich auf die Vorstellung von ant. F. zurückgeht und funktional der Vitruvschen Beschreibung entspricht. Bes. die Neubauten des 15. und 16. Jh. trugen zur Vereinheitlichung der Fassaden und Konzentration wichtiger Institutionen rund um den Markusplatz bei. Zudem verstärken die auf dem Platz befindlichen Bildwerke (Säulenmonumente, Spolien etc.) den Eindruck eines ant. F. Während die Piazza S. Marco einen Platztypus charakterisiert, der das ant. F. als urbanes Stadtzentrum interpretiert, kann der Röm. Kapitolsplatz als Vorbild eines denkmalhaften Gegentypus' verstanden werden (Abb. 2). Die Aufstellung des Reiterdenkmals Marc Aurels im J. 1538 bildete den Auftakt für eine bauliche Erneuerung des auch als F. bezeichneten Projektes, dessen Realisierung Papst Paul III. Michelangelo übertrug. Der von Konservatoren-, Senatoren- und Neuem Palast umbaute Platzraum ist u. a. von dem z. T. auf Münzen überlieferten Trajans-F. beeinflußt [2]. Die Anlage dient späteren F.-Rezeptionen als Bindeglied, da der Kapitolsplatz durch seine Dimensionen und die vereinheitlichten Fassaden einer vorbildlichen Denkmalkulisse entspricht. So entstand ein antikisierender Platztypus, der durch seine Nutzung als administratives, juristisches und kulturelles bzw. museales Zentrum auch funktional nachwirken sollte [5].

B. DER PLACE-ROYALE-TYPUS

Mit der Place Dauphine und der Place Royale (h. Place des Vosges, Abb. 3) entstand kurz nach 1600 unter Henry IV. in Paris ein Platztypus, der unmittelbar an die idealisierte Auffassung von ant. F. anknüpft. War die dreieckige Place Dauphine v. a. dem Handel vorbehalten, diente die Place des Vosges als öffentlicher Schauplatz höfischen Lebens. Die einheitliche Platzbebauung mit vierachsigen Wohnhäusern wird nur von zwei leicht erhöhten, sich gegenüberliegenden königlichen Palais unterbrochen. Mit der Aufstellung des Reiterstandbilds Ludwigs XIII. im J. 1639 (später zerstört), wurde die Place Royale zum vorbildlichen Typus vieler europ. Platzanlagen des 17. und 18. Jh.

Auch die Madrider Plaza Mayor (1617–1619) kombiniert die Öffentlichkeit der Platzanlage mit einer temporären königlichen Residenz und einem → Reiterstandbild. Im Gegensatz zur Place des Vosges, einem Wohnquartier des Adels, entstand mit der Plaza Mayor jedoch ein urbanes Stadtzentrum. Das den Städtebau des Feudalabsolutismus charakterisierende Ordnungsprinzip der Transformierung gesellschaftlicher Hierarchien in die Platzanlagen wird in der heutigen Pariser Place Vendôme (ehemals Place Louis-le-Grand) vollends entwickelt. Der anfängliche Plan J. Hardouin-Mansarts sah eine Konzentration königlicher Institutionen am Platz vor (Münze, Bibl., Akad.). Die Bauten, nach Aufstellung des königlichen Reiterdenkmals (seit 1810 *Austerlitzsäule*) 1699–1725 errichtet, entsprechen mit ihren gleichartigen Fassaden exemplarisch dem Place-Royale-Typus [14]. Im Verlauf des 18. Jh. wurden städtebauliche Projekte entwickelt, die einer weitgehend diffusen Nachwirkung ant. F. zuzurechnen sind. Ihre Nähe zu ant. F. belegt eine phantastische Rekonstruktion des Trajans-F., die J. Fischer von Erlach in seinem 1721 edierten *Entwurf einer histor. Architektur* lieferte.

Unter der Bezeichnung F. *Fridericianum* firmiert ein z. T. realisiertes Projekt Friedrichs II. in Berlin, das dieser zusammen mit G. W. von Knobelsdorff entwarf. Die Bezeichnung F. für den sich quer zur Lindenallee erstreckenden Platz stammt von F. Algarotti, der die Inschr. für die geplanten Gebäude – Oper, Königspalais und Akad. – entwarf. 1741–43 entstand die Hofoper nach Plänen Knobelsdorffs, 1746 die Hedwigskirche, während der Residenzbau (1747–66), dessen Hof sich zum F. öffnet, als Prinz-Heinrich-Palais Nutzung fand. Um den Platz sind damit jene Institutionen konzentriert, die das höfische Selbstverständnis architektonisch zum Ausdruck bringen [8]. Eine eindrucksvolle Wei-

Abb. 1: Vigevano, Piazza Ducale, Aufnahme von 1973

Abb. 2: Rom, Kapitolsplatz, Stich nach Duperac

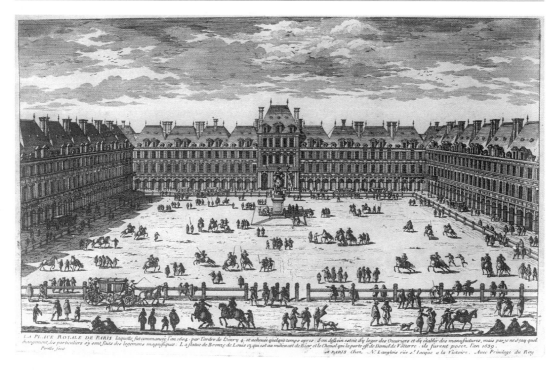

Abb. 3: Paris, Place des Vosges, Stich nach Perelle

Abb. 4: Nancy, Place Stanislas, Aufnahme von 1940/44

terentwicklung des Place-Royale-Typus verkörpert das Ensemble der Place Stanislas in Nancy (Abb. 4). Die rhythmische Raumfolge realisierte E. Héré de Corny 1751–55 für den Herzog von Lothringen, Stanislas Lescinski. An die fast quadratische Place Royale schließt sich eine von einem Triumphtor begrenzte Promenade an. Ihre Schmalseite öffnet sich vor der Intendantur des königlichen Statthalters zu einem von Kolonnaden umstellten Platz, so daß Rathaus und Provinzverwaltung die den öffentlichen Raum dominierenden Administrationsbauten darstellen [12]. Der städtebauliche Komplex der Place Stanislas erinnert weit mehr an ein ant. F. als die Foro Carolino genannte heutige Piazza Dante in Neapel. Die von L. Vanvitelli nach 1760 im Auftrag Karls III., König von Neapel und Sizilien, entworfene Platzanlage kann als architektonisches Beispiel einer ›repräsentativen Öffentlichkeit‹ (Habermas) bezeichnet werden, da der konkav geschwungene Hauptbau des F. allein der Akzentuierung des vor einer Triumphbogennische stehenden, königlichen Reiterstandbildes dient [12].

C. FORUMENTWÜRFE DER REVOLUTIONSARCHITEKTUR

Der Verherrlichung der Frz. Revolution und später Napoleon Bonapartes sind städtebauliche Projekte gewidmet, die ant. F. allein denkmalhaft auffassen. Ein herausragendes Vorhaben stellt das von G. A. Antolini 1801–03 geplante Foro Bonaparte in Mailand dar, das als republikanisches Denkmal der Cisalpinen Republik gewidmet ist. In einem Kreis von 633 m Durchmesser sollten öffentliche Bauten wie Börse, Pantheon, Theater, Museum und Thermen um das Castello Sforzesco gruppiert werden, untereinander verbunden durch ein Kolonnadenring. Antolinis F.-Pläne haben trotz der verhinderten Umsetzung die spätere Gestaltung des Areals beeinflußt [13]. Selbst wesentlich bescheidenere Entwürfe, wie der von F. Weinbrenner für ein Denkmal der Frz. Republik in Bordeaux (1797), kamen nicht zur Ausführung. Die ant. Kaiser-F. folgenden Entwürfe verdeutlichen deren denkmalhafte Auslegung. Welche Dimensionen die F.-Projekte innerhalb der Revolutionsarchitektur erreichten, belegen Pläne für ein F. Napoleone von S. Perosini, die eine Umgestaltung des Röm. Kapitols und des F. Romanum zugunsten einer megalomanen kaiserlichen Residenz vorsehen [6].

D. FORA IM MODERNEN STÄDTEBAU

Auch im mod. Städtebau ist der Platz als architektonisches Ensemble noch Repräsentationsort einer wie auch immer gearteten Öffentlichkeit. Geleitet durch das Vorbild des Kapitols, das durch die Einrichtung eines Museums (1734) prototypisch eine architektonische Symbiose aus polit. Macht und Kultur verwirklichte, wurden im 19. Jh. einige Platzanlagen geschaffen, die sich auf ant. F. beriefen.

1830 werden in Berlin das Alte Mus. und in München die Glyptothek eingeweiht, beide unmittelbar an öffentlichen Plätzen situiert. Führte Schinkels Berliner Museumsbau zu einer Erneuerung des Stadtzentrums,

dessen Bauten (Schloß, Dom, Antiken-Mus.) sinnbildhaft die Stützen der königlichen Macht vereinten, wollte der Königsplatz mit Klenzes Glyptothek, einem Ausstellungsbau und einem Tor als Denkmal eines polit. motivierten bayerischen → Philhellenismus verstanden werden [2]. Unter Einbeziehung von Oper und Gemäldegalerie entwarf G. Semper ab 1837 in Dresden zw. Zwinger und Elbufer das »Zwinger-F.« Durch den 1847–56 errichteten Galeriebau wurde der Zwingerhof indes vom Platz zw. Oper und Kathedrale abgeschnitten, so daß eine lose Gruppierung von Bauten aus verschiedenen Epochen um den Platz und damit ein bewußter Rückgriff auf das F. Romanum unverwirklicht bleiben mußte [5]. Später projektierte Semper ein Kaiser-F. in Wien, das mit den beiderseits der Ringstraße geplanten Hofburgtrakten und Mus. als Platzwänden eine durch Triumphbögen von der Ringstraße abgetrennte Fläche vorsah. Hier ist das F. erneut als museale Überhöhung herrschaftlicher Repräsentation charakterisiert. Einen wichtigen Versuch, historistische Platzanlagen von hoher Geschlossenheit mit dem mod. Städtebau zu verbinden, stellt C. Sittes Schrift Der Städtebau nach künstlerischen Grundsätzen (1899) dar. Sitte hielt die F.-Konzepte Sempers für vorbildhaft und klagte fern funktionalistischer Theorien ein »öffentliches Leben« auf den Plätzen ein.

Für den Städtebau des 20. Jh. besitzen ant. F. Vorbildlichkeit in der Konzentration repräsentativer Staats- und Regierungsbauten im städtischen Zentrum. Losgelöst davon entwickelt sich der Begriff F. zu einem allg. Syn. für Öffentlichkeit auch außerhalb des Städtebaus (Handwerks-F., Film-F. etc.), eine Begriffskonnotation, die das 19. Jh. noch nicht kannte.

Nur für kurze Zeit beeinflußte die Idee ant. F. die amerikanische Stadtplanung, und zwar anläßlich der 1893 stattfindenden »World's Columbian Exposition« in Chicago, als unter der Leitung von D. H. Burnham ein an F. orientiertes Ausstellungsareal entstand. Die sog. White city, ein im Kern von Pavillons umbauter Platz mit künstlichem See, diente noch zwei Jahrzehnte als Modell der amerikanischen Stadt, in deren Zentrum Administrationsbauten um ein F. gruppiert werden sollten [17].

Den Bau eines Staats-F. (auch Deutsches F.) im Berliner Spreebogen verfolgten Wettbewerbe zw. 1900 und 1930. Ausgangspunkt der auch in der Weimarer Republik fortgeführten Planungen war der Reichstag am Platz der Republik (Königsplatz), der zusammen mit Oper, Reichshaus, Ministerien etc. ein zentrales Bauensemble bilden sollte. Die Stadtplanung im it. → Faschismus und im → Nationalsozialismus rückte das F. erneut in den Blickpunkt. 1925 veranlaßte Mussolini in Rom den Bau des Foro Italico (auch F. Mussolini), das mit Sportakad. und -anlagen den Typus eines Sport- F. kennzeichnet (ab 1926 auch in Berlin). Eine Umgestaltung der Piazza Venezia zum Foro dell' Impero Fascista im Zentrum Roms sahen Planungen M. Piacentinis vor, die den Platz v. a. als Aufmarschfläche verstanden. Dieser Gedanke charakterisierte auch die von Hitler für die dt. Gaustädte vorgesehenen »Gau -F.« Parteibauten, Gauhalle, Glockenturm und Behördensitz sollten ein nationalsozialistisches Stadtzentrum bilden [11].

In den realsozialistischen Großstädten orientierte man sich am Beispiel Moskaus, das seit 1935 einen zentralen Platz am Sowjetpalast (unausgeführt) erhalten sollte. Geleitet waren entsprechende Entwürfe von den notwendigen räumlichen Dimensionen für Massendemonstrationen. In Berlin (DDR) führte dies zur Anlage des anfangs auch *Marx-Engels-F.* genannten *Marx-Engels-Platzes* über den Trümmern des Stadtschlosses.

Die postmod. Architektur versuchte nach 1970 vereinzelt, ironisch auf ant. F. zu verweisen. Zu den berühmtesten Beispielen zählt die von Ch. Moore entworfene *Piazza d'Italia* in New Orleans (1977/78) [15]. Von der Präsenz der öffentlichen Symbolik ant. F. kündet der Versuch des Architekten A. Schultes, im Berliner Spreebogen zw. Bundeskanzleramt und Bundestagsverwaltung ein *Bürger-F.* als Begegnungsstätte zu errichten (nach Planänderung 1997 aufgegeben). Schon ein Jahrzehnt zuvor gab es das Projekt von H. Hollein, dem

Kultur- F. genannten Areal am Berliner Kemperplatz, wenn auch abstrakt, die architektonische Gestalt eines F. zu geben.

→ Architekturtheorie/Vitruvianismus

→ AWI Forum; Vitruvius

1 L. B. ALBERTI, Zehn Bücher über Architektur (De re aedificatoria), ed. THEUER, 1912 2 T. BUDDENSIEG, Zum Statuenprogramm Paul III., in: Zschr. für Kunstgesch. 32, 1969, 177–228 3 C. CRESTI, Architettura e fascismo, 1986 4 M. FRÖHLICH, G. Semper, 1974 5 Glyptothek München 1830–1980, Ausstellungs-Kat. 1980 6 A. LA PADULA, Roma nell'Epoca Napoleonica, 1969 7 W. LOTZ, It. Plätze, in: Jb. der Max-Planck-Ges. 1968, 41–60 8 H. MACKOWSKY, Das Friedrichsforum, in: Zschr. für Bildende Kunst, N. F. 21, 1910, 15–21 9 Mod. Architektur in Deutschland, 1998 10 A. E. J. MORRIS, History of Urban Form, 1972 11 W. OECHSLIN, Der Portikus, in: Daidalos 24, 1987, 44–49 12 J. RAU GRÄFIN V. D. SCHULENBURG, E. Héré, 1970 13 A. SCOTTI, Foro Bonaparte, 1989 14 H. SPECKTER, Paris. Städtebau, 1964 15 R. A. M. STERN, Mod. Klassizismus, 1990 16 Vitruvius, De architectura libri decem, ed. FENSTERBUSCH, 1964 17 J. ZUCKOWSKY, Chicago Architecture, 1987. STEFAN SCHWEIZER